COMPTABILITÉ INTERMÉDIAIRE

ANALYSE THÉORIQUE ET PRATIQUE

Refonte 2017
Mise à jour 2017

Jocelyne Gosselin
Sylvain Durocher
Diane Bigras
Patricia Michaud
Daniel McMahon

CHENELIÈRE ÉDUCATION

ISBN 978-2-7650-3543-5

Comptabilité intermédiaire
Analyse théorique et pratique
Refonte 2017 (7e édition)/Mise à jour 2017

Jocelyne Gosselin, Sylvain Durocher, Diane Bigras, Patricia Michaud, Daniel McMahon

Conception éditoriale: Sylvain Ménard
Édition: Frédérique Grambin
Coordination: Marylène Leblanc-Langlois, Mélanie Nadeau, Solange Lemaitre-Provost et Caroline Côté
Révision linguistique: Nicole Blanchette
Correction d'épreuves: Catherine Baron
Conception graphique: Linda Szefer (Omnigraphe)
Adaptation de la conception graphique originale: Micheline Roy
Conception de la couverture: Michel Phaneuf Designer inc.

Catalogage avant publication de Bibliothèque et Archives nationales du Québec et Bibliothèque et Archives Canada

Gosselin, Jocelyne, 1957-

Comptabilité intermédiaire: analyse théorique et pratique
Refonte 2017/Mise à jour 2017.

Comprend des références bibliographiques et un index.

ISBN 978-2-7650-3543-5

1. Comptabilité – Problèmes et exercices. I. Titre.

HF5642.G67 2017 657'.044 C2017-940132-7

CHENELIÈRE ÉDUCATION

5800, rue Saint-Denis, bureau 900
Montréal (Québec) H2S 3L5 Canada
Téléphone : 514 273-1066
Télécopieur : 514 276-0324 ou 1 800 814-0324
info@cheneliere.ca

ISBN 978-2-7650-3543-5

Dépôt légal: 2e trimestre 2017
Bibliothèque et Archives nationales du Québec
Bibliothèque et Archives Canada

Imprimé au Canada

1 2 3 4 5 M 21 20 19 18 17

Gouvernement du Québec – Programme de crédit d'impôt pour l'édition de livres – Gestion SODEC.

Ce projet est financé en partie par le gouvernement du Canada

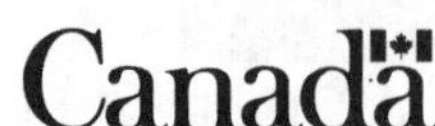

Sources iconographiques

Ouverture de la première partie: Jakub Jirsák/iStockphoto; **Figure 1.9:** © Nikos Koravos/Dreamstime.com; **Calculatrice page 3.2:** Alex Belomlinsky/iStockphoto; **Figure 4.2:** Marco Rosales/123RF.com; **Ouverture de la deuxième partie:** Zsolt, Biczó/Shutterstock.com; **Figure 7.2:** ADigit/iStockphoto; **Figure 7.3:** Shutterstock.com; **Figure 8.2:** Trevos Smith/iStockphoto; Dragan Grkic/iStockphoto; Lumpynoodles/iStockphoto; **Figure 9.4:** Marlanu/iStockphoto; **Figure 10.8:** Pagadesign/iStockphoto; Robuart/iStockphoto; **Ouverture de la troisième partie:** Baris Onal/iStockphoto; **Ouverture de la quatrième partie:** René Mansi/iStockphoto; **Ouverture de la cinquième partie:** Imagez/iStockphoto.

Remarque pour les utilisateurs des mises à jour annuelles

Afin de procéder à la mise à jour, il suffit de remplacer le contenu du cartable par cette Refonte/Mise à jour 2017.

LES AUTEURS

Jocelyne Gosselin, D. Sc. (Gestion), FCPA auditrice, FCA, est professeure titulaire de comptabilité financière à l'Université du Québec à Trois-Rivières. Elle a un intérêt particulier pour les questions liées à l'apprentissage. Instigatrice du cabinet virtuel au programme de DESS en sciences comptables, elle a obtenu avec ses collègues le prix Alan-Blizzard, décerné par la Société pour l'avancement de la pédagogie dans l'enseignement supérieur. Elle a aussi été nommée membre du Cercle d'excellence du Réseau de l'Université du Québec en 2000. Elle conçoit du matériel de formation pour l'Ordre des comptables professionnels agréés depuis quelques années.

Sylvain Durocher, Ph. D., CPA auditeur, CA, est professeur titulaire de comptabilité à l'école de gestion Telfer de l'Université d'Ottawa depuis 2006. Il a auparavant enseigné la comptabilité à l'Université du Québec en Outaouais. Il a obtenu son doctorat de l'Université du Québec à Montréal en 2003 et est membre de l'Ordre des comptables professionnels agréés du Québec depuis 1985. Avant d'entreprendre sa carrière universitaire, il a travaillé pendant cinq ans à titre d'auditeur au sein du cabinet Raymond Chabot Grant Thornton. Ses champs d'intérêt en recherche portent notamment sur la normalisation comptable et les besoins des utilisateurs des états financiers.

Diane Bigras, M. Sc., FCPA, FCGA, est professeure de comptabilité financière à l'Université du Québec en Outaouais depuis 1992. Elle détient un baccalauréat en sciences comptables et une maîtrise en sciences comptables de l'Université du Québec à Montréal. Elle a travaillé au sein d'un cabinet d'experts-comptables pendant une dizaine d'années avant de se diriger vers l'enseignement. Lauréate du Prix d'excellence en enseignement de l'Université du Québec en Outaouais en 2008, elle a produit une grande variété d'outils pédagogiques destinés à soutenir l'apprentissage des étudiants.

Patricia Michaud, MBA, CPA auditrice, CA, est professeure de comptabilité financière à l'Université du Québec à Rimouski depuis 2006. Elle a été nommée membre du Cercle d'excellence du Réseau de l'Université du Québec en 2016. Elle s'intéresse particulièrement à la pédagogie universitaire et elle s'implique activement dans la formation universitaire des comptables, notamment par la gestion et la création de programmes universitaires et par l'enseignement d'études de cas. Elle s'engage également dans son milieu par son apport professionnel comptable dans des organisations sociales.

Daniel McMahon, M. Sc., FCPA, FCA, est recteur de l'Université du Québec à Trois-Rivières depuis février 2016. Il avait auparavant exercé les fonctions de président et chef de la direction de l'Ordre des comptables professionnels agréés du Québec et de l'Ordre des comptables agréés du Québec. Il a été professeur de comptabilité financière pendant près de 25 ans à l'Université du Québec à Trois-Rivières et vice-recteur à l'administration et aux finances de cette même université de 2001 à 2003. Lauréat du Prix d'excellence en enseignement de l'Université du Québec en 1995, il est auteur et coauteur de plusieurs ouvrages de comptabilité financière, dont *La comptabilité et les PME,* conçu en collaboration avec Jocelyne Gosselin et Sylvie Deslauriers, qui a obtenu le Prix de la ministre de l'Éducation, du Loisir et du Sport en 2011. Soucieux de la qualité de l'enseignement, il est aussi très engagé dans son milieu sur les plans économique, politique et social.

Note : Mesdames Danièle Pérusse, M. Sc., FCPA, FCGA, maître d'enseignement en comptabilité à HEC Montréal, et Nicole Lacombe, M. A., ont participé à l'édition de 2013. Certaines parties de leurs textes figurent encore dans l'édition 2017.

NOTES AU LECTEUR

La mise à jour 2017 de *Comptabilité intermédiaire – Analyse théorique et pratique* couvre les Normes internationales d'information financière et les Normes comptables pour les entreprises à capital fermé adoptées avant le 1er février 2017, compte tenu des précisions suivantes. Nous avons intégré la version complète des normes adoptées, mais qui ne s'appliqueront obligatoirement qu'aux exercices ouverts à compter du 1er janvier 2018 (*voir la page vi*). Les normes dont l'application deviendra obligatoire après cette date seront intégrées dans les prochaines mises à jour.

À l'égard des normes publiées mais dont l'application deviendra obligatoire le 1er janvier 2018, il importe de noter que ces normes s'accompagnent de modifications corrélatives à d'autres normes. Par exemple, l'IFRS 9 modifie le paragraphe 41A de l'IAS 28. C'est la version modifiée de ce paragraphe que nous citons, par exemple, à la page 11.52. Le lecteur doit donc être conscient que s'il consulte l'édition 2017 de l'IAS 28, comprise sous l'onglet « Normes en vigueur au 1er janvier 2017 » du *Manuel de CPA Canada – Partie I,* il ne retrouvera pas le texte que nous citons. S'il veut repérer le passage cité de l'IAS 28, il doit consulter l'annexe C de l'IFRS 9 qui se trouve sous l'onglet « Normes publiées mais non encore entrées en vigueur » dans l'édition 2017 du *Manuel de CPA Canada.*

Afin de garder toute l'attention sur les éléments importants d'un traitement comptable, tous les calculs sont arrondis au dollar près, à moins d'indications contraires. Cela évite d'avoir des montants comportant une dizaine de chiffres. Le lecteur gardera à l'esprit que les entités enregistrent les montants précis au cent près.

Pour faciliter la navigation entre les composantes de l'ouvrage, les renvois au contenu expliqué dans le manuel ATP repose sur la terminologie suivante :

Section :	portion du chapitre suivant un titre de 1er niveau
Sous-section :	portion du chapitre suivant un titre de 2e niveau
Division :	portion du chapitre suivant un titre de 3e niveau
Sous-division :	portion du chapitre suivant un titre de 4e niveau

Toutes les interprétations des normes comptables incluses dans le *Manuel de CPA Canada – Comptabilité, Partie I* et *Partie II,* et expliquées dans cet ouvrage, représentent l'opinion de ses auteurs. Elles ne font absolument pas autorité.

La présente publication ne saurait être substituée aux conseils professionnels. Pour toute question précise, il faut consulter un conseiller compétent. Les auteurs de cet ouvrage déclinent toute responsabilité en cas de perte ou de dommage occasionné par l'utilisation des informations contenues dans la présente publication.

AVANT-PROPOS

L'ouvrage *Comptabilité intermédiaire* s'adresse à toute personne possédant une formation minimale en comptabilité, soit une connaissance du cycle comptable. Il s'est imposé sur le marché depuis la première édition en 1993 et son succès ne se dément pas au fil des ans. L'ouvrage comprend trois composantes : le manuel *Analyse théorique et pratique* (manuel *ATP*), les travaux pratiques regroupés dans *Questions, exercices, problèmes et cas* (manuel *QEPC*) et les solutions dans le *Recueil de solutions commentées* (*RSC*). Les deux premiers manuels sont présentés dans une reliure à anneaux, facilitant les mises à jour annuelles imprimées. Le *Recueil de solutions commentées*, complément indispensable à la formation de l'utilisateur, est offert en livre numérique dans la plateforme *i+ Interactif*.

En tant que comptable qui comprend parfaitement l'importance et la portée des chiffres, le lecteur sera sans doute intéressé de savoir que la présente édition donne accès à plus de 3 000 pages de matériel, quelques 380 figures et tableaux et à près de 1 300 questions, exercices, problèmes et cas. Chaque élément est rédigé et vérifié par au moins trois professeurs ayant une connaissance approfondie des sujets abordés. Ce processus est gage d'un ouvrage clair et exempt d'erreurs.

Depuis 2011, les entités à but lucratif doivent préparer leurs états financiers selon les Normes internationales d'information financière (IFRS) ou les Normes comptables pour les entreprises à capital fermé (NCECF). La présence de ces deux référentiels comptables pose un défi aux aspirants comptables, et à leurs professeurs, qui disposent du même nombre d'heures de formation. Il aurait donc été irréaliste de doubler le nombre de pages. Nous avons trouvé une façon précise de présenter ces deux référentiels. Pour ce faire, chaque chapitre comporte deux parties. La partie I traite des IFRS et un pictogramme indique les explications pertinentes selon les IFRS mais qui diffèrent selon les NCECF. Pour ces passages, la partie II de chaque chapitre expose les particularités des NCECF.

Les nouveautés de la 7e édition

Au fil des ans, l'ouvrage *Comptabilité intermédiaire* s'est imposé solidement auprès des étudiants et des professeurs. Son contenu est sans cesse renouvelé pour demeurer fiable et pertinent, malgré les nombreux bouleversements qu'ont connus les normes comptables. Dans cette 7e édition, les principaux changements touchent la couverture des NCECF et les travaux pratiques.

En ce qui concerne les NCECF, dans chaque chapitre traitant des sujets où les deux référentiels comptables diffèrent, la partie II des chapitres a été bonifiée. On y trouve maintenant une figure synthèse permettant à l'étudiant de voir en un clin d'œil les particularités des NCECF. De plus, des exemples chiffrés ont été ajoutés pour illustrer clairement et de façon précise l'application des NCECF à des cas précis. Dans la même veine, nous avons ajouté des questions, exercices, problèmes et cas portant sur les NCECF. Enfin, un tableau synthèse, disponible dans la plateforme *i+ Interactif*, relève toutes les particularités des NCECF à l'égard des normes comptables couvertes dans cet ouvrage. Ce tableau s'avère un précieux outil pour l'étudiant désireux de dégager des synthèses de ses apprentissages.

À l'égard des travaux pratiques, certains exercices, problèmes et cas ont été modifiés pour inclure davantage de justifications théoriques aux traitements préconisés. Par l'ajout de sous-questions, nous proposons une démarche progressive d'apprentissage qui aidera l'apprenant à mieux comprendre la logique derrière la solution et à développer une compréhension plus en profondeur. Dans la même veine, on trouve maintenant, dans les solutions commentées, plusieurs renvois au manuel *ATP*. L'apprenant pourra ainsi repérer rapidement les explications sous-jacentes aux exercices, problèmes et cas qu'il résout. Ces éléments complémentent les explications détaillées déjà comprises dans les solutions et qui fournissent le détail des calculs ainsi que plusieurs commentaires pour aider l'étudiant à s'assurer d'une compréhension exacte.

Le lecteur trouvera dans la 7e édition plusieurs autres modifications. Ainsi, les exemples donnés dans le manuel *ATP*, et qui suivent le texte contenant les explications théoriques, sont présentés de manière à mieux les faire ressortir. Chaque exemple est titré afin de faciliter la navigation dans l'ouvrage. Dans le manuel *QEPC*, les questions, exercices, problèmes et cas sont classés selon l'ordre des objectifs d'apprentissage, en distinguant ceux qui portent sur un seul objectif et ceux qui intègrent des objectifs multiples. Ce classement aidera les lecteurs à identifier les travaux pratiques qu'ils jugent pertinents à son apprentissage. Lorsque plus d'un élément se rapporte aux mêmes objectifs d'apprentissage, ces éléments sont classés par niveau de compétence visé.

Tous ces changements bonifient le présent ouvrage, lequel conserve une approche progressive dans l'explication des concepts, allant de l'analyse de situations simples qui permettent de comprendre les fondements de chaque norme comptable à l'analyse de situations plus complexes qui illustrent toute la maîtrise requise dans l'exercice du jugement professionnel.

Dans la présente édition, nous avons intégré les changements dans les normes qui s'appliqueront **à compter du 1er janvier de l'année suivante.** Ainsi, le chapitre 20 a été entièrement revu pour couvrir l'IFRS 15 portant sur les produits des activités ordinaires tirés de contrats conclus avec les clients qui s'appliquera aux exercices financiers ouverts à compter du 1er janvier 2018. Par ailleurs, même si une version de l'IFRS 16 portant sur les contrats de location est déjà disponible dans le *Manuel de CPA Canada*, elle n'est pas intégrée dans la présente édition, car son application ne deviendra obligatoire qu'aux exercices financiers ouverts à compter du 1er janvier 2019. D'ici cette date, l'IASB pourrait apporter des changements dans la norme ou dans sa date d'entrée en vigueur, comme il l'a fait pour l'IFRS 9 portant sur les instruments financiers. L'IFRS 16 sera donc intégrée dans la mise à jour 2018.

Les sujets abordés dans *Comptabilité intermédiaire*

Pour permettre à l'utilisateur d'acquérir les connaissances de base liées à la comptabilité financière intermédiaire et de développer ses compétences, l'ouvrage est divisé en cinq parties, dont voici une brève description.

PREMIÈRE PARTIE : L'environnement évolutif de la comptabilité et les états financiers

La première partie de cet ouvrage porte essentiellement sur la description et l'analyse des éléments du cadre théorique de la comptabilité financière. Ainsi, dans les quatre chapitres de cette première partie, nous procédons à la détermination et à l'analyse des besoins des utilisateurs, des objectifs des états financiers, des caractéristiques qualitatives de l'information financière, des rubriques des états financiers ainsi que des fondements conceptuels en matière de comptabilisation et de présentation de l'information financière.

Plus précisément, la profession comptable et le cadre conceptuel de l'information financière sont traités au chapitre 1. Le chapitre 2 permet à l'utilisateur d'avoir une vue d'ensemble des éléments composant un jeu complet d'états financiers, c'est-à-dire l'état du résultat net, l'état du résultat global, l'état des variations des capitaux propres, l'état de la situation financière, le tableau des flux de trésorerie et les notes complémentaires. Le chapitre 3 traite de la valeur temporelle de l'argent et de la façon d'évaluer la juste valeur, questions qui touchent plusieurs postes des états financiers. Le chapitre 4 est consacré à l'introduction au monde des instruments financiers, dont l'influence se fait sentir sur plusieurs postes des états financiers traités dans des chapitres ultérieurs. Cette première partie constitue la pierre angulaire de l'ouvrage. Nous y faisons abondamment référence par la suite.

DEUXIÈME PARTIE : Les actifs

Afin d'exercer ses activités, l'entreprise a besoin de ressources économiques. Du point de vue comptable, les actifs représentent les ressources économiques dont dispose l'entreprise, sur lesquelles elle exerce un contrôle à la suite d'opérations ou de faits passés et qui sont susceptibles de lui procurer des avantages économiques. La deuxième partie de cet ouvrage porte donc sur la description et l'analyse des normes de comptabilisation et de présentation des actifs les plus répandus.

Ainsi, au chapitre 5, l'accent est mis sur les composantes de la trésorerie et sur la conciliation bancaire. Il est question des créances au chapitre 6. On y trouve notamment une explication de la détermination de la charge afférente aux dépréciations des créances et du traitement comptable des effets à recevoir. Nous consacrons le chapitre 7 à l'étude des problèmes liés à la comptabilisation des stocks, tels que les systèmes d'inventaire, les éléments portés au coût des stocks, les méthodes de détermination du coût des stocks, le travail comptable de fin d'exercice, la méthode de l'inventaire au prix de détail et celle de la marge brute. Nous consacrons ensuite trois chapitres aux immobilisations. D'abord, au chapitre 8, nous traitons surtout de la détermination du coût d'acquisition des immobilisations corporelles, du traitement comptable de l'aide publique et des coûts d'emprunt ainsi que des problèmes liés à l'aliénation ou à la cession des immobilisations. Au chapitre 9, nous examinons l'imputation périodique des coûts afférents aux immobilisations corporelles sujettes à amortissement, tant selon le modèle du coût que selon celui de la réévaluation. Enfin, au chapitre 10, nous analysons le traitement comptable des immobilisations incorporelles. Cette deuxième partie se termine, au chapitre 11, par l'étude de la comptabilisation de divers types de placements.

TROISIÈME PARTIE : Les passifs et les capitaux propres

Si l'actif est constitué des ressources dont dispose l'entreprise, le passif et les capitaux propres reflètent le mode de financement de ces ressources. Dans les quatre chapitres de cette troisième partie, nous décrivons et analysons les normes de comptabilisation et de présentation des passifs et des capitaux propres les plus répandus.

Le passif courant, les actifs et les passifs éventuels de même que les événements postérieurs à la date de clôture sont traités au chapitre 12. Le chapitre 13 fait toute la lumière sur la nature des dettes non courantes. Il y est question des emprunts obligataires, des effets à payer, des emprunts hypothécaires et de la restructuration d'une dette à long terme. Le caractère distinctif des sociétés par actions, les caractéristiques du capital social ainsi que le traitement comptable du capital d'apport et des plans de rémunération fondée sur des actions sont présentés au chapitre 14, tout comme la valeur comptable d'une action. Le chapitre 15 est consacré à l'étude de l'évolution des réserves. Il y est plus particulièrement question des dividendes, des changements de méthode comptable, de l'analyse et de la correction des erreurs, de l'affectation des résultats non distribués et du cumul des autres éléments du résultat global.

QUATRIÈME PARTIE : Les autres éléments de l'état de la situation financière

Cette quatrième partie est réservée aux transactions qui peuvent générer tant des actifs que des passifs présentés dans l'état de la situation financière. Après avoir examiné les fondements conceptuels de la comptabilisation des contrats de location, nous analysons de façon exhaustive le traitement comptable de ces contrats au chapitre 16. L'ensemble des questions liées à la comptabilisation des avantages du personnel, qu'il s'agisse des avantages postérieurs à l'emploi, des autres avantages à long terme ou des indemnités de fin de contrat de travail, fait l'objet du chapitre 17. Au chapitre 18, nous proposons une étude approfondie de la comptabilisation de l'impôt sur le résultat des sociétés. Enfin, le chapitre 19 traite en profondeur des dérivés et de la comptabilité de couverture.

CINQUIÈME PARTIE : Des éléments de performance

Notre étude des états financiers serait incomplète si nous omettions certaines opérations dont l'effet sur la performance est majeur, que la performance repose sur les résultats ou sur les flux de trésorerie. Les questions entourant la comptabilisation des produits, des profits, des charges et des pertes sont soulevées au chapitre 20, y compris les produits et les charges liées aux activités abandonnées. Le chapitre 21 approfondit la préparation de l'information sectorielle et des états financiers intermédiaires. Le chapitre 22 est consacré à la description et à l'analyse du résultat par action. Si, au chapitre 2, nous avons jeté les bases du tableau des flux de trésorerie, au chapitre 23, nous étudions toutes les facettes de cet état financier auquel recourent de nombreux utilisateurs au moment de leur analyse de la liquidité et de la solvabilité d'une entreprise.

La contribution individuelle de chaque membre de l'équipe de rédaction

Au fil des ans, chaque membre de l'équipe a assumé une part variable du travail. La rédaction d'ouvrages aussi imposants requiert une répartition adéquate des tâches. Dans la portion «Rédaction» du tableau 1, on peut donc savoir qui a rédigé l'essentiel de chaque chapitre. Dans un esprit de franche collaboration, les coauteurs ont également accepté de procéder à une révision critique d'un certain nombre de chapitres indiqués dans la portion «Révision» du tableau ci-dessous.

TABLEAU 1 La contribution individuelle des auteurs de la 7e édition

	Rédaction				Révision			
Chapitres	Gosselin	Durocher	Bigras	Michaud	Gosselin	Durocher	Bigras	Michaud
1				•	•			
2	•	•	•		•	•	•	
3	•					•		
4	•					•		
5	•					•		
6	•						•	
7	•							•
8	•						•	
9	•						•	
10	•						•	
11	•		•		•		•	
12	•					•		
13			•		•			
14		•	•		•			
15			•		•			
16		•			•			
17		•			•			
18		•			•			
19	•					•		
20	•	•		•	•			•
21		•			•			
22		•			•			
23	•						•	

D'autres personnes ont contribué à cet ouvrage au fil du temps. Pour la 1re édition en 1993, Réjean Brault a agi à titre de consultant externe et a ainsi apporté des commentaires fort judicieux qui ont permis d'accroître la qualité de l'ouvrage. Puis, au fil des ans, Julien Bilodeau, Nicole Lacombe et Danièle Pérusse ont agi à titre d'auteurs. Nous les remercions pour leur apport respectif.

Enfin, ces manuels n'auraient jamais vu le jour sans l'apport inestimable de Daniel McMahon, qui, à titre de coauteur des cinq premières éditions, a marqué le contenu et la couleur de cet ouvrage. Agissant à titre de coordonnateur des quatre premières éditions, il a aussi formulé de précieux commentaires aux autres membres de l'équipe initiale. Comme vous pouvez le constater, aucun effort n'a été ménagé afin de doter l'utilisateur d'ouvrages de grande qualité.

Remerciements

Nos premiers remerciements vont à l'équipe de direction de TC Média Livres Inc. qui renouvelle constamment son implication dans cet ouvrage. Nous voulons également mentionner le professionnalisme de l'équipe de l'édition et de la production, qui, grâce à Sylvain Ménard (éditeur concepteur), Frédérique Grambin (éditrice), Marylène Leblanc-Langlois, Mélanie Nadeau, Solange Lemaitre-Provost, Caroline Côté (chargées de projets), ainsi que Nicole Blanchette (réviseure linguistique) et Catherine Baron (correctrice d'épreuves), nous a offert l'encadrement et le soutien administratif et technique nécessaires au processus d'édition. Nous tenons à souligner leur collaboration exceptionnelle.

Nous aimerions remercier également Anne-Louise Caron (UQAR) ; Étienne Clermont (UQTR) ; Gilles Couture (ULaval) ; Jonathan Boucher (USherbrooke) ; Michel Sayumwe (UQAM) et Sébastien Deschênes, assisté de Mohamed Zaher Bouaziz et de Monique Lévesque (UMoncton), pour leurs précieux commentaires.

Nous soulignons le travail de nombreux professeurs qui ont révisé le matériel de cette 7e édition, notamment, par ordre alphabétique, Diane Bigras (chapitre 20), Christophe Blouin (chapitre 2), Mohamed Zaher Bouaziz (chapitre 19), Carl Brousseau (chapitres 14, 21 et 22), Étienne Clermont (chapitres 10 et 13), Saidatou Dicko (chapitre 1), Martin Dubuc (chapitres 3, 7 et 9), Nathalie Hivert (chapitre 17), Hanen Khemakhem (chapitre 16), Isabelle Lemay (chapitre 23), Daniel Plamondon (chapitre 18), Philémon Rakoto (chapitres 4 et 11), Michel Sayumwe (chapitre 12), Daniel Tremblay (chapitres 6, 8 et 15) et Marie-Ève Tremblay (chapitre 5).

Nous remercions de plus CPA Canada pour l'autorisation de reproduire de nombreux extraits des recommandations contenues dans le *Manuel de CPA Canada – Comptabilité.* Nous témoignons aussi notre reconnaissance à l'American Institute of Certified Public Accountants, à l'Association des comptables généraux accrédités du Canada et à la Société des comptables en management du Canada pour l'autorisation d'utiliser certains problèmes de leurs examens antérieurs. Enfin, nous apprécions à sa juste valeur la collaboration de nombreuses entreprises qui ont permis la reproduction de plusieurs extraits de leurs rapports annuels.

Commentaires

Des milliers d'heures ont été consacrées à la rédaction, à la révision et à la publication de cet ouvrage, sans compter les fonds considérables investis dans le potentiel universitaire québécois. N'hésitez pas à faire parvenir à la soussignée les commentaires, les critiques, les suggestions et même les corrections qui permettront d'assurer le maintien de sa qualité. À ce jour, nous sommes convaincus d'avoir donné le meilleur de nous-mêmes. À vous de nous aider à mieux vous servir ! Merci de votre précieuse collaboration.

Jocelyne Gosselin, D. Sc. (Gestion), FCPA auditrice, FCA
Professeure titulaire
Département des sciences comptables
Université du Québec à Trois-Rivières
3351, boul. des Forges, C.P. 500
Trois-Rivières (Québec) G9A 5H7
jocelyne.gosselin@uqtr.ca

LES CARACTÉRISTIQUES DE L'OUVRAGE

Le manuel *Analyse théorique et pratique (ATP)*

Ouverture de chapitre

Un sommaire détaillé présente les thèmes abordés et permet de se familiariser en un clin d'œil avec le contenu du chapitre.

10

Les immobilisations incorporelles

Des ressources pédagogiques sont disponibles en ligne.

 10.1

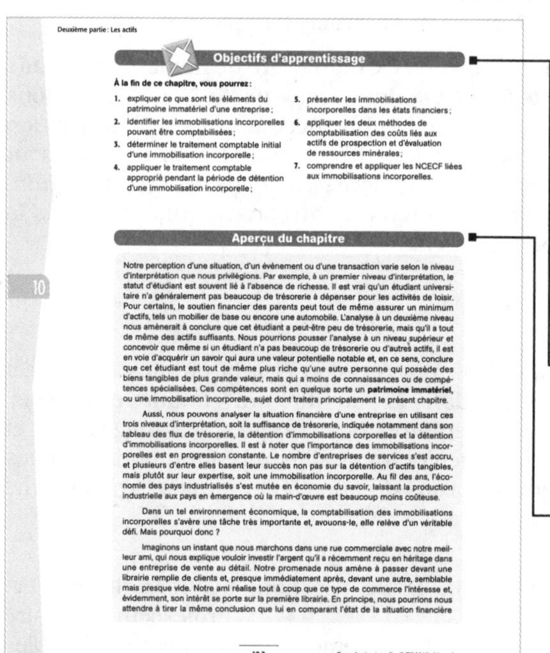

Deuxième partie : Les actifs

Objectifs d'apprentissage

À la fin de ce chapitre, vous pourrez :

1. expliquer ce que sont les éléments du patrimoine immatériel d'une entreprise ;
2. identifier les immobilisations incorporelles pouvant être comptabilisées ;
3. déterminer le traitement comptable initial d'une immobilisation incorporelle ;
4. appliquer le traitement comptable approprié pendant la période de détention d'une immobilisation incorporelle ;
5. présenter les immobilisations incorporelles dans les états financiers ;
6. appliquer les deux méthodes de comptabilisation des coûts liés aux actifs de prospection et d'évaluation de ressources minérales ;
7. comprendre et appliquer les NCECF liées aux immobilisations incorporelles.

Aperçu du chapitre

Notre perception d'une situation, d'un évènement ou d'une transaction varie selon le niveau d'interprétation que nous privilégions. Par exemple, à un premier niveau d'interprétation, le statut d'étudiant est souvent lié à l'absence de richesse. Il est vrai qu'un étudiant universitaire n'a généralement pas beaucoup de trésorerie à dépenser pour les activités de loisir. Pour certains, le soutien financier des parents peut tout de même assurer un minimum d'actifs, tels un mobilier de base ou encore une automobile. L'analyse à un deuxième niveau nous amènerait à conclure que cet étudiant a peut-être peu de trésorerie, mais qu'il a tout de même des actifs suffisants. Nous pourrions pousser l'analyse à un niveau supérieur et concevoir que même si un étudiant n'a pas beaucoup de trésorerie ou d'autres actifs, il est en voie d'acquérir un savoir qui aura une valeur potentielle notable et, en ce sens, conclure que cet étudiant est tout de même plus riche qu'une autre personne qui possède des biens tangibles de plus grande valeur, mais qui a moins de connaissances ou de compétences spécialisées. Ces compétences sont en quelque sorte un **patrimoine immatériel**, ou une immobilisation incorporelle, sujet dont traitera principalement le présent chapitre.

Aussi, nous pouvons analyser la situation financière d'une entreprise en utilisant ces trois niveaux d'interprétation, soit la suffisance de trésorerie, indiquée notamment dans son tableau des flux de trésorerie, la détention d'immobilisations corporelles et la détention d'immobilisations incorporelles. Il est à noter que l'importance des immobilisations incorporelles est en progression constante. Le nombre d'entreprises de services s'est accru, et plusieurs d'entre elles basent leur succès non pas sur la détention d'actifs tangibles, mais plutôt sur leur expertise, soit une immobilisation incorporelle. Au fil des ans, l'économie des pays industrialisés s'est mutée en économie du savoir, laissant la production industrielle aux pays en émergence où la main-d'œuvre est beaucoup moins coûteuse.

Dans un tel environnement économique, la comptabilisation des immobilisations incorporelles s'avère une tâche très importante et, avouons-le, elle relève d'un véritable défi. Mais pourquoi donc ?

Imaginons un instant que nous marchons dans une rue commerciale avec notre meilleur ami, qui nous explique vouloir investir l'argent qu'il a récemment reçu en héritage dans une entreprise de vente au détail. Notre promenade nous amène à passer devant une librairie remplie de clients et, presque immédiatement après, devant une autre, semblable mais presque vide. Notre ami réalise tout à coup que ce type de commerce l'intéresse et, évidemment, son intérêt se porte sur la première librairie. En principe, nous pourrions nous attendre à tirer la même conclusion que lui en comparant l'état de la situation financière

10.2

Objectifs d'apprentissage

Les objectifs d'apprentissage donnent une idée précise des connaissances et des habiletés que le chapitre permet de maîtriser.

Aperçu

L'aperçu introduit le contenu du chapitre.

Liste des variables

Dans les chapitres où les notions de mathématiques financières sont utilisées, les variables sont présentées selon la calculatrice financière procurant aux étudiants un outil simple et rapide pour déterminer en tout temps les valeurs manquantes à appliquer.

Lorsque des notions de mathématiques financières sont utilisées, les variables nécessaires aux calculs sont indiquées avec les abréviations suivantes :

N : nombre de périodes
I : taux d'intérêt
PMT : paiements périodiques
PV : valeur actualisée
FV : valeur future
BGN : paiements en début de période

PARTIE I – LES IFRS

Équivalents terminologiques *Manuel de CPA Canada* – Partie I et Partie II.

La nature des éléments du patrimoine immatériel

Avant d'entreprendre l'étude des normes comptables applicables aux immobilisations incorporelles, il importe de connaître le type d'actif dont il est question dans le présent chapitre. La juste valeur d'une entreprise dépend notamment des éléments de son patrimoine immatériel. Ceux-ci peuvent être groupés selon divers critères. Nous nous attarderons plus particulièrement à deux groupements. Le premier a été retenu par l'International Accounting Standards Board (IASB) dans les *Normes internationales d'information financière*, plus exactement dans le document IFRS 3 IE, intitulé « Regroupements d'entreprises, Exemples d'application ». Bien que cette norme traite de la comptabilisation des regroupements d'entreprises, sujet qui déborde l'objet du présent chapitre, la classification des **éléments du patrimoine immatériel**[1] que l'on y trouve est intéressante.

Pictogramme des objectifs d'apprentissage

Le numéro de l'objectif est associé au texte présenté dans la liste Objectifs d'apprentissage en ouverture de chapitre.

PARTIE II – LES NCECF

Équivalents terminologiques *Manuel de CPA Canada* – Partie II et Partie I.

Les immobilisations incorporelles générées en interne

À la lecture du présent chapitre, vous avez déjà pu constater les sujets qui diffèrent selon le référentiel, en observant les pictogrammes « Différence NCECF » indiqués dans les marges de la partie I – Les IFRS. Nous expliquons maintenant plus en détail ces différences, qui sont regroupées dans la figure 10.11.

Le manuel *Questions, exercices, problèmes, cas (QEPC)*

Guide de développement des compétences
Inclus au début de chaque chapitre, un tableau des compétences techniques aide l'étudiant à progresser dans l'acquisition de ses habiletés.

Les contrats de location 16

Objectifs d'apprentissage

Avant de commencer les activités de ce chapitre, révisez les sujets abordés dans *Comptabilité intermédiaire, Analyse théorique et pratique* pour chacun des objectifs d'apprentissage suivants :

1. expliquer les avantages liés à la location et l'approche préconisée par l'IASB pour comptabiliser les contrats de location ;
2. appliquer le traitement comptable des contrats de location-financement dans la perspective du preneur et présenter ces contrats dans les états financiers ;
3. appliquer le traitement comptable des contrats de location simple dans la perspective du preneur et présenter ces contrats dans les états financiers ;
4. appliquer le traitement comptable des contrats de location-financement dans la perspective du bailleur qui est un intermédiaire financier et présenter ces contrats dans les états financiers ;
5. appliquer le traitement comptable des contrats de location-financement dans la perspective du bailleur qui est un fabricant ou un distributeur et présenter ces contrats dans les états financiers ;
6. appliquer le traitement comptable des contrats de location simple dans la perspective du bailleur et présenter ces contrats dans les états financiers ;
7. appliquer le traitement comptable approprié à certains sujets particuliers liés aux contrats de location ;
8. expliquer les raisons qui sous-tendent la controverse entourant la comptabilisation des contrats de location ;
9. comprendre et appliquer les NCECF liées aux contrats de location.

Développement des compétences

Le guide de développement des compétences techniques qui suit vous aidera à progresser dans l'acquisition d'habiletés nécessaires à l'exercice de la profession comptable.

Objectifs d'apprentissage	Activités suggérées	Compétence ☆ ☆☆ ☆☆☆	Durée (en min)
Vérifiez l'atteinte des objectifs d'apprentissage.			
Objectifs IFRS			
OA1	Q1		
OA2	Q2 à Q5		
	E1 Une option d'achat à prix de faveur		

Reproduction interdite © TC Média Livres Inc. 16.3

Les questions, exercices, problèmes et cas sont classés selon l'ordre des objectifs d'apprentissage, en distinguant ceux qui portent sur un seul objectif et ceux qui intègrent des objectifs multiples.

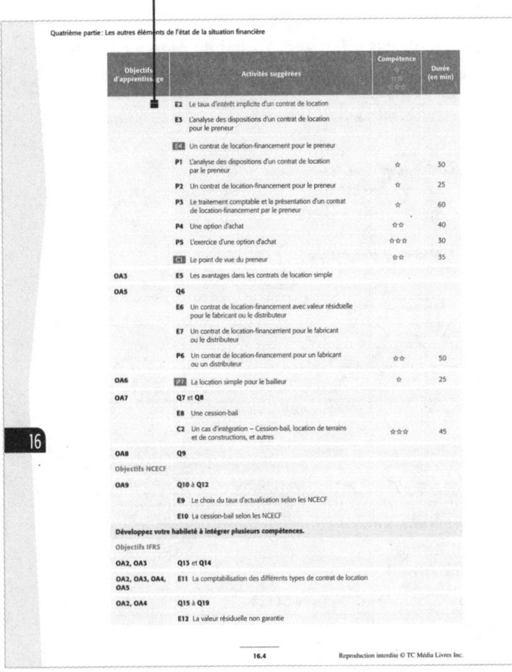

Quatrième partie : Les autres éléments de l'état de la situation financière

Objectifs d'apprentissage	Activités suggérées	Compétence ☆ ☆☆ ☆☆☆	Durée (en min)
	E2 Le taux d'intérêt implicite d'un contrat de location		
	E3 L'analyse des dispositions d'un contrat de location pour le preneur		
	E4 Un contrat de location-financement pour le preneur		
	P1 L'analyse des dispositions d'un contrat de location par le preneur	☆	30
	P2 Un contrat de location-financement pour le preneur	☆	25
	P3 Le traitement comptable et la présentation d'un contrat de location-financement par le preneur	☆	60
	P4 Une option d'achat	☆☆	40
	P5 L'exercice d'une option d'achat	☆☆☆	30
	C1 Le point de vue du preneur	☆☆	35
OA3	E5 Les avantages dans les contrats de location simple		
OA5	Q6		
	E6 Un contrat de location-financement avec valeur résiduelle pour le fabricant ou le distributeur		
	E7 Un contrat de location-financement pour le fabricant ou le distributeur		
	P6 Un contrat de location-financement pour un fabricant ou un distributeur	☆☆	50
OA6	P7 La location simple pour le bailleur	☆	25
OA7	Q7 et Q8		
	E8 Une cession-bail		
	C2 Un cas d'intégration – Cession-bail, location de terrains et de constructions, et autres	☆☆☆	45
OA8	Q9		
Objectifs NCECF			
OA9	Q10 à Q12		
	E9 Le choix du taux d'actualisation selon les NCECF		
	E10 La cession-bail selon les NCECF		
Développez votre habileté à intégrer plusieurs compétences.			
Objectifs IFRS			
OA2, OA3	Q13 et Q14		
OA2, OA3, OA4, OA5	E11 La comptabilisation des différents types de contrat de location		
OA2, OA4	Q15 à Q19		
	E12 La valeur résiduelle non garantie		

16

16.4 Reproduction interdite © TC Média Livres Inc.

Chapitre 16 : Les contrats de location

Objectifs d'apprentissage	Activités suggérées	Compétence ☆ ☆☆ ☆☆☆	Durée (en min)
	P8 La détermination du loyer annuel	☆	35
	P9 Une analyse complète – Location-financement	☆☆	40
OA2, OA5	P10 Une valeur résiduelle non garantie	☆☆	75
	P11 La valeur résiduelle garantie et les coûts de négociation et de rédaction de contrat	☆☆☆	75
OA3, OA4, OA5	Q20		
OA3, OA6	Q21		
	E13 Un contrat de location simple		
OA4, OA5	Q22 à Q25		
	E14 La détermination du loyer annuel		
OA4, OA5, OA6	Q26		
Objectifs IFRS et NCECF			
OA2, OA4, OA9	E15 La valeur résiduelle garantie		
	P12 La location-financement	☆	55
OA2, OA9	E16 La comptabilisation d'un contrat de location-financement par le preneur		
OA3, OA9	P13 Une valeur résiduelle non garantie	☆	45
OA4, OA5, OA6, OA9	E17 Les coûts directs initiaux		
OA4, OA6, OA9	C3 Une explication des méthodes comptables applicables à un contrat de location	☆☆	35
OA4, OA9	E18 L'analyse des dispositions d'un contrat de location pour le bailleur		
	P14 Les coûts directs initiaux	☆☆	65
OA7, OA9	P15 La cession-bail d'un terrain et de constructions	☆☆☆	75
	P16 Une cession-bail	☆☆☆	40

☆ Compétence élémentaire ☆☆ Compétence fondamentale ☆☆☆ Compétence étendue

Remarques :

1. À moins d'indications contraires, les questions de révision, les exercices, les problèmes de compréhension et les analyses de cas concernent des entreprises qui appliquent les IFRS.
2. ▇ réfère à une démarche progressive soutenant l'acquisition de la compétence.
3. Lorsque des notions de mathématiques financières sont utilisées, les variables nécessaires aux calculs sont indiquées avec les abréviations suivantes :
   N : nombre de périodes — PV : valeur actualisée
   I : taux d'intérêt — FV : valeur future
   PMT : paiements périodiques — BGN : paiements en début de période

Après avoir complété les activités d'apprentissage, vérifiez vos réponses à l'aide de *Comptabilité intermédiaire, Recueil de solutions commentées*.

16

Reproduction interdite © TC Média Livres Inc. 16.5

Démarche progressive d'apprentissage
Lorsque mis dans une trame de couleur, les numéros de certains exercices, problèmes et cas indiquent que ceux-ci réfèrent à une démarche progressive soutenant l'acquisition de la compétence.

P10 Les conventions d'évaluation et les bases de mesure (OA4 et OA5)

(☆☆ – 30 min)

Le 1er juillet 20X1, la société Créative ltée achète une propriété locative au coût de 750 000 $. Au 31 décembre 20X1, date de la fin d'exercice, Créative ltée pourrait revendre cette propriété à fort prix, soit 850 000 $, du fait que la société qui possède l'immeuble voisin souhaite agrandir sa propriété. Par ailleurs, elle pourrait acheter un actif semblable à 775 000 $. Finalement, la dernière information dont on dispose pour évaluer la propriété concerne ses revenus locatifs estimés à une valeur actualisée pendant 20 ans de 1 250 000 $.

Travail à faire

a) Indiquez et décrivez les conventions d'évaluation qui peuvent être employées, selon les IFRS, pour comptabiliser les éléments des états financiers.

b) Évaluez les montants que Créative ltée pourrait retenir selon chacune des conventions d'évaluation indiquées dans le Cadre.

c) Expliquez les différences importantes entre les conventions d'évaluation selon les IFRS et les bases de mesure des éléments des états financiers selon les NCECF.

Plateforme *i+ Interactif*

De nombreuses ressources numériques disponibles sur un site unique sont offertes avec un seul code d'accès. Ce code d'accès étudiant, fourni dans chaque mise à jour annuelle imprimée, permet de vous connecter à votre bibliothèque pour accéder aux ressources suivantes :

- **Le *Recueil de solutions commentées****

  Mis à jour chaque année, le livre numérique du *Recueil de solutions commentées* contient des références précises au manuel *Analyse théorique et pratique* (*ATP*) permettant de se reporter facilement au contenu traitant de la solution.

  Les renvois au contenu expliqué dans le manuel *ATP* reposent sur la terminologie suivante :
  - Section : portion du chapitre suivant un titre de 1er niveau
  - Sous-section : portion du chapitre suivant un titre de 2e niveau
  - Division : portion du chapitre suivant un titre de 3e niveau
  - Sous-division : portion du chapitre suivant un titre de 4e niveau

P6 La comptabilisation des obligations convertibles selon les NCECF (OA9) (☆☆ – 45 min)

a) Comme il est expliqué à la section **Les obligations assorties d'un privilège d'accession à l'actionnariat** de la partie II du chapitre 13 du manuel *ATP*, il existe deux méthodes pour évaluer les composantes de passif et de capitaux propres d'une obligation convertible :

1. Attribuer la totalité du produit de l'émission à l'élément de passif;
2. Évaluer l'élément dont la juste valeur est la plus facile à évaluer et attribuer la différence du prix d'émission à l'élément restant.

E4. La juste valeur d'une option de rachat (OA2)

a) Écritures de journal requises jusqu'au 31 décembre 20X1

Chaque mois		
Assurances	*266*	
Caisse		*266*
Paiement de la prime mensuelle d'assurance vie (3 192 $ ÷ 12 mois).		
31 décembre 20X1		
Placement – Option de rachat des contrats d'assurance vie	*800*	
Assurances		*800*
Inscription de la juste valeur de l'option de rachat (1 200 $ × 8 mois ÷ 12 mois).		

Comme expliqué dans la division **Les contrats d'assurance vie comportant une option de rachat** du manuel *ATP*, l'option de rachat constitue un dérivé incorporé qui doit être classé à la JVBRN. En règle générale, sa valeur comptable est régularisée en fin d'exercice.

*** Le *Recueil de solutions commentées* mis en ligne sur la plateforme *i+ Interactif* n'est pas offert avec l'achat du *Manuel ATP* seul.**

- **Les états financiers de Josy Dida inc.** (modèle complet d'états financiers fictifs), pour illustrer l'application des NCECF. Ces états sont fort utiles à l'apprentissage, car les entreprises qui utilisent ces normes n'ont aucune obligation d'information du public. Il est donc impossible d'utiliser des exemples d'états financiers d'entreprises réelles.

JOSY DIDA INC.
Extrait des notes

Pour les exercices terminés les 30 avril 2017 et 2016 (en milliers de dollars à l'exception des options sur actions)

[...]

1. Statuts et nature des activités

Josy Dida inc. est constituée en vertu de la *Loi sur les sociétés par actions*. Elle exploite des magasins d'accommodation au Canada et vend occasionnellement des franchises permettant aux franchisés d'utiliser la bannière de Josy Dida inc.

[...]

4. Méthodes comptables

Estimations comptables

L'entreprise n'a aucune obligation d'information du public et elle prépare ses états financiers en utilisant les PCGR applicables aux entreprises à capital fermé contenus dans le *Manuel de CPA Canada – Comptabilité – Partie II*.

La préparation d'états financiers conformément aux exigences contenues dans le *Manuel de CPA Canada – Comptabilité – Partie II* exige que la direction de l'entreprise effectue des estimations et formule des hypothèses qui ont une incidence sur les montants présentés dans les états financiers et les notes afférentes. La direction révise périodiquement ses estimations, y compris celles portant sur les rabais fournisseurs, les coûts environnementaux, les impôts sur les bénéfices, la comptabilisation des contrats de location, et les obligations liées à la mise hors service d'immobilisations selon l'information disponible. Ces estimations sont fondées sur la connaissance que la direction possède des événements en cours et sur les mesures que l'entreprise pourrait prendre à l'avenir. Les résultats réels différeront de ces estimations.

[...]

Comptabilisation des produits

L'entreprise comptabilise le produit découlant de la vente de biens au moment de la vente.

Les produits provenant des services sont comptabilisés au moment de la transaction, sauf en ce qui concerne les redevances provenant des franchises et des licences, lesquelles sont comptabilisées à titre de produits sur la durée de l'entente. Les redevances des franchisés et des détenteurs de licences sont, pour leur part, comptabilisées périodiquement sur la base des ventes déclarées par les franchisés et les détenteurs de licences.

- **La table des matières complète et détaillée,** montrant la structure de chaque chapitre du manuel *ATP*.
- **Les listes des figures et des tableaux** de chaque chapitre du manuel *ATP*, incluant les numéros de page où on les trouve. Ces listes facilitent le repérage.
- **Un tableau synthèse contenant les particularités des NCECF** à l'égard des normes comptables couvertes dans l'ouvrage constitue un outil précieux pour dégager des synthèses d'apprentissage.

Numéro et titre du chapitre dans le manuel *ATP*, suivis des IFRS en cause	Particularités des NCECF
2 Les états financiers IAS 1 : *Présentation des états financiers* 1400 : *Normes générales de présentation des états financiers* 1520 : *État des résultats*	**État du résultat net** • L'état du résultat net se nomme État des résultats. • Il n'y a aucune indication relative aux méthodes des charges par fonction et par nature. • On doit présenter davantage de soldes intermédiaires et de postes particuliers directement dans l'état des résultats. **État du résultat global** • La notion de résultat global n'existe pas. **État des variations des capitaux propres** • L'état des variations des capitaux propres n'est pas requis, bien que les entreprises puissent le préparer. • Un état des bénéfices non répartis doit être préparé. • La variation dans les autres composantes des capitaux propres peut être fournie dans les notes.
IAS 1 : *Présentation des états financiers* 1510 : *Actif et passif à court terme* 1521 : *Bilan* 3251 : *Capitaux propres*	**État de la situation financière** • Cet état se nomme Bilan. • Les postes sont regroupés sous l'actif, à court terme et à long terme, les passifs, à court terme et à long terme, et les capitaux propres. • Le modèle nord-américain est recommandé.
IAS 7 : *Tableau des flux de trésorerie* 1540 : *État des flux de trésorerie*	**Tableau des flux de trésorerie** • Cet état se nomme État des flux de trésorerie. • Les intérêts et les dividendes, reçus ou payés, comptabilisés dans le résultat net sont obligatoirement présentés dans la section des activités d'exploitation.

- **Les équivalents terminologiques selon les Parties I et II du *Manuel de CPA Canada*,** classés par ordre alphabétique.
- **Des annexes aux chapitres 4, 6 et 9**
- **Le chapitre 2 de la 5e édition**, portant sur le traitement de l'information dans le cycle comptable, qui n'est pas repris dans l'édition actuelle. On y trouve les trois composantes (ATP, QEPC et RSC).

TABLE DES MATIÈRES

Utilisez votre code d'accès pour profiter des ressources numériques disponibles dans la plateforme *i+ Interactif*:

- Modèle d'états financiers complets conformes aux NCECF (Josy Dida inc.)
- Tableau synthèse des particularités des NCECF
- Annexes aux chapitres 4, 6 et 9
- Liste des tableaux et figures de chaque chapitre
- Table des matières complète et détaillée de chaque chapitre
- Équivalents terminologiques pour les Parties I et II du *Manuel de CPA Canada*
- Suppléments d'information sur le traitement de l'information à travers le cycle comptable : les trois composantes (ATP, QEPC, RSC) du chapitre 2 de la 5e édition.

ABRÉVIATIONS ET ACRONYMES

ACGAC Association des comptables généraux accrédités du Canada

ACPC Association canadienne des professeurs de comptabilité

ACVM Autorités canadiennes en valeurs mobilières

AERG Autres éléments du résultat global

AMF Autorité des marchés financiers

CA Comptable agréé

CCSP Conseil sur la comptabilité dans le secteur public

CDS Caisse canadienne de dépôt de valeurs limitée

CGA Comptable général accrédité

CMA Comptable en management accrédité

CNAC Conseil des normes d'audit et de certification

CNC Conseil des normes comptables

CNT Commission des normes du travail

CPA Comptable professionnel agréé

CSNAC Conseil de surveillance de la normalisation en audit et certification

CSNC Conseil de surveillance de la normalisation comptable

CSP Chèque sans provision

CSST Commission de la santé et de la sécurité du travail

DPA Déduction pour amortissement

ECF Entreprise à capital fermé

FAB Franco à bord

FASB *Financial Accounting Standards Board* (Comité des normes comptables et financières)

FSS Fonds des services de santé

IAS *International Accounting Standards* (Norme comptable internationale)

IASB *International Accounting Standards Board* (Conseil des normes comptables internationales)

ICCA Institut Canadien des Comptables Agréés

IFRIC *International Financial Reporting Standards Interpretations Committee* (Comité d'interprétation des normes internationales d'information financière)

IFRS *International Financial Reporting Standards* (Norme internationale d'information financière)

JVBAERG À la juste valeur par le biais des autres éléments du résultat global

JVBRN À la juste valeur par le biais du résultat net

LCSA *Loi canadienne sur les sociétés par actions* (titre abrégé de la *Loi régissant les sociétés par actions de régime fédéral*)

LIBOR *London Interbank Offered Rate* (taux interbancaire pratiqué à Londres)

LSAQ Loi sur les sociétés par actions (Québec)

MEDAF Modèle d'évaluation des actifs financiers

NCECF Normes comptables pour les entreprises à capital fermé

NOC Note d'orientation concernant la comptabilité

OBNL Organisme à but non lucratif

OIP Obligation d'information du public

OSBL Organisme sans but lucratif

PCGR Principes comptables généralement reconnus

PEPS Premier entré, premier sorti

PME Petite et moyenne entreprise

RBPA Résultat de base par action

RDPA Résultat dilué par action

RPA Résultat par action

RQAP Régime québécois d'assurance parentale

RRQ Régime de rentes du Québec

SCMC Société des comptables en management du Canada

SEC *Securities and Exchange Commission* (organisme fédéral américain de réglementation et de contrôle des marchés financiers)

SIC *Standards Interpretations Committee* (Comité d'interprétation des normes comptables)

TPS Taxe sur les produits et services

TRI Taux de rendement interne

TVQ Taxe de vente du Québec

UM Unité monétaire

VA Valeur actualisée

VAN Valeur actuelle nette

VAPMTL Valeur actualisée des paiements minimaux au titre de la location

VF Valeur future

PREMIÈRE PARTIE

L'environnement évolutif de la comptabilité et les états financiers

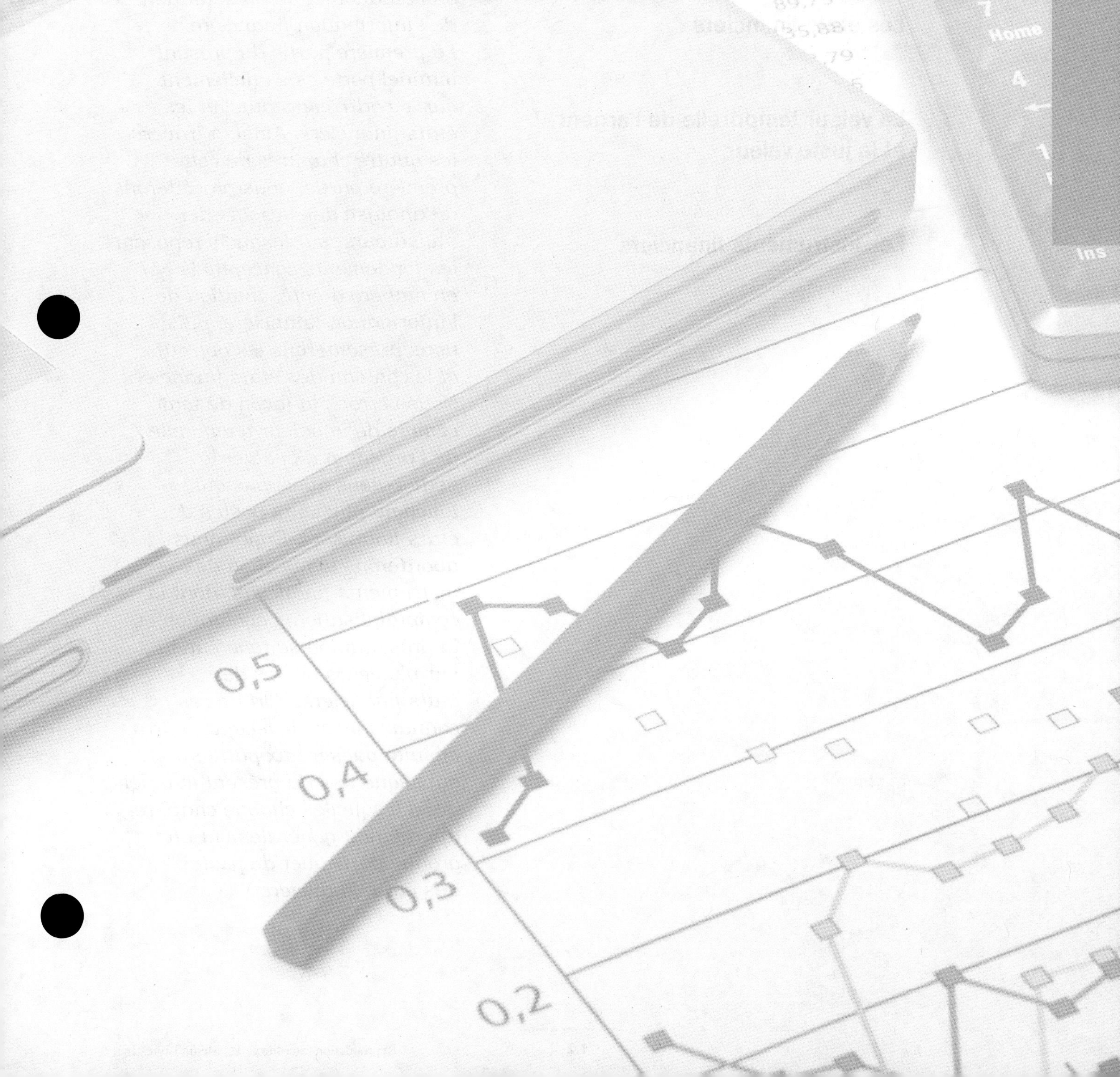

PREMIÈRE PARTIE
L'environnement évolutif de la comptabilité et les états financiers

1 **La profession comptable et le cadre conceptuel de l'information financière**

2 **Les états financiers**

3 **La valeur temporelle de l'argent et la juste valeur**

4 **Les instruments financiers**

La profession comptable est consciente depuis fort longtemps de la nécessité d'un cadre de référence complet et cohérent en matière de comptabilisation, d'évaluation et de présentation de l'information financière. La première partie du présent manuel porte essentiellement sur le cadre conceptuel et les états financiers. Ainsi, à travers les quatre chapitres de cette première partie, nous procéderons à l'analyse des besoins des utilisateurs, sur lesquels reposent les fondements conceptuels en matière de présentation de l'information financière, puis nous présenterons les objectifs et le contenu des états financiers. Nous verrons la façon de tenir compte de la valeur temporelle de l'argent et d'évaluer la juste valeur, questions qui touchent plusieurs postes des états financiers. Enfin, nous aborderons la question des instruments financiers, dont la comptabilisation, l'évaluation et la présentation se répercutent sur plusieurs postes des états financiers. Fort de ces connaissances, le lecteur pourra ensuite passer aux parties subséquentes du présent manuel, dans lesquelles chaque chapitre approfondit généralement un groupe particulier de postes des états financiers.

La profession comptable et le cadre conceptuel de l'information financière

1

Des ressources pédagogiques sont disponibles en ligne.

Objectifs d'apprentissage

À la fin de ce chapitre, vous pourrez :

1. décrire l'environnement de la comptabilité et de l'information financière ;
2. décrire le processus d'élaboration d'une norme ;
3. comprendre et appliquer les notions du cadre conceptuel liées à l'objectif de l'information financière à usage général, aux informations sur les ressources de l'entreprise et aux caractéristiques qualitatives de l'information financière ;
4. comprendre et appliquer les notions du cadre conceptuel liées aux éléments des états financiers et leurs conventions d'évaluation ;
5. comprendre et appliquer les NCECF liées au cadre conceptuel de l'information financière.

Aperçu du chapitre

Pendant longtemps, la comptabilité et les états financiers n'intéressaient qu'un groupe restreint d'individus qui, de par leur travail, leur profession ou leurs investissements, tenaient à comprendre les enjeux et les composantes de l'information financière. Aujourd'hui, à l'ère des médias et des communications, l'information à caractère financier nous parvient sans que nous l'ayons nécessairement sollicitée. Qu'il s'agisse des agissements douteux de certains dirigeants de fonds communs de placements, des manipulations financières de certaines entreprises qui ne cherchent qu'à montrer à leurs actionnaires une rentabilité sans cesse croissante ou encore des renseignements liés aux performances et contre-performances des sociétés par actions, la presse écrite et parlée puise à même l'information financière publiée par les entreprises les éléments qui lui sont nécessaires pour informer le grand public.

Les états financiers constituent donc un moyen de communication qui occupe une place de plus en plus importante dans notre société. Comme tout processus de communication, l'information que présentent les états financiers possède ses conventions, sa terminologie et des concepts qui lui sont particuliers et qui servent à établir un langage commun destiné à communiquer l'information à caractère financier. La compréhension des notions fondamentales sur lesquelles repose l'information financière que présentent les états financiers est essentielle à son utilisation et à son interprétation.

Ce premier chapitre s'intéresse aux principaux éléments de l'**environnement** de la comptabilité et de l'information financière en vue de comprendre les fondements et les assises sur lesquels reposent les méthodes comptables précises qui seront étudiées dans les autres chapitres du présent manuel.

Nous présenterons dans les pages suivantes les principaux **acteurs** de cet environnement qui influencent la présentation de l'information financière. Puis, dans la partie I – Les IFRS, nous traiterons en détail du **« Cadre conceptuel de l'information financière » (le Cadre),** qui sert de fondement à l'élaboration des normes comptables ainsi qu'à leur compréhension et à leur utilisation. Enfin, dans la partie II – Les NCECF, nous étudierons les fondements conceptuels des états financiers qui sont à la base des **NCECF.**

L'environnement de la comptabilité et de l'information financière

La raison d'être de la comptabilité et des normes comptables est l'**utilité** de l'information financière dans le processus de **prise de décisions.** Pour que le comptable puisse dresser des états financiers utiles à la prise de décisions, il lui faut compter sur un cadre conceptuel qui tient compte de l'environnement économique et des besoins d'information des **utilisateurs** des états financiers. Il est donc important de connaître les principaux acteurs qui influencent l'évolution et l'élaboration des normes comptables tant au Canada qu'à l'étranger.

La comptabilité résulte essentiellement d'un processus réactif et même, en fait, rétroactif. Elle se développe pour répondre à un besoin d'information formulé dans un contexte économique en pleine évolution.

L'histoire de la comptabilité montre que celle-ci a connu au fil du temps une évolution permanente qui se poursuit encore de nos jours. À chacune des étapes de son développement, la comptabilité a dû répondre aux changements de l'environnement économique des organisations et s'adapter à l'évolution des besoins des utilisateurs.

Cet environnement évolutif de l'information financière constitue un défi constant pour le comptable. Pourquoi ? Parce que le comptable fournit de l'information financière qui doit être le reflet de la réalité économique de l'entreprise et qu'il est souvent difficile de mesurer cette réalité. En effet, refléter correctement une opération suscite de nombreux problèmes en raison, par exemple, des effets des variations de prix et de la nécessité d'estimer les résultats futurs, puisque la valeur d'un bien pour une entreprise dépend des avantages économiques qu'elle en tirera dans l'avenir. Il est aussi évident qu'il est impossible de mesurer la réalité économique d'une façon définitive en raison de l'évolution constante des conditions économiques et de l'entreprise elle-même. Pensons simplement à l'image instantanée produite par l'état de la situation financière de Provigo inc. Dès le lendemain, cette image serait considérablement modifiée si, par exemple, Provigo et Metro décidaient de fusionner leurs opérations.

Pourtant, le comptable, au centre de la communication d'information financière, doit trouver un moyen de fournir les données traduisant cette réalité économique en effervescence pour ceux qui ont besoin de cette information. Mais, au fait, à qui s'adresse cette information ?

Les utilisateurs de l'information financière et leurs besoins

Comme l'illustre la figure 1.1, les utilisateurs de l'information financière peuvent être répartis en deux groupes principaux, soit les utilisateurs internes et les utilisateurs externes. Les utilisateurs internes, c'est-à-dire les dirigeants et les gestionnaires d'une entreprise, sont privilégiés, car ils disposent de toute l'information disponible au sein de l'entreprise. Puisque ces derniers doivent prendre des décisions quotidiennes en ce qui concerne l'approvisionnement, la production, la vente, le crédit, l'évaluation de projets d'investissement et de financement, etc., ils sont mieux servis par la **comptabilité de management**.

Tandis que les besoins d'information des utilisateurs internes sont assez homogènes, il en va tout autrement des besoins de l'ensemble des autres utilisateurs de l'information financière. La **comptabilité financière** vise à répondre aux besoins de ces utilisateurs externes au moyen de la production d'états financiers dressés conformément à un ensemble de normes de comptabilisation et de présentation de l'information, que l'on désigne normes comptables.

Le présent manuel s'intéresse particulièrement à la comptabilité financière et, par conséquent, aux utilisateurs externes de l'information financière. Dans le tableau 1.1, nous résumerons les différentes catégories d'utilisateurs externes de l'information financière et dans le tableau 1.2, nous présenterons les besoins de ces derniers.

Ces deux tableaux montrent que les utilisateurs externes sont nombreux et leurs besoins, variés. Idéalement, l'objet de la comptabilité financière serait de combler les besoins de tous ces utilisateurs ; toutefois, de façon plus réaliste, il est plutôt conseillé de leur fournir la meilleure information possible afin de les aider à prendre de bonnes décisions.

Non seulement faut-il définir les diverses catégories d'utilisateurs auxquels l'entreprise est tenue de rendre des comptes, mais, comme l'illustre le tableau 1.2, il faut également examiner le type de décisions que doivent prendre ces utilisateurs et l'information que chacun recherche dans les états financiers lors de la prise de décisions. Force est d'admettre que répondre simultanément

FIGURE 1.1 Le flux de l'information financière et ses utilisateurs

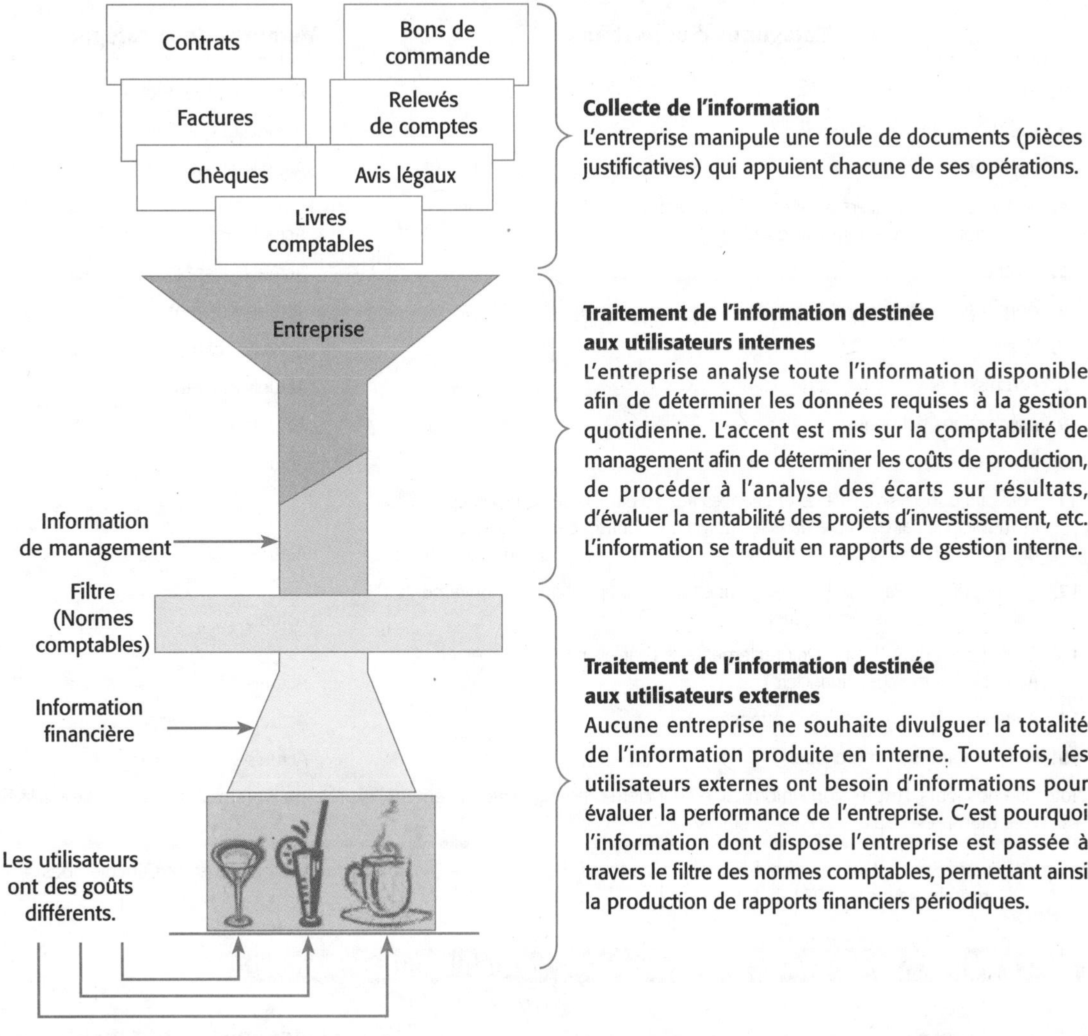

Collecte de l'information
L'entreprise manipule une foule de documents (pièces justificatives) qui appuient chacune de ses opérations.

Traitement de l'information destinée aux utilisateurs internes
L'entreprise analyse toute l'information disponible afin de déterminer les données requises à la gestion quotidienne. L'accent est mis sur la comptabilité de management afin de déterminer les coûts de production, de procéder à l'analyse des écarts sur résultats, d'évaluer la rentabilité des projets d'investissement, etc. L'information se traduit en rapports de gestion interne.

Traitement de l'information destinée aux utilisateurs externes
Aucune entreprise ne souhaite divulguer la totalité de l'information produite en interne. Toutefois, les utilisateurs externes ont besoin d'informations pour évaluer la performance de l'entreprise. C'est pourquoi l'information dont dispose l'entreprise est passée à travers le filtre des normes comptables, permettant ainsi la production de rapports financiers périodiques.

Source : Nicole Lacombe

à tous les besoins des utilisateurs constitue une mission périlleuse dont la profession ne saurait s'acquitter sans faire certains compromis.

Avez-vous remarqué ?

L'information financière est au centre d'un processus de communication. Dans ce processus, le rôle de l'émetteur du message est assumé par la direction de l'entreprise. Le message transmis au moyen de l'information financière vise à présenter la situation économique et la performance de l'entreprise. Le message est destiné aux différents utilisateurs qui auront à prendre des décisions à partir de l'information reçue.

Les principaux agents de l'évolution de la comptabilité financière

La comptabilité financière s'est développée au cours de l'histoire grâce à un processus de rétroaction (*feedback*) pour répondre aux besoins d'utilisateurs évoluant dans un environnement économique changeant. Il convient donc de s'interroger sur les principaux agents moteurs de cet environnement économique responsable de l'évolution de la comptabilité.

L'évolution constante de la **théorie comptable**, qui est à l'origine du développement des normes et des pratiques admises dans la profession, est fortement tributaire des organismes de normalisation, des associations comptables professionnelles, de la recherche en comptabilité, et de la législation en matière d'impôts sur le revenu, de sociétés par actions et de valeurs mobilières.

TABLEAU 1.1 Les catégories d'utilisateurs externes de l'information financière

Catégories d'utilisateurs	Membres de la catégorie
1. Actionnaires	Actuels et éventuels
2. Créanciers à long terme	Actuels et éventuels
3. Créanciers à court terme	Actuels et éventuels
4. Analystes et conseillers au service des catégories 1, 2 et 3 (courtiers, analystes financiers, journalistes, etc.)	Actuels
5. Salariés	Actuels, passés et éventuels
6. Administrateurs externes	Actuels et éventuels
7. Clients	Actuels, passés et éventuels
8. Fournisseurs	Actuels et éventuels
9. Associations patronales	Actuels
10. Syndicats	Actuels
11. Pouvoirs publics (ministères et agences aux niveaux fédéral, provincial et municipal, par exemple dans les domaines du fisc, des statistiques, de la consommation et des sociétés, de l'industrie et du commerce)	Actuels
12. Grand public – Partis politiques, groupes d'affaires publiques, mouvements de consommateurs, écologistes	Actuels
13. Organismes dotés du pouvoir réglementaire (par exemple, Bourses et Autorité des marchés financiers)	Actuels
14. Autres sociétés (nationales et étrangères)	Actuels
15. Normalisateurs et chercheurs	Actuels

Note : De nos jours, l'expression « information financière » remplace généralement l'expression « information comptable » utilisée par Stamp en 1981.

Source : Edward Stamp, *L'information financière publiée par les sociétés – Évolution future,* Toronto, Institut Canadien des Comptables Agréés, 1981, p. 50.

TABLEAU 1.2 Les besoins des utilisateurs de l'information financière

Besoins	Catégories d'utilisateurs ressentant ces besoins*
1. Évaluer les résultats :	
a) en termes absolus ;	De 1 à 15
b) en comparaison avec les objectifs ;	De 1 à 15
c) en comparaison avec d'autres entreprises.	De 1 à 15
2. Évaluer la gestion :	
a) Rentabilité, résultats et efficience ;	De 1 à 11 surtout
b) Protection du patrimoine.	1, 4, 6, 11, 12 et 13
3. Évaluer les perspectives futures en ce qui concerne :	
a) les résultats ;	De 1 à 11 surtout
b) les dividendes et les intérêts ;	De 1 à 4 surtout
c) les investissements et les besoins en capitaux ;	De 1 à 6 et de 8 à 14
d) l'emploi ;	5, 10, 11 et 12 surtout
e) les fournisseurs ;	3, 5, 11, 12 et 14 surtout
f) les clients (garanties, etc.) ;	7, 9, 11 et 12 surtout
g) les anciens employés.	5, 10, 11, 12 et 13
4. Évaluer la santé et la stabilité financière.	De 1 à 15
5. Évaluer la solvabilité.	De 1 à 15

TABLEAU 1.2 *(suite)*

6. Évaluer la trésorerie.	De 1 à 15
7. Évaluer les risques et les incertitudes.	De 1 à 15
8. Faciliter la répartition des ressources pour :	
a) les actionnaires (actuels et potentiels) ;	1, 4, 11, 12, 13 et 14
b) les créanciers (actuels et potentiels, à long et à court terme) ;	2, 3, 4, 8, 11, 12, 13 et 14
c) les pouvoirs publics ;	11 et 12 surtout
d) les autres agents du secteur privé.	4, 9, 12, 13 et 14
9. Faire des comparaisons :	
a) avec les périodes antérieures ;	De 1 à 15
b) avec d'autres entreprises ;	De 1 à 15
c) avec l'ensemble du secteur et l'ensemble de l'économie.	De 1 à 15
10. Établir la valeur des capitaux empruntés et des capitaux propres de la société.	De 1 à 4 surtout
11. Évaluer la capacité d'adaptation.	De 1 à 15
12. Vérifier le respect des lois et des règlements.	De 11 à 13 surtout
13. Évaluer la contribution de l'entreprise à la société, à la nation, etc.	11 et 12 surtout

* Les chiffres de la deuxième colonne renvoient aux catégories d'utilisateurs énumérées dans le tableau 1.1. Certains lecteurs peuvent, à juste raison, estimer que les besoins de certaines catégories d'utilisateurs sont plus étendus qu'on ne l'indique ci-dessus.

Source : Adapté de Edward Stamp, *L'information financière publiée par les sociétés – Évolution future,* Toronto, Institut Canadien des Comptables Agréés, 1981, p. 56 et 57.

Afin de mieux comprendre les jeux d'influence illustrés dans la figure 1.2, prenons quelques instants pour décrire les principaux agents de l'évolution de la comptabilité.

Les organismes de normalisation

Comme nous l'avons déjà précisé, les états financiers constituent un moyen de communication qui s'adresse à différents types d'utilisateurs dont les besoins sont multiples et parfois divergents. Pour que cette communication soit compréhensible pour chacun, elle doit, comme toute autre forme de communication, utiliser un langage et des conventions reconnus qui trouvent leurs fondements communs dans ce que nous appelons des **normes comptables**. Celles-ci favorisent la qualité et la comparabilité de l'information financière produite par les entreprises et permettent d'en faciliter la compréhensibilité. Au Canada, la responsabilité d'établir et d'améliorer les normes comptables est assumée par le **Conseil des normes comptables (CNC)**.

Le Canada n'est cependant pas le seul pays où l'on déploie des efforts de normalisation. En effet, dans chaque pays à travers le monde, un organisme de normalisation comptable existe, avec comme objectif principal l'élaboration et la mise à jour des normes comptables. Par ailleurs, selon certains facteurs institutionnels du pays, l'organisme de normalisation comptable peut être privé (c'est-à-dire sous la responsabilité des professionnels de la comptabilité) ou public (c'est-à-dire sous la responsabilité de l'État). En général, dans les pays de tradition anglo-saxonne comme le Canada et les États-Unis, c'est le premier modèle de normalisation qui est privilégié, c'est-à-dire celui selon lequel un organisme issu de la profession s'occupe de la normalisation. Aux États-Unis, par exemple, c'est le **Financial Accounting Standards Board (FASB)** qui est responsable de l'établissement des normes. En France, un pays de tradition francophone, la normalisation comptable est assurée par un organisme sous la tutelle du Ministère de l'Économie et des Finances appelé l'Autorité des normes comptables, qui regroupe les compétences du Conseil national de la comptabilité et du Comité de la réglementation comptable.

WWW
tresor.economie.gouv.fr/Autorite-des-Normes-Comptables

Au cours des dernières décennies, la mondialisation de l'économie et l'existence de nombreuses entreprises multinationales ont rapidement fait ressortir les limites des normes comptables nationales ou régionales et la nécessité d'harmoniser ces normes à l'échelle internationale. Maints efforts ont donc été déployés à cet égard sous le leadership de l'**International Accounting Standards Board (IASB)**. Ce dernier est un organisme indépendant qui se consacre exclusivement à l'élaboration et à la publication de normes comptables internationales. Les travaux de l'IASB relèvent de l'**IFRS Foundation**, dont l'un des principaux objectifs est d'élaborer un ensemble de normes

WWW
www.ifrs.org

FIGURE 1.2 Les principaux agents de l'évolution de la comptabilité financière

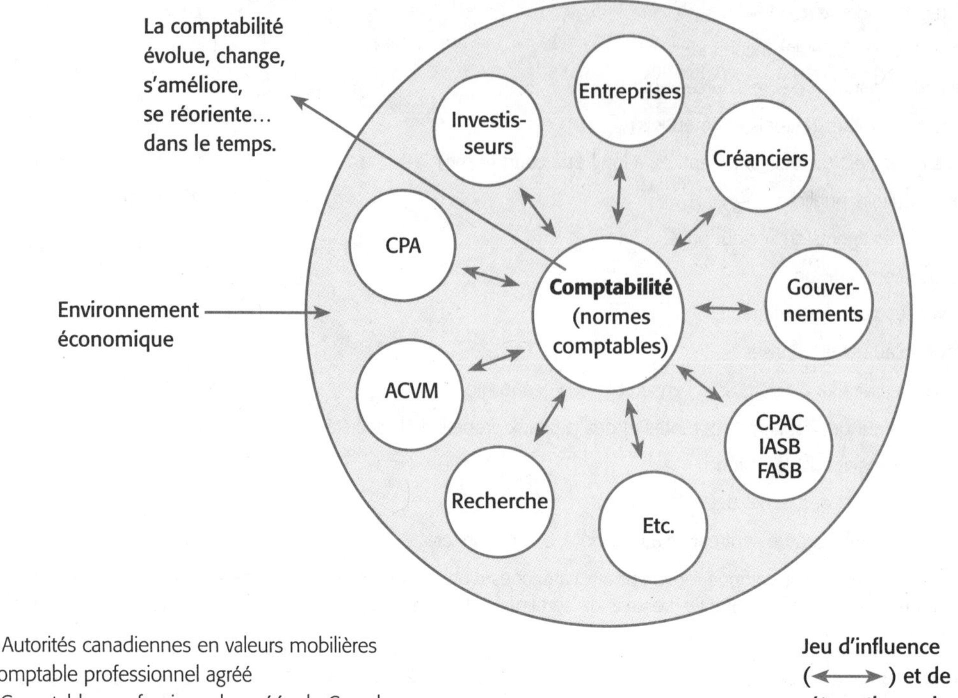

ACVM : Autorités canadiennes en valeurs mobilières
CPA : Comptable professionnel agréé
CPAC : Comptables professionnels agréés du Canada
FASB : Financial Accounting Standards Board
IASB : International Accounting Standards Board

Jeu d'influence (⟷) et de rétroaction qui assure l'acceptation générale des normes comptables.

Source : Daniel McMahon • Adaptation : Danièle Pérusse

comptables de haute qualité reconnues et adoptées à l'échelle internationale. Pour réaliser son mandat, l'IASB travaille en étroite collaboration avec de nombreuses parties prenantes, dont les organismes nationaux de normalisation, les organismes de réglementation de valeurs mobilières et les principales associations comptables professionnelles du monde entier. Au cours des deux dernières décennies, l'évolution des besoins des utilisateurs de l'information financière dans un contexte économique de mondialisation a amené de nombreux normalisateurs nationaux à converger vers les normes internationales pour la publication de l'information financière des sociétés cotées en Bourse. À ce jour, la majorité des grandes économies de la planète ont soit adopté les Normes internationales d'information financière (IFRS) ou se sont donné un échéancier pour le faire.

Au Canada, c'est en 2006 que le CNC a annoncé qu'il imposerait aux entreprises canadiennes ayant une **obligation d'information du public (OIP)** de publier leurs états financiers en conformité avec les IFRS à compter du 1er janvier 2011. À l'appui de cette orientation stratégique, le CNC précisait :

> Le CNC s'emploiera principalement à participer au mouvement de convergence mondiale des normes comptables. Il a conclu, compte tenu de la mondialisation croissante des marchés financiers et de certains autres faits récents, que le temps est venu pour les entreprises canadiennes ayant une obligation publique de rendre des comptes d'appliquer des normes comptables de haute qualité reconnues à l'échelle internationale et que, à cette fin, il faut réaliser la convergence des PCGR canadiens avec les normes internationales d'information financière (International Financial Reporting Standards ou IFRS) au cours d'une période de transition. À la fin de cette période, il n'existera plus de PCGR canadiens distincts servant de règles d'information financière pour les entreprises ayant une obligation publique de rendre des comptes[1].

1. Conseil des normes comptables, *Les normes comptables au Canada : nouvelles orientations – Plan stratégique*, 2005, p. 16. (L'acronyme « PCGR » renvoie à : principe comptable généralement reconnu. Cette expression englobe les principes et les normes comptables en vigueur à une date donnée.)

Cet extrait du plan stratégique du CNC témoigne du caractère évolutif de la comptabilité et de l'information financière, qui doivent sans cesse s'adapter à l'environnement économique des entreprises. Dans un contexte croissant de mondialisation, l'adoption de normes comptables reconnues internationalement favorise, pour les entreprises canadiennes, l'accès aux marchés des capitaux mondiaux sans avoir à retraiter leurs états financiers en respect des normes locales. Pour les utilisateurs, l'adoption des IFRS leur permet plus facilement de comparer l'information financière d'entreprises cotées à différentes Bourses.

Les associations comptables professionnelles

Nous avons mentionné au début du présent chapitre que les professionnels comptables sont au cœur de la communication de l'information financière, ce qui fait d'eux et de leurs associations des acteurs incontournables de l'évolution des pratiques de la profession.

Jusqu'en 2012, le Canada comptait trois associations comptables professionnelles : l'**Association des comptables généraux accrédités du Canada (ACGAC)**, l'**Institut Canadien des Comptables Agréés (ICCA)** et la **Société des comptables en management du Canada (SCMC)**. Les membres de ces associations professionnelles portent respectivement le titre de **comptables généraux accrédités (CGA)**, de **comptables agréés (CA)** et de **comptables en management accrédités (CMA)**. Au fil des années, les différences distinctives entre la formation universitaire, les stages et les examens d'agrément de chacune de ces associations professionnelles se sont amenuisées et le besoin de regrouper les forces de chacune d'elles sous une même bannière s'est fait sentir. En 2011, un projet d'unification de la profession a ainsi vu le jour au Canada. Ce projet propose aux professionnels comptables canadiens de se réunir sous un seul titre, celui de **comptable professionnel agréé (CPA)**. Cet ambitieux projet s'inscrit comme une réponse stratégique à la transformation rapide de l'environnement de la profession et vise notamment à permettre à la profession comptable canadienne de conserver son influence réelle sur les organismes internationaux de normalisation en s'appuyant sur la force du nombre.

Au Québec, le projet d'unification de la profession comptable s'est concrétisé le 16 mai 2012 à la suite de l'entrée en vigueur, dans cette province, de la Loi sur les comptables professionnels agréés du Québec. De ce fait, les quelque 35 000 professionnels qui étaient jusqu'alors membres de l'Ordre des CA, de l'Ordre des CGA et de l'Ordre des CMA du Québec se sont trouvés réunis au sein de l'Ordre des CPA du Québec et portent depuis le titre de CPA.

Au moment d'écrire ces lignes, 40 organisations comptables du Canada ont déjà fusionné ou sont en voie de s'unir sous la bannière du titre de CPA[2]. Depuis octobre 2014, CPA Canada est la seule association comptable nationale. Elle regroupe plus de 200 000 membres auparavant associés à l'ICCA, à CMA Canada et à CGA Canada. CPA Canada fournit des ressources financières, humaines et autres pour faire en sorte que le CNC établisse des normes comptables de qualité.

La recherche en comptabilité

La recherche contribue également à l'évolution de la comptabilité. Par leurs travaux en matière de comptabilité financière et de comptabilité de management, par exemple, les chercheurs du domaine de la comptabilité nous permettent de mieux comprendre le rôle et les impacts de l'information financière sur la prise de décisions. Au Canada, l'**Association canadienne des professeurs de comptabilité (ACPC)** regroupe non seulement les professeurs de comptabilité, mais également tous ceux qui ont un intérêt pour l'enseignement et la recherche dans le domaine. Un des objectifs de l'ACPC est précisément de favoriser la recherche en comptabilité. L'ACPC tient notamment un congrès annuel au cours duquel ses membres ou des invités présentent les conclusions de leurs recherches, publiées par la suite dans les actes du congrès. De plus, l'ACPC publie trimestriellement la revue *Recherche comptable contemporaine*, qui présente les travaux de recherche d'intérêt pour le milieu de la comptabilité au Canada.

2. *État d'avancement du processus d'unification de la profession comptable canadienne*, [En ligne], <www.cpacanada.ca/fr/la-profession-de-cpa/unification-de-la-profession-comptable-canadienne/etat-davancement-de-lunification> (page consultée le 6 septembre 2016). © 2017 CPA Canada. Le lien vers État d'avancement du processus d'unification de la profession comptable canadienne est utilisé avec la permission des Comptables professionnels agréés du Canada. Sa reproduction ou sa distribution, de quelque façon que ce soit, constitue une violation du droit d'auteur des Comptables professionnels agréés du Canada et est strictement interdite.

L'environnement légal de la comptabilité financière au Canada

Dans une société de droit comme la nôtre, de nombreuses lois sont édictées en vue d'orienter les comportements des citoyens de manière à faire respecter les valeurs établies. Cet environnement légal a une influence non seulement sur les activités économiques menées par les entreprises, mais également sur la présentation de leur information financière. L'objectif du présent ouvrage n'étant pas de recenser l'ensemble des lois qui régissent les activités commerciales des sociétés canadiennes, nous nous contenterons de présenter sommairement les lois en vigueur qui influencent la comptabilité financière au Canada.

La *Loi de l'impôt sur le revenu*

Force est d'admettre que les pratiques comptables sont influencées par les lois fiscales, leurs amendements multiples et leurs interprétations. Quoi de plus naturel pour les dirigeants d'une société par actions (ou de toute autre forme d'entreprise) que de vouloir réduire au minimum la somme des impôts à payer de leur entreprise ! Aussi, à mesure que les taux d'imposition progressent et que les gouvernements occupent de nouveaux champs d'imposition, les dirigeants d'entreprises multiplient leurs efforts afin de découvrir de nouvelles avenues permettant de réduire le fardeau fiscal.

Il importe de préciser que l'objet de la *Loi de l'impôt sur le revenu* est de procurer des recettes à l'État et non de mettre au point une meilleure théorie comptable. Ainsi, l'acceptation de certains règlements fiscaux lors de l'établissement des états financiers destinés aux tiers aurait souvent pour effet d'imputer plus rapidement à un exercice certaines charges ou de différer certains produits à une date ultérieure. Il va de soi que le respect des normes comptables, d'une part, et des règlements fiscaux, d'autre part, donne naissance à des écarts entre le résultat comptable et le revenu imposable. Nous y reviendrons en détail au chapitre 18. Puisque la fiscalité est omniprésente dans les décisions quotidiennes des dirigeants d'entreprises, nous en tiendrons compte tout au long du présent ouvrage, sans pour autant perdre de vue notre objectif premier, qui est de traiter des normes comptables et non des règles de détermination du revenu imposable.

Les lois sur les sociétés par actions

Lors de la constitution d'une société par actions, les fondateurs doivent choisir la loi en vertu de laquelle la société sera constituée. Au Canada, les sociétés de capitaux sont régies par des lois provinciales (au Québec, la Loi sur les sociétés par actions) et, dans certains cas, par la *Loi canadienne sur les sociétés par actions*, qui est de compétence fédérale. Depuis l'entrée en vigueur de la nouvelle loi québécoise en février 2011, il existe peu de différences entre ces deux lois. Pour la profession comptable, la disposition suivante du règlement de la loi fédérale est des plus intéressantes : « [...] les états financiers annuels mentionnés à l'alinéa 155(1)*a)* de la Loi doivent être établis selon les PCGR canadiens[3] ».

Aux fins de l'application de cet article, le règlement définit les PCGR comme étant des principes comptables généralement reconnus énoncés dans le *Manuel de CPA Canada*. Cela témoigne du fait que l'État laisse au CNC le soin de formuler les normes comptables mises en application lors de l'établissement des états financiers des sociétés de capitaux. Lors du passage aux normes internationales pour la publication de l'information financière des entreprises ayant une OIP, le CNC a dû adopter le référentiel des normes internationales et l'intégrer au *Manuel de CPA Canada – Comptabilité* afin que les normes internationales puissent être considérées à titre de PCGR canadiens et ainsi respecter cette disposition de la loi canadienne.

Les autorités en valeurs mobilières

Chaque province et territoire du Canada possède sa propre autorité de valeurs mobilières. Ces organismes sont regroupés au sein des **Autorités canadiennes en valeurs mobilières (ACVM)** afin d'améliorer, de coordonner et d'harmoniser à l'échelle nationale la réglementation des marchés des capitaux. Au Québec, l'**Autorité des marchés financiers (AMF)** est l'organisme responsable de la réglementation et de la surveillance du marché des valeurs mobilières de la province. Les autorités en matière de valeurs mobilières accordent un intérêt particulier à la formulation et à l'application des normes comptables en ce qui concerne les **sociétés qui font un appel public à l'épargne.** Au moyen de leur réglementation, ces autorités précisent les normes comptables qui doivent servir à la préparation et à la présentation de l'information financière des sociétés de

3. *Règlement sur les sociétés par actions de régime fédéral*, art. 71, [En ligne], <www.canlii.org/fr/ca/legis/regl/dors-2001-512/derniere/dors-2001-512.html> (page consultée le 6 septembre 2016).

capitaux inscrites en Bourse. Au Québec, le règlement 52-107 de la Loi sur les valeurs mobilières précise à cet égard que les états financiers annuels de même que l'information financière transmis à l'autorité en valeurs mobilières doivent être «établis conformément aux PCGR canadiens applicables aux entreprises ayant une obligation d'information du public [...][4]».

L'éthique professionnelle

Nous avons déjà abordé le rôle important du comptable dans le processus de communication de l'information financière. Quelles que soient les fonctions qu'il exerce au sein de l'entreprise ou à l'extérieur de celle-ci, on s'attend du comptable professionnel qu'il soit en mesure de traduire, dans l'information financière à laquelle il est associé, la réalité économique de l'entreprise.

Depuis le début des années 2000, plusieurs scandales financiers, comme ceux d'Enron, de Nortel ou de Worldcom, ont défrayé la chronique. Que ce soit des manchettes de journaux dénonçant les pratiques de certaines entreprises visant la réalisation de bénéfices à court terme au détriment de leur survie à long terme ou les scandales entourant la surfacturation lors de l'exécution de contrats gouvernementaux, l'éthique des comptables est régulièrement mise à l'avant-scène.

À cet égard, il est clair que le grand public s'attend à ce que les comptables prêtent une attention particulière aux problèmes d'éthique associés à la comptabilisation et à la présentation de l'information financière. Cela signifie que, dans l'exercice de leurs fonctions, ces professionnels doivent s'acquitter de leurs obligations avec intégrité, objectivité et tout le soin nécessaire en respectant les normes comptables.

C'est en quelque sorte pour assurer le respect de cette ligne de conduite et afin de protéger les utilisateurs des états financiers contre tout parti pris ou toute malhonnêteté qu'un professionnel comptable indépendant – un auditeur – examine les états financiers établis par le personnel du Service de la comptabilité d'une entreprise en vue d'exprimer une opinion sur la fidélité de ces états financiers. L'audit des états financiers s'inscrit dans une discipline appelée **comptabilité publique**.

L'extrait suivant de la Loi sur les comptables professionnels agréés du Québec décrit l'exercice de la comptabilité publique :

> Dans le cadre de l'exercice de la profession, l'activité professionnelle réservée au comptable professionnel agréé est la comptabilité publique. Cette activité consiste à :
>
> 1° exprimer une opinion visant à donner un niveau d'assurance à un état financier ou à toute partie de celui-ci, ou à toute autre information liée à cet état financier ; il s'agit de la mission de certification, soit la mission de vérification et la mission d'examen ainsi que l'émission de rapports spéciaux ;
>
> 2° émettre toute forme d'attestation, de déclaration ou d'opinion sur des informations liées à un état financier ou à toute partie de celui-ci, ou sur l'application de procédés de vérification spécifiés à l'égard des informations financières, autres que des états financiers, qui ne sont pas destinés exclusivement à des fins d'administration interne ;
>
> 3° effectuer une mission de compilation qui n'est pas destinée exclusivement à des fins d'administration interne[5].

L'**audit** des états financiers, anciennement appelé vérification, ne peut être accompli que par des professionnels comptables indépendants qui sont habiletés à exercer de telles missions. Au Québec, seuls les comptables détenant un permis de comptabilité publique et portant le titre d'auditeur peuvent exécuter les mandats d'audit. Lors de l'exécution du mandat d'audit, l'auditeur doit s'appuyer sur les normes d'audit en vigueur à ce moment.

Le comportement éthique du comptable contribue à la notoriété de la profession et permet d'assurer la protection du public. En produisant une information financière intègre et de qualité, le comptable professionnel s'assure de fournir aux utilisateurs une information utile en vue de leur prise de décisions. Les principes éthiques qui guident le comptable doivent lui

4. *Règlement 52-107 sur les principes comptables et normes d'audit acceptables*, art. 3.2.1) a), [En ligne], <www.lautorite.qc.ca/files/pdf/reglementation/valeurs-mobilieres/52-107/2016-04-30/2016avril30-52-107-vofficielle-fr.pdf> (page consultée le 6 septembre 2016).

5. Publications du Québec, *Loi sur les comptables professionnels agréés*, art. 4, [En ligne], <legisquebec.gouv.qc.ca/fr/ShowDoc/cs/C-48.1> (page consultée le 6 septembre 2016).

permettre de ne pas succomber aux pressions de l'environnement et d'assurer le respect des normes de présentation de l'information financière.

Avez-vous remarqué ?

L'intervention du comptable professionnel agréé dans le processus de communication de l'information financière fait en sorte que l'information transmise par la direction de l'entreprise soit le reflet de la réalité économique de cette dernière.

Les normes comptables et leur élaboration

Nos observations sur l'environnement de la comptabilité et de l'information financière ont fait ressortir l'importance des normes comptables pour la communication d'une information financière qui soit compréhensible et utile à la prise de décisions. Pour réaliser ce mandat, deux organismes indépendants ont été créés au Canada : le **Conseil de surveillance de la normalisation comptable (CSNC)** et le **Conseil de surveillance de la normalisation en audit et certification (CSNAC)**. Chacun de ces conseils de surveillance forme une instance indépendante de CPA Canada et supervise les activités des conseils de normalisation relevant de leur autorité. Comme en témoigne la figure 1.3, le CNC et le **Conseil sur la comptabilité dans le secteur public (CCSP)** agissent sous la supervision du CSNC et disposent du pouvoir d'élaborer les normes comptables canadiennes. Alors que le CNC élabore les normes destinées à l'ensemble des entités canadiennes autres que celles du secteur public, le CCSP élabore les normes qui serviront pour l'information financière des entités du secteur public. Pour sa part, le **Conseil des normes d'audit et de certification (CNAC)** relève du CSNAC et établit les normes d'audit et de certification. L'ensemble de ces normes sont regroupées dans les différents *Manuel de CPA Canada* de la collection « Normes et recommandations ». Notons qu'au cours des prochains chapitres du présent manuel, nous nous intéresserons aux recommandations formulées par le CNC.

Les référentiels comptables en vigueur au Canada

Au Canada, avant l'adoption des IFRS pour la publication de l'information financière des entreprises ayant une OIP, les normes établies par le CNC se destinaient à toutes les entreprises du secteur privé, qu'elles soient ouvertes ou non, de même qu'aux organismes à but non lucratif (OBNL), appelés organismes sans but lucratif (OSBL) dans le *Manuel de CPA Canada – Comptabilité (Manuel)*. Toutefois, dans son plan stratégique de 2006, le CNC reconnaissait qu'une formule « passe-partout » imposant les mêmes exigences à toutes les entreprises et organisations canadiennes ne pouvait convenir aux besoins des utilisateurs de leurs états financiers. Le Conseil s'est alors engagé à déployer les efforts nécessaires afin d'examiner en détail les besoins des utilisateurs des états financiers d'entreprises n'ayant pas d'OIP en vue d'élaborer des normes adaptées à leur réalité. Précisons à ce sujet qu'en 2010, le Canada comptait quelque 4 500 sociétés à capital ouvert, plus de 2,2 millions de sociétés à capital fermé et environ 160 000 organismes à but non lucratif.

Les travaux menés par le CNC à ce sujet ont donné lieu à une refonte importante du *Manuel*. Comme le montre la figure 1.3, ce dernier se divise maintenant en quatre sections distinctes, chacune présentant les normes applicables à une catégorie particulière d'entités. Chacune de ces sections présente un **référentiel** distinct qui regroupe les normes comptables applicables aux entreprises visées par son application. Le tableau 1.3 présente les différentes entités publiant un jeu complet d'états financiers (« entités publiantes »), telles que définies dans le *Manuel* ainsi que le référentiel de normes qui leur est applicable.

Avez-vous remarqué ?

Pour que le message transmis par l'information financière puisse atteindre son objectif d'informer les utilisateurs, il doit s'adapter à leurs besoins, qui sont différents.

FIGURE 1.3 Les conseils normalisateurs du Canada

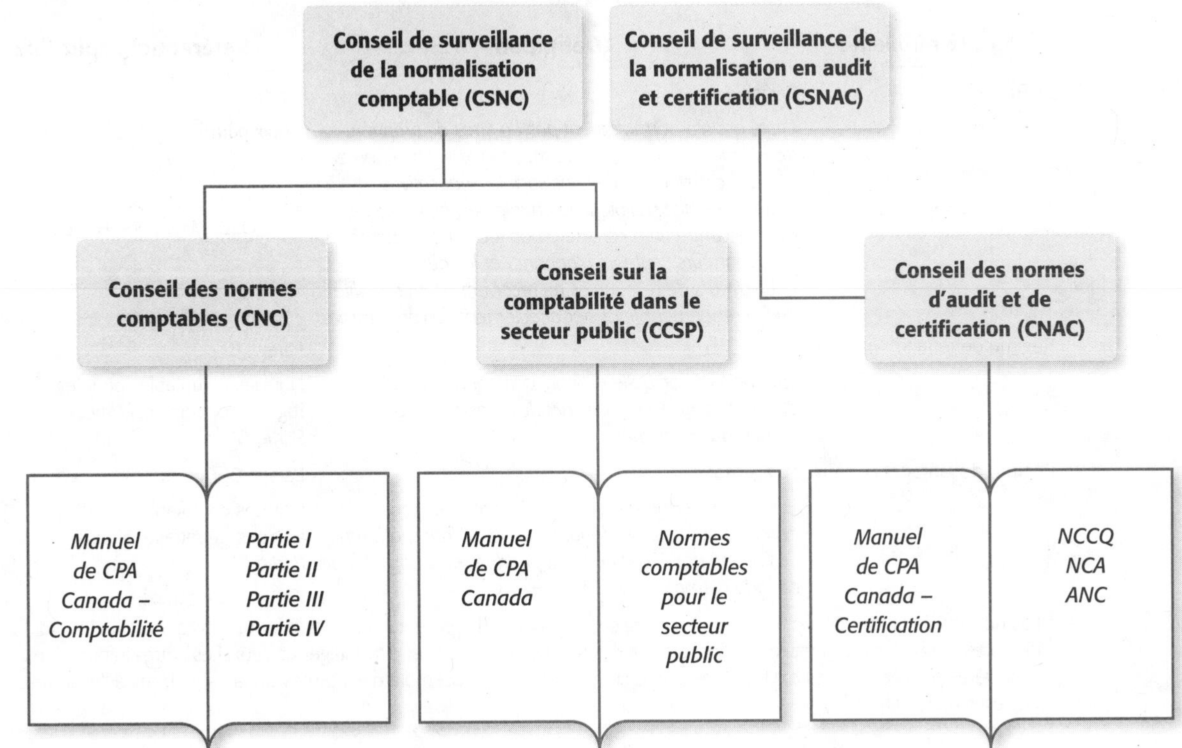

NCCQ : Normes canadiennes de contrôle qualité
NCA : Normes canadiennes d'audit
ANC : Autres normes canadiennes

TABLEAU 1.3 L'applicabilité des différents référentiels du *Manuel de CPA Canada – Comptabilité* (selon la préface)

Entité publiante	Définition	Référentiel applicable
Entreprise ayant une OIP	Paragr. 3a) *Entité autre qu'un organisme sans but lucratif, qui :* *i) Soit a émis, ou est sur le point d'émettre, des instruments de créance ou de capitaux propres qui sont, ou seront, en circulation et négociés sur un marché public (une bourse des valeurs nationale ou étrangère ou encore un marché de gré à gré, y compris un marché local ou régional) ;* *ii) Soit détient des actifs en qualité de fiduciaire pour un vaste groupe de tiers, laquelle activité constitue l'une de ses activités principales.*	Paragr. 4 IFRS, *Manuel – Partie I.*
Entreprise à capital fermé (ECF)	Paragr. 3b) *Entité à but lucratif n'ayant pas d'OIP.*	Paragr. 5 Choix parmi : 1) IFRS ; 2) Normes comptables pour les entreprises à capital fermé (NCECF), *Manuel – Partie II.*

TABLEAU 1.3 *(suite)*

Entité publiante	Définition	Référentiel applicable
OSBL	Paragr. 3c) *Entité qui n'a normalement pas de titres de propriété transférables et dont l'organisation et le fonctionnement visent exclusivement des fins sociales, éducatives, professionnelles, religieuses, charitables, ou de santé, ou toute autre fin à caractère non lucratif. Les membres, les apporteurs (auteurs d'apports) et les autres pourvoyeurs de ressources ne reçoivent en leur qualité aucun rendement financier directement de l'organisme.*	Paragr.6 Choix parmi : 1) IFRS ; 2) Normes comptables pour les OSBL, *Manuel – Partie III.*
Régime de retraite	Paragr. 3d) *Entente, contractuelle ou non, contenant un ensemble de dispositions visant à servir des prestations de retraite à des salariés.*	Paragr. 8 Normes comptables pour les régimes de retraite, *Manuel – Partie IV**.
Régime d'avantages sociaux	Paragr. 3e) *Entente en vertu de laquelle une entité s'engage, en échange des services rendus par ses salariés, à fournir des avantages à ces derniers pendant et/ou après leur période d'emploi.*	Paragr. 8 Normes comptables pour les régimes de retraite, *Manuel – Partie IV**.

* Les normes de la Partie IV portent exclusivement sur l'évaluation, la présentation et les informations à fournir à l'égard du portefeuille de placements et des obligations des régimes de retraite et d'avantages sociaux. Les autres informations financières publiées par ces entités doivent être conformes soit à l'ensemble des normes de la Partie I, soit à l'ensemble de celles de la Partie II.

Dans le présent manuel, nous traiterons des normes formulées aux Parties I et II du *Manuel de CPA Canada – Comptabilité*. Chaque chapitre proposera aussi deux parties. La partie I – Les IFRS traitera du sujet à l'étude sous l'angle des IFRS, alors que la partie II – Les NCECF traitera du sujet dans la perspective des NCECF.

Les caractéristiques d'une norme

Depuis le début du présent chapitre, nous avons insisté sur le fait que la comptabilité et les normes comptables sont destinées à répondre aux besoins des utilisateurs en vue de les aider à prendre des décisions de nature financière ou autre. Comme en témoignent les différents référentiels en vigueur au Canada, les normalisateurs ont le souci d'adapter les normes afin qu'elles puissent répondre le mieux possible aux besoins et aux attentes des utilisateurs, qui peuvent être différents selon le type d'entreprise.

Un peu à la façon d'un livre de recettes, le *Manuel* renferme toutes les normes prescrites au Canada pour la publication de l'information financière des entreprises. Ces normes servent en quelque sorte de guide opérationnel pour la comptabilisation des opérations, faits et événements qui composent l'activité économique d'une entreprise, de même que pour la présentation de l'information financière qui en découle.

Chacune des normes proposées par l'un ou l'autre des référentiels constitue généralement une solution imposée, sous réserve du jugement professionnel, à un problème susceptible de faire l'objet de plusieurs traitements comptables.

Le CNC et l'IASB ont adopté une **approche de normalisation fondée sur des principes**. Une telle approche requiert le concours du jugement professionnel afin d'assurer une présentation fidèle de la situation et de la performance financières des entreprises. Les normes formulées de cette manière énoncent généralement des principes auxquels se reporter pour la comptabilisation, l'évaluation et la présentation de l'information financière. Une telle approche offre des assises pour présenter fidèlement la réalité économique des faits. À l'opposé, une **approche fondée sur des règles** impose une façon de faire pour chaque cas de figure. Une telle approche possède le désavantage de laisser un vide pour le traitement des situations non prévues par une norme.

Pour le professionnel comptable, une approche de normalisation fondée sur des principes l'oblige à avoir recours à son jugement pour comprendre à la fois la réalité économique des opérations à comptabiliser ou à présenter et les concepts fondamentaux des normes applicables. Sa responsabilité est ainsi de produire une information financière qui traduit fidèlement la réalité économique des événements tout en respectant les normes applicables dans les circonstances.

L'importance du recours au jugement professionnel lors de l'application des normes est confirmée par l'IASB à l'**IAS 1**, intitulée «Présentation des états financiers», de même qu'à l'**IAS 8**, intitulée «Méthodes comptables, changements d'estimations comptables et erreurs».

À cet égard, l'IAS 1 précise: «Dans les circonstances extrêmement rares où la direction estime que le respect d'une disposition d'une IFRS serait trompeur au point d'être contraire à l'objectif des états financiers décrit dans le *Cadre*, l'entité doit s'écarter de cette disposition [...][6].»

Quant à l'IAS 8, elle indique comment la direction doit orienter ses jugements en vue du choix d'une méthode comptable pour une transaction, un événement ou une condition qui n'est pas couvert précisément par une norme:

> En l'absence d'une IFRS qui s'applique spécifiquement à une transaction, un autre événement ou condition, la direction devra faire usage de jugement pour développer et appliquer une méthode comptable permettant d'obtenir des informations:
>
> (a) pertinentes pour les utilisateurs ayant des décisions économiques à prendre; et
>
> (b) fiables, en ce sens que les états financiers:
>
> (i) présentent une image fidèle de la situation financière, de la performance financière et des flux de trésorerie de l'entité;
>
> (ii) traduisent la réalité économique des transactions, des autres événements et des conditions et non pas simplement leur forme juridique;
>
> (iii) sont neutres, c'est-à-dire sans parti pris;
>
> (iv) sont prudentes; et
>
> (v) sont complètes dans tous leurs aspects significatifs[7].

Si tout ce que l'on demandait aux comptables était d'appliquer les instructions données dans un manuel de règles, ils n'exerceraient pas une profession libérale, mais un métier comparable à celui du plombier ou de l'électricien. Ce qui caractérise une profession libérale, c'est l'importance que revêt le jugement de celui qui l'exerce. Cela est vrai des comptables autant que des médecins et des avocats. L'un des buts principaux des normes est, dans toute profession, d'augmenter la probabilité que le jugement éclairé de divers praticiens faisant face à des problèmes professionnels semblables les amène à prendre des décisions similaires.

Avez-vous remarqué ?

Les normes énoncent les directives et les conventions qui doivent être utilisées pour formuler le message transmis par l'information financière.

Le processus d'élaboration et d'adoption des normes au Canada

L'uniformité, la souplesse et le jugement professionnel dans le but de présenter une information financière utile se trouvent donc au cœur des préoccupations des normalisateurs lors de l'élaboration d'une nouvelle norme ou de l'amélioration d'une norme existante. De plus, comme la norme constitue le lien entre le cadre conceptuel et la pratique quotidienne, il est important qu'elle soit pratique et crédible tant pour la profession comptable que pour l'ensemble des utilisateurs. Pour cela, le **processus de normalisation** doit faire preuve de transparence et d'ouverture, et permettre à ceux qui le désirent de se prononcer sur les améliorations ou changements proposés aux normes.

Dans cette perspective, le CNC suit une procédure officielle tout au long de son processus d'élaboration et d'adoption des normes, quel que soit le référentiel en cause. Cette procédure s'appuie sur la recherche, la discussion et la consultation.

6. CPA Canada, *Manuel de CPA Canada – Comptabilité – Partie I*, IAS 1, paragr. 19. (*Voir la page iv des liminaires pour plus de détails à l'égard des normes publiées mais non encore entrées en vigueur.*)
7. *Manuel de CPA Canada – Comptabilité – Partie I*, IAS 8, paragr. 10.

Avant qu'une norme ne soit promulguée, plusieurs étapes doivent être franchies, au cours desquelles les parties prenantes sont invitées à se prononcer. La figure 1.4 illustre la procédure suivie par le CNC lors de l'élaboration d'une norme autre qu'une IFRS.

Le processus d'élaboration et d'adoption des normes est rigoureux et accorde beaucoup d'importance à la consultation des parties intéressées. La pierre angulaire de ce processus est

FIGURE 1.4 La procédure officielle du CNC pour l'élaboration et l'adoption d'une norme autre qu'une IFRS

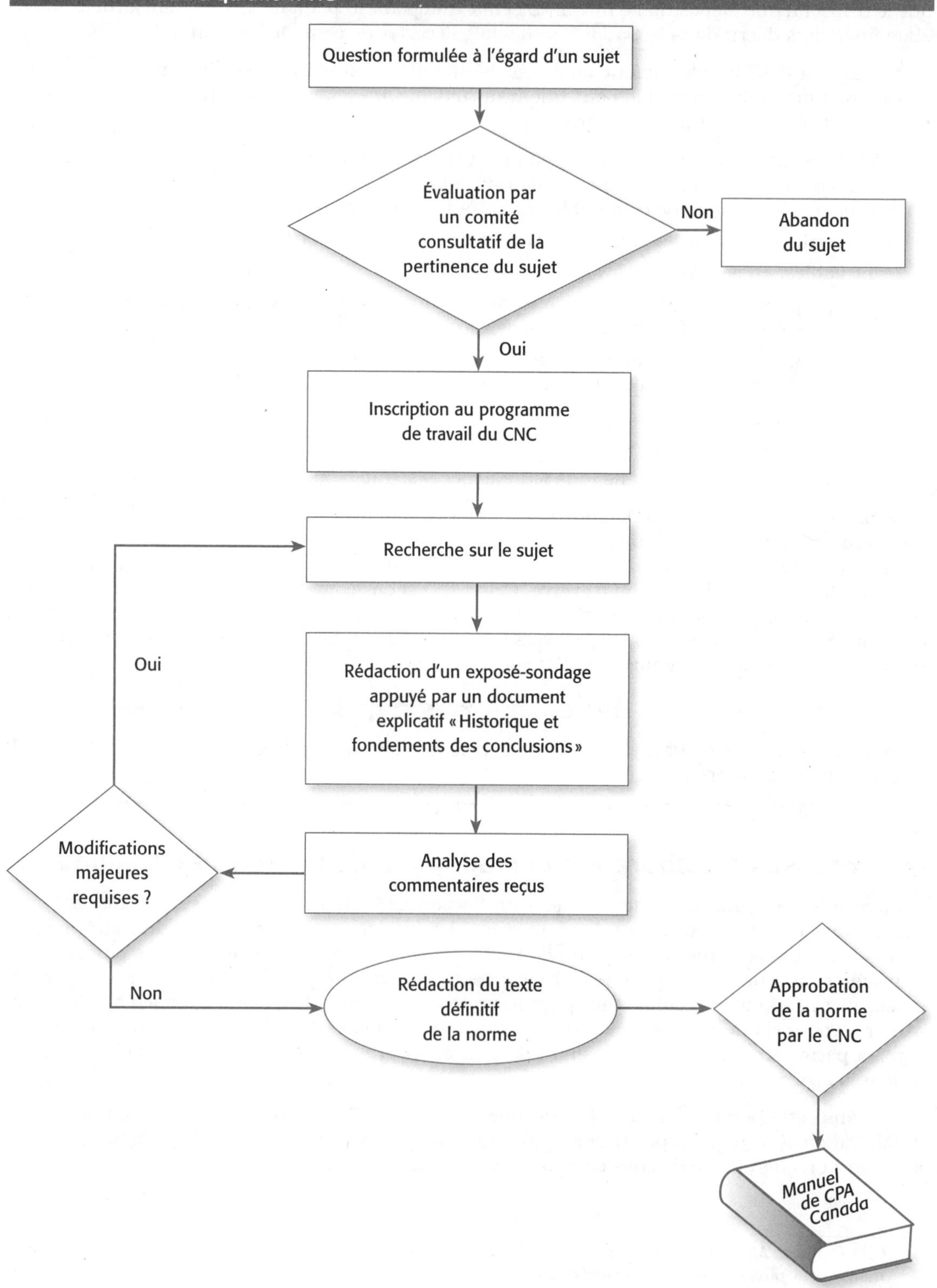

sans contredit la publication d'un **exposé-sondage** qui présente en quelque sorte la version préliminaire du texte proposé pour la norme. Sa publication est généralement accompagnée d'un document intitulé « Historique et fondement des conclusions » qui explique l'objectif de la norme, nouvelle ou révisée, de même que les raisons qui sous-tendent les recommandations proposées dans l'exposé-sondage. Ce processus public de consultation vise deux objectifs précis. D'abord, il permet d'obtenir les commentaires de toutes les personnes et de tous les organismes intéressés par le sujet. Ensuite, il permet d'informer à l'avance les parties prenantes des changements qui sont prévus à la normalisation en vigueur. Cette consultation est primordiale, car elle est à la base de l'acceptation générale de la nouvelle norme. À la suite de l'analyse des commentaires reçus, le texte définitif de la norme est rédigé. Toutefois, dans des circonstances où les commentaires reçus indiquent que de sérieuses modifications s'imposent, le processus est repris à l'étape de la recherche sur le sujet. Toute norme définitive doit recevoir l'approbation d'au moins les deux tiers des membres d'un conseil pour pouvoir être publiée dans le *Manuel*.

Concernant plus précisément les IFRS, le processus de consultation canadien est mené parallèlement aux travaux de l'IASB. Cet organisme international de normalisation comptable s'est doté d'un manuel des procédures pour l'établissement des IFRS nouvelles ou modifiées. L'IASB mène les étapes relatives à la formulation des questions, l'évaluation de la pertinence du sujet et les recherches pertinentes. Le CNC peut contribuer à ces étapes d'élaboration d'une norme. L'IASB élabore ou modifie une norme comptable qu'il publie ensuite dans un exposé-sondage et consulte les parties prenantes, dont le CNC. Le CNC répond généralement à tous les appels à commentaires de l'IASB portant sur l'établissement de son programme de travail et sur ses documents de travail, notamment les exposés-sondages. Une fois que l'IASB publie un exposé-sondage, le CNC publie également le sien qui résume les propositions de l'IASB, et ce, dans le but de recueillir des commentaires.

La politique du CNC consiste à adopter les IFRS sans les modifier. Pour ce faire, le CNC accepte de s'appuyer fortement sur la procédure officielle de l'IASB. Il a conscience de sa responsabilité à l'égard de l'établissement de toutes les normes comptables utilisées par les entreprises canadiennes, y compris les IFRS. Pour s'acquitter de cette responsabilité, le CNC doit lui-même se doter d'une politique pour s'assurer du bien-fondé de cette procédure officielle suivie par l'IASB. Ainsi, le CNC observe sa mise en application afin de garantir l'indépendance, la compétence et le respect de cette procédure officielle internationale. Il examine également les dispositions relatives au manuel de procédures de l'IASB pour garantir que ce dernier respecte un processus rigoureux comparable à la politique officielle du CNC.

Selon le CNC, « le CNC est d'avis que les structures institutionnelles de l'IASB sont solides et que la procédure officielle décrite dans le manuel des procédures s'appliquant à celui-ci est comparable à la sienne. Par conséquent, si l'IASB suit sa procédure officielle, on peut s'attendre à ce qu'il publie des normes de haute qualité que le CNC est justifié d'intégrer dans les PCGR canadiens[8] ».

Comme nous venons de le voir, le point de départ d'une nouvelle norme ou d'une modification à une norme existante provient d'une question relative à la comptabilisation, à l'évaluation ou à la présentation d'une situation ou d'une opération particulière. Bien que l'élaboration de chaque norme s'inscrive dans un processus séparé, l'ensemble des normes composant un référentiel doit viser des objectifs communs en matière de communication de l'information financière. C'est pour cette raison que l'élaboration et les améliorations d'une norme doivent prendre appui sur un cadre conceptuel.

PARTIE I – LES IFRS

Équivalents terminologiques *Manuel de CPA Canada* – Partie I et Partie II.

Le « Cadre conceptuel de l'information financière »

Comme nous l'avons mentionné au début du présent chapitre, les états financiers constituent un moyen de communication destiné à des utilisateurs qui se serviront de l'information pour prendre des décisions. Pour qu'un processus communicationnel soit efficace, il doit respecter des

8. Conseil des normes comptables, *Manuel de procédures du CNC, Mai 2014*, paragraphe 82, [En ligne], <http://www.nifccanada.ca/conseil-des-normes-comptables/notre-role/procedure-officielle/item67163.pdf> (page consultée le 6 septembre 2016).

conventions établies et reconnues qui lui permettront d'atteindre son objectif. Le «**Cadre conceptuel de l'information financière**» a pour objectif de fournir les balises nécessaires non seulement à l'élaboration des normes, mais également à leur compréhension. Il favorise la cohérence entre les normes et ajoute ainsi à la qualité de l'information financière produite. Le cadre conceptuel permet également de favoriser la compréhension des fondements de chaque norme afin d'en assurer une meilleure interprétation.

À chaque référentiel correspond un cadre conceptuel qui lui est propre. Nous présenterons dans les pages qui suivent les particularités des cadres conceptuels des IFRS et des NCECF. Bien que l'on puisse observer de nombreuses ressemblances entre ces deux cadres, nous analyserons les différences qui découlent des caractéristiques distinctives des entités pour lesquelles ces référentiels sont applicables.

Le premier document inclus dans le *Manuel – Partie I* s'intitule «Cadre conceptuel de l'information financière» (le Cadre). L'objectif de ce dernier est :

(a) d'aider le Conseil à développer les futures IFRS et à réviser les IFRS existantes ;

(b) d'aider le Conseil à promouvoir l'harmonisation des réglementations, des normes comptables et des procédures liées à la présentation des états financiers, en fournissant la base permettant de réduire le nombre de traitements comptables autorisés par les IFRS ;

(c) d'aider les organismes de normalisation nationaux à développer des normes nationales ;

(d) d'aider les préparateurs des états financiers à appliquer les IFRS et à traiter de sujets qui ne font pas encore l'objet d'une IFRS ;

(e) d'aider les auditeurs à se faire une opinion sur la conformité des états financiers avec les IFRS ;

(f) d'aider les utilisateurs des états financiers à interpréter l'information contenue dans les états financiers préparés selon les IFRS ; et

(g) de fournir à ceux qui s'intéressent aux travaux de l'IASB des informations sur son approche d'élaboration des IFRS[9].

Le Cadre ne constitue pas une norme en soi ; il ne fournit donc pas d'indications précises sur l'évaluation, la comptabilisation ou la présentation d'éléments particuliers des états financiers. Il s'agit d'un guide pour orienter la compréhension et l'élaboration des normes comptables. Les concepts qu'il contient visent la présentation d'une information utile à la prise de décisions économiques des utilisateurs externes. Le Cadre traite donc de l'objectif de l'information financière, des caractéristiques qualitatives de l'information financière utile, des éléments à partir desquels sont élaborés les états financiers, et des concepts de capital et de maintien du capital.

L'objectif de l'information financière à usage général

Différence NCECF

Nous avons mentionné précédemment que les utilisateurs de l'information financière sont nombreux et que leurs besoins sont variés. Pour que le Cadre puisse établir les concepts qui serviront de balises à l'information financière, il doit préciser les objectifs de celle-ci en déterminant les utilisateurs auxquels elle se destine de même que le type de décisions que ces utilisateurs prendront à l'aide de l'information. Le chapitre 1 du Cadre des IFRS énonce donc ainsi l'**objectif de l'information financière** :

> L'objectif de l'information financière à usage général est de fournir, au sujet de l'entité qui la présente (l'entité comptable), des informations utiles aux investisseurs, aux prêteurs et aux autres créanciers actuels et potentiels aux fins de leur prise de décisions sur la fourniture de ressources à l'entité. Ces décisions ont trait à l'achat, à la vente ou à la conservation de titres de capitaux propres ou de créance, et à la fourniture ou au règlement de prêts et d'autres formes de crédit[10].

Bien que formulé de manière concise, cet énoncé fournit de nombreuses précisions qui permettent de délimiter la portée et l'utilité tant du Cadre que des IFRS. Dans un premier temps,

9. *Manuel de CPA Canada – Comptabilité – Partie I,* Cadre conceptuel de l'information financière, Objectif et statut.

10. *Manuel de CPA Canada – Comptabilité – Partie I,* Cadre conceptuel de l'information financière, paragr. OB2.

Différence NCECF

l'objectif de l'information financière limite sa portée à l'**information financière à usage général**. Cela signifie que l'information financière visée par cet objectif est celle qui est destinée à un large éventail d'utilisateurs qui ne peuvent directement exiger de l'entreprise les informations dont ils ont besoin pour prendre des décisions utiles.

En examinant les listes des utilisateurs de l'information financière et de leurs besoins données aux tableaux 1.1 et 1.2, on constate que les utilisateurs sont nombreux, que leurs besoins sont variés et qu'il pourrait s'avérer difficile de tenter de répondre aux besoins de chacun sans faire de compromis. Le Cadre, qui établit les concepts à la base de l'information financière, doit donc cibler les **utilisateurs principaux** de l'information financière de même que leurs besoins en vue de fournir des orientations cohérentes pour la présentation d'une information qui leur sera utile.

C'est ainsi que l'objectif énoncé précédemment établit que les utilisateurs principaux de l'information financière sont les **investisseurs**, les **prêteurs** et les **autres créanciers actuels et potentiels** de l'entreprise. Ces trois groupes constituent les **fournisseurs de capitaux** de l'entreprise. Ils lui fournissent les ressources économiques nécessaires à la poursuite de ses activités. Le fait de leur accorder la priorité dans la détermination de l'objectif de l'information financière à usage général ne réduit pas nécessairement l'utilité de celle-ci pour d'autres utilisateurs comme les gouvernements ou le public. Ces derniers doivent cependant savoir que l'information financière à usage général vise prioritairement les besoins directs et immédiats des utilisateurs principaux. Mais, en fait, quels sont leurs besoins prioritaires ?

Pour bien définir les besoins des utilisateurs principaux, il faut dans un premier temps établir les décisions qu'ils prendront à partir de l'information financière à usage général qui sera disponible. Dans cette perspective, nous pouvons d'entrée de jeu établir un point en commun entre les utilisateurs principaux de l'information financière ; ils contribuent aux ressources de l'entreprise au moyen d'investissement ou de créances. Ils sont donc des fournisseurs de capitaux et, à ce titre, ils cherchent, au moyen de l'information financière dont ils disposent, à évaluer les occasions de financement ou d'investissement. Ils sont donc principalement intéressés par la capacité de l'entreprise à générer des rentrées nettes de trésorerie qui leurs permettront de recouvrer leurs créances ou de faire croître leur investissement.

En fournissant des informations sur les ressources de l'entreprise de même que sur les droits détenus sur ces ressources, l'information financière à usage général ne peut prétendre fournir à ses utilisateurs principaux tous les renseignements nécessaires à la prise de décisions. Ces derniers doivent donc recourir à d'autres sources d'information afin de mieux comprendre et évaluer l'information transmise dans les rapports financiers. Par exemple, les utilisateurs peuvent avoir besoin d'informations portant sur l'état général de l'économie, sur le climat politique ou encore sur les perspectives d'avenir du secteur d'activité d'une entreprise pour prendre des décisions éclairées à son égard. Il s'agit là de l'une des limites de l'information financière à usage général.

Une fois l'objectif des états financiers précisé, le Cadre fournit des indications sur les renseignements que doit contenir l'information financière à usage général à l'égard des ressources de l'entreprise.

Les informations sur les ressources de l'entreprise

Nous avons précisé précédemment que les utilisateurs principaux de l'information financière à usage général sont avant tout intéressés par la capacité de l'entreprise à générer des rentrées nettes de trésorerie qui leur permettront de recouvrer leurs créances ou de faire croître leur investissement. Pour évaluer cette capacité à générer des rentrées nettes de trésorerie, le Cadre estime que l'information financière à usage général doit fournir des renseignements au sujet des ressources économiques de l'entreprise et des droits sur ces ressources de même que sur les variations de ces ressources et de ces droits.

Les informations sur les ressources économiques et sur les droits sur ces ressources

Pour évaluer la capacité de l'entreprise à générer des flux de trésorerie, les utilisateurs doivent pouvoir obtenir des informations sur les ressources économiques (actifs) d'une entreprise. Ces informations permettent notamment de connaître les sources directes de trésorerie dont dispose l'entreprise, par exemple sa trésorerie, ses comptes clients ou ses placements, en plus de connaître les autres ressources dont elle dispose pour mener ses activités, comme les immobilisations.

De plus, il est important que les utilisateurs puissent connaître les obligations (passifs) de l'entreprise à l'égard de ses créanciers et fournisseurs afin d'évaluer sa solvabilité et ses besoins de financement. Ces informations sur les ressources et sur les droits sur ces ressources présentent la situation financière de l'entreprise. Elles permettent aux utilisateurs de repérer les forces et les faiblesses financières de l'entreprise, ce qui influence leur décision par rapport à la fourniture ou non de ressources à cette dernière.

Les informations sur la variation des ressources économiques et des droits sur ces ressources

En plus de l'information sur les ressources de l'entreprise et sur les droits sur ces ressources, les utilisateurs sont également intéressés par la variation des ressources et par l'origine de ces variations. Ils veulent savoir dans quelle mesure les activités économiques de l'entreprise lui permettent de générer des flux de trésorerie afin de pouvoir évaluer le rendement qu'elle tire des ressources économiques dont elle dispose. Il s'agit là de l'évaluation de la performance financière de l'entreprise. Selon le Cadre, cette performance doit être mesurée selon la **comptabilité d'engagement**, ce qui signifie que les effets des transactions et autres événements sont comptabilisés au moment où ils se produisent, sans considération du moment où les rentrées et sorties de trésorerie liées à ces transactions ou événements ont lieu. Par exemple, une entreprise qui achète des services d'un fournisseur doit comptabiliser la charge au moment où elle les consomme et non au moment où elle effectue le paiement de la facture du fournisseur.

Avez-vous remarqué ?

La comptabilité d'engagement mesure la performance économique d'une entreprise en fonction des activités effectuées au cours d'un exercice et non pas en fonction de la variation de sa trésorerie.

À ce sujet, le Cadre mentionne que « [...] les variations intervenues dans ces ressources et ces droits au cours d'une période donnent généralement une meilleure base d'évaluation de la performance passée de l'entité et de sa performance future que des informations limitées aux entrées et aux sorties de trésorerie de la période[11] ».

Notons, par ailleurs, que la variation des ressources et des droits ne provient pas uniquement de la performance de l'entreprise. Une telle variation peut également survenir lorsque l'entreprise obtient des ressources supplémentaires en sollicitant du financement auprès de créanciers ou d'investisseurs. Les informations sur la variation des ressources et des droits sont également précieuses aux utilisateurs, notamment pour comprendre les impacts de ces transactions sur la performance future de l'entreprise et sur sa trésorerie.

Après avoir précisé l'objectif de l'information financière et expliqué la contribution à la prise de décisions des utilisateurs des informations relatives aux ressources, le Cadre fournit des indications sur les **caractéristiques qualitatives** de l'information financière utile.

Les caractéristiques qualitatives de l'information financière utile

Différence NCECF

La sous-section précédente traitait de l'information utile aux utilisateurs des états financiers, information qui guide le comptable dans le choix des phénomènes économiques qui devraient idéalement être reflétés dans les états financiers. En pratique, les phénomènes économiques qui sont pris en compte dans les états financiers se limitent à ceux qui peuvent se traduire par une information possédant certaines **caractéristiques qualitatives**. Le Cadre définit six caractéristiques qualitatives, qu'il classe dans deux catégories : les **caractéristiques qualitatives essentielles**, qui comprennent la pertinence et la fidélité, et les **caractéristiques qualitatives auxiliaires**, qui englobent la comparabilité, la vérifiabilité, la rapidité et la compréhensibilité. Nous aborderons chacune de ces caractéristiques dans les pages suivantes.

Différence NCECF

Les caractéristiques qualitatives essentielles

Les caractéristiques qualitatives essentielles sont à la source de toute information utile. Pour que l'information financière puisse décrire les activités économiques de l'entreprise et leurs effets sur les ressources de celle-ci de manière à être utile, elle doit être pertinente et présenter une image

11. *Manuel de CPA Canada – Comptabilité – Partie I*, Cadre conceptuel de l'information financière, paragr. OB17.

fidèle de la réalité. Les deux caractéristiques qualitatives essentielles de l'information utile sont donc la pertinence et la fidélité.

La pertinence

Une information qui est susceptible d'influencer la prise de décisions des utilisateurs est considérée comme pertinente. Les utilisateurs reconnaissent la **pertinence** d'une information dans la mesure où celle-ci peut les aider dans leur processus décisionnel en ayant une valeur prédictive, une valeur de confirmation ou les deux. La pertinence de l'information est également fonction de sa significativité, c'est-à-dire de son importance relative dans la prise de décisions des utilisateurs.

L'information a une **valeur prédictive** lorsqu'elle permet aux utilisateurs de s'en servir pour préciser leurs attentes par rapport à l'avenir. Toute information permettant aux décideurs de faire des prédictions portant sur les résultats et les flux de trésorerie futurs a une valeur prédictive. Même si l'information contenue dans les états financiers n'a pas un caractère prédictif en soi, elle peut être utile à l'établissement de prédictions. Par exemple, la présentation distincte des résultats afférents aux activités abandonnées dans l'état du résultat global rehausse la valeur prédictive de cet état financier, car seul le résultat des activités poursuivies est susceptible d'être récurrent, c'est-à-dire de se répéter.

L'information peut également influer sur une décision lorsqu'elle permet de confirmer ou de modifier les évaluations antérieures ; on dit alors qu'elle a une **valeur de confirmation**. Ainsi, si le résultat par action divulgué pour l'exercice courant confirme les attentes des actionnaires en ce qui a trait à la capacité de l'entreprise de générer des résultats ou que cette donnée amène les actionnaires à réviser leurs attentes, le résultat par action a une valeur de confirmation.

Il arrive souvent qu'une information contenue dans les états financiers possède à la fois une valeur prédictive et une valeur de confirmation. Ainsi, lorsque le chiffre d'affaires réalisé confirme la prédiction établie au début de l'exercice (valeur de confirmation), cette information rehausse la qualité de la prédiction qui peut être faite pour l'exercice à venir (valeur prédictive).

La pertinence d'une information est aussi fonction de son **importance relative**. Celle-ci a trait au caractère significatif de l'information financière pour la décision des utilisateurs. Un élément d'information est important s'il est vraisemblable que son omission ou son inexactitude influe sur le jugement de la personne se fiant à l'information financière. Ainsi, l'omission du fait qu'une entreprise possède une part sociale de 5 $ dans une caisse populaire ne risque pas de nuire au jugement des utilisateurs des états financiers de cette entreprise si celle-ci possède un actif total de plus de un million de dollars.

Il faut toutefois se garder d'évaluer l'importance relative uniquement selon la taille du montant en cause. Ainsi, bien qu'une somme de 1 000 $ soit peu importante pour une société comme Provigo, si elle se rapporte à un détournement de fonds commis par un préposé aux encaissements, il s'agit d'une information significative. À ce sujet, le Cadre mentionne que « [...] le Conseil ne peut préciser un seuil quantitatif uniforme pour l'importance relative ou déterminer à l'avance ce qui pourrait s'avérer significatif dans une situation particulière[12] ».

Il ressort de ce qui précède que l'appréciation de l'importance relative est une question de jugement professionnel dans chaque situation, chacune étant unique. L'auditeur joue un rôle primordial lorsqu'il y a lieu de décider de l'inclusion ou de l'exclusion d'une information dans les états financiers. Les seuils d'importance relative varient selon la taille et la nature de l'entreprise auditée ; ils peuvent également varier pour une même entreprise d'un exercice à l'autre en raison de l'évolution de la situation. Lorsqu'un auditeur se prononce sur des éléments particuliers faisant partie d'un jeu d'états financiers, il détermine l'importance relative par rapport à ces éléments et non par rapport aux états financiers pris dans leur ensemble.

La fidélité

Dans la vie de tous les jours, une information est dite fidèle lorsqu'elle se conforme à la vérité. En comptabilité, la vérité passe par la réalité économique. Pour être utile, l'information financière doit non seulement présenter des renseignements pertinents, mais ceux-ci doivent aussi donner une **image fidèle** de la réalité économique.

Différence NCECF

Pour donner une image fidèle de la réalité économique, les opérations et les faits sont comptabilisés et présentés d'une manière qui exprime leur substance et non obligatoirement leur forme

12. *Manuel de CPA Canada – Comptabilité – Partie I,* Cadre conceptuel de l'information financière, paragr. QC11.

juridique ou autre. Bien que ce principe ne soit pas clairement indiqué dans le Cadre, la notion de **prééminence de la substance sur la forme** est couramment utilisée par les préparateurs de l'information financière. Par exemple, lorsqu'une entreprise signe un contrat de location, le seul fait que le document porte la mention «bail» ne constitue pas l'élément primordial sur lequel appuyer la comptabilisation du contrat. En effet, pour déterminer la substance de cette opération, il faut examiner les conditions du contrat de location afin de déterminer à qui, du preneur ou du bailleur, vont les risques et avantages économiques inhérents à la propriété du bien. Nous y reviendrons plus en détail au chapitre 16. Pour présenter une image fidèle d'un phénomène économique, c'est donc la **substance économique** et non la **forme juridique** qui doit prévaloir. S'il va de soi que la détermination de la substance d'une opération ou d'un fait est, dans chaque cas, affaire de jugement, cela montre également l'importance pour le comptable professionnel de bien comprendre la nature et les conséquences d'un phénomène économique afin de pouvoir le présenter fidèlement dans les états financiers.

Avez-vous remarqué ?

La possession seule des titres de propriété d'un actif ne suffit pas pour évaluer si l'actif doit ou non être comptabilisé dans les états financiers. Il faut plutôt analyser si les risques et avantages liés à l'actif reviennent à l'entreprise.

Au sujet de la caractéristique qualitative essentielle de fidélité, le Cadre mentionne que pour transmettre une image fidèle, l'information financière doit posséder trois attributs. Elle doit être complète, neutre et exempte d'erreurs.

L'information est complète lorsqu'elle permet aux utilisateurs de saisir la réalité économique de la transaction aux fins de prise de décisions. Il ne suffit donc pas uniquement de présenter l'information relative à un phénomène économique ; on doit s'assurer que la description qui en est faite traduit la réalité économique et reproduit fidèlement la situation. Le **caractère complet** de l'information suppose que cette dernière ne comporte pas d'omission pouvant rendre l'information fausse, trompeuse ou insuffisante, ce qui nuirait à son utilité. De plus, en vertu de cet attribut, l'information financière est complète lorsqu'elle fournit tous les renseignements qui pourraient avoir une incidence sur les décisions que prévoient prendre les utilisateurs sur la base des états financiers. En d'autres termes, les demi-vérités ne sont pas acceptables !

Prenons l'exemple d'une entreprise qui fait l'objet de nombreuses poursuites relativement à des préjudices subis par les clients auxquels elle a vendu des biens défectueux. Tant que le procès n'est pas terminé, le montant exact qui sera exigé à titre d'indemnisation n'est pas connu, même s'il est probable que l'entreprise devra verser des indemnités aux plaignants. Malgré ce fait, l'entreprise doit décrire dans ses états financiers la situation qui prévaut, car l'omission d'une telle information pourrait nuire à l'utilité de l'information financière en privant les utilisateurs d'une donnée importante dans le cadre de leur prise de décisions.

Pour assurer le caractère complet de l'information financière, plusieurs IFRS exigent la présentation d'informations additionnelles dans les notes qui accompagnent les états financiers. De telles informations ont trait tant aux éléments comptabilisés dans les états financiers qu'à d'autres renseignements jugés essentiels pour présenter une information qui soit utile. Parmi ces éléments se trouvent les événements postérieurs à la date de clôture de l'exercice, tels l'achat d'une entreprise, les informations relatives aux parties liées ainsi que les actifs et passifs éventuels.

Retenons essentiellement que pour que l'information financière soit utile, elle doit présenter tous les événements susceptibles d'influer sur : 1) la performance et la situation financière ; 2) l'évaluation qui sera faite des ressources économiques et des droits sur ces ressources ; ou 3) la variation de ces ressources et de ces droits. Comme nous le verrons plus loin, l'information doit être présentée dans le corps même des états financiers lorsque les critères de comptabilisation ont été satisfaits ou dans les notes aux états financiers lorsque les critères de comptabilisation n'ont pas été satisfaits.

L'image fidèle d'une information est également caractérisée par sa **neutralité**. Une information est neutre lorsqu'elle est dénuée de parti pris. Une telle information ne comporte donc pas de biais, ni de minimisation ou de manipulation visant à «colorer» le message qu'elle communique en vue d'influencer la perception que les utilisateurs pourraient avoir de cette information.

Les observations formulées en vertu de la **théorie comptable positive** montrent que la direction des entreprises n'est pas toujours neutre lorsqu'elle présente son information financière.

Cette théorie, qui cherche à expliquer et à prédire certains comportements de la direction, vise entre autres à comprendre la motivation de la direction des entreprises lors de la sélection des méthodes comptables utilisées pour la préparation et la présentation de leur information financière. Trois hypothèses fondamentales ont été démontrées à partir de cette théorie[13]:

1. L'hypothèse du régime de rémunération fondé sur des primes. Cette hypothèse considère que lorsque la direction d'une entreprise reçoit une rémunération en fonction du rendement établi à partir des performances financières obtenues, elle est plus encline à choisir des méthodes comptables qui favorisent la reconnaissance à court terme des bénéfices. En agissant de la sorte, la direction d'une entreprise désire bénéficier le plus rapidement possible des avantages que lui offre son régime de rémunération.
2. L'hypothèse du **ratio de structure financière** (capitaux empruntés/capitaux propres). Selon cette hypothèse, plus le ratio de structure financière d'une entreprise est élevé, plus la direction de celle-ci a tendance à choisir des méthodes comptables qui favorisent la reconnaissance à court terme des bénéfices. Ce faisant, la direction de l'entreprise tend à éliminer ou à reporter la violation des clauses restrictives des contrats d'emprunts afin de pouvoir continuer de bénéficier du financement qui lui est accordé.
3. L'hypothèse de la taille de l'entreprise. Cette hypothèse suppose le fait que plus la taille d'une entreprise est grande, plus la direction est tentée de choisir des méthodes comptables qui favorisent le report des bénéfices dans les exercices futurs. Une telle attitude de la part de la direction vise à satisfaire les attentes des investisseurs qui espèrent la croissance future des bénéfices de l'entreprise.

Ces observations proposées par la théorie comptable positive permettent de comprendre l'importance des états financiers audités par une personne indépendante. Connaissant les possibles manipulations des chiffres par la direction des entreprises, l'auditeur, qui n'est pas un membre de la direction, revoit le choix des méthodes comptables et la façon dont l'entreprise les a appliquées au cours de l'exercice. Il contribue ainsi à produire des informations comptables neutres et, par ricochet, fidèles.

Finalement, la fidélité de l'information financière nécessite que celle-ci soit **exempte d'erreur** ou d'omission importante. L'absence d'erreur ne signifie pas l'exactitude parfaite, mais elle suppose que l'application des processus utilisés pour produire l'information financière est sans erreur. Prenons l'exemple de l'amortissement des immobilisations. Pour calculer cette charge, l'entreprise doit procéder à des estimations de la durée d'utilité et de la valeur résiduelle de l'immobilisation. Bien que ces estimations risquent fort de ne pas correspondre exactement à la durée de vie au cours de laquelle l'immobilisation sera utilisée ni même à la valeur résiduelle qui sera obtenue à la fin de son utilisation, elles permettront de présenter une information fidèle si le processus appliqué pour procéder à ces estimations est sans erreur.

Les caractéristiques qualitatives essentielles, soit la pertinence et la fidélité de même que leurs attributs, sont indispensables pour qu'une information soit utile. Ces qualités sont indissociables l'une de l'autre. La présentation fidèle d'un phénomène non pertinent ne contribue pas à l'utilité de l'information, pas plus que la présentation non fidèle d'un phénomène pertinent.

La figure 1.5 décrit le processus que propose le Cadre pour la prise en compte et l'analyse des caractéristiques qualitatives essentielles, aux fins de l'identification des informations utiles à la prise de décisions.

Avez-vous remarqué ?

La préparation des états financiers débute par la détermination d'un phénomène susceptible d'être utile à la prise de décisions. Par la suite, le comptable décide quelle information est la plus pertinente pour expliquer le phénomène et s'assure que cette information présente fidèlement la situation. Lorsque l'information la plus pertinente n'est pas disponible, il cherche une autre information pertinente et s'assure qu'elle présente fidèlement la situation avant de pouvoir prendre en considération le phénomène. Ainsi, si aucune information pertinente ou si aucune information fidèle n'est disponible, le phénomène ne sera pas considéré comme utile et ne devra donc pas être reflété dans l'information financière.

13. Ross L. Watts et Jerold L. Zimmerman, *Positive Accounting Theory*, Englewood Cliffs (N.J.), Prentice-Hall, 1986.

FIGURE 1.5 Le processus d'application des caractéristiques qualitatives essentielles

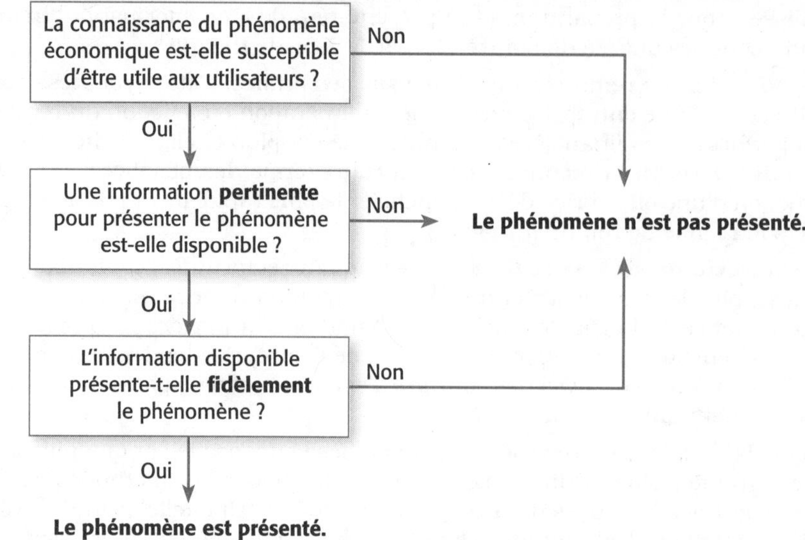

Bien que la pertinence et la fidélité soient des qualités indissociables en vue d'une information financière utile, il arrive parfois que leur application soit conflictuelle et qu'il faille sacrifier un peu la fidélité au profit de la pertinence.

Différence NCECF

Prenons l'exemple de l'information financière intermédiaire que les sociétés cotées en Bourse doivent présenter tous les trimestres. Cette information est pertinente, car elle permet aux utilisateurs de recevoir périodiquement des données financières et ainsi de mettre à jour régulièrement les informations dont ils ont besoin pour prendre des décisions relatives à l'entreprise. Cependant, comme cette information doit être rendue publique rapidement, elle ne présente pas le même degré de fidélité que les états financiers annuels audités.

Les caractéristiques qualitatives auxiliaires

Les caractéristiques qualitatives auxiliaires complètent les caractéristiques qualitatives essentielles. Elles permettent, entre autres, de choisir entre deux informations utiles, du fait que les deux sont pertinentes et fidèles, et ainsi de renforcer l'utilité décisionnelle de l'information financière retenue. Ces caractéristiques sont la comparabilité, la vérifiabilité, la rapidité et la compréhensibilité.

La comparabilité

La **comparabilité** est la qualité qui permet aux utilisateurs d'établir un parallèle entre les états financiers de deux entreprises distinctes, ou entre les états financiers d'une même entreprise pour deux ou plusieurs exercices consécutifs. Cette qualité permet aux utilisateurs de relever les similitudes et les différences entre les informations fournies dans deux jeux d'états financiers, ce qui leur permet par la suite de dégager des tendances et de faire des prédictions. L'uniformité n'est pas synonyme de comparabilité. L'uniformité peut en effet conduire à présenter des éléments différents comme étant semblables ou à faire paraître différents des éléments semblables.

Il va de soi que la comparabilité des états financiers d'une entreprise se trouve accrue lorsque les mêmes méthodes comptables sont appliquées de la même manière d'un exercice à l'autre et que tout changement apporté à ces méthodes est divulgué aux utilisateurs. Ainsi, si le résultat net de 20X1 est plus élevé que celui de 20X0 uniquement à cause de l'application de méthodes comptables différentes au cours de ces deux exercices, il est nécessaire d'indiquer l'incidence du changement sur le résultat net pour maintenir la comparabilité des états financiers et éviter que les utilisateurs ne se méprennent sur la signification de l'augmentation artificielle du résultat net.

La comparabilité est d'une importance primordiale pour les utilisateurs des états financiers. À titre d'exemple, pensons à l'investisseur qui désire acquérir des actions sur le marché boursier. Grâce à l'application des mêmes méthodes comptables d'un exercice à l'autre, il peut comparer les résultats qu'une entreprise a dégagés durant ces exercices. En analysant les résultats de diverses entreprises ayant adopté des méthodes comptables comparables, il peut mieux évaluer la rentabilité de ces dernières. L'importance de cette caractéristique se reflète dans certaines IFRS, comme nous le verrons au chapitre 2.

La vérifiabilité

La **vérifiabilité** est une autre caractéristique qualitative auxiliaire qui contribue à la fidélité de l'information. Cette qualité suppose que différents observateurs bien informés et indépendants pourraient aboutir à un consensus sur la présentation fidèle d'une même information.

Pour être vérifiable, l'information doit pouvoir être corroborée de manière directe ou indirecte. La corroboration directe consiste à valider une information à partir de l'observation directe. Par exemple, le coût historique d'un actif peut être corroboré en consultant le contrat d'achat. Quant à la corroboration indirecte, elle consiste à valider une information à partir des hypothèses utilisées pour la présenter. Par exemple, la valeur comptable des stocks selon la méthode du premier entré, premier sorti (PEPS) est validée en respectant l'hypothèse utilisée pour leur évaluation selon laquelle les stocks détenus en fin d'exercice sont évalués selon le coût des achats les plus récents.

La rapidité

La caractéristique qualitative de **rapidité** répond au besoin de rendre l'information accessible à temps aux utilisateurs, de sorte qu'ils puissent s'en servir pour prendre leur décision. Bien que la rapidité de la disponibilité d'une information n'en garantisse pas la pertinence, on constate qu'une information qui n'est pas produite en temps opportun n'est pas pertinente. En fait, une information ne peut influer sur les décisions des utilisateurs que si elle est disponible au moment même où ces décisions doivent être prises. Cette caractéristique permet aussi de comprendre l'importance de présenter des états financiers intermédiaires.

La compréhensibilité

Il va de soi que, pour être utile, l'information financière doit être comprise par ceux à qui elle est destinée. Bien sûr, nous devons au départ supposer que les utilisateurs de l'information financière ont une bonne compréhension des activités commerciales et économiques de l'entreprise, qu'ils ont une connaissance minimale de la comptabilité et, surtout, la volonté d'étudier l'information d'une façon raisonnablement diligente. Ainsi, les utilisateurs doivent savoir ce qu'est un actif, car cette notion n'est pas définie dans les états financiers.

La caractéristique qualitative de **compréhensibilité** ne justifie toutefois pas l'exclusion d'une information pertinente et fidèle uniquement parce qu'elle est difficile à comprendre. Il peut même parfois arriver que des utilisateurs avisés et expérimentés aient besoin de l'aide d'un conseiller pour comprendre certaines informations financières traitant de sujets complexes ou nouveaux.

Finalement, précisons que la compréhensibilité de l'information financière s'en trouve accrue lorsque l'information est classée, définie et présentée de manière claire et concise. D'ailleurs, nous verrons tout au long du présent manuel que les IFRS formulent de nombreuses exigences qui ont trait à la présentation de l'information financière et des notes complémentaires qui les accompagnent. Ces exigences visent notamment à favoriser la compréhension, par les utilisateurs, des phénomènes économiques que présentent les états financiers.

Bien que les caractéristiques qualitatives auxiliaires contribuent à accroître l'utilité de l'information financière, elles ne peuvent, à elles seules, rendre utile une information qui n'est pas pertinente ni fidèle.

Avez-vous remarqué ?

Les caractéristiques qualitatives de pertinence et de fidélité sont nécessaires à une information utile, alors que les caractéristiques qualitatives de comparabilité, de vérifiabilité, de rapidité et de compréhensibilité accroissent l'utilité mais ne doivent pas obligatoirement être présentes.

L'application de ces caractéristiques qualitatives auxiliaires ne suit pas un ordre imposé, comme nous l'a montré la figure 1.5 pour les caractéristiques qualitatives essentielles. On doit viser le plus possible à ce que l'information financière bénéficie de toutes ces caractéristiques qualitatives, mais des choix doivent parfois être faits même s'ils impliquent de sacrifier une ou plusieurs caractéristiques auxiliaires pour permettre la maximisation de certaines autres. À titre d'exemple, certaines circonstances pourraient mener à sacrifier la comparabilité en adoptant une nouvelle norme comptable qui traduit plus fidèlement le phénomène économique à présenter.

La contrainte du coût pesant sur l'information financière utile

Différence NCECF

La préparation et la présentation de l'information financière utile qui possède les caractéristiques qualitatives énumérées précédemment entraînent nécessairement des coûts. De tels coûts ne peuvent être justifiés que dans la mesure où l'information financière qui en découle procure des avantages économiques au moins équivalents. On parle alors de l'**équilibre coûts/avantages**.

Bien qu'il soit difficile d'évaluer précisément la valeur économique des avantages de l'information financière utile, nous pouvons présumer qu'une information financière pertinente et fidèle favorise la prise de décisions et contribue à l'efficience des marchés. Selon l'**hypothèse de l'efficience des marchés des capitaux**, toute information rendue publique se répercute immédiatement sur la cote boursière des titres de l'entreprise, de sorte que les cotes reflètent toujours la totalité de l'information dont dispose le public. Cette hypothèse est soutenue par des données empiriques qui tendent à montrer qu'il n'est pas possible pour un investisseur de déjouer le marché en se basant sur l'analyse des rapports financiers et des autres informations connues du public. Le fait que ces informations se soient déjà répercutées dans la cote des titres élimine la possibilité d'obtenir des rendements anormaux.

Comme l'information financière publiée est du domaine public, il est logique de croire que l'information financière pertinente qui présente une image fidèle des activités économiques d'une entreprise contribue à ce que la cote de ses titres reflète la réalité économique. Cela constitue très certainement un avantage pour les investisseurs.

Même si nous pouvons sans contredit affirmer que l'information pertinente et fidèle comporte des avantages pour les utilisateurs, le défi qui se pose tant pour les normalisateurs que pour les comptables est d'évaluer si les coûts entraînés par la production d'une information financière donnée sont compensés par les avantages que procure cette même information.

Par exemple, nous verrons au chapitre 9 qu'une entreprise doit choisir de présenter ses immobilisations corporelles selon le modèle du coût historique ou celui de la réévaluation. Pour faire son choix, l'entreprise doit évaluer l'avantage, c'est-à-dire l'utilité pour ses utilisateurs d'une information fondée sur le modèle de la réévaluation compte tenu des coûts significativement plus élevés de l'application de ce modèle comparativement à celui du coût historique.

Différence NCECF

Bien que l'équilibre coûts/avantages soit nécessaire lors de l'établissement de l'information financière, force est d'admettre que l'évaluation de la nature et de la valeur des avantages et des coûts est avant tout une affaire de jugement.

Les caractéristiques qualitatives de l'information financière et le rôle du jugement professionnel

Notre analyse des caractéristiques qualitatives de l'information financière, de même que celle de la contrainte du coût pesant sur l'information financière utile, montre que la préparation d'une information financière utile requiert une bonne dose de jugement. Comme ces caractéristiques et cette contrainte n'évoluent pas en vase clos et se côtoient, le jugement du comptable est important pour traduire dans l'information financière les phénomènes économiques pertinents de manière fidèle à un coût qui se justifie par les avantages procurés.

Comme nous l'avons mentionné un peu plus tôt, il est important pour le comptable professionnel de recourir à son jugement pour comprendre à la fois la réalité économique des opérations à comptabiliser ainsi que les concepts fondamentaux applicables en vue de la présentation d'une image fidèle et conforme de la situation de l'entreprise.

C'est l'exercice du jugement professionnel qui permet, entre autres, de tenir compte de considérations pratiques lors de la présentation dans les états financiers de certains phénomènes économiques. Par exemple, lorsque le coût d'un coupe-papier est passé en charges, on invoque l'importance relative pour déroger à sa comptabilisation à titre d'actif tout en sachant fort bien que le coupe-papier sera utilisé durant plusieurs exercices et devrait, en principe, être comptabilisé à titre d'actif. L'application du jugement professionnel dans de telles circonstances permet de considérer que la faible importance du montant en cause ne causera pas préjudice à la fidélité de l'image transmise par les états financiers.

La figure 1.6 résume le processus de détermination de l'information utile que nous venons de décrire. Elle montre que la détermination d'une information financière utile à la prise de décisions découle d'un processus d'analyse des phénomènes économiques à travers le filtre des caractéristiques qualitatives essentielles que sont la pertinence et la fidélité et en recherchant le plus

FIGURE 1.6 Le processus de détermination de l'information financière utile

Phénomène économique

Caractéristiques qualitatives essentielles

PERTINENCE
et
FIDÉLITÉ

Jugement professionnel

Contrainte du coût

Caractéristiques qualitatives auxiliaires

COMPARABILITÉ
ou VÉRIFIABILITÉ
ou RAPIDITÉ
ou COMPRÉHENSIBILITÉ

INFORMATION FINANCIÈRE UTILE

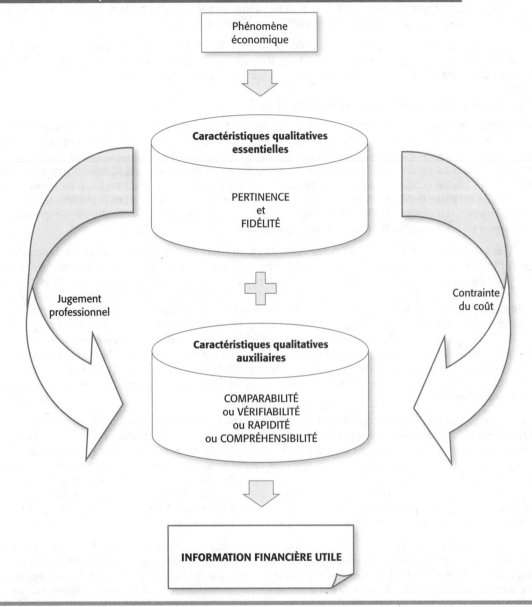

possible l'ajout des caractéristiques qualitatives auxiliaires que sont la comparabilité, la vérifiabilité, la rapidité et la compréhensibilité. Tout au long du processus, le **jugement professionnel** occupe une très grande place. Il contribue à ce que l'information financière présente une image fidèle des phénomènes économiques. Le jugement professionnel intervient également dans l'évaluation des **contraintes de coût** associées à l'information financière en vue d'assurer que les coûts n'excèdent pas les avantages que procure cette dernière.

Connaissant maintenant les objectifs et les caractéristiques qualitatives de l'information financière utile, il est temps de s'intéresser aux éléments des états financiers et à leurs conventions d'évaluation.

Les éléments des états financiers et leurs conventions d'évaluation

Le dernier chapitre du Cadre présente des indications qui complètent l'objectif et les caractéristiques qualitatives de l'information financière et qui fournissent les orientations générales de la présentation des états financiers. On y trouve la description de l'hypothèse de la continuité d'exploitation, la description des principaux éléments des états financiers, les concepts de base de l'évaluation des éléments des états financiers de même que les concepts de capital et de maintien du capital nécessaires à la mesure de la performance d'une entreprise.

Comme nous l'avons mentionné précédemment, le Cadre n'est pas une norme en soi et plusieurs des sujets dont nous traiterons dans les pages qui suivent seront également abordés au chapitre 2 lors de l'étude de l'IAS 1, intitulée « Présentation des états financiers ».

L'hypothèse de la continuité d'exploitation

La **continuité d'exploitation** constitue l'hypothèse de base sur laquelle doit reposer la présentation de l'information financière des entreprises. Les utilisateurs de l'information financière considèrent, sans même en être avisés, que cette hypothèse est présente lorsqu'ils utilisent l'information financière aux fins de leur prise de décisions. Lorsque cette hypothèse est altérée ou ne concorde plus avec la réalité économique de l'entreprise, les états financiers doivent en faire mention. Mais que signifie au juste cette hypothèse ? Le Cadre l'explique en ces termes : « Les états financiers sont normalement préparés selon l'hypothèse qu'une entité est en situation de continuité d'exploitation et poursuivra ses activités dans un avenir prévisible[14]. »

En vertu de l'hypothèse de la continuité d'exploitation, le comptable doit poser l'hypothèse que l'entreprise poursuivra ses activités suffisamment longtemps pour bénéficier de tous les avantages économiques liés à l'utilisation de ses actifs et s'acquitter de ses dettes dans le cours normal de ses activités. Cela ne signifie pas que l'entreprise aura une durée de vie illimitée, mais plutôt qu'elle mènera à terme ses projets et respectera ses engagements. Afin de mieux comprendre cela, on peut établir une analogie entre cette hypothèse et la façon dont les gens envisagent la vie. Une personne qui n'a aucune raison de croire en son décès imminent mène sa vie comme si celle-ci avait une durée indéfinie, sans pour autant croire qu'elle sera sans fin. Bien qu'elle n'espère pas vivre éternellement, jusqu'à ce qu'elle ait la preuve de son décès imminent, soit à cause d'une maladie incurable ou d'un âge très avancé, elle continue à penser et à agir comme si sa vie allait se poursuivre indéfiniment.

Pour plusieurs, l'hypothèse de la continuité d'exploitation a un impact important sur l'évaluation comptable des opérations économiques ; notamment, elle justifierait l'utilisation du coût historique recouvrable, que nous expliquerons plus loin. Ainsi, une entreprise comptabilise souvent ses immobilisations à leur coût, diminué de l'amortissement cumulé, pour répartir leur coût passé sur la durée de leur détention, considérant qu'elle utilisera ses actifs jusqu'à la fin de leur durée de vie utile. Par contre, si l'entreprise décidait de cesser d'utiliser ses immobilisations dans un proche avenir, la comptabilisation de celles-ci au coût historique pourrait ne plus être considérée comme pertinente. Nous reviendrons sur ce sujet au chapitre 9.

De l'hypothèse de la continuité d'exploitation découlent certaines conséquences, dont celle de la succession indéfinie des opérations d'une entreprise. Pour déterminer avec exactitude la performance économique d'une entreprise et établir sa situation financière, il faudrait normalement attendre sa dissolution ou sa liquidation. Par contre, cette solution n'est pas acceptable en pratique.

Pour de multiples raisons qui tiennent aux impératifs de fonctionnement de la vie économique, il n'est pas possible d'attendre la fin de la vie de l'entreprise pour en évaluer les résultats. Les utilisateurs devant régulièrement prendre des décisions d'affaires, ils ont besoin de recevoir périodiquement de l'information financière qui les aidera à cet égard. Pour présenter régulièrement l'information financière qui résume les activités économiques de l'entreprise, il est donc nécessaire de découper le flux de ses activités en **exercices**. Ce découpage permet notamment d'évaluer la performance de l'entreprise pour un exercice donné. Pour ce faire, intervient la notion d'**indépendance des périodes**, qui exige d'imputer à chaque période tous les faits, opérations ou événements qui s'y rattachent. La période des entreprises porte le nom d'**exercice financier** ou de **période de présentation de l'information financière**, et les états financiers sont dressés à la fin de cet exercice.

Bien que la durée normale d'un exercice financier soit de 12 mois, cela n'empêche pas les entreprises de publier des rapports financiers périodiques plus fréquents, soit mensuels ou trimestriels. L'exercice financier ne doit pas nécessairement coïncider avec la fin de l'année civile. Il peut commencer à une date quelconque et se terminer 12 mois plus tard. Ainsi, plusieurs entreprises ont un exercice financier qui se termine au moment où les activités courantes sont à leur niveau le plus bas afin de faciliter le dénombrement des articles stockés et l'établissement des états financiers.

14. *Manuel de CPA Canada – Comptabilité – Partie I,* Cadre conceptuel de l'information financière, paragr. 4.1.

Puisque l'hypothèse de la continuité d'exploitation est valide seulement lorsque l'entreprise est en mesure de poursuivre ses activités dans un avenir prévisible, comment faire pour valider cette hypothèse ?

Les paragraphes 25 et 26 de l'IAS 1 mentionnent qu'au moment d'établir les états financiers, la direction de l'entreprise doit évaluer la capacité de cette dernière à poursuivre son exploitation. Pour ce faire, la direction doit tenir compte de toutes les informations disponibles à la date de présentation des états financiers relativement à l'avenir de l'entreprise, en prenant en compte, sans toutefois s'y limiter, une période minimale de un an à compter de la date de clôture de l'exercice.

Pour plus de précision, l'IAS 1 ajoute que lorsqu'une entreprise a un passé d'activités bénéficiaires et d'accès sans difficulté au financement, il n'est pas nécessaire de procéder à une analyse détaillée afin de conclure à l'existence de la continuité d'exploitation. Toutefois, dans toute autre circonstance, la direction de l'entreprise devra possiblement analyser une série de facteurs relatifs à la rentabilité actuelle et attendue, au calendrier de remboursement des dettes et aux sources potentielles de remplacement du financement avant de se convaincre du maintien de l'hypothèse de continuité d'exploitation.

Voici quelques exemples de critères pouvant aider à évaluer la validité de l'hypothèse de la continuité d'exploitation. Ces éléments sont des indicateurs de la vigueur des activités de l'entreprise et de ses perspectives d'avenir :

- L'existence et le respect du plan de renouvellement des immobilisations ;
- L'existence et le respect du plan d'investissements triennal et quinquennal ;
- L'investissement dans la recherche et le développement de nouveaux biens ou services ;
- L'élaboration de la stratégie commerciale ;
- L'existence de placements dans des instruments financiers performants ;
- La rentabilité actuelle et attendue ;
- Le respect du calendrier de remboursement des dettes ;
- La facilité à obtenir du financement ou à recruter du personnel qualifié.

La remise en question de l'hypothèse de la continuité d'exploitation peut découler de différents types de situations ou d'événements. Elle peut provenir d'une détérioration graduelle de la santé financière d'une entreprise, d'événements imprévisibles et même ponctuels, ou encore de la décision de la direction de mettre fin aux activités de l'entreprise dans un avenir prévisible.

Lorsque l'analyse des faits et de la situation soulève des incertitudes suffisantes qui mettent en doute la capacité de l'entreprise à poursuivre ses activités, ces incertitudes doivent être indiquées dans les états financiers. Il s'agit là d'une information très importante dont les utilisateurs ont besoin pour prendre leurs décisions. L'entreprise doit alors faire mention des raisons qui l'ont amenée à affirmer que l'hypothèse de la continuité d'exploitation ne prévaut plus et en indiquer les impacts sur ses états financiers.

Dans un contexte où la continuité d'exploitation de l'entreprise est mise en cause, la direction doit revoir les conventions d'évaluation utilisées pour présenter les éléments de ses états financiers afin de s'assurer que celles-ci reflètent toujours la réalité économique qui prévaut. Par exemple, lorsque l'entreprise prévoit cesser ses activités dans un proche avenir, les immobilisations présentées selon le coût historique pourraient devoir être présentées davantage sur la base de leur valeur nette de réalisation, qui correspond fort probablement davantage aux flux de trésorerie qui en découleront jusqu'à ce que cessent les activités de l'entreprise.

Précisons finalement qu'il est possible qu'une entreprise soit créée en vue de réaliser un projet précis et que sa liquidation soit prévue au terme de ce projet. Dans un tel contexte, les méthodes comptables adoptées, de même que l'évaluation comptable des opérations, doivent être adaptées à la durée prévue du projet. Ainsi, la durée d'utilité prévue des immobilisations amortissables ne pourra s'étendre au-delà de la date prévue de fin de l'exploitation. Précisons à ce sujet que lorsque la période d'exploitation d'une entreprise est limitée, des informations à cet effet doivent être mentionnées aux utilisateurs[15] afin de leur permettre une meilleure prise de décisions.

15. *Manuel de CPA Canada – Comptabilité – Partie I*, IAS 1, paragr. 138(d).

Avez-vous remarqué ?

L'hypothèse de la continuité d'exploitation permet aux utilisateurs de l'information financière de prendre des décisions en s'appuyant sur le fait que les activités de l'entreprise se poursuivront dans un avenir prévisible.

Les définitions des éléments des états financiers

Les états financiers reflètent un nombre important de transactions et d'événements, qui doivent être condensés tout en donnant une image fidèle de la situation financière de l'entreprise et de sa performance. Afin de favoriser la compréhensibilité des informations transmises aux utilisateurs dans les états financiers et d'en assurer le plus possible la comparabilité entre les entreprises, le Cadre définit les principaux **éléments des états financiers**. Ces éléments sont en quelque sorte les grandes catégories d'informations ou d'événements qui possèdent des caractéristiques économiques semblables. Le Cadre distingue ainsi les éléments liés à l'évaluation de la situation financière et ceux liés à l'évaluation de la performance.

Les éléments liés à l'évaluation de la situation financière

Lorsque nous avons traité, précédemment, des objectifs de l'information financière utile et des besoins des principaux utilisateurs, nous avons mentionné que ceux-ci ont besoin d'obtenir des informations sur les ressources de l'entreprise et sur les droits sur ces ressources. Les éléments des états financiers qui permettent de transmettre cette information et ainsi d'évaluer la situation financière de l'entreprise sont les **actifs**, les **passifs** et les **capitaux propres**. Ces éléments sont présentés dans l'état de la situation financière de l'entreprise. Le Cadre définit chacun de ces éléments de la manière suivante :

(a) Un actif est une ressource contrôlée par l'entité du fait d'événements passés et dont des avantages économiques futurs sont attendus par l'entité.

(b) Un passif est une obligation actuelle de l'entité résultant d'événements passés et dont l'extinction devrait se traduire pour l'entité par une sortie de ressources représentatives d'avantages économiques.

(c) Les capitaux propres sont le droit résiduel sur les actifs de l'entité après déduction de tous ses passifs[16].

Avez-vous remarqué ?

L'état de la situation financière présente les actifs, les passifs et les capitaux propres de l'entreprise. Ces éléments permettent aux utilisateurs de connaître les ressources dont dispose l'entreprise de même que les droits détenus sur ces ressources à une date donnée.

Pour apprécier si un élément satisfait à la définition d'un actif, d'un passif ou des capitaux propres, il faut se rappeler la notion de prééminence de la substance sur la forme juridique dont nous avons parlé dans le cadre de la caractéristique qualitative essentielle de fidélité. Ainsi donc, il convient de prêter attention à la réalité économique du phénomène au-delà de sa substance juridique au moment d'apprécier les définitions des éléments formulées par le Cadre. Par exemple, nous verrons au chapitre 4 que lorsqu'une entreprise procède à une émission d'**actions rachetables au gré du détenteur,** ces actions doivent être considérées à titre de dette et donc présentées dans le passif car, en substance, elles possèdent toutes les caractéristiques d'un passif. Il s'agit d'une obligation actuelle résultant d'événements passés qui se traduira par une sortie de ressources économiques.

Les éléments liés à l'évaluation de la performance

Différence NCECF

Outre les éléments de l'état de la situation financière qui présentent des informations sur les ressources de l'entreprise et sur les droits sur ces ressources, les utilisateurs de l'information financière d'une entreprise ont également besoin de renseignements leur permettant d'évaluer la performance de celle-ci. Les éléments des états financiers directement liés à l'évaluation du résultat, utilisés fréquemment à titre de mesure de performance de l'entreprise, sont les **produits**

16. *Manuel de CPA Canada – Comptabilité – Partie I,* Cadre conceptuel de l'information financière, paragr. 4.4.

et les **charges**. Nous trouvons ces éléments dans l'état du résultat global, comme nous le verrons au chapitre 2. Le Cadre définit chacun de ces éléments de la manière suivante :

(a) Les produits sont les accroissements d'avantages économiques au cours de la période comptable, sous forme d'entrées ou d'accroissements d'actifs, ou de diminutions de passifs, qui donnent lieu à des augmentations des capitaux propres autres que les augmentations provenant des apports des participants aux capitaux propres.

(b) Les charges sont des diminutions d'avantages économiques au cours de la période comptable sous forme de sorties ou de diminutions d'actifs, ou de prise en charge de passifs, qui ont pour résultat de diminuer les capitaux propres autrement que par des distributions aux participants aux capitaux propres[17].

Avez-vous remarqué ?

L'état du résultat global présente les produits et les charges de l'entreprise. Ces éléments permettent aux utilisateurs de connaître la performance économique de l'entreprise au cours de l'exercice financier.

À propos des éléments inhérents à la performance de l'entreprise, le Cadre indique que les produits et les charges incluent à la fois les phénomènes qui résultent des activités ordinaires de l'entreprise et ceux qui n'en résultent pas.

Ainsi, dans les produits, nous trouvons les produits des activités ordinaires de même que les profits. Les **produits des activités ordinaires** correspondent aux produits générés par les activités courantes de l'entreprise. Il peut s'agir des produits liés à la vente de marchandises, à la prestation de services professionnels ou autres. On les trouve dans l'état du résultat global sous différents noms : ventes, honoraires, produits d'intérêt, etc. Il s'agit en fait de phénomènes économiques récurrents qui génèrent un accroissement des ressources économiques de l'entité. Les produits incluent également les **profits**. Ceux-ci résultent de la vente d'actifs non courants ou encore de la réévaluation à la hausse de certains actifs. Il s'agit là de phénomènes qui génèrent un accroissement des ressources, mais qui ne font pas partie des activités principales de l'entreprise.

Il en est de même pour les charges, qui incluent les charges qui résultent des activités ordinaires ainsi que les pertes. Les **charges inhérentes aux activités ordinaires** regroupent les coûts relatifs aux activités courantes de l'entreprise qui sont nécessaires pour réaliser ses produits des activités ordinaires. Il s'agit, par exemple, du coût des ventes, des salaires ou des amortissements. Les **pertes**, tout en représentant des diminutions d'avantages économiques, ne résultent pas des activités courantes de l'entreprise. Elles proviennent, par exemple, de la vente ou de la réévaluation d'actifs non courants ou encore de catastrophes naturelles telles que des inondations.

Bien que les profits et les pertes correspondent aux définitions des produits et des charges, leur présentation dans l'état du résultat global est généralement distincte de celle des produits et des charges résultant des activités ordinaires afin de fournir une information plus utile à la prise de décisions. Pour les utilisateurs, les produits et les charges résultant des activités courantes de l'entreprise fournissent une meilleure indication de la capacité de l'entreprise à générer des flux de trésorerie récurrents que ne peuvent le faire les profits et les pertes. Nous reviendrons sur ce sujet au chapitre 2.

Pour donner un sens concret aux définitions des éléments des états financiers dont nous venons de traiter, le tableau 1.4 traduit différents phénomènes économiques simples en éléments des états financiers à partir des définitions que le Cadre fournit à leur égard.

Les définitions des éléments des états financiers sont d'une grande utilité pour la préparation de l'état de la situation financière et de l'état du résultat global. Nous verrons cependant au chapitre 2 que ces états financiers ne sont pas les seuls qui doivent être préparés en vue de satisfaire les besoins des utilisateurs. En effet, un jeu complet d'états financiers doit également inclure un état des variations des capitaux propres ainsi qu'un tableau des flux de trésorerie. Ces états complètent l'information transmise par les états de la situation financière et du résultat global sans toutefois présenter de nouveaux éléments, au sens donné à ce terme dans le Cadre. Ils présentent plutôt des informations additionnelles liées à ces éléments en vue de permettre aux

17. *Manuel de CPA Canada – Comptabilité – Partie I,* Cadre conceptuel de l'information financière, paragr. 4.25.

TABLEAU 1.4 L'application de la définition des éléments des états financiers à des phénomènes économiques

Normes internationales d'information financière, **Cadre conceptuel de l'information financière**	**Phénomènes économiques**
Paragr. 4.4(a) ***L'actif*** *Un actif est une ressource contrôlée par l'entité du fait d'événements passés et dont des avantages futurs sont attendus par l'entité.*	**Exemple : achat d'un camion de livraison de 25 000 $**
Un élément d'actif possède trois caractéristiques essentielles :	Ce camion est une ressource, c'est-à-dire un bien à la disposition de l'entreprise, et possède trois caractéristiques :
1. Il représente une ressource contrôlée par l'entité.	1. L'entreprise en contrôle l'utilisation, puisqu'elle en est propriétaire et compte s'en servir pour effectuer ses livraisons.
2. Le contrôle de l'entité découle d'un fait passé en vertu duquel l'actif a été obtenu.	2. L'achat est confirmé en vertu du contrat signé.
3. Les avantages économiques futurs que représente l'actif se traduiront par une contribution directe ou indirecte à ses flux de trésorerie futurs.	3. L'utilisation du camion procurera vraisemblablement des avantages futurs à l'entreprise durant plusieurs exercices, dans la mesure où ce dernier permettra de livrer les marchandises vendues à la clientèle au cours de plus d'un exercice.
Paragr. 4.4(b) ***Le passif*** *Un passif est une obligation actuelle de l'entité résultant d'événements passés et dont l'extinction devrait se traduire pour l'entité par une sortie de ressources représentatives d'avantages économiques.*	Lors de l'acquisition du camion, l'entreprise a obtenu un financement de 10 000 $. Ce financement est remboursable sur une période de 48 mois à une société de crédit.
Un élément de passif possède trois caractéristiques essentielles :	L'emprunt contracté accorde au prêteur un droit sur les ressources de l'entreprise et répond aux trois caractéristiques suivantes :
1. Il représente une obligation actuelle qui correspond à un devoir ou à une responsabilité d'agir ou de faire quelque chose d'une certaine façon.	1. L'entreprise ne peut se décharger de cette obligation car, à défaut de paiement, le prêteur reprendra sûrement possession du camion.
2. L'obligation résulte de transactions ou d'événements passés.	2. L'obligation de payer est conforme au contrat de financement conclu avec le prêteur lors de l'acquisition du camion.
3. L'extinction de l'obligation implique que l'entité abandonnera des ressources représentatives d'avantages économiques.	3. L'entreprise a pris l'engagement de rembourser une somme déterminée chaque mois.
Paragr. 4.4(c) ***Les capitaux propres*** *Les capitaux propres sont le droit résiduel sur les actifs de l'entité après déduction de tous ses passifs.*	L'entreprise possède un camion dont le coût d'acquisition de 25 000 $ est assorti d'une dette de 10 000 $. Le droit résiduel des propriétaires totalise 15 000 $, soit la valeur comptable de cet actif, déduction faite de la dette.
Paragr. 4.25(a) ***Les produits*** *Les produits sont les accroissements d'avantages économiques au cours de la période comptable, sous forme d'entrées ou d'accroissements d'actifs, ou de diminutions de passifs, qui donnent lieu à des augmentations des capitaux propres autres que les augmentations provenant des apports des participants aux capitaux propres.*	L'entreprise réalise des ventes de marchandises qui seront confirmées lorsque les marchandises seront livrées. Que cette vente soit au comptant ou à crédit, elle entraîne une augmentation de l'actif en argent comptant ou sous la forme d'une créance. Si l'entreprise décide de vendre le camion de livraison et obtient un prix de vente plus élevé que la valeur comptable du camion, elle réalise un profit.
Paragr. 4.25(b) ***Les charges*** *Les charges sont des diminutions d'avantages économiques au cours de la période comptable, sous forme de sorties ou de diminutions d'actifs, ou de prise en charge de passifs, qui ont pour résultat de diminuer les capitaux propres autrement que par des distributions aux participants aux capitaux propres.*	Prenons l'exemple d'achat d'essence pour effectuer les livraisons par camion. Cet achat constitue une charge que doit payer l'entreprise pour réaliser la vente de ses marchandises. Que l'achat soit au comptant ou à crédit, il entraîne une diminution de la trésorerie ou l'apparition d'une nouvelle obligation. Par ailleurs, si l'entreprise décide de vendre le camion de livraison et en obtient une valeur inférieure à la valeur comptable, il en résulte une perte.

utilisateurs de comprendre les flux de trésorerie de l'entreprise et aussi de connaître les apports et distributions à ses propriétaires.

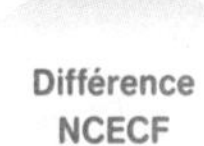

Différence NCECF

Maintenant que nous connaissons les éléments présentés dans les états financiers, nous poursuivrons notre étude du Cadre en nous intéressant aux concepts relatifs à la comptabilisation de ces éléments.

La comptabilisation des éléments des états financiers

Le Cadre nous indique que la **comptabilisation** est le processus qui consiste à incorporer un élément aux états financiers, et plus précisément dans l'état de la situation financière ou dans l'état du résultat global. La comptabilisation implique la description de l'élément sous la forme d'un intitulé et d'un montant ainsi que son inclusion dans les totaux de ces états financiers. Pour qu'un élément fasse son entrée dans l'un de ces états, il doit respecter les critères établis à cette fin par le Cadre.

Ainsi, tout élément qui satisfait aux critères de comptabilisation définis dans le Cadre doit être comptabilisé; une unique mention à son sujet dans les notes ne saurait être suffisante. Les critères indiqués dans le Cadre et qui guident la comptabilisation des éléments d'actif, de passif, de capitaux propres, de produits et de charges aux états financiers sont les suivants :

(a) il est probable que tout avantage économique futur qui lui est lié ira à l'entité ou en sortira ; et

(b) l'élément a un coût ou une valeur qui peut être évalué de façon fiable[18].

L'appréciation de la **probabilité d'avantages économiques futurs** s'inscrit en lien avec les définitions proposées dans le Cadre pour les éléments des états financiers, lesquelles réfèrent à la contribution de l'élément à l'accroissement ou à la diminution des ressources représentatives d'avantages économiques pour l'entreprise. Ainsi, pour qu'un phénomène soit comptabilisé à titre d'élément dans les états financiers, on doit évaluer la probabilité qu'il contribue à l'accroissement ou à la diminution des ressources économiques de l'entreprise. L'appréciation de ce critère repose sur les informations qui existent à la date de préparation des états financiers. Par exemple, pour comptabiliser un compte client à titre d'actif, on doit être «raisonnablement» certain de pouvoir recouvrer cette créance, donc que l'entreprise bénéficiera d'un accroissement de ses ressources économiques. Il ne doit exister aucun indice laissant croire que le client pourrait ne pas nous payer.

Quant au critère de **fiabilité de l'évaluation**, il fait référence au coût ou à la valeur de l'élément à comptabiliser. Lors de l'établissement des états financiers d'une entreprise, il est facile d'évaluer les montants de la plupart des opérations de l'exercice, car celles-ci ont été conclues en échange de monnaie ou d'une promesse d'encaissement ou de paiement. Toutefois, pour certains phénomènes, la valeur ne peut qu'être estimée. C'est le cas notamment des provisions pour garantie, des pertes de crédit attendues sur les comptes clients et de l'amortissement. Le Cadre reconnaît à ce sujet que «[...] l'utilisation d'estimations raisonnables est une partie essentielle de la préparation des états financiers et ne met pas en cause leur fiabilité[19]».

Il existe cependant des faits ou des événements plus difficiles, même impossibles, à évaluer. Pensons notamment à la valeur de l'ensemble du personnel de l'entreprise. Ne s'agit-il pas de l'actif le plus important de toute entreprise ? Pourtant, il serait hasardeux de vouloir quantifier monétairement la valeur individuelle de chaque employé. Prenons aussi pour exemple la pollution causée par une entreprise et ses conséquences sur l'environnement. Il est difficile de quantifier les sommes que l'entreprise pourrait être tenue de payer aux victimes de la pollution.

Lorsque la valeur de l'élément à comptabiliser ne peut faire l'objet d'une estimation raisonnable, il ne doit pas être comptabilisé. La décision de comptabiliser ou non un élément dont l'évaluation est difficile ou impossible doit être prise en respectant le processus d'application des caractéristiques qualitatives essentielles montré dans la figure 1.6. Lorsque l'application de ce processus mène à la conclusion que l'information n'est pas suffisamment fiable pour être comptabilisée, la pertinence de celle-ci aux fins de prise de décisions pourrait en justifier la présentation par voie de notes. À cet effet, nous verrons dans les chapitres suivants que les notes qui accompagnent les états financiers contiennent à la fois des informations sur les éléments qui n'ont pu être comptabilisés et des précisions sur des éléments déjà comptabilisés.

18. *Manuel de CPA Canada – Comptabilité – Partie I*, Cadre conceptuel de l'information financière, paragr. 4.38.
19. *Manuel de CPA Canada – Comptabilité – Partie I*, Cadre conceptuel de l'information financière, paragr. 4.41.

Afin de mieux comprendre la façon dont les critères de comptabilisation s'appliquent aux différents éléments des états financiers, le Cadre fournit des précisions additionnelles pour la comptabilisation de chacun des éléments que l'on trouve dans les états financiers.

Ainsi, pour qu'un phénomène soit comptabilisé à titre d'**actif**, il doit être probable que des avantages économiques futurs iront à l'entreprise. De plus, l'actif doit avoir un coût ou une valeur qui peut être évaluée de manière fiable. Par exemple, lorsqu'une dépense est engagée et qu'il est peu probable qu'elle produise des avantages économiques au-delà de l'exercice financier en cours, elle ne peut être comptabilisée à titre d'actif et doit être considérée comme un élément de charge.

Ce traitement n'indique pas pour autant que la dépense constituait un désavantage économique au moment où elle a été engagée et qu'elle représente une mauvaise décision de la direction. Il indique simplement que les avantages procurés par la dépense ne s'étendent pas au-delà de l'exercice financier courant. Prenons l'exemple de l'acquisition d'une imprimante comparativement à l'acquisition d'une cartouche d'encre pour celle-ci. La dépense liée à l'acquisition de l'imprimante risque fort de satisfaire au critère de la probabilité d'avantages économiques futurs, car l'imprimante devrait être utilisée sur une période qui s'étendra au-delà de l'exercice financier courant. Par contre, la cartouche d'encre ne procurera probablement pas des avantages économiques futurs au-delà de ce même exercice financier. C'est pourquoi elle sera comptabilisée comme une charge de l'exercice et non à titre d'actif.

Nous avons déjà expliqué qu'un phénomène est comptabilisé en tant que **passif** lorsqu'il est probable qu'il entraînera une sortie de ressources représentatives d'avantages économiques nécessaires à l'extinction d'une obligation actuelle et que le montant de cette extinction peut être évalué de façon fiable. Ainsi, la comptabilisation d'un passif requiert l'existence d'une obligation actuelle, à la date de présentation de l'information financière, qui occasionnera probablement une sortie de ressources économiques en vue de son extinction.

En ce qui a trait à la comptabilisation des produits, le Cadre indique qu'un **produit** est comptabilisé lorsqu'un accroissement d'avantages économiques futurs s'est produit au cours de l'exercice financier et qu'il en a résulté un accroissement d'actif ou une diminution de passif dont l'évaluation est fiable. La comptabilisation des produits soulève de nombreuses questions liées dans une certaine mesure à l'évaluation, mais surtout au moment où l'entreprise peut considérer que le produit est gagné.

Prenons l'exemple de la société Prospère ltée, qui fabrique et vend des biens de consommation à un détaillant qui s'est engagé à lui acheter toute sa production. Si l'évaluation ne pose pas problème, à partir du moment où le prix de vente a été fixé, le moment de la comptabilisation exige quant à lui réflexion. À quel moment Prospère ltée peut-elle comptabiliser le produit de la vente de ses biens ? Divers choix sont possibles : au début de la production, à la fin de la production, au cours de la production, à la livraison au détaillant ou encore lors du paiement par ce dernier. La question est ici de savoir à quel moment on peut considérer que l'accroissement des avantages économiques s'est réalisé.

D'un point de vue conceptuel, plusieurs réponses pourraient convenir et être justifiées en fonction des critères de comptabilisation énoncés dans le Cadre. Cependant, si le choix final relève exclusivement de la direction de l'entreprise, l'information financière risque d'être très différente d'une entreprise à l'autre, ce qui en diminue l'utilité pour les utilisateurs désireux de comparer la performance économique de plusieurs entreprises. Comme nous le verrons au chapitre 20, les normes fournissent de nombreuses précisions à l'égard de la comptabilisation des produits afin d'assurer une certaine uniformité de la présentation de l'information financière des entreprises.

Finalement, en ce qui concerne les **charges**, le Cadre indique qu'elles doivent être comptabilisées lorsqu'une diminution d'avantages économiques futurs liée à la diminution d'un actif ou à l'augmentation d'un passif s'est produite et peut être évaluée de façon fiable. Cela signifie que la comptabilisation d'une charge s'effectue au même moment que la comptabilisation d'un passif ou que la diminution d'un actif.

Généralement, les charges sont comptabilisées sur la base d'une association directe entre les coûts engagés et l'obtention de produits. Ce processus est communément nommé **rattachement des charges aux produits**, et il implique la comptabilisation simultanée ou combinée de produits et de charges qui résultent des mêmes transactions ou événements. Toutefois, le processus de rattachement des charges aux produits ne conduit pas systématiquement à la comptabilisation de toutes les charges. Une charge est également comptabilisée lorsqu'une dépense engagée ou la naissance d'un passif ne générera probablement pas d'avantages économiques ou que les avantages économiques futurs associés à un élément d'actif déjà comptabilisé cessent d'être probables. La figure 1.7 illustre bien le questionnement qui s'impose face aux dépenses et à leur comptabilisation à titre d'actif ou de charge.

La relation causale est un concept important pour l'établissement du résultat utilisé en tant que mesure de la performance d'une entreprise, mais il n'est pas le seul en cause pour la comptabilisation des charges. L'exemple suivant permet de résumer les concepts qui guident la comptabilisation des charges.

Une entreprise d'aménagement paysager offre à sa clientèle la possibilité de créer un plan architectural sans frais. Si un client accepte le plan et s'approvisionne auprès de l'entreprise, le salaire du paysagiste peut facilement être rattaché au produit généré par ce contrat; il existe alors une relation de cause à effet. En revanche, que faire si le client décide de s'approvisionner ailleurs ? Il ne fait aucun doute que le salaire du paysagiste ne génère aucun produit dans ce cas particulier. Il s'agit donc d'une comptabilisation immédiate. Finalement, le coût de l'immeuble et des équipements de l'entreprise doit lui aussi être rattaché aux produits, quoiqu'il ne soit pas directement lié à ceux-ci. C'est ce que nous faisons au moyen de l'amortissement de ces immobilisations. Il s'agit alors d'une répartition systématique et rationnelle.

FIGURE 1.7 La comptabilisation des charges

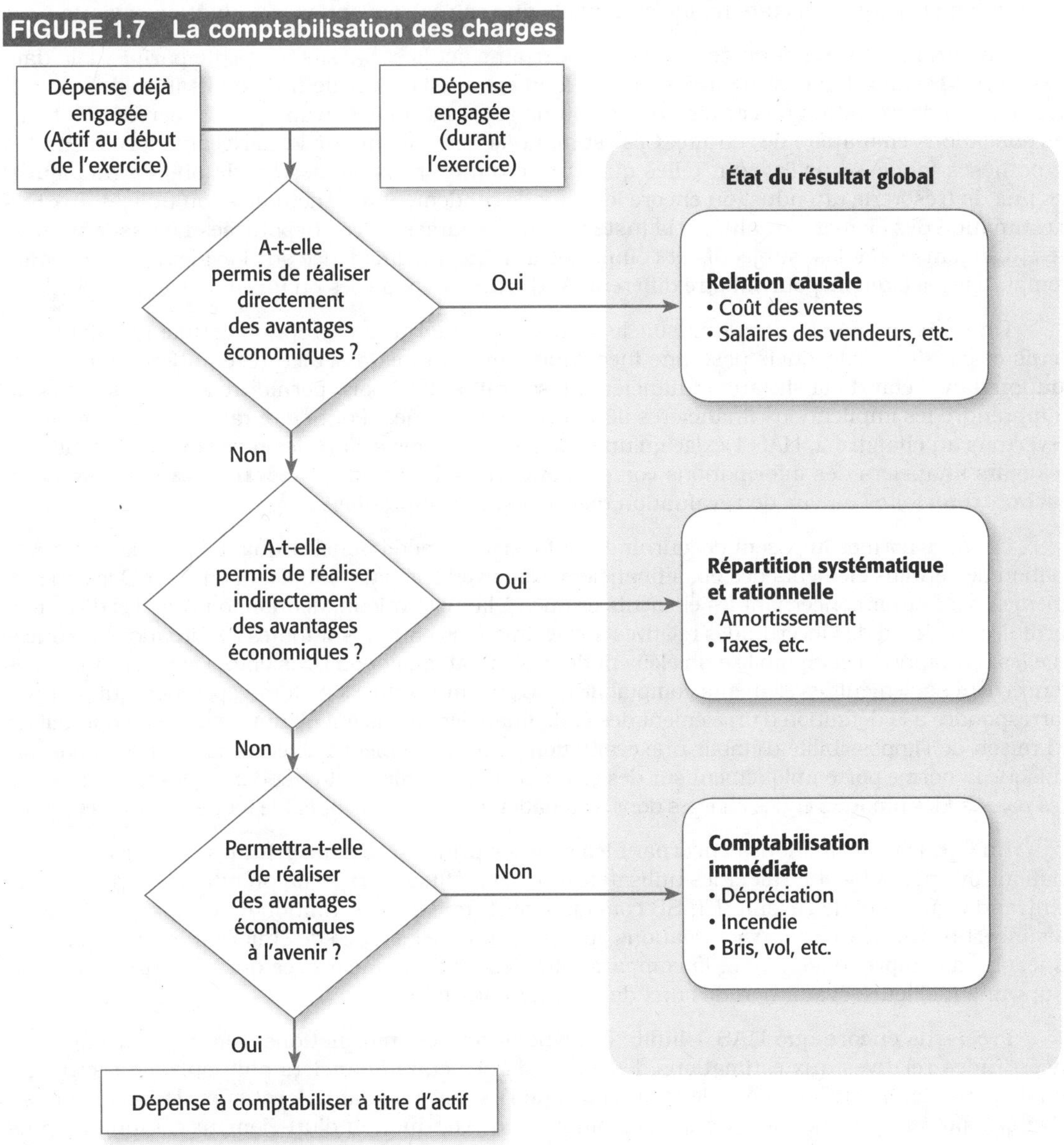

Source : Nicole Lacombe • Adaptation : Danièle Pérusse

En résumé, la comptabilisation d'une charge résulte de l'une des trois situations suivantes :

1. Une relation causale, dans le cas où une association directe entre les dépenses engagées et des produits particuliers existe.
2. L'association entre les dépenses engagées et les produits générés ne peut être déterminée que de façon vague ou indirecte, nécessitant ainsi de procéder à une répartition systématique et rationnelle.
3. La dépense engagée ne génère pas d'avantages économiques futurs, ou ces derniers ne satisfont pas ou cessent de satisfaire aux critères de comptabilisation à titre d'actif.

Avez-vous remarqué ?

Seule une dépense engagée qui entraînera des avantages économiques est comptabilisée à titre d'actif. Toutes les autres dépenses sont comptabilisées en charges.

Les incertitudes relatives aux estimations

La question de la comptabilisation des éléments met en évidence l'importance des estimations en vue de la comptabilisation des éléments des états financiers. Or, dans la conduite actuelle des affaires, les dirigeants se trouvent de plus en plus confrontés à de nombreuses incertitudes inhérentes aux activités économiques. De telles incertitudes peuvent avoir un impact sur l'évaluation de certains éléments des états financiers, quelle que soit la convention d'évaluation retenue.

En fait, la détermination de la valeur de certains actifs et passifs nécessite parfois, à la date de clôture, l'estimation d'événements futurs. Il en est ainsi de la valeur de réalisation de certains actifs, de la dépréciation de certains autres ou de l'évaluation des avantages du personnel, telles les obligations en matière de retraite. Ces estimations nécessitent que les dirigeants formulent des hypothèses fondées sur l'avenir, telles que la fluctuation possible des conditions économiques, les flux de trésorerie attendus, ou encore les taux de rendement ou d'actualisation utilisés aux fins d'estimation des éléments évalués à la juste valeur. Certaines de ces hypothèses nécessitent aussi des jugements difficiles, subjectifs et complexes qui ont une incidence sur la valeur des éléments comptabilisés, laquelle pourrait être différente si d'autres hypothèses ou jugements étaient utilisés.

De l'avis de l'IASB, quel que soit le soin avec lequel une entreprise estime la valeur des actifs et passifs sur lesquels pèse une incertitude importante, la seule présentation de leur évaluation dans l'état de la situation financière ne saurait suffire pour permettre aux utilisateurs de comprendre les implications financières liées à ces incertitudes. Pour cette raison, et comme nous le verrons au chapitre 2, l'IAS 1 exige qu'une entreprise fournisse dans les notes qui accompagnent ses états financiers des informations complémentaires à l'égard des **incertitudes relatives aux estimations** faites en vue de l'évaluation des éléments comptabilisés.

D'autres normes imposent de fournir des informations additionnelles quant au processus d'évaluation de certains éléments des états financiers. Nous verrons par exemple au chapitre 3 les renseignements à fournir concernant les éléments évalués à la juste valeur. Mentionnons que les directives formulées à l'égard des incertitudes relatives aux estimations portent sur toutes les situations pour lesquelles l'entreprise a comptabilisé un élément dont l'évaluation, et non l'existence, est incertaine. Elles concernent seulement les éléments comptabilisés. La norme exclut donc toute opération qui pourrait correspondre à la définition d'un élément des états financiers, mais qui n'aurait pas été comptabilisée en raison de l'impossibilité d'établir une évaluation raisonnablement fiable, comme certains passifs. Puisque la norme porte uniquement sur des éléments comptabilisés, il y est donc question des actifs, des passifs, des produits et des charges dont l'évaluation est relativement fiable tout en étant incertaine.

En fait, les informations concernant les sources principales d'incertitudes relatives aux estimations ont pour objectif d'aider les utilisateurs des états financiers à comprendre les jugements de l'entreprise au sujet de l'avenir. L'IASB considère ainsi que la présentation d'information à l'égard des incertitudes relatives aux estimations contribue à la pertinence de l'information financière et améliore la compréhensibilité et la comparabilité des états financiers, ce qui permet aux utilisateurs une meilleure évaluation des flux de trésorerie futurs.

Précisons encore que l'IAS 1 limite la divulgation des informations à fournir au sujet des incertitudes relatives aux estimations des éléments des états financiers qui pourraient subir un ajustement significatif de leur valeur au cours de l'exercice suivant. À cet effet, la norme considère que plus la période future prise en compte pour l'évaluation d'un élément est longue, plus les informations à retenir pour cette évaluation seront multiples et moins la valeur de l'élément en cause pourra être précise, ce qui pourrait nuire à la pertinence de l'information.

Les exigences concernant les informations à présenter à l'égard des incertitudes relatives aux estimations témoignent une fois de plus que la profession comptable ne cherche pas à simplifier à outrance les états financiers. Puisque la réalité économique est complexe, il est normal que les états financiers reflètent cette complexité. De même, si la réalité économique comporte une large part d'incertitude, il est normal que les états financiers reflètent cette incertitude. Les utilisateurs ne doivent plus se contenter du seul montant de résultat (attitude acceptable dans des situations simplistes), mais s'habituer à utiliser un éventail de renseignements de plus en plus large. Vouloir à tout prix présenter des renseignements trop simples nuirait aux utilisateurs.

En terminant, il importe de rappeler qu'au moment de l'appréciation des critères de comptabilisation en vue de déterminer si un élément doit ou non être incorporé aux états financiers, on ne doit pas perdre de vue la notion fondamentale de l'importance relative abordée dans le cadre de notre étude des caractéristiques qualitatives essentielles.

L'évaluation des éléments des états financiers

L'évaluation des éléments des états financiers consiste à déterminer les montants auxquels les éléments seront comptabilisés. Pour déterminer le montant auquel doit être comptabilisé un élément des états financiers, le Cadre établit les **conventions d'évaluation** qui peuvent être retenues et fournit quelques précisions à leur égard.

D'emblée, le Cadre précise que plusieurs conventions d'évaluation peuvent être employées pour comptabiliser les éléments des états financiers. Celles-ci sont le coût historique, le coût actuel, la valeur de réalisation (de règlement) et la valeur actualisée.

Comme nous le verrons tout au cours du présent manuel, certaines normes imposent une convention d'évaluation précise des éléments des états financiers dont elles traitent, alors que d'autres offrent des choix. Par conséquent, nous pouvons trouver dans l'état de la situation financière d'une même entreprise plusieurs bases d'évaluation de ses différents actifs.

Le **coût historique** correspond au montant de trésorerie ou d'équivalent de trésorerie payé (ou à payer) pour l'obtention d'un actif ou le règlement d'un passif. Le **coût actuel** correspond au montant de trésorerie ou d'équivalent de trésorerie qu'il conviendrait de payer ou de verser pour l'acquisition, à la date de l'évaluation, d'un actif équivalent ou le règlement d'un passif équivalent. La **valeur de réalisation** correspond au montant de trésorerie ou d'équivalent de trésorerie qui pourrait être obtenu par une vente volontaire d'un actif ou le règlement d'un passif. Enfin, la **valeur actualisée** correspond à l'actualisation des flux de trésorerie futurs qui seront engendrés par l'élément ou qui seront exigés en guise de règlement de ce dernier.

EXEMPLE

Bases d'évaluation

Le 1er janvier 20X1, la société Expansion ltée acquiert un terrain pour la somme de 350 000 $. Ce montant correspond au **coût historique** du terrain. Tenons maintenant pour acquis que le 31 décembre 20X1, date de clôture de l'exercice financier, Expansion ltée pourrait acheter un terrain similaire pour la somme de 360 000 $. Celle-ci correspond au **coût actuel** du terrain détenu par Expansion ltée. Mais si Expansion ltée peut vendre son terrain 400 000 $ à un acheteur qui en tirerait un effet de synergie, la **valeur de réalisation** du terrain est de 400 000 $. Par ailleurs, si Expansion ltée décide le 31 décembre de louer son terrain pour une période de 5 ans et qu'elle en tirera un loyer dont la valeur actualisée totalise 370 000 $, cette somme correspond à la **valeur actualisée** du terrain.

L'IASB reconnaît, dans le Cadre, que la convention d'évaluation la plus communément adoptée est celle du coût historique. Elle offre l'avantage d'être économique d'application tout en présentant souvent une image fidèle de par sa **neutralité.** Toutefois, cette base d'évaluation est rarement la seule présentée dans les états financiers, compte tenu de sa moins grande pertinence à l'égard, principalement, des actifs détenus à des fins de transaction. Lorsque la direction choisit une base d'évaluation alors que d'autres bases sont permises, elle doit en faire mention dans les notes qui accompagnent ses états financiers et justifier sa décision. Le choix devra bien entendu être fonction de la pertinence de cette information aux fins de prise de décisions des principaux utilisateurs, mais également en fonction de sa **fidélité,** comme nous l'avons déjà mentionné.

Au Canada, la convention d'évaluation du coût historique domine largement les états financiers, même si au cours des dernières années la juste valeur s'est taillé une place de plus en plus importante.

L'utilisation du coût historique comme convention d'évaluation est principalement justifiée par le fait que lors de l'enregistrement initial des opérations, le prix payé représente généralement la juste valeur des biens ou des services obtenus, ainsi que l'indique clairement l'entente conclue entre un acheteur et un vendeur qui n'ont aucun lien de dépendance.

De même, pour les passifs, la valeur attribuée à une dette correspond à sa juste valeur au moment où la dette est contractée. Si, par exemple, lors de l'acquisition d'un équipement, une entreprise emprunte 70 000 $ moyennant un billet prévoyant le paiement de 77 000 $ un an plus tard, compte tenu d'un taux d'intérêt de 10 % par année, la valeur de cette dette est de 70 000 $, et c'est ce montant qui doit figurer dans le passif de l'état de la situation financière dressé immédiatement après avoir effectué l'emprunt.

Le coût historique s'applique donc à un grand nombre d'opérations, et il s'agit d'une valeur neutre qui a la qualité d'être compréhensible et vérifiable tout en étant disponible à peu de frais. Son usage répandu s'expliquait jusqu'à présent par la pertinence présumée de cette information. Nous verrons un peu plus loin que l'utilisation du coût historique est adaptée au concept de maintien du capital financier sur lequel repose, historiquement, la présentation de l'information financière des entreprises.

Malgré cela, certains estiment que la réalité économique actuelle, caractérisée par une fluctuation de la valeur de la monnaie et des ressources, rend le coût historique moins pertinent d'un point de vue économique. Il s'agit là d'une réalité incontestable qui peut parfois causer des distorsions significatives de la valeur de certains éléments des états financiers et conduire les utilisateurs de l'information financière à se demander si les états financiers donnent bien une image fidèle de la situation et des opérations de l'entreprise.

C'est d'ailleurs l'une des raisons qui fait en sorte que les normes de comptabilisation de certains éléments des états financiers ont évolué au cours des dernières années afin d'exiger davantage le recours à l'évaluation à la juste valeur. Les instruments financiers, traités au chapitre 4, en sont un bon exemple. Les normalisateurs ont jugé que la comptabilisation de certains instruments financiers à leur juste valeur constitue une information plus pertinente pour les utilisateurs.

Les concepts de capital et de maintien du capital

Différence NCECF

En dernier lieu, le Cadre aborde les concepts de capital et de maintien du capital. Le **capital** fait référence au patrimoine que détient une entreprise à une date donnée. Quant au concept de **maintien du capital**, parfois appelé **préservation du patrimoine**, il vise à établir les conditions permettant la détermination de la performance économique représentée par le résultat.

Le concept de capital

Le capital d'une entreprise peut être défini sur une base numéraire (capital financier) ou en fonction de la capacité de production (capital physique). Le **capital financier** d'une entreprise correspond à son actif net, soit la somme algébrique de ses actifs, diminuée de la somme de ses passifs. Le **capital physique** correspond à l'ensemble des éléments constituant sa capacité de production, qui est mesurée, par exemple, par le nombre d'unités produites par jour.

Le concept de capital représente donc le patrimoine qu'une entreprise détient en vue de réaliser sa performance économique. Il s'agit essentiellement d'une valeur de référence à partir de laquelle seront évalués ses résultats.

Le concept de maintien du capital

Pour sa part, le concept de maintien du capital renvoie à la valeur de référence que constitue le capital et permet d'évaluer la performance de l'entreprise. Il concerne donc la façon dont une entreprise définit le capital qu'elle cherche à maintenir. Selon ce concept, l'entreprise ne réalise un résultat distribuable à ses propriétaires que dans la mesure où son capital à la clôture d'un exercice donné excède son capital à l'ouverture, sans tenir compte des distributions et des apports des actionnaires au cours de ce même exercice. L'application de ce concept vise donc à mesurer la performance économique.

Lorsque le concept de **maintien du capital financier** est retenu, le résultat comptable de l'exercice représente la différence entre le capital financier à la date d'ouverture et celui à la date de clôture, exception faite des apports et des distributions aux propriétaires. Le maintien du capital financier peut être évalué en unités monétaires nominales ou en unités de pouvoir d'achat constant.

Le concept de **maintien du capital financier nominal** ne prend pas en considération les variations du pouvoir d'achat de la monnaie et mesure le résultat uniquement en matière d'accroissement de la valeur nominale du capital de l'entreprise. Le concept de **maintien du pouvoir d'achat du capital financier** tient compte de la variation du pouvoir d'achat de la monnaie au cours de l'exercice en vue de déterminer le résultat de ce même exercice.

Si nous pouvons affirmer qu'un mètre fabriqué en 1970 mesure toujours un mètre aujourd'hui, peut-on en dire autant de la valeur de 1 $? Prétendre une telle chose est insensé puisque, en fonction de son pouvoir d'achat, la valeur du dollar de 1970 était plus élevée que celle de notre dollar d'aujourd'hui. La figure 1.8 illustre bien le fait que, en 1970, avec 1 $, on pouvait acheter environ 1,1 kilo de beurre, tandis qu'aujourd'hui, avec le même dollar, on ne peut en acheter qu'environ 90 grammes.

FIGURE 1.8 La stabilité présumée de la monnaie – Quantité de beurre obtenue pour la somme de 1 $

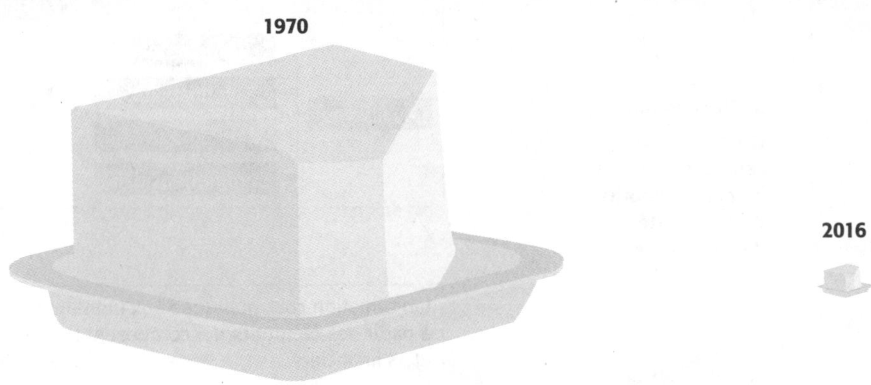

Le manque de stabilité du dollar en tant qu'unité de mesure a amené plusieurs théoriciens de la comptabilité à recommander que le modèle comptable fondé sur le maintien du capital financier nominal soit remplacé. Retenons simplement que le concept de maintien du capital financier nominal, quoiqu'il ne reflète pas nécessairement la réalité, demeure généralement en usage en raison de sa fiabilité et, il faut bien l'avouer, de sa simplicité.

Par ailleurs, lorsque le concept de **maintien du capital physique**, parfois appelé **préservation de la capacité de production**, est retenu, le résultat comptable représente l'écart entre la capacité de production à la fin d'un exercice et celle au début. Tout ajustement de valeur des éléments constituant la capacité de production de l'entreprise est considéré comme une charge ou un produit de l'exercice comptabilisé en résultats. L'adoption du concept de maintien du capital physique présume donc l'adoption de la juste valeur comme base d'évaluation des éléments représentant la capacité de production de l'entreprise.

Avez-vous remarqué ?

En termes généraux, mentionnons qu'une entreprise a maintenu son capital lorsque le solde de clôture excède le solde d'ouverture du capital et que cet excédent est considéré comme le résultat de l'exercice.

Bien que le concept de maintien du capital financier nominal représente le concept le plus courant sur lequel repose la présentation des états financiers, le Cadre permet l'utilisation d'autres concepts selon les besoins des utilisateurs. À cet effet, l'IASB mentionne qu'il n'est pas dans son intention d'imposer un modèle, sauf dans des circonstances exceptionnelles, par exemple lorsque l'entreprise présente des états financiers dans la monnaie d'une économie hyperinflationniste. En effet, si le taux d'inflation est minime, le concept de maintien du capital financier nominal simplifie les tâches d'évaluation sans causer de distorsions significatives. En revanche, lors de périodes d'inflation soutenue, ce concept peut conduire à des états financiers trompeurs.

L'étude des concepts de capital et de maintien du capital termine notre exploration du cadre conceptuel des IFRS qui, comme nous l'avons mentionné plus tôt, sert de point d'ancrage à l'élaboration et à l'interprétation des normes. La figure 1.9 propose une synthèse de l'ensemble des concepts fondamentaux de ce cadre.

1

FIGURE 1.9 En route vers la présentation d'une information utile : une synthèse des concepts fondamentaux du Cadre des IFRS

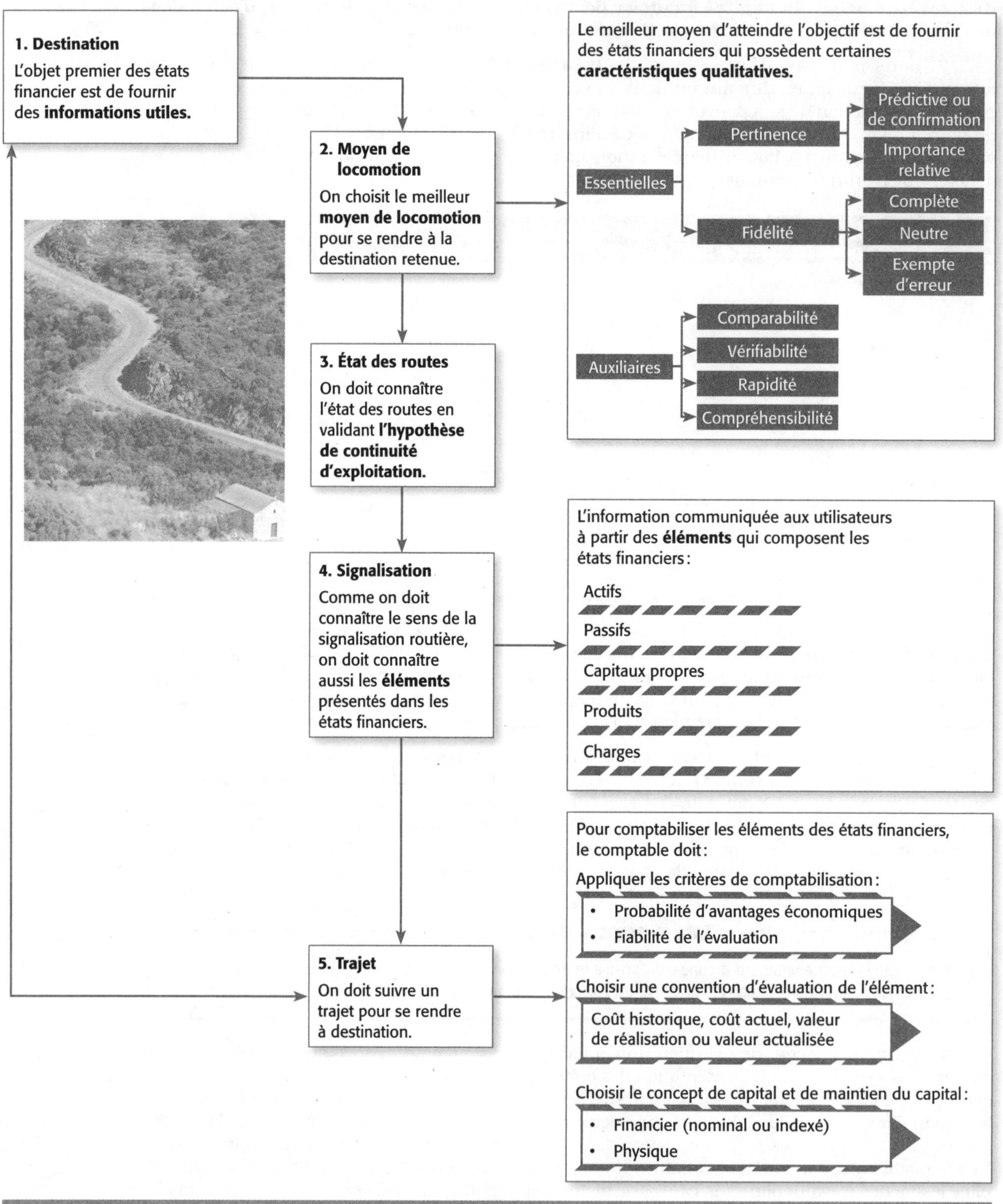

Source : Jocelyne Gosselin et Danièle Pérusse

Différence NCECF

PARTIE II – LES NCECF

Équivalents terminologiques *Manuel de CPA Canada* – Partie II et Partie I.

Au début du présent chapitre, nous avons établi que la raison d'être de la comptabilité, des **normes comptables** et de l'information financière est de fournir les renseignements dont les utilisateurs ont besoin pour prendre des décisions de nature économique. Pour prétendre présenter une information utile, il nous faut donc analyser les besoins des **utilisateurs** et le type de décisions qu'ils prennent sur la base de l'information communiquée dans les états financiers.

À la suite de l'annonce de son plan stratégique en 2006, le CNC s'était engagé à faire l'analyse des besoins des utilisateurs de l'information financière des entreprises à capital fermé (ECF). Les sondages alors menés par le CNC ont montré que les principaux utilisateurs de l'information financière des ECF sont les créanciers et les propriétaires-dirigeants. Ainsi, contrairement aux utilisateurs de l'information financière à usage général des entreprises ayant une OIP, les utilisateurs de l'information financière des ECF bénéficient d'une certaine proximité avec l'entreprise. Cela leur permet généralement d'obtenir l'information essentielle à leur prise de décisions autrement que par le seul moyen des états financiers.

Rappelons qu'une ECF est une entité à but lucratif n'ayant pas d'OIP, ce qui signifie qu'elle n'a pas émis de titres de capitaux propres ou de créance négociés sur un marché public.

Nous devons garder en mémoire cette importante distinction entre les utilisateurs de l'information financière à usage général établie sur la base des IFRS et les utilisateurs de l'information financière des ECF tout au long de notre étude des NCECF, qui fera l'objet de la partie II de chaque chapitre du présent manuel.

Notons que, dans l'esprit de plusieurs personnes non spécialisées dans les notions comptables, les ECF sont souvent associées à des petites et moyennes entreprises (PME). Nous nous garderons de faire une telle association. Certaines entreprises ayant un chiffre d'affaires ou un total de l'actif considérable n'émettent pas de titres sur un marché public. C'est le cas notamment des entreprises Kruger et Cirque du Soleil.

Les fondements conceptuels des états financiers

Nous avons traité précédemment de l'importance d'un cadre conceptuel qui établit les balises nécessaires non seulement à l'élaboration des normes, mais également à leur compréhension. À l'exception de la Partie IV, chaque référentiel compris dans le *Manuel* présente un cadre conceptuel qui lui est propre. Même si ces cadres reposent sur des caractéristiques communes, chacun d'eux présente certaines différences qui découlent des particularités des utilisateurs des états financiers et des entités auxquelles le cadre s'applique.

La figure 1.10 reprend les concepts fondamentaux du Cadre des IFRS présentés dans la figure 1.9 en y incorporant les principales différences du cadre conceptuel des NCECF.

L'objectif des états financiers

IFRS
Cadre conceptuel de l'information financière

Le cadre conceptuel des NCECF est formulé au **chapitre 1000**, intitulé «**Fondements conceptuels des états financiers**», de la Partie II du *Manuel*. Selon ce chapitre, l'objectif des états financiers est semblable à celui des IFRS, à savoir :

> L'objectif des états financiers est de communiquer des informations utiles aux investisseurs, aux créanciers et aux autres utilisateurs (les «utilisateurs») qui ont à prendre des décisions en matière d'attribution des ressources ou à apprécier la façon dont la direction s'acquitte de sa responsabilité de gérance. En conséquence, les états financiers fournissent des informations sur :
>
> a) les ressources économiques, les obligations et les capitaux propres de l'entité ;
>
> b) l'évolution des ressources économiques, des obligations et des capitaux propres de l'entité ;
>
> c) la performance économique de l'entité[20].

20. *Manuel de CPA Canada – Comptabilité – Partie II*, paragr. 1000.12.

FIGURE 1.10 Une comparaison des concepts fondamentaux du Cadre des IFRS et de celui des NCECF

Cadre des IFRS

1. **Objectif premier** des états financiers : fournir des informations utiles.
2. Le meilleur moyen d'atteindre l'objectif est de fournir des états financiers qui possèdent des **caractéristiques qualitatives.**

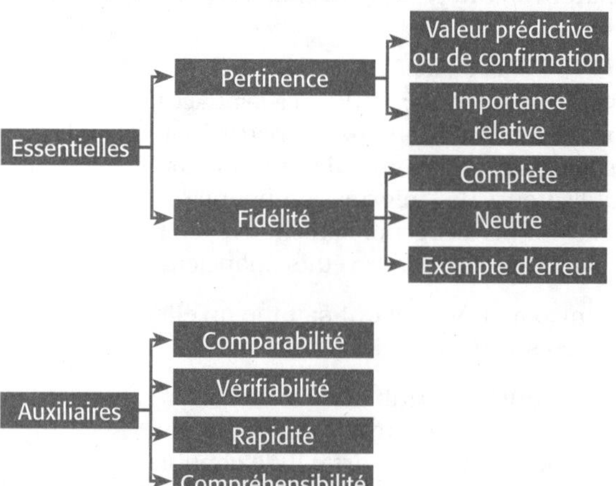

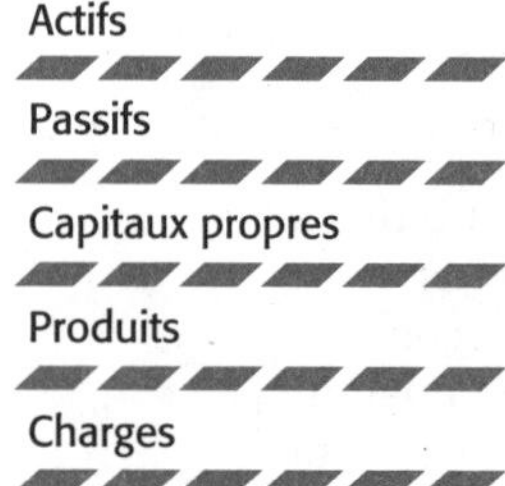

En tenant compte de la contrainte du coût

3. La direction doit évaluer l'hypothèse de la continuité d'exploitation afin de présenter les informations utiles à la prise de décisions.
4. L'information est communiquée aux utilisateurs à partir des **éléments** qui composent les états financiers :

Actifs

Passifs

Capitaux propres

Produits

Charges

5. Pour comptabiliser les éléments des états financiers, le comptable doit :

Appliquer les critères de comptabilisation :

- **Probabilité d'avantages économiques**
- **Fiabilité de l'évaluation**

Choisir une convention d'évaluation de l'élément :

Coût historique, coût actuel, valeur de réalisation ou valeur actualisée

Choisir le concept de capital et de maintien du capital :

- **Financier (nominal ou indexé)**
- **Physique**

Cadre des NCECF

1. *Idem*, avec quelques précisions additionnelles
2. Le meilleur moyen d'atteindre l'objectif est de fournir des états financiers qui possèdent des **qualités.**

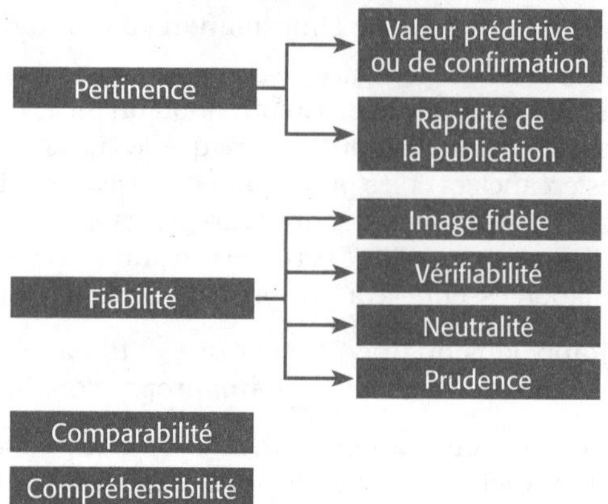

En tenant compte de la contrainte du coût et de l'importance relative

3. *Idem*
4. L'information est communiquée aux utilisateurs à partir des **éléments** qui composent les états financiers :

Actifs

Passifs

Capitaux propres

Produits

Charges

Gains

Pertes

5. Pour comptabiliser les éléments des états financiers, le comptable doit :

Appliquer les critères de constatation :

- **Probabilité d'avantages économiques**
- **Fiabilité de l'évaluation**

Choisir une base de mesure de l'élément :

Coût historique, coût de remplacement, valeur de réalisation ou valeur actualisée

Choisir le concept de capital et de maintien du capital :

Seul choix possible : Numéraire (c'est-à-dire financier et nominal)

Source : Jocelyne Gosselin et Danièle Pérusse

Cet énoncé des objectifs des états financiers est plus détaillé que celui fourni par les IFRS, car il inclut le type d'information que doivent comporter les états financiers à l'égard des ressources et de la performance économique de l'entité, alors que le Cadre des IFRS élabore ces aspects de manière distincte.

Les qualités de l'information financière

IFRS Caractéristiques qualitatives de l'information utile

Selon le chapitre 1000, les **qualités de l'information financière** diffèrent de façon parfois significative des caractéristiques qualitatives du Cadre des IFRS, comme le montre le tableau 1.5.

TABLEAU 1.5 Les qualités de l'information financière selon le chapitre 1000 et les différences avec le Cadre des IFRS

Qualités de l'information financière (chapitre 1000)	Principales différences avec le Cadre des IFRS
Compréhensibilité	La compréhensibilité est une caractéristique qualitative auxiliaire.
Pertinence (valeur prédictive, **valeur rétrospective** et rapidité de publication)	La pertinence est une caractéristique qualitative essentielle dont les attributs sont : la valeur prédictive, la valeur de confirmation et l'importance relative.
	La rapidité est une caractéristique qualitative auxiliaire.
Fiabilité (image fidèle, vérifiabilité, neutralité et prudence)	Le Cadre parle plutôt de fidélité, dont les attributs sont : le caractère complet, la neutralité et le caractère exempt d'erreur.
	La vérifiabilité est une caractéristique qualitative auxiliaire.
Comparabilité	La comparabilité est une caractéristique qualitative auxiliaire.

Valeur de confirmation

Plusieurs observations ressortent du tableau 1.5. Premièrement, on observe que de manière générale les qualités d'une information financière utile reposent sur des notions semblables dans les deux référentiels, mais que le poids relatif accordé à certaines qualités diffère selon le référentiel. Ainsi, les attributs de **rapidité** et de **vérifiabilité** dans les NCECF correspondent à des caractéristiques qualitatives auxiliaires dans les IFRS. De plus, les qualités principales de **compréhensibilité** et de **comparabilité** dans les NCECF correspondent également à des caractéristiques qualitatives auxiliaires dans les IFRS. Le poids relatif accordé à la notion de l'importance relative dans les deux référentiels est également différent. Le Cadre des IFRS la considère comme un attribut de la pertinence, et elle devient une caractéristique fondamentale, distincte des principales qualités, dans le chapitre 1000.

La principale différence entre les deux référentiels est le fait que, dans les NCECF, la **fiabilité** constitue une qualité principale, alors que, dans les IFRS, elle est remplacée par la caractéristique qualitative essentielle de **fidélité.** Bien qu'à première vue cette différence puisse paraître de nature strictement terminologique, ces deux notions, qui se distinguent par les attributs qui les composent, peuvent mener à des conclusions différentes à propos de l'utilité d'une information donnée.

Pour comprendre la différence entre les notions de fiabilité et de fidélité, comparons leurs attributs. Ainsi, la qualité de la fiabilité repose sur les attributs d'image fidèle, de vérifiabilité, de neutralité et de prudence, alors que la caractéristique qualitative de fidélité des IFRS repose sur les attributs du caractère complet, de la neutralité et du caractère exempt d'erreur. Cette comparaison fait ressortir le fait que la **vérifiabilité** et la **prudence** sont essentielles à une information fiable et donc utile selon les NCECF, ce qui n'est pas le cas du côté des IFRS. En effet, ce référentiel associe la vérifiabilité à une caractéristique qualitative auxiliaire, c'est-à-dire non essentielle à une information utile, en plus de ne pas retenir la notion de prudence.

Cette notion, à laquelle fait référence le chapitre 1000, concerne les situations d'incertitude où la présentation de l'information financière requiert des estimations et exige que celles-ci soient effectuées de manière à ne pas surévaluer ou sous-évaluer les éléments des états financiers et ainsi nuire à la fiabilité de l'information. Le chapitre 1000 décrit ainsi l'attribut de prudence :

> La formulation de jugements fondés sur la prudence dans des situations d'incertitude exerce sur la neutralité des états financiers une incidence qui est acceptable. Dans les situations d'incertitude, on procède à des estimations prudentes en vue d'éviter

toute surévaluation des actifs, des produits et des gains, ou, inversement, toute sous-évaluation des passifs, des charges et des pertes. Toutefois, le principe de prudence ne justifie pas que l'on sous-évalue à dessein les actifs, les produits et les gains, ni que l'on surévalue à dessein les passifs, les charges et les pertes[21].

L'IASB s'est prononcé sur la notion de prudence au moment de l'établissement des caractéristiques qualitatives de l'information financière. Il a alors considéré que cette notion était incompatible avec l'attribut de neutralité associé à la fidélité. De l'avis des normalisateurs internationaux, la prudence peut engendrer un biais qui entre en contradiction avec la neutralité que requiert la fidélité de l'information. Cet argument est cohérent par rapport à l'orientation des IFRS, qui permettent dans une plus large mesure le recours à des conventions d'évaluation axées sur la juste valeur, sachant que de telles évaluations peuvent parfois donner lieu à des informations plus difficiles à vérifier et dont la fiabilité peut parfois être remise en question. Nous terminons en soulignant que le débat entre la fidélité et la fiabilité se poursuit toujours et que la pertinence des conventions d'évaluation fondées sur la juste valeur ne fait pas encore l'unanimité au sein de la profession comptable.

En adoptant la notion de fiabilité, les NCECF semblent prétendre que les conventions d'évaluation fondées sur la juste valeur ne répondent pas aux besoins des principaux utilisateurs de l'information financière des ECF. Nous reviendrons sur ce sujet lors de notre étude des immobilisations et des immeubles de placement aux chapitres 9 et 11.

La contrainte du coût pesant sur l'information financière utile

Le chapitre 1000 traite de la notion d'**équilibre coûts/avantages** de la même manière que le Cadre des IFRS, c'est-à-dire que les coûts de production d'une information ne sauraient être plus grands que les avantages que cette information procure aux utilisateurs. Dans les NCECF, l'évaluation de l'équilibre coûts/avantages doit tenir compte du fait qu'il est possible, pour les utilisateurs de l'information financière d'une ECF, d'obtenir autrement que dans des états financiers les informations nécessaires à leur prise de décisions, puisqu'ils bénéficient d'une proximité avec la direction de l'entreprise. L'évaluation de cet équilibre doit aussi prendre en compte le fait que les utilisateurs de l'information financière d'une ECF sont moins nombreux que ceux d'une société ayant une OIP, ce qui fait en sorte que les avantages résultant d'une information peuvent parfois s'avérer inférieurs à ceux de la même information qui serait publiée par une entreprise ayant une OIP.

Comme nous l'avons déjà précisé, ce sont des considérations coûts/avantages qui ont mené le CNC à élaborer des normes distinctes répondant aux besoins des utilisateurs des états financiers préparés selon les NCECF. Ces normes doivent donc être simples à appliquer pour minimiser les coûts et faciles à comprendre pour augmenter les avantages qui en découlent.

Précisons à ce sujet que plusieurs NCECF offrent des choix de méthodes comptables qui permettent aux entreprises une application intégrale de la norme (souvent semblable à l'IFRS correspondante) ou une application simplifiée. Bien que le CNC ait reconnu à cet égard que le libre choix des méthodes peut compliquer l'analyse et la comparaison des états financiers de diverses entreprises, il considère qu'une approche simplifiée est parfois nécessaire et que le choix permet à chaque entreprise de faire sa propre analyse coûts/avantages. Nous aurons le loisir de traiter des applications simplifiées des NCECF dans plusieurs chapitres du présent manuel.

Les composantes des états financiers et leurs bases de mesure

IFRS
Éléments
Conventions d'évaluation

Le chapitre 1000 et le Cadre des IFRS fournissent des informations semblables à l'égard des **composantes des états financiers**, des **critères de constatation** de même que des différentes **bases de mesure** utilisées pour déterminer la valeur des éléments comptabilisés. Les quelques différences que présente le chapitre 1000 sont expliquées ci-après. Ces différences ont trait aux composantes des états financiers, aux bases de mesure, et aux concepts de capital et de maintien du capital.

Les composantes des états financiers

Les définitions que propose le chapitre 1000 à l'égard des actifs, des passifs, des produits et des charges sont semblables à celles formulées dans le Cadre des IFRS. Cependant, le chapitre 1000 définit distinctement les **gains** et les pertes de la manière suivante :

Profits

21. *Manuel de CPA Canada – Comptabilité – Partie II*, paragr. 1000.18d).

> Les gains sont les augmentations des capitaux propres provenant d'opérations et de faits périphériques ou accessoires et de l'ensemble des autres opérations, faits et circonstances qui ont un effet sur l'entité, à l'exception des augmentations résultant des produits ou des apports de capitaux propres.
>
> Les pertes sont les diminutions des capitaux propres provenant d'opérations et de faits périphériques ou accessoires et de l'ensemble des autres opérations, faits et circonstances qui ont un effet sur l'entité, à l'exception des diminutions résultant des charges ou des distributions de capitaux propres[22].

Les bases de mesure

Alors que le Cadre des IFRS précise que plusieurs conventions d'évaluation peuvent être employées pour comptabiliser les éléments, le chapitre 1000 indique que les états financiers doivent surtout être établis sur la base du coût historique et que les autres bases de mesure que sont le **coût de remplacement**, la valeur de réalisation et la valeur actualisée ne devraient être utilisées que dans de rares circonstances. Ce positionnement des NCECF relativement à la mesure s'explique encore une fois par l'équilibre coûts/avantages et par l'attribut de prudence. Ainsi, même si la juste valeur d'un actif peut se révéler fort pertinente, sa détermination nécessite souvent de poser de nombreuses hypothèses et de procéder à de nombreuses estimations, ce qui augmente les coûts de production des états financiers sans pour autant s'avérer beaucoup plus pertinent pour l'ensemble des utilisateurs.

IFRS
Coût actuel

Les concepts de capital et de maintien du capital

Une différence notable entre le cadre conceptuel des NCECF et celui des IFRS concerne le sens de la définition des concepts de **capital** et de **maintien du capital**. Alors que le Cadre des IFRS permet l'utilisation des concepts de maintien du capital physique ou du capital financier, avec ou sans préservation du pouvoir d'achat, le chapitre 1000 précise que les états financiers sont établis sur la base du capital **numéraire** sans tenir compte des variations du pouvoir d'achat de la monnaie. Cette différence se reflète aussi implicitement dans la priorité accordée à chaque état financier. Les IFRS endossent une approche axée sur l'état de la situation financière, aussi appelée approche bilantielle, tandis que les NCECF, bien qu'elles tendent depuis quelques années vers une approche bilantielle, endossent une approche axée sur les résultats.

Financier

Selon l'**approche bilantielle**, il importe d'abord d'évaluer le plus exactement possible les actifs et les passifs. L'évaluation à la juste valeur trouve alors son sens, car la variation de la juste valeur d'un actif pendant un exercice donné représente une évaluation agrégée de l'effet tant de l'utilisation de l'actif pendant l'exercice que des changements dans l'offre et la demande pour cet actif. Ainsi, une entreprise qui évolue dans un secteur en déclin s'appauvrit, indépendamment de l'utilisation qu'elle fait de ses immobilisations, du seul fait qu'elle détient des immobilisations pour lesquelles les acheteurs potentiels se font de plus en plus rares. L'évaluation la plus fine possible des actifs et des passifs conduit ensuite à une évaluation précise de l'actif net. En faisant une telle évaluation à plusieurs dates données, disons aux temps t_0 et t_i, puis en comparant les deux évaluations de l'actif net, la différence obtenue correspond au rendement que l'entreprise a généré entre ces deux dates. Soulignons que ce rendement englobe l'effet des opérations que l'entreprise a conclues avec des tiers ainsi que l'enrichissement ou l'appauvrissement lié à la détention des actifs.

Selon l'**approche axée sur les résultats**, l'objectif consiste aussi à évaluer le rendement d'une entreprise, mais en utilisant un autre moyen. Pour refléter adéquatement la réalité économique d'une entreprise, la priorité consiste à bien évaluer les produits de l'exercice. Lorsqu'une augmentation des ressources ne peut pas être considérée comme étant «gagnée» au cours d'un exercice, la contrepartie est comptabilisée à titre de passif. Les produits étant déterminés, l'étape suivante consiste à rattacher le plus exactement possible les charges aux produits. Ce n'est que lorsqu'il s'avère impossible de rattacher directement des charges aux produits que le comptable utilise les critères de comptabilisation de l'actif afin de déterminer si une dépense donnée s'apparente à une charge ou à un actif. Par exemple, il comptabilise les coûts de publicité en charges parce qu'il est impossible de démontrer comment ces coûts apporteront des avantages économiques futurs à l'entreprise. En simplifiant grossièrement, nous pourrions avancer que, selon l'approche axée sur les résultats, l'évaluation des actifs et des passifs est, en quelque sorte, la conséquence de l'évaluation des produits et des charges comptabilisés pendant un exercice précis.

22. *Manuel de CPA Canada – Comptabilité – Partie II*, paragr. 1000.34 et 1000.35.

Cette différence fondamentale en ce qui concerne l'approche explique pourquoi les NCECF comportent moins de conventions d'évaluation autres que celle du coût historique. L'utilisation du coût historique selon les NCECF possède le mérite de fournir une information à la fois fiable et peu coûteuse qui est présumée répondre aux besoins des utilisateurs. Puisque ces derniers possèdent une meilleure connaissance de l'entreprise et peuvent obtenir les précisions additionnelles qu'ils jugent pertinentes, ils n'ont probablement pas besoin d'états financiers basés sur le maintien de la capacité de production ou du pouvoir d'achat de la monnaie pour prendre leurs décisions. Ce faisant, les avantages que procurent ces informations ne justifient pas les coûts associés à leur présentation.

Prenons l'exemple d'un bailleur de fonds qui doit décider d'accorder un prêt à une entreprise. Ce bailleur recherche, notamment par l'analyse des états financiers, des indications lui permettant d'évaluer la solvabilité de l'entreprise de même que la disponibilité future des flux de trésorerie essentiels au recouvrement des sommes qu'il pourrait prêter à l'entreprise. Dans ce contexte, l'évaluation fine de l'actif net, qui traduit le maintien de la capacité de production ou le maintien du pouvoir d'achat de la monnaie, lui est peu utile. Cela est d'autant plus vrai si le prêt accordé couvre une période plus courte que celle des actifs composant la capacité de production actuelle de l'entreprise.

Consultez le tableau synthèse des particularités des NCECF.

Ces observations nous permettent de conclure que bien que les fondements présentés dans les cadres conceptuels des deux référentiels soient semblables à plusieurs égards, les normes contenues dans chaque référentiel conduisent à une information financière différente dans les états financiers.

SYNTHÈSE DU CHAPITRE 1

La figure 1.11 illustre en un coup d'œil les principaux thèmes abordés dans le présent chapitre. Le texte qui suit la figure vous permettra de vérifier l'acquisition des objectifs d'apprentissage.

FIGURE 1.11 Les principaux thèmes abordés dans le présent chapitre

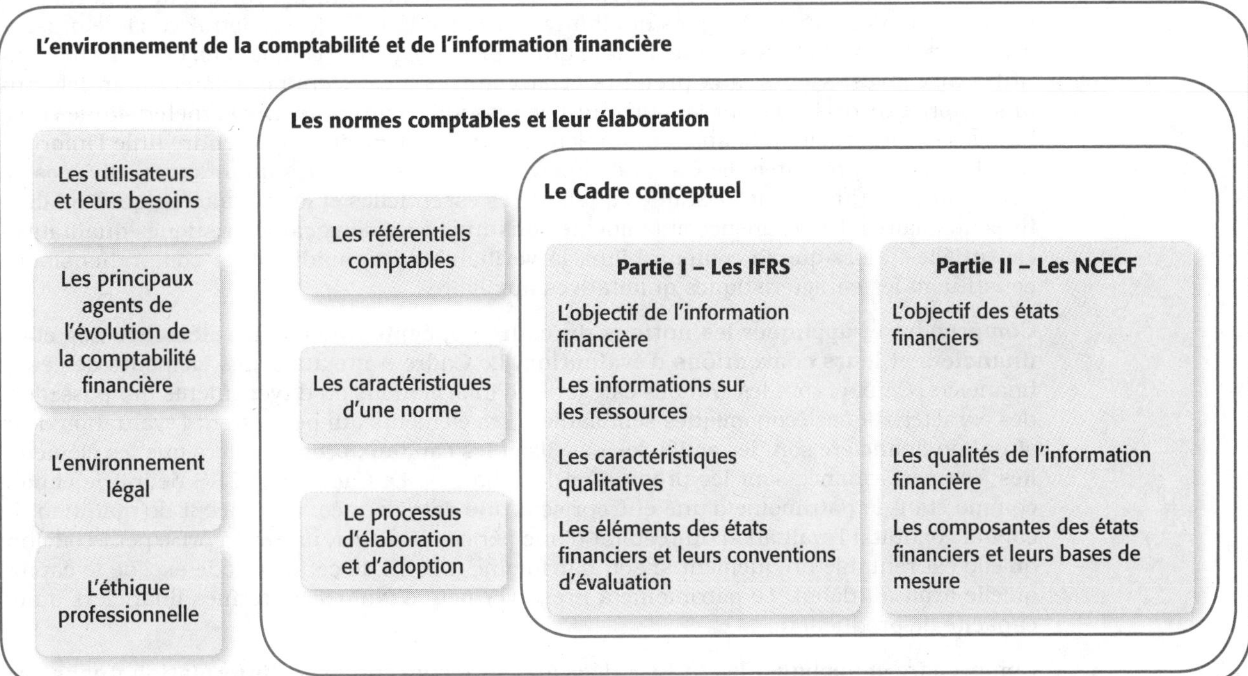

Décrire l'environnement de la comptabilité et de l'information financière. L'environnement de la comptabilité et de l'information financière est composé des utilisateurs (investisseurs, entreprises, créanciers et gouvernements), des organismes de normalisation (CNC, IASB et FASB), des chercheurs en comptabilité, des autorités en valeurs mobilières (ACVM), de CPA Canada et des lois qui régissent les activités économiques des entreprises. Cet environnement étant en constante évolution, la comptabilité et l'information financière doivent sans cesse évoluer pour répondre aux besoins des utilisateurs et leur permettre de prendre des décisions à partir des informations à caractère financier qui leurs sont présentées.

Décrire le processus d'élaboration d'une norme. Pour chacune des normes que proposent les différents référentiels que présente le *Manuel de CPA Canada – Comptabilité*, le processus d'élaboration et d'adoption est rigoureux et accorde beaucoup d'importance à la consultation des parties intéressées. Pour les IFRS, le CNC s'appuie sur les travaux menés par l'IASB dans l'élaboration des IFRS modifiées ou nouvelles. Parallèlement au processus de consultation de l'IASB, le CNC élabore également un exposé-sondage qui résume les principales modifications de l'exposé-sondage international. Il consulte ensuite les parties prenantes et communique ces informations à l'IASB. La politique du CNC est d'adopter les IFRS intégralement. Pour ce faire, l'organisme canadien s'est doté de mécanismes de surveillance de la procédure officielle de l'IASB afin de garantir au public canadien une rigueur dans le processus d'élaboration des IFRS. Au Canada, en ce qui a trait aux normes autres que les IFRS, lorsqu'une question est formulée à l'égard d'un sujet, sa pertinence est évaluée par un comité consultatif qui décide si elle doit être inscrite au programme de travail du CNC. Si tel est le cas, la question fera l'objet d'une recherche qui mènera à la rédaction d'un exposé-sondage qui sera lui-même appuyé par un document explicatif. L'exposé-sondage sera présenté à des fins de consultation pour que les parties intéressées puissent formuler leurs commentaires sur la nouvelle norme qui est proposée. Les commentaires seront ensuite analysés pour évaluer si le texte définitif de la norme peut être publié ou si de nouvelles recherches sur le sujet sont nécessaires afin

de modifier les recommandations initialement formulées. Par la suite, la norme fera l'objet d'une approbation par le CNC avant d'être publiée dans le *Manuel de CPA Canada.*

Comprendre et appliquer les notions du cadre conceptuel liées à l'objectif de l'information financière à usage général, aux informations sur les ressources de l'entreprise et aux caractéristiques qualitatives de l'information financière. Le cadre conceptuel des IFRS définit les concepts qui sont à la base de la préparation et de la présentation de l'information financière. Le Cadre ne constitue pas une norme en soi, mais il agit à titre de guide pour l'élaboration et la compréhension des normes. Il traite notamment de l'objectif de l'information financière et des caractéristiques qualitatives. L'objectif de l'information financière à usage général est de fournir, au sujet de l'entité qui la présente (entité comptable), des informations utiles aux investisseurs, aux prêteurs et aux autres créanciers actuels et potentiels aux fins de prise de décisions sur la fourniture de ressources à l'entité. Les caractéristiques qualitatives de l'information financière sont les qualités qui contribuent à rendre utile l'information financière présentée. Le Cadre comporte six caractéristiques qualitatives, divisées en deux catégories : les caractéristiques qualitatives essentielles et les caractéristiques qualitatives auxiliaires. La pertinence et la fidélité constituent les deux caractéristiques qualitatives essentielles, alors que la comparabilité, la vérifiabilité, la rapidité et la compréhensibilité constituent les caractéristiques qualitatives auxiliaires.

Comprendre et appliquer les notions du cadre conceptuel liées aux éléments des états financiers et leurs conventions d'évaluation. Le Cadre traite aussi des éléments des états financiers. Ceux-ci sont les grandes catégories d'informations ou d'événements qui possèdent des caractéristiques économiques semblables. Les éléments qui permettent l'évaluation de la situation financière sont les actifs, les passifs et les capitaux propres, alors que les éléments liés à la performance sont les produits et les charges. Le Cadre des IFRS définit le capital comme étant le patrimoine d'une entreprise à une date donnée. Le concept de maintien du capital conduit à l'évaluation du résultat d'une période. En effet, une entreprise peut conclure qu'elle est rentable uniquement si son patrimoine à la fin de cette période excède le capital qu'elle avait au début. Le patrimoine à préserver peut s'évaluer en termes financiers ou de capacité de production.

Comprendre et appliquer les NCECF liées au cadre conceptuel de l'information financière. Le cadre conceptuel des IFRS et celui des NCECF reposent sur des caractéristiques communes. Toutefois, celui des NCECF présente certaines différences qui découlent des particularités des utilisateurs de l'information financière des ECF. La principale différence se situe sur le plan des qualités de l'information financière. La fiabilité de l'information remplace la fidélité au chapitre des qualités formulées dans les NCECF. Il en découle que pour assurer la fiabilité d'une information, les NCECF exigent que celle-ci soit vérifiable et prudente, contrairement aux IFRS. De plus, les NCECF exigent que l'information financière soit fondée sur la notion de capital numéraire sans tenir compte des variations du pouvoir d'achat de la monnaie. Enfin, les NCECF découlent d'une approche axée sur les résultats, alors que les IFRS adoptent davantage une approche bilantielle.

Les états financiers

2

2

Des ressources pédagogiques sont disponibles en ligne.

Objectifs d'apprentissage

À la fin de ce chapitre, vous pourrez :

1. décrire et préparer un état du résultat net ;
2. décrire et préparer un état du résultat global ;
3. décrire et préparer un état des variations des capitaux propres ;
4. décrire et préparer un état de la situation financière ;
5. décrire et préparer un tableau des flux de trésorerie ;
6. décrire les informations complémentaires à fournir dans les notes aux états financiers ;
7. comprendre et appliquer les NCECF liées à la présentation des états financiers.

Aperçu du chapitre

Il vous est sans doute déjà arrivé de vous arrêter et de vouloir faire le point sur vos finances, pour satisfaire votre curiosité ou pour vous préparer en vue d'une demande d'emprunt à la banque. Il y a fort à parier que vous avez alors analysé le solde de votre compte en banque au regard des sommes dont vous pourriez avoir besoin pour rembourser vos dettes et payer vos dépenses courantes. À cette occasion, vous avez peut-être aussi analysé vos revenus et vos dépenses des mois précédents. Réaliser un tel exercice du point de vue d'un individu est assez simple, car le nombre d'opérations se limite à quelques-unes par semaine. De plus, le nombre de personnes qui s'intéressent à cette analyse est si petit que l'on peut leur fournir directement toute l'information dont elles pourraient avoir besoin. La situation est tout autre pour les entreprises qui réalisent plusieurs milliers d'opérations par semaine. Elles doivent mettre en place des moyens, notamment un système d'information comptable, pour résumer toutes leurs opérations. Lorsqu'elles préparent l'information financière qui sera diffusée à un très large public, elles doivent le faire selon un format préétabli et des règles standardisées. Ces rapports forment un jeu complet d'**états financiers à usage général,** et incluent un état du résultat net ou un état du résultat global, un état des variations des capitaux propres, un état de la situation financière, un tableau des flux de trésorerie et des notes. Le présent chapitre traite de chacun de ces états financiers.

Les pages financières des quotidiens regorgent de titres faisant état du bénéfice, de la perte ou du résultat global enregistré par les sociétés publiques. Les Bombardier, Cascades, Air Canada et Vidéotron de ce monde sont suivies de près par la presse financière, qui traite régulièrement de leur performance. Mais qu'y a-t-il derrière un chiffre de bénéfice, de perte ou de résultat global ? De quoi ces indicateurs de performance que sont le résultat net et le résultat global se composent-ils ? Bien que la presse financière ne fasse état que d'indicateurs globaux concernant les sociétés, ces dernières préparent des états financiers trimestriels et annuels qui incluent l'**état du résultat net,** dans lequel sont présentés les produits, les profits, les charges et les pertes. Dans ce chapitre, l'objet de la première section de la partie I – Les IFRS sera principalement d'explorer l'état du résultat net, ainsi que son contenu et ses formes de présentation.

La deuxième section examinera ce qu'il est convenu d'appeler l'**état du résultat global,** lequel inclut non seulement le résultat net, mais également d'autres éléments du résultat global qui se rapportent principalement à la variation de la juste valeur d'éléments présentés dans l'état de la situation financière.

La troisième section permettra de situer l'état du résultat global dans le cycle de vie d'une entreprise en abordant l'**état des variations des capitaux propres,** lequel est notamment touché par les résultats globaux cumulatifs générés par une société au cours de son existence.

La quatrième section se concentrera sur l'**état de la situation financière.** Nous avons tous déjà entendu des organisateurs de grands événements estivaux, tel le Festival international de jazz de Montréal, annoncer au lendemain de la date de clôture de l'activité : « Il est encore trop tôt pour connaître les résultats de la dernière édition, mais nous dresserons le bilan au cours des prochains jours. » Ce bilan est attendu par différents utilisateurs, tels les créanciers qui ont financé l'événement et les gouvernements qui l'ont subventionné. Cet état financier permet aux organisateurs du Festival de montrer aux parties intéressées les ressources que l'organisme possède à la date de clôture et la façon dont celles-ci ont été financées, soit les droits d'autrui sur ces ressources. Ces dernières, appelées actifs, sont habituellement présentées comme des actifs courants et des actifs non courants. Cette distinction entre les éléments courants et non courants est importante pour permettre aux différents utilisateurs de prévoir les montants et l'échéancier des flux de trésorerie attendus. Les actifs sont financés soit par dettes (passifs) soit par équité (capitaux propres). Afin de permettre aux utilisateurs de connaître l'exigibilité des dettes et le fonds de roulement de l'organisme, les passifs sont aussi présentés comme des passifs courants et des passifs non courants. Finalement, la valeur totale des actifs, diminuée de celle des passifs, représente les capitaux propres. Ces derniers sont divisés en deux éléments, le capital social et les réserves. Outre l'explication du contenu de l'état, nous aborderons aussi les normes de présentation de l'état et celles de présentation de l'information complémentaire à fournir, ces normes visant entre autres à assurer l'uniformité d'un organisme à l'autre et à faciliter la comparaison. L'état de la situation financière constitue une source importante d'information sur la liquidité et la structure financière de l'entreprise, deux éléments qui doivent être pris en compte dans l'évaluation de la viabilité de celle-ci.

La cinquième section traitera du **tableau des flux de trésorerie.** Il vous arrive peut-être d'aller au guichet bancaire et de vous étonner parfois à la lecture du solde de votre compte. Invariablement se pose alors une question : « Mais où est parti tout cet argent ? » Le relevé de compte émis par votre institution financière vous permet généralement d'élucider cette énigme. Les entreprises disposent, elles aussi, d'un état qui les informe en la matière : il s'agit du tableau des flux de trésorerie. Cet état dresse un compte rendu de la provenance et de l'utilisation de la trésorerie de l'entreprise. La description et le code des transactions indiqués sur votre relevé de compte bancaire vous permettent de connaître la nature des opérations que vous avez faites. Dans le tableau des flux de trésorerie, les opérations d'une entreprise sont également présentées selon leur nature, soit les activités d'exploitation, les activités d'investissement et les activités de financement. Ainsi, l'entreprise est en mesure de distinguer les flux de trésorerie liés à ses activités courantes, ceux investis en immobilisations et en actifs financiers, et finalement ceux relatifs au financement de ses activités.

Parfois, malgré que vous ayez lu votre relevé de compte bancaire, certaines transactions demeurent obscures. Vous devez alors communiquer avec votre institution financière afin d'obtenir plus de renseignements sur les transactions effectuées. À la suite de la lecture de l'état du résultat global, de l'état des variations des capitaux propres, de l'état de la situation financière et du tableau des flux de trésorerie, les utilisateurs des états financiers se heurtent eux aussi à des questions demeurées sans réponse. Afin de répondre à leurs besoins, les entreprises présentent des **informations complémentaires par voie de notes** à leurs états financiers, lesquelles feront l'objet de la dernière section de la partie I – Les IFRS. Ces informations ont pour objet de communiquer plus de détails sur un poste des états financiers et sur les méthodes comptables utilisées pour les comptabiliser. Elles peuvent aussi souligner des événements non comptabilisés dans le corps des états financiers, mais jugés importants pour la prise de décisions des utilisateurs des états financiers.

Pour terminer, nous présenterons des recommandations contenues dans les **NCECF** qui diffèrent de celles incluses dans les IFRS.

PARTIE I – LES IFRS

 Équivalents terminologiques *Manuel de CPA Canada* – Partie I et Partie II.

 L'état du résultat net

De nombreux utilisateurs des états financiers commencent leur analyse par l'état du résultat net, compte tenu de l'importance d'évaluer la performance d'une entreprise.

La nature de l'état du résultat net

Au chapitre 1, nous avons donné une définition des divers éléments qui composent l'état du résultat net. Dans la présente section, nous traiterons de la présentation en bonne et due forme de cet état financier.

Un rappel de l'objectif des états financiers

Rappeler l'objectif des états financiers nous permettra de mettre en évidence l'utilité de l'état du résultat net.

Dans le «Cadre conceptuel de l'information financière», appelé ci-après «le **Cadre**», l'International Accounting Standards Board (IASB) précise que l'objectif des états financiers est de fournir une information utile à un large éventail d'utilisateurs pour qu'ils puissent prendre des décisions économiques. Les prêteurs, les fournisseurs et les autres créditeurs ont notamment besoin d'une information leur permettant de déterminer si leurs prêts (et les intérêts qui y sont liés) seront payés à échéance. De leur côté, les investisseurs ont besoin d'information pour les aider à déterminer le moment où ils doivent acheter, conserver ou vendre les titres d'une entreprise et à évaluer la capacité de celle-ci à payer des dividendes. Les différents utilisateurs des états financiers doivent donc disposer d'information pour prévoir la capacité d'une entreprise à générer de la trésorerie et des équivalents de trésorerie[1]. En effet, bien que les produits et les charges présentés dans l'état du résultat net fournissent de l'information sur des faits passés, celle-ci peut être utile pour faire des prévisions. Il est d'ailleurs possible de présenter l'information passée de sorte que sa valeur prédictive soit accrue. Ainsi, lorsque les activités abandonnées sont présentées séparément, les utilisateurs peuvent mieux juger de la capacité de l'entreprise à générer des bénéfices dans le futur avec ses activités poursuivies. Des modèles sont aussi créés afin d'analyser les tendances de certains postes figurant dans l'état du résultat net, comme les produits, le bénéfice d'exploitation, le résultat net et le résultat par action afin de tenter de prévoir les montants futurs.

Comme le mentionne Edward Stamp, on ne doit cependant pas juger de la qualité de l'information, et donc de son utilité, selon l'exactitude des prévisions établies à partir de cette information :

> Lorsqu'ils font des prédictions, les utilisateurs des états financiers se basent sur toutes sortes de données, de suppositions, de spéculations, d'impressions, d'hypothèses, de modèles, etc. Chacun a sa propre vision de l'avenir et la seule façon de voir qui a fait les meilleures prévisions est d'observer la suite des événements[2].

L'IASB précise également que les utilisateurs désirent apprécier la mesure dans laquelle la direction d'une entreprise s'est acquittée avec efficience et efficacité de sa responsabilité concernant l'utilisation des ressources qui lui ont été confiées. En effet, un créancier qui constate qu'une entreprise commerciale s'est efficacement servie de l'argent emprunté pour réaliser un excédent des produits sur les charges en plus d'avoir respecté ses obligations sera beaucoup plus enclin à lui fournir du financement additionnel en cas de besoin.

1. CPA Canada, *Manuel de CPA Canada – Comptabilité – Partie I*, «Cadre conceptuel de l'information financière», Introduction et paragr. OB3. (*Voir la page iv des liminaires pour plus de détails à l'égard des normes publiées mais non encore entrées en vigueur.*)
2. Edward Stamp, *L'information financière publiée par les sociétés – Évolution future*, Toronto, Institut Canadien des Comptables Agréés, 1981, p. 29.

Dans le but de satisfaire les utilisateurs, les états financiers fournissent de l'information sur la performance financière de l'entreprise. Une telle information figure principalement, mais non exclusivement, dans l'état du résultat net.

Par définition, l'**état du résultat net** est l'état financier où figurent les produits et les profits ainsi que les charges et les pertes d'un exercice[3]. Il fait ressortir le **résultat net**, soit le bénéfice net ou la perte nette de l'exercice. Les produits et les profits représentent des accroissements d'avantages économiques, alors que les charges et les pertes représentent des diminutions d'avantages économiques. Nous traiterons, au chapitre 20, de la comptabilisation des produits, des profits, des charges et des pertes.

Avez-vous remarqué ?

L'information sur la performance que l'on trouve dans l'état du résultat net est utile aux utilisateurs des états financiers qui souhaitent prévoir la capacité de l'entreprise de générer des flux de trésorerie sur la base de ses ressources existantes et pour juger de l'efficacité avec laquelle l'entreprise pourrait employer les ressources supplémentaires.

La présentation de l'état du résultat net

Nous traiterons dans la présente sous-section des diverses façons de présenter les éléments qui doivent faire partie de l'état du résultat net. Précisons que nous utiliserons l'expression «État du résultat net», mais dans l'hypothèse où une entreprise aurait d'autres éléments du résultat global, dont il sera question plus loin dans le présent chapitre, il sera préférable d'être plus précis et d'utiliser l'expression **État du résultat net et des autres éléments du résultat global** (ou, plus simplement, **État du résultat global**).

Selon l'IASB, les états financiers doivent fournir une image fidèle des phénomènes économiques qu'ils prétendent présenter. L'état du résultat net doit donc donner une image fidèle de la performance financière d'une entreprise. L'IASB soutient également que la conformité aux IFRS, appuyée par des informations supplémentaires lorsque nécessaire, est présumée conduire à des états financiers qui offrent une image fidèle. Les exigences de présentation que l'IASB dicte dans l'**IAS 1**, intitulée «Présentation des états financiers», devraient donc théoriquement viser à assurer une présentation fidèle de la performance financière.

Les exigences minimales de présentation

Différence NCECF

Bien que l'IASB formule une recommandation générale selon laquelle chaque catégorie significative d'éléments similaires doit faire l'objet d'une présentation distincte dans les états financiers, force est de constater que les exigences minimales de présentation concernant les informations à fournir dans le corps même de l'état du résultat net sont très limitées. En plus de certains éléments exigés par d'autres IFRS, seuls les éléments suivants doivent obligatoirement y être présentés pour l'exercice[4] :

- Les produits des activités ordinaires, avec présentation séparée des produits d'intérêts calculés selon la méthode du taux d'intérêt effectif ;
- Les profits et pertes résultant de la décomptabilisation d'actifs financiers évalués Au coût amorti (que nous aborderons au chapitre 4) ;
- Les charges financières ;
- Les pertes de valeur (y compris les reprises de pertes de valeur) établies selon l'IFRS 9 que nous aborderons au chapitre 6 ;
- La quote-part dans le résultat net des entreprises associées et des coentreprises comptabilisées selon la méthode de la mise en équivalence ;

3. Louis Ménard et collaborateurs, *Dictionnaire de la comptabilité et de la gestion financière*, 3e édition, Comptables professionnels agréés du Canada, 2014, version 3.1.
4. *Manuel de CPA Canada – Comptabilité – Partie I*, IAS 1, paragr. 81A, 81B et 82.

- Lorsqu'un actif financier jusqu'alors classé comme étant évalué Au coût amorti est reclassé de façon à ce qu'il soit évalué À la juste valeur par le biais du résultat net, tout profit ou perte résultant d'un écart entre son coût amorti antérieur et sa juste valeur à la date du reclassement (au sens d'IFRS 9) que nous aborderons au chapitre 4 ;
- Lorsqu'un actif financier jusqu'alors classé comme étant évalué À la juste valeur par le biais des autres éléments du résultat global est reclassé de façon à ce qu'il soit évalué À la juste valeur par le biais du résultat net, tout profit ou perte cumulé comptabilisé antérieurement dans les autres éléments du résultat global qui est reclassé en résultat net ;
- La charge d'impôts sur le résultat ;
- Un montant unique représentant le total des activités abandonnées ;
- Le résultat net, en distinguant le résultat net de la période attribuable aux participations ne donnant pas le contrôle et le résultat net attribuable aux propriétaires de la société mère.

Par ailleurs, l'IASB laisse beaucoup de place au jugement professionnel en indiquant que des postes, des rubriques ou des totaux partiels supplémentaires doivent être inclus dans l'état du résultat net si leur présentation est pertinente pour comprendre la performance financière de l'entreprise. À titre d'exemple, une société pourrait vouloir indiquer la marge brute directement dans l'état du résultat net afin de permettre aux utilisateurs de comparer sa performance à celle des sociétés évoluant dans le même secteur d'activité. Une entreprise pourrait aussi vouloir présenter un sous-total comme le résultat avant intérêts, impôts et amortissement. Si l'entreprise décide d'inclure des sous-totaux supplémentaires non requis par les IFRS, ces sous-totaux doivent comprendre seulement des postes dont les montants sont comptabilisés conformément aux IFRS. De plus, ces postes doivent être présentés de façon à ce que le lecteur des états financiers puisse comprendre clairement les postes qui en font partie, ils doivent être présentés de façon cohérente d'un exercice à l'autre et ils ne doivent pas être mis en évidence d'une façon plus marquée que les totaux et sous-totaux qui doivent obligatoirement être présentés dans l'état du résultat net (ou dans l'état du résultat global dont nous traiterons plus loin) en vertu des IFRS. Finalement, le rapprochement entre ces sous-totaux additionnels et les totaux et sous-totaux dont la présentation est requise par les IFRS doit figurer clairement dans l'état du résultat net. Ces exigences de l'IASB visent à s'assurer que ce sont les IFRS qui prévalent dans les états financiers.

De plus, l'IASB offre une grande latitude aux préparateurs d'états financiers en déterminant d'autres éléments qu'ils ont le choix de présenter séparément dans l'état du résultat net ou dans les notes. À cet égard, il recommande de présenter distinctement tout élément significatif de produits ou de charges. Les circonstances suivantes peuvent donner lieu à l'indication séparée d'éléments de produits ou de charges :

- Les dépréciations des stocks et des immobilisations corporelles (et les reprises de telles dépréciations) ;
- Les restructurations des activités d'une entreprise (et les reprises de provisions comptabilisées antérieurement) ;
- Les sorties d'immobilisations corporelles ;
- Les sorties de placements ;
- Les activités abandonnées ;
- Les règlements de litiges ;
- Les autres reprises de provisions[5].

Même si différentes normes comptables fournissent une liste d'informations à présenter dans l'état du résultat net, il n'en demeure pas moins que seules celles dont le montant est significatif doivent être présentées.

L'IASB donne également aux entreprises le choix d'utiliser deux méthodes pour subdiviser et présenter leurs charges dans les états financiers, soit celle des charges par nature et celle des

5. *Manuel de CPA Canada – Comptabilité – Partie I*, IAS 1, paragr. 98.

2

charges par fonction. L'entreprise doit choisir l'option qui fournit les informations fiables les plus pertinentes. Une fois qu'une entreprise choisit de présenter ses charges par nature ou par fonction, la même présentation et la même classification des postes doivent être conservées d'un exercice à l'autre par souci de permanence de la présentation, à moins qu'un changement dans la nature des activités de l'entreprise ne motive un changement de méthode. Bien que l'IASB laisse le choix de présenter cette analyse des charges dans le corps même de l'état du résultat net ou dans les notes, il incite les entreprises à fournir l'analyse des charges directement dans l'état du résultat net. Peu importe la méthode choisie, il importe de subdiviser les charges pour faire ressortir les composantes de la performance financière qui diffèrent en matière de fréquence, de potentiel de profit ou de perte, et de prévisibilité. De plus, rappelons que l'entreprise ne doit pas diminuer la compréhensibilité des états financiers en regroupant des éléments significatifs qui sont de nature ou de fonction dissemblables.

Différence NCECF

La méthode des charges par nature

Comme son nom l'indique, la **méthode des charges par nature** consiste à regrouper les charges selon leur nature, par exemple les achats de marchandises, l'amortissement et les avantages du personnel, sans les affecter aux différentes fonctions auxquelles elles se rapportent, comme le coût des ventes, les charges commerciales, les frais de recherche et de développement, et les charges administratives. En effet, chacune des fonctions peut inclure une charge de même nature. Considérons, à titre d'exemple, l'amortissement. L'amortissement des usines est inclus dans le coût des ventes, celui de l'équipement de publicité fait partie des charges commerciales, l'amortissement de l'équipement de laboratoire est inclus dans les frais de recherche et de développement, et celui de l'immeuble du siège social fait partie des charges administratives. En adoptant la méthode des charges par nature, c'est la charge totale d'amortissement qui est présentée dans l'état du résultat net, sans égard à la fonction à laquelle elle se rapporte.

Cette méthode est simple, puisqu'elle n'exige aucune ventilation, parfois arbitraire, des charges entre les fonctions.

EXEMPLE

État du résultat net préparé selon la méthode des charges par nature

L'état du résultat net de Blanc Bec inc., entreprise du secteur de la vente au détail de biens de consommation, pourrait prendre la forme suivante s'il était préparé selon la méthode des charges par nature :

BLANC BEC INC.
Résultat net
de l'exercice terminé le 31 décembre

	20X1	20X0
Ventes	3 600 000 $	3 100 000 $
Produits d'intérêts	67 000	50 000
Profit découlant de la sortie d'un placement	78 000	
Total des produits	3 745 000	3 150 000
Achats de marchandises	1 260 000	1 315 000
Variation des stocks de marchandises	108 000	(13 000)
Coût des avantages du personnel	1 010 000	871 000
Amortissement	95 000	88 000
Autres charges	300 000	222 000
Coûts de restructuration	60 000	
Charges financières	440 000	400 000
Perte découlant de la sortie d'une immobilisation corporelle	35 000	
Impôts sur le résultat	174 800	106 800
Total des charges	3 482 800	2 989 800
Bénéfice net	262 200 $	160 200 $

La présentation des produits dans l'état du résultat net fait ressortir la distinction entre les produits des activités ordinaires et les profits. Les **produits des activités ordinaires** peuvent revêtir différents libellés, tels que ventes, honoraires, intérêts, dividendes, redevances ou loyers, selon le type d'activités que mène une entreprise. Les **profits** sont d'autres éléments qui entrent dans la définition de «produits» et qui peuvent résulter ou non des activités ordinaires de l'entreprise. Dans le cas de Blanc Bec inc., les produits des activités ordinaires proviennent des ventes. Celles-ci sont présentées dans l'état du résultat net au montant net, soit après déduction des diminutions du coût accordées par l'entreprise. Les produits d'intérêts découlent du rendement de placements détenus par Blanc Bec inc. ; ils correspondent donc à des produits accessoires aux activités ordinaires, si bien qu'il convient de les présenter séparément. Le profit découlant de la sortie d'un placement est également présenté distinctement, compte tenu de sa nature particulière. Les profits sont présentés dans l'état du résultat net au montant net, soit après déduction des charges correspondantes. Dans le cas de Blanc Bec inc., le profit découlant de la sortie d'un placement est indiqué au montant net, après déduction des coûts liés à sa sortie, comme les commissions payées à un courtier.

L'état du résultat net de Blanc Bec inc. montre les charges selon leur nature. Il présente d'abord les charges qui découlent des activités ordinaires. Comme Blanc Bec inc. est une société qui vend au détail des biens de consommation, son principal compte de charge est celui des achats de marchandises, dont le montant est présenté après déduction des diminutions du coût accordées par les fournisseurs, mais incluant les coûts de transport. Comme nous l'expliquerons au chapitre 7, le coût des ventes est représenté par le total du stock de marchandises au début et des achats nets de marchandises, diminué du stock de marchandises à la fin. Lorsque l'état du résultat net présente les charges par nature, ce sont les achats de marchandises qui sont indiqués, d'où la nécessité de présenter également la variation des stocks de marchandises. Celle-ci permet de déterminer la charge en mettant en évidence les marchandises qui ont été consommées (vendues) pendant l'exercice. Le **coût des avantages du personnel** inclut notamment les salaires, les cotisations de sécurité sociale, les congés, les primes et les prestations de retraite. L'**amortissement** renferme celui des immobilisations corporelles, comme l'équipement et les immeubles, et l'amortissement des immobilisations incorporelles, comme les brevets et les marques de commerce. Les autres charges incluent toutes les autres charges liées aux activités d'exploitation qui ne font pas l'objet d'une présentation distincte dans l'état du résultat net. À titre d'exemples, mentionnons les pertes de crédit sur les comptes clients, les honoraires professionnels, l'entretien des immeubles, les taxes foncières, etc. Comme l'exige l'IASB, Blanc Bec inc. a choisi une présentation distincte d'autres éléments significatifs de charges et de pertes, notamment les coûts de restructuration et la perte liée à la sortie d'une immobilisation. Finalement, cette entreprise a présenté distinctement ses charges financières et ses impôts sur le résultat, comme il est obligatoire de le faire en vertu de certaines IFRS. Les charges financières incluent notamment l'intérêt sur la dette et les dividendes sur certains instruments financiers classés dans le passif.

La méthode des charges par fonction

L'autre méthode de présentation des charges est la **méthode des charges par fonction**, laquelle consiste, comme son nom l'indique, à classer les charges selon leur fonction.

EXEMPLE

État du résultat net préparé selon la méthode des charges par fonction

Si Blanc Bec inc. choisissait de présenter son état du résultat net selon la méthode des charges par fonction, il pourrait prendre la forme suivante :

BLANC BEC INC.
Résultat net
de l'exercice terminé le 31 décembre

	20X1	20X0
Ventes	3 600 000 $	3 100 000 $
Coût des ventes	(1 368 000)	(1 302 000)
Marge brute	2 232 000	1 798 000
Produits d'intérêts	67 000	50 000
Profit découlant de la sortie d'un placement	78 000	
Charges commerciales	(400 000)	(375 000)
Charges administratives	(1 005 000)	(806 000)
Coûts de restructuration	(60 000)	
Charges financières	(440 000)	(400 000)
Perte découlant de la sortie d'une immobilisation corporelle	(35 000)	
Bénéfice avant impôts	437 000	267 000
Impôts sur le résultat	(174 800)	(106 800)
Bénéfice net	262 200 $	160 200 $

Une entreprise qui adopte cette méthode doit présenter au minimum son coût des ventes (ou le coût des produits vendus pour une société manufacturière) séparément des autres charges. Les charges relatives aux autres fonctions, comme les charges commerciales et les charges administratives, sont également regroupées. Les **charges commerciales** représentent l'ensemble des charges ou des frais engagés pour mettre des marchandises sur le marché, comme la publicité, les salaires et commissions des vendeurs, les frais de livraison et l'amortissement des camions de livraison. Ces frais sont généralement engagés avant la vente ou découlent directement de celle-ci. Les **charges administratives** concernent les coûts inhérents à la gestion générale de l'entreprise, engagés pour assurer sa bonne marche, comme les salaires des gestionnaires et du personnel de bureau, les fournitures de bureau utilisées, les honoraires professionnels et l'amortissement de l'édifice abritant le siège social. Il est à noter qu'une entreprise pourrait définir d'autres types de fonctions selon la nature de ses activités et les présenter distinctement dans l'état du résultat net. À titre d'exemple, pensons aux frais de recherche et de développement qu'engage une entreprise qui crée de nouveaux biens et procédés.

Bien qu'il soit le plus souvent possible de déterminer clairement si une charge doit être classée parmi les charges commerciales, les charges administratives ou les frais de recherche et de développement, il faut parfois procéder à sa ventilation. Ainsi, la charge de loyer pourra être répartie en fonction de la superficie occupée par les sections vouées aux activités de commercialisation, d'administration ainsi que de recherche et de développement. Le classement de certaines charges peut aussi être arbitraire. Par exemple, convient-il de considérer les coûts d'entreposage comme des charges commerciales ou des charges administratives ? D'une part, étant donné que les coûts liés à l'entreposage des marchandises doivent être engagés préalablement à la vente de celles-ci de façon à ce qu'elles soient disponibles sur demande, les coûts d'entreposage pourraient être assimilés aux charges commerciales. D'autre part, on pourrait affirmer que, comme les coûts d'entreposage sont liés à la gestion normale de l'entreprise et qu'ils sont parfois évitables ou compressibles, ils devraient faire partie des charges administratives.

Les produits et les charges présentés dans l'état du résultat net ne sont pas compensés, c'est-à-dire que l'on ne peut présenter uniquement le montant net entre un produit et une charge. À titre d'exemple, une entreprise qui présente les charges par fonction ne peut fournir le seul montant net de la marge brute ; elle doit présenter les ventes et le coût des ventes séparément.

Cependant, les pertes, comme les profits, que nous avons abordés précédemment, sont présentées en compensant tout produit avec les charges générées par la même transaction. À titre d'exemple, les profits et les pertes découlant de la sortie d'actifs non courants sont présentés après déduction des coûts de la vente qui y sont liés.

Même si une entreprise adopte la présentation des charges par fonction, elle doit, selon l'IAS 1, fournir des informations supplémentaires afférentes à la nature des charges, notamment l'amortissement et le coût des avantages du personnel. Ces informations peuvent être fournies dans les notes. Par ailleurs, même si une entreprise adopte la méthode des charges par fonction, il n'en demeure pas moins que les autres postes dont la présentation distincte est obligatoire doivent figurer dans l'état du résultat net. C'est le cas des charges financières et des impôts sur le résultat. Il en va de même pour tout élément significatif de produits ou de charges, comme les dépréciations des stocks ou des immobilisations corporelles, les restructurations, les sorties d'immobilisations ou de placements, et les règlements de litiges. C'est la raison pour laquelle, dans l'exemple précédent, Blanc Bec inc. devrait présenter distinctement le profit découlant de la sortie d'un placement, la perte découlant de la sortie d'une immobilisation corporelle ainsi que les coûts de restructuration, et ce, même si elle adoptait la méthode des charges par fonction.

Avez-vous remarqué ?

L'IASB indique que le choix de la méthode des charges par fonction ou des charges par nature est tributaire de facteurs historiques et est lié au secteur d'activité ainsi qu'à la nature de l'entreprise. Ainsi, les utilisateurs des états financiers sont en mesure de mieux comparer les entreprises les unes aux autres.

La présentation comparative

Comme l'IASB l'indique dans le Cadre, les utilisateurs doivent être en mesure de comparer les états financiers d'une entreprise dans le temps afin de déterminer les tendances de sa performance. L'IAS 1 requiert donc que l'état du résultat net fournisse des informations comparatives au titre de l'exercice précédent pour tous les montants qui y figurent. Dans son état du résultat net, Blanc Bec inc. présente les informations de l'exercice courant, soit 20X1, et les informations correspondantes de 20X0.

L'état du résultat net à éléments et groupements multiples

Les exigences minimales de présentation énoncées par l'IASB impliquent la présentation d'un **état du résultat net à groupements simples**. L'exemple de Blanc Bec inc. où la présentation des charges par nature est adoptée (*voir la page 2.8*) illustre cette situation : les produits, puis les charges, sont totalisés pour en dégager le résultat net sans fournir de soldes intermédiaires. Dans l'exemple où les charges sont présentées par fonction (*voir la page 2.10*), nous avons volontairement dégagé deux soldes intermédiaires dont la présentation n'est pas obligatoire pour montrer qu'il est possible d'adopter la présentation d'un **état du résultat net à groupements multiples**. Ainsi, l'état du résultat net de Blanc Bec inc. fait ressortir la marge brute et le résultat avant impôts. Une entreprise peut choisir de présenter un plus grand nombre de soldes intermédiaires en ajoutant, par exemple, le résultat avant les produits et les charges accessoires. Dans le cas où des activités abandonnées sont en cause, le résultat des activités poursuivies peut également être fourni. Ce solde intermédiaire montre le résultat avant toute prise en compte du résultat des activités abandonnées. De plus, une entreprise peut fournir le détail des éléments composant chacun des postes présentés dans l'état du résultat net.

2

EXEMPLE

État du résultat net à groupements et éléments multiples

Voici la forme que pourrait prendre l'état du résultat net à groupements et éléments multiples de Blanc Bec inc. :

BLANC BEC INC.
Résultat net
de l'exercice terminé le 31 décembre

	20X1	20X0
Ventes	3 600 000 $	3 100 000 $
Coût des ventes		
Stocks de marchandises au début	313 000	300 000
Achats de marchandises	1 300 000	1 351 000
Réductions du coût accordées par les fournisseurs	(70 000)	(59 000)
Transport sur achats	30 000	23 000
Coût des marchandises destinées à la vente	1 573 000	1 615 000
Stocks de marchandises à la fin	(205 000)	(313 000)
Coût des ventes	1 368 000	1 302 000
Marge brute	2 232 000	1 798 000
Charges commerciales		
Salaires et avantages du personnel	310 000	300 000
Avantages postérieurs à l'emploi	30 000	28 000
Publicité	42 000	31 000
Livraison	10 000	9 000
Amortissement	8 000	7 000
Total des charges commerciales	400 000	375 000
Charges administratives		
Salaires et avantages du personnel	610 000	500 000
Avantages postérieurs à l'emploi	60 000	43 000
Pertes de crédit attendues sur les comptes clients	8 000	5 000
Fournitures de bureau consommées	14 000	12 000
Téléphone	30 000	28 000
Entretien et réparations	20 000	12 000
Frais de garanties	40 000	15 000
Honoraires professionnels	30 000	15 000
Charges locatives	75 000	70 000
Primes d'assurances	31 000	25 000
Amortissement	87 000	81 000
Total des charges administratives	1 005 000	806 000
Charges financières		
Intérêts sur la dette	400 000	370 000
Dividendes sur actions préférentielles présentées dans le passif	40 000	30 000
Total des charges financières	440 000	400 000
Bénéfice avant autres produits et charges	387 000	217 000
Autres produits et charges		
Produits d'intérêts	67 000	50 000
Coûts de restructuration	(60 000)	
Profit découlant de la sortie d'un placement	78 000	
Perte découlant de la sortie d'une immobilisation corporelle	(35 000)	
Total des autres produits et charges	50 000	50 000
Bénéfice avant impôts	437 000	267 000
Impôts sur le résultat	(174 800)	(106 800)
Bénéfice net	262 200 $	160 200 $

Avez-vous remarqué ?

Un état du résultat net à éléments et groupements multiples comporte plusieurs avantages. Il présente non seulement les charges par fonction, mais il informe également sur la nature des résultats qui composent chaque fonction. De plus, les soldes intermédiaires renseignent les utilisateurs sur la marge générée par les ventes, le résultat avant autres produits et charges, les autres produits et charges, le résultat avant impôts et le résultat net. Les utilisateurs n'ont donc pas à retraiter eux-mêmes les informations présentées dans l'état du résultat net pour dégager ces soldes intermédiaires qui les éclairent sur la capacité de l'entreprise à générer de la trésorerie à l'avenir.

Peu de sociétés ayant une obligation d'information du public (OIP) adoptent une présentation aussi détaillée de l'état du résultat net. La plupart choisissent plutôt de faire une présentation sommaire des charges par nature ou par fonction. À titre d'exemple, Sears Canada inc., dont l'état du résultat global est reproduit à la page 2.61, adopte une telle méthode, tout en faisant ressortir certains soldes intermédiaires comme le résultat d'exploitation ainsi que le résultat avant impôts. À noter que cette société intitule son état financier Comptes consolidés de la perte nette et de la perte globale. Des expressions telles « perte nette » ou « bénéfice net » sont synonymes de résultat net. De leur côté, des expressions telles « perte globale » ou « bénéfice global » sont synonymes de résultat global, dont nous traiterons plus loin dans le présent chapitre.

Les éléments particuliers de l'état du résultat net

L'état du résultat net inclut certains éléments qui nécessitent une explication plus approfondie, car ils impliquent des considérations particulières quant à leur classification, leur présentation et leur évaluation.

Les activités abandonnées

Il est courant pour une entreprise de revoir sa stratégie de diversification et de décider d'abandonner certains secteurs ou certaines composantes de ses activités courantes qui affichent des rendements insuffisants ou qui ne cadrent tout simplement plus avec le plan stratégique de l'entreprise. Lorsque vient le temps de rendre compte de telles décisions ou transactions, il importe de s'interroger sur la valeur prédictive de l'information comptable.

Comme nous l'avons mentionné plus haut, les utilisateurs des états financiers désirent évaluer la capacité de l'entreprise à générer des flux de trésorerie à l'avenir. Le fait de présenter séparément le résultat des **activités abandonnées** contribue à satisfaire ce besoin. Puisque la composante abandonnée ne participera plus à la génération de flux de trésorerie, il convient de distinguer le résultat net des activités abandonnées et celui des activités poursuivies pour aider les utilisateurs à établir leurs prévisions à partir des résultats de ces dernières. C'est pourquoi le montant net attribuable aux activités abandonnées est présenté distinctement dans l'état du résultat net. Les particularités liées aux activités abandonnées seront traitées en détail au chapitre 20.

Les éléments significatifs de produits et de charges

Certaines entreprises aimeraient parfois qualifier certains profits ou pertes d'éléments extraordinaires et les présenter de façon similaire au résultat des activités abandonnées, c'est-à-dire les isoler et les présenter nets d'impôts dans l'état du résultat net, notamment du fait qu'ils ne sont pas susceptibles de se répéter fréquemment. Il est interdit de présenter des produits et des charges en tant qu'éléments extraordinaires, que ce soit dans le corps des états financiers ou dans les notes[6]. L'IASB a jugé que c'est la nature ou la fonction d'une transaction ou d'un autre événement, plutôt que sa fréquence, qui détermine sa présentation dans l'état du résultat net.

Étant donné que l'accent est mis sur la nature ou la fonction d'une transaction ou d'un événement, l'IASB opte pour une position générale selon laquelle la nature et le montant des **éléments significatifs de produits et de charges** doivent être indiqués séparément. Le montant à présenter est un montant avant impôts. L'IASB fournit à titre indicatif une liste de circonstances, comme les dépréciations des stocks et des immobilisations corporelles, les restructurations, les sorties

6. *Manuel de CPA Canada – Comptabilité – Partie I*, IAS 1, paragr. 87.

2

d'immobilisations corporelles et de placements ainsi que les règlements de litiges[7], qui peuvent donner lieu à une présentation distincte. Cette liste n'est pas exhaustive, la décision de présenter distinctement un élément de produits ou de charges relevant du jugement professionnel. Cette décision doit être fondée sur la pertinence, du point de vue des utilisateurs des états financiers, de l'information servant à évaluer la capacité de l'entreprise à générer des flux de trésorerie futurs. À titre d'exemples, la société Sears Canada inc. présente séparément un profit sur les transactions de cession-bail ainsi qu'un profit à la résiliation de l'entente relative aux cartes de crédit (*voir la page 2.61*).

Les détails concernant la nature et les montants des éléments significatifs de produits et de charges sont fréquemment fournis dans les notes aux états financiers. À titre d'exemple, la société Sears Canada inc. indique dans ses notes les composantes du montant total de ses produits et le détail de la charge relative aux avantages du personnel.

La quote-part dans le résultat net des entreprises associées et des coentreprises comptabilisées selon la méthode de la mise en équivalence

Nous avons précédemment établi la liste des éléments devant faire l'objet d'une présentation distincte dans l'état du résultat net en vertu de l'IAS 1. L'un d'eux est la quote-part dans le résultat net des entreprises associées et des coentreprises comptabilisées selon la méthode de la mise en équivalence. Nous traiterons en détail, au chapitre 11, de la comptabilisation des entreprises associées et de cette méthode[8]. Pour l'instant, mentionnons simplement qu'une entreprise associée, disons B ltée, est une entreprise dans laquelle une autre entreprise, disons A ltée, a investi, obtenant ainsi une participation qui, sans lui en conférer le contrôle, lui permet d'exercer une influence notable sur les activités de B ltée. Dans un tel cas, A ltée comptabilise sa quote-part dans le résultat net de l'entreprise associée. Ainsi, en tenant pour acquis que A ltée détient 30 % des actions de B ltée et que cette dernière réalise un bénéfice net de 100 000 $ en 20X0, A ltée comptabiliserait 30 000 $ à titre de produit de son placement en 20X0. C'est ce montant qui doit figurer de façon distincte dans l'état du résultat net de A ltée.

Le résultat attribuable aux participations ne donnant pas le contrôle

L'IAS 1 exige également de fournir dans l'état du résultat net le résultat attribuable aux **participations ne donnant pas le contrôle** et le résultat attribuable aux propriétaires de la société mère. Cette situation prévaut lorsqu'une entreprise (société mère) détient un nombre suffisant d'actions pour contrôler une autre entreprise (filiale), sans détenir la totalité des actions. En d'autres termes, cette filiale appartient en partie à la société mère et en partie à d'autres actionnaires (les participations ne donnant pas le contrôle). Bien qu'une telle situation déborde le cadre du présent ouvrage, mentionnons simplement que la société mère doit consolider les comptes de sa filiale, ce qui signifie que les produits et les charges de celle-ci sont additionnés à ceux de la société mère et sont présentés dans un état consolidé du résultat net.

EXEMPLE

Résultat attribuable aux participations ne donnant pas le contrôle

La société Mère inc. détient 90 % des actions de la société Fille ltée. Chacune des entreprises a enregistré les produits et les charges suivants en 20X1 :

	Résultat net		
	Mère inc.	*Fille ltée*	*Consolidé*
Produits	*100 000 $*	*10 000 $*	*110 000 $*
Charges	*95 000*	*8 000*	*103 000*
Bénéfice net	*5 000 $*	*2 000 $*	*7 000 $*
Attribuable aux participations ne donnant pas le contrôle		*200 $*	*200 $*
Attribuable aux propriétaires de la société mère	*5 000 $*	*1 800 $*	*6 800 $*

7. *Manuel de CPA Canada – Comptabilité – Partie I*, IAS 1, paragr. 97 et 98.

8. Cependant, la comptabilisation des participations dans des coentreprises déborde le cadre du présent ouvrage.

Puisque Mère inc. détient 90 % des actions de Fille ltée, 10 % du résultat net de la filiale est attribuable aux participations ne donnant pas le contrôle. Ainsi, du bénéfice consolidé total de 7 000 $, 200 $ (2 000 $ × 10 %) est attribuable aux participations ne donnant pas le contrôle et la différence de 6 800 $ est attribuable aux propriétaires de Mère inc. Ces deux montants doivent faire l'objet d'une présentation distincte dans l'état du résultat net.

Avez-vous remarqué ?

L'objectif que poursuit l'IASB en exigeant la présentation distincte de certains postes dans l'état du résultat net est de rehausser la valeur prédictive de l'information comptable pour aider les utilisateurs des états financiers à mieux prévoir la capacité de l'entreprise à générer des flux de trésorerie à l'avenir.

La ventilation de la charge d'impôts entre les postes

La **ventilation des impôts** consiste à répartir la charge d'impôts sur le résultat d'un exercice entre les différents éléments de l'état du résultat net. Le principe est simple : tous les éléments entrant dans le calcul du résultat des activités poursuivies sont présentés avant impôts dans l'état du résultat net. Une charge globale d'impôts sur le résultat afférent aux activités poursuivies est ensuite présentée pour montrer le résultat net des activités poursuivies. Par la suite, les activités abandonnées sont présentées nettes de la charge d'impôts qui y est associée.

De même, comme nous le verrons plus loin dans le présent chapitre, tout élément devant être présenté directement dans l'état des variations des capitaux propres, tels que les changements de méthodes comptables et les corrections d'erreurs, doit être montré net des impôts qui s'y rapportent[9]. Il en va de même des autres éléments du résultat global, dont nous traiterons également plus loin. Les impôts attribuables aux autres éléments du résultat global doivent accompagner ces mêmes éléments présentés dans l'état du résultat global.

Le résultat par action

Le **résultat par action**, ou plus précisément le bénéfice ou la perte par action ordinaire, est un autre élément important de l'état du résultat net. Il s'agit de la fraction du résultat d'un exercice donné afférente à une action du capital émis par une société par actions.

$$\text{Résultat par action} = \frac{\text{Résultat attribuable aux porteurs d'actions ordinaires}}{\text{Nombre moyen pondéré d'actions ordinaires en circulation}}$$

Le calcul des montants du résultat par action, soit le résultat de base et le résultat dilué par action, ainsi que leur présentation dans les états financiers seront expliqués de façon détaillée au chapitre 22. Nous nous limiterons ici à fournir une brève explication de la présentation de ce ratio dans l'état du résultat net.

Ce ratio est l'une des statistiques utilisées dans les milieux financiers pour évaluer la performance des entreprises. Il est utile à l'actionnaire pour évaluer la rentabilité de sa participation (placement en actions) et la probabilité de recevoir des dividendes.

En outre, certains analystes financiers utilisent le montant du résultat par action dans le calcul du **ratio cours/bénéfice**. Ce ratio correspond à la valeur de marché d'une action ordinaire par rapport au résultat par action. En analysant les résultats passés de l'entreprise, les analystes calculent un ratio cours/bénéfice normal. Ils font également des prévisions concernant le montant du résultat par action du prochain exercice. À partir de ce ratio cours/bénéfice normal et de leurs prévisions du résultat par action, ils établissent une valeur prévue relative à l'entreprise (ratio cours/bénéfice normal multiplié par le résultat par action prévu), ce qui leur permet, en comparant la valeur prévue avec la valeur de marché actuelle, de déterminer les titres dans lesquels il pourrait être intéressant d'investir.

Étant donné l'utilité du résultat par action, l'IASB exige que les sociétés le présentent directement dans l'état du résultat net. Plus précisément, ce ratio doit être indiqué par rapport au résultat des activités poursuivies et au résultat net de l'exercice. En présence d'activités abandonnées, le

9. Nous reviendrons sur le sujet de la ventilation des impôts au chapitre 18.

résultat par action des activités abandonnées doit également être calculé et présenté soit directement dans l'état du résultat net, soit dans les notes. L'état du résultat global de la société Sears Canada inc., figurant à la page 2.61, fournit un exemple de présentation des montants du résultat par action.

Les révisions d'estimations comptables

Les montants de plusieurs produits, profits, charges ou pertes découlent d'**estimations comptables**. Ces estimations se rapportent à la détermination approximative de la valeur comptable d'un actif ou d'un passif, ou encore du montant de la consommation périodique d'un actif. Ces estimations découlent de l'évaluation de la condition actuelle des actifs et des passifs ainsi que des avantages et des obligations futurs attendus qui y sont associés. Citons, à titre d'exemples, les pertes de crédit attendues sur les comptes clients et la charge relative à certaines garanties, pour lesquelles il est nécessaire d'estimer les pertes attendues sur les créances ou les coûts totaux de garanties attribuables aux produits de l'exercice, de même que la charge d'amortissement des immobilisations, pour laquelle il est nécessaire d'estimer, notamment, la durée d'utilité des immobilisations et leur valeur résiduelle au terme de cette durée d'utilité.

Les estimations comptables sont périodiquement révisées pour tenir compte des nouvelles informations à mesure qu'elles sont disponibles. Puisque les révisions d'estimations résultent de faits nouveaux ou d'informations nouvelles, l'effet d'une révision doit être comptabilisé dans les résultats de l'exercice au cours duquel a lieu la révision et non pas rétrospectivement dans le résultat net des exercices où ont pris naissance les éléments en cause. Une révision d'estimation peut également avoir une incidence sur le résultat net des exercices postérieurs à celui où a lieu la révision. Par exemple, dans le cas d'une révision de la durée d'utilité ou de la valeur résiduelle d'une immobilisation, les charges d'amortissement futures seront établies en tenant compte de ces nouvelles estimations.

L'état du résultat global

Différence NCECF

Le résultat net, dont nous avons traité plus haut, n'est qu'une composante du résultat global. Dans la présente section, nous aborderons les différents éléments du résultat global ainsi que sa présentation.

La nature et les éléments du résultat global

Le **résultat global** représente la variation des capitaux propres d'une entreprise au cours de l'exercice qui découle d'opérations, d'événements et de circonstances sans rapport avec les propriétaires. Comme nous l'expliquerons plus loin dans le présent chapitre, les opérations et les événements en rapport avec les propriétaires sont plutôt présentés dans l'état des variations des capitaux propres. Le résultat global inclut en premier lieu le résultat net, c'est-à-dire le bénéfice net ou la perte nette, qui comprend tous les produits, les profits, les charges et les pertes présentés dans l'état du résultat net de l'exercice. Il inclut en deuxième lieu ce qu'il est convenu d'appeler les **autres éléments du résultat global**, qui correspondent aux profits et aux pertes de l'exercice n'ayant pas été présentés en résultat net en conformité avec certaines IFRS. La figure 2.1 résume les principales composantes du résultat global.

Les écarts de réévaluation d'immobilisations corporelles et incorporelles comptabilisées à la juste valeur seront traités aux chapitres 9 et 10. Lorsqu'une entreprise choisit d'appliquer le modèle de la réévaluation à la comptabilisation de ses immobilisations, certaines des variations de valeur qui en découlent ne sont pas comptabilisées en résultat net, mais plutôt à titre d'autres éléments du résultat global. Il en va de même des réévaluations du passif (de l'actif) net au titre des prestations définies des régimes d'avantages postérieurs à l'emploi. Nous aborderons ce sujet au chapitre 17. Les profits et les pertes latents découlant de la variation de la juste valeur de certains placements dans des titres de capitaux propres font partie des autres éléments du résultat global lorsque l'entreprise a fait un choix irrévocable à cet effet. De plus, les conditions contractuelles et le modèle économique de certains autres actifs financiers conduisent également à classer ces derniers À la juste valeur par le biais des autres éléments du résultat global (JVBAERG). Par conséquent, les variations de leur juste valeur sont aussi comptabilisées à titre d'autres éléments du résultat global. La variation de la juste valeur attribuable aux variations du risque de crédit de certains passifs que l'entreprise a classés À la juste valeur par le biais du résultat net (JVBRN) fait également partie des autres éléments du résultat global. Nous nous intéresserons à ces trois derniers éléments au chapitre 4. Finalement, les profits et les pertes sur la portion efficace d'une couverture de flux de trésorerie sont

FIGURE 2.1 Les composantes du résultat global

Résultat net	Produits, coût des ventes, charges commerciales, charges administratives, charges financières, éléments significatifs de produits et de charges, impôts sur le résultat, résultat des activités abandonnées (net d'impôts)

Autres éléments du résultat global	Reclassés ultérieurement en résultat net - Profits et pertes découlant de la variation de la juste valeur de certains actifs financiers dont les conditions contractuelles et le modèle économique conduisent à les classer À la juste valeur par le biais des autres éléments du résultat global - Profits et pertes sur certains instruments de couverture Non reclassés ultérieurement en résultat net - Profits et pertes découlant des ajustements des pertes de crédit - Écarts de réévaluation des immobilisations - Réévaluations du passif net au titre des prestations définies des régimes d'avantages postérieurs à l'emploi - Profits et pertes sur les placements dans des titres de capitaux propres classés de façon irrévocable À la JVBAERG - Variation de la juste valeur de certains passifs financiers À la JVBRN attribuable à la variation du risque de crédit
=	
Résultat global	Variation des capitaux propres de l'exercice provenant d'opérations et d'événements autres que ceux impliquant les propriétaires

Source : Sylvain Durocher

aussi considérés comme d'autres éléments du résultat global dans le but de coordonner la comptabilisation des profits et des pertes sur les éléments de couverture et les éléments couverts. Nous étudierons cet aspect au chapitre 19. En somme, certaines IFRS requièrent la comptabilisation de certains profits et pertes dans les autres éléments du résultat global. Nous traiterons en détail des éléments en cause dans les chapitres correspondants de ce manuel.

Avez-vous remarqué ?

Les autres éléments du résultat global découlent principalement de l'approche bilantielle adoptée dans les IFRS. Cette approche requiert l'évaluation de plusieurs éléments à la juste valeur dans l'état de la situation financière. Pour plusieurs de ces éléments évalués à la juste valeur, une partie ou la totalité de la variation survenue dans la juste valeur au cours de l'exercice est considérée comme un autre élément du résultat global et non pas comme une composante du résultat net.

De la même façon que les résultats nets sont cumulés dans les résultats non distribués à l'état des variations des capitaux propres, les autres éléments du résultat global sont rassemblés dans le cumul des autres éléments du résultat global à ce même état financier. Nous étudierons plus loin la présentation de l'état des variations des capitaux propres.

Dans le présent chapitre, nous avons utilisé l'expression «État du résultat net» pour désigner l'état financier où sont présentés les produits, les charges, les profits et les pertes. Cependant, en présence d'autres éléments du résultat global, il est nécessaire d'être plus précis dans l'appellation des états financiers. C'est ce dont il sera question dans la prochaine sous-section.

La présentation du résultat global

Une entreprise peut choisir de combiner dans un même état financier le résultat net et les autres éléments du résultat global, ou en faire deux états financiers distincts. Si elle présente deux états financiers distincts, le premier sera intitulé **État du résultat net** et le second, **État du résultat net et des autres éléments du résultat global**. La dernière ligne de ce dernier état financier sera le résultat global de l'exercice. Précisons que l'IASB permet d'utiliser l'expression **État du résultat global** pour désigner ce dernier état financier. Nous croyons que cet intitulé a l'avantage d'être plus simple.

Si l'entreprise choisit de présenter séparément les deux états financiers, l'état du résultat net doit précéder immédiatement l'état du résultat global, ce dernier devant commencer en présentant le résultat net de l'exercice. Si l'entreprise présente un seul état financier, celui-ci sera intitulé État du résultat global. Dans cet état financier, le résultat net et les autres éléments du résultat global devront être présentés dans deux sections distinctes. Ces sections devront se suivre, la section du résultat net de l'exercice devant précéder immédiatement la section des autres éléments du résultat global. Dans le présent ouvrage, sauf indication contraire, nous supposerons que l'entreprise présente un seul état financier qui sera intitulé État du résultat global.

Dans la section **Autres éléments du résultat global**, l'entreprise doit présenter les éléments en cause, classés en fonction de leur nature. Elle doit les répartir en deux catégories distinctes, c'est-à-dire les éléments qui seront reclassés ultérieurement en résultat net et ceux qui ne feront pas l'objet d'un reclassement ultérieur en résultat net, comme le prévoient les différentes IFRS en cause. La figure 2.1 distingue les deux catégories d'éléments. Certains éléments du résultat global ne requièrent jamais de reclassement en résultat net. C'est le cas des changements survenus dans les écarts de réévaluation des immobilisations, des réévaluations du passif net au titre des prestations définies des régimes d'avantages postérieurs à l'emploi, des profits et pertes sur les placements dans des titres de capitaux propres classés de façon irrévocable À la juste valeur par le biais des autres éléments du résultat global et de la variation de la juste valeur de certains passifs À la juste valeur par le biais du résultat net attribuable à la variation du risque de crédit. Certains autres éléments du résultat global nécessitent pour leur part un reclassement en résultat net. Il s'agit des profits et des pertes découlant de la variation de la juste valeur de certains actifs financiers dont les conditions contractuelles et le modèle économique conduisent à les classer À la juste valeur par le biais des autres éléments du résultat global et des profits et pertes sur certains éléments de couverture. Pour ces éléments qui doivent être reclassés ultérieurement en résultat net, les IFRS en cause précisent le moment auquel le reclassement doit avoir lieu. Dans l'état du résultat global, on doit présenter les reclassements avec les autres éléments du résultat global auxquels ils se rapportent. Les reclassements peuvent figurer directement dans l'état du résultat global ou dans les notes. Si l'entreprise choisit de présenter les reclassements par voie de notes, l'état du résultat global montre le montant de chacun des autres éléments du résultat global, net des reclassements.

Lorsqu'une entreprise comptabilise ses placements dans des entreprises associées et des coentreprises selon la méthode de la mise en équivalence, elle doit répéter cette présentation en deux catégories distinctes pour la quote-part des autres éléments du résultat global de la période réalisés par ces entreprises associées et ces coentreprises. La section des autres éléments du résultat global doit évidemment montrer le total des autres éléments du résultat global.

L'entreprise doit aussi présenter, dans l'état du résultat global ou dans les notes, l'impôt sur chacun des autres éléments du résultat global. Elle peut choisir de présenter chacun des autres éléments du résultat global net d'impôts, ou présenter chacun des éléments avant impôts, en indiquant le montant total d'impôts attribuable à l'ensemble des éléments de chacune des deux catégories mentionnées au paragraphe précédent. Finalement, l'état du résultat global doit distinguer le résultat global de la période attribuable aux participations ne donnant pas le contrôle et le résultat global attribuable aux propriétaires de la société mère.

EXEMPLE

État du résultat global

Reprenons l'exemple de la société Blanc Bec inc., laquelle présente un résultat net de 262 200 $ en 20X1 et de 160 200 $ en 20X0 (*voir la page 2.10*). Considérons les opérations supplémentaires suivantes en tenant pour acquis qu'elles n'ont pas été prises en compte dans la préparation de l'état du résultat net de Blanc Bec inc. En 20X0, Blanc Bec inc. a acheté un placement en actions au coût de 20 000 $. À ce moment, elle a fait le choix irrévocable de présenter les variations futures de la juste valeur de ce placement en actions dans les autres éléments du résultat global. À la fin de 20X0, la juste valeur du placement s'élève à 25 000 $; elle s'élève à 26 000 $ à la fin de 20X1. Précisons enfin qu'un taux d'imposition de 40 % s'applique dans cette situation.

En 2 ans, le résultat global de Blanc Bec inc. devrait s'élever à 426 000 $, soit le total des résultats annuels (avant de tenir compte des variations de la juste valeur du placement en actions) de 422 400 $ (262 200 $ + 160 200 $) et des variations totales de la juste valeur du placement après impôts de 3 600 $ [(26 000 $ – 20 000 $) × (1 – 0,40)]. L'état du résultat global comparatif présenté ci-dessous fait clairement ressortir ce fait, puisque le résultat global (bénéfice global) totalise 426 000 $ en 2 ans. De plus, cet état montre qu'un profit latent de 3 000 $ [5 000 $ × (1 – 0,40)] sur le placement en actions doit s'ajouter au résultat net de 20X0 pour pouvoir établir le résultat global de cet exercice, soit 163 200 $. En 20X1, l'augmentation additionnelle de 1 000 $ de la juste valeur du placement (qui passe de 25 000 $ à 26 000 $), nette des impôts de 400 $, est aussi présentée à titre d'autre élément du résultat global. L'état comparatif du résultat global se présente comme suit :

BLANC BEC INC.
Résultat global
de l'exercice terminé le 31 décembre

	20X1	*20X0*
Ventes	*3 600 000 $*	*3 100 000 $*
Coût des ventes	*(1 368 000)*	*(1 302 000)*
Marge brute	*2 232 000*	*1 798 000*
Produits d'intérêts	*67 000*	*50 000*
Profit découlant de la sortie d'un placement	*78 000*	
Charges commerciales	*(400 000)*	*(375 000)*
Charges administratives	*(1 005 000)*	*(806 000)*
Coûts de restructuration	*(60 000)*	
Charges financières	*(440 000)*	*(400 000)*
Perte découlant de la sortie d'une immobilisation corporelle	*(35 000)*	
Bénéfice avant impôts	*437 000*	*267 000*
Impôts sur le résultat	*(174 800)*	*(106 800)*
Bénéfice net	*262 200*	*160 200*
Autres éléments du résultat global non reclassés ultérieurement en résultat net		
Profit latent sur actif financier classé À la juste valeur par le biais des autres éléments du résultat global	*1 000*	*5 000*
Impôts	*(400)*	*(2 000)*
	600	*3 000*
Bénéfice global	*262 800 $*	*163 200 $*

L'état du résultat global de la société Sears Canada inc. (*voir la page 2.61*) fournit un exemple de présentation des autres éléments du résultat global.

Avez-vous remarqué ?

Comme le montre l'exemple précédent, le montant du résultat global permet de respecter la notion d'indépendance des périodes. En effet, il tient compte non seulement du résultat net de l'exercice, déterminé en vertu du principe de comptabilité d'engagement, mais aussi des variations de la juste valeur de certains éléments comptabilisés à la juste valeur qui sont survenues au cours de ce même exercice. Il permet donc une analyse plus cohérente de la performance de l'entreprise lorsque les utilisateurs examinent certains ratios qui combinent des postes de l'état du résultat global et des postes de l'état de la situation financière, comme le rendement de l'actif. Puisque le total de l'actif au dénominateur tient compte d'éléments évalués à la juste valeur, il est cohérent de tenir compte du résultat global dans le calcul du numérateur, lequel tient compte, lui aussi, de l'évolution de la juste valeur de ces mêmes éléments.

Différence NCECF

Les limites de l'état du résultat net et de l'état du résultat global

Il est difficile de conclure que l'état du résultat net et l'état du résultat global atteignent leur objectif ultime de rendre compte de la performance d'une entreprise au cours d'un exercice donné.

Des considérations relatives à leur présentation ainsi qu'à l'évaluation et à la comptabilisation des éléments qui les composent renferment plusieurs limites, dont celles-ci :

1. Le résultat net inclut des éléments évalués selon différentes bases de mesure. Ainsi, l'amortissement des immobilisations comptabilisées au coût reflète une charge calculée au coût historique, alors que les prises en compte des variations de la juste valeur des instruments financiers classés À la juste valeur par le biais du résultat net reflètent des profits et des pertes calculés à la juste valeur. Cet amalgame de bases de mesure génère un montant de résultat relativement « hybride ». De plus, sauf dans le cas d'entreprises évoluant dans des conditions hyperinflationnistes, plusieurs éléments du résultat net sont exprimés en dollars d'origine sans tenir compte de la variation du pouvoir d'achat.
2. L'état du résultat net et l'état du résultat global ne contiennent que ce qui est mesurable ; tout fait ou événement non quantifiable en dollars est donc forcément exclu de la mesure de la performance de l'entreprise. Une entreprise qui accorde beaucoup d'importance au bien-être de ses employés et aux questions environnementales est-elle plus performante qu'une autre qui s'en préoccupe moins ? Comment est-il possible de refléter cette situation dans l'état du résultat global ?
3. Plusieurs éléments du résultat net et du résultat global nécessitent de nombreuses estimations (pertes de crédit attendues sur les comptes clients, charge relative à certaines garanties et charge d'amortissement, par exemple). Bien que toutes ces estimations soient périodiquement révisées, il reste que le résultat net et le résultat global ne sont pas des montants absolument précis, mais des montants qui découlent de plusieurs estimations.
4. Deux entreprises peuvent traduire un même fait économique de différentes façons dans l'état du résultat global. Par exemple, comme nous le verrons au chapitre 7, il existe diverses méthodes d'évaluation des stocks, ces méthodes pouvant produire des montants très différents lorsque les coûts des marchandises varient beaucoup au cours d'un exercice.
5. Les exigences en matière de présentation de l'information dans l'état du résultat net sont minimales. Il y a lieu de se demander si de telles exigences permettent vraiment aux utilisateurs d'évaluer la performance de l'entreprise pour un exercice donné. Comme l'observe le Financial Accounting Standards Board (FASB), bien qu'il ne soit pas utile de présenter une information trop détaillée dans les états financiers, il ne convient pas non plus d'accorder trop d'importance à certains montants, comme au montant du résultat par action[10].
6. L'interprétation des autres éléments du résultat global est ambiguë, et la distinction entre ces éléments et ceux affectés au résultat net est parfois arbitraire et peut contribuer à confondre les utilisateurs des états financiers. À titre d'exemple, les profits et les pertes découlant de la variation de la juste valeur de certains instruments financiers sont présentés en résultat net, alors que certains profits et pertes découlant de la variation de la juste valeur d'autres instruments financiers sont présentés à titre d'autres éléments du résultat global. De plus, certains autres éléments du résultat global sont reclassés en résultat net, alors que d'autres ne le sont pas.

Avez-vous remarqué ?

Les limites de l'état du résultat global sont étroitement liées à la mixité et à la cohabitation des méthodes d'évaluation permises dans le Cadre, comme le coût historique et la juste valeur. Elles découlent aussi de la portée restreinte des critères de comptabilisation des éléments selon lesquels seuls les éléments qui peuvent être évalués de façon fiable et qui impliquent l'obtention ou la sortie probable d'avantages économiques futurs peuvent être inscrits dans les états financiers.

L'état des variations des capitaux propres

Les capitaux propres d'une entreprise incluent plusieurs éléments. Il est important que les utilisateurs des états financiers puissent saisir l'ampleur et la nature des changements survenus dans ces éléments au cours d'un exercice donné. Nous traiterons, dans la présente section, de la nature des éléments des capitaux propres et de la présentation de l'état des variations des capitaux propres.

10. *Statement of Financial Accounting Concepts No. 5*, Recognition and Measurement in Financial Statements of Business Enterprises, Stamford, FASB, 1984, paragr. 22.

2

La nature et les éléments des capitaux propres

Les **capitaux propres** d'une entreprise, aussi appelés **actif net**, représentent le total de l'actif de celle-ci diminué du total de son passif. Ils groupent cinq principales composantes, soit le capital social, le surplus d'apport, les résultats non distribués non affectés, les résultats non distribués affectés et le cumul des autres éléments du résultat global. La variation de l'actif net d'une entreprise peut donc être étudiée en examinant la variation de chacune de ses composantes. Le tableau 2.1 fait ressortir des exemples d'éléments qui augmentent ou diminuent chaque composante de l'actif net d'une entreprise.

TABLEAU 2.1 Les éléments qui font varier les composantes des capitaux propres

Composantes des capitaux propres	Augmentations	Diminutions
Capital social	• L'émission d'actions	• Le rachat d'actions
Surplus d'apport	• L'émission d'actions à prime • Le montant correspondant à la juste valeur des options sur les actions au moment de leur émission	• Le rachat d'actions auparavant émises à prime • La décomptabilisation du montant comptabilisé antérieurement au moment de l'exercice des options sur les actions
Résultats non distribués non affectés	• Le bénéfice net d'un exercice • L'effet cumulatif d'un changement de méthode comptable ou de la correction d'une erreur ayant un effet positif sur les résultats non distribués • Le remboursement des impôts remboursables à une société à capital fermé • Les profits sur rachat d'actions • Le reclassement de certains profits latents des autres éléments du résultat global aux résultats non distribués	• La perte nette d'un exercice • Les dividendes déclarés aux actionnaires sur des actions ne figurant pas dans le passif • L'effet cumulatif d'un changement de méthode comptable ou de la correction d'une erreur ayant un effet négatif sur les résultats non distribués • Les impôts remboursables payés par une société à capital fermé • Les coûts d'émission ou de rachat d'actions • Les pertes sur rachat d'actions • Le reclassement de certaines pertes latentes des autres éléments du résultat global aux résultats non distribués
Résultats non distribués affectés	• La création d'une affectation	• La diminution du montant d'une affectation
Cumul des autres éléments du résultat global	• Les écarts positifs de réévaluation d'immobilisations corporelles et incorporelles • Les réévaluations du passif net au titre des prestations définies des régimes d'avantages postérieurs à l'emploi ayant eu pour effet net d'augmenter le résultat global • Le reclassement des réévaluations du passif (de l'actif) net au titre des prestations définies des régimes d'avantages postérieurs à l'emploi en résultats non distribués • Le profit latent découlant de la variation de la juste valeur de certains placements dans des titres de capitaux propres • Le reclassement des pertes latentes cumulées découlant de la variation de la juste valeur de certains placements dans des titres de capitaux propres en résultats non distribués • Le profit latent découlant des ajustements des pertes de crédit et de la variation de valeur de certains actifs financiers dont	• Les écarts négatifs de réévaluation d'immobilisations corporelles et incorporelles • Les réévaluations du passif net au titre des prestations définies des régimes d'avantages postérieurs à l'emploi ayant eu pour effet net de diminuer le résultat global • Le reclassement des réévaluations du passif (de l'actif) net au titre des prestations définies des régimes d'avantages postérieurs à l'emploi en résultats non distribués • La perte latente découlant de la variation de la juste valeur de certains placements dans des titres de capitaux propres • Le reclassement des profits latents cumulés découlant de la variation de la juste valeur de certains placements dans des titres de capitaux propres en résultats non distribués • La perte latente découlant des ajustements des pertes de crédit et de la variation de valeur de certains actifs financiers dont

TABLEAU 2.1 ***(suite)***

	les conditions contractuelles et le modèle économique conduisent à les classer À la juste valeur par le biais des autres éléments du résultat global	les conditions contractuelles et le modèle économique conduisent à les classer À la juste valeur par le biais des autres éléments du résultat global
	• Le reclassement en résultat net du cumul des pertes latentes découlant de la variation de valeur de certains actifs financiers dont les conditions contractuelles et le modèle économique conduisent à les classer À la juste valeur par le biais des autres éléments du résultat global	• Le reclassement en résultat net du cumul des profits latents découlant de la variation de valeur de certains actifs financiers dont les conditions contractuelles et le modèle économique conduisent à les classer À la juste valeur par le biais des autres éléments du résultat global
	• La diminution de la juste valeur de certains passifs classés À la juste valeur par le biais du résultat net, qui est attribuable aux variations du risque de crédit du passif en question	• L'augmentation de la juste valeur de certains passifs classés À la juste valeur par le biais du résultat net, qui est attribuable aux variations du risque de crédit du passif en question
	• Le reclassement en résultats non distribués des diminutions nettes antérieures de la juste valeur de certains passifs classés À la juste valeur par le biais du résultat net qui étaient attribuables aux variations du risque de crédit du passif en question	• Le reclassement en résultats non distribués des augmentations nettes antérieures de la juste valeur de certains passifs classés À la juste valeur par le biais du résultat net qui étaient attribuables aux variations du risque de crédit du passif en question
	• Les profits sur couvertures efficaces de flux de trésorerie et sur les instruments de couverture qui couvrent des placements dans des titres de capitaux propres évalués À la juste valeur par le biais des autres éléments du résultat global	• Les pertes sur couvertures efficaces de flux de trésorerie et sur les instruments de couverture qui couvrent des placements dans des titres de capitaux propres évalués À la juste valeur par le biais des autres éléments du résultat global
	• Le reclassement en résultat net des pertes sur couvertures efficaces de flux de trésorerie auparavant affectées aux autres éléments du résultat global	• Le reclassement en résultat net des profits sur couvertures efficaces de flux de trésorerie auparavant affectés aux autres éléments du résultat global

La première composante des capitaux propres, le **capital social**, augmente lors d'une émission d'actions et diminue lorsque la société procède au rachat d'actions auparavant émises. À noter que les transactions portant sur les actions de la société auxquelles celle-ci ne participe pas ne touchent pas le capital social. Ainsi, si un actionnaire dispose de ses actions en faveur d'un autre investisseur, cette transaction n'a aucun effet sur les livres de la société.

Le **surplus d'apport** implique les primes à l'émission et l'effet des plans d'options sur actions. Les **primes à l'émission** n'existent que dans les situations où une société est autorisée à émettre des actions comportant une valeur nominale. La prime à l'émission correspond au produit de l'émission qui excède cette valeur nominale. Lorsque la société rachète des actions avec valeur nominale qu'elle avait émises auparavant, le capital social et la prime à l'émission sont décomptabilisés. Les **plans d'options sur actions** impliquent la comptabilisation d'un montant équivalent à la juste valeur des options au moment de l'émission des options sur les actions et la décomptabilisation de ce montant au moment où les options sont exercées et les actions, émises. Le chapitre 14 traitera plus en détail des options d'achat sur action.

Les résultats non distribués peuvent être subdivisés entre ceux qui sont affectés et ceux qui ne le sont pas. Les **résultats non distribués non affectés** seront simplement nommés **résultats non distribués** en l'absence de résultats non distribués affectés. Les résultats non distribués représentent le montant cumulatif des résultats nets qu'une société a générés depuis le début de son existence, de certains éléments du résultat global reclassés en résultats non distribués, le tout diminué des dividendes déclarés aux actionnaires.

Les dividendes ont pour effet de diminuer les résultats non distribués dès qu'ils sont déclarés. À la date de déclaration, le montant des dividendes est débité aux résultats non distribués et inscrit au crédit d'un compte de dividendes à payer faisant partie du passif courant.

Le solde d'ouverture des résultats non distribués est également augmenté ou diminué, selon le cas, de l'effet cumulatif sur les exercices antérieurs d'un **changement de méthode comptable**.

On peut faire un changement de méthode comptable, par exemple, pour se conformer à de nouvelles normes comptables ou pour améliorer la présentation des événements et des opérations dans les états financiers. Ainsi, une entreprise peut changer de méthode d'évaluation des stocks ou de mode d'amortissement des immobilisations. Par souci de comparabilité de l'information comptable, il importe que les états financiers soient dressés selon les mêmes méthodes comptables d'un exercice à l'autre. Lorsqu'une entreprise change de méthode comptable, il convient d'ajuster les états financiers des exercices antérieurs fournis à des fins de comparaison, s'il est possible de le faire, pour qu'ils reflètent l'application de la nouvelle méthode.

Il peut également arriver que l'on relève, dans les états financiers des exercices antérieurs, des **erreurs** pouvant résulter, par exemple, de calculs erronés, d'une mauvaise interprétation de certains renseignements ou du fait d'avoir omis de tenir compte de certaines informations. Encore une fois, il convient, à la suite de la découverte d'une erreur, d'ajuster les états financiers erronés des exercices antérieurs fournis à des fins de comparaison. En effet, selon la notion d'indépendance des exercices, on ne peut comptabiliser en résultat de l'exercice en cours l'effet d'une erreur découverte dans les états financiers d'exercices antérieurs.

L'effet cumulatif net d'impôts, sur les exercices antérieurs, des changements de méthodes comptables et des corrections d'erreurs est comptabilisé au solde d'ouverture des résultats non distribués. Le solde d'ouverture des résultats non distribués de tout exercice antérieur fourni à des fins de comparaison est également ajusté pour refléter l'effet cumulatif, net d'impôts, des changements effectués dans les états des exercices qui le précèdent.

D'autres éléments sont imputés à cette composante des capitaux propres, comme les coûts d'émission d'actions qui sont exclus du calcul du résultat, tout comme les profits ou les pertes découlant du rachat d'actions pour un montant différent de leur valeur attribuée. Les coûts d'émission sont soit portés en diminution des résultats non distribués, soit portés en diminution du capital social. Le chapitre 15 traitera plus en détail des éléments qui ont un effet sur l'évolution des résultats non distribués.

Comme nous l'expliquons dans les paragraphes suivants, les normes comptables permettent de reclasser certains éléments comptabilisés à titre d'autres éléments du résultat global dans une autre composante des capitaux propres, comme les résultats non distribués. Par exemple, une entreprise pourrait choisir de reclasser les réévaluations du passif net au titre des prestations définies dans les résultats non distribués.

Les **impôts remboursables** sont ceux que doit payer une société à capital fermé sur certains de ses revenus de placements. On dit que ces impôts sont « remboursables », car ils pourront être remboursés à la société si celle-ci verse des dividendes à ses actionnaires.

Lorsque les revenus de placements sont réalisés par la société, l'impôt remboursable est débité aux résultats non distribués et crédité au passif d'impôts exigibles faisant partie du passif courant. Lors de la déclaration de dividendes aux actionnaires, le remboursement de ces impôts est enregistré en débitant le passif d'impôts exigibles et en créditant les résultats non distribués. Le chapitre 18 abordera de façon plus détaillée la question des impôts remboursables.

Les **résultats non distribués affectés** se rapportent aux décisions d'affectation des bénéfices non distribués. Bien que les affectations soient relativement rares de nos jours, elles peuvent être exigées par les textes réglementaires ou la loi afin de fournir à l'entreprise et à ses créanciers une protection accrue contre les effets des pertes. L'existence et l'importance de ces affectations légales ou réglementaires constituent une information pertinente pour les utilisateurs des états financiers. Les résultats non distribués affectés figurent donc à titre de composante distincte des capitaux propres.

Différence NCECF

Une première composante du **cumul des autres éléments du résultat global** concerne les entreprises qui utilisent le modèle de la réévaluation pour évaluer leurs immobilisations après la comptabilisation initiale. Cette composante du cumul des autres éléments du résultat global augmente des écarts positifs découlant de la réévaluation d'une immobilisation corporelle ou incorporelle qui n'annulent pas les pertes particulières à cette immobilisation antérieurement comptabilisées en résultat net. Elle diminue du montant des écarts négatifs découlant de la réévaluation d'une immobilisation qui annulent une plus-value antérieurement comptabilisée à titre d'autres éléments du résultat global. Le chapitre 9 traitera plus en détail de ce sujet. Une deuxième composante a trait aux réévaluations du passif net au titre des prestations définies des régimes d'avantages postérieurs à l'emploi. Lorsque ces réévaluations ont eu pour effet net d'augmenter le résultat global par le passé, le cumul de ces réévaluations s'additionne aux capitaux propres. À l'opposé, si les réévaluations antérieures ont eu pour effet net de diminuer le résultat global, elles viennent alors diminuer les capitaux propres. Le chapitre 17 traitera plus en détail de ce sujet. Ces deux types de réévaluations ne sont jamais reclassées ultérieurement en résultat net, mais l'entreprise a le choix de les reclasser dans une autre composante des capitaux propres, comme les résultats non distribués. Les profits et les pertes latents découlant de la variation de la juste valeur de certains placements dans des titres de capitaux propres que l'entreprise a choisis, de façon irrévocable, de classer À la juste valeur par le biais des autres éléments du résultat global ainsi que la variation de la juste valeur de certains passifs classés À la juste valeur par le biais du résultat net qui est attribuable aux variations du risque de crédit du passif en question correspondent à deux autres éléments du résultat global, lesquels ne sont jamais reclassé ultérieurement en résultat net. Encore une fois, l'entreprise peut choisir de les reclasser dans une autre composante des capitaux propres.

Différence NCECF

D'autres composantes du résultat global se rapportent aux profits et pertes latents découlant des ajustements des pertes de crédit et de la variation de valeur de certains actifs financiers dont les conditions contractuelles et le modèle économique conduisent à les classer À la juste valeur par le biais des autres éléments du résultat global et aux profits et pertes sur couverture efficace de flux de trésorerie sur les instruments de couverture qui couvrent des placements dans des titres de capitaux propres évalués À la juste valeur par le biais des autres éléments du résultat global. Ces éléments sont reclassés ultérieurement en résultat net. De tels reclassements du résultat global en résultat net sont appelés **ajustements de reclassement**. Les chapitres 4, 6 et 19 traiteront plus en détail de ces sujets. De plus, le cumul des autres éléments du résultat global sera étudié plus attentivement au chapitre 15.

Avez-vous remarqué ?

Comme le précise le Cadre, les capitaux propres représentent le droit résiduel sur les actifs de l'entreprise après déduction de ses passifs. Ce montant résiduel peut faire l'objet de subdivisions dans l'état de la situation financière, comme nous l'avons expliqué ci-dessus. De telles subdivisions sont importantes pour les utilisateurs des états financiers du fait qu'elles peuvent, par exemple, fournir des indications sur la capacité de l'entreprise à distribuer ou à utiliser autrement ses capitaux propres [11].

La présentation de l'état des variations des capitaux propres

Différence NCECF

La présentation d'un état des variations des capitaux propres est obligatoire. À cet effet, l'IAS 1 précise que cet état financier doit fournir au minimum les informations suivantes [12] :

- Le résultat global de l'exercice, en distinguant la part attribuable aux participations ne donnant pas le contrôle et celle attribuable aux propriétaires de la société mère ;
- Pour chacune des composantes des capitaux propres, les effets des changements de méthodes comptables et des corrections d'erreurs ;
- Pour chacune des composantes des capitaux propres, un rapprochement entre la valeur comptable au début et à la fin de l'exercice, en faisant ressortir de façon distincte : 1) le résultat net ; 2) les autres éléments du résultat global ; et 3) les montants des transactions avec des propriétaires agissant en cette capacité, en présentant séparément les apports des propriétaires et les distributions à ces derniers, de même que les changements survenus dans la participation dans les filiales qui ne donnent pas lieu à une perte de contrôle.

L'IASB précise que la variation causée par les autres éléments du résultat global peut être présentée soit dans l'état des variations des capitaux propres, soit dans les notes. Il en va de même du montant des dividendes distribués aux actionnaires, ainsi que du montant des dividendes par action.

L'IASB fournit des exemples de composantes des capitaux propres qui s'inscrivent très bien dans celles présentées dans le tableau 2.1, soit chacune des catégories de capital social, le cumul de chacun des autres éléments du résultat global et les résultats non distribués.

---

11. *Manuel de CPA Canada – Comptabilité – Partie I*, «Cadre conceptuel de l'information financière», paragr. 4.20.
12. *Manuel de CPA Canada – Comptabilité – Partie I*, IAS 1, paragr. 106 à 108.

2

EXEMPLE

État des variations des capitaux propres

La société Chambord inc., qui ne présente qu'une seule catégorie de capital social, une seule catégorie d'autres éléments du résultat global et aucune affectation des résultats non distribués, pourrait présenter son état comparatif des variations des capitaux propres de la façon suivante.

CHAMBORD INC.
Variations des capitaux propres
de l'exercice terminé le 31 décembre
(en milliers de dollars)

	Capital social	Résultats non distribués	Variation de la juste valeur de certains placements en titres de capitaux propres	Part attribuable aux participations ne donnant pas le contrôle	Total des capitaux propres
Solde au 1er janvier 20X1	550 $	150 500 $	95 $	900 $	152 045 $
Résultat global de 20X1					
Bénéfice net		4 200		35	4 235
Autres éléments du résultat global			20		20
Augmentation du capital social	50				50
Dividendes aux porteurs d'actions*		(400)			(400)
Solde au 31 décembre 20X1	600	154 300	115	935	155 950
Résultat global de 20X2					
Bénéfice net		3 100		25	3 125
Autres éléments du résultat global			(30)		(30)
Dividendes aux porteurs d'actions*		(450)			(450)
Solde au 31 décembre 20X2	600 $	156 950 $	85 $	960 $	158 595 $

* *Des dividendes de 2,50 $ l'action ont été déclarés aux porteurs d'actions en 20X2 (1,95 $ l'action en 20X1).*

Chambord inc. devrait ajouter une colonne à son état des variations des capitaux propres pour chaque catégorie de capital social additionnel qu'elle pourrait émettre à l'avenir, ainsi que pour tout autre élément du résultat global qu'elle souhaiterait montrer séparément dans cet état financier. Les montants qui expliquent la variation du résultat global présentés dans l'état des variations des capitaux propres correspondent à ceux qui figurent dans l'état du résultat global.

L'état des variations des capitaux propres de la société Sears Canada inc., reproduit aux pages 2.62 et 2.63, fournit un autre exemple de présentation de cet état financier. Le lecteur remarquera que cette société a décidé de présenter distinctement l'effet cumulatif de certaines catégories d'autres éléments du résultat global.

Différence NCECF

L'état de la situation financière

La nature de l'état de la situation financière

Il fut un temps où, de tous les états financiers, seul l'état de la situation financière avait de l'importance. À la suite de la révolution industrielle, l'émission d'actions ordinaires est devenue la principale source de financement, et les actionnaires sont devenus les principaux utilisateurs des états financiers. L'état du résultat global a alors surpassé l'état de la situation financière en importance et, pendant plusieurs décennies, les investisseurs ont concentré leur analyse sur les résultats de l'entreprise. Cependant, au cours des dernières années, les utilisateurs des états financiers ont pris de plus en plus conscience de l'importance d'une saine gestion de la trésorerie d'une entreprise et de sa flexibilité financière. Or, ce n'est qu'au moyen d'une analyse attentive de l'état de la situation financière et des flux de trésorerie que les utilisateurs peuvent obtenir de plus amples renseignements sur ces deux caractéristiques essentielles à la survie à long terme d'une entreprise.

Plusieurs investisseurs ont découvert à leurs dépens que la prévision des résultats futurs requiert une analyse de l'ensemble des états financiers, et pas seulement de celles de l'état du résultat global et du résultat par action. C'est pour cette raison que, dans la présente section, nous mettrons l'accent sur la nature, le contenu et la présentation de l'état de la situation financière.

L'utilité et les limites de l'état de la situation financière

Au cours d'un exercice donné, une entreprise effectue un nombre important d'opérations et est soumise à plusieurs faits et circonstances qui ont une incidence sur sa situation financière. Ces opérations, faits et circonstances ont un effet sur l'équation comptable fondamentale :

Actif = Passif + Capitaux propres

Comme l'illustre la figure 2.2, l'**état de la situation financière** est un document de synthèse qui expose, à une date donnée, la situation financière d'une entreprise et qui fournit un résumé de ses actifs, de ses passifs et de ses capitaux propres. Il permet de déterminer le patrimoine que possède l'entreprise ainsi que la structure financière de celle-ci. Nous y reviendrons plus loin dans la sous-section **L'analyse de l'état de la situation financière**.

La figure 2.2 se termine par une réflexion lourde de conséquences : « Malgré tout le génie du photographe, l'image saisie à un moment donné ne reflète qu'une certaine vision de la réalité, qui n'est déjà plus tout à fait la même quelques secondes plus tard. » Cela est une première limite de l'état de la situation financière : il présente de manière éphémère le patrimoine que possède l'entreprise.

Une limite importante de l'état de la situation financière réside dans l'absence de données qui permettraient aux utilisateurs de déterminer la valeur de l'ensemble des biens que possède une entreprise. La valeur réelle d'un groupe de biens de production est égale à la valeur actualisée des flux de trésorerie nets futurs qu'ils procureront à l'entreprise ; pour pouvoir déterminer cette valeur, il faudrait donc disposer de prévisions exactes des conditions économiques futures.

FIGURE 2.2 L'état de la situation financière – Une image de l'entreprise dans le temps

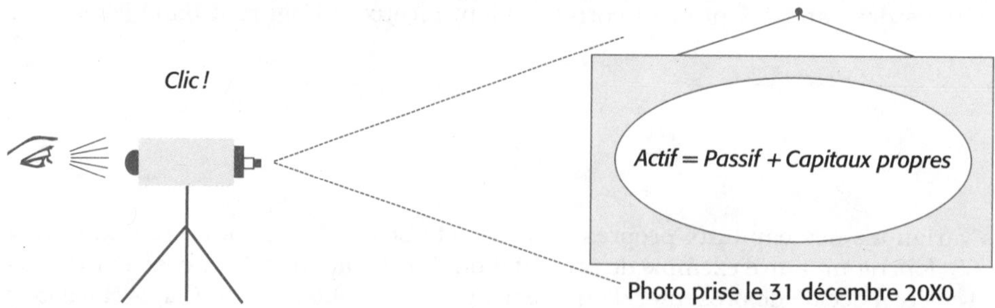

Malgré tout le génie du photographe, l'image saisie à un moment donné ne reflète qu'une certaine vision de la réalité, qui n'est déjà plus tout à fait la même quelques secondes plus tard.

Source : Daniel McMahon

Si le comptable professionnel pouvait mesurer la valeur d'une entreprise de cette façon, l'état de la situation financière fournirait l'information la plus utile qu'il soit possible d'obtenir.

Comme le comptable professionnel est incapable de prévoir exactement les conditions économiques futures, il doit dresser l'état de la situation financière en s'y prenant d'une autre façon, par exemple en présentant bon nombre des actifs, des passifs et des capitaux propres à leur coût historique.

De plus, l'état de la situation financière ne présente pas certains facteurs qui influent sur la situation financière d'une entreprise, mais qui sont difficilement évaluables. La compétence des administrateurs, le taux de rotation du personnel, les conditions de travail harmonieuses, la qualité des biens fabriqués, la fidélité de la clientèle, les possibilités de croissance, la diversification et la performance sociale, par exemple, sont autant d'éléments incorporels qui influent considérablement sur la situation financière d'une entreprise à un moment donné. Cependant, aucun de ces éléments ne figure dans l'état de la situation financière « traditionnel » dressé par le comptable professionnel, parce que la valeur qui leur serait attribuée serait trop subjective.

Enfin, il importe de souligner l'importance du jugement professionnel dans l'établissement de l'état de la situation financière. Il s'agit là à la fois d'une force évidente de l'expertise comptable et d'une limite à l'utilité de l'état de la situation financière. En effet, dans l'application des IFRS, le comptable professionnel a le choix parmi plusieurs méthodes, règles et pratiques comptables acceptables nécessitant le recours à des estimations. Force est d'admettre qu'il n'est pas facile de déterminer avec certitude la durée d'utilité et la valeur résiduelle des immeubles et des équipements utilisés par une entreprise, pas plus qu'il n'est aisé de déterminer le montant des créances qui s'avéreront irrécouvrables. De plus, les choix comptables doivent être faits afin de satisfaire un large éventail d'utilisateurs, ce qui entraîne comme limite de ne pouvoir répondre aux besoins particuliers de certains.

Malgré ces limites, le photographe (en l'occurrence, le comptable professionnel) fixe sur la pellicule (les états financiers) l'image de la situation financière de l'entreprise à un moment bien précis. Il est important que les utilisateurs de cette photo en comprennent les limites. Malgré ces dernières, l'état de la situation financière, en tant qu'élément de l'ensemble des états financiers, fournit des informations utiles à la prise de décisions et renferme de ce fait une valeur prédictive indéniable.

Avez-vous remarqué ?

L'état de la situation financière permet de déterminer le patrimoine que possède l'entreprise ainsi que la structure financière de celle-ci. Malgré ses limites, il donne aux utilisateurs des états financiers des informations utiles pour prévoir les rentrées de fonds attendues des actifs et les sorties de fonds requises pour rembourser les dettes. En ce sens, il contribue à l'objectif des états financiers défini dans le Cadre, soit fournir de l'information utile à la prise de décisions.

Le classement et l'évaluation des postes de l'état de la situation financière

Dans la figure 2.3, nous agrandissons la photo de l'état de la situation financière pour distinguer plus clairement les trois grandes catégories d'éléments que l'on y trouve, soit l'actif, le passif et les capitaux propres, de même que certains des postes compris dans ces catégories.

Rappelons brièvement la définition des trois principaux éléments de l'état de la situation financière :

(a) Un actif est une ressource contrôlée par l'entité du fait d'événements passés et dont des avantages économiques futurs sont attendus par l'entité.

(b) Un passif est une obligation actuelle de l'entité résultant d'événements passés et dont l'extinction devrait se traduire pour l'entité par une sortie de ressources représentatives d'avantages économiques.

(c) Les capitaux propres sont le droit résiduel sur les actifs de l'entité après déduction de tous ses passifs [13].

Tous les postes de l'état de la situation financière sont regroupés dans ces trois grandes catégories, qui composent l'équation comptable fondamentale. Chacune de ces catégories est ensuite subdivisée afin d'accroître le contenu informatif de l'état de la situation financière. En règle

13. *Manuel de CPA Canada – Comptabilité – Partie I*, « Cadre conceptuel de l'information financière », paragr. 4.4.

2

FIGURE 2.3 L'état de la situation financière – Ce que laisse voir un agrandissement de la photo

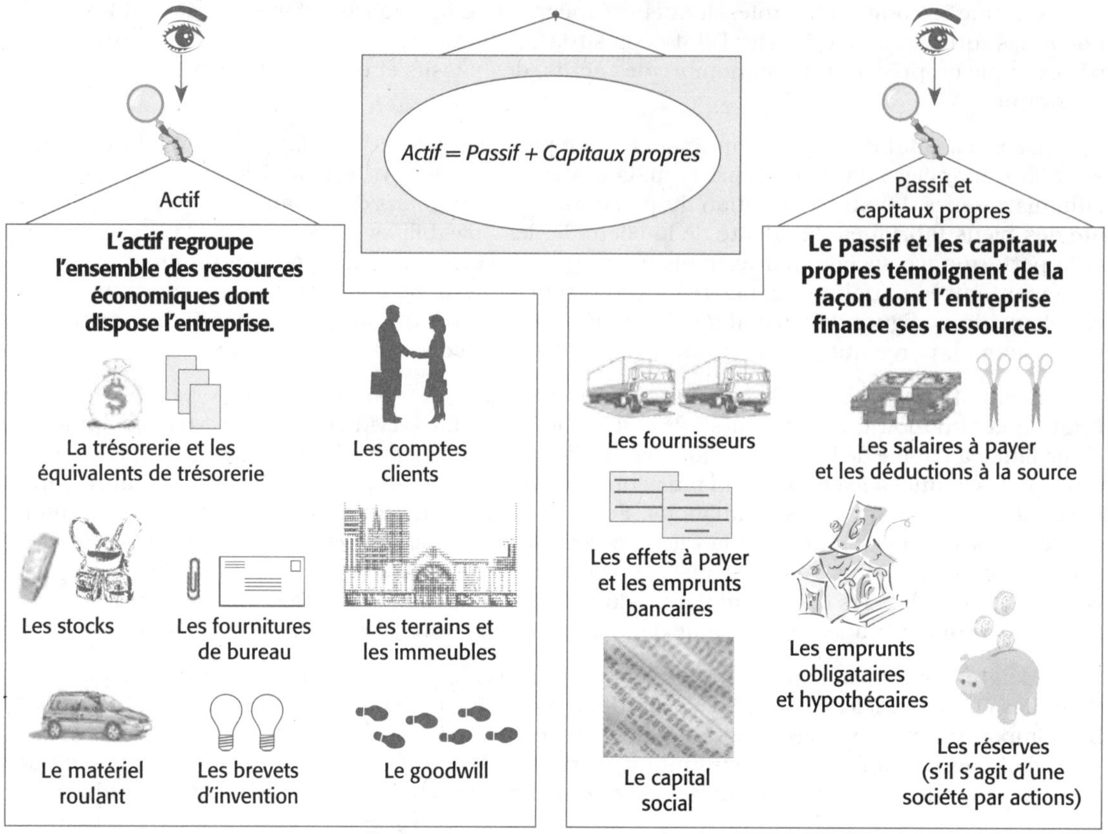

Actif = Passif + Capitaux propres

Actif

L'actif regroupe l'ensemble des ressources économiques dont dispose l'entreprise.

La trésorerie et les équivalents de trésorerie

Les comptes clients

Les stocks

Les fournitures de bureau

Les terrains et les immeubles

Le matériel roulant

Les brevets d'invention

Le goodwill

Passif et capitaux propres

Le passif et les capitaux propres témoignent de la façon dont l'entreprise finance ses ressources.

Les fournisseurs

Les salaires à payer et les déductions à la source

Les effets à payer et les emprunts bancaires

Les emprunts obligataires et hypothécaires

Le capital social

Les réserves (s'il s'agit d'une société par actions)

Source : Daniel McMahon

générale, l'entreprise doit distinguer, au sein des actifs et des passifs, les éléments courants et les éléments non courants. Il lui est aussi possible, lorsque cela permet une information plus fiable et plus pertinente, de les présenter en fonction du degré de liquidité.

Ainsi, les actifs qui diffèrent par leur utilisation doivent être présentés distinctement. À titre d'exemple, les stocks de marchandises génèrent des flux de trésorerie à la suite de la vente des biens, tandis que les immeubles et les équipements génèrent des flux de trésorerie du fait qu'ils sont utilisés dans le cours normal de l'exploitation ; on présente donc ces deux postes d'actif séparément.

De plus, les actifs et les passifs ayant une incidence différente sur la flexibilité financière de l'entreprise doivent être présentés distinctement. Ainsi, les actifs nécessaires à l'exploitation courante (terrains, immeubles et équipements, par exemple) réduisent la flexibilité financière, tandis que les placements à court terme peuvent facilement être convertis en argent. Le tableau 2.2 montre les principales subdivisions de l'état de la situation financière d'une société par actions.

TABLEAU 2.2 Les subdivisions habituelles de l'état de la situation financière d'une société par actions

Actif	Passif et capitaux propres
Actifs courants	**Passifs courants**
Actifs non courants	**Passifs non courants**
Immobilisations corporelles	**Capitaux propres**
Immobilisations incorporelles	Capital social
Placements à long terme	Réserves

Ces subdivisions sont fonction de la liquidité des actifs ou de l'exigibilité des passifs. Un actif courant est une ressource que l'entreprise prévoit convertir en espèces au cours des 12 mois à venir, ou du cycle d'exploitation suivant, comme nous l'expliquerons plus loin. Un passif courant est un passif que l'entreprise pourrait être obligée de régler dans les 12 mois suivant la date de clôture, ou au cours du cycle d'exploitation suivant. Les postes figurant dans la rubrique Capitaux propres varient selon la forme juridique de l'entreprise. Dans le tableau 2.2, nous énumérons les postes des capitaux propres d'une société par actions. Dans le cas d'une entreprise individuelle et d'une société de personnes, la section des capitaux propres pourrait être différente.

Dans les pages qui suivent, nous expliquerons brièvement chacune de ces grandes subdivisions, passerons en revue le classement des postes de l'état de la situation financière et énoncerons les principales règles d'évaluation de ces postes. Ce survol donnera au lecteur une vue d'ensemble de chacun des postes de l'état de la situation financière, que nous étudierons plus en détail dans les chapitres subséquents.

L'actif courant

L'IASB stipule qu'un actif doit être classé en tant qu'**actif courant** si l'un des critères suivants est satisfait :

Différence NCECF

a) l'actif sera réalisé, vendu ou consommé dans le cadre du cycle d'exploitation normal ;
b) l'actif est détenu à des fins de transaction ;
c) l'actif sera réalisé dans les 12 mois suivant la date de clôture ; ou
d) l'actif consiste en de la trésorerie ou des équivalents de trésorerie sauf s'il est réservé pour régler un passif au-delà de 12 mois suivant la date de clôture[14].

Tous les actifs qui ne satisfont pas à l'un de ces critères doivent être classés en tant qu'actifs non courants.

L'expression **cycle d'exploitation normal** fait référence à la période qui s'écoule depuis l'acquisition d'actifs en vue de leur transformation jusqu'à leur réalisation sous forme de trésorerie ou d'équivalents de trésorerie. Une entreprise manufacturière investit généralement sa trésorerie en matières premières, en fournitures, en main-d'œuvre et en différents services, qui sont par la suite incorporés au coût des stocks. Ultérieurement, ceux-ci sont convertis en créances qui, quelque temps plus tard, redeviennent de la trésorerie. Le temps moyen qui s'écoule entre le moment où une entreprise investit sa trésorerie en matières et en services et celui où elle recouvre ses créances représente la durée du cycle d'exploitation. À titre d'exemple, le cycle d'exploitation normal d'un vignoble pourrait être de plusieurs années, soit le temps requis pour faire vieillir le vin, tandis que celui d'un supermarché n'est que de quelques jours. C'est la raison pour laquelle, dans la règle énoncée ci-dessus, il est question de un an ou du cycle d'exploitation normal si la durée de celui-ci excède un an.

Les actifs sont classés selon leur nature. Il comprend habituellement les éléments suivants, présentés, en règle générale, par ordre de liquidité décroissante : la trésorerie et les équivalents de trésorerie, les placements à court terme, les créances ainsi que les stocks. Il est aussi acceptable de présenter les éléments par ordre de liquidité croissante.

La trésorerie et les équivalents de trésorerie

La **trésorerie** est certes l'élément d'actif le plus connu. Elle comprend l'argent en main, les fonds de petite caisse à montant fixe et les comptes bancaires dont les fonds sont disponibles pour les opérations courantes de l'entreprise. Par contre, les sommes d'argent que des restrictions quelconques empêchent d'affecter aux opérations courantes doivent être exclues de l'actif courant.

EXEMPLE

Sommes d'argent avec restrictions

La société Obligatech ltée, entreprise qui a émis des obligations, est tenue selon l'acte de fiducie de créer un fonds spécial, communément appelé fonds d'amortissement, dans lequel elle devra verser périodiquement un certain montant d'argent qui servira à rembourser la dette

14. *Manuel de CPA Canada – Comptabilité – Partie I*, IAS 1, paragr. 66.

obligataire à l'échéance. Les sommes d'argent détenues par Obligatech ltée doivent être présentées de la façon suivante dans son état de la situation financière :

OBLIGATECH LTÉE
Situation financière partielle
au 31 décembre 20X0

Actifs courants	
Trésorerie et équivalents de trésorerie	*9 000 $*
Actifs non courants	
Fonds d'amortissement	*25 000*

L'évaluation de la trésorerie ne pose aucun problème, puisque le montant en question correspond simplement au nombre de dollars disponibles.

Les **équivalents de trésorerie** comprennent habituellement les placements très liquides qui produisent de l'intérêt à court terme, dont l'échéance est d'au plus trois mois et qui ne sont exposés à aucune fluctuation de valeur importante. Les acceptations bancaires et les dépôts à terme en sont des exemples. Les découverts bancaires remboursables à vue qui font partie intégrante de la gestion de la trésorerie constituent également une composante des équivalents de trésorerie.

Les équivalents de trésorerie sont généralement évalués au coût amorti. Le lecteur trouvera plus de détails sur la comptabilisation de ces placements au chapitre 4, traitant des instruments financiers.

Les placements à court terme

Lorsqu'une entreprise dispose d'une trésorerie excédentaire, une saine gestion exige que celle-ci soit convertie en **placements à court terme**. Ce type de placements comprend notamment les bons du Trésor, les certificats de dépôt, les prêts à demande et les titres négociables, c'est-à-dire les titres émis par d'autres sociétés qui seront revendus dès que les besoins de trésorerie se feront sentir. Le but premier de la détention de placements à court terme est d'obtenir un rendement plus élevé sur la trésorerie excédentaire que le rendement offert par les institutions financières sur le solde des comptes courants.

Il faut exclure de l'actif courant les placements dont le produit provenant de leur vente ne pourrait pas être utilisé pour financer l'exploitation en raison d'une clause contractuelle ou autrement.

La majorité des placements à court terme sont des instruments financiers. Comme nous l'expliquerons au chapitre 4, ceux-ci sont comptabilisés initialement à leur juste valeur. Par la suite, selon le classement déterminé, ils doivent être évalués au coût amorti en utilisant la méthode du taux d'intérêt effectif ou à la juste valeur. À titre d'exemple, tous les placements que l'entreprise gère à des fins de transaction seraient considérés comme des actifs financiers À la juste valeur par le biais du résultat net et seraient par la suite évalués à leur juste valeur. Les placements que l'entreprise gère dans le but principal de percevoir les flux de trésorerie contractuels seraient subséquemment évalués à leur coût amorti.

Les créances

Les **créances** sont fréquemment un élément important de l'actif courant. Comme notre économie repose sur le crédit, les créances d'une entreprise et sa politique de recouvrement ont une influence importante sur sa rentabilité et sa trésorerie. Les créances se composent essentiellement de comptes clients, de montants à recevoir des parties liées, de paiements faits d'avance et d'autres montants tels les effets à recevoir. Les **comptes clients** sont les créances qui découlent du processus normal de vente de marchandises ou de prestation de services à crédit. Ces créances sont habituellement recouvrées rapidement, selon les conditions de crédit établies par l'entreprise. Les **effets à recevoir** sont plutôt le résultat de prêts d'argent à court terme.

Les paiements faits d'avance, aussi appelés **charges payées d'avance**, représentent des sommes payées d'avance en vue d'en tirer un avantage économique à brève échéance. Pensons, notamment, aux assurances, aux impôts fonciers et aux loyers payés d'avance, ainsi qu'aux fournitures de bureau qui seront utilisées au cours du prochain exercice, ou du prochain cycle d'exploitation si la durée de celui-ci excède un an. En pratique, les entreprises incluent parmi les charges payées d'avance présentées avec les actifs courants les primes d'assurance et les autres montants payés d'avance couvrant une période de deux ou trois ans, même s'ils chevauchent plus d'un exercice financier ou d'un cycle d'exploitation. Une telle pratique est acceptable pour autant que les montants en cause ne soient pas significatifs ; si les sommes sont importantes, une portion des montants payés d'avance devrait figurer parmi les éléments de l'actif non courant.

Les comptes clients sont des instruments financiers, comme nous l'expliquerons au chapitre 4. Conformément aux directives de l'IASB, ils doivent initialement être évalués à leur juste valeur. Après la comptabilisation initiale, ils doivent être évalués au coût amorti en utilisant la méthode du taux d'intérêt effectif, à moins qu'ils n'aient été classés comme des actifs financiers À la juste valeur par le biais du résultat net, auquel cas ils continuent d'être évalués à leur juste valeur. Les autres créances, telles que les paiements d'avance et les créances à l'État, ne répondent pas à la définition d'un instrument financier et sont initialement évaluées au coût historique.

Les stocks

Une large part des ressources des entreprises manufacturières et commerciales est investie dans les stocks. Les **stocks** comprennent les articles détenus par l'entreprise destinés à être vendus dans le cours normal des affaires, les articles en cours de production que l'entreprise a l'intention de terminer puis de vendre, et les articles achetés en vue de rendre des services ou de produire des biens qui seront vendus plus tard. L'évaluation des stocks se fait au plus faible du coût et de la valeur nette de réalisation[15]. Les méthodes de détermination du coût seront expliquées en détail au chapitre 7.

Avez-vous remarqué ?

Un actif est classé dans l'actif courant uniquement s'il possède l'une des quatre caractéristiques décrites par l'IASB. Le fait de grouper les actifs courants permet de fournir une information utile sur le niveau de liquidité de l'entreprise.

Différence NCECF

L'actif non courant

L'IAS 1 regroupe, sous le terme **Actifs non courants**, les immobilisations corporelles, les immobilisations incorporelles, les immeubles de placement et les autres placements détenus durant une longue période. Des postes supplémentaires peuvent être présentés dans l'actif non courant si cela permet une meilleure compréhension de la situation financière de l'entreprise. Les actifs non courants ont pour caractéristique de générer pour l'entreprise des avantages économiques pendant plus de 12 mois ou au-delà du cycle d'exploitation, si celui-ci excède 12 mois.

Les immobilisations corporelles

Des sommes d'argent considérables sont investies par les entreprises pour acquérir des **immobilisations corporelles**, c'est-à-dire des actifs corporels :

(a) qui sont détenus par une entité soit pour être utilisés dans la production ou la fourniture de biens ou de services, soit pour être loués à des tiers, soit à des fins administratives ; et

(b) dont on s'attend à ce qu'ils soient utilisés sur plus d'une période[16].

Les immobilisations corporelles sont des biens qui ont une substance à la fois tangible et physique. Les principales immobilisations corporelles comprennent les terrains, les immeubles, le matériel (ensemble des objets, instruments et machines utilisés dans un service ou une exploitation), les améliorations locatives, les pièces de rechange et le matériel d'entretien qui ne peuvent être utilisés qu'avec une immobilisation corporelle, de même que les biens loués en vertu des contrats de location-financement.

Nous explorerons en détail le traitement comptable des immobilisations corporelles aux chapitres 8 et 9 ; les contrats de location seront pour leur part traités au chapitre 16. Pour le moment, signalons simplement quelques recommandations importantes de l'IASB :

1. Lors de la comptabilisation initiale, les immobilisations corporelles doivent être évaluées au coût[17].
2. Après la comptabilisation initiale, l'entreprise doit choisir pour méthode comptable soit le modèle du coût soit celui de la réévaluation ; elle doit appliquer cette méthode à l'ensemble d'une catégorie d'immobilisations corporelles[18].

---

15. *Manuel de CPA Canada – Comptabilité – Partie I*, **IAS 2**, paragr. 9.
16. *Manuel de CPA Canada – Comptabilité – Partie I*, **IAS 16**, paragr. 6.
17. *Manuel de CPA Canada – Comptabilité – Partie I*, IAS 16, paragr. 15.
18. *Manuel de CPA Canada – Comptabilité – Partie I*, IAS 16, paragr. 29.

3. Le montant amortissable d'une immobilisation corporelle doit être réparti systématiquement sur sa durée d'utilité[19].

Les immeubles de placement

Certaines entreprises détiennent des biens immobiliers (terrains ou immeubles) dans le but d'en retirer des loyers, d'en obtenir une plus-value, ou les deux. Étant donné que ces immeubles ne sont pas utilisés dans le cours normal des opérations de l'entreprise, ils ne peuvent être classés parmi les immobilisations corporelles. Ils doivent être présentés dans un poste distinct de l'état de la situation financière. Voici quelques exemples d'éléments qui pourraient répondre à la définition d'un **immeuble de placement** :

- Un terrain détenu à des fins spéculatives plutôt que pour une vente dans le cadre de l'activité ordinaire ;
- Un terrain détenu pour une utilisation future qui est, pour le moment, indéterminée ;
- Un immeuble appartenant à l'entreprise (ou à un preneur dans le cadre d'un contrat de location-financement) et destiné à être loué en vertu de contrats de location simple.

La comptabilisation et l'évaluation des immeubles de placement seront traitées au chapitre 11. Pour l'instant, il suffit de savoir que l'évaluation initiale se fait au coût, incluant les coûts de transaction[20], alors que l'évaluation ultérieure peut être faite soit au coût, soit à la juste valeur[21].

Les immobilisations incorporelles

Comparativement à une immobilisation corporelle, une **immobilisation incorporelle** est un actif non monétaire identifiable, sans substance physique. Puisqu'il s'agit d'un actif, elle générera des avantages économiques futurs qui profiteront à l'entreprise. Par exemple, les noms commerciaux, les droits d'auteur, les franchises, les licences, les brevets et les logiciels sont des immobilisations incorporelles. Tout comme les immobilisations corporelles, les immobilisations incorporelles procurent des avantages économiques durant une longue période. Même si elles n'ont aucune substance physique, elles tirent leur importance des droits et privilèges qu'elles confèrent à l'entreprise.

Le traitement comptable détaillé des immobilisations incorporelles sera présenté au chapitre 10. Néanmoins, soulignons les quelques recommandations suivantes :

- Une immobilisation incorporelle doit être évaluée initialement au coût[22].
- Après sa comptabilisation initiale, l'entreprise peut choisir le modèle du coût ou le modèle de la réévaluation[23].
- Le montant amortissable d'une immobilisation incorporelle à durée d'utilité finie doit être réparti systématiquement sur sa durée d'utilité[24].
- Une immobilisation incorporelle à durée d'utilité indéterminée ne doit pas être amortie[25].

Les actifs biologiques

Les **actifs biologiques** sont des plantes ou des animaux vivants. On en trouve principalement dans les entreprises agricoles. Il peut s'agir de porcs, d'un cheptel producteur de lait, ou d'arbres. Puisqu'ils généreront des avantages économiques, ils sont comptabilisés à titre d'actif dans l'état de la situation financière. Ils peuvent être présentés dans l'actif courant s'ils représentent des actifs biologiques consommables qui seront réalisés dans les 12 mois suivant la date de clôture. Ils peuvent aussi être présentés dans l'actif non courant s'il s'agit d'actifs biologiques producteurs, c'est-à-dire des actifs qui peuvent supporter des récoltes successives.

---

19. *Manuel de CPA Canada – Comptabilité – Partie I*, IAS 16, paragr. 50.
20. *Manuel de CPA Canada – Comptabilité – Partie I*, **IAS 40**, paragr. 20.
21. *Manuel de CPA Canada – Comptabilité – Partie I*, IAS 40, paragr. 30.
22. *Manuel de CPA Canada – Comptabilité – Partie I*, **IAS 38**, paragr. 24.
23. *Manuel de CPA Canada – Comptabilité – Partie I*, IAS 38, paragr. 72.
24. *Manuel de CPA Canada – Comptabilité – Partie I*, IAS 38, paragr. 97.
25. *Manuel de CPA Canada – Comptabilité – Partie I*, IAS 38, paragr. 107.

À des fins d'évaluation, les actifs biologiques sont évalués à leur juste valeur, laquelle est souvent déterminée en fonction des prix du marché, diminués des coûts de la vente des actifs[26]. Lorsque la juste valeur estimée est manifestement non fiable, les actifs biologiques sont évalués au coût diminué de l'amortissement cumulé et de toute perte de valeur[27].

Le traitement comptable détaillé des actifs biologiques sera étudié au chapitre 8.

Les placements à long terme

Il est fort rare que les grandes entreprises ne détiennent pas une variété d'actifs non utilisés dans leur exploitation courante. En effet, les entreprises acquièrent fréquemment des actifs qui ne sont pas nécessaires à la production de biens ou de services dans le cadre de leurs opérations habituelles. Citons, à titre d'exemple, les actions acquises par une entreprise dans une autre société, que ce soit pour en prendre le contrôle, pour exercer une influence notable sur celle-ci ou tout simplement à titre d'investissement à long terme. Le tableau 2.3 décrit brièvement les quatre situations possibles ; nous y reviendrons plus en détail au chapitre 11.

TABLEAU 2.3 Les divers types de placements en actions à long terme

Participation dans une filiale	Lorsqu'une entreprise est exposée ou qu'elle a droit à des rendements variables en raison de ses liens avec l'entité émettrice et qu'elle a la capacité d'influer sur ces rendements du fait du pouvoir qu'elle détient sur cette entité[28], elle exerce un contrôle sur cette dernière. Un placement détenu par une entreprise en vue d'exercer un contrôle sur une autre société figure parmi les placements à long terme à titre de **participation dans une filiale**. Il nécessite généralement l'établissement d'états financiers consolidés.
Participation dans une entreprise associée	Une entreprise peut être en mesure d'exercer une influence notable sur les décisions financières et opérationnelles d'une autre société sans pour autant en avoir le contrôle. C'est habituellement le cas lorsqu'une entreprise possède entre 20 et 50 % des actions d'une autre société. Un tel placement figure alors parmi les placements à long terme à titre de **participation dans une entreprise associée**.
Titre de participation	Un placement en actions qui ne permet pas d'exercer un contrôle ou une influence notable sur la société qui a émis les actions figure parmi les placements à long terme.
Partenariat	Un **partenariat** est une entreprise sur laquelle deux parties ou plus exercent un contrôle conjoint[29]. Lorsqu'une entité détient des titres dans une **entreprise commune**, elle doit comptabiliser sa quote-part dans les actifs, passifs, produits et charges de cette entreprise[30]. Cependant, si elle détient des titres dans une **coentreprise**, elle comptabilise ces titres en appliquant les mêmes normes comptables que celles applicables à une participation dans une entreprise associée.

Le traitement comptable des **placements à long terme** donne lieu à l'utilisation de diverses méthodes de comptabilisation, qui seront présentées aux chapitres 4 et 11.

Avez-vous remarqué ?

Les actifs non courants ont pour caractéristique de générer, pour l'entreprise, des avantages économiques pendant plus de 12 mois ou au-delà du cycle d'exploitation, si celui-ci excède 12 mois. La distinction entre les actifs courants et non courants aide les utilisateurs des états financiers à se faire une idée plus précise du niveau de liquidité financière de l'entreprise.

26. *Manuel de CPA Canada – Comptabilité – Partie I*, **IAS 41**, paragr. 12.
27. *Manuel de CPA Canada – Comptabilité – Partie I*, IAS 41, paragr. 30.
28. *Manuel de CPA Canada – Comptabilité – Partie I*, **IFRS 10**, paragr. 6.
29. *Manuel de CPA Canada – Comptabilité – Partie I*, **IFRS 11**, paragr. 4.
30. Le lecteur désireux d'approfondir ce sujet consultera un ouvrage de comptabilité avancée.

2

Différence NCECF

Le passif courant

Le **passif courant**, aussi appelé dette courante, doit comprendre les passifs qui répondent à l'un des critères suivants :

a) le passif sera réglé au cours du cycle d'exploitation normal ;

b) le passif est détenu à des fins de transaction ;

c) le passif sera réglé dans les 12 mois suivant la date de clôture ;

d) aucun droit inconditionnel ne permet de différer le règlement du passif pour au moins 12 mois à compter de la date de clôture. Le fait que le passif puisse être réglé par l'émission de titres de capitaux propres n'affecte pas sa classification[31].

Tous les autres passifs doivent être classés en tant que passifs non courants.

Les passifs courants sont classés suivant leur nature. On y trouve habituellement les éléments suivants, présentés par ordre d'exigibilité croissante ou décroissante : comptes fournisseurs, autres créditeurs, produits différés, provisions à court terme telles les provisions pour garantie, dettes financières et portion à court terme des passifs financiers non courants.

Les comptes fournisseurs et autres créditeurs

Les **comptes fournisseurs** représentent les dettes relatives à des marchandises achetées ou à des services rendus à l'entreprise au cours du cycle d'exploitation et qui devront faire l'objet d'un règlement à brève échéance.

Au cours d'un exercice financier, une entreprise engage certains frais qui ne sont pas encore payés à la fin de l'exercice, ce qui donne naissance à un passif intitulé **Autres créditeurs**. Citons comme exemples les intérêts courus sur les emprunts, les salaires et déductions à la source à payer, les vacances à payer et les impôts exigibles. Ces dettes figurent souvent dans le passif courant sous le regroupement Fournisseurs et autres créditeurs.

Les provisions

Contrairement aux fournisseurs et autres créditeurs, dont le montant et la date d'échéance sont connus, les **provisions** représentent une obligation actuelle dont le montant ou la date d'échéance est incertain. Malgré cette incertitude, l'IASB recommande de comptabiliser les provisions en tant que passif « [...] parce que ce sont des obligations actuelles et qu'il est probable qu'une sortie de ressources représentatives d'avantages économiques sera nécessaire pour éteindre les obligations[32] ». L'évaluation des provisions se fait selon la meilleure estimation du montant que l'entreprise devrait payer si elle devait éteindre son obligation actuelle à la date de clôture. Cela implique souvent que l'entreprise utilisera des techniques d'actualisation pour déterminer le montant de la provision.

À titre d'exemple, les garanties de base offertes par une entreprise sur les biens vendus représentent des provisions. En effet, bien que l'entreprise reconnaisse qu'elle a une obligation envers ses clients, elle ne connaît ni le montant ni la date où elle devra honorer son engagement. Elle doit donc estimer, à partir de son expérience passée, le montant approximatif qu'elle devra engager pour respecter la garantie. Les provisions dont le règlement est prévu dans les 12 mois suivant la date de clôture sont présentées dans le passif courant et celles qui sont réglées au-delà de 12 mois, telles les provisions pour démantèlement d'une immobilisation ou remise en état d'un site, sont souvent présentées en tant que passif non courant. Pour plus de détails sur la comptabilisation et l'évaluation des provisions, le lecteur est invité à lire le chapitre 12.

Les dettes financières

Les institutions financières mettent à la disposition de la plupart de leurs clients un **emprunt bancaire flottant**, que l'on désigne souvent par l'expression **marge de crédit**. Il s'agit en fait du montant du crédit accordé par une institution financière à une entreprise et dont les paiements effectués par celle-ci sont honorés tant qu'ils ne dépassent pas le montant alloué. Si, par exemple, une entreprise a une marge de crédit de 100 000 $ et qu'elle effectue des paiements qui entraînent un découvert de son compte bancaire, la banque déposera dans ce compte la trésorerie manquante jusqu'à concurrence de 100 000 $ afin d'honorer les chèques en circulation ou les paiements électroniques. Une marge de crédit est dite rotative parce que, dès que le

31. *Manuel de CPA Canada – Comptabilité – Partie I*, IAS 1, paragr. 69.

32. *Manuel de CPA Canada – Comptabilité – Partie I*, **IAS 37**, paragr. 13(a).

compte en banque est renfloué par des dépôts de l'entreprise, la banque prélève le remboursement de la somme ainsi prêtée.

Des prêteurs, autres que des institutions financières, peuvent aussi prêter de l'argent à l'entreprise. Par exemple, un fournisseur peut financer l'acquisition des équipements qu'il vend. Du point de vue de l'emprunteur, ces types d'emprunt sont appelés **effets à payer**. Ils sont généralement constitués de billets payables sur demande ou à une date déterminée à brève échéance. Tandis que le prêteur présente un effet à recevoir échéant à moins de un an dans l'actif courant, l'emprunteur présente le même billet à titre d'effet à payer dans le passif courant.

La portion à court terme des passifs financiers non courants

Afin de déterminer les besoins de trésorerie à court terme de l'entreprise, il convient de distinguer les dettes qui devront être réglées dans les 12 mois suivant la date de clôture de l'exercice financier. C'est pourquoi la **portion à court terme des passifs financiers non courants** qui est remboursée au cours de l'année subséquente, ou au cours du prochain cycle d'exploitation s'il excède un an, doit être présentée dans le fonds de roulement[33] de l'entreprise. Il est intéressant de noter que le grand livre ne renferme pas de compte Portion à court terme des passifs financiers non courants. Il comporte plutôt les comptes de chaque dette à long terme ; ce n'est que lors de la présentation de l'état de la situation financière que la distinction est faite entre la portion à court terme et celle qui vient à échéance à long terme.

Avez-vous remarqué ?

Un passif est classé dans le passif courant s'il possède l'une des quatre caractéristiques définies par l'IASB. Le fait de regrouper les passifs courants fournit une information utile sur les besoins de trésorerie de l'entreprise pour régler ses passifs.

Différence NCECF

Le passif non courant

Parallèlement aux actifs non courants, l'état de la situation financière présente les détails des passifs non courants. Par définition, le **passif non courant** comprend les dettes dont le règlement n'entraîne pas de diminution de l'actif courant au cours de l'année suivante ou au cours du cycle d'exploitation subséquent si la durée de celui-ci excède un an. Parmi les passifs non courants, on trouve les emprunts obligataires et hypothécaires, les dettes relatives à un contrat de location-financement et à un régime de retraite, ainsi que les effets à payer à long terme, les passifs d'impôt différé et les provisions à long terme, telles les provisions pour démantèlement d'une installation pétrolière.

Pour que les utilisateurs de l'état de la situation financière puissent évaluer l'effet des obligations sur les flux de trésorerie futurs de l'entreprise ainsi que la nature et l'ampleur des risques en découlant, plusieurs informations doivent être fournies en vertu de l'**IFRS 7**, intitulée « Instruments financiers : Informations à fournir ». Par exemple, afin de permettre aux utilisateurs d'évaluer les risques de liquidité d'une entreprise, des informations détaillées sur tout défaut de paiement doivent être fournies en note. Nous consacrerons les chapitres 13, 16, 17 et 18 à l'étude des différents postes du passif non courant.

Les passifs d'impôt différé

La détermination du bénéfice comptable avant impôts est régie par des principes comptables, alors que la détermination du bénéfice imposable se fait selon les lois fiscales. L'utilisation de règles différentes amène nécessairement des écarts entre le montant des deux bénéfices. Certains de ces écarts s'expliquent par des différences permanentes qui impliquent que certains éléments ne sont jamais pris en considération dans le calcul soit du bénéfice comptable avant impôts soit du bénéfice imposable. D'autres écarts, que l'on nomme différences temporaires, découlent pour leur part d'un décalage dans le temps entre le moment où un élément est inclus dans le calcul du bénéfice comptable avant impôts et celui où il est inclus dans le calcul du bénéfice imposable. Ces écarts temporaires produisent inévitablement un effet sur les impôts exigibles d'une entreprise et représentent un actif ou un passif appelé actif ou passif d'impôt différé.

Lorsque les différences temporaires génèrent des montants imposables dans la détermination du bénéfice imposable des exercices futurs, il en découle un **passif d'impôt différé**. Par contre, si les différences temporaires génèrent des montants déductibles dans la détermination du bénéfice

33. Cette notion sera expliquée dans la sous-section **L'analyse de l'état de la situation financière.**

imposable des exercices futurs, il en résulte un actif d'impôt différé. Il est possible également que le report en avant de pertes fiscales et de crédits d'impôt non utilisés crée des actifs d'impôt différé.

L'évaluation des actifs ou passifs d'impôt différé est complexe. Le chapitre 18 porte sur la comptabilisation des impôts sur le résultat ; ce sujet y sera abordé de façon détaillée.

Avez-vous remarqué ?

Les passifs non courants comprennent les dettes dont le règlement n'entraîne pas de diminution de l'actif courant au cours de l'année suivante ou au cours du cycle d'exploitation subséquent si la durée de celui-ci excède un an. La distinction entre les passifs courants et non courants aide les utilisateurs des états financiers à se faire une idée plus précise des sorties de fonds que l'entreprise devra effectuer pour respecter ses engagements actuels. Les utilisateurs comparent les actifs courants avec les passifs courants pour évaluer le fonds de roulement, lequel donne une mesure de la flexibilité financière à court terme de l'entreprise.

Les capitaux propres

Différence NCECF

Essentiellement, les **capitaux propres** correspondent au total de l'actif diminué du passif. Tel un caméléon, ils s'adaptent à la forme juridique de l'entreprise. Ainsi, les capitaux propres d'une entreprise individuelle se résument souvent en un seul poste, soit le Capital du propriétaire. Par contre, puisqu'une société de personnes est formée de plusieurs associés, les capitaux propres renferment autant de comptes de capital qu'il y a d'associés. Enfin, dans le cas d'une société par actions, l'IASB exige qu'une distinction soit faite entre le **capital social** et les **réserves** attribuables aux porteurs de capitaux propres. Par contre, il ne précise pas ce qui compose les réserves. Dans les états financiers des entreprises canadiennes, les réserves sont principalement constituées des postes suivants : le surplus d'apport, les résultats non distribués, les résultats non distribués affectés et le cumul des autres éléments du résultat global. La figure 2.4 fournit une brève description des postes des capitaux propres. Nous y reviendrons en détail aux chapitres 14 et 15.

FIGURE 2.4 Les postes des capitaux propres d'une société par actions

	Caractéristiques	Commentaires
Capital social	Le capital social correspond aux fonds apportés par les actionnaires.	Le capital social peut être émis avec ou sans valeur nominale. S'il n'a pas de valeur nominale, le montant comptabilisé correspond à la valeur attribuée à l'émission. S'il a une valeur nominale, le montant comptabilisé correspond à cette valeur.
Réserves	**Surplus d'apport**	
	Le surplus d'apport est constitué de montants versés à l'entreprise par les porteurs de titres en sus des montants attribués au poste Capital social.	À titre d'exemple, on y trouve la prime d'émission et les plans d'options sur actions.
	Résultats non distribués	
	Il s'agit des résultats cumulés non distribués aux actionnaires.	Les **résultats non distribués non affectés** correspondent aux montants que l'entreprise peut légalement distribuer à ses actionnaires.
	Résultats non distribués affectés	
	Des textes réglementaires ou une loi créent parfois l'obligation de préserver une portion des résultats qui ne peut être distribuée aux actionnaires.	Une description de la nature et de l'objet de chaque portion affectée des résultats doit être fournie en note.
	Cumul des autres éléments du résultat global	
	Certains éléments ne figurent pas dans le résultat net, mais plutôt dans les autres éléments du résultat global. Ils sont ensuite cumulés dans un compte distinct parmi les réserves.	Mentionnons, à titre d'exemple, les profits découlant de la réévaluation de certaines immobilisations.

Source : Daniel McMahon • Adaptation : Diane Bigras

Avez-vous remarqué ?

Les capitaux propres correspondent au total de l'actif diminué du passif. Ils sont généralement composés du capital social, du surplus d'apport, des résultats non distribués affectés ou non, et du cumul des autres éléments du résultat global.

Différence NCECF

L'analyse de l'état de la situation financière

On peut percevoir l'état de la situation financière de plusieurs façons. Pour certains, il s'agit d'un état représentatif du patrimoine que possède l'entreprise, c'est-à-dire des ressources économiques (actifs) mises à sa disposition, déduction faite des obligations (passifs) existant sur ces ressources à la date de l'établissement de l'état de la situation financière. D'autres voient l'état de la situation financière comme une photo prise à un moment précis. En effet, pour dresser un état de la situation financière, il faut faire abstraction de la poursuite de l'exploitation de l'entreprise afin d'en établir les ressources économiques, les obligations et les droits résiduels (capitaux propres) à une date donnée. Ces ressources, obligations et droits résiduels résultent tous d'opérations passées et servent aussi de point de départ aux activités de l'exercice subséquent.

Quel que soit l'angle sous lequel on envisage l'état de la situation financière, on en arrive toujours à conclure que celui-ci est une source importante d'information sur la liquidité et sur la structure financière de l'entreprise, deux éléments qui doivent être pris en compte dans l'évaluation de la viabilité de celle-ci.

La **liquidité** fait référence à la disponibilité d'éléments d'actifs courants suffisants pour rembourser les passifs courants. Les utilisateurs des états financiers accordent une attention particulière à la relation qui existe entre les éléments de l'actif courant et ceux du passif courant. L'excédent de l'actif courant sur le passif courant, communément appelé **fonds de roulement**, représente en quelque sorte le bassin de ressources à la disposition d'une entreprise pour son exploitation courante. De la même façon, le **ratio de liquidité à court terme**, obtenu en divisant le total de l'actif courant par le total du passif courant, donne une indication de la capacité de l'entreprise à rembourser ses dettes à court terme.

Ainsi, une entreprise dont le ratio de liquidité à court terme est de 2 pour 1 dispose d'actifs courants dont la valeur comptable est le double de celle de ses passifs courants. Le plus souvent, une entreprise qui possède un tel ratio de liquidité à court terme n'éprouve aucune difficulté à rembourser ses dettes lorsqu'elles viennent à échéance.

Plus particulièrement, une comparaison de la trésorerie, des placements à court terme et des créances avec les passifs courants fournit une information utile en ce qui concerne la liquidité d'une entreprise et sa capacité à verser des dividendes à court terme. De plus, il est souvent question du fonds de roulement dans les contrats d'emprunt conclus entre une entreprise et ses bailleurs de fonds. En effet, ces derniers exigent fréquemment qu'une entreprise conserve un fonds de roulement d'un niveau déterminé. La survie d'une entreprise qui maintient un niveau convenable de liquidité n'est que rarement remise en cause.

Pour sa part, la **structure financière** fait plutôt référence à la combinaison de dettes et de capitaux propres auxquels l'entreprise a recours pour son financement. Elle permet essentiellement d'appréhender l'équilibre des sources de financement et d'évaluer la solvabilité de l'entreprise. Ainsi, une société par actions ayant un ratio d'endettement élevé pourrait avoir de la difficulté à amasser la trésorerie nécessaire à l'acquisition d'une entreprise concurrente. Un tel ratio d'endettement peut indiquer aux utilisateurs des états financiers que la société par actions ne peut tout simplement plus emprunter. Pour obtenir la trésorerie supplémentaire, elle devra donc émettre de nouvelles actions, ce qui pourrait entraîner une dilution du résultat par action. Il s'agit là d'informations pertinentes pour les investisseurs actuels et éventuels.

En plus d'être une source d'information sur la liquidité et la structure financière d'une entreprise, l'état de la situation financière permet d'en évaluer le **rendement**. Ainsi, en analysant la relation existant entre le résultat et le total de l'actif ou le total des capitaux propres, les investisseurs peuvent déterminer le taux de rendement sur le capital investi. De plus, en comparant certains postes de l'état de la situation financière et de l'état du résultat global, ils peuvent mesurer l'efficacité avec laquelle l'entreprise gère ses ressources. À titre d'exemple, supposons qu'une entreprise effectue la plupart de ses ventes à crédit : en comparant son chiffre d'affaires et le solde de ses comptes clients, on peut mesurer sa capacité à recouvrer rapidement les sommes d'argent en cause.

Avez-vous remarqué ?

L'état de la situation financière est une source importante d'information sur la liquidité, la structure financière et le rendement de l'entreprise. En examinant la composition et le montant des ressources et des droits d'autrui sur ces ressources, les utilisateurs des états financiers comprennent mieux les besoins futurs de financement et les chances d'obtenir le financement requis.

Les normes de présentation de l'état de la situation financière

Différence NCECF

Les normes de présentation comprennent les exigences minimales de présentation. Il est important de connaître les lignes directrices concernant les dispositions minimales en matière de présentation de l'état de la situation financière. L'IAS 1 fournit la liste des postes que l'on devrait trouver dans l'état de la situation financière. Il s'agit des suivants :

(a) les immobilisations corporelles ;
(b) les immeubles de placement ;
(c) les immobilisations incorporelles ;
(d) les actifs financiers (à l'exclusion des montants indiqués selon (e), (h) et (i)) ;
(e) les participations comptabilisées selon la méthode de la mise en équivalence ;
(f) les actifs biologiques [...] ;
(g) les stocks ;
(h) les clients et les autres débiteurs ;
(i) la trésorerie et les équivalents de trésorerie ;
(j) le total des actifs classés comme étant détenus en vue de la vente et les actifs inclus dans des groupes destinés à être cédés qui sont classés comme détenus en vue de la vente [...] ;
(k) les fournisseurs et les autres créditeurs ;
(l) les provisions ;
(m) les passifs financiers (à l'exclusion des montants indiqués selon (k) et (l)) ;
(n) les passifs et actifs d'impôt exigible [...] ;
(o) les passifs et actifs d'impôt différé [...] ;
(p) les passifs inclus dans des groupes destinés à être cédés classés comme détenus en vue de la vente [...] ;
(q) les participations ne donnant pas le contrôle, présentées au sein des capitaux propres ; et
(r) le capital émis et les réserves attribuables aux propriétaires de la société mère[34].

Il peut également être nécessaire d'ajouter des postes, rubriques et totaux partiels supplémentaires pour rendre l'état de la situation financière plus compréhensible pour les utilisateurs[35]. Lorsque l'entreprise décide d'ajouter des sous-totaux, ils doivent permettre de comprendre clairement les postes dont ils sont constitués et être cohérents d'un exercice à l'autre[36].

Comme nous l'avons vu précédemment, les actifs et les passifs, tant courants que non courants, doivent être présentés séparément dans l'état de la situation financière. Il existe toutefois une exception à cette règle. En effet, si une présentation selon le critère de liquidité offre une information fiable et plus pertinente, l'entreprise peut choisir de présenter ses actifs et passifs par ordre de liquidité sans faire de distinction entre les éléments courants et non courants[37]. Par exemple, parce que le cycle d'exploitation d'une entreprise du secteur bancaire n'est pas clairement défini, elle a avantage à adopter la présentation par ordre de liquidité croissant ou décroissant plutôt qu'à distinguer les éléments courants des éléments non courants.

34. *Manuel de CPA Canada – Comptabilité – Partie I*, IAS 1, paragr. 54.
35. *Manuel de CPA Canada – Comptabilité – Partie I*, IAS 1, paragr. 55.
36. *Manuel de CPA Canada – Comptabilité – Partie I*, IAS 1, paragr. 55A.
37. *Manuel de CPA Canada – Comptabilité – Partie I*, IAS 1, paragr. 60.

Il est toutefois à noter que peu importe le mode de présentation adopté, l'entreprise doit présenter distinctement les montants qu'elle s'attend à recouvrer ou à régler au plus tard dans les 12 mois suivant la date de clôture[38], dans le but de permettre aux utilisateurs des états financiers d'évaluer la liquidité et la solvabilité de l'entreprise.

L'IAS 1 permet également de présenter certaines informations supplémentaires soit dans l'état de la situation financière soit dans les notes[39]. Le niveau de détail de ces informations dépend de l'importance des montants en cause. À titre d'exemples, les immobilisations corporelles peuvent être présentées selon les catégories prescrites à l'IAS 16 traitant des immobilisations corporelles et les créances peuvent être subdivisées en comptes clients et en créances à recevoir de parties liées.

Des informations supplémentaires doivent aussi être fournies, soit dans l'état de la situation financière, soit dans l'état des variations de capitaux propres, soit dans les notes, pour chaque catégorie de capital[40]. Il en est ainsi du nombre d'actions autorisées, du nombre d'actions émises, de la valeur nominale des actions, s'il y a lieu, des variations survenues au cours de l'exercice dans le nombre d'actions, des droits et privilèges rattachés à chaque catégorie, des actions propres détenues, et des actions réservées à l'exercice des droits d'achat ou de vente d'actions. L'entreprise doit aussi fournir une description de la nature et de l'objet de chacune des réserves qui figure dans les capitaux propres.

Avez-vous remarqué ?

L'IAS 1 fournit la liste des postes que l'on doit trouver dans l'état de la situation financière ainsi que l'ordre des notes à présenter. Les informations fournies doivent permettre d'atteindre l'objectif visé par cet état, soit de faire connaître les ressources à la disposition de l'entreprise et les droits d'autrui sur ces ressources.

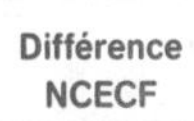

Différence NCECF

Les principaux modes de présentation de l'état de la situation financière

Bien que l'IASB formule des recommandations assez précises concernant la présentation du contenu des postes de l'état de la situation financière, il n'offre aucun conseil sur la disposition de cet état. Celui-ci peut donc être présenté de plusieurs façons, aussi acceptables les unes que les autres, pourvu que l'information soit pertinente, qu'elle représente fidèlement la structure financière et qu'elle possède des caractéristiques qualitatives auxiliaires, telles que la comparabilité, la vérifiabilité, la rapidité et la compréhensibilité. Ces caractéristiques peuvent être présentes de plusieurs manières.

En pratique, il existe trois modèles de présentation de l'état de la situation financière, exposés dans le tableau 2.4. Selon le **modèle nord-américain**, on présente les actifs et les passifs courants avant les actifs et les passifs non courants, alors que les capitaux propres figurent après les passifs. Les actifs courants sont généralement présentés par ordre de liquidité décroissante. Selon le **modèle européen**, on présente les actifs et les passifs non courants avant les actifs et les passifs courants. De plus, les capitaux propres sont généralement présentés avant les passifs. Contrairement au modèle nord-américain, les actifs courants y sont, le plus souvent, présentés par ordre de liquidité croissante. Ces deux modèles présentent les passifs courants par

TABLEAU 2.4 Les trois modèles de présentation de l'état de la situation financière

Modèle nord-américain	Modèle européen	Modèle par ordre de liquidité
Actifs courants	Actifs non courants	Actifs
Actifs non courants	Actifs courants	Total de l'actif
Total de l'actif	Total de l'actif	Passifs
Passifs courants	Capitaux propres	Total du passif
Passifs non courants	Passifs non courants	Capitaux propres
Total du passif	Passifs courants	Total du passif et des capitaux propres
Capitaux propres	Total du passif	
Total du passif et des capitaux propres	Total des capitaux propres et du passif	

38. *Manuel de CPA Canada – Comptabilité – Partie I*, IAS 1, paragr. 61.
39. *Manuel de CPA Canada – Comptabilité – Partie I*, IAS 1, paragr. 77.
40. *Manuel de CPA Canada – Comptabilité – Partie I*, IAS 1, paragr. 79.

ordre d'exigibilité décroissante. Enfin, le **modèle par ordre de liquidité** est utilisé dans certains secteurs d'activité où il peut être plus pertinent de présenter les postes de l'état de la situation financière selon le critère de liquidité sans faire de distinction entre les éléments courants et non courants. C'est le cas des entreprises dont le cycle d'exploitation n'est pas clairement définissable.

Dans le tableau 2.4, l'état de la situation financière est présenté verticalement, le passif et les capitaux propres se trouvant en dessous de l'actif. Mais chaque état aurait pu également être présenté horizontalement, c'est-à-dire que les actifs auraient pu figurer du côté gauche, tandis que les passifs et les capitaux propres auraient pu être présentés du côté droit.

La structure de la section traitant de l'état de la situation financière et celle des parties suivantes du présent ouvrage ont été inspirées du modèle nord-américain. Nous avons d'abord présenté les actifs courants, suivis des actifs non courants. Ensuite, nous avons expliqué brièvement les passifs courants, les passifs non courants et, enfin, les capitaux propres. On trouve à la page 2.60 l'état de la situation financière au 30 janvier 2016 de la société Sears Canada inc., qui a opté pour le modèle nord-américain dans la présentation de ses états financiers.

Avez-vous remarqué ?

On peut présenter l'état de la situation financière selon trois modèles. Peu importe celui retenu, l'information présentée doit posséder les caractéristiques qualitatives essentielles et auxiliaires présentées dans le Cadre.

Le tableau des flux de trésorerie

Un jeu complet d'états financiers comprend, outre les renseignements fournis en note, un état de la situation financière, un état des variations des capitaux propres, un état du résultat global et un tableau des flux de trésorerie.

Ouvrons dès maintenant une parenthèse au sujet de l'intitulé de cet état financier. Pourquoi cet état s'intitule-t-il Tableau et non État ? L'intitulé retenu par l'IASB permet notamment de faire ressortir une caractéristique importante de cet état, à savoir que sa préparation repose sur l'analyse des postes des autres états financiers et non sur une compilation de comptes distincts inclus dans le plan comptable de l'entreprise. La présente section donnera plus de précision à cet égard.

Le tableau des flux de trésorerie, tout comme l'état du résultat global, renseigne sur la performance de l'entreprise. Mais qu'est-ce qui différencie ces deux états financiers ?

L'utilité du tableau des flux de trésorerie

Comme nous l'avons mentionné au chapitre 1, la comptabilité d'engagement est indispensable pour évaluer la rentabilité d'un exercice précis. Toutefois, on doit reconnaître que le choix des méthodes comptables, telle la méthode du premier entré, premier sorti, pour déterminer la valeur comptable des stocks, est un outil dont certains dirigeants peuvent user pour «gérer» les chiffres comptables. Nous savons aussi que le montant de résultat net, présenté dans un état du résultat global, ne correspond pas à l'augmentation de la trésorerie au cours d'un exercice donné. Or, même si les utilisateurs des états financiers apprécient à juste titre le montant du résultat, net ou global, ils s'intéressent grandement à la capacité d'une entreprise à générer des flux de trésorerie. Le tableau des flux de trésorerie répond à ce besoin en présentant les variations des flux de trésorerie de l'exercice, flux totalement indépendants des méthodes comptables retenues par une entreprise. L'utilité du tableau des flux de trésorerie, comparativement aux autres états financiers, est illustrée dans la figure 2.5.

Le tableau des flux de trésorerie montre les rentrées et les sorties de trésorerie liées aux variations survenues dans les actifs, les passifs et les capitaux propres d'une entreprise. Un état de la situation financière comparatif peut certes aider les utilisateurs à dégager la variation survenue entre les deux dates de cet état, mais il ne permet pas de déterminer correctement les augmentations et les diminutions de la trésorerie et des équivalents de trésorerie liées à l'exploitation, au financement et aux investissements d'une entreprise. Le tableau des flux de trésorerie permet de répondre plus clairement aux questions suivantes : Comment l'entreprise a-t-elle obtenu sa trésorerie et comment en a-t-elle disposé ? Aura-t-elle une trésorerie suffisante à l'avenir pour poursuivre ses activités ? Autrement dit, les utilisateurs examinent cet état financier pour évaluer la solvabilité et la liquidité de l'entreprise, alors qu'ils examinent l'état du résultat global pour en évaluer

FIGURE 2.5 La place du tableau des flux de trésorerie dans l'atteinte de l'objectif premier des états financiers

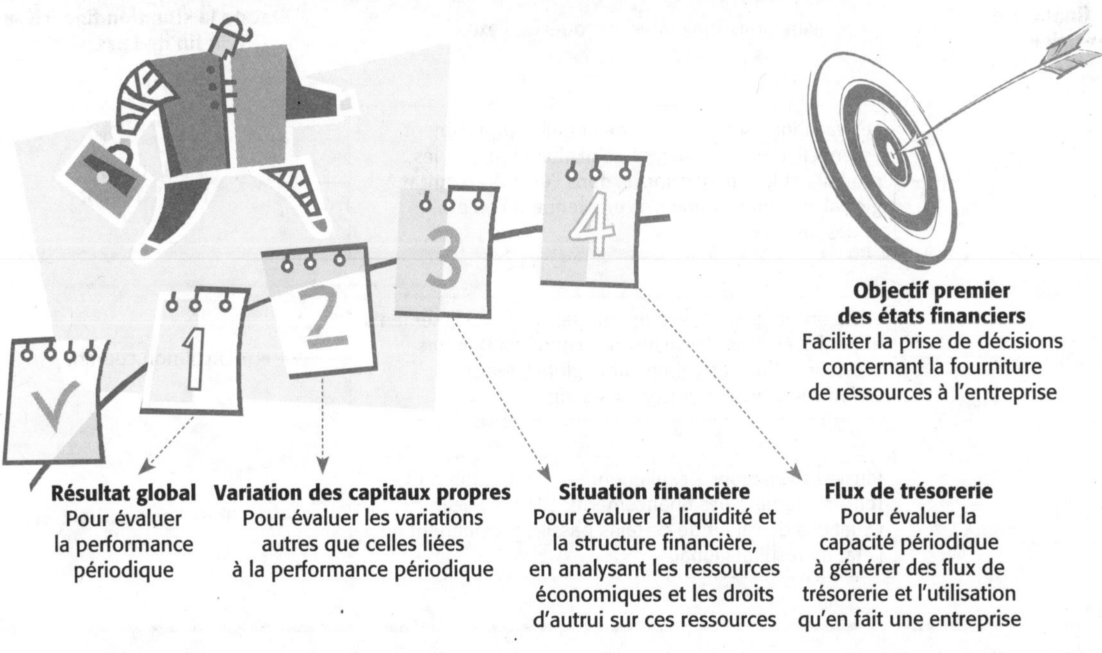
1
2
3
4
Objectif premier des états financiers
Faciliter la prise de décisions concernant la fourniture de ressources à l'entreprise
Résultat global
Pour évaluer la performance périodique
Variation des capitaux propres
Pour évaluer les variations autres que celles liées à la performance périodique
Situation financière
Pour évaluer la liquidité et la structure financière, en analysant les ressources économiques et les droits d'autrui sur ces ressources
Flux de trésorerie
Pour évaluer la capacité périodique à générer des flux de trésorerie et l'utilisation qu'en fait une entreprise

Source : Jocelyne Gosselin

la rentabilité. De façon plus précise, le tableau des flux de trésorerie peut aider à répondre aux questions suivantes :

- L'entreprise renouvelle-t-elle ses immobilisations ?
- L'entreprise survit-elle grâce à du financement supplémentaire ou peut-elle assurer sa survie à même ses activités d'exploitation ?
- De quelle façon l'entreprise réussit-elle à verser des dividendes supérieurs au montant du résultat net ?
- Pourquoi l'entreprise distribue-t-elle si peu de dividendes au regard du résultat net ?

Pour répondre à ces questions, les utilisateurs des états financiers doivent connaître les opérations qui augmentent ou diminuent la trésorerie. Le tableau des flux de trésorerie sert précisément à leur communiquer ces informations.

Comme en fait foi la figure 2.6, en consultant le tableau des flux de trésorerie, les utilisateurs peuvent faire le lien entre deux états de la situation financière. Ce lien leur permet de déterminer la façon dont l'entreprise a généré la trésorerie et ce qu'elle en a fait.

Avez-vous remarqué ?

Le tableau des flux de trésorerie montre la façon dont l'entreprise obtient et utilise sa trésorerie. Il peut ainsi aider les utilisateurs qui, selon le Cadre, ont besoin d'évaluer les montants, le calendrier et l'incertitude liés aux rentrées nettes futures de trésorerie.

FIGURE 2.6 Les flux de trésorerie : le lien entre deux états de la situation financière

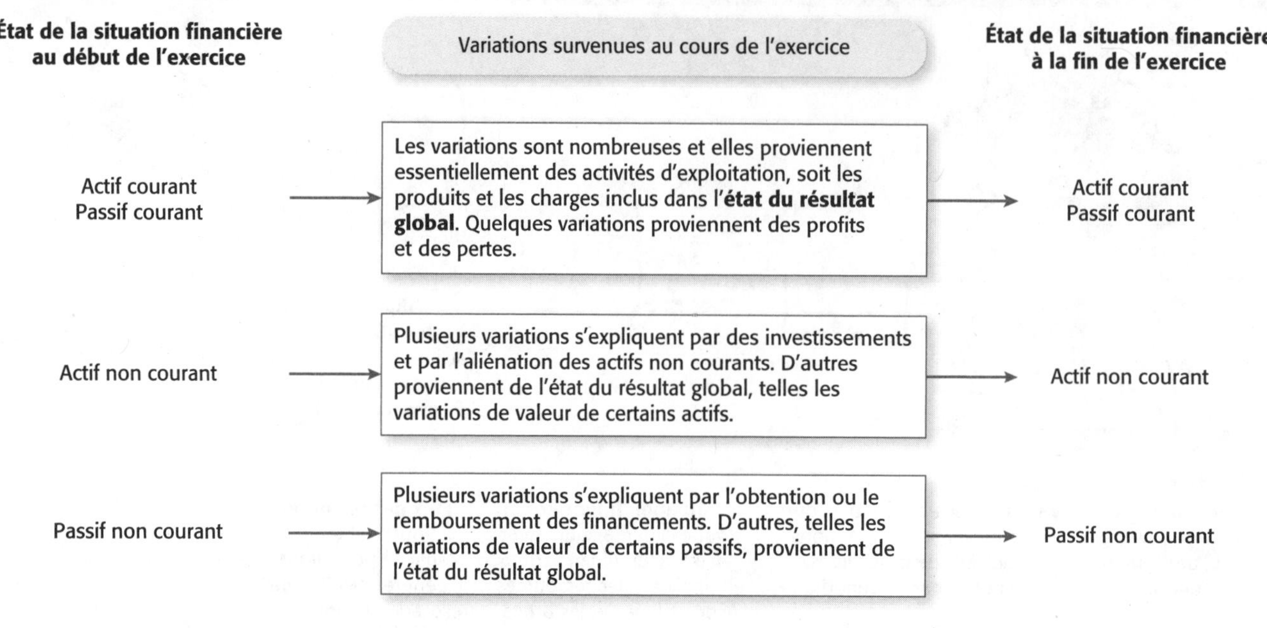

Source : Jocelyne Gosselin

Le contenu du tableau des flux de trésorerie

Nous pouvons nous demander la forme que doit prendre la présentation des opérations portant sur la trésorerie. Nous pensons d'emblée à dresser une simple liste chronologique de tous les encaissements et décaissements de l'exercice. Cette façon de faire est inacceptable selon les principes comptables, car elle conduirait à une information incompréhensible, déficiente sur le plan de l'organisation. Imaginons l'ampleur que prendrait le tableau des flux de trésorerie d'une entreprise faisant des centaines ou des milliers d'opérations par jour. Dans un tel état financier, les utilisateurs ne sauraient distinguer les éléments importants des éléments secondaires.

Dans l'**IAS 7**, intitulée « Tableau des flux de trésorerie », l'IASB propose de résumer les opérations d'un exercice en les classant dans trois catégories : les activités d'exploitation, les activités d'investissement et les activités de financement[41]. Le tableau 2.5 définit et commente les trois catégories d'activités qui composent le tableau des flux de trésorerie.

TABLEAU 2.5 Les trois catégories d'activités du tableau des flux de trésorerie

***Normes internationales d'information financière*, IAS 7**	**Commentaires**
Paragr. 6 ***Activités d'exploitation*** *Les activités d'exploitation sont les principales activités génératrices de produits de l'entité et toutes les autres activités qui ne sont pas des activités d'investissement ou de financement.*	Cette première section du tableau des flux de trésorerie inclut les encaissements et les décaissements qui découlent en général des transactions et des autres événements compris dans la détermination du résultat net de l'exercice, tels que les encaissements liés à la vente de biens ou de produits financiers et les décaissements liés à l'achat de stocks, aux salaires ou aux impôts. Les flux de trésorerie liés aux activités d'exploitation sont un indicateur clé. Leur montant indique la capacité de l'entreprise à autofinancer ses activités courantes, ses nouveaux investissements, ses remboursements du passif et ses versements de dividendes à ses actionnaires.

41. *Manuel de CPA Canada – Comptabilité – Partie I*, IAS 7, paragr. 10.

TABLEAU 2.5 *(suite)*

Activités d'investissement *Les activités d'investissement sont l'acquisition et la sortie d'actifs à long terme et les autres placements qui ne sont pas inclus dans les équivalents de trésorerie.*	Cette deuxième section du tableau des flux de trésorerie présente les débours afférents aux acquisitions d'actifs à long terme et des autres placements qui ne sont pas inclus dans les équivalents de trésorerie[42] ainsi que les encaissements afférents à ces actifs. Ces flux de trésorerie de l'exercice courant renseignent les utilisateurs des états financiers sur les investissements que l'entreprise a faits pour maintenir ou accroître sa capacité d'exploitation. Cette dernière est elle-même indispensable pour générer des flux de trésorerie futurs.
Activités de financement *Les activités de financement sont les activités qui entraînent des changements dans le montant et la composition du capital apporté et des emprunts de l'entité.*	Cette dernière section du tableau des flux de trésorerie regroupe les encaissements résultant de tous les nouveaux financements, qu'il s'agisse de financement par capitaux empruntés ou par capitaux propres, de même que tous les décaissements liés aux remboursements sur capitaux empruntés ou aux rachats d'actions. Les flux de trésorerie liés aux activités de financement permettent aux utilisateurs des états financiers de faire des prévisions concernant les flux de trésorerie susceptibles d'être fournis par les créanciers et les actionnaires.

Ce classement en trois catégories exige encore quelques précisions. Tout d'abord, les flux de trésorerie liés aux **activités d'exploitation** comprennent les encaissements et les décaissements rattachés aux opérations de l'exploitation courante de l'entreprise. On y trouve essentiellement les sommes encaissées des clients, les sommes payées aux fournisseurs et aux employés, ainsi que les impôts. On doit classer dans la catégorie des **activités d'investissement** le coût d'acquisition des immobilisations et des placements ainsi que le produit de l'aliénation de ces éléments, s'il y a lieu. Finalement, on classe dans la catégorie des **activités de financement** le produit de toute nouvelle source de financement, que ce soit un nouvel emprunt bancaire, une émission d'obligations ou une émission d'actions. Les remboursements d'emprunts et les rachats d'actions propres font aussi partie de cette catégorie.

Soulignons que chacune des trois catégories d'activités du tableau des flux de trésorerie présente à la fois les encaissements (rentrées de trésorerie) et les décaissements (sorties de trésorerie).

La figure 2.7 montre tous les éléments qui sont présentés dans un tableau des flux de trésorerie. L'utilité de cet état financier est de permettre aux utilisateurs de comprendre les variations de l'exercice survenues dans la trésorerie et les équivalents de trésorerie, que l'on pourrait percevoir comme deux barils remplis d'un liquide dont le niveau a changé pendant l'exercice. Ce changement découle des rentrées de fonds, illustrées en haut du tuyau liant les deux barils, et des sorties de fonds, illustrées en bas de ce tuyau. Les rentrées et les sorties de fonds sont classées dans trois catégories.

Ayant expliqué le mode de présentation du tableau des flux de trésorerie, examinons maintenant le contenu de cet état. En principe, le tableau des flux de trésorerie peut renseigner sur les variations survenues dans la trésorerie, soit les fonds en caisse et les dépôts à vue d'une entreprise. Bien qu'il soit souvent acceptable, le fait de s'en tenir aux variations de la trésorerie n'est pas toujours approprié. En effet, les entreprises possèdent parfois d'autres actifs très faciles à réaliser à l'intérieur d'un court laps de temps. Même si ces actifs ne se présentent pas sous forme de trésorerie, ils en ont presque toutes les caractéristiques. Il en est ainsi de certains placements à court terme très liquides et de certains découverts bancaires. On désigne ces éléments par l'expression **équivalents de trésorerie**. Selon l'IASB, le tableau des flux de trésorerie doit fournir des renseignements sur toutes les variations survenues dans la trésorerie et les équivalents de trésorerie.

Avez-vous remarqué ?

Les flux de trésorerie sont groupés en trois catégories selon qu'ils concernent les activités d'exploitation, les activités d'investissement ou les activités de financement, chaque catégorie faisant état des rentrées et des sorties de fonds. Ce classement augmente la compréhensibilité des informations.

42. Cette notion sera expliquée un peu plus loin.

FIGURE 2.7 Les éléments présentés dans un tableau des flux de trésorerie

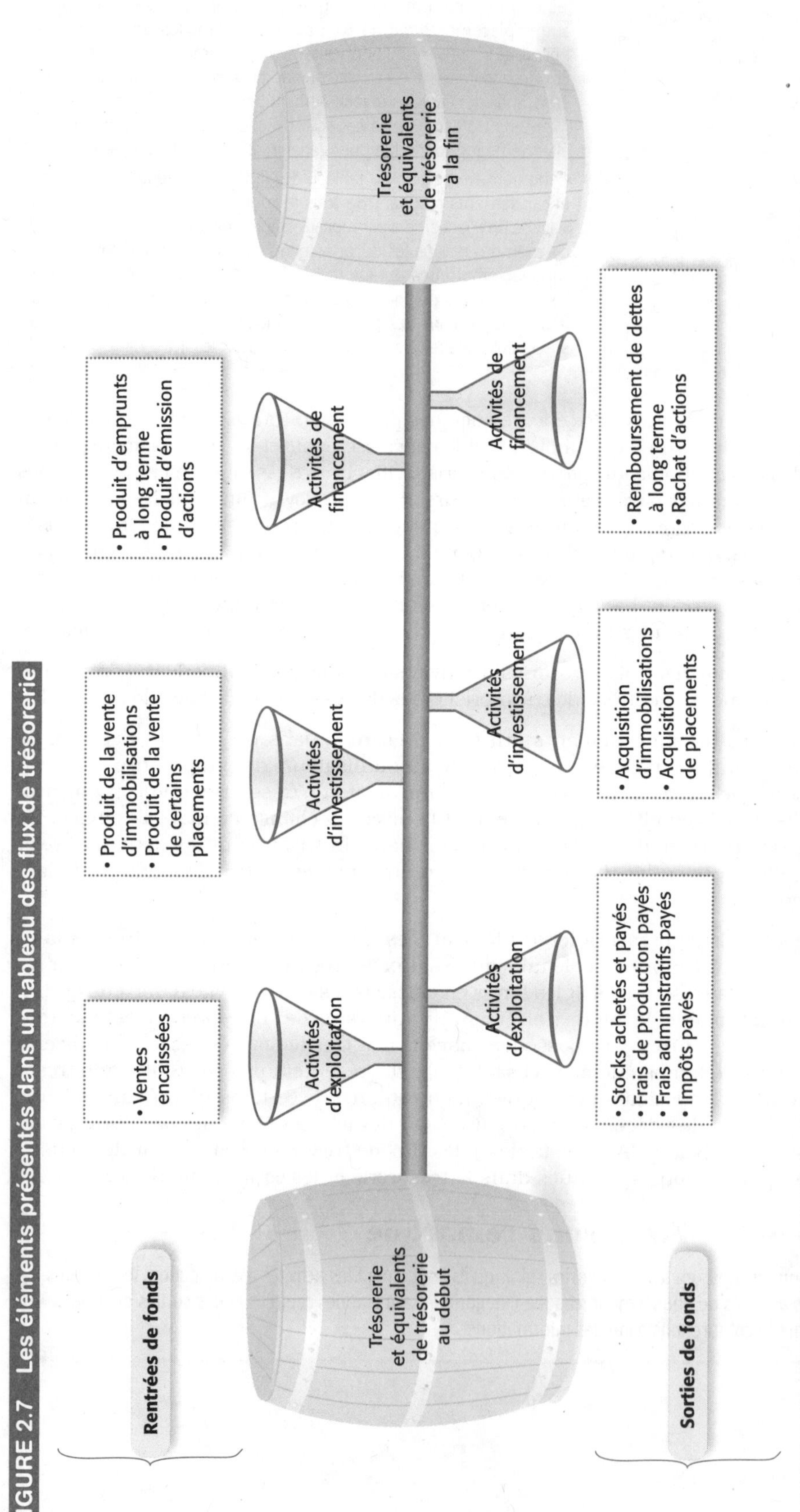

Source : Jocelyne Gosselin

EXEMPLE

Trésorerie et équivalents de trésorerie

La société Petits Trains rapides détient les actifs suivants :

	Début de l'exercice	*Fin de l'exercice*
Caisse	*100 000 $*	*150 000 $*
Placements facilement réalisables	*10 000*	
Total de la trésorerie et des équivalents de trésorerie	*110 000 $*	*150 000 $*

Dans le tableau des flux de trésorerie de cette société, nous présenterons les opérations qui ont donné lieu à l'augmentation de la trésorerie et des équivalents de trésorerie de 40 000 $ (150 000 $ – 110 000 $) en les classant dans les trois catégories d'activités.

La définition de la trésorerie et des équivalents de trésorerie pouvant différer d'une entreprise à l'autre, l'IASB exige que l'on précise, dans les états financiers, les éléments qui composent la trésorerie et les équivalents de trésorerie de l'entreprise[43].

La préparation du tableau des flux de trésorerie

Lorsque l'on prépare le tableau des flux de trésorerie, lequel résume les mouvements de trésorerie liés aux activités d'exploitation, aux activités d'investissement et aux activités de financement, il n'est pas nécessaire d'examiner une à une les opérations comptabilisées dans les comptes composant la trésorerie et les équivalents de trésorerie. Rappelons que le tableau des flux de trésorerie montre les encaissements et les décaissements liés aux variations survenues dans les actifs, les passifs et les capitaux propres. Autrement dit, cet état présente une partie de l'évolution des états de la situation financière présentés à deux dates différentes, par exemple au 31 décembre 20X1 et au 31 décembre 20X2. On pourrait donc le dresser rapidement en examinant les variations survenues entre le solde d'ouverture et le solde de clôture des postes de l'état de la situation financière, excluant les postes de trésorerie et d'équivalents de trésorerie, comme l'illustre la figure 2.8.

FIGURE 2.8 La préparation du tableau des flux de trésorerie

	Solde d'ouverture	*Variations*	*Solde de clôture*
Trésorerie et équivalents de trésorerie	*x*	Variation à expliquer	*y*
		—	
Stock de marchandises	*x*	Source de la variation	*y*
Immobilisations	*x*		*y*
Fournisseurs	*(x)*		*(y)*
Dette à long terme	*(x)*		*(y)*
Capital social	*(x)*		*(y)*
Résultats non distribués	*(x)*		*(y)*
	0	0	0

Source : Jocelyne Gosselin

Étant donné que dans l'état de la situation financière, le total des soldes débiteurs diminué du total des soldes créditeurs donne nécessairement zéro, cette remarque s'applique aussi aux variations survenues dans l'état de la situation financière entre deux dates de clôture. Ainsi, la diminution du solde du poste Fournisseurs s'accompagne d'une diminution des postes de l'actif ou de l'augmentation des autres postes du passif. Le tableau 2.6 résume la façon de présenter, dans le tableau des flux de trésorerie, les variations survenues dans les postes de l'état de la situation financière, à l'exception des postes relatifs à la trésorerie et aux équivalents de trésorerie.

43. *Manuel de CPA Canada – Comptabilité – Partie I*, IAS 7, paragr. 45.

2

TABLEAU 2.6 La présentation des variations survenues dans les postes de l'état de la situation financière, expliquant la variation de trésorerie et d'équivalents de trésorerie

Variations entre les soldes d'ouverture et de clôture des postes ou groupes de postes	Variations les plus fréquentes	Présentation dans le tableau des flux de trésorerie
Actifs courants	Variations des comptes clients, des charges payées d'avance et des stocks	Variations rattachées aux activités d'**exploitation**
	Acquisition ou cession de placements non inclus dans les équivalents de trésorerie	Variations rattachées aux activités d'**investissement**
Actifs non courants	Acquisition ou cession d'immobilisations, de placements ou de charges payées d'avance	Variations rattachées aux activités d'**investissement**
	Amortissement	Selon la méthode indirecte[44], ajustement des activités d'exploitation
Dettes courantes	Variations des dettes liées à l'activité principale, tels les comptes fournisseurs ou les dettes relatives aux garanties	Variations rattachées aux activités d'**exploitation**
	Nouvel emprunt ou remboursement d'emprunt non lié à l'activité principale	Variations rattachées aux activités de **financement**
Dettes non courantes	Nouvel emprunt ou remboursement d'emprunt	Variations rattachées aux activités de **financement**
Capital social et primes d'émission	Émission ou rachat d'actions	Variations rattachées aux activités de **financement**
Résultats non distribués	Dividendes déclarés	Variations rattachées aux activités d'**exploitation** ou aux activités de **financement**

Soulignons que parce qu'elles ne se rattachent pas à l'activité principale, les variations survenues dans les postes de l'actif non courant et du passif non courant ne sont généralement pas classées dans les activités d'exploitation. Deux précisions s'imposent au sujet de la classification des opérations. D'abord, une entreprise peut choisir de présenter les intérêts et les dividendes reçus sur certains placements soit dans la section des activités d'exploitation, soit dans celle des activités d'investissement. Selon une logique semblable transposée aux décaissements, les intérêts payés sur les emprunts ainsi que les dividendes versés aux actionnaires peuvent être présentés soit dans la section des activités d'exploitation, soit dans celle des activités de financement.

Nous illustrerons, dans l'exemple suivant, la marche à suivre pour dresser le tableau des flux de trésorerie.

EXEMPLE

Marche à suivre pour dresser le tableau des flux de trésorerie

La société Simplet ltée a commencé ses opérations le 31 janvier 20X1. M. Simple et M. Limité ont tous deux investi 100 000 $ dans la société en échange de 100 000 actions chacun. La nouvelle société produira des modèles de base de patins à roues alignées. Voici ses états financiers aux dates d'ouverture et de fermeture de l'exercice financier.

SIMPLET LTÉE
Situation financière
au 1er février 20X1

Actif	
Trésorerie	200 000 $
Capitaux propres	
Capital social	200 000 $

44. Cette méthode sera expliquée plus loin.

SIMPLET LTÉE
Situation financière
au 31 janvier 20X2

Actif		
Trésorerie		*58 000 $*
Clients		*10 000*
Stock de marchandises		*16 000*
Matériel et équipements	*180 000 $*	
Amortissement cumulé	*(8 000)*	*172 000*
Total de l'actif		*256 000 $*
Passif et capitaux propres		
Fournisseurs	*12 000 $*	
Dette non courante	*25 000*	*37 000 $*
Capital social		*200 000*
Résultats non distribués		*19 000*
Total du passif et des capitaux propres		*256 000 $*

SIMPLET LTÉE
Résultat net
de l'exercice terminé le 31 janvier 20X2

Chiffre d'affaires		*140 000 $*
Coût des ventes		
Achats	*100 000 $*	
Stocks de clôture	*(16 000)*	*84 000*
Marge brute		*56 000*
Charges commerciales et administratives		*12 000*
Amortissement – Matériel et équipements		*8 000*
Charges financières		*2 000*
Bénéfice avant impôts		*34 000*
Impôts sur le résultat		*15 000*
Bénéfice net		*19 000 $*

Renseignements complémentaires :

1. Les immobilisations sont amorties linéairement sur 25 ans. Leur coût, de 180 000 $, a été financé à même la trésorerie de la société (150 000 $) et au moyen d'un emprunt à long terme (30 000 $).
2. La charge d'impôts correspond exactement aux impôts payés au cours de l'exercice.

À partir de ces états financiers et de ces renseignements complémentaires, on peut dresser le tableau des flux de trésorerie de Simplet ltée :

SIMPLET LTÉE
Flux de trésorerie
de l'exercice terminé le 31 janvier 20X2

Activités d'exploitation		
Bénéfice net de l'exercice		*19 000 $*
Éléments sans effet de trésorerie		
Amortissement		*8 000*
Variation de certains actifs et passifs courants hors trésorerie et équivalents de trésorerie		
Augmentation des comptes clients	*(10 000) $*	
Augmentation des stocks	*(16 000)*	
Augmentation des comptes fournisseurs	*12 000*	*(14 000)*
Flux de trésorerie liés aux activités d'exploitation		*13 000*

2

Activités d'investissement		
Acquisition de matériel et d'équipements	*(180 000)*	
Flux de trésorerie liés aux activités d'investissement		*(180 000)*
Activités de financement		
Produit d'emprunts à long terme	*30 000*	
Remboursement sur la dette non courante	*(5 000)*	
Flux de trésorerie liés aux activités de financement		*25 000*
Diminution nette de la trésorerie et des équivalents de trésorerie		*(142 000)*
Trésorerie et équivalents de trésorerie au début		*200 000*
Trésorerie et équivalents de trésorerie à la fin		*58 000 $*

Examinons plus en détail le travail effectué pour établir cet état, en commençant par le bas. Soulignons tout d'abord que, dans les états financiers de Simplet ltée, seul le poste Trésorerie satisfait à la définition de Trésorerie et équivalents de trésorerie donnée à la page 2.43. Le tableau des flux de trésorerie explique donc la variation nette de la trésorerie qui est survenue au cours de l'exercice et qui a mené à une diminution de la trésorerie et des équivalents de trésorerie de 142 000 $ (200 000 $ – 58 000 $).

En remontant le tableau des flux de trésorerie, la variation survenue dans la trésorerie est précédée des flux de trésorerie liés aux activités de financement. Comme l'illustre le tableau 2.6, ces flux de trésorerie sont fonction des variations survenues dans les dettes courantes non liées à l'activité principale, les dettes non courantes et le capital social. Un examen des états de la situation financière d'ouverture et de fermeture de Simplet ltée révèle que la dette non courante a augmenté de 25 000 $, alors que le solde du capital social n'a pas changé. De plus, au premier point des renseignements complémentaires, on précise qu'un emprunt de 30 000 $ a été contracté pour financer l'acquisition du matériel et des équipements, ce qui signifie qu'un remboursement de 5 000 $ a été effectué au cours de l'exercice. Le tableau des flux de trésorerie doit fournir des renseignements sur ces deux opérations, ce qui explique les informations contenues dans la section des activités de financement.

La section précédant les activités de financement dans le tableau des flux de trésorerie se rapporte aux activités d'investissement. Le tableau 2.6 montre que les flux de trésorerie liés aux activités d'investissement peuvent être déterminés à partir des variations survenues dans les postes de l'actif non courant et des placements qui ne sont pas inclus dans la trésorerie et les équivalents de trésorerie. Un examen des états de la situation financière d'ouverture et de fermeture de Simplet ltée révèle que l'augmentation nette de l'actif non courant s'élève à 172 000 $. Cette augmentation nette se décompose en deux éléments : le premier touche l'acquisition des immobilisations, alors que le second a trait à l'amortissement cumulé. Puisque l'amortissement n'entraîne aucun décaissement, il suffit ici de présenter le décaissement résultant de l'acquisition des immobilisations, soit 180 000 $.

Les activités d'exploitation

La dernière section à analyser est celle qui montre les flux de trésorerie liés aux activités d'exploitation. Même si elle figure au haut de l'état, parce que ces flux de trésorerie sont nombreux et liés à l'activité principale de l'entreprise, nous l'analysons à la fin de la présente explication, car elle est un peu plus difficile à comprendre. Pour déterminer le montant des flux de trésorerie liés aux activités d'exploitation, il faut convertir les produits et les charges de l'exercice, calculés selon les principes de la comptabilité d'engagement, en encaissements et décaissements, c'est-à-dire en montants calculés selon les principes de la comptabilité de caisse. Cette conversion peut s'opérer pour chaque poste de l'état du résultat global qui précède le résultat net (en d'autres mots, chaque poste de l'état du résultat net)[45], si le tableau des flux de trésorerie est présenté selon la méthode directe. Bien que l'IASB incite les entreprises à adopter ce mode de présentation, une forte majorité d'entreprises canadiennes adoptent le mode de présentation selon la méthode indirecte. C'est pourquoi nous expliquons plus en détail cette façon de faire.

Alors que la **présentation selon la méthode directe** transforme chaque poste de l'état du résultat net en une rentrée ou en une sortie de trésorerie, la **présentation selon la méthode**

45. Dans la suite de la présente section, nous référerons plus simplement aux postes de l'état du résultat net. Le lecteur comprendra que si une entreprise prépare uniquement un état du résultat global, on s'intéressera ici seulement aux postes qui précèdent le résultat net au moment de préparer le tableau des flux de trésorerie.

indirecte opère cette transformation de façon totale. La section des activités d'exploitation montre d'abord le résultat net tel qu'il est présenté dans l'état du résultat net.

Les lignes suivantes reflètent les ajustements nécessaires pour transformer globalement le résultat net calculé sur une base de comptabilité d'engagement en un résultat net calculé sur une base de comptabilité de caisse. Selon l'IASB, la présentation selon la méthode indirecte nécessite trois types d'ajustements du résultat net présenté dans le tableau des flux de trésorerie :

1. Les variations, durant l'exercice, survenues dans les stocks et dans les créances et dettes d'exploitation ;
2. Les éléments sans effet de trésorerie ;
3. Les éléments pour lesquels l'effet de trésorerie consiste en un flux de trésorerie d'investissement ou de financement[46].

Examinons ces trois types d'ajustements, en commençant par les plus simples.

Les variations durant l'exercice dans les stocks et dans les créances et dettes d'exploitation

Pour convertir globalement le montant du résultat net calculé sur la base de la comptabilité d'engagement en flux de trésorerie, la première étape consiste à prendre en compte les variations survenues dans les soldes des postes de l'actif et du passif courant, comme illustré dans la figure 2.9. Pour chacun des flux liés aux quatre postes de l'état du résultat net, qui sont numérotés et indiqués dans les rectangles à trame légère, les cellules de gauche et du centre situées en dessous montrent la conversion du poste de produit ou de charge que l'entreprise ferait si elle préparait son tableau des flux de trésorerie selon la méthode directe. Dans la cellule de droite, on trouve plutôt l'ajustement requis du résultat net que l'entreprise fait lorsqu'elle prépare son tableau des flux selon la méthode indirecte.

Examinons d'abord le premier quart supérieur de la figure 2.9, traitant des encaissements de l'exercice découlant des ventes. Comme indiqué à gauche, les encaissements proviennent des ventes de l'exercice qui ont été encaissées ainsi que des ventes de l'exercice précédent qui ont été encaissées uniquement pendant l'exercice. Pour convertir en encaissement le montant des ventes figurant dans l'état du résultat net, on suit la démarche indiquée au centre. On ajoute d'abord les comptes clients au début, lesquels représentent les ventes faites à l'exercice précédent qui ont été encaissées pendant l'exercice, puis on soustrait les comptes clients à la fin. En effet, ceux-ci indiquent les ventes comptabilisées pendant l'exercice qui seront encaissées uniquement à un exercice subséquent. Si le raisonnement commence par le montant du résultat net plutôt que par le montant des ventes, parce que l'on veut présenter le tableau des flux de trésorerie selon la méthode indirecte, on suit la démarche indiquée à droite. On ajoute le solde des comptes clients au début de l'exercice, puis on retranche le solde de ce compte à la fin. En somme, si le solde des comptes clients a augmenté pendant l'exercice, ce qui signifie par conséquent que les ventes de l'exercice n'ont pas toutes été encaissées, on retranche cette augmentation du résultat net. À l'inverse, si le solde des comptes clients a diminué pendant l'exercice, ce qui signifie que des ventes de l'exercice précédent ont été encaissées, on ajoute cette diminution au résultat net. Dans l'exemple de Simplet ltée, on procède au calcul suivant :

Bénéfice net de l'exercice	19 000 $
Comptes clients au début	0
Comptes clients à la fin	(10 000)
	9 000 $

La même démarche peut servir pour les autres produits. Par exemple, une entreprise qui a comptabilisé des produits d'intérêts dans le calcul de son résultat net doit redresser ce dernier pour tenir compte des intérêts à recevoir au début et à la fin de l'exercice.

Le deuxième quart de la figure 2.9 traite des décaissements liés aux salaires. Comme indiqué à gauche, ces décaissements comprennent les salaires de l'exercice payés pendant l'exercice et les salaires de l'exercice précédent payés pendant l'exercice. Pour convertir la charge de salaires en un montant de décaissement, on suit la démarche indiquée au centre. On ajoute d'abord à la charge de l'exercice les salaires à payer au début, puis on soustrait les salaires à payer à la fin. En effet, ceux-ci indiquent les salaires comptabilisés en charge pendant l'exercice qui seront payés uniquement à un

46. *Manuel de CPA Canada – Comptabilité – Partie I*, IAS 7, paragr. 20.

2

FIGURE 2.9 Les ajustements à apporter aux éléments du résultat pour les convertir en flux de trésorerie

Opérations sources de flux de trésorerie	Selon la méthode directe Ajustements à apporter au poste en cause de l'état du résultat net	Selon la méthode indirecte Ajustements à apporter au montant du résultat net
1. Encaissements de l'exercice découlant des ventes		
Ventes de l'exercice encaissées pendant l'exercice Ventes de l'exercice précédent encaissées pendant l'exercice	Ventes + Clients au début de l'exercice − Clients à la fin de l'exercice	Résultat net + Clients au début − Clients à la fin
2. Décaissements de l'exercice découlant des salaires		
Salaires de l'exercice payés pendant l'exercice Salaires de l'exercice précédent payés pendant l'exercice	Charge de salaires + Salaires à payer au début de l'exercice − Salaires à payer à la fin de l'exercice	Résultat net* − Salaires à payer au début + Salaires à payer à la fin
3. Décaissements de l'exercice découlant de charges payées d'avance, par exemple, des assurances		
Assurances de l'exercice payées pendant l'exercice Assurances des exercices subséquents payées pendant l'exercice	Charge d'assurances − Assurances payées d'avance au début de l'exercice + Assurances payées d'avance à la fin de l'exercice	Résultat net** + Assurances payées d'avance au début − Assurances payées d'avance à la fin
4. Décaissements de l'exercice découlant du coût des ventes		
Stocks achetés, payés et revendus pendant l'exercice Stocks achetés et payés pendant l'exercice qui seront revendus à l'exercice subséquent Stocks achetés durant l'exercice précédent payés pendant l'exercice	Charge de coût des ventes − Stocks au début de l'exercice + Stocks à la fin de l'exercice + Fournisseurs au début de l'exercice − Fournisseurs à la fin de l'exercice	Résultat net + Stocks au début − Stocks à la fin − Fournisseurs au début + Fournisseurs à la fin

* On applique la même logique à toutes les autres charges. Par exemple, en ce qui concerne la charge d'impôts, on ajuste ainsi le résultat net présenté à la première ligne du tableau des flux de trésorerie en ajoutant les impôts exigibles (à payer) à la fin ou en soustrayant les impôts exigibles au début.

** On applique la même logique à toute charge payée d'avance, par exemple, les taxes.

Source : Jocelyne Gosselin

exercice subséquent. Si le raisonnement commence par le montant du résultat net plutôt que par le montant des salaires, on doit d'abord garder en tête que la charge de salaires a déjà été déduite pour obtenir le montant du résultat net. Si le décaissement réel pour les salaires est inférieur à la charge, cet écart est donc ajouté au résultat net. C'est pourquoi, comme indiqué à droite du deuxième quart de la figure, on retranche les salaires à payer au début et on ajoute les salaires à payer à la fin. On suit une démarche semblable pour chaque charge à laquelle est associé un passif courant d'exploitation.

Le troisième quart de la figure 2.9 présente les décaissements liés à une charge à laquelle se rattache un actif courant. Comme indiqué à gauche, ces décaissements comprennent, par exemple, les assurances de l'exercice payées pendant l'exercice ainsi que les assurances des exercices subséquents payées pendant l'exercice. Pour convertir la charge d'assurances en un montant de décaissement, on procède aux ajustements indiqués au centre. On retranche d'abord de la charge de l'exercice les assurances payées d'avance au début, lesquelles représentent les assurances comptabilisées pendant l'exercice mais payées à l'exercice précédent. On ajoute au montant de charge les assurances payées d'avance à la fin, lesquelles représentent un décaissement de l'exercice qui sera comptabilisé en charge uniquement à un exercice subséquent. Si le raisonnement commence par le montant du résultat net plutôt que par la charge d'assurances, on procède aux ajustements indiqués à droite. On doit d'abord se rappeler que cette charge a déjà été déduite pour obtenir le montant du résultat net. C'est pourquoi les ajustements sont en sens inverse par rapport à ceux de la colonne du centre. On ajoute les assurances payées d'avance au début et on retranche les assurances payées d'avance à la fin.

Enfin, le dernier quart inférieur de la figure 2.9 présente les décaissements liés au coût des ventes. Comparativement à la conversion des deux types de charges dont traitaient les deux paragraphes précédents, la conversion du coût des ventes intègre les variations survenues dans deux éléments de l'état de la situation financière, soit les stocks et les comptes fournisseurs. Comme indiqué à gauche, les décaissements comprennent les stocks achetés, payés et revendus pendant l'exercice, les stocks achetés et payés pendant l'exercice, mais qui seront revendus à l'exercice subséquent, ainsi que les stocks achetés durant l'exercice précédent, mais payés pendant l'exercice en cours. Pour convertir la charge de coût des ventes en décaissement, on procède aux ajustements indiqués au centre. On soustrait le coût des stocks en mains au début de l'exercice car même si le coût de ces stocks est compris dans le coût des ventes, il n'a entraîné aucun décaissement dans l'exercice en cours. On ajoute ensuite le coût des stocks en mains à la fin, car bien que le coût de ces stocks ne soit pas compris dans le coût des ventes, il a entraîné un décaissement. On ajoute aussi les comptes fournisseurs à payer au début de l'exercice, puis on retranche les comptes fournisseurs à payer à la fin de l'exercice. Dans les ajustements du résultat net indiqués à droite de la figure, les soldes du début et de la fin affectent le résultat net en sens contraire de celui indiqué dans la colonne du centre, car le coût des ventes a été déduit pour obtenir le résultat net.

Lorsqu'ils sont appliqués à l'exemple de Simplet ltée, ces procédés donnent les montants suivants :

Bénéfice net	*19 000 $*
Augmentation des comptes clients	*(10 000)*
Augmentation des stocks	*(16 000)*
Augmentation des comptes fournisseurs	*12 000*

Les éléments sans effet de trésorerie

Un deuxième ajustement présenté dans un tableau des flux de trésorerie préparé selon la méthode indirecte consiste à tenir compte de certains postes présentés dans l'état du résultat net qui n'ont aucune incidence sur la trésorerie et les équivalents de trésorerie. Ainsi, la charge d'amortissement a eu un effet négatif sur le résultat net, mais n'entraîne aucun décaissement. C'est pourquoi on doit l'ajouter au résultat net dans le tableau des flux de trésorerie. Un raisonnement semblable s'applique aux profits et pertes sur l'aliénation d'immobilisations. C'est le prix de vente encaissé qui est présenté comme une rentrée de fonds dans le tableau des flux de trésorerie, dans la section des activités d'investissement, et non le profit ou la perte sur l'aliénation. Ainsi, on devra ajouter cette perte au résultat net et en retrancher ce profit dans le tableau des flux de trésorerie.

Les éléments pour lesquels l'effet de trésorerie consiste en un flux de trésorerie d'investissement ou de financement

La section des activités d'exploitation comprend parfois un troisième groupe d'ajustements, intitulé Éléments pour lesquels les flux de trésorerie sont présentés dans les activités d'investissement ou de financement. On y présente les postes de l'état du résultat net qui ont une incidence sur la trésorerie et les équivalents de trésorerie, mais qui se rattachent à des activités d'investissement ou de financement. L'exemple le plus courant de ce type d'ajustement est un produit d'intérêts ou de dividendes, lorsque l'entreprise décide de présenter les intérêts et les dividendes reçus dans la section des activités d'investissement. Ces produits ayant eu un effet positif sur le résultat net, on doit, dans la section des activités d'exploitation du tableau des flux de trésorerie, les soustraire du montant de résultat net. À l'inverse, si l'entreprise a payé des intérêts sur ses dettes à long terme et qu'elle décide de présenter ses intérêts dans la section des activités de financement, la charge d'intérêts payés sera, dans la section des activités d'exploitation du tableau des flux de trésorerie, ajoutée au montant du résultat net.

Toutes les entreprises n'ont pas nécessairement d'ajustement à faire au titre de cette troisième catégorie. C'est le cas si une entreprise décide de présenter ses intérêts et dividendes, tant payés que reçus, dans la section des activités d'exploitation, à l'instar de la société Simplet ltée.

2

La présentation du tableau des flux de trésorerie

Après avoir étudié la façon de préparer un tableau des flux de trésorerie, nous pouvons maintenant traiter rapidement de la forme de sa présentation. L'IASB laisse aux entreprises une certaine latitude à cet égard, leur permettant de présenter le tableau des flux de trésorerie selon la méthode directe ou indirecte.

Dans l'exemple de Simplet ltée, nous avons utilisé la présentation selon la méthode indirecte, car c'est le mode de présentation le plus répandu. Celle-ci consiste en quelque sorte à transformer en bloc le résultat net en un montant calculé selon la comptabilité de caisse. Lorsqu'une entreprise adopte ce mode de présentation, elle présente d'abord, dans la section des activités d'exploitation, le résultat net de l'exercice qu'elle ajuste pour tenir compte de certaines opérations reflétées dans l'état du résultat net, mais sans effet sur la trésorerie et les équivalents de trésorerie liés aux activités d'exploitation. Nous aurions pu utiliser plutôt la présentation selon la méthode directe, dont l'IASB favorise l'usage. Une entreprise qui utilise cette méthode présente les flux de trésorerie liés à l'exploitation selon les principaux types de rentrées ou de sorties de trésorerie. Il s'agit en somme de transformer chaque poste de l'état du résultat net en un montant calculé selon la comptabilité de caisse.

EXEMPLE

Tableau des flux de trésorerie selon la méthode directe

Voici la section des activités d'exploitation du tableau des flux de trésorerie de Simplet ltée, selon la méthode directe.

Sommes reçues des clients ①	*130 000 $*
Sommes payées aux fournisseurs ②	*(88 000)*
Charges commerciales et administratives payées	*(12 000)*
Frais financiers payés	*(2 000)*
Impôts payés	*(15 000)*
Flux de trésorerie liés aux activités d'exploitation	*13 000 $*

Calculs :

① Chiffre d'affaires	140 000 $
Clients au début	0
Clients à la fin	(10 000)
Sommes reçues des clients	130 000 $
② Coût des ventes	84 000 $
Stocks au début	0
Stocks à la fin	16 000
Fournisseurs au début	0
Fournisseurs à la fin	(12 000)
Sommes payées aux fournisseurs	88 000 $

Avez-vous remarqué ?

Dans le tableau des flux de trésorerie présenté selon la méthode indirecte, l'augmentation des actifs courants diminue le montant du bénéfice net, alors que l'augmentation des passifs courants l'augmente. Ainsi, l'augmentation des comptes clients signifie que l'entreprise n'a pas encaissé le plein montant des ventes comptabilisées pendant l'exercice courant. Puisque ce plein montant des ventes a augmenté le bénéfice net, la portion non encaissée doit être déduite pour obtenir les encaissements liés aux activités d'exploitation. À l'inverse, l'augmentation des comptes fournisseurs signifie que l'entreprise n'a pas déboursé le plein montant des achats comptabilisés en charges pendant l'exercice en cours. Puisque ce plein montant des achats a diminué le bénéfice net, la portion non déboursée doit être ajoutée pour obtenir les flux de trésorerie liés aux activités d'exploitation.

2

Outre les méthodes de présentation des activités d'exploitation, l'IASB émet quelques recommandations touchant d'autres informations à fournir. Elles sont regroupées dans le tableau 2.7 et accompagnées de commentaires.

TABLEAU 2.7 La présentation des informations liées aux flux de trésorerie

Normes internationales d'information financière, IAS 7	Commentaires
Paragr. 31 *Les flux de trésorerie provenant des intérêts et des dividendes perçus ou versés doivent être tous présentés séparément. Chacun doit être classé de façon permanente d'une période à l'autre dans les activités d'exploitation, d'investissement ou de financement.*	Le tableau des flux de trésorerie présente distinctement les produits financiers, qu'ils soient reçus à titre d'intérêts ou à titre de dividendes, et les charges financières, qu'elles soient payées à titre d'intérêts sur les dettes ou à titre de dividendes sur le capital social. Comme nous l'avons mentionné, l'entreprise doit faire un choix en ce qui concerne la catégorie d'activités dans laquelle elle présente les produits financiers encaissés et les charges financières payées. Voici quelques extraits d'un tableau des flux de trésorerie respectant cette recommandation : *SOCIÉTÉ...* *Flux de trésorerie* *de l'exercice terminé le...* ***Activités d'exploitation*** *Diminution des intérêts à recevoir sur des placements (courants et non courants)* — *XX $* *Diminution des dividendes à recevoir sur des placements (courants et non courants)* — *XX* ***Activités de financement*** *Intérêts payés sur des emprunts (courants et non courants)* — *(XX)* *Dividendes payés aux actionnaires* — *(XX)*
Paragr. 44A *L'entité doit fournir des informations permettant aux utilisateurs des états financiers d'évaluer les variations des passifs issus des activités de financement, ce qui comprend les changements résultant des flux de trésorerie, mais aussi les changements sans contrepartie de trésorerie.*	Cette recommandation concerne les instruments financiers, que nous traiterons au chapitre 4.
Paragr. 45 *Une entité doit indiquer les éléments qui composent sa trésorerie et ses équivalents de trésorerie et doit présenter un rapprochement entre les montants de son tableau des flux de trésorerie et les éléments équivalents présentés dans l'état de sa situation financière.*	Pour respecter cette recommandation, une entreprise énumère les éléments qu'elle considère comme de la trésorerie et des équivalents de trésorerie, tels que les espèces conservées dans ses points de vente, les dépôts bancaires, les certificats de dépôt, les placements très liquides et le solde de la marge de crédit[47].
Paragr. 48 *L'entité doit indiquer le montant des soldes importants de trésorerie et d'équivalents de trésorerie qu'elle détient et qui ne sont pas disponibles pour le groupe et l'accompagner d'un commentaire de la direction.*	Par exemple, si une entreprise possède un compte bancaire réservé au remboursement d'une dette à long terme, elle doit indiquer ce fait. Il importe en effet que les utilisateurs des états financiers sachent que l'entreprise ne peut pas utiliser comme elle l'entend cette portion de la trésorerie.

47. Le chapitre 12 traitera de ces emprunts.

Avez-vous remarqué ?

On pourrait croire que les entreprises préfèrent la présentation selon la méthode indirecte, car elle montre clairement le lien entre l'état du résultat net et le tableau des flux de trésorerie.

Les recommandations précédentes sont appliquées par Sears Canada inc., dans le tableau des flux de trésorerie présenté aux pages 2.63 et 2.64. Il est vrai que cet état financier ne présente pas un rapprochement entre la trésorerie et les équivalents de trésorerie du tableau des flux de trésorerie et de l'état de la situation financière, pour la simple raison que les montants sont les mêmes dans les deux états financiers. De plus, l'état de la situation financière renvoie à la note 5 (non reproduite), qui décrit les éléments composant la trésorerie et les équivalents de trésorerie.

Pour clore notre explication du tableau des flux de trésorerie, rappelons que notre objectif n'était pas de couvrir toutes les particularités de cet état, lequel fera l'objet du chapitre 23. Nous voulions plutôt mettre en évidence l'utilité du tableau des flux de trésorerie, ainsi que les principes directeurs guidant la préparation de cet état qui, répétons-le, est tout aussi important que l'état du résultat net, l'état des variations des capitaux propres et l'état de la situation financière.

Au fil des chapitres suivants, nous mettrons l'accent sur l'incidence qu'ont diverses opérations sur les flux de trésorerie. Après avoir étudié l'ensemble des chapitres portant sur la comptabilisation et la présentation des postes de l'état de la situation financière, le lecteur sera en mesure de dresser des tableaux des flux de trésorerie tout aussi complexes que ceux illustrés au chapitre 23.

La présentation d'informations complémentaires

Notre étude de l'environnement évolutif de la comptabilité et des états financiers serait incomplète sans une réflexion sur l'importance des informations complémentaires. Lorsque vient le temps de diffuser l'information financière qui aidera les utilisateurs dans leurs prises de décisions, une entreprise doit répondre à la question suivante : À quel endroit et comment doit-on publier l'information financière ?

La première partie de la question pose le problème du lieu où l'information doit être rendue publique, c'est-à-dire du véhicule informatif qui conviendra le mieux à sa présentation. En comptabilité, comme en témoigne la figure 2.10, cela signifie qu'il faut décider si l'information financière sera présentée dans le corps même des états financiers, dans les notes à ces états ou dans un supplément d'information financière. La seconde partie de la question porte sur le degré de précision (information générale ou information détaillée) et sur la manière de présenter l'information. Comme nous l'avons constaté lors de la présentation de chacun des états financiers, les questions du « où » et du « comment » s'appliquent à tous les états financiers.

Deux principes généraux guident le choix de l'emplacement de l'information financière. En effet, pour être présenté dans le corps même des états financiers, un poste doit à la fois se conformer à l'une des définitions des éléments des états financiers et satisfaire aux critères de comptabilisation énoncés au chapitre 1. Afin d'alléger la présentation des états financiers, les entreprises ont souvent recours à des **notes**. Celles-ci renferment un certain nombre d'informations financières qualitatives et quantitatives destinées à complémenter les données chiffrées, mais elles ne doivent jamais se substituer à un traitement comptable approprié. Aussi, ces notes font partie intégrante des états financiers, lesquels doivent renvoyer les utilisateurs à celles-ci. Elles permettent également de donner des informations sur les ressources et les obligations qui ne répondent pas aux critères de comptabilisation dans ces états, telles que les cautionnements. Elles servent aussi à informer les utilisateurs des risques et incertitudes qui touchent l'entreprise, tels que les risques de liquidité et les incertitudes relatives aux estimations.

Il est d'usage que les dirigeants d'une entreprise commentent les résultats d'un exercice. Ces commentaires peuvent être communiqués aux actionnaires soit au moyen d'un message publié dans le rapport annuel, soit dans une lettre personnalisée qui leur est directement adressée. Il est

FIGURE 2.10 La diffusion de l'information financière

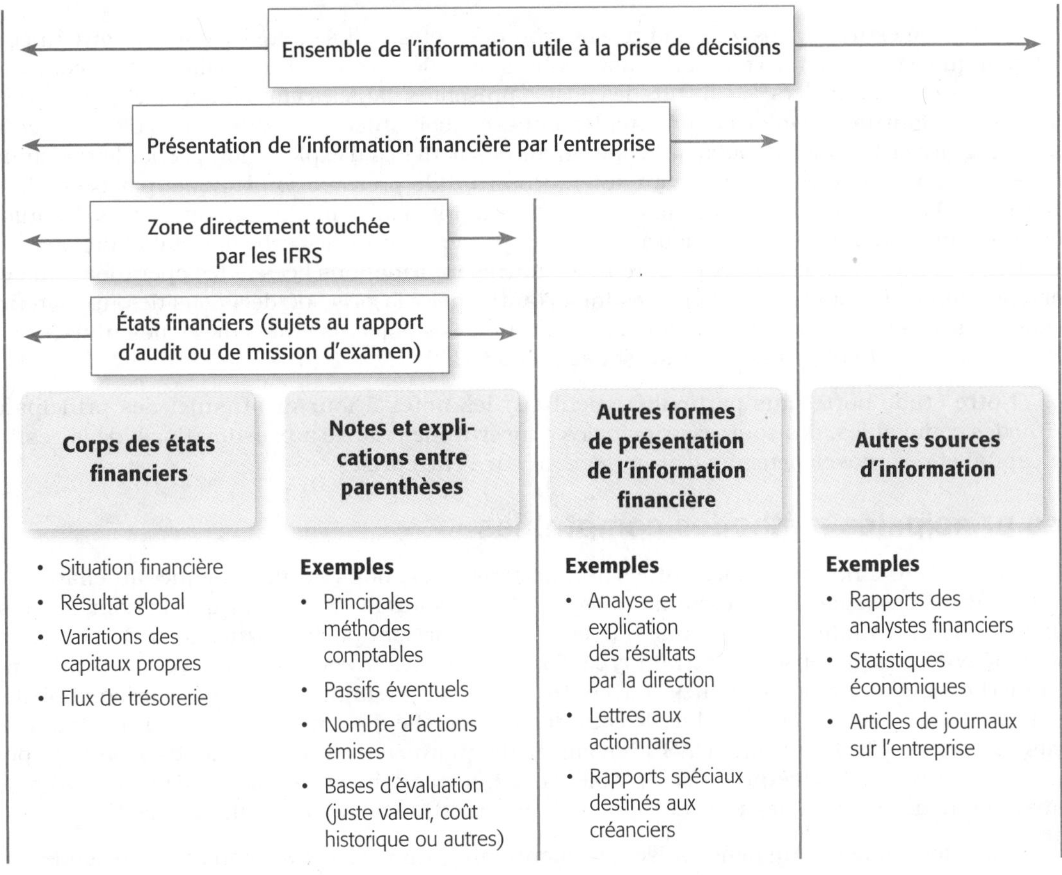

- Situation financière
- Résultat global
- Variations des capitaux propres
- Flux de trésorerie

Exemples

- Principales méthodes comptables
- Passifs éventuels
- Nombre d'actions émises
- Bases d'évaluation (juste valeur, coût historique ou autres)

Exemples

- Analyse et explication des résultats par la direction
- Lettres aux actionnaires
- Rapports spéciaux destinés aux créanciers

Exemples

- Rapports des analystes financiers
- Statistiques économiques
- Articles de journaux sur l'entreprise

Source : Figure adaptée de *Statement of Financial Accounting Concepts No. 5,* « Recognition and Measurement in Financial Statements of Business Enterprises », Stamford, FASB, 1984, p. 5. • Adaptation : Daniel McMahon et Diane Bigras

aussi de plus en plus fréquent qu'un utilisateur exige la présentation d'un rapport spécial pour confirmer, par exemple, le chiffre d'affaires eu égard à l'application d'une clause contractuelle portant sur la détermination d'un montant de loyer conditionnel.

Enfin, il va de soi que l'entreprise n'est pas la seule source d'information financière des utilisateurs. Ceux-ci ont accès à toute la gamme des renseignements publiés dans les journaux et les revues spécialisées. Ils peuvent aussi recourir à l'expertise d'analystes financiers et consulter les banques de données mises à leur disposition par Statistique Canada.

WWW
www.statcan.gc.ca

Dans la présente section, notre attention porte plus particulièrement sur les notes. Parce que les besoins d'information varient d'un utilisateur à l'autre, celles-ci offrent la possibilité de fournir de plus amples renseignements sur un poste des états financiers. Elles permettent d'alléger la présentation des états financiers sans pour autant sacrifier la quantité d'informations complémentaires demandées par les divers utilisateurs.

Étant donné que les informations à fournir en note aux états financiers pour chaque poste présenté dans les états financiers sont expliquées en détail dans les autres chapitres, nous examinerons dans cette section d'autres faits ou événements qui nécessitent la présentation de notes.

Dans l'IAS 1, l'IASB mentionne que les notes doivent faire connaître les bases d'évaluation utilisées dans les états financiers et les méthodes comptables employées lors de leur préparation. Les notes doivent aussi fournir toutes les informations quantitatives ou qualitatives exigées dans les normes et qui ne sont pas présentées dans le corps même des états financiers, ainsi que toute autre information jugée nécessaire à la compréhension des états financiers[48]. Ces notes peuvent être présentées dans une section séparée des états financiers[49].

2

Différence NCECF

Dans la mesure du possible, la présentation des notes doit se faire de manière ordonnée et systématique. Pour ce faire, l'entreprise doit tenir compte de la compréhensibilité et de la comparabilité de ses états financiers[50]. Chacun des postes présentés dans les états financiers doit renvoyer à la note qui fournit de l'information supplémentaire à son sujet. Voici des façons d'organiser les notes : regrouper les informations qui concernent des activités d'exploitation particulières ou des éléments évalués de façon similaire ou suivre un ordre de présentation logique, par exemple en distinguant la déclaration de conformité aux IFRS, les principales méthodes comptables, les informations complémentaires pour chacun des postes présentés dans le corps des états financiers, en respectant l'ordre dans lequel ils y figurent, les autres informations liées à des opérations ou événements non comptabilisés, mais jugées importantes pour la prise de décisions des utilisateurs, tels les passifs éventuels, de même que la description des objectifs et des méthodes utilisées par l'entreprise en matière de gestion des risques financiers[51].

Différence NCECF

Notre étude porte plus particulièrement sur les notes à fournir au sujet des principales méthodes comptables, des sources principales d'incertitude relative aux estimations, de la gestion du capital et des renseignements d'ordre général sur l'entreprise.

Les principales méthodes comptables

Afin que les états financiers soient utiles aux investisseurs, nous avons expliqué, au chapitre 1, qu'ils doivent posséder des caractéristiques qualitatives auxiliaires, telles que la compréhensibilité et la comparabilité. Étant donné que les IFRS autorisent parfois l'utilisation de plus d'une méthode pour comptabiliser un certain type d'opérations, les investisseurs doivent être informés des méthodes comptables retenues par l'entreprise. Par exemple, si une entreprise choisit la méthode du coût moyen pour évaluer le coût des stocks, elle doit en informer les utilisateurs des états financiers. C'est pourquoi l'IASB recommande qu'une entreprise donne, dans la note portant sur les principales méthodes comptables, des informations sur les bases d'évaluation et les autres méthodes comptables utilisées lors de la préparation de ses états financiers[52].

Pour déterminer si une entreprise doit mentionner une méthode comptable particulière en note, la direction juge si cette information aidera les utilisateurs à mieux comprendre les opérations présentées dans le corps des états financiers. Il est surtout nécessaire de préciser les méthodes comptables lorsque les normes comptables permettent de choisir parmi différentes méthodes. Les utilisateurs des états financiers s'attendent également à trouver des informations sur les méthodes comptables qui reflètent la nature des activités de l'entreprise. Par exemple, si une entreprise a des activités à l'étranger, elle indiquera les méthodes comptables choisies pour comptabiliser les profits et les pertes sur change. Il peut également arriver que certaines opérations particulières exigent que la direction élabore et applique des méthodes comptables non prévues par les IFRS. Toutes les méthodes comptables qui ne sont pas imposées dans les IFRS et qui ont été utilisées pour l'établissement des états financiers doivent être présentées en note.

Différence NCECF

De plus, l'IASB demande que les jugements réalisés par la direction lors de l'application des méthodes comptables qui présentent le plus d'incidence sur les montants comptabilisés soient fournis en note[53]. Par exemple, la direction doit justifier le jugement qui l'a conduite à classer des actifs financiers À la juste valeur par le biais du résultat net.

À titre d'exemple, on peut consulter des extraits de la note 2 sur les principales méthodes comptables annexée aux états financiers consolidés de Sears Canada inc. pour l'exercice terminé le 30 janvier 2016, présentée à la page 2.64.

48. *Manuel de CPA Canada – Comptabilité – Partie I*, IAS 1, paragr. 112.
49. *Manuel de CPA Canada – Comptabilité – Partie I*, IAS 1, paragr. 116.
50. *Manuel de CPA Canada – Comptabilité – Partie I*, IAS 1, paragr. 113.
51. *Manuel de CPA Canada – Comptabilité – Partie I*, IAS 1, paragr. 114.
52. *Manuel de CPA Canada – Comptabilité – Partie I*, IAS 1, paragr. 117.
53. *Manuel de CPA Canada – Comptabilité – Partie I*, IAS 1, paragr. 122.

Avez-vous remarqué ?

Puisque la direction peut choisir différentes méthodes comptables pour comptabiliser et évaluer les éléments qui composent les états financiers, il est important d'indiquer en note les principales méthodes comptables choisies et les raisons de ces choix. Cela permet aux utilisateurs de voir jusqu'à quel point les états financiers donnent une image fidèle de la réalité économique de l'entreprise.

Différence NCECF

2

Les sources principales d'incertitude relative aux estimations

Différence NCECF

Au moment où une entreprise détermine la valeur comptable de certains actifs et passifs, il est possible qu'elle doive estimer les effets qu'auront certains événements futurs sur ces actifs et ces passifs à la date de clôture. Par exemple, des estimations sont nécessaires pour déterminer la durée d'utilité et la valeur résiduelle des immobilisations corporelles. Pour aider les utilisateurs des états financiers à juger de l'importance d'une telle **incertitude relative aux estimations**, l'IASB demande, dans l'IAS 1, que l'entreprise fournisse dans ses notes aux états financiers une description des hypothèses clés retenues par la direction à propos des montants estimés et des autres sources importantes d'incertitude à la date de clôture qui pourraient entraîner une variation importante de la valeur comptable des actifs et des passifs au cours de l'exercice suivant[54]. Par exemple, l'estimation de la valeur d'utilité d'une immobilisation exige que l'entreprise pose de nombreuses hypothèses concernant la demande du marché pour les marchandises produites en utilisant cette immobilisation et l'entretien qu'elle en fera. Pour les actifs et les passifs dont la valeur peut varier de façon importante dans le futur, l'entreprise doit en indiquer, par voie de notes, la nature et la valeur comptable à la date de clôture.

L'IASB n'exige de présenter en note que les hypothèses clés qui comportent un risque important d'entraîner un ajustement significatif des valeurs comptables des actifs et des passifs au cours de l'exercice suivant. Ces hypothèses clés se résument souvent à celles qui ont nécessité les jugements les plus difficiles, subjectifs ou complexes de la part de la direction. C'est pourquoi le nombre d'hypothèses clés à présenter dans les notes aux états financiers devrait être relativement restreint. L'entreprise n'a pas à soumettre des informations budgétaires ou prévisionnelles à l'appui de ces hypothèses. Les exigences en terme d'informations à fournir sur les incertitudes relatives aux estimations ont pour objectif de permettre aux utilisateurs des états financiers de mieux comprendre les jugements portés par la direction lors de l'établissement des états financiers. Voici quelques exemples d'informations qu'il pourrait être pertinent de fournir :

- La nature de l'hypothèse ;
- La sensibilité des valeurs comptables établies à la suite des estimations utilisées dans la base de leur calcul, ainsi que les raisons de cette sensibilité ;
- L'éventail des résultats raisonnablement possibles pour l'exercice suivant concernant les valeurs comptables des actifs et des passifs en cause ; et
- Une explication des changements par rapport aux hypothèses antérieures concernant ces actifs et ces passifs si l'incertitude perdure[55].

Si l'entreprise est incapable de fournir des informations concernant l'ampleur des effets possibles d'une hypothèse clé sur la valeur comptable d'un actif ou d'un passif, elle doit indiquer la possibilité que les résultats qui diffèrent des hypothèses requièrent un ajustement significatif de la valeur comptable de l'actif ou du passif en cause au cours de l'exercice suivant.

L'entreprise n'a pas à présenter les incertitudes liées à l'évaluation des actifs et des passifs à leur juste valeur sur la base d'un cours sur un marché actif pour un actif ou passif identique, car le cours sur un marché actif est une méthode d'évaluation qui reflète convenablement la juste valeur à la date de clôture, et ce, même si le cours sur un marché actif pourrait être différent à l'avenir. Enfin, les informations à fournir sur les incertitudes relatives aux estimations ne concernent pas les jugements posés par la direction lors du choix d'une méthode comptable.

54. *Manuel de CPA Canada – Comptabilité – Partie I*, IAS 1, paragr. 125.

55. *Manuel de CPA Canada – Comptabilité – Partie I*, IAS 1, paragr. 129.

La note 4, intitulée «Jugements comptables critiques et sources principales d'incertitude relative aux estimations», contenue dans les états financiers consolidés de Sears Canada inc. (*voir la page 2.64*), est un exemple de note portant sur les sources principales d'incertitude relative aux estimations.

2

Différence NCECF

Avez-vous remarqué ?

La détermination de la valeur comptable de certains actifs et passifs nécessite des estimations. Afin d'augmenter la pertinence, la fidélité et la compréhensibilité des informations présentées dans les états financiers, on doit présenter en note les hypothèses clés utilisées pour estimer la valeur comptable des éléments des états financiers.

La gestion du capital

Différence NCECF

WWW

www.osfi-bsif.gc.ca

www.lautorite.qc.ca

Comme nous l'avons soulevé dans le chapitre 1 (*voir le tableau 1.2*), l'un des besoins des utilisateurs des états financiers qui doivent prendre des décisions économiques est d'évaluer la gestion. Dans cette optique, l'IASB recommande de fournir des informations sur la **gestion du capital**. Bien que l'IASB ne fournisse aucune définition précise du capital, nous pouvons dire qu'au sens large, les capitaux investis dans une entreprise comprennent les ressources investies par les actionnaires (capitaux propres) ainsi que celles investies par les créanciers (capitaux empruntés). La gestion du capital peut avoir pour objectif de veiller à ce que les capitaux propres soient suffisants pour assurer la stabilité d'une entreprise tout en répondant aux attentes des investisseurs relatives au rendement du capital. Au Canada, le Bureau du surintendant des institutions financières établit les lignes directrices concernant la suffisance du capital des institutions financières, et l'Autorité des marchés financiers joue le même rôle envers les coopératives de services financiers. Cependant, la plupart des sociétés canadiennes ne sont pas assujetties à des exigences réglementaires en ce qui a trait à la gestion du capital. Selon l'IAS 1, les informations fournies doivent permettre aux utilisateurs d'évaluer les objectifs, les procédures et les processus de gestion du capital de l'entreprise[56]. Bien que certaines de ces informations se trouvent habituellement dans le rapport de gestion préparé par la direction des sociétés ayant une OIP, cette norme comptable implique leur divulgation dans les notes aux états financiers. Pour permettre aux utilisateurs des états financiers d'évaluer les objectifs, les procédures et les processus de gestion du capital, l'IAS 1 donne quelques exemples de renseignements à inclure minimalement dans les états financiers. À ces exemples, présentés dans le tableau 2.8, nous ajoutons quelques commentaires.

TABLEAU 2.8 La présentation des informations concernant la gestion du capital

***Normes internationales d'information financière,* IAS 1**	**Commentaires**
Paragr. 135 […], *l'entité fournit les informations suivantes :* (*a*) *des informations qualitatives sur les objectifs, procédures et processus de gestion du capital de l'entité :* (*i*) *une description de ce qu'elle gère comme capital,* (*ii*) *lorsque l'entité est soumise à des exigences en matière de capital imposées de l'extérieur, la nature de ces exigences et comment ces exigences sont intégrées à la gestion du capital, et* (*iii*) *comment elle atteint ses objectifs de gestion du capital ;*	Les exigences réglementaires concernant la gestion du capital, le cas échéant, sont incorporées aux politiques et procédures internes. Les objectifs peuvent avoir trait à la stabilité de l'entreprise et au rendement de son capital. Les actions que la direction envisage pour respecter ses lignes directrices, donc pour rajuster son capital, sont également divulguées : rachat d'actions, émission d'actions, réduction de la dette, etc.
(*b*) *elle fournit un résumé des données quantitatives sur ce qu'elle gère comme capital. Certaines entités considèrent certains passifs financiers (par exemple certaines formes de dette subordonnée) comme faisant partie du capital. D'autres entités excluent du capital certaines composantes de capitaux propres (par exemple, les composantes issues des couvertures contre les risques de variation des flux de trésorerie) ;*	Ces informations peuvent être nécessaires pour déterminer l'importance des composantes du capital que l'entreprise doit gérer.

56. *Manuel de CPA Canada – Comptabilité – Partie I*, IAS 1, paragr. 134.

2

TABLEAU 2.8 (suite)

(c) *elle indique toute variation de (a) ou de (b) par rapport à la période précédente ;*	Tant un changement dans les politiques et les objectifs qu'un changement dans la façon de calculer le capital constituent des informations pertinentes pour évaluer les résultats obtenus par la direction dans ses activités de gestion du capital.
(d) *elle précise si durant la période elle s'est conformée à une quelconque exigence en matière de capital imposée de l'extérieur et à laquelle elle est soumise ;* (e) *si elle n'a pas respecté les exigences en matière de capital imposées de l'extérieur, elle précise les conséquences de ce non-respect.*	Les utilisateurs qui comparent les états financiers de deux institutions financières seront intéressés à connaître la mesure dans laquelle chacune d'elles respecte les exigences réglementaires établies par le Bureau du surintendant des institutions financières en matière de gestion du capital, et les conséquences financières et non financières d'un non-respect de celles-ci.
L'entité base ces informations sur les informations fournies en interne aux principaux dirigeants de l'entité.	Tout comme les exigences de divulgation concernant les informations sectorielles, dont nous traiterons au chapitre 21, l'information sur le capital doit être fondée sur les données servant aux prises de décisions effectuées en interne.
Paragr. 136 [...] *Si l'information agrégée sur les exigences en matière de capital et sur la façon dont le capital est géré ne fournit aucune information utile ou altère la façon dont l'utilisateur des états financiers comprend les ressources en capital de l'entité, celle-ci devra fournir des informations séparées pour chaque exigence à laquelle l'entité est soumise en matière de capital.*	Il est possible qu'une entreprise qui évolue dans plusieurs secteurs d'activité gère son capital de plusieurs façons ou soit soumise à différentes exigences. Pour cette raison, il importe de fournir toute l'information nécessaire pour rendre les états financiers pertinents et fidèles.

Avez-vous remarqué ?

La divulgation en note des objectifs ainsi que des procédures et processus de gestion du capital de l'entreprise permet aux utilisateurs d'évaluer le niveau de risque de l'entreprise et sa capacité à contrer ces risques.

La note 24 des états financiers de Sears Canada inc. (*voir la page 2.65*) est un exemple des informations à fournir sur la gestion du capital.

Différence NCECF

Les renseignements d'ordre général sur l'entreprise

Différence NCECF

De nos jours, il est presque impossible pour un individu de faire des démarches auprès d'organismes sans avoir à fournir des preuves d'identification. Il paraît normal que les utilisateurs des états financiers veuillent obtenir des renseignements d'ordre général sur l'entreprise dont ils consultent les états financiers. Pour répondre à ce besoin d'information, l'IAS 1 recommande qu'une entreprise indique l'adresse de son siège social et de son établissement principal s'il est différent, la forme juridique et le pays dans lequel elle a été enregistrée, une description de la nature de ses opérations et de ses principales activités, la dénomination de la société mère et celle de la société tête de groupe et, si l'entreprise a une durée de vie limitée, des informations concernant cette durée[57]. Ces renseignements ne sont pas obligatoirement regroupés dans une même note, l'important étant qu'ils soient communiqués.

Avez-vous remarqué ?

Afin que les utilisateurs des états financiers puissent avoir une idée de l'identité de l'entreprise, des informations générales sur celle-ci doivent être fournies en note.

La note 1 des états financiers de Sears Canada inc. (*voir la page 2.64*) fournit un exemple des informations générales à indiquer en note.

Différence NCECF

57. *Manuel de CPA Canada – Comptabilité – Partie I*, IAS 1, paragr. 138.

	ÉTATS CONSOLIDÉS DE LA SITUATION FINANCIÈRE			
IAS 1, paragr. 10(a)	*(en millions de dollars canadiens)*			
IAS 1, paragr. 113 →		Notes	**Au 30 janvier 2016**	Au 31 janvier 2015
	ACTIF			
IAS 1, paragr. 60	**Actifs courants**			
IAS 1, paragr. 54(i)	Trésorerie	5	**313,9 $**	259,0 $
IAS 1, paragr. 54(h)	Débiteurs, montant net	6, 14, 16	**59,4**	73,0
IAS 1, paragr. 54(n)	Impôt à recouvrer	22	**35,9**	127,2
IAS 1, paragr. 54(g)	Stocks	7	**664,8**	641,4
	Charges payées d'avance	8	**31,0**	28,7
IAS 1, paragr. 54(d)	Actifs financiers dérivés	14	**6,6**	7,2
IAS 1, paragr. 54(j)	Actifs classés comme détenus en vue de la vente	29	**22,1**	13,3
	Total des actifs courants		**1 133,7**	1 149,8
IAS 1, paragr. 60	**Actifs non courants**			
IAS 1, paragr. 54(a)	Immobilisations corporelles	9, 19	**444,1**	567,6
IAS 1, paragr. 54(b)	Immeubles de placement	9	**17,0**	19,3
IAS 1, paragr. 54(c)	Immobilisations incorporelles	10	**22,5**	16,2
IAS 1, paragr. 54(o)	Actifs d'impôt différé	22	**0,6**	0,7
	Autres actifs à long terme	12, 14, 16, 17	**15,3**	20,5
	Total de l'actif		**1 633,2 $**	1 774,1 $
	PASSIF			
IAS 1, paragr. 60	**Passifs courants**			
IAS 1, paragr. 54(k)	Créditeurs et charges à payer	14, 15	**332,7 $**	359,4 $
	Produits différés	13	**158,3**	171,2
IAS 1, paragr. 54(l)	Provisions	16	**75,8**	58,6
IAS 1, paragr. 54(n)	Impôt sur le résultat à payer		**2,6**	–
	Autres impôts à payer		**17,3**	34,6
IAS 1, paragr. 61	Partie courante des obligations à long terme	14, 17, 19, 24	**4,0**	4,0
	Total des passifs courants		**590,7**	627,8
IAS 1, paragr. 60	**Passifs non courants**			
IAS 1, paragr. 54(m)	Obligations à long terme	14, 17, 19, 24	**20,2**	24,1
	Produits différés	13	**74,2**	76,8
	Passif au titre des régimes de retraite	14, 20	**326,9**	407,4
IAS 1, paragr. 54(o)	Passifs d'impôt différé	22	**–**	3,4
	Autres passifs à long terme	16, 18	**67,0**	63,8
	Total du passif		**1 079,0**	1 203,3
	CAPITAUX PROPRES			
IAS 1, paragr. 54(r) {	Capital social	23	**14,9**	14,9
	Bénéfices non distribués		**739,0**	806,9
	Cumul des autres éléments de perte globale		**(199,7)**	(251,0)
	Total des capitaux propres	24	**554,2**	570,8
	Total du passif et des capitaux propres		**1 633,2 $**	1 774,1 $

Les notes annexes font partie intégrante des présents états financiers consolidés.

IAS 1, paragr. 10(b)

COMPTES CONSOLIDÉS DE LA PERTE NETTE ET DE LA PERTE GLOBALE

Pour les périodes de 52 semaines closes le 30 janvier 2016 et le 31 janvier 2015

(en millions de dollars canadiens, sauf les montants par action)

		Notes	2015	2014
IAS 1, paragr. 113 →				
IAS 1, paragr. 82(a)	Produits	25	**3 145,7 $**	3 424,5 $
IAS 1, paragr. 85	Coût des biens et des services vendus	7, 14, 26	**2 145,9**	2 308,0
	Frais de vente, d'administration et autres	9, 10, 14, 19, 20, 26	**1 298,1**	1 523,8
	Perte d'exploitation		**(298,3)**	(407,3)
IAS 1, paragr. 97	Profit sur les transactions de cession-bail	27	**67,2**	–
	Profit à la résiliation de l'entente relative aux cartes de crédit	28	**170,7**	–
	Profit à la vente d'une participation dans des partenariats	11	**–**	35,1
	Profit lié à la liquidation des prestations de retraite	20, 26	**5,1**	10,6
IAS 1, paragr. 82(b)	Charges financières	17, 19, 22	**9,7**	1,0
	Produits d'intérêts	5	**2,3**	2,6
IAS 1, paragr. 85	**Perte avant impôt sur le résultat**		**(62,7)**	(360,0)
IAS 1, paragr. 82(d)	(Charge) économie d'impôt sur le résultat			
	Exigible	22	**(8,1)**	74,7
	Différé	22	**2,9**	(53,5)
			(5,2)	21,2
IAS 1, paragr. 81B(a)	**Perte nette**		**(67,9) $**	(338,8) $
IAS 33, paragr. 66	Perte nette de base et diluée par action	32	**(0,67) $**	(3,32) $
	Perte nette		**(67,9) $**	(338,8) $
IAS 1, paragr. 82A(a)	Autres éléments de bénéfice global (perte globale), déduction faite de l'impôt :			
	Éléments qui pourraient être reclassés ultérieurement en résultat net :			
	Profit sur dérivés de change		**19,2**	10,8
	Reclassement en résultat net du profit sur les dérivés de change		**(18,7)**	(10,1)
	Éléments qui ne seront pas reclassés ultérieurement en résultat net :			
	Profit (perte) découlant de la réévaluation du montant net du passif au titre des régimes de retraite à prestations définies et réduction de valeur de l'actif d'impôt différé liée aux pertes découlant de la réévaluation comptabilisées antérieurement	20, 22	**50,8**	(165,3)
	Total des autres éléments de bénéfice global (perte globale)		**51,3**	(164,6)
IAS 1, paragr. 81B(b)	**Total de la perte globale**		**(16,6) $**	(503,4) $

Les notes annexes font partie intégrante des présents états financiers consolidés.

2

IAS 1, paragr. 10(c)

ÉTATS CONSOLIDÉS DES VARIATIONS DES CAPITAUX PROPRES

Pour les périodes de 52 semaines closes le 30 janvier 2016 et le 31 janvier 2015

IAS 1, paragr. 113 → Notes

IAS 1, paragr. 106(d) (exercice clos le 30 janvier 2016)

IAS 1, paragr. 38 et 38A (exercice clos le 31 janvier 2015)

				Cumul des autres éléments de perte globale			
(en millions de dollars canadiens)	Notes	Capital social	Bénéfices non distribués	Dérivés de change désignés comme couvertures de flux de trésorerie	(Perte) profit découlant de la réévaluation	Total du cumul des autres éléments de perte globale	Capitaux propres
Solde au 31 janvier 2015		**14,9 $**	**806,9 $**	**6,7 $**	**(257,7) $**	**(251,0) $**	**570,8 $**
Perte nette			**(67,9)**	**–**	**–**	**–**	**(67,9)**
Autres éléments de bénéfice global (perte globale)							
Profit sur dérivés de change, déduction faite de la charge d'impôt de 7,1 $	14			**19,2**	**–**	**19,2**	**19,2**
Reclassement du profit sur dérivés de change, déduction faite de la charge d'impôt de 6,9 $	14			**(18,7)**	**–**	**(18,7)**	**(18,7)**
Profit découlant de la réévaluation du montant net du passif au titre des régimes de retraite à prestations définies	20, 22			**–**	**50,8**	**50,8**	**50,8**
Total des autres éléments de bénéfice global		**–**	**–**	**0,5**	**50,8**	**51,3**	**51,3**
Total (de la perte globale) du bénéfice global		**–**	**(67,9)**	**0,5**	**50,8**	**51,3**	**(16,6)**
Solde au 30 janvier 2016		**14,9 $**	**739,0 $**	**7,2 $**	**(206,9) $**	**(199,7) $**	**554,2 $**
Solde au 1er février 2014		14,9 $	1 145,3 $	6,0 $	(92,4) $	(86,4) $	1 073,8 $
Perte nette			(338,8)	–	–	–	(338,8)
Autres éléments de bénéfice global (perte globale)							
Profit sur dérivés de change, déduction faite de la charge d'impôt de 3,9 $	14			10,8	–	10,8	10,8
Reclassement du profit sur dérivés de change, déduction faite de la charge d'impôt de 3,6 $	14			(10,1)	–	(10,1)	(10,1)
Perte découlant de la réévaluation du montant net du passif au titre des régimes de retraite à prestations définies et réduction de valeur de l'actif d'impôt différé liée aux pertes découlant de la réévaluation comptabilisées antérieurement	20, 22			–	(165,3)	(165,3)	(165,3)
Total des autres éléments de bénéfice global (de perte globale)		–	–	0,7	(165,3)	(164,6)	(164,6)

2

IAS 1, paragr. 38 et 38A

Total (de la perte globale) du bénéfice global	–	(338,8)	0,7	(165,3)	(164,6)	(503,4)
Rémunération fondée sur des actions	–	0,4	–	–	–	0,4
Solde au 31 janvier 2015	14,9 $	806,9 $	6,7 $	(257,7) $	(251,0) $	570,8 $

Les notes annexes font partie intégrante des présents états financiers consolidés.

IAS 1, paragr. 10(d)

TABLEAUX CONSOLIDÉS DES FLUX DE TRÉSORERIE

Pour les périodes de 52 semaines closes le 30 janvier 2016 et le 31 janvier 2015

IAS 1, paragr. 113 → Notes

IAS 7, paragr. 10

(en millions de dollars canadiens)	Notes	**2015**	2014
Flux de trésorerie affectés aux activités d'exploitation			
Perte nette		**(67,9) $**	(338,8) $
Ajustements pour tenir compte de ce qui suit :			
Dotation aux amortissements	9, 10	**48,4**	89,3
Rémunération fondée sur des actions		**(0,4)**	0,4
Perte (profit) à la cession d'immobilisations corporelles		**0,3**	(0,6)
Pertes de valeur, montant net	9, 10, 29	**63,3**	162,0
Profit sur les transactions de cession-bail	27	**(67,2)**	–
Profit à la résiliation de l'entente relative aux cartes de crédit	28	**(170,7)**	–
Profit à la vente d'une participation dans des partenariats	11	**–**	(35,1)
Charges financières	17, 19, 22	**9,7**	1,0
Produits d'intérêts	5	**(2,3)**	(2,6)
Charge au titre des régimes de retraite	20	**18,9**	19,0
Profit lié à la liquidation des prestations de retraite	20	**(5,1)**	(10,6)
Charge au titre des prestations d'invalidité de courte durée	20	**4,9**	5,7
Charge (économie) d'impôt sur le résultat	22	**5,2**	(21,2)
Intérêts reçus (*IAS 7, paragr. 31*)	5	**1,1**	2,5
Intérêts payés	17	**(2,7)**	(3,3)
Cotisations aux régimes de retraite	20	**(48,6)**	(24,2)
Remboursements (paiements) d'impôt sur le résultat, montant net	22	**87,6**	(60,7)
Autres dépôts aux fins de l'impôt sur le résultat		**–**	(10,3)
Variations des soldes hors trésorerie du fonds de roulement	33	**(64,3)**	(67,3)
Variations de l'actif et du passif à long terme hors trésorerie	34	**(11,7)**	30,2
		(201,5)	(264,6)
Flux de trésorerie provenant des activités d'investissement (*IAS 7, paragr. 10*)			
Acquisitions d'immobilisations corporelles et incorporelles	9, 10	**(45,4)**	(54,0)
Produit de la vente d'immobilisations corporelles		**0,3**	1,2
Produit de la résiliation de l'entente relative aux cartes de crédit	28	**174,0**	–
Produit net sur les transactions de cession-bail	27	**130,0**	–
Produit de la vente d'une participation dans des partenariats	11	**–**	71,7
		258,9	18,9

2

IAS 7, paragr. 10
IAS 7, paragr. 31

Flux de trésorerie affectés aux activités de financement			
Intérêts payés sur les obligations en vertu des contrats de location-financement	17, 19	**(1,9)**	(2,2)
Remboursement d'obligations à long terme		**(3,9)**	(7,8)
Coûts de transaction liés à la facilité de crédit modifiée	17	**–**	(1,0)
		(5,8)	(11,0)
Incidence du taux de change sur la trésorerie à la fin de la période		**3,3**	1,9
Augmentation (diminution) de la trésorerie		**54,9**	(254,8)
Trésorerie au début de la période		**259,0 $**	513,8 $
Trésorerie à la fin de la période	5	**313,9 $**	259,0 $

Les notes annexes font partie intégrante des présents états financiers consolidés.

Le rapprochement avec les montants présentés dans l'état de la situation financière (IAS 7, paragr. 45) est évident puisque ce sont les mêmes montants que ceux présentés dans l'état de la situation financière. Une note liste les composantes de ce poste.

NOTES ANNEXES

1. Informations générales

IAS 1, paragr. 138(a)

Sears Canada Inc. est constituée au Canada. L'adresse de son siège social et de son établissement principal est le 290 Yonge Street, Suite 700, Toronto (Ontario) Canada, M5B 2C3. Les principales activités de Sears Canada Inc. et de ses filiales (la « Société ») comprennent la vente de biens et de services par l'intermédiaire de ce qui suit : des circuits de détail de la Société qui comprennent les grands magasins, les magasins Sears décor, les magasins locaux, les magasins de liquidation, les magasins Corbeil Électrique Inc. (« Corbeil »), et ses circuits de vente directe (par catalogue et par Internet). Ces activités comprennent aussi les produits tirés des services de réparation de produits et de logistique. Les produits tirés des commissions comprennent les produits tirés des services de voyages, de rénovation résidentielle, d'assurance, de téléphonie sans fil et d'interurbains, de même que les paiements liés à la performance reçus de JPMorgan Chase Bank, N.A. (succursale de Toronto) (« JPMorgan Chase »), en vertu du partenariat au chapitre du marketing et de la gestion des cartes de crédit conclu avec JPMorgan Chase [...]. Les produits tirés des frais des bénéficiaires de licence comprennent les paiements reçus des bénéficiaires de licence qui exercent leurs activités dans les magasins de la Société [...]. La Société était partie à un certain nombre de partenariats immobiliers qui avaient été classés comme des entreprises communes et qui étaient comptabilisés en constatant la quote-part de la Société dans les actifs, les passifs, les produits et les charges des partenariats immobiliers aux fins de la communication d'informations financières [...].

IAS 1, paragr. 138(b)

2. Principales méthodes comptables

IAS 1, paragr. 114(a)

2.1 Déclaration de conformité

Les états financiers consolidés de la Société ont été préparés conformément aux Normes internationales d'information financière (« IFRS ») publiées par l'International Accounting Standards Board (« IASB »).

IAS 1, paragr. 112(a)

2.2 Base d'établissement et mode de présentation

Les principales méthodes comptables de la Société ont été appliquées de manière cohérente dans la préparation de ses états financiers consolidés pour toutes les périodes présentées. Ces états financiers suivent les mêmes méthodes comptables et les mêmes méthodes d'application que celles qui ont été suivies pour préparer les états financiers consolidés annuels de 2014. Les principales méthodes comptables de la Société sont décrites à la note 2.

IAS 1, paragr. 117(a)

2.3 Base d'évaluation

Les états financiers consolidés ont été préparés sur la base du coût historique, [...].

[...]

IAS 1, paragr. 122 et 125

4. Jugements comptables critiques et sources principales d'incertitude relative aux estimations

L'application des méthodes comptables de la Société exige que la direction exerce son jugement et qu'elle fasse des estimations et formule des hypothèses à l'égard des valeurs comptables d'actifs et de passifs qui ne sont pas facilement disponibles d'autres sources. Ces estimations et hypothèses sous-jacentes se fondent sur l'expérience passée et d'autres facteurs considérés comme pertinents. Les résultats réels peuvent différer de ces estimations. Les estimations et les hypothèses sous-jacentes sont régulièrement révisées. Les révisions des estimations comptables sont comptabilisées dans la période au cours de laquelle l'estimation est révisée si la révision n'a d'incidence que sur cette période, ou dans la période de la révision et dans les périodes ultérieures si la révision a une incidence sur la période considérée et sur les périodes ultérieures.

Les jugements critiques posés par la direction lors de l'application des méthodes comptables de la Société, les hypothèses clés relatives à l'avenir et les autres sources principales d'incertitude relatives aux estimations qui peuvent avoir une incidence significative sur la valeur comptable des actifs et des passifs sont présentés ci-après. [...]

24. Informations à fournir sur le capital

IAS 1, paragr. 135(a)

Les objectifs de la Société en matière de gestion du capital se présentent comme suit :

- maintenir une marge de manœuvre financière qui permet à la Société de préserver sa capacité d'atteindre ses objectifs financiers et de poursuivre son exploitation;
- offrir un rendement approprié aux actionnaires;
- maintenir une structure du capital qui permet à la Société d'obtenir du financement, au besoin.

La Société gère la structure de son capital et y apporte des ajustements, le cas échéant, à la lumière des variations de la conjoncture économique, des objectifs de ses actionnaires, des besoins de trésorerie de la Société et des conditions des marchés financiers. Pour maintenir ou ajuster la structure du capital, la Société peut verser un dividende ou rembourser du capital aux actionnaires, modifier le niveau de la dette ou vendre des actifs.

La Société définit le capital comme suit :

- les obligations à long terme, y compris la partie courante des obligations à long terme (le « total des obligations à long terme »);
- les capitaux propres.

IAS 1, paragr. 135(b)

Le tableau qui suit présente un sommaire des données quantitatives à l'égard du capital de la Société.

(en millions de dollars canadiens)	**Au 30 janvier 2016**	Au 31 janvier 2015
Total des obligations à long terme	**24,2 $**	28,1 $
Capitaux propres	**554,2**	570,8
Total	**578,4 $**	598,9 $

Source : Rapport annuel 2015 de Sears Canada inc.
Sears Canada inc., *Rapport annuel 2015,* [En ligne], <http://sears.fr.ca.investorroom.com/rapports> (page consultée le 5 juillet 2016).

PARTIE II – LES NCECF

i+ Équivalents terminologiques *Manuel de CPA Canada* – Partie II et Partie I.

Plusieurs différences existent entre les NCECF et les IFRS en ce qui a trait à la présentation des états financiers et des informations complémentaires. La figure 2.11 résume ces différences dont nous traiterons en détail dans les sections qui suivent.

Le lecteur peut consulter les états financiers de Josy Dida inc., disponibles dans la plateforme *i+ Interactif*, pour voir un jeu complet d'états financiers conformes aux NCECF. Cela lui servira autant pour mieux comprendre les états financiers qu'il pourrait devoir analyser avant de prendre la décision d'investir dans une entreprise que comme modèle s'il doit préparer les états financiers d'une entreprise.

i+ Les états financiers de Josy Dida inc.

L'état des résultats

En premier lieu, puisque la notion de résultat global est totalement absente des NCECF, il n'est pas nécessaire, pour les entreprises, de distinguer le résultat net et le résultat global. De ce fait, l'appellation **État des résultats** est utilisée dans les NCECF. La présentation de l'**état des résultats** en vertu des NCECF diffère de celle basée sur les IFRS en ce qui a trait à sa forme et à son contenu. Contrairement aux IFRS, les NCECF n'abordent pas explicitement le choix de présenter les charges selon la méthode des charges par nature ou celle des charges par fonction. Comme la plupart des entreprises ayant une OIP adoptaient une présentation selon la méthode des charges par nature avant la date de passage aux IFRS, il est raisonnable de croire qu'il en était de même pour les entreprises à capital fermé (ECF) et que cette pratique subsiste toujours.

IFRS
État du résultat net

L'importance historique accordée à l'état des résultats se fait toujours sentir dans les NCECF. En effet, comparativement aux IFRS, le **chapitre 1520**, intitulé « État des résultats », exige la présentation d'un solde intermédiaire, en l'occurrence le **bénéfice** avant activités abandonnées, suivi

Résultat

FIGURE 2.11 Les particularités des NCECF au sujet des états financiers

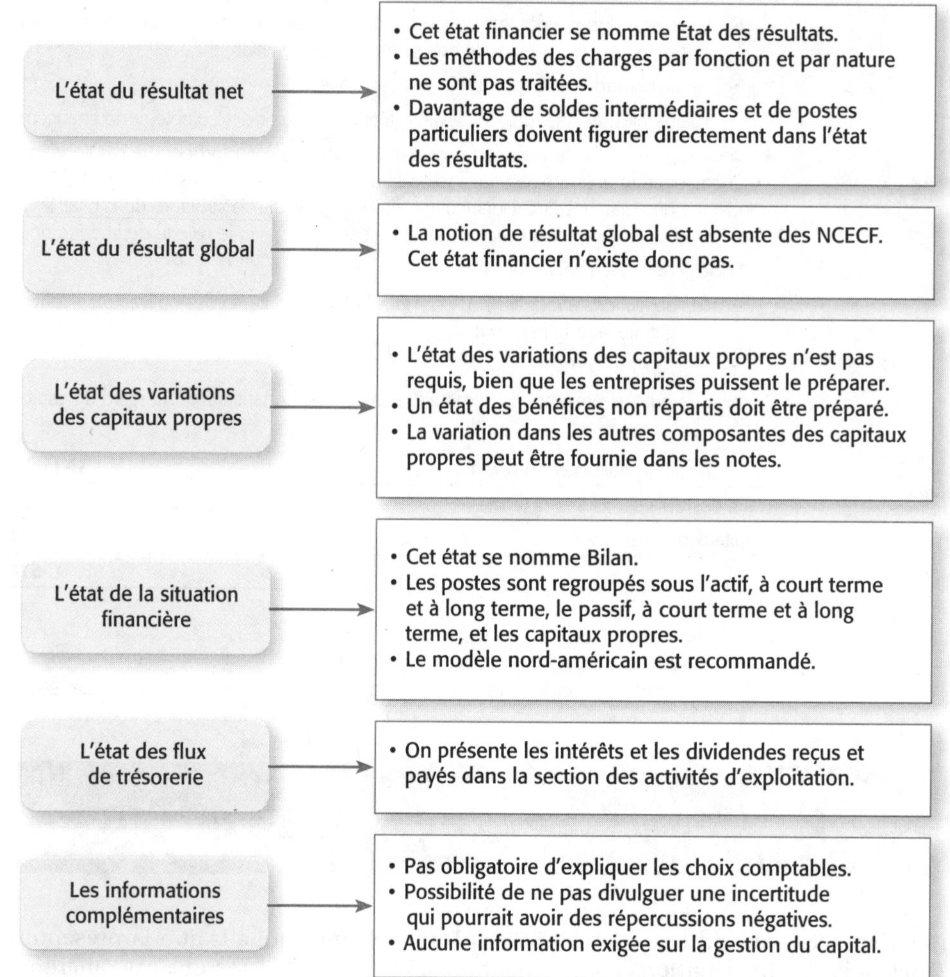

L'état du résultat net
• Cet état financier se nomme État des résultats.
• Les méthodes des charges par fonction et par nature ne sont pas traitées.
• Davantage de soldes intermédiaires et de postes particuliers doivent figurer directement dans l'état des résultats.
L'état du résultat global
• La notion de résultat global est absente des NCECF. Cet état financier n'existe donc pas.
L'état des variations des capitaux propres
• L'état des variations des capitaux propres n'est pas requis, bien que les entreprises puissent le préparer.
• Un état des bénéfices non répartis doit être préparé.
• La variation dans les autres composantes des capitaux propres peut être fournie dans les notes.
L'état de la situation financière
• Cet état se nomme Bilan.
• Les postes sont regroupés sous l'actif, à court terme et à long terme, le passif, à court terme et à long terme, et les capitaux propres.
• Le modèle nord-américain est recommandé.
L'état des flux de trésorerie
• On présente les intérêts et les dividendes reçus et payés dans la section des activités d'exploitation.
Les informations complémentaires
• Pas obligatoire d'expliquer les choix comptables.
• Possibilité de ne pas divulguer une incertitude qui pourrait avoir des répercussions négatives.
• Aucune information exigée sur la gestion du capital.

Source : Diane Bigras, Sylvain Durocher et Jocelyne Gosselin

IFRS
Résultat
Résultat net

du **bénéfice ou de la perte** des activités abandonnées, puis du **bénéfice net ou de la perte nette**[58]. De plus, le chapitre 1520 indique d'abord un certain nombre de postes particuliers qui doivent être présentés dans le corps même de l'état des résultats et d'autres qui doivent être présentés soit dans le corps même de l'état des résultats, soit dans les notes[59].

Il est important de noter que les éléments dont la présentation est requise en vertu des NCECF pourraient être considérés comme des éléments significatifs de produits et de charges conformément aux IFRS et ainsi faire l'objet d'une présentation distincte selon le référentiel international. De plus, plusieurs des éléments dont la présentation distincte dans l'état des résultats (ou dans les notes) est requise selon les NCECF doivent également être présentés distinctement en vertu des IFRS. La différence réside essentiellement dans le fait que les NCECF rassemblent l'ensemble des exigences minimales de présentation dans le chapitre 1520 portant sur l'état des résultats alors qu'il faut consulter les différentes normes des sujets en cause pour connaître les exigences de présentation dans l'état du résultat global selon les IFRS.

58. *Manuel de CPA Canada – Comptabilité – Partie II*, paragr. 1520.03.

59. *Manuel de CPA Canada – Comptabilité – Partie II*, paragr. 1520.04.

L'état du résultat global

Comme nous l'avons mentionné précédemment, la notion de résultat global n'existe pas dans les NCECF. De ce fait, les ECF ne préparent pas d'état du résultat global.

L'état des variations des capitaux propres

Les NCECF exigent la préparation d'un **état des bénéfices non répartis**. Cet état financier présente la variation des **bénéfices non répartis** d'un exercice à l'autre. Une ECF peut cependant choisir de présenter un état des variations des capitaux propres comme il est requis de le faire selon les IFRS, puisque la variation des bénéfices non répartis figure clairement dans cet état financier. Une ECF pourrait cependant choisir de présenter un état des bénéfices non répartis et de fournir des informations sur la variation des autres composantes des capitaux propres dans les notes. Étant donné que la notion de résultat global n'existe pas dans les NCECF, il est clair que les entreprises n'ont pas à expliquer la variation survenue pendant l'exercice dans le cumul des autres éléments du résultat global. Reprenons l'exemple de Chambord inc., donné à la page 2.25, et tenons pour acquis que l'entreprise n'a aucun placement en actions. L'état des bénéfices non répartis de Chambord inc. prendrait la forme suivante :

IFRS
Résultats non distribués

CHAMBORD INC.
Bénéfices non répartis
de l'exercice terminé le 31 décembre
(en milliers de dollars)

	20X2	*20X1*
Solde au 1er janvier	*154 300 $*	*150 500 $*
Bénéfice net de l'exercice	*3 100*	*4 200*
Dividendes aux porteurs d'actions	*(450)*	*(400)*
Solde au 31 décembre	*156 950 $*	*154 300 $*

Chambord inc. pourrait présenter dans les notes la variation survenue dans le capital social et dans la part attribuable aux participations ne donnant pas le contrôle.

Avez-vous remarqué ?

L'accent mis sur les résultats, qui prévaut dans les NCECF par opposition à celui qui est mis sur l'état de la situation financière, qui prédomine dans les IFRS, explique probablement les exigences plus grandes en ce qui concerne le contenu de l'état des résultats préparé selon les NCECF. Par ailleurs, la notion d'équilibre avantages-coûts explique l'absence de la notion de résultat global dans les NCECF, dont les utilisateurs des états financiers bénéficient souvent d'un accès plus facile à l'information qui leur est nécessaire.

Le bilan

L'utilité et les limites du **bilan**, pour les entreprises qui utilisent le référentiel des ECF, sont essentiellement les mêmes que celles que nous avons vues dans la partie I – Les IFRS du présent chapitre pour les entreprises qui utilisent les IFRS.

État de la situation financière

Il existe quelques différences entre le *Manuel – Partie I* et *Partie II* pour ce qui est de la classification des postes du bilan. Elles seront relevées dans la présente section. Par contre, en ce qui concerne les différences relatives à l'évaluation des postes du bilan, elles seront présentées dans les chapitres qui traitent en détail de chacun des postes du bilan.

Le **chapitre 1510**, intitulé « Actif et passif à court terme », précise les normes de présentation de l'actif et du passif **à court terme** ainsi que les informations à fournir à leur sujet. Les critères qui permettent de déterminer si un actif doit être présenté dans les éléments à court terme sont les mêmes que ceux que prescrivent les IFRS. Par contre, le chapitre 1510 est beaucoup plus directif que l'IAS 1 en ce qui concerne les éléments qui doivent être regroupés sous l'expression « actif et passif à court terme ». Le Conseil des normes comptables (CNC) mentionne que « l'actif à court terme doit être subdivisé en grandes catégories, par exemple : trésorerie, placements, créances et effets à recevoir, stocks, frais payés d'avance

Courant

IFRS
Actifs d'impôt différé
Impôts exigibles
Produits différés
Portion à court terme des passifs financiers non courants
Passifs d'impôt différé

et **actifs d'impôts futurs** [...] »[60]. Il précise également que « [l]e passif à court terme doit être subdivisé en grandes catégories, par exemple : emprunts bancaires, fournisseurs et charges à payer, emprunts, **impôts à payer**, dividendes à payer, **produits reportés, tranche de la dette à long terme échéant dans l'année** et **passifs d'impôts futurs** [...] »[61]. L'IASB ne permet pas de classer les actifs (passifs) d'impôts futurs comme des actifs (passifs) à court terme. Le CNC précise également que les sommes à remettre à l'État, autres que les impôts sur les bénéfices, doivent être indiquées distinctement au passif à court terme[62].

Les composantes des capitaux propres sont différentes dans les NCECF. Alors que l'IASB exige simplement qu'une distinction soit faite entre le capital émis et les réserves, le CNC précise ce qui suit dans le **chapitre 3251**.

Toute entreprise doit présenter séparément les composantes suivantes des capitaux propres :

Capital social

a) les bénéfices non répartis ;
b) le surplus d'apport ;
c) le **capital-actions** [...] ;
d) les réserves [...] ;
e) les participations ne donnant pas le contrôle [...] ;
f) les autres composantes des capitaux propres[63].

Il est important de souligner que le terme « Réserve », selon les deux référentiels, ne désigne pas les mêmes éléments. Nous verrons en détail les réserves au chapitre 15. Nous constatons également qu'il n'y a pas de poste Cumul des autres éléments du résultat global dans les NCECF.

En ce qui concerne l'analyse du bilan, le lecteur peut se reporter à la sous-section **L'analyse de l'état de la situation financière** de la partie I – Les IFRS, car ce sujet est traité de la même façon, peu importe le référentiel choisi.

Le **chapitre 1521**, intitulé « Bilan », indique les regroupements que l'on doit trouver au bilan, alors que l'IAS 1 ne propose que les postes que l'on doit y retrouver minimalement. Ainsi, le CNC mentionne ce qui suit.

Le bilan doit fournir les informations suivantes :

Non courant

a) l'actif à court terme [...] ;
b) l'actif **à long terme** ;
c) le total de l'actif ;
d) le passif à court terme [...] ;
e) le passif à long terme ;
f) le total du passif ;
g) les capitaux propres ;
h) le total du passif et des capitaux propres[64].

Goodwill
Actif net au titre des prestations définies
Location-financement
Passif net au titre des prestations définies
Provisions pour démantèlement, enlèvement ou remise en état

En plus des postes exigés à l'IAS 1, les NCECF recommandent de présenter distinctement l'aide gouvernementale à recevoir, les **écarts d'acquisition** ainsi que **l'actif au titre des prestations constituées**[65]. En ce qui a trait au passif, on ajoute, en guise d'exigence supplémentaire, de présenter séparément dans le bilan les obligations découlant de contrats de **location-acquisition**, le **passif au titre des prestations constituées** et les **obligations liées à la mise hors service d'immobilisations**[66]. Finalement, le modèle nord-américain est recommandé dans les NCECF.

Avez-vous remarqué ?

Les NCECF sont plus précises quand il est question des éléments à regrouper sous l'expression « actif et passif à court terme » et des regroupements de postes à présenter dans le bilan. De plus, les composantes des capitaux propres y sont différentes de celles des IFRS.

60. *Manuel de CPA Canada – Comptabilité – Partie II*, paragr. 1510.04.
61. *Manuel de CPA Canada – Comptabilité – Partie II*, paragr. 1510.11.
62. *Manuel de CPA Canada – Comptabilité – Partie II*, paragr. 1510.15.
63. *Manuel de CPA Canada – Comptabilité – Partie II*, paragr. 3251.05.
64. *Manuel de CPA Canada – Comptabilité – Partie II*, paragr. 1521.03.
65. *Manuel de CPA Canada – Comptabilité – Partie II*, paragr. 1521.04.
66. *Manuel de CPA Canada – Comptabilité – Partie II*, paragr. 1521.05.

Les flux de trésorerie

IFRS
Tableau des flux de trésorerie

L'état des flux de trésorerie préparé selon les NCECF est pratiquement le même que celui qu'une entreprise préparerait en appliquant les IFRS. Cela se comprend facilement, car cet état financier fait ressortir les encaissements et décaissements, qui sont indépendants des méthodes comptables acceptables selon l'un ou l'autre des deux référentiels.

Peu importe le référentiel utilisé, cet état a la même **utilité**, soit aider les utilisateurs à prévoir les flux de trésorerie.

Le contenu de l'état des flux de trésorerie diffère légèrement de l'état préparé selon les IFRS. En vertu du **chapitre 1540**, intitulé «État des flux de trésorerie», les flux liés aux intérêts et aux dividendes reçus ou versés qui ont affecté le résultat sont présentés dans la section des activités d'exploitation[67]. Contrairement à l'IASB, le CNC ne laisse pas le choix aux entreprises de présenter respectivement ces flux de trésorerie dans les sections des activités d'investissement ou de financement. Comme nous le verrons dans les chapitres subséquents, d'autres intérêts et dividendes peuvent être comptabilisés directement dans les bénéfices non répartis. Le CNC recommande de présenter ces éléments selon leur nature. Par exemple, de tels dividendes versés sont présentés dans la section des activités de financement, alors que de tels dividendes reçus sont présentés dans la section des activités d'investissement.

Avez-vous remarqué ?

La seule différence importante existant entre l'état des flux de trésorerie préparé selon les NCECF ou les IFRS porte sur les sections dans lesquelles sont classés les intérêts et les dividendes reçus et payés.

La présentation d'informations complémentaires

Les notes complémentaires fournissent des informations qui servent à clarifier les postes présentés dans les états financiers. Le CNC, contrairement à l'IASB, permet une certaine souplesse dans la structure des notes. Dans la présente section, nous verrons les notes qui ne portent pas sur des postes particuliers. Celles qui portent sur des postes particuliers seront présentées dans les chapitres subséquents qui traiteront de ces postes.

Le **chapitre 1100**, intitulé «Principes comptables généralement reconnus» (PCGR), indique que les entreprises doivent se reporter à chacune des sources premières des PCGR pour déterminer les méthodes comptables à adopter[68]. Ces sources premières sont, par ordre d'autorité décroissant :

i) les chapitres 1400 à 3870 du *Manuel de CPA Canada – Comptabilité – Partie II* et les annexes ;

ii) les notes d'orientation, incluant les annexes, concernant la comptabilité[69].

Si aucune méthode comptable n'est prescrite dans les sources premières des PCGR, l'entreprise doit faire preuve de jugement et appliquer une méthode comptable qui soit cohérente avec celles proposées dans les sources premières des PCGR[70]. Le CNC précise plusieurs autres sources que l'entreprise peut consulter pour le choix de méthodes comptables, notamment les documents «Historique et fondement des conclusions» et les guides publiés par des organisations autres que le CNC sur la façon d'appliquer les sources premières.

L'IASB propose aussi des sources de référence, dans l'IAS 8, pour aider la direction à exercer son jugement lors du choix des méthodes comptables, sources qui sont semblables aux sources premières évoquées dans le chapitre 1100. La nomenclature des autres sources que l'entreprise pourrait consulter pour exercer son jugement est plus exhaustive dans le *Manuel – Partie II*.

67. *Manuel de CPA Canada – Comptabilité – Partie II*, paragr. 1540.31.
68. *Manuel de CPA Canada – Comptabilité – Partie II*, paragr. 1100.03.
69. *Manuel de CPA Canada – Comptabilité – Partie II*, paragr. 1100.02 (c).
70. *Manuel de CPA Canada – Comptabilité – Partie II*, paragr. 1100.04.

Avez-vous remarqué ?

Pour déterminer les méthodes comptables à adopter, l'entreprise doit se reporter aux sources premières des PCGR. En l'absence de méthodes prescrites, elle doit choisir une méthode qui est cohérente avec les sources premières et qui respecte les concepts décrits dans les fondements conceptuels des états financiers, et ce, dans le but de fournir une information fiable et comparable.

Le **chapitre 1505** indique qu'une description des méthodes comptables ayant un effet important doit être fournie en note aux états financiers dès que l'entreprise a le choix parmi diverses méthodes comptables ou que celles-ci sont typiques de son secteur d'activité[71]. L'IASB demande, pour sa part, que l'entreprise explique les choix comptables effectués par la direction qui ont un impact significatif sur les montants comptabilisés dans les états financiers. Le CNC n'a aucune exigence précise à cet effet.

IFRS
Incertitude relative aux estimations

Les normes de présentation concernant l'**incertitude relative à la mesure** sont expliquées dans le **chapitre 1508**. Essentiellement, le CNC demande de fournir des informations sur la nature, les circonstances qui donnent lieu à l'incertitude et les données pertinentes au sujet du dénouement prévu de l'incertitude lorsque celle-ci est importante[72]. De plus, si l'entreprise prévoit que le montant comptabilisé pourrait subir une variation importante dans l'année, son ampleur doit être indiquée[73]. Le CNC permet une exception à cette norme, que l'IASB ne mentionne pas. En effet, dans le cas où la divulgation du montant estimé peut avoir des répercussions négatives importantes sur l'entreprise, il est permis de ne pas fournir cette information, à condition d'en mentionner les raisons[74].

Avez-vous remarqué ?

Des informations sur l'incertitude relative à la mesure doivent être fournies en note aux états financiers. Toutefois, il est possible, pour une entreprise, de ne pas divulguer le montant comptabilisé au titre de l'élément qui fait l'objet d'une incertitude si cela peut avoir pour elle des répercussions négatives importantes.

Consultez le tableau synthèse des particularités des NCECF.

L'IAS 1 exige que des informations qualitatives et quantitatives sur la gestion du capital de l'entreprise ainsi que sur l'identité de celle-ci soient fournies dans les notes aux états financiers. Les NCECF ne contiennent aucune norme relative à ces sujets.

71. *Manuel de CPA Canada – Comptabilité – Partie II*, paragr. 1505.03 et 06.
72. *Manuel de CPA Canada – Comptabilité – Partie II*, paragr. 1508.05.
73. *Manuel de CPA Canada – Comptabilité – Partie II*, paragr. 1508.06.
74. *Manuel de CPA Canada – Comptabilité – Partie II*, paragr. 1508.07.

SYNTHÈSE DU CHAPITRE 2

La figure 2.12 illustre en un coup d'œil les principaux thèmes abordés dans le présent chapitre. Le texte qui suit la figure vous permettra de vérifier l'acquisition des objectifs d'apprentissage.

FIGURE 2.12 Les principaux thèmes abordés dans le présent chapitre

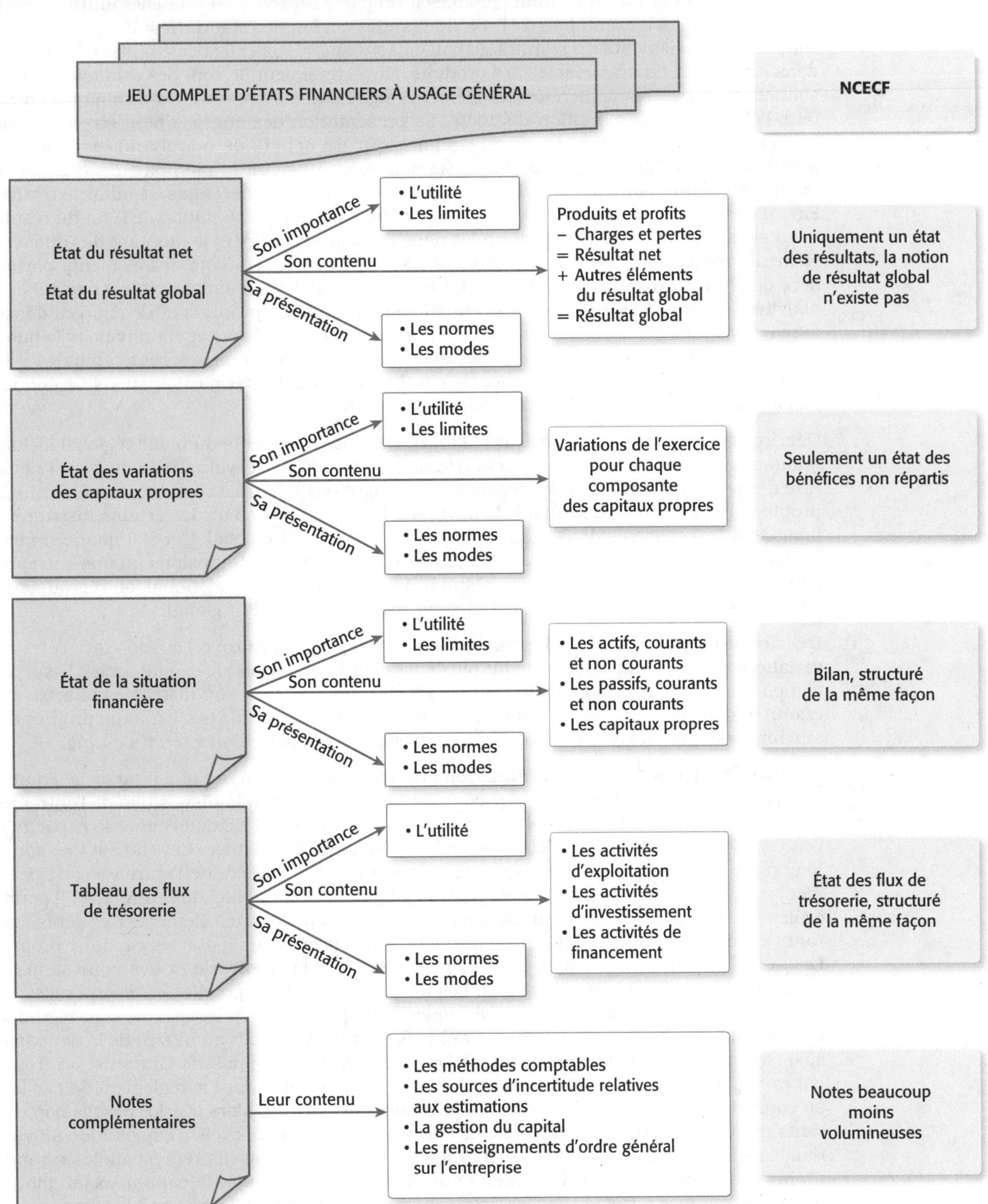

Source : Jocelyne Gosselin

 **Décrire et préparer un état du résultat net.** Les objectifs des états financiers, dictés par les besoins des utilisateurs, affectent la nature même des états financiers d'une entreprise. Dans ce contexte, l'objectif de l'état du résultat net est de renseigner les utilisateurs sur la performance d'une entreprise dans le but de les aider à prévoir la capacité de cette entreprise à générer des liquidités à l'avenir. L'IASB est donc guidé par cet objectif lorsqu'il dicte le contenu de l'état du résultat net. Si une entreprise présente d'autres éléments du résultat global, elle peut soit préparer deux états financiers intitulés respectivement État du résultat net et État du résultat global, soit préparer un seul état financier intitulé État du résultat global. La présentation de l'état du résultat net (ou de l'état du résultat global en présence d'autres éléments du résultat global) doit satisfaire aux exigences minimales énoncées dans les IFRS. À titre d'exemples, les produits, l'amortissement, le coût des avantages du personnel, les charges financières et les éléments significatifs de produits et de charges doivent faire l'objet d'une présentation distincte. La présentation des charges peut être faite selon la méthode des charges par nature, comme pour les achats de marchandises, l'amortissement et le coût des avantages du personnel, ou en utilisant la méthode des charges par fonction, comme pour le coût des ventes, les charges commerciales et administratives. Par ailleurs, une entreprise peut volontairement adopter une présentation de l'état du résultat net à éléments et groupements multiples dans laquelle la nature et le montant des différents éléments composant chacune des fonctions sont présentés. Du côté des éléments particuliers de l'état du résultat net (ou de l'état du résultat global), les résultats nets relatifs aux activités abandonnées ainsi que les éléments significatifs de produits et de charges doivent faire l'objet d'une présentation distincte. On trouve également dans cet état financier la quote-part dans le résultat net des entreprises associées et des coentreprises comptabilisées selon la méthode de la mise en équivalence, le résultat attribuable aux participations ne donnant pas le contrôle et le résultat par action.

 **Décrire et préparer un état du résultat global.** Les autres éléments du résultat global incluent notamment les écarts de réévaluation d'immobilisations, les réévaluations du passif net au titre des prestations définies des régimes d'avantages postérieurs à l'emploi, de même que les profits et pertes latents découlant de la variation de la juste valeur de certains instruments financiers. Ces éléments doivent figurer dans l'état du résultat global. Cet état financier inclut le résultat net ainsi que les autres éléments du résultat global. Rappelons qu'une entreprise peut présenter séparément l'état du résultat net et l'état du résultat global, ou regrouper ces deux états financiers dans un seul, qui s'intitule État du résultat global.

 **Décrire et préparer un état des variations des capitaux propres.** De son côté, l'état des variations des capitaux propres inclut plusieurs composantes, soit le capital social, le surplus d'apport, les résultats non distribués non affectés, les résultats non distribués affectés et le cumul des autres éléments du résultat global. L'état des variations des capitaux propres doit fournir les éléments qui font varier ces composantes au cours d'un exercice donné.

 **Décrire et préparer un état de la situation financière.** Nous avons vu que l'état de la situation financière est un outil très utile pour connaître les ressources à la disposition de l'entreprise pour son exploitation courante. Il permet aussi aux créanciers de déterminer la capacité de l'entreprise à rembourser ses dettes lorsqu'elles viennent à échéance. Cet état est une source importante d'information sur la liquidité et la structure financière de l'entreprise, deux éléments qui doivent être pris en compte dans l'évaluation de la viabilité de l'entreprise. Il permet également d'évaluer le rendement du capital investi. Il contient trois éléments : les actifs, courants et non courants, les passifs, courants et non courants, ainsi que les capitaux propres. Les actifs courants sont composés essentiellement de la trésorerie et des équivalents de trésorerie, des créances et des stocks. Les immobilisations, corporelles et incorporelles, les immeubles de placement, les actifs biologiques et les placements à long terme sont regroupés sous la rubrique Actifs non courants. Ces actifs sont financés soit au moyen de la dette (passifs), soit au moyen de l'équité (capitaux propres). Du côté des passifs courants, on trouve, par exemple, les comptes fournisseurs et les dettes financières dont le règlement doit se faire au cours des 12 mois à venir ou du cycle d'exploitation suivant, alors que les passifs non courants englobent les dettes dont l'échéance excède 12 mois ou le cycle d'exploitation suivant. Finalement, la valeur totale des actifs diminuée de celle des passifs représente les capitaux propres. Ces derniers sont divisés en deux éléments. Le premier, le capital social, montre toutes les sommes investies par les propriétaires de l'entreprise. Le second, les réserves, est constitué essentiellement des surplus d'apport, des résultats non distribués et des montants cumulés des autres éléments du résultat global. La présentation de l'état de la situation financière doit respecter certaines normes.

Sur le plan de la disposition, cet état peut être structuré selon trois modèles proposés. Le modèle nord-américain où, d'un côté, l'actif courant est présenté avant l'actif non courant, alors que de l'autre côté, le passif courant est présenté avant le passif non courant pour terminer avec le solde résiduel, soit les capitaux propres. Selon le modèle européen, les éléments non courants de l'actif figurent avant les éléments courants ; il en va de même des passifs, qui sont souvent présentés après les capitaux propres. Finalement, dans certains secteurs d'activité, il est plus approprié d'ordonner les postes de l'état de la situation financière selon le modèle par ordre de liquidité.

Décrire et préparer un tableau des flux de trésorerie. Cet état financier est un outil très utile pour connaître la capacité de l'entreprise à générer de la trésorerie et des équivalents de trésorerie. Il permet aussi de savoir de quelle manière ces éléments ont été utilisés au cours de l'exercice. Les flux de trésorerie sont classés selon qu'ils se rapportent à des activités d'exploitation, à des activités d'investissement ou à des activités de financement. Les activités d'exploitation regroupent les principales activités génératrices de produits de l'entreprise. Les activités d'investissement présentent les opérations qui ont été effectuées en vue de l'accroissement de ressources non courantes destinées à générer des produits. Finalement, les activités de financement indiquent les sources de financement non courantes des activités d'exploitation et des activités d'investissement de l'entreprise au cours de l'exercice. La section montrant les flux de trésorerie liés aux activités d'exploitation est la plus délicate à préparer lorsque l'entreprise adopte la présentation selon la méthode indirecte. On doit garder en tête que pour déterminer le résultat net, on a ajouté les produits et déduit les charges. Si les comptes clients ont diminué pendant un exercice donné, cela signifie que les encaissements excèdent les produits. C'est la raison pour laquelle cette diminution est ajoutée au résultat net dans le tableau des flux de trésorerie. À l'inverse, si les comptes fournisseurs ont diminué pendant un exercice donné, cela signifie que le décaissement excède la charge. C'est ce qui explique que cette diminution est soustraite du résultat net dans le tableau des flux de trésorerie. L'entreprise peut présenter son tableau des flux de trésorerie selon la méthode indirecte ou la méthode directe. Selon la méthode indirecte, on convertit en bloc le résultat net en un montant encaissé ou décaissé, alors que, selon la méthode directe, on convertit chaque poste significatif de l'état du résultat net en un montant encaissé ou décaissé.

Décrire les informations complémentaires à fournir dans les notes aux états financiers. Pour aider les utilisateurs à comprendre les états financiers, certaines informations financières et non financières doivent être fournies dans les notes aux états financiers. Parmi elles figurent un résumé des principales méthodes comptables appliquées lors de l'établissement des états financiers, les sources principales d'incertitude relative aux estimations que fait la direction à propos de l'avenir et qui sont susceptibles d'entraîner un ajustement significatif de la valeur comptable des actifs et des passifs au cours de l'exercice suivant. Dans le but de permettre aux utilisateurs des états financiers d'évaluer la façon dont la direction s'acquitte de sa responsabilité de gérance, l'entreprise fournit des informations sur les objectifs ainsi que sur les procédures et les processus de gestion du capital. Elle donne également des renseignements d'ordre général sur elle-même, tels que l'adresse de son siège social, sa forme juridique, une description de la nature de ses activités, etc. Finalement, il peut parfois être souhaitable, afin de fournir plus de détails sur un poste des états financiers, de présenter des informations complémentaires sur ce poste. Toutes ces informations, à défaut d'être incluses dans le corps même des états financiers, sont alors présentées par voie de notes aux états financiers.

Comprendre et appliquer les NCECF liées à la présentation des états financiers. La notion de résultat global est absente des NCECF. Ainsi, l'état financier que préparent les ECF s'intitule État des résultats. Les NCECF ne prévoient pas la possibilité de présenter les charges selon leur nature ou leur fonction. La première méthode est celle qui est le plus couramment utilisée. L'état des résultats doit montrer un solde intermédiaire relatif au bénéfice avant activités abandonnées. Les NCECF identifient plusieurs postes qui doivent faire l'objet d'une présentation distincte dans le corps même de l'état des résultats et de nombreux autres postes qui peuvent être présentés dans le corps même de l'état des résultats ou dans les notes. Selon les NCECF, l'entreprise doit présenter un état des bénéfices non répartis et peut préciser la variation des autres composantes des capitaux propres dans les notes. Elle peut également choisir de présenter un état des variations des capitaux propres. Concernant le bilan, il ressort que les NCECF sont beaucoup plus précises que les IFRS à propos des exigences liées à la présentation. Pour l'état des flux de trésorerie, la seule différence importante entre les NCECF et les IFRS concerne les sections dans lesquelles sont classés les intérêts et les dividendes, tant reçus que payés.

La valeur temporelle de l'argent et la juste valeur

3

Des ressources pédagogiques sont disponibles en ligne.

Objectifs d'apprentissage

À la fin de ce chapitre, vous pourrez :

1. tenir compte de la valeur temporelle de l'argent ;
2. expliquer la notion de juste valeur ;
3. établir la juste valeur des actifs, des passifs et des titres de capitaux propres ;
4. présenter et apprécier les informations relatives à la juste valeur dans les états financiers ;
5. comprendre et appliquer les NCECF liées à la valeur temporelle de l'argent et à la juste valeur.

Aperçu du chapitre

Supposons que vous recevez en héritage de l'une de vos tantes des obligations d'épargne du Canada d'une valeur de 100 000 $. Votre conseiller financier vous a déjà offert le choix entre les conserver, et encaisser le revenu annuel d'intérêts, ou les revendre rapidement, pour placer l'argent dans d'autres placements offrant un rendement plus élevé. Pour prendre cette décision, vous pourriez avoir besoin de calculer la valeur actualisée des obligations, qui tient compte de la **valeur temporelle de l'argent.** Il en va de même pour une entreprise. Plusieurs décisions d'investissement et de financement impliquent le calcul de la valeur actualisée des instruments en cause, et plusieurs normes comptables font référence à cette notion de valeur actualisée.

L'héritage comprend aussi des actions de la société Berlio ltée. À ce sujet, votre première question sera sans doute de savoir combien valent ces actions et non combien votre tante les avait payées. Votre questionnement est fort à propos et montre que, instinctivement, nous considérons souvent la juste valeur comme une information plus **pertinente** que le coût pour mesurer l'enrichissement. Il en est de même dans le monde des affaires. Une entreprise base plusieurs de ses décisions concernant l'achat, la vente ou la conservation de certains de ses actifs sur leur juste valeur.

Les décisions ainsi prises sont bonnes pour autant que la juste valeur puisse être **évaluée de façon fiable.** Si des justes valeurs sont présentées dans les états financiers, il importe de plus que l'entreprise les détermine de manière uniforme dans le temps et que diverses entreprises procèdent à l'évaluation des justes valeurs de façon similaire. Ce n'est qu'à ces conditions que les états financiers contiennent de l'information non seulement pertinente et fidèle, mais aussi comparable.

Dans le présent chapitre, nous verrons les précisions que donne l'International Accounting Standards Board (IASB) à ce sujet ainsi que les informations qu'il recommande de fournir dans les états financiers. Nous terminerons en relevant les différences importantes entre les IFRS et les **NCECF** quant à l'évaluation de la juste valeur.

Lorsque des notions de mathématiques financières sont utilisées, les variables nécessaires aux calculs sont indiquées avec les abréviations suivantes :

N : nombre de périodes
I : taux d'intérêt
PMT : paiements périodiques
PV : valeur actualisée
FV : valeur future
BGN : paiements en début de période

PARTIE I – LES IFRS

 Équivalents terminologiques *Manuel de CPA Canada* – Partie I et Partie II.

 La valeur temporelle de l'argent

La notion de juste valeur est souvent très pertinente dans les prises de décisions. Cette notion requiert parfois le recours à des techniques d'actualisation qui nécessitent une bonne compréhension de ce qu'il est convenu d'appeler la **valeur temporelle de l'argent**.

Il est bien connu qu'un dollar aujourd'hui vaut plus que la promesse de recevoir un dollar dans quelques mois. Il y a fort à parier que si un parent vous offrait la possibilité de recevoir 1 000 $ aujourd'hui ou 1 100 $ dans 5 ans, vous choisirez d'instinct de recevoir la somme aujourd'hui, même si vous savez que vous l'utiliserez uniquement dans 5 ans. Vous auriez parfaitement raison et cela s'explique de façon très rationnelle :

1. En recevant aujourd'hui l'argent que vous utiliserez dans 5 ans, vous pouvez investir ces liquidités dans un placement sans risque, tel qu'un dépôt à terme, et gagner un produit d'intérêts, disons au taux de 4 % pendant 5 ans. Les intérêts vous procurent ainsi un rendement sur cet actif.
2. En investissant les liquidités, vous vous protégez de l'inflation prévue au cours des 5 prochaines années, disons au taux de 3 %. Avec un taux d'intérêt de 4 %, même si vous «perdez» un 3 % pour compenser l'inflation, votre rendement net sera tout de même de 1 %.
3. En choisissant de recevoir la somme dès aujourd'hui, vous vous protégez contre le risque de crédit, c'est-à-dire le risque que votre parent devienne incapable de vous payer le 1 100 $ dans 5 ans.

Cette situation simple montre qu'il est possible de calculer de façon plus précise la valeur aujourd'hui de la promesse de recevoir 1 100 $ dans 5 ans. Pour ce faire, il s'agit de calculer la valeur actualisée, ce dont traitera la sous-section suivante.

La valeur actualisée et la valeur capitalisée d'un montant unique

La **valeur actualisée** se définit comme la valeur d'aujourd'hui d'un montant à recevoir ou à payer dans le futur. Pour calculer la valeur actualisée d'un montant unique, on doit connaître trois variables clés.

La première variable est le montant à recevoir dans le futur, que l'on appelle **valeur future** ou **valeur capitalisée**. Dans la situation qui précède, il s'agit du 1 100 $. La deuxième variable est le nombre de périodes qui s'écouleront avant que l'on puisse profiter de la valeur capitalisée. Par souci de simplicité, prenons un an. La troisième variable est le taux d'intérêt attendu, disons 10 %, qui servira pour le moment de **taux d'actualisation**. Comme l'indique la figure 3.1, la valeur actualisée est de 1 000 $, et c'est par le processus d'actualisation que l'on calcule la valeur d'aujourd'hui d'un montant futur. Dans cet exemple simple, on peut obtenir la valeur actualisée avec la formule suivante :

$$\frac{\text{Valeur capitalisée}}{1 + \text{taux d'intérêt}} = \frac{1\,100\ \$}{1{,}10}$$

La différence de 100 $ entre la valeur actualisée et la valeur capitalisée correspond aux intérêts que l'on pourrait gagner sur la valeur d'aujourd'hui de 1 000 $ pendant 1 an à 10 %.

Cette situation est très simple, car le nombre de périodes est limité à 1. Lorsque ce nombre augmente, la façon la plus simple de calculer la valeur actualisée est d'utiliser une calculatrice financière.

FIGURE 3.1 La valeur actualisée d'un montant unique

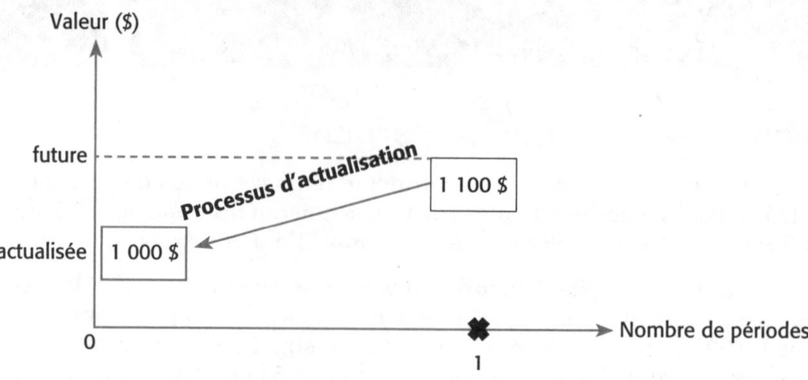

EXEMPLE

Actualisation d'un montant unique

M. Hactu désire mettre de l'argent de côté en vue d'une dépense de 1 100 $ qu'il devra faire dans 5 ans. Il peut investir dans un dépôt à terme qui lui donnerait un rendement annuel composé de 4 %. Pour connaître le montant qu'il doit investir aujourd'hui, il calcule la valeur actualisée, en utilisant les touches suivantes de sa calculatrice financière[1] :

N	=	5
I	=	4
FV	=	1 100 $
CPT PV	=	**904 $**

où

N : nombre de périodes
I : taux d'intérêt (%)
FV : valeur future (*Future Value*)
CPT : calculer (*Compute*)
PV : valeur actualisée (*Present Value*)

Les rectangles tramés correspondent aux touches d'une calculatrice. Les rectangles blancs indiquent les valeurs à entrer dans la calculatrice. Enfin, la valeur indiquée dans le rectangle blanc au contour épais correspond à la valeur calculée, soit la valeur actualisée de 904 $. Dans la suite de ce chapitre, ainsi que dans tous les chapitres suivants, nous indiquerons ainsi ce calcul :

(N = 5, I = 4 %, FV = 1 100 $, CPT PV ?) = 904 $

La valeur actualisée de 904 $ correspond au montant que M. Hactu doit placer aujourd'hui, à 4 %, pour avoir 1 100 $ dans 5 ans. Elle est toujours inférieure à la valeur capitalisée. Selon que vous travaillez avec une calculatrice ou avec les fonctions appropriées d'Excel, la valeur de 904 $ pourrait être précédée d'un signe négatif, marquant un montant à débourser. Cela s'interprète ainsi : pour encaisser 1 100 $ dans le futur, on doit sacrifier 904 $ aujourd'hui. Dans les pages qui suivent, ainsi que dans *Comptabilité intermédiaire, Questions, exercices, problèmes, cas,* les signes négatifs ne sont généralement pas reproduits.

Dans d'autres situations, c'est la valeur capitalisée qu'il faudra connaître. Par exemple, si M. Kappi achète aujourd'hui un certificat de dépôt de 904 $ et veut savoir quelle somme il aura

1. On peut aussi calculer la valeur actualisée à l'aide de la formule :
$$\text{Valeur future} \times \frac{1}{(1+I)^N}$$
Avec un tableur comme Excel, la formule à insérer dans une cellule serait <=1100/1,04^5>.

accumulée dans un an, il calcule la valeur capitalisée sensiblement de la même façon que dans l'exemple précédent, à la condition de connaître plutôt la valeur actualisée[2] :

(N = 5, I = 4 %, PV = 904 $, CPT FV ?) = 1 100 $

Comme l'indique la figure 3.1, le processus d'actualisation consiste à convertir une valeur capitalisée en une valeur actualisée. Le calcul inverse que nous venons de faire pour M. Kappi, soit déterminer la valeur capitalisée de 1 100 $ à partir d'une valeur actualisée, est désigné par le terme comptable de **désactualisation**.

Il est aussi possible de trouver la valeur de n'importe laquelle des quatre variables précédentes si l'on connaît la valeur des trois autres. Pour ce faire, il suffit d'entrer les valeurs des trois variables connues dans la calculatrice et d'utiliser la touche CPT, suivie de la variable recherchée, pour obtenir la valeur manquante.

EXEMPLE

Détermination du taux d'intérêt dans l'actualisation d'un montant unique

Le 1er juin 20X1, la société Wilov ltée vend à crédit des marchandises au prix de 1 000 $ à l'un de ses employés. L'entente contractuelle convenue stipule que l'employé devra rembourser 1 140 $ à la société dans un an. Voici le calcul qui sert à déterminer le taux d'intérêt de la créance :

(N = 1, PV = −1 000 $, FV = 1 140 $, CPT I ?) = 14 %

La seule précision qui s'impose, lorsque l'on calcule la valeur du taux d'intérêt, est d'indiquer en négatif soit la valeur actualisée soit la valeur capitalisée.

La valeur actualisée et la valeur capitalisée d'une annuité

La sous-section précédente traite des cas très simples où l'on doit calculer la valeur actualisée ou la valeur capitalisée d'un montant unique. Or, il arrive très souvent qu'une opération porte non pas sur un montant unique, mais sur une série de montants, disons de 220 $ par année pendant 5 ans. La série de montants est désignée par le terme **annuité**. La figure 3.2 illustre le processus d'actualisation qui s'applique dans ce cas.

FIGURE 3.2 La valeur actualisée d'une annuité

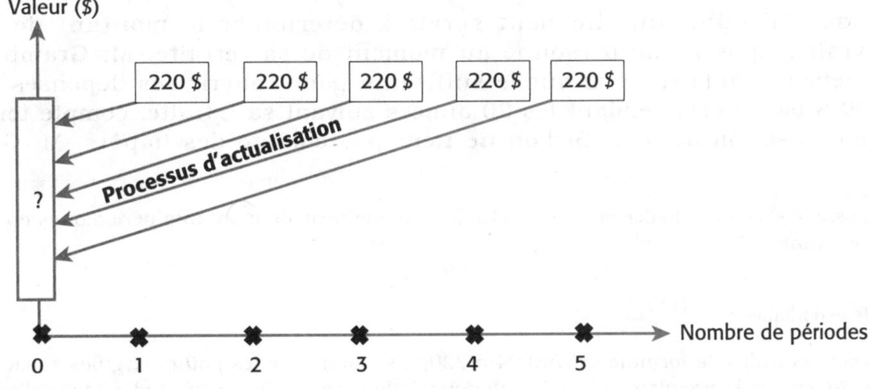

2. Voici la formule algébrique pour calculer la valeur capitalisée :

Valeur actualisée × $(1 + I)^N$

Avec un tableur comme Excel, la formule à insérer dans une cellule serait <=904*1,04^5>.

On pourrait croire que pour un emprunt remboursable en 20 paiements annuels, par exemple, il faut faire 20 calculs d'actualisation, mais ce n'est pas le cas. L'usage de la calculatrice s'avère beaucoup plus simple.

3

EXEMPLE

Actualisation d'une annuité

Prenons le cas de Mme Moisson, qui correspond aux données indiquées dans la figure 3.2. Mme Moisson s'engage à faire 5 paiements annuels de 220 $ par année. Sachant que le taux d'actualisation approprié est de 4 %, on obtient ainsi la valeur actualisée[3] :

(N = 5, I = 4 %, PMT = 220 $, FV = 0 $, CPT PV ?) = 979 $

Ici, la variable connue est la valeur de l'annuité, notée PMT. Le résultat obtenu indique que l'obligation de faire 5 paiements annuels de 220 $ est identique à un décaissement immédiat de 979 $, compte tenu d'un taux d'actualisation de 4 %. On remarquera que la somme des 5 paiements s'élève à 1 100 $, ce qui correspond à la valeur capitalisée dans l'exemple de M. Hactu. Cependant, comme les montants seront versés périodiquement et plus tôt, la valeur actualisée est plus élevée que si l'on versait 1 100 $ en une seule fois dans 5 ans, comme précédemment pour M. Hactu, avec une valeur actualisée de 904 $. Il est à noter qu'il n'est pas nécessaire d'entrer la valeur capitalisée (FV) de 0 $ dans la calculatrice.

Modifions légèrement l'exemple de l'actualisation d'une annuité de Mme Moisson que nous venons de voir. Nous connaissons déjà son obligation de faire 5 paiements périodiques, et nous savons que le taux d'actualisation est toujours de 4 %. Il est possible de calculer la valeur capitalisée de cette annuité[4] :

(N = 5, I = 4 %, PMT = 220 $, PV = 0 $, CPT FV ?) = 1 192 $

Cela signifie que l'obligation de faire 5 paiements annuels de 220 $ est identique à un décaissement dans 5 ans de 1 192 $, compte tenu d'un taux d'actualisation de 4 %.

Les calculs d'actualisation d'une annuité sont utiles dans de nombreuses situations. En voici deux exemples.

EXEMPLE

Utilité des calculs d'actualisation d'une annuité

L'actualisation d'une annuité peut servir à déterminer le montant de capital dont devrait disposer une personne au moment de sa retraite. M. Grambin souhaite bénéficier d'une rente annuelle suffisante pour couvrir ses dépenses, disons de 75 000 $ par année, pendant les 20 années suivant sa retraite, compte tenu d'un taux d'actualisation de 5 %. Si l'on ne tient pas compte des impôts, M. Grambin

3. Il est aussi possible de calculer la valeur actualisée d'une série de montants périodiques en utilisant la formule suivante :

$$\text{Montants périodiques} \times \frac{1 - \frac{1}{(1+I)^N}}{I}$$

Avec Excel, on utilise la formule <=VA(0,04;5;220)>, sachant que les points-virgules séparent chaque variable. Notez que la première valeur à l'intérieur de la parenthèse correspond au taux d'actualisation qui doit être exprimé en notation décimale. La deuxième variable est le nombre de périodes. La variable suivante désigne la valeur des montants périodiques.

4. Il est aussi possible de calculer la valeur capitalisée d'une série de montants périodiques en utilisant la formule suivante :

$$\text{Montants périodiques} \times \frac{(1+I)^N - 1}{I}$$

Si vous travaillez avec Excel, vous utiliserez la formule <=VC(0,04;5;220)>, sachant que les points-virgules séparent chaque variable. Comme pour la formule de valeur actualisée montrée dans la note 3, la formule de valeur capitalisée (VC) repose sur les mêmes variables. La première variable correspond au taux d'actualisation, la deuxième, au nombre de périodes, et la dernière, à la valeur des montants périodiques.

devrait donc avoir 934 666 $ (N = 20, I = 5 %, PMT = 75 000 $, CPT PV ?) au moment de sa retraite pour combler ses besoins financiers des années à venir.

L'actualisation d'une annuité peut également servir à comparer le prix au comptant demandé par un vendeur pour une automobile, disons 27 000 $ avec l'option offerte par ce dernier de financer la voiture moyennant une mensualité de 500 $ pendant 60 mois, au taux mensuel de 0,33 %. D'un point de vue strictement quantitatif, puisque l'option de financement implique une valeur actualisée de 27 176 $ (N = 60, I = 0,33 %, PMT = 500 $, FV = 0 $, CPT PV ?), il est préférable de l'écarter. En effet, elle coûte plus cher que celle de l'achat de l'automobile au comptant.

Les exemples vus jusqu'ici ont fait ressortir les différences entre les notions de valeur actualisée et de valeur capitalisée. Nous avons aussi précisé que l'écart entre les deux valeurs découle des intérêts, qui sont liés au passage du temps. Aux fins de la comptabilisation, il est souvent utile de distinguer les **intérêts** et le **principal**. C'est pourquoi le comptable conçoit des tableaux montrant l'évolution de la valeur d'un actif ou d'une dette.

Le tableau 3.1 présente la valeur du principal d'une dette ainsi que les intérêts qui courent au fil du temps.

TABLEAU 3.1 L'évolution de la valeur d'un passif portant intérêt

Date	(1) Montant périodique	(2) Portion intérêt	(3) Portion principal	(4) Principal
Opération initiale				xx $
Fin de la première période	xx $	xx $	xx $	xx

L'exemple suivant permettra de mieux comprendre le contenu du tableau 3.1.

EXEMPLE

Évolution de la valeur d'un actif ou d'un passif portant intérêt

Reprenons le cas de Mme Moisson, qui a contracté une dette remboursable en 5 paiements de 220 $. Compte tenu d'un taux d'actualisation de 4 %, nous avons établi la valeur actualisée à 979 $, disons au 31 décembre 20X0. Voici le tableau de l'évolution de la valeur de cette dette.

Date	(1) Décaissement	(2) Portion intérêt [colonne (4) de la ligne précédente × I]	(3) Portion principal [(1) − (2)]	(4) Principal [colonne (4) de la ligne précédente − (3)]
31 décembre 20X0				979 $*
31 décembre 20X1	220 $	39 $	181 $	798
31 décembre 20X2	220	32	188	610
31 décembre 20X3	220	24	196	414
31 décembre 20X4	220	17	203	211
31 décembre 20X5	220	9	211	0

* Tous les calculs sont arrondis au dollar près.

Le 31 décembre 20X0, on inscrit la valeur actualisée de 979 $ dans la colonne Principal. Un an plus tard, Mme Moisson fait un premier versement, indiqué dans la colonne Décaissement. Ce montant couvre à la fois les intérêts sur sa dette et une portion du remboursement du principal. On calcule les intérêts de 39 $ sur la dette, indiqués dans la colonne (2), en appliquant le taux d'intérêt de 4 % au solde du principal au début de l'année, soit le montant de la colonne (4) indiqué à la ligne précédente (979 $). Pour calculer le remboursement du principal, soit 181 $ indiqué dans la colonne (3), il suffit de faire la différence entre les chiffres indiqués dans les colonnes (1) et (2) [220 $ – 39 $]. Enfin, le remboursement de 181 $ en principal est porté en diminution du solde de la dette au début de l'année (979 $), ce qui laisse un solde de 798 $ en principal le 31 décembre 20X1. Le même processus se répète pour chacune des quatre dates de remboursement, jusqu'au 31 décembre 20X5. En pratique, un tel tableau est produit à l'aide d'une feuille de calcul d'un tableur, par exemple Excel.

Modifions maintenant cet exemple en vue d'illustrer l'évolution de la valeur d'une somme à recevoir échelonnée sur 5 ans. Le tableau de l'évolution de la valeur de l'actif se conçoit exactement de la même façon que dans le cas précédent, à une exception près. Au lieu de prévoir des décaissements pour rembourser la dette, on prévoit des encaissements sur l'actif.

Date	(1) **Encaissement**	(2) **Portion intérêt** [colonne (4) de la ligne précédente × I]	(3) **Portion principal** [(1) – (2)]	(4) **Principal** [colonne (4) de la ligne précédente – (3)]
31 décembre 20X0				979 $*
31 décembre 20X1	220 $	39 $	181 $	798
…				

* Tous les calculs sont arrondis au dollar près.

D'autres précisions

Examinons maintenant quatre éléments particuliers susceptibles de survenir dans des situations courantes. Il s'agit des intérêts composés sur une période inférieure à un an, des paiements faits en début de période, des paiements différés ou d'un paiement final ou initial dont le montant diffère de la série périodique.

Les intérêts composés sur une période inférieure à un an

Dans les exemples examinés jusqu'à maintenant, les intérêts étaient composés annuellement. Toutefois, plusieurs transactions financières comportent une période de calcul de l'intérêt inférieure à une année. Si un placement de 100 000 $ porte intérêt à 6 % composé mensuellement, il donne un meilleur rendement que si les intérêts sont composés annuellement. La raison en est fort simple. Dans le premier cas, les intérêts du deuxième mois sont calculés sur le montant du principal de 100 000 $, majoré des intérêts gagnés pendant le premier mois, soit 500 $ (100 000 $ × 6 % ÷ 12 mois). Ces intérêts du deuxième mois s'élèvent donc à 502,50 $ (100 500 $ × 6 % ÷ 12 mois).

Pour calculer la valeur actualisée en présence d'un taux d'intérêt composé mensuellement, il suffit de diviser le taux d'intérêt par 12 et de multiplier la période par 12. Voici les valeurs actualisées obtenues sur le placement de 100 000 $, selon que les intérêts sont composés annuellement ou mensuellement :

Intérêts composés annuellement	**Intérêts composés mensuellement**
(N = 1, I = 6 %, PMT = 0 $, FV = 100 000 $, CPT PV ?) = <u>94 340 $</u>	(N = 12, I = 0,5 %, PMT = 0 $, FV = 100 000 $, CPT PV ?) = <u>94 191 $</u>

Ces calculs montrent bien que les intérêts composés annuellement (100 000 $ – 94 340 $ = 5 660 $) sont inférieurs aux intérêts composés mensuellement (100 000 $ – 94 191 $ = 5 809 $).

Suivant la même logique, on pourrait convertir un taux d'intérêt de 6 % composé trimestriellement en divisant le taux d'intérêt par 4 et en multipliant la période par 4, puisqu'il y a 4 trimestres dans une année.

Les paiements faits en début de période

Nous avons jusqu'ici posé l'hypothèse implicite que tous les paiements étaient effectués en fin de période, ce qui est une pratique très répandue dans le monde de la finance. À moins d'indication contraire, c'est donc l'hypothèse qui prévaut. Les paiements effectués en début de période impliquent une valeur actualisée supérieure à celle qui découlerait de paiements faits en fin de période. Encore une fois, il s'agit de l'effet de la valeur temporelle de l'argent. Certains contrats exigent le versement des paiements en début de période. Un exemple courant est le loyer d'un appartement. Dans ce cas, il suffit de préciser cette modalité dans les calculs de la façon suivante, appliquée à l'exemple de Mme Moisson :

(N = 5, I = 4 %, PMT = 220 $, BGN, CPT PV ?) = 1 019 $[5]
où BGN : paiements en début de période

Des paiements différés

Certaines opérations comportent des flux de trésorerie échelonnés dans le temps, mais qui commenceront uniquement dans quelques années. Reprenons l'exemple dans lequel M. Grambin souhaite épargner suffisamment d'argent afin de bénéficier d'une rente annuelle suffisante pour couvrir ses dépenses annuelles de 75 000 $, pendant les 20 ans de sa retraite, compte tenu d'un taux d'actualisation de 5 %. M. Grambin devrait avoir 934 666 $ (N = 20, I = 5 %, PMT = 75 000 $, CPT PV ?) au moment de sa retraite pour combler ses besoins financiers des années à venir. Ces calculs apparaissent dans le rectangle et les flèches en pointillé de la figure 3.3.

FIGURE 3.3 La valeur actualisée de paiements différés

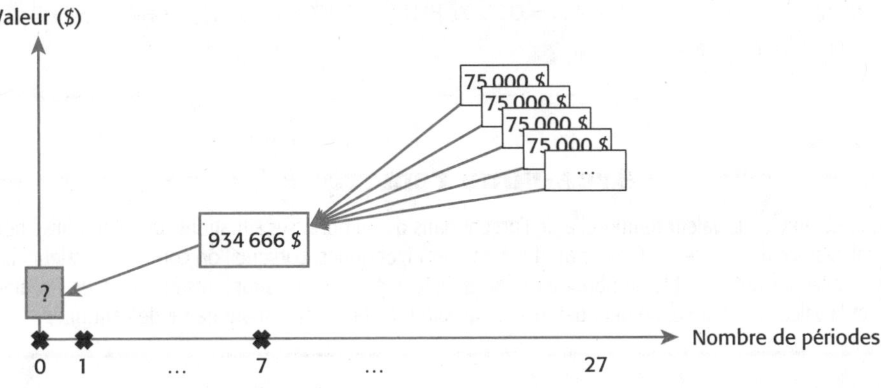

M. Grambin planifie de prendre sa retraite dans 7 ans, mais il ne prévoit plus d'épargner au cours de ces 7 années. Il veut donc savoir quelle devrait être la valeur de son patrimoine aujourd'hui (t_0) pour qu'il soit en mesure de réaliser ses plans, car ses épargnes sont bien inférieures à 934 666 $. Comme le montrent le rectangle et la flèche en trait continu de la figure 3.3, il suffit d'actualiser le montant unique de 934 666 $ calculée au temps t_7 pour la ramener en dollars d'aujourd'hui :

(N = 7, I = 5 %, PMT = 0 $, FV = 934 666 $, CPT PV ?) = 664 250 $

Le cas de M. Grambin montre très clairement l'importance de tenir compte de la valeur temporelle de l'argent. M. Grambin doit savoir que, pour réaliser tous ses plans, il a besoin maintenant d'une somme de 664 250 $ qui, placée à un taux de 5 %, lui procurera le montant de 934 666 $ requis au début de sa retraite dans 7 ans.

Un paiement final ou initial dont le montant diffère de la série périodique

Il arrive qu'un contrat implique une annuité et un montant additionnel qui diffère des montants périodiques égaux. La solution consiste simplement à traiter ce montant distinctement.

5. Avec Excel, la formule à utiliser est <=VA(0,04;5;220;;1)>. Le chiffre 1, soit le dernier à l'intérieur de la parenthèse, marque le fait que les paiements sont faits en début de période. Soulignons aussi que lorsque l'on prévoit des paiements en fin de période (*voir la note 3*), seules les trois premières variables sont indiquées dans la parenthèse, ce qui montre que les paiements en fin de période sont l'hypothèse par défaut. Enfin, la formule Excel inclut deux points-virgules qui se suivent. C'est qu'il est possible d'indiquer, lorsqu'elle est connue, la valeur actualisée entre ces deux points-virgules, et ainsi d'obtenir la valeur des paiements périodiques.

On actualise dans un premier temps la série de montants périodiques selon la méthode vue plus tôt. On fait ensuite un calcul distinct pour actualiser le montant qui diffère.

EXEMPLE

Actualisation d'une annuité et d'un montant additionnel

Mme Hauteau a négocié l'achat et le financement de sa nouvelle auto. Elle s'est engagée à verser mensuellement 500 $ pendant 60 mois, avec un acompte de 2 000 $. Sachant que le taux d'actualisation annuel de 3 % est composé mensuellement, on détermine ainsi la valeur actualisée de sa dette :

Valeur actualisée de l'annuité (N = 60, I = 0,25 %, PMT = 500 $, FV = 0 $, CPT PV ?)	27 826 $
Paiement initial au temps t_0	2 000
Valeur actualisée totale	29 826 $

Si le montant de 2 000 $ était payable à la fin du contrat, on calculerait ainsi la valeur actualisée :

Valeur actualisée de l'annuité, calculée précédemment	27 826 $
Paiement final au temps t_{60} (N = 60, I = 0,25 %, PMT = 0 $, FV = 2 000 $, CPT PV ?)	1 722
Valeur actualisée totale	29 548 $

Avez-vous remarqué ?

On doit tenir compte de la valeur temporelle de l'argent dans de nombreuses situations, que l'on utilise pour ce faire une calculatrice financière, un tableur ou des formules algébriques. Lorsque l'on connaît les valeurs de quatre des cinq variables suivantes, soit le nombre de périodes, le taux d'intérêt, les montants périodiques, la valeur actualisée et la valeur capitalisée, on peut déterminer la valeur de la variable manquante de l'annuité.

La notion de juste valeur

Avant même d'entreprendre l'évaluation de la juste valeur, toute entreprise doit clairement comprendre ce que signifie cette notion que l'on ne doit pas confondre avec la notion de valeur temporelle de l'argent, expliquée dans la section précédente.

Qu'est-ce que la juste valeur et en quoi est-elle utile ?

Différence NCECF

Nous avons expliqué au chapitre 1 que les IFRS sont des normes qui reposent sur une approche bilantielle selon laquelle l'évaluation des actifs et des passifs conduit à l'évaluation de l'actif net. Si l'on compare l'actif net à deux dates données en excluant les effets des opérations conclues entre l'entreprise et ses propriétaires, l'écart obtenu montre l'enrichissement de l'entreprise entre ces dates ou, en d'autres termes, la rentabilité. Pour déterminer cet enrichissement, les IFRS imposent parfois l'évaluation des éléments de l'état de la situation financière à la juste valeur plutôt qu'au coût ou au coût amorti.

La juste valeur est souvent perçue comme une mesure pertinente dans la prise de décisions financières. Par exemple, si un propriétaire envisage de vendre sa maison et que ses deux seules options sont de vendre soit maintenant soit dans un an, il voudra connaître le prix de vente potentiel à chacune de ces dates. Le prix qu'il a payé, soit le coût d'origine, n'a aucune importance : c'est un coût passé non pertinent. Suivant cette logique, certains pourraient conclure que tous les actifs et passifs devraient être évalués à leur juste valeur. Cette conclusion ne tient toutefois pas compte d'une difficulté réelle. En effet, il est parfois si difficile d'estimer la juste valeur que le nombre obtenu s'avère peu fidèle à la réalité. Compte tenu de la nécessité de présenter des renseignements fidèles dans les états financiers (*voir le chapitre 1*), il arrive que l'on n'utilise pas les justes valeurs lorsqu'elles sont trop subjectives. L'IASB a donc apporté de nombreuses précisions permettant aux entreprises de déterminer la façon de déterminer une juste valeur qui pourrait être perçue comme fidèle.

En reprenant l'exemple de l'héritage dont il est question en ouverture de chapitre, on peut croire que, au moment de vous questionner sur la juste valeur des actions, vous avez probablement pensé au prix que vous pourriez obtenir en les vendant et non à une quelconque valeur sentimentale. Selon les normes internationales, la juste valeur est aussi une mesure fondée sur le marché et non une mesure qui tient compte de facteurs propres à l'entreprise. On peut donc affirmer qu'il s'agit d'une valeur déterminée selon une perspective externe. Par exemple, la juste valeur d'un entrepôt ne tient pas compte de l'utilisation particulière qu'en fait l'entreprise ni de la synergie que celle-ci tire de l'utilisation d'un actif conjointement avec d'autres qu'elle est seule à détenir. Si cet entrepôt est adjacent à un magasin de vente de l'entreprise, et que cette proximité permet de réaliser des économies sur les coûts de transport, l'entrepôt a une plus grande valeur pour cette entreprise que pour un concurrent. En ce sens, les facteurs propres à l'entreprise ressemblent à une valeur sentimentale et ne sont pas pertinents dans l'évaluation de la juste valeur. La **juste valeur** se définit comme le prix qui serait reçu pour la vente d'un actif ou payé pour le transfert d'un passif lors d'une transaction normale entre des intervenants du marché à la date d'évaluation. Nous approfondirons cette notion un peu plus loin.

Quand évaluer la juste valeur ?

Comme nous le verrons dans la deuxième partie du présent manuel, plusieurs normes exigent d'évaluer la juste valeur. Par exemple, selon l'**IAS 16** et l'**IAS 38**, une entreprise peut décider d'évaluer certaines catégories d'immobilisations, corporelles ou incorporelles, en utilisant le modèle de la réévaluation, ce qui nécessite l'évaluation périodique de la juste valeur de ces immobilisations[6]. De même, comme nous le verrons au chapitre 4, l'**IFRS 9** impose à l'entreprise de comptabiliser initialement tous ses instruments financiers à la juste valeur et de continuer à évaluer subséquemment certains d'entre eux à la juste valeur. L'estimation des dépréciations d'actifs à long terme conformément à l'**IAS 36** nécessite aussi d'évaluer la juste valeur[7]. Une entreprise peut ainsi, en vertu de l'**IAS 40**, évaluer ses immeubles de placement à la juste valeur. Enfin, les actifs biologiques qui entrent dans le champ d'application d'**IAS 41** *Agriculture* doivent généralement être comptabilisés à leur juste valeur[8].

Les normes mentionnées au paragraphe précédent ont été adoptées au fil du temps et, avant la publication de l'**IFRS 13**, intitulée « Évaluation de la juste valeur », il existait des incohérences dans la façon dont chacune établissait les directives pour déterminer la juste valeur. L'IFRS 13, publiée en 2011, a mis fin à ces incohérences. Cette norme constitue une source de référence unique lorsque la détermination de la juste valeur est requise pour évaluer des éléments traités dans d'autres normes. La figure 3.4 résume la situation.

FIGURE 3.4 La portée de l'IFRS 13 et les interactions avec les autres normes

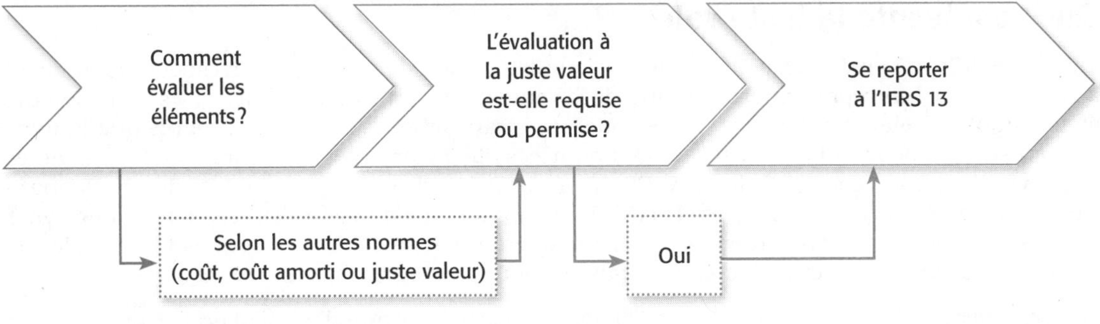

6. Ce choix sera traité aux chapitres 9 et 10.
7. Le lecteur trouvera plus de détails à ce sujet au chapitre 9.
8. Ces deux derniers sujets seront respectivement expliqués aux chapitres 11 et 8.

L'IFRS 13 s'applique donc lorsqu'une autre norme impose ou permet d'évaluer à la juste valeur un actif, un passif ou un titre de capitaux propres, que nous désignerons dans la suite de ce chapitre comme l'élément à évaluer. Elle ne s'applique toutefois pas aux transactions dont le paiement est fondé sur des actions et aux opérations de location. Dans d'autres normes, l'IASB prescrit d'évaluer certains éléments à une valeur **similaire** à une juste valeur. Pensons, par exemple, aux stocks ou aux immobilisations pour lesquels on doit parfois évaluer respectivement la valeur nette de réalisation et la valeur d'utilité. On doit suivre les recommandations précises contenues dans ces autres normes, et non celles de l'IFRS 13, pour évaluer ces valeurs similaires à une juste valeur. L'application de l'IFRS 13 est par conséquent requise quand les autres normes réfèrent précisément à une évaluation à la juste valeur.

Avant la publication de l'IFRS 13, on présumait que, au moment de la comptabilisation initiale, le **prix de transaction**, c'est-à-dire le prix payé pour un actif ou le montant reçu pour un passif ou un titre de capitaux propres, correspondait à la juste valeur. L'IFRS 13 précise maintenant qu'il est possible que le prix de transaction diffère initialement de la juste valeur. En effet, le prix de transaction est un prix d'entrée, alors que la juste valeur est un prix de sortie, comme nous l'expliquerons plus loin. Les prix d'entrée peuvent différer de la juste valeur, par exemple, si la transaction a été conclue entre parties liées, si l'une des parties à la transaction était contrainte de conclure celle-ci, notamment parce qu'elle était en situation de faillite ou parce que l'entreprise a négocié sur un marché qui n'est pas celui où elle négocie habituellement[9]. Lorsqu'il existe un écart entre le prix de la transaction et la juste valeur et qu'une autre norme prescrit de comptabiliser initialement l'actif, le passif ou le titre de capitaux propres à la juste valeur, l'écart est comptabilisé en résultat net de l'exercice.

EXEMPLE

Actifs biologiques achetés à un prix de transaction inférieur à la juste valeur

La société Grandbois inc. a acheté des veaux d'un agriculteur forcé de vendre rapidement ses actifs à la suite d'une maladie grave qui l'oblige à cesser toute activité. Grandbois inc. a payé 72 000 $ pour ces bêtes alors que leur juste valeur, établie à partir des indices publiés par la Fédération des producteurs de bovins du Québec, est évaluée à 80 500 $. Voici l'écriture requise au moment de l'achat :

Troupeau de veaux	*80 500*	
Caisse		*72 000*
Profit sur achat d'actifs biologiques		*8 500*
Achat à prix de faveur de veaux comptabilisés à la juste valeur.		

Il est à noter que la comptabilisation d'un profit lors de l'achat est autorisée uniquement parce que les actifs biologiques doivent constamment être évalués et comptabilisés à la juste valeur. Ainsi, lorsqu'une entreprise achète un terrain à prix de faveur, elle le comptabilise au prix réellement payé puisque les immobilisations sont initialement comptabilisées au coût.

Que représente la juste valeur ?

Tel que mentionné précédemment, la juste valeur est un prix de sortie qui correspond notamment à la somme que l'entreprise pourrait retirer de la vente d'un bien. La juste valeur n'est pas toujours aussi simple à obtenir que le prix réel auquel une transaction s'est conclue, parce que la juste valeur est une valeur estimée. Cette estimation nécessite de formuler plusieurs hypothèses, et les directives données à cet égard dans l'IFRS 13 visent à favoriser la comparabilité des états financiers de diverses entreprises. En effet, l'IASB a voulu fournir plusieurs explications afin d'éviter que les entreprises fassent preuve d'opportunisme en biaisant l'évaluation des justes valeurs. Le choix des hypothèses et la démarche à suivre sont basés sur l'objectif visé, soit :

> estimer le prix auquel une *transaction normale* visant la vente d'un actif ou le transfert d'un passif serait conclue entre des *intervenants du marché* à la date d'évaluation dans

9. Par exemple, l'entreprise a acheté un bien sur un marché de gros, alors que normalement elle l'achète sur un marché de détail.

les conditions actuelles du marché (c'est-à-dire une *valeur de sortie* à la date d'évaluation, du point de vue d'un intervenant du marché qui détient l'actif ou doit le passif)[10].

Une première notion importante soulevée dans cet objectif est que la juste valeur recherchée est une évaluation faite du point de vue des **intervenants du marché**, par exemple des acheteurs qui pourraient être intéressés à acheter un actif ou à assumer une dette et des vendeurs disposés à vendre cet actif ou à transférer ce passif. Par exemple, les intervenants du marché pour un troupeau complet de jeunes porcelets pourraient être des entreprises de production de viande de porc, tandis que les intervenants du marché pour un troupeau de porcs matures pourraient plutôt comprendre des entreprises exploitant des abattoirs et des boucheries. Précisons d'emblée que, lorsqu'une entreprise évalue la juste valeur d'un élément, elle n'a pas à identifier nommément tous les intervenants du marché. Elle doit plutôt avoir une idée des principaux groupes d'intervenants qui se distingueraient, par exemple, par l'utilisation d'un actif. Ainsi, un groupe d'intervenants du marché pourrait avoir l'intention d'utiliser le bien pendant toute sa durée d'utilité, disons 20 ans, alors qu'un autre groupe d'intervenants pourrait avoir l'intention d'utiliser le bien pendant une courte période avant de le revendre. L'entreprise devra alors tenir compte des deux groupes d'intervenants du marché.

La juste valeur n'est donc pas une valeur qui tient compte des particularités de l'entreprise, mais est plutôt une valeur du point de vue des intervenants du marché. Cette notion est très importante, car elle explique la raison pour laquelle l'entreprise doit, au moment d'évaluer la juste valeur, tenir compte uniquement des renseignements dont disposent les intervenants du marché, mais pas nécessairement de tous les renseignements dont l'entreprise dispose. De même, la juste valeur d'un actif repose sur l'utilisation qu'en feraient les intervenants du marché et pas nécessairement sur l'utilisation que l'entreprise en fait réellement à la date d'évaluation. La juste valeur peut donc s'écarter sensiblement de la **valeur d'utilité**, qui représente la valeur d'un actif compte tenu de l'utilisation qu'en fait l'entreprise[11].

Tel que l'indique l'IFRS 13, les intervenants du marché possèdent quatre caractéristiques :

1. Ils sont indépendants les uns des autres.
2. Ils sont bien informés et comprennent correctement la transaction qu'ils pourraient conclure.
3. Ils sont capables de conclure la transaction.
4. Ils sont disposés à conclure la transaction, et ce, sans y être forcés.

La première caractéristique des intervenants du marché, soit leur indépendance les uns par rapport aux autres, assure l'efficience des négociations, en évitant les possibilités de collusion. Ces acheteurs et ces vendeurs doivent aussi posséder une deuxième caractéristique, à savoir être bien informés ; dans le cas contraire, ils ne seront pas en mesure d'estimer correctement la juste valeur de l'actif ou du passif. Par exemple, si M. Toulemonde veut acheter des équipements de restauration, mais qu'il ne connaît strictement rien des particularités de ces équipements, il sera incapable d'analyser correctement le prix demandé pour chaque équipement. C'est notamment pour cette raison que les entrepreneurs se lancent généralement dans des secteurs d'activité qu'ils connaissent, ou qu'ils s'allient à des associés chevronnés dans le secteur visé. La troisième caractéristique, définie comme la capacité à conclure la transaction, permet de tenir compte uniquement, par exemple, des acheteurs qui disposent du financement requis et des vendeurs capables de vendre l'actif ou de transférer le passif sans remettre en question leurs autres projets d'affaires. Enfin, la quatrième caractéristique des intervenants du marché, la disposition à conclure une transaction sans y être forcés, fait en sorte d'éviter les transactions forcées, telle une vente en contexte de faillite d'entreprise. Dans ces contextes, les actifs sont souvent vendus à prix dérisoire, bien en deçà de leur valeur véritable, surtout si l'entreprise est démantelée. L'évaluation de la juste valeur ne doit pas tenir compte de ces circonstances inhabituelles.

De façon générale, l'entreprise « doit évaluer la juste valeur d'un actif ou d'un passif à l'aide des hypothèses que les intervenants du marché utiliseraient pour fixer le prix de l'actif

10. CPA Canada, *Manuel de CPA Canada – Comptabilité – Partie I*, IFRS 13, paragr. 2. (*Voir la page iv des liminaires pour plus de détails à l'égard des normes publiées mais non encore entrées en vigueur.*)

11. La valeur d'utilité est parfois employée à des fins comptables, par exemple pour déterminer la valeur recouvrable d'un actif dans le cadre des dépréciations. Le chapitre 9 approfondira ce sujet.

ou du passif, en supposant que les intervenants du marché agissent dans leur meilleur intérêt économique[12] ».

La définition de la juste valeur renvoie à une deuxième notion importante, celle de la **transaction normale**. Une transaction est qualifiée de normale lorsque l'actif, le passif ou le titre de capitaux propres a été exposé sur le marché pendant un certain temps, de sorte que les activités habituelles de marketing ont pu être réalisées, et que des intervenants du marché ont pu l'analyser. Le tableau 3.2 contient des commentaires sur des circonstances susceptibles d'indiquer qu'une transaction n'est pas une transaction normale.

TABLEAU 3.2 Les circonstances susceptibles d'indiquer qu'une transaction n'est pas une transaction normale

Normes internationales d'information financière, IFRS 13	Commentaires
Paragr. B43	
(a) *il n'y a pas eu d'exposition adéquate de l'actif ou du passif sur le marché pendant une certaine période avant la date d'évaluation en vue de permettre les activités de marketing habituelles et coutumières pour les transactions sur de tels actifs ou passifs dans les conditions actuelles du marché ;*	Par exemple, on sait que la vente d'immeubles doit faire l'objet de publicité ciblée, notamment sur les sites Web d'agents immobiliers, avant de trouver des acheteurs. On ne doit donc pas prendre en compte le prix d'une transaction que le vendeur conclurait à la hâte, le jour même de la mise en vente.
(b) *la période de marketing a été d'une durée habituelle et coutumière, mais le vendeur a fait la promotion de l'actif ou du passif auprès d'un seul intervenant du marché ;*	La juste valeur doit être propre à un ensemble représentatif d'intervenants du milieu. Cette représentativité ne peut être obtenue à partir d'un seul intervenant.
(c) *le vendeur est, ou est presque, en situation de faillite ou en cessation des paiements (c'est-à-dire en difficulté) ;*	Un vendeur dans cette situation accepte souvent de baisser son prix de vente, car il a besoin rapidement de liquidité. Ce prix ne représente donc pas la réelle juste valeur.
(d) *le vendeur a été obligé de vendre pour satisfaire à des dispositions légales ou réglementaires (autrement dit, il a été forcé de vendre) ;*	Comme dans le cas précédent, le vendeur acceptera fort probablement de baisser son prix de vente. Une transaction forcée, telle une liquidation involontaire ou une vente à la suite d'une saisie, n'est pas une transaction normale.
(e) *le prix de la transaction est aberrant comparativement aux prix des transactions récentes sur un actif ou un passif qui est identique ou similaire.*	Il se peut alors que la transaction ait été conclue entre parties liées. Dans ce cas, le prix de transaction prend en compte d'autres facteurs que la réelle valeur de l'actif. Pensons par exemple à un parent qui vend sa voiture à son enfant. Le prix convenu peut être un « prix d'ami », en quelque sorte un cadeau du parent qui veut ainsi aider son enfant.
Paragr. B44	
[…]	
L'entité n'est pas tenue de mener des recherches exhaustives pour déterminer si une transaction est une transaction normale, mais elle ne doit pas faire abstraction de l'information raisonnablement disponible.	L'entreprise doit donc faire un effort raisonnable pour rassembler l'information nécessaire à l'établissement de la juste valeur sans engager des coûts excessifs pour y arriver.

Afin de déterminer si l'élément a été exposé suffisamment longtemps sur le marché, on doit préciser le marché qui sert de référence. Encore une fois, l'entreprise n'a pas à faire la recherche exhaustive de tous les marchés où elle pourrait vendre ou transférer un élément. Elle doit uniquement retenir le **marché principal**, c'est-à-dire celui sur lequel, compte tenu de toute l'information dont disposent raisonnablement les intervenants du marché, on observe le volume et le niveau d'activité les plus élevés. Il s'agit d'un marché sur lequel l'entreprise pourrait vendre ou transférer l'élément, car elle y aurait accès si elle devait le vendre ou le transférer à

12. *Manuel de CPA Canada – Comptabilité – Partie I*, IFRS 13, paragr. 22.

la date d'évaluation. Par exemple, si une entreprise doit évaluer la juste valeur de stocks destinés à la vente et que ses clients habituels sont des grossistes, elle doit évaluer la juste valeur sur le marché du commerce de gros et non sur le marché du commerce de détail. Elle n'est pas obligée de répertorier tous les marchés sur lesquels elle pourrait éventuellement conclure une opération, même si elle doit tenir compte de toute l'information disponible. À moins d'une preuve contraire à cet effet, elle peut poser l'hypothèse que le marché principal est celui sur lequel elle conclurait la transaction. Par exemple, si une entreprise canadienne détient un placement en actions d'une grande société multinationale dont les actions se négocient non seulement à la Bourse de Toronto, mais aussi à celle de Paris, de Londres ou de Munich, cette entreprise qui détient le placement pourrait établir que la Bourse de Toronto est son marché principal si elle a l'habitude de conclure ses opérations à cette Bourse. Cette conclusion n'est pas modifiée même si l'action, disons à la Bourse de Londres, a une cote supérieure à celle qu'elle a à la Bourse de Toronto.

Dans d'autres contextes, il est impossible de déterminer le marché principal. L'entreprise retient alors le **marché le plus avantageux** pour l'élément à évaluer. Ce marché est celui qui maximise le montant qui serait reçu pour la vente de l'actif ou qui minimise le montant qui serait payé pour le transfert du passif ou du titre de capitaux propres, après la prise en compte des coûts de transaction et de transport. On comprend facilement que l'IASB recommande de retenir le marché le plus avantageux, puisque cela repose sur la simple logique d'affaires selon laquelle l'entreprise cherche à optimiser sa performance financière.

Les coûts de transaction et de transport sont pris en compte quand vient le temps de déterminer le marché le plus avantageux, mais seuls les coûts de transport sont retenus pour la détermination de la juste valeur. Le tableau 3.3 comprend des précisions sur les coûts de transaction et de transport.

TABLEAU 3.3 Le traitement des coûts susceptibles de réduire le prix net de la transaction

	Coûts de transaction	Coûts de transport
Définition[13]	*Coûts de la vente d'un actif ou du transfert d'un passif sur le marché principal (ou le marché le plus avantageux) pour l'actif ou le passif, qui sont directement attribuables à la cession de l'actif ou au transfert du passif et qui satisfont aux deux critères ci-dessous :* *(a) ils sont directement liés à la transaction et essentiels à celle-ci;* *(b) ils n'auraient pas été engagés par l'entité si la décision de vendre l'actif (ou de transférer le passif) n'avait pas été prise (ils s'apparentent aux coûts de la vente, définis dans IFRS 5).*	*Frais qui seraient engagés pour transporter un actif de l'endroit où il se trouve jusqu'au marché principal (ou jusqu'au marché le plus avantageux).*
Exemple	Commissions payées à un courtier pour la vente d'un placement en actions	Frais de transport, de l'entrepôt de l'entreprise à celui des clients, payés par l'entreprise pour livrer les stocks
Pris en compte pour déterminer le marché le plus avantageux ?	Oui	Oui
Pris en compte pour déterminer la juste valeur ?	Non	Oui, si l'endroit où se trouve l'actif est une caractéristique de celui-ci dont tiendraient compte les intervenants du marché

13. *Manuel de CPA Canada – Comptabilité – Partie I*, IFRS 13, Annexe A.

3

EXEMPLE

Traitement des coûts de transaction et des coûts de transport dans la détermination du marché optimal et de la juste valeur

La société Va l'heure inc. doit évaluer la juste valeur d'un équipement spécialisé pour lequel elle n'a pas de marché principal. Va l'heure inc. doit donc déterminer le marché le plus avantageux qui lui permettrait de maximiser le montant reçu lors de la vente de l'équipement. Elle a déterminé deux marchés possibles : le premier, désigné Marché A, est composé de grossistes qui achèteraient l'équipement en vue de le revendre. Le second, désigné Marché B, est composé de concurrents qui utiliseraient l'équipement.

	Marché	
	A	B
Prix de vente	27 000 $	26 000 $
Coûts de transaction (commission à un courtier)	(2 000)	(2 000)
Coûts du transport de l'équipement jusqu'à ce marché	(3 000)	(1 000)
Montant net	22 000 $	23 000 $

Pour déterminer la juste valeur de cet équipement, Va l'heure inc. doit d'abord savoir quel est le marché le plus avantageux, puisqu'elle n'a pas de marché principal. À cette fin, elle prend en compte tous les éléments susceptibles d'affecter le montant net reçu pour la vente de l'équipement. Sur cette base, elle retient le marché B comme étant le plus avantageux, car le montant net qui serait reçu de la vente sur ce marché (23 000 $) excède de 1 000 $ celui qui le serait sur le marché A (22 000 $). Par la suite, elle évalue la juste valeur de l'équipement. À ce titre, elle ne tient pas compte des coûts de transaction, puisque l'objectif visé par l'évaluation de la juste valeur est de déterminer le prix auquel une transaction normale portant sur l'équipement serait conclue avec des intervenants du marché. Les coûts de transaction ne sont pas une caractéristique de l'équipement, ce sont des coûts propres à l'entreprise. À l'inverse, Va l'heure inc. tient compte des coûts de transport si l'endroit où se trouve l'équipement est une caractéristique de celui-ci. Comme l'équipement doit être déplacé en vue de sa vente, les coûts de transport sont une caractéristique de cet équipement. Dans l'hypothèse où les coûts de transport sont une caractéristique de l'équipement, la juste valeur s'élève à 25 000 $, soit le prix de vente de 26 000 $ sur le marché le plus avantageux, diminué des coûts de transport de 1 000 $.

Les explications précédentes pourraient se résumer ainsi. La juste valeur ne reflète pas les intentions de l'entreprise quant à l'utilisation de l'élément. Au contraire, elle est la même, peu importe qui détient ou assume l'élément. En fait, la juste valeur est le prix qui serait reçu ou payé à la date d'évaluation pour la vente ou le transfert d'un élément (le prix de transaction) :

- dans le cadre d'une transaction normale ;
- entre les intervenants du marché qui agissent pour leur meilleur intérêt économique ;
- qui tient compte des caractéristiques de l'élément prises en compte par les intervenants du marché ;
- sur le marché principal (ou, en l'absence de marché principal, sur le marché le plus avantageux) ;
- dans les conditions actuelles du marché (c'est-à-dire une valeur de sortie).

Différence NCECF

Avez-vous remarqué ?

L'IFRS 13 vise notamment à augmenter la comparabilité des justes valeurs présentées dans les états financiers des différentes entreprises. La juste valeur ne reflète pas les intentions de l'entreprise quant à l'utilisation, par exemple, d'un actif. La juste valeur d'un élément est la même peu importe qui le détient.

L'évaluation de la juste valeur

Ayant bien défini ce qu'est la juste valeur, l'entreprise passe ensuite à l'évaluation des justes valeurs si cela est requis ou permis par les IFRS. La détermination de la juste valeur se fait en quatre étapes, comme l'illustre la figure 3.5.

Différence NCECF

3

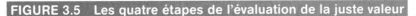

FIGURE 3.5 Les quatre étapes de l'évaluation de la juste valeur

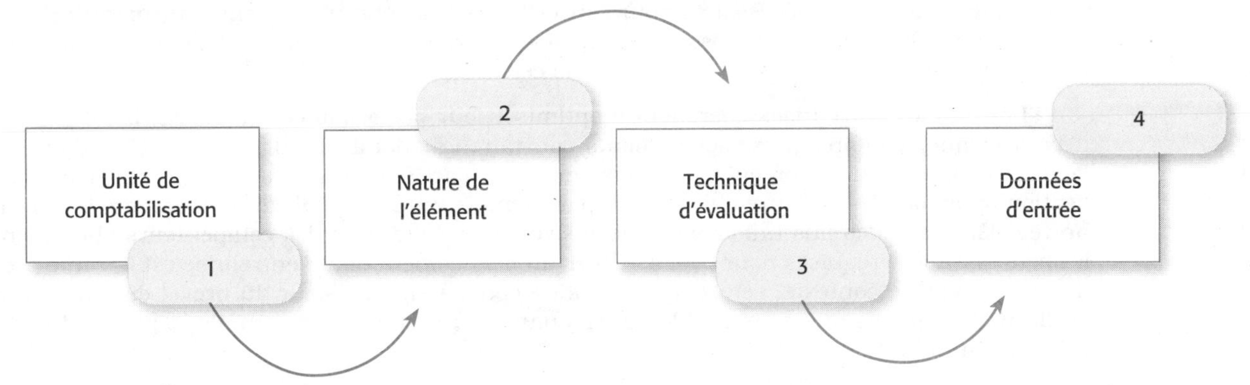

Les modalités d'évaluation de la juste valeur représentent l'essentiel de l'IFRS 13. Dans la présente section, nous examinerons l'unité de comptabilisation, les particularités à prendre en compte selon la nature de l'élément à évaluer, les techniques d'évaluation et les données d'entrée pertinentes.

L'unité de comptabilisation

L'évaluation de la juste valeur nécessite de déterminer dans un premier temps l'élément précis à évaluer, appelé **unité de comptabilisation**. Il s'agit simplement de déterminer si on doit évaluer une composante d'un actif ou d'un passif, par exemple la structure d'acier d'un immeuble, un actif ou un passif complet, par exemple un immeuble, ou un groupe d'actifs ou de passifs, par exemple un terrain et un immeuble. Ce sont les autres normes (celles qui permettent ou imposent l'évaluation à la juste valeur des actifs, des passifs ou des titres de capitaux propres) qui définissent l'unité de comptabilisation. Par exemple, l'**IAS 36** précise les regroupements d'actifs et de passifs à faire au moment d'estimer les dépréciations, comme nous l'expliquerons au chapitre 9.

Après avoir déterminé l'unité de comptabilisation, l'entreprise doit tenir compte des caractéristiques de l'élément à évaluer que prendraient en considération les intervenants du marché, par exemple l'état de l'actif, l'endroit où il se trouve, et les restrictions sur la vente ou l'utilisation de cet actif.

La nature de l'élément à évaluer

L'IASB fournit des précisions additionnelles selon que l'élément à évaluer est soit un actif non financier soit un passif ou un titre de capitaux propres.

Le chapitre 4 traitera des **actifs financiers.** Dans l'IFRS 13, l'IASB précise que la juste valeur d'un **actif non financier,** disons un équipement ou un immeuble, dépend de la façon dont les intervenants du marché l'utiliseraient de façon optimale. Aux fins de l'évaluation de la juste valeur, on suppose que les intervenants du marché en feront une utilisation optimale ou le vendront à un autre intervenant qui en fera une utilisation optimale. L'**utilisation optimale** est déterminée sur la base de trois ensembles de facteurs, soit l'utilisation physiquement possible, légalement admissible et financièrement faisable. Ainsi :

(a) pour déterminer si une utilisation est physiquement possible, on tient compte des caractéristiques physiques de l'actif que les intervenants du marché prendraient en considération pour en fixer le prix (par exemple l'endroit où se trouve un bien immobilier, ou ses dimensions) ;

3

(b) pour déterminer si une utilisation est légalement admissible, on tient compte de toute restriction juridique grevant le cas échéant l'utilisation de l'actif, que les intervenants du marché prendraient en considération pour en fixer le prix (par exemple les règlements de zonage applicables à un bien immobilier) ;

(c) pour déterminer si une utilisation est financièrement faisable, on tient compte du fait que l'utilisation physiquement possible et légalement admissible d'un actif génère ou non des produits ou des flux de trésorerie qui soient suffisants (compte tenu des coûts nécessaires pour convertir l'actif à cette utilisation) pour produire le rendement sur investissement que les intervenants du marché exigeraient d'un investissement dans cet actif utilisé de cette façon[14].

Puisque les entreprises cherchent à optimiser leur performance financière, il est logique d'avancer que, à moins de renseignements contraires disponibles sur le marché ou d'autres facteurs connus, l'utilisation qu'une entreprise fait d'un actif non financier est généralement l'utilisation optimale. Ferait figure d'exception, par exemple, une immobilisation incorporelle, tel un brevet, détenue à des fins uniquement défensives pour éviter que des compétiteurs obtiennent les connaissances requises pour concurrencer un médicament dont l'entreprise est la seule productrice. Dans ce contexte, l'entreprise devrait évaluer la juste valeur du brevet en supposant l'utilisation optimale qu'en feraient les intervenants du marché, par exemple la production du médicament breveté.

EXEMPLE

Juste valeur d'un actif non financier selon l'utilisation optimale

L'exemple qui suit est proposé par l'IASB[15]. Pro active ltée achète le savoir-faire lié à un projet de recherche et de développement dans le cadre d'un regroupement d'entreprises. Elle n'a pas l'intention de terminer ce projet, qui porte sur une nouvelle technologie, car celui-ci rivaliserait avec l'un de ses propres projets de recherche et de développement. Pro active ltée a plutôt l'intention de le garder secret pour empêcher ses concurrents d'obtenir l'accès à cette technologie. L'acquisition de ce savoir-faire a donc une valeur défensive, et vise principalement à améliorer les perspectives liées à la technologie utilisée par Pro active ltée. Pour évaluer la juste valeur du projet de recherche et de développement à la date du regroupement, Pro active ltée en déterminerait l'utilisation optimale sur la base de son utilisation par les intervenants du marché.

Une utilisation optimale du projet de recherche et de développement pourrait être de poursuivre ce projet si les intervenants du marché pouvaient continuer de le développer afin de maximiser la valeur du groupe d'actifs dans lequel le projet de recherche et de développement serait utilisé. Ce pourrait être le cas si les intervenants du marché ne disposaient pas d'une technologie similaire, en développement ou commercialisée. La juste valeur du projet de recherche et de développement, tenant compte de cette utilisation, serait évaluée sur la base du prix qui pourrait être reçu dans le cadre d'une transaction courante de vente, en supposant que le projet de recherche et de développement soit utilisé avec les actifs complémentaires du groupe d'actifs obtenus dans le cadre du regroupement d'entreprises.

Une autre utilisation optimale du projet de recherche et de développement pourrait être de cesser le développement si, pour des raisons concurrentielles, les intervenants du marché bloquaient ce projet de sorte à maximiser la valeur du groupe d'actifs dans lequel il devait servir. Ce pourrait être le cas si les intervenants du marché disposaient d'une technologie à un stade de développement plus avancé qui concurrencerait ce projet de recherche et de développement, une fois terminé, et si ce projet fournissait une valeur défensive. La juste valeur de ce projet de recherche et de développement serait alors déterminée sur la base du prix qui pourrait être reçu dans le cadre d'une transaction courante de vente du projet, en supposant son utilisation avec les actifs complémentaires.

14. *Manuel de CPA Canada – Comptabilité – Partie I*, IFRS 13, paragr. 28.

15. International Accounting Standards Board, *Illustrative Examples, IFRS 13 Fair Value Measurement*, Exemple 3.

Une dernière utilisation optimale du projet de recherche et de développement pourrait enfin être de cesser le développement s'il apparaît que les intervenants du marché prendraient aussi cette décision d'en cesser le développement. Ce pourrait être le cas s'il était prévu que le projet terminé ne générerait pas un taux de rendement au moins égal au taux du marché et s'il ne fournissait pas de valeur défensive. La juste valeur de ce projet de recherche et de développement, qui pourrait être nulle, serait alors déterminée sur la base du prix de vente attendu de la vente unique de ce projet.

Lorsque l'utilisation optimale d'un actif non financier consiste à utiliser celui-ci conjointement avec d'autres actifs complémentaires et des passifs associés, on évalue la juste valeur de l'actif en posant l'hypothèse que les intervenants du marché l'utiliseraient avec les autres actifs complémentaires et passifs associés. On comprend bien qu'il s'agit d'un principe de base et non d'une façon précise d'évaluer une juste valeur. Prenons l'exemple d'une entreprise que les intervenants du marché continueraient d'exploiter. La juste valeur de l'actif net (total de l'actif diminué du total du passif) peut être évaluée en utilisant la **méthode du bénéfice caractéristique**, laquelle consiste à calculer la valeur capitalisée du bénéfice attendu d'une entreprise, ou en additionnant la juste valeur de chaque actif, majorée pour tenir compte des effets de synergie découlant de leur utilisation conjointe et diminuée de la juste valeur des passifs. Nous exposerons quelques techniques d'évaluation plus loin dans le présent chapitre. Revenons aux principes de base. Si l'utilisation optimale d'un actif non financier est plutôt de l'utiliser seul, la juste valeur doit correspondre au prix qui serait obtenu en vendant séparément cet actif à des intervenants du marché qui l'utiliseraient seul. La juste valeur tient aussi compte de l'état et de l'endroit où se trouve l'actif. Par exemple, lors de l'évaluation d'une machine intégrée dans une chaîne de production, la juste valeur doit tenir compte des coûts de transport et d'installation d'une telle machine.

Examinons maintenant la façon dont les caractéristiques d'un **passif ou d'un titre de capitaux propres** sont prises en compte dans l'évaluation de la juste valeur. Avant d'approfondir l'évaluation des passifs et des titres de capitaux propres, il est utile de préciser qu'un intervenant du marché serait prêt à « acheter », c'est-à-dire à reprendre une dette à son compte, uniquement si l'entreprise qui l'assume en ce moment lui remettait un actif. Prenons l'exemple de la société Alba inc. Puisqu'elle a des liquidités excédentaires, elle souhaite se départir d'une dette à long terme. Cependant, si Alba inc. rembourse directement son créancier, elle devra payer une pénalité importante. C'est pour éviter cela qu'elle pourrait décider de transférer sa dette à un tiers.

La juste valeur d'un passif ou d'un titre de capitaux propres repose sur l'hypothèse selon laquelle l'élément est transféré à un intervenant du marché. Cela signifie que l'on suppose que le passif n'est pas éteint ou réglé de quelque façon que ce soit. L'intervenant du marché à qui le passif aurait été transféré devrait continuer de l'honorer ; c'est pourquoi on ne tient pas compte des éventuelles pénalités payables en cas de remboursement anticipé. De même, on suppose que le titre de capitaux propres demeure en circulation et que l'entreprise n'a pas à payer les éventuelles primes de rachat anticipé de ses propres actions.

Très souvent, il n'existe pas de cours de marché, qui pourrait être utilisé pour déterminer simplement la juste valeur, en ce qui a trait au transfert d'un passif ou d'un titre de capitaux propres. Par contre, un tel cours peut exister pour un élément identique détenu en tant qu'actif par un tiers. Pensons, notamment, à des obligations émises par une entreprise. Dans notre exemple, il n'y aurait pas de cours indiquant le montant que l'entreprise devrait payer à un tiers pour qu'il prenne en charge la série d'obligations à payer, mais il pourrait exister un cours sur un marché secondaire où de petits investisseurs achèteraient de telles obligations comme véhicules de placement. L'entreprise devrait alors évaluer la juste valeur des obligations qu'elle a émises en utilisant le cours des obligations sur le marché secondaire.

Il arrive très souvent qu'aucun cours d'un passif ou d'un titre de capitaux propres ne soit disponible sur un marché actif. Un **marché actif** est un « marché sur lequel ont lieu des transactions sur l'actif ou le passif selon une fréquence et un volume suffisants pour fournir de façon continue de l'information sur le prix[16] ». Ainsi, la Bourse de Toronto est un marché actif pour

16. *Manuel de CPA Canada – Comptabilité – Partie I*, IFRS 13, Annexe A.

les actions de Bombardier, car un grand nombre de transactions s'y concluent chaque jour et les cotes sont accessibles au public. À l'inverse, le marché des tours à bureau à Trois-Rivières n'est pas un marché actif. La raison est simple ; même si tout citoyen a accès aux prix de vente conclus entre les acheteurs et les vendeurs, le nombre de transactions quotidiennes est trop faible. En l'absence de marché actif pour l'élément à évaluer, l'entreprise essaiera d'abord de déterminer s'il existe d'autres données observables[17] pour l'élément détenu en tant qu'actif, par exemple un cours sur un marché non actif.

Lorsqu'il existe un marché, actif ou non, pour le passif ou le titre de capitaux propres détenu en tant qu'actif par un tiers, on présume que le cours de cet actif correspond à la juste valeur du passif ou du titre de capitaux propres, et il ne fait habituellement pas l'objet d'un ajustement. L'entreprise devrait ajuster le cours dans les seuls cas où il existe des facteurs propres à cet actif qui ne s'appliquent pas à l'évaluation de la juste valeur du passif ou du titre de capitaux propres. À titre d'exemples :

- Le passif ou le titre de capitaux propres possède une caractéristique particulière que n'a pas l'élément négocié en tant qu'actif. Pensons, notamment, à des obligations de même échéance et de même taux d'intérêt contractuel qui seraient cependant émises par une société dont la qualité de crédit s'est détériorée depuis l'émission.
- L'unité de comptabilisation pour l'actif n'est pas la même que pour le passif ou le titre de capitaux propres. Par exemple, les titres qui se négocient en tant qu'actif font l'objet d'un rehaussement de crédit (cautionnement) d'un tiers. Ce serait le cas d'une société mère qui garantit les obligations à payer de l'une de ses filiales alors que l'on cherche à déterminer la juste valeur du passif assumé par cette filiale.

En l'absence de cours de marché actif ou d'autres données observables, l'entreprise détermine la juste valeur du passif ou du titre de capitaux propres en se plaçant du point de vue d'un intervenant du marché qui assumerait le passif ou le titre de capitaux propres et en utilisant une technique d'évaluation tirée de l'approche par le résultat ou de l'approche par le marché. Ces techniques d'évaluation, approfondies plus loin, pourraient, par exemple, tenir compte des sorties de fonds qui seraient nécessaires pour payer les intérêts périodiques et rembourser le passif à l'échéance.

La juste valeur d'un passif ou d'un titre de capitaux propres reflète le risque de non-exécution, lequel comprend notamment le risque de crédit, lui-même défini dans l'**IFRS 7** et traité dans le chapitre 4 du présent manuel. Puisque l'on évalue la juste valeur d'un titre émis par une entreprise donnée, on ne doit pas tenir compte des rehaussements de crédit qu'un tiers accorde aux détenteurs de ce titre[18]. Par exemple, si ABC ltée contracte un emprunt bancaire garanti par sa société mère, la juste valeur du passif d'ABC ltée ne tient pas compte du cautionnement dont tiendraient compte les détenteurs de l'actif. En effet, c'est la juste valeur du passif ou du titre de capitaux propres que l'on cherche à évaluer. Enfin, l'IASB précise que la juste valeur d'un passif comportant une composante à vue, par exemple un emprunt remboursable sur demande, ne peut être inférieure à la valeur actualisée de la somme payable à la première date à laquelle le paiement peut être dû.

Les techniques d'évaluation

Si l'élément à évaluer se négocie sur un marché actif, la juste valeur correspond simplement à la cote sur le marché. À titre d'exemple, voici l'information qui était disponible en ce qui a trait aux cotes boursières de l'action de Bombardier au 22 février 2016 :

Haut	1,24	Bas	1,19
Cours acheteur	1,23	Cours vendeur	1,24
Quantité demandée	723 500	Quantité offerte	225 000

Source : TSX Inc., *Bombardier Inc. Class B Subordinate Voting Shares*, 2016. [En ligne], <http://web.tmxmoney.com/quote.php?qm_symbol=bbd.b&locale=FR> (page consultée le 22 février 2016).

17. Cette notion sera expliquée plus loin dans ce chapitre.
18. Par ailleurs, si la banque évalue la juste valeur de sa créance, elle tiendra compte de toutes les caractéristiques de celle-ci, y compris le cautionnement du tiers.

Les cotes «Haut» et «Bas» indiquent respectivement la valeur la plus élevée et la plus faible que cette action a atteinte, soit au cours de la journée, soit au cours des 52 semaines précédentes, selon la source consultée. Ces valeurs ne reflètent donc pas la juste valeur à une date donnée, contrairement aux **cours acheteur** et aux **cours vendeur**. Les premiers indiquent le prix demandé à l'achat, alors que les seconds indiquent les cours auxquels des éléments sont vendus. Les cours acheteur et vendeur reposent sur des nombres élevés de transactions, soit 723 500 pour le cours acheteur et 225 000 pour le cours vendeur des actions de Bombardier. Il revient à l'entreprise de déterminer si elle retient le cours acheteur, le cours vendeur, une moyenne des deux ou un autre point situé dans cet intervalle. Ce qui importe, c'est que l'entreprise adopte la même façon de faire au fil des ans.

Dans de nombreux cas, l'entreprise doit cependant évaluer certains éléments qui ne se négocient pas sur de tels marchés. Elle détermine alors la juste valeur d'un élément en appliquant une technique d'évaluation qui repose, selon les circonstances, sur une approche par le marché, une approche par le résultat ou une approche par les coûts. La figure 3.6 présente ces techniques.

FIGURE 3.6 Les techniques d'évaluation

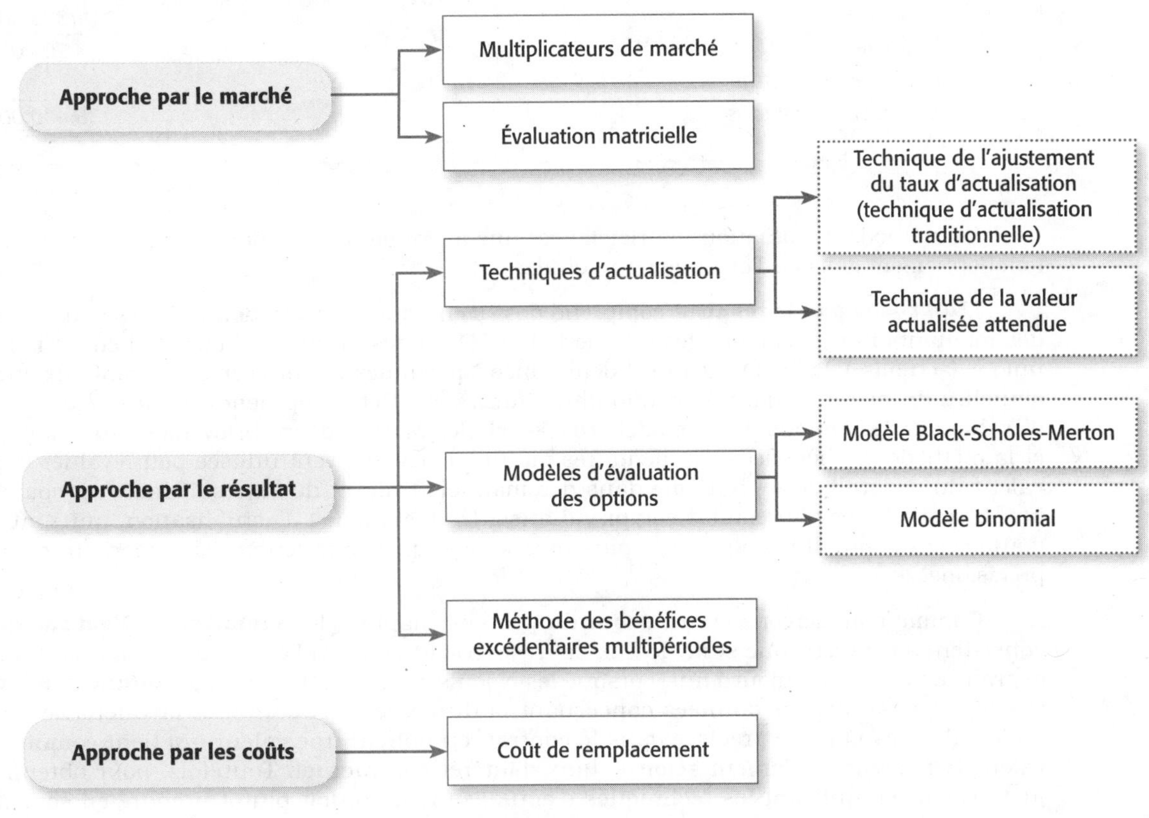

La maîtrise de ces techniques d'évaluation dépasse largement l'objet de ce manuel. C'est pourquoi nous nous limiterons à de brefs commentaires.

L'**approche par le marché** est une technique d'évaluation fondée «sur les prix et d'autres informations pertinentes générées par des transactions de marché sur des actifs, des passifs ou un groupe d'actifs et de passifs (par exemple une entreprise) identiques ou comparables (c'est-à-dire similaires)[19]». Cette approche comprend la méthode des multiplicateurs de marché. Par exemple, on peut évaluer la juste valeur d'une entreprise (groupe d'actifs et de passifs) en appliquant un multiple à ses bénéfices attendus, dérivé d'un échantillon d'entreprises comparables. Lorsque l'on utilise une telle méthode, le choix du multiple requiert beaucoup de jugement professionnel.

19. *Manuel de CPA Canada – Comptabilité – Partie I*, IFRS 13, Annexe A.

EXEMPLE

Juste valeur établie selon l'approche par le marché

La société Lary inc. génère des bénéfices plutôt stables depuis 5 ans, dont la moyenne annuelle est de 2 M$. En 20X1, la société a percé le marché des ventes en ligne et a généré un bénéfice de 3,5 M$. Ce montant comprend un profit non récurrent de 300 000 $ découlant de la vente d'un immeuble. Les dirigeants doivent évaluer la juste valeur de l'entreprise aux fins de la préparation des états financiers. Ils savent que des entreprises semblables se sont vendues récemment à un prix égal à 12 fois le bénéfice.

Pour évaluer la juste valeur de l'entreprise, on doit tenir compte des facteurs que les intervenants du marché prendraient en considération dans le but d'évaluer l'entreprise dans son état actuel. Ces intervenants accorderaient peu de poids aux bénéfices générés avant 20X1, car la société est maintenant prospère dans le domaine des ventes en ligne. Toutefois, ce n'est pas la totalité du bénéfice de 3,5 M$ qui est pertinent, mais seulement la portion susceptible de se répéter à l'avenir. Cela nous amène donc à la juste valeur suivante :

Bénéfice réalisé en 20X1		*3 500 000 $*
Profit non récurrent		*(300 000)*
Bénéfice représentatif de l'avenir		*3 200 000*
Multiplicateur du marché	×	*12*
Juste valeur de l'entreprise		*38 400 000 $*

La méthode d'évaluation matricielle est une autre méthode fondée sur le marché, dont le fonctionnement dépasse l'objet de notre étude.

L'**approche par le résultat** comprend des « techniques d'évaluation utilisées pour convertir des montants futurs (comme des flux de trésorerie ou des produits et charges) en un montant unique (actualisé). La juste valeur est déterminée à partir des valeurs correspondant aux attentes actuelles du marché quant à ces montants futurs[20] ». Cette approche comprend les modèles d'évaluation des options, tel le modèle Black-Scholes-Merton décrit brièvement au chapitre 14, et la méthode des bénéfices excédentaires multipériodes, souvent utilisée pour évaluer la juste valeur du goodwill et approfondie dans des manuels traitant de sujets avancés en comptabilité. L'approche par le résultat comprend aussi les techniques d'actualisation, qui sont sans doute celles dont l'utilisation est la plus répandue et qui, pour cette raison, méritent quelques précisions.

Comme nous l'avons vu au début du présent chapitre, les **techniques d'actualisation** consistent à convertir une série de flux de trésorerie attendus à l'avenir en un montant unique exprimé en dollars d'aujourd'hui. Lorsque les calculs sont effectués avec les **données contractuelles**, c'est-à-dire les données concernant la durée, le taux d'intérêt, la valeur actualisée ou la valeur capitalisée précisée dans le contrat, on obtient une valeur qui tient compte de la valeur temporelle de l'argent selon le taux d'intérêt contractuel. Toutefois, pour obtenir une juste valeur en utilisant les techniques d'actualisation, on doit plutôt prendre en considération les valeurs qu'utiliseraient les intervenants du marché le jour de l'évaluation, comme les flux de trésorerie attendus ou les taux d'intérêt du marché selon les renseignements les plus récents. Prenons l'exemple d'un prêt de 1 000 $ à recevoir d'un employé dans un an, portant intérêt au taux de 8 % l'an. Si l'on prévoit que cet employé aura des difficultés financières, il est possible qu'il devienne incapable de rembourser la somme complète de 1 080 $, soit les flux de trésorerie contractuels, et qu'il ne verse finalement que 900 $, soit les flux de trésorerie attendus. De même, si, un peu plus tard, les taux d'intérêt sur le marché augmentent, il y aura un écart entre le taux contractuel et le taux du marché pour un prêt semblable. Enfin, si les intervenants du marché consentaient à cet employé une nouvelle créance, disons le 1er janvier 20X2, ils exigeraient un taux d'intérêt plus élevé, pour compenser l'augmentation du risque de crédit.

20. *Manuel de CPA Canada – Comptabilité – Partie I*, IFRS 13, Annexe A.

EXEMPLE

Différence entre une valeur actualisée et une juste valeur

Le 1er janvier 20X1, la société Fontaine inc. accorde un prêt à un de ses clients. Ce prêt arrive à échéance dans 2 ans, porte intérêt au taux de 5 % et générera des flux de trésorerie encaissables en deux versements de 1 050 $ faits à la fin de chaque année. L'entreprise calcule ce même jour la valeur actualisée de la créance, laquelle tient compte de la variable temps, autrement dit de la valeur temporelle de l'argent.

(N = 2, I = 5 %, PMT = 1 050 $, FV = 0 $, CPT PV ?) = 1 952 $

Un an plus tard, soit le 1er janvier 20X2, la valeur actualisée, toujours avec les modalités prévues initialement, est de 1 000 $, obtenue ainsi :

(N = 1, I = 5 %, PMT = 1 050 $, FV = 0 $, CPT PV ?) = 1 000 $

Si Fontaine inc. veut alors évaluer la juste valeur de cette créance, elle doit plutôt prévoir les flux de trésorerie attendus. Puisque le débiteur a vu sa situation financière se dégrader, Fontaine inc. prévoit qu'il est probable qu'il rembourse uniquement 950 $ à la fin de l'année 20X2. La juste valeur de cette créance s'établit à 905 $:

(N = 1, I = 5 %, PMT = 950 $, FV = 0 $, CPT PV ?) = 905 $

L'actualisation selon les modalités contractuelles permet de tenir compte de la valeur temporelle de l'argent.

L'actualisation selon les prévisions et les taux du marché permet de déterminer la juste valeur tout en tenant compte de la valeur temporelle de l'argent.

Lorsqu'une entreprise évalue la juste valeur d'un élément en utilisant une technique d'actualisation, elle doit appliquer les principes qui suivent :

(a) les flux de trésorerie et les taux d'actualisation devraient refléter les hypothèses que les intervenants du marché utiliseraient pour fixer le prix de l'actif ou du passif ;

(b) les flux de trésorerie et les taux d'actualisation ne devraient tenir compte que des facteurs attribuables à l'actif ou au passif à évaluer ;

(c) pour éviter que les effets des facteurs de risque soient comptés deux fois ou omis, les taux d'actualisation devraient refléter des hypothèses cohérentes avec celles qui sont inhérentes aux flux de trésorerie. Par exemple, un taux d'actualisation reflétant l'incertitude des attentes concernant les défaillances futures est approprié si l'on utilise les flux de trésorerie contractuels d'un prêt (c'est-à-dire une technique d'ajustement du taux d'actualisation). Par contre, ce même taux ne conviendrait pas si l'on utilisait les flux de trésorerie attendus (estimés selon une pondération probabiliste) (c'est-à-dire une technique de la valeur actualisée attendue), parce que ces flux reflètent déjà les hypothèses sur l'incertitude concernant les défaillances futures ; il faudrait plutôt utiliser un taux d'actualisation correspondant au risque inhérent aux flux de trésorerie attendus ;

(d) les hypothèses sur les flux de trésorerie et les taux d'actualisation devraient être cohérentes entre elles. Par exemple, les flux de trésorerie nominaux, qui tiennent compte de l'effet de l'inflation, devraient être actualisés à un taux qui tient compte de cet effet. Le taux d'intérêt sans risque nominal tient également compte de l'effet de l'inflation. En revanche, les flux de trésorerie réels, qui ne tiennent pas compte de l'effet de l'inflation, devraient être actualisés à un taux qui n'en tient pas compte. De même, les flux de trésorerie après impôt devraient être actualisés à un taux après impôt. Les flux de trésorerie avant impôt devraient être actualisés à un taux cohérent par rapport à ces flux de trésorerie ;

(e) le taux d'actualisation devrait être cohérent par rapport aux facteurs économiques sous-jacents propres à la monnaie dans laquelle les flux de trésorerie sont libellés[21].

Il ressort de ces principes que l'incertitude, ou les risques liés à l'élément à évaluer, peut être prise en compte soit lors de l'estimation des flux de trésorerie soit lors du choix du taux d'actualisation. Il en découle donc deux types de techniques d'actualisation.

21. *Manuel de CPA Canada – Comptabilité – Partie I*, IFRS 13, paragr. B14.

3

Selon la **technique d'actualisation traditionnelle**, qui est celle utilisée dans l'exemple précédent, dans l'hypothèse où le taux du marché serait de 5 % au 1er janvier 20X2, l'entreprise estime le montant total des flux de trésorerie le plus probable, qu'elle actualise ensuite à un taux unique reflétant le risque caractéristique du titre à évaluer. Cette méthode, bien que très valable du point de vue théorique, se révèle parfois difficile à appliquer, car l'estimation d'un seul taux d'actualisation qui prend correctement en considération toute l'incertitude est excessivement difficile.

Selon la **technique de la valeur actualisée attendue**, l'entreprise estime d'abord les flux de trésorerie selon les principaux scénarios possibles, auxquels elle attribue ensuite une pondération. Après avoir estimé l'échéancier et les montants des flux de trésorerie, l'entreprise actualise ceux-ci à un taux sans risque. Au Canada, le taux sans risque correspond au taux de rendement des instruments du gouvernement du Canada pour un titre de même durée que celle de l'élément évalué. Notons que la technique de la valeur actualisée attendue implique des considérations plus pointues qui dépassent l'objet du présent chapitre.

EXEMPLE

Juste valeur établie selon la technique de la valeur actualisée attendue

Reprenons l'exemple précédent de la société Fontaine inc. en date du 1er janvier 20X2, au moment où elle doit estimer la juste valeur de la créance, compte tenu des renseignements additionnels qui suivent.

Taux sans risque		*4 %*
Taux ajusté pour tenir compte du risque de non-recouvrement		*6 %*
	Scénario	
	A	***B***
Flux de trésorerie attendus	*1 050 $*	*950 $*
Probabilité de réalisation du scénario	*15 %*	*85 %*

Voici les calculs requis pour évaluer la juste valeur de la créance selon la technique de la valeur actualisée attendue :

Flux de trésorerie attendus		
Selon le scénario A	*1 050 $*	
Probabilité de réalisation du scénario A	*× 0,15*	
Flux attendus selon le scénario A		*158 $*
Selon le scénario B	*950 $*	
Probabilité de réalisation du scénario B	*× 0,85*	
Flux attendus selon le scénario B		*808*
Flux de trésorerie attendus		*966 $*
Taux d'actualisation approprié		*4 %*
Juste valeur (N = 1, I = 4 %, PMT = 966 $, FV = 0 $, CPT PV ?)		*929 $*

Cet exemple illustre d'abord le fait que la technique de la valeur actualisée attendue exige que l'entreprise obtienne plus de renseignements, notamment ici pour distinguer deux scénarios. Dans cet exemple, estimer les flux de trésorerie du scénario A était simple puisque ce dernier repose sur l'encaissement des flux de trésorerie contractuels. Dans d'autres cas, l'entreprise aurait pu prévoir un scénario encore plus pessimiste que le scénario B, disons un flux de trésorerie de 800 $, ou d'autres scénarios additionnels. L'entreprise doit de plus prévoir les probabilités associées à chaque scénario.

On peut remarquer que les flux de trésorerie attendus, au montant de 966 $, ne correspondent à aucun des deux scénarios, car ces montants sont pondérés pour tenir compte des probabilités d'occurrence. Il ressort clairement que ce montant de 966 $ tient compte du risque de non-recouvrement de la créance. On ne doit pas tenir compte de ce risque en double ; c'est pourquoi on retient le taux d'actualisation sans risque de 4 %.

Revenons à la figure 3.6. La dernière approche est l'**approche par les coûts** qui consiste à évaluer le montant qui serait requis en ce moment pour remplacer la capacité de service actuelle d'un actif. Ainsi, on pourrait évaluer ce qu'il en coûterait aujourd'hui aux intervenants du marché pour reconstruire l'un des immeubles détenus par l'entreprise. Le coût de reconstruction serait ensuite ajusté pour tenir compte du fait que l'immeuble est un bien usagé. Par exemple, une entreprise possède un immeuble âgé de 10 ans. Elle estime que, du point de vue des intervenants du marché, le coût de reconstruction d'un immeuble identique, mais neuf, s'élève à 500 000 $. La durée d'utilité de ce type d'immeuble est de 30 ans. La juste valeur de son immeuble, compte tenu de son état actuel, s'élève donc à 333 333 $ (500 000 $ ÷ 30 ans × 20 ans). De même, le coût de reconstruction d'un équipement informatique serait ajusté pour tenir compte de l'obsolescence technique, car aucun intervenant du marché ne paierait le plein prix, par exemple, pour un iPhone d'une ancienne génération alors qu'une nouvelle génération serait offerte sur le marché.

L'IASB ne prescrit pas la méthode à utiliser selon les circonstances. Il énonce uniquement un principe de base :

> L'entité doit utiliser des techniques d'évaluation appropriées aux circonstances et pour lesquelles les données sont disponibles en quantité suffisante pour évaluer la juste valeur, en maximisant l'utilisation des données d'entrée observables pertinentes et en minimisant celle des données d'entrée non observables[22].

Compte tenu des nombreuses estimations requises, une entreprise peut juger pertinent d'utiliser plus d'une technique pour évaluer la juste valeur d'un élément. Elle obtiendra alors un intervalle de valeurs possibles. La juste valeur retenue correspondra ainsi au point dans l'intervalle qui représente le mieux la juste valeur dans les circonstances, et non systématiquement la valeur moyenne, minimale ou maximale de celles comprises dans l'intervalle.

EXEMPLE

Juste valeur établie selon plus d'une méthode

La société XYZ ltée doit évaluer la juste valeur d'une machine utilisée dans ses activités d'exploitation. Aucune information n'infirme l'hypothèse selon laquelle l'utilisation actuelle n'est pas optimale.

XYZ ltée a suffisamment de données pour appliquer l'approche par les coûts et l'approche par le marché. Elle n'utilise pas l'approche par le résultat parce que la machine ne génère pas de flux de trésorerie indépendants qui pourraient être estimés de façon fiable. XYZ ltée applique donc comme suit l'approche par le marché et l'approche par les coûts.

Selon l'approche par le marché, XYZ ltée utilise les cours de machines similaires, ajustés pour tenir compte des différences entre la machine, telle qu'aménagée actuellement, et les machines similaires. La mesure obtenue reflète le prix qui pourrait être obtenu pour la vente de la machine, ajusté pour tenir compte des coûts de transport et d'installation à son emplacement actuel, donc une machine installée et configurée pour son utilisation actuelle dans son état actuel. La juste valeur selon cette approche varie entre 40 000 $ et 48 000 $.

Selon l'approche par les coûts, XYZ ltée estime le montant qui serait actuellement nécessaire pour construire une machine semblable pour une utilisation comparable. L'estimation tient compte de l'état de la machine et de l'environnement dans lequel elle est utilisée, y compris son usure (détérioration physique), de l'amélioration de la technologie (obsolescence fonctionnelle), des conditions externes, telle une baisse de la demande du marché pour des machines similaires (obsolescence économique), et des coûts d'installation. La juste valeur obtenue selon cette approche varie entre 40 000 $ et 52 000 $.

XYZ ltée estime ensuite que la juste valeur obtenue selon l'approche par le marché est plus représentative que celle obtenue selon l'approche par les coûts. Elle attribue donc plus de poids aux chiffres obtenus selon l'approche par le marché. Cette décision pourrait reposer sur la subjectivité relative des données utilisées selon chaque technique d'évaluation, compte

22. *Manuel de CPA Canada – Comptabilité – Partie I*, IFRS 13, paragr. 61.

tenu du degré de comparabilité entre la machine utilisée et les machines similaires. Plus précisément, l'entreprise pourrait justifier :

- que les données utilisées selon l'approche par le marché, soit les cours pour des machines similaires, nécessitent des ajustements moins nombreux et moins subjectifs que les données utilisées selon l'approche par les coûts ;
- que l'intervalle obtenu selon l'approche par le marché chevauche l'intervalle obtenu selon l'approche par les coûts, mais est plus étroit, ce qui reflète des données plus fiables ;
- qu'il n'y a aucune différence inexpliquée connue entre la machine évaluée et les machines similaires.

De plus, XYZ ltée estime que la valeur supérieure de la fourchette obtenue selon l'approche par le marché est plus représentative de la juste valeur. Par conséquent, elle détermine que la juste valeur s'élève à 48 000 $.

Comme on le voit, l'évaluation de la juste valeur peut exiger de nombreuses estimations et il serait approprié qu'une entreprise consigne de façon régulière les renseignements pertinents et procède à un **étalonnage**. En procédant ainsi, elle évalue la juste valeur d'un élément en se basant sur un étalon, que serait, par exemple, le prix de transaction s'il est égal à la juste valeur initiale. Bien que le chapitre suivant traitera en détail de l'évaluation des actifs financiers, mais puisque l'étalonnage est souvent utilisé pour évaluer des actifs financiers, examinons un exemple portant sur un actif financier.

EXEMPLE

Étalonnage de données requises pour évaluer la juste valeur

La société Prau-Por-Syon inc. achète un placement en obligations échéant dans cinq ans. Elle calcule alors le taux d'intérêt du marché de ce placement, taux qui s'établit, disons, à 6,8 % par année. À la date de l'achat, Prau-Por-Syon inc. note de plus dans ses livres que le taux d'intérêt sans risque applicable à des obligations similaires échéant dans 5 ans est de 3 % par année, ce qui laisse une prime de risque de marché de 3,8 % à la date de l'achat. Un an plus tard, si elle doit présenter dans ses notes aux états financiers la juste valeur du placement et si elle établit que le taux sans risque s'élève alors à 4 %, elle peut simplement évaluer la juste valeur du placement en actualisant les flux de trésorerie attendus au taux de 7,8 % (taux sans risque de 4 %, majoré de la prime de risque de 3,8 % propre au placement). Bien sûr, si le risque de défaillance de l'émetteur des obligations augmentait, Prau-Por-Syon inc. devrait augmenter la prime de risque.

Lorsqu'une entreprise a convenu d'utiliser une ou plusieurs méthodes particulières pour évaluer la juste valeur d'un élément, elle doit continuer à utiliser ces mêmes méthodes dans les exercices financiers subséquents, à moins qu'un fait nouveau ne justifie un changement. Par exemple, l'apparition d'un nouveau marché sur lequel se négocie l'élément, de nouvelles informations devenues disponibles ou des conditions changeantes du marché pourraient justifier un changement de technique d'évaluation afin de respecter le principe de base énoncé plus haut. Ainsi, il est clair que si un nouveau marché actif sur lequel se négocient des créances a été créé en 20X2, l'entreprise devrait, à compter de ce moment, évaluer la juste valeur des créances en utilisant le cours, même si avant ce moment elle utilisait une technique d'actualisation pour évaluer la juste valeur des créances. Un changement dans la façon d'évaluer la juste valeur est traité comme une révision d'estimation, c'est-à-dire comptabilisé de façon prospective.

Avez-vous remarqué ?

L'évaluation de la juste valeur est un travail qui exige une excellente connaissance du secteur d'activité et des marchés de vente des actifs. C'est pourquoi le comptable externe doit souvent faire appel à des spécialistes.

Les données d'entrée

Tel qu'indiqué dans la sous-section précédente, le choix d'une technique d'évaluation repose sur la fiabilité des données d'entrée. Plus précisément, la ou les techniques retenues doivent « maximiser l'utilisation des données d'entrée observables pertinentes et minimiser celle des données d'entrée non observables[23] ».

La notion de **données d'entrée** se rapporte aux hypothèses que les intervenants du marché utiliseraient pour fixer le prix d'un élément. On distingue deux catégories de données d'entrée : celles qui sont observables sur un marché et celles qui ne le sont pas.

Les **données d'entrée observables** reposent sur des données de marché. Par exemple, pour estimer les rentrées de fonds attendues d'un placement en obligations portant un intérêt contractuel à taux variable, l'entreprise pourrait utiliser le taux d'intérêt à la date d'évaluation pour des obligations émises par le gouvernement canadien et de même durée, majorée d'une prime de risque. Le taux d'intérêt des obligations est une donnée observable, car elles sont disponibles sur le marché public. Par comparaison, les **données d'entrée non observables** ne reposent pas sur des données de marché. Elles sont « élaborées à l'aide de la meilleure information disponible quant aux hypothèses que les intervenants du marché utiliseraient pour fixer le prix de l'actif ou du passif[24] ». Par exemple, les rentrées de fonds attendues de l'utilisation d'une immobilisation telles qu'elles seraient budgétées par les intervenants du marché sont des données d'entrée non observables.

Il est clair que les justes valeurs établies sur la base de données d'entrée observables sont plus susceptibles d'être exemptes d'erreurs que celles basées sur des données d'entrée non observables. Dans certaines circonstances, par exemple lorsqu'il n'existe pas de marché actif sur lequel l'élément est négocié, la juste valeur peut s'avérer une information moins neutre et plus subjective que le coût. Pour s'assurer que les états financiers demeurent cohérents et comparables, l'IASB propose donc une **hiérarchie des justes valeurs** à trois niveaux. Il recommande aussi de fournir dans les notes aux états financiers des renseignements différents selon chaque niveau.

Au plus haut niveau de la hiérarchie se trouvent les **données d'entrée de niveau 1**. Il s'agit de cours obtenus sur des marchés actifs, tels des marchés boursiers ou de courtiers, pour des éléments identiques à celui évalué et se rapportant à la date d'évaluation. Il importe de souligner que la juste valeur est un cours non ajusté[25]. Un tel cours fournit les indications les plus fiables de la juste valeur ; c'est pourquoi il doit être utilisé chaque fois qu'il est disponible.

Le niveau suivant dans la hiérarchie se compose des **données d'entrée de niveau 2**. Ces données, autres que les cours inclus dans le niveau précédent, sont observables soit directement sous forme de prix, par exemple le prix de vente d'un immeuble similaire, soit indirectement, par exemple la juste valeur d'une créance établie à partir du taux d'intérêt des obligations émises par le gouvernement canadien dont l'échéance est la même que celle des créances. Les données d'entrée de niveau 2 comprennent :

(a) les cours sur des marchés actifs pour des actifs ou des passifs similaires ;

(b) les cours sur des marchés qui ne sont pas actifs pour des actifs ou des passifs identiques ou similaires ;

(c) les données d'entrée autres que les cours du marché qui sont observables pour l'actif ou le passif, par exemple :

- (i) les taux d'intérêt et les courbes de taux observables aux intervalles usuels,
- (ii) les volatilités implicites,
- (iii) les écarts de crédit ;

(d) les données d'entrée corroborées par le marché[26].

23. *Manuel de CPA Canada – Comptabilité – Partie I*, IFRS 13, paragr. 67.
24. *Manuel de CPA Canada – Comptabilité – Partie I*, IFRS 13, Annexe A.
25. Un cours doit exceptionnellement être ajusté dans les situations relevées au paragraphe 79 de l'IFRS 13. Par exemple, un ajustement est requis lorsque des événements importants surviennent après la clôture du marché, mais avant la date d'évaluation.
26. *Manuel de CPA Canada – Comptabilité – Partie I*, IFRS 13, paragr. 82.

Les données d'entrée de niveau 2 doivent être ajustées pour tenir compte de facteurs propres à l'élément évalué, comme son état ou l'endroit où il se trouve.

Les **données d'entrée de niveau 3** font intervenir des données d'entrée non observables. Elles doivent être utilisées uniquement dans la mesure où il n'y a pas de données d'entrée observables disponibles, ce qui rend possible l'évaluation dans les cas où il n'y a pas, ou presque pas, d'activité sur les marchés relativement à l'élément à évaluer à la date d'évaluation. Cependant, l'objectif de l'évaluation de la juste valeur demeure le même, à savoir l'estimation d'un prix de sortie du point de vue d'un intervenant du marché qui détient l'élément. Les données d'entrée non observables sont donc élaborées à partir de la meilleure information disponible concernant les hypothèses que les intervenants du marché utiliseraient pour fixer le prix de l'élément à évaluer. En somme, les données d'entrée de niveau 3 sont élaborées à partir des données de l'entreprise, ajustées pour tenir compte des hypothèses posées par les intervenants du marché. Par exemple, l'estimation des flux de trésorerie liés à une machine pourrait provenir des données budgétaires préparées par l'entreprise, que cette dernière ajusterait pour tenir compte des hypothèses que formuleraient les intervenants du marché au sujet de l'utilisation optimale de cet actif non financier.

Enfin, on observe parfois des transferts d'un niveau de la hiérarchie à un autre. La société Jean Kaisse inc. détient un placement en actions de Jesuy Cottay inc., une société non cotée en Bourse. Jean Kaisse inc. a toujours évalué la juste valeur des actions sur la base des projections de dividendes attendus sur celles-ci, ce qui conduit à une juste valeur de niveau 3 dans la hiérarchie. En juin 20X5, Jesuy Cottay inc. s'est inscrite à la Bourse de Toronto. À compter de cette date, Jean Kaisse inc. détermine la juste valeur en utilisant le cours des actions, qui est une donnée d'entrée de niveau 1.

Tel que nous le verrons dans la section suivante, les états financiers montrent des informations particulières selon le niveau de la hiérarchie. Ces informations sont très importantes, car elles procurent aux utilisateurs des états financiers une indication de la fiabilité relative des données ayant servi à établir les justes valeurs, leur permettant ainsi de mieux apprécier le caractère raisonnable des montants présentés. Compte tenu des informations basées sur la hiérarchie des justes valeurs, un analyste financier pourrait être plus sceptique et procéder à une analyse plus détaillée si 90 % des justes valeurs retenues par une entreprise sont de niveau 3. Ces informations permettent aussi de réduire les appréhensions que pourraient avoir certains utilisateurs des états financiers au sujet de l'évaluation des éléments à leur juste valeur, par exemple, s'ils constatent que 80 % des justes valeurs établies sont de niveau 1.

Comment une entreprise procède-t-elle pour classer les justes valeurs en fonction des trois niveaux ? Les situations les plus simples sont celles où une juste valeur correspond à un cours coté non ajusté. Cette juste valeur est classée au niveau 1. Cependant, si l'actif à évaluer n'est pas identique à celui qui se négocie sur un marché actif, l'entreprise doit ajuster le cours coté, ce qui en fait une juste valeur de niveau 2. Prenons enfin l'exemple d'un équipement dont la juste valeur repose sur l'estimation des flux de trésorerie attendus, selon les budgets préparés par l'entreprise, qui sont des données d'entrée de niveau 3, et sur un taux d'actualisation directement observable, soit une donnée d'entrée de niveau 2. La juste valeur ainsi obtenue est classée au plus bas niveau, soit le niveau 3. Rappelons que le jugement professionnel est toujours requis. Par exemple, si la juste valeur est obtenue à partir de données d'entrée de niveau 2, sauf une donnée de niveau 3 dont l'effet est minime sur la juste valeur, celle-ci sera classée au niveau 2 de la hiérarchie des justes valeurs.

Différence NCECF

Avez-vous remarqué ?

L'IFRS 13 vise à s'assurer de la fidélité de l'information financière et, plus précisément, de la neutralité dans la façon d'évaluer la juste valeur.

 Les informations à fournir

Différence NCECF

3

En raison des nombreuses estimations souvent nécessaires pour évaluer la juste valeur, on comprend aisément l'importance de fournir des renseignements complémentaires dans les notes aux états financiers. Par ces informations, l'entreprise doit s'assurer que les utilisateurs des états financiers disposent des données requises pour pouvoir apprécier deux éléments :

(a) pour les actifs et les passifs évalués à la juste valeur sur une base récurrente ou non dans l'état de la situation financière après la comptabilisation initiale, les techniques d'évaluation et les données d'entrée utilisées pour établir les valeurs ;

(b) pour les évaluations de la juste valeur récurrentes faites à l'aide de données d'entrée non observables (niveau 3) importantes, l'effet de ces évaluations sur le résultat net ou sur les autres éléments du résultat global pour la période[27].

Pour atteindre ces objectifs, l'entreprise doit prendre des décisions concernant le niveau de détail des renseignements à fournir, les regroupements possibles et l'importance à accorder à chaque exigence quant aux informations à fournir.

Le tableau 3.4 présente, dans la colonne de gauche, les recommandations contenues dans l'IFRS 13, accompagnées, dans la colonne de droite, d'exemples de notes, dont certains sont inspirés de modèles préparés par l'IASB. À noter que ces exemples ne se rapportent pas nécessairement à la même entreprise. Il importe aussi de bien noter que les recommandations qui figurent dans ce tableau ne constituent qu'une façon de fournir des informations qui répondent aux besoins des utilisateurs des états financiers. Il revient toutefois à l'entreprise de juger si des informations additionnelles sont requises pour une appréciation des deux éléments mentionnés ci-dessus au paragraphe 91 de l'IFRS 13.

TABLEAU 3.4 Les informations à fournir concernant les évaluations de justes valeurs

***Normes internationales d'information financière,* IFRS 13**	**Exemples**
Paragr. 93 *Afin de remplir les objectifs énoncés au paragraphe 91, l'entité doit fournir au minimum les informations suivantes pour chaque catégorie d'actifs et de passifs (voir paragraphe 94 pour des précisions sur la façon de déterminer les catégories appropriées d'actifs et de passifs) évalués à la juste valeur (ou faisant l'objet d'évaluations fondées sur la juste valeur comprises dans le champ d'application de la présente norme) dans l'état de la situation financière après la comptabilisation initiale :* *(a) pour les évaluations de la juste valeur récurrentes ou non, la juste valeur à la fin de la période de présentation de l'information financière et, pour les évaluations de la juste valeur non récurrentes, les motifs de l'évaluation. Les évaluations récurrentes de la juste valeur d'actifs ou de passifs sont celles que d'autres IFRS imposent ou permettent dans l'état de la situation financière à la fin de chaque période de présentation de l'information financière. Les évaluations non récurrentes de la juste valeur d'actifs ou de passifs sont celles que d'autres IFRS imposent ou permettent dans l'état de la situation financière dans des situations particulières (par exemple lorsqu'une entité évalue un actif détenu en vue de la vente à sa juste valeur diminuée des coûts de la vente conformément à IFRS 5* Actifs non courants détenus en vue de la vente et activités abandonnées *parce que la juste valeur de l'actif diminuée des coûts de la vente est inférieure à sa valeur comptable) ;* *(b) pour les évaluations de la juste valeur récurrentes ou non, le niveau auquel chaque juste valeur prise dans son ensemble est classée dans la hiérarchie (niveau 1, 2 ou 3) ;*	***Juste valeur des actifs en fin d'exercice*** — *20X2-12-31* ***Évaluation récurrente de la juste valeur*** — *M$* *Actifs financiers à la juste valeur par le biais du résultat net (JVBRN)* *Valeurs mobilières* — *100* *Dérivés* — *39* *Actifs financiers à la juste valeur par le biais des autres éléments du résultat global (JVBAERG)* *Placements en actions* — *75* *Immeubles de placement* *Terrains* — *40* *Immeubles* — *15* *Total* — *269* ***Évaluation non récurrente de la juste valeur*** *Équipements détenus en vue de la vente* — *20* *Les équipements détenus en vue de la vente sont exceptionnellement comptabilisés à leur juste valeur diminuée des coûts de la vente, car cette valeur s'avérait inférieure à leur valeur comptable.* [Note : Plutôt que de présenter l'information précédente dans une seule colonne, on pourrait ajouter trois colonnes afin de préciser le niveau de la hiérarchie des justes valeurs.]

27. *Manuel de CPA Canada – Comptabilité – Partie I*, IFRS 13, paragr. 91.

3

TABLEAU 3.4 *(suite)*

Juste valeur des actifs en fin d'exercice *(en millions de dollars)*	*M$* *20X2-12-31*	*M$* *Prix coté sur un marché actif* *Niveau 1*	*M$* *Données observables* *Niveau 2*	*M$* *Données non observables* *Niveau 3*
Évaluation récurrente de la juste valeur				
Actifs financiers à la JVBRN				
Valeurs mobilières	*100*	*40*	*60*	
Dérivés	*39*	*17*	*20*	*2*
Actifs financiers à la JVBAERG				
Placements en actions	*75*	*30*	*40*	*5*
Immeubles de placement				
Terrains	*40*	*0*	*25*	*15*
Immeubles	*15*	*0*	*0*	*15*
Total	*269*	*87*	*145*	*37*

	M$ *20X2-12-31*	*M$* *Prix coté sur un marché actif* *Niveau 1*	*M$* *Données observables* *Niveau 2*	*M$* *Données non observables* *Niveau 3*
Évaluation non récurrente de la juste valeur				
Équipements détenus en vue de la vente	*20*			*20*

(c) *pour les actifs et les passifs qui sont détenus à la fin de la période de présentation de l'information financière et évalués à la juste valeur de façon récurrente, le montant des transferts de juste valeur effectués le cas échéant entre le niveau 1 et le niveau 2 de la hiérarchie, les raisons de ces transferts et la politique suivie par l'entité pour déterminer à quel moment un transfert d'un niveau à l'autre est réputé s'être produit (voir paragraphe 95). Les transferts vers chaque niveau doivent être mentionnés et expliqués séparément des transferts depuis chaque niveau ;*

Transferts des actifs d'un niveau à l'autre dans la hiérarchie des justes valeurs *(en millions de dollars)*

	Niveau 1	*Niveau 2*	*Niveau 3*
Placement en actions	*10*	*(10)*	

Le transfert du niveau 2 au niveau 1 découle du fait que l'émetteur des actions est une société privée devenue publique du fait que ses actions se négocient dorénavant à la Bourse de Toronto.

Pour tous les transferts de niveau, la politique de l'entreprise consiste à ce que le transfert a eu lieu à la date de l'événement à l'origine de ce transfert.

[Note : Le paragraphe 95 précise que l'entreprise doit appliquer systématiquement sa politique, d'une période à l'autre et pour tous ses transferts entre les divers niveaux.]

(d) *pour les justes valeurs qui sont évaluées de façon récurrente ou non et classées au niveau 2 ou 3 de la hiérarchie, une description de la ou des techniques d'évaluation et des données d'entrée utilisées pour l'évaluation. En cas de changement de technique d'évaluation (par exemple l'abandon d'une approche par le marché au profit d'une approche par le résultat ou l'application d'une technique d'évaluation supplémentaire), l'entité doit mentionner ce changement et la ou les raisons qui le soutendent. Pour les justes valeurs classées au niveau 3 de la hiérarchie, l'entité doit fournir des informations quantitatives sur les données d'entrée non observables importantes utilisées aux fins de l'évaluation. L'entité n'est pas tenue de créer des informations quantitatives pour se conformer à cette obligation d'information si elle n'a pas élaboré de données d'entrée non observables quantitatives pour mesurer la juste valeur (dans le cas par exemple où elle utilise les prix de transactions antérieures ou des informations sur des prix émanant de tiers sans opérer d'ajustement). Toutefois, lorsqu'elle fournit ces informations, l'entité ne peut pas négliger les données d'entrée quantitatives non observables qui sont importantes pour l'évaluation de la juste valeur et qu'elle peut obtenir au prix d'un effort raisonnable ;*

Méthodes d'évaluation des justes valeurs

La juste valeur de niveau 2 des actifs financiers à la JVBRN repose sur une approche par le résultat. L'entité utilise la technique de la valeur actualisée attendue. Plus précisément, elle estime les flux de trésorerie selon un scénario optimiste, un scénario normal et un scénario pessimiste, de manière à tenir compte de l'incertitude inhérente à ces flux de trésorerie.

Les flux de trésorerie annuels sont estimés respectivement à XX $, à XX $ et à XX $ selon les trois scénarios déterminés ci-dessus.

La juste valeur de niveau 2 des immeubles de placement est déterminée sur la base des prix de vente d'immeubles semblables, ajustés pour tenir compte des caractéristiques propres aux immeubles détenus par l'entité, tels l'emplacement et l'âge.

[Note : Des informations de même nature seraient données pour chaque actif, passif et titre de capitaux propres évalués à la juste valeur et reposant sur des données d'entrée de niveaux 2 et 3.]

3

TABLEAU 3.4 *(suite)*

(e) *pour les justes valeurs qui sont évaluées de façon récurrente et classées au niveau 3 de la hiérarchie, un rapprochement entre les soldes d'ouverture et de clôture, en indiquant séparément les variations de la période attribuables aux éléments suivants :*

- (i) *le total des profits ou des pertes de la période comptabilisés en résultat net, avec mention du ou des postes du résultat net où ces profits ou pertes sont comptabilisés,*
- (ii) *le total des profits ou des pertes de la période comptabilisés dans les autres éléments du résultat global, avec mention du ou des postes des autres éléments du résultat global où ces profits ou pertes sont comptabilisés,*
- (iii) *les achats, les ventes, les émissions et les règlements (chacun de ces types de variations étant indiqué séparément),*
- (iv) *le montant des transferts de juste valeur vers ou depuis le niveau 3 de la hiérarchie, les raisons qui les motivent et la politique suivie par l'entité pour déterminer à quel moment un transfert d'un niveau à l'autre est réputé s'être produit (voir paragraphe 95). Les transferts vers le niveau 3 doivent être mentionnés et expliqués séparément des transferts depuis ce niveau ;*

Évolution des justes valeurs classées au niveau 3 de la hiérarchie *(en millions de dollars)*

Solde au début de l'exercice financier	*48 $*
Cession d'actifs pour lesquels un profit de 1 $ a été comptabilisé en résultat net	*(5)*
Augmentation de valeur des actions à la JVBAERG	*2*
Diminution de la juste valeur des actifs en main en fin d'exercice	*(8)*
Solde de clôture	*37 $*

(f) *pour les justes valeurs qui sont évaluées de façon récurrente et classées au niveau 3 de la hiérarchie, le montant du total des profits ou des pertes de la période mentionné au paragraphe (e)(i) ci-dessus qui a été pris en compte dans le résultat net et qui est attribuable à la variation des profits ou des pertes latents relatifs aux actifs et passifs détenus à la date de clôture, avec mention du ou des postes du résultat net où ces profits et pertes latents sont comptabilisés ;*

(g) *pour les justes valeurs qui sont évaluées de façon récurrente ou non et classées au niveau 3 de la hiérarchie, une description des processus d'évaluation suivis par l'entité (y compris, par exemple, la façon dont l'entité détermine ses politiques et procédures d'évaluation et analyse les changements intervenus dans les évaluations de la juste valeur d'une période à l'autre) ;*

L'entreprise pourrait fournir cette information pour les placements en actions à la JVBAERG par exemple.

(h) *pour les justes valeurs qui sont évaluées de façon récurrente et classées au niveau 3 de la hiérarchie :*

- (i) *dans tous les cas, une description de la sensibilité de l'évaluation de la juste valeur à des changements dans des données d'entrée non observables, lorsqu'un changement de montant dans ces données peut entraîner une augmentation ou une diminution importante de la juste valeur. S'il existe des corrélations entre ces données d'entrée et d'autres données d'entrée non observables utilisées pour l'évaluation de la juste valeur, l'entité doit aussi expliquer ces corrélations et la façon dont elles pourraient amplifier ou atténuer l'effet des changements dans les données d'entrée non observables sur l'évaluation de la juste valeur. Pour satisfaire à cette obligation d'information, la description de la sensibilité aux changements dans les données d'entrée non observables doit traiter, au minimum, des données d'entrée non observables mentionnées en application du paragraphe (d) ci-dessus,*

Évaluation de la juste valeur basée sur des données d'entrée non observables (niveau 3) – Analyse de l'incertitude de mesure *(en millions de dollars)*

		Différence de juste valeur en utilisant des données non observables différentes mais raisonnables		
	JUSTE VALEUR 20X9-12-31	*Augmentation*	*Diminution*	*Données non observables significatives*
Titres de créances				
Créances hypothécaires résidentielles	*125*	*24*	*(18)*	*Taux de remboursement anticipé, probabilité de défaut, importance des pertes, rendement (y compris l'effet de la corrélation entre les taux de remboursement anticipé et la probabilité de défaut)*

TABLEAU 3.4 *(suite)*

(ii) dans le cas des actifs financiers et des passifs financiers, si le fait de modifier une ou plusieurs des données d'entrée non observables pour refléter d'autres hypothèses raisonnablement possibles devait entraîner une variation importante de la juste valeur, la mention de ce fait, avec indication des effets des modifications. L'entité doit indiquer comment l'effet d'une modification faite pour refléter une autre hypothèse raisonnablement possible a été calculé. À cette fin, l'importance de la variation doit être appréciée par rapport au résultat net et au total des actifs ou des passifs ou, lorsque les variations de la juste valeur sont comptabilisées dans les autres éléments du résultat global, par rapport au total des capitaux propres ;

	JUSTE VALEUR 20X9-12-31	***Augmentation***	***Diminution***	***Données non observables significatives***
Créances hypothécaires résidentielles	*50*	*15*	*(16)*	*Probabilité de défaut, importance des pertes, rendement*
Créances obligataires garanties	*35*	*5*	*(3)*	*Évaluation des actifs en garantie, taux de défaut, valeur des immeubles en garantie*
Total des titres de créances	*210*	*44*	*(37)*	
Titres de couverture				
Titres de dettes à haut rendement	*90*	*5*	*(3)*	*États financiers des fonds*
Titres de capitaux propres non cotés				
Titres de sociétés privées	*25*	*4*	*(3)*	*États financiers des sociétés*
Autres titres	*10*	*3*	*(2)*	*États financiers des sociétés*
Total	*35*	*7*	*(5)*	
Dérivés				
Contrat de crédit	*38*	*6*	*(5)*	*Volatilité du crédit*
Immeubles de placement				
Asie	*13*	*2*	*(3)*	*Ajustements selon des immeubles comparables*
Europe	*15*	*2*	*(2)*	*Ajustements selon des immeubles comparables*
Total	*28*	*4*	*(5)*	

[Note : Un tableau semblable pourrait être présenté, s'il y a lieu, pour montrer la juste valeur des passifs.]

(i) pour les justes valeurs évaluées de façon récurrente ou non, si l'utilisation optimale d'un actif non financier diffère de son utilisation actuelle, la mention de ce fait, avec indication des raisons pour lesquelles l'actif n'est pas utilisé de façon optimale.

L'entreprise possède un terrain qui sert actuellement d'emplacement pour une usine, bien que l'utilisation optimale serait d'y construire des immeubles résidentiels.

L'entreprise continue à utiliser le terrain dans le cadre de ses activités courantes pendant encore une année, soit le temps nécessaire pour relocaliser les activités de production.

Soulignons que, comme le montrent les exemples précédents, la présentation des informations quantitatives est plus simple et plus limpide lorsqu'elle prend la forme de tableaux. Elle doit donc être adoptée, à moins qu'une autre forme se révèle plus appropriée. Ces exemples montrent aussi que l'information à fournir peut vite devenir très volumineuse, notamment si elle est donnée pour chaque élément pris séparément. C'est pourquoi l'entreprise doit d'abord opérer des regroupements d'éléments sur la base, par exemple, de leur nature (tels les actifs et les passifs), de leurs caractéristiques et de leurs risques, tels que les éléments portant intérêt à taux fixe ou à taux variable, ainsi que sur la base du niveau de la hiérarchie où est classée la juste valeur des éléments. L'IASB précise aussi que les regroupements peuvent être plus nombreux pour les éléments classés au niveau 3 de la hiérarchie des justes valeurs, car ces évaluations sont plus subjectives. Enfin, les entreprises doivent respecter deux recommandations additionnelles :

> Pour chaque catégorie d'actifs et de passifs qui ne sont pas évalués à la juste valeur dans l'état de la situation financière, mais dont la juste valeur est indiquée, l'entité doit fournir les informations exigées au paragraphe 93(b), (d) et (i). Toutefois, dans le cas des justes valeurs classées au niveau 3 de la hiérarchie, l'entité n'est pas tenue de fournir les informations quantitatives sur les données d'entrée non observables importantes exigées au paragraphe 93(d). Pour ces actifs et passifs, l'entité n'est pas non plus tenue de fournir les autres informations exigées par la présente norme[28].
>
> Dans le cas d'un passif évalué à la juste valeur et émis avec un rehaussement de crédit indissociable fourni par un tiers, l'émetteur doit mentionner l'existence du rehaussement de crédit et indiquer si celui-ci est pris en compte dans l'évaluation de la juste valeur du passif[29].

Avez-vous remarqué ?

Étant donné la complexité liée à l'établissement de la juste valeur, les utilisateurs des états financiers peuvent consulter les notes aux états financiers pour mieux comprendre comment cette juste valeur a été déterminée.

Différence NCECF

PARTIE II – LES NCECF

Équivalents terminologiques *Manuel de CPA Canada* – Partie II et Partie I.

La notion de juste valeur

Contrairement aux IFRS, les NCECF ne contiennent aucune norme portant exclusivement sur la façon d'évaluer la juste valeur. Le Conseil des normes comptables (CNC) n'a pas l'intention d'élaborer une telle norme dans un proche avenir, et on peut en comprendre la raison. Selon les NCECF, hormis les cas où une dépréciation doit être comptabilisée sur un actif, l'évaluation de la plupart des éléments repose sur le coût ou le coût amorti. Il existe deux principales exceptions à cette règle. La première concerne les placements dans des titres de capitaux propres cotés sur un marché actif. Puisque la juste valeur correspond simplement au cours coté, son évaluation n'est pas difficile. La seconde exception concerne les instruments financiers que l'entreprise peut, uniquement si elle le décide, évaluer à la juste valeur. En pratique, les entreprises qui appliquent les NCECF choisissent cette option principalement pour évaluer des éléments qui se négocient sur un marché actif, tel un placement en obligations. Dans ces cas, elles ont peu de travail comptable à faire en fin d'exercice pour évaluer la juste valeur, limitant ainsi les coûts de préparation des états financiers. Plusieurs entreprises pourraient même choisir d'évaluer ces éléments au coût ou au coût amorti afin d'éviter d'introduire une plus grande variabilité dans leur résultat net, variabilité causée par la comptabilisation périodique des variations des justes valeurs.

D'autres chapitres du *Manuel – Partie II* utilisent le concept de juste valeur. En voici quelques exemples :

- Lorsqu'un groupe de biens est acquis à un prix global, le coût initial de chaque immobilisation est déterminé en répartissant le prix global entre tous les biens selon leur juste valeur relative au moment de l'acquisition.
- Une dépréciation sur un actif à long terme doit parfois être comptabilisée si la valeur comptable n'est pas recouvrable et excède la juste valeur.
- Un actif à long terme classé comme étant destiné à la vente doit être évalué à sa valeur comptable ou à sa juste valeur diminuée des frais de vente si cette dernière valeur est inférieure.

Ces quelques exemples montrent que la préparation des états financiers conformément aux NCECF exige parfois d'établir la juste valeur afin d'appliquer le traitement comptable que prescrit le CNC. Dans les chapitres où le CNC définit la juste valeur, tels les **chapitres 3063** (Dépréciations

28. *Manuel de CPA Canada – Comptabilité – Partie I*, IFRS 13, paragr. 97.
29. *Manuel de CPA Canada – Comptabilité – Partie I*, IFRS 13, paragr. 98.

d'actifs à long terme), **3475** (Sortie d'actifs à long terme et abandon d'activités), **3831** (Opérations non monétaires), **3840** (Opérations entre apparentés) et **3856** (Instruments financiers), la juste valeur est définie comme le montant de la contrepartie dont conviendraient des parties compétentes agissant en toute liberté dans des conditions de pleine concurrence. Cette définition est très sommaire par rapport aux nombreuses précisions données par le référentiel des IFRS. Dans d'autres chapitres, tel le chapitre **3061** (Immobilisations corporelles), aucune définition de la juste valeur n'est fournie.

L'évaluation de la juste valeur

Aucune norme des NCECF ne donne de directives précises devant être appliquées pour évaluer la juste valeur. Le comptable doit donc faire preuve de jugement professionnel lorsqu'il doit évaluer une telle valeur.

Les informations à fournir

Les états financiers conformes aux NCECF contiennent en général très peu d'information sur la façon dont une entreprise a évalué la juste valeur. En effet, les NCECF n'imposent aucune information à fournir à cet égard.

Consulter le tableau synthèse des particularités des NCECF.

Avez-vous remarqué ?

Les états financiers préparés selon les NCECF contiennent moins d'éléments évalués à la juste valeur, comparativement aux IFRS, selon lesquelles, par exemple, tous les immeubles de placement et certains actifs biologiques doivent être évalués à la juste valeur. Cependant, les justes valeurs comprises dans les premiers peuvent être établies de diverses façons, ce qui en diminue le caractère de comparabilité.

SYNTHÈSE DU CHAPITRE 3

La figure 3.7 illustre en un coup d'œil les principaux thèmes abordés dans le présent chapitre. Le texte qui suit la figure vous permettra de vérifier l'acquisition des objectifs d'apprentissage.

FIGURE 3.7 Les principaux thèmes abordés dans le présent chapitre

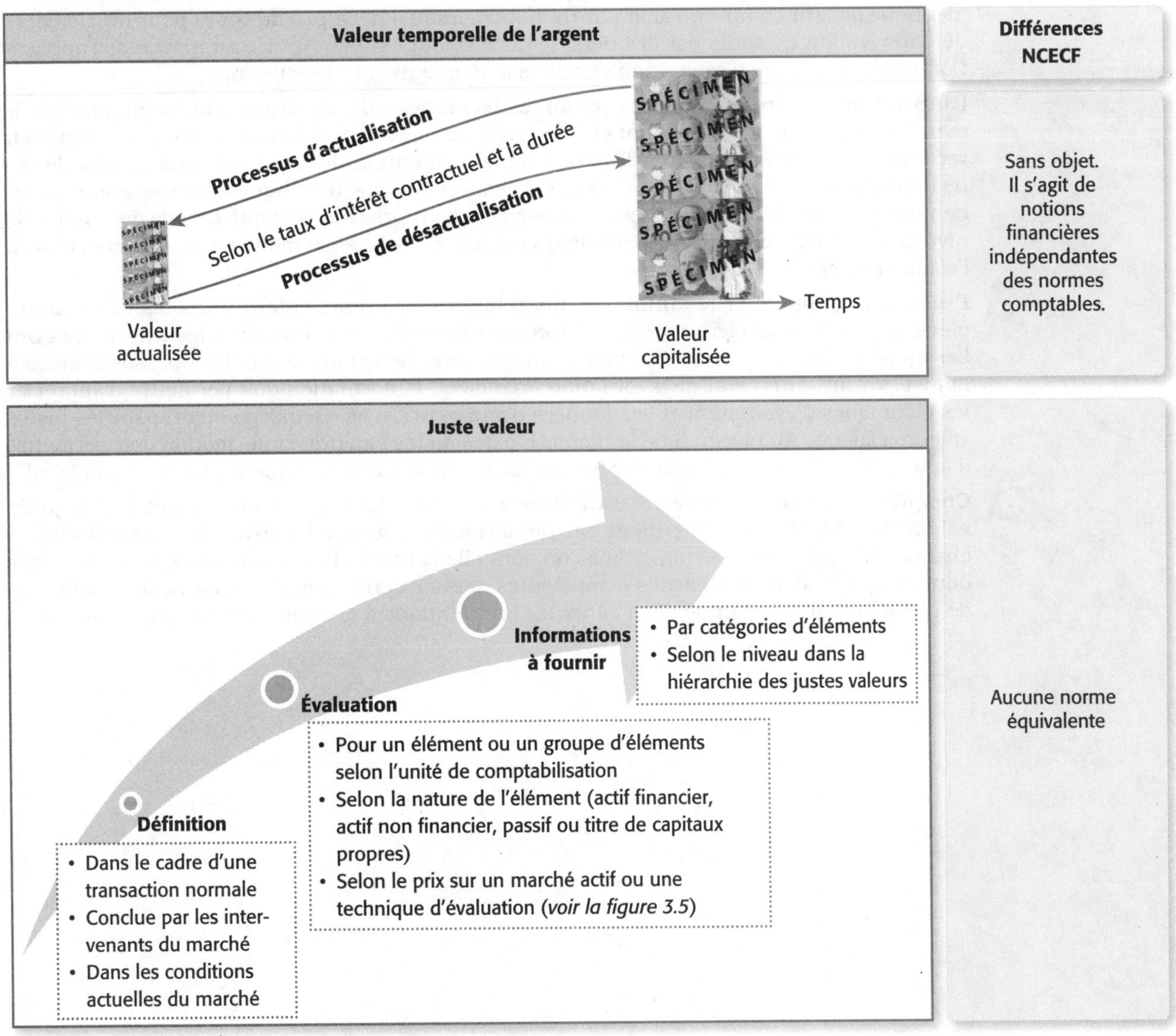

Source : L'image des billets est une reproduction autorisée par la Banque du Canada.

Tenir compte de la valeur temporelle de l'argent. Le processus d'actualisation permet de tenir compte de la valeur temporelle de l'argent et est utilisé dans plusieurs opérations financières. La valeur actualisée est toujours inférieure à la valeur capitalisée, et la différence entre les deux représente les intérêts.

Expliquer la notion de juste valeur. La juste valeur d'un élément correspond au prix qui serait reçu lors de la vente d'un actif ou payé lors du transfert d'un passif ou d'un titre de capitaux propres, dans le cadre d'une transaction normale, par les intervenants du marché qui agissent dans leur meilleur intérêt économique à la date d'évaluation.

3

 **Établir la juste valeur des actifs, des passifs et des titres de capitaux propres.** L'IFRS 13 donne plusieurs indications sur la façon de déterminer la juste valeur. L'évaluation de la juste valeur débute par la détermination de l'unité de comptabilisation. Ce sont les autres normes qui déterminent si la juste valeur doit être évaluée sur la base d'un seul élément ou d'un groupe d'éléments.

L'évaluation de la juste valeur tient aussi compte de la nature de l'élément. Ainsi, la juste valeur d'un actif non financier repose sur son utilisation optimale, alors que la juste valeur d'un passif ou d'un titre de capitaux propres repose, si possible, sur le cours d'un élément identique détenu en tant qu'actif par un tiers. Lorsqu'il n'y a pas de cours pour les éléments détenus en tant qu'actifs par des tiers, la juste valeur est déterminée au moyen de l'application d'une technique d'évaluation et reflète le risque de non-exécution.

L'IASB distingue trois approches parmi les techniques d'évaluation, soit l'approche par le marché, l'approche par le résultat et l'approche par les coûts. Le comptable doit parfois avoir recours à des spécialistes pour l'épauler dans l'évaluation de la juste valeur à l'aide de ces techniques. Il doit, cependant, toujours s'assurer que les techniques retenues sont pertinentes et que les données utilisées sont correctement prises en compte afin de déterminer le niveau de la hiérarchie des justes valeurs où doit être classé le montant obtenu concernant l'élément en cause.

 **Présenter et apprécier les informations relatives à la juste valeur dans les états financiers.** Les états financiers doivent comprendre toute l'information dont les utilisateurs ont besoin pour apprécier deux éléments. Premièrement, pour tous les actifs et passifs évalués à la juste valeur dans l'état de la situation financière, l'information doit permettre d'apprécier les techniques d'évaluation et les données d'entrée utilisées. Deuxièmement, pour les justes valeurs classées au niveau 3 de la hiérarchie des justes valeurs, l'information doit permettre d'apprécier l'effet des données sur le résultat net et les autres éléments du résultat global.

 **Comprendre et appliquer les NCECF liées à la valeur temporelle de l'argent et à la juste valeur.** Les NCECF ne renferment pas de norme équivalente à l'IFRS 13. Il revient donc à chaque entreprise de déterminer la façon dont elle peut établir le montant de la contrepartie dont conviendraient des parties compétentes agissant en toute liberté dans des conditions de pleine concurrence et de déterminer les informations à fournir dans ses états financiers.

Les instruments financiers

4

Des ressources pédagogiques sont disponibles en ligne.

Objectifs d'apprentissage

4

À la fin de ce chapitre, vous pourrez :

1. décrire le contexte à l'origine des instruments financiers et reconnaître ce que constitue un instrument financier ;
2. comptabiliser les actifs financiers lors de leur acquisition ;
3. évaluer les actifs financiers après leur date d'acquisition selon leur classement ;
4. reclasser et décomptabiliser les actifs financiers ;
5. appliquer les traitements comptables acceptables aux passifs financiers ;
6. présenter les instruments financiers dans le corps même des états financiers ;
7. déterminer si la compensation de deux instruments financiers est acceptable ;
8. présenter les informations liées aux instruments financiers dans les notes aux états financiers ;
9. comprendre et appliquer les NCECF liées aux instruments financiers.

Aperçu du chapitre

Vous écoutez le téléjournal, où l'on reparle de la crise du crédit déclenchée en 2008 aux États-Unis par les prêts hypothécaires à haut risque, tout en ouvrant votre courrier. La première enveloppe contient le relevé de la rente mensuelle versée à même un régime d'épargne-études établi en votre faveur. Le deuxième vous apprend que vous avez obtenu le prêt demandé à votre banque et que votre mère a fourni l'endossement. Qu'ont en commun ce courrier et ces nouvelles ? Ils portent tous sur des instruments financiers. On pourrait donner bien d'autres exemples d'instruments financiers, qui englobent à la fois des **actifs** (le droit de recevoir une rente) et des **passifs** (un prêt à rembourser à la banque), tels les créances, certains placements, les options d'achat d'actions et certaines dettes. Si vous deviez dresser vos états financiers ce jour même, devriez-vous présenter à titre d'actif la valeur des actifs détenus au sein du régime d'épargne-études ? Devriez-vous y inclure le prêt bancaire ou est-ce que ce sont les états financiers de votre mère qui devraient en faire état ?

Des questions analogues se posent du point de vue d'une entreprise qui détient des instruments financiers. La première question est de savoir à quel moment et à quelle valeur elle doit les comptabiliser. Au cours des exercices subséquents, elle doit inclure dans ses états financiers la valeur, à la fois pertinente et fidèle, de ses instruments financiers. Par exemple, Cascades comptabilise ses créances clients au coût amorti et certains de ses placements à la juste valeur. La possibilité d'évaluer différemment les instruments financiers est une pratique comptable fort distincte de celle qui s'applique à plusieurs actifs et passifs, historiquement évalués au coût. De plus, l'entreprise applique à certains de ses instruments financiers des tests de dépréciation afin de s'assurer que leur valeur comptable est au moins égale à leur juste valeur. Puisque les instruments financiers englobent des actifs, des passifs et même des titres de capitaux propres, l'entreprise doit en analyser la substance pour déterminer la section des états financiers où ils doivent figurer.

Ce qui distingue fondamentalement les instruments financiers des autres actifs et passifs, ce sont les risques auxquels ils exposent l'entreprise. On ne saurait en donner de meilleur exemple que la crise du crédit qui a secoué les banques américaines ayant accordé des prêts à haut risque. Les états financiers doivent ainsi permettre aux utilisateurs des états financiers de saisir, en plus de l'importance des instruments financiers d'une entreprise, la nature et l'ampleur de ces risques ainsi que la façon dont l'entreprise les gère.

Après avoir présenté une définition précise des instruments financiers, le présent chapitre expliquera les règles de comptabilisation des actifs financiers et des passifs financiers ainsi que leur **mode de présentation**, que ce soit dans le corps même des états financiers ou dans les notes, ou encore dans un rapport distinct auquel les états financiers renvoient. Pour terminer, les principales différences des sujets abordés dans ce chapitre selon le *Manuel – Partie I* et *Partie II* seront relevées dans la partie II – Les NCECF.

Lorsque des notions de mathématiques financières sont utilisées, les variables nécessaires aux calculs sont indiquées avec les abréviations suivantes :

N : nombre de périodes
I : taux d'intérêt
PMT : paiements périodiques
PV : valeur actualisée
FV : valeur future
BGN : paiements en début de période

PARTIE I – LES IFRS

 Équivalents terminologiques *Manuel de CPA Canada* – Partie I et Partie II.

 Le contexte à l'origine des instruments financiers

L'immense popularité des instruments financiers confirme l'ingéniosité des experts financiers. Avant d'entreprendre l'étude des quatre prochaines parties du présent manuel, qui traitent de la comptabilisation des actifs, des passifs et des capitaux propres, des autres éléments de l'état de la situation financière et des éléments de performance, il est utile de comprendre la nature des instruments financiers qui, selon le point de vue retenu, constituent des actifs ou des modes de financement, ces derniers pouvant prendre la forme de passifs ou de titres de capitaux propres.

Des organismes responsables de la normalisation de plusieurs pays analysent depuis longtemps les questions relatives à la comptabilisation, à l'évaluation et à la présentation des instruments financiers. Il s'agit d'un sujet complexe, car les instruments financiers sont eux-mêmes complexes. Examinons les changements survenus dans l'environnement économique qui sont à l'origine de la création des instruments financiers.

Aujourd'hui, les entreprises concluent des opérations financières fort différentes de celles des années 1960. Ces changements découlent essentiellement de l'apparition du néolibéralisme économique. Au fil des ans, certaines réalités ont beaucoup changé, augmentant les risques que doivent assumer les entreprises. Le **risque** se définit comme une possibilité qu'un événement, plus ou moins prévisible, ait des conséquences fâcheuses sur la réalisation d'un programme, d'un plan, d'une politique ou autre.

En premier lieu, plusieurs pays ont remanié leur politique monétaire, notamment en acceptant de modifier leur taux d'intérêt sur une base presque continue. Dans les années 1960, une entreprise qui contractait une nouvelle dette, par exemple d'une durée de 20 ans, connaissait le taux d'intérêt et les sorties de trésorerie qu'elle effectuerait au cours des 20 années subséquentes. Plus tard, les bailleurs de fonds ont commencé à consentir des prêts à taux variable. Une entreprise qui contractait alors une nouvelle dette ne connaissait plus les sorties de trésorerie qu'elle effectuerait au cours des 20 années subséquentes. Pis encore que l'incertitude, si le taux d'intérêt augmentait, l'entreprise était contrainte d'augmenter son décaissement lié à sa dette. Dès le début des années 1970, les spécialistes des marchés financiers ont conçu de nouveaux titres permettant à leurs détenteurs de profiter de diverses variations ou de s'en protéger. Les entreprises ont donc été soulagées de voir apparaître de nouveaux instruments financiers, tels que les swaps d'intérêt (expliqués au chapitre 19), qui leur permettaient de se protéger contre la hausse des taux d'intérêt.

En second lieu, la disponibilité des technologies de l'information et des communications a facilité la mondialisation des opérations. Ainsi, d'un simple clic, il est désormais possible de communiquer instantanément partout dans le monde. Plusieurs entreprises peuvent négocier avec des entreprises implantées dans d'autres pays sans devoir consacrer des ressources importantes à leurs déplacements. Cependant, les entreprises qui achètent ou vendent à l'étranger et qui concluent leurs opérations en monnaies étrangères assument les risques de change. Prenons l'exemple d'une entreprise canadienne qui vend à crédit des marchandises valant 1 200 000 $ CDN le 10 janvier 20X1. Le montant sera encaissable le 10 février suivant en dollars US et s'établit à 857 143 $ US (1 200 000 $ ÷ 1,4), selon un taux de change de 1,4 au 10 janvier 20X1. Si le dollar américain ne vaut plus que 1,35 fois un dollar canadien en date du 10 février, le vendeur encaissera 857 143 $ US, soit 1 157 143 $ CDN (857 143 $ × 1,35) comparativement à la vente de 1 200 000 $. Pour faire face à ce type de risque, les marchés financiers ont élaboré notamment des contrats à terme sur le dollar américain, expliqués au chapitre 19. L'entreprise canadienne qui achèterait un tel contrat le 10 janvier fixerait dès lors le nombre de dollars canadiens qu'elle pourrait recevoir au moment de l'échange des 857 143 $ US le 10 février.

Les technologies de l'information permettent aussi aux investisseurs du monde entier de négocier en tout temps sur les Bourses nationales. De plus, comme un grand nombre d'entreprises sont présentes dans plusieurs pays, certains événements politiques ou économiques peuvent influer instantanément sur le cours coté de leurs actions ou sur celui des actions d'autres entreprises qu'elles détiennent à titre de placement. De telles entreprises s'exposent au risque de prix, c'est-à-dire le risque selon lequel la valeur des actions fluctue en raison des variations du prix du marché. Une diminution des prix cotés avantage les entreprises désireuses d'acheter des actions, mais pénalise les entreprises désireuses de les émettre ou de les vendre. À l'inverse, une augmentation des prix cotés avantage les entreprises désireuses d'émettre ou de vendre des actions, mais désavantage les entreprises désireuses de les acheter. Les entreprises disposent maintenant de titres financiers, tels que les options sur actions (aussi expliquées au chapitre 19), pour se protéger contre ce risque de variations de valeur.

En somme, comme l'illustre la figure 4.1, les politiques monétaires et les technologies de l'information ont profondément modifié les environnements économique et financier. Les experts financiers n'ont pas tardé à réagir en proposant de nouveaux titres financiers. La popularité de ces derniers ne cesse de croître, car ils permettent aux entreprises de se protéger contre divers types de risques.

FIGURE 4.1 L'environnement économique et financier

Technologies de l'information
Néolibéralisme
Primauté des règles de la concurrence
Conséquences
- Changement dans les politiques monétaires
- Mondialisation des opérations

Moyens pris pour gérer les conséquences
Apparition de nouveaux titres financiers

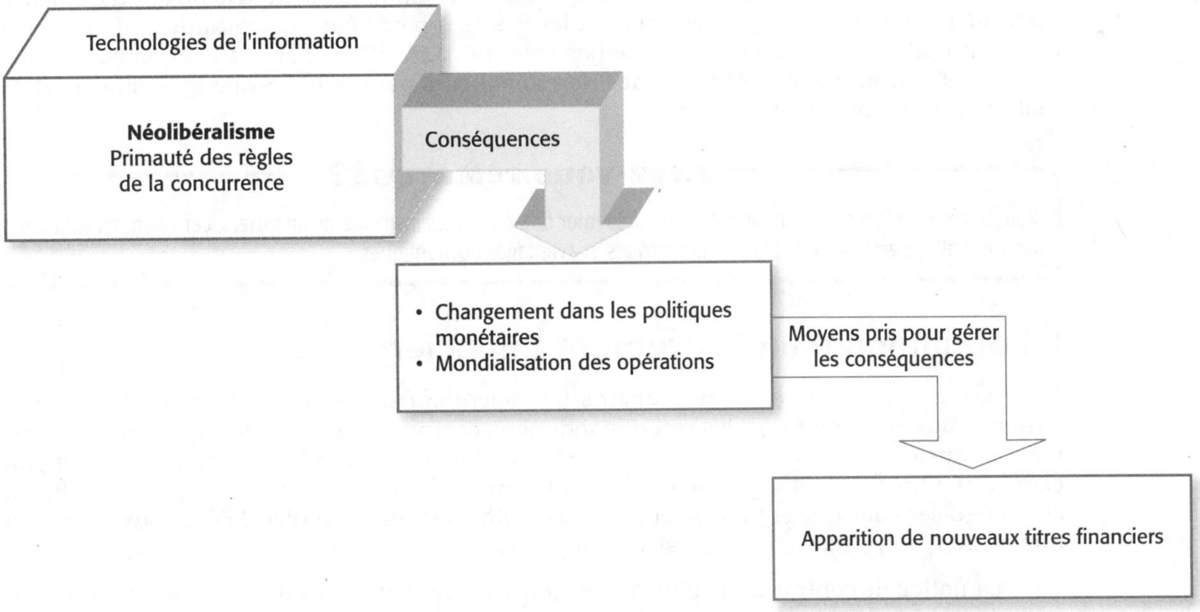

Les normes comptables portant sur les instruments financiers se trouvent dans quatre prises de position de l'International Accounting Standards Board (IASB). L'**IFRS 9**, intitulée « Instruments financiers », contient les recommandations touchant la comptabilisation et la décomptabilisation, le classement et l'évaluation. L'**IAS 39**, intitulée « Instruments financiers : Comptabilisation et évaluation », contient des directives sur la comptabilité de couverture qu'une entreprise peut décider d'adopter plutôt que celles comprises dans l'IFRS 9. Le chapitre 19 du présent manuel analyse plus en détail les opérations de couverture. L'**IAS 32**, intitulée « Instruments financiers : Présentation », régit la présentation des instruments financiers dans l'état de la situation financière et dans l'état du résultat global des intérêts, dividendes, profits et pertes qui s'y rapportent. Enfin, l'**IFRS 7**, intitulée « Instruments financiers : Informations à fournir », précise les nombreux renseignements qu'une entreprise doit inclure, généralement par voie de notes, pour permettre aux utilisateurs des états financiers de saisir correctement l'importance de ses instruments financiers et les risques auxquels elle s'expose.

Prises globalement, l'ampleur de ces quatre normes et des annexes qui les accompagnent reflète la complexité des instruments financiers. Le présent chapitre aborde la comptabilisation, l'évaluation et la présentation des instruments financiers courants autres que les dérivés. Par ailleurs, le chapitre 19 traitera des instruments financiers dérivés et de la comptabilité de couverture.

Les normes comptables relatives aux instruments financiers ont suscité une grande controverse, car l'IASB, à l'image de son prédécesseur et de plusieurs organismes nationaux de normalisation, estime que la juste valeur constitue souvent l'évaluation la plus pertinente dans le cas des instruments financiers. C'est pour cette raison qu'il recommande aux entreprises de comptabiliser plusieurs de leurs instruments financiers à la juste valeur.

La longue polémique entourant la question de savoir si la juste valeur des instruments financiers constitue une évaluation plus pertinente que le coût a été alimentée par les entreprises les plus susceptibles d'être touchées, soit les institutions financières, qui détiennent et émettent de nombreux instruments financiers. L'utilisation de la juste valeur accroît la volatilité de leur résultat global, ce qui a de graves conséquences pour elles, car elles doivent maintenir des ratios de capitalisation (surveillance prudentielle et accord de Bâle). Mais les institutions financières sont loin d'être les seules touchées. Plusieurs personnes du milieu des affaires se sont objectées à l'évaluation des instruments financiers à la juste valeur en soulignant que les variations de valeur observées sur les marchés ne sont pas du ressort de l'entreprise. Si une entreprise comptabilise ces variations de valeur dans le résultat net ou global, selon le cas, plusieurs comptables craignent que les états financiers deviennent moins pertinents pour évaluer la gestion. Cet argument est discutable car, même s'il est vrai que les gestionnaires n'ont pas d'emprise sur les variations de valeur des marchés, ce sont eux qui décident initialement d'acheter ou d'émettre les instruments financiers et qui déterminent les gestes à poser face aux variations de valeur pour que l'entreprise soit le moins pénalisée possible. L'évolution des normes comptables depuis les années 1990 confirme la préférence des normalisateurs pour la juste valeur comme outil d'évaluation des instruments financiers.

Avez-vous remarqué ?

Pour le comptable, un défi important est de présenter fidèlement les instruments financiers, car ces titres sont des instruments de gestion et de partage des risques et avantages économiques.

La définition d'un instrument financier

Nous avons souligné que les instruments financiers apparaissent sur le marché à un rythme effréné. Pour éviter de revoir les recommandations comptables chaque fois qu'un nouvel instrument financier arrive sur les marchés, l'IASB a défini de façon très large les instruments financiers. Ainsi, un **instrument financier** est un contrat entre deux **parties** [1], qui donne lieu à un actif financier pour une entreprise et à un passif financier ou à un titre de capitaux propres pour une autre entreprise, comme l'illustre la figure 4.2.

La notion de contrat est la plus importante d'entre toutes. Les deux parties décident volontairement de conclure un accord qui entraîne des conséquences économiques auxquelles elles ne peuvent à peu près pas échapper. De plus, l'accord doit être exécutoire en droit, c'est-à-dire que si l'une des parties décidait de ne pas respecter ses engagements, l'autre partie pourrait

1. Le mot « partie » désigne une personne physique, une société de personnes, une personne morale, une fiducie ou un organisme public.

FIGURE 4.2 Une définition des instruments financiers

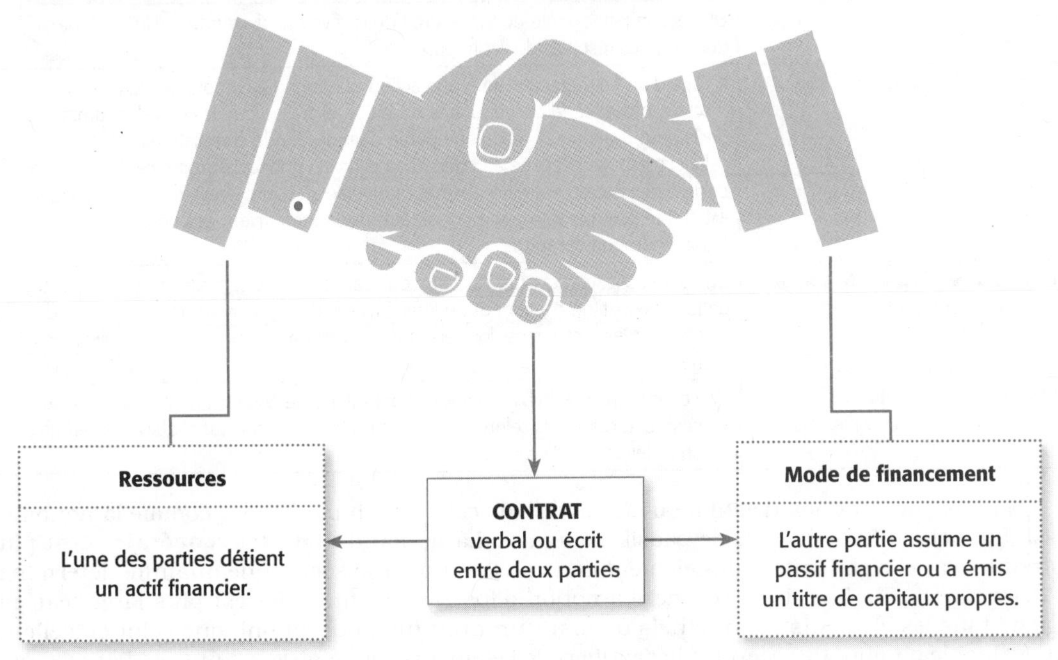

Ressources	CONTRAT	Mode de financement
L'une des parties détient un actif financier.	verbal ou écrit entre deux parties	L'autre partie assume un passif financier ou a émis un titre de capitaux propres.

faire valoir son droit auprès des autorités judiciaires. Pensons par exemple à une vente à crédit conclue par une entreprise. Peu importe s'il y a un contrat écrit, l'entreprise et son client se sont entendus sur un prix ainsi que sur des modalités de livraison, de paiement ou autres. Cette entente représente un contrat. Après la conclusion de l'entente, l'entreprise a un compte débiteur et le client a un compte à payer. Le compte débiteur et le compte à payer sont des instruments financiers.

La compréhension de la notion d'instrument financier exige aussi de définir l'actif financier, le passif financier et le titre de capitaux propres.

L'**actif financier** peut correspondre à l'un des cinq éléments suivants : 1) de la trésorerie ; 2) un droit contractuel (et non seulement la possibilité) de recevoir un autre actif financier ; 3) un droit contractuel d'échanger des instruments financiers à des conditions potentiellement favorables ; 4) un titre de capitaux propres d'une autre entreprise ; 5) un contrat que l'entreprise pourra régler en recevant un nombre variable de ses propres titres de capitaux propres. L'actif financier le plus répandu est sans doute les comptes clients.

Le **passif financier** constitue : 1) une obligation contractuelle selon laquelle une partie doit soit céder de la trésorerie ou un autre actif financier, soit échanger des actifs ou des passifs financiers à des conditions potentiellement défavorables ; ou 2) un contrat que l'entreprise pourra régler en émettant un nombre variable de ses propres titres de capitaux propres. Les comptes fournisseurs et les emprunts bancaires sont des exemples très répandus de passifs financiers.

Le **titre de capitaux propres** est un contrat qui accorde un droit résiduel sur les actifs de l'émetteur, après déduction de ses passifs. Quand une entreprise a besoin de financement, elle peut bien sûr aller à la banque. On parle alors d'obtenir un financement par dette bancaire. D'autres options consistent à émettre des obligations ou de ses propres actions. Dans ce dernier cas, en échange de l'argent reçu à la vente d'actions, l'entreprise accorde aux nouveaux actionnaires un droit de recevoir, sous forme de dividendes, une partie des bénéfices qu'elle réalisera plus tard. Le détenteur des actions peut également les vendre et bénéficier de l'augmentation de valeur réalisée depuis la date d'acquisition. Les actions peuvent être assorties de divers privilèges, comme nous l'expliquerons en détail au chapitre 14.

Dans le présent chapitre, nous aborderons quelques titres de financement, définis ci-après.

4

Titre	Définition
Action participante	Une action participante donne le droit de recevoir le dividende prévu et d'obtenir une part des résultats de l'entreprise.
Dividende cumulatif	Il s'agit d'un privilège attaché à une action qui donne à l'actionnaire le droit de recevoir le dividende convenu, à la condition expresse que le conseil d'administration déclare un dividende. Lorsqu'une partie d'un dividende cumulatif ou la totalité de celui-ci n'est pas déclarée au cours d'un exercice donné, le droit à ce dividende non déclaré persiste et ce dividende doit être versé au cours d'un exercice subséquent avant que quelque dividende puisse être déclaré en faveur des détenteurs d'actions à dividende non cumulatif.
Obligation assortie d'un fonds d'amortissement	Une telle obligation rassure l'investisseur, car l'entreprise émettrice s'engager à créer un fonds constitué d'argent et de titres investis de façon systématique en vue de lui procurer les ressources dont elle aura besoin pour rembourser ses obligations à l'échéance.
Obligation convertible	Une obligation convertible donne aux obligataires le choix entre recevoir les flux de trésorerie convenus selon le contrat d'emprunt ou convertir l'obligation en un nombre déterminé d'actions.

Notons que la notion d'actif financier diffère de celle d'actif monétaire, comme la notion de passif financier diffère de celle de passif monétaire. La notion d'**éléments monétaires** est plus restreinte, car elle se limite à des éléments auxquels on peut associer une quantité déterminée ou déterminable de flux de trésorerie. La notion d'instrument financier est plus large, car elle englobe tous les éléments contractuels donnant un droit (une obligation), que celui-ci (celle-ci) soit évaluable ou non, de recevoir (de sacrifier) des éléments monétaires ou autres. Par exemple, un placement en actions n'est pas un élément monétaire, même s'il constitue un actif financier. En effet, un tel placement donne le droit résiduel à son détenteur de recevoir l'actif net de l'entreprise émettrice. On peut donc affirmer que tous les éléments monétaires sont des instruments financiers, mais que tous les instruments financiers ne sont pas des éléments monétaires.

Dans la suite de ce chapitre, nous utiliserons l'exemple de la société Dico ltée. Le lecteur est invité à noter les données importantes de cet exemple au fil de sa lecture, car nous nous y reporterons jusqu'à la section **La présentation des instruments financiers dans le corps même des états financiers**.

EXEMPLE

Identification des instruments financiers

La société Dico ltée vend des logiciels informatiques. Voici un extrait des postes qu'elle présente dans son état de la situation financière au 1er janvier 20X0 :

DICO LTÉE
Situation financière partielle
au 1er janvier 20X0

Actif courant

Trésorerie

Clients

Billet à recevoir

Charges payées d'avance
Stock de marchandises

Placement en actions de Bombarde inc.

Actif d'impôt différé

Actif non courant

Prêts à recevoir

Immobilisations corporelles
Immobilisations incorporelles

Placement en obligations

Placement en actions de Supérieure ltée

Passif courant

Fournisseurs

Billets à payer

Produits différés

Provisions pour garanties

Impôts exigibles

Passif non courant

Passif d'impôt différé

Emprunt bancaire

Obligations convertibles à payer

Capitaux propres

Actions de catégorie A rachetables au gré de Dico ltée

Actions de catégorie B rachetables au gré du détenteur

Résultats non distribués

Les éléments de cet état nécessitent quelques explications additionnelles, sachant que les postes encadrés représentent tous des instruments financiers.

Notons que la trésorerie s'apparente à un instrument financier. Dans le cas de la trésorerie, par exemple, les deux parties qui ont passé un contrat, même s'il est implicite, sont l'entreprise détentrice des dollars canadiens et la Banque du Canada. Ce contrat porte sur l'acceptation de la valeur des billets de banque. D'une part, l'entreprise qui détient ces billets de banque possède bien un actif financier. D'autre part, la Banque du Canada assume un passif financier sous la forme d'un engagement à honorer les billets de banque.

Les comptes clients, les billets à recevoir, les prêts à recevoir et les placements en obligations constituent aussi des instruments financiers. Deux entreprises ont passé un contrat selon lequel l'entreprise qui détient l'actif possède un droit contractuel de recevoir un montant déterminé ou déterminable de trésorerie. Simultanément, une autre entreprise assume un passif financier, respectivement un compte fournisseur, un billet à payer, un emprunt à rembourser ou des obligations à payer, en vertu duquel elle a l'obligation de céder un certain montant de trésorerie.

Les charges payées d'avance ne sont pas des instruments financiers, même si elles résultent d'une entente contractuelle. En effet, l'entreprise qui a, par exemple, payé un loyer à l'avance possède un droit de recevoir des services et non un droit de recevoir un actif financier. Elle ne possède donc pas un actif financier. Un raisonnement semblable, mais inverse, s'applique aux produits différés et aux provisions pour garanties. Dans ce cas, l'entreprise qui assume le passif a pris l'engagement de réparer le bien vendu ou de le remplacer par un autre en bon état. Elle n'assume pas un passif financier, car son obligation est de sacrifier des biens ou des services et non un actif financier.

Les autres actifs physiques, tels les stocks de marchandises et les immobilisations, ne sont pas des instruments financiers, car ils ne donnent pas un droit contractuel de recevoir un actif financier. En effet, les stocks et les immobilisations génèrent des avantages économiques pour leur détenteur sans que de tels avantages représentent un droit contractuel. En d'autres mots, les stocks et les immobilisations représentent une espérance d'avantages futurs mais non un droit contractuel à de tels avantages. De plus, les stocks et les immobilisations ne constituent ni un passif financier ni un titre de capitaux propres pour une autre entreprise.

Les placements en actions sont des instruments financiers qui découlent d'une entente contractuelle. D'une part, l'entreprise qui les détient possède un actif financier. D'autre part, il existe une autre entreprise qui a émis un titre de capitaux propres ou un passif financier. Nous approfondirons plus loin la substance de divers types de titres de capitaux propres.

Les impôts exigibles, de même que les actifs et passifs d'impôt différé, dont traitera le chapitre 18, ne sont pas des instruments financiers. En effet, ils ne découlent pas d'une entente contractuelle entre deux parties, car ce sont les gouvernements qui les imposent.

Du côté du passif, les comptes fournisseurs, les billets à payer, les emprunts bancaires et les obligations à payer sont tous des passifs financiers. L'émetteur s'engage à l'égard de ces titres à céder de la trésorerie dans le futur à titre d'intérêts et de remboursement du capital. De l'autre côté, les bailleurs de fonds ont un droit contractuel de recevoir des flux de trésorerie.

Enfin, les actions émises par une société, présentées dans la section des capitaux propres, sont des titres de capitaux propres. Du point de vue de l'actionnaire, il s'agit d'un actif financier, plus précisément d'un titre de capitaux propres émis par une autre société (soit le quatrième type d'actif financier indiqué dans la définition précédente, à la *page 4.7*).

Outre les postes de l'état de la situation financière présentés dans l'exemple de Dico ltée, il existe une foule d'instruments financiers qui, sans faire l'objet de postes distincts dans l'état de la situation financière, méritent d'être soulignés. Le lecteur désireux de les examiner est invité à consulter l'annexe 4.1W, disponible dans la plateforme *i+ Interactif* et qui présente une liste de quelques instruments financiers.

i+ Annexe 4.1W

Voici maintenant les principaux instruments financiers qui sont exclus des recommandations de l'IFRS 9 :

- Les intérêts détenus dans certaines filiales, entreprises associées et coentreprises, comptabilisés selon l'**IFRS 10**, l'**IAS 27** ou l'**IAS 28** ;
- Les droits et obligations résultant de contrats de location, comptabilisés selon l'**IAS 17**, qui seront expliqués au chapitre 16. Toutefois :
  - les créances résultant de contrats de location comptabilisées par un bailleur sont soumises aux dispositions de l'IFRS 9 en matière de décomptabilisation et de dépréciation,
  - les dettes résultant de contrats de location-financement comptabilisées par un preneur sont soumises aux dispositions de décomptabilisation énoncées dans l'IFRS 9,
  - les dérivés incorporés dans des contrats de location sont soumis aux dispositions relatives aux dérivés incorporés énoncées dans l'IFRS 9 ;
- Les droits et obligations des employeurs, découlant de régimes d'avantages du personnel, comptabilisés selon l'**IAS 19**, qui seront expliqués au chapitre 17 ;
- Les instruments financiers émis par l'entreprise qui répondent à la définition d'un titre de capitaux propres selon l'**IAS 32** (y compris les options et les bons de souscription d'actions) ;
- Les contrats à terme entre un acquéreur et un actionnaire vendeur pour l'achat ou la vente d'une entreprise qui donneront lieu à un regroupement d'entreprises comptabilisé selon l'**IFRS 3** ;
- Certains engagements de prêt, dont ceux comptabilisés selon l'**IAS 37**, qui seront abordés au chapitre 12. Cependant, tous les engagements de prêt sont soumis aux dispositions de dépréciation et de décomptabilisation de l'IFRS 9 ;
- Les instruments financiers, les contrats et les obligations relevant de transactions dont le paiement est fondé sur des actions, comptabilisés selon l'**IFRS 2**, comme nous l'expliquerons au chapitre 14. Toutefois, l'IFRS 9 s'applique aux contrats d'achat et de vente d'éléments non financiers dont il est question dans les paragraphes 2.4 à 2.7 de la norme.
- Les droits à des paiements pour rembourser à l'entreprise les dépenses qu'elle est tenue de faire pour éteindre un passif, comptabilisés selon l'**IAS 37**. Le chapitre 12 examinera ce sujet ;
- Les droits et obligations qui entrent dans le champ d'application de l'**IFRS 15** et qui sont des instruments financiers, à l'exception de ceux qui, selon l'IFRS 15, se comptabilisent conformément à la présente norme[2].

En général, quiconque prend connaissance pour la première fois des normes relatives aux instruments financiers peine à les comprendre pour la raison suivante : un instrument financier constitue parfois un actif, parfois un passif. L'IAS 32, l'IAS 39 et l'IFRS 7 sont donc formulées dans un langage très général. L'IFRS 9 précise davantage les règles applicables aux actifs financiers et

2. L'IFRS 9 ne s'applique pas à d'autres opérations, par ailleurs non traitées dans le présent manuel. Citons par exemple les droits et obligations découlant d'un contrat d'assurance, tel que défini dans l'**IFRS 4**.

celles applicables aux passifs financiers. Avant d'entreprendre l'étude plus détaillée de ces normes, rappelons que l'IASB fixe l'objectif que les états financiers contiennent tous les renseignements pertinents pour que les utilisateurs apprécient l'importance, le montant et le degré d'incertitude des flux de trésorerie liés aux instruments financiers.

Avez-vous remarqué ?

Un grand nombre de postes présentés dans l'état de la situation financière sont des instruments financiers. Nous expliquerons dans ce chapitre les règles de base, ce qui évitera de les répéter dans les chapitres subséquents.

Les classes d'instruments financiers

Avant d'aborder la comptabilisation des actifs et des passifs financiers, il est utile de savoir que cette comptabilisation diffère selon la classe dans laquelle une entreprise inclut ses actifs et passifs financiers. Le tableau 4.1 présente ces catégories ainsi que des exemples courants.

TABLEAU 4.1 Les classes d'actifs et de passifs financiers

Types d'instruments	Coût (ou coût amorti)	Juste valeur par le biais des autres éléments du résultat global	Juste valeur par le biais du résultat net
Actifs financiers	✓	✓	✓
Exemples répandus	Comptes clients et autres créances	Certains placements en obligations	Placements en actions émises par une société cotée en Bourse
Passifs financiers	✓		✓
Exemples répandus	Comptes fournisseurs et dettes bancaires ou obligataires		(très rare)

Nous verrons plus loin les critères qui servent au classement des actifs et des passifs financiers. Nous verrons également qu'il existe deux sous-classes d'actifs financiers À la juste valeur par le biais des autres éléments du résultat global. Pour le moment, il importe uniquement d'avoir une vision globale des classes d'instruments financiers qui dictent le processus de comptabilisation. Le tableau 4.1 indique qu'il existe trois classes d'actifs financiers et seulement deux classes de passifs financiers.

Avez-vous remarqué ?

Les titres de capitaux propres émis par une entreprise sont des instruments financiers. Pourtant, ils ne sont pas inclus dans le tableau 4.1 parce que l'IFRS 9 ne s'applique en fait qu'à la comptabilisation des actifs financiers et des passifs financiers. La comptabilisation des titres de capitaux propres émis par une entreprise sera traitée dans d'autres chapitres du présent manuel.

Les actifs financiers

La comptabilisation des actifs financiers implique des règles détaillées en ce qui a trait à la comptabilisation initiale, à la comptabilisation subséquente et à la décomptabilisation.

La comptabilisation initiale des actifs financiers

La comptabilisation initiale des actifs financiers soulève quelques questions : le moment de la comptabilisation, le classement et l'évaluation.

Le moment de la comptabilisation initiale

L'IASB stipule qu'une entreprise comptabilise un actif financier au moment où elle « devient partie aux dispositions contractuelles de l'instrument[3] ». Il est donc facile de déterminer le moment de la comptabilisation initiale de plusieurs actifs financiers. Par exemple, la société Dico ltée (*voir l'énoncé*

3. CPA Canada, *Manuel de CPA Canada – Comptabilité – Partie I*, IFRS 9, paragr. 3.1.1. (*Voir la page iv des liminaires pour plus de détails à l'égard des normes publiées mais non encore entrées en vigueur.*)

de base aux pages 4.8 et 4.9) a comptabilisé ses deux placements en actions au moment où elle a acheté ces placements. En effet, lorsqu'elle devient propriétaire des placements en question, elle est par le fait même partie aux dispositions contractuelles de l'instrument. Toutefois, elle éprouvera plus de difficulté à déterminer le moment où elle comptabilisera un **engagement ferme de vendre** des marchandises à crédit. Devrait-elle comptabiliser la créance qui en découle au moment de l'engagement ou au moment de l'expédition des marchandises? Nous traiterons de cet aspect au chapitre 19.

Pour bien comprendre les critères de classement des actifs financiers, il est utile de distinguer deux familles d'actifs : les actifs à revenu fixe et les actifs à revenu variable.

La principale caractéristique d'un **actif à revenu fixe** est qu'il est assorti d'un engagement de l'émetteur de verser périodiquement des sommes déterminées à titre d'intérêts et de remettre à l'échéance une valeur déterminée. Par souci de simplicité, nous incluons aussi dans cette catégorie les titres dont le montant d'intérêts est parfois déterminé par un taux variable, mais dont le contrat assure le détenteur qu'il a le droit de recevoir un certain montant. Les comptes clients, toutes autres formes de comptes à recevoir et les placements en obligations (traités respectivement aux chapitres 6 et 11) en sont des exemples. Ces actifs génèrent des flux de trésorerie contractuels à des dates déterminées ou déterminables.

Dans la catégorie des **actifs à revenu variable**, nous incluons tout actif qui donne à son détenteur un intérêt résiduel sur les actifs de la société ayant émis les titres, appelée **société émettrice**, après déduction de tous ses passifs. Les placements en actions ou en options d'achat d'actions (traités respectivement aux chapitres 11 et 19) en sont quelques exemples. Dans les exercices suivant l'achat, le détenteur de placements en actions, appelé actionnaire, réalisera des **produits de dividendes**, mais uniquement à la condition que l'émetteur décide d'en déclarer. En effet, ce n'est pas parce que la société émettrice génère un bénéfice net qu'elle est obligée de déclarer des dividendes, c'est-à-dire de retourner ce bénéfice net entre les mains des actionnaires à titre de rendement sur leur investissement en actions. C'est pourquoi on qualifie ces actifs d'actifs à revenu variable.

Le classement initial

Différence NCECF

Le **classement initial** des actifs financiers est très important, car il détermine l'évaluation, tant initiale que subséquente, des actifs financiers. Un classement adéquat doit donc être fait au moment de la comptabilisation initiale. Précisons d'abord qu'il existe fondamentalement deux bases d'évaluation aux fins de la présentation dans l'état de la situation financière, soit le coût et la juste valeur. Selon cette dernière, les variations de valeur peuvent être comptabilisées en résultat net ou dans les autres éléments du résultat global. On obtient ainsi trois classements possibles qui sont indiqués dans le tableau 4.1 : Au coût, À la juste valeur par le biais des autres éléments du résultat global et À la juste valeur par le biais du résultat net. La **juste valeur** est une expression générique désignant le montant dont conviendraient deux parties indépendantes; son évaluation a été expliquée en détail au chapitre 3. Comme nous l'avons déjà mentionné, l'IASB semble convaincu que la juste valeur est une forme d'évaluation qui donne souvent de l'information utile aux utilisateurs des états financiers. Cependant, il reconnaît que le coût est une base d'évaluation qui s'avère pertinente dans certaines circonstances, compte tenu des caractéristiques de l'actif et du modèle de gestion retenu par l'entreprise.

Les facteurs à prendre en considération pour classer un actif financier sont énoncés au paragraphe 4.1.1. de l'IFRS 9 et présentés dans la figure 4.3.

Il ressort de cette figure que les facteurs à analyser concernent deux aspects, indiqués dans les rectangles ombragés en haut de la figure : les conditions contractuelles du titre et le modèle économique. Examinons d'abord en détail les critères se rapportant aux **conditions contractuelles,** car elles sont plus objectives. Elles se répartissent en deux blocs : d'abord, les flux de trésorerie contractuels générés à des dates fixes, ensuite, les flux de trésorerie limités à deux aspects.

En premier lieu, on doit examiner les conditions contractuelles pour déterminer si l'actif financier génère des flux de trésorerie à des dates fixes. Autrement dit, on doit établir s'il s'agit d'un actif à revenu fixe.

EXEMPLE

Actifs financiers qui génèrent des flux de trésorerie contractuels

L'examen de l'extrait de la situation financière de Dico ltée (*voir les pages 4.8 et 4.9*) permet de constater la présence d'un billet à recevoir. Précisons maintenant que ce dernier a une valeur de 1 000 $ et est encaissable le 1er janvier 20X1. Il porte intérêt au taux de 5 % par année. Ce billet respecte cette condition. Il en est de même de la trésorerie, des comptes clients ou des placements en obligations. L'exemple de la trésorerie nous permet de rappeler que le qualitatif «contractuel» ne signifie pas automatiquement un contrat signé entre deux parties. L'entreprise et la banque ne signent pas un contrat en bonne et due forme chaque fois que l'entreprise effectue une opération bancaire. Le fait que l'entreprise fasse, par exemple, un dépôt et que le caissier, ou le guichet automatique, accepte les billets de banque ou le chèque déposé est perçu comme une entente contractuelle. Lors de l'ouverture de son compte bancaire, l'entreprise a été clairement informée des modalités et conditions rattachées au compte, ce qui nous permet d'affirmer que toute transaction bancaire subséquente est effectuée conformément à cette entente contractuelle. Précisons que la date où le dépôt est effectué est en soi une date fixe, respectant la condition énoncée ci-dessus.

FIGURE 4.3 Les éléments à prendre en compte pour classer un actif financier

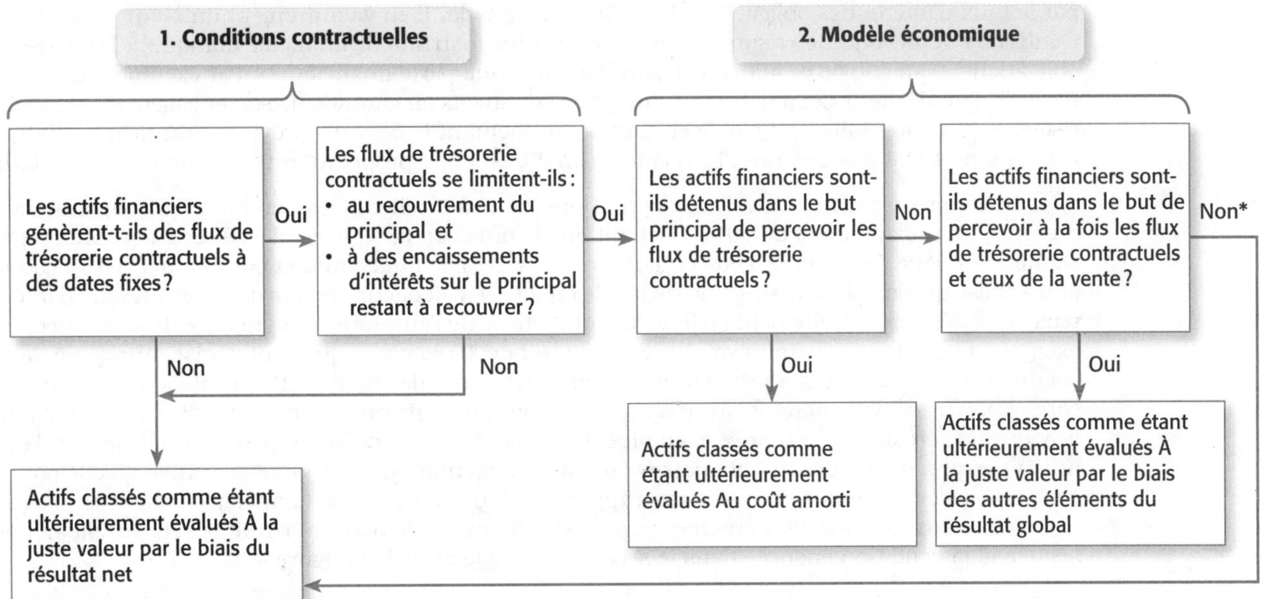

* Les actifs pourraient être détenus, par exemple, à des fins de transaction, c'est-à-dire dans le but de profiter des augmentations de valeur.

À l'inverse, un placement en actions ne donne pas droit à des flux de trésorerie dont le montant est prédéterminé, comme expliqué précédemment. C'est pourquoi tous les placements en actions et autres titres semblables sont obligatoirement classés comme étant ultérieurement évalués À la juste valeur par le biais du résultat net (nous expliquerons plus loin que certains placements en actions peuvent également être évalués À la juste valeur par le biais des autres éléments du résultat global). En regard de la figure 4.3, une réponse négative à la première question mène à un classement À la juste valeur par le biais du résultat net. On peut donc conclure que seuls les actifs monétaires sont assortis des flux de trésorerie contractuels générés à des dates fixes.

Revenons aux titres qui génèrent des flux de trésorerie contractuels à des dates fixes, comme les créances et les placements en obligations. Le classement requiert d'analyser si ces flux de trésorerie contractuels se limitent, comme l'indique le second rectangle clair de la figure 4.3, au recouvrement du principal et à des encaissements d'intérêts sur le principal restant à recouvrer. Pour procéder à cette analyse, on s'intéresse à la substance des titres et non uniquement à l'appellation utilisée dans l'entente contractuelle.

Le principal correspond à la somme prêtée ou empruntée initialement, diminuée des remboursements effectués par la suite. Par exemple, une vente à crédit à ce jour de 100 $, portant intérêt au taux du marché de 5 %, aboutit à un compte client dont le principal s'élève à 100 $. Une clause de recouvrement anticipé ou de recouvrement différé n'implique pas automatiquement que les flux de trésorerie couvrent autre chose que le remboursement du principal et les intérêts restant à recouvrer sur ce principal. Ainsi, si le débiteur a le droit de reporter jusqu'au 31 décembre 20X2 le remboursement initialement prévu le 31 décembre 20X1 et que, pour l'année 20X2, il paiera les intérêts représentant la valeur temps de l'argent, on conclura que la créance respecte cette seconde condition.

4

Cependant, si la modification de la date de recouvrement est fonction d'un événement futur, par exemple une date qui est reportée d'une année si le prix de l'or dépasse la barre des 1 000 $ l'once et que l'effet sur les flux de trésorerie est important, le titre ne respecte pas cette condition. Dans ce cas, une telle clause montre que la créance comporte un volet de spéculation ou de protection contre les variations du prix de l'or. De telles clauses figurent plus souvent dans les contrats d'instruments financiers dérivés, dont nous traiterons au chapitre 19. Cependant, le comptable professionnel ne doit jamais perdre de vue que son but est de comprendre la substance réelle de l'instrument financier. Ainsi, dans l'hypothèse où l'on conclurait qu'une valeur de l'or supérieure à 1 000 $ est un événement extrêmement rare, hautement anormal et très improbable, le comptable ne tiendrait pas compte de cette caractéristique[4].

On doit aussi s'assurer que les intérêts contractuels prévus couvrent uniquement la valeur temps de l'argent et le risque de crédit associé au principal de l'instrument financier. L'analyse de cette condition exige un bon jugement professionnel. Il est relativement facile de déterminer le taux d'intérêt qui couvre la valeur temps de l'argent, ce taux correspond au taux sans risque donné, disons, par le taux d'intérêt des obligations d'épargne du Canada. Il en va autrement du **risque de crédit**. Ce dernier représente le «risque qu'une partie à un instrument financier manque à l'une de ses obligations et amène de ce fait l'autre partie à subir une perte financière[5]». Par exemple, un billet à recevoir d'un débiteur qui a donné à l'entreprise ses stocks en garantie de son engagement est moins risqué qu'un autre billet semblable en tout point, incluant le fait qu'il provienne du même débiteur, mais qui ne serait pas garanti[6]. Le risque de crédit est donc propre à un titre et non à un débiteur.

Revenons à notre analyse des conditions contractuelles d'une créance qui porterait, par exemple, un taux d'intérêt de 10 %. Sachant que le taux sans risque est de 4 % et que le taux représentant le risque de crédit de cette créance s'élève à 5 %, le taux d'intérêt contractuel (10 %) couvre autre chose que la valeur temps et le risque de crédit. Si le débiteur accepte de payer un taux d'intérêt plus élevé, c'est nécessairement qu'il reçoit autre chose de l'entreprise propriétaire de la créance. Par exemple, le débiteur pourrait avoir accepté le taux de 10 % parce que l'entreprise a proposé de lui vendre des marchandises à prix réduit à l'avenir. Du point de vue de cette dernière, les flux de trésorerie prévus couvriront donc une partie du prix de vente futur de ces marchandises. En concluant le contrat de créance, l'entreprise a, en plus de faire crédit à un débiteur, pris une gageure sur l'évolution des prix futurs des marchandises ou sur l'augmentation du volume de ventes qu'elle pourra conclure avec ce client. Cette gageure s'apparente à un instrument financier dérivé et la créance devra alors être évaluée ultérieurement à la juste valeur par le biais du résultat net, car elle ne respecte pas la condition énoncée dans le second rectangle clair de la figure 4.3.

On rencontre souvent, en pratique, des créances portant intérêt à un taux variable, qui pourrait être libellé ainsi : un taux de base fixe, majoré d'un indice d'inflation ou un taux de base (**taux Libor**) correspondant au Libor[7], majoré d'une prime de 3 %. Dans ces deux cas, la variation du taux d'intérêt permet à l'émetteur de garder la valeur temps de l'argent en dollars courants. On doit donc conclure que le taux d'intérêt de telles créances couvre uniquement la valeur temps et le risque de crédit.

Au cours des dernières années, on a vu apparaître sur le marché des obligations dont le rendement change selon les fluctuations d'un indice boursier. L'IASB précise que les flux de trésorerie sont alors soumis à un effet de levier. «L'**effet de levier** augmente la variabilité des flux de trésorerie contractuels de telle sorte que ces derniers n'ont pas les caractéristiques économiques des intérêts[8].» On doit alors conclure que le taux d'intérêt ne couvre pas uniquement la valeur temps de l'argent et le risque de crédit. C'est la raison pour laquelle de telles obligations doivent être classées comme étant ultérieurement évaluées À la juste valeur par le biais du résultat net.

Le tableau 4.2 présente d'autres exemples inspirés de ceux donnés par l'IASB (en italique)[9]. Nous les avons classés selon que les titres en cause respectent ou non la seconde condition énoncée dans la figure 4.3. Nos commentaires et autres exemples figurent en caractère romain.

---

4. *Manuel de CPA Canada – Comptabilité – Partie I,* IFRS 9, paragr. B4.1.18.
5. *Manuel de CPA Canada – Comptabilité – Partie I,* IFRS 7, Annexe A.
6. L'estimation du risque de crédit exige des connaissances en finance qui dépassent l'objet du présent manuel. C'est pourquoi, dans les explications qui suivent de même que dans les questions, exercices, problèmes et cas qui l'accompagnent, nous donnerons toujours la valeur de cette variable.
7. Le taux Libor est celui qu'utilisent les grandes banques pour les opérations de prêts qu'elles concluent entre elles.
8. *Manuel de CPA Canada – Comptabilité – Partie I,* IFRS 9, paragr. B4.1.9.
9. *Manuel de CPA Canada – Comptabilité – Partie I,* IFRS 9, paragr. B4.1.13 et B4.1.14.

4

TABLEAU 4.2 Des exemples de titres classés selon qu'ils respectent ou non la seconde condition[10]

La seconde condition est respectée : les flux de trésorerie contractuels couvrent uniquement le recouvrement du principal et les intérêts restant à recouvrer sur le principal	La seconde condition n'est pas respectée : les flux de trésorerie contractuels ne couvrent pas uniquement le recouvrement du principal et les intérêts restant à recouvrer sur le principal
L'instrument [... porte intérêt à taux variable. Il comporte] une date d'échéance stipulée et offrant périodiquement à l'emprunteur le choix d'un taux d'intérêt du marché. Ainsi, à chaque date de révision du taux d'intérêt, l'emprunteur peut choisir de payer [... le taux du marché pour un actif semblable ayant la même échéance]. La seconde condition est respectée tant et aussi longtemps que les intérêts reçus au cours de la durée de vie de l'actif représentent une contrepartie de la valeur temps de l'argent et du risque de crédit associés à l'actif. Le fait que le taux d'intérêt soit révisé pendant la durée de vie de l'instrument ne disqualifie pas en soi cet instrument.	Un prêt à rembourser porte intérêt au taux du marché pour les prêts échéant dans un mois, mais ce taux est révisé trimestriellement. Il ressort que la fréquence des révisions du taux ne concorde pas avec la durée de vie en fonction de laquelle le taux d'intérêt est établi. Par conséquent, la composante valeur temps de l'argent est modifiée. De même, si l'actif a un taux d'intérêt contractuel fondé sur une échéance qui excède la durée de vie restante de l'instrument, ses flux de trésorerie contractuels ne correspondent pas à des recouvrements de principal et à des encaissements d'intérêts sur le principal restant à recouvrer. Par exemple, une obligation à échéance constante, d'une durée de 5 ans, qui rapporte un taux variable, révisé périodiquement, mais reflétant toujours une échéance à 5 ans, ne se traduit pas par des flux de trésorerie contractuels qui correspondent à des recouvrements de principal et à des encaissements d'intérêts sur le principal restant à recouvrer. En effet, le montant des intérêts à recouvrer à chaque période est déconnecté de la durée de l'instrument (sauf à son émission).
L'instrument est une obligation comportant une date d'échéance stipulée et portant intérêt à un taux de marché variable. Ce taux d'intérêt variable est plafonné. Comme nous l'avons expliqué plus tôt, un taux d'intérêt peut être variable et ne couvrir que la valeur temps de l'argent et le risque de crédit lié à l'actif en cause.	*L'instrument est un prêt portant intérêt à taux variable inversé (c'est-à-dire que le taux d'intérêt est inversement corrélé aux taux d'intérêt du marché).* Les intérêts ne constituent pas ici une contrepartie de la valeur temps de l'argent associée au principal restant à recouvrer.
L'instrument est un prêt [...] assorti d'une garantie. Le fait que l'instrument soit garanti permet de diminuer le risque de crédit qui lui est propre. Il ne change en rien la question de savoir si les flux de trésorerie contractuels correspondent uniquement à des recouvrements de principal et à des encaissements d'intérêts sur le principal restant à recouvrer.	*L'instrument est une obligation qui est convertible en titres de capitaux propres de l'émetteur.* Un tel instrument rapporte un intérêt inférieur à un autre semblable en tous points, à l'exception du privilège de conversion, car le détenteur a acquis un instrument portant intérêt et un privilège d'obtenir ultérieurement des actions. C'est pourquoi le taux d'intérêt ne couvre pas exclusivement la valeur temps de l'argent et le risque de crédit de l'instrument. Il est également associé à la valeur des actions de l'émetteur.
[L'actif] est un instrument perpétuel que l'émetteur peut toutefois rembourser à tout moment. Le fait que l'actif soit perpétuel signifie qu'il ne comporte pas de date d'échéance, ce qui n'entraîne pas automatiquement le non-respect de la seconde condition. Dans les faits, la perpétuité équivaut à une succession continuelle (multiplicité) d'options de prolongation. La seconde condition est respectée si le débiteur doit obligatoirement verser les intérêts, et ce, tant qu'il ne rembourse pas l'instrument. Par ailleurs, le fait que l'actif soit encaissable par anticipation n'entraîne pas automatiquement le non-respect de la seconde condition, à moins que le montant de l'encaissement anticipé ne reflète pas essentiellement l'encaissement du principal restant à recouvrer et les encaissements d'intérêts sur ce principal. Les flux de trésorerie contractuels peuvent correspondre à des encaissements de principal et à des encaissements d'intérêts sur le principal restant à recouvrer même si le montant de l'encaissement anticipé comprend un supplément pour dédommager le porteur de l'annulation anticipée de l'instrument.	*[L'actif] est un instrument perpétuel que l'émetteur peut toutefois rembourser à tout moment en payant au porteur la valeur nominale, majorée des intérêts courus.* *Les intérêts différés ne portent pas eux-mêmes intérêt.* Étant donné qu'aucun intérêt supplémentaire ne s'accumule sur les intérêts différés, il en résulte que les intérêts ne constituent pas une contrepartie de la valeur temps de l'argent associée au principal restant à recouvrer.

10. Dans ce tableau, le lecteur est invité à lire le texte de la colonne de gauche de chaque bloc (séparé par un trait horizontal), puis le texte de la colonne de droite du même bloc.

Avez-vous remarqué ?

Dans son analyse de la condition selon laquelle les flux de trésorerie contractuels couvrent uniquement le recouvrement du principal et les intérêts restant à recouvrer sur le principal, le comptable professionnel doit veiller à analyser la substance de l'entente contractuelle pour s'assurer ainsi que le classement de l'actif financier et son évaluation subséquente reflètent fidèlement l'entente conclue par l'entreprise.

Revenons maintenant à la figure 4.3. Les précisions précédentes se rapportaient toutes aux conditions contractuelles des flux de trésorerie. L'IASB recommande d'analyser aussi le **modèle économique** que suit une entreprise, soit le but que les principaux dirigeants, au sens de l'**IAS 24** qui définit les parties liées et qui sera exposée au chapitre 11, visent pour la gestion de ses actifs financiers. À des fins de simplification, on peut dire que des actifs financiers peuvent être détenus dans le but, soit de percevoir les flux de trésorerie contractuels jusqu'à leur échéance, soit de les revendre avant leur échéance, soit de combiner ces deux possibilités. Chacune de ces trois stratégies correspond à ce que l'IASB appelle un modèle économique de gestion. Selon le premier, l'entreprise détient des actifs financiers dans le but de percevoir les flux de trésorerie contractuels prévus jusqu'à l'échéance des actifs financiers. L'exemple le plus fréquent est sans doute une entreprise de vente au détail qui fait crédit à ses clients. Elle conserve les comptes clients tant que ceux-ci ne l'ont pas remboursée. Selon le second modèle, la gestion est plus active, car l'entreprise est prête à vendre des actifs pour profiter des variations de leur juste valeur. Ce second modèle amènerait, par exemple, une entreprise à vendre avant son échéance un placement en obligations si les taux d'intérêt du marché avaient diminué. En effet, dans ces circonstances, la juste valeur de l'obligation augmente, puisque les flux de trésorerie sont actualisés à un taux plus faible. Enfin, le troisième modèle est une combinaison des deux précédents. Une entreprise pourrait décider qu'elle souhaite, à la base, percevoir les flux de trésorerie contractuels mais qu'elle vendra certains actifs de son portefeuille pour combler ses besoins quotidiens de liquidités ou pour s'assurer que son portefeuille d'actifs financiers correspond sans cesse, disons, à 120 % de la valeur d'une catégorie de passifs financiers. Lorsque ces deux buts sont importants, les actifs financiers sont classés comme étant évalués À la juste valeur par le biais des autres éléments du résultat global.

Avant de poursuivre notre étude de la comptabilisation des trois catégories d'actifs financiers, examinons plus en détail les éléments à prendre en considération pour décider du choix d'une catégorie. Le modèle économique reflète le mode de gestion des actifs dans un scénario raisonnable et non pas dans le « scénario du pire » ou dans le « scénario de crise », si on ne s'attend pas à ce que ces scénarios se matérialisent. Pour comprendre le modèle économique qu'une société a retenu, le comptable professionnel examine par exemple :

- la façon dont la performance des actifs est évaluée et présentée aux dirigeants. Par exemple, un indicateur de performance basé sur le pourcentage de variation de la juste valeur pourrait indiquer que le modèle économique de l'entreprise consiste à vendre les actifs financiers avant leur échéance ;
- les risques qui ont une incidence sur la performance et la façon dont ils sont gérés. Par exemple, si les seuls renseignements recueillis par l'entreprise concernent le risque de crédit, cela pourrait indiquer que le modèle économique de l'entreprise consiste essentiellement à détenir les actifs financiers dans le but de percevoir les flux de trésorerie contractuels ;
- la façon dont les dirigeants sont rémunérés. Par exemple, lorsque les dirigeants reçoivent un pourcentage de l'augmentation de la valeur des actifs, cela pourrait indiquer que le modèle économique de l'entreprise consiste à vendre les actifs financiers avant leur échéance.

Le comptable professionnel doit faire preuve de jugement. L'analyse du modèle de gestion ne se fait pas actif par actif, mais plutôt par regroupement supérieur. L'IASB n'explique toutefois pas clairement cette dernière notion.

EXEMPLE

Regroupement des actifs financiers pour analyser le modèle de gestion

Reprenons l'exemple de Dico ltée (*voir les pages 4.8 et 4.9*), sachant que ses prêts à recevoir comprennent 10 prêts, de valeur égale et totalisant 50 000 $, dont les conditions contractuelles permettraient de les classer comme étant ultérieurement évalués Au coût amorti. Avant de déterminer le classement initial du portefeuille, le comptable doit savoir la proportion de ce portefeuille qui est gérée dans le but de percevoir les flux de trésorerie contractuels, disons 80 % (40 000 $), et celle qui est gérée à des fins de transaction pour tirer parti des variations de valeur (10 000 $). Il conclut alors que les prêts à recevoir forment deux portefeuilles. Premièrement, les 8 prêts totalisant 40 000 $ respectent toutes les conditions pour pouvoir être classés comme étant ultérieurement évalués Au coût amorti. Le comptable doit alors les classer ainsi. Deuxièmement, les prêts à recevoir restants, totalisant 10 000 $, ne respectent ni la condition énoncée dans le troisième rectangle clair ni celle indiquée dans le quatrième rectangle clair de la figure 4.3. Le comptable doit donc les classer dans un second portefeuille comme étant ultérieurement évalués À la juste valeur par le biais du résultat net, puisque ces prêts à recevoir sont détenus principalement à des fins de transaction.

En pratique, la détermination du modèle de gestion demeure délicate, même si l'IASB précise qu'il ne s'agit pas de deviner les «intentions» de la direction face à un actif donné. C'est dire que le comptable doit examiner l'expérience passée de l'entreprise en la matière. Encore là, le jugement est requis. Par exemple, ce n'est pas parce que l'entreprise a vendu, par le passé, quelques actifs financiers avant l'échéance que le comptable doit conclure que le portefeuille comprenant ces actifs financiers est géré dans le but de percevoir des flux de trésorerie contractuels et ceux de la vente ou dans le but de profiter des variations de la juste valeur. L'entreprise peut vendre des actifs financiers pour diverses raisons, par exemple si elle a besoin de trésorerie pour financer des dépenses d'investissement, sans que cela ne modifie son modèle économique.

Des actifs financiers sont détenus dans le but principal de percevoir des flux de trésorerie contractuels lorsque les ventes d'actifs avant échéance se limitent :

- aux ventes rendues nécessaires à la suite de l'augmentation du risque de crédit. Par exemple, une entreprise peut décider de vendre certains de ses comptes clients à une entreprise spécialisée dans le recouvrement de créances de faible qualité simplement parce qu'elle n'a pas le personnel suffisant pour s'occuper du recouvrement des créances douteuses pendant une période de l'année ;
- aux ventes faites pour d'autres raisons, par exemple pour financer des dépenses d'investissement, dont la fréquence est peu importante ou dont la valeur est faible.

En d'autres mots, dans un modèle économique dont le but principal est de percevoir les flux de trésorerie contractuels liés aux actifs financiers, les ventes d'actifs financiers, même si elles surviennent, sont accessoires. «Pour déterminer si les flux de trésorerie seront réalisés par la perception des flux de trésorerie contractuels des actifs financiers, il faut tenir compte de la fréquence, de la valeur et de la répartition dans le temps des ventes au cours des périodes antérieures, des raisons qui ont motivé ces ventes et des attentes quant aux ventes futures[11].» Les actifs ainsi gérés sont évalués Au coût amorti.

Dans le deuxième modèle, les actifs financiers sont détenus dans le but de percevoir à la fois les flux de trésorerie contractuels et ceux de la vente. C'est dire que les dirigeants de l'entreprise jugent que ces deux activités sont essentielles à la gestion des actifs financiers. Les ventes peuvent découler des besoins quotidiens en liquidités ou de simples variations de la juste valeur que les dirigeants veulent encaisser. En somme, les ventes d'actifs financiers sont plus fréquentes et de plus grande valeur que dans le modèle précédent. Les actifs ainsi gérés sont évalués À la juste valeur par le biais des autres éléments du résultat global. Dans l'exemple de Dico ltée (*voir les pages 4.8 et 4.9*), les placements en obligations pourraient être classés ainsi si l'entreprise les détenait dans le but de les vendre pour profiter des variations de valeur. Ils seraient classés Au coût amorti si Dico ltée les détenait dans le but principal de percevoir les flux de trésorerie contractuels jusqu'à leur échéance.

Le troisième modèle consiste principalement à gérer des actifs financiers sur la base de leur juste valeur et à vendre régulièrement les actifs financiers visés. Encore une fois, tout est question d'importance. Une entreprise qui adopte un tel modèle pourrait détenir certains de ses actifs financiers jusqu'à l'échéance et encaisser les flux de trésorerie contractuels. Toutefois, la détention jusqu'à l'échéance représente une activité accessoire qui n'est pas essentielle au but visé. Ce modèle couvre par exemple les actifs financiers, tel qu'un placement en actions cotées en bourse, **détenus à des fins de transaction**, notion que l'IASB définit ainsi : «La notion de transaction reflète généralement un mouvement actif et fréquent d'achats et de ventes, et les instruments financiers détenus à des fins de transaction sont généralement utilisés pour dégager un bénéfice des fluctuations de prix à court terme ou d'une marge de contrepartiste[12].» Les actifs

11. *Manuel de CPA Canada – Comptabilité – Partie I*, IFRS 9, paragr. B4.1.2C.
12. *Manuel de CPA Canada – Comptabilité – Partie I*, IFRS 9, paragr. BA.6.

ainsi gérés sont évalués À la juste valeur par le biais du résultat net. Dans l'exemple de Dico ltée (*voir les pages 4.8 et 4.9*), les placements en actions pourraient être classés ainsi.

En guise de conclusion de l'examen de la figure 4.3, rappelons que, lorsque les conditions énoncées à la première ligne dans les trois rectangles clairs du haut sont respectées, on doit classer l'actif financier comme étant ultérieurement évalué Au coût amorti. Lorsque le modèle de gestion consiste à détenir des actifs financiers dans le but de percevoir à la fois les flux de trésorerie contractuels et ceux de la vente (réponse positive au quatrième rectangle clair du haut de la figure), on doit classer ces actifs À la juste valeur par le biais des autres éléments du résultat global. Dans tous les autres cas, les actifs financiers sont classés comme étant évalués À la juste valeur par le biais du résultat net. Désignons cette affirmation comme la règle de base à suivre pour le classement initial des actifs financiers. Cette règle souffre toutefois de deux exceptions :

> [...] l'entité peut faire le choix irrévocable, lors de la comptabilisation initiale, de présenter dans les autres éléments du résultat global les variations futures de la juste valeur d'un placement particulier en instruments de capitaux propres qui serait autrement évalué À la juste valeur par le biais du résultat net (voir paragraphes 5.7.5 et 5.7.6).
>
> [...] L'entité peut, lors de la comptabilisation initiale, désigner irrévocablement un actif financier comme étant évalué À la juste valeur par le biais du résultat net si cette désignation élimine ou réduit sensiblement une incohérence dans l'évaluation ou la comptabilisation (parfois appelée « non-concordance comptable ») qui, autrement, découlerait de l'évaluation d'actifs [...] ou de la comptabilisation des profits ou pertes sur ceux-ci sur des bases différentes (voir paragraphes B4.1.29 à B4.1.32)[13].

La **non-concordance comptable** découle, par exemple, d'un actif évalué au coût amorti, alors que le passif utilisé pour financer cet actif serait évalué à la juste valeur. Cette incohérence dans l'évaluation des éléments de l'état de la situation financière pourrait conduire les utilisateurs des états financiers à de mauvaises conclusions sur la solvabilité de l'entreprise. Elle fausserait aussi l'évaluation de la performance de l'entreprise, puisque les profits et pertes sur l'actif seraient comptabilisés uniquement au moment de la décomptabilisation de l'actif, alors que les profits et pertes sur le passif financier seraient comptabilisés à chaque exercice, comme nous l'expliquerons plus loin. L'IASB précise que ce choix est semblable à un choix de méthode comptable. Cependant, il n'est pas obligatoire de l'appliquer à toutes les transactions semblables. Nous donnerons plus de détails sur ce sujet dans la sous-section **La comptabilisation initiale des passifs financiers.**

Avez-vous remarqué ?

L'IFRS 9 propose des critères de classement qui visent à refléter la substance des instruments financiers.

L'évaluation initiale

Les règles comptables relatives à l'évaluation initiale s'avèrent plutôt simples. Au moment où une entreprise comptabilise un actif financier pour la première fois, parce qu'elle devient partie prenante aux dispositions contractuelles de cet actif, elle évalue ce même actif à sa juste valeur. En règle générale, la juste valeur correspond au prix de la transaction, c'est-à-dire la juste valeur de la contrepartie cédée pour devenir détenteur de l'actif financier. Font exception à cette règle les créances clients qui doivent être comptabilisées au montant de contrepartie auquel l'entreprise s'attend à avoir droit lorsqu'elles ne comportent pas une composante financement importante et qu'elles seront recouvrées dans moins d'un an[14].

Parfois, le prix de la transaction semble différer de la juste valeur. Par exemple, considérons le cas d'une entreprise qui obtient un effet à recevoir de 1 000 $ dans 1 an, portant un taux d'intérêt de 3 %, alors que le taux du marché s'élève à 7 %. Dans ce cas, la juste valeur de l'effet correspond à la valeur des rentrées futures de trésorerie, actualisées au taux de 7 %, ce qui donne un montant inférieur à la valeur nominale de 1 000 $, soit 963 $ (N = 1, I = 7 %, PMT = 30 $, FV = 1 000 $, CPT PV?). Lorsque la juste valeur est attestée par un cours sur un marché actif ou qu'elle repose

13. *Manuel de CPA Canada – Comptabilité – Partie I*, IFRS 9, paragr. 4.1.4 et 4.1.5.

14. *Manuel de CPA Canada – Comptabilité – Partie I*, IFRS 9, paragr. 5.1.3 et IFRS 15, paragr. 63.

uniquement sur des données d'entrée observables[15], donc lorsqu'elle est très fiable, on comptabilise initialement l'actif financier à sa juste valeur. L'écart entre celle-ci et le prix de la transaction est comptabilisé comme un profit ou une perte. Cependant, si la juste valeur n'est pas attestée par un cours sur un marché actif ou si elle repose sur des données d'entrée non observables, l'instrument financier est comptabilisé au prix de la transaction. Dans les exercices subséquents, la différence entre le prix de la transaction et la juste valeur est comptabilisée comme un ajustement de la valeur comptable de l'actif financier et, en contrepartie, comme un élément du résultat net de façon progressive. Ce virement se fait dans la mesure où les changements de valeur seraient pris en compte par les intervenants du marché[16].

EXEMPLE

Comptabilisation initiale lorsque le prix de transaction diffère de la juste valeur

La société Franco ltée achète un placement en actions au coût de 1 000 $ et dont la juste valeur est de 950 $. Nous présentons ci-dessous côte-à-côte la comptabilisation selon les deux possibilités.

La juste valeur est attestée par un cours ou par des données d'entrée observables			La juste valeur n'est pas attestée par un cours ou par des données d'entrée observables		
Placement	*950*		*Placement*	*1 000*	
Perte	*50*		*Caisse*		*1 000*
Caisse		*1 000*	*Acquisition d'un actif financier.*		
Acquisition d'un actif financier dont le prix de transaction diffère de la juste valeur, elle-même jugée très fiable.					

Cette directive concernant l'évaluation initiale n'est pas influencée par le classement initial de l'actif financier dont traitait la division précédente. Ce classement initial détermine cependant la comptabilisation des **coûts de transaction**. Il s'agit de l'ensemble des coûts directement liés à l'opération et que l'entreprise n'aurait pas engagés si elle n'avait pas acheté l'actif financier. Mentionnons, à titre d'exemple, les commissions ou les honoraires versés aux agents, tel un courtier ou un arbitragiste, les montants prélevés par les agences réglementaires ainsi que les taxes non remboursables. Les coûts de transaction excluent les frais de financement ainsi que les frais d'administration généraux, qui ne sont pas directement rattachés à l'actif financier. La figure 4.4 illustre le traitement comptable des coûts de transaction.

FIGURE 4.4 La comptabilisation des coûts de transaction selon le classement de l'actif financier

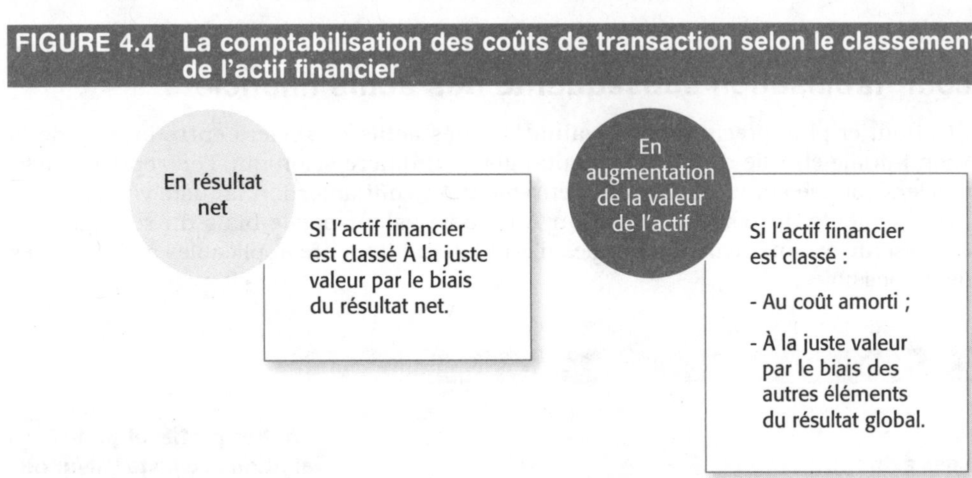

15. Cette notion a été expliquée au chapitre 3.
16. *Manuel de CPA Canada – Comptabilité – Partie I*, IFRS 9, paragr. B5.1.2A.

EXEMPLE

Comptabilisation des coûts de transaction

La société Mode-L achète, au coût de 100 000 $, un lot de créances dont les conditions contractuelles font en sorte que les flux de trésorerie attendus sont encaissables à des dates fixes et couvrent uniquement le recouvrement du principal et des intérêts sur le principal restant à recouvrer. Pour acheter ce lot, l'entreprise a bénéficié des services d'un intermédiaire financier qui a exigé des honoraires de 1 000 $. Voici les écritures de journal requises, selon les deux classements possibles de l'actif financier :

La détention de l'actif financier s'inscrit dans un modèle économique dont l'objectif est de tirer parti des variations de la juste valeur

*Créances à la JVBRN**	*100 000*	
Honoraires professionnels	*1 000*	
Caisse		*101 000*
Achat d'un lot de créances qui seront ultérieurement évaluées À la juste valeur par le biais du résultat net.		

La détention de l'actif financier s'inscrit dans un modèle économique dont l'objectif est de percevoir les flux de trésorerie contractuels

Créances	*101 000*	
Caisse		*101 000*
Achat d'un lot de créances qui seront ultérieurement évaluées Au coût amorti.		

* Dans les intitulés de comptes, nous utilisons les lettres JVBRN pour désigner un instrument financier classé À la juste valeur par le biais du résultat net.

Lorsque les actifs financiers seront ultérieurement évalués À la juste valeur par le biais du résultat net (colonne de gauche ci-dessus), on comprend la raison qui nous amène à comptabiliser l'actif à sa juste valeur et les coûts de transaction, en charges. Par définition, la valeur comptable d'un actif représente toujours au moins la valeur qui pourra être recouvrée par la suite, compte tenu, dans le cas des actifs financiers, du modèle de gestion retenu par l'entreprise. Dans l'exemple précédent, si l'entreprise gère ce placement comme étant susceptible d'être revendu à court terme, on doit envisager cette hypothèse aux fins de l'évaluation comptable et considérer que si elle revendait aujourd'hui même son lot de créances, elle ne pourrait récupérer que 100 000 $. C'est pourquoi on limite la valeur comptable à ce montant. Dans le cas où l'actif est détenu dans le but de percevoir les flux de trésorerie contractuels et qu'il est classé comme étant Au coût amorti, il est illogique d'envisager l'hypothèse de la vente le jour même. L'évaluation comptable de 101 000 $ correspond alors à des avantages économiques qui seront recouvrés durant toute la période pendant laquelle l'entreprise détiendra l'actif financier. C'est la raison pour laquelle les coûts de transaction se répercuteront en résultat net sur la même période.

Différence NCECF

3 La comptabilisation subséquente des actifs financiers

La comptabilisation, et plus précisément l'évaluation, des actifs financiers entre la date de la comptabilisation initiale et celle de leur décomptabilisation diffère selon que l'entreprise classe ses actifs financiers comme étant évalués ultérieurement Au coût amorti, À la juste valeur par le biais des autres éléments du résultat global ou À la juste valeur par le biais du résultat net. Le tableau 4.3 présente sommairement les règles d'évaluation ultérieure applicables à chacun des trois classements possibles.

TABLEAU 4.3 L'évaluation ultérieure selon le type d'actif financier

Classement des actifs financiers	Produit de placement	Dépréciation	Autres profits et pertes (variations de juste valeur ou profits et pertes sur cession)
1. Actifs Au coût amorti	Intérêts calculés selon la méthode du taux d'intérêt effectif et comptabilisés au fil du temps	Applicable	Comptabilisés lors de la décomptabilisation de l'actif

TABLEAU 4.3 *(suite)*

Classement des actifs financiers	Produit de placement	Dépréciation	Autres profits et pertes (variations de juste valeur ou profits et pertes sur cession)
2. Actifs À la juste valeur par le biais des autres éléments du résultat global :			
2.1 dont les conditions contractuelles et le modèle économique conduisent à ce classement	Intérêts calculés selon la méthode du taux d'intérêt effectif et comptabilisés au fil du temps	Applicable	Comptabilisés régulièrement dans les autres éléments du résultat global puis virés en résultat net lors de la décomptabilisation de l'actif
2.2 sous forme de titres de capitaux propres que l'entreprise choisit d'inclure dans cette classe	Dividendes en résultat net comptabilisés au moment où trois conditions sont respectées	Non applicable	Comptabilisés régulièrement dans les autres éléments du résultat global mais jamais virés en résultat net
3. Actifs À la juste valeur par le biais du résultat net	Intérêts ou dividendes en résultat net	Non applicable	Comptabilisés régulièrement en résultat net

Examinons les normes relatives à l'évaluation de chaque classe d'instruments financiers.

Les actifs financiers évalués Au coût amorti

Différence NCECF

Les actifs financiers couramment évalués Au coût amorti sont les comptes clients et certains placements en obligations, dont nous traiterons respectivement aux chapitres 6 et 11. Le coût amorti d'un actif financier s'obtient de la façon suivante[17] :

Coût amorti = Valeur comptable initiale + ou − Cumul des amortissements calculés selon la méthode du taux d'intérêt effectif − Recouvrement du principal et Dépréciation

L'amortissement de la valeur comptable d'un actif financier diffère radicalement de celui d'une immobilisation. Dans ce dernier cas, la valeur comptable diminue au fil du temps en raison du processus d'amortissement pour refléter l'amoindrissement du potentiel de service. L'**amortissement d'un actif financier** est plutôt un processus par lequel on augmente ou diminue la valeur comptable de l'actif en cause pour refléter, notamment, la valeur temps de l'argent, comme expliqué au chapitre 3.

EXEMPLE

Amortissement d'un actif financier pour en augmenter la valeur

Le 1er janvier 20X0, la société Costard ltée acquiert un billet à recevoir de 100 000 $ échéant dans 2 ans. Ce billet porte intérêt au taux annuel de 4 % et les intérêts sont encaissables uniquement à l'échéance. Compte tenu des intérêts composés, Costard ltée encaissera donc 108 160 $ le 31 décembre 20X2. Au chapitre 3, nous avons expliqué que la valeur actualisée de ce billet à diverses dates se calcule ainsi, dans l'hypothèse où le taux d'intérêt contractuel correspond au taux d'actualisation :

Date	Variables servant au calcul	Valeur actualisée
1er janvier 20X0	(N = 2, I = 4 %, PMT = 0 $, FV = 108 160 $, CPT PV ?)	100 000 $
31 décembre 20X0	(N = 1, I = 4 %, PMT = 0 $, FV = 108 160 $, CPT PV ?)	104 000
31 décembre 20X1	(N = 0, I = 4 %, PMT = 0 $, FV = 108 160 $, CPT PV ?)	108 160

Costard ltée comptabilise ainsi son billet à recevoir et les variations de la valeur actualisée :

1er janvier 20X0		
Billet à recevoir	*100 000*	
Caisse		*100 000*
Acquisition d'un billet à recevoir.		

17. *Manuel de CPA Canada – Comptabilité – Partie I*, IFRS 9, annexe A.

4

31 décembre 20X0		
Billet à recevoir	*4 000*	
Produits financiers – Intérêts		*4 000*
Produits d'intérêts correspondant à 4 % de la valeur comptable au début de l'exercice (100 000 $).		
31 décembre 20X1		
Billet à recevoir	*4 160*	
Produits financiers – Intérêts		*4 160*
Produits d'intérêts correspondant à 4 % de la valeur comptable au début de l'exercice (104 000 $).		

Le traitement comptable précédent, qui a pour effet d'augmenter la valeur comptable de l'actif financier, la faisant passer de 100 000 $ à 104 000 $, puis à 108 160 $, illustre le processus d'amortissement d'un actif financier selon la méthode du taux d'intérêt effectif.

En effet, l'IASB précise que l'amortissement d'un actif financier doit se faire en utilisant la méthode du taux d'intérêt effectif. Cette méthode exige d'abord de connaître le **taux d'intérêt effectif**. Il s'agit du taux qui actualise exactement les sorties et les rentrées de trésorerie futures estimatives attendues pendant la durée de vie de l'actif financier, de manière à obtenir sa valeur comptable initiale.

EXEMPLE

Calcul du taux d'intérêt effectif

La société Énergik ltée vient de signer un billet à recevoir identique à celui analysé dans l'exemple précédent, à une différence près. Énergik ltée a déboursé 500 $ pour procéder à une enquête sur la qualité de crédit de l'émetteur. Comme nous l'avons mentionné précédemment, le coût de 500 $ est un coût de transaction qui s'ajoute à la valeur comptable de l'actif. Du point de vue financier, ce coût diminue le taux de rendement réel de l'actif, car, pour réaliser des produits d'intérêts de 8 160 $, Énergik ltée a dû débourser 500 $, ce qui lui laissera un produit net de 7 660 $ sur une période de 2 ans. C'est pourquoi le taux d'intérêt réel (effectif) du billet est plus petit que le taux contractuel de 4 %. Il se calcule ainsi :

(N = 2, PMT = 0 $, PV = 100 500 $, FV = –108 160 $, CPT I?) = 3,741 %

L'amortissement du billet à recevoir, et par ricochet la valeur comptable du billet à diverses dates, selon la méthode du taux d'intérêt effectif s'obtient ainsi :

Date	Variables servant au calcul	Valeur actualisée
1er janvier 20X0	(N = 2, I = 3,741 %, PMT = 0 $, FV = 108 160 $, CPT PV ?)	100 500 $
31 décembre 20X0	(N = 1, I = 3,741 %, PMT = 0 $, FV = 108 160 $, CPT PV ?)	104 260
31 décembre 20X1	(N = 0, I = 3,741 %, PMT = 0 $, FV = 108 160 $, CPT PV ?)	108 160

Le produit d'intérêts sur le billet à recevoir, calculé selon la méthode du taux d'intérêt effectif, s'élève à 3 760 $ (100 500 $ × 3,741 %) pour l'exercice 20X0 et à 3 900 $ (104 260 $ × 3,741 %) pour l'exercice 20X1.

La méthode du taux d'intérêt effectif, comme nous l'avons illustré dans l'exemple précédent, conduit à une valeur comptable Au coût amorti. Cette valeur comptable ne correspond pas à une juste valeur. Comme il est expliqué au chapitre 3, la juste valeur obtenue par actualisation nécessite d'actualiser au taux du marché, lequel pourrait être par exemple de 6 % le 31 décembre 20X0 si la qualité du crédit de l'émetteur s'est détériorée en 20X0. Le taux d'intérêt effectif prend uniquement en considération les modalités contractuelles initiales de l'actif financier et les coûts de transaction supportés par l'entreprise.

Dans les deux exemples précédents, l'amortissement de l'actif financier s'ajoutait à la valeur comptable. Il arrive que l'amortissement diminue la valeur comptable d'un actif financier. On suit alors le même raisonnement, basé notamment sur la règle voulant que le produit d'intérêts se calcule toujours en appliquant le taux d'intérêt effectif à la valeur comptable au début de l'exercice.

4

EXEMPLE

Amortissement d'un actif financier pour en diminuer la valeur

Le 1er janvier 20X0, la société Marin ltée achète un placement en obligations. À l'échéance, soit le 31 décembre 20X1, Marin ltée recevra la valeur nominale des obligations égale à 100 000 $. Les obligations portent intérêt au taux annuel de 6 % et les intérêts sont encaissables le 31 décembre de chaque année. Comme les obligations sont sur le marché depuis un certain temps, le taux du marché est maintenant différent du taux contractuel, si bien que Marin ltée a déboursé 101 859 $ pour ces obligations[18]. Le taux effectif s'élève en fait à 5 % (N = 2, PV = –101 859 $, PMT = 6 000 $, FV = 100 000 $, CPT I?).

Date	Variables servant au calcul	Valeur actualisée
1er janvier 20X0	(N = 2, I = 5 %, PMT = 6 000 $, FV = 100 000 $, CPT PV?)	101 859 $
31 décembre 20X0	(N = 1, I = 5 %, PMT = 6 000 $, FV = 100 000 $, CPT PV?)	100 952
31 décembre 20X1	(N = 0, I = 5 %, PMT = 6 000 $, FV = 100 000 $, CPT PV?)	100 000

Le taux d'actualisation correspond au taux d'intérêt effectif.

Les intérêts qui seront encaissés sont calculés en appliquant le taux contractuel à la valeur nominale des obligations.

Marin ltée comptabilise ainsi son placement Au coût amorti :

1er janvier 20X0		
Placement en obligations	*101 859*	
Caisse		*101 859*
Acquisition d'un placement en obligations.		
31 décembre 20X0		
Caisse ①	*6 000*	
Produits financiers – Intérêts ②		*5 093*
Placement en obligations ③		*907*
Encaissement des intérêts sur le placement en obligations et amortissement de la valeur comptable de celui-ci.		

Calculs :

① (100 000 $ × 6 %)

② (101 859 $ × 5 %)

③ (6 000 $ – 5 093 $)

Cette écriture a pour effet de porter la valeur comptable du placement en obligations à 100 952 $ (101 859 $ – 907 $), ce qui correspond bien à la valeur actualisée du placement au 31 décembre 20X0, présentée sous l'énoncé de l'exemple.

31 décembre 20X1		
Caisse ①	*6 000*	
Produits financiers – Intérêts ②		*5 048*
Placement en obligations ③		*952*
Encaissement des intérêts sur le placement en obligations et amortissement de la valeur comptable de celui-ci.		

18. Le chapitre 11 explique plus en détail la façon de déterminer le coût d'acquisition d'un placement en obligations. Dans le présent chapitre, de même que dans les questions, exercices, problèmes et cas qui accompagnent le présent ouvrage, ce coût est fourni.

4

Calculs :

① (100 000 $ × 6 %)

② (100 952 $ × 5 %)

③ (6 000 $ – 5 048 $)

Cette écriture a pour effet de porter la valeur comptable du placement en obligations à 100 000 $ (100 952 $ - 952 $), ce qui correspond bien à la valeur actualisée du placement au 31 décembre 20X1, présentée sous l'énoncé de l'exemple.

Caisse	*100 000*	
Placement en obligations		*100 000*
Encaissement de la valeur nominale des obligations à l'échéance.		

On retiendra au moins trois éléments des calculs requis selon la méthode du taux d'intérêt effectif. Premièrement, les produits d'intérêts sont calculés sur la valeur comptable au début de l'exercice à laquelle on applique le taux d'intérêt effectif initial. Même si les taux d'intérêt du marché fluctuent après la date d'acquisition de l'actif financier, l'entreprise calcule les produits d'intérêts en utilisant le taux **initial.** Deuxièmement, lorsque la valeur actualisée initiale est inférieure à la valeur future, comme dans l'exemple précédent de la société Costard ltée, l'amortissement de l'actif financier doit permettre d'augmenter la valeur comptable, de sorte qu'à l'échéance, la valeur comptable correspond exactement à la valeur future. L'amortissement de l'actif financier est débité à la valeur comptable initiale du billet et crédité au compte Produits financiers – Intérêts. Ainsi, la valeur comptable correspond au **coût amorti** de l'actif financier. Troisièmement, lorsque la valeur comptable initiale excède la valeur future, comme dans l'exemple précédent de la société Marin ltée, l'amortissement est porté en diminution de l'actif.

Si un actif financier est classé Au coût amorti, seuls les produits d'intérêts et les dépréciations sont comptabilisés périodiquement en résultat net. La valeur comptable de l'actif est diminuée lorsque l'entreprise encaisse une partie du principal ou que l'actif doit être déprécié. Comme nous l'avons mentionné au chapitre 1, la valeur comptable d'un actif doit être au moins égale à la valeur des flux de trésorerie prévus. C'est pourquoi la valeur comptable des actifs financiers évalués Au coût amorti doit parfois faire l'objet d'un test de dépréciation.

À chaque fin d'exercice, l'entreprise doit vérifier si elle doit comptabiliser une dépréciation correspondant aux pertes de crédit attendues. Les modalités détaillées à cet effet seront expliquées au chapitre 6. Pour le moment, mentionnons simplement que les pertes de crédit attendues correspondent à une estimation du montant que l'entreprise prévoit ne pas pouvoir récupérer sur un actif financier.

EXEMPLE

Dépréciation d'un actif financier

La société Brisel ltée détient un placement en obligations qu'elle a initialement classé comme étant évalué ultérieurement Au coût amorti. Au moment de préparer ses états financiers de l'exercice terminé le 31 décembre 20X1, la société apprend que l'émetteur des obligations éprouve de sérieuses difficultés financières. Brisel ltée estime alors la valeur du placement en actualisant au taux d'intérêt effectif initial les flux de trésorerie qu'elle prévoit récupérer plus tard de son placement et conclut qu'elle doit en réduire la valeur comptable de 5 000 $. Elle passe alors l'écriture suivante :

Pertes de crédit attendues sur un placement en obligations	*5 000*	
Provision pour correction de valeur – Placement en obligations		*5 000*
Pertes de crédit attendues sur un placement en obligations évalué Au coût amorti.		

La société comptabilise les pertes de 5 000 $ dans son résultat net de l'exercice 20X1. Si, plus tard, la valeur actualisée des flux de trésorerie qu'elle prévoit récupérer du placement augmente,

Brisel ltée comptabilisera cette augmentation[19]. Soulignons que, dans l'écriture précédente, la société a crédité un compte de contrepartie, soit le compte Provision pour correction de valeur – Placement en obligations, plutôt que le compte Placement en obligations. Ce choix se justifie par le fait que l'on décomptabilise un actif uniquement lorsque les droits contractuels de recevoir les flux de trésorerie arrivent à expiration ou lorsque la créance est transférée à un tiers sous certaines conditions expliquées au chapitre 6. Le fait d'utiliser un compte de contrepartie permet également d'ajuster à la hausse ou à la baisse la provision pour correction de valeur lors de la réévaluation des pertes de crédit attendues effectuée dans les exercices ultérieurs.

Avez-vous remarqué ?

Les actifs financiers évalués Au coût amorti doivent faire l'objet d'un test de dépréciation. Conformément à la définition d'un actif donnée dans le Cadre conceptuel de l'information financière (le Cadre), la valeur comptable ne doit jamais excéder la valeur des avantages attendus de l'actif.

Pour clore cette division sur les actifs financiers Au coût amorti, un mot s'impose sur la comptabilisation des autres profits et pertes. Comme l'indique le tableau 4.3, les profits et pertes, autres que ceux qui correspondent aux produits de placement et aux pertes de crédit attendues, ne sont pas comptabilisés pendant la détention des actifs financiers. Ce n'est qu'au moment de la décomptabilisation de l'actif qu'ils sont comptabilisés en résultat net à titre de profit ou perte sur cession, comme nous le verrons plus loin dans le présent chapitre.

Les actifs financiers évalués À la juste valeur par le biais des autres éléments du résultat global

Comme l'indique le tableau 4.3, la deuxième classe d'actifs financiers englobe deux sous-classes. La première se compose du groupe d'actifs financiers détenus dans le but de percevoir les flux de trésorerie contractuels, lesquels se limitent au recouvrement du principal et à des encaissements d'intérêts sur le principal restant à recouvrer, et ceux de la vente. En d'autres mots, il s'agit des actifs financiers dont les conditions contractuelles et le modèle économique conduisent à ce classement. La seconde sous-classe englobe des placements particuliers en titres de capitaux propres qui seraient autrement classés À la juste valeur par le biais du résultat net mais que l'entreprise a choisi, de façon irrévocable lors de la comptabilisation initiale, d'inclure dans la classe des actifs évalués À la juste valeur par le biais des autres éléments du résultat global. Puisque les règles comptables diffèrent entre les deux sous-classes, nous les traiterons distinctement dans les paragraphes qui suivent.

Les actifs dont les conditions contractuelles et le modèle économique conduisent à les classer À la juste valeur par le biais des autres éléments du résultat global

On peut trouver dans cette sous-classe des portefeuilles de créances ou de placements en obligations qui sont détenus dans le but de percevoir à la fois les flux de trésorerie contractuels et ceux de la vente. Ces titres génèrent des produits d'intérêts qui sont comptabilisés de la même façon que les produits d'intérêts sur les actifs Au coût amorti. C'est dire qu'on applique la méthode du taux d'intérêt effectif pour en établir le montant et on les comptabilise au fil du temps.

Les actifs de cette sous-classe sont aussi assujettis, comme pour les actifs Au coût amorti, aux règles applicables aux pertes de crédit attendues qui sont présentées en détail au chapitre 6. Le lecteur pourra alors comprendre la pertinence de réduire la valeur de ces actifs, dont le modèle de gestion consiste à percevoir les flux de trésorerie contractuels, afin de prendre en compte les pertes de crédit attendues pour toute leur durée de vie.

Enfin, puisque ces actifs doivent être évalués à la juste valeur dans l'état de la situation financière, on doit comptabiliser les variations de la juste valeur dès qu'elles surviennent. C'est notamment à ce niveau que les règles comptables diffèrent de celles applicables aux actifs Au coût amorti, et même de celles applicables aux actifs À la juste valeur par le biais des autres éléments du résultat global de la seconde sous-classe. Toutes les variations de la juste valeur des actifs dont les conditions contractuelles et le modèle économique conduisent au classement À la juste valeur par le biais des autres éléments du résultat global sont comptabilisées dans le compte d'actif en cause. On comptabilise la contrepartie dans les autres éléments du résultat global, virée par écriture de clôture

19. Nous verrons au chapitre 6 que cette augmentation est limitée à un montant maximal.

dans le compte approprié de Cumul des autres éléments du résultat global. Les variations de valeur s'y cumulent jusqu'à la décomptabilisation de l'actif financier, moment où elles sont transférées en résultat net. Nous avons vu au chapitre précédent que l'**IFRS 13** contient plusieurs directives permettant d'évaluer la juste valeur. Dans les exemples qui suivent, elle est simplement donnée.

EXEMPLE

Actif classé À la juste valeur par le biais des autres éléments du résultat global

Le 2 janvier 20X0, la société Dico ltée *(voir les pages 4.8 et 4.9)* achète un placement en obligations qu'elle classe À la juste valeur par le biais des autres éléments du résultat global. Le coût d'acquisition, égal à la juste valeur initiale, est de 1 000 $ et les obligations portent intérêt au taux de 10 %, payable le 31 décembre de chaque année. Le taux de 10 % correspond aussi au taux d'intérêt effectif. Le 31 décembre 20X0, le taux du marché pour des obligations semblables a baissé, ce qui explique que la juste valeur du placement s'élève alors à 1 075 $. Le 31 décembre 20X1, la juste valeur a encore augmenté et s'élève à 1 095 $. Dico ltée comptabilise ainsi ces opérations :

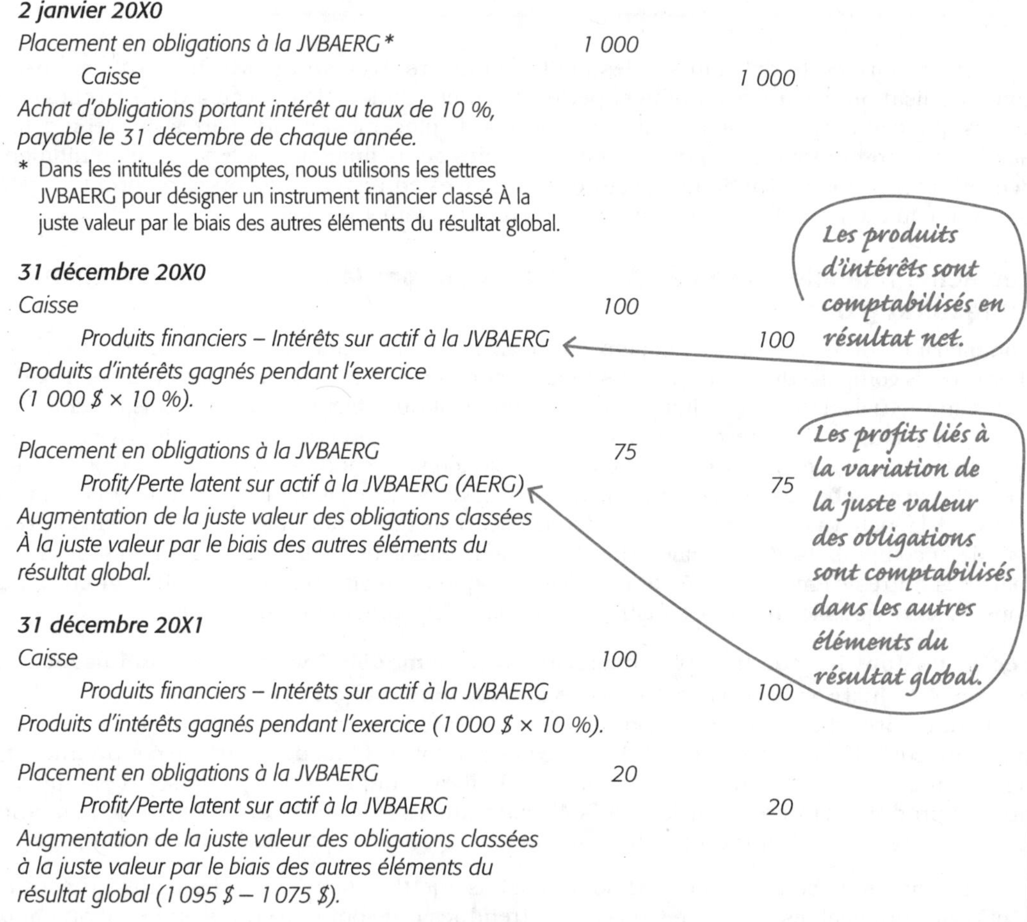

	Débit	Crédit
2 janvier 20X0		
*Placement en obligations à la JVBAERG **	*1 000*	
Caisse		*1 000*
Achat d'obligations portant intérêt au taux de 10 %, payable le 31 décembre de chaque année.		
31 décembre 20X0		
Caisse	*100*	
Produits financiers – Intérêts sur actif à la JVBAERG		*100*
Produits d'intérêts gagnés pendant l'exercice (1 000 $ × 10 %).		
Placement en obligations à la JVBAERG	*75*	
Profit/Perte latent sur actif à la JVBAERG (AERG)		*75*
Augmentation de la juste valeur des obligations classées À la juste valeur par le biais des autres éléments du résultat global.		
31 décembre 20X1		
Caisse	*100*	
Produits financiers – Intérêts sur actif à la JVBAERG		*100*
Produits d'intérêts gagnés pendant l'exercice (1 000 $ × 10 %).		
Placement en obligations à la JVBAERG	*20*	
Profit/Perte latent sur actif à la JVBAERG		*20*
Augmentation de la juste valeur des obligations classées à la juste valeur par le biais des autres éléments du résultat global (1 095 $ – 1 075 $).		

* Dans les intitulés de comptes, nous utilisons les lettres JVBAERG pour désigner un instrument financier classé À la juste valeur par le biais des autres éléments du résultat global.

Les produits d'intérêts sont comptabilisés en résultat net.
Les profits liés à la variation de la juste valeur des obligations sont comptabilisés dans les autres éléments du résultat global.

Avez-vous remarqué ?

Peu importe si un actif financier est classé Au coût amorti ou À la juste valeur par le biais des autres éléments du résultat global en raison de ses conditions contractuelles et du modèle économique, le montant comptabilisé en résultat net correspond aux produits d'intérêts calculés avec la méthode du taux d'intérêt effectif. Cependant, le montant présenté dans l'état de la situation financière diffère.

Les actifs classés À la juste valeur par le biais des autres éléments du résultat global selon un choix irrévocable

Cette seconde sous-classe englobe des actifs sous forme de titres de capitaux propres qui ne sont pas détenus à des fins de transaction et qu'une entreprise choisit, sur une base individuelle et de façon irrévocable lors de leur comptabilisation initiale, de classer À la juste valeur par le biais des autres éléments du résultat global. Pour les distinguer de la première sous-classe, nous les désignerons À la juste valeur par le biais des autres éléments du résultat global (choix irrévocable). Ce choix, qui se fait titre par titre, a pour principale conséquence d'assurer plus de stabilité dans le résultat net et se justifie si l'entreprise souhaite, par exemple, conserver son placement durant une longue période. Dans ce cas, les variations à court terme de la juste valeur sont moins pertinentes, ce qui justifie de ne pas les affecter au résultat net. L'IASB exige que ce choix soit irrévocable pour éviter les manipulations comptables selon lesquelles les entreprises pourraient par exemple décider, durant un exercice où la juste valeur aurait diminué, de comptabiliser cette diminution dans les autres éléments du résultat global et, durant un exercice où la juste valeur aurait augmenté, de comptabiliser celle-ci en résultat net.

Puisqu'il s'agit de placement en titres de capitaux propres, par exemple un placement en actions, le produit de placement prend la forme de dividendes. Les dividendes sont comptabilisés en résultat net au moment où le détenteur remplit trois conditions : il a le droit de recevoir le dividende, 2) il est probable qu'il pourra bénéficier des avantages économiques liés aux dividendes et 3) il peut évaluer le montant de dividendes de façon fiable. C'est souvent au moment où l'émetteur des actions déclare ces dividendes que l'investisseur les comptabilise.

Le tableau 4.3 indique aussi que les règles liées aux dépréciations des actifs financiers ne s'appliquent pas à ces actifs. Par conséquent, toutes les variations de la juste valeur, autant à la hausse qu'à la baisse, sont comptabilisées dans les autres éléments du résultat global. Ce qui distingue les actifs financiers À la juste valeur par le biais des autres éléments du résultat global (choix irrévocable) et les actifs financiers À la juste valeur par le biais des autres éléments du résultat global, c'est que tout profit et perte sur les premiers ne sont jamais virés en résultat net. C'est dire que, lorsque l'entreprise décomptabilise le placement, elle peut uniquement virer le solde du compte Cumul des variations de valeur d'un placement à la juste valeur par le biais des autres éléments du résultat global (choix irrévocable) dans un autre compte de capitaux propres, par exemple Résultats non distribués. Dans son résultat net, l'entreprise comptabilise uniquement les produits de dividendes gagnés sur ces placements.

EXEMPLE

Actif classé À la juste valeur par le biais des autres éléments du résultat global (choix irrévocable)

Le 2 janvier 20X0, la société Dico ltée *(voir les pages 4.8 et 4.9)* achète au coût de 105 346 $ des actions émises par la société Supérieure ltée, laquelle n'est pas cotée en Bourse. Dico ltée prévoit conserver ce placement pendant plusieurs mois, ce qui fait qu'elle juge non pertinentes les variations à court terme de la juste valeur. Ces actions rapportent un dividende annuel de 8 000 $. La juste valeur de ces actions varie de la façon suivante jusqu'au moment de leur revente le 31 décembre 20X2 :

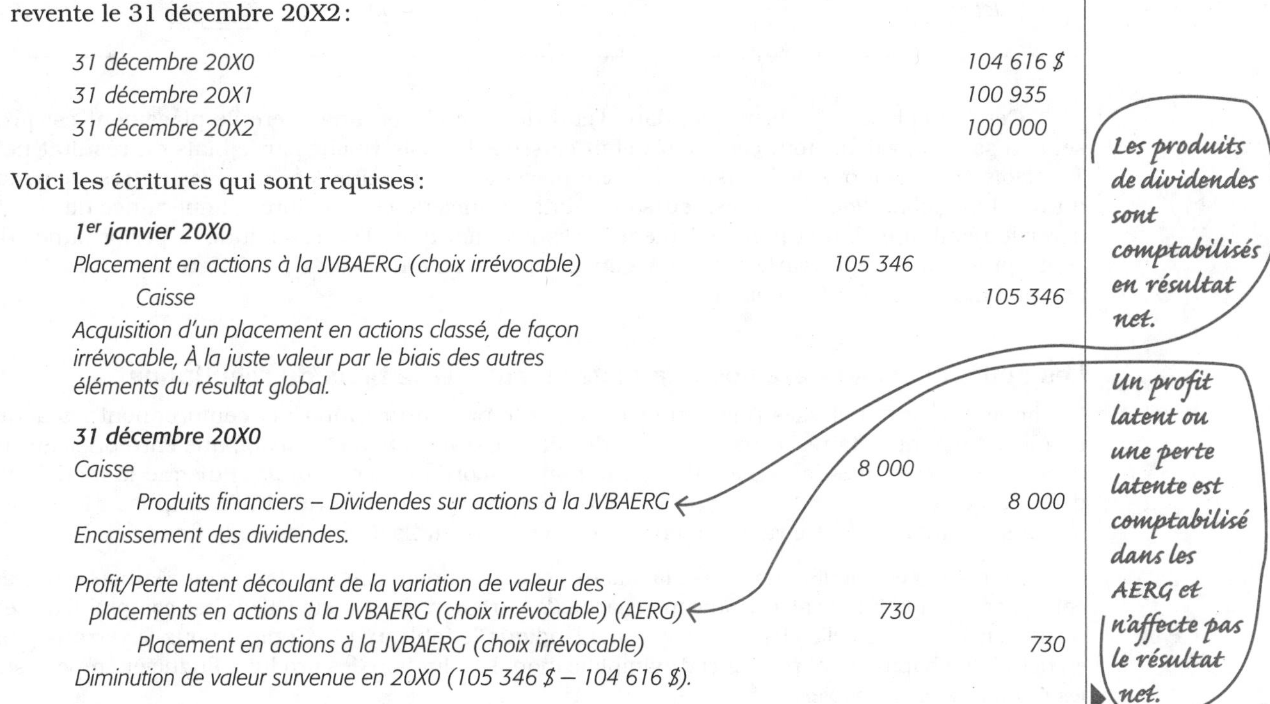

31 décembre 20X0	*104 616 $*
31 décembre 20X1	*100 935*
31 décembre 20X2	*100 000*

Voici les écritures qui sont requises :

	Débit	Crédit
1er janvier 20X0		
Placement en actions à la JVBAERG (choix irrévocable)	*105 346*	
Caisse		*105 346*
Acquisition d'un placement en actions classé, de façon irrévocable, À la juste valeur par le biais des autres éléments du résultat global.		
31 décembre 20X0		
Caisse	*8 000*	
Produits financiers – Dividendes sur actions à la JVBAERG		*8 000*
Encaissement des dividendes.		
Profit/Perte latent découlant de la variation de valeur des placements en actions à la JVBAERG (choix irrévocable) (AERG)	*730*	
Placement en actions à la JVBAERG (choix irrévocable)		*730*
Diminution de valeur survenue en 20X0 (105 346 $ – 104 616 $).		

Les produits de dividendes sont comptabilisés en résultat net.
Un profit latent ou une perte latente est comptabilisé dans les AERG et n'affecte pas le résultat net.

4

31 décembre 20X1		
Caisse	*8 000*	
Produits financiers – Dividendes sur actions à la JVBAERG		*8 000*
Encaissement des dividendes.		
Profit/Perte latent découlant de la variation de valeur des placements en actions à la JVBAERG (choix irrévocable) (AERG)	*3 681*	
Placement en actions à la JVBAERG (choix irrévocable)		*3 681*
Diminution de la juste valeur survenue en 20X1 (104 616 $ – 100 935 $).		
31 décembre 20X2		
Caisse	*8 000*	
Produits financiers – Dividendes sur actions à la JVBAERG		*8 000*
Encaissement des dividendes.		
Profit/Perte latent découlant de la variation de valeur des placements en actions à la JVBAERG (choix irrévocable) (AERG)	*935*	
Placement en actions à la JVBAERG (choix irrévocable)		*935*
Diminution de la juste valeur survenue en 20X2 (100 935 $ – 100 000 $).		
Caisse	*100 000*	
Placement en actions à la JVBAERG (choix irrévocable)		*100 000*
Revente des actions.		

Les états financiers des trois exercices en cause montrent les montants suivants :

	Résultat net	***AERG***	***Situation financière***
20X0	*8 000 $*	*(730) $*	*104 616 $*
20X1	*8 000*	*(3 681)*	*100 935*
20X2	*8 000*	*(935)*	*0*
Total	*24 000 $*	*(5 346) $*	

Différence NCECF

Cet exemple illustre bien que, dans l'état de la situation financière, le placement est présenté à sa juste valeur, tout comme s'il était classé À la juste valeur par le biais du résultat net. Toutefois, les variations de la juste valeur du placement sont cumulées dans les autres éléments du résultat global. Pour les utilisateurs des états financiers, cela renforce l'importance de considérer le résultat global et non seulement le résultat net dans l'évaluation de la performance de l'entreprise puisque les variations de valeur au montant cumulatif de 5 346 $ n'ont jamais été comptabilisées en résultat net.

Les actifs financiers évalués À la juste valeur par le biais du résultat net

Les actifs financiers classés À la juste valeur par le biais du résultat net comprennent les actifs financiers non monétaires, ceux détenus à des fins de transaction et ceux qu'une entreprise aurait décidé de classer ainsi afin d'éliminer une non-concordance comptable. Puisque le modèle de détention de ces actifs vise à tirer parti des variations de leur juste valeur, l'entreprise s'intéresse au plus haut point à cette valeur. Il en est de même des utilisateurs des états financiers.

Pour tous ces actifs financiers, la valeur comptable doit être constamment réajustée afin de correspondre à la juste valeur. En contrepartie, la variation de la juste valeur est comptabilisée en résultat net dès que celle-ci survient, comme l'indique le tableau 4.3. Comme nous le verrons plus en détail au chapitre 6, et par souci de simplification, l'évaluation des produits financiers repose sur les montants encaissables.

4

EXEMPLE

Actif classé À la juste valeur par le biais du résultat net

Reprenons l'exemple de la société Dico ltée qui a acheté le 2 février des actions de Bombarde inc. au coût de 105 000 $. Ces actions rapportent un dividende annuel de 7 000 $ et leur juste valeur, déterminée selon le cours des actions à la Bourse, au 31 décembre 20X0, 20X1 et 20X2 s'élève respectivement à 104 000 $, 103 500 $ et 100 000 $. Dico ltée classe le placement À la juste valeur par le biais du résultat net.

Voici les écritures permettant de refléter les opérations liées à ce placement :

1er janvier 20X0		
Placement en actions à la JVBRN	*105 000*	
Caisse		*105 000*
Acquisition d'un placement en actions classé À la juste valeur par le biais du résultat net.		
31 décembre 20X0		
Caisse	*7 000*	
Produits financiers – Dividendes sur actions à la JVBRN		*7 000*
Encaissement des dividendes.		
Profit/Perte découlant de la variation de valeur des placements en actions à la JVBRN	*1 000*	
Placement en actions à la JVBRN		*1 000*
Diminution de la juste valeur survenue en 20X0 (105 000 $ – 104 000 $).		
31 décembre 20X1		
Caisse	*7 000*	
Produits financiers – Dividendes sur actions à la JVBRN		*7 000*
Encaissement des dividendes.		
Profit/Perte découlant de la variation de valeur des placements en actions à la JVBRN	*500*	
Placement en actions à la JVBRN		*500*
Diminution de la juste valeur survenue en 20X1 (104 000 $ – 103 500 $).		
31 décembre 20X2		
Caisse	*7 000*	
Produits financiers – Dividendes sur actions à la JVBRN		*7 000*
Encaissement des dividendes.		
Profit/Perte découlant de la variation de valeur des placements en actions à la JVBRN	*3 500*	
Placement en actions à la JVBRN		*3 500*
Diminution de la juste valeur survenue en 20X2 (103 500 $ – 100 000 $).		
Caisse	*100 000*	
Placement en actions à la JVBRN		*100 000*
Vente d'un placement en actions.		

Les états financiers des trois exercices en cause montrent les montants suivants :

	Résultat net	*Situation financière*
20X0		*104 000 $*
(7 000 $ – 1 000 $)	*6 000 $*	
20X1		*103 500*
(7 000 $ – 500 $)	*6 500*	
20X2		*θ*
(7 000 $ – 3 500 $)	*3 500*	
Total	*16 000 $*	

Ces montants montrent que, chaque année, la valeur comptable du placement diminue, ce qui influe instantanément sur le résultat net. La société Dico ltée comptabilise tous les ans une certaine portion des produits de 16 000 $ [(7 000 $ × 3) – (105 000 $ – 100 000 $)]. Si elle avait pu évaluer son placement au coût, elle aurait affiché un résultat net constant de 7 000 $ et aurait aussi retardé la comptabilisation de la variation de la juste valeur jusqu'au moment de la vente le 31 décembre 20X2, date à laquelle la société aurait comptabilisé une perte de 5 000 $ (105 000 $ – 100 000 $).

Avez-vous remarqué ?

Les placements en actions ne peuvent être classés Au coût amorti ; ils doivent toujours être évalués à la juste valeur. Cependant, une entreprise peut choisir d'en comptabiliser les variations de valeur dans les autres éléments du résultat global, si elle choisit de classer ses placements en actions À la juste valeur par le biais des autres éléments du résultat global (choix irrévocable).

Les reclassements

Après le classement initial d'un actif financier, il peut arriver qu'une entreprise change de modèle économique pour effectuer la gestion de ses actifs financiers. Un tel changement peut entraîner une modification dans le classement des actifs financiers et, par le fait même, modifier leur évaluation subséquente.

L'IASB précise que les changements d'objectif du modèle économique, qui devraient être très peu fréquents, découlent de décisions de la direction générale de l'entreprise à la suite de changements importants survenus à l'interne ou dans l'environnement[20]. L'IASB précise aussi que de tels changements peuvent survenir uniquement lorsque l'entreprise commence ou cesse une activité qui est importante pour son exploitation. Le tableau 4.4 présente cinq exemples de changements, exposés par l'IASB, en les classant en deux catégories, selon qu'ils pourraient ou non être considérés comme un changement d'objectif du modèle économique.

Reprenons le premier exemple du tableau 4.4, en tenant pour acquis que le changement a été fait le 1er novembre 20X1. On doit comptabiliser ce changement de manière prospective, comme nous l'expliquerons au chapitre 15, car il découle d'une nouvelle décision.

TABLEAU 4.4 Des exemples de changements et leur classement

Normes internationales d'information financière, **IFRS 9**	**Commentaires**
Les changements qui constituent un changement d'objectif du modèle économique	
Paragr. B4.4.1	
Une entité possède un portefeuille de prêts commerciaux qu'elle détient pour les vendre à court terme. L'entité acquiert une société qui gère des prêts commerciaux et suit un modèle économique qui consiste à détenir les prêts afin de percevoir les flux de trésorerie contractuels. Le portefeuille de prêts commerciaux n'est plus à vendre et il est désormais géré conjointement avec les prêts commerciaux acquis, tous ces prêts étant désormais détenus dans le but de percevoir les flux de trésorerie contractuels.	Ce changement découle bien d'une décision de la direction générale de l'entreprise. Il résulte aussi d'un changement interne dans les activités de l'entreprise et est par conséquent important. L'effet du changement est que les prêts, qui étaient auparavant évalués À la juste valeur par le biais du résultat net seront dorénavant évalués Au coût amorti.
Une société de services financiers décide de mettre fin à son activité de crédit hypothécaire aux particuliers. Elle n'accepte plus de nouveaux clients au titre de cette activité et elle s'emploie activement à revendre son portefeuille de prêts hypothécaires.	Ce changement présente aussi les caractéristiques requises pour reclasser les actifs : • Il découle d'une décision de la direction générale de l'entreprise. • Il résulte d'un changement interne dans les activités de l'entreprise. • Il est important. L'effet de ce changement est que les prêts, qui étaient auparavant évalués Au coût amorti, seront dorénavant évalués À la juste valeur par le biais du résultat net. Les autres profits et pertes seront comptabilisés en résultat net dès qu'ils se produiront.

20. *Manuel de CPA Canada – Comptabilité – Partie I*, IFRS 9, paragr. B4.4.1.

TABLEAU 4.4 ***(suite)***

Les changements qui ne constituent pas un changement d'objectif du modèle économique	
Paragr. B4.4.3	
Un changement d'intention concernant des actifs financiers particuliers (même dans des circonstances où les conditions de marché connaissent des changements importants) ;	Nous avons déjà précisé que le modèle économique de gestion des actifs financiers n'est pas une question d'intention, mais de faits réels. De plus, les changements apportés au modèle de gestion ne doivent pas toucher uniquement un ou quelques titres, mais porter sur tous les actifs touchés par le modèle de gestion.
La disparition temporaire d'un marché d'actifs financiers particulier ;	En cas de disparition temporaire d'un marché, une entreprise n'est pas tenue de changer son modèle de gestion des actifs financiers. Si ceux-ci sont gérés de façon à profiter de leur variation de valeur, la disparition du marché ne fait qu'amener certains retards dans les opérations souhaitées par l'entreprise.
Un transfert d'actifs financiers entre des composantes de l'entité qui suivent des modèles économiques différents.	Par exemple, un transfert d'actifs financiers entre deux filiales d'une même société n'implique pas nécessairement que la direction générale de l'entreprise a modifié son modèle économique de gestion des actifs. Le transfert peut simplement découler des besoins de trésorerie de chaque filiale.

L'IASB pousse cependant ce raisonnement un peu plus loin, car il est toujours soucieux de proposer des normes comptables qui interdisent, autant que faire se peut, la manipulation des chiffres comptables. Ainsi, tenons pour acquis que l'entreprise prévoit des baisses importantes et imminentes dans la juste valeur des actifs financiers. Si ces actifs financiers sont évalués À la juste valeur par le biais du résultat net, la direction de l'entreprise pourrait être tentée, disons au cours de son exercice financier terminé le 31 décembre 20X1, de les reclasser de façon à les comptabiliser dorénavant Au coût amorti, en invoquant un changement apporté à son modèle économique de gestion des actifs financiers. Elle éviterait ainsi de comptabiliser les baisses de valeur dans son résultat net de 20X1. Afin d'éviter une telle manipulation, l'IASB précise que, après qu'une entreprise a pris sa décision d'affaires, soit le changement apporté au modèle économique de gestion, l'incidence comptable se fera sentir uniquement au cours de l'exercice suivant. En effet, le changement sera comptabilisé uniquement à la **date de reclassement**, c'est-à-dire le «[p]remier jour de la première période de présentation de l'information financière qui suit un changement de modèle économique entraînant un reclassement d'actifs financiers de la part de l'entité[21]». Dans notre exemple, cela implique que les actifs financiers commenceront à être évalués Au coût amorti uniquement le 1er janvier 20X2 et que les variations de la juste valeur cesseront d'être comptabilisées en résultat net seulement à compter de cette date.

Le tableau 4.5 présente les divers reclassements possibles et leur traitement comptable.

Il ressort de ce tableau que, à la date du reclassement, la valeur comptable de l'actif après le reclassement correspond toujours à la juste valeur, sauf dans le cas 3. Quant aux autres profits et pertes, c'est-à-dire ceux découlant des variations de valeur de l'actif financier, ils sont comptabilisés de manière

TABLEAU 4.5 Le traitement comptable des reclassements d'actifs financiers

		À la date du reclassement	
Ancien classement	**Nouveau classement**	**Valeur de l'actif**	**Autres profits et pertes**
1. Coût amorti	JVBAERG	Juste valeur à la date du classement	Écart entre la juste valeur à la date du classement et le coût amorti • Comptabilisé dans les autres éléments du résultat global
2. Coût amorti	JVBRN	Juste valeur à la date du classement	Écart entre la juste valeur à la date du classement et le coût amorti • Comptabilisé en résultat net

21. *Manuel de CPA Canada – Comptabilité – Partie I*, IFRS 9, Annexe A.

4

TABLEAU 4.5 *(suite)*

Ancien classement	Nouveau classement	À la date du reclassement	
		Valeur de l'actif	Autres profits et pertes
3. JVBAERG	Coût amorti	Juste valeur à la date du classement	Profits et pertes cumulés dans les autres éléments du résultat global • Virés dans la valeur comptable de l'actif, ce qui a pour effet de ramener la valeur comptable de l'actif à son coût amorti
4. JVBAERG	JVBRN	Juste valeur à la date du classement	Profits et pertes cumulés dans les autres éléments du résultat global • Virés en résultat net
5. JVBRN	Coût amorti	Juste valeur à la date du classement	Aucun profit ou perte à comptabiliser au moment du reclassement
6. JVBRN	JVBAERG	Juste valeur à la date du classement	Aucun profit ou perte à comptabiliser au moment du reclassement

cohérente avec le nouveau classement. Par exemple, pour le premier reclassement indiqué dans le tableau 4.5, l'écart entre la juste valeur à la date du classement et le coût amorti est comptabilisé dans les autres éléments du résultat global puisque le nouveau classement case l'actif comme étant évalué dorénavant À la juste valeur par le biais des autres éléments du résultat global. Pour le deuxième reclassement indiqué dans le tableau 4.5, l'écart est comptabilisé en résultat net puisque le nouveau classement case l'actif comme étant évalué dorénavant À la juste valeur par le biais du résultat net.

EXEMPLE

Reclassement d'un actif Au coût amorti vers la classe d'actifs À la juste valeur par le biais du résultat net

Le 1er août 20X1, la direction de la société Mod-L inc. a modifié son modèle de gestion d'un portefeuille de prêts détenus jusqu'à ce jour pour encaisser les flux de trésorerie contractuels. Dorénavant, elle gérera ce portefeuille de façon à profiter des variations de la juste valeur. La société clôture son exercice financier le 31 décembre. Elle vous a remis les renseignements qui suivent :

	Coût amorti	*Juste valeur*
1er août 20X1	*100 000 $*	*102 000 $*
31 décembre 20X1	*101 000*	*105 000*
31 décembre 20X2		*108 000*

Sachant que Mod-L inc. n'a reçu aucun encaissement sur ce portefeuille de prêts et que l'augmentation de la valeur comptable en 20X1 correspond à des intérêts à recevoir, voici les écritures de journal requises :

1er août 20X1

Aucune écriture requise. L'incidence comptable de la décision d'affaires sera comptabilisée uniquement à la date du reclassement, soit le premier jour de l'exercice qui suit le changement de modèle économique, en l'occurrence le 1er janvier 20X2.

31 décembre 20X1

Portefeuille de prêts à recevoir	*1 000*	
Produits financiers – Intérêts		*1 000*
Produits d'intérêts gagnés sur des prêts à recevoir comptabilisés Au coût amorti.		

1er janvier 20X2

Portefeuille de prêts à la JVBRN	*105 000*	
Portefeuille de prêts à recevoir		*101 000*
Profit découlant de l'augmentation de valeur d'un portefeuille de prêts à la JVBRN		*4 000*
Reclassement d'un portefeuille de prêts qui seront dorénavant évalués À la juste valeur par le biais du résultat net et comptabilisation de l'augmentation de la juste valeur à la date du reclassement.		

31 décembre 20X2		
Portefeuille de prêts à la JVBRN	*3 000*	
Profit découlant de l'augmentation de valeur d'un portefeuille de prêts à la JVBRN		*3 000*
Augmentation de la juste valeur des prêts pendant l'exercice (108 000 $ – 105 000 $).		

Cet exemple montre bien que les variations de la juste valeur des actifs financiers évalués Au coût amorti, dans notre exemple les actifs détenus jusqu'au 31 décembre 20X1, ne sont pas comptabilisées en résultat net. Par opposition, les variations de valeur des actifs financiers À la juste valeur par le biais du résultat net le sont dès qu'elles surviennent, comme le montrent les écritures précédentes, enregistrées en 20X2. Enfin, en présence d'une décision d'affaires entraînant un reclassement, la comptabilisation de cette décision est reportée à la date de reclassement, soit le 1er janvier 20X2. Les écritures précédentes montrent qu'à cette date, un profit de 4 000 $ est comptabilisé, soit l'écart entre la juste valeur (105 000 $) et la valeur comptable (101 000 $).

Les troisième et quatrième reclassements concernent des actifs sortis de la classe À la juste valeur par le biais des autres éléments du résultat global. Ce qui est particulier, dans ces cas, c'est que les autres profits et pertes des exercices antérieurs se sont cumulés dans le compte Cumul des autres éléments du résultat global. Lorsqu'un actif sort de cette catégorie, on doit aussi sortir les autres profits et pertes du compte Cumul des autres éléments du résultat global.

EXEMPLE

Reclassement d'un actif À la juste valeur par le biais des autres éléments du résultat global vers la classe d'actifs Au coût amorti

La société Giroux ltée a acheté en 20X1 un placement en obligations, au coût de 52 000 $, classé À la juste valeur par le biais des autres éléments du résultat global. De 20X1 à 20X3, elle a comptabilisé des produits d'intérêts de 6 500 $ et des augmentations de valeur de 15 000 $. Le 31 décembre 20X3, elle reclasse ce placement Au coût amorti. Voici les comptes en T avant et après le classement.

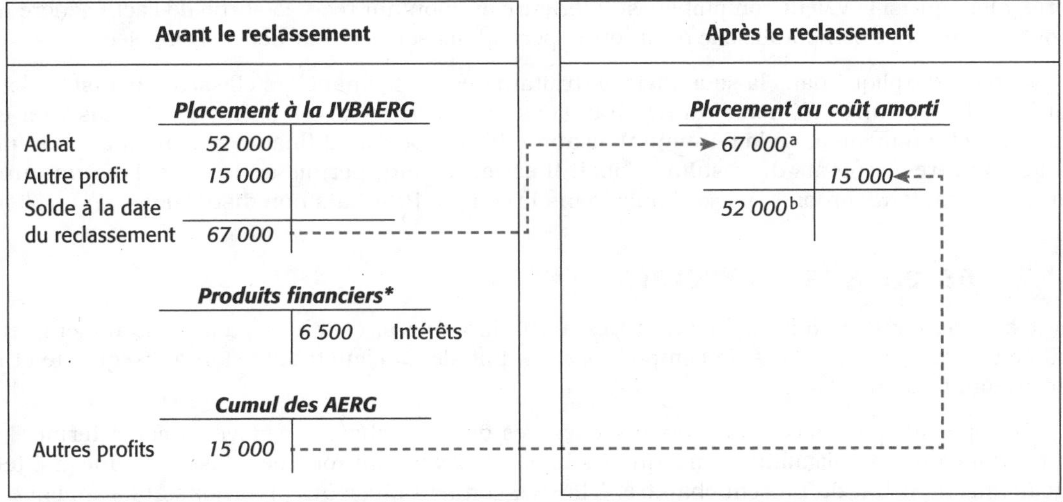

Notes complémentaires

* Il s'agit du total des produits de 20X1 à 20X3. En pratique, le montant annuel a été inscrit dans ce compte avant d'être viré, par écriture de clôture, dans le compte Résultats non distribués.

a) Il s'agit de la juste valeur à la date du reclassement.

b) Il s'agit de la nouvelle valeur comptable, égale ici au coût d'origine.

Ces comptes en T montrent bien que le virement du Cumul des AERG dans le compte d'actif fait en sorte que le nouveau solde devient égal à ce qu'il serait si l'actif avait toujours été classé Au coût amorti, soit 52 000 $.

4

Revenons au tableau 4.5. Les deux derniers reclassements portent sur des actifs financiers qui sont sortis de la classe À la juste valeur par le biais du résultat net. Ce sont des reclassements simples, compte tenu que l'actif est déjà comptabilisé à la juste valeur. Le reclassement entraîne uniquement un changement dans le nom du compte, par exemple de Placements à la JVBRN à Placements au coût amorti. Avant le reclassement, aucun profit ni perte n'a été comptabilisé dans les autres éléments du résultat global, donc aucun virement de profits ou de pertes n'est requis. Cependant, l'entreprise doit recalculer un nouveau taux d'intérêt effectif à la date du reclassement, car le nouveau classement des actifs, que ce soit Au coût amorti ou À la juste valeur par le biais des autres éléments du résultat global, implique que les produits d'intérêts subséquents devront être calculés avec la méthode du taux d'intérêt effectif. La section 5.4 du Guide d'application de l'IFRS 9 fournit plus de détails sur le calcul de ce taux, ce qui dépasse cependant l'objet du présent chapitre. Mentionnons simplement qu'aux fins du calcul du taux, la juste valeur à la date du reclassement est traitée comme étant la juste valeur à la date de comptabilisation initiale.

La décomptabilisation des actifs financiers

Différence NCECF

En règle générale, il est facile de déterminer le moment où une entreprise décomptabilise un **actif non financier** de ses livres : c'est celui où elle s'en départit. Le moment de la **décomptabilisation d'un actif financier** est plus difficile à établir. La raison vient du fait que, de par leur nature, les actifs financiers comportent souvent plusieurs risques et avantages économiques qui peuvent être transférés partiellement. Il est alors plus difficile de déterminer le moment où l'on considère que l'entreprise a transféré suffisamment de risques et d'avantages économiques pour justifier la décomptabilisation totale ou partielle de l'actif financier. Nous expliquerons ces situations plus complexes aux chapitres subséquents. Pour le moment, nous nous en tiendrons aux situations simples.

Rappelons d'abord qu'un actif financier se définit comme un droit contractuel de recevoir de la trésorerie, un autre actif financier, un droit d'échanger l'actif à des conditions potentiellement favorables, un placement dans un titre de capitaux propres d'une autre entreprise ou un contrat que l'entreprise pourra régler en recevant un nombre variable de ses propres titres de capitaux propres. Une entreprise décomptabilise un actif financier lorsque les droits expirent ou lorsqu'elle transfère l'actif financier[22]. À cette date, elle calcule le profit ou la perte découlant de la cession ou du transfert de l'actif en comparant la valeur comptable de cet actif au montant reçu en trésorerie ou autrement. Lorsque la valeur comptable excède le montant reçu, la sortie de l'actif génère une perte, alors que si la valeur comptable est inférieure au montant reçu, la sortie de l'actif génère un profit. L'entreprise comptabilise le profit ou la perte dans son résultat net de l'exercice.

Différence NCECF

Comme expliqué dans la sous-division traitant des actifs financiers classés À la juste valeur par le biais des autres éléments du résultat global (choix irrévocable), on ne doit jamais virer en résultat net, au moment de la décomptabilisation de ce type d'actif financier, le montant cumulé dans les autres éléments du résultat global. Il est cependant permis de le virer dans un autre compte de capitaux propres, par exemple, dans le compte Résultats non distribués.

Les passifs financiers

Tout comme pour la comptabilisation des actifs financiers, celle des passifs financiers sera traitée en trois sous-sections : la comptabilisation initiale, la comptabilisation subséquente et la décomptabilisation.

Rappelons que les comptes fournisseurs, les diverses charges à payer à court terme, les dettes bancaires et obligataires ainsi que les billets à payer sont tous des passifs financiers, tels que définis au début du présent chapitre. L'IFRS 9 contient plusieurs précisions qui s'appliquent aux contrats de garantie financière et aux engagements de prêts. Puisque ces passifs sont souvent propres à certaines entités particulières, telles les institutions financières, leur comptabilisation dépasse l'objet du présent chapitre.

La comptabilisation initiale des passifs financiers

On peut analyser la **comptabilisation initiale d'un passif financier** sous trois angles, soit le moment, le classement et l'évaluation.

22. *Manuel de CPA Canada – Comptabilité – Partie I*, IFRS 9, paragr. 3.2.3.

Le moment de la comptabilisation initiale

La comptabilisation initiale d'un passif financier se fait, tout comme dans le cas d'un actif financier, au moment où l'entreprise devient partie prenante au contrat qui crée le passif financier. Il est facile de déterminer le moment de la comptabilisation initiale de plusieurs passifs financiers. Par exemple, une entreprise comptabilise un emprunt au moment où elle signe le contrat d'emprunt et reçoit les sommes en cause.

Le classement initial

Différence NCECF

4

En principe, un passif financier peut être classé de deux façons, tel qu'indiqué dans le tableau 4.1. En pratique, le classement initial des passifs financiers est simple ; la plupart d'entre eux sont initialement classés comme étant ultérieurement évalués Au coût amorti selon la méthode du taux d'intérêt effectif. Il n'est pas nécessaire d'analyser les critères applicables aux actifs financiers et indiqués dans la figure 4.3. Cette règle souffre toutefois de quelques exceptions :

- Certains passifs financiers qu'une entreprise classe À la juste valeur par le biais du résultat net ;
- Les dérivés qui sont évalués À la juste valeur par le biais du résultat net, comme nous l'expliquerons plus en détail au chapitre 19 ;
- Les passifs financiers découlant d'un transfert d'actifs financiers qui ne répond pas aux conditions de décomptabilisation ;

Examinons la première des exceptions listées. Tout comme pour ses actifs financiers, une entreprise peut classer ses passifs financiers À la juste valeur par le biais du résultat net si cela aboutit à des informations d'une pertinence accrue.

C'est le cas si l'évaluation d'un passif financier À la juste valeur par le biais du résultat net permet de réduire une incohérence dans l'évaluation ou la comptabilisation, ce que l'on nomme **non-concordance comptable**. Prenons l'exemple de Koé Rante ltée, qui détient des actifs financiers classés À la juste valeur par le biais du résultat net. Si elle finance ces actifs au moyen d'un prêt bancaire à long terme, qui serait autrement évalué Au coût amorti, elle peut classer la dette comme étant À la juste valeur par le biais du résultat net afin d'évaluer sur la même base la dette et l'actif ainsi financé.

L'IASB permet aussi de classer des passifs financiers À la juste valeur par le biais du résultat net lorsque la gestion d'un groupe d'instruments financiers et l'appréciation de la performance du groupe reposent sur la juste valeur. Pensons, par exemple, à une entreprise qui détient un portefeuille de créances à recevoir de ses employés, portant intérêt à taux fixe et comptabilisé à la juste valeur. Lorsque les taux d'intérêt augmentent, l'entreprise voit la juste valeur de ses créances diminuer[23]. Pour éviter que cette diminution n'affecte trop sa situation financière et son résultat global, elle a contracté des dettes à taux fixe. Ainsi, lorsque les taux d'intérêt augmentent, l'entreprise voit la juste valeur de ses dettes diminuer. La diminution de la juste valeur des actifs financiers est ainsi contrebalancée par celle des passifs financiers ; l'effet net sur la situation financière et le résultat global se trouve ainsi contenu si les dettes sont également évaluées à la juste valeur.

L'évaluation initiale

L'évaluation initiale des passifs financiers correspond à celle des actifs financiers. Les passifs financiers sont initialement évalués à la juste valeur, laquelle correspond souvent au prix de la transaction. Les coûts de transaction sont comptabilisés dans la valeur comptable d'un passif financier, à la condition que celui-ci soit subséquemment comptabilisé Au coût amorti.

La comptabilisation subséquente des passifs financiers

La plupart des passifs financiers sont subséquemment évalués Au coût amorti selon la méthode du taux d'intérêt effectif. Chaque année, on comptabilise une charge de frais financiers, mais aucune variation de la juste valeur.

En ce qui concerne les passifs financiers qu'une entreprise classe À la juste valeur par le biais du résultat net, on comptabilise en résultat net les frais financiers, les intérêts ainsi que les

23. La juste valeur diminue car, toutes choses étant égales par ailleurs, les encaissements restent stables, mais le taux d'actualisation augmente.

variations de leur juste valeur. Nous verrons cependant, au chapitre 13, que les variations de la juste valeur qui découlent d'une détérioration du risque de crédit (tel que défini à la page 4.14) sont généralement comptabilisées dans les autres éléments du résultat global et que les montants ainsi cumulés ne doivent jamais être virés en résultat net[24].

Selon l'IASB, contrairement aux actifs financiers, les passifs financiers ne peuvent être reclassés. Leur classement initial est en quelque sorte irrévocable. Enfin, qu'ils soient évalués Au coût amorti ou À la juste valeur par le biais du résultat net, ils ne sont évidemment pas assujettis au test de dépréciation.

La décomptabilisation des passifs financiers

La **décomptabilisation d'un passif financier** survient lorsque l'obligation contractuelle inhérente à ce passif est éteinte. Un passif est éteint lorsque l'obligation contractuelle est exécutée, annulée ou arrivée à expiration[25]. À cette date, l'entreprise calcule le profit ou la perte découlant de l'extinction de la dette en comparant la valeur comptable de cette dette au montant payé, en argent ou autrement, pour régler la dette. Lorsque la valeur comptable excède le montant payé, l'extinction de la dette génère un profit, alors que si la valeur comptable est inférieure au montant payé, l'extinction de la dette génère une perte. L'entreprise comptabilise le profit ou la perte dans son résultat net de l'exercice en cours. Rappelons que si des variations de la juste valeur d'un passif ont été comptabilisées dans les autres éléments du résultat global, le cumul de ces montants ne doit pas être viré en résultat net lors de la décomptabilisation du passif. Une entreprise peut cependant choisir de virer ce montant dans un autre compte des capitaux propres, tel le compte Résultats non distribués.

Avez-vous remarqué ?

La comptabilisation des passifs financiers ressemble à celle des actifs financiers, bien que la plupart des passifs financiers soient évalués Au coût amorti. On peut relever trois différences importantes dans la comptabilisation de ces deux types d'instruments financiers :

1. Il n'est pas nécessaire d'analyser les critères présentés dans la figure 4.3 lors du classement initial des passifs financiers.
2. Les reclassements subséquents sont interdits dans le cas des passifs financiers.
3. Les passifs financiers ne sont pas assujettis au test de dépréciation.

Différence NCECF

Cette section traitait des passifs financiers. Du côté droit d'un état de la situation financière, on trouve aussi les capitaux propres. Nous ne traitons pas de la comptabilisation ni de l'évaluation des capitaux propres, car, comme nous l'avons déjà indiqué, l'IFRS 9 ne s'applique pas aux titres de capitaux propres émis.

6 La présentation des instruments financiers dans le corps même des états financiers

La présente section et la suivante regroupent la plupart des normes de présentation, à l'exception de celles portant sur la décomptabilisation des actifs financiers transférés. Ces normes de présentation ne seront pas répétées dans les chapitres subséquents, traitant, par exemple, des créances, des placements et des passifs à court ou à long terme. Le lecteur pourra donc revenir à la présente section après avoir terminé l'étude des chapitres subséquents traitant d'instruments financiers particuliers. Aussi, le lecteur qui en est au début de son apprentissage de la comptabilité intermédiaire pourra trouver que le niveau de difficulté des notions expliquées dans les sections qui suivent est plus élevé que dans les pages qui précèdent.

L'**IAS 32**, intitulée « Instruments financiers : Présentation », contient toutes les règles relatives à la présentation des instruments financiers. Contrairement à l'IFRS 9, l'IAS 32 s'applique aussi aux titres de capitaux propres émis par une entreprise. De plus, l'**IFRS 7**, intitulée « Instruments

24. La comptabilisation dans les autres éléments du résultat global des variations de la juste valeur qui découlent d'une détérioration du risque de crédit souffre d'une exception. Si elle crée ou accroît une non-concordance comptable, la totalité de la variation de valeur doit être comptabilisée en résultat net. L'appréciation de la non-concordance comptable se fait uniquement lors de la comptabilisation initiale et n'est pas révisée par la suite.

25. Le chapitre 13 approfondira la notion d'extinction des dettes.

financiers : Informations à fournir », traite des informations que les états financiers doivent contenir pour permettre aux utilisateurs de comprendre l'importance des instruments financiers, comptabilisés et non comptabilisés, ainsi que la nature et l'ampleur des risques qui en découlent.

Les sous-sections qui suivent, traitant de la présentation des instruments financiers dans l'état de la situation financière, de celle des intérêts, des dividendes, des profits et des pertes dans l'état du résultat global, ainsi que la compensation, reposent sur les recommandations de l'IAS 32. Cette norme s'applique à tous les types d'instruments financiers, sauf deux exceptions. La première concerne les intérêts détenus dans des entreprises associées comptabilisés en appliquant l'**IAS 28**, telle qu'expliquée au chapitre 11. La seconde concerne les droits et obligations liés aux avantages du personnel, comptabilisés en appliquant l'**IAS 19**, telle qu'expliquée au chapitre 17, ainsi que les contrats et obligations découlant de transactions dont le paiement est fondé sur des actions comptabilisées selon l'**IFRS 2**, telle qu'expliquée au chapitre 14[26].

Comme nous le verrons dans les pages qui suivent, les entreprises ont beaucoup d'informations à fournir. Le lecteur aura donc intérêt à se reporter à la figure 4.5 pour garder à l'esprit une vision globale de ces exigences.

La présentation dans l'état de la situation financière

Puisque les instruments financiers groupent tant des ressources que des modes de financement des ressources, leur étude exige d'adopter deux points de vue : celui du détenteur d'une ressource et celui de l'émetteur d'un mode de financement.

Considérons d'abord le point de vue du détenteur d'un actif financier. Comment le détenteur doit-il présenter ses actifs financiers dans l'état de la situation financière ? L'IASB n'aborde pas cette question, somme toute assez simple. En effet, le détenteur d'un actif financier comptabilisé n'a d'autre choix que de présenter l'instrument financier dans l'état de la situation financière dans la rubrique de l'actif.

Considérons maintenant le point de vue de l'émetteur d'un mode de financement qui doit décider si l'instrument financier comptabilisé doit être présenté à titre de passif ou de capitaux propres. Cette présentation est très importante pour l'émetteur, car elle aura d'importantes répercussions sur l'image de la situation financière de l'entreprise. On peut facilement imaginer que, si l'émetteur présente plusieurs instruments financiers parmi les éléments de passif et non parmi les titres de capitaux propres, son ratio d'endettement paraîtra beaucoup plus élevé, pouvant même entraîner le non-respect de certaines clauses contractuelles, notamment celles figurant dans un contrat d'emprunt. Comme nous le verrons plus loin, la présentation des modes de financement dans l'état de la situation financière se répercute aussi sur l'état du résultat global. En effet, tout rendement payé sur les passifs financiers constitue des charges qui diminuent le résultat net de l'exercice (dans l'état du résultat global), alors que tout rendement payé sur des titres de capitaux propres constitue une distribution du résultat net (dans l'état des variations des capitaux propres).

La règle générale

Différence NCECF

L'IASB précise que, au moment de la comptabilisation initiale, la présentation fidèle des instruments financiers dans les états financiers de l'émetteur doit se faire en fonction de la substance de l'instrument et non de sa forme juridique. Cette recommandation, présentée ci-dessous, est tout à fait cohérente par rapport au Cadre :

> L'émetteur d'un instrument financier doit, lors de sa comptabilisation initiale, classer l'instrument ou ses différentes composantes en tant que passif financier, actif financier ou instrument de capitaux propres selon la substance de l'accord contractuel et selon les définitions d'un passif financier, d'un actif financier et d'un instrument de capitaux propres[27].

L'IASB précise qu'un instrument financier émis par une entreprise est un titre de capitaux propres uniquement s'il respecte les deux conditions suivantes. Premièrement, l'instrument n'inclut aucune obligation contractuelle de céder de la trésorerie ou un autre actif financier ou d'échanger des instruments financiers à des conditions potentiellement désavantageuses. Deuxièmement, si l'instrument financier émis peut être réglé en titres de capitaux propres de l'émetteur, celui-ci

26. L'IAS 32 ne s'applique pas à certains autres actifs et passifs qui ne sont pas couverts dans le présent ouvrage, tels certains contrats d'assurance.

27. *Manuel de CPA Canada – Comptabilité – Partie I*, IAS 32, paragr. 15.

FIGURE 4.5 La présentation dans le corps même des états financiers

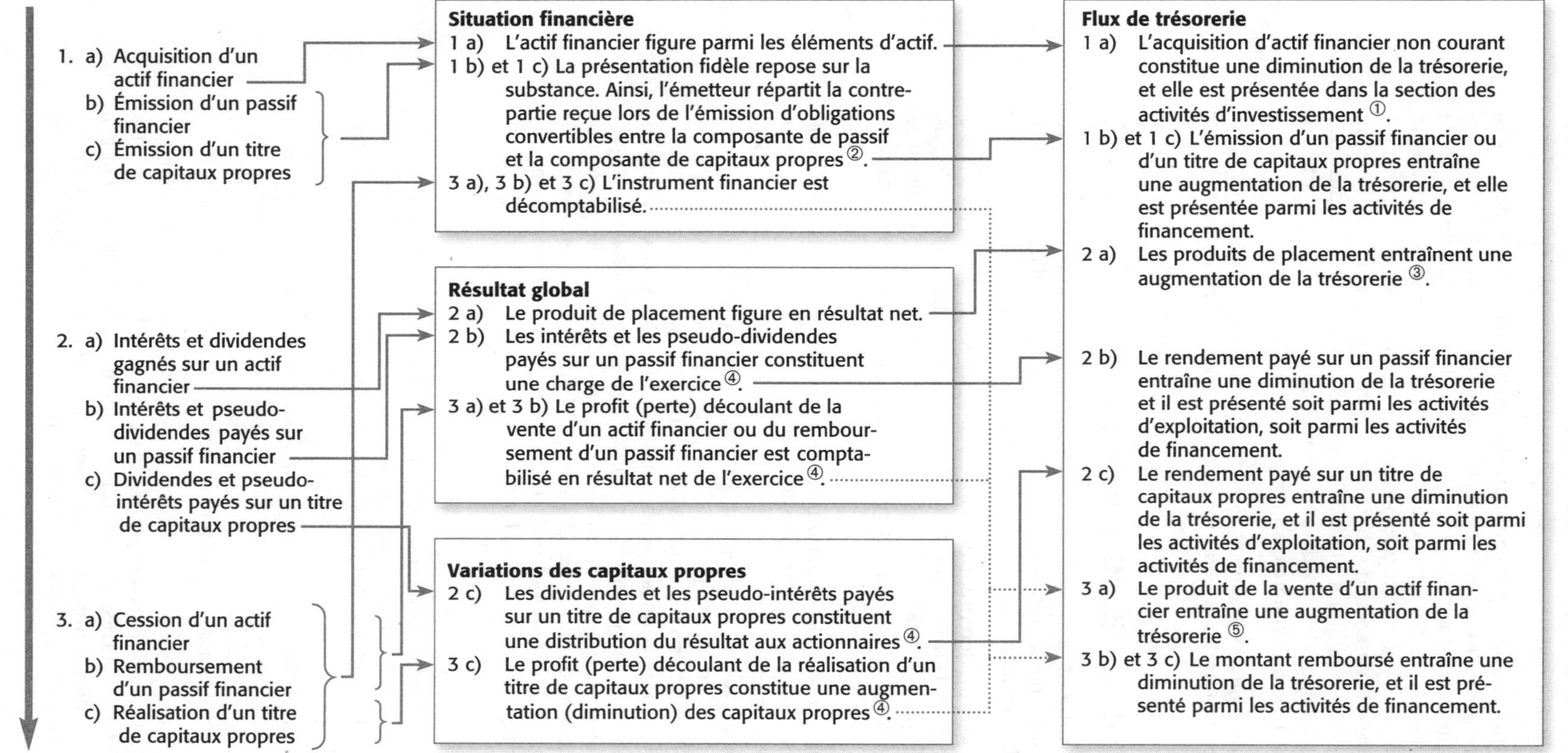

① L'acquisition d'actif financier courant constitue une diminution de la trésorerie et elle est présentée dans la section des activités d'exploitation, à moins que ces actifs consistent en des équivalents de trésorerie.

② Dès qu'il y a présence d'une obligation contractuelle de céder de la trésorerie ou un autre actif financier, on doit présenter l'élément à titre de passif.

③ Les encaissements d'intérêts et de dividendes inclus dans la détermination du résultat net sont présentés distinctement et classés selon leur nature. Les intérêts et les dividendes non inclus dans la détermination du résultat net doivent aussi être classés selon leur nature. Cependant, lorsqu'une entreprise paie ou reçoit des intérêts ou des dividendes sur des instruments financiers détenus à des fins de transaction, elle classe obligatoirement les flux de trésorerie afférents dans la section des activités d'exploitation. Les variations de valeur des actifs financiers comptabilisés À la juste valeur par le biais du résultat net n'entraînent aucun effet de trésorerie et sont présentées à titre d'ajustement dans la section des activités d'exploitation d'un tableau des flux de trésorerie présenté selon la méthode indirecte.

④ On présente les intérêts, dividendes, profits et pertes réalisés entre l'opération initiale et son dénouement soit dans l'état du résultat global, soit dans l'état des variations des capitaux propres, de façon conséquente à la présentation retenue dans l'état de la situation financière. Les variations de la juste valeur des passifs financiers comptabilisés À la juste valeur par le biais du résultat net n'entraînent aucun effet de trésorerie et sont présentées à titre d'ajustement dans la section des activités d'exploitation d'un tableau des flux de trésorerie présenté selon la méthode indirecte.

⑤ Si le produit de la vente se rapporte à un actif courant, on le présente parmi les activités d'exploitation. Si le produit de la vente se rapporte à un actif non courant, on le présente parmi les activités d'investissement, à moins que ces actifs consistent en des équivalents de trésorerie.

cédera alors un nombre fixe de titres de capitaux propres. Si l'entreprise s'est engagée à remettre un nombre variable de titres de capitaux propres, on peut affirmer que, en substance, elle s'est engagée à remettre un montant déterminé de ressources et que la remise de cette valeur sous forme de titres de capitaux propres n'est qu'une question de forme. L'entreprise devrait alors traiter cet instrument comme un passif financier. En somme, dès que l'entreprise ne dispose pas d'un droit inconditionnel de se soustraire à la remise de ressources, elle assume un passif financier. Ce n'est donc pas le mode de règlement qui importe, mais la présence ou non d'une obligation contractuelle de remettre un montant déterminé.

Lorsqu'une entreprise émet des actions non rachetables, elle accorde aux détenteurs le privilège de participer aux résultats. Cependant, comme elle n'a aucune obligation contractuelle de distribuer ses résultats ou de racheter de telles actions, celles-ci constituent des titres de capitaux propres.

Différence NCECF

Quelques exemples simples

Le tableau 4.6 propose quelques exemples illustrant la présentation que doit adopter l'émetteur d'instruments financiers comptabilisés[28] en fonction de leur substance.

TABLEAU 4.6 La présentation de certains instruments financiers comptabilisés

Instruments financiers comptabilisés	Présentation
1. Actions rachetables au gré de l'émetteur	**Capitaux propres** L'émetteur n'a pas l'obligation actuelle de remettre de la trésorerie, car c'est lui qui décidera de racheter les actions. Toutefois, à partir du moment où l'entreprise a annoncé sa décision de racheter les actions, elle a une obligation de céder de la trésorerie ou un autre actif financier et le titre de capitaux propres est alors reclassé à titre de passif.
2. Actions rachetables au gré du détenteur	**Passif financier** Dès l'émission des actions, l'émetteur assume une obligation contractuelle de remettre de la trésorerie aux actionnaires qui décideront de demander le rachat. Puisque le rachat échappe au contrôle de l'entreprise, il s'agit d'un passif financier.
3. Billet à payer sans modalité de remboursement	**Passif financier ou capitaux propres** Le comptable doit analyser soigneusement de tels titres. Normalement, un billet à payer est classé à titre de passif. Par contre, si les modalités font en sorte que c'est l'émetteur qui peut décider de rembourser ou non le billet et que son intention est de ne pas le rembourser, le classement parmi les capitaux propres serait approprié. Si l'émetteur assume une obligation contractuelle de remettre de la trésorerie, mais qu'il peut choisir la date de remboursement, l'obligation contractuelle de remettre de la trésorerie doit figurer parmi les passifs financiers.
4. Billet à payer de 100 000 \$, 10 %, remboursable dans 50 ans	**Passif financier** Même si la valeur actualisée du principal est nulle, l'émetteur a une obligation contractuelle de payer périodiquement des intérêts, d'une valeur actualisée de 100 000 \$, qui s'apparente à un passif financier. Un tel billet est souvent qualifié de titres d'emprunt perpétuels.
5. Actions, de catégorie B, rachetables au gré du détenteur. Lors du rachat de chaque action, l'émetteur remettra de ses actions propres, de catégorie A, pour une valeur de 100 \$.	**Passif financier** Même si le prix de rachat sera réglé par la remise d'actions propres de catégorie A, le nombre d'actions remises variera selon leur valeur à la date du rachat. À la date d'émission des actions de catégorie B, l'entreprise a donc une obligation contractuelle de céder des ressources d'une valeur de 100 \$. Le mode de règlement n'influe pas sur la substance du titre.
6. Actions, de catégorie B, rachetables au gré du détenteur. Lors du rachat de chaque action, l'émetteur remettra de ses actions propres, de catégorie A, pour une valeur équivalant à une once d'or.	**Passif financier** Même si le nombre d'actions propres de catégorie A remises au moment du rachat variera selon la valeur de l'or, l'entreprise assume, dès la date d'émission des actions de catégorie B, une obligation contractuelle de céder des ressources. Le mode de règlement n'influe pas sur la substance du titre.

28. Nous aborderons plus loin la présentation des instruments financiers non comptabilisés.

TABLEAU 4.6 *(suite)*

7. Actions rachetables si le taux d'intérêt de la Banque du Canada excède 7 %.	**Passif financier** Lorsque le rachat est conditionnel à la survenance d'un fait futur, qui échappe au contrôle de l'émetteur, ce dernier ne peut affirmer qu'il a un droit inconditionnel d'éviter le rachat. Toutefois, si les actions étaient rachetables seulement en cas de liquidation de l'émetteur ou si la condition n'était pas réelle, on traiterait les actions comme des titres de capitaux propres. Selon le paragraphe AG28 de l'IAS 32, une condition n'est pas réelle si elle repose sur un événement hautement anormal dont la survenance est extrêmement rare.

4

EXEMPLE

Substance des titres émis

À l'égard de l'état de la situation financière de Dico ltée au 1er janvier 20X0 (*voir les pages 4.8 et 4.9*), on comprend maintenant que les actions de catégorie A rachetables au gré de Dico ltée constituent réellement des titres de capitaux propres. Toutefois, les actions de catégorie B rachetables au gré du détenteur, d'une valeur comptable de 20 000 $, constituent, en substance, des passifs financiers.

Rappelons que les règles de présentation que nous venons de voir s'appliquent au moment de la comptabilisation initiale d'un instrument financier. La présentation initiale reste inchangée jusqu'à ce que l'entreprise décomptabilise l'instrument financier ou annonce le rachat d'un titre de capitaux propres.

Les instruments financiers composés

Différence NCECF

Les caractéristiques distinctives des passifs financiers et des titres de capitaux propres étant bien comprises, nous pouvons maintenant aborder les situations plus complexes où un même instrument financier comporte à la fois les caractéristiques d'un passif financier et celles d'un titre de capitaux propres. Nous parlons ici des **instruments financiers composés**. Pensons, par exemple à l'émission de débentures convertibles en actions participatives de la société émettrice. Une **débenture** ressemble à une obligation, c'est une obligation de verser des sommes futures. La principale différence est qu'une débenture ne comporte pas de garantie.

S'appuyant toujours sur la caractéristique qualitative de la présentation fidèle, l'IASB précise :

> L'émetteur d'un instrument financier [...] doit évaluer les termes de l'instrument financier afin de déterminer s'il contient à la fois une composante de passif et une composante de capitaux propres. Ces composantes doivent être classées séparément en passifs financiers, en actifs financiers ou en instruments de capitaux propres [...][29].

En présentant distinctement la composante de passif, soit l'obligation contractuelle de céder de la trésorerie ou un autre actif financier, et la composante de capitaux propres, soit l'intérêt résiduel accordé sur son actif net, l'émetteur renseigne davantage les utilisateurs des états financiers sur sa situation financière et sur les risques qu'il devienne incapable de rembourser ses dettes.

Reprenons l'exemple de la **débenture convertible** partiellement ou totalement en actions participatives. Le coût d'une telle débenture est plus élevé pour l'emprunteur que celui d'un emprunt à terme, mais il est moins élevé que celui d'une débenture non convertible[30]. L'obligation de rembourser le principal et de payer des intérêts s'apparente à un passif, alors que le privilège de conversion s'apparente à un titre de capitaux propres.

Il est évident que ce n'est pas la présentation qui cause des problèmes d'application, mais bien la répartition du montant total entre les deux composantes. L'entreprise répartit le produit de l'émission en appliquant les recommandations contenues dans l'IFRS 9, selon lesquelles on comptabilise initialement un passif financier à sa juste valeur. La répartition se fait ainsi :

> [... l']émetteur d'une obligation convertible en actions ordinaires détermine d'abord la valeur comptable de la composante passif en évaluant la juste valeur d'un passif

29. *Manuel de CPA Canada – Comptabilité – Partie I*, IAS 32, paragr. 28.

30. Ces notions seront approfondies au chapitre 13.

> analogue [...] non assorti d'une composante capitaux propres associée. La valeur comptable de l'instrument de capitaux propres représenté par l'option de conversion de l'instrument en actions ordinaires est ensuite déterminée en déduisant la juste valeur du passif financier de la juste valeur de l'instrument financier composé pris dans son ensemble.
>
> [...] La somme des valeurs comptables attribuées aux composantes de passif et de capitaux propres lors de la comptabilisation initiale est toujours égale à la juste valeur qui serait attribuée à l'instrument dans sa globalité. La séparation des composantes de l'instrument lors de la comptabilisation initiale ne peut donner lieu à un profit ou à une perte[31].

Comme on peut le déduire à la lecture de ces deux paragraphes, la répartition de la contrepartie reçue lors de l'émission de l'instrument dans son ensemble ne peut donner lieu à la comptabilisation d'un profit ou d'une perte. En effet, le total des valeurs de ces deux composantes doit nécessairement correspondre à la valeur totale reçue lors de l'émission.

EXEMPLE

Comptabilisation d'un instrument financier composé

Reprenons l'exemple de Dico ltée (*voir les pages 4.8 et 4.9*). Dans son état de la situation financière au 31 décembre 20X1, la société présente des obligations convertibles à payer dans son passif non courant. À votre demande, elle vous informe qu'elle a émis ces obligations le 31 décembre 20X0 et a alors reçu 480 000 $. Ces obligations portent intérêt au taux de 10 % par année et sont remboursables dans 5 ans. Les détenteurs ont le droit de les convertir en tout temps en actions de catégorie A. Si Dico ltée n'avait pas accordé de privilège de conversion, elle aurait dû payer un taux d'intérêt de 12 % par année. Notre tâche consiste à répartir la valeur totale de 480 000 $ entre la composante de passif et la composante de capitaux propres. Pour ce faire, nous calculons la juste valeur du passif en actualisant les sorties de fonds futures. Le taux d'actualisation doit correspondre au taux du marché pour un passif sans privilège de conversion. Par la suite, nous attribuons le solde de la contrepartie reçue à la composante de capitaux propres.

Valeur actualisée de la composante de passif	
(N = 5, I = 12 %, PMT = 48 000 $*, FV = 480 000 $, CPT PV?)	*445 394 $*
Valeur de la composante de capitaux propres	
(480 000 $ – 445 394 $)	*34 606*
Contrepartie reçue	*480 000 $*

* (480 000 $ × 10 %)

Dico ltée comptabilise ainsi cette opération :

Caisse	*480 000*	
Obligations à payer		*445 394*
Privilège de conversion		*34 606*

Émission, au prix de 480 000 $, d'obligations à payer convertibles portant intérêt au taux de 10 % par année et échéant dans 5 ans.

Notons finalement que, dans le cas d'un instrument financier composé, un changement dans la probabilité que le détenteur exerce son option de conversion n'entraîne aucune modification de la présentation de la composante de passif ni de la composante de capitaux propres dans les états financiers de l'émetteur. En effet, la probabilité d'exercice varie avec le temps et est fonction de nombreux critères pris en considération par le détenteur, tels que la disponibilité de sa trésorerie et les conséquences fiscales, critères qui demeurent inconnus de l'émetteur. De plus, il n'y a pas lieu que l'émetteur modifie la présentation, car ces facteurs ne changent pas la substance de l'instrument financier, à savoir que l'émetteur assume l'obligation contractuelle de pourvoir aux

31. *Manuel de CPA Canada – Comptabilité – Partie I*, IAS 32, paragr. 32 et 31 respectivement.

paiements futurs tant que l'obligation n'est pas éteinte au moyen de la conversion, de l'échéance de l'instrument ou de toute autre transaction.

Différence NCECF

Lorsque la forme juridique d'un titre diffère sensiblement de sa substance, par exemple, lorsque des titres appelés actions sont présentés dans la rubrique du passif et que les dividendes afférents sont présentés à titre de charges dans l'état du résultat global en vertu de la caractéristique qualitative de la présentation fidèle, il est souhaitable de les présenter distinctement dans les états financiers.

La présentation des intérêts, des dividendes, des profits et des pertes

Après avoir examiné la présentation des instruments financiers dans l'état de la situation financière, que ce soit à titre d'actif financier, de passif financier ou de titres de capitaux propres, nous présentons maintenant les recommandations de l'IASB concernant la présentation des intérêts, des dividendes, des profits et des pertes liés aux instruments financiers. Le lecteur est invité à consulter la figure 4.5 pour avoir une vision globale de cette question.

La règle générale

Nous examinons ici la présentation des opérations liées aux instruments financiers dans l'état du résultat global et dans l'état des variations des capitaux propres. On peut s'attendre à ce que les recommandations de l'IASB à ce sujet soient cohérentes par rapport aux recommandations afférentes à la présentation dans l'état de la situation financière, c'est-à-dire qu'elles soient axées sur la substance de l'instrument financier. En effet, l'émetteur doit présenter dans l'état du résultat global toute opération liée à un élément de passif financier, alors qu'il doit présenter dans l'état des variations des capitaux propres toute opération liée à un titre de capitaux propres, comme l'indique l'extrait suivant :

> Les intérêts, dividendes, profits et pertes liés à un instrument financier ou à une composante constituant un passif financier doivent être comptabilisés à titre de produit ou de charge en résultat net. L'entité doit comptabiliser les distributions aux porteurs d'instruments de capitaux propres directement dans les capitaux propres. Les coûts de transaction d'une transaction sur capitaux propres doivent être comptabilisés en déduction des capitaux propres[32].

Ce n'est pas la forme juridique des instruments financiers afférents qui en détermine la présentation dans les états financiers, mais bien la substance. On peut donc trouver dans l'état du résultat global des charges d'intérêts qui comprennent ce que l'on appelle couramment des dividendes, pour autant que ces pseudo-dividendes se rattachent à des actions présentées comme passif. De même, les profits et les pertes découlant du rachat de telles actions figurent dans l'état du résultat global.

Quelques exemples

Examinons quelques exemples pour illustrer l'effet des recommandations de l'IASB.

EXEMPLE

Dividendes sur des titres de capitaux propres qui sont, en substance, des passifs financiers

La société Dico ltée a reçu 20 000 $ au moment de l'émission de ses actions de catégorie B (*voir les pages 4.8 et 4.9*). Ces actions portent un dividende cumulatif de 5 % par année. Puisque Dico ltée doit présenter de telles actions à titre de passif financier, le dividende de 1 000 $ (20 000 $ × 5 %) qu'elle paie aux détenteurs des actions constitue une charge financière.

En vertu de la caractéristique qualitative d'importance relative, il est possible de grouper les pseudo-dividendes avec les autres charges financières dans l'état du résultat global. Une présentation distincte serait toutefois préférable si les montants en cause étaient importants ou si elle

32. *Manuel de CPA Canada – Comptabilité – Partie I*, IAS 32, paragr. 35.

facilitait la compréhension des utilisateurs relativement à l'incidence fiscale fort différente des intérêts et des dividendes[33].

De même, on peut trouver dans l'état des variations des capitaux propres des dividendes qui comprennent ce que l'on appelle couramment des intérêts. Tels sont les pseudo-intérêts, payables en un nombre fixe de titres de capitaux propres, relatifs à des obligations remboursables au moyen d'un nombre fixe de titres de capitaux propres de l'émetteur. Puisque celui-ci classerait de telles obligations comme des titres de capitaux propres, les pseudo-intérêts, même si on les nomme intérêts, seraient présentés dans la section des capitaux propres, tel un dividende sur action ordinaire.

Comment présenter les opérations courantes liées aux instruments composés, par exemple, les résultats afférents à un billet à payer convertible en actions ordinaires? Une première question concerne les coûts de transaction engagés au moment de l'émission. L'entreprise les répartit en fonction du même prorata que celui établi lors de la répartition du produit de l'émission. Elle porte les coûts liés à la composante de passif en diminution de la valeur comptable du passif évalué au coût amorti et ceux liés à la composante de capitaux propres en diminution de la valeur comptable de cette composante[34]. Elle présente séparément les coûts de transaction liés à la composante de capitaux propres dans l'état des variations des capitaux propres.

Une seconde question consiste à déterminer et à présenter les intérêts payés sur ce billet, sachant que le taux d'intérêt contractuel est forcément plus faible que le taux qui s'appliquerait sur un billet semblable en tout point, sauf le privilège de conversion. En respectant l'esprit des recommandations précédentes, l'entreprise devrait répartir en deux composantes les intérêts payés au détenteur du billet, tout comme elle répartit le principal. Une première partie refléterait la charge associée au passif financier (billet à payer) et la seconde indiquerait le rendement payé sur le titre de capitaux propres (droit de conversion). Considérant l'importance des montants en cause, les intérêts étant bien plus faibles que le principal, on peut se demander si le jeu en vaut la chandelle. Les avantages liés à une meilleure présentation excèdent-ils les efforts requis pour faire une telle répartition? Puisque la réponse à cette question est fort probablement négative, l'émetteur peut traiter l'ensemble des intérêts payés sur les instruments financiers composés comme une charge présentée dans son état du résultat global si le montant en cause n'est pas significatif.

Connaissant la présentation des intérêts, des dividendes, des profits et des pertes liés aux instruments financiers dans l'état du résultat global ou dans l'état des variations des capitaux propres, examinons leur présentation dans le tableau des flux de trésorerie. Selon le paragraphe 31 de l'**IAS 7**, on doit présenter distinctement les intérêts et dividendes reçus d'une part et, d'autre part, les intérêts et dividendes versés. L'IASB permet que l'on présente les débours liés au rendement payé sur les passifs financiers et au rendement payé sur les titres de capitaux propres soit dans la section des activités d'exploitation soit dans celle des activités de financement. Il permet aussi que l'on présente les encaissements liés aux intérêts et dividendes sur les actifs financiers soit dans la section des activités d'exploitation soit dans celle des activités d'investissement. Cependant, lorsqu'une entreprise paie ou reçoit des intérêts ou des dividendes sur des instruments financiers détenus à des fins de transaction, elle classe obligatoirement les flux de trésorerie afférents dans la section des activités d'exploitation. Ce classement se justifie par le fait que les instruments financiers détenus à des fins de transaction s'apparentent à des stocks acquis spécialement en vue de leur revente.

Nous avons vu les normes liées à la présentation des instruments financiers dans l'état de la situation financière et des intérêts, dividendes, profits et pertes dans l'état du résultat global. Par conséquent, il est maintenant possible de redresser les extraits pertinents des états financiers de la société Dico ltée.

33. En effet, le fisc applique ses propres règles; il traitera donc bel et bien les pseudo-dividendes présentés dans le résultat net comme des dividendes et, de ce fait, l'émetteur ne pourra les déduire lors du calcul de son revenu imposable.

34. L'expression valeur comptable sera expliquée au chapitre 14. Notons simplement que dans les contextes les plus simples, il s'agit du total des capitaux propres divisé par le nombre d'actions en circulation. De ce fait, les coûts de transaction liés à l'émission d'actions peuvent être débités soit au compte de capital social, soit au compte Résultats non distribués.

4

EXEMPLE

Présentation des instruments financiers dans le corps même des états financiers

Reprenons l'état de la situation financière de Dico ltée au 1er janvier 20X0 (*voir les pages 4.8 et 4.9*) ainsi que les compléments d'information donnés dans les pages précédentes.

DICO LTÉE
Situation financière partielle
au 31 décembre 20X0

Actif courant	
Trésorerie	
Clients, au coût	
Billet à recevoir, au coût amorti ①	*1 000 $*
Charges payées d'avance	
Stock de marchandises	
Placement en actions de Bombarde inc., à la juste valeur par le biais du résultat net ②	*104 000*
Actif d'impôt différé	
Actif non courant	
Prêts à recevoir, au coût amorti ③	*40 000*
Prêts à recevoir à la juste valeur par le biais du résultat net ③	*10 000*
Immobilisations corporelles	
Immobilisations incorporelles	
Placement en obligations à la juste valeur par le biais des autres éléments du résultat global ④	*1 075*
Placement en actions de Supérieure ltée, à la juste valeur par le biais des autres éléments du résultat global ⑤	*104 616*
Passif courant	
Fournisseurs, au coût amorti ⑥	
Billets à payer, au coût amorti ⑥	
Produits différés	
Provisions pour garanties	
Impôts exigibles	
Passif non courant	
Passif d'impôt différé	
Emprunt bancaire, au coût amorti ⑥	
Obligations à payer ⑦	*445 394*
Actions de catégorie B rachetables au gré du détenteur ⑧	*20 000*
Capitaux propres	
Actions de catégorie A rachetables au gré de Dico ltée ⑧	
Privilège de conversion ⑦	*34 606*
Résultats non distribués	

Explications :

① Les données de la page 4.12 ont permis d'apporter les ajustements à ce poste.
② Les données des pages 4.29 et 4.30 ont permis d'apporter les ajustements à ce poste.

③ Les données des pages 4.16 et 4.17 ont permis d'apporter les ajustements à ce poste.
④ Les données de la page 4.26 ont permis d'apporter les ajustements à ce poste.
⑤ Les données des pages 4.27 et 4.28 ont permis d'apporter les ajustements à ce poste.
⑥ Les pages précédentes ne contiennent aucun renseignement complémentaire au sujet de ce poste. Le classement au coût amorti découle du fait que la plupart des passifs sont évalués au coût.
⑦ Les données de la page 4.41 ont permis d'apporter les ajustements à ce poste.
⑧ Les données de la page 4.40 ont permis d'apporter les ajustements à ce poste.

Dans l'état ci-dessus, les postes encadrés constituent des instruments financiers. Les éléments soulignés sont ceux qui diffèrent de l'état de la situation financière que Dico ltée avait préparé au 1er janvier (*voir les pages 4.8 et 4.9*). On peut ainsi constater les normes importantes à retenir. Les changements qui ont le plus de répercussions sur la situation financière concernent le passif et les capitaux propres. Premièrement, les actions de catégorie B sont présentées dans le passif non courant plutôt que dans la section des capitaux propres. Ce changement augmentera le ratio d'endettement de Dico ltée. À l'inverse, une partie du produit d'émission des obligations convertibles est attribuée au privilège de conversion et présentée dans la section des capitaux propres. Concernant les actifs, on remarque d'abord que les intitulés de postes précisent le classement des actifs financiers. Dico ltée aurait pu ne pas apporter cette précision dans les intitulés de postes mais uniquement dans les notes aux états financiers. On remarque aussi que les actifs de même nature, c'est-à-dire les prêts à recevoir, qui sont classés différemment (Au coût amorti et À la juste valeur par le biais du résultat net) sont présentés dans des postes distincts. Enfin, certains actifs sont évalués, après leur comptabilisation initiale, à la juste valeur (les placements en actions, une partie des prêts à recevoir, et les placements en obligations).

Voici maintenant un extrait de l'état du résultat global.

DICO LTÉE
Résultat global partiel
de l'exercice terminé le 31 décembre 20X0

Produits financiers – Intérêts sur actif courant au coût amorti ①	*50 $*
Produits financiers – Dividendes sur actions à la juste valeur par le biais du résultat net ②	*7 000*
Perte découlant de la variation de valeur des placements en actions à la juste valeur par le biais du résultat net ②	*(1 000)*
Produits financiers – Intérêts sur actif à la juste valeur par le biais des autres éléments du résultat global ③	*100*
Produits financiers – Dividendes sur actions à la juste valeur par le biais des autres éléments du résultat global ④	*8 000*
Intérêts débiteurs sur les obligations convertibles ⑤	*(48 000)*
Dividendes sur actions de catégorie B, rachetables et classées dans le passif ⑥	*(1 000)*
[...]	
Montant lié aux instruments financiers et inclus dans le résultat net	*(34 850)*
Autres éléments du résultat global	
Profit latent sur actif à la juste valeur par le biais des autres éléments du résultat global ③	*75*
Perte latente découlant de la variation de valeur des placements en actions à la juste valeur par le biais des autres éléments du résultat global (choix irrévocable) ④	*(730)*
Montant lié aux instruments financiers et inclus dans le résultat global	*35 505 $*

Explications :

① Ce poste est lié aux données de la page 4.12.
② Ce poste est lié aux données de la page 4.29.
③ Ce poste est lié aux données de la page 4.26.
④ Ce poste est lié aux données des pages 4.27 et 4.28.
⑤ Selon les caractéristiques des obligations indiquées à la page 4.41 (480 000 $ × 10 %).
⑥ Ce poste est lié aux données de la page 4.42.

Que peut-on faire ressortir de cet état du résultat global ? Tout d'abord, les produits financiers, tant sous forme d'intérêts que de dividendes, sont compris dans le résultat net. On inclut aussi dans le résultat net les intérêts ou dividendes payés sur les instruments financiers qui constituent en substance des passifs. Enfin, les variations de la juste valeur sont comprises dans le résultat net uniquement si elles concernent des instruments financiers classés À la juste valeur par le biais du résultat net. Lorsque de telles variations concernent des instruments financiers classés À la juste valeur par le biais des autres éléments du résultat global, elles sont comprises dans la section Autres éléments du résultat global.

4

La compensation

La **compensation**, parfois appelée **compte à compte**, renvoie à un mode de présentation dans les états financiers qui consiste à indiquer seulement le montant net entre le solde débiteur d'un compte et le solde créditeur d'un autre compte. Par le passé, certaines entreprises présentaient le montant d'une dette obligataire net des montants accumulés dans un fonds distinct (appelé « fonds d'amortissement ») créé pour pourvoir au règlement de cette dette à l'échéance. Comme nous l'expliquons plus loin, l'IASB ne permet maintenant aux entreprises d'opérer une compensation entre deux instruments financiers que dans certaines situations bien précises.

La compensation diffère de la décomptabilisation, car elle ne peut jamais entraîner la comptabilisation d'un profit ou d'une perte. En effet, la compensation se limite à une question de présentation.

Les effets de la compensation sur les ratios financiers

Les entreprises ont saisi toute l'importance de la question de la compensation. En effet, ne présenter que l'écart entre un solde débiteur et un solde créditeur peut grandement influer sur les ratios financiers.

EXEMPLE

Effets d'une compensation

La société Mabelle électronique ltée a préparé un extrait de son état de la situation financière au 31 août 20X1.

	(en milliers)
Actif	
Créances commerciales	*150 $*
Équipement ABC	*850*
Total de l'actif	*1 000 $*
Passif et capitaux propres	
Dette XYZ	*600 $*
Capitaux propres	*400*
Total du passif et des capitaux propres	*1 000 $*

Mabelle électronique ltée projette d'acheter un nouvel équipement, l'équipement D, au coût de 100 000 $. Elle envisage deux façons de financer son acquisition : 1) contracter la dette ZZ et accorder un **nantissement** sur ses créances commerciales, c'est-à-dire mettre ses créances en garantie de son emprunt ; 2) emprunter puis négocier avec le bailleur de fonds pour qu'il accepte les créances commerciales détenues par Mabelle électronique ltée en paiement de l'emprunt. Mabelle électronique ltée pourrait alors compenser ses créances commerciales et le nouvel emprunt. Voici les extraits de l'état de la situation financière selon chacun des modes de financement envisagés :

	Première option	*Seconde option*
Actif	*(en milliers)*	
Créances commerciales	*150 $*	*50 $*
Équipement ABC	*850*	*850*
Équipement D	*100*	*100*
Total de l'actif	*1 100 $*	*1 000 $*

4

Passif et capitaux propres		
Dette XYZ	*600 $*	*600 $*
Dette ZZ	*100*	
Capitaux propres	*400*	*400*
Total du passif et des capitaux propres	*1 100 $*	*1 000 $*

Selon la première option, l'actif donné en nantissement demeure dans l'état de la situation financière et le nouvel emprunt s'y ajoute. Selon la seconde option, seul le montant net des créances commerciales (150 000 $ – 100 000 $) est présenté dans l'état de la situation financière. Tenons maintenant pour acquis que Mabelle électronique ltée a acheté l'équipement et a réalisé, au cours de l'exercice suivant, un bénéfice de 95 000 $, puis comparons 3 ratios financiers.

	Première option	Seconde option
Rendement de l'actif		
Bénéfice/Total de l'actif*		
(95 000 $/1 100 000 $)	8,64 %	
(95 000 $/1 000 000 $)		9,50 %
Rendement des capitaux propres		
Bénéfice/Total des capitaux propres**		
(95 000 $/400 000 $)	23,75	23,75
Endettement		
Dettes/Total des capitaux propres		
(700 000 $/400 000 $)	1,75	
(600 000 $/400 000 $)		1,50

* Notez que lorsque l'on dispose de l'information, le calcul du ratio se fait sur le solde moyen de l'actif.

** De même, lorsque l'on dispose de l'information, le calcul du ratio se fait sur le solde moyen des capitaux propres.

Cet exemple illustre bien pourquoi les entreprises préfèrent souvent ne montrer que le montant net entre un solde débiteur et un solde créditeur. Ici, la seconde option, admissible à la compensation, fait montre d'un meilleur ratio de rendement de l'actif et d'un meilleur ratio d'endettement.

Les deux conditions à respecter

En général, les utilisateurs des états financiers sont mieux renseignés sur le montant, l'échéancier et le degré d'incertitude des flux de trésorerie lorsque les entreprises n'opèrent pas de compensation entre leurs actifs et passifs financiers. Cependant, lorsque certaines conditions sont remplies, il devient alors pertinent d'opérer une compensation pour fournir une meilleure information aux utilisateurs.

L'IASB requiert la compensation dans de rares situations, illustrées à la figure 4.6 et expliquées dans les pages suivantes.

L'IASB formule ainsi sa recommandation à l'égard de la compensation d'instruments financiers :

> Un actif financier et un passif financier doivent être compensés et le solde net doit être présenté dans l'état de la situation financière si et seulement si une entité :
>
> (a) a actuellement un droit juridiquement exécutoire de compenser les montants comptabilisés ; et
>
> (b) a l'intention, soit de régler le montant net, soit de réaliser l'actif et de régler le passif simultanément.
>
> […][35].

35. *Manuel de CPA Canada – Comptabilité – Partie I*, IAS 32, paragr. 42.

FIGURE 4.6 Les conditions de la compensation

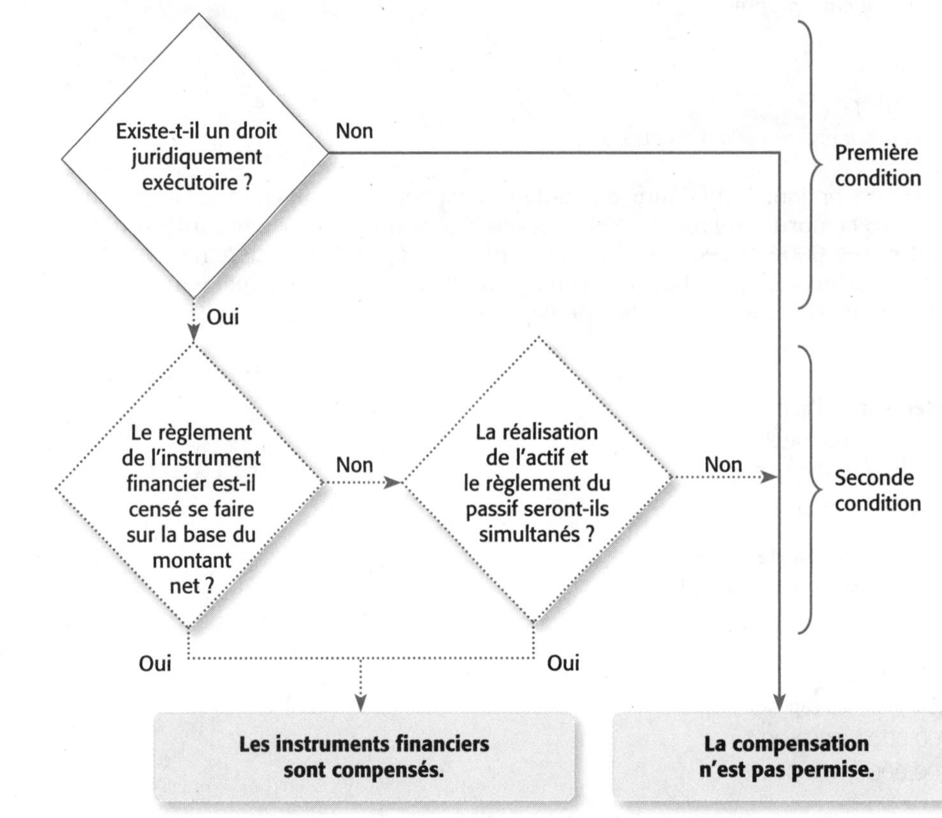

La première condition à respecter pour compenser deux instruments

Pour que la compensation soit requise, l'entreprise doit respecter les deux conditions énoncées précédemment. La première concerne l'existence d'un droit actuel de compensation. Une simple entente officieuse entre un débiteur et un créancier ne suffit pas. Le droit de compensation est un droit légal établi par contrat ou autrement en vertu duquel une entreprise peut, par exemple, céder l'actif A, d'une juste valeur de 100 $ à ce jour, en règlement d'une dette dont la juste valeur le même jour s'élève à 150 $, remboursable à un créancier dans 5 ans. Dès le moment où le créancier accepte cette entente, il accepte de recevoir uniquement l'actif A et le solde net de 50 $ dans 5 ans, même si la juste valeur de l'actif A pourrait passer à 60 $. De ce fait, c'est lui qui assume le risque que la juste valeur de l'actif diminue. Après l'entente, puisque l'entreprise n'assume plus ce risque, l'IASB estime qu'il n'est pas nécessaire de présenter l'actif distinctement dans les états financiers. Notons que, parfois, un débiteur peut avoir le droit d'imputer un montant à recevoir d'un tiers au montant dû à un créancier à la condition qu'il existe un accord entre les trois parties qui établit clairement le droit à une compensation du débiteur. Le droit légal de compensation doit aussi être un droit actuel. Cela implique que ce droit n'est pas subordonné à une situation ou à un événement futur. Par exemple, un droit de compenser un compte fournisseur de 100 000 $ et un compte client de 110 000 $ ne doit pas être exécutoire uniquement si le client fait faillite ou si le bien vendu au client devient défectueux. De plus, le droit doit demeurer exécutoire en diverses circonstances, peu importe si l'entreprise poursuit le cours normal de ses activités, si elle devient en situation de défaut ou si elle devient insolvable ou en faillite[36]. L'exemple qui suit aide à comprendre les effets d'une compensation sur l'exposition du débiteur à certains risques.

La seconde condition à respecter pour compenser deux instruments

Examinons maintenant la seconde condition à respecter pour pouvoir effectuer une compensation dans les états financiers. Cette condition peut être remplie de deux façons. La première consiste

36. *Manuel de CPA Canada – Comptabilité – Partie I*, IAS 32, paragr. AG38B.

EXEMPLE

Décision de se prévaloir d'une clause de compensation et effets comptables

La société Rusé ltée détient un placement en obligations de Superco ltée, évalué Au coût amorti. Rusé ltée emprunte 50 000 $ de la société Intrépide ltée et le contrat stipule qu'elle pourra rembourser son prêt en cédant son placement en obligations. Les trois parties ont pris part à cette entente. À la date de l'opération, le 25 avril 20X1, voici les valeurs comptables inscrites dans les livres de Rusé ltée ainsi que la juste valeur de chaque élément :

	Valeur comptable	*Juste valeur*
Placement en obligations	*45 000 $*	*50 000 $*
Dette courante	*(50 000)*	*(50 000)*
Présentation dans les états financiers, si la compensation est permise	*(5 000)*	

Le 25 avril 20X2, la dette arrive à échéance. Le coût amorti du placement en obligations de Superco ltée est de 46 000 $ et le placement ne vaut plus que 40 000 $ sur le marché. Rusé ltée exerce son droit juridique de compensation et rembourse sa dette en remettant les obligations à Intrépide ltée. Voici l'écriture de journal requise dans les livres des sociétés Rusé ltée et Intrépide ltée :

Rusé ltée

Dette courante	50 000	
Placement en obligations		46 000
Profit		4 000
Remboursement de la dette par le transfert du placement en obligations de Superco ltée.		

Intrépide ltée

Placement en obligations	40 000	
Perte sur réalisation d'une créance	10 000	
Créance à recevoir		50 000
Réalisation d'une créance.		

Si le placement en obligations valait 60 000 $, Rusé ltée déciderait sans doute de ne pas exercer son droit juridique de compensation. Elle vendrait son placement, encaisserait les 60 000 $ et utiliserait une partie de cette somme pour rembourser Intrépide ltée. Voici les écritures de journal qui seraient alors requises dans les livres des sociétés Rusé ltée et Intrépide ltée :

Rusé ltée

Caisse	60 000	
Placement en obligations		46 000
Profit sur vente de placement		14 000
Vente d'un placement en obligations.		
Dette courante	50 000	
Caisse		50 000
Remboursement de la dette.		

Intrépide ltée

Caisse	50 000	
Créance à recevoir		50 000
Réalisation d'une créance.		

Cet exemple montre que Rusé ltée n'assume plus le risque lié à une baisse de valeur du placement, mais qu'elle peut bénéficier des augmentations de sa valeur. Dans ses états financiers des périodes terminées entre le 25 avril 20X1 et le 25 avril 20X2, même en adoptant la norme comptable de compensation, elle présentera un passif net égal à la différence entre la valeur comptable de la dette et celle du placement. En respectant la recommandation de l'IASB, les états financiers de l'entreprise projettent une image complète de sa situation financière, car l'exemple précédent montre que l'entreprise n'aura jamais à débourser de la trésorerie en main à la date de clôture de ces périodes pour rembourser la dette. En effet, dans l'éventualité où Rusé ltée n'exercerait pas son droit juridique de compensation, le remboursement du prêt s'accompagnerait au contraire d'une augmentation de la trésorerie (60 000 $ – 50 000 $).

Si Rusé ltée évaluait son placement À la juste valeur par le biais du résultat net, la compensation entre la valeur comptable du placement, soit 60 000 $, et la valeur comptable de la dette, soit 50 000 $, aurait mené à la présentation d'un actif net de 10 000 $ immédiatement avant le remboursement du prêt.

à remettre le bien directement au créancier dans une transaction de gré à gré, par exemple. Il est alors clair que l'entreprise n'assume plus aucun risque lié à une baisse de valeur. Si l'entreprise choisit plutôt la seconde façon de procéder, elle réalise l'actif, par exemple, en encaissant les flux de trésorerie sur une créance, et, au même moment, elle rembourse son créancier du montant total de sa propre dette. Si les deux opérations ne sont pas faites simultanément, l'entreprise s'expose aux risques liés à la créance. Pour que la compensation demeure acceptable, il importe que les deux opérations soient faites au même moment. C'est la situation qui prévalait dans l'exemple de la page 4.49. En fait, c'est la seule façon pour l'entreprise de s'assurer qu'elle ne s'expose pas aux risques liés à la créance. Même si l'IASB ne précise pas au paragraphe 42(b) de l'IAS 32 ce qu'il entend par « simultanément », il indique que le règlement des deux instruments financiers doit avoir le même effet que leur règlement net.

En examinant la dernière façon de respecter la seconde condition de compensation, on pourrait croire que si l'entreprise réalise elle-même la créance, elle reste exposée aux risques entre le moment de l'entente de compensation et celui de la réalisation de la créance. Ce faisant, la compensation ne renseignerait pas les utilisateurs des états financiers de manière appropriée. Ce raisonnement, bien que logique, néglige un fait important. Si la valeur de la créance diminue entre le moment de l'entente et celui de sa réalisation, situation où le risque se concrétise, et si, de plus, son propriétaire a le droit de céder la créance en règlement d'une dette, il choisira sûrement de transférer la créance à son propre créancier et évitera ainsi de subir la diminution de valeur de l'actif. On en conclut que, lorsqu'une entreprise jouit d'un droit juridique de compensation, elle exercera probablement ce droit si la juste valeur de l'actif baisse entre le moment de l'entente et celui du règlement. À l'inverse, elle décidera de réaliser elle-même l'actif si la juste valeur de l'actif a augmenté au cours de la même période. C'est d'ailleurs ces deux situations que reflétait l'exemple de Rusé ltée. À la lumière de cette précision, la recommandation de l'IASB est prudente, car elle conduit à présenter le montant maximal des débours.

Notons enfin que la seconde condition à respecter pour pouvoir effectuer une compensation dans les états financiers repose sur les prévisions de la direction. Le comptable doit donc s'informer des intentions de cette dernière. Il doit aussi s'assurer que ces intentions sont réalistes, tout en tenant compte de la situation financière de l'entreprise, de ses pratiques commerciales habituelles ou des exigences du marché. Par exemple, si la direction affirme qu'elle souhaite exercer son droit juridique de compensation en remettant l'un de ses placements en règlement d'une dette échéant dans cinq ans, mais éprouve en ce moment des problèmes de trésorerie qui l'amèneront fort probablement à devoir liquider le placement sous peu, le comptable doit en conclure que la compensation n'est pas appropriée en raison du non-respect de la seconde condition[37].

Si l'entente de compensation survenue entre les parties prévoit qu'un actif financier peut être utilisé en règlement d'un passif financier, mais que la portion du passif ainsi réglé correspond à la juste valeur de l'actif à la date du règlement, il va sans dire que le détenteur de l'actif continue à assumer les risques liés à l'actif. La compensation est alors inacceptable.

Pour assurer la cohérence des états compris dans un jeu complet d'états financiers, une entreprise pourrait, en toute logique, présenter dans l'état du résultat global le montant net des produits et des charges afférents aux actifs financiers et aux passifs financiers compensés. L'IASB n'apporte cependant aucune précision sur ce sujet.

En terminant cette sous-section traitant de la compensation, voici deux exemples d'opérations qui ne respectent pas les conditions qu'impose l'IASB et où la compensation n'est pas permise. Lorsqu'une entreprise transfère de la trésorerie dans un compte en fiducie dans le seul

EXEMPLE

Compensation permise

Petit inc. a une somme à payer de 15 000 $ à M. Gendron. Ce dernier a accepté de recevoir en règlement de ce billet un billet à recevoir de Mme Habil (valeur comptable de 6 000 $ dans les livres de Petit inc.), un dépôt à terme (valeur comptable de 4 000 $ dans les livres de Petit inc.) ainsi que 5 000 $ en argent. Rappelons que pour avoir la possibilité d'imputer un montant à recevoir d'un tiers au montant dû à un créancier, il doit exister un accord entre les trois

37. Comme nous l'expliquerons dans la section **Les informations à fournir dans les notes**, l'entreprise tient alors compte de l'existence du droit juridique de compensation au moment de fournir des renseignements sur son exposition au risque de crédit par voie de notes aux états financiers.

parties, qui établit clairement le droit à compensation du débiteur. Dans le cas de Petit inc., il existe un tel accord entre toutes les parties en cause. Petit inc. respecte les conditions pour opérer la compensation de chacun des deux placements avec le montant dû à M. Gendron.

En tenant pour acquis que Petit inc. détient un droit juridiquement exécutoire de compensation, elle peut rembourser son billet à payer en sacrifiant un montant maximal de 5 000 $. C'est pourquoi l'IASB est d'avis que la présentation du montant net, tel qu'indiqué ci-dessous, renseigne les utilisateurs des états financiers de manière appropriée :

Passif non courant

Billet à payer à un particulier, 11 %, remboursable en un seul versement le 30 juin 20Y0	*5 000 $*

Au moment de rembourser son billet à payer, Petit inc. se trouvera dans l'une ou l'autre des situations suivantes sachant que le billet à recevoir n'est pas encore rendu à échéance : soit la valeur des placements aura augmenté (elle se situera, par exemple, à 12 000 $), soit elle aura diminué (elle se situera, par exemple, à 7 000 $). Si la valeur des placements a augmenté, Petit inc. réalisera les deux placements, encaissera 12 000 $ et utilisera cette trésorerie pour rembourser son billet à payer. Son débours net se limitera alors à 3 000 $ (15 000 $ – 12 000 $). À l'opposé, si la valeur des placements a diminué, Petit inc. n'aura aucune raison financière de réaliser les placements. Elle les remettra plutôt à M. Gendron et n'aura qu'à lui verser 5 000 $ de plus.

4

but de s'assurer de la disponibilité des fonds nécessaires à l'échéance de l'une de ses obligations, elle ne peut dans ce cas porter la trésorerie ainsi transférée en diminution de la dette. De telles situations, désignées par l'expression **désendettement de fait**, ne respectent pas les critères de l'IASB, car elles ne sont pas assorties d'un droit de compensation juridiquement exécutoire.

Examinons le second exemple. Une entreprise donne un actif en garantie d'une dette. Elle ne peut alors opérer de compensation aux fins de la présentation dans ses états financiers, car elle demeure responsable de la totalité de son engagement. Ce n'est que si elle devient incapable de faire face à son obligation que le créancier peut saisir le bien et exiger que l'entreprise lui paie uniquement la différence entre le montant dû et la juste valeur du bien à la date de la saisie. Puisque le droit de compensation n'est pas un droit actuel (il est subordonné à un événement futur), on ne peut compenser l'actif et le passif au moment de dresser les états financiers[38].

Avez-vous remarqué ?

Afin de déterminer la présentation des instruments financiers dans le corps même des états financiers, c'est la caractéristique qualitative de présentation fidèle, elle-même basée sur la substance des opérations, qui prévaut.

Les informations à fournir dans les notes

Différence NCECF

Les entreprises doivent fournir, dans leurs états financiers, les informations concernant leurs instruments financiers, conformément aux recommandations de l'IASB contenues dans l'IFRS 7, intitulée « Instruments financiers : Informations à fournir ». Soulignons qu'elles doivent appliquer le contenu de ce chapitre à tous leurs instruments financiers, comptabilisés ou non. Les instruments financiers comptabilisés comprennent les actifs financiers et les passifs financiers entrant dans le champ d'application de l'IFRS 9. Le cautionnement d'une dette contractée par un dirigeant constitue un exemple de passif financier susceptible de ne pas être comptabilisé dans les états financiers de l'entreprise.

Un **cautionnement** est une forme de garantie dans laquelle un tiers garantit au créancier que, en cas de défaut de paiement de l'emprunteur, il deviendra responsable de rembourser le créancier. Le tiers assume alors une obligation contractuelle de céder de la trésorerie, alors que le créancier possède un droit contractuel de recevoir de la trésorerie de ce tiers. Un tel cautionnement est un passif financier, mais il sera comptabilisé uniquement lorsque l'emprunteur deviendra incapable de rembourser son créancier, c'est-à-dire lorsque l'obligation deviendra une obligation actuelle.

38. L'IASB recommande simplement que l'entreprise ayant contracté la dette indique la valeur comptable des actifs financiers donnés en garantie de passifs ou de passifs éventuels ainsi que les conditions de la garantie (*Manuel de CPA Canada – Comptabilité – Partie I*, IFRS 7, paragr. 14).

Précisons d'abord que, afin de ne pas alourdir indûment les états financiers, les entreprises peuvent fournir les renseignements par catégories d'instruments financiers plutôt que sur une base individuelle. À ce titre, l'IASB laisse passablement de latitude ; le comptable doit donc exercer avec soin son jugement professionnel. L'IASB suggère simplement d'opérer les regroupements en se fondant sur la nature des informations fournies et en tenant compte des caractéristiques de ces instruments. L'entreprise doit présenter des informations suffisantes pour pouvoir permettre un rapprochement avec les postes présentés dans l'état de la situation financière. De plus, le paragraphe B2 de l'IFRS 7 demande aux entreprises de faire au minimum les distinctions suivantes. D'abord, elles doivent distinguer les instruments évalués au coût amorti de ceux évalués à la juste valeur. C'est la raison pour laquelle nous avons précisé les classements dans les intitulés de postes des états financiers de Dico ltée (*voir la page 4.44*). Ensuite, elles doivent traiter comme une ou plusieurs catégories distinctes les instruments financiers qui n'entrent pas dans le champ d'application de l'IFRS 7, tels que les Participations dans des entreprises associées et des coentreprises.

Au moment de décider du niveau d'agrégation, tâche délicate à accomplir, l'entreprise cherche à atteindre un équilibre entre, d'une part, la divulgation d'une trop grande quantité d'informations, surcharge qui susciterait la confusion chez les utilisateurs des états financiers, et, d'autre part, le fait de cacher des informations importantes en les groupant, dissimulation qui priverait les utilisateurs des états financiers d'informations jugées essentielles. Il revient aussi à l'entreprise de décider du niveau de détails qu'elle leur fournit. Selon l'importance relative des instruments financiers et les effets que les risques inhérents aux instruments financiers pourraient avoir sur sa situation financière et sa performance, il se peut qu'une entreprise n'ait pas à fournir distinctement tous les renseignements expliqués ci-dessous.

Avant d'examiner en détail les recommandations de l'IASB, il importe de bien comprendre la typologie des risques et les objectifs de la présentation des informations afférentes aux instruments financiers.

La typologie des risques

La figure 4.7 présente les trois types de risques associés aux instruments financiers, comme les définit l'IASB.

FIGURE 4.7 La typologie des risques selon l'IASB

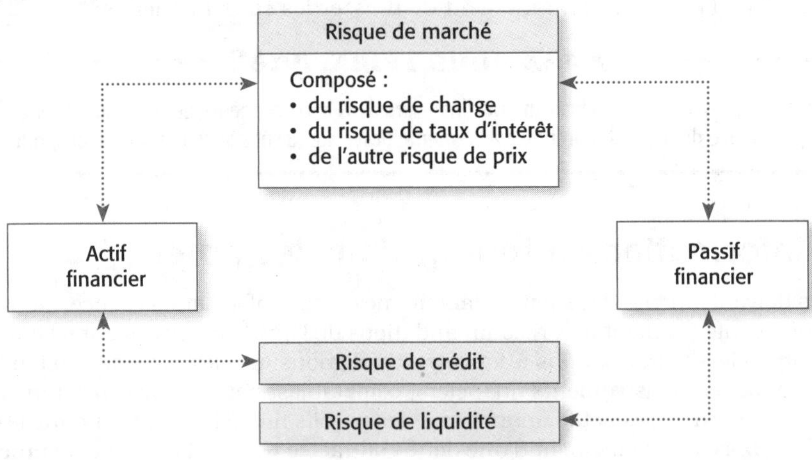

Le risque de marché

Le premier risque défini par l'IASB est le **risque de marché**. Il s'agit du risque que la juste valeur ou les flux de trésorerie futurs d'un instrument financier fluctuent en raison des variations des prix du marché. Le risque de marché comprend le risque de change, le risque de taux d'intérêt et l'autre risque de prix. Précisons chacun de ces trois risques.

1. Le **risque de marché lié au risque de change** est le risque que la juste valeur ou les flux de trésorerie futurs d'un instrument fluctuent en raison des variations des cours des monnaies étrangères. Ainsi, lorsque le dollar canadien perd de sa valeur par rapport au dollar américain, une entreprise canadienne qui assume une dette libellée en dollars américains doit sacrifier

plus de dollars canadiens pour rembourser sa dette que le nombre de dollars canadiens qu'elle a encaissés au moment de l'emprunt.

2. Le **risque de marché lié au risque de taux d'intérêt** est le risque que la juste valeur ou les flux de trésorerie futurs d'un instrument changent lorsque les taux d'intérêt du marché fluctuent. Si une entreprise assume une dette à taux variable et que le taux d'intérêt augmente, elle doit sacrifier plus de dollars pour rembourser sa dette. Pour cette raison, une variation du taux d'intérêt entraîne une variation des flux de trésorerie futurs. Lorsqu'une entreprise assume une dette à taux fixe et que le taux d'intérêt augmente, elle n'aura pas plus de flux de trésorerie à sacrifier à l'avenir. Par contre, si l'entreprise calcule la juste valeur de sa dette, elle constate que celle-ci diminue car, bien que les débours à actualiser soient stables, le taux d'actualisation est plus élevé.

EXEMPLE

Variation de la juste valeur d'une dette à taux variable et d'une autre à taux fixe

La société Lemarin pêcheur ltée assume une dette de 100 000 $, portant un intérêt à taux variable et échéant dans 2 ans. Le taux d'intérêt au moment de l'emprunt était de 10 % et il est passé à 12 % à la fin de la première année. La juste valeur de la dette au moment de l'emprunt s'élevait à 100 000 $ et elle est demeurée inchangée un an plus tard, comme le montrent les calculs suivants :

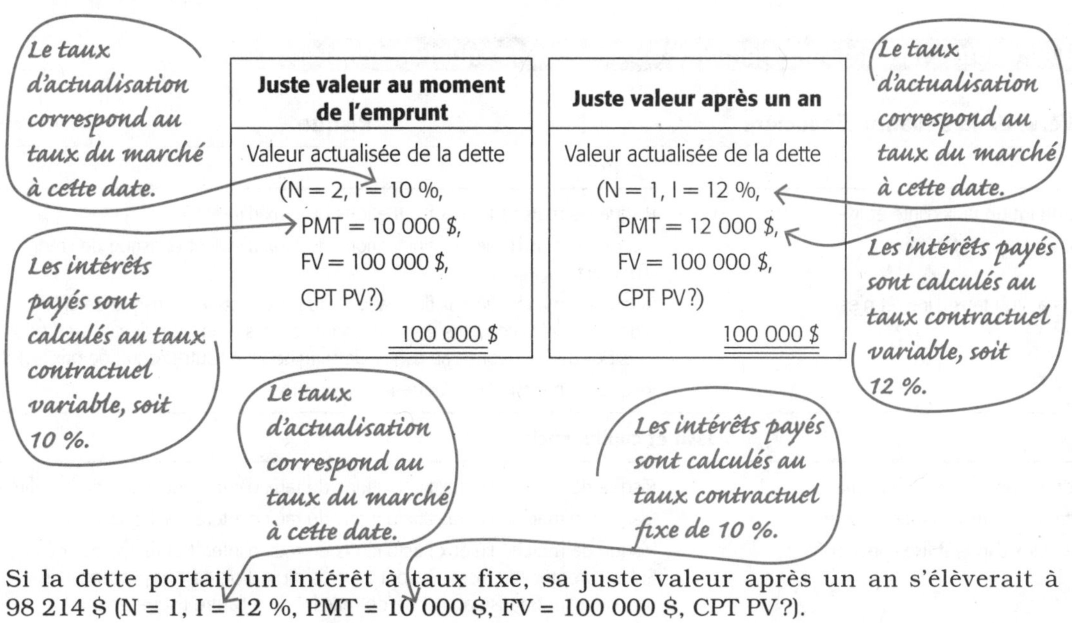

Le taux d'actualisation correspond au taux du marché à cette date.
Les intérêts payés sont calculés au taux contractuel variable, soit 10 %.
Juste valeur au moment de l'emprunt
Valeur actualisée de la dette (N = 2, I = 10 %, PMT = 10 000 $, FV = 100 000 $, CPT PV?)
100 000 $
Juste valeur après un an
Valeur actualisée de la dette (N = 1, I = 12 %, PMT = 12 000 $, FV = 100 000 $, CPT PV?)
100 000 $
Le taux d'actualisation correspond au taux du marché à cette date.
Les intérêts payés sont calculés au taux contractuel variable, soit 12 %.
Le taux d'actualisation correspond au taux du marché à cette date.
Les intérêts payés sont calculés au taux contractuel fixe de 10 %.

Si la dette portait un intérêt à taux fixe, sa juste valeur après un an s'élèverait à 98 214 $ (N = 1, I = 12 %, PMT = 10 000 $, FV = 100 000 $, CPT PV?).

3. Le **risque de marché lié à l'autre risque de prix** est le risque que la juste valeur ou les flux de trésorerie futurs d'un instrument financier changent en fonction des variations des prix du marché, que ces variations soient causées par des facteurs propres à l'instrument en cause ou à son émetteur, ou encore par des facteurs influant sur tous les instruments financiers semblables négociés sur le marché. Ainsi, lorsqu'une entreprise détient un placement en actions, elle s'expose au risque que leur juste valeur fluctue en fonction des débats politiques comme en fonction des résultats de l'émetteur des actions.

De la définition du risque de marché, retenons qu'il s'agit d'un ensemble de risques qui influent sur la juste valeur ou les flux de trésorerie d'un instrument financier.

Le risque de crédit

Le deuxième risque défini par l'IASB est le **risque de crédit**, que nous avons abordé brièvement dans la sous-section **La comptabilisation initiale des actifs financiers** (sous le titre **Le classement initial**). Rappelons qu'il s'agit du « risque qu'une partie à un instrument financier manque à une de ses obligations et amène de ce fait l'autre partie à subir une perte financière[39] ». Par exemple, un

39. *Manuel de CPA Canada – Comptabilité – Partie I*, IFRS 7, Annexe A.

producteur exposé au risque de crédit subirait une perte si le client auquel il a vendu ses marchandises devenait incapable de lui rembourser sa dette. Notons qu'une entreprise qui détient des actifs financiers pourrait subir des pertes en raison de ce risque, alors que les entreprises qui assument ces passifs financiers pourraient faire un profit. Puisque la notion de risque revêt généralement un sens défavorable, dans le présent chapitre nous associons le risque de crédit aux seuls actifs financiers.

Le risque de liquidité

Un autre risque défini par l'IASB est le **risque de liquidité**. Il reflète le risque qu'une entreprise éprouve des difficultés à honorer certains engagements liés à des passifs financiers qui sont à régler par la remise de trésorerie ou d'un autre actif financier. Comparativement au risque de crédit, le risque de liquidité existe lorsqu'une entreprise assume des passifs financiers ou émet certains titres de capitaux propres qu'elle s'est engagée à racheter à une date déterminée ou déterminable. L'exposition au risque de liquidité n'entraîne pas de perte immédiate, contrairement à l'exposition au risque de crédit. Cependant, le risque de liquidité peut avoir des conséquences aussi graves que la mise en faillite de l'entreprise.

Rappelons que ces notions de risque sont importantes, l'entreprise devant fournir des renseignements complémentaires sur certains de ces risques. Le tableau 4.7 présente une liste d'éléments usuels ainsi que les risques auxquels ils exposent leur détenteur.

TABLEAU 4.7 Les risques liés à divers éléments de l'état de la situation financière

Élément de l'état de la situation financière	Risque
Actif	
Comptes de banque portant un taux d'intérêt fixe	Risque de marché lié aux fluctuations du taux d'intérêt
Dépôt à terme portant un taux d'intérêt fixe	Risque de marché lié aux fluctuations du taux d'intérêt et risque de crédit d'un tiers
Débiteurs pour lesquels aucun taux d'intérêt n'est indiqué au contrat	Risque de marché lié aux fluctuations du taux d'intérêt et risque de crédit d'un tiers. Si les comptes débiteurs sont assortis d'un droit de compensation, ils exposent l'entreprise au risque de marché lié à l'autre risque de prix.
Placement en actions	Risque de marché lié à l'autre risque de prix[40]
Passif et capital social	
Découvert bancaire portant un taux d'intérêt variable	Risque de marché lié aux fluctuations du taux d'intérêt et risque de liquidité
Emprunt bancaire portant un taux d'intérêt variable	Risque de marché lié aux fluctuations du taux d'intérêt et risque de liquidité
Fournisseurs portant un taux d'intérêt fixe après 30 jours	Risque de marché lié aux fluctuations du taux d'intérêt et risque de liquidité. Si les comptes fournisseurs sont assortis d'un droit de compensation, ils exposent l'entreprise au risque de marché lié à l'autre risque de prix.
Déduction sur les salaires ne portant pas intérêt	Risque de marché lié aux fluctuations du taux d'intérêt et risque de liquidité
Dette non courante portant intérêt à taux variable	Risque de marché lié aux fluctuations du taux d'intérêt et risque de liquidité. Si la dette est garantie par un actif dont la juste valeur fluctue et qu'il devient probable que la dette sera remboursée par la remise de cet actif, la dette expose aussi l'entreprise au risque de marché lié à l'autre risque de prix.
Dette non courante portant intérêt à taux fixe	Risque de marché lié aux fluctuations du taux d'intérêt et risque de liquidité. Si la dette est garantie par un actif dont la juste valeur fluctue et qu'il devient probable que la dette sera remboursée par la remise de cet actif, la dette expose aussi l'entreprise au risque de marché lié à l'autre risque de prix.
Dette non courante portant intérêt à taux fixe, dont la valeur est indexée en fonction du prix d'une marchandise	Risque de marché lié aux fluctuations du taux d'intérêt, risque de marché lié à l'autre risque de prix et risque de liquidité

Les risques auxquels s'exposent le détenteur d'un placement en actions méritent quelques explications. Les actions n'exposent généralement pas leur détenteur au risque de crédit, ni l'émetteur au risque de liquidité. Si l'émetteur des actions ne prend aucun engagement envers le détenteur, c'est-à-dire qu'il accorde simplement un intérêt résiduel sur son actif net, le détenteur ne peut être exposé au risque de crédit d'un tiers.

40. La valeur fluctue en fonction, notamment, des résultats de l'émetteur. Précisons de plus qu'un placement en actions rachetables au gré du détenteur expose celui-ci au risque de crédit d'un tiers.

La figure 4.8 présente une synthèse des informations à fournir dans les états financiers. Puisque celles-ci sont nombreuses, le lecteur est invité à consulter cette figure tout au long de la lecture de la présente section afin de garder à l'esprit une vue d'ensemble des recommandations de l'IASB.

FIGURE 4.8 Une synthèse des types d'informations à fournir

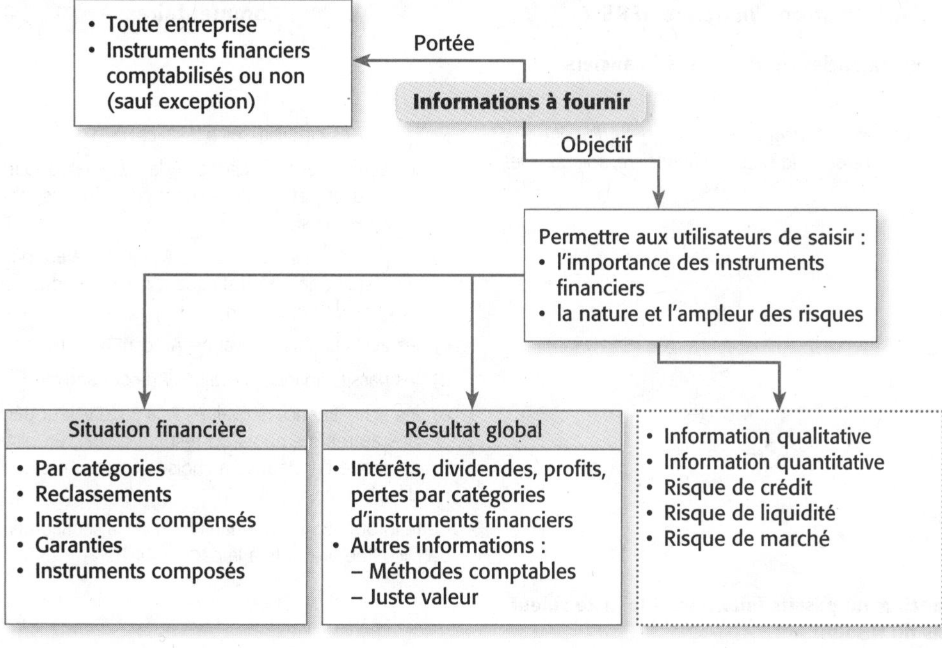

Différence NCECF

Les objectifs de la présentation des informations dans les notes

Différence NCECF

Comme l'indique la figure 4.8, au moment de déterminer les informations à fournir à l'égard de ses instruments financiers, l'entreprise doit viser à indiquer toute information utile aux utilisateurs des états financiers de façon à ce que ceux-ci soient en mesure d'évaluer :

(a) l'importance des instruments financiers au regard de la situation financière et de la performance financière de l'entité ;

(b) la nature et l'ampleur des risques découlant des instruments financiers auxquels l'entité est exposée pendant la période et à la date de clôture, ainsi que la façon dont l'entité gère ces risques[41].

Les informations à fournir pour atteindre le premier objectif

Pour atteindre le premier objectif, c'est-à-dire permettre aux utilisateurs des états financiers de comprendre l'importance des instruments financiers, l'IASB précise les informations à fournir dans l'état de la situation financière, l'état du résultat global et par voie de notes.

Les informations à fournir concernant les instruments financiers présentés dans l'état de la situation financière

Les recommandations exposées dans la présente division concernent les informations relatives aux instruments financiers présentés dans l'état de la situation financière synthétisées dans le rectangle de gauche au bas de la figure 4.8. Chaque entreprise choisit de divulguer ces informations dans le corps même de l'état de la situation financière ou dans les notes auxquelles l'état de la situation financière renvoie. Nous nous attarderons ici aux recommandations qui s'appliquent à plusieurs instruments financiers, alors que celles afférentes à des éléments particuliers, telles les créances, seront exposées au chapitre 6.

41. *Manuel de CPA Canada – Comptabilité – Partie I*, IFRS 7, paragr. 1.

Le tableau 4.8 résume les exigences à l'égard des instruments financiers présentés dans l'état de la situation financière.

TABLEAU 4.8 Les exigences de présentation dans l'état de la situation financière

***Normes internationales d'information financière,* IFRS 7**	**Commentaires**
Classe d'actifs financiers et de passifs financiers Paragr. 08 *La valeur comptable de chacune des classes [...] doit être indiquée soit dans l'état de la situation financière, soit dans les notes [...].*	Rappelons les cinq classes possibles : a) les actifs financiers classés À la juste valeur par le biais du résultat net, en distinguant ceux qu'il est obligatoire d'évaluer ainsi ; b) les passifs financiers classés À la juste valeur par le biais du résultat net, en distinguant ceux qui sont détenus à des fins de transaction ; c) les actifs financiers évalués Au coût amorti ; d) les passifs financiers évalués Au coût amorti ; e) les actifs financiers évalués À la juste valeur par le biais des autres éléments du résultat global, en distinguant ceux que l'entreprise a choisi, de façon irrévocable, de désigner ainsi. Cette information figure dans l'état de la situation financière de Dico ltée présenté à la page 4.44.
Actifs financiers ou passifs financiers À la juste valeur par le biais du résultat net Paragr. 9 *L'IASB demande aussi aux entreprises de présenter des informations additionnelles au sujet des actifs financiers et des passifs financiers qu'elles ont choisi de classer À la juste valeur par le biais du résultat net et qui seraient autrement évalués Au coût amorti. Les entreprises doivent indiquer :*	La société Dico ltée (*voir l'état de la situation financière à la page 4.44*) n'a pas fait un tel choix. En effet, la recommandation ci-contre s'appliquerait par exemple aux comptes clients, dont les caractéristiques et le modèle économique de gestion entraînent un classement Au coût amorti.
(a) l'exposition maximale au risque de crédit [...] de l'actif financier (ou du groupe d'actifs financiers) à la date de clôture ;	Nous expliquerons plus loin l'information à fournir au sujet de l'exposition maximale au risque de crédit.
(b) le montant à hauteur duquel tout dérivé de crédit lié ou instrument similaire limite cette exposition maximale au risque de crédit (voir paragraphe 36(b)) ;	Le chapitre 19 traitera plus en détail des dérivés.
(c) le montant de la variation de la juste valeur [de l'actif financier (ou du groupe d'actifs financiers)], au cours de la période et en cumulé, qui est imputable aux changements du risque de crédit de l'actif financier déterminé : *(i) soit comme étant le montant de la variation de sa juste valeur qui n'est pas imputable aux changements des conditions de marché qui donnent naissance au risque de marché,* *(ii) soit par le recours à une autre méthode qui, selon l'entité, représente plus fidèlement le montant de la variation de la juste valeur de l'actif financier qui est imputable aux changements du risque de crédit de celui-ci.* *Les changements de conditions de marché qui donnent naissance au risque de marché peuvent être les variations d'un taux d'intérêt (de référence) du prix d'une marchandise, du cours d'une monnaie étrangère, ou d'un indice de prix ou de taux observés ;*	Il s'agit ici de montrer le profit ou la perte découlant des variations de valeur liées au risque de crédit. Nous verrons au chapitre 6 la façon de calculer les pertes de crédit sur les créances.
(d) le montant de la variation de la juste valeur de tout dérivé de crédit lié ou instrument similaire survenue au cours de la période et en cumulé depuis la désignation de l'actif financier.	

4

TABLEAU 4.8 *(suite)*

Paragr. 10

Si l'entité a désigné un passif financier comme étant À la juste valeur par le biais du résultat net [...], et qu'elle est tenue de présenter dans les autres éléments du résultat global les effets des variations du risque de crédit de ce passif [...], elle doit indiquer :

(a) le montant, en cumulé, de la variation de la juste valeur du passif financier qui est attribuable aux variations du risque de crédit de ce passif [...] ;

(b) la différence entre la valeur comptable du passif financier et le montant que l'entité serait contractuellement tenue de payer, à l'échéance, au porteur de l'obligation ;

(c) tout virement du profit ou de la perte cumulé effectué entre des composantes des capitaux propres pendant la période, en en précisant le motif ;

(d) si un passif a été décomptabilisé au cours de la période, tout montant présenté dans les autres éléments du résultat global qui a été réalisé lors de la décomptabilisation.

Pour comprendre le sens de cette recommandation, on doit d'abord savoir que la dégradation de la qualité de crédit associée à une dette, due par exemple à de nouvelles difficultés financières d'une entreprise, entraîne la diminution de la juste valeur de la dette. En effet, les décaissements attendus pour éteindre la dette ne changent pas, mais le taux d'actualisation augmente afin de tenir compte du risque additionnel, diminuant ainsi la valeur actualisée de la dette. Comme nous l'expliquerons plus en détail au chapitre 13, lorsque l'entreprise comptabilise la diminution de cette dette, elle débite le compte de passif en cause et, en contrepartie, elle crédite un compte de profit latent dans les autres éléments du résultat global. Il semble pour le moins étonnant de comptabiliser un profit latent parce que la qualité du crédit s'est détériorée. C'est pourquoi l'IASB demande de préciser certains renseignements au sujet de ces passifs financiers À la juste valeur par le biais du résultat net pour lesquels elle est tenue de présenter dans les autres éléments du résultat global les effets des variations du risque de crédit.

Pour calculer le montant requis en (a) et en (b) ci-contre, l'exemple de la société Pierre Dubois ltée est donné à la suite du présent tableau.

La recommandation énoncée en (b) ci-contre s'explique par le fait que lorsqu'une entreprise comptabilise la juste valeur d'un passif financier, cette valeur tient compte des dates de paiement les plus probables, lesquelles peuvent être lointaines. Or, certaines dettes sont parfois remboursables plus tôt que ce qui est prévu au contrat d'emprunt. Il en est ainsi lorsque les difficultés financières d'une entreprise permettent à un créancier de rappeler son prêt. Dans ce cas, il se peut que l'écart entre la juste valeur de la dette et le montant que l'entreprise serait contractuellement tenue de rembourser soit important. Les utilisateurs des états financiers doivent alors connaître le montant qui serait remboursable afin de bien évaluer les risques auxquels s'expose l'entreprise.

Placements dans des instruments de capitaux propres désignés comme étant À la juste valeur par le biais des autres éléments du résultat global

Paragr. 11A

L'entité qui a désigné des placements dans des instruments de capitaux propres comme devant être évalués À la juste valeur par le biais des autres éléments du résultat global [...] doit indiquer :

(a) quels placements dans des instruments de capitaux propres ont été désignés comme étant évalués À la juste valeur par le biais des autres éléments du résultat global ;

(b) les motifs de ce choix de présentation ;

(c) la juste valeur de chacun de ces placements à la date de clôture ;

(d) les montants de dividendes comptabilisés pendant la période de présentation de l'information financière, en distinguant entre les dividendes liés à des placements décomptabilisés pendant celle-ci et les dividendes liés à des placements détenus à la fin de celle-ci ;

(e) tout virement du profit ou de la perte cumulé effectué entre des composantes des capitaux propres pendant la période, en en précisant le motif.

Après avoir indiqué les placements ainsi évalués (exigence énoncée en (a)), l'entreprise explique les raisons qui l'ont motivée, par exemple parce qu'elle a acheté ces titres en vue de développer si possible une relation d'affaire à long terme avec l'émetteur des titres de capitaux propres (exigence énoncée en (b)).

Pour satisfaire l'exigence énoncée en (c), elle peut présenter la valeur comptable de ces placements dans un poste distinct de l'état de la situation financière ou dans une note. L'entreprise a aussi le choix entre la présentation dans l'état du résultat global ou dans les notes en ce qui concerne l'exigence énoncée en (d).

Nous avons déjà mentionné qu'au moment de la décomptabilisation de tels placements, l'entreprise a le choix de virer le Cumul des profits et pertes latents dans un autre compte des capitaux propres, par exemple, le compte Résultats non distribués. Si elle fait ce choix, elle doit non seulement le mentionner dans ses états financiers, mais indiquer le montant et les motifs de son choix afin de respecter l'exigence en (e).

4

TABLEAU 4.8 *(suite)*

Enfin, il faut se rappeler que chaque fois que l'entreprise doit faire un choix comptable, elle doit indiquer celui qu'elle a effectué afin que les utilisateurs des états financiers puissent interpréter correctement les montants qui en découlent. Ce principe a été expliqué au chapitre 2.

Paragr. 11B

Si l'entité décomptabilise pendant la période de présentation de l'information financière des placements dans des instruments de capitaux propres évalués À la juste valeur par le biais des autres éléments du résultat global, elle doit indiquer :

(a) les motifs l'ayant conduite à céder ces placements ;

(b) la juste valeur des placements à la date de décomptabilisation ;

(c) le profit ou la perte cumulé au moment de la cession.

Ces renseignements sont utiles étant donné que l'on s'attend normalement à ce que l'entreprise conserve assez longtemps ses placements classés À la juste valeur par le biais des autres éléments du résultat global.

Reclassement

Paragr. 12

Si l'entité a reclassé un actif financier [...] comme étant évalué :

(a) soit au coût ou au coût amorti, et non plus à la juste valeur,

(b) soit à la juste valeur, et non plus au coût ou au coût amorti,

elle doit indiquer le montant ainsi reclassé dans et hors de chaque catégorie et les motifs du reclassement.

Comme expliqué précédemment, il arrive qu'une entreprise change l'objectif de son modèle économique de gestion des actifs financiers et que cela entraîne un reclassement. Les utilisateurs des états financiers doivent en être informés, puisque la valeur comptable de ces actifs en fin d'exercice n'est pas directement comparable avec la valeur comptable présentée dans les états financiers antérieurs.

Paragr. 12B

L'entité doit indiquer si, pendant la période de présentation de l'information financière considérée ou la période précédente, elle a reclassé quelque actif financier [...]. Au sujet de chacun de ces reclassements, l'entité doit fournir :

(a) la date de reclassement ;

(b) une explication détaillée du changement de modèle économique et une description qualitative de son effet sur les états financiers ;

(c) le montant reclassé depuis et vers chacune des classes.

Remarquez que les renseignements doivent être divulgués autant pour l'exercice en cours que pour l'exercice précédent.

Paragr. 12C

Pour chaque période de présentation de l'information financière comprise entre le reclassement et la décomptabilisation, l'entité doit indiquer, pour les actifs reclassés hors de la catégorie de la juste valeur par le biais du résultat net de façon à être évalués au coût amorti ou à la juste valeur par le biais des autres éléments du résultat global selon le paragraphe 4.4.1 d'IFRS 9 :

(a) le taux d'intérêt effectif déterminé à la date de reclassement ;

(b) les produits d'intérêts comptabilisés.

Remarquez que ces renseignements doivent être divulgués à chaque exercice suivant un reclassement, disons en 20X0, jusqu'au moment de la décomptabilisation, disons en 20X5.

Paragr. 12D

Si l'entité a, depuis la clôture de l'exercice précédent, reclassé des actifs financiers hors de la catégorie de la juste valeur par le biais des autres éléments du résultat global de façon à ce qu'ils soient évalués Au coût amorti, ou hors de la catégorie de la juste valeur par le biais du résultat net de façon à ce qu'ils soient évalués Au coût amorti ou À la juste valeur par le biais des autres éléments du résultat global, elle doit indiquer :

(a) la juste valeur de ces actifs financiers à la date de clôture ;

(b) le profit ou la perte sur la juste valeur qui aurait été comptabilisé en résultat net ou dans les autres éléments du résultat global pour la période de présentation de l'information financière si les actifs financiers n'avaient pas été reclassés.

Il ressort de cette dernière recommandation que l'entreprise doit continuer de présenter en parallèle la valeur comptable et les résultats afférents à l'actif financier selon les règles applicables au classement initial et selon celles applicables au reclassement subséquent.

Rappelons aussi que tous les renseignements liés aux reclassements permettent aux utilisateurs des états financiers d'apprécier le fait que les reclassements ne relèvent pas d'une simple volonté de la direction de l'entreprise de manipuler les états financiers.

TABLEAU 4.8 *(suite)*

Compensation d'actifs financiers et de passifs financiers

Paragr. 13B

L'entité doit fournir des informations pour aider les utilisateurs de ses états financiers à évaluer l'incidence actuelle ou potentielle des accords de compensation sur sa situation financière, y compris l'incidence actuelle ou potentielle des droits de compensation rattachés aux actifs financiers et passifs financiers [...] qu'elle a comptabilisés.

Le comptable ne doit pas se contenter de divulguer chacun des renseignements qui suivent dans la colonne de gauche. Il doit plutôt s'assurer que les renseignements divulgués suffisent à atteindre l'objectif ci-contre.

Paragr. 13C

Pour satisfaire à l'objectif énoncé au paragraphe 13B, l'entité doit fournir, à la date de clôture, les informations quantitatives suivantes, séparément pour les actifs financiers comptabilisés et les passifs financiers comptabilisés qui entrent dans le champ d'application du paragraphe 13A :

Pour illustrer ces recommandations, prenons l'exemple d'une entreprise, Merveille inc., qui a compensé un actif financier évalué à la juste valeur et un passif financier évalué au coût amorti, dont les valeurs comptables s'élèvent respectivement à 50 000 $ et à 75 000 $.

L'entreprise a aussi un actif financier de 200 000 $ et un passif financier de 190 000 $, tous deux comptabilisés Au coût amorti, pour lesquels elle bénéficie d'un accord général de compensation. Cet actif et ce passif financiers ne respectent pas les critères de compensation.

Un **accord général de compensation** est une convention portant sur l'ensemble des obligations réciproques découlant de contrats entre deux parties et permettant un règlement sur la base du solde net[42].

(a) les montants bruts des actifs financiers comptabilisés et des passifs financiers comptabilisés ;

La valeur comptable de chaque instrument financier est indiquée, contribuant ainsi à la transparence des états financiers. Les notes sur les actifs financiers présentent la valeur comptable de 250 000 $ (50 000 $ + 200 000 $) et les notes sur les passifs financiers présentent la valeur comptable de 265 000 $ (75 000 $ + 190 000 $). Les notes précisent aussi le mode d'évaluation de chaque instrument (paragraphe B42 de l'IFRS 7).

(b) les montants compensés selon les critères énoncés au paragraphe 42 d'IAS 32 dans l'établissement des soldes nets présentés dans l'état de la situation financière ;

Dans notre exemple, le montant compensé s'élève à 50 000 $ et sera précisé tant dans les notes sur les actifs financiers que dans celles sur les passifs financiers (paragraphe B44 de l'IFRS 7). L'entreprise pourrait adopter la présentation qui suit :

Note XX : Actifs financiers

Valeur comptable	*250 000 $*
Montant compensé	*(50 000)*
Montant net présenté dans l'état de la situation financière	*200 000 $*

Note XX : Passifs financiers

Valeur comptable	*265 000 $*
Montant compensé	*(50 000)*
Montant net présenté dans l'état de la situation financière	*215 000 $*

(c) les soldes nets présentés dans l'état de la situation financière ;

Dans notre exemple, Merveille inc. indique la valeur des passifs financiers évalués Au coût amorti de 215 000 $ dans l'état de la situation financière. Le montant net des actifs financiers, soit 200 000 $, est présenté à titre d'actifs financiers évalués Au coût amorti.

(d) les montants faisant l'objet d'une convention-cadre de compensation exécutoire ou d'un accord similaire qui ne sont pas par ailleurs visés par le paragraphe 13C(b), y compris :

Cette information peut être utile aux utilisateurs des états financiers, qui peuvent ainsi apprécier les instruments financiers susceptibles d'être réglés au montant net.

42. Ménard et collaborateurs, *Dictionnaire de la comptabilité et de la gestion financière*, 3e édition, Comptables professionnels agréés du Canada, 2014, version 3.1.

TABLEAU 4.8 *(suite)*

(i) les montants se rattachant aux instruments financiers comptabilisés qui ne satisfont pas aux critères énoncés au paragraphe 42 d'IAS 32,

*(ii) les montants se rattachant à des instruments financiers (y compris de la trésorerie) utilisés comme instrument de garantie (*financial collateral*);*

Tenons pour acquis que Merveille inc. assume un emprunt bancaire pour lequel elle a offert en garantie un placement en actions et que le créancier a le droit de saisir le placement en cas de manquement de Merveille inc. Puisque le droit d'exercer la garantie est conditionnel à un manquement, ce n'est pas un droit actuel. Il ne respecte donc pas les critères de compensation.

Merveille inc. doit alors indiquer le montant de l'emprunt et celui du placement. L'IASB recommande de plus de décrire la nature des droits en cause.

(e) le montant net résultant de la déduction des montants décrits au point (d) des montants décrits au point (c).

Le placement et l'emprunt bancaire dont il est question ci-dessus seraient ajoutés aux montants nets présentés respectivement dans la rubrique Actifs financiers et Passifs financiers dans l'exemple de Merveille inc.

Actifs affectés en garantie

Paragr. 14

L'entité doit fournir les informations suivantes :

(a) la valeur comptable des actifs financiers qu'elle a affectés en garantie de passifs ou de passifs éventuels, y compris les montants reclassés conformément au paragraphe 37 (a) d'IAS 39 ; et

(b) les termes et conditions de l'affectation en garantie.

Les utilisateurs des états financiers ont besoin de savoir si des tiers ont des droits sur les actifs comptabilisés dans l'état de la situation financière, car l'entreprise pourrait éventuellement perdre le contrôle des avantages économiques futurs attendus des actifs. En effet, selon le cadre conceptuel de l'information financière, les seuls actifs qui sont comptabilisés sont ceux pour lesquels l'entreprise contrôle les avantages économiques futurs.

Paragr. 15

Lorsque l'entité détient des actifs (financiers ou non financiers) qu'elle a reçus en garantie et qu'elle est autorisée à vendre ou à redonner en garantie en l'absence de défaillance du propriétaire de l'actif détenu en garantie, elle doit indiquer :

(a) la juste valeur des actifs détenus en garantie ;

(b) la juste valeur de tout actif détenu en garantie qu'elle a vendu ou réaffecté en garantie, en précisant si elle est tenue de le restituer ; et

(c) les termes et conditions associés à son utilisation des actifs détenus en garantie.

Pour respecter la recommandation énoncée au paragraphe (c) ci-contre, le créancier pourrait, par exemple, préciser, par voie de notes complémentaires, qu'il ne peut revendre le bien avant l'expiration d'un délai de 45 jours, délai pendant lequel le débiteur conserve un droit de premier achat.

Compte de correction de valeur

Paragr. 16A

La correction de valeur pour pertes n'est pas portée en diminution de la valeur comptable des actifs financiers évalués À la juste valeur par le biais des autres éléments du résultat global selon le paragraphe 4.1.2A d'IFRS 9 et l'entité ne doit pas la présenter séparément dans l'état de la situation financière à titre de réduction de la valeur comptable de l'actif financier. Toutefois, l'entité doit indiquer la correction de valeur pour pertes dans les notes annexes aux états financiers.

Le chapitre 6 traitera plus en détail de la comptabilisation des pertes sur créances.

Instruments financiers composés comprenant de multiples dérivés incorporés

Paragr. 17

Lorsque l'entité a émis un instrument contenant à la fois une composante passif et une composante capitaux propres [...] et que cet instrument comporte de multiples dérivés incorporés dont les valeurs sont interdépendantes (par exemple un instrument d'emprunt convertible et remboursable par anticipation), elle doit indiquer l'existence de ces caractéristiques.

Lorsqu'une entreprise a émis un instrument financier composé, elle doit d'abord déterminer si les composantes doivent être comptabilisées dans des comptes distincts. Si elle conclut qu'il n'est pas nécessaire d'isoler les composantes du fait que leurs valeurs sont interdépendantes, elle doit indiquer l'existence des deux dérivés incorporés.

Les valeurs des composantes sont interdépendantes lorsqu'elles varient pratiquement de la même façon en fonction d'événements précis. Prenons l'exemple d'une obligation convertible et rachetable par anticipation.

TABLEAU 4.8 *(suite)*

	À tout moment, le détenteur de l'obligation peut la convertir en 100 actions ou demander le rachat au prix fixé, soit 100 fois la valeur d'une action. Il est évident que si la valeur d'une action augmente de 1 $, la juste valeur du prix de conversion augmente de 100 $, tout comme la juste valeur du privilège de rachat anticipé. On doit alors conclure que les justes valeurs des deux composantes sont interdépendantes.
Défaillances et manquements Paragr. 18 *Pour les emprunts comptabilisés à la date de clôture, l'entité doit fournir les informations suivantes :* *(a) des informations détaillées sur toute défaillance, au cours de la période, touchant le principal, les intérêts, le fonds d'amortissement ou les dispositions de remboursement desdits emprunts ;* *(b) la valeur comptable des emprunts en souffrance à la date de clôture ; et* *(c) si l'entité a remédié à la défaillance ou si les conditions de l'emprunt ont été renégociées avant la date d'autorisation de publication des états financiers.*	Ces renseignements sont essentiels pour que les utilisateurs des états financiers puissent évaluer correctement la solvabilité de l'entreprise et ses chances d'obtenir plus tard de nouveaux emprunts. Les **emprunts en souffrance** sont des emprunts pour lesquels l'entreprise n'a pas effectué un paiement à la date contractuelle convenue. Si elle est en manquement sur un passif pour une autre raison que celle mentionnée dans la citation ci-contre (par exemple le maintien d'un certain ratio d'endettement), elle donne les mêmes renseignements, dans la mesure où le manquement a permis au prêteur d'exiger le remboursement du passif. Soulignons aussi que les défauts de paiement et les manquements peuvent modifier le classement d'un passif non courant en passif courant si, à cause du manquement, le créancier est en droit d'exiger le remboursement du prêt à court terme.

L'exemple suivant permet d'illustrer l'application du paragraphe 10 de l'IFRS 7 mentionné dans le tableau 4.8.

EXEMPLE

Variation de la juste valeur d'une dette due à une détérioration du crédit

La société Pierre Dubois ltée exploite une scierie. Le 1er janvier 20X6, elle émet des obligations à payer qu'elle a classées À la juste valeur par le biais du résultat net. Ces obligations, d'une valeur nominale de 100 000 $, portent intérêt au taux de 6 % par année et arrivent à échéance dans 5 ans. Le 1er janvier 20X6, la juste valeur de ces obligations s'élève à 95 900 $, alors que le taux de base de la Banque du Canada s'élève à 5 %. Le 31 décembre 20X6, ce taux de base passe à 6 % et la juste valeur des obligations s'élève à 96 500 $.

Le 31 décembre 20X6, la société constate que la juste valeur des obligations a augmenté de 600 $ (96 500 $ – 95 900 $) au cours de l'exercice. Cette variation inclut toutefois plusieurs éléments, soit la variation découlant des changements de taux d'intérêt de base de la Banque du Canada, la variation découlant du passage du temps et la variation découlant du risque de crédit. Pour isoler la dernière composante, que la société indiquera dans ses états financiers, elle procède aux calculs suivants.

Pierre Dubois ltée calcule d'abord le taux d'intérêt effectif[43] du passif en date du 1er janvier.

Taux d'intérêt effectif (N = 5, PMT = –6 000 $, PV = 95 900 $, FV = –100 000 $, CPT I?)	*7 %*
Taux d'intérêt de base de la Banque du Canada	*(5)*
Composante du taux d'intérêt propre aux obligations	*2 %*

43. Dans ce contexte, l'IASB utilise aussi l'expression taux de rendement interne (*voir l'IFRS 9, paragr. B5.7.18*).

4

La composante du taux d'intérêt propre aux obligations représente la prime de risque couvrant le risque de crédit lié à ce passif. Le 1er janvier 20X6, cette prime s'élève à 2 %. Lorsque, le 31 décembre 20X6, la société actualise les décaissements futurs liés aux obligations en utilisant un taux d'intérêt égal au taux de base du marché en vigueur le 31 décembre, majoré de la prime de risque au 1er janvier, elle obtient la valeur des obligations le 31 décembre, valeur qui tient compte de la variation du taux de base, mais non des variations de la prime de risque propre aux obligations.

Taux d'intérêt de base au 31 décembre	*6 %*
Prime de risque propre aux obligations au 1er janvier	*2*
Taux d'actualisation au 31 décembre	*8 %*
Valeur actualisée des obligations, sans tenir compte des changements dans la prime de risque propre aux obligations (N = 4, I = 8 %, PMT = 6 000 $, FV = 100 000 $, CPT PV?)	*93 376 $*
Juste valeur au 31 décembre	*96 500*
Variation de la valeur des obligations qui est attribuable aux changements du risque de crédit	*3 124 $*

Si la composante du taux d'intérêt correspondant à la prime de risque propre aux obligations était restée inchangée à 2 %, la juste valeur des obligations aurait diminué de 2 524 $ (95 900 $ – 93 376 $) pour s'élever à 93 376 $ au 31 décembre. Cependant, la variation de la prime de risque propre à l'obligation a entraîné une hausse de 3 124 $, expliquant ainsi la variation totale de la juste valeur de l'obligation au montant de 600 $.

Le montant de 3 124 $ correspond au montant que Pierre Dubois ltée présentera dans ses états financiers de l'exercice terminé le 31 décembre 20X6 à titre de changement de la juste valeur de ses obligations à payer survenu au cours de l'exercice et attribuable aux changements du risque de crédit lié à ce passif. Cette composante est déterminée comme le montant du changement de la juste valeur qui n'est pas attribuable aux changements des conditions de marché donnant naissance au risque de marché.

Les utilisateurs des états financiers de la société Pierre Dubois ltée pourront ainsi mieux interpréter la différence de 3 124 $ entre la juste valeur réelle de la dette qui s'élève à 96 500 $, compte tenu d'un taux d'actualisation de 7 %, et la valeur de la dette se chiffrant à 93 376 $, actualisée au taux de 8 %, qui ne tient pas compte des changements du risque de crédit. Si le risque lié à la dette était demeuré le même, le taux utilisé par le marché aurait dû être de 8 % (au lieu du taux réel de 7 %). On en conclut que le risque lié à la dette a diminué, ce qui contribue à faire augmenter la juste valeur de la dette. Même si la comptabilisation des emprunts obligataires dépasse l'objet du présent chapitre et est détaillé dans le chapitre 13, le lecteur pourra trouver plus clair d'examiner maintenant l'écriture que l'entreprise devrait enregistrer à la fin de l'exercice :

Perte latente liée à la diminution du risque de crédit (AERG) ①	*3 124*	
Emprunt obligataire à la JVBRN ②		*600*
Profit sur variation de valeur de l'emprunt obligataire ③		*2 524*
Variation de valeur de l'emprunt obligataire.		

Calculs :

① (96 500 $ – 93 376 $)

② (95 900 $ – 96 500 $)

③ (95 900 $ – 93 376 $)

Les variations de la juste valeur d'un passif liées à une détérioration de son risque de crédit sont habituellement comptabilisées dans les autres éléments du résultat global. Cependant, comme nous l'expliquerons au chapitre 13, les variations de la juste valeur d'un passif attribuable au risque de crédit peuvent parfois être comptabilisées en résultat net[44]. L'entreprise doit alors donner des renseignements additionnels dans ses états financiers.

Différence NCECF

La différence de 3 500 $ entre la valeur comptable de 96 500 $ au 31 décembre 20X6 et la valeur nominale à rembourser à l'échéance de 100 000 $ doit être indiquée dans les notes conformément au paragraphe 10(b) de l'IFRS 7.

44. Ces situations sont décrites dans *Manuel de CPA Canada – Comptabilité – Partie I*, IFRS 9, paragr. 5.7.8.

Les informations à fournir concernant les opérations présentées dans l'état du résultat global

Comme l'indique le rectangle du centre au bas de la figure 4.8, les opérations comptabilisées en résultat net ou dans les autres éléments du résultat global font aussi l'objet d'information détaillée dans les états financiers. Que ce soit dans le corps même des états financiers ou par voie de notes, une entreprise fournit les informations présentées dans le tableau 4.9.

Différence NCECF

TABLEAU 4.9 Les exigences de présentation dans l'état du résultat global

***Normes internationales d'information financière,* IFRS 7**	**Commentaires**
Paragr. 20	
(a) *les profits nets ou pertes nettes sur :* (i) *les actifs financiers ou les passifs financiers évalués À la juste valeur par le biais du résultat net, en indiquant séparément les profits et pertes relatifs aux actifs financiers ou passifs financiers qui ont été ainsi désignés lors de leur comptabilisation initiale ou ultérieurement selon le paragraphe 6.7.1 d'IFRS 9 et ceux relatifs aux actifs financiers ou passifs financiers qu'il est obligatoire d'évaluer À la juste valeur par le biais du résultat net selon IFRS 9 (par exemple, les passifs financiers qui répondent à la définition de « détenu à des fins de transaction » selon IFRS 9). Pour les passifs financiers désignés comme étant À la juste valeur par le biais du résultat net, l'entité doit montrer le montant de tout profit ou perte comptabilisé dans les autres éléments du résultat global séparément du profit ou de la perte comptabilisé en résultat net,* (ii) *à (iv)* [supprimés], (v) *les passifs financiers évalués Au coût amorti,* (vi) *les actifs financiers évalués Au coût amorti,* (vii) *les placements dans des instruments de capitaux propres désignés À la juste valeur par le biais des autres éléments du résultat global selon le paragraphe 5.7.5 d'IFRS 9,* (viii) *les actifs financiers évalués À la juste valeur par le biais des autres éléments du résultat global selon le paragraphe 4.1.2A d'IFRS 9, en indiquant séparément le montant de tout profit ou perte comptabilisé dans les autres éléments du résultat global au cours de la période et le montant reclassé pour la période du cumul des autres éléments du résultat global au résultat net lors de la décomptabilisation ;*	Une entreprise doit distinguer les profits nets ou les pertes nettes par catégories d'instruments financiers, ce qui rend la présentation des résultats cohérente par rapport à celle de l'état de la situation financière. De plus, l'évaluation des instruments financiers au coût amorti ou à la juste valeur se répercute sur le montant de profit ou de perte lié à ces instruments. Par exemple, on comptabilise le profit sur un instrument financier évalué Au coût amorti uniquement au moment de sa décomptabilisation, alors que l'on comptabilise le profit sur un instrument financier À la juste valeur par le biais du résultat net dès qu'il survient. Pour que les utilisateurs des états financiers interprètent correctement le résultat net et le résultat global, ils doivent donc avoir les détails exigés ci-contre.
(b) *le total des produits d'intérêts et des charges d'intérêts (calculés selon la méthode du taux d'intérêt effectif) pour les actifs financiers qui sont évalués Au coût amorti ou qui sont évalués À la juste valeur par le biais des autres éléments du résultat global selon le paragraphe 4.1.2A d'IFRS 9 (en présentant séparément ces montants) ; ou les passifs financiers qui ne sont pas évalués À la juste valeur par le biais du résultat net ;*	Par exemple, une entreprise présentera distinctement ses intérêts débiteurs sur des obligations à payer ou d'autres passifs évalués Au coût amorti. Rappelons qu'une entreprise peut évaluer certains passifs à la juste valeur. Elle doit donc présenter les intérêts liés aux passifs comptabilisés Au coût amorti séparément des intérêts liés aux passifs comptabilisés à la juste valeur. Le poste Charges financières inclut parfois des montants liés à certains passifs non financiers, tels des intérêts payés sur la dette d'impôts exigibles. L'entreprise doit alors préciser les charges financières liées aux passifs financiers. Elle présente aussi distinctement ses intérêts

TABLEAU 4.9 *(suite)*

	créditeurs sur ses placements en obligations. Toutefois, si elle possède un placement en obligations et un billet à recevoir, tous deux évalués Au coût amorti, elle peut grouper dans le même poste les intérêts gagnés sur ces deux titres.
(c) les produits et charges de commissions (à l'exclusion des montants pris en compte pour déterminer le taux d'intérêt effectif) liés : *(i) aux actifs financiers et aux passifs financiers qui ne sont pas comptabilisés À la juste valeur par le biais du résultat net, et* *(ii) aux activités de fiducie ou autres activités de gestion d'actifs pour le compte d'autrui qui conduisent l'entité à détenir ou à placer des actifs au nom de particuliers, de fiducies, de régimes de retraite ou d'autres institutions ;*	Les charges de commissions s'ajoutent aux coûts de financement, il convient donc de les indiquer si elles sont significatifves.

4

Différence NCECF

Ces exigences permettent aux utilisateurs des états financiers d'analyser avec précision les intérêts, les dividendes, les profits et les pertes liés aux instruments financiers ainsi que de faire des prévisions sur les flux de trésorerie futurs.

D'autres informations à fournir

Différence NCECF

La présente division concerne les autres informations qu'une entreprise doit fournir pour atteindre le premier objectif, soit permettre aux utilisateurs des états financiers de saisir l'importance des instruments financiers. Les aspects en cause sont synthétisés dans le rectangle de droite au bas de la figure 4.8. Ainsi, l'entreprise doit fournir, dans son résumé des principales méthodes comptables, des informations sur la ou les bases d'évaluation utilisées pour l'établissement des états financiers ainsi que sur les autres méthodes comptables utilisées qui sont nécessaires à une bonne compréhension des états financiers. Cette recommandation est cohérente par rapport à celle contenue au paragraphe 117 de l'**IAS 1**, selon laquelle lorsqu'une entreprise a fait un choix entre divers principes ou méthodes comptables, elle doit décrire la méthode comptable qu'elle a retenue.

Le tableau 4.10 présente une liste de situations obligeant une entreprise à faire des choix comptables.

TABLEAU 4.10 Les informations sur les choix comptables et autres

***Normes internationales d'information financière,* IFRS 7**	**Commentaires**
Paragr. B5 [L'entité indique :] *(a) pour les passifs financiers désignés comme étant À la juste valeur par le biais du résultat net :* *(i) la nature des passifs financiers que l'entité a désignés comme étant À la juste valeur par le biais du résultat net,* *(ii) les critères retenus pour désigner ainsi ces passifs financiers lors de la comptabilisation initiale, et*	En ce qui concerne la nature des passifs financiers À la juste valeur par le biais du résultat net, l'entreprise pourrait préciser, par exemple, qu'il s'agit d'instruments financiers dérivés qu'elle assume dans le but de les revendre dans un délai de six mois. Plus de détails à ce sujet seront fournis au chapitre 19.
(iii) comment l'entité a satisfait aux conditions énoncées au paragraphe 4.2.2 d'IFRS 9 pour de telles désignations ; *(aa) pour les actifs financiers désignés comme étant évalués À la juste valeur par le biais du résultat net :* *(i) la nature des actifs financiers que l'entité a désignés comme étant évalués À la juste valeur par le biais du résultat net, et*	Le paragraphe 4.2.2 de l'IFRS 9 prévoit qu'une entreprise peut classer certains passifs financiers À la juste valeur par le biais du résultat net pour éviter ou pour réduire une non-concordance comptable ou lorsqu'un groupe d'instruments financiers sont gérés sur la base de la juste valeur et que leur performance est également appréciée sur la base de la juste valeur. Par exemple, une entreprise qui détient des actifs financiers à des fins de transaction, classés À la juste valeur

TABLEAU 4.10 *(suite)*

	par le biais du résultat net, les comptabilise à la juste valeur. Si elle finance ces actifs au moyen d'un prêt bancaire à court terme, qui serait autrement évalué Au coût amorti, elle peut classer la dette À la juste valeur par le biais du résultat net afin d'évaluer la dette sur la même base que l'actif qu'elle sert à financer. L'entreprise décrit alors cette situation dans une note.
(ii) comment l'entité a satisfait aux conditions énoncées au paragraphe 4.1.5 d'IFRS 9 pour de telles désignations ;	Le paragraphe 4.1.5 de l'IFRS 9 prévoit qu'une entreprise peut classer certains actifs financiers À la juste valeur par le biais du résultat net pour éviter ou pour réduire une non-concordance comptable.
(b) [supprimé] ;	
(c) si les achats normalisés ou ventes normalisées d'actifs financiers sont comptabilisés à la date de transaction ou à la date de règlement (voir paragraphe 3.1.2 d'IFRS 9) ;	Nous verrons plus en détail ces deux méthodes au chapitre 11.
(d) [supprimé] ;	
(e) comment sont déterminés les profits nets ou les pertes nettes pour chaque catégorie d'instruments financiers [...] ;	Par exemple, l'entreprise précise si les profits nets ou les pertes nettes sur des instruments À la juste valeur par le biais du résultat net comprennent ou non les intérêts et les dividendes reçus.
(f) [supprimé] ;	
(g) [supprimé].	
Paragr. 25	
À l'exception de ce qui est prévu au paragraphe 29, pour chaque catégorie d'actifs financiers et de passifs financiers (voir paragraphe 6), l'entité doit indiquer la juste valeur de cette catégorie d'actifs et de passifs de manière à en permettre la comparaison avec sa valeur comptable.	La juste valeur facilite les comparaisons entre des actifs semblables achetés à des moments différents. Elle permet aussi d'évaluer les décisions qu'une entreprise prend de vendre, d'acheter ou de conserver certains instruments financiers en réaction aux variations de leur juste valeur. De plus, elle donne une indication des prévisions faites par l'ensemble des intervenants du marché concernant les flux de trésorerie futurs liés à un instrument financier. Enfin, lorsqu'une entreprise évalue certains de ses instruments financiers au coût amorti et d'autres, à leur juste valeur, cela peut nuire à la comparabilité des postes présentés dans ses états financiers. C'est pourquoi l'IASB recommande aux entreprises d'indiquer la juste valeur des instruments financiers évalués Au coût amorti. Afin de respecter cette recommandation, on pourrait présenter distinctement les justes valeurs des actifs financiers non comptabilisés et celles des passifs financiers non comptabilisés, puis reprendre par voie de notes le mode de présentation dans l'état de la situation financière pour les actifs financiers et les passifs financiers comptabilisés Au coût amorti.
Paragr. 29	
Aucune information sur la juste valeur n'est imposée dans l'un ou l'autre des cas suivants : *(a) lorsque la valeur comptable correspond à une approximation raisonnable de la juste valeur, [...] ;* *(b) [supprimé] ;* *(c) [...]*	Lorsque les actifs financiers sont déjà évalués à la juste valeur, l'information requise au paragraphe 25 n'est pas nécessaire. De plus, la valeur comptable des comptes clients et des comptes fournisseurs se rapproche souvent de leur juste valeur. La précision donnée en (a) ci-contre permet à une entreprise de ne pas présenter la juste valeur de ces actifs.

Différence NCECF

Les informations à fournir pour atteindre le second objectif

Différence NCECF

Le second objectif visé par la présentation des informations à fournir est de permettre aux utilisateurs des états financiers d'évaluer la nature et l'ampleur des risques auxquels une entreprise s'expose à la date de clôture d'un exercice en rapport avec ses instruments financiers. Il s'agit là d'un objectif fort défendable puisque, d'entrée de jeu, nous avons souligné que ce sont les risques inhérents aux instruments financiers qui les distinguent des autres actifs et passifs. Pour atteindre cet objectif, comme il est indiqué dans le rectangle de droite au bas de la figure 4.8, l'entreprise fournit entre autres des renseignements sur la façon dont elle gère les risques, notamment le risque de crédit, le risque de liquidité et le risque de marché. Soulignons qu'elle peut décider d'incorporer ces informations dans les états financiers ou de les incorporer :

> [...] dans ces derniers par renvoi à un autre document, tel qu'un rapport de gestion ou un rapport des risques, qui est consultable par les utilisateurs des états financiers dans les mêmes conditions que les états financiers et en même temps. En l'absence de ces informations incorporées par renvoi, les états financiers sont incomplets[45].

4

Des analyses qualitatives

Il importe de fournir aux utilisateurs des états financiers de l'information qualitative afin de les aider à avoir une vue d'ensemble de la nature et de l'étendue des risques auxquels les instruments financiers exposent l'entreprise. Analysée conjointement avec l'information quantitative, l'information qualitative permet de mieux apprécier l'exposition de l'entreprise aux risques.

Voici la recommandation de l'IASB concernant les analyses qualitatives à fournir dans les états financiers :

> Pour chaque type de risque découlant d'instruments financiers, l'entité doit indiquer :
> (a) les expositions au risque et comment celles-ci surviennent ;
> (b) ses objectifs, politiques et procédures de gestion du risque, ainsi que les méthodes utilisées pour mesurer celui-ci ;
> (c) toute variation de (a) ou de (b) par rapport à la période précédente[46].

Afin d'expliquer la mesure dans laquelle ses instruments financiers l'exposent à certains risques, l'entreprise pourrait, à titre d'exemple, préciser que ses actifs financiers à taux fixe l'exposent au risque de taux d'intérêt.

L'entreprise précise aussi les objectifs visés par l'utilisation des instruments financiers, ainsi que les modes de gestion de ces risques. Elle pourrait, par exemple, expliquer les mesures retenues pour diminuer son risque de crédit. Pour expliquer ses modes de gestion des risques, l'entreprise pourrait décrire :

> (i) la structure et l'organisation de la ou des fonction(s) de gestion des risques, y compris une analyse de leur indépendance et de leurs responsabilités ;
> (ii) la nature et l'étendue des systèmes de l'entité en matière de reporting et d'évaluation du risque ;
> (iii) les politiques de l'entité en matière de couverture et d'atténuation du risque, notamment les politiques et procédures relatives à la prise de garanties ; et
> (iv) les procédures de l'entité en matière de suivi de l'efficacité continue de ces couvertures ou de ces dispositifs d'atténuation[47].

Des analyses quantitatives

Pour chaque type de risque découlant d'instruments financiers, l'entreprise doit notamment fournir :

> (a) des données quantitatives sur son exposition à ce risque à la date de clôture, sous une forme abrégée. Ces données doivent être basées sur les informations fournies, en interne, aux principaux dirigeants de l'entité [...], par exemple le conseil d'administration et le président-directeur général de l'entité ;
> (b) les informations exigées aux paragraphes 35A à 42, dans la mesure où elles ne sont pas fournies en application du (a) ;
> (c) des informations sur les concentrations de risque, lorsque celles-ci ne ressortent pas des informations fournies en application du (a) et du (b)[48].

---

45. *Manuel de CPA Canada – Comptabilité – Partie I*, IFRS 7, paragr. B6.
46. *Manuel de CPA Canada – Comptabilité – Partie I*, IFRS 7, paragr. 33.
47. International Accounting Standards Board, *Normes internationales d'information financière (IFRS) y compris les Normes comptables internationales (IAS) et les Interprétations au 1er janvier 2006*, IFRS 7, paragr. IG15 du « Guide d'application », Londres, 2006.
48. *Manuel de CPA Canada – Comptabilité – Partie I*, IFRS 7, paragr. 34.

À titre d'exemple d'information quantitative, une entreprise pourrait indiquer l'effet qu'aurait une variation de 1 % des taux d'intérêt du marché sur sa situation financière et sur son résultat global.

Plusieurs raisons ont motivé l'IASB à recommander aux entreprises de fournir les analyses sur la base des informations fournies en interne et non sur une base imposée. Premièrement, la base d'information utilisée en interne permet de bien comprendre la façon dont l'entreprise gère les risques liés aux instruments financiers. Deuxièmement, elle permet de fournir les informations sur lesquelles l'entreprise se base pour faire des prévisions. L'information fournie a donc une valeur prédictive. Troisièmement, retenir la base d'information utilisée en interne a aussi pour effet de réduire les coûts de préparation des états financiers. Enfin, cette façon de faire est cohérente par rapport à l'**IFRS 8** portant sur l'information sectorielle, dont nous traiterons au chapitre 21. Cela permet aux utilisateurs des états financiers de voir la situation « avec les yeux de la direction ».

La recommandation énoncée en (b) de la citation précédente renvoie aux paragraphes 35A à 42 de l'IFRS 7, qui imposent à l'entreprise de fournir des informations sur le risque de crédit, le risque de liquidité et le risque de marché. Cette recommandation implique que si une entreprise ne prépare pas, à des fins de gestion interne, les informations pertinentes à la gestion des risques, elle doit tout de même rassembler des informations aux fins de la préparation de ses états financiers.

La recommandation énoncée en (c) de la citation précédente porte sur les concentrations de risque. La **concentration de risque** est l'inverse de la diversification. Plutôt que de mettre ses œufs dans plusieurs paniers, l'entreprise pourrait, par exemple, consentir tous ses prêts à une même partie ou à des parties semblables. Par exemple, les concentrations de risque de crédit peuvent résulter des secteurs d'activité, de la répartition géographique ou d'un nombre limité de contreparties individuelles. De même, une entreprise qui a contracté plusieurs emprunts dans une même monnaie étrangère est victime de concentration du risque de change.

La détermination de la similarité des parties repose sur le jugement professionnel. La similarité peut provenir du fait que les débiteurs exercent tous dans le même secteur d'activité ou dans le même secteur géographique. L'entreprise peut s'inspirer des directives données à l'**IFRS 8** portant sur les informations sectorielles pour déterminer les secteurs opérationnels susceptibles de concentration du risque de crédit. Par exemple, si un détaillant vendait ses marchandises uniquement à des clients de Rimouski et qu'un employeur important de cette ville fermait ses portes, plusieurs résidents de Rimouski perdraient leur emploi et seraient peut-être incapables de faire face à leurs obligations, entraînant de lourdes pertes pour le détaillant. À tout le moins, ces pertes seraient plus lourdes que si le détaillant avait eu le même montant de créances provenant de clients dans cinq régions différentes. Lorsqu'une entreprise doit fournir des informations sur ses concentrations de risque significatives, elle donne généralement une description de la caractéristique commune, par exemple, seulement des clients de Rimouski. Les informations relatives aux concentrations de risque doivent aussi comprendre :

(a) une description de la manière dont la direction détermine les concentrations ;

(b) une description de la caractéristique commune à chaque concentration (par exemple, la contrepartie, la zone géographique, la monnaie ou le marché) ;

(c) le montant de l'exposition au risque associé à l'ensemble des instruments financiers partageant cette caractéristique[49].

Lorsque les informations liées au risque assumé à la date de clôture ne représentent pas le risque assumé pendant l'exercice, l'entreprise fournit un complément d'information. Par exemple, elle pourrait indiquer le montant de risque maximal, minimal et moyen qu'elle a assumé pendant l'exercice.

Le risque de crédit

Rappelons que le risque de crédit est le risque qu'une partie à un instrument financier manque à l'une de ses obligations, amenant l'autre partie à subir une perte financière. Un tel manquement a pour effet de réduire la valeur comptable des actifs en cause et l'IFRS 9 précise la démarche à suivre pour évaluer les variations de valeur comptable de ces actifs. Cette démarche est expliquée au chapitre 6 et c'est aussi dans ce chapitre que l'on trouve les exigences de présentation d'information sur le risque de crédit.

49. *Manuel de CPA Canada – Comptabilité – Partie I*, IFRS 7, paragr. B8.

4

Le risque de liquidité

Le risque de liquidité concerne le risque qu'une entreprise éprouve des difficultés à honorer des engagements liés à des passifs financiers qui sont à régler par la remise de trésorerie ou d'un autre actif financier. Prenons l'exemple de la société Létourneau ltée. Au cours de l'exercice, Latourette ltée, une filiale de Létourneau ltée, a dû contracter un emprunt. Le prêteur a exigé que Létourneau ltée endosse le prêt de Latourette ltée. Du point de vue de Létourneau ltée, l'exposition maximale au risque de liquidité correspond au montant maximal qu'elle pourrait avoir à payer si la filiale manquait à ses engagements envers son banquier. Soulignons que cet endossement ne donne pas lieu à la comptabilisation d'un passif dans les livres de Létourneau ltée, à tout le moins tant que la filiale respecte ses engagements envers son banquier. Cet exemple illustre donc un cas où le montant de l'exposition maximale au risque de liquidité est nettement supérieur au montant comptabilisé en tant que passif.

En ce qui concerne les informations à fournir sur le risque de liquidité, voici la recommandation de l'IASB :

> L'entité doit fournir les informations suivantes :
>
> (a) une analyse des échéances des passifs financiers non dérivés (y compris les contrats de garantie financière émis) indiquant les durées restant à courir jusqu'aux échéances contractuelles ;
>
> (b) [...] ;
>
> (c) une description de la façon dont elle gère le risque de liquidité inhérent aux éléments visés en (a) [...][50].

Aux fins d'analyse des échéances, lorsqu'une contrepartie a le choix de la date de paiement d'un montant, le passif est présumé arrivé à échéance à la date la plus proche à laquelle l'entreprise peut être tenue de payer ce montant, parce que cette hypothèse reflète la situation la plus défavorable[51]. L'IASB estime que si l'entreprise est en mesure de faire face à cette situation défavorable, elle représente un risque de liquidité limité. Il exige donc que l'entreprise fournisse ces informations aux utilisateurs des états financiers afin qu'ils évaluent correctement le risque de liquidité. De plus, les montants indiqués dans l'analyse des échéances correspondent aux flux de trésorerie contractuels non actualisés. Ces montants diffèrent par conséquent de la valeur comptable des passifs financiers, qui repose sur la valeur actualisée des remboursements. Si le montant à payer n'est pas fixe, le montant indiqué est déterminé par référence aux conditions existant à la date de clôture de l'exercice financier. Par exemple, lorsque le montant à payer varie en fonction d'un certain indice, le montant indiqué peut être fondé sur le niveau de cet indice à la date de clôture.

Pour décrire la façon de gérer le risque de liquidité, l'entreprise pourrait prendre en compte les facteurs suivants, notamment la question de savoir si elle :

> (a) bénéficie de facilités de crédit confirmées (par exemple, des programmes d'achat de billets de trésorerie) ou d'autres lignes de crédit (par exemple un crédit stand-by) auxquelles elle peut accéder pour répondre à ses besoins de liquidités ;
>
> (b) détient des dépôts auprès de banques centrales pour répondre aux besoins de liquidités ;
>
> (c) dispose de sources de financement très diversifiées ;
>
> (d) a des concentrations importantes de risque de liquidité soit dans ses actifs, soit dans ses sources de financement ;
>
> (e) a des processus de contrôle interne et des plans de secours pour gérer le risque de liquidité ;
>
> (f) a des instruments dont les termes prévoient une possibilité de remboursement accéléré (par exemple en cas d'abaissement de la notation de crédit de l'entité) ;
>
> (g) a des instruments qui pourraient l'obliger à fournir des garanties [...] ;
>
> (h) a des instruments qui permettent à l'entité de choisir si elle règle ses passifs financiers par la remise de trésorerie (ou d'un autre actif financier) ou par la remise de ses propres actions ; ou
>
> (i) a des instruments soumis à des conventions-cadre de compensation[52].

---

50. *Manuel de CPA Canada – Comptabilité – Partie 1*, IFRS 7, paragr. 39.

51. *Manuel de CPA Canada – Comptabilité – Partie 1*, IFRS 7, paragr. B11C.

52. *Manuel de CPA Canada – Comptabilité – Partie 1*, IFRS 7, paragr. B11F.

Le risque de marché

Rappelons d'abord que le risque de marché englobe le risque de taux d'intérêt, le risque de change et l'autre risque de prix. Le tableau 4.11 présente les recommandations de l'IASB afférentes aux informations à fournir au sujet du risque de marché.

TABLEAU 4.11 Les informations à fournir au sujet du risque de marché

Normes internationales d'information financière, IFRS 7	Commentaires
Paragr. 40 *À moins qu'elle ne se conforme au paragraphe 41, l'entité doit fournir les informations suivantes :* *(a) une analyse de sensibilité pour chaque type de risque de marché auquel l'entité est exposée à la date de clôture, montrant comment le résultat et les capitaux propres auraient été influencés par les changements de la variable de risque pertinente qui étaient raisonnablement possibles à cette date ;* *(b) les méthodes et hypothèses utilisées dans l'élaboration de l'analyse de sensibilité ;* *(c) les changements des méthodes et hypothèses utilisées par rapport à la période précédente, ainsi que les raisons motivant ces changements.*	Les recommandations ci-contre s'appliquent à tous les actifs et passifs financiers, comptabilisés ou non comptabilisés, et concernent les trois risques de marché. Toutefois, elles ne s'appliquent pas aux titres de capitaux propres qu'une entreprise émet. Les variables de risques pourraient, par exemple, être la courbe des rendements des taux d'intérêt du marché (risque de taux d'intérêt), les cours de change (risque de change) ou les prix de marché des produits de base (autre risque de prix). Une entreprise n'est pas tenue de déterminer quel aurait été le résultat de l'exercice si la variable de risque pertinente avait été différente. En revanche, elle indique l'effet sur le résultat net et les autres éléments du résultat global, à la date de clôture, d'un changement raisonnablement possible de la variable de risque pertinente qui se serait produit à cette date et qui aurait touché les expositions au risque existant à cette date. Par exemple, une entreprise ayant un passif à taux variable à la fin de l'exercice indiquerait l'effet sur le résultat net (à savoir les charges d'intérêts), pour l'exercice en cours, d'une variation des taux d'intérêt selon des valeurs raisonnablement possibles. De même, une entreprise n'est pas tenue d'indiquer l'effet sur le résultat net et les autres éléments du résultat global de tout changement relevant d'une fourchette de changements raisonnablement possibles de la variable de risque pertinente. Elle indique simplement les effets des changements raisonnablement possibles aux limites de la fourchette. Pour déterminer ce qu'est un changement raisonnablement possible de la variable de risque pertinente, l'entreprise doit tenir compte des environnements économiques dans lesquels elle exerce ses activités et de l'horizon temporel à partir duquel elle conduit son analyse.
Paragr. 42 *Lorsque les analyses de sensibilité fournies conformément au paragraphe 40 [...] ne sont pas représentatives d'un risque inhérent à un instrument financier (par exemple, parce que l'exposition à la date de clôture ne reflète pas l'exposition en cours d'exercice), l'entité indique ce fait et les raisons pour lesquelles elle juge que les analyses de sensibilité ne sont pas représentatives.*	Une analyse de sensibilité ne serait pas représentative, par exemple, si un actif financier à taux fixe qui expose l'entreprise à un risque de taux d'intérêt, risque par ailleurs bien pris en compte dans l'analyse de sensibilité, était illiquide. Dans ces circonstances, l'entreprise aurait de la difficulté à trouver un acheteur potentiel. Elle indique alors, si l'importance relative de l'actif le justifie, le caractère illiquide de l'actif en cause et, s'il y a lieu, la manière dont elle gère ce risque.

Une analyse de sensibilité est indéniablement utile pour apprécier le risque de marché. C'est aussi une façon simple et peu coûteuse d'apprécier le risque de marché auquel l'entreprise s'expose. Voici un exemple de note adapté du paragraphe IG36 du « Guide d'application » de l'IFRS 7 :

> ***Le risque de taux d'intérêt***
> *Au 31 décembre 20X2, si les taux d'intérêt à cette date avaient été inférieurs de 10 points de base, toutes les autres variables restant constantes, le résultat après impôts de l'exercice aurait été supérieur de 1,7 M$ (20X1 – 2,4 M$), principalement sous l'effet de charges d'intérêts plus réduites sur les emprunts à taux variables. Si les taux d'intérêt à cette date avaient été supérieurs de 10 points de base, toutes les autres variables restant constantes, le résultat après impôts de l'exercice aurait été inférieur de 1,5 M$*

(20X1 – 2,1 M$), principalement sous l'effet de charges d'intérêts plus élevées sur les emprunts à taux variables. Le résultat est plus sensible aux baisses qu'aux hausses de taux d'intérêt du fait des emprunts à taux plafonnés. La sensibilité est plus faible en 20X2 qu'en 20X1 à cause de la réduction de l'encours des emprunts intervenue du fait de l'arrivée à échéance de la dette de l'entreprise.

Soulignons que l'IASB n'impose pas de format particulier pour présenter toutes ces informations. Compte tenu de l'ampleur des informations requises, il est clair que l'entreprise peut regrouper les instruments financiers à cette fin. L'IASB précise que, lors de la préparation des informations à fournir, l'entreprise doit viser un équilibre entre la divulgation de toute information pertinente pour bien renseigner les utilisateurs des états financiers et la surcharge d'information.

Avez-vous remarqué ?

Donner trop d'information a pour effet de noyer les informations pertinentes dans une mer de données peu importantes, empêchant ainsi les utilisateurs des états financiers de saisir l'importance des instruments financiers au regard de la situation financière et de la performance de l'entreprise. Cette pratique entrave aussi la compréhension de la nature, de l'ampleur et de la gestion des risques liés aux instruments financiers. Ainsi, une entreprise qui utilise peu d'instruments financiers et qui assume peu de risques fournira peu d'informations.

Nous présentons ci-dessous la note portant sur la gestion des risques financiers de Canadian Tire Limitée dont l'une des filiales est une banque.

SOCIÉTÉ CANADIAN TIRE LIMITÉE

Exercice terminé le 2 janvier 2016
Notes annexes

5. GESTION DES RISQUES FINANCIERS

IFRS 7, paragr. 33

5.1 Aperçu

La Société est exposée aux risques suivants en raison de l'utilisation qu'elle fait des instruments financiers :

- le risque de crédit ;
- le risque de liquidité ;
- le risque de marché, qui comprend le risque de change et le risque de taux d'intérêt.

La présente note contient des renseignements sur l'exposition de la Société à chacun des risques énumérés ci-dessus, ses objectifs, sa politique et ses procédures d'évaluation et de gestion des risques. D'autres informations quantitatives sont fournies tout au long des présents états financiers consolidés et des notes annexes.

5.2 Cadre de gestion des risques

La politique de gestion des risques financiers de la Société est établie de manière à permettre l'identification et l'analyse des risques auxquels la Société doit faire face, l'établissement de limites et de contrôles relatifs à la tolérance aux risques, ainsi que la surveillance des risques et du respect de ces limites. Les stratégies et les systèmes de gestion des risques financiers sont régulièrement passés en revue pour faire en sorte qu'ils demeurent conformes aux objectifs de la Société et à sa tolérance aux risques et soient adaptés aux tendances et à la conjoncture du marché. La Société, grâce à ses normes et à ses procédures en matière de formation et de gestion, vise à maintenir un environnement de contrôle structuré et constructif permettant à tous les membres du personnel de comprendre leurs rôles et obligations.

[...]

5.4 Risque de liquidité

Le risque de liquidité est le risque que la Société éprouve des difficultés à remplir les obligations liées à des passifs financiers qui sont à régler par la remise de trésorerie ou d'un autre actif financier. La démarche de la Société pour gérer le risque de liquidité consiste à faire en sorte, dans la mesure du possible, qu'elle disposera toujours des liquidités suffisantes pour régler ses passifs à leur échéance, tant dans des conditions normales que sous contrainte raisonnable. La Société a mis en place une politique pour gérer son exposition au risque de liquidité. La Société utilise un modèle de prévision des flux de trésorerie consolidés détaillé pour surveiller périodiquement ses besoins en liquidités à court et à long terme, lequel lui permet d'optimiser sa position de trésorerie et sa dette bancaire à court terme et d'évaluer des stratégies de financement à long terme.

La Banque a également mis en place une politique en matière de gestion de l'actif et du passif. La Banque a pour objectif de s'assurer que des fonds suffisants sont disponibles en maintenant un solide cadre de gestion des liquidités et de respecter toutes les exigences réglementaires et prévues par la loi.

IFRS 7, paragr. 33

Au 2 janvier 2016, la Société disposait de marges de crédit bancaire consenties de 3,9 milliards de dollars, dont une tranche de 1,2 milliard pouvant être utilisée par la Société Canadian Tire et par Glacier aux termes d'une convention de crédit syndiqué, arrivant à échéance en juillet 2019, une tranche de 300,0 millions pouvant être utilisée par la Société Canadian Tire aux termes de conventions de crédit bilatérales de 365 jours arrivant à échéance à la fin de 2016, une tranche d'un montant maximal de 2,25 milliards pouvant être utilisée par la Banque aux termes d'une facilité de financement des cartes de crédit arrivant à échéance en octobre 2017 et une tranche de 200,0 millions pouvant être utilisée par CT REIT aux termes d'une convention de crédit syndiqué renouvelable de cinq ans arrivant à échéance en juillet 2020.

En plus des marges de crédit bancaire, la Société a accès à d'autres sources de financement, notamment la trésorerie autogénérée, les transactions immobilières stratégiques et l'accès aux marchés financiers publics et privés, selon le cas. Les actifs de la Banque sont financés par la titrisation de créances sur cartes de crédit par l'intermédiaire de Glacier, des certificats de placement garanti (les «CPG») émis par l'entremise de courtiers, des CPG de détail et des dépôts dans des comptes d'épargne à intérêt élevé.

Glacier a déposé un prospectus préalable de base simplifié le 31 mars 2015 permettant l'émission de billets à terme pour un montant pouvant atteindre 1,5 milliard de dollars au cours des 25 mois suivants. De plus, le 5 mars 2015, CT Real Estate Investment Trust («CT REIT») a déposé un prospectus préalable de base qui lui permet d'accéder à un capital maximal de 1,5 milliard de dollars au moyen de titres d'emprunt et de capitaux propres au cours des 25 mois suivants.

IFRS 7, paragr. 39

Le tableau suivant présente les échéances contractuelles des passifs financiers de la Société, incluant les paiements de capital et d'intérêts.

(en millions de dollars canadiens)	2016	2017	2018	2019	2020	Par la suite	Total
Passifs financiers non dérivés							
Dépôts [1]	889,5	326,1	357,2	411,5	277,4	–	2 261,7
Dettes fournisseurs et autres créditeurs	1 836,9	–	–	–	–	–	1 836,9
Emprunts à court terme	88,6	–	–	–	–	–	88,6
Emprunts	655,5	–	–	–	–	–	655,5
Dette à long terme	2,3	634,9	264,6	500,0	500,0	900,0	2 801,8
Obligations liées aux contrats de location-financement	19,6	17,3	14,5	12,7	11,6	70,2	145,9
Emprunts hypothécaires	4,1	1,2	17,1	37,6	–	–	60,0
Paiements d'intérêts [2]	143,4	132,0	111,5	89,7	65,0	457,0	998,6
Total	3 639,9 $	1 111,5 $	764,9 $	1 051,5 $	854,0 $	1 427,2 $	8 849,0 $

[1] *Les dépôts ne comprennent pas l'escompte sur les frais de courtage des CPG de 8,8 millions de dollars.*

[2] *Le montant comprend les paiements d'intérêts sur les dépôts, les emprunts à court terme, les emprunts, la dette à long terme et les obligations liées aux contrats de location-financement.*

La Société ne s'attend pas à ce que les flux de trésorerie compris dans l'analyse des échéances se produisent sensiblement plus tôt ou s'élèvent à des montants sensiblement différents, exception faite des dépôts. Les flux de trésorerie liés aux dépôts ne devraient pas varier considérablement, dans la mesure où les flux de trésorerie attendus des clients sont stables ou en hausse.

IFRS 7, paragr. 33 et 40(a)

5.5 Risque de marché

Le risque de marché correspond au risque que des variations des prix de marché, comme les cours de change, les taux d'intérêt et les prix des instruments de capitaux propres, influent sur les produits de la Société ou sur la valeur des instruments financiers qu'elle détient. L'objectif de la gestion du risque de marché consiste à gérer les expositions au risque de marché à l'intérieur de paramètres acceptables tout en optimisant les rendements. La Société a mis en place une politique pour gérer son exposition au risque de marché. Cette politique établit des lignes directrices concernant la manière dont la Société doit gérer le risque de marché inhérent à ses activités et procure des mécanismes qui permettent de s'assurer que les transactions commerciales sont effectuées conformément aux limites, aux processus et aux procédures établis.

Toutes les transactions commerciales sont menées conformément aux lignes directrices établies et, de façon générale, la Société cherche à appliquer la comptabilité de couverture afin de gérer la volatilité à l'égard de son résultat net.

5.5.1 Risque de change

La Société s'approvisionne en marchandises sur les marchés mondiaux. Environ 44 pour cent, 41 pour cent et six pour cent de la valeur des stocks achetés pour les bannières Canadian Tire, Mark's et FGL, respectivement, est libellée en dollars américains. Pour atténuer l'incidence des fluctuations des taux de change sur les coûts des achats, la Société a établi un programme de gestion du risque de change qui régit la proportion des achats prévus en dollars américains qui doit être couverte par l'achat de contrats de change. Ce programme vise à fournir une certitude quant à une partie de l'incidence des coûts liés au change pour les achats de marchandises futurs.

Comme la Société a couvert une partie importante de ses achats prévus en dollars américains à court terme, une variation des taux de change n'aura pas d'incidence sur cette partie des coûts de tels achats. Même lorsqu'une variation des taux persiste, le programme de la Société visant à couvrir une partie des achats prévus en dollars américains se poursuit. Étant donné que les couvertures sont établies au taux de change en vigueur, l'incidence d'une variation persistante des taux sera éventuellement reflétée dans les coûts des achats en dollars américains de la Société. Par le passé, le programme de couverture a permis à la Société de reporter l'incidence de fluctuations soudaines des taux de change sur les marges et d'avoir le temps d'élaborer des stratégies afin d'atténuer l'incidence d'une variation persistante des taux de change. Certains fournisseurs ont une exposition sous-jacente aux fluctuations du dollar américain, ce qui peut de temps à autre avoir une incidence sur le prix qu'ils demandent à la Société pour les marchandises; le programme de couverture de la Société n'atténue pas ce risque. Bien qu'il soit possible que la Société puisse transférer aux clients les variations des taux de change par l'intermédiaire des prix, une telle décision doit être prise en fonction des conditions du marché.

IFRS 7, paragr. 33 et 40(a)

5.5.2 Risque de taux d'intérêt

La Société conclut à l'occasion des swaps de taux d'intérêt pour gérer son risque de taux d'intérêt actuel et prévu. La Société a adopté une politique selon laquelle au moins 75 pour cent de sa dette à long terme (dont l'échéance est supérieure à un an) et de ses obligations locatives doivent être à taux d'intérêt fixe. La Société se conforme à cette politique.

Une variation de un pour cent des taux d'intérêt n'aurait pas d'incidence importante sur le résultat net ou les capitaux propres de la Société, étant donné que les emprunts de cette dernière sont principalement assortis de taux fixes, ce qui réduit au minimum le risque lié à une exposition aux taux d'intérêt variables.

L'exposition de la Société aux fluctuations des taux d'intérêt se rapporte essentiellement aux activités des Services Financiers, car les taux d'intérêt futurs sur les CPG, les comptes d'épargne à intérêt élevé, les comptes d'épargne libre d'impôt (les « CELI ») et les transactions de titrisation sont tributaires du marché. Les taux d'intérêt sur les cartes de crédit et les taux futurs obtenus par la Banque sur les placements des réserves de liquidités contrebalanceront en partie ce risque. De plus, la Société a conclu des swaps de taux d'intérêt à départ décalé pour couvrir une partie des émissions de titres d'emprunt à terme futures de Glacier qui sont prévues en 2017 et en 2018.

Source : Rapport annuel 2015 de Canadian Tire
Société Canadian Tire Limitée, *Rapport 2015 aux actionnaires de la Société Canadian Tire*, [En ligne], <http://investors.canadiantire.ca/French/investisseurs/rapports-financiers/divulgations-annuelles/default.aspx> (page consultée le 24 mars 2016).

Différence NCECF

Pour clore la présente section traitant des informations à fournir dans les notes, le lecteur a avantage à revoir la synthèse présentée dans la figure 4.8.

PARTIE II – LES NCECF

Équivalents terminologiques *Manuel de CPA Canada* – Partie II et Partie I.

Le **chapitre 3856** du *Manuel – Partie II* renferme les normes applicables aux instruments financiers. Comme c'est souvent le cas, les NCECF portant sur ce sujet sont beaucoup plus simples que les IFRS, particulièrement en ce qui concerne les informations à fournir en note aux états financiers. Nous expliquerons ici plus en détail ces différences, qui sont groupées dans la figure 4.9.

La définition d'un instrument financier

IFRS Titres

Les deux référentiels définissent l'instrument financier de la même façon. Cependant, selon les IFRS, un actif financier peut être un contrat qui sera réglé en titres de capitaux propres. Selon les NCECF, un droit de racheter ses propres **instruments** de capitaux propres ne constitue pas un actif financier[53]. Il doit plutôt être présenté en diminution des capitaux propres. Il en va pratiquement de même pour la définition d'un passif financier. Alors que les IFRS précisent qu'un passif financier peut se présenter sous forme de contrat pouvant être réglé en titres de capitaux propres, les NCECF ne donnent aucune précision à ce sujet. Un passif financier y est défini uniquement comme étant soit une obligation de céder de la trésorerie ou un autre actif financier, soit une obligation d'échanger des instruments financiers à des conditions potentiellement défavorables.

Les actifs financiers

Les NCECF et les IFRS présentent plusieurs différences importantes concernant la comptabilisation des actifs financiers.

53. *Manuel de CPA Canada – Comptabilité – Partie II*, paragr. 3856.05h).

FIGURE 4.9 Les particularités des NCECF au sujet des instruments financiers

Définition	Sensiblement la même que dans les IFRS, sauf qu'un droit de racheter ses propres instruments financiers n'est pas un actif financier
Actifs financiers	
Comptabilisation initiale	• Pas de directives détaillées pour déterminer la juste valeur • Actif financier acquis d'un apparenté comptabilisé selon le chapitre 3840, c'est-à-dire à la valeur comptable (généralement) ou à la valeur d'échange
Comptabilisation subséquente	• Le coût amorti peut être déterminé selon la méthode du taux d'intérêt effectif ou celle de l'amortissement linéaire • Les variations de juste valeur des instruments financiers évalués à la juste valeur sont toujours comptabilisées en résultat net
Passifs financiers	
Comptabilisation initiale	• Pas de directives détaillées pour déterminer la juste valeur • Passif financier remboursable à un apparenté comptabilisé selon le chapitre 3840, c'est-à-dire à la valeur comptable (généralement) ou à la valeur d'échange
Comptabilisation subséquente	• Passif financier indexé évalué au plus élevé du coût amorti ou du montant qui serait remboursable, compte tenu du supplément résultant de l'indexation • Passif financier remboursable à vue évalué à la valeur actualisée de la somme remboursable
Présentation dans le corps même des états financiers	
• Composante de capitaux propres d'un instrument composé pouvant être évaluée à une valeur nulle • Actions émises à titre de mesure de planification fiscale évaluées à la valeur nominale ou à la valeur attribuée et présentées dans les capitaux propres	
Information moins détaillée à fournir dans les notes	

La comptabilisation initiale des actifs financiers

Peu importe le référentiel, le **moment** de la comptabilisation initiale est le même. Pour ce qui est de l'**évaluation initiale,** elle est également similaire selon les deux ensembles de normes, puisqu'elle correspond à la juste valeur, majorée des commissions et des coûts de transaction dans le cas des actifs financiers qui ne sont pas plus tard évalués À la juste valeur par le biais du résultat net. Le Conseil des normes comptables (CNC) précise cependant que les coûts de transaction qui ne peuvent être ajoutés à la valeur comptable d'un actif financier doivent être comptabilisés dans le résultat net de l'exercice en cours. Les NCECF ne comprennent pas de norme équivalente à l'**IFRS 13**, que nous avons expliquée au chapitre 3 et qui précise très exactement la façon de déterminer la juste valeur. Le chapitre 3856 se limite à préciser que la **juste valeur** désigne le prix dont conviendraient un acheteur et un vendeur agissant en toute liberté dans des conditions de pleine concurrence. Ce référentiel contient aussi des précisions additionnelles sur l'évaluation des actifs financiers acquis dans le cadre d'une opération entre **apparentés**. L'entreprise doit appliquer les recommandations du **chapitre 3840**, qui seront expliquées au chapitre 11. Une opération entre apparentés doit être évaluée à la valeur comptable,

IFRS Parties liées

sauf s'il s'agit d'une opération monétaire ou d'une opération non monétaire qui présente une substance commerciale, sans être un échange d'un bien destiné à être vendu dans le cours normal des affaires afin de faciliter les ventes. Dans ces cas d'exception, on évalue l'actif financier à la valeur d'échange.

Les règles portant sur le **classement initial** sont très différentes selon les deux référentiels. Selon les NCECF, il existe seulement deux classes d'actifs financiers. La première est la plus importante ; elle regroupe les actifs financiers évalués au coût (ou au coût amorti). La seconde classe comprend les quelques actifs financiers évalués à la juste valeur. Les paragraphes qui suivent expliquent les règles qui s'appliquent à chaque classe.

La comptabilisation subséquente des actifs financiers

Selon les NCECF, la présomption de base est que pratiquement tous les actifs financiers sont évalués ultérieurement sur la base du coût ou du coût amorti. En effet, les placements dans des instruments de capitaux propres sont évalués au coût, alors que les autres actifs financiers sont évalués au coût amorti.

Comme expliqué précédemment, les IFRS exigent que le **coût amorti** soit établi en utilisant la méthode du taux d'intérêt effectif. On ne trouve pas cette exigence dans les NCECF. Une entreprise pourrait bien sûr utiliser cette méthode, mais elle pourrait aussi se servir de la méthode de l'**amortissement linéaire** pour virer en résultat l'écart entre la juste valeur initiale et la valeur mentionnée dans l'entente contractuelle.

EXEMPLE

Méthode d'amortissement du coût d'un actif financier

Le 1er janvier 20X1, la société Lyne et air ltée vend des marchandises en échange d'un billet de 100 000 $ portant intérêt au taux de 3 %. Les intérêts sont encaissables chaque année et le principal arrive à échéance le 31 décembre 20X2. Le taux d'intérêt effectif s'établit à 5 %. Voici les écritures que la société enregistre selon les deux méthodes d'amortissement acceptables selon les NCECF, sachant qu'elle clôture son exercice financier le 31 décembre :

Amortissement selon la méthode du taux d'intérêt effectif			Amortissement linéaire		
			1er janvier 20X1		
Billets à recevoir	*96 281*		*Billet à recevoir*	*100 000*	
Ventes		*96 281*	*Escompte sur billet à recevoir*		*3 719*
Vente à crédit en échange d'un billet dont le taux contractuel (3 %) est inférieur au taux d'intérêt (5 %).			*Ventes*		*96 281*
Calcul : (N = 2, I = 5 %, PMT = 3 000 $, FV = 100 000 $, CPT PV?)			*Vente à crédit en échange d'un billet dont le taux contractuel (3 %) est inférieur au taux d'intérêt (5 %).*		
			31 décembre 20X1		
Caisse ①	*3 000*		*Caisse* ①	*3 000*	
Billet à recevoir ③	*1 841*		*Escompte sur billets à recevoir* ②	*1 860*	
Produits financiers – Intérêts sur billet à recevoir ②		*4 814*	*Produits financiers – Intérêts sur billet à recevoir* ③		*4 860*
Produits d'intérêts gagnés pendant l'exercice.			*Produits d'intérêts gagnés pendant l'exercice.*		

Calculs :

① (100 000 $ × 3 %)

② Valeur initiale du billet	96 281 $
Taux d'intérêt effectif	× 0,05
Produits financiers	4 814 $

③ (4 814 $ – 3 000 $)

Calculs :

① (100 000 $ × 3 %)

② Escompte à amortir	3 719 $
Durée d'amortissement	÷ 2
Amortissement annuel	1 860 $

③ (3 000 $ + 1 860 $)

31 décembre 20X2

Caisse①	*3 000*	
Billet à recevoir③	*1 906*	
Produits financiers – Intérêts sur billet à recevoir②		*4 906*
Produits d'intérêts gagnés pendant l'exercice.		

Calculs :

① (100 000 $ × 3 %)

② Valeur du billet au début de l'exercice (96 281 $ + 1 841 $)	98 122 $
Taux d'intérêt effectif	× 0,05
Produits financiers	4 906 $

③ (4 906 $ – 3 000 $)

Caisse①	*3 000*	
Escompte sur billet à recevoir②	*1 859*	
Produits financiers – Intérêts sur billet à recevoir③		*4 859*
Produits d'intérêts gagnés pendant l'exercice.		

Calculs :

① (100 000 $ × 3 %)

② Escompte à amortir	3 719 $
Durée d'amortissement	÷ 2
Amortissement annuel	1 859 $

③ (3 000 $ + 1 859 $)

Caisse	*100 000*	
Billet à recevoir		*100 000*
Encaissement d'un billet à l'échéance.		

Caisse	*100 000*	
Billet à recevoir		*100 000*
Encaissement d'un billet à l'échéance.		

Les écritures de la colonne de gauche appellent peu de commentaires, car elles reposent sur la méthode du taux d'intérêt effectif expliquée dans la partie I – Les IFRS du présent chapitre. Soulignons simplement que le taux d'intérêt effectif sert à calculer le produit d'intérêts annuel. La différence entre ce produit et le montant encaissé est comptabilisé dans le compte Billet à recevoir.

Comparons maintenant ces écritures avec celles de la colonne de droite. Premièrement, la comptabilisation initiale le 1er janvier 20X1 est essentiellement la même, sachant que le compte Escompte sur billets à recevoir est un compte de contrepartie du compte Billets à recevoir. On utilise ce compte de contrepartie uniquement pour simplifier le calcul de l'amortissement subséquent. Deuxièmement, comme le montre l'écriture du 31 décembre 20X1 et les calculs qui l'accompagnent, on a comptabilisé un amortissement de l'escompte égal à la moitié du solde de ce compte, car la durée d'amortissement est de 2 ans. On trouve ensuite par différence le montant du produit d'intérêts requis pour équilibrer l'écriture à cette date. Troisièmement, l'utilisation de la méthode du taux d'intérêt effectif conduit à la comptabilisation d'un produit annuel qui augmente au fil des ans (4 814 $ en 20X1 et 4 906 $ en 20X2), puisque la valeur comptable de la créance portant intérêt augmente elle aussi. Par comparaison, la méthode de l'amortissement linéaire conduit à un produit d'intérêts stable dans le temps (1 860 $ et 1 859 $ par année), même si la valeur comptable du billet augmente. D'une valeur initiale de 96 281 $, le billet a une valeur comptable de 98 141 $ [100 000 $ – (3 719 $ – 1 860 $)] le 31 décembre 20X1, qui passe à 100 000 $ [100 000 $ – (3 719 $ – 1 860 $ – 1 859 $)] à la date d'échéance.

L'évaluation subséquente au coût ou au coût amorti souffre quelques exceptions, outre l'évaluation des dérivés et des instruments financiers entrant dans une relation de couverture, dont traitera le chapitre 19. Premièrement, on doit évaluer à la juste valeur les placements en instruments de capitaux propres qui sont cotés sur un marché actif, car la juste valeur est alors objective et facile à obtenir. Il en est ainsi des placements en actions dont l'émetteur est une entreprise cotée en Bourse. Deuxièmement, une entreprise a aussi le choix d'évaluer ainsi tout actif financier, à la condition de faire ce choix de façon irrévocable lors de la comptabilisation initiale ou lorsqu'un placement en actions cesse d'être coté sur un marché actif. Ce choix se fait titre par titre.

Les NCECF diffèrent des IFRS par un autre aspect. Lorsqu'un actif financier est évalué à la juste valeur, les IFRS permettent de comptabiliser certaines variations de valeur dans les autres éléments du résultat global. La notion de résultat global étant totalement absente des NCECF, toutes les variations de la juste valeur sont comptabilisées en résultat net durant l'exercice où elles se produisent.

Enfin, le CNC précise le moment de la décomptabilisation uniquement pour les créances cédées, sujet qui sera traité dans le chapitre 6.

Les passifs financiers

Tout comme pour les actifs financiers, il existe des différences importantes entre les NCECF et les IFRS en ce qui concerne la comptabilisation des passifs financiers.

La comptabilisation initiale des passifs financiers

Peu importe le référentiel, une entreprise comptabilise ses passifs financiers au même **moment** et elle les **évalue** initialement à la juste valeur[54].

L'entreprise qui utilise les NCECF et qui devient partie prenante à une entente créant un passif financier envers un **apparenté** doit cependant évaluer ce passif financier selon le **chapitre 3840**. Un tel passif est évalué à la valeur comptable, sauf s'il s'agit d'une opération monétaire ou d'une opération non monétaire qui présente une substance commerciale, sans être un échange de bien destiné à être vendu dans le cours normal des affaires afin de faciliter les ventes. Dans ces cas d'exception, on évalue le passif financier à la valeur d'échange.

Tout comme l'IASB, le CNC permet que certains passifs financiers soient initialement classés comme étant par la suite évalués à la juste valeur. Un tel classement, qui se fait titre par titre, ne doit pas nécessairement être justifié selon les NCECF, contrairement aux IFRS, qui permettent un tel classement seulement dans les cas où il conduirait à des informations d'une pertinence accrue, qui pourrait découler, par exemple d'une non-concordance comptable.

La comptabilisation subséquente des passifs financiers

Les passifs financiers sont subséquemment évalués au coût amorti, sauf si l'entreprise a fait le choix irrévocable de les évaluer à la juste valeur ou s'il s'agit d'un **passif financier indexé**. Un tel passif entraînera des sorties de fonds dont le montant dépend d'un facteur d'indexation. Celui-ci peut être un indicateur de performance financière de l'entité, tel son pourcentage d'augmentation du bénéfice net, ou la variation de la valeur de ses capitaux propres. Par exemple, le montant d'une dette à rembourser à l'échéance pourrait augmenter de 1 % pour chaque tranche d'augmentation de 5 % du bénéfice de l'entreprise. Le CNC recommande d'évaluer ces passifs financiers indexés au coût amorti, comme on le fait pour les autres passifs financiers, mais de procéder à un ajustement :

> À chaque date de clôture, [l'entreprise] ajuste la valeur comptable du passif de façon à ce qu'elle corresponde à la plus élevée des deux valeurs suivantes :
>
> i) son coût après amortissement,
>
> ii) la somme qui serait payable à la date de clôture si l'on calculait à cette date le supplément résultant de l'indexation (la valeur de conversion ou la valeur intrinsèque).

54. Rappelons que les NCECF ne comportent pas de norme équivalente à l'**IFRS 13** et que la juste valeur n'est donc pas nécessairement évaluée de la même façon selon les deux référentiels.

Le montant de l'ajustement [...] doit être comptabilisé en résultat net et présenté comme une composante distincte de la charge d'intérêts[55].

IFRS
Caractéristique qualitative

Cette recommandation repose sur la **qualité** de la prudence que l'on trouve dans le cadre conceptuel des NCECF, et non dans celui des IFRS. La même raison explique aussi que le CNC précise qu'un **passif financier remboursable à vue** est au moins égale « à la somme payable à vue, actualisée à partir de la première date à laquelle le paiement pourrait être exigé[56] ». La caractéristique de remboursement à vue implique que le créancier peut exiger le remboursement de la dette au moment qui lui convient, et ce, dès le moment où la dette est contractée ou à partir d'une date subséquente, déterminée dans l'accord contractuel. Par exemple, une entreprise pourrait contracter en 20X1 une dette bancaire remboursable en un seul versement le 31 décembre 20X9, pour laquelle la banque s'est gardée le droit d'exiger le remboursement total dès la fin de 20X7. De 20X1 à 20X7, les états financiers montreront la dette évaluée à la valeur actualisée du montant qui pourrait devoir être remboursé dès 20X7.

La présentation des instruments financiers dans le corps même des états financiers

Autre risque de prix
État de la situation financière
Profits

Les référentiels IFRS et NCECF offrent la même typologie des risques et ne diffèrent que par le nom qu'ils donnent au **risque de prix autre**. De même, il n'existe pas de différence notable entre la présentation des instruments financiers dans le **bilan**, plus précisément dans la présentation à titre de passif ou de capitaux propres. De ce fait, la présentation des intérêts, dividendes, pertes et **gains** rattachés à un passif financier sont comptabilisés en résultat net et ceux liés à des instruments de capitaux propres sont présentés directement dans les capitaux propres.

Lorsqu'une entreprise émet un **instrument financier composé** comportant à la fois une composante de passif et une composante de capitaux propres, elle doit présenter distinctement chaque composante. Étant donné que l'évaluation de chacune peut parfois s'avérer une tâche délicate, le CNC laisse aux entreprises le choix entre deux méthodes. La première, la plus simple, consiste à attribuer une valeur nulle à la composante de capitaux propres, ce qui conduit à évaluer la composante de passif au montant total reçu lors de l'emprunt. La seconde est un peu plus complexe. On évalue d'abord la composante la plus facile à évaluer, puis on soustrait ce montant du produit total reçu. Le résidu ainsi obtenu est attribué à l'autre composante.

EXEMPLE

Évaluation d'un instrument financier composé

Reprenons l'exemple de la société Dico ltée (*voir l'énoncé à la page 4.41*). Conformément aux NCECF, la société a le choix entre les deux traitements ci-dessous.

Répartition de la valeur comptable			Composante de capitaux propres évaluée à une valeur nulle		
Caisse	*480 000*		*Caisse*	*480 000*	
Obligations à payer		*445 394*	*Obligations à payer*		*480 000*
Privilège de conversion		*34 606*	*Émission, au prix de 480 000 $, d'obligations à payer convertibles portant intérêt au taux de 10 % par année et échéant dans 5 ans.*		
Émission, au prix de 480 000 $, d'obligations à payer convertibles portant intérêt au taux de 10 % par année et échéant dans 5 ans.					

L'entreprise qui envisage d'attribuer une valeur nulle à la composante de capitaux propres par souci de simplicité doit toutefois être consciente que cette façon de faire a pour effet d'augmenter son ratio d'endettement comparativement à la répartition de la valeur comptable.

55. *Manuel de CPA Canada – Comptabilité – Partie II*, paragr. 3856.14c).

56. *Manuel de CPA Canada – Comptabilité – Partie II*, paragr. 3856.A12.

Selon les NCECF, les actions émises à titre de mesure de planification fiscale doivent être présentées, à la valeur nominale ou à la valeur attribuée, dans un poste distinct des capitaux propres, même si ces actions sont rachetables au gré du détenteur. Notez que ces deux valeurs seront expliquées au chapitre 13. On doit clairement indiquer qu'elles sont rachetables au gré du détenteur. Ce n'est qu'au moment où celui-ci demande le rachat qu'elles sont classées à titre de passif. Ces règles particulières s'expliquent par le fait que, dans un tel contexte, les actions sont émises au bénéfice du ou des fondateurs de l'entreprise afin de faciliter le transfert de la propriété de l'entreprise à leurs enfants. Même si les fondateurs obtiennent des actions rachetables à leur gré, ils ne forceront normalement pas le rachat des actions si cela met la survie de l'entreprise en danger.

Enfin, les deux référentiels sont identiques en ce qui concerne la **compensation** d'un actif et d'un passif financier.

Les informations à fournir dans les notes

Selon le chapitre 3856, l'objectif visé par les informations à fournir est de permettre aux utilisateurs des états financiers d'évaluer l'importance des instruments financiers au regard de la situation financière et de la performance financière de l'entreprise. Comparativement à l'IASB, le CNC impose toutefois de fournir moins d'informations pour atteindre cet objectif. Voici une liste plutôt sommaire de ces informations.

Concernant les actifs financiers

1. La valeur comptable de chaque catégorie d'actifs financiers, soit ceux évalués au coût amorti, ceux évalués à la juste valeur et les placements dans des instruments de capitaux propres évalués au coût (paragr. 3856.38) ;
2. La ventilation des créances et des effets à recevoir selon :
   a. leur nature, par exemple les comptes clients et les créances sur des parties apparentées,
   b. le fait qu'ils sont à court ou à long terme (paragr. 3856.39) ;
3. Des renseignements additionnels sur les cessions de créances, comme nous le verrons plus en détail dans le chapitre 6 ;
4. Le montant de la dépréciation des comptes clients (paragr. 3856,42) ;
5. La valeur comptable des actifs financiers dépréciés et le montant de toute provision pour dépréciation de ces actifs, autres que les comptes clients (paragr. 3856,42) ;

Concernant les passifs financiers

6. Une description des dettes à long terme, incluant par exemple la date d'échéance, le taux d'intérêt et les modalités de remboursement (paragr. 3856.43) ;
7. La valeur comptable des passifs financiers garantis, incluant celle des actifs donnés en garantie des passifs ainsi que les conditions qui permettraient au créancier de saisir les actifs en cause (paragr. 3856.44) ;
8. Le montant global des versements à effectuer au cours de chacun des cinq prochains exercices à l'égard des dettes à long terme (paragr. 3856.45) ;
9. Le fait qu'une dette existante à la date de clôture ait été en souffrance pendant l'exercice et si le manquement a été réparé (paragr. 3856.46) ;
10. Des renseignements permettant de bien comprendre les caractéristiques des modes de financement, tels que les caractéristiques des instruments financiers composés, celles des passifs financiers indexés ou des actions émises à titre de mesure de planification fiscale (paragr. 3856.47) ;

Concernant les éléments du résultat

11. La présentation distincte des gains et pertes sur les instruments financiers, les produits d'intérêts, les charges d'intérêts sur le passif à court terme, les charges d'intérêts sur le passif à long terme, les dépréciations et les reprises de valeur (paragr. 3856.52) ;

12. Les revenus tirés de placements évalués à la juste valeur, et de placements évalués au coût, doivent être présentés séparément, dans le corps même de l'**état des résultats** (paragr. 3856.19A);

IFRS État du résultat global

Concernant les risques

13. Pour chaque type de risques, les expositions et leurs causes, les changements survenus pendant l'exercice à cet égard ainsi que les concentrations de risques (paragr. 3856.53 et 3856.54).

Les états financiers de Josy Dida inc.

Le lecteur peut consulter les états financiers de Josy Dida inc., disponibles dans la plateforme *i+ Interactif*, pour voir un exemple d'application de ces normes. Outre la note 22 portant précisément sur les instruments financiers, les notes 4, 6, 10, 15 et 16 comprennent certains renseignements à l'égard de ces instruments. Le lecteur pourrait s'inspirer de cet exemple s'il a à préparer des états financiers en NCECF.

Pour bien saisir l'application du chapitre 3856 des NCECF, reprenons l'exemple de la société Dico ltée.

EXEMPLE

Bilan et résultats de Dico ltée au 31 décembre 20X0

Voici le bilan de Dico ltée au 31 décembre 20X0, qui ne présente que les instruments financiers. Les informations qui figurent dans la colonne de gauche proviennent de l'état de la situation financière présenté à la page 4.44. Pour préparer le bilan de la colonne de droite, nous tenons compte de deux nouvelles données. Les obligations détenues à titre de placement se négocient sur un marché actif et les actions de catégorie B ont été émises dans le cadre d'une mesure de planification fiscale. Nous posons de plus l'hypothèse que Dico ltée choisit d'utiliser les traitements comptables qui requièrent le moins de travail possible. Cette hypothèse prend en considération le petit nombre d'utilisateurs externes et leurs relations privilégiées avec l'entreprise qui leur permet, au besoin, d'obtenir toute information complémentaire qu'ils jugeraient utile.

Selon les IFRS		*Selon les NCECF*	
DICO LTÉE *Situation financière partielle* *au 31 décembre 20X0*		*DICO LTÉE* *Bilan partiel* *au 31 décembre 20X0*	
Actif courant		***Actif à court terme***	
Trésorerie	*XXX $*	*Trésorerie*	*XXX $*
Clients, au coût	*XXX*	*Clients* ①	*XXX*
Billet à recevoir, au coût amorti	*1 000*	*Billet à recevoir*	*1 000*
Placement en actions de Bombarde inc., à la juste valeur par le biais du résultat net	*104 000*	*Placement en actions de Bombarde inc. évaluées à la juste valeur* ②	*104 000*
Actif non courant		***Actif à long terme***	
Prêts à recevoir, au coût amorti	*40 000*	*Prêts à recevoir* ③	*50 000*
Prêts à recevoir à la juste valeur par le biais du résultat net	*10 000*		
Placements en obligations à la juste valeur par le biais des autres éléments du résultat global	*1 075*	*Placements en obligations évaluées à la juste valeur* ④	*1 075*
Placement en actions de Supérieure ltée, à la juste valeur par le biais des autres éléments du résultat global	*104 616*	*Placement en actions de Supérieure ltée* ⑤	*105 346*
Montant des instruments financiers inclus dans le total de l'actif	***260 691 $***	***Montant des instruments financiers inclus dans le total de l'actif***	***261 421 $***
Passif courant			
Fournisseurs, au coût amorti	*XXX $*	*Fournisseurs*	*XXX $*
Billets à payer, au coût amorti	*XXX*	*Billets à payer*	*XXX*

Passif non courant			
Emprunt bancaire, au coût amorti	*XXX*	*Emprunt bancaire*	*XXX*
Obligations à payer	*445 394*	*Obligations convertibles à payer* ⑥	*480 000*
Actions de catégorie B rachetables au gré du détenteur	*20 000*		
Montant des instruments financiers inclus dans le total du passif	***465 394 $***	***Montant des instruments financiers inclus dans le total du passif***	***480 000 $***
Capitaux propres		***Capitaux propres***	
Actions de catégorie A rachetables au gré de Dico ltée	*XXX $*	*Actions de catégorie A rachetables au gré de Dico ltée*	*XXX $*
		Actions de catégorie B rachetables au gré du détenteur ⑦	*20 000*
Privilège de conversion	*34 606*		
Résultats non distribués	*XXX*	*Bénéfices non répartis*	*XXX*
Montant des instruments financiers inclus dans le total des capitaux propres	***34 606 $***	***Montant des instruments financiers inclus dans le total des capitaux propres***	***20 000 $***

Calculs et explications :

① Puisque la majorité des instruments financiers sont évalués au coût ou au coût amorti, la plupart des entreprises n'indiquent pas, dans le corps même du bilan, ce mode d'évaluation. À l'instar de ces entreprises, nous retenons des intitulés de compte qui précisent uniquement les instruments financiers évalués à la juste valeur.

② Puisque les données fournies à la page 4.29 indiquent que Bombarde inc. est une société cotée en Bourse, les NCECF exigent de les évaluer à la juste valeur.

③ Puisque tous les prêts à recevoir sont évalués au coût, on présente uniquement leur valeur comptable totale.

④ Puisque les obligations se négocient sur un marché actif, les NCECF exigent de les évaluer à la juste valeur.

⑤ Selon les données de la page 4.27 la société Supérieure ltée n'est pas cotée en Bourse. Dico ltée peut donc choisir d'évaluer les actions à leur coût, évitant ainsi de devoir procéder à de nombreuses estimations qui seraient nécessaires pour en déterminer la juste valeur. Soulignons que Dico ltée devra faire un test de dépréciation sur cet actif selon les modalités que nous expliquerons au chapitre 6.

⑥ La décision de Dico ltée d'utiliser les traitements comptables les plus simples explique que la totalité du produit d'émission est comptabilisée à titre de passif. Aucune valeur n'est donc attribuée au privilège de conversion, qui est une composante de capitaux propres.

⑦ Bien que ces actions rachetables soient en substance des passifs, les NCECF prévoient une exception lorsqu'elles sont émises à titre de mesure de planification fiscale. Elles sont alors présentées distinctement dans la section des capitaux propres.

Voici maintenant un extrait de l'état des résultats.

Selon les IFRS

DICO LTÉE
Résultat global partiel
au 31 décembre 20X0

Produits financiers – Intérêts sur actif courant au coût amorti		*50 $*
Produits financiers – Dividendes sur actions à la juste valeur par le biais du résultat net	*7 000*	
Perte découlant de la variation de valeur des placements en actions à la juste valeur par le biais du résultat net	*(1 000)*	
Produits financiers – Intérêts sur actif à la juste valeur par le biais des autres éléments du résultat global	*100*	
Produits financiers – Dividendes sur actions à la juste valeur par le biais des autres éléments du résultat global	*8 000*	
Intérêts débiteurs sur les obligations convertibles	*(48 000)*	
Dividendes sur actions de catégorie B, rachetables et classées dans le passif	*(1 000)*	
[...]		
Montant lié aux instruments financiers et inclus dans le résultat net	*(34 850)*	
Autres éléments du résultat global		
Profit latent sur actif à la juste valeur par le biais des autres éléments du résultat global	*75*	
Perte latente découlant de la variation de valeur des placements en actions à la juste valeur par le biais des autres éléments du résultat global (choix irrévocable)	*(730)*	
[...]		
Montant lié aux instruments financiers et inclus dans le résultat global	*(35 505) $*	

Selon les NCECF

DICO LTÉE
Résultats partiels
au 31 décembre 20X0

Produits financiers – Intérêts sur actif courant au coût amorti ①		*50 $*
Produits financiers – Dividendes sur actions évaluées à la juste valeur ①	*7 000*	
Perte découlant de la variation de valeur des placements en actions évalués à la juste valeur ②	*(1 000)*	
Gain découlant de la variation de valeur du placement en obligations évaluées à la juste valeur ③	*75*	
Produits financiers – Intérêts sur obligations ①	*100*	
Produits financiers – Dividendes sur actions ①	*8 000*	
Intérêts débiteurs sur les obligations convertibles	*(48 000)*	
(voir l'explication ④)		
[...]		
Montant lié aux instruments financiers et inclus dans le résultat net	*(33 775) $*	
(voir l'explication ⑤)		

Explications :

① Peu importe le référentiel comptable, les produits d'intérêts et de dividendes sur les actifs financiers sont comptabilisés au même moment.

② Comme le placement en actions est évalué à la juste valeur selon les deux référentiels et que les variations dans cette juste valeur sont affectées en résultat net selon les IFRS, le traitement comptable est le même selon les deux ensembles de normes.

③ La notion de résultat global n'existe pas selon les NCECF ; la variation dans la valeur du placement en obligations est donc comptabilisée à titre de gain dans l'état des résultats.

④ Puisque ces actions rachetables ont été émises à titre de mesure de planification fiscale, les NCECF exigent de les présenter dans les capitaux propres. C'est pourquoi les dividendes versés sur ces actions sont exclus de l'état des résultats. Ils affectent directement les bénéfices non répartis.

⑤ La notion de résultat global n'existe pas selon les NCECF.

En comparant les deux états, on constate que les NCECF ne distinguent pas le résultat net et les autres éléments du résultat global. On constate de plus que le montant de résultat diffère selon les deux référentiels (un résultat global négatif de 35 505 $ selon les IFRS et de 33 775 $ selon les NCECF).

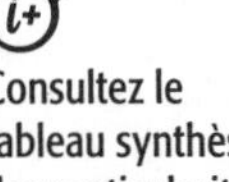

Consultez le tableau synthèse des particularités des NCECF.

SYNTHÈSE DU CHAPITRE 4

La figure 4.10 illustre en un coup d'œil les principaux thèmes abordés dans le présent chapitre. Le texte qui suit la figure vous permettra de vérifier l'acquisition des objectifs d'apprentissage.

4

FIGURE 4.10 Les principaux thèmes abordés dans le présent chapitre

Comptabilisation des instruments financiers (IAS 39 et IFRS 9)	NCECF
D'un actif financier	
• Au coût amorti si respecte trois conditions (*voir la figure 4.3 pour un complément d'information*).	Au coût ou au coût amorti, sauf exception
• À la juste valeur par le biais des autres éléments du résultat global si respecte certaines conditions contractuelles et si détenu dans le but de percevoir à la fois les flux de trésorerie contractuels et ceux de la vente.	Catégorie inexistante
• Placements en titres de capitaux propres À la juste valeur par le biais des autres éléments du résultat global (choix irrévocable).	Catégorie inexistante
• Sinon, À la juste valeur par le biais du résultat net, ou au choix si cette évaluation élimine ou réduit une non-concordance comptable.	Choix possibles sans condition
D'un passif financier • Au coût amorti, sauf exception.	Idem, mais les exceptions diffèrent
• Si un passif financier est évalué À la juste valeur par le biais du résultat net, les variations de celle-ci sont comptabilisées en résultat net, sauf les variations liées à la détérioration du risque de crédit qui sont comptabilisées en AERG.	Option inexistante

Présentation dans le corps même des états financiers (IAS 32)

Principe : La substance guide la présentation.

✓ On comptabilise distinctement les composantes d'un instrument financier composé.

✓ On présente en résultat net :
- les produits financiers et les autres profits et pertes sur les instruments financiers À la juste valeur par le biais du résultat net ;
- les autres profits et pertes sur les instruments financiers décomptabilisés, à l'exception des actifs financiers À la juste valeur par le biais des autres éléments du résultat global (choix irrévocable) ; — *Option inexistante*
- les charges financières sur les passifs financiers.

✓ On présente dans les autres éléments du résultat global les autres profits et pertes liés à un actif financier À la juste valeur par le biais des autres éléments du résultat global. — *Option inexistante*

✓ On compense un actif financier et un passif financier uniquement :
- s'il existe un droit juridiquement exécutoire ;
- si l'entreprise a l'intention soit de régler le montant net, soit de réaliser l'actif et de régler le passif simultanément.

(Voir la figure 4.6 pour un complément d'information.)

Informations à fournir dans les notes (IFRS 7)

Principe : Fournir toute information possédant les caractéristiques qualitatives énumérées dans le Cadre.

✓ On doit fournir toute information permettant aux utilisateurs des états financiers d'évaluer :
- l'importance des instruments financiers au regard de la situation financière et de la performance de l'entreprise ;
- la nature et l'ampleur des risques auxquels l'entreprise est exposée ainsi que la façon dont elle les gère. — *Objectif absent*

(Voir la figure 4.8 pour un complément d'information.)

 **Décrire le contexte à l'origine des instruments financiers et reconnaître ce que constitue un instrument financier.** La disponibilité des technologies de l'information et des communications, les changements survenus dans les politiques monétaires et la mondialisation ont rendu les marchés financiers très instables. Les experts financiers ont donc conçu une foule d'instruments financiers susceptibles de protéger les entreprises assujetties à des risques.

Un instrument financier est un contrat entre deux parties. Selon ce contrat, une partie détient un actif financier et l'autre assume un passif financier ou émet un titre de capitaux propres. La plupart des actifs sont des actifs financiers, à l'exception des impôts recouvrables et des actifs d'impôt différé, des stocks, des immobilisations et des frais payés d'avance. De même, la plupart des passifs sont des passifs financiers, à l'exception des produits différés, des provisions pour garanties, des impôts exigibles et des passifs d'impôt différé.

 **Comptabiliser les actifs financiers lors de leur acquisition.** L'IFRS 9 contient les règles comptables liées à la comptabilisation des actifs et des passifs financiers. L'entreprise comptabilise un actif financier lorsqu'elle devient partie prenante au contrat à l'origine de l'instrument. La comptabilisation initiale repose sur la juste valeur et le classement des actifs financiers. La première classe comprend les actifs financiers qui seront évalués subséquemment au coût amorti. Elle englobe les actifs financiers : 1) qui génèrent des flux de trésorerie contractuels ; 2) dont le montant des flux couvrent uniquement le recouvrement du principal et des intérêts à recouvrer sur le principal ; et 3) qui sont gérés de façon à encaisser tous les flux de trésorerie jusqu'à leur échéance.

Une deuxième classe d'actifs financiers comprend deux sous-classes. La première regroupe les actifs financiers qui génèrent des flux de trésorerie contractuels qui se limitent au recouvrement du principal et à des encaissements d'intérêts sur le principal restant à recouvrer. De plus, ces actifs doivent être détenus dans le but de percevoir à la fois les flux de trésorerie contractuels et ceux de la vente. La seconde sous-classe comprend des actifs financiers sous forme de titres de capitaux propres pour lesquels l'entreprise a choisi, de façon irrévocable, de comptabiliser les autres profits et pertes dans les autres éléments du résultat global.

La troisième et dernière classe comprend tous les autres actifs financiers qui n'entrent pas dans les deux premières. On les désigne comme étant des actifs financiers évalués À la juste valeur par le biais du résultat net. Une entreprise peut aussi classer les actifs financiers dans cette catégorie si cela réduit une non-concordance comptable.

 **Évaluer les actifs financiers après leur date d'acquisition selon leur classement.** On utilise la méthode du taux d'intérêt effectif pour déterminer le coût amorti des actifs financiers appartenant à la première classe.

En ce qui concerne les actifs financiers classés À la juste valeur par le biais des autres éléments du résultat global, on utilise aussi la méthode du taux d'intérêt effectif pour déterminer les produits d'intérêts, lesquels sont comptabilisés en résultat net. Les autres profits et pertes liés aux variations de la juste valeur sont comptabilisés dans les autres éléments du résultat global puis ils sont virés en résultat net lors de la décomptabilisation de l'actif en cause. Les actifs financiers classés À la juste valeur par le biais des autres éléments du résultat global par choix irrévocable sont comptabilisés de la même façon, à l'exception du fait que les autres profits et pertes cumulés dans les autres éléments du résultat global ne sont pas virés en résultat net lorsque les actifs sont décomptabilisés.

Enfin, les variations de la juste valeur des titres classés À la juste valeur par le biais du résultat net sont comptabilisées en résultat net dès qu'elles se produisent.

 **Reclasser et décomptabiliser les actifs financiers.** Il est possible de reclasser des actifs financiers lorsque l'entreprise change son modèle économique de gestion des actifs, ce qui se produit plutôt rarement. L'incidence comptable de ce changement ne se fait pas sentir lorsque la direction de l'entreprise change son modèle mais uniquement à la date de reclassement, soit le premier jour de l'exercice financier qui suit celui où la direction a changé son modèle. Cette règle a notamment pour objectif d'éviter les manipulations arbitraires du résultat comptable et de la situation financière. On décomptabilise un actif financier lorsque les droits sur cet actif expirent ou lorsque l'actif est transféré à un tiers.

 **Appliquer les traitements comptables acceptables aux passifs financiers.** La comptabilisation des passifs financiers ressemble à maints égards à celle des actifs financiers. Elle s'en distingue de trois façons, à savoir : 1) qu'il n'est pas nécessaire d'analyser les critères présentés dans la figure 4.3 lors du classement initial d'un passif financier ; 2) que les

reclassements subséquents sont interdits ; 3) que les passifs financiers ne sont pas assujettis au test de dépréciation.

Présenter les instruments financiers dans le corps même des états financiers. Conformément aux recommandations de l'IAS 32, la substance des instruments financiers dicte leur présentation. Ainsi, on présente dans la section du passif tout instrument financier émis, sauf s'il respecte les deux conditions suivantes, lesquelles conduisent à leur présentation dans les capitaux propres. Premièrement, l'instrument n'inclut aucune obligation contractuelle de céder de la trésorerie ou un autre actif financier ou d'échanger des instruments financiers à des conditions potentiellement défavorables. Deuxièmement, si l'instrument financier émis peut être réglé en titre de capitaux propres de l'émetteur, celui-ci cédera alors un nombre fixe de titres de capitaux propres. Si un instrument financier comporte deux composantes, chacune est présentée selon sa substance.

4

La présentation des opérations afférentes aux instruments financiers dans l'état du résultat global ou dans l'état des variations des capitaux propres doit être cohérente par rapport à leur présentation dans l'état de la situation financière. D'une part, on doit présenter en résultat net : 1) les produits financiers et les autres profits et pertes sur les instruments financiers À la juste valeur par le biais du résultat net, 2) les autres profits et pertes sur les instruments financiers décomptabilisés, à l'exception des actifs financiers À la juste valeur par le biais des autres éléments du résultat global (choix irrévocable) et 3) les charges financières sur les passifs financiers. D'autre part, on doit présenter dans les autres éléments du résultat global les autres profits et pertes sur les actifs financiers À la juste valeur par le biais des autres éléments du résultat global.

Déterminer si la compensation de deux instruments financiers est acceptable. Il est nécessaire d'opérer une compensation, c'est-à-dire présenter le solde net entre un actif financier et un passif financier, si une entreprise remplit deux conditions : en premier lieu, elle doit posséder un droit juridiquement exécutoire d'opérer une compensation ; en second lieu, elle doit avoir l'intention de régler le montant net ou de réaliser simultanément l'actif financier et le passif financier.

Présenter les informations liées aux instruments financiers dans les notes aux états financiers. Conformément à l'IFRS 7, les entreprises doivent fournir beaucoup d'information afin d'atteindre deux objectifs. Le premier consiste à présenter toute information utile aux utilisateurs des états financiers afin qu'ils comprennent l'importance des instruments financiers. À cette fin, l'IASB précise les informations complémentaires à fournir en ce qui concerne les postes de l'état de la situation financière, de l'état du résultat global ainsi que de l'état des variations des capitaux propres. De plus, les états financiers informent les utilisateurs sur les méthodes comptables retenues et les justes valeurs. Le second objectif consiste à présenter toute information utile aux utilisateurs des états financiers pour qu'ils saisissent la nature et l'ampleur des risques auxquels les instruments financiers exposent l'entreprise. À cette fin, l'IASB précise les informations complémentaires à présenter, soit : 1) des analyses qualitatives ; 2) des analyses quantitatives ; 3) des informations sur le risque de crédit que nous détaillerons au chapitre 6 du présent ouvrage ; 4) des informations sur le risque de liquidité ; 5) des informations sur le risque de marché.

Comprendre et appliquer les NCECF liées aux instruments financiers. Le chapitre 3856 est beaucoup plus souple que les normes correspondantes dans les IFRS. En effet, il permet à une entreprise qui souhaite simplifier son travail comptable de comptabiliser tous ses actifs et passifs financiers au coût, ou au coût amorti, à l'exception des placements dans des instruments de capitaux propres qui se négocient sur un marché actif, lesquels doivent être évalués à la juste valeur. Le chapitre 6 présentera les différences portant sur la comptabilisation des dépréciations et des créances. Par ailleurs, une entreprise qui applique les NCECF est libre d'évaluer ses actifs et passifs financiers à la juste valeur. Dans ce dernier cas, elle doit comptabiliser en résultat net toutes les variations de juste valeur dès qu'elles se produisent. Les informations à présenter dans le corps même des états financiers sont semblables selon les deux référentiels. Ceux-ci diffèrent par contre de manière importante en ce qui a trait aux informations complémentaires à fournir dans les notes, les NCECF étant beaucoup moins exigeantes.

DEUXIÈME PARTIE

Les actifs

DEUXIÈME PARTIE
Les actifs

Afin d'exercer ses activités, l'entreprise a besoin de ressources économiques. Les actifs représentent les ressources économiques à la disposition de l'entreprise sur lesquelles elle exerce un contrôle à la suite d'événements passés et qui sont susceptibles de lui procurer des avantages économiques futurs. La deuxième partie du présent ouvrage porte sur la description et l'analyse des normes de comptabilisation et de présentation des actifs.

La trésorerie

5

Des ressources pédagogiques sont disponibles en ligne.

Objectifs d'apprentissage

À la fin de ce chapitre, vous pourrez :

1. déterminer les éléments qui composent la trésorerie et expliquer les principes de base de la gestion de la trésorerie ;
2. comptabiliser les opérations réglées à même la petite caisse ;
3. préparer un rapprochement bancaire et l'écriture de régularisation qui en découle ;
4. présenter la trésorerie dans les états financiers ;
5. comprendre et appliquer les NCECF liées à la trésorerie.

Aperçu du chapitre

Pour certains, la trésorerie évoque une image de richesse, un portefeuille rempli de billets de banque. Pour d'autres, elle inspire des soucis : comment régler les factures à payer, compte tenu d'un manque d'argent ? Peu de gens y sont totalement indifférents. Il est vrai qu'au cours des dernières décennies, les cartes bancaires et les cartes de crédit ont remplacé les billets de banque dans bon nombre de transactions. Il ne s'agit là que d'un changement de forme qui ne modifie en rien l'importance d'avoir suffisamment d'argent pour faire face à des engagements.

Un niveau suffisant de trésorerie est tout aussi important pour les entreprises. La trésorerie est indispensable pour assurer leur survie et pour fournir un rendement aux créanciers et aux actionnaires. Dans la partie I – Les IFRS du présent chapitre, nous traiterons d'abord des **notions générales,** des **éléments constitutifs** de la trésorerie et de sa **gestion.** Puis, nous ferons l'analyse détaillée de deux éléments particuliers, soit la **petite caisse** et le **rapprochement bancaire.** Finalement, nous présenterons la trésorerie dans les **états financiers.** Dans la partie II – Les NCECF, nous verrons qu'il n'existe aucune différence entre les IFRS et les **NCECF** à cet égard.

PARTIE I – LES IFRS

 Équivalents terminologiques *Manuel de CPA Canada* – Partie I et Partie II.

 Les notions générales

En auscultant les états financiers d'une entreprise, personne n'est surpris de constater un montant relativement petit dans le poste Trésorerie. Est-ce pour autant un élément négligeable pour les utilisateurs de cette information ?

La réponse est évidemment négative. Pour s'en convaincre, il suffit de se rappeler qu'un état financier distinct, soit le tableau des flux de trésorerie, expliqué aux chapitres 2 et 23, montre le détail des opérations ayant entraîné une variation dans la trésorerie ou les équivalents de trésorerie. S'intéresser à la trésorerie, c'est s'intéresser à ses variations et aux opérations qui les génèrent. D'ailleurs, avec un peu d'audace, il est possible de voir la trésorerie comme la pierre angulaire de toutes les opérations.

La trésorerie peut indéniablement être perçue comme un réservoir par lequel transitent la plupart des opérations. Elle constitue en quelque sorte le cœur, la pompe génératrice des flux de trésorerie qui alimentent le bon fonctionnement de l'entreprise. Elle permet également d'évaluer la santé financière de cette dernière. En effet, de l'analyse de la dynamique des flux passés (soit les rentrées et les sorties de ce «réservoir») et des prévisions des flux futurs, il ressort des indices significatifs concernant la **solvabilité** de l'entreprise. Il faut savoir que cette notion de solvabilité renvoie à la capacité d'un emprunteur à faire face à ses engagements financiers[1]. De plus, on sait intuitivement que le niveau du réservoir n'est pas constant, que des mouvements sont causés par les multiples opérations qui y transitent. En conséquence, la solvabilité d'une organisation est le produit d'une dynamique orchestrée judicieusement afin que le «réservoir» se maintienne au niveau optimal[2].

Lorsque les utilisateurs externes des états financiers tentent de prévoir les flux de trésorerie, c'est précisément la santé financière de l'entreprise qu'ils cherchent à évaluer. C'est pour cette raison que toutes les opérations relatives aux flux de trésorerie doivent être adéquatement dévoilées, comme nous l'avons mentionné dans notre explication du tableau des flux de trésorerie au chapitre 2 et comme nous l'expliquerons en détail au chapitre 23.

Les éléments constitutifs

Qu'entend-on par **trésorerie** ? L'argent est un moyen d'échange. L'entreprise est sans cesse appelée à effectuer des échanges avec des tiers dans le cadre de ses opérations courantes. Bon nombre des opérations d'échange ainsi effectuées demandent une contrepartie immédiate en argent; elles se traduisent donc par une rentrée ou une sortie de trésorerie. Il existe, sous-jacente à cette notion d'immédiateté, une propriété importante de l'argent: sa disponibilité. La trésorerie est un actif disponible, **liquide**, c'est-à-dire dont on peut librement disposer. Cette notion sert de base pour déterminer ce qui fait ou ne fait pas partie du poste Trésorerie.

Les exclusions

Dans le tableau 5.1, nous énumérons certains éléments qui sont parfois intégrés à tort aux éléments constitutifs de la trésorerie. Nous y justifions leur exclusion et les reclassons selon leur substance[3].

TABLEAU 5.1 Les exclusions de la trésorerie

Éléments	Justification	Classement dans l'état de la situation financière
Reconnaissance de dette (*I owe you [IOU]*)	Puisque la somme d'argent a été prêtée à un membre du personnel, elle n'est pas disponible pour l'entreprise.	Avance à un membre du personnel (effet à recevoir)
Timbres-poste	Puisque la somme est déjà transformée en un autre actif, elle n'est plus disponible.	Charges payées d'avance (lorsque substantielles)
Dépôt à terme et certificat de dépôt	Bien qu'il s'agisse d'actifs très liquides, certaines formalités et pénalités sont rattachées à leur transformation en trésorerie avant terme. Ils ne sont donc pas totalement disponibles.	Placements courants
Chèque postdaté reçu d'un client	La somme d'argent ne sera disponible pour l'entreprise qu'à compter de la date inscrite sur le chèque; entre-temps, c'est comme si le client n'avait pas encore payé.	Clients
Fonds d'amortissement (contractuel ou non)	Puisque les sommes sont réservées à des fins particulières, elles ne représentent pas des montants disponibles.	Placements non courants

Les composantes

Quelles sont donc les composantes de la trésorerie ? En fait, on désire connaître la composition des sommes disponibles dont le montant est inscrit à ce poste dans l'état de la situation financière.

1. Louis Ménard et collaborateurs, *Dictionnaire de la comptabilité et de la gestion financière*, 3e édition, Comptables professionnels agréés du Canada, 2014, version 3.1.
2. Chaque entreprise doit déterminer son niveau optimal, c'est-à-dire celui qui lui permet de minimiser les coûts et de maximiser le rendement, en fonction de ses besoins.
3. Ces éléments sont classés de façon à refléter la nature des actifs en cause conformément à la caractéristique qualitative de fidélité énoncée dans le «Cadre conceptuel de l'information financière» (le Cadre) (*voir le chapitre 1*).

Pour ce faire, représentons par 25 billes le montant du poste Trésorerie figurant dans les états financiers :

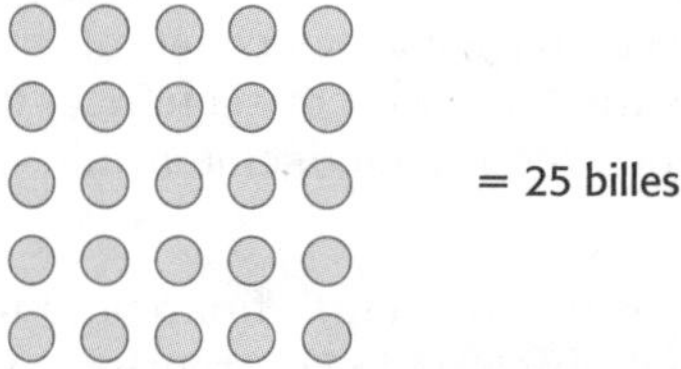

Ces billes peuvent revêtir différentes formes physiques et être disposées à différents endroits. Dans la figure 5.1, nous illustrons, à l'aide de la représentation symbolique des bocaux, un regroupement possible de ces billes.

FIGURE 5.1 Les composantes de la trésorerie

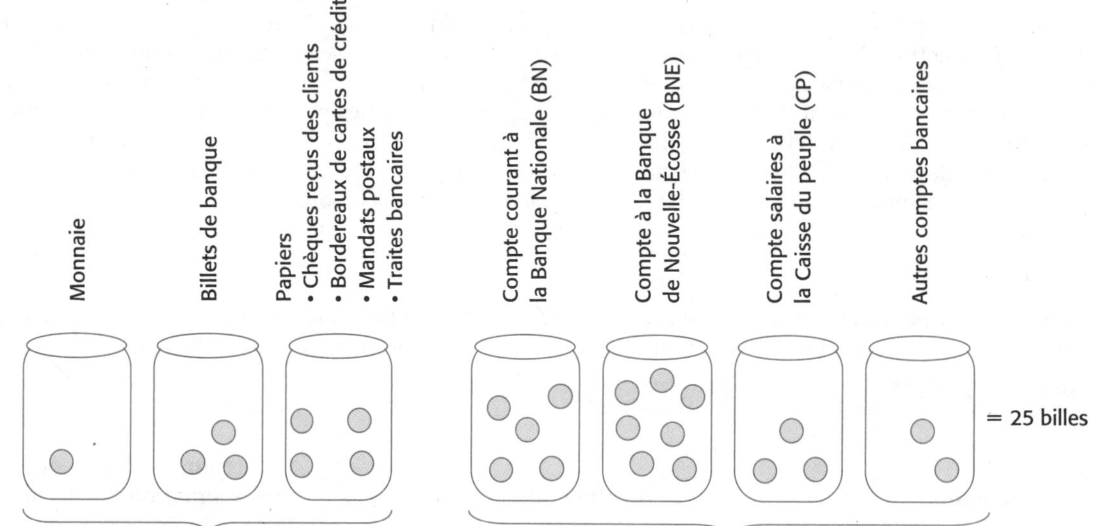

Trésorerie physiquement en main dans l'entreprise et répartie, selon le cas, dans la petite caisse, le coffre-fort, les caisses enregistreuses ou en attente de dépôt

Trésorerie en dépôt dans les institutions bancaires avec lesquelles l'entreprise fait affaire
(Chaque compte bancaire doit être pris en compte.)

Par ailleurs, si l'on examine les livres de l'entreprise, illustrés dans la figure 5.2, on constate que les mêmes 25 billes sont regroupées d'une tout autre manière.

Soulignons que les livres de l'entreprise contiennent le compte Petite caisse (soit les fonds en caisse) et les divers comptes Caisse (soit les dépôts à vue confiés à des institutions bancaires). La sommation de tous ces comptes du grand livre donne le montant de la trésorerie, soit le poste présenté dans l'état de la situation financière.

En combinant les renseignements contenus dans le tableau 5.1, portant sur les exclusions de la trésorerie, et ceux de la figure 5.1, portant sur les composantes, on constate que le montant qui figure au poste Trésorerie des états financiers représente l'ensemble des éléments dont l'entreprise peut se servir **sans aucune restriction**[4].

Avez-vous remarqué ?

La trésorerie regroupe tous les actifs liquides, c'est-à-dire ceux dont on peut librement disposer, mais uniquement les actifs disponibles sans aucune restriction.

4. La trésorerie de l'entreprise peut comprendre des montants détenus au Canada et à l'étranger. Par contre, puisque l'on parle de montants disponibles, ceux qui se trouvent à l'étranger doivent pouvoir être rapatriés sans restriction. Cela exclut, par exemple, les comptes bancaires de filiales dans des pays à régime politique totalitaire.

FIGURE 5.2 Les comptes du grand livre liés à la trésorerie

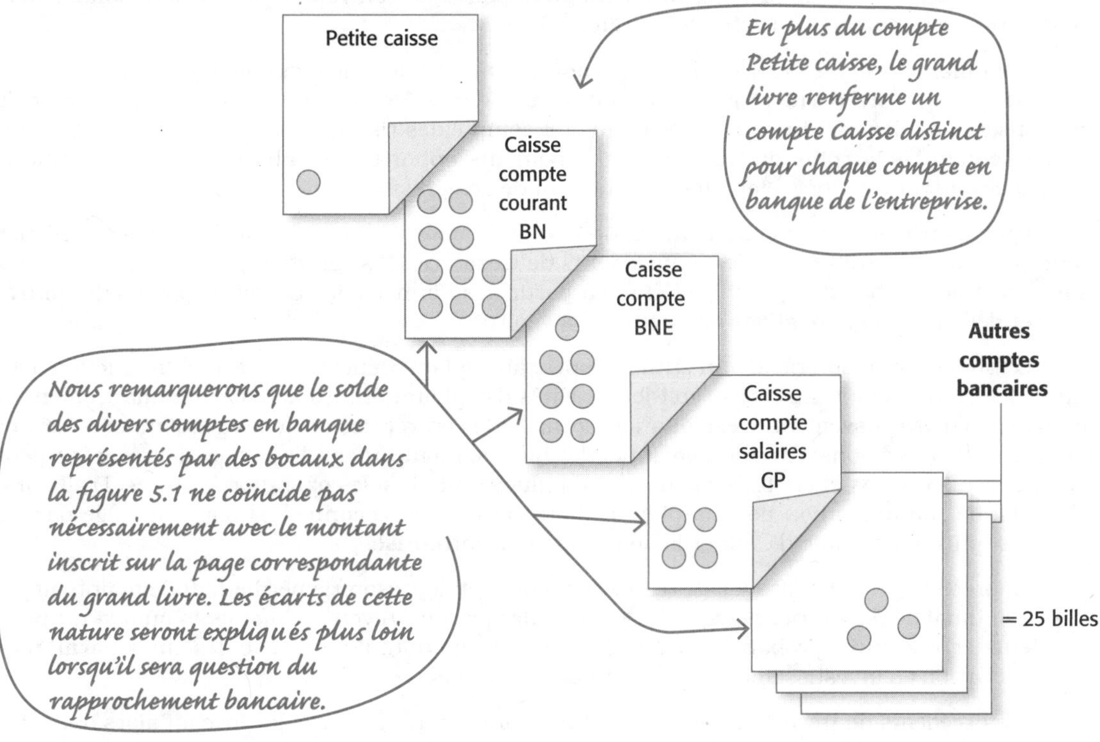
Petite caisse
Caisse compte courant BN
Caisse compte BNE
Caisse compte salaires CP
Autres comptes bancaires
= 25 billes
En plus du compte Petite caisse, le grand livre renferme un compte Caisse distinct pour chaque compte en banque de l'entreprise.
Nous remarquerons que le solde des divers comptes en banque représentés par des bocaux dans la figure 5.1 ne coïncide pas nécessairement avec le montant inscrit sur la page correspondante du grand livre. Les écarts de cette nature seront expliqués plus loin lorsqu'il sera question du rapprochement bancaire.

La gestion de la trésorerie

Lorsque l'on imagine la trésorerie comme un amas d'argent, on discerne rapidement les deux principaux problèmes que pose cet actif, soit son caractère indispensable et sa volatilité. En effet, l'argent est essentiel pour subvenir à des besoins quotidiens, et il s'agit d'un élément d'actif facilement volatilisable, puisqu'il est convoité par tout le monde. Il faut dès lors voir à sa planification et à sa protection.

Pour les dirigeants d'une entreprise, la gestion de la trésorerie est une préoccupation de tous les instants, car une planification inadéquate peut entraîner l'insolvabilité de l'entreprise et, à la limite, une remise en question de sa survie.

Voyons concrètement la façon dont le gestionnaire s'acquitte de cette responsabilité. Cette tâche, qui est résumée dans le tableau 5.2, comporte deux volets dans lesquels des objectifs doivent être précisés et des actions entreprises en utilisant les instruments appropriés.

TABLEAU 5.2 Les responsabilités du gestionnaire à l'égard de la trésorerie

	Tâches	
	Planification	**Protection**
Objectifs	Maintenir un niveau optimal de la trésorerie afin de maximiser le rendement du patrimoine.	Conserver le patrimoine dont la trésorerie fait partie.
Actions	Prévoir	Contrôler
Outils	Budget de trésorerie, état de l'évolution prévisionnelle de la situation financière	Système de contrôle interne

La planification

Voyons d'abord la planification des mouvements de la trésorerie. Nous avons déjà mis en lumière le flux continuel qui circule dans le «réservoir» à la suite d'un grand nombre d'opérations. Pour que ce flux soit continu et adéquat, le gestionnaire doit évaluer à l'avance ses besoins de fonds. Il lui faut donc prévoir les opérations générant ou employant la trésorerie pour s'assurer que celle-ci soit en tout temps à un niveau suffisamment élevé pour que l'entreprise puisse fonctionner normalement et puisse parer à toute éventualité.

Néanmoins, s'il y a des excédents, ils ne doivent pas dormir dans les comptes bancaires. Étant donné que ces derniers génèrent peu ou pas d'intérêts et que le gestionnaire se doit de maximiser le rendement du patrimoine en tenant compte des risques sous-jacents, il doit investir adéquatement les surplus de trésorerie aux moments opportuns et aux meilleures conditions (échéances, sécurité et négociabilité) compte tenu de ses prévisions.

Pour mettre en œuvre cette planification, le **budget de trésorerie** est l'outil par excellence pour effectuer la planification des mouvements de trésorerie. Il s'agit d'un **état prévisionnel** des rentrées et des sorties d'argent ; il est établi à partir des données des exercices passés de l'entreprise et des projections relatives aux activités à venir.

Le budget de trésorerie est un outil indispensable à la planification. Il est en interaction avec toutes les activités de l'entreprise, soit les activités d'exploitation, les activités de financement et les activités d'investissement. L'exploitation normale de l'entreprise place les gestionnaires devant toutes sortes d'occasions d'investissement et de choix de financement. Le budget de trésorerie tient compte de ces options et cristallise la décision, influençant ainsi les opérations futures. D'ailleurs, étant donné son utilisation pour la planification, cet état prévisionnel est souvent exigé par les banques, puisqu'il permet d'évaluer la solvabilité de l'entreprise.

La préparation et la mise à jour régulière du budget de trésorerie permettent de maintenir un niveau optimal de trésorerie, puisque le gestionnaire peut entrevoir les moments où il y aura des excédents et leur durée probable. À l'aide de cette information, il peut faire des choix parmi plusieurs occasions d'investissement et prendre des décisions en ce sens.

Les excédents de trésorerie sont souvent temporaires. L'entreprise les investit alors dans des valeurs facilement réalisables comme les placements à court terme. De plus, le montant et la durée des excédents peuvent influer sur le choix du type d'investissement.

Toutefois, le gestionnaire peut aussi entrevoir les moments où l'entreprise fera probablement face à un certain manque de trésorerie et la durée de celui-ci. À l'aide de cette information prévisionnelle, il peut prendre les mesures qui s'imposent. Ainsi, il est à même d'évaluer à l'avance les sources possibles de financement et de prendre une décision éclairée, par exemple, celle de négocier avant le temps une marge de crédit reflétant les besoins de l'entreprise. L'institution financière sera plus encline à accorder une marge de crédit à une entreprise qui gère bien ses liquidités qu'à celle qui fait une demande seulement lorsqu'elle est en manque de liquidité et donc en difficulté financière.

La protection

La protection de ce bien volatil qu'est l'argent demande un contrôle particulier. Tout le travail de planification de la trésorerie serait inutile si cet actif se volatilisait indûment à la suite d'erreurs ou de fraude.

Il est essentiel qu'un système de contrôle interne soit mis en place dans tous les services et à tous les niveaux hiérarchiques de l'entreprise en vue, entre autres, de diminuer le risque d'erreur et de détournement de trésorerie. Un bon système de contrôle interne de la trésorerie requiert les cinq éléments décrits ci-après.

1. **La répartition des tâches et des responsabilités** La répartition des tâches et des responsabilités entraîne l'autocontrôle des opérations, en ce sens que le travail d'un employé qui manie de la trésorerie est terminé et vérifié par un autre employé. Il en résulte qu'un individu n'est jamais seul à contrôler les livres et à manipuler l'actif faisant l'objet d'une opération. La dissimulation d'un acte frauduleux est alors plus difficile, puisqu'elle requiert la collusion entre employés.
2. **La mise en place de contrôles physiques** Il s'agit de mesures évidentes de protection : usage de coffres-forts, cadenas, caisses enregistreuses, chèques prénumérotés ; fermeture à clé des locaux, tiroirs et autres ; accès limités ; etc.
3. **Le dépôt intégral à la banque de toutes les sommes reçues** D'une part, cela procure une preuve supplémentaire d'encaissement, puisque la banque, tiers indépendant, estampille la date sur le bordereau de dépôt et en vérifie le montant. D'autre part, l'application de cette procédure empêche un employé d'utiliser l'argent à des fins personnelles pendant quelques jours en en différant le dépôt.
4. **Les décaissements effectués uniquement par chèques ou par transferts bancaires** Étant donné que le chèque est une pièce justificative qui requiert nécessairement une ou deux

signatures, l'entreprise s'assure ainsi que tous les décaissements sont dûment autorisés. De même les institutions financières peuvent exiger, si l'entreprise le souhaite, que les transferts bancaires soient autorisés par deux personnes. Bien entendu, ces mesures peuvent paraître draconiennes lorsque l'on songe à certaines dépenses minimes que l'entreprise désire régler comptant et rapidement. Pour cette raison, un juste compromis entre les coûts et les avantages du contrôle justifie la création d'une petite caisse. L'entreprise peut ainsi effectuer certains décaissements sans trop de formalités administratives.

5. **Le rapprochement bancaire périodique** Les contrôles précédents favorisent la protection de la trésorerie, mais ne sont pas suffisants. Pour conclure à propos du contrôle, il faut vérifier à intervalles réguliers que les soldes inscrits aux livres dans les comptes Caisse correspondent effectivement aux montants dont dispose l'entreprise.

Parmi les contrôles que nous venons de décrire, deux outils méritent une attention particulière : la petite caisse et le rapprochement bancaire.

Avez-vous remarqué ?

La gestion de la trésorerie tire tout son intérêt non pas de l'importance relative des montants en cause à une date donnée, mais du fait que, la trésorerie étant un actif liquide, elle est très facile à subtiliser.

La petite caisse

Nous avons mentionné ci-dessus que la **petite caisse** est un outil utilisé par l'entreprise pour effectuer de petits décaissements comptant. L'entreprise évite ainsi les formalités administratives entourant les paiements effectués par chèques. Par contre, éviter certaines formalités ne signifie pas pour autant les éliminer entièrement. La protection de la trésorerie s'applique tout aussi bien à la petite caisse ; celle-ci doit donc être soumise à certains contrôles. Premièrement, une personne est nommée responsable de la petite caisse. Elle est donc seule à y avoir accès. Sur présentation des pièces justificatives (factures, reçus, coupons de caisse, etc.), elle rembourse les employés pour les menues dépenses remboursables. Périodiquement, elle prépare un sommaire des dépenses remboursées et fait ressortir les écarts (erreurs, oublis et vols) entre l'argent comptant que devrait contenir la petite caisse et ce qu'elle contient vraiment. Ces écarts sont comptabilisés dans le compte Excédent/Déficit de petite caisse et, s'ils sont trop élevés, la direction prend les mesures qui s'imposent.

EXEMPLE

Utilisation et gestion de la petite caisse

Le 5 juin 20X2, Moka inc. décide de constituer une petite caisse de 500 $ et désigne la réceptionniste, Mme Colette Tremblay, pour en être responsable. Tout le long de l'exercice, en plus d'accomplir son travail habituel à la réception, Mme Tremblay règle certaines dépenses à l'aide de la petite caisse sur présentation de pièces justificatives.

Périodiquement, soit toutes les deux ou trois semaines, elle prépare un compte rendu à des fins de reconstitution de la petite caisse au solde initial.

Voici les données relatives à trois comptes rendus consécutifs :

	28 juin 20X2	*19 juillet 20X2*	*31 juillet 20X2 (date de fin d'exercice)*
Papeterie	*174 $*	*228 $*	*111 $*
Livraison	*113*	*124*	*69*
Timbres-poste	*83*	*75*	*30*
Avance au PDG	*100*	*0*	*0*
Total des frais déboursés	*470*	*427*	*210*
Argent en main	*29*	*75*	*288*
	499	*502*	*498*
Solde initial	*(500)*	*(500)*	*(500)*
Excédent/Déficit de petite caisse	*(1) $*	*2 $*	*(2) $*

Bien entendu, Mme Tremblay joint à chaque compte rendu les pièces justificatives pour les montants présentés. À la fin de l'exercice, le 31 juillet 20X2, comme la petite caisse contenait encore 288 $, la direction a jugé inutile de la renflouer. En fait, on l'a reconstituée le 12 août en émettant un chèque de 465 $, compte tenu de l'achat de fournitures de 253 $ au début du mois d'août. Voici les écritures de journal accompagnées de commentaires appropriés.

Écritures			**Commentaires**
Constitution			
5 juin 20X2			• Le compte Petite caisse est ouvert dans le grand livre.
Petite caisse	*500*		• Le décaissement de 500 $ est effectué par chèque conformément au système de contrôle des décaissements.
Caisse compte courant		*500*	
Création d'un fonds de petite caisse.			• Le chèque est payable à l'ordre de Mme Colette Tremblay. • Le montant du chèque figure dans le journal des décaissements. • Mme Tremblay encaisse le chèque à la banque. Elle est maintenant en possession de 500 $, dont elle est responsable.
Du 5 au 28 juin 20X2			• Il n'y a aucune écriture.
Paiement des dépenses			• L'accès à la petite caisse est limité à Mme Tremblay, qui la garde sous clé. • Tout paiement de dépense est effectué à même la petite caisse sur présentation de pièces justificatives, que Mme Tremblay accumule.
Reconstitution ou renflouement			
28 juin 20X2			• Les charges recensées sont comptabilisées dans leurs comptes respectifs.
Fournitures	*174*		
Coûts de livraison	*113*		• Un chèque est préparé, au nom de Mme Colette Tremblay, au montant de 471 $, nécessaire pour ramener la petite caisse au solde initial en tenant compte du décompte effectif de la petite caisse.
Coûts d'envois postaux	*83*		
Avance à un administrateur	*100*		
Excédent/Déficit de petite caisse	*1*		
Caisse compte courant		*471*	• Le montant du chèque figure dans le journal des décaissements.
Reconstitution de la petite caisse.			• Le compte Caisse du grand livre diminue selon le montant du chèque.
19 juillet 20X2			• Le solde du compte Petite caisse du grand livre n'a jamais varié depuis la constitution de la petite caisse, puisqu'il n'a pas été modifié par une quelconque écriture.
Fournitures	*228*		
Coûts de livraison	*124*		• Le compte Excédent/Déficit de petite caisse correspond à des écarts non justifiés.
Coûts d'envois postaux	*75*		
Excédent/Déficit de petite caisse		*2*	
Caisse compte courant		*425*	
Reconstitution de la petite caisse.			
Fin d'exercice			
31 juillet 20X2			• Les débours faits entre le 19 et le 31 juillet sont comptabilisés en charges de l'exercice terminé le 31 juillet afin de refléter fidèlement l'actif dont dispose l'entreprise.
Fournitures	*111*		
Coûts de livraison	*69*		• Comme il n'y a pas, dans ce cas-ci, de reconstitution de la petite caisse à la fin de l'exercice, il n'y a pas d'émission de chèque à cet effet ; le compte Caisse n'est donc pas modifié.
Coûts d'envois postaux	*30*		
Excédent/Déficit de petite caisse	*2*		
Petite caisse		*212*	• Puisque la petite caisse n'est pas renflouée et que les coûts sont comptabilisés, il faut, pour équilibrer l'écriture, créditer le compte Petite caisse.
Débours depuis le 19 juillet.			• À la suite de ce crédit porté au compte Petite caisse, le solde du compte, d'un montant de 288 $, correspond au solde disponible dans la petite caisse.

12 août 20X2		
Fournitures	*253*	
Petite caisse	*212*	
Caisse compte courant		*465*
Reconstitution de la petite caisse couvrant des débours de juillet comptabilisés dans l'exercice précédent et de débours faits en août 20X2.		

- La reconstitution du 12 août ramène le compte Petite caisse du grand livre à son solde initial de 500 $, car l'entreprise comptabilise alors les débours faits entre le 31 juillet et le 12 août. Elle débite alors ce compte d'un montant de 212 $ qui correspond à celui porté à son crédit le 31 juillet. Cette démarche suppose qu'il n'y a pas d'écriture de réouverture le 1er août.

En ce qui concerne l'écriture du 31 juillet (celle de fin d'exercice) et son analyse, il y a lieu de se demander si ce travail est vraiment nécessaire. Que dire, en effet, de l'importance relative des coûts inscrits le 31 juillet ? L'entreprise influence-t-elle vraiment les décisions des utilisateurs externes en présentant dans ses états financiers l'information véhiculée par l'écriture du 31 juillet ? En fait, bien des entreprises ne passent aucune écriture à la fin d'un exercice lorsque la direction décide de ne pas reconstituer la petite caisse à cette date.

Avez-vous remarqué ?

Précisément à cause de leur faible importance relative, les soldes des comptes Petite caisse et Excédent/Déficit de petite caisse seront respectivement regroupés dans le poste Trésorerie (état de la situation financière) et dans les autres produits et charges (état du résultat global) des états financiers.

3 Le rapprochement bancaire

L'entreprise doit exercer un contrôle particulier sur la trésorerie en raison du caractère volatil de cet actif et du grand nombre d'opérations qui ont une incidence sur lui. En effet, nous avons vu que de nombreuses opérations ont un effet sur la trésorerie. Ces opérations sont enregistrées dans le journal des encaissements ou dans le journal des décaissements, puis reportées dans les comptes appropriés du grand livre. À cause de l'ampleur des opérations d'inscription et de la manipulation des sommes d'argent (chèques et dépôts) liées à la trésorerie, il existe toujours une possibilité d'écarts entre les livres de l'entreprise et ceux de la banque. Ces différences peuvent prendre la forme d'erreurs, d'omissions ou de détournements d'argent. Pour parer à l'éventualité de tels écarts, l'entreprise doit valider périodiquement le solde des divers comptes Caisse tant à des fins de gestion courante qu'à des fins de publication des états financiers.

Certains éléments de trésorerie sont facilement identifiables, puisque l'on peut en faire le décompte. Pensons, notamment, à la petite caisse, aux recettes de la journée encore en main, à la monnaie d'appoint, etc. Par ailleurs, les sommes en banque ne peuvent être soumises à ce contrôle, mais comme l'entreprise reçoit, en général une fois par mois, des relevés bancaires accompagnés de **chèques oblitérés**[5] et autres pièces, elle peut prouver l'existence des sommes en banque en comparant cette source externe d'information à ses propres livres.

Ce contexte de contrôle de la trésorerie justifie l'introduction d'un outil communément appelé **conciliation bancaire**, ou **rapprochement bancaire**. À une date donnée, et plus particulièrement à la fin d'un mois, les livres comptables de l'entreprise et ceux de la banque affichent un solde représentant la somme d'argent à la disposition de l'entreprise compte tenu des opérations enregistrées respectivement par ces deux sociétés. Il est possible, mais peu probable, que les deux sociétés affichent le même solde. En cas de divergence, lequel des deux montants correspond au solde dont peut réellement disposer l'entreprise ? Possiblement aucun des deux. Le rapprochement bancaire, dans lequel sont comparés les éléments de ces deux sources d'information, permet d'analyser les écarts décelés entre les deux sociétés de façon à déterminer le solde réel.

5. Il s'agit des chèques émis par l'entreprise qui ont été encaissés au cours de la période par le porteur et donc annulés par la banque. Il est de moins en moins fréquent que la banque retourne les chèques oblitérés. Les institutions financières, ayant plutôt opté pour l'envoi d'un relevé bancaire très détaillé, archivent les chèques.

Les soldes peuvent différer pour des raisons qui dépendent des facteurs suivants :

- **Le temps** Il s'écoule souvent un certain laps de temps entre le moment où l'entreprise inscrit une opération et celui où la banque inscrit la même opération. Comme cette dernière sera éventuellement comptabilisée par les deux sociétés, celles-ci n'ont pas à ajuster leurs livres. On dit de ces éléments qu'ils sont « en circulation » lorsqu'ils sont comptabilisés dans les livres de l'entreprise, mais pas encore dans ceux de la banque.
- **Les omissions et les erreurs** Si l'une des deux sociétés relève des omissions ou des erreurs dans ses livres, ces derniers doivent être ajustés ou corrigés en conséquence. S'il s'agit d'un ajustement ou d'une correction à apporter aux livres de l'entreprise, celle-ci doit nécessairement passer une écriture de journal. Par contre, si l'erreur ou l'omission se rapporte au solde du relevé bancaire, l'entreprise doit simplement en faire part à la banque pour qu'elle procède à ses propres corrections.

Les objectifs visés et les sources d'information

Le rapprochement bancaire dûment établi permet à l'entreprise d'atteindre un triple objectif :

1. **Connaître le solde réel** qui devrait figurer dans le grand livre à une date déterminée au regard de chacun des comptes en banque ;
2. **Ajuster ses livres** en fonction de ce solde pour ce qui est des opérations omises ou mal inscrites ;
3. **Déceler les erreurs** possibles du **tiers** (la banque) et l'avertir pour qu'il les corrige.

L'information nécessaire pour établir le rapprochement bancaire est consignée dans différents documents et livres. Nous avons mentionné précédemment que, dans le rapprochement bancaire, nous comparons les inscriptions faites dans les livres ou les documents de deux sociétés. Dès lors, il existe une double source de renseignements, comme le montre le tableau 5.3.

TABLEAU 5.3 Les sources de renseignements disponibles pour l'établissement du rapprochement bancaire

Documents provenant de la banque	Documents et livres de l'entreprise
Relevé bancaire du mois (un relevé pour chaque compte en banque de l'entreprise)	Grand livre : solde de fin de mois du compte Caisse relatif à chacun des comptes en banque
Chèques oblitérés, s'il y a lieu	Journal des encaissements du mois
Autres pièces justificatives telles que :	Journal des décaissements du mois
• la confirmation d'un certificat de dépôt	Rapprochement bancaire du mois précédent
• le chèque d'un client, portant la mention « sans provision »	Autres documents, tels qu'un bordereau de dépôt relatif à un dépôt en attente, c'est-à-dire encore en main

L'établissement du rapprochement bancaire

Les documents en main, on peut donc procéder à la collecte et à l'analyse de l'information nécessaire à l'établissement du rapprochement bancaire. Ce travail consiste d'abord à pointer, c'est-à-dire à cocher, tout article qui est inscrit, seul ou regroupé avec d'autres, à la fois dans un document en provenance de la banque et dans les livres de l'entreprise. Cela permet de faire ressortir les éléments non appariés, qui seront par la suite analysés. Avant d'examiner en détail les trois étapes à suivre pour établir le rapprochement bancaire, il est utile d'apporter certaines précisions concernant les transferts bancaires.

Un **transfert bancaire** est un virement électronique de sommes entre deux comptes bancaires. Dans un transfert bancaire, on distingue le donneur d'ordre et le bénéficiaire. Le **donneur d'ordre** est celui qui autorise une institution financière à prélever un montant sur son compte alors que le **bénéficiaire** est celui qui verra son compte augmenter. Puisqu'il s'agit d'une opération conclue de façon électronique, les délais d'exécution sont généralement très courts. Par exemple, si les deux comptes sont issus de la même institution bancaire, l'enregistrement est immédiat. À l'autre extrême, si le transfert porte sur deux comptes émis dans une devise différente, le délai ne dépasse généralement pas quatre jours, ce qui demeure tout de même bien plus court que le délai entre l'émission d'un chèque et son inscription par la banque. On peut analyser la comptabilisation d'un transfert bancaire en distinguant trois cas de figure.

Premièrement, l'entreprise est propriétaire des deux comptes bancaires. Elle effectue des transferts de fonds d'un compte à un autre afin de combler ses besoins en trésorerie. Par exemple, à chaque cycle de paie, elle peut transférer un montant de son compte courant général vers un autre compte servant uniquement au paiement des salaires. Puisque c'est elle qui procède au transfert, elle dispose de toute l'information pour comptabiliser le transfert le jour même, que ce soit dans son journal général ou dans ses journaux spécifiques (journal des encaissements et journal des décaissements).

Deuxièmement, l'entreprise peut être le donneur d'ordre et un tiers, être le bénéficiaire. Pensons ici à l'entreprise qui préautorise certains transferts pour régler ses factures d'électricité, de taxes municipales ou de loyer, par exemple. Encore là, l'entreprise dispose de l'information requise pour inscrire ces opérations à la date de paiement, faisant en sorte que ces opérations ne donnent pas lieu à des éléments en circulation en fin de période.

Troisièmement, le donneur d'ordre est un tiers et l'entreprise est le bénéficiaire. Pensons par exemple aux clients qui décident de payer ainsi leurs achats, après avoir inscrit l'entreprise dans leur liste de fournisseurs autorisés à des transferts électroniques. Puisque l'entreprise n'est pas informée instantanément de ces transferts, ce n'est généralement qu'en consultant son relevé bancaire qu'elle disposera de l'information requise pour comptabiliser ces encaissements. Précisons que l'entreprise peut parfois être directement informée du transfert par le donneur d'ordre. Ainsi, lorsqu'une société mère effectue un transfert électronique au profit d'une de ses filiales, il est probable qu'elle en aura préalablement informé la filiale. Dans un tel cas, les deux parties disposeront de l'information pour inscrire l'opération au même moment, avant même que leur banque respective ait exécuté le transfert.

Examinons maintenant les trois étapes du rapprochement bancaire.

Étape 1 : Le pointage des inscriptions

Il faut d'abord pointer chaque inscription du journal des encaissements du mois visé et sa contrepartie portée à titre de dépôt au crédit[6] du relevé bancaire. Cette procédure est ensuite utilisée pour chaque inscription du journal des décaissements (en l'occurrence, chaque chèque inscrit pendant le mois visé) par rapport au débit[7] correspondant porté au relevé bancaire. Elle est aussi répétée dans le cas des articles qui étaient en circulation au moment d'établir le rapprochement bancaire du mois précédent.

Étape 2 : L'analyse des éléments non appariés

Il faut ensuite analyser tout élément n'ayant pas été pointé, que ce soit dans le journal des encaissements, dans le journal des décaissements ou sur le relevé bancaire. Ces éléments n'ont pu être appariés en raison soit d'un décalage dans le temps, soit d'omissions ou d'erreurs. Ils ne sont inscrits que dans une seule des deux sources d'information et deviennent de ce fait des éléments de rapprochement, comme nous l'illustrons dans la figure 5.3.

Étape 3 : La présentation des éléments de rapprochement

Il ne reste plus qu'à présenter ces éléments d'une manière ordonnée. Les modes de présentation du rapprochement bancaire seront expliqués plus loin. Examinons d'abord les écarts les plus fréquents que sont les éléments en circulation pour mieux comprendre le rapprochement bancaire.

---

6. Il faut être vigilant, car la banque procède à l'inverse de l'entreprise pour ce qui est des crédits et des débits. Cela va de soi, puisqu'un dépôt (débit dans le compte Caisse de l'entreprise) est une dette pour la banque (crédit dans les livres de la banque) et vice-versa. Sur le relevé bancaire, une augmentation du solde du compte en banque correspond donc à un crédit, alors qu'une diminution équivaut à un débit.

7. Il arrive que l'entreprise fasse un dépôt à la banque comprenant plus d'un encaissement inscrit au journal. Il faut en tenir compte lors du travail de pointage. De même, certains débits portés au relevé bancaire peuvent englober les montants d'un ensemble de chèques, la banque retournant en lots les chèques oblitérés. Chaque lot totalise donc un débit, information très utile pour le pointer dans le journal des décaissements.

FIGURE 5.3 L'étape 2 de l'établissement du rapprochement bancaire : l'analyse des éléments non appariés

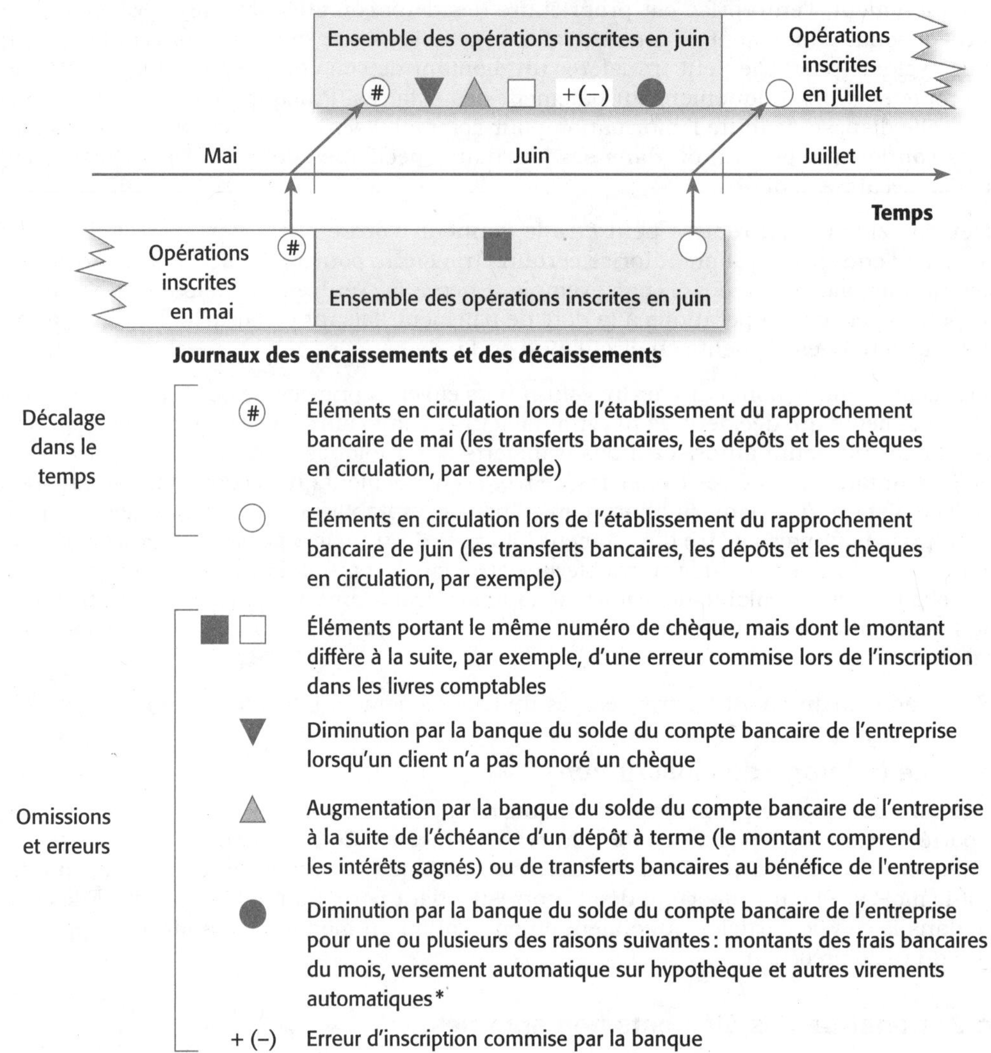

* Les virements automatiques (dont fait souvent partie le versement périodique sur hypothèque), aussi appelés transferts de fonds électroniques, sont des diminutions directes préautorisées du compte bancaire. L'entreprise autorise donc à l'avance la banque à prélever certaines sommes à des moments précis et pour des raisons précises.

Les éléments en circulation

L'analyse des éléments non appariés lors du pointage fait ressortir, entre autres, les éléments en circulation, c'est-à-dire les transferts bancaires, les dépôts ou les chèques inscrits par l'entreprise dans ses livres et qui n'ont pas encore été enregistrés par la banque (*des exceptions seront précisées plus loin*).

Les chèques en circulation

Puisque les montants prélevés sur un compte par transfert bancaire doivent obligatoirement être autorisés par l'entreprise, celle-ci dispose de l'information pour comptabiliser l'opération. De plus, puisque les transferts bancaires sont habituellement exécutés rapidement (le délai s'apparente à la période (c) indiquée dans la figure 5.4), ils sont rarement en circulation à la date du rapprochement bancaire. Il en est autrement pour les chèques.

Un chèque est considéré comme un élément de rapprochement si la date du rapprochement bancaire se situe à l'intérieur de la période de circulation ($a + b + c$), dont il est question dans la figure 5.4. Par exemple, supposons qu'un chèque est émis et inscrit dans les livres de l'entreprise

FIGURE 5.4 Le cheminement d'un chèque

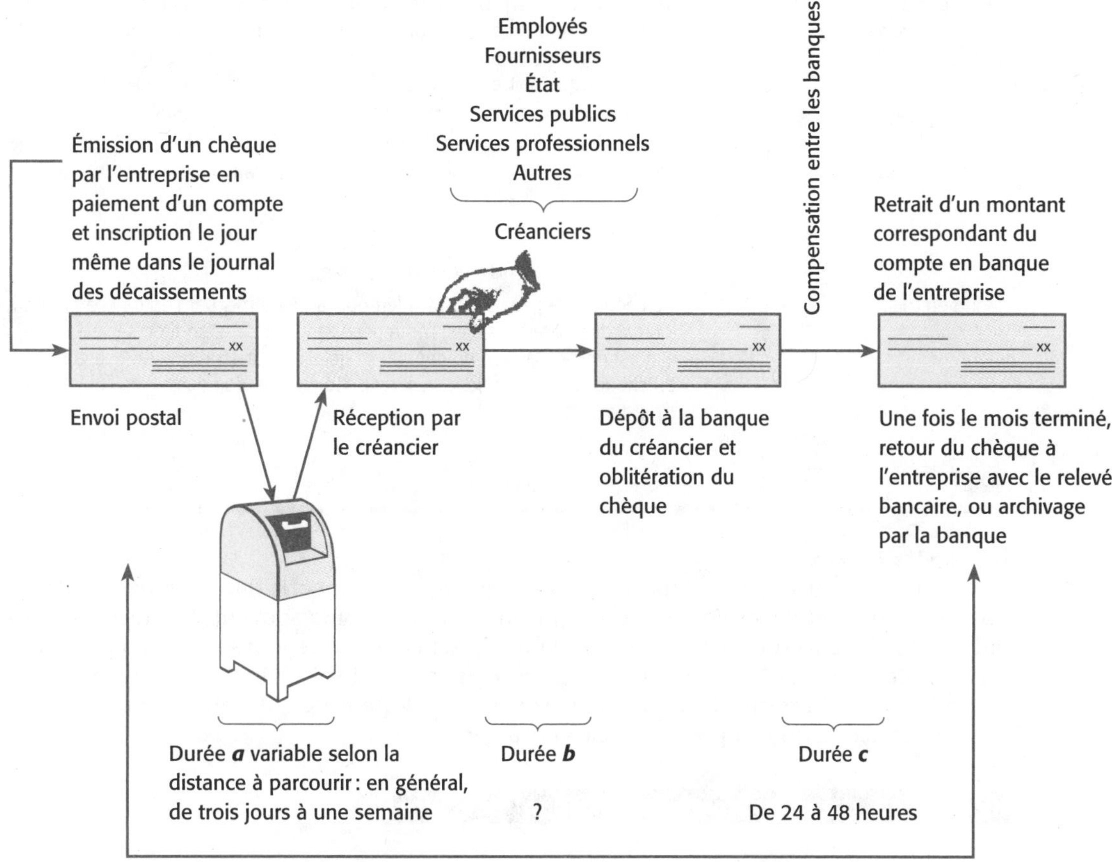

Délai entre l'inscription par l'entreprise et l'inscription par la banque => temps de circulation (***a*** + ***b*** + ***c***) :
– ***a*** et ***c*** : connus et habituellement assez courts
– ***b*** : inconnu, incontrôlable (soumis à un tiers) et pouvant donc varier énormément
Délai maximal de six mois, après quoi le chèque n'a plus de valeur légale (obligation d'en émettre un autre)

le 20 juin (début de la période de circulation). Il est encaissé et enregistré par la banque au débit du compte de l'entreprise le 7 juillet (fin de la période de circulation). Si l'entreprise effectue un rapprochement bancaire en date du 30 juin, elle considère ce chèque comme un élément de rapprochement, puisque cette date se situe à l'intérieur de la période de circulation.

Chaque fois qu'un chèque est émis, il est immédiatement inscrit dans les livres de l'entreprise. Puisque cette pratique fait partie du processus normal de tenue des livres, la liste des chèques que l'entreprise considère comme en circulation, liste qui est d'ailleurs souvent très longue, peut englober certains éléments qui demandent un traitement particulier. Le tableau 5.4 énumère ces éléments et décrit le traitement approprié qu'il convient d'appliquer dans chacun des cas.

TABLEAU 5.4 Les exceptions à la liste des chèques en circulation

Exceptions	Analyse et traitement
Chèque visé ou certifié, ou traite bancaire	Bien qu'il circule comme les autres, ce n'est pas un élément de rapprochement, puisque les deux sociétés en ont tenu compte : • L'entreprise l'a inscrit dans le journal des décaissements à la date de son émission ; • La banque a diminué le compte bancaire de l'entreprise d'un montant correspondant à celui du chèque lorsqu'elle l'a visé.

TABLEAU 5.4 (*suite*)

Chèque postdaté (la date du chèque est postérieure à la date de fin de période)	Même si ce chèque circule physiquement, il ne s'agit pas d'un chèque en circulation. À la date du rapprochement, le montant en cause appartient toujours à l'entreprise et en réalité la dette reste impayée jusqu'à la date mentionnée. Bien que le chèque soit émis, plusieurs logiciels comptables créditent le compte Caisse seulement à la date du chèque en question. On doit donc simplement s'assurer que le compte Caisse n'a pas été crédité pour ce chèque lors de son émission, sinon il serait nécessaire de passer l'écriture d'ajustement suivante : *Caisse* XX *Fournisseurs (par exemple)* XX
Chèque en main	Ce chèque n'a jamais circulé. Bien qu'il ait été émis par l'entreprise et inscrit dans le journal des décaissements, l'entreprise l'a laissé dans un tiroir sans le poster. Comme elle est en possession du chèque et qu'elle peut en disposer à sa guise, le montant du chèque fait partie de la trésorerie. Ce chèque doit aussi faire l'objet d'une écriture d'ajustement : *Caisse* XX *Fournisseurs (par exemple)* XX

Les dépôts en circulation

Un dépôt est en circulation à partir du moment où il est inscrit dans les livres comptables et jusqu'à ce qu'il soit déposé dans un compte en banque. Le plus souvent, les dépôts en circulation sont des dépôts effectués par l'entreprise la fin de semaine ou les jours fériés. La figure 5.5 illustre leur cheminement. Les dépôts en circulation pourraient aussi inclure un transfert bancaire fait par un tiers ayant informé l'entreprise de l'opération et qui est en attente de traitement parce que l'argent provient d'un compte en devises étrangères.

FIGURE 5.5 Le cheminement d'un dépôt bancaire

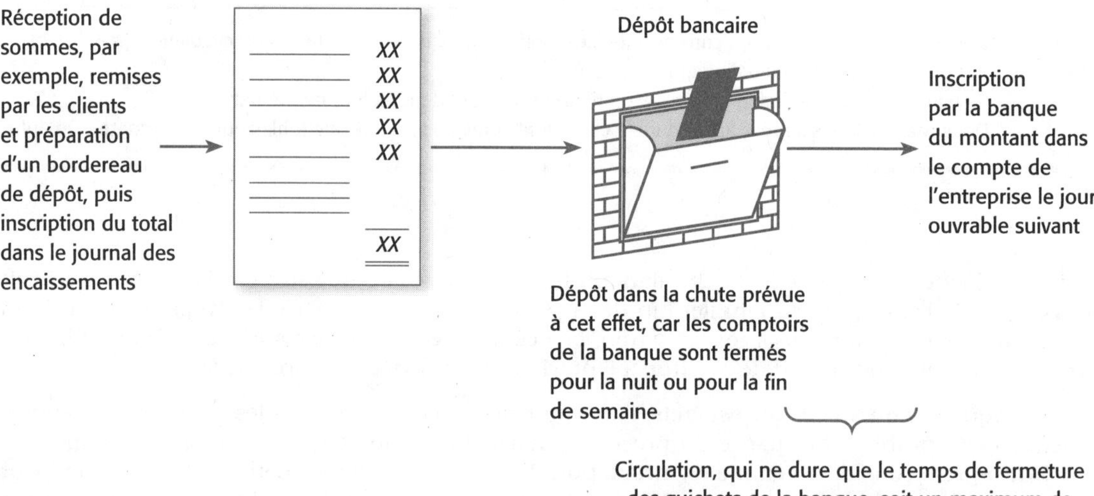
Réception de sommes, par exemple, remises par les clients et préparation d'un bordereau de dépôt, puis inscription du total dans le journal des encaissements
XX
XX
XX
XX
XX
XX
Dépôt bancaire
Inscription par la banque du montant dans le compte de l'entreprise le jour ouvrable suivant
Dépôt dans la chute prévue à cet effet, car les comptoirs de la banque sont fermés pour la nuit ou pour la fin de semaine
Circulation, qui ne dure que le temps de fermeture des guichets de la banque, soit un maximum de trois jours (longue fin de semaine)

Les éléments en circulation à la fin du mois précédent

Comme nous l'avons vu, pour établir un rapprochement bancaire, il faut d'abord pointer chaque élément identique dans les livres ou documents des deux sociétés en cause, ce qui permet de connaître les articles non appariés (*voir la figure 5.3*). Parmi ces articles, on trouve sur le relevé bancaire, au tout début du mois, les dépôts en circulation provenant du rapprochement bancaire du mois précédent. De même, plusieurs montants portés au débit du relevé bancaire correspondent à des chèques qui faisaient partie de la liste des chèques en circulation à la fin du mois précédent. Doit-on tenir compte de ces éléments lors de la présentation du rapprochement bancaire du mois courant ? Il va de soi qu'il faut retrouver ces éléments dans les journaux des encaissements et des décaissements du mois précédent. De plus, puisqu'ils figurent sur le relevé bancaire courant, ces éléments ont influé sur le solde du compte en banque. De toute évidence, ce sont des éléments maintenant appariés qui n'influent en rien sur le rapprochement bancaire du mois courant. Tout est donc rentré dans l'ordre avec le temps.

La présentation du rapprochement bancaire

Il existe plus d'un mode de présentation du rapprochement bancaire. Nous en étudierons deux dans le présent chapitre : celui à cheminement parallèle et celui à cheminement vertical.

La présentation à cheminement parallèle

Le mode de présentation à cheminement parallèle consiste à montrer deux rapprochements parallèles, l'un qui débute par le solde du compte Caisse des livres de l'entreprise, l'autre par le solde du compte en banque. On associe à chacun de ces soldes les éléments de rapprochement pertinents de façon à parvenir à une égalité des soldes de part et d'autre qui correspond au solde réel recherché, c'est-à-dire aux sommes dont dispose réellement l'entreprise. Il faut aussi tenir compte d'éléments qui ne sont inscrits nulle part, mais qui sont pertinents.

EXEMPLE

Rapprochement bancaire à cheminement parallèle

À partir des documents et livres de l'entreprise et du relevé bancaire du mois de novembre 20X1, le comptable de la société Tofu inc. a effectué le travail de rapprochement par pointage (étape 1). Dans cet exemple, comme dans le manuel *Questions, exercices, problèmes et cas*, nous présentons les montants au cent près.

L'analyse subséquente des éléments non appariés (étape 2) lui a fourni l'information suivante :

1. **Sur le relevé provenant de la Banque Nouvelle Nation (BNN) :**
   - Solde du compte au 30 novembre 20X1 : 16 475,40 $.
   - Débit de 375,20 $, pour le chèque oblitéré nº 119.
   - Crédit de 3 025 $ accompagné d'une note de la banque expliquant qu'il s'agit du produit net du recouvrement d'un billet de 3 000 $ plus intérêts. Pour ce service de recouvrement, la banque a déduit des frais de 10 $ du produit du recouvrement.
   - Débit de 460,40 $ accompagné de la mention « sans provision ». La banque a joint ce chèque en provenance d'un client aux chèques oblitérés de Tofu inc.
   - Frais bancaires de 39,95 $ (excluant les frais de recouvrement du billet), dont 20 $ se rapportent au chèque sans provision.
   - Erreur commise par la banque pendant le mois : le montant d'un chèque d'une autre société ayant un numéro de compte presque identique a été passé dans le compte de Tofu inc. Le lendemain, la banque a corrigé cette erreur. Le montant de 753,18 $ figure donc à la fois au débit et au crédit.
2. **Dans les livres de Tofu inc. :**
   - Solde du compte Caisse compte courant BNN au 30 novembre 20X1 : 5 538,75 $.
   - Montant de 9 000 $ figurant dans le journal des encaissements, en date du 29 novembre. Ce dépôt n'a pas été apparié aux crédits portés au relevé bancaire ; la banque l'a inscrit au compte de l'entreprise le lundi 2 décembre.
   - Chèques non pointés dans le journal des décaissements ; il s'agit de chèques émis en faveur des fournisseurs :

Chèque nº	*Montant*
105	*1 434,00 $*
119	*357,20*
129	*5 228,13*
130	*814,00*
131	*7 743,87*
132	*2 210,00*

5

3. **Autre information :**
   - Recette de la journée du samedi 30 novembre, qui correspond à des ventes au comptant de 18 530,00 $, restée dans le coffre-fort jusqu'au lundi ; elle a alors été déposée et inscrite dans les livres de l'entreprise.

La présentation parallèle du rapprochement bancaire s'établit comme suit :

TOFU INC.
Rapprochement bancaire
au 30 novembre 20X1
Caisse compte courant BNN

Solde en banque		*16 475,40 $*	*Solde aux livres*		*5 538,75 $*
			Plus : Billet échu	*3 000,00 $*	
Plus : Dépôt en circulation	*9 000,00 $*		*Intérêts gagnés*	*35,00*	
Dépôt en main	*18 530,00*		*Dépôt en main*	*18 530,00*	
		27 530,00			*21 565,00*
		44 005,40			*27 103,75*
Moins : Chèques en circulation (nos 105 et 129 à 132)		*17 430,00*	*Moins : Correction d'une erreur d'inversion de chiffres à l'enregistrement du chèque nº 119*	*18,00*	
			Chèque sans provision	*480,40*	
			Frais bancaires	*29,95*	
					528,35
		26 575,40 $ ←	*Solde réel* →		*26 575,40 $*

Voici quelques explications portant sur le rapprochement bancaire de Tofu inc. :

1. On remarque que dans les éléments de rapprochement, seul le montant de 18 530,00 $ est identique de part et d'autre. Au 30 novembre, ce montant n'a été inscrit ni dans le relevé bancaire ni dans les livres de l'entreprise. Cependant, puisqu'il faisait partie des avoirs en argent de l'entreprise à cette date, il doit être pris en compte dans l'établissement du solde réel de la trésorerie et donc ajouté aux soldes des deux sociétés.
2. Les intérêts gagnés sur le billet échu sont de 35 $, car la banque a porté au compte de Tofu inc. le produit **net** du billet, dont voici le détail :

Billet	*3 000 $*
Intérêts gagnés	*35*
Frais de recouvrement à inclure dans les frais bancaires	*(10)*
Montant inscrit sur le relevé bancaire	*3 025 $*

3. La correction de 18 $ a trait au chèque nº 119. Ce dernier ne fait donc pas partie des chèques en circulation.

Montant réel du chèque (puisqu'il est inscrit sur le relevé par la banque)	*375,20 $*
Montant erroné inscrit dans le journal des décaissements à la suite d'une erreur d'inversion de chiffres	*(357,20)*
Montant de la correction à apporter aux livres pour s'ajuster au montant réellement versé au fournisseur	*18,00 $*

4. Tofu inc. diminue le solde aux livres du compte Caisse et porte au compte du client, qui a remis le chèque sans provision, un montant de 480,40 $, c'est-à-dire le montant

du chèque de 460,40 $, auquel s'ajoutent des frais de 20 $ liés à ce manquement financier. En effet, c'est le client et non l'entreprise qui doit assumer ces frais ; ceux-ci ne sont donc pas pris en compte dans le montant des frais bancaires. Lors de l'analyse du compte Clients, il se pourrait que l'entreprise considère ce montant total (480,40 $) comme une perte de crédit attendue. En tel cas, il serait entièrement comptabilisé comme une charge en résultat net.

5. Pour ce qui est des éléments en circulation, le lecteur peut se reporter aux explications fournies plus haut ainsi qu'aux figures 5.4 et 5.5.
6. Le montant exact du chèque nº 119 est de 375,20 $, soit le montant inscrit sur le relevé bancaire, puisque la banque concilie ses comptes chaque jour.
7. L'erreur de la banque de 753,18 $ n'a pas d'impact sur le rapprochement bancaire puisqu'elle a été corrigée par la banque dans la même période (dès le lendemain).

5

Pour ajuster les livres de l'entreprise, il faut passer l'écriture d'ajustement suivante dans le journal général :

Fournisseurs	*18,00*	
Clients (460,40 $ + 20,00 $)	*480,40*	
Frais bancaires (39,95 $ – 20,00 $ + 10,00 $)	*29,95*	
Caisse compte courant BNN (21 565,00 $ – 528,35 $) *ou (26 575,40 $ – 5 538,75 $)*	*21 036,65*	
Billet à recevoir		*3 000,00*
Intérêts gagnés		*35,00*
Ventes		*18 530,00*
Ajustement du solde aux livres à la suite du rapprochement bancaire effectué en date du 30 novembre 20X1.		

Soulignons que cette écriture d'ajustement ne comporte que les éléments de droite du rapprochement bancaire. En effet, les éléments de gauche sont des éléments déjà inscrits dans les livres de Tofu inc. et ces écarts se résorberont par eux-mêmes avec le temps.

À la suite de cette écriture, le solde aux livres du compte Caisse compte courant BNN est de 26 575,40 $, ce qui correspond au solde réel recherché.

Bien entendu, si l'entreprise possède plus d'un compte en banque, ce qui est souvent le cas, elle doit établir le rapprochement bancaire de chaque compte, et la sommation de tous les soldes réels, accompagnée du solde du compte Petite caisse, est présentée dans le poste Trésorerie de l'état de la situation financière.

La présentation à cheminement vertical

Le pointage, l'analyse et la présentation des données sont les trois grandes étapes de l'établissement du rapprochement bancaire. Nous venons d'étudier le mode de présentation à cheminement parallèle ; voyons maintenant la seconde approche : la présentation à cheminement vertical. Supposons la représentation symbolique suivante :

BB = *Solde aux livres de la banque (relevé bancaire)*
EE = *Solde aux livres de l'entreprise (compte de grand livre)*
RR = *Solde réel dont dispose l'entreprise*

La première forme de présentation, qui consistait à établir le solde réel du compte bancaire et à en confirmer l'exactitude à l'aide de deux rapprochements parallèles, mais différents, peut être reproduite de la façon suivante :

BB		EE
⬇		⬇
RR	=	RR

5

Par contre, la présentation à cheminement vertical peut être illustrée comme suit :

Avant de déterminer le solde réel, on cherche d'abord à justifier par cette méthode la différence entre le solde du compte en banque et le solde existant aux livres de l'entreprise. Le travail de pointage et d'analyse effectué aux étapes 1 et 2 de l'établissement du rapprochement bancaire permet de dégager les éléments qui composent cette différence. Il faut donc, dans un premier temps, tenir compte de tous ces éléments et, dans un deuxième temps, ajuster les livres de l'entreprise pour qu'ils traduisent le solde réel. On notera que cette seconde démarche correspond exactement à la section de droite du rapprochement bancaire à cheminement parallèle illustré dans l'exemple précédent.

La figure 5.6 présente de façon plus complète la structure du rapprochement bancaire à cheminement vertical.

FIGURE 5.6 La structure du rapprochement bancaire à cheminement vertical

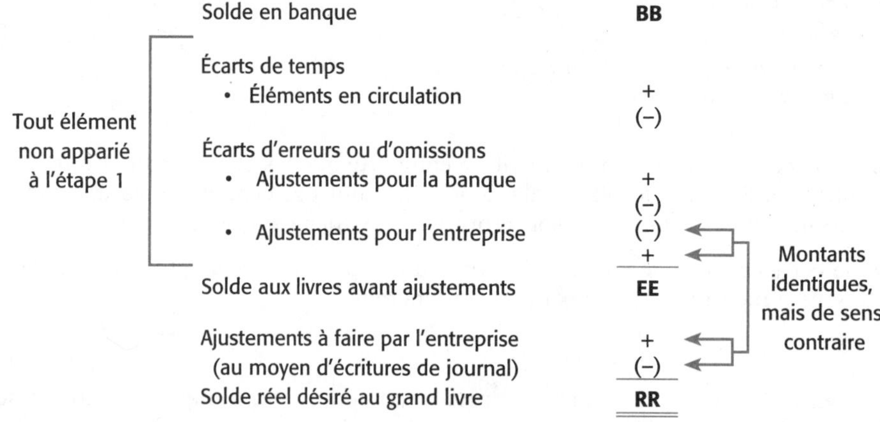

On notera que certains éléments figurent deux fois dans ce rapprochement ; il s'agit des ajustements que l'entreprise doit prendre en considération. Ces éléments figurent d'abord pour permettre de faire ressortir le solde aux livres avant ajustements, puis comme ajustements requis pour obtenir le solde réel. Comment peut-on inclure deux fois les mêmes montants et en arriver à un montant valable ? La raison est qu'un même montant est tantôt positif, tantôt négatif.

EXEMPLE

Éléments qui figurent à deux endroits dans un rapprochement bancaire à cheminement vertical

Ly Kid vous fournit les données suivantes :

- Le solde bancaire est de 15 000 $;
- Le solde aux livres est de 10 020 $;
- Le pointage et l'analyse des encaissements et des décaissements ne font ressortir que 2 éléments non appariés : le premier, un montant de 20 $ pour frais bancaires, figure sur le relevé bancaire, mais n'est pas encore inscrit dans les livres de l'entreprise ; le second, un chèque en circulation de 5 000 $, est inscrit dans les livres de l'entreprise, mais n'a pas encore été porté au relevé bancaire.

Voici le rapprochement bancaire que l'on obtient selon la présentation à cheminement vertical :

Solde en banque BB (tenant compte de la déduction de 20 $ pour frais bancaires)	*15 000 $*	
Chèque en circulation	*(5 000)*	
Frais bancaires (écart d'ajustement pour l'entreprise)	*20*	Montants identiques, mais de sens contraire
Solde aux livres avant ajustements EE	*10 020*	
Ajustement (frais bancaires à comptabiliser au moyen d'une écriture)	*(20)*	
Solde réel RR	*10 000 $*	

Pour obtenir le solde aux livres avant ajustements, lequel représente le solde existant au grand livre avant le rapprochement bancaire, il faut éliminer (en les additionnant) les frais bancaires figurant en déduction sur le relevé, puisque ceux-ci n'ont pas encore été comptabilisés dans les livres de l'entreprise. Par la suite, ces frais seront effectivement comptabilisés pour ramener le solde aux livres au montant réel. Ce double traitement s'applique à tous les articles du relevé bancaire pour lesquels l'entreprise doit passer une écriture d'ajustement.

EXEMPLE

Rapprochement bancaire à cheminement vertical

Reprenons l'exemple de la société Tofu inc. Bien entendu, le solde réel obtenu au moyen de ce rapprochement à cheminement vertical est identique à celui obtenu à l'aide du rapprochement à cheminement parallèle, puisque l'objectif de ces deux rapprochements est le même. Aussi l'écriture de journal est-elle identique à celle présentée à la page 5.19.

TOFU INC.
Rapprochement bancaire
au 30 novembre 20X1
Caisse compte courant BNN

Solde en banque			*16 475,40 $*
Éléments en circulation			
Dépôt		*9 000,00 $*	
Chèques		*(17 430,00)*	*(8 430,00)*
Écarts d'ajustement			
Pour la banque		*θ*	
Pour l'entreprise			
Erreur d'inversion de chiffres commise à l'enregistrement du chèque n° 119		*18,00*	
Chèque sans provision		*480,40*	
Frais bancaires		*29,95*	
Billet échu		*(3 000,00)*	
Intérêts gagnés		*(35,00)*	*(2 506,65)*
Solde aux livres			*5 538,75*
Ajustements			
Correction d'une erreur d'inversion de chiffres commise à l'enregistrement du chèque nº 119	*(18,00) $*		
Chèque sans provision	*(480,40)*		
Frais bancaires	*(29,95)*		
Billet échu	*3 000,00*		
Intérêts gagnés	*35,00*	*2 506,65*	
Recettes de la journée		*18 530,00*	*21 036,65*
Solde réel			*26 575,40 $*

On pourrait agencer différemment les éléments de ce rapprochement en regroupant d'abord tous les éléments positifs, puis tous les éléments négatifs. De plus, en règle générale, on peut obtenir le solde réel sans détailler de nouveau les ajustements comptables déjà énumérés pour obtenir le solde existant aux livres de l'entreprise. Un exemple de présentation verticale simplifiée figure à la page suivante.

5

TOFU INC. *Rapprochement bancaire* *au 30 novembre 20X1* *Caisse compte courant BNN*		
Solde en banque		*16 475,40 $*
Plus :		
Dépôt en circulation	*9 000,00 $*	
Erreur d'inversion de chiffres commise à l'enregistrement du chèque nº 119	*18,00*	
Chèque sans provision	*480,40*	
Frais bancaires	*29,95*	*9 528,35*
		26 003,75
Moins :		
Chèques en circulation	*17 430,00*	
Billet échu	*3 000,00*	
Intérêts gagnés	*35,00*	*20 465,00*
Solde aux livres		*5 538,75*
Ajustements comptables (voir le premier rapprochement vertical plus haut)	*2 506,65*	
Recettes de la journée	*18 530,00*	*21 036,65*
Solde réel		*26 575,40 $*

Avez-vous remarqué ?

La forme de présentation du rapprochement bancaire est laissée à la discrétion de l'entreprise. En effet, il s'agit d'un document utilisé exclusivement à des fins de gestion interne qui n'affecte nullement les montants présentés dans les états financiers.

La présentation dans les états financiers

Dans l'état de la situation financière, dans le poste Trésorerie, il faut refléter l'ensemble des sommes dont dispose l'entreprise à la date de clôture de l'exercice. Ce poste présente donc la sommation du solde du compte Petite caisse et des soldes réels des divers comptes Caisse inclus dans les livres de l'entreprise, qui ont été trouvés en effectuant des rapprochements bancaires.

Il se pourrait aussi que le total des sommes dont dispose l'entreprise soit négatif. Ceci pourrait être notamment le cas si le total des chèques en circulation excède le solde bancaire disponible. Comme ce montant négatif représenterait un montant à combler pour l'entreprise, il serait alors présenté dans le poste **Découvert bancaire** du passif courant. Si l'entreprise dispose de sommes dans un compte bancaire *X* et est à découvert dans un autre compte *Y*, elle ne peut pas compenser les montants de ces comptes. La première condition pour opérer une compensation entre les deux actifs financiers, que nous avons expliquée au chapitre 4, n'est pas remplie. En effet, l'entreprise n'a pas un droit juridiquement exécutoire de remettre le compte *X* en règlement du compte *Y*. L'intention de procéder à un règlement net en l'absence d'un droit de compensation juridiquement reconnu ne suffit pas pour justifier la compensation, étant donné que les droits et les obligations qui sont rattachés à chaque compte bancaire et à chaque découvert bancaire restent inchangés.

Comme nous l'avons mentionné au chapitre 2, les éléments de trésorerie qui ne sont pas disponibles à court terme doivent être présentés parmi les actifs non courants.

EXEMPLE

Présentation de divers comptes bancaires

La société Bonneau inc. détient les comptes bancaires suivants, pour lesquels vous avez obtenu le solde réel au 31 décembre 20X1, date de fin d'exercice :

Description	Solde réel
Compte courant, Banque Mondy	*29 514 $*
Compte salaire, Banque Mondy	*152 458*
Compte réservé au remboursement d'un emprunt obligataire prévu dans deux ans. L'acte d'emprunt oblige Bonneau inc. à maintenir ce solde en banque	*100 000*
Compte courant, Banque Spay Sial	*(14 352)*
Compte courant, Banque du Ganou, converti en dollars canadiens*	*62 888*

* Le Ganou est un pays qui interdit la sortie des devises nationales.

Voici la présentation de ces comptes dans l'état de la situation financière de Bonneau inc. :

BONNEAU INC.
État de la situation financière
31 décembre 20X1
Actif

Actif courant	
Trésorerie	*181 972 $*
Actif non courant	
Compte bancaire à l'étranger, sujet à des restrictions	*62 888*
Fonds réservé au remboursement d'une dette à long terme	*100 000*

Passif et capitaux propres

Passif courant	
Découvert bancaire	*14 352 $*

On constate que le poste Trésorerie, présenté dans l'actif courant, groupe uniquement les deux comptes bancaires sans restriction, dont le solde est positif (29 514 $ + 152 458 $). Le compte courant à la Banque Spay Sial est présenté dans le passif courant, puisque son solde est négatif. Enfin les deux comptes faisant l'objet de restriction sont présentés dans l'actif non courant.

PARTIE II – LES NCECF

Équivalents terminologiques *Manuel de CPA Canada* – Partie II et Partie I.

L'essentiel du présent chapitre porte sur les outils visant la gestion de la trésorerie, tel le rapprochement bancaire, qui demeurent les mêmes peu importe le référentiel utilisé pour préparer les états financiers. Quant à la présentation de la trésorerie dans les états financiers, il n'existe aucune différence entre les IFRS et les NCECF.

5

SYNTHÈSE DU CHAPITRE 5

La figure 5.7 illustre en un coup d'œil les principaux thèmes abordés dans le présent chapitre. Le texte qui suit la figure vous permettra de vérifier l'acquisition des objectifs d'apprentissage.

FIGURE 5.7 Les principaux thèmes abordés dans le présent chapitre

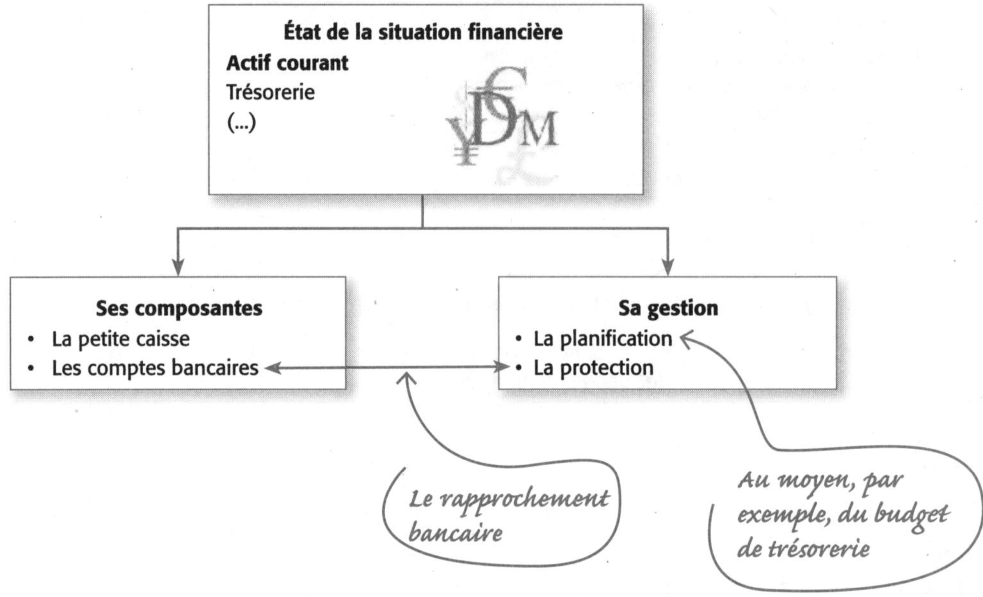

Source : Jocelyne Gosselin

 **Déterminer les éléments qui composent la trésorerie et expliquer les principes de base de la gestion de la trésorerie.** La trésorerie se compose d'argent (par exemple, des dollars, des euros ou des livres sterling). Elle englobe toutes les sommes immédiatement disponibles, ce qui exclut les sommes réservées à des fins particulières à plus ou moins long terme ou pour lesquelles subsistent des restrictions. La trésorerie nécessite une bonne gestion, comportant deux volets : la planification de la trésorerie et sa protection. Dans sa planification, le gestionnaire doit prévoir les flux de trésorerie de façon à maintenir un niveau optimal de trésorerie. Il doit donc, d'une part, investir les excédents et, d'autre part, s'assurer que le niveau de trésorerie est suffisamment élevé. Pour les aider dans cette tâche, plusieurs gestionnaires préparent un budget de trésorerie. Quant à la protection de la trésorerie, elle est assurée par un système de contrôle interne composé de diverses procédures, dont la mise en place de contrôles physiques, la répartition des tâches, les décaissements effectués uniquement par chèques, etc.

 **Comptabiliser les opérations réglées à même la petite caisse.** Pour les décaissements de petits montants, l'entreprise utilise une petite caisse de façon à éviter certaines formalités administratives. Compte tenu des faibles montants en cause, on comptabilise généralement ces opérations uniquement lorsque la petite caisse est renflouée.

 **Préparer un rapprochement bancaire et l'écriture de régularisation qui en découle.** Pour vérifier périodiquement le solde des comptes Caisse des livres de l'entreprise, il faut effectuer un rapprochement bancaire. En faisant cette vérification périodique, l'entreprise dégage les éléments de différence entre le solde du relevé bancaire et celui qui figure dans les livres de l'entreprise. Lorsque ces différences sont le résultat d'erreurs ou d'omissions faites par l'entreprise, il est nécessaire d'ajuster les livres au moyen d'écritures de journal. Les différences qui sont attribuables aux éléments en circulation s'ajusteront d'elles-mêmes après un certain temps.

 **Présenter la trésorerie dans les états financiers.** La trésorerie est habituellement présentée dans l'actif courant, à l'exception des sommes qui ne sont pas disponibles à court terme.

 **Comprendre et appliquer les NCECF liées à la trésorerie.** Il n'existe aucune différence entre les IFRS et les NCECF au sujet de la comptabilisation ou de la présentation de la trésorerie.

Les créances

6

Des ressources pédagogiques sont disponibles en ligne.

Objectifs d'apprentissage

À la fin de ce chapitre, vous pourrez :

1. expliquer les principes de base de la gestion des créances ;
2. appliquer le traitement comptable approprié aux comptes clients ;
3. appliquer le traitement comptable approprié aux effets à recevoir ;
4. déterminer le moment de la décomptabilisation des créances et appliquer le traitement comptable approprié ;
5. présenter et analyser les informations relatives aux créances dans les états financiers ;
6. comprendre et appliquer les NCECF liées aux créances.

Aperçu du chapitre

Au début de l'été dernier, vous étiez quelque peu soucieux de ne pas encore avoir trouvé un emploi conforme à vos attentes et à vos contraintes d'horaire. C'est alors que vous avez eu l'excellente idée d'offrir vos services à titre de pigiste, à la fois aux entreprises locales et aux personnes de votre entourage. Et quelle décision, un vrai coup de génie ! Vos revenus ont été des plus intéressants et vous avez bénéficié de beaucoup de souplesse dans votre horaire. Le seul petit bémol, c'est que plusieurs de vos clients ont demandé de vous payer plus tard. Puisque votre travail devait servir à financer vos mois d'études de l'automne suivant, vous n'avez pas hésité à acquiescer à ces demandes. Nous sommes maintenant à la mi-novembre et certains de vos clients ne vous ont pas encore payé. Vous commencez à vous interroger sur le bien-fondé de faire crédit à vos clients ou, à tout le moins, de ne pas avoir prévu une pénalité d'intérêts en cas de retard de paiement.

Votre situation est en tout point semblable à celle d'une entreprise. Beaucoup d'entreprises acceptent de vendre à crédit parce que cela leur permet d'augmenter leur chiffre d'affaires. Mais elles doivent elles-mêmes payer leurs fournisseurs et ont besoin d'encaisser au moment convenu les sommes à recevoir des clients. La partie I – Les IFRS débute par une section expliquant la façon dont une entreprise **gère ses créances,** notamment celle dont ses livres comptables lui permettent de garder la trace des comptes clients. La deuxième section traite plus spécialement de la comptabilisation des **comptes clients** au cours de l'exercice de la vente et des exercices subséquents.

Il arrive aussi que les entreprises fassent crédit à certaines entités autres que des clients. Comme vous auriez pu accepter l'été dernier de prêter de l'argent à votre sœur, les entreprises prêtent parfois des sommes aux membres de leur personnel ou acceptent de financer leurs clients durant une longue période. Les créances qui en découlent, appelées **Effets à recevoir,** font l'objet de la troisième section.

Arrive nécessairement le moment où l'entreprise **décomptabilise ses créances,** que ce soit parce qu'elle a recouvré les sommes des débiteurs ou parce qu'elle a vendu ses créances dans le but de bénéficier de trésorerie avant leur échéance. En effet, comme vous pourriez négocier une entente avec votre banquier pour avoir de l'argent dès la mi-novembre, les entreprises disposent de divers moyens pour convertir leurs créances en trésorerie, ce que nous verrons dans la quatrième section.

Au moment de préparer ses états financiers, une entreprise doit non seulement donner la valeur comptable de ses créances, mais elle est aussi tenue de fournir d'autres renseignements permettant aux utilisateurs des états financiers de prévoir le montant de même que l'échéancier des flux de trésorerie attendus et de comprendre les risques auxquels elle s'expose en détenant des créances. La dernière section de la partie I – Les IFRS traitera de ces **renseignements inclus dans les états financiers**. Enfin, dans la partie II – Les NCECF, nous présenterons des recommandations contenues dans les **NCECF** qui diffèrent de celles incluses dans les IFRS.

Lorsque des notions de mathématiques financières sont utilisées, les variables nécessaires aux calculs sont indiquées avec les abréviations suivantes :

N : nombre de périodes
I : taux d'intérêt
PMT : paiements périodiques
PV : valeur actualisée
FV : valeur future
BGN : paiements en début de période

PARTIE I – LES IFRS

Équivalents terminologiques *Manuel de CPA Canada* – Partie I et Partie II.

La gestion des créances

Au fil des ans, la circulation de la monnaie a beaucoup diminué[1]. Pensons à l'utilisation de plus en plus répandue des cartes de débit et des cartes à puce, ainsi qu'à la prolifération des cartes de crédit. Parallèlement, plusieurs entreprises productrices de biens et de services ont vu leurs créances prendre une place de plus en plus importante parmi leurs actifs.

On entend par **créance** le droit d'exiger, à court ou à long terme, d'une autre personne (**débiteur**), la remise d'une certaine somme d'argent, de biens ou encore la prestation de service. Plusieurs créances découlent de la vente de marchandises ou de la prestation de service, auxquelles on donne le nom de **comptes clients**.

Les créances englobent aussi les **effets à recevoir**, qui sont des traites ou des billets à ordre d'un montant déterminé. Un effet à recevoir prend généralement la forme d'un document écrit par lequel une personne s'engage à payer une somme d'argent déterminée à une autre personne, à vue, c'est-à-dire sur demande du prêteur, ou à une date déterminée.

Les entreprises détiennent aussi d'autres types de créances, tels les **intérêts à recevoir** sur placements et les **dividendes** déclarés par la société qui a émis les actions. Ces deux types de créances seront présentés dans le chapitre 11.

Plusieurs entreprises confient la gestion de leurs activités de crédit à des sous-traitants ou à des partenaires d'affaires. Il en est ainsi, par exemple, du détaillant de meubles qui offre à ses clients des plans de financement du type «Achetez maintenant et ne payez que dans 60 mois». Ce détaillant a préalablement signé une entente avec une entreprise spécialisée, telle une banque, qui prend en charge toutes ses activités de crédit. Le détaillant se protège ainsi du risque de perdre de l'argent en raison de mauvaises créances. D'autres entreprises, telles que Canadian Tire, estiment pouvoir gérer efficacement ce risque et veillent elles-mêmes à leurs opérations de crédit. Elles doivent alors gérer leurs créances.

La gestion des créances a pour principal objectif de permettre à l'entreprise de réaliser de meilleurs résultats. En effet, en facilitant l'accès au crédit à ses clients, l'entreprise peut augmenter de façon importante le volume de ses ventes. Pour que la gestion de ses créances soit efficace, l'entreprise doit trouver un point d'équilibre entre le risque de refuser du crédit à un client solvable (pertes éventuelles de ventes) et celui d'accepter un client dont la cote de solvabilité est faible (pertes de créances).

Pour atteindre ce point d'équilibre, l'entreprise doit instaurer des politiques portant sur deux aspects importants de la gestion des créances, soit une politique de crédit et une politique de recouvrement. L'entreprise doit accorder beaucoup d'attention à sa **politique de crédit**, car celle-ci est à l'origine de toutes les créances. Compte tenu des objectifs généraux de l'entreprise, la politique de crédit doit tout d'abord reposer sur une analyse suffisamment attentive de la solvabilité

1. La présente section s'inspire du document *Politique de comptabilité en management N° 8*, Gestion des comptes clients, Hamilton, Société des comptables en management du Canada, 1990, p. 1 à 39.

du client. Pour ce faire, l'entreprise peut notamment examiner la réputation du client, sa capacité de s'acquitter de ses dettes et les garanties qu'il peut donner. Les informations nécessaires à cet examen peuvent être obtenues auprès des associations de crédit, des agences d'évaluation du crédit et de l'établissement financier du client; s'il y a lieu, la solvabilité du client peut aussi être évaluée à partir de l'expérience passée de l'entreprise avec lui. La politique de crédit doit également délimiter la période de crédit, les conditions de règlement et les limites du crédit. Les décisions prises à ce sujet dépendent évidemment de la solvabilité du client, mais aussi des pratiques des autres entreprises du secteur.

La gestion des créances doit aussi reposer sur une **politique de recouvrement** précisant, entre autres, le mode et la fréquence de la facturation, le nom ou la fonction des employés qui sont responsables de cette politique et la marche à suivre pour le traitement des comptes en souffrance. Ce dernier élément est particulièrement délicat, car il exerce une influence sur les relations entre l'acheteur et le vendeur. Les démarches en matière de recouvrement doivent donc être d'abord très courtoises pour devenir progressivement plus insistantes. Une entreprise pourrait, par exemple, se conformer aux étapes de recouvrement suivantes:

1. Indiquer, sur un relevé de compte semblable à celui qui est présenté plus bas, les soldes impayés, les frais d'intérêts, les conditions de règlement ainsi que le délai de retard;
2. Poster une lettre de recouvrement, suivie de rappels, au besoin;
3. Procéder à des appels téléphoniques personnels de recouvrement;
4. Confier la créance à une agence de recouvrement;
5. Confier la créance à des représentants juridiques afin qu'ils prennent les mesures qui s'imposent. L'une de ces mesures pourrait être un appel, au Québec, devant la Cour des petites créances si le montant en souffrance ne dépasse pas la limite prévue par la loi, soit 15 000 $, sans compter les intérêts.

WWW
www.justice.gouv.qc.ca/francais/publications/generale/creance.htm

Le processus de recouvrement peut être très long et entraîner des coûts importants pour le vendeur. Celui-ci ne doit jamais perdre de vue les avantages de la réduction du nombre de pertes de créances, ainsi que la réduction et le contrôle de la période de recouvrement[2]. Une entreprise désireuse d'évaluer sa politique de recouvrement calcule notamment le ratio de **rotation des comptes clients**[3], puis compare sa performance à celles obtenues au cours des exercices antérieurs et à celles des autres entreprises du même secteur d'activité. Un ratio élevé est généralement apprécié. Cependant, un ratio trop élevé indique peut-être des conditions de crédit trop strictes, responsables de ventes perdues. À l'inverse, un faible ratio peut résulter de la décision de l'entreprise d'augmenter sa part de marché.

Voici un exemple de relevé de compte.

Relevé de compte
au 31 mars 20X1

Numéro de client 42650
Client inc.
2270, rue Principale
Ville Notoire (Québec)
A9C 4G8

Fournisseur
Plein inc.

Date	Nos de facture	Courant	30 jours	60 jours
7 décembre 20X0	12345			789,16 $
13 décembre 20X0	23456			113,04
22 janvier 20X1	40102			31,36
10 février 20X1	49682		1 634,60 $	
Total chronologique			1 634,60 $	933,56 $
Total				**2 568,16 $**

Compte en souffrance.
Votre paiement
serait apprécié.

2. *Politique de comptabilité en management N° 8*, Gestion des comptes clients, Hamilton, Société des comptables en management du Canada, 1990, p. 20.
3. On calcule ainsi le ratio de rotation des comptes clients: $\frac{\text{Ventes}}{\text{Comptes clients}}$.

La gestion des créances est intimement liée à celle de la trésorerie. En effet, les créances représentent une source importante d'encaissements en raison de leurs montants et de leur régularité dans le temps. Une bonne gestion des créances suppose un système de contrôle interne dont les objectifs sont notamment de s'assurer, dans la mesure du possible, que :

- tout ce qui est expédié est effectivement facturé au bon prix et au bon client ;
- les encaissements et les dépôts à la banque sont faits dans un délai acceptable ;
- les encaissements sont convenablement comptabilisés ;
- les dépréciations des comptes clients et les notes de crédit sont bien gérées.

Pour atteindre ces objectifs, une entreprise peut adopter les mesures suivantes :

- L'autorisation de crédit ;
- La répartition des tâches et des responsabilités, par exemple, l'encaissement des sommes et leur comptabilisation effectués par deux personnes précises ;
- La prénumérotation des bons d'expédition, afin de s'assurer que toutes les marchandises expédiées sont périodiquement facturées ;
- La tenue d'un livre auxiliaire des clients, dont le solde est rapproché de celui du compte contrôle Clients au grand livre ;
- L'autorisation des notes de crédit.

La figure 6.1 illustre un système simple de ventes de marchandises à crédit.

Soulignons enfin que toutes les entreprises ne cessent pas de vendre à un client dès que la situation financière de ce dernier se détériore. En refusant de vendre à un tel client, une entreprise pourrait entraîner des effets négatifs sur les affaires de son client, par exemple, en le privant de ses sources d'approvisionnement, mettant ainsi en jeu ses activités de production ou de prestation de service. Éventuellement, cela peut déclencher la faillite du client et entraîner la perte définitive des sommes à recevoir. C'est pourquoi l'entreprise compare plutôt le montant, l'échéancier et la probabilité des flux de trésorerie attendus des deux scénarios, le premier étant le maintien d'une relation commerciale et le second étant l'interruption des ventes au client.

Avez-vous remarqué ?

Dans le monde des affaires, les entreprises dont les biens destinés à la vente ou à la prestation de service ne se démarquent pas clairement de ceux des concurrents alignent leurs politiques de crédit et de recouvrement sur celles de leur secteur d'activité.

Les comptes clients

Le traitement comptable des comptes clients, expliqué plus loin, peut se diviser en deux blocs : celui qui est applicable lors de la comptabilisation initiale de ces comptes et celui qui est retenu pour comptabiliser l'évolution subséquente de leur valeur comptable.

Comme nous l'avons mentionné au chapitre 4, les créances constituent des actifs financiers ; de ce fait, elles doivent être comptabilisées selon les normes contenues dans l'**IFRS 9**, intitulée « Instruments financiers », des *Normes internationales d'information financière* (IFRS). Une entreprise doit classer ses créances après avoir analysé trois questions (*voir la figure 4.3*) :

1. Ces actifs financiers génèrent-ils des flux de trésorerie contractuels à dates fixes ?
2. Les flux de trésorerie contractuels se limitent-ils au recouvrement du principal et aux encaissements d'intérêts sur le principal restant à recouvrer ?
3. Ces actifs financiers sont-ils détenus dans le but principal de percevoir les flux de trésorerie contractuels ?

Lorsque la réponse à chacune de ces questions est positive, comme c'est généralement le cas pour les comptes clients, on doit classer les créances comme étant subséquemment évaluées

FIGURE 6.1 Un système des ventes de marchandises à crédit (inventaire permanent)

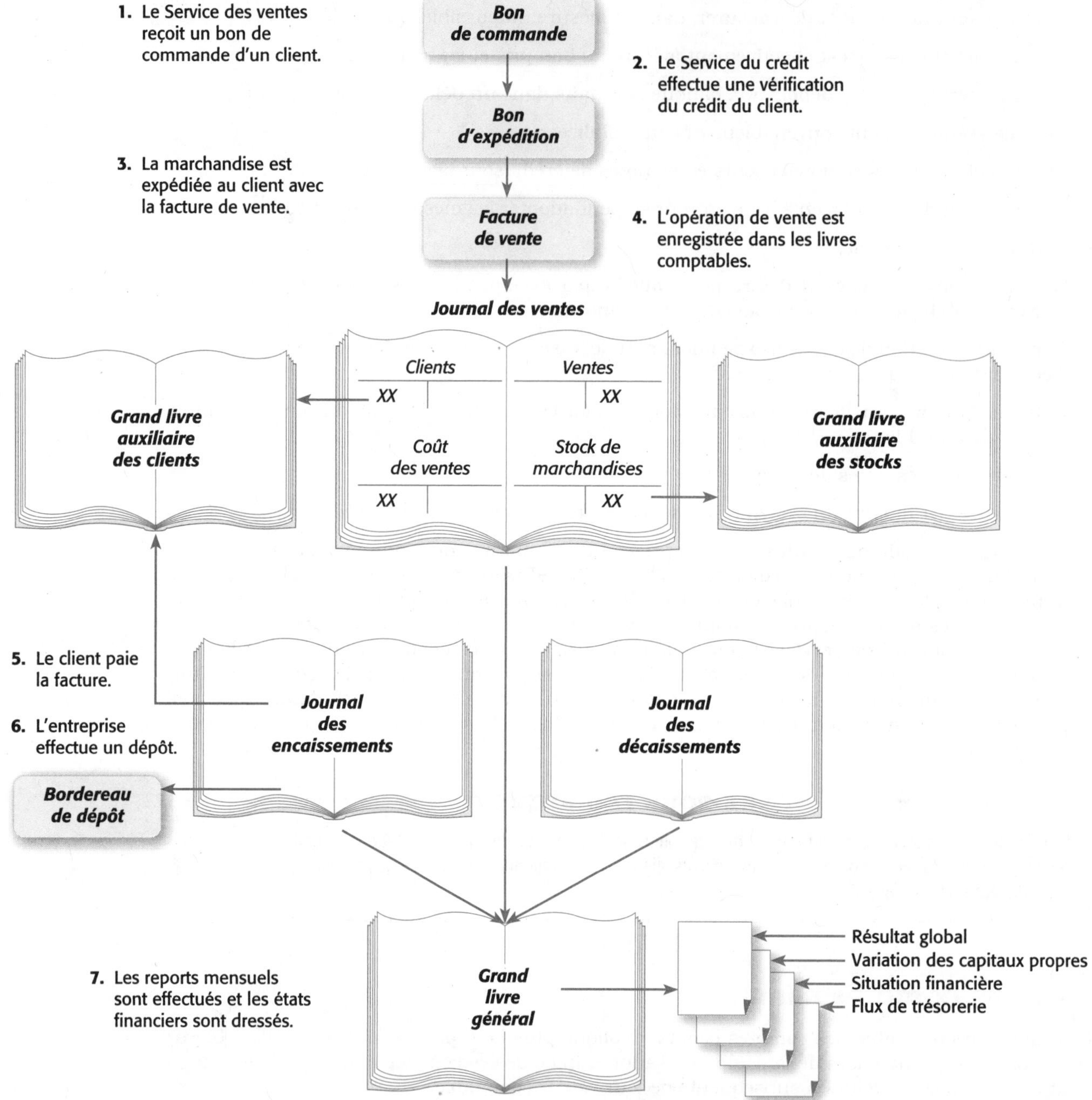

Au coût amorti[4]. Si les actifs financiers sont détenus dans le but de percevoir à la fois les flux de trésorerie contractuels et ceux de la vente, ils sont classés À la juste valeur par le biais des autres éléments du résultat global (JVBAERG). Enfin, s'ils sont détenus principalement pour percevoir les flux de trésorerie liés à la vente, on doit les classer comme étant ultérieurement évalués À la juste valeur par le biais du résultat net.

Les entreprises classent habituellement leurs comptes clients comme devant être évalués subséquemment Au coût amorti. C'est pourquoi, dans les pages qui suivent, nous insisterons sur ce traitement comptable.

4. Bien qu'une entreprise puisse parfois classer ces comptes clients À la juste valeur par le biais du résultat net pour réduire une non-concordance comptable, nous n'approfondirons pas davantage ce sujet ici. Le lecteur peut se reporter au chapitre 4 pour plus de détails.

La comptabilisation initiale

Lorsqu'une entreprise productrice de biens conclut une opération avec une tierce partie, elle en comptabilise les produits quand elle franchit les cinq étapes suivantes du modèle de comptabilisation des produits expliqué dans l'**IFRS 15**, intitulée « Produit des activités ordinaires tirés de contrats conclus avec des clients », et expliquées en détail au chapitre 20 :

1. La validation de la présence d'un contrat ;
2. La détermination des obligations de prestation ;
3. La comptabilisation lorsque l'obligation de prestation est remplie ;
4. La détermination du prix de transaction ;
5. La répartition du prix de transaction entre les obligations de prestation.

Dans les situations simples, on comptabilise le produit lorsque le contrôle sur les biens vendus est transféré à l'acheteur, habituellement au moment de la livraison de l'actif en cause chez le client. Le montant comptabilisé est celui auquel l'entreprise estime qu'elle aura droit.

EXEMPLE

Vente à crédit de marchandises

La société Ventout ltée vend un bien au prix de 500 $ et ce bien est assujetti aux diverses taxes. L'entreprise comptabilise l'opération de vente à crédit de la façon suivante :

Clients	*575*	
Ventes		*500*
Taxe sur les produits et services à payer (5 %)		*25*
Taxe de vente du Québec à payer (9,975 %)		*50*
Vente à crédit.		

Les entreprises de service procèdent quelque peu différemment. Comme nous le verrons au chapitre 20, si les services rendus s'échelonnent sur une assez longue période, ces entreprises ne voudront sûrement pas attendre la fin des travaux pour facturer leurs services à leurs clients et comptabiliser le produit.

EXEMPLE

Vente à crédit de services

Un dentiste prescrit un traitement de canal devant s'échelonner sur trois rendez-vous et dont la valeur totale s'élève à 1 500 $. Il pourra facturer les soins à son client à chaque visite, pour un montant correspondant au tiers de la valeur totale. Ainsi, dans le cas d'une facturation selon le degré d'avancement des travaux, le responsable de la tenue des livres passera alors l'écriture suivante :

Clients	*575*	
Honoraires professionnels		*500*
Taxe sur les produits et services à payer (5 %)		*25*
Taxe de vente du Québec à payer (9,975 %)		*50*
Prestation de services.		

Le plus souvent, la comptabilisation du montant à recevoir et la comptabilisation des produits se font simultanément, comme l'illustrent les deux cas précédents. Il se peut aussi qu'une entreprise exige un dépôt avant même de rendre des services. Dans ce cas, on doit plutôt débiter le compte Caisse et créditer le compte Produits différés. D'autres, comme les entreprises d'électricité ou de gaz naturel, rendent des services de façon continuelle.

En plus de déterminer le moment de la comptabilisation du produit tiré de la vente, on doit estimer le montant auquel l'entreprise aura droit. C'est ce montant qu'elle comptabilise à titre de produits. Ce montant peut différer de celui débité au compte Clients, lequel correspond à la juste valeur du compte Clients. Les divisions qui suivent traitent de situations fréquentes où cela peut survenir.

Le moment où les comptes clients seront recouvrés

Pour déterminer la juste valeur initiale des comptes clients, on doit tenir compte de la valeur temporelle de l'argent. En période d'inflation, un montant de 1 000 $ reçu le 1er janvier 20X1 a plus de valeur qu'un montant de 1 000 $ reçu le 1er juillet 20X1.

Le processus d'actualisation permet de tenir compte de la valeur temporelle de l'argent, tel qu'expliqué au chapitre 3. En théorie, le montant à inscrire au compte d'un client devrait correspondre à la valeur actualisée des montants qui seront reçus ultérieurement. En pratique, cependant, l'emploi du processus d'actualisation pour déterminer la juste valeur initiale des comptes clients n'est pas répandu. Étant donné que la plupart de ces comptes sont recouvrés dans un court laps de temps, la valeur actualisée ne s'éloigne pas de façon significative de la valeur à l'échéance. L'importance relative justifie alors l'abandon du processus d'actualisation.

Le montant à recouvrer

La détermination du montant à recouvrer est fonction des éléments suivants: les diminutions de prix accordées lors de la vente, les diminutions de prix accordées après la vente, les taxes à recouvrer et les frais de transport.

Pour déterminer le plus précisément possible le montant que le vendeur pourra recouvrer auprès du client, le comptable doit tenir compte de toutes les conditions de l'opération de vente afin de bien en saisir la substance. Pour mousser leurs ventes, plusieurs entreprises accordent des réductions à leurs clients. Nous traiterons maintenant de la comptabilisation de ces réductions selon le moment où le vendeur les accorde.

Les diminutions de prix accordées lors de la vente

Les récessions économiques ont eu pour effet de faire diminuer la consommation, alors que la mondialisation des échanges a eu pour effet d'uniformiser les marchandises. Pour se démarquer de leurs concurrents, les entreprises recourent parfois à une politique de prix «agressive» et consentent des réductions du prix de vente. De telles diminutions n'entraînent aucune incertitude au chapitre de l'évaluation. C'est pour cette raison que le comptable inscrit le montant net à recevoir. Examinons trois formes de réductions que les entreprises accordent parfois au moment de la vente.

La première se compose des **démarques**, c'est-à-dire des diminutions des prix de détail, qui font habituellement l'objet de publicité. Ainsi, une marchandise dont le prix de détail suggéré est de 100 $ pourrait se vendre 90 $ en solde. Sur le plan comptable, le vendeur comptabilise le montant réel à recevoir, soit 90 $, car c'est ce montant qui correspond à la juste valeur initiale de la créance.

La deuxième forme que peuvent prendre les réductions de prix englobe toutes les promotions du vendeur accompagnées de **coupons de réduction**. Il en est ainsi des coupons donnant droit à un «deux pour un» ou à une réduction du prix de vente d'un montant forfaitaire. Au cours des dernières années, la popularité de ces réductions a pris beaucoup d'ampleur. Nous expliquerons au chapitre 20 que le vendeur doit comptabiliser un passif dès qu'il émet de tels coupons car, à cette date, il s'engage à consentir des réductions. Lorsque les clients profitent des coupons de réduction, le vendeur comptabilise la vente au montant brut et porte le montant de la réduction au débit du compte de passif. Ainsi, c'est le montant net de la vente qui est inscrit dans le compte Clients. Habituellement, les taxes de vente se calculent sur le montant net de la vente.

EXEMPLE

Vente assortie de coupons de réduction

Le 10 juin 20X5, la société Normand inc. émet des coupons de réduction donnant droit à une réduction de 10 % du prix de vente et estime que les clients profiteront de coupons pour une valeur de 10 000 $. Le 11 juin, l'entreprise sert les premiers clients bénéficiant de coupons. Ces clients achètent pour un total de 5 000 $ de marchandises et utilisent des coupons valant 500 $.

Ainsi, dans le cas d'une émission de coupons et de vente à prix réduit, les écritures suivantes sont requises dans les livres de Normand inc. :

10 juin		
Frais promotionnels	*10 000*	
Dette relative à des coupons de réduction (ou Produits différés – Coupons de réduction)		*10 000*
Émission de coupons donnant droit à une réduction de 10 % du prix de vente.		
11 juin		
Dette relative à des coupons de réduction (ou Produits différés – Coupons de réduction)	*500*	
Clients	*5 174*	
Ventes		*5 000*
Taxe sur les produits et services à payer (4 500 $ × 5 %)		*225*
Taxe de vente du Québec à payer (4 500 $ × 9,975 %)		*449*
Vente de marchandises et retour de coupons de réduction donnant droit à une réduction de 10 % du prix de vente.		

Le lecteur notera trois éléments. D'abord, la valeur comptable de la créance correspond à sa juste valeur initiale sans égard à la valeur des coupons échangés. Ensuite, les taxes sont calculées sur le montant net de la vente, soit 4 500 $ même si on a comptabilisé un produit de 5 000 $. Enfin, comme les deux écritures précédentes consignent distinctement le montant brut des ventes et celui des coupons, elles donnent à la direction de Normand inc. l'information nécessaire pour juger de la popularité de telles promotions.

Les producteurs, tout comme les détaillants, émettent des coupons de réduction. Comme les producteurs ne traitent pas directement avec les consommateurs, ils demandent aux détaillants d'accepter à leur place les coupons de réduction retournés par les clients. Ce sont donc les détaillants qui accordent la réduction de prix aux clients et qui en demandent ensuite le remboursement aux producteurs. Habituellement, les détaillants calculent les taxes de vente sur le montant brut de la vente.

EXEMPLE

Vente assortie de coupons émis par un fabricant

Reprenons l'exemple de Normand inc., en tenant pour acquis que les coupons ont été émis par le producteur Fabrik ltée. Le 10 juin, Normand inc. ne passe aucune écriture, puisqu'elle n'assume pas les frais promotionnels. Le 11 juin, l'écriture suivante est requise dans ses livres :

À recevoir de Fabrik ltée	*500*	
Clients	*5 249*	
Ventes		*5 000*
Taxe sur les produits et services à payer (5 000 $ × 5 %)		*250*
Taxe de vente du Québec à payer (5 000 $ × 9,975 %)		*499*
Vente de marchandises et retour de coupons de réduction émis par un producteur.		

Les **rabais de gros** et les **rabais pour clientèle cible** constituent une troisième forme de réduction de prix. Les détaillants accordent parfois des réductions de prix à certains types de clients ou à des clients qui achètent une quantité importante de biens.

EXEMPLE

Vente assortie de rabais

La société Praitatou ltée vend les marchandises suivantes :

Marchandises	*Prix au catalogue (par unité)*
A	*10 $*
B	*5*
C	*100*
D	*35*
E	*20*

Le responsable des ventes de Praitatou ltée a le mandat de déterminer le prix de vente optimal pour l'entreprise, ce qui ne signifie pas nécessairement le prix de vente le plus élevé. Selon les particularités de chaque client et les circonstances, il accordera des rabais plus ou moins importants.

Précisons d'entrée de jeu que le prix au catalogue correspond au prix de vente le plus élevé, qui peut s'écarter de la juste valeur. Dans les trois exemples qui suivent, nous tenons pour acquis que le prix fixé par l'entreprise correspond à la juste valeur du compte client. Si le prix de transaction s'écarte de la juste valeur et que cette dernière n'est pas attestée par un cours sur un marché actif, l'instrument financier est comptabilisé au prix de la transaction. Dans les exercices subséquents, la différence entre le prix de la transaction et la juste valeur est comptabilisée comme un ajustement de la valeur comptable de l'actif financier et, en contrepartie, comme un élément du résultat net de façon progressive. Le lecteur peut se reporter au chapitre 4 pour plus de détails.

Voici quelques exemples de prix que fixe le vendeur :

1er exemple. Le client X achète une grande quantité du bien C de Lazare ltée, concurrent de Praitatou ltée. Comme Lazare ltée est en rupture de stock en ce qui concerne le bien C, X a commandé de Praitatou ltée 100 unités du bien C. Le vendeur, connaissant le prix de vente de Lazare ltée et ne voulant pas perdre le client X, lui offre un rabais de 15 % sur le prix au catalogue. Il prépare donc un bon de commande de 8 500 $ [(100 $ – 15 $) × 100 unités], prix inférieur au prix de vente du concurrent.

2e exemple. Le client Y appelle le responsable des ventes de Praitatou ltée pour commander 100 unités du bien E. Ce client ayant une très mauvaise réputation, le responsable ne désire pas vraiment faire affaire avec lui. Il offre donc à Y de lui vendre les articles au prix au catalogue de 20 $, sans aucun rabais.

3e exemple. Le client Z est l'un des clients les plus fidèles de Praitatou ltée. Le vendeur lui accorde toujours un rabais de 20 % sur les prix au catalogue. Ainsi, la dernière commande de Z pour 100 unités du bien A lui a été facturée à 800 $ [(10 $ – 2 $) × 100 unités].

Comme les rabais ont pour effet de diminuer le prix de vente conseillé, on se demandera si le compte du client doit être débité du prix de vente conseillé ou du montant réel de la vente, c'est-à-dire le prix de transaction. Comme toutes les créances doivent être initialement inscrites au prix de transaction, c'est le prix de vente réel, c'est-à-dire le prix de vente conseillé diminué du rabais, qui doit être inscrit au compte Clients. Praitatou ltée passera donc l'écriture suivante au moment de la vente effectuée au client X (1er exemple), en supposant que le bien C soit exempt de taxes :

Clients – X	*8 500*	
Ventes		*8 500*
Vente de 100 unités du bien C à un prix unitaire de 85 $.		

Les diminutions de prix accordées après la vente

Les entreprises accordent parfois d'autres réductions de prix entre le moment de la vente et celui de l'encaissement des créances. Nous traitons ici le point de vue du vendeur, alors que le chapitre 12 traitera de la comptabilisation de telles diminutions du point de vue de l'acheteur. Au moment de la vente, le comptable fait face à une incertitude, à savoir la probabilité que le client bénéficie de la réduction. Selon l'IFRS 15, le vendeur doit estimer le prix de vente auquel il aura droit, en utilisant des méthodes que nous expliquerons au chapitre 20. Pour le moment, nous indiquerons la valeur des réductions jugées probables. Examinons trois formes de réduction de prix que les entreprises accordent parfois après la vente : les ristournes, les escomptes de caisse ainsi que les rendus sur ventes et les remises pour défaut.

Les **ristournes**, dont la comptabilisation pour l'acheteur sera traitée au chapitre 7, constituent des diminutions de prix calculées en fonction du volume des achats faits par un client au cours d'une période déterminée. À une date donnée, les grossistes établissent des barèmes applicables à tous leurs clients. Ces barèmes sont progressifs, c'est-à-dire que le pourcentage de la ristourne augmente en fonction de la quantité d'articles vendus à un client.

Lorsqu'il est probable que l'entreprise devra payer des ristournes, parce que les clients ont un volume d'achats qui le justifie, on comptabilise leur valeur dans un compte Produits différés. En ce qui concerne les ristournes que l'entreprise juge improbable de devoir payer, on n'en tient pas compte lors de la comptabilisation de la vente, ce qui revient à comptabiliser le montant brut de la vente.

EXEMPLE

Ristournes accordées aux clients

Voici la politique de ristournes semestrielles de la société Inter-services ltée, qui ne vend qu'un seul bien exempt de taxes à un prix de vente de 1 $:

Politique de ristournes semestrielles

3 % pour un volume allant de 5 000 unités à 9 999 unités

5 % pour un volume supérieur à 9 999 unités

Voici les ventes faites par Inter-services ltée aux clients A et B au cours du dernier semestre de 20X1.

Date	Opération	Client A	Client B
7 octobre	Vente	1 200 $	1 000 $
15 novembre	Vente		8 000
31 décembre	Total des ventes du semestre	1 200 $	9 000 $
	Calcul de la ristourne		
	(9 000 $ × 3 %)		270 $

Se basant sur son expérience passée, Inter-services ltée estime qu'elle accorde en moyenne des ristournes correspondant à 4 % des ventes. Voici les écritures qu'elle enregistre pour les opérations avec ses deux clients, sans tenir compte des taxes :

	Débit	Crédit
7 octobre 20X1		
Client A	1 200	
Ventes		1 152
Produits différés – Ristournes		48
Ventes à crédit et ristournes moyennes de 4 % qui sont habituellement payées aux clients.		
Client B	1 000	
Ventes		960
Produits différés – Ristournes		40
Ventes à crédit et ristournes moyennes de 4 % qui sont habituellement payées aux clients.		
15 novembre 20X1		
Client B	8 000	
Ventes		7 680
Produits différés – Ristournes		320
Ventes à crédit et ristournes moyennes de 4 % qui sont habituellement payées aux clients.		

31 décembre 20X1		
Produits différés – Ristournes ①	*408*	
Client B ②		*270*
Ventes ③		*138*

Paiement des ristournes et ajustement des ventes selon les ristournes réellement payées.

Calculs :

① (48 $ + 40 $ + 320 $)

② (9 000 $ × 3 %)

③ Ventes du semestre	10 200 $
Taux estimatif de ristourne	0,04
Ristournes estimées pour le semestre	408
Ristourne payée au client B	(270)
Ajustement à inscrire au compte Ventes	138 $

Au cours du semestre, l'entreprise prévoyait payer une ristourne de 4 %, qu'elle a correctement comptabilisée lors de chaque opération de ventes. Arrivée en fin de semestre, elle doit cependant réviser ses estimations de la ristourne. En effet, seul le client B a droit à une ristourne de 270 $, soit 3 % du montant brut de ses transactions. L'excédent des ristournes initialement comptabilisées en produits différés doit être viré aux ventes à la fin du semestre.

6

Les **escomptes de caisse** sont un autre type de réduction consenti aux clients qui paient rapidement leur compte. Par exemple, il arrive souvent qu'une entreprise accorde un escompte de 2 % à un client qui paie sa facture dans les 10 jours suivant la vente, même s'il peut retarder son paiement jusqu'au trentième jour suivant la vente sans pénalité d'intérêts. On comptabilise un tel escompte, noté 2/10, n/30, selon la probabilité que les clients profitent de l'escompte. Tout comme pour les ristournes, l'entreprise peut se baser sur son expérience passée pour estimer la proportion des escomptes accordés sur le total des ventes.

EXEMPLE

Ventes assorties d'un escompte de caisse

Sensas ltée vend à crédit 1 000 $ de marchandises avec les conditions de règlement 2/10, n/30. Se basant sur son expérience passée, elle estime que les escomptes qu'elle accorde représentent 0,9 % de ses ventes totales. Sensas ltée a vendu pour 1 000 $ de marchandises à un client et elle passe l'écriture suivante à la date de la vente qui ne tient pas compte des taxes :

Clients	*1 000*	
Ventes		*991*
Produits différés – Escompte de caisse		*9*

Vente à crédit de 1 000 $, assortie d'un escompte 2/10, n/30, et escompte moyen estimatif de 0,9 % accordé aux clients.

Cinq jours plus tard, le client paie son compte et profite donc de l'escompte. Voici ce que Sensas ltée enregistre dans ses livres :

Caisse	*980*	
Produits différés – Escompte de caisse	*20*	
Clients		*1 000*

Encaissement d'un compte Clients assorti d'un escompte 2/10, n/30.

En fin de période, Sensas ltée devra régulariser le compte Produits différés – Escompte de caisse pour que le solde corresponde aux escomptes que l'entreprise pourrait devoir accorder dans les 10 jours suivant la clôture de l'exercice.

Les rendus sur ventes ou les remises pour défaut constituent un troisième type de diminutions de prix accordées après la vente. Une entreprise accepte généralement de reprendre les marchandises qu'elle a vendues à ses clients quelques jours auparavant ; elle accorde alors des **rendus sur ventes**. Dans d'autres cas, par exemple si les marchandises vendues sont abîmées, elle en réduit le prix de vente en consentant des **remises pour défaut**. Comme pour les autres diminutions de prix accordées après la vente, l'entreprise doit, au moment de la vente, estimer le montant de la remise pour défaut ou du rendu sur ventes auquel le client pourrait avoir droit et comptabiliser la diminution estimée dans un compte de passif [5].

EXEMPLE

Ventes assorties d'éventuelles remises pour défaut

Le 29 novembre 20X1, la société Champlain ltée effectue une vente à crédit de 500 000 $. Par le passé, l'entreprise a accordé des remises pour défaut représentant 1 % de son chiffre d'affaires. Voici l'écriture qu'elle enregistre au moment de la vente, qui ne tient pas compte des taxes :

Clients	*500 000*	
Ventes		*495 000*
Produits différés – Remises pour défaut		*5 000*
Ventes de 500 000 $ et remises pour défaut estimatives de 1 % qui seront accordées.		

En ce qui concerne les rendus sur ventes, la particularité découle du fait que le vendeur récupère la marchandise vendue. Au moment de la vente, s'il utilise un système d'inventaire permanent, il doit comptabiliser le coût des ventes, comme l'explique le chapitre 7. Il doit simultanément inscrire dans un compte distinct la valeur comptable des biens qu'il prévoit reprendre.

EXEMPLE

Ventes assorties d'éventuels rendus sur ventes

Le 6 mars 20X1, la société Champoux ltée a vendu 500 000 $ de marchandises. Elle utilise un système d'inventaire permanent et accorde des rendus sur ventes. Ces rendus correspondent à 1 % de son chiffre d'affaires. Le coût des marchandises correspond à 65 % du prix de vente. Voici les écritures que la société enregistre au moment de la vente, sans tenir compte des taxes :

Clients	*500 000*	
Ventes		*495 000*
Produits différés – Rendus sur ventes		*5 000*
Ventes de 500 000 $ et rendus sur ventes estimatifs de 1 % qui seront accordés.		
Coût des ventes	*325 000*	
Stocks de marchandises		*325 000*
Coût des marchandises vendues (500 000 $ × 65 %).		
Droit de récupérer des stocks	*3 250*	
Coût des ventes		*3 250*
Coût des marchandises qui pourraient être reprises en cas de rendus sur ventes (500 000 $ × 65 % × 1 %).		

Après avoir enregistré la vente au montant net (*voir la première écriture*), Champoux ltée doit enregistrer dans ses livres le fait que des stocks, d'un coût de 325 000 $, sont sortis de ses entrepôts. C'est ce que reflète la deuxième écriture. Puisque les produits estimatifs liés aux

5. Si l'entreprise était incapable de faire une estimation raisonnable des rendus sur ventes et des remises pour défaut, elle pourrait devoir conclure qu'il lui est impossible d'estimer le montant de produit découlant de la vente de biens. L'incapacité de faire cette estimation ne lui permettrait pas de déterminer la juste valeur de la créance et l'empêcherait de comptabiliser le produit, puisque le montant n'est pas estimable.

marchandises qui seront possiblement retournées (5 000 $) ne sont pas comptabilisés lors de la vente, il est logique de ne pas comptabiliser en charges le coût des ventes de ces marchandises (3 250 $). C'est l'objet de la troisième écriture.

Le 10 mars suivant, des clients qui avaient payé leur compte retournent des marchandises endommagées qu'ils avaient payées 4 600 $. Champoux ltée enregistre deux écritures :

Produits différés – Rendus sur ventes	*4 600*	
Caisse		*4 600*
Remboursement de marchandises retournées par les clients.		
Stocks	*2 990*	
Droit de récupérer des stocks		*2 990*
Coût des marchandises reprises (4 600 $ × 65 %).		

Comme l'explique le chapitre 7, le montant de 2 990 $ débité au compte de stock ne doit pas excéder la valeur de réalisation nette des stocks. En fin d'exercice, Champoux ltée devra aussi préparer une écriture de régularisation pour ajuster les comptes Droit de récupérer des stocks et Coût des ventes, compte tenu du montant réel des marchandises retournées par les clients.

Pour clore cette section traitant des diminutions du prix de vente, rappelons que l'entreprise doit comptabiliser la juste valeur des créances. Cela correspond habituellement au montant net auquel elle aura droit, c'est-à-dire au prix de vente, diminué de toutes les réductions de prix qu'elle a accordées et dont les clients se prévaudront.

Les taxes à recouvrer

La taxe sur les produits et services, communément appelée **TPS**, et la taxe de vente du Québec, la **TVQ**, s'appliquent tout au long du processus de production et de distribution, c'est-à-dire que chaque consommateur paie la TPS et la TVQ sur les biens qu'il consomme. Puisque l'extrant d'une entreprise X devient souvent l'intrant d'une entreprise Y, qui revend elle-même ses marchandises aux consommateurs, les taxes pourraient être perçues plusieurs fois. Pour éviter ces duplications, les gouvernements ont prévu un mécanisme par lequel ils remboursent les taxes sur les intrants d'une entreprise.

EXEMPLE

Ventes assorties d'une remise pour défaut

La société Meubles Québec inc. (MQI) est un fabricant de meubles. En janvier 20X1, elle a acheté pour 110 000 $ de matières premières et fournitures. Au moment de l'acquisition, MQI a payé au fournisseur la TPS correspondant à 5 % du coût d'acquisition, soit 5 500 $, ainsi que la TVQ au taux de 9,975 %, soit 10 973 $. Puisque l'entreprise a droit au remboursement de ces taxes, celles-ci ne représentent pas un élément du coût des matières premières, mais plutôt une créance.

Stock	*110 000*	
Taxe sur les produits et services à recouvrer	*5 500*	
Taxe de vente du Québec à recouvrer	*10 973*	
Caisse		*126 473*
Achat de matières premières et de fournitures admissibles à des recouvrements de taxes.		

Pour ensuite récupérer les taxes de 16 473 $ (5 500 $ + 10 973 $), l'entreprise n'a qu'à les déduire du montant des taxes perçues de ses clients qu'elle doit remettre à l'État. Tenons pour acquis que MQI a vendu, au cours du mois de janvier, des marchandises à des prix de vente totalisant 200 000 $. Elle a donc perçu un montant de taxes de 29 950 $ [(200 000 $ × 5 %) + (200 000 $ × 9,975 %)]. Elle ne remettra au gouvernement que le montant net de 13 477 $, soit le total des taxes perçues lors de la vente de 29 950 $, moins le total des taxes payées lors de l'achat de 16 473 $.

Les frais de transport

Lorsque l'entreprise assume les **frais de livraison** sur les marchandises vendues, elle les comptabilise dans un compte de charges intitulé Frais de livraison. Ces frais n'ont aucune répercussion directe sur le prix de vente ni sur le montant à recevoir du client. Cependant, il arrive qu'au moment où un transporteur livre des marchandises, le client lui paie directement des frais de livraison à la charge de l'entreprise. Dans ce cas, celle-ci ne comptabilise que le montant net au compte Clients.

EXEMPLE

Frais de transport

L'entreprise Commerce ltée a vendu à Mme Saint-Laurent des matériaux de construction au prix de 1 000 $ plus taxes. Commerce ltée assume les frais de livraison des matériaux jusqu'au domicile de Mme Saint-Laurent. Le transporteur indépendant a cependant exigé que cette dernière paie les frais de livraison de 100 $ plus taxes. Voici la façon dont Commerce ltée comptabilisera cette opération :

Clients – Mme Saint-Laurent	*1 035*	
Frais de livraison	*100*	
Taxe sur les produits et services à recouvrer (100 $ × 5 %)	*5*	
Taxe de vente du Québec à recouvrer (100 $ × 9,975 %)	*10*	
Ventes		*1 000*
Taxe sur les produits et services à payer (1 000 $ × 5 %)		*50*
Taxe de vente du Québec à payer (1 000 $ × 9,975 %)		*100*

Vente à crédit dont les frais de livraison ont été payés directement par la cliente.

Le montant brut à recevoir de 1 150 $ (1 000 $ + 50 $ + 100 $) est ainsi diminué du montant de 115 $ (100 $ + 5 $ + 10 $) déboursé par Mme Saint-Laurent.

Avez-vous remarqué ?

La valeur comptable initiale des comptes clients correspond au montant qui sera recouvré, soit le prix de vente brut, diminué de toutes les réductions accordées par le vendeur et majoré des taxes de vente.

La comptabilisation subséquente

Comme mentionné précédemment, la plupart des comptes clients doivent être évalués, au cours des exercices subséquents, au coût amorti, en utilisant la méthode du taux d'intérêt effectif. Compte tenu du court délai de recouvrement des comptes clients, qui rend superflue l'actualisation des montants à recevoir, on considère généralement que la valeur comptable initiale, égale à la juste valeur, correspond au coût amorti pendant toute la période de détention des comptes clients[6]. Cependant, si une entreprise consent des délais de recouvrement excédant quelques mois et si les taux d'intérêt du marché sont significatifs, elle comptabilise ses comptes clients au coût amorti en suivant les explications fournies au chapitre 4. De ce fait, à chaque date de clôture, l'entreprise doit augmenter la valeur comptable du compte client. En contrepartie de cette augmentation, elle comptabilise des produits financiers calculés en appliquant le taux d'intérêt effectif à la valeur comptable du compte client au début de l'exercice en passant l'écriture suivante :

Clients	*XX*	
Produits financiers – Comptes clients		*XX*

Régularisation du compte Clients pour refléter le passage du temps.

6. Nous expliquerons plus loin que cette affirmation doit être nuancée lorsque l'entreprise risque de ne pas pouvoir encaisser toutes les sommes attendues des clients et qu'elle doit comptabiliser les pertes de crédits attendues sur ses comptes clients.

L'entreprise assume le **risque de crédit** en acceptant de vendre à crédit, c'est-à-dire le risque que certains clients deviennent incapables de respecter leur engagement de lui verser la somme convenue au moment de la vente. L'entreprise s'expose donc à des risques de pertes de crédit sur ses créances. Son objectif n'est d'ailleurs pas d'éliminer toutes ces pertes de crédit possibles, mais plutôt de réaliser un résultat net optimal. C'est pourquoi elle est prête à prendre le risque de supporter des pertes de crédit si cela lui permet d'augmenter sensiblement son chiffre d'affaires.

Le montant des pertes de crédit est notamment fonction de l'efficacité du Service de crédit de l'entreprise, lequel doit déterminer la cote de crédit des clients et approuver les ventes à crédit. Ces pertes de crédit ne résultent toutefois pas uniquement de l'inefficacité du Service de crédit ou de clients mal intentionnés. La nature de l'entreprise, le type de clientèle, la fréquence et la valeur moyenne des ventes, les méthodes de recouvrement et les conditions économiques du marché sont autant de facteurs qui en expliquent l'existence.

Si l'on pouvait attendre la fin de la durée de vie de l'entreprise, il serait facile de déterminer exactement les pertes subies. Cependant, du fait que les montants comptabilisés à l'actif représentent des estimations des avantages économiques futurs, lorsque la qualité de crédit d'un actif s'est détériorée, on doit immédiatement comptabiliser les pertes de crédits attendues. C'est pour cette raison que lorsque l'on prévoit subir des pertes de crédit sur certaines créances, on doit comptabiliser immédiatement une correction de valeur en résultat net. Ainsi, les pertes attendues sont comptabilisées dès qu'elles surviennent et non seulement lorsque les créances sont définitivement perdues. En pratique, une créance découlant d'une vente faite en 20X1 ne pourra devenir définitivement perdue qu'en 20X2, lorsque tous les moyens de recouvrement auront été épuisés. C'est donc dire qu'à la fin de l'exercice 20X1, le comptable doit estimer le risque de défaillance des comptes clients.

Les pertes de crédit attendues sur un compte client précis

Différence NCECF

Au moment de préparer ses états financiers, l'entreprise doit estimer les pertes de crédit attendues sur la durée de vie de ses comptes clients. Avant de présenter plus en détail la démarche à suivre, prenons le temps de bien définir les expressions utilisées.

Nous avons déjà défini le risque de crédit comme étant le risque que le client devienne incapable de payer son compte tel que prévu lors de la vente à crédit, dans le cas des comptes clients. À des fins de simplicité, nous désignerons aussi ce risque comme le **risque de défaillance**. L'International Accounting Standards Board (IASB) stipule que chaque entreprise doit préciser le moment où elle considère qu'une défaillance est survenue. Dans les cas les plus simples, le moment de défaillance pourrait être établi comme étant la date où un compte devient en souffrance. Un **actif financier en souffrance** est un actif pour lequel «[...] la contrepartie n'a pas effectué un paiement à la date d'échéance contractuelle de celui-ci[7]». Par exemple, si un compte client de 1 000 $ est encaissable le 15 novembre et que le client n'a pas fait le paiement prévu à cette date, ce compte est en souffrance dès le 15 novembre même si l'entreprise pourrait décider de retenir, comme moment de défaillance, la date qui suit de 30 jours le moment où le compte est devenu en souffrance.

Ce qu'il faut aussi clairement comprendre, c'est que tous les comptes pour lesquels les clients sont en défaillance n'entraînent pas nécessairement des **pertes de crédit**, définies comme étant la «Différence entre le total des flux de trésorerie qui sont dus à l'entité selon les termes d'un contrat et le total des flux de trésorerie que l'entité s'attend à recevoir [...], actualisée au taux d'intérêt effectif initial [...][8].» Au moins deux cas peuvent survenir concernant un compte en défaillance qui n'aboutira pas à une perte de crédit. Dans le premier, le client verse le montant dû de 1 000 $ un mois plus tard, majoré des intérêts mensuels calculés au taux du marché. L'entreprise ne subit alors aucune perte de crédit, puisque non seulement elle a récupéré le principal de 1 000 $ mais aussi les intérêts sur ce principal. Dans le second cas, le client s'avère incapable de remettre l'argent à l'entreprise. Toutefois, l'entreprise avait, au moment d'octroyer le crédit à son client, pris les biens vendus en garantie. Selon le contrat, si le client ne la rembourse pas, elle peut saisir le bien et est libre de le revendre sur le marché. Dans la mesure où le prix de revente du bien, net des frais de revente, excède 1 000 $, la défaillance du client n'entraîne pas de perte de crédit. Nous verrons plus loin la façon détaillée de calculer les pertes de crédit attendues. Pour le moment, mentionnons simplement que ces pertes correspondent aux prévisions des pertes de crédit, en tenant compte des garanties.

---

7. CPA Canada, *Manuel de CPA Canada – Comptabilité – Partie I*, IFRS 9, annexe A. (*Voir la page iv des liminaires pour plus de détails à l'égard des normes publiées mais non encore entrées en vigueur.*)

8. *Manuel de CPA Canada – Comptabilité – Partie I*, IFRS 9, annexe A.

Avez-vous remarqué ?

D'une part, le risque de défaillance repose uniquement sur la probabilité que le client soit incapable de faire les remboursements prévus dans le contrat, peu importe les biens donnés en garantie ou les autres rehaussements possibles de crédit. D'autre part, les biens donnés en garantie ou les autres rehaussements de crédit sont pris en considération dans l'estimation des pertes de crédit attendues.

Voici un exemple d'un rehaussement de crédit. Une entreprise a consenti du crédit à un client et, au même moment, a demandé à un tiers d'endosser le prêt consenti au client. Du point de vue de l'entreprise, l'endossement est une forme de rehaussement du crédit.

La figure 6.2 indique la façon d'évaluer les pertes de crédit, c'est-à-dire la valeur actualisée des insuffisances de trésorerie.

FIGURE 6.2 L'évaluation des pertes de crédit

Pertes de crédit = Valeur actualisée des sommes qui ne seront pas recouvrées

=

Valeur actualisée des flux de trésorerie déterminables selon les termes du contrat

—

Valeur actualisée des flux de trésorerie attendus, compte tenu de tous les rehaussements de crédit

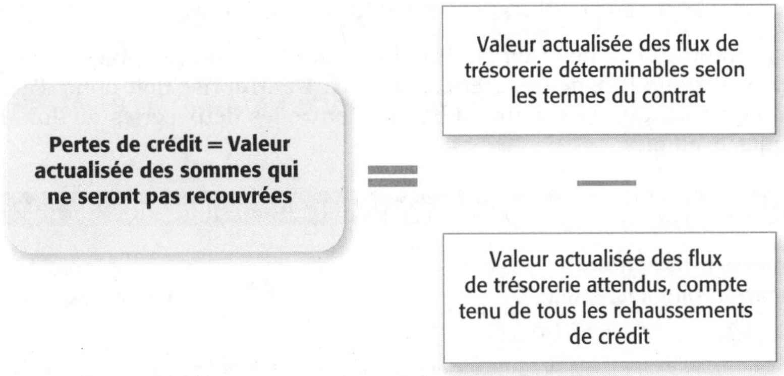

Comme indiqué ci-dessus, les pertes de crédit représentent l'excédent de la valeur actualisée des flux de trésorerie déterminables selon les termes du contrat sur la valeur actualisée des flux de trésorerie attendus, compte tenu de tous les rehaussements de crédit. Pour établir cette dernière valeur, on tient compte du montant et du moment où le bien en garanti serait converti en flux de trésorerie, diminué des coûts de prise de possession. Aux fins de ce calcul, l'entreprise n'a pas à prendre en considération la probabilité de la saisie ou de l'exercice des autres rehaussements. De plus, puisque les pertes de crédit attendues correspondent à une valeur actualisée, il importe de noter le calendrier des flux de trésorerie. En effet, si tous les flux de trésorerie déterminables selon les termes du contrat sont encaissés, mais qu'ils le sont avec des retards, il y a des pertes de crédit attendues. De plus, les flux de trésorerie sont actualisés au taux d'intérêt effectif initial de l'actif en cause. Enfin, on comptabilise en résultat net de la période en cours la valeur actualisée des sommes qui ne seront pas recouvrées et la contrepartie dans un compte Provision pour correction de valeur.

Connaissant maintenant les bases de la démarche, il est temps d'analyser les précisions additionnelles fournies par l'IASB. L'évaluation des pertes de crédit attendues doit refléter trois éléments :

(a) un montant objectif et fondé sur des pondérations probabilistes, qui est déterminé par l'évaluation d'un intervalle de résultats possibles ;

(b) la valeur temps de l'argent ;

(c) les informations raisonnables et justifiables sur des événements passés, des circonstances actuelles et des prévisions de la conjoncture économique encore à venir, qu'il est possible, à la date de clôture, d'obtenir sans devoir engager des coûts ou des efforts déraisonnables[9].

Reprenons chacune des trois précisions. Premièrement, établir le **montant des pertes par pondérations probabilistes** implique que les estimations doivent reposer sur au moins

9. *Manuel de CPA Canada – Comptabilité – Partie I*, IFRS 9, paragr. 5.5.17.

deux scénarios, ou plus au besoin. Par exemple, une entreprise pourrait retenir les deux scénarios suivants :

- Une probabilité de 5 % d'une insuffisance de flux de trésorerie, dont la valeur actualisée est de 100 000 $;
- Une probabilité de 95 % d'une insuffisance de flux de trésorerie, dont la valeur actualisée est de 1 000 $.

Les pertes de crédit attendues s'élèvent à 5 950 $ [(100 000 $ × 5 %) + (1 000 $ × 95 %)]. Il ressort clairement de cet exemple que même si le scénario le plus probable est de perdre 1 000 $, le montant des pertes de crédit attendues reflète les autres scénarios envisageables.

Les **pertes de crédit attendues** sont la moyenne pondérée des pertes de crédit selon les probabilités des risques de défaillance prévus. Même si l'entreprise n'est pas tenue de considérer tous les scénarios possibles, elle doit en considérer quelques-uns, en fait au moins deux, afin de refléter tant la possibilité de subir une perte que la possibilité de n'en subir aucune. Son évaluation ne doit pas reposer uniquement sur le scénario le plus probable, le plus favorable ou le plus défavorable. On remarquera aussi, dans cet exemple, que l'entreprise a déterminé, comme l'exige l'IASB, un intervalle de pertes possibles, entre 1 000 $ et 100 000 $.

Dans la grande majorité des cas, les flux de trésorerie déterminables selon les termes du contrat correspondent aux flux de trésorerie attendus. L'entreprise doit donc d'abord considérer les facteurs qui pourraient entraîner une différence entre les deux séries de flux. Le tableau 6.1 en donne quelques exemples.

TABLEAU 6.1 Quelques facteurs pouvant entraîner une insuffisance de flux de trésorerie

***Normes internationales d'information financière,* IFRS 9** [10]	**Exemples**
Exemples inspirés du paragraphe B5.5.17 de l'IFRS 9	
1. Une baisse avérée ou attendue de la note financière interne de l'emprunteur, surtout si elle peut être corroborée par une notation ou des études externes.	Un rapport de solvabilité indépendant pourrait soulever des doutes sur la capacité du client de s'acquitter de ses obligations courantes. Un tel rapport pourrait être préparé par un auditeur à la demande d'une banque qui songe à rappeler son propre prêt. Si le client est une grande entreprise, des firmes spécialisées en évaluation réalisent régulièrement des analyses fiables et objectives de sa situation financière. Le fait que ces firmes décident de diminuer la cote de crédit est donc une information très importante pour les prêteurs.
2. Des changements défavorables avérés ou prévus touchant la conjoncture commerciale, financière ou économique et susceptibles d'entraîner un changement important dans la capacité de l'emprunteur d'honorer ses dettes, par exemple une hausse avérée ou attendue des taux d'intérêt ou une augmentation importante avérée ou attendue des taux de chômage.	Une entreprise a des comptes à recevoir de clients qui proviennent d'une région ayant souffert de nombreuses fermetures d'usine au cours des récents mois. Compte tenu de l'augmentation du taux de chômage dans la région, il est clair que l'entreprise aura plus de difficulté à récupérer les flux de trésorerie contractuels sur ses comptes clients. L'augmentation des taux d'intérêt sur les emprunts hypothécaires pourrait aussi exercer une forte pression sur les ménages propriétaires d'une résidence financée par emprunt hypothécaire et qui auraient ainsi plus de difficulté à boucler leur budget familial. Si cette partie de la population constitue une forte majorité de clients de l'entreprise, il est probable que cette dernière subisse plus de défaillance sur ses comptes clients.
3. Un changement important, avéré ou attendu, des résultats d'exploitation de l'emprunteur, par exemple une baisse avérée ou attendue du chiffre d'affaires ou des marges, un accroissement des risques d'exploitation, une insuffisance du fonds de roulement, une baisse de la qualité des actifs, un accroissement de la dette au bilan,	Les états financiers du client pourraient montrer une détérioration. Par exemple : • l'état du résultat global montre, d'année en année, des pertes importantes ; • le tableau des flux de trésorerie montre que le client a financé à long terme des acquisitions d'actifs à court terme ;

10. Lorsque ces exemples concernent des comptes clients, l'emprunteur est le client. Nous avons toutefois conservé le terme « emprunteur », car ces facteurs sont aussi utilisés pour estimer les pertes de crédit attendues sur d'autres actifs financiers.

TABLEAU 6.1 *(suite)*

des problèmes de liquidité ou de gestion, ou encore des changements touchant le périmètre de l'entreprise ou la structure organisationnelle (par exemple, l'abandon d'un secteur de l'entreprise) et entraînant un changement important dans la capacité de l'emprunteur d'honorer ses dettes.	• le tableau des flux de trésorerie montre que les fonds autogénérés sont négatifs. De telles opérations sont souvent la conséquence de problèmes de trésorerie.
4. Un important changement défavorable, avéré ou attendu, touchant l'environnement réglementaire, économique ou technologique de l'emprunteur, qui entraîne un changement important dans la capacité de l'emprunteur d'honorer ses dettes, par exemple une baisse de la demande des produits vendus par l'emprunteur par suite d'un virage technologique.	Le client exploite une entreprise dans un secteur d'activité fortement en déclin depuis quelques mois.
5. Des changements attendus dans le dossier de prêt, y compris une rupture de contrat attendue susceptible d'entraîner la renonciation à certaines clauses contractuelles (ou leur modification), un congé d'intérêts, une majoration du taux d'intérêt, une demande de garanties supplémentaire ou d'autres changements apportés au cadre contractuel de l'instrument.	Lorsqu'un client est en difficulté financière, l'entreprise peut consentir, par exemple, une diminution du taux d'intérêt payable sur le solde restant dû ou un report des paiements prévus selon le calendrier initial. De telles mesures visent à donner un peu de répit au client lorsque l'entreprise estime que, sans cela, ses pertes seraient encore plus élevées que les assouplissements auxquels elle a consentis.
6. Des changements dans l'approche de gestion du crédit utilisée par l'entreprise à l'égard de l'instrument financier, c'est-à-dire que, étant donné l'apparition d'indications de changement dans le risque de crédit de l'instrument financier, l'entreprise est susceptible d'exercer à l'égard de l'instrument une gestion du risque de crédit plus active ou plus focalisée, notamment par l'exercice d'un suivi ou d'un contrôle plus étroit, ou par une intervention expresse auprès de l'emprunteur.	L'entreprise a décidé, par exemple, de confier la gestion de ses comptes clients à une entreprise spécialisée, après avoir réalisé que plusieurs de ses comptes clients nécessitaient des actions plus agressives concernant la perception.
7. Des informations sur les paiements en souffrance.	L'entreprise apprend par les journaux une information sur l'emprunteur qui pourrait avoir une incidence sur le risque de défaillance que l'entreprise assume.

Souvent, une insuffisance de flux de trésorerie découle de l'effet combiné de plusieurs faits ou événements. Il faut donc se garder d'analyser un seul critère. Ainsi, il se pourrait qu'un client éprouvant des problèmes ponctuels de trésorerie retarde momentanément le remboursement de son compte. Si l'entreprise estime qu'elle pourra néanmoins récupérer toutes les sommes convenues ainsi que les intérêts supplémentaires relatifs aux remboursements en retard, elle ne doit pas conclure à la présence d'insuffisance de flux de trésorerie.

Dans sa deuxième précision, l'IASB indique que l'évaluation des pertes de crédit attendues doit tenir compte de la **valeur temps de l'argent**. Comme nous l'avons déjà indiqué, le montant de pertes de crédit attendues correspond à la moyenne pondérée des scénarios envisageables de la valeur de l'insuffisance des flux de trésorerie, actualisée au taux d'intérêt effectif. L'actualisation vise à exprimer le montant des pertes en dollars de la date de clôture de la période financière, plutôt qu'en dollars de la date de la défaillance.

L'IASB mentionne enfin une troisième précision. L'évaluation doit reposer sur des informations raisonnables et justifiables. D'emblée, on observe que cette notion fait largement appel au jugement professionnel. Les **informations raisonnables et justifiables** sont celles qu'il est raisonnable d'avoir en fin de période «[...] sans devoir engager des coûts ou des efforts déraisonnables, ce qui comprend des informations sur les événements passés et les circonstances actuelles et des prévisions concernant la conjoncture économique encore à venir [...] [11]». L'IASB précise aussi que:

> [...] Les informations utilisées doivent comprendre les facteurs propres à l'emprunteur, l'état général de l'économie et une appréciation de l'orientation aussi bien actuelle que

11. *Manuel de CPA Canada – Comptabilité – Partie I*, IFRS 9, paragr. B5.5.49.

> prévue des conditions ayant cours à la date de clôture. L'entité peut utiliser diverses sources de données, aussi bien internes (propres à l'entité) qu'externes. Les sources de données possibles comprennent l'historique interne des pertes de crédit, la notation interne, l'historique des pertes de crédit d'autres entités ainsi que les notations, les rapports et les statistiques externes [...][12].

Ainsi, il est probablement plus difficile d'obtenir des informations précises sur un client qui est un particulier que sur un autre qui est une entité cotée en Bourse. Il est aussi d'autant plus difficile d'obtenir des informations raisonnables et justifiables que les périodes sont éloignées. On peut donc, pour ces périodes, extrapoler les estimations à partir des informations que l'on a obtenues pour des périodes plus rapprochées.

6

Les informations raisonnables et justifiables comprennent à la fois des données passées (historiques), des données propres à la situation actuelle et des données macroéconomiques prospectives, tel le taux d'inflation. Quand on utilise des données historiques, par exemple les défaillances passées, on doit les ajuster en fonction des données observables actuelles. L'objectif est de pouvoir utiliser ces données passées en les ajustant pour refléter des circonstances futures qui ne prévalaient pas dans le passé et pour supprimer les effets des circonstances qui prévalaient dans le passé mais qui n'existeront pas dans le futur. Par exemple, de tels ajustements peuvent être nécessaires pour tenir compte des changements dans le taux de chômage, le taux d'intérêt du marché ou les prix du marché[13].

Lorsque l'on a déterminé le montant des pertes de crédit attendues, on enregistre l'écriture suivante :

Pertes de crédit attendues – Clients	*XX*	
Provision pour correction de valeur – Clients		*XX*
Pertes de crédit attendues sur les comptes clients.		

Différence NCECF

Dans l'écriture précédente, le compte Provision pour correction de valeur – Clients est un compte de contrepartie du compte Clients.

L'analyse par groupes de comptes clients

Différence NCECF

Les explications précédentes reposent sur l'hypothèse simple, mais souvent non fondée, qu'il est possible, au prix d'efforts raisonnables, d'obtenir des informations raisonnables et justifiables pour estimer les pertes de crédit attendues sur des comptes pris individuellement. Il est plus réaliste de considérer que les entreprises détiennent souvent un grand nombre de comptes clients semblables sur lesquels il est impossible d'obtenir des informations raisonnables et justifiables.

Plusieurs raisons peuvent justifier une analyse par groupe de comptes, mais examinons-en deux. Premièrement, une perte de crédit attendue peut ne pas être déterminable sur un compte individuel mais l'être sur la base d'un portefeuille, parce que la loi des grands nombres permet d'effectuer des observations assez précises lorsque l'on dispose de plusieurs cas. Ainsi, une entreprise peut avoir des inquiétudes par rapport à des créances partageant des caractéristiques similaires, mais ne pas disposer d'indications suffisantes pour identifier le débiteur susceptible de ne pas respecter ses engagements.

Deuxièmement, le montant des pertes de crédit attendues sur les créances repose en partie sur la valeur actualisée des flux de trésorerie futurs estimés. Les estimations des flux de trésorerie futurs peuvent changer à cause de facteurs économiques touchant un groupe de créances, même s'il n'y a aucune perte de crédit estimable sur une créance individuelle. Par exemple, si le taux de chômage augmente de 10 % au cours d'un trimestre dans une région donnée, les flux de trésorerie attendus au cours des trimestres suivants et provenant de créances à recevoir d'individus de cette région peuvent avoir baissé alors même qu'aucune perte ne peut être déterminée sur la base d'une évaluation individuelle des créances. Dans ce cas, il existe une insuffisance de flux de trésorerie pour le groupe de créances, même si cette insuffisance n'existe pas pour une créance prise individuellement.

12. *Manuel de CPA Canada – Comptabilité – Partie I*, IFRS 9, paragr. B5.5.51.

13. Comme nous le verrons dans la division suivante, il arrive souvent que les évaluations des pertes de crédit attendues concernent un groupe d'actifs financiers. Dans ces cas, on doit aussi s'assurer que les données historiques concernent des groupes d'actifs semblables au groupe que l'on analyse.

En vertu de la contrainte du coût de l'information par rapport à ses avantages, les entreprises regroupent leurs comptes clients aux fins de l'estimation des pertes de crédit attendues. On peut grouper des comptes clients qui présentent des caractéristiques communes pour ce qui est de la capacité des débiteurs à respecter leurs engagements. Par exemple, un détaillant de marchandises vendues au Canada et en France pourrait créer les catégories suivantes :

- Les montants à recevoir de particuliers canadiens ;
- Les montants à recevoir d'entreprises canadiennes ;
- Les montants à recevoir de particuliers français ;
- Les montants à recevoir d'entreprises françaises.

Une entreprise peut aussi regrouper ses comptes clients selon la situation de retard de paiement, les biens affectés en garantie ou la date d'échéance, par exemple. En fait, elle doit s'assurer que les actifs regroupés partagent les mêmes caractéristiques relatives au risque de crédit. Ayant formé ses groupes de comptes clients, elle peut ensuite estimer les pertes de crédit attendues selon les précisions données pour l'analyse des comptes individuels. Les exemples de facteurs pouvant entraîner une insuffisance de flux de trésorerie qui sont donnés dans le tableau 6.1 demeurent pertinents, mais ils seraient ici évalués pour chaque groupe de comptes clients.

Dans les cas les plus simples, par exemple une entreprise de ventes au détail qui a un long historique de ventes à crédit, l'IASB reconnaît que des méthodes simplifiées peuvent être utilisées pour estimer les pertes de crédit attendues. Par exemple, une entreprise pourrait estimer les pertes en fonction d'un pourcentage selon l'âge de ses comptes clients, comme le montre le barème suivant :

Âge des comptes	*Pourcentage de pertes de crédit attendues*
Compte de moins de 30 jours	*4*
Compte de 30 à 60 jours	*10*
Compte de 61 à 90 jours	*15*
Compte de plus de 90 jours	*50*

Les pourcentages indiqués ci-dessus pourraient correspondre aux pertes moyennes observées pendant un cycle économique complet.

Pour établir un **classement chronologique**, l'entreprise détermine le nombre de jours écoulés entre la date de la vente et la date de clôture de l'exercice financier. Cette information est utile, car il est bien connu que le vieillissement des comptes clients ajoute un facteur d'incertitude relativement au recouvrement. Le compte de chaque client est ensuite ventilé par catégories, par exemple, les comptes âgés de moins de 30 jours, les comptes âgés de 30 à 60 jours, etc. Pour chaque catégorie, l'entreprise détermine le montant total des comptes clients et estime la probabilité de non-recouvrement. Les compétences du Service de crédit, qui peuvent notamment reposer sur l'expérience passée ou sur les statistiques propres au secteur d'activité, sont mises à contribution à cette étape. La provision pour correction de valeur de chaque catégorie peut ensuite être déterminée en appliquant la probabilité de non-recouvrement au montant total de la catégorie.

EXEMPLE

Analyse des pertes de crédit pour un groupe de créances

L'entreprise Crédible ltée est un détaillant de denrées alimentaires qui exerce ses activités dans une seule région. L'entreprise a décidé de grouper ses comptes clients selon leur échéance. Voici le classement chronologique obtenu ainsi que les pourcentages et les montants estimés de non-recouvrement.

Nom	Moins de 30 jours	De 30 à 60 jours	De 61 à 90 jours	Plus de 90 jours
André Allaire	980 $			
Étienne Beaulieu	1 010	450 $		
Sophie Cossette			1 350 $	410 $

Nom	Moins de 30 jours	De 30 à 60 jours	De 61 à 90 jours	Plus de 90 jours
Denis Damphousse		890		
Roger Demontigny	2 800			
…				
Total	81 500 $	14 300 $	7 700 $	6 500 $
Pourcentage estimatif de non-recouvrement	4 %	10 %	15 %	50 %
Pertes de crédit attendues	3 260 $	1 430 $	1 155 $	3 250 $

Le Service de crédit de l'entreprise utilise la partie supérieure de ce tableau pour déterminer les clients envers lesquels il devra mettre en œuvre des moyens de recouvrement. De son côté, le comptable s'intéresse principalement aux dernières lignes du tableau, qui lui permettent d'établir le montant des pertes de crédit attendues. Selon l'analyse faite par Crédible ltée, les pertes de crédit attendues sur les comptes clients s'élèvent à 9 095 $ (3 260 $ + 1 430 $ + 1 155 $ + 3 250 $).

La dernière étape consiste à comptabiliser ces pertes de crédit attendues sur les groupes de comptes clients. Puisque l'entreprise ne sait pas quel compte client particulier est déprécié, elle porte les pertes de crédit attendues au crédit d'un compte Provision pour correction de valeur – Clients. En tenant pour acquis que Crédible ltée en est à son premier exercice financier, elle passe l'écriture suivante :

Pertes de crédit attendues – Clients	*9 095*	
Provision pour correction de valeur – Clients		*9 095*
Pertes de crédit attendues sur un groupe de comptes clients.		

Si Crédible ltée n'en était pas à son premier exercice financier, le compte Provision pour correction de valeur – Clients afficherait déjà un solde, par exemple de 500 $. Dans cette éventualité, le montant crédité à ce compte se limiterait à 8 595 $ (9 095 $ – 500 $), soit l'ajustement requis pour que le solde du compte Provision pour correction de valeur – Clients soit égal au montant estimé en fin d'exercice. La charge comptabilisée en résultat net du deuxième exercice serait alors de 8 595 $.

Différence NCECF

Ces explications montrent que les pertes de crédit attendues calculées par groupes de créances représentent une étape intermédiaire précédant la détermination des pertes de crédit attendues sur les créances individuelles en cause. En effet, les pertes calculées à partir de l'analyse d'un groupe de créances devront finalement être remplacées par des pertes de crédit attendues rattachées à des créances individuelles lorsque l'entreprise aura obtenu des renseignements plus précis. Notons cependant que ce n'est pas lors de ce transfert que les pertes se reflètent dans le résultat net, mais bien lorsque l'entreprise a estimé les pertes par groupes de prêts.

Les décomptabilisations de comptes clients

Lorsqu'une entreprise estime le montant des pertes de crédit attendues sur un groupe de comptes clients, elle ne sait pas encore avec certitude lesquels de ses clients ne paieront pas leur compte. Ce n'est qu'au fil du temps qu'elle obtient cette information. Ainsi, lorsqu'un client fait faillite, l'entreprise a une preuve attestant que le compte de ce client est définitivement perdu. En fait, ce n'est qu'au moment où elle a utilisé sans succès ses moyens de recouvrement qu'il convient de **décomptabiliser pour non-paiement**, c'est-à-dire d'annuler, le compte de ce client. « L'entité doit réduire directement la valeur comptable brute d'un actif financier lorsqu'elle n'a pas d'attente raisonnable de recouvrement à l'égard de la totalité ou d'une partie de cet actif financier [...] [14]. » La décomptabilisation pour non-paiement de la créance, lorsqu'on la débite au compte Provision pour correction de valeur – Clients, n'influe pas sur le résultat net de l'exercice où elle est effectuée, car la charge au titre des pertes de crédit attendues a déjà été comptabilisée en résultat net dans un exercice antérieur. De même, la décomptabilisation pour non-paiement d'un compte n'influe pas sur la valeur comptable de l'ensemble des comptes clients, car une provision pour correction de valeur a déjà été comptabilisée.

14. *Manuel de CPA Canada – Comptabilité – Partie I*, IFRS 9, paragr. 5.4.4.

EXEMPLE

Décomptabilisation des créances pour non-paiement

La société Sey Attendu ltée vous remet quelques renseignements tirés de ses livres comptables à la fin de l'exercice 20X0 :

Ventes à crédit	*1 800 000 $*
Clients au 31 décembre 20X0	*410 000*
Provision pour correction de valeur – Clients au 31 décembre 20X0	*18 000*

Au cours de l'exercice 20X1, le compte de Jean Avard, dont le solde s'élève à 1 500 $, devient définitivement irrécouvrable. Pour décomptabiliser ce compte, on doit passer l'écriture suivante dans le grand livre général et mettre à jour le grand livre auxiliaire des clients :

Provision pour correction de valeur – Clients	*1 500*	
Clients – Jean Avard		*1 500*
Décomptabilisation pour non-paiement du compte de M. Jean Avard.		

Cet exemple montre que la décomptabilisation pour non-paiement de la créance n'influe pas sur le résultat net de 20X1 ni sur la valeur comptable de l'ensemble des comptes clients. Ces propos peuvent être illustrés de la façon suivante :

	Avant la décomptabilisation pour non-paiement	*Après la décomptabilisation pour non-paiement*
Clients	*410 000 $*	*408 500 $*
Provision pour correction de valeur	*(18 000)*	*(16 500)*
Clients, montant net	*392 000 $*	*392 000 $*

Si, dans l'écriture précédente, on avait débité le compte Pertes de crédit attendues – Clients plutôt que le compte Provision pour correction de valeur – Clients, la décomptabilisation pour non-paiement de la créance n'aurait toujours pas influé sur le résultat net de 20X1. En effet, si l'entreprise estime que le solde du compte Provision pour correction de valeur – Clients doit correspondre à 19 000 $ le 31 décembre 20X1, elle passe l'une ou l'autre des écritures de régularisation suivantes selon qu'elle a décomptabilisé le compte de M. Jean Avard en débitant le compte Provision pour correction de valeur – Clients ou le compte Pertes de crédit attendues – Clients :

Débit au compte Provision pour correction de valeur – Clients			***Débit au compte Pertes de crédit attendues – Clients***		
Provision pour correction de valeur – Clients	*1 500*		*Pertes de crédit attendues – Clients*	*1 500*	
Clients – Jean Avard		*1 500*	*Clients – Jean Avard*		*1 500*
Décomptabilisation pour non-paiement du compte de M. Jean Avard.			*Décomptabilisation pour non-paiement du compte de M. Jean Avard.*		
Pertes de crédit attendues – Clients	*2 500*		*Pertes de crédit attendues – Clients*	*1 000*	
Provision pour correction de valeur – Clients		*2 500*	*Provision pour correction de valeur – Clients*		*1 000*
Régularisation de la provision pour correction de valeur des comptes clients.			*Régularisation de la provision pour correction de valeur des comptes clients.*		
Calcul :			**Calcul :**		
Solde requis de la provision	19 000 $		Solde requis de la provision	19 000 $	
Solde actuel (18 000 $ – 1 500 $)	(16 500)		Solde actuel	(18 000)	
Régularisation requise	2 500 $		Régularisation requise	1 000 $	

6

Extrait de l'état du résultat global		*Extrait de l'état du résultat global*	
Pertes de crédit attendues – Clients	*2 500 $*	*Pertes de crédit attendues – Clients (1 500 $ + 1 000 $)*	*2 500 $*
Extrait de l'état de la situation financière		***Extrait de l'état de la situation financière***	
Provision pour correction de valeur – Clients (18 000 $ – 1 500 $ + 2 500 $)	*19 000 $*	*Provision pour correction de valeur – Clients (18 000 $ + 1 000 $)*	*19 000 $*

Supposons maintenant que, quelques mois après la décomptabilisation pour non-paiement de son compte, M. Jean Avard, ayant gagné une somme importante à la loterie et rétabli sa situation financière, décide de payer la somme due. Puisque la créance n'est plus inscrite dans les livres comptables, l'encaissement doit être crédité en résultat net de l'exercice en cours. On passe donc l'écriture suivante :

	Débit	Crédit
Caisse	*1 500*	
Reprise de valeur		*1 500*
Recouvrement du compte de M. Jean Avard décomptabilisé antérieurement pour non-paiement.		

La passation de l'écriture précédente n'est cependant pas, à notre avis, la meilleure façon de procéder lorsque les pertes de crédit attendues ont été comptabilisées au crédit du compte Provision pour correction de valeur – Clients. En effet, puisque la décomptabilisation antérieure pour non-paiement de son compte nuit à la cote de crédit de M. Jean Avard, il pourrait être préférable de procéder à l'aide des deux écritures suivantes :

	Débit	Crédit
Clients – Jean Avard	*1 500*	
Provision pour correction de valeur – Clients		*1 500*
Annulation d'une décomptabilisation antérieure pour non-paiement.		
Caisse	*1 500*	
Clients – Jean Avard		*1 500*
Recouvrement du compte de M. Jean Avard.		

Avez-vous remarqué ?

Comme pour tous les actifs financiers classés Au coût amorti, les créances doivent être soumises à une correction de valeur au titre des pertes de crédit attendues. Comptabiliser les pertes de crédit attendues permet de présenter les actifs à une valeur qui, conformément au « Cadre conceptuel de l'information financière » (le Cadre), n'excède pas la valeur des avantages économiques attendus de ces actifs.

 3 Les effets à recevoir

Comme nous l'avons déjà mentionné, les effets à recevoir sont des traites ou des billets à ordre d'un montant déterminé. L'expression **effets à recevoir** a donc un sens large et sert à désigner le poste de l'actif de l'état de la situation financière dans lequel ces billets et traites sont présentés. Voici un exemple de billet, suivi d'un exemple de traite :

Montréal, le 15 février 20X0

Je, *Étienne Beaulieu*, promets de payer la somme de *mille* dollars *(1 000 $)* *à FX ltée* le *15 mai 20X0* ainsi que les intérêts courus à cette date calculés au taux annuel de *12 %*.

Étienne Beaulieu

Accepté le 15 février 20X0

Éloi Letiré

Montréal, le 15 février 20X0

Payez à FX ltée la somme de mille dollars (1 000 $)

le 15 mai 20X0 ainsi que les intérêts courus à cette date calculés au taux

annuel de 12 %.

Étienne Beaulieu

En analysant ces deux exemples, on constate que le billet est signé par l'emprunteur (ou acheteur des marchandises) et remis au bailleur de fonds (ou vendeur de marchandises), par rapport à la traite qui est un document signé par l'acheteur donnant l'ordre à un tiers, ici Éloi Letiré, de rembourser le vendeur.

Les situations simples

Notre étude des effets à recevoir se fera principalement à partir des billets signés à la suite de la vente de marchandises ou de services. Dans l'exemple présenté précédemment, M. Étienne Beaulieu est le **souscripteur** du billet, soit celui qui s'engage à remettre le montant de 1 000 $, et FX ltée, qui recouvrera la somme en cause, en est la **bénéficiaire**. On dit que ce billet est à ordre car on y indique le nom du bénéficiaire. Lorsque le nom du bénéficiaire ne figure pas sur le billet, il s'agit d'un billet au porteur.

On pourrait se demander quelles sont les différences entre un billet à recevoir et un compte client. Premièrement, un compte client repose simplement sur une facture de vente, alors qu'un billet à recevoir prend la forme d'un document écrit, que signe le souscripteur et dans lequel il reconnaît son engagement vis-à-vis du bénéficiaire. Le billet constitue donc pour le bénéficiaire un actif qui peut être assez facilement vendu afin de combler ses besoins de trésorerie. Les entreprises qui vendent des biens dont la valeur est élevée ont avantage à faire signer des billets à leurs clients. Celles qui ne font généralement pas signer de billets à leurs clients peuvent exceptionnellement le faire lorsqu'elles acceptent d'accorder un délai supplémentaire à l'égard de comptes déjà en souffrance.

Deuxièmement, la date d'échéance des billets à recevoir est en général plus éloignée que celle des comptes clients. Alors que le délai moyen de recouvrement des comptes clients est de 20 à 30 jours selon le secteur d'activité et la politique du Service de crédit, le délai de recouvrement des billets à recevoir peut varier de quelques jours à quelques années. Lorsque la date d'échéance du billet est postérieure au cycle d'exploitation qui suit, le billet doit être présenté parmi les actifs non courants dans l'état de la situation financière[15]. Le plus souvent, cependant, la date d'échéance est suffisamment rapprochée pour que les billets soient présentés parmi les actifs courants dans l'état de la situation financière.

La comptabilisation initiale

On comptabilise initialement les billets à recevoir de la même façon que les comptes clients et que tous les actifs financiers, c'est-à-dire à leur juste valeur. Lors de la signature du billet à recevoir par lequel M. Étienne Beaulieu s'engage à rembourser un montant de 1 000 $, la bénéficiaire, FX ltée, passe simplement l'écriture suivante :

Billets à recevoir	*1 000*	
Caisse		*1 000*
Signature d'un billet à recevoir de M. Étienne Beaulieu.		

15. Lorsque le billet est encaissable en plusieurs versements, les sommes à recevoir au cours du cycle d'exploitation qui suit sont présentées dans la section de l'actif courant, dans le poste Portion à court terme des effets à recevoir non courants.

Notons que l'écriture serait la même s'il s'agissait de la traite par laquelle Étienne Beaulieu ordonne à Éloi Letiré de payer la somme de 1 000 $ à FX ltée. Si l'entreprise possède un nombre important de billets à recevoir, leur gestion peut se faire à l'aide d'un grand livre auxiliaire des billets à recevoir. Ce livre fonctionne de la même façon que le grand livre auxiliaire des comptes clients et il est accompagné d'un compte contrôle au grand livre, intitulé Billets à recevoir.

La comptabilisation jusqu'à la réalisation du billet

En vertu de l'IFRS 9, l'évaluation subséquente des actifs financiers repose sur le classement initial de ceux-ci. On peut s'attendre à ce que la plupart des entreprises classent les effets à recevoir comme étant Au coût amorti, car ces effets respectent les trois conditions énoncées précédemment, notamment le fait qu'ils sont habituellement détenus dans le but principal de percevoir les flux de trésorerie contractuels. C'est l'hypothèse que nous retiendrons dans la suite du présent chapitre, à moins d'indications contraires. Comme nous l'avons mentionné plus tôt, il est parfois acceptable, selon les IFRS, de classer les créances À la juste valeur par le biais du résultat net ou À la juste valeur par le biais des autres éléments du résultat global. L'annexe 6A du présent chapitre aborde les normes comptables applicables aux billets à recevoir classés À la juste valeur par le biais du résultat net, par exemple, pour réduire une non-concordance comptable et celles applicables aux créances classées À la juste valeur par le biais des autres éléments du résultat global lorsqu'elles sont détenues dans le but de percevoir à la fois les flux de trésorerie contractuels et ceux de la vente.

À mesure que le temps s'écoule, le bénéficiaire réalise un produit d'intérêts sur ses billets à recevoir. Puisque la date d'échéance des billets est généralement rapprochée, les intérêts sont souvent encaissables à la date d'échéance.

EXEMPLE

Produits d'intérêts sur une créance

Reprenons l'exemple de FX ltée qui passera l'écriture suivante au moment de l'encaissement du billet le 15 mai 20X0 :

Caisse	*1 029*	
Billets à recevoir		*1 000*
Produits financiers – Intérêts sur billets à recevoir ①		*29*
Encaissement à l'échéance du billet signé par M. Étienne Beaulieu.		

Calcul :

① (1 000 $ × 12 % × 89 jours ÷ 365 jours)

Pour calculer les produits sur un billet émis au pair, on applique le taux d'intérêt effectif initial à la valeur comptable brute du billet. Celle-ci correspond à la valeur comptabilisée initialement, diminuée des recouvrements du principal.

Dans l'écriture précédente, notons que les produits d'intérêts sont calculés sur une base quotidienne plutôt que mensuelle. C'est évidemment de cette façon que l'on doit calculer les produits, car elle est plus exacte. Pour calculer le nombre de jours pendant lesquels le billet est en vigueur, on exclut habituellement la journée de la signature (ici, le 15 février) et on inclut la journée de l'échéance (ici, le 15 mai). Notons aussi que, sur le plan légal, le souscripteur bénéficie d'un délai supplémentaire de trois jours, appelé **jours de grâce**, excluant la date d'émission, pour rembourser son billet. M. Beaulieu avait donc jusqu'au 18 mai pour verser la somme due à FX ltée. Ainsi, en supposant que M. Beaulieu n'ait pas remboursé son billet à l'échéance, FX ltée n'aurait pu intenter de procédure judiciaire avant le 18 mai. Si M. Beaulieu s'était prévalu de ce délai de grâce, FX ltée aurait calculé les produits d'intérêts sur une période de 92 jours au lieu de la période de 89 jours utilisée dans l'écriture précédente.

Lorsqu'une fin d'exercice financier survient avant la date d'échéance d'un billet à recevoir, le comptable doit passer une écriture de régularisation pour comptabiliser les intérêts courus jusqu'à la date de clôture de l'exercice.

EXEMPLE

Régularisation des produits d'intérêts

Poursuivons l'exemple de FX ltée qui clôture son exercice financier le 30 avril 20X0. L'écriture suivante est requise :

Intérêts courus sur billets à recevoir	*24*	
Produits financiers – Intérêts sur billets à recevoir		*24*

Régularisation des intérêts courus sur le billet de M. Étienne Beaulieu.

Calcul :

(1 000 $ × 12 % × 74 jours ÷ 365 jours)

Le lecteur notera qu'il est loisible de passer une écriture de réouverture. Même si elle n'est pas obligatoire, une telle écriture facilite le travail de la personne responsable de la tenue des livres.

Comme pour les comptes clients, on doit déterminer s'il existe des indications objectives de **dépréciation** des billets à recevoir et, s'il y a lieu, comptabiliser en charges de l'exercice l'excédent de leur valeur comptable sur la valeur actualisée des flux de trésorerie. C'est donc dire qu'au moment d'établir les états financiers, l'entreprise doit estimer la probabilité que certains souscripteurs n'honorent pas leur engagement. L'estimation du montant de la provision relative aux billets à recevoir est un peu plus difficile à établir que la provision afférente aux comptes clients. En effet, à cause du plus grand délai de recouvrement des billets, les estimations du comptable et du Service de crédit doivent porter sur une plus longue période, ce qui en diminue la fiabilité. Notons finalement que lorsque le bénéficiaire obtient une assurance raisonnable que certains souscripteurs ne pourront honorer leur engagement, il doit radier ces billets à recevoir de la même façon que s'il s'agissait de comptes clients.

Les situations plus complexes

En ce qui a trait aux billets, les opérations que nous venons de décrire sont les plus fréquentes et aussi les plus simples à comptabiliser. Il peut cependant survenir des situations plus complexes. Pensons notamment à un bénéficiaire faisant signer un billet sur lequel ne figure aucune mention de taux d'intérêt. Cela signifie-t-il que le bénéficiaire renonce à tout produit d'intérêts sur ce billet ? Sinon, comment le comptable peut-il calculer les produits d'intérêts ? Nous répondons à ces questions dans ce qui suit.

Les billets ne portant aucune mention d'intérêt ou portant intérêt à un taux différent du taux du marché

Les billets ne portant aucune mention d'intérêt ou portant intérêt à un taux différent de celui du marché sont souvent signés entre des parties liées. Dans l'**IAS 24** intitulée « Information relative aux parties liées », l'IASB définit une **partie liée** :

> Une *partie liée* est une personne ou une entité qui est liée à l'entité qui établit ses états financiers (appelée dans la présente norme « entité présentant l'information financière »).
>
> (a) Une personne ou un membre de la famille proche de cette personne est lié à l'entité présentant l'information financière dans l'un ou l'autre des cas suivants :
>
> (i) la personne a le contrôle ou participe au contrôle conjoint de l'entité présentant l'information financière ;
>
> (ii) la personne exerce une influence notable sur l'entité présentant l'information financière ;
>
> (iii) la personne est l'un des principaux dirigeants de l'entité présentant l'information financière ou d'une société mère de celle-ci.
>
> (b) Une entité est liée à l'entité présentant l'information financière si l'une ou l'autre des conditions suivantes s'applique :
>
> (i) l'entité et l'entité présentant l'information financière sont membres du même groupe (ce qui signifie que chaque société mère, filiale et filiale apparentée est liée aux autres) ;
>
> (ii) l'une des entités est une entreprise associée ou une coentreprise de l'autre entité (ou encore une entreprise associée ou une coentreprise d'un membre du groupe dont l'autre entité est membre) ;

(iii) les deux entités sont des coentreprises d'une même tierce partie ;

(iv) l'une des deux entités est une coentreprise d'une troisième entité et l'autre est une entreprise associée de cette troisième entité ;

(v) l'une des entités est un régime d'avantages postérieurs à l'emploi au profit des membres du personnel de l'entité présentant l'information financière ou d'une entité qui lui est liée. Dans le cas où l'entité présentant l'information financière consiste elle-même en un tel régime, les employeurs promoteurs du régime lui sont liés ;

(vi) l'une des personnes visées en (a) a le contrôle de l'entité ou participe au contrôle conjoint de celle-ci ;

(vii) l'une des personnes visées en (a)(i) exerce une influence notable sur l'entité ou est l'un des principaux dirigeants de l'entité ou d'une société mère de l'entité ;

(viii) l'entité, ou un membre du groupe auquel elle appartient, fournit à l'entité présentant l'information financière ou à sa société mère les services de personnes agissant à titre de principaux dirigeants [16].

Même si un billet à recevoir ne fait pas explicitement mention du taux d'intérêt, appelé **taux contractuel**, on ne peut pour autant présumer qu'il ne générera aucun produit d'intérêts. De plus, rappelons que les créances doivent initialement être évaluées à leur juste valeur, généralement égale à la valeur des encaissements attendus actualisés au taux d'intérêt du marché pour un billet semblable.

Un billet à recevoir peut être émis au pair, à prime ou à escompte selon que le taux contractuel est égal, supérieur ou inférieur au taux en vigueur sur le marché. Comme expliqué au chapitre 4, l'émission se fait au **pair** lorsque le taux contractuel correspond au taux d'intérêt du marché. Elle se fait à **prime** lorsque le taux contractuel, par exemple 14 %, est supérieur au taux d'intérêt du marché, par exemple 12 %, ce qui permet d'encaisser un montant d'intérêts plus élevé au cours de la durée du billet. Cet avantage a pour conséquence de faire augmenter la valeur véritable du billet au-delà de sa valeur nominale. Finalement, l'émission du billet se fait à **escompte** lorsque le taux contractuel est inférieur au taux d'intérêt du marché. Dans ce cas, le bénéficiaire reçoit un montant d'intérêts moindre que celui du marché ; la valeur véritable du billet est alors en deçà de sa valeur nominale. La figure 6.3 illustre les deux situations les plus courantes en ce qui a trait à l'acquisition de billets, soit l'acquisition au pair et l'acquisition à escompte.

FIGURE 6.3 La valeur actualisée des créances

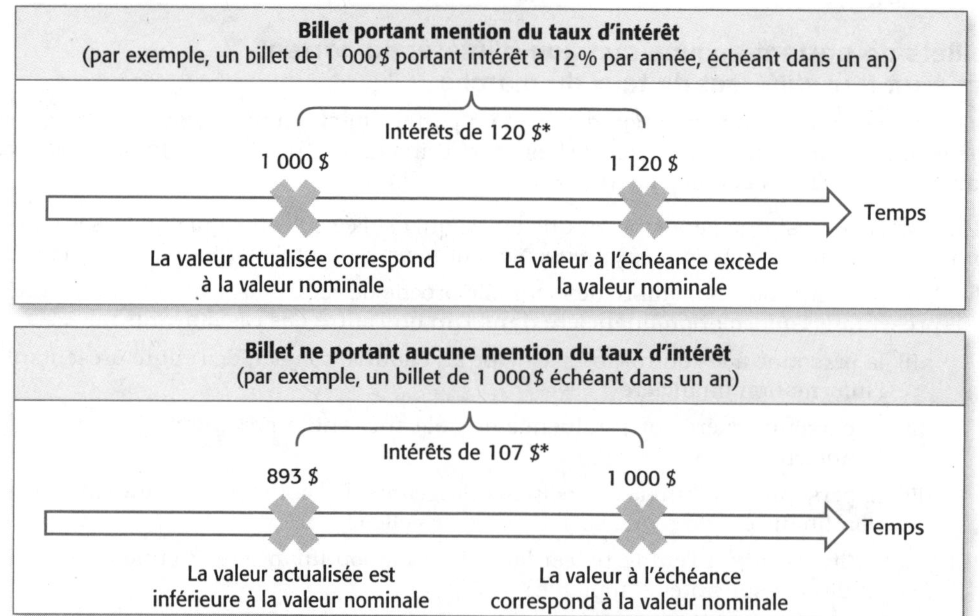

* Calculés au taux d'intérêt en vigueur au moment où l'entreprise signe le billet à recevoir.

16. *Manuel de CPA Canada – Comptabilité – Partie I*, IAS 24, paragr. 9. Nous traiterons de ce sujet au chapitre 11.

Soulignons enfin que lorsque l'entreprise a engagé des frais, par exemple pour faire l'analyse de la cote de crédit du débiteur, ces sommes sont portées en diminution des flux de trésorerie attendus et cela se répercute sur le **taux d'intérêt effectif**, soit le taux qui actualise exactement les flux de trésorerie attendus sur la durée de vie prévue du billet de manière à obtenir le montant d'argent prêté. Pour calculer le taux d'intérêt effectif, l'entreprise estime les flux de trésorerie nets attendus, qu'elle rapporte à la juste valeur initiale.

Les effets à recevoir sous forme de biens ou de services

Examinons les situations dans lesquelles une entreprise acquiert un effet à recevoir sous forme de biens ou de services en échange de biens vendus ou de services rendus au souscripteur, soit par une opération d'échange, aussi appelée **opération non monétaire**. Précisons d'abord qu'une opération non monétaire se définit, notamment, comme un échange de biens ou de services entre deux parties n'impliquant aucune contrepartie monétaire importante. Lorsque les biens ou les services échangés sont de nature différente et qu'ils sont liés aux activités courantes, l'IFRS 15 recommande de comptabiliser ces opérations en utilisant la juste valeur du bien ou du service reçu, ou, si cette valeur ne peut être évaluée de manière fiable, la juste valeur du bien ou du service cédé. Dans le cas qui nous intéresse plus précisément, cette recommandation signifie que la juste valeur des biens ou des services reçus devrait être utilisée pour déterminer la valeur comptable de l'effet à recevoir.

La juste valeur du bien reçu n'est pas toujours facile à déterminer. Les entreprises reçoivent parfois des biens tellement spécialisés qu'il s'avère extrêmement difficile d'en obtenir la juste valeur. Dans ces situations, on peut déterminer la valeur comptable du billet à recevoir à la date d'acquisition en utilisant la juste valeur du bien cédé.

6

EXEMPLE

Effet à recevoir sous forme de marchandises

Le 1er juillet 20X1, la société Mickey ltée, producteur de casquettes, a cédé à Mouse ltée une voiture d'occasion dont le coût est de 15 000 $ et l'amortissement cumulé, de 9 000 $. Mouse ltée, entreprise évoluant dans le domaine du textile, a signé un billet selon lequel elle cédera, à une date ultérieure, 1 500 mètres de tissu. Pour déterminer la valeur comptable de ce billet, Mickey ltée doit tout d'abord établir la juste valeur du bien reçu. En consultant les listes de prix officielles, elle établit facilement que la juste valeur des 1 500 mètres de tissu est de 3 300 $. Mickey ltée passe alors l'écriture suivante :

Billets à recevoir	*3 300*	
Amortissement cumulé – Automobile	*9 000*	
Perte sur aliénation d'immobilisations	*2 700*	
Automobile		*15 000*
Cession d'une automobile en échange de biens à recevoir.		

Mouse ltée livrera assez rapidement le tissu promis, car il s'agit d'une marchandise courante. La juste valeur initiale du billet correspond alors à sa valeur nominale. Supposons cependant que les deux entreprises se soient entendues pour que la marchandise ne soit livrée que 18 mois après la signature du billet, soit le 31 décembre 20X2, et qu'aucun accord concernant le taux d'intérêt n'ait été établi. On doit alors considérer que la juste valeur de 3 300 $ du tissu représente la **valeur à l'échéance** du billet. Au 1er juillet 20X1, Mickey ltée doit calculer la valeur actualisée du billet en utilisant le taux d'intérêt du marché comme taux d'actualisation. Voici les écritures de journal et les calculs que doit effectuer Mickey ltée, en supposant que le taux semestriel du marché s'établit à 6 % le 1er juillet 20X1 et que la fin de l'exercice de l'entreprise est le 31 décembre :

Acquisition du billet à recevoir au 1er juillet 20X1

Billets à recevoir ①	*2 771*	
Amortissement cumulé – Automobile	*9 000*	
Perte sur aliénation d'immobilisations	*3 229*	
Automobile		*15 000*
Cession d'une automobile en échange d'un billet à recevoir.		

6

Calcul :

① (N = 3, I = 6 %, PMT = 0 $, FV = 3 300 $, CPT PV?)

Régularisation des intérêts au 31 décembre 20X1

Billets à recevoir	*166*	
Produits financiers – Intérêts sur billets à recevoir (2 771 $ × 6 %)		*166*
Régularisation des produits d'intérêts.		

Régularisation des intérêts au 30 juin 20X2

Billets à recevoir	*176*	
Produits financiers – Intérêts sur billets à recevoir [(2 771 $ + 166 $) × 6 %]		*176*
Régularisation des produits d'intérêts.		

Régularisation des intérêts au 31 décembre 20X2

Billets à recevoir	*187*	
Produits financiers – Intérêts sur billets à recevoir [(2 771 $ + 166 $ + 176 $) × 6 %]		*187*
Régularisation des produits d'intérêts.		

Réception des marchandises au 31 décembre 20X2

Stock de matières premières	*3 300*	
Billets à recevoir		*3 300*
Réception de matières premières.		

Au 1er juillet 20X1, la valeur actualisée du billet à recevoir n'est que de 2 771 $, ce qui explique que la perte sur aliénation d'immobilisations passe à 3 229 $, soit la différence entre la valeur comptable de l'automobile (6 000 $) et la valeur actualisée du billet à recevoir (2 771 $). La comptabilisation graduelle des produits d'intérêts, calculés en appliquant le taux d'intérêt effectif à la valeur comptable brute, permet d'obtenir, au moment de la réception des matières premières le 31 décembre 20X2, une valeur comptable brute du billet égale à sa valeur à l'échéance, soit 3 300 $. Soulignons que cette valeur correspond aussi à la juste valeur des marchandises, établie le 1er juillet 20X1, ce qui ne correspond peut-être plus à leur juste valeur réelle à cette date.

Les pertes de crédit attendues

Différence NCECF

En fin d'exercice, on doit comptabiliser les pertes de crédit attendues sur les créances comptabilisées au coût amorti. Dans les pages précédentes, nous avons vu la façon de comptabiliser de telles pertes qui se rapportent à des comptes clients. L'IASB utilise l'expression « méthode simplifiée » pour désigner cette façon de faire. Lorsque l'on doit évaluer les pertes de crédit attendues sur les créances autres que des comptes clients, la démarche est schématisée dans la figure 6.4.

La différence la plus importante entre la démarché illustrée dans la figure 6.4 et la méthode simplifiée applicable aux comptes clients est que pour les créances autres que les comptes clients, on doit débuter l'analyse en vérifiant si le risque de crédit a augmenté depuis la comptabilisation initiale des créances. Cette première étape implique que l'entreprise doit évaluer le risque de crédit lors de la comptabilisation initiale, afin d'avoir le point de comparaison requis dans les exercices suivants. Il importe de bien comprendre que cette première étape de l'analyse consiste à déterminer si le risque de crédit a augmenté, et non de déterminer si le risque de crédit est élevé à la date de l'évaluation des pertes de crédit attendues.

Si le risque de crédit associé à un débiteur ne change pas, le risque de défaillance devrait diminuer à mesure qu'on se rapproche de la date d'échéance de la créance. Par exemple, si la cote de crédit d'une créance est de AA[17] depuis 5 ans, le risque a en réalité augmenté car la durée de vie

17. Cette façon de noter la cote de crédit est appelée **notation financière**. Elle reflète l'appréciation du risque de solvabilité financière faite par une entité spécialisée, par exemple Moody's. Pour plus d'information, voir par exemple le site www.lafinancepourtous.com/Decryptages/Mots-de-la-finance/Agence-de-notation-financiere.

FIGURE 6.4 L'évaluation des pertes de crédit attendues sur les créances

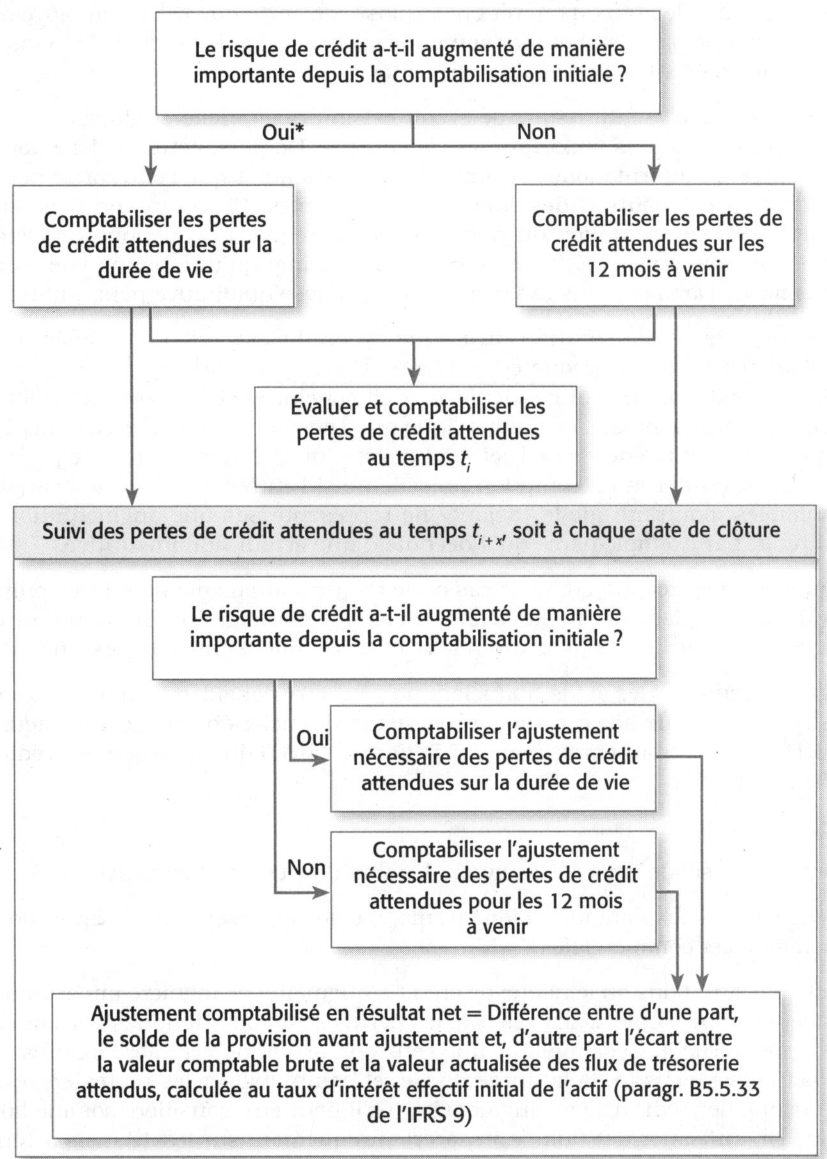

* L'IASB prévoit quelques exceptions, expliquées plus loin.

de la créance a diminué. En d'autres mots, plus la durée de vie est longue, plus le risque est élevé. « [...] le risque de défaillance pour la durée de vie prévue d'un instrument diminue généralement avec le temps si le risque de crédit demeure inchangé et que l'instrument financier se rapproche de son échéance [...] [18] ». Cela s'explique notamment par le fait que l'entreprise a pu observer que l'emprunteur a respecté ses engagements au cours des périodes précédentes. À l'opposé, dans le cas de créances dont les flux de trésorerie contractuels sont prévus peu avant leur échéance, le risque de défaillance ne diminue pas nécessairement avec le temps.

L'IASB donne plusieurs exemples de facteurs susceptibles d'indiquer que le risque de crédit a augmenté. Nous avons présenté dans le tableau 6.1 les facteurs plus souvent applicables aux comptes clients. D'autres facteurs pourraient s'appliquer aux autres créances, telles que des variations importantes de la valeur des biens affectés en garantie de l'obligation ou de la qualité des garanties ou rehaussements de crédit offerts par des tiers, qui sont susceptibles de réduire la motivation économique de l'emprunteur à effectuer les paiements contractuels prévus, ou d'influer autrement sur la probabilité de défaillance. Supposons qu'il y a trois ans, l'entreprise a accordé

18. *Manuel de CPA Canada – Comptabilité – Partie I*, IFRS 9, paragr. B5.5.11.

un prêt à taux variable à un employé qui a quitté l'entreprise depuis. Le prêt a servi à financer l'achat d'un condo. Au cours de la dernière année, supposons aussi que le marché des condos s'est effondré tandis que les taux d'intérêt ont explosé, de sorte que cet ex-employé aurait financièrement avantage à ne plus rembourser son emprunt. En effet, les sorties de fonds nécessaires au remboursement excèdent la juste valeur du condo.

Rappelons que l'analyse du risque de crédit est multifactorielle et globale, on ne peut dire qu'un facteur est toujours plus important que les autres. De plus, cette analyse doit prendre en considération toutes les informations raisonnables et justifiables que l'entreprise peut avoir sans être obligée d'engager des coûts et des efforts déraisonnables. On comprend donc aisément que l'analyse portant sur l'augmentation du risque de crédit requiert beaucoup de jugement professionnel, une bonne connaissance du secteur d'activité ainsi qu'une bonne vue d'ensemble du contexte économique. Dans certains cas, une simple analyse qualitative peut suffire.

L'appréciation de l'augmentation du risque de crédit est aussi simplifiée dans certains contextes où l'augmentation du risque est évidente. C'est le cas lorsque des actifs sont en souffrance depuis plus de 30 jours. Pour ces actifs, on doit conclure que le risque de crédit a augmenté depuis la comptabilisation initiale, ce qui implique que l'entreprise doit alors estimer les pertes de crédit attendues sur la durée de vie de l'actif. Ici encore, on doit faire preuve de jugement professionnel. On pourrait réfuter la présomption précédente si l'entreprise a des informations raisonnables et justifiables montrant que le «défaut» ne représente pas une augmentation importante du risque de crédit, par exemple parce qu'il découle d'une erreur administrative.

L'IASB prévoit une exception dans le cas où le risque a augmenté depuis la comptabilisation initiale bien que celui-ci demeure faible. Dans ce cas, les pertes de crédit attendues doivent être évaluées uniquement pour les 12 mois à venir, selon les explications fournies un peu plus loin.

Le risque de crédit sur les actifs financiers ne peut être considéré comme faible simplement parce qu'il est plus petit que sur certains autres actifs financiers ou parce que l'actif est garanti par un bien. L'IASB précise au paragraphe B5.5.22 de l'IFRS 9 que le risque de crédit est faible à la date de clôture si :

- le risque de défaillance est faible ;
- l'emprunteur a une solide capacité à «livrer» les flux de trésorerie contractuels à court terme ;
- cette capacité ne sera pas diminuée à long terme, même en présence de détérioration des conditions économiques et commerciales.

Revenons aux situations où le risque de crédit a augmenté de manière importante, et ne peut pas être considéré comme faible. Dans ces cas, les pertes de crédit attendues doivent être évaluées sur la durée de vie de l'actif. Ceci implique que l'entreprise doit déterminer l'insuffisance des flux de trésorerie actualisés pour toute la durée de vie, et comptabiliser les pertes en résultat net. À l'inverse, si le risque de crédit n'a pas augmenté, ou s'il peut être considéré comme faible, l'entreprise détermine l'insuffisance des flux de trésorerie uniquement sur les 12 mois à venir.

EXEMPLE

Période utilisée pour évaluer les pertes de crédit attendues

La société Du Ray ltée a une créance de 100 000 $, échéant dans 2 ans et portant intérêt au taux mensuel de 1 %. Les intérêts sont payables le dernier jour de chaque mois et le principal est remboursable à l'échéance. Le 31 décembre 20X1, Du Ray ltée fait les prévisions suivantes concernant les flux de trésorerie attendus selon deux scénarios :

	Scénario A	*Scénario B*
Intérêts pour les 6 premiers mois de 20X2, perçus à la fin de chaque mois	*6 000 $*	*6 000 $*
Intérêts pour les 6 derniers mois de 20X2, perçus en bloc le 31 décembre 20X2	*5 000*	*1 000*
Intérêts pour 20X3, perçus en bloc le 31 décembre 20X3	*4 000*	*800*
Recouvrement du principal le 31 décembre 20X3	*90 000*	*60 000*
Probabilité du scénario	*40 %*	*60 %*

Dans chacun des scénarios, la société a tenu compte de toutes les informations raisonnables et justifiables concernant les situations passées et présentes ainsi que celles de nature prospective.

Première situation : le risque de crédit a augmenté de façon importante depuis la comptabilisation initiale.

Du Ray ltée doit estimer les pertes de crédit attendues découlant de toute défaillance sur la durée de vie de la créance, soit jusqu'au 31 décembre 20X3. Voici les calculs nécessaires, sachant que le taux d'intérêt effectif mensuel initial est de 1 %.

Valeur actualisée totale des flux de trésorerie déterminables selon les termes du contrat (N = 24, I = 1 %, PMT = 1 000 $, FV = 100 000 $, CPT PV?)		*100 000 $*
Valeur actualisée des flux de trésorerie attendus		
Scénario A		
Valeur actualisée des 6 prochaines mensualités (N = 6, I = 1 %, PMT = 1 000 $, FV = 0 $, CPT PV?)	*5 795 $*	
Valeur actualisée des intérêts dont l'encaissement est prévu le 31 décembre 20X2 (N = 12, I = 1 %, PMT = 0 $, FV = 5 000 $, CPT PV?)	*4 437*	
Valeur actualisée des intérêts et du recouvrement du principal prévus le 31 décembre 20X3 (N = 24, I = 1 %, PMT = 0 $, FV = 94 000 $, CPT PV?)	*74 031*	
Valeur actualisée totale du scénario A	*84 263*	
Probabilité du scénario A	*0,40*	
Valeur actualisée pondérée du scénario A		*33 705*
Scénario B		
Valeur actualisée des 6 prochaines mensualités (N = 6, I = 1 %, PMT = 1 000 $, FV = 0 $, CPT PV?)	*5 795*	
Valeur actualisée des intérêts dont l'encaissement est prévu le 31 décembre 20X2 (N = 12, I = 1 %, PMT = 0 $, FV = 1 000 $, CPT PV?)	*887*	
Valeur actualisée des intérêts et du recouvrement du principal prévus le 31 décembre 20X3 (N = 24, I = 1 %, PMT = 0 $, FV = 60 800 $, CPT PV?)	*47 884*	
Valeur actualisée totale du scénario B	*54 566*	
Probabilité du scénario B	*0,60*	
Valeur actualisée pondérée du scénario B		*32 740*
Valeur actualisée des flux de trésorerie attendus		*66 445*
Pertes de crédit attendues sur la durée de vie de la créance (100 000 $ – 66 445 $)		*33 555 $*

Les calculs précédents appellent quelques commentaires. Premièrement, on détermine les flux de trésorerie attendus selon les termes du contrat, soit 100 000 $[19]. Deuxièmement, on utilise le taux d'intérêt effectif initial de 1 % comme taux d'actualisation et non le taux ajusté pour tenir compte de l'augmentation du risque. Troisièmement, l'actualisation des flux de trésorerie vise à ramener les flux de trésorerie futurs en dollars du 31 décembre 20X1, c'est-à-dire à la date d'évaluation des pertes de crédit attendues. Quatrièmement, le calcul des flux de trésorerie attendus doit résulter d'une évaluation probabiliste. C'est pourquoi Du Ray ltée devait prévoir au moins deux scénarios. Enfin, puisque le risque de crédit avait augmenté de façon importante en 20X1, les risques de défaillance ont été pris en considération sur toute la durée de vie de l'actif financier. La société comptabilise le montant de 33 555 $ en débitant le compte Pertes de crédit attendues – Clients et en créditant le compte Provision pour correction de valeur – Clients.

Il est pertinent ici d'ouvrir une parenthèse. Certains portefeuilles de billets à recevoir peuvent être classés À la juste valeur par le biais des autres éléments du résultat global. Pour de tels actifs financiers, le calcul des pertes de crédit attendues est le même que celui expliqué ci-dessus et le

19. L'IFRS 9 contient des précisions applicables aux actifs financiers qui ont été renégociés ou modifiés. Ces précisions vont au-delà des objectifs du présent chapitre. Le lecteur intéressé à pousser son apprentissage à cet égard consultera les paragraphes 5.5.12 et B.5.5.25 à B5.5.27 de l'IFRS 9.

gain ou la perte de valeur est aussi comptabilisé en résultat net. La contrepartie n'est toutefois pas comptabilisée dans un compte de provision mais bien dans le compte Correction de valeur latente sur un actif à la JVBAERG. Ce compte est compris dans les autres éléments du résultat global, car la correction de valeur « [...] ne doit pas réduire la valeur comptable des actifs financiers dans l'état de la situation financière[20] ». Le lecteur désireux d'approfondir ce sujet est invité à consulter un exemple détaillé illustrant la comptabilisation des créances qui ne sont pas classées Au coût amorti, reproduit dans l'annexe 6.1W disponible dans la plateforme *i+ Interactif.*

Annexe 6.1W

Deuxième situation : le risque de crédit n'a pas augmenté de façon importante depuis la comptabilisation initiale.

Du Ray ltée doit estimer les pertes de crédit attendues découlant de toute défaillance susceptible de survenir uniquement au cours des 12 mois à venir, soit jusqu'au 31 décembre 20X2. Voici les calculs nécessaires, sachant que le taux d'intérêt effectif initial est toujours de 1 %.

Valeur actualisée des flux de trésorerie déterminables selon les termes du contrat (intérêts mensuels des 12 mois à venir)		
Valeur actualisée des intérêts mensuels des 12 mois à venir (N = 12, I = 1 %, PMT = 1 000 $, FV = 0 $, CPT PV?)		*11 255 $*
Valeur actualisée des flux de trésorerie attendus		
Scénario A		
Valeur actualisée des 6 prochaines mensualités (N = 6, I = 1 %, PMT = 1 000 $, FV = 0 $, CPT PV?)	*5 795 $*	
Valeur actualisée des intérêts prévus le 31 décembre 20X2 (N = 12, I = 1 %, PMT = 0 $, FV = 5 000 $, CPT PV?)	*4 437*	
Valeur actualisée totale pour les 12 mois à venir	*10 232*	
Probabilité du scénario A	*0,40*	
Valeur actualisée pondérée du scénario A		*4 093*
Scénario B		
Valeur actualisée des 6 prochaines mensualités (N = 6, I = 1 %, PMT = 1 000 $, FV = 0 $, CPT PV?)	*5 795*	
Valeur actualisée des intérêts prévus le 31 décembre 20X2 (N = 12, I = 1 %, PMT = 0 $, FV = 1 000 $, CPT PV?)	*887*	
Valeur actualisée totale	*6 682*	
Probabilité du scénario B	*0,60*	
Valeur actualisée pondérée du scénario B		*4 009*
Valeur actualisée des flux de trésorerie attendus		*8 102*
Pertes de crédit attendues sur les 12 mois à venir (11 255 $ – 8 102 $)		*3 153 $*

Ce qui diffère dans ces calculs par rapport à ceux portant sur toute la durée de vie, c'est que nous avons considéré ici que Du Ray ltée avait prévu les risques de défaillance uniquement pour les 12 mois à venir, soit jusqu'au 31 décembre 20X2. L'effet est majeur, car les pertes de crédit attendues passent de 33 555 $, lorsqu'elles sont évaluées sur la durée de vie, à 3 153 $. C'est pourquoi on doit analyser avec soin la première question indiquée dans le haut de la figure 6.4.

L'IASB admet que lorsqu'une entreprise conclut qu'elle doit estimer les pertes de crédit attendues sur la durée de vie, elle pourrait se trouver dans une situation où il est pratiquement impossible de déterminer un moment assez précis de défaillance à l'intérieur de la durée de vie. L'entreprise pourrait alors estimer les pertes de crédit attendues uniquement sur les 12 mois à venir, dans la mesure où :

- il n'y a pas d'obligation de paiement important au-delà de 12 mois à venir ;
- on ne prévoit pas de changements importants dans les variables macroéconomiques au-delà des 12 mois à venir ;
- les changements dans les facteurs liés au crédit n'auront pas de répercussions au-delà des 12 mois à venir[21].

20. *Manuel de CPA Canada – Comptabilité – Partie I*, IFRS 9, paragr. 5.5.2.

21. Nous avons reformulé le texte du paragraphe B5.5.14 de l'IFRS 9 qui est énoncé sous la forme négative.

Examinons maintenant la partie inférieure de la figure 6.4, qui vise à rappeler que, après avoir comptabilisé au temps t_i des pertes de crédit attendues sur la durée de vie, on doit, dans les exercices suivants, vérifier de nouveau si le risque de crédit au temps t_{i+x} a augmenté de façon importante depuis la comptabilisation initiale, et déterminer le montant des pertes de façon cohérente, par exemple sur la durée de vie ou sur les 12 mois à venir. Il importe de bien noter que le point de comparaison demeure le niveau de risque lors de la comptabilisation initiale et non celui estimé au temps t_i. L'IASB précise aussi qu'au temps t_{i+x}, si on ne peut plus affirmer que le risque de crédit a augmenté de façon importante depuis la comptabilisation initiale, on doit évaluer la correction de valeur au montant des pertes de crédit attendues pour les 12 mois à venir.

Prenons l'exemple d'une créance consentie le 1er février 20X1 et dont la date d'échéance est le 31 décembre 20X5. Au 31 décembre 20X2, on a conclu que le risque de crédit avait augmenté de façon importante et, par conséquent, comptabilisé les pertes de crédit attendues sur la durée de vie. Au 31 décembre 20X3, on apprécie de nouveau si le risque de crédit à cette date a augmenté de façon importante depuis février 20X1. Si on conclut que non, on doit alors comptabiliser les pertes de crédit attendues uniquement pour les 12 mois à venir. La situation inverse peut aussi survenir. Au 31 décembre 20X2, le risque de crédit n'avait pas augmenté de façon importante depuis la comptabilisation initiale et on avait comptabilisé les pertes de crédit attendues pour les 12 mois à venir. Au 31 décembre 20X3, on apprécie de nouveau si le risque de crédit à cette date a augmenté de façon importante depuis février 20X1. Si on conclut que c'est le cas, on doit alors comptabiliser les pertes de crédit attendues sur la durée de vie de la créance. Dans les deux contextes ci-dessus, tout ajustement est comptabilisé en résultat net.

Dans la partie inférieure de la figure 6.4, on trouve une dernière précision concernant le calcul de l'ajustement des pertes de crédit attendues lorsqu'une correction de valeur a été comptabilisée dans les exercices précédents. Selon le paragraphe B5.5.33 de l'IFRS 9, les pertes de crédit attendues doivent alors correspondre à la différence entre la valeur comptable brute et la valeur actualisée des flux de trésorerie attendus, calculée au taux d'intérêt effectif initial. Un ajustement devra être comptabilisé en résultat net pour ramener le solde du compte Provision pour correction de valeur au montant révisé des pertes de crédit attendues.

EXEMPLE

Révision des estimations des pertes de crédit attendues

La société Valentino ltée a un billet à recevoir de M. Onit dont la valeur comptable au 31 décembre 20X1 est de 2 487 $. Selon les termes du contrat, il reste 3 versements de 1 000 $ à recevoir, montant qui comprend le principal et les intérêts. Le taux d'intérêt effectif initial de ce billet est de 10 %. Au 31 décembre 20X1, Valentino ltée a conclu à une augmentation importante du risque de crédit lié au billet à recevoir de M. Onit. Elle doit évaluer et comptabiliser les pertes de crédit attendues sur la durée de vie du billet à recevoir. Voici la moyenne des flux de trésorerie pondérés attendus que Valentino ltée a établis selon diverses pondérations probabilistes :

Date d'encaissement prévue	Montant
31 décembre 20X2	*1 000 $*
31 décembre 20X3	*800*
31 décembre 20X4	*700*

Au 31 décembre 20X1, Valentino ltée prévoit une insuffisance des flux de trésorerie, comme le montrent les calculs ci-dessous.

Valeur actualisée des flux de trésorerie déterminables selon les termes du contrat (N = 3, I = 10 %, PMT = 1 000 $, FV = 0 $, CPT PV ?)		*2 487 $*
Valeur actualisée des flux de trésorerie attendus		
(N = 1, I = 10 %, PMT = 0 $, FV = 1 000 $, CPT PV ?)	*909 $*	
(N = 2, I = 10 %, PMT = 0 $, FV = 800 $, CPT PV ?)	*661*	
(N = 3, I = 10 %, PMT = 0 $, FV = 700 $, CPT PV ?)	*526*	
Valeur actualisée totale des flux de trésorerie attendus		*(2 096)*
Pertes de crédit attendues sur la durée de vie		*391 $*

Le 31 décembre 20X1, Valentino ltée comptabilise les pertes de crédit attendues en enregistrant l'écriture suivante :

Pertes de crédit attendues – Billets à recevoir	*391*	
Provision pour correction de valeur – Billets à recevoir		*391*
Pertes de crédit attendues sur la durée de vie d'un billet à recevoir.		

Cette écriture a pour effet de ramener la valeur comptable de la créance à 2 096 $ (2 487 $ – 391 $), soit la valeur actualisée des flux de trésorerie attendus. Soulignons que cette valeur comptable est désignée par l'expression « coût amorti » dans l'IFRS 9 et elle correspond à la valeur comptable brute, diminuée de la provision pour correction de valeur. Tenons maintenant pour acquis, à des fins de simplicité, que Valentino ltée ne change pas ses estimations et que les montants encaissés au cours des exercices subséquents correspondent aux estimations. Les écritures ci-dessous reflètent les opérations de 20X2 à 20X4 et elles sont accompagnées de quelques commentaires.

6

31 décembre 20X2

Caisse	*1 000*	
Produits financiers – Intérêts sur billets ①		*210*
Billets à recevoir ②		*790*
Encaissement d'un versement de 1 000 $ qui couvre les intérêts de l'exercice et le recouvrement partiel du principal.		

Calculs :

① Valeur comptable brute		2 487 $
Provision		(391)
Coût amorti		2 096
Taux d'intérêt effectif initial	×	10 %
Produit d'intérêts		210 $
② (1 000 $ – 210 $)		

Après avoir enregistré l'écriture ci-contre, Valentino ltée établit les calculs pour déterminer si un ajustement des pertes de crédit attendues est requis. Pour ce faire, elle compare la valeur comptable brute, et non le coût amorti, avec la valeur actualisée des flux de trésorerie attendus :

Valeur comptable brute (2 487 $ – 790 $)		*1 697 $*
Valeur actualisée des flux de trésorerie attendus		
(N = 1, I = 10 %, PMT = 0 $, FV = 800 $, CPT PV?)	*727 $*	
(N = 2, I = 10 %, PMT = 0 $, FV = 700 $, CPT PV?)	*579*	
Valeur actualisée totale des flux de trésorerie attendus		*(1 306)*
Pertes de crédit attendues sur la durée de vie		*391 $*

Puisque ce montant correspond au solde du compte de provision, aucun ajustement n'est requis au titre des pertes de crédit attendues.

31 décembre 20X3

Caisse	*800*	
Produits financiers – Intérêts sur billets ①		*131*
Billets à recevoir ②		*669*
Encaissement d'un versement de 800 $ qui couvre les intérêts de l'exercice et le recouvrement partiel du principal.		

Calculs :

① Valeur comptable brute (2 487 $ – 790 $)		1 697 $
Provision		(391)
Coût amorti		1 306
Taux d'intérêt effectif initial	×	10 %
Produit d'intérêts		131 $
② (800 $ – 131 $)		

Après avoir enregistré l'écriture précédente, Valentino ltée établit les calculs pour déterminer si un ajustement des pertes de crédit attendues est requis :

Valeur comptable brute (1 697 $ – 669 $)	*1 028 $*
Valeur actualisée des flux de trésorerie attendus	
(N = 1, I = 10 %, PMT = 0 $, FV = 700 $, CPT PV?)	*(636)*
Pertes de crédit attendues sur la durée de vie	*392 $*

Puisque l'écart entre ce montant et le solde du compte de provision n'est pas significatif, aucun ajustement n'est requis au titre des pertes de crédit attendues.

31 décembre 20X4		
Caisse	*700*	
Produits financiers – Intérêts sur billets ①		*64*
Billets à recevoir ②		*636*
Encaissement d'un versement de 700 $ qui couvre les intérêts de l'exercice et le recouvrement partiel du principal.		

Calculs :

① Valeur comptable brute (1 697 $ – 669 $)	1 028 $
Provision	(391)
Coût amorti	637
Taux d'intérêt effectif initial	× 10 %
Produit d'intérêts	64 $
② (700 $ – 64 $)	

À cette date, le solde du compte Billets à recevoir s'élève à 392 $ et celui du compte Provision pour correction de valeur – Billets à recevoir est de 391 $. Outre l'erreur d'arrondissement de 1 $, le coût amorti est nul, car Valentino ltée ne prévoit pas encaisser d'autres montants. Lorsqu'elle aura épuisé toutes les mesures habituelles de recouvrement, elle devra décomptabiliser le solde de 392 $, en débitant le compte de Provision pour correction de valeur – Billets à recevoir et en créditant le compte Billets à recevoir.

Il ressort deux constatations importantes de cet exemple. D'abord, lorsqu'un compte a été provisionné, on continue de comptabiliser les produits d'intérêts en appliquant le taux d'intérêt effectif initial au coût amorti. Ensuite, au temps t_{i+x} le calcul de l'ajustement des pertes de crédit attendues n'est plus basé sur les flux de trésorerie déterminables selon les termes du contrat comme indiqué dans la figure 6.2 mais plutôt sur la valeur comptable brute.

Différence NCECF

Les billets à recevoir garantis

Différence NCECF

Comparativement aux comptes clients qui sont rarement garantis, il est assez fréquent d'observer une clause précisant les garanties liées aux billets à recevoir. Étant donné que la valeur et la durée d'un billet à recevoir excèdent souvent celles d'un compte client, les entreprises exigent parfois que le débiteur, que ce soit un client ou un employé, accorde une garantie. L'entreprise peut demander un bien en garantie afin de diminuer le taux d'intérêt exigé ou à titre de condition préalable à la signature du billet lorsqu'elle est incapable d'évaluer clairement la situation financière du débiteur. Cette situation survient, par exemple, lorsqu'une entreprise accepte un billet à recevoir d'une entité juridique nouvellement mise sur pied. Un autre exemple est celui d'une entreprise qui, ayant accepté de financer l'un de ses gestionnaires pour l'achat d'une maison, demande de prendre la maison en garantie de son billet à recevoir. Si le gestionnaire devient incapable de faire face à ses engagements, ce qui diminuerait les encaissements futurs de l'entreprise, cette dernière pourrait saisir la maison, la revendre et ainsi récupérer la valeur de la créance.

Au moment d'estimer le montant des éventuelles pertes de crédit attendues sur un billet à recevoir, l'entreprise doit tenir compte de la garantie qui y est associée.

6

EXEMPLE

Pertes de crédit attendues sur une créance garantie

Modifions l'exemple précédent de la société Du Ray ltée (*voir les pages 6.32 à 6.34*), dans l'hypothèse où elle doit évaluer les pertes de crédit attendues sur la durée de vie de la créance. Supposons maintenant que le billet à recevoir est garanti par des stocks. Dans l'hypothèse d'un défaut de l'emprunteur de rembourser au moins 85 % du principal, Du Ray ltée devient autorisée à saisir les stocks. Elle évalue la juste valeur des stocks à 20 000 $ et les coûts de saisie et de revente, à 2 000 $. Ces estimations ne concernent que le scénario B, car dans le scénario A, le montant de défaillance sur le principal est inférieur à 15 % (10 000 $ sur 100 000 $). Comment la présence de cette garantie influence-t-elle l'évaluation des pertes de crédit attendues au 31 décembre 20X1? Les calculs suivants fournissent la réponse à cette question.

Valeur actualisée des flux de trésorerie déterminables selon les termes du contrat (tel que calculée précédemment)		*100 000 $*
Valeur actualisée des flux de trésorerie attendus		
Scénario A		
Valeur actualisée pondérée du scénario A (tel que calculée précédemment)		*33 705*
Scénario B		
Valeur actualisée des 6 prochaines mensualités (N = 6, I = 1 %, PMT = 1 000 $, FV = 0 $, CPT PV?)	*5 795 $*	
Valeur actualisée des intérêts dont l'encaissement est prévu le 31 décembre 20X2 (N = 12, I = 1 %, PMT = 0 $, FV = 1 000 $, CPT PV?)	*887*	
Valeur actualisée des intérêts et du recouvrement du principal prévus le 31 décembre 20X3 (N = 24, I = 1 %, PMT = 0 $, FV = 60 800 $, CPT PV?)	*47 884*	
Valeur actualisée des stocks le 31 décembre 20X3 (N = 24, I = 1 %, PMT = 0 $, FV = 18 000 $, CPT PV?)	*14 176*	
Valeur actualisée totale du scénario B	*68 742*	
Probabilité du scénario B	*0,60*	
Valeur actualisée pondérée du scénario B		*41 245*
Valeur actualisée des flux de trésorerie attendus		*74 950*
Pertes de crédit attendues sur la durée de vie de la créance (100 000 $ – 74 950 $)		*25 050 $*

Différence NCECF

L'exemple précédent montre bien que la présence de garanties liées à un actif financier en diminue habituellement le montant des pertes de crédit attendues. Il montre aussi que la juste valeur, nette des frais de saisie et de revente, est prise en considération, et ce, sans égard à la probabilité que l'entreprise prévoie ou non saisir le bien.

Cela met fin à notre étude des billets à recevoir. La section qui suit traitera de la décomptabilisation des créances.

Avez-vous remarqué ?

Le traitement comptable des effets à recevoir comporte plusieurs ressemblances avec celui des comptes clients, car il s'agit de deux actifs financiers. Les particularités de la comptabilisation des effets à recevoir, notamment la nécessité d'analyser si le risque de crédit a augmenté de manière importante depuis la comptabilisation initiale, s'expliquent par les caractéristiques différentes de ces effets, notamment leur plus longue durée et le fait que l'entreprise exige parfois que le débiteur lui accorde certaines garanties. La première particularité explique la pertinence d'actualiser les flux de trésorerie attendus, alors que la seconde peut influer sur le calcul des pertes de crédit attendues.

La décomptabilisation des créances

Dans de nombreux cas, l'entreprise n'a aucune difficulté à déterminer le moment où elle doit décomptabiliser ses créances, mais elle doit parfois faire face à des cas plus complexes.

La décomptabilisation à l'échéance

Lorsqu'une entreprise conserve ses créances jusqu'à l'échéance, elle les décomptabilise à la date d'encaissement des dernières sommes à recevoir d'un débiteur. Puisque le droit de recevoir des flux de trésorerie est expiré, on comprend facilement que l'entreprise doit sortir ce droit, c'est-à-dire l'actif, de ses livres.

Les transferts de créances

La situation se corse lorsqu'une entreprise décide de ne pas détenir ses créances jusqu'à l'échéance, mais de les transférer avant terme pour profiter immédiatement de la trésorerie. Prenons l'exemple d'ABC ltée, qui détient 10 billets à recevoir d'une valeur unitaire de 1 000 $ des clients A à J. L'entreprise a au moins deux solutions diamétralement opposées pour transformer avant l'échéance ses créances en trésorerie.

La première solution consiste à les offrir en garantie d'un nouvel emprunt. Par exemple, pour obtenir un emprunt de 7 000 $, l'institution financière demande à ABC ltée d'offrir une garantie sur des créances de 10 000 $. Le montant de l'emprunt est inférieur à la valeur comptable des créances, notamment parce que la banque sait que certaines créances s'avéreront irrécouvrables. Pour simplifier les choses, l'entreprise ne détermine pas des créances particulières. Si ABC ltée a identifié les débiteurs dont les créances sont offertes en garantie et que l'un d'eux, M. Bergeron, paie son compte avant que l'entreprise ne rembourse elle-même son emprunt à l'institution financière, ABC ltée devra continuellement remplacer une créance remboursée, donnée en garantie à l'institution financière, par une nouvelle créance, et ce, chaque fois qu'un tel cas se présentera. C'est pour cela que la garantie offerte est d'une valeur totale de 10 000 $. Cette clause de garantie consignée au contrat d'emprunt porte le nom d'**universalité de la garantie**. Il peut s'agir d'une **hypothèque sans dépossession** ou d'une **hypothèque avec dépossession**[22]. ABC ltée n'a pas transféré les droits contractuels de percevoir les flux de trésorerie rattachés aux créances. Elle ne peut sortir les créances de ses livres et doit comptabiliser ainsi l'opération de financement :

Caisse	*7 000*	
Emprunt bancaire		*7 000*
Emprunt bancaire garanti par l'universalité des créances.		

La seconde possibilité est qu'ABC ltée vende ses créances à une société spécialisée. Selon ses besoins de trésorerie à combler, l'entreprise vend quelques-unes ou la totalité de ses créances. Posons l'hypothèse qu'ABC ltée conclut une opération par laquelle elle cède ses comptes clients identifiés nommément à la société Sai Sionère ltée. ABC ltée reçoit la somme de 7 000 $ en contrepartie des créances dont la valeur comptable s'établit à 10 000 $. Elle a transféré les droits contractuels et la quasi-totalité des risques et avantages inhérents aux créances. Le traitement comptable approprié consiste à décomptabiliser les créances. ABC ltée comptabilise ainsi l'opération de vente :

Caisse	*7 000*	
Perte sur cession de créances	*3 000*	
Créances		*10 000*
Vente de créances.		

22. Les entreprises peuvent aussi utiliser leurs créances aux fins de financement en les hypothéquant. Selon le Code civil du Québec, les hypothèques mobilières peuvent être avec ou sans dépossession. Une hypothèque sans dépossession signifie que le propriétaire conserve l'utilisation du bien, alors qu'une hypothèque avec dépossession implique la remise du bien au créancier. Les hypothèques mobilières sur les créances sont généralement sans dépossession et portent sur l'universalité des créances. Le Code civil du Québec précise que les hypothèques mobilières n'ont pas besoin d'être notariées, mais qu'elles doivent être publiées au registre des droits personnels et réels mobiliers.

Il importe de noter, en comparant les deux opérations précédentes, que lorsque l'entreprise offre des créances en garantie d'un emprunt, elle ne décomptabilise pas l'actif, la valeur comptable des créances continuant de figurer dans l'état de la situation financière, tout comme la valeur comptable de la dette nouvellement négociée.

Ces deux types d'opérations sont assez fréquents. L'entreprise qui décide d'utiliser ses créances à des fins de financement a plusieurs autres possibilités : les transférer avec recours, les transférer en conservant un droit de gestion, procéder à une titrisation, etc. Toutes ces opérations apparues au fil des ans ont pour particularité que l'entreprise transfère certains droits contractuels de percevoir les flux de trésorerie futurs tout en conservant certains risques et avantages économiques liés aux créances. Par exemple, ABC ltée pourrait décider de céder ses droits contractuels sur l'ensemble des flux de trésorerie tout en conservant le risque de crédit. En effet, elle pourrait assurer l'acheteur des créances qu'en cas de non-paiement d'un débiteur, elle remettra elle-même à l'acheteur les flux de trésorerie. L'étude détaillée de ces situations particulières dépasse le cadre du présent manuel. Mentionnons simplement que la comptabilisation de ces transactions demande parfois de comptabiliser uniquement la valeur des avantages conservés sur les créances et de comptabiliser un passif associé, qui reflète les risques que l'entreprise continue à assumer. Le lecteur désireux de poursuivre son apprentissage sur ces situations particulières peut consulter les paragraphes 3.1.1 à 3.2.23 de l'IFRS 9 ainsi que les paragraphes B3.2.1 à B3.2.17 de l'annexe B qui l'accompagne.

6

La présentation dans les états financiers

Les règles de présentation des créances dans les états financiers sont regroupées en deux catégories, soit les normes générales et les normes propres au risque de crédit.

Les normes générales

Différence NCECF

En plus des comptes clients et des effets à recevoir, on pourrait trouver dans le grand livre d'autres comptes servant à inscrire les souscriptions à recevoir, les produits d'intérêts ou de dividendes à recevoir ainsi que les taxes ou impôts à recouvrer. Le comptable peut grouper tous ces éléments, dont il sera fait mention ailleurs dans le présent manuel, dans un seul poste des états financiers.

Le lecteur est invité à revoir le chapitre 4, où nous avons présenté les renseignements qu'une entreprise doit fournir sur ses actifs financiers. Mentionnons simplement ici qu'une entreprise détenant des actifs financiers sous forme de créances doit donner des renseignements portant, notamment, sur les concentrations de risque, le risque de marché auquel les créances l'exposent et la valeur comptable de chaque catégorie de créances, par exemple, les créances classées comme étant Au coût amorti, À la juste valeur par le biais des autres éléments du résultat global ou À la juste valeur par le biais du résultat net.

Comme nous l'avons expliqué au chapitre 4, l'entreprise doit respecter deux conditions afin de pouvoir opérer la compensation entre un actif financier et un passif financier. Ces conditions s'appliquent aussi aux créances. Lorsqu'elles ne sont pas remplies, l'entreprise doit distinguer, par exemple, les comptes clients ayant un solde débiteur des comptes clients ayant un solde créditeur. Elle présente les premiers dans la section de l'actif courant et les seconds, dans la section du passif courant. Lorsqu'un compte client a un solde créditeur, cela signifie que le client a payé d'avance des marchandises ou des services qu'il recevra plus tard, ce qui, pour l'entreprise, représente une obligation de céder des marchandises ou de rendre des services. Distinguer les créances ayant un solde débiteur de celles ayant un solde créditeur, plutôt que de donner seulement le montant net, permet de présenter des états financiers plus transparents. Soulignons aussi que l'on doit présenter distinctement les créances à recevoir des parties liées.

Les normes propres au risque de crédit

Rappelons que le **risque de crédit** est le risque qu'une partie à un instrument financier manque à l'une de ses obligations, amenant l'autre partie à subir une perte financière. Voici l'exemple d'une entreprise dont les activités l'exposent au risque de crédit. La société Micro Puce ltée vend à crédit des circuits électroniques entrant dans la production d'électroménagers. Les comptes clients qui en résultent sont évalués Au coût amorti. Ils exposent Micro Puce ltée au risque de crédit.

Les renseignements à fournir sur le risque de crédit comporte trois aspects, présentés dans les alinéas (a) à (c) ci-dessous et détaillés dans les tableaux 6.2 à 6.4. Ces renseignements :

> [...] doivent permettre aux utilisateurs des états financiers de comprendre l'effet du risque de crédit sur le montant, l'échéance et le degré d'incertitude des flux de trésorerie futurs. Pour que cet objectif soit atteint, les informations relatives au risque de crédit doivent comprendre :
>
> (a) des informations à propos des pratiques de l'entité en matière de gestion du risque de crédit et leur incidence sur la comptabilisation et l'évaluation des pertes de crédit attendues, y compris les méthodes, les hypothèses et les informations utilisées pour évaluer les pertes de crédit attendues ;
>
> (b) des informations quantitatives et qualitatives permettant aux utilisateurs des états financiers d'évaluer les montants dans les états financiers découlant des pertes de crédit attendues, y compris les variations du montant des pertes de crédit attendues et les raisons de ces variations ; et
>
> (c) des informations sur l'exposition de l'entité au risque de crédit (c'est-à-dire le risque de crédit inhérent aux actifs financiers de l'entité et aux engagements à octroyer du crédit) y compris les concentrations importantes de risque de crédit[23].

6

TABLEAU 6.2 Les renseignements liés aux pratiques en matière de gestion du risque de crédit

***Normes internationales d'information financière*, IFRS 7**	**Commentaires**
Paragr. 35F	
L'entité doit expliquer ses pratiques en matière de gestion du risque de crédit et leur incidence sur la comptabilisation et l'évaluation des pertes de crédit attendues. Pour atteindre cet objectif, l'entité doit fournir des informations permettant aux utilisateurs des états financiers de comprendre et d'apprécier les éléments suivants :	Les pratiques en matière de gestion du risque de crédit comprennent notamment les mesures de recouvrement et les facteurs à prendre en considération pour déterminer si l'entreprise exigera des actifs en garantie.
(a) la façon dont l'entité a déterminé si le risque de crédit des instruments financiers a augmenté de façon importante depuis la comptabilisation initiale, y compris, si et de quelle manière :	L'appréciation de l'augmentation du risque de crédit a des conséquences importantes sur les états financiers, car elle détermine si les pertes de crédit attendues sont évaluées sur la durée de vie totale de l'actif financier ou sur les 12 mois à venir.
(i) des instruments financiers sont considérés comme présentant un risque de crédit faible selon le paragraphe 5.5.10 d'IFRS 9, y compris les catégories d'instruments financiers auxquelles cela s'applique ;	Pour les actifs présentant un risque de crédit faible, rappelons que l'entité évalue les pertes uniquement pour les 12 mois à venir. C'est pourquoi il importe d'indiquer la façon dont le risque de crédit a été déterminé pour ces actifs financiers.
(ii) la présomption du paragraphe 5.5.11 d'IFRS 9, selon laquelle il y a eu une augmentation importante du risque de crédit depuis la comptabilisation initiale lorsque les actifs financiers sont en souffrance depuis plus de 30 jours, a été réfutée ;	Lorsque des informations prospectives raisonnables et justifiables sont disponibles, l'entreprise peut réfuter la présomption d'augmentation importante du risque de crédit en présence de comptes devenus en souffrance depuis plus de 30 jours. Ce n'est que lorsqu'elle ne possède pas des informations raisonnables et justifiables à cet effet qu'elle peut se baser uniquement sur les comptes en souffrance pour apprécier si le risque de crédit a augmenté.
(b) les définitions que l'entité a données à la notion de défaillance et les raisons pour lesquelles elle les a retenues ;	Ces définitions doivent correspondent à celles utilisées dans la gestion interne.
(c) la façon dont les instruments ont été regroupés si les pertes de crédit attendues ont été évaluées sur une base collective ;	L'entreprise indiquerait par exemple que les regroupements reposent sur la présence de garantie ou la date d'échéance. D'autres groupes pourraient être formés des prêts hypothécaires résidentiels, des prêts à la consommation non garantis ou des prêts commerciaux.
(d) la façon dont l'entité a déterminé que les actifs financiers sont des actifs financiers dépréciés ;	L'entreprise doit expliquer par exemple les indices de dépréciation tirés de données observables qu'elle utilise pour déterminer qu'un actif est déprécié.

23. *Manuel de CPA Canada – Comptabilité – Partie I*, IFRS 7, paragr. 35B.

6

TABLEAU 6.2 *(suite)*

(e) la méthode que l'entité emploie pour les sorties du bilan, y compris les éléments indiquant qu'il n'y a aucune attente raisonnable de recouvrement et des informations sur la méthode appliquée aux actifs financiers qu'elle a sortis, mais qui peuvent encore faire l'objet de mesures d'exécution; *(f) [...]*	Une décomptabilisation pour non-paiement d'un emprunteur reflète l'appréciation de l'entreprise. Cette dernière doit donc expliquer aux utilisateurs des états financiers les facteurs qu'elle a pris en considération dans sa décision.
Paragr. 35G *L'entité doit décrire les données d'entrée, les hypothèses et les techniques d'estimation qu'elle utilise en application des dispositions du chapitre 5.5 d'IFRS 9. À cette fin, l'entité doit fournir les informations suivantes:* *(a) le fondement des données d'entrée et des hypothèses ainsi que les techniques d'estimation utilisées pour:* *(i) évaluer les pertes de crédit attendues pour les 12 mois à venir et pour la durée de vie,* *(ii) déterminer si le risque de crédit des instruments financiers a augmenté de façon importante depuis la comptabilisation initiale, et* *(iii) déterminer si un actif financier est un actif financier déprécié;* *(b) la façon dont les informations prospectives ont été prises en compte dans la détermination des pertes de crédit attendues, y compris le recours aux informations macroéconomiques;* *(c) tout changement touchant les techniques d'estimation ou les hypothèses importantes utilisées durant la période de présentation de l'information financière, et les raisons de ces changements.*	La section 5.5 de l'IFRS 9 traite des dépréciations. L'entreprise pourrait par exemple préciser dans ses états financiers qu'elle utilise la notation financière de Moody's pour évaluer le risque de crédit de ses créances à recevoir de grandes entreprises cotées en Bourse. Comme pour toutes les évaluations qui laissent une large part au jugement professionnel, pensons par exemple à l'évaluation de la juste valeur selon l'IFRS 13, l'évaluation des pertes de crédit attendues nécessite de poser plusieurs hypothèses et de faire de nombreux choix. Les utilisateurs des états financiers doivent connaître ces hypothèses et ces choix afin de pouvoir apprécier la fiabilité des montants présentés dans les états financiers au sujet des pertes de crédit attendues.

TABLEAU 6.3 Les renseignements liés aux informations quantitatives et qualitatives à propos des montants découlant des pertes de crédit attendues

***Normes internationales d'information financière*, IFRS 7**	**Commentaires**
Paragr. 35H *Pour expliquer les variations de la correction de valeur pour pertes et les raisons de ces variations, l'entité doit fournir, par catégorie d'instruments financiers, un rapprochement entre les soldes d'ouverture et de clôture de la correction de valeur pour pertes, présenté sous forme de tableau, indiquant séparément les variations survenues au cours de la période pour chacun des éléments suivants:* *(a) la correction de valeur pour pertes évaluée au montant des pertes de crédit attendues pour les 12 mois à venir;* *(b) la correction de valeur pour pertes évaluée au montant des pertes de crédit attendues pour la durée de vie relativement aux éléments suivants:* *(i) les instruments financiers dont le risque de crédit a augmenté de façon importante depuis la comptabilisation initiale, mais qui ne sont pas des actifs financiers dépréciés;* *(ii) les actifs financiers dépréciés à la date de clôture [...];* *(iii) les créances clients, les actifs sur contrat et les créances locatives dans le cas desquels les corrections de valeur pour pertes sont évaluées selon le paragraphe 5.5.15 d'IFRS 9.*	Le respect de l'exigence ci-contre pourrait consister à présenter l'information suivante dans une note: *Solde d'ouverture de la provision pour correction de valeur* — *XX $* *Augmentation de la provision sur les créances dont les pertes sont calculées sur les 12 mois à venir* — *XX* *Augmentation de la provision sur les créances dont les pertes sont calculées sur la durée de vie* — *XX* *Augmentation de la provision sur les comptes clients* — *XX* *Solde de clôture de la provision pour correction de valeur* — *XX $* Notez que le paragraphe 5.5.15 dont il est question au point (b) (iii) ci-contre est celui qui autorise l'utilisation de la méthode simplifiée, laquelle consiste à évaluer la Provision pour correction de valeur – Clients sur la durée de vie des comptes clients.

TABLEAU 6.3 *(suite)*

(c) [...]

Paragr. 35I

Pour permettre aux utilisateurs des états financiers de comprendre les variations de la correction de valeur pour pertes présentées selon le paragraphe 35H, l'entité doit décrire la façon dont les variations importantes de la valeur comptable brute des instruments financiers au cours de la période ont donné lieu aux variations de la correction de valeur pour pertes. Les informations doivent être fournies séparément, comme au paragraphe 35H(a) à (c), pour les instruments financiers auxquels la correction de valeur pour pertes se rapporte, et elles doivent comprendre les informations qualitatives et quantitatives pertinentes. Voici des exemples de variations de la valeur comptable brute des instruments financiers ayant donné lieu aux variations de la correction de valeur pour pertes :

(a) variations attribuables à la création ou à l'acquisition d'instruments financiers au cours de la période de présentation de l'information financière ;

(b) modification des flux de trésorerie contractuels d'actifs financiers ne donnant pas lieu à la décomptabilisation de ces actifs financiers selon IFRS 9 ;

(c) variations attribuables à la décomptabilisation d'instruments financiers (y compris ceux qui ont été sortis du bilan) au cours de la période de présentation de l'information financière ;

(d) variations découlant de la question de savoir si la correction de valeur pour pertes est évaluée au montant des pertes de crédit attendues pour les 12 mois à venir ou pour la durée de vie.

Une note semblable à celle concernant les variations de la correction de valeur pour pertes doit être préparée au sujet de la valeur comptable brute des créances. Cette note pourrait prendre la forme suivante :

Solde d'ouverture de la valeur brute des créances	*XX $*
Émission de nouveaux billets à recevoir	*XX*
Encaissement du principal	*(XX)*
Créances décomptabilisées	*(XX)*
Solde de clôture de la valeur brute des créances	*XX $*

Paragr. 35J

[...]

Paragr. 35K

Pour permettre aux utilisateurs des états financiers de comprendre l'effet d'un actif détenu en garantie et des autres rehaussements de crédit sur les montants découlant des pertes de crédit attendues, l'entité doit fournir les informations suivantes, par catégorie d'instruments financiers :

(a) le montant qui représente le mieux son exposition maximale au risque de crédit à la date de clôture, compte non tenu des actifs détenus en garantie ou des autres rehaussements de crédit (par exemple, les accords de compensation qui ne remplissent pas les conditions de compensation selon IAS 32) ;

Le montant dont il est question en (a) ci-contre pourrait être par exemple les pertes de crédit attendues calculées sur la seule base des flux de trésorerie en argent encaissés directement du débiteur.

(b) une description narrative des actifs détenus en garantie et des autres rehaussements de crédit, y compris :

(i) une description de la nature et de la qualité des actifs détenus en garantie ;

(ii) une explication des changements importants subis par des actifs détenus en garantie et autres rehaussements de crédit au chapitre de la qualité en raison d'une détérioration ou de changements dans les politiques de l'entité en matière de garanties survenus au cours de la période de présentation de l'information financière ;

(iii) des informations sur les instruments financiers pour lesquels l'entité n'a pas comptabilisé de correction de valeur pour pertes du fait qu'elle détient l'actif en garantie ;

L'entreprise décrirait par exemple qu'elle détient une hypothèque mobilière sur les stocks de ses clients œuvrant dans le secteur des appareils électroniques.

Pour satisfaire la condition énoncée ci-contre en (b) (ii), elle pourrait expliquer que ces stocks ont un cycle de vie de 18 mois, compte tenu de leur obsolescence qui découle des innovations technologiques continuelles.

Enfin, la situation décrite en (b) (iii) est celle où l'entreprise a un actif financier dont la valeur comptable avant dépréciation est inférieure à la juste valeur nette de l'actif en garantie.

TABLEAU 6.3 (suite)

(c) des informations quantitatives sur les actifs détenus en garantie et les autres rehaussements de crédit (par exemple, une quantification de la mesure dans laquelle les actifs détenus en garantie et les autres rehaussements de crédit atténuent le risque de crédit) au titre des actifs financiers qui sont dépréciés à la date de clôture.	L'entreprise pourrait indiquer la juste valeur des actifs détenus en garantie.
Paragr. 35L	
L'entité doit indiquer l'encours contractuel des actifs financiers qui ont été sortis du bilan au cours de la période de présentation de l'information financière et qui font encore l'objet de mesures d'exécution.	Une décomptabilisation pour non-paiement d'un emprunteur reflète l'appréciation de l'entreprise, même si, du point de vue légal, la créance existe encore. Une mesure d'exécution pourrait être prise, par exemple, à la suite d'un jugement de faillite qui oblige le failli à rembourser 5 % de ses créances, dont l'une de 10 000 $ en faveur de l'entreprise pour laquelle on prépare les états financiers. Celle-ci indiquerait donc, par voie de notes, qu'un jugement de faillite confirme qu'elle a une créance de 500 $ (10 000 $ × 5 %) qui n'est pas comptabilisée. Il s'agit en quelque sorte d'un gain éventuel.

TABLEAU 6.4 Les renseignements liés à l'exposition au risque de crédit

***Normes internationales d'information financière*, IFRS 7**	**Commentaires**
Paragr. 35M	
Pour permettre aux utilisateurs des états financiers d'évaluer l'exposition au risque de crédit de l'entité et de comprendre ses concentrations importantes de risque de crédit, l'entité doit indiquer, par catégorie de risque de crédit, *la valeur comptable brute des actifs financiers [...]. Ces informations doivent être fournies séparément dans le cas des instruments financiers :*	Une **catégorie de risque financier** est une « [n]otation du risque de crédit fondée sur le risque que l'instrument financier fasse l'objet d'une défaillance[24] ».
(a) pour lesquels la correction de valeur pour pertes est évaluée au montant des pertes de crédit attendues pour les 12 mois à venir ; *(b) pour lesquels la correction de valeur pour pertes est évaluée au montant des pertes de crédit attendues pour la durée de vie et qui sont :* *(i) des instruments financiers dans le cas desquels le risque de crédit a augmenté de façon importante depuis la comptabilisation initiale, mais qui ne sont pas des actifs financiers dépréciés ;* *(ii) des actifs financiers dépréciés à la date de clôture [...] ;* *(iii) des créances clients, des actifs sur contrat ou des créances locatives dans le cas desquels les corrections de valeur pour pertes sont évaluées selon le paragraphe 5.5.15 d'IFRS 9 ;* *(c) [...]*	La valeur comptable brute des actifs est aussi détaillée de sorte à présenter distinctement celle des créances sur lesquelles on a calculé les pertes de crédit attendues sur les 12 mois à venir ou sur la durée de vie. Rappelons que le paragraphe 5.5.15 porte sur la méthode simplifiée de calcul des pertes de crédit attendues sur les comptes clients. Pour ces derniers, les informations peuvent reposer sur une matrice de calcul (comme indiqué au paragraphe 35N de l'IFRS 7), par exemple sur un classement chronologique des comptes clients et un pourcentage de pertes attendues par classe.
Paragr. 35N	
Dans le cas des créances clients, des actifs sur contrat et des créances locatives à l'égard desquels l'entité applique le paragraphe 5.5.15 d'IFRS 9, les informations fournies selon le paragraphe 35M peuvent reposer sur une matrice de calcul (voir paragraphe B5.5.35 d'IFRS 9).	Lorsque l'entreprise a utilisé la méthode simplifiée pour évaluer ses pertes de crédit attendues, par exemple en préparant une analyse chronologique des comptes clients, elle indique les pourcentages de pertes par tranche d'âge des comptes.
Paragr. 36	
Pour tous les instruments financiers entrant dans le champ d'application de la présente norme, mais pour lesquels les dispositions d'IFRS 9 en matière de dépréciation ne sont pas appliquées, l'entité doit fournir les informations suivantes, par catégorie d'instruments financiers :	Les informations requises selon le paragraphe 36 doivent être fournies pour tous les actifs financiers non dépréciés. L'**exposition maximale au risque de crédit** indique les pertes qu'une entreprise pourrait subir si aucune créance ne comportait de biens affectés en garantie ou d'autres rehaussements de crédit.

24. *Manuel de CPA Canada – Comptabilité – Partie I*, IFRS 7, Annexe A.

TABLEAU 6.4 *(suite)*

(a) le montant qui représente le mieux son exposition maximale au risque de crédit à la date de clôture, compte non tenu des actifs détenus en garantie ou des autres rehaussements de crédit (par exemple, les accords de compensation qui ne remplissent pas les conditions de compensation selon IAS 32) ; cette information n'est pas exigée dans le cas des instruments financiers dont la valeur comptable représente le mieux l'exposition maximale au risque de crédit;	Lorsque le montant maximal des pertes correspond à la valeur comptable des actifs financiers, comme pour les comptes clients, l'entreprise n'est pas tenue de divulguer d'explications additionnelles. À l'opposé, les entreprises fourniront probablement la juste valeur de leurs créances à long terme et de leurs actifs financiers non comptabilisés, tel un rehaussement de crédit, dont elle pourrait bénéficier à l'avenir si certains événements surviennent, jugés par ailleurs improbables et n'ayant donc pas conduit à la comptabilisation d'un actif.
(b) une description des actifs détenus en garantie et des autres rehaussements de crédit, avec mention de leur effet financier (par exemple, une quantification de la mesure dans laquelle les actifs détenus en garantie et les autres rehaussements de crédit atténuent le risque de crédit) en ce qui a trait au montant qui représente le mieux l'exposition maximale au risque de crédit (que le montant soit mentionné en application du (a) ou qu'il s'agisse de la valeur comptable d'un instrument financier) ;	Au moment d'établir le risque de crédit maximal, l'entreprise ne tient pas compte des recouvrements potentiels qui découleraient de la réalisation de garanties[25]. Une entreprise qui détient un effet à recevoir d'un coût amorti de 90 000 $ et d'une juste valeur de 100 000 $, garanti par un équipement dont la juste valeur est de 120 000 $, indique un montant de 90 000 $ à titre d'exposition maximale au risque de crédit.
(c) [supprimé] ;	
(d) [supprimé].	

6

À la lecture des trois derniers tableaux, on constate rapidement le grand nombre d'informations à fournir dans les états financiers. La longueur des listes d'informations ne doit pas occulter une remarque fondamentale de l'IASB. « Si les informations fournies selon les paragraphes 35F à 35N ne sont pas suffisantes pour permettre à l'entité d'atteindre les objectifs énoncés au paragraphe 35B, elle doit fournir les informations supplémentaires nécessaires à leur atteinte[26]. » Cette précision souligne l'importance capitale du jugement professionnel quand vient le temps de préparer les notes aux états financiers.

Lorsqu'une entreprise détient une **créance assortie d'une garantie** sur un actif, elle a la possibilité de saisir l'actif affecté en garantie si la contrepartie, aussi appelée débiteur, ne respecte pas ses engagements et que l'entreprise a épuisé tous les moyens de recouvrement raisonnables. En ce qui concerne les actifs saisis, l'IASB exige que l'entreprise donne l'information suivante :

> Lorsque l'entité obtient des actifs financiers ou non financiers au cours de la période en prenant possession d'actifs affectés en garantie à son profit ou en mobilisant d'autres formes de rehaussements de crédit (par exemple, des cautionnements), et que ces actifs remplissent les critères de comptabilisation énoncés dans d'autres IFRS, elle doit indiquer, à l'égard de tels actifs détenus à la date de la clôture :
>
> (a) la nature et la valeur comptable des actifs ; et
>
> (b) lorsque ces actifs ne sont pas immédiatement convertibles en trésorerie, sa politique concernant leur cession ou leur utilisation dans le cadre de ses activités[27].

Cette recommandation de l'IASB vise à fournir aux utilisateurs des états financiers des renseignements leurs permettant d'évaluer la fréquence des saisies et la capacité de l'entreprise à convertir les biens saisis en flux de trésorerie.

---

25. Au moins deux raisons justifient cette position. La première résulte d'un problème d'agrégation des données. Si une entreprise portait la juste valeur totale de toutes les garanties qu'elle détient en diminution de la juste valeur totale de ses actifs financiers qui l'exposent à un risque de crédit, le montant net pourrait être trompeur. En effet, la juste valeur de la garantie peut excéder la juste valeur de l'actif financier. On n'a qu'à penser à une créance hypothécaire garantie par un immeuble. Même si le montant de la créance diminue à mesure que le débiteur rembourse son prêt hypothécaire, c'est la pleine valeur de l'immeuble qui est donnée en garantie. L'excédent de cette garantie aurait pour effet de diminuer le montant total net des autres actifs financiers. La seconde raison est d'ordre pratique. Lorsque les créances ne sont ni en souffrance ni dépréciées, l'entreprise ne réévalue pas la juste valeur de la garantie, car elle n'a pas besoin de cette information pour sa gestion interne. Ces deux raisons ont conduit l'IASB à exiger que les entreprises ne donnent qu'une description qualitative des garanties qu'elles possèdent.
26. *Manuel de CPA Canada – Comptabilité – Partie I*, IFRS 7, paragr. 35E.
27. *Manuel de CPA Canada – Comptabilité – Partie I*, IFRS 7, paragr. 38.

EXEMPLE

Actif en garantie d'une créance

La société Architecture Gilbert Maisonneuve ltée détient un billet à recevoir en souffrance dont le solde s'élève à 40 000 $ au 31 décembre 20X7. Elle n'a pas comptabilisé une provision pour correction de valeur, car elle estimait alors à 52 000 $ la juste valeur nette des équipements de bureau sur lesquels elle a une garantie.

Le 1er décembre 20X8, la société a saisi les équipements de bureau de Transport Moncoffre ltée au moment où leur juste valeur s'élevait à 37 000 $. Elle a alors passé l'écriture suivante dans ses livres comptables :

Équipements de bureau destinés à la vente[28]	*37 000*	
Perte sur règlement de billet à recevoir	*3 000*	
Billet à recevoir		*40 000*
Saisie d'équipements de bureau en règlement final d'un billet à recevoir.		

Dans ses états financiers de l'exercice terminé le 31 décembre 20X8, Architecture Gilbert Maisonneuve ltée devrait présenter l'information suivante :

La société détient des équipements de bureau, d'une valeur comptable de 37 000 $, qu'elle a obtenus à la suite d'une saisie en règlement d'un billet à recevoir. La société a pour politique de confier la revente de tels actifs à un courtier spécialisé en la matière.

Avez-vous remarqué ?

Comme pour tous les instruments financiers, les IFRS imposent de nombreuses obligations relativement à l'information à fournir afin que les utilisateurs des états financiers comprennent : 1) l'importance des créances au regard de la situation financière et de la performance financière de l'entreprise ; 2) la nature et l'ampleur des risques qui en découlent.

Rappelons que l'estimation de la valeur actualisée des créances donne souvent lieu à une incertitude relative aux estimations, pour laquelle le comptable présente alors des renseignements additionnels par voie de notes, comme nous l'avons expliqué au chapitre 2.

Finalement, l'entreprise doit s'assurer que les créances présentées dans la section de l'actif courant seront réalisables durant le cycle d'exploitation suivant. Ainsi, si certains effets ne sont pas encaissables au cours de ce cycle, ils sont présentés dans la section de l'actif non courant, à l'exception, s'il y a lieu, de la portion échéant à court terme.

Voici quelques extraits des états financiers montrant les créances de la société Sears Canada. Bien que ces extraits portent sur l'exercice financier clos le 30 janvier 2016, soit avant l'entrée en vigueur de l'IFRS 9, nous avons repéré les extraits qui, bien qu'étant basés sur l'ancienne norme, seraient les mêmes si la société avait appliqué l'IFRS 9.

SEARS CANADA INC.

ÉTATS CONSOLIDÉS DE LA SITUATION FINANCIÈRE

(en millions de dollars canadiens)	Notes	**Au 30 janvier 2016**	Au 31 janvier 2015
ACTIF			
Actifs courants			
[...]			
Débiteurs, montant net	6, 14, 16	**59,4 $**	73,0 $
[...]			

IFRS 7, paragr. 8(c)

TABLEAUX CONSOLIDÉS DES FLUX DE TRÉSORERIE

Pour les périodes de 52 semaines closes le 30 janvier 2016 et le 31 janvier 2015

(en millions de dollars canadiens)	Notes	**2015**	2014
Flux de trésorerie affectés aux activités d'exploitation			
Perte nette		**(67,9) $**	(338,8)$
[...]			
Variations des soldes hors trésorerie du fonds de roulement	33	**(64,3)**	(67,3)
		(201,5)	(264,6)

28. Le chapitre 8 expliquera en détail la comptabilisation des actifs non courants détenus en vue de la vente.

NOTES ANNEXES

2. Principales méthodes comptables

[...]

2.20 Actifs financiers

[...]

2.20.4 Prêts et créances

[...]

IFRS 9, paragr. 5.1.1 et 5.2.2

Les créances clients et autres débiteurs qui ont des paiements déterminés ou déterminables qui ne sont pas cotés sur un marché actif sont classés à titre de «prêts et créances». Les prêts et créances sont évalués au coût amorti au moyen de la méthode du taux d'intérêt effectif, moins toute perte de valeur. Les produits d'intérêts sont comptabilisés en appliquant la méthode du taux d'intérêt effectif, sauf pour les créances à court terme lorsque la comptabilisation des intérêts serait non significative.

6. Débiteurs, montant net

Les composantes des débiteurs, montant net, étaient les suivantes :

IFRS 7, paragr. 8(c)

(en millions de dollars canadiens)	**Au 30 janvier 2016**	Au 31 janvier 2015
Créances différées	**0,2 $**	0,4 $
Autres débiteurs	**59,2**	72,6
Total des débiteurs, montant net	**59,4 $**	73,0 $

Au 30 janvier 2016, les autres débiteurs sont principalement composés des montants dus par des clients et des montants dus par des fournisseurs. Au 31 janvier 2015, les autres débiteurs étaient principalement composés des montants dus par des clients, des montants dus par des fournisseurs et des montants dus par JPMorgan Chase dans le cadre du partenariat au chapitre du marketing et de la gestion des cartes de crédit conclu avec la Société (pour plus d'information, veuillez vous reporter à la note 28).

14. Instruments financiers

[...]

Gestion des risques liés aux instruments financiers

En raison des instruments financiers qu'elle détient, la Société est exposée aux risques de crédit, de liquidité et de marché. Le risque de marché comprend le risque de change, le risque de taux d'intérêt et le risque lié aux prix du carburant et du gaz naturel.

14.1 Risque de crédit

IFRS 7, paragr. 33(a)

Le risque de crédit représente le risque que la Société subisse des pertes financières dans l'éventualité où ses contreparties ne respecteraient pas leurs engagements en matière de paiement. L'exposition au risque de crédit est liée aux instruments dérivés, à la trésorerie, aux débiteurs et aux autres actifs à long terme.

IFRS 7, paragr. 33(a) et 36

La trésorerie, les débiteurs, les instruments dérivés et les placements inclus dans les autres actifs à long terme, qui totalisaient 381,2 M$ au 30 janvier 2016 (340,5 M$ au 31 janvier 2015), exposent la Société au risque de crédit, dans l'éventualité où l'emprunteur manquerait à ses engagements à l'échéance des instruments. La Société gère cette exposition grâce à des politiques qui exigent que les emprunteurs aient au minimum une cote de solvabilité de A et qui imposent des plafonds de placements aux emprunteurs individuels en fonction de leur cote de solvabilité.

IFRS 7, paragr. 34(c)

La Société réduit au minimum le risque de crédit ayant trait aux tierces parties en évaluant le crédit et en examinant la recouvrabilité des débiteurs de façon continue. Un compte de correction de valeur inclus au poste Débiteurs, montant net dans les états consolidés de la situation financière totalisait 6,0 M$ au 30 janvier 2016 (8,3 M$ au 31 janvier 2015). Au 30 janvier 2016, aucun client ne représentait 10 % ou plus du montant net des débiteurs de la Société (au 31 janvier 2015, un client représentait 11,0 % du montant net des débiteurs de la Société).

33. Variations des soldes hors trésorerie du fonds de roulement

Les flux de trésorerie affectés aux soldes hors trésorerie du fonds de roulement étaient composés des éléments suivants :

(en millions de dollars canadiens)	**2015**	2014
Débiteurs, montant net	**12,5 $**	10,0 $
[...]		

Source : Rapport annuel 2015 de Sears Canada Inc.
Sears Canada Inc., *Rapport annuel 2015,* [En ligne], <http://sears.fr.ca.investorroom.com/rapports> (page consultée le 14 juillet 2016).

La figure 6.5 montre l'effet de diverses créances sur les états financiers.

FIGURE 6.5 L'effet des diverses créances sur les états financiers

Situation financière

Comptes clients

Débit	*Crédit*
Montant de la vente	*Décomptabilisation pour non-paiement* *Recouvrement des clients*

Produits différés – Ristournes

Débit	*Crédit*
Ristournes accordées	*Ristournes, à accorder au cours des exercices subséquents, afférentes aux ventes de l'exercice en cours*

Produits différés – Escompte de caisse

Débit	*Crédit*
Escomptes accordés	*Escomptes, à accorder au cours des exercices subséquents, afférents aux ventes de l'exercice en cours*

Produits différés – Rendus sur ventes*

Débit	*Crédit*
Rendus accordés	*Rendus, à accorder au cours des exercices subséquents, afférents aux ventes de l'exercice en cours*

Provision pour correction de valeur – Clients

Débit	*Crédit*
Décomptabilisation pour non-paiement	*Pertes de crédit attendues sur les comptes clients*

Résultat net

Pertes de crédit attendues – Clients

Débit	*Crédit*
Pertes de crédit attendues	

Gain/Perte

Débit	*Crédit*
Augmentation des pertes de crédit attendues comptabilisées antérieurement	*Diminution des pertes de crédit attendues comptabilisées antérieurement*

Flux de trésorerie

Activités d'exploitation
*Encaissement des comptes clients***
Encaissement des intérêts sur les comptes clients, le cas échéant

* Certaines entreprises utilisent de plus un compte Produits différés – Remises pour défaut. Elles y créditent d'abord les remises qu'elles prévoient devoir accorder dans les exercices subséquents et elles y débitent les remises accordées.

** Les entreprises qui adoptent la méthode indirecte pour présenter leur tableau des flux de trésorerie inscriront les postes suivants dans la section des activités d'exploitation :
Résultat net
Plus (moins) :
Variation des comptes clients, montant net
Variation des intérêts à recevoir sur les comptes clients

FIGURE 6.5 *(suite)*

Situation financière

Effets à recevoir*

Débit	*Crédit*
Juste valeur initiale *Excédent des produits d'intérêts sur les encaissements* *Intérêts courus*	*Excédent des encaissements sur les produits d'intérêts* *Décomptabilisation pour non-paiement* *Recouvrement du principal et des intérêts courus*

Provision pour correction de valeur – Effets à recevoir

Débit	*Crédit*
Décomptabilisation pour non-paiement	*Pertes de crédit attendues*

Autres

Débit	*Crédit*
Loyer à recevoir *Indemnités d'assurance à recevoir* *Dividendes à recevoir*	*Encaissement des loyers* *Encaissement des indemnités d'assurance* *Encaissement des dividendes*

Résultat net

Pertes de crédit attendues – Effets à recevoir

Débit	*Crédit*
Pertes de crédit attendues sur la durée de vie *Pertes de crédit attendues sur les 12 mois à venir*	

Gain/Perte de valeur

Débit	*Crédit*
Augmentation des pertes de crédit attendues comptabilisées antérieurement	*Diminution des pertes de crédit attendues comptabilisées antérieurement*

Produits financiers

Débit	*Crédit*
	Intérêts sur effets à recevoir *Dividendes et intérêts sur placements*

Flux de trésorerie

Activités d'exploitation
Encaissement des effets à recevoir **
Encaissement des intérêts sur les effets à recevoir et sur les placements
Encaissement des indemnités d'assurance
Encaissement des dividendes

Activités d'investissement
Nouveaux effets émis
Réalisation des effets à recevoir

* Présentés dans la section de l'actif courant ou non courant, selon leur échéance.

** Les entreprises qui adoptent la méthode indirecte pour présenter leur tableau des flux de trésorerie inscriront les postes suivants dans la section des activités d'exploitation :
Résultat net
Plus (moins) :
Variation des effets à recevoir, montant net
Variation des intérêts à recevoir sur les effets
Variation des indemnités à recevoir, le cas échéant
Variation des dividendes à recevoir, le cas échéant

Différence NCECF

6

6

Le chapitre 4 du présent manuel a fait état des différences existant entre les IFRS et les NCECF, plus précisément celles qui concernent le **chapitre 3856** du *Manuel – Partie II*, en ce qui a trait aux instruments financiers. Le lecteur est invité à s'y reporter. En ce qui concerne les éléments propres aux créances, la figure 6.6 présente les particularités des NCECF.

FIGURE 6.6 Les particularités des NCECF liées aux créances

Actif financier	Voir la figure 4.9, et plus spécifiquement la portion traitant de la comptabilisation des actifs financiers
Dépréciation	• Recherche d'indices simplifiée en remplacement de l'appréciation du risque de crédit • Montant de dépréciation = Valeur comptable – Montant le plus élevé de 3 valeurs (valeur actualisée des flux de trésorerie, prix de vente et valeur de réalisation de l'actif en garantie)

Le texte qui suit reprend en détail ces particularités ainsi que les normes de présentation des créances dans les états financiers.

Parmi les différences qui s'avèrent importantes pour les créances, rappelons premièrement que les NCECF prescrivent un mode d'évaluation pour les instruments financiers acquis dans le cadre d'une opération entre apparentés. Le lecteur se rappellera aussi que les NCECF prévoient que les actifs financiers sont évalués au coût ou au coût amorti et ne prévoient pas le classement dans les catégories que l'on trouve dans les IFRS. Cette différence est plutôt théorique car, dans les faits, les entreprises évaluent généralement leurs créances au coût ou au coût amorti, peu importe le référentiel comptable utilisé. Deuxièmement, les NCECF permettent de déterminer le coût amorti des créances en utilisant le mode d'amortissement linéaire. Troisièmement, elles comportent des règles de dépréciation beaucoup plus simples que celles contenues dans les IFRS, comme nous l'expliquerons dans la section suivante.

Les pertes de crédit attendues

IFRS
Perte de crédit attendue

Lorsqu'une entreprise détermine si elle doit comptabiliser une **dépréciation**, elle débute son travail en fin d'exercice par la recherche d'indications d'une possible dépréciation. Le tableau 6.5 présente des exemples et des contre-exemples de telles **indications de dépréciation**.

Il ressort de ce tableau que la recherche d'indices est beaucoup plus simple que l'appréciation du risque de crédit et des facteurs à prendre en considération pour l'évaluation des pertes de crédit attendues selon les IFRS. On doit tout de même se rappeler que souvent, une dépréciation découle de l'effet combiné de plusieurs faits ou événements. Il faut donc se garder d'analyser un seul critère. Ainsi, il se pourrait qu'un client éprouvant des problèmes ponctuels de trésorerie retarde momentanément le remboursement de son compte. Si l'entreprise estime qu'elle pourra néanmoins récupérer toutes les sommes convenues ainsi que les intérêts supplémentaires relatifs aux remboursements en retard, elle ne doit pas conclure à la présence d'indications objectives de dépréciation du compte client. De même, le fait qu'un client n'ait pas versé toutes les sommes convenues aux dates prévues ne signifie pas automatiquement que son compte doit être déprécié. L'entreprise doit donc examiner la situation financière de ses clients, plus précisément leur solvabilité. Bien sûr, la question de savoir s'il existe des indications objectives de dépréciation demeure, somme toute, affaire de jugement.

En présence d'indications objectives de dépréciation, l'entreprise commence le **test de dépréciation**. Elle s'assure d'abord que ces indices se traduisent par un changement défavorable important dans le calendrier ou le montant prévu des flux de trésorerie futurs de l'actif financier. Par la suite, elle

TABLEAU 6.5 Des exemples et contre-exemples d'indications de dépréciation

NCECF, chapitre 3856	
Exemples d'indications de dépréciation Paragr. A15	**Exemples de situations ou d'événements qui ne constituent pas nécessairement des indications de dépréciation** Paragr. A16
a) des difficultés financières importantes du client ou de l'émetteur ; *b) une rupture de contrat telle qu'un défaut de paiement des intérêts ou du principal ;* *c) l'octroi par l'entité de conditions de faveur au client ou à l'émetteur ;* *d) la possibilité croissante de faillite ou de restructuration financière du client ou de l'émetteur ;* *e) la disparition d'un marché actif pour l'actif financier en raison de difficultés financières ;* *f) un changement défavorable important dans l'environnement technologique, de marché, économique ou juridique du client ou de l'émetteur (par exemple, une chute brutale du prix d'une marchandise, comme le pétrole ou le bois d'œuvre, qui peut causer une instabilité économique dans le secteur d'activité touché ou avoir des répercussions défavorables sur d'autres clients œuvrant dans une région tributaire du secteur en question) ;* *g) des données observables, telles qu'une conjoncture économique défavorable au plan national ou local ou des changements défavorables dans la situation du secteur, indiquant que les flux de trésorerie estimatifs attendus d'un groupe d'actifs financiers ont diminué depuis la comptabilisation initiale de ces actifs, même si la diminution ne peut pas encore être rattachée à des actifs particuliers à l'intérieur du groupe.*	*a) la disparition d'un marché actif du fait que les instruments financiers d'une entité ne sont plus négociés sur un marché organisé ;* *b) une baisse de la notation d'une entité (ne constitue pas en soi une indication de dépréciation même si, associée à d'autres informations disponibles, elle pourrait effectivement en constituer une) ;* *c) lorsque la juste valeur d'un actif financier est facilement déterminable, une baisse de cette juste valeur en deçà du coût ou du coût après amortissement de l'actif (par exemple, une baisse de la juste valeur d'un placement dans un instrument d'emprunt du fait d'une augmentation du taux d'intérêt sans risque).*

calcule le montant de la dépréciation des actifs financiers comptabilisés au coût ou au coût amorti comme étant la différence entre la valeur comptable et la plus élevée de trois valeurs que sont :

a) la valeur actualisée des flux de trésorerie attendus de l'actif ou du groupe d'actifs, calculée au moyen d'un taux d'intérêt actuel du marché, approprié à cet actif ou à ce groupe d'actifs ;

b) le prix qu'elle pourrait obtenir de la vente de l'actif ou du groupe d'actifs à la date de clôture ;

c) la valeur de réalisation de tout bien affecté en garantie du remboursement de l'actif ou du groupe d'actifs, nette de l'ensemble des coûts nécessaires à l'exercice de la garantie[29].

Au cours des exercices subséquents, l'entreprise peut comptabiliser, s'il y a lieu, des reprises de valeur, soit directement en débitant le compte d'actif, soit par l'ajustement du compte de provision. La reprise de valeur est assujettie à un montant maximal. « [...] La valeur comptable ajustée de l'actif financier ou du groupe d'actifs financiers ne doit pas être supérieure à ce qu'elle aurait été à la date de la reprise si la moins-value n'avait jamais été comptabilisée. Le montant de la reprise doit être comptabilisé en résultat net dans la période où la reprise a lieu[30]. »

La présentation dans les états financiers

Les états financiers de Josy Dida inc.

Comme c'est généralement le cas, les obligations d'information imposées par les NCECF sont moins grandes que celles contenues dans l'IFRS 7, mentionnées dans la section de la présentation dans les états financiers de la partie I – Les IFRS du présent chapitre. Par exemple, la note 10 des états financiers de Josy Dida inc., disponibles dans la plateforme *i+ Interactif*, présente les principales catégories de créances.

Consultez le tableau synthèse des particularités des NCECF.

29. *Manuel de CPA Canada – Comptabilité – Partie II*, paragr. 3856.17.

30. *Manuel de CPA Canada – Comptabilité – Partie II*, paragr. 3856.19.

SYNTHÈSE DU CHAPITRE 6

La figure 6.7 illustre en un coup d'œil les principaux thèmes abordés dans le présent chapitre. Le texte qui suit la figure vous permettra de vérifier l'acquisition des objectifs d'apprentissage.

FIGURE 6.7 Les principaux thèmes abordés dans le présent chapitre

La gestion des créances

NCECF

La comptabilisation initiale

On classe les créances Au coût amorti, À la juste valeur par le biais des autres éléments du résultat global ou À la juste valeur par le biais du résultat net.

Les critères de classement diffèrent.

Comptes clients	Effets à recevoir
Valeur actualisée des flux de trésorerie attendus (correspondant au montant net de la vente)	Valeur actualisée des flux de trésorerie attendus (valeur nominale, majorée de la prime ou diminuée de l'escompte)

La comptabilisation subséquente au coût amorti ou à la juste valeur, selon la catégorie

On estime les pertes de crédit attendues sur les actifs classés Au coût amorti ou À la juste valeur par le biais des autres éléments du résultat global

Comptes clients	Effets à recevoir
Analyse individuelle ou collective des comptes formant, dans le dernier cas, des groupes de comptes clients partageant des caractéristiques communes.	Comme pour les comptes clients. De plus, on apprécie si le risque de crédit a augmenté de façon importante depuis la comptabilisation initiale. Si oui, on estime les pertes en tenant compte des défaillances attendues sur la durée de vie. Sinon, on estime les pertes en tenant compte des défaillances attendues sur les 12 mois à venir.

On vérifie d'abord la présence d'indications objectives de dépréciation. Le montant de la dépréciation est calculé différemment.

Les reprises de valeur sont comptabilisées jusqu'à concurrence du coût amorti s'il n'y avait pas eu de dépréciation.

Les créances sont décomptabilisées à l'échéance, lors du transfert des droits ou lors de réduction de valeur.

La présentation dans les états financiers

Expliquer les principes de base de la gestion des créances. La gestion des créances a pour principal objectif de permettre à l'entreprise de réaliser un meilleur résultat net. L'entreprise doit trouver le point d'équilibre entre le risque de refuser de faire crédit à un débiteur solvable et le risque d'accepter de faire crédit à un débiteur peu solvable.

Appliquer le traitement comptable approprié aux comptes clients. Les créances qui découlent de l'activité courante de vente prennent généralement le nom de comptes clients. Ce sont des actifs financiers habituellement classés Au coût amorti. Au moment de la comptabilisation initiale, l'entreprise inscrit la juste valeur, généralement égale au montant de trésorerie ou d'équivalent de trésorerie reçu ou à recevoir. Toutefois, lorsque la rentrée de trésorerie ou d'équivalent de trésorerie est différée, la juste valeur de la contrepartie peut être inférieure

au montant nominal de la trésorerie reçue ou à recevoir. Lorsque l'accord constitue effectivement une transaction de financement, la juste valeur de la contrepartie est déterminée par l'actualisation de l'ensemble des rentrées futures au moyen du taux d'intérêt du marché. Puisque, en règle générale, le délai de recouvrement des comptes clients est relativement court, l'entreprise peut en déterminer la valeur comptable initiale en fonction du prix de vente net. À la fin de chaque période de présentation de l'information financière, l'entreprise doit comptabiliser en résultat net les pertes de crédit attendues. Celles-ci correspondent à l'excédent de la valeur actualisée des flux de trésorerie déterminables selon les termes du contrat sur la valeur actualisée des flux de trésorerie attendus, compte tenu de tous les rehaussements de crédit. On utilise le taux d'intérêt effectif initial comme taux d'actualisation. De plus, on tient compte de toutes les informations raisonnables et justifiables concernant le passé, le présent et l'avenir qu'il est possible d'obtenir sans devoir engager des coûts ou des efforts déraisonnables. Au cours des exercices subséquents, on comptabilise en résultat net les révisions d'estimations des pertes de crédit attendues.

Appliquer le traitement comptable approprié aux effets à recevoir. Les créances qui découlent de prêts consentis à des tiers prennent souvent le nom d'effets à recevoir. Leur comptabilisation est très semblable à celle des comptes clients. Cependant, puisque l'échéance des effets à recevoir est plus éloignée, il importe d'actualiser les flux de trésorerie attendus. La démarche suivie pour estimer les pertes de crédit attendues sur les effets à recevoir est un peu plus longue que celle suivie pour les comptes clients. En effet, on apprécie d'abord si le risque de crédit a augmenté de façon importante depuis la comptabilisation initiale. Il s'agit ici d'apprécier le risque de défaillance des emprunteurs et non les pertes que l'entreprise pourrait subir. Si le risque de crédit a augmenté de façon importante depuis la comptabilisation initiale (et non depuis la fin de l'exercice précédent), on estime les pertes en tenant compte des défaillances attendues sur la durée de vie de la créance. Si le risque n'a pas augmenté de façon importante, on estime les pertes en tenant compte des défaillances attendues sur les 12 mois à venir. Le montant des pertes est une valeur actualisée qui tient compte de toute garantie et de tout rehaussement de crédit.

Déterminer le moment de la décomptabilisation des créances et appliquer le traitement comptable approprié. Les créances sont décomptabilisées à l'échéance, lors du transfert des droits ou lors de réduction de valeur. Dans le cas d'un transfert, l'entreprise décomptabilise les créances si la quasi-totalité des risques et des avantages importants est transférée.

Présenter et analyser les informations relatives aux créances dans les états financiers. Les états financiers doivent présenter distinctement les principales catégories de créances. On doit aussi distinguer les créances qui arriveront à échéance au cours du cycle d'exploitation suivant (actif courant) des autres créances (actif non courant). De plus, on ne doit pas déduire le solde créditeur des créances du total des créances, mais plutôt le présenter parmi les passifs. Finalement, l'entreprise doit fournir des renseignements complémentaires au sujet des actifs financiers qu'elle détient sous la forme de créances.

Comprendre et appliquer les NCECF liées aux créances. Une entreprise qui prépare ses états financiers selon les NCECF vérifie en fin de période s'il existe des indications objectives de dépréciation. Si c'est le cas, elle vérifie ensuite si ces indications ont un effet négatif sur le calendrier et le montant des flux de trésorerie attendus de l'actif. En présence d'effet négatif, l'entreprise doit réduire la valeur comptable de la créance au plus élevé de trois montants : a) la valeur actualisée des flux de trésorerie attendus de l'actif, calculée au moyen d'un taux d'intérêt actuel du marché ; b) le prix qu'elle pourrait obtenir de la vente de l'actif à la date de clôture ; et c) la valeur de réalisation de tout bien affecté en garantie du remboursement de l'actif, nette de l'ensemble des coûts nécessaires à l'exercice de la garantie.

ANNEXE 6A

Les créances classées À la juste valeur par le biais du résultat net ou À la juste valeur par le biais des autres éléments du résultat global

Même s'il ne s'agit pas des classements les plus courants pour les créances, les IFRS permettent de classer les créances À la juste valeur par le biais du résultat net ou À la juste valeur par le biais des autres éléments du résultat global.

6

Les créances classées À la juste valeur par le biais du résultat net

Les créances classées À la juste valeur par le biais du résultat net se limitent à celles que l'entreprise ne détient pas dans le but de percevoir les flux de trésorerie contractuels, mais plutôt pour profiter de leurs variations de valeur (*voir la figure 4.3*). Comment devrait-on alors comptabiliser les variations de valeur de telles créances et les produits financiers en découlant ?

Pour répondre à cette question, rappelons d'abord que l'IASB recommande d'évaluer à leur juste valeur les billets à recevoir classés À la juste valeur par le biais du résultat net. En contrepartie, il recommande de comptabiliser en résultat net la variation de la juste valeur d'un billet classé À la juste valeur par le biais du résultat net. Cette variation de valeur est un premier élément de rendement sur la détention de cet actif, auquel s'ajoutent les produits d'intérêts.

EXEMPLE

Comptabilisation d'un billet classé À la JVBRN

Le 2 janvier 20X5, la société Portobella ltée a émis un billet à recevoir de 1 000 $. Ce billet porte intérêt au taux de 8 % par année, ses intérêts sont encaissables le 31 décembre de chaque année et il arrive à échéance le 31 décembre 20X7. Au moment de l'émission, la société a calculé que le taux d'intérêt effectif était de 6 % et a classé ce billet À la juste valeur par le biais du résultat net. Comme dans le chapitre 4, les lettres JVBRN seront utilisées dans les intitulés des comptes pour désigner le classement À la juste valeur par le biais du résultat net.

Au moment de l'émission, Portobella ltée passe l'écriture de journal suivante pour comptabiliser la juste valeur initiale du billet :

2 janvier 20X5		
Billet à recevoir à la JVBRN	*1 053*	
Caisse		*1 053*
Émission d'un billet au taux effectif de 6 % *(N = 3, I = 6 %, PMT = 80 $, FV = 1 000 $, CPT PV?).*		

Le 31 décembre 20X5, Portobella ltée encaisse les intérêts comme prévu et elle comptabilise ainsi cette opération :

31 décembre 20X5		
Caisse	*80*	
Produits financiers – Intérêts sur billet à recevoir à la JVBRN		*80*
Encaissement des intérêts annuels (1 000 $ × 8 %).		

Cette façon de calculer les produits d'intérêts, basée sur la valeur nominale et le taux d'intérêt contractuel, est plus simple que si on utilisait la méthode du taux d'intérêt effectif. En ce qui concerne les créances classées À la juste valeur par le biais du résultat net, cette simplification est acceptable puisque toutes les variations de la juste valeur de l'actif sont comptabilisées en résultat net, qu'elles soient dues au passage du temps ou à tout autre facteur. De plus, puisque Portobella ltée doit évaluer à sa juste valeur le billet classé À la juste valeur par le biais du résultat net, elle doit refaire une évaluation au 31 décembre 20X5. À cette fin, l'entreprise apprend que la situation financière du débiteur s'est détériorée, de sorte que, si elle lui prêtait à ce jour 1 000 $ pour une période de 2 ans, elle exigerait un taux d'intérêt effectif de 7 %. L'entreprise calcule alors la juste valeur du billet en actualisant les flux de trésorerie futurs selon le nouveau taux d'intérêt effectif et passe l'écriture de journal suivante pour comptabiliser la juste valeur du billet :

31 décembre 20X5		
Profit/Perte sur billet à recevoir à la JVBRN	*35*	
Billet à recevoir à la JVBRN		*35*
Diminution de la juste valeur d'un billet.		

Calcul :

Valeur actualisée du billet (N = 2, I = 7 %, PMT = 80 $, FV = 1 000 $, CPT PV?)	1 018 $
Valeur comptable au 31 décembre 20X5	(1 053)
Perte de valeur	(35) $

L'analyse de la situation financière du client n'est pas faite ici pour établir un montant de pertes de crédit attendues, lesquelles sont calculées uniquement pour les actifs financiers classés Au coût amorti ou À la juste valeur par le biais des autres éléments du résultat global. L'analyse faite ici vise plutôt à évaluer la juste valeur. L'écriture précédente porte la valeur comptable du billet à 1 018 $.

Poursuivons notre exemple en tenant pour acquis que la juste valeur du billet s'élève à 990 $ au 31 décembre 20X6 et à 1 000 $ au 31 décembre 20X7. Portobella ltée passera les écritures de journal suivantes, qui montrent que la juste valeur du billet à l'échéance correspond à sa valeur nominale :

31 décembre 20X6		
Caisse	*80*	
Produits financiers – Intérêts sur billet à recevoir à la JVBRN		*80*
Encaissement des intérêts annuels (1 000 $ × 8 %).		
Profit/Perte sur billet à recevoir à la JVBRN	*28*	
Billet à recevoir à la JVBRN		*28*
Diminution de la juste valeur d'un billet (990 $ – 1 018 $).		
31 décembre 20X7		
Caisse	*80*	
Produits financiers – Intérêts sur billet à recevoir à la JVBRN		*80*
Encaissement des intérêts annuels (1 000 $ × 8 %).		
Billet à recevoir à la JVBRN	*10*	
Profit/Perte sur billet à recevoir à la JVBRN		*10*
Augmentation de la juste valeur d'un billet (1 000 $ – 990 $).		
Caisse	*1 000*	
Billet à recevoir à la JVBRN		*1 000*
Recouvrement du principal à l'échéance du billet.		

Cet exemple illustre que, lorsqu'une entreprise classe un billet à recevoir À la juste valeur par le biais du résultat net, elle doit procéder à deux régularisations au moment de préparer ses états financiers. La première consiste à comptabiliser les produits d'intérêts. Par souci de simplification, on peut calculer les produits d'intérêts en appliquant le taux d'intérêt contractuel à la valeur nominale.

La seconde régularisation consiste à comptabiliser les variations de la juste valeur du billet, soit un total de 53 $ dans l'exemple de Portobella ltée. Pour ce faire, l'entreprise calcule la juste valeur du billet en utilisant comme taux d'actualisation le taux d'intérêt du marché pour un prêt présentant les mêmes caractéristiques essentielles, soit un prêt échéant dans deux ans consenti à un débiteur présentant le même risque de crédit. Elle compare le résultat obtenu avec la valeur comptable du prêt le même jour.

6

Les créances classées À la juste valeur par le biais des autres éléments du résultat global

Les créances peuvent être classées À la juste valeur par le biais des autres éléments du résultat global lorsqu'elles possèdent les conditions contractuelles précisées dans les deux rectangles clairs de gauche de la figure 4.3 et qu'elles sont détenues dans le but de percevoir à la fois les flux de trésorerie contractuels et ceux de la vente. Comment devrait-on comptabiliser de telles créances au fil du temps ?

Pour répondre à cette question, rappelons d'abord que les créances classées À la juste valeur par le biais des autres éléments du résultat global doivent être présentées à la juste valeur dans l'état de la situation financière. En ce qui concerne les produits, charges, gains et pertes, l'IASB recommande ce qui suit. Premièrement, les produits d'intérêts doivent être calculés en utilisant la méthode du taux d'intérêt effectif. Deuxièmement, on doit évaluer les pertes de crédit attendues comme on le fait sur des créances classées Au coût amorti. Toutefois, au lieu d'être comptabilisées au crédit d'un compte de provision, qui est un compte de contrepartie de l'actif, elles sont créditées dans un compte Correction de valeur latente sur un actif évalué à la JVBAERG, lequel est compris dans les autres éléments du résultat global. Troisièmement, on comptabilise les variations de la juste valeur dans les autres éléments du résultat global. Enfin, lors de la décomptabilisation des créances, on doit virer en résultat net les montants cumulés au fil du temps dans les autres éléments du résultat global.

Lorsque l'on tente d'appliquer ces directives à des cas concrets, plusieurs questions surgissent. Pour pouvoir les résoudre, il est utile de se rappeler le principe énoncé au paragraphe 5.7.11 de l'IFRS 9, à savoir que les montants comptabilisés en résultat net doivent correspondre à ceux qui y seraient comptabilisés si l'actif était classé Au coût amorti. On peut dès lors préciser certaines mesures qui permettent d'atteindre l'objectif de présenter la juste valeur dans l'état de la situation financière, lorsque l'actif est classé À la juste valeur par le biais des autres éléments du résultat global et de présenter en résultat net les mêmes montants que si le titre était classé Au coût amorti. L'application détaillée de ces principes exige un niveau de spécialisation assez élevé. Le lecteur intéressé à poursuivre son apprentissage à ce sujet trouvera un exemple détaillé illustrant la comptabilisation des créances qui ne sont pas classées Au coût amorti à l'annexe 6.1W disponible dans la plateforme *i+ Interactif*.

Annexe 6.1W

Les stocks

7

Des ressources pédagogiques sont disponibles en ligne.

Objectifs d'apprentissage

À la fin de ce chapitre, vous pourrez :

1. expliquer les principes de base de la gestion des stocks ;
2. expliquer ce qui distingue les stocks des autres actifs ;
3. comprendre et appliquer les éléments du système comptable, comprenant le système d'inventaire, les coûts incorporables et les méthodes de détermination du coût ;
4. procéder au travail comptable de fin d'exercice, comprenant l'inventaire, le travail de démarcation et l'évaluation ;
5. appliquer les méthodes de l'inventaire au prix de détail et de la marge brute afin d'estimer la valeur comptable des stocks ;
6. présenter et apprécier les informations relatives aux stocks dans les états financiers et les analyser ;
7. appliquer les normes comptables aux stocks de produits agricoles ;
8. comprendre et appliquer les NCECF liées aux stocks.

Aperçu du chapitre

En visitant certains magasins à grande surface comme IKEA ou en longeant certaines cours d'entreposage d'entreprises manufacturières, tel un constructeur d'automobiles, vous avez peut-être été impressionné par le nombre de biens en inventaire. Il est vrai que certaines entreprises doivent investir des sommes importantes dans les stocks destinés à être vendus. La **gestion des stocks** s'avère donc un facteur clé de succès pour les entreprises.

Pour bien gérer ses stocks, une entreprise peut compter sur son **système d'information comptable,** configuré selon divers éléments. Cette entreprise, telle IKEA, détermine d'abord si elle a besoin de connaître constamment la valeur comptable des articles en main, ce qui l'amène à choisir un système d'inventaire. Puis, elle doit distinguer parmi tous les coûts qu'elle engage ceux qui sont directement liés aux stocks, soit les éléments portés au coût des stocks. Enfin, chaque fois qu'elle vend un article, elle doit pouvoir en établir le coût à l'aide de l'une des méthodes de détermination du coût, bien sûr, pour savoir si l'opération de vente est rentable.

Lorsque l'entreprise IKEA prépare périodiquement ses états financiers, elle doit aussi exécuter un **travail comptable de fin d'exercice.** D'abord, elle doit procéder à l'inventaire matériel de toutes les marchandises qu'elle possède, peu importe si celles-ci se trouvent, par exemple, dans ses entrepôts ou chez ses fournisseurs. Ensuite, si IKEA constate que certaines marchandises sont abîmées ou ne répondent plus aux préférences des consommateurs, elle doit alors s'assurer que leur valeur comptable n'excède pas le prix qu'elle pourra en tirer lors de la vente.

Pour une entreprise qui possède un grand nombre d'articles, tel un magasin de fournitures de bureau ou une épicerie, le dénombrement des articles en stock est une tâche colossale. Pensons, par exemple, à la société Alimentation Couche-Tard, chaîne de dépanneurs bien implantée en Amérique du Nord et qui exploite aussi des magasins sous licence en Asie, en Europe et en Amérique centrale. Compte tenu de la valeur unitaire relativement faible des marchandises vendues et de son niveau de stock important, par exemple de près de 817 M$ le 24 avril 2016, on conçoit facilement que le dénombrement des très nombreux articles en main exige beaucoup de temps.

Lorsque Alimentation Couche-Tard prépare des états financiers mensuels ou trimestriels, elle doit trouver une façon d'estimer son stock de clôture sans procéder à une prise d'inventaire. Pour ce faire, l'entreprise utilise la **méthode de l'inventaire au prix de détail.** Celle-ci permet non seulement d'obtenir une estimation fiable de la valeur comptable des stocks, mais aussi de faire une estimation des marchandises volées, ce qui s'avère important pour que l'entreprise décide s'il serait rentable de renforcer ses mesures de protection des stocks. Occasionnellement, certaines entreprises estiment la valeur comptable de leurs stocks à une date déterminée en utilisant une autre méthode, appelée **méthode de la marge brute.** Nous verrons dans le présent chapitre le fonctionnement détaillé de ces deux méthodes ainsi que d'autres utilisations possibles. Le lecteur sera ainsi en mesure de choisir la méthode d'estimation la plus appropriée dans diverses circonstances.

7

Nous aborderons également la **présentation, dans les états financiers,** de tous les renseignements relatifs aux stocks de façon à ce que l'information soit bien comprise de la part des utilisateurs des états financiers.

Nous verrons aussi que les entreprises du secteur agricole doivent appliquer une norme différente pour déterminer la valeur comptable des **stocks agricoles.**

Enfin, dans la partie II – Les NCECF, nous présenterons des recommandations contenues dans les **NCECF** qui diffèrent de celles incluses dans les IFRS.

En somme, nous explorerons dans le présent chapitre tout ce que l'entreprise doit faire pour disposer d'une information comptable relative aux stocks qui soit pertinente et qui reflète fidèlement cet actif.

PARTIE I – LES IFRS

Équivalents terminologiques *Manuel de CPA Canada* – Partie I et Partie II.

1 La gestion des stocks

Tout comme les idées doivent être renouvelées, il en va de même des stocks d'une entreprise. L'importance des stocks, cet actif courant, ne soulève aucune polémique. Puisque la plupart des entreprises commerciales et industrielles génèrent leurs bénéfices par la vente de marchandises, elles doivent maintenir un niveau de stock suffisant pour pouvoir répondre en tout temps à la demande de la clientèle. Toutefois, si ces entreprises maintiennent un niveau trop élevé de stocks, elles se privent d'une trésorerie qu'elles pourraient investir dans des actifs plus rentables. La gestion des stocks tire son importance de ces deux constats.

Une saine gestion des stocks est essentielle à la survie d'une entreprise et requiert une bonne lecture des **cycles économiques**. Les entreprises qui ont traversé une récession économique ont compris que leur niveau de stock doit diminuer lorsque l'activité économique ralentit. En effet, puisque les consommateurs achètent généralement moins de biens en période de récession, les entreprises ne doivent pas maintenir un niveau de stock aussi élevé qu'en période de prospérité économique. Si elles négligent de diminuer leurs stocks, elles détiendront leurs articles plus longtemps, ce qui implique qu'une partie de leur trésorerie sera gelée, et elles assumeront aussi le risque que ces articles deviennent désuets. Il leur sera alors plus difficile de les vendre au prix habituel et de réaliser un bénéfice normal, et il se pourrait même qu'elles ne récupèrent pas les montants investis dans les stocks, surtout si la demande pour ces derniers est assujettie à des phénomènes de mode.

Une présentation exhaustive des techniques de gestion des stocks dépasse largement l'objet du présent ouvrage. Il convient cependant de rappeler certaines notions importantes. L'objectif principal de la gestion des stocks consiste à **avoir les articles au moment et à l'endroit où l'entreprise en a besoin, au coût le plus faible possible.** Si le niveau des stocks est trop élevé, les coûts d'entreposage (les frais de manutention et de financement, par exemple) sont inutilement élevés. À l'inverse, si le niveau des stocks est trop faible, les coûts d'entreposage sont peu élevés, alors que les coûts de rupture de stock sont importants, notamment les manques à gagner sur les ventes perdues, les coûts supplémentaires des réapprovisionnements lorsque ceux-ci sont effectués à la hâte et les coûts relatifs au ralentissement de l'activité.

La **gestion des stocks** vise donc à trouver le point d'équilibre entre les coûts d'entreposage et les coûts de rupture de stock, comme l'illustre la figure 7.1. Les entreprises commerciales doivent tenir compte de ces deux éléments de coût, de même que de la demande pour l'article, lorsqu'elles déterminent la quantité économique de réapprovisionnement et le point de commande, c'est-à-dire le niveau minimal du stock.

FIGURE 7.1 Le point d'équilibre de la gestion des stocks

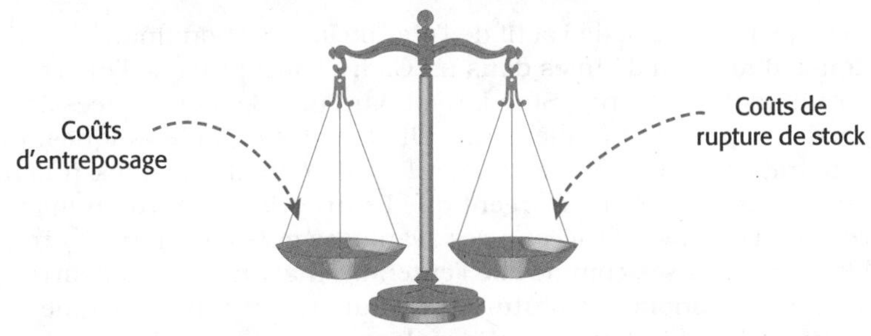

Outre les questions d'approvisionnement, il faut aussi traiter la question de la protection du patrimoine. Ainsi, l'entreprise doit mettre en place un **système de mesures de protection des stocks**. Elle peut, par exemple, exiger que seules certaines personnes autorisées aient accès au magasin où sont entreposés les articles. Une entreprise faisant le commerce de détail peut aussi marquer ses marchandises d'un code magnétique ou engager des gardiens de sécurité. Ces mesures de protection sont prises en vue de réduire les pertes découlant du vol. Les entreprises se protègent aussi contre les risques naturels tels que les incendies et les inondations en souscrivant une police d'assurance. Tous ces contrôles ont pour but de réduire les pertes d'articles. Bien entendu, les entreprises ne cherchent pas nécessairement à éliminer totalement les pertes, car les avantages économiques doivent toujours dépasser les coûts d'un tel système de contrôle.

Toute entreprise doit de plus envisager les questions de financement de ses stocks. La plupart des entreprises bénéficient de facilités de crédit accordées par les fournisseurs et de marges de crédit consenties par les institutions financières. Comme nous le verrons subséquemment, les entreprises ont tout intérêt à bénéficier des escomptes des fournisseurs.

Ces propos nous permettent d'entrevoir une première utilité du **système comptable relatif aux stocks**, dont les éléments seront précisés plus loin. En effet, ce système constitue l'une des sources d'information utilisées par l'entreprise pour prendre des décisions concernant l'approvisionnement et le niveau optimal des stocks, ainsi que pour concevoir et mettre en place les mécanismes de contrôle interne. Ainsi, pour déterminer si le niveau de stock est convenable, une entreprise pourrait examiner deux ratios. Elle pourrait d'abord analyser son ratio de rotation des stocks[1] en le comparant avec celui des autres entreprises du même secteur d'activité et avec son propre ratio des exercices précédents. Elle pourrait aussi comparer la valeur comptable de ses stocks avec la valeur comptable totale de ses actifs courants. Le système comptable possède aussi une deuxième utilité, qui consiste à déterminer les montants relatifs aux stocks à des fins de présentation dans les états financiers. Il ne faut surtout pas sous-estimer cette utilité, car toute entreprise doit présenter des états financiers si elle veut attirer des bailleurs de fonds et les garder.

1. Le ratio de rotation des stocks se calcule ainsi : $\frac{\text{Coût des ventes}}{\text{Stocks}}$

Avez-vous remarqué ?

Détenir trop de stock entraîne des coûts d'entreposage qui auraient pu être évités, alors que ne pas détenir suffisamment de stock fait perdre des ventes. Dans les deux cas, on observe une incidence négative sur le résultat de l'exercice.

La nature des stocks

Les **stocks** ne se définissent pas en fonction de leurs caractéristiques, mais plutôt en fonction de leur utilisation par l'entreprise. Pour qu'un bien entre dans la catégorie comptable des stocks, il doit être destiné à la vente dans le cours normal des affaires ou doit être consommé dans le processus de production ou de prestation de services, tel un stock de fournitures de production. Deux entreprises pourraient donc classer différemment un même type de biens. Par exemple, un entrepreneur en construction classera les immeubles qu'il construit parmi les stocks destinés à la vente, alors qu'une entreprise de vente de logiciels classera les immeubles qu'elle construit dans la catégorie des immobilisations corporelles[2].

Puisque les stocks font partie de l'actif de l'état de la situation financière, ils possèdent les trois **caractéristiques d'un actif** définies dans le « Cadre conceptuel de l'information financière » (le Cadre) de l'International Accounting Standards Board (IASB) et expliquées dans l'introduction de la deuxième partie du présent manuel. Pour illustrer ces caractéristiques, prenons le stock de marchandises d'une entreprise commerciale. Premièrement, ce stock procurera des avantages économiques futurs sous forme d'argent que l'entreprise retirera au moment de la vente. Deuxièmement, l'entreprise contrôle l'accès à ces avantages puisque, en règle générale, elle pourra plus tard céder les marchandises comme elle l'entend. Finalement, l'événement passé donnant naissance aux avantages économiques futurs est celui où l'entreprise acquiert du fournisseur la propriété économique des marchandises. Rappelons que la propriété économique diffère de la propriété juridique, comme expliqué au chapitre 1. Sur le plan de la présentation, le stock de marchandises est classé dans l'état de la situation financière parmi les éléments d'actif courant, car on prévoit habituellement le vendre au cours du cycle d'exploitation suivant.

Alors que les immobilisations de cette entreprise commerciale sont utilisées de façon durable pour la prestation de services, son stock de marchandises est **destiné à être vendu dans le cours normal des activités,** comme l'illustre la figure 7.2. Les achats et les ventes de ces marchandises sont effectués durant tout l'exercice, alors que les achats et les ventes d'immobilisations sont le plus souvent des opérations ponctuelles. Ainsi, un détaillant d'articles de sport achète ses marchandises à l'état fini et peut les offrir immédiatement à ses clients sans devoir procéder à quelque transformation que ce soit. Le poste Stock de marchandises présenté dans son état de la situation financière comprend le coût d'acquisition des marchandises (le coût des bicyclettes, des équipements de ski et des vêtements de sport, par exemple).

FIGURE 7.2 Les stocks et les immobilisations

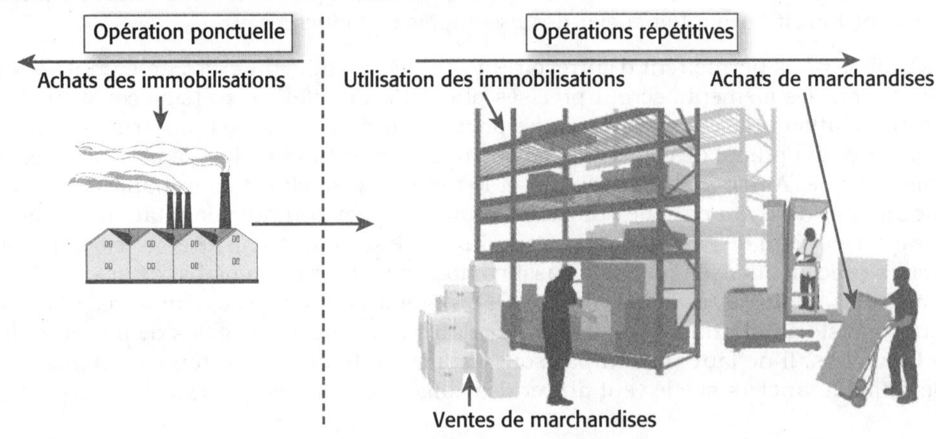

2. Les chapitres 8 et 9 traiteront des immobilisations corporelles.

Avez-vous remarqué ?

L'identification des stocks ne peut se faire que si l'on connaît le cours normal des activités de l'entreprise.

Les stocks des entreprises industrielles diffèrent de ceux des entreprises commerciales, car les premières ont pour particularité de produire elles-mêmes les marchandises qu'elles vendent par la suite en gros ou au détail. Prenons l'exemple d'un producteur de denrées alimentaires présenté dans la figure 7.3. Une telle entreprise doit tout d'abord se procurer des **matières premières** : elle doit acquérir des fruits, de la farine, du sucre, etc. Elle doit ensuite engager des employés compétents chargés de confectionner les denrées alimentaires, de les emballer, ce qui entraîne des coûts de **main-d'œuvre directe.** Simultanément, elle doit disposer d'une usine de production et d'outils divers et embaucher du personnel de soutien chargé de veiller au bon fonctionnement des équipements : ces éléments lui occasionnent des **frais généraux de production.**

FIGURE 7.3 Le coût de production des marchandises destinées à la vente

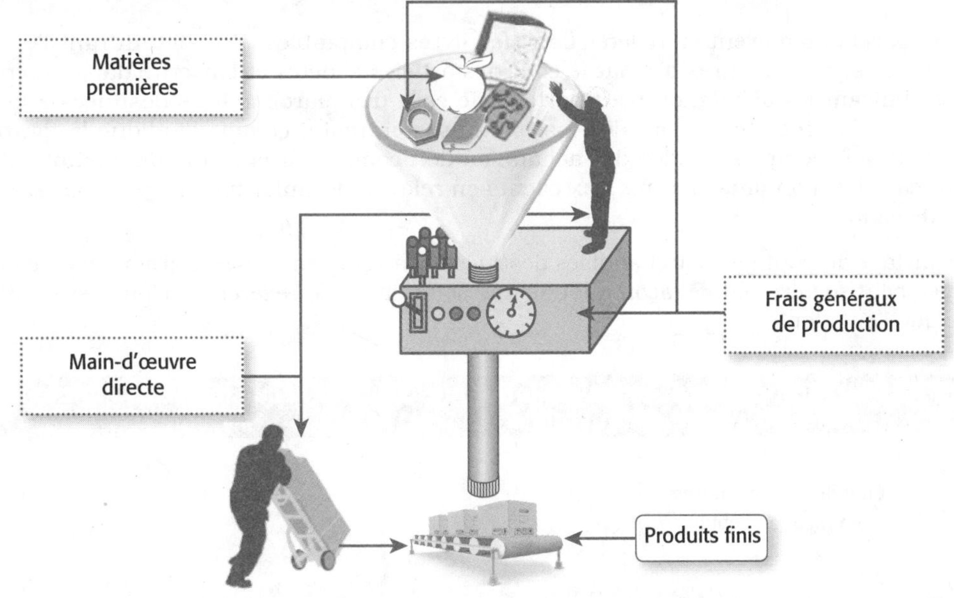

Les principaux articles en inventaire de cette entreprise industrielle sont des matières premières, des aliments en cours de confection, ainsi que des aliments produits et prêts à être vendus. Une telle entreprise utilise plusieurs comptes de stock, dont les plus courants sont les comptes **Stock de matières premières**, **Stock de produits en cours** et **Stock de produits finis**. À la fin d'un exercice, le solde du compte Stock de matières premières regroupe les coûts d'acquisition des matières non encore utilisées, tandis que les soldes des comptes Stock de produits en cours et Stock de produits finis regroupent les coûts d'acquisition et de transformation. Nous traiterons plus loin des éléments de coût composant chacun de ces comptes.

 Les éléments du système comptable

Nous avons déjà souligné que le système comptable relatif aux stocks fournit de l'information utile à la gestion des stocks et à la prise de décision des utilisateurs externes.

La figure 7.4 illustre les opérations relatives au stock effectuées par une entreprise commerciale au cours d'un exercice terminé le 31 décembre. Le 1er janvier, l'entreprise possède une quantité X d'articles. Au cours de l'exercice, elle achète de nouveaux articles chez ses fournisseurs et en vend un certain nombre à ses clients, ce qui laisse une quantité Y d'articles à la fin de l'exercice.

FIGURE 7.4 Les opérations d'un exercice relatives au stock de marchandises d'une entreprise commerciale

Ces opérations doivent se refléter dans les livres comptables. En effet, durant l'exercice, on doit relever sur les factures d'achat le coût des articles achetés et l'inscrire dans un compte. En comptabilisant les achats, on peut partager le coût des marchandises destinées à la vente entre le coût des ventes et le coût des marchandises en main, comme l'indique la figure 7.5. Parallèlement à la comptabilisation des achats, on doit comptabiliser à titre de produits, durant tout l'exercice, les montants facturés aux clients en relevant les informations pertinentes sur les factures de vente.

Le partage du coût des marchandises destinées à la vente en éléments d'actif et en éléments de charges peut se faire soit de façon quotidienne soit à la fin de l'exercice, selon le système d'inventaire que l'on adopte.

FIGURE 7.5 Le regroupement et la ventilation des coûts d'acquisition des marchandises d'une entreprise commerciale

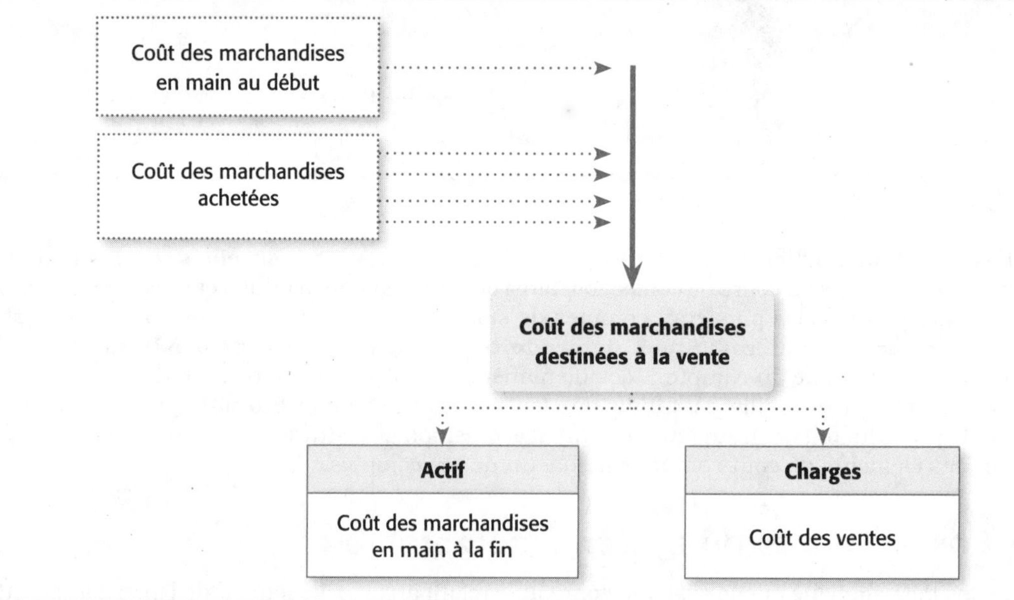

Les systèmes d'inventaire

Un **système d'inventaire** se définit comme une méthode permettant de comptabiliser les stocks d'une entreprise. Il existe deux systèmes d'inventaire : le système d'inventaire périodique et le système d'inventaire permanent. La description de ces systèmes est indépendante du référentiel comptable utilisé par l'entreprise.

Le système d'inventaire périodique

Le **système d'inventaire périodique** exige moins d'écritures de journal que le système d'inventaire permanent. Cependant, l'informatisation des opérations explique que ce système n'est plus utilisé que par les toutes petites entreprises. La figure 7.6 en illustre le fonctionnement lorsqu'on l'applique à la comptabilisation des stocks d'une entreprise commerciale. À mesure que l'entreprise achète des marchandises destinées à la vente, le comptable inscrit le **coût des articles achetés** dans un compte de charges, soit le compte Achats. Lorsque l'entreprise vend des marchandises à un client, le comptable inscrit le **montant facturé à titre de produit,** mais il ne comptabilise pas la diminution du stock à cette date, qu'il s'agisse d'un premier exercice financier ou d'un exercice subséquent. De cette façon, le solde du compte Stock de marchandises représente toujours le coût des articles que l'entreprise possédait au début de l'exercice, bien qu'il faille noter que, s'il s'agit du premier exercice financier, le compte Stock de marchandises n'existe même pas. Si l'on utilise cette méthode, il est donc impossible de se reporter au compte Stock de marchandises pour connaître le coût des articles que l'entreprise possède, car le comptable n'y inscrit que le coût des articles achetés.

FIGURE 7.6 Le système d'inventaire périodique d'une entreprise commerciale

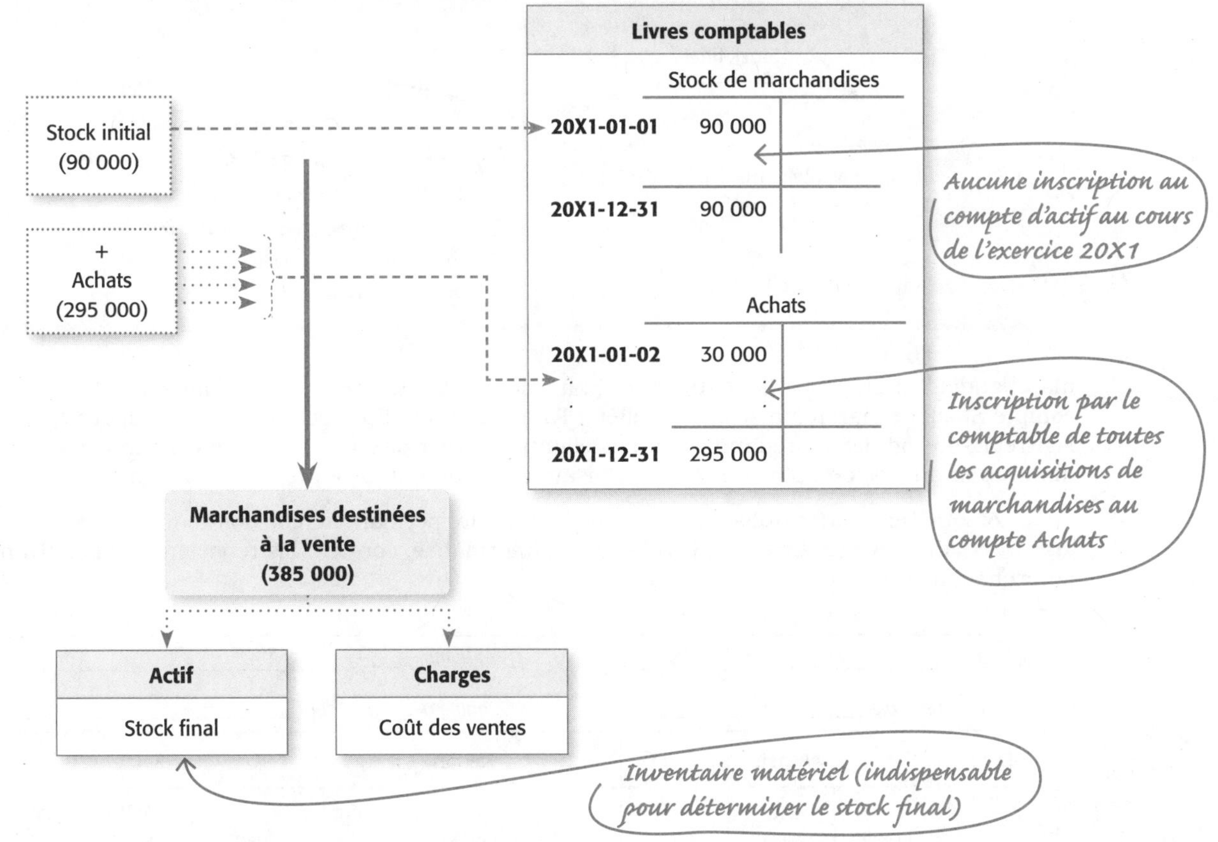

L'entreprise doit donc procéder autrement pour déterminer le **coût du stock** en main. Elle peut, par exemple, effectuer un inventaire matériel des stocks en dénombrant les articles et en rattachant ensuite à chaque unité un coût d'acquisition. La différence entre le coût des marchandises destinées à la vente et le coût des marchandises en main représente, rappelons-le, le **coût des ventes** de l'exercice. Ce n'est donc que de façon indirecte que l'entreprise peut calculer cette charge nécessaire à la préparation de l'état du résultat global, car le comptable n'inscrit pas le coût des articles vendus lors de chaque opération de vente.

Le système d'inventaire permanent

De nos jours, la plupart des entreprises utilisent un **système d'inventaire permanent**. Comme l'illustre la figure 7.7, un tel système consiste à inscrire au compte d'actif Stock de marchandises les opérations relatives au stock **à mesure** qu'elles ont lieu. Chaque fois que l'entreprise achète des

FIGURE 7.7 Le système d'inventaire permanent d'une entreprise commerciale

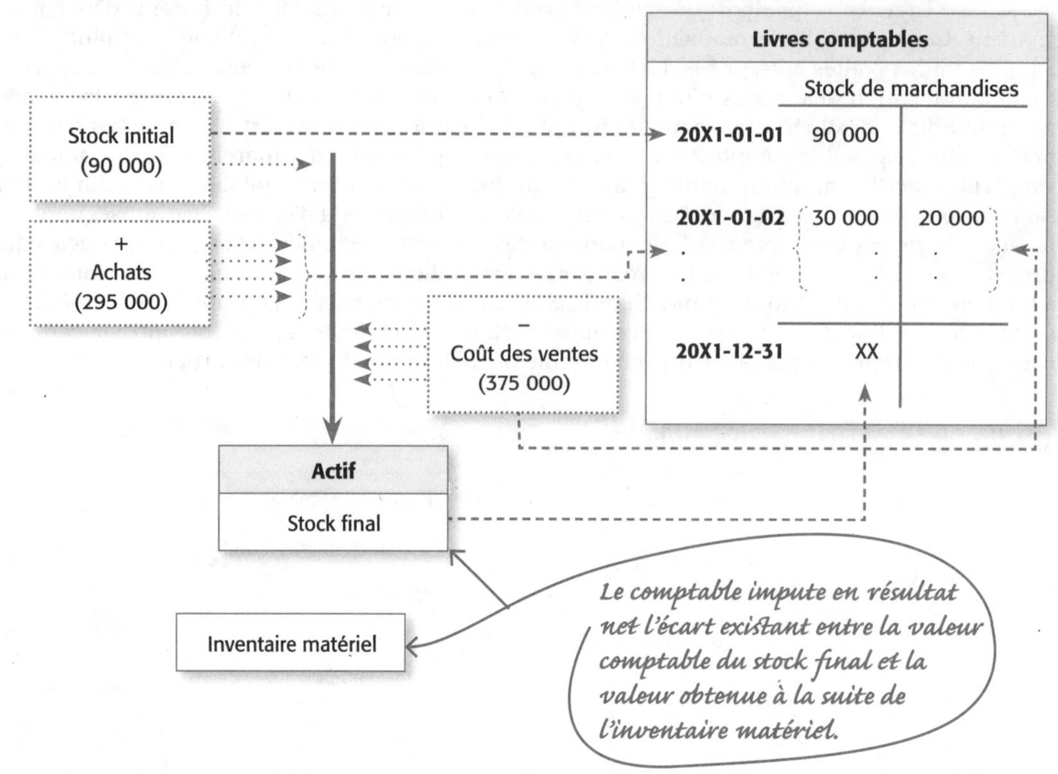

marchandises destinées à la vente, on doit, à l'aide de la facture d'achat, augmenter le solde du compte Stock de marchandises pour refléter l'augmentation du stock. De même, chaque fois que l'entreprise vend des marchandises à ses clients, on doit passer une autre écriture reflétant la diminution du stock en plus de l'écriture visant à comptabiliser le produit de la vente.

Lorsque l'entreprise utilise un système d'inventaire permanent, elle doit tenir un **grand livre auxiliaire des stocks**. Ce grand livre, souvent informatisé, contient les renseignements suivants pour chaque article :

La quantité minimale est déterminée par la politique de gestion des stocks.

Article ____________ *Lieu d'entreposage* ____________

Quantité minimale ____________ *Quantité à commander* ____________

Date	Achats			Ventes			Solde		
	Quantité	Coût unitaire	Coût total	Quantité	Coût unitaire	Coût total	Quantité	Coût unitaire	Coût total

Ce système fournit à **tout moment** la quantité et le coût des articles qui devraient normalement être en main, ce qui permet une meilleure gestion des stocks.

Une comparaison des deux systèmes d'inventaire

Pour comparer les deux systèmes d'inventaire, l'utilisation d'un exemple permettra d'avoir une compréhension plus claire.

EXEMPLE

Comptabilisation des opérations courantes selon deux systèmes d'inventaire

La société Excentrique ltée a été créée le 1er janvier 20X1. Elle a réalisé la vente au détail d'un seul article, une petite gomme à effacer violette en forme de sapin. Voici les opérations effectuées par cette entreprise au mois de janvier 20X1 :

Date	Opération	Achats			Ventes		
		Quantité	Coût unitaire	Coût total	Quantité	Prix de vente unitaire	Prix de vente total
1er janvier	Achat	300	1,10 $	330 $			
9 janvier	Achat	300	1,10	330			
10 janvier	Vente				400	1,50 $	600 $
	Total	600		660 $	400		600 $

Voici les écritures de journal que la société Excentrique ltée devrait passer selon qu'elle utilise l'un ou l'autre des systèmes d'inventaire :

Inventaire périodique			Inventaire permanent		
1er janvier					
Achats	330		Stock de marchandises	330	
Caisse		330	Caisse		330
Achat de marchandises.			Achat de marchandises.		
9 janvier					
Achats	330		Stock de marchandises	330	
Caisse		330	Caisse		330
Achat de marchandises.			Achat de marchandises.		
10 janvier					
Caisse	600		Caisse	600	
Ventes		600	Ventes		600
Vente de marchandises.			Vente de marchandises.		
			Coût des ventes	440	
			Stock de marchandises		440
			Coût des articles vendus (400 × 1,10 $).		
Clôture des livres					
Ventes	600		Ventes	600	
Stock de marchandises à la fin	220		Coût des ventes		440
Achats		660	Sommaire des résultats		160
Sommaire des résultats[3]		160	Clôture des comptes relatifs aux marchandises.		
Clôture des comptes relatifs aux marchandises et enregistrement du stock à la fin.					

3. Si l'entreprise avait détenu des marchandises au début de l'exercice, elle aurait dû également créditer son compte Stock de marchandises d'un montant correspondant à son solde au début de l'exercice.

7

Les comptes en T présentés ci-dessous montrent l'effet des opérations conclues du 1er au 10 janvier inclusivement. Nous présentons aussi un extrait de l'état du résultat global.

Inventaire périodique

Achats

Débit	Crédit
330	
330	
660	

Ventes

Débit	Crédit
	600
	600

Résultat global partiel de l'exercice terminé le 31 janvier 20X1

Ventes		600 $
Coût des ventes		
Achats	660 $	
Stock final	(220)	
Total		(440)
Marge brute		160 $

Inventaire permanent

Stock de marchandises

Débit	Crédit
330	440
330	
220	

Ventes

Débit	Crédit
	600
	600

Coût des ventes

Débit	Crédit
440	
440	

Résultat global partiel de l'exercice terminé le 31 janvier 20X1

Ventes	600 $
Coût des ventes	(440)
Marge brute	160 $

Les renseignements consignés dans les livres comptables utilisés selon l'un ou l'autre des systèmes d'inventaire se ressemblent, à quelques différences près. On relève une première différence au moment des achats où, selon le système d'inventaire périodique, le compte de charges Achats est débité, alors que selon le système d'inventaire permanent, c'est le compte d'actif Stock de marchandises qui est débité. La deuxième différence entre les deux jeux d'écritures survient lorsque des marchandises sont vendues. Comme nous l'avons déjà mentionné, dans un système d'inventaire périodique, on n'utilise pas le compte Coût des ventes. Si Excentrique ltée utilise ce système et désire connaître le solde de son stock ou préparer des états financiers couvrant la période du 1er au 10 janvier, elle doit procéder à un inventaire matériel de ses gommes à effacer. Au 10 janvier, Excentrique ltée dénombre 200 unités en main et, conséquemment, évalue le stock à un coût de 220 $. Ainsi, le coût des 400 unités vendues s'établit à 440 $ (achats de 660 $ diminués du coût des stocks en main de 220 $) et la marge brute est de 160 $, soit la différence entre les ventes de 600 $ et le coût des ventes de 440 $.

Si Excentrique ltée utilise plutôt un système d'inventaire permanent, elle peut préparer ses états financiers intermédiaires sans devoir procéder à des inventaires matériels, car elle connaît à tout moment le coût des articles vendus et celui des articles en main. Le coût des ventes au cours des 10 premiers jours est déjà inscrit dans un compte de charges.

Le tableau 7.1 résume les principales différences entre les deux systèmes d'inventaire.

Ce tableau nécessite peu d'explications. Soulignons seulement que puisque le compte Stock de marchandises est continuellement mis à jour lorsque l'entreprise utilise un système d'inventaire permanent, les gestionnaires peuvent connaître à tout moment le nombre d'articles normalement en main ainsi que leur coût, ce qui facilite la gestion des stocks. Il leur est alors beaucoup plus facile de s'approvisionner au bon moment, c'est-à-dire lorsque le point de réapprovisionnement est atteint, et de déterminer les rabais à accorder aux clients afin, par exemple, d'augmenter le volume des ventes lorsque les articles peuvent devenir désuets.

TABLEAU 7.1 Une comparaison des systèmes d'inventaire

Système d'inventaire périodique	Système d'inventaire permanent
Une écriture est requise pour comptabiliser chaque acquisition de marchandises au compte Achats.	Une écriture est requise pour comptabiliser le coût des articles achetés au compte Stock de marchandises, et une écriture distincte est requise pour comptabiliser dans le même compte le coût des articles vendus.
Ce système donne lieu à des coûts pour effectuer l'inventaire matériel.	En plus des coûts pour effectuer l'inventaire matériel, ce système donne lieu à des coûts supplémentaires de tenue de livres, d'articles de bureau, etc. Il demande aussi plus d'attention de la part du personnel responsable. Les systèmes informatisés réduisent toutefois ces coûts.
Ce système donne peu d'information pour la gestion des stocks.	C'est l'un des outils importants pour la gestion des stocks.
Il faut procéder à un inventaire matériel des stocks pour calculer le coût du stock de clôture.	L'inventaire matériel est nécessaire uniquement à des fins de contrôle.
On peut déterminer le coût des ventes une fois l'inventaire matériel effectué.	On peut déterminer le coût des ventes le jour même de chacune des ventes sans avoir à procéder à un inventaire matériel.

Si l'entreprise utilise un système d'inventaire permanent et procède à un inventaire matériel, le chiffre obtenu (**stock réel**) peut être comparé avec le chiffre inscrit dans les livres comptables (**stock comptable**). Il arrive fréquemment que les deux chiffres diffèrent. Cet écart d'inventaire peut s'expliquer de diverses façons :

1. Les personnes chargées d'effectuer l'**inventaire matériel** ont commis une erreur. Ce type d'erreur n'est cependant pas fréquent car, comme nous le verrons plus loin, les entreprises accordent beaucoup d'attention à la planification et à la réalisation de l'inventaire matériel.
2. Le responsable de la tenue de livres a **oublié** de comptabiliser certaines opérations d'achat ou de vente de marchandises. Habituellement, une entreprise peut détecter ces erreurs avant de procéder à l'inventaire matériel. En effet, si des achats n'ont pas été comptabilisés, les montants inscrits au compte Fournisseurs ne sont pas exacts et ne correspondent pas à l'état de compte fourni par le fournisseur en question. Une erreur de ce genre a donc de grandes chances d'être découverte avant que l'on ne procède à l'inventaire matériel. Dans le cas de ventes au comptant qui n'ont pas été enregistrées, l'erreur est souvent découverte au moment où l'on établit une conciliation bancaire.
3. Des marchandises ont été **volées** ou **endommagées.** Ces marchandises ne sont plus en magasin, mais sont encore inscrites dans les livres comptables. Si elles ont été volées, le teneur de livres ne pouvait être informé de ces vols et n'a évidemment pas inscrit le coût des marchandises volées. Les voleurs ne préparent pas de pièces justificatives destinées au Service de la comptabilité ! Il arrive aussi qu'en cours d'exercice des marchandises endommagées soient mises au rebut sans que le teneur de livres en soit avisé.

Dans un système d'inventaire permanent, une entreprise peut repérer la **perte découlant de vol** et la présenter dans un poste distinct de l'état du résultat global préparé à des fins de gestion interne, ce qui est impossible lorsque l'entreprise utilise un système d'inventaire périodique. Dans ce dernier cas, celle-ci présume que tout écart entre les marchandises destinées à la vente et le stock en main à la fin découle de la vente des marchandises. C'est pourquoi le coût des marchandises volées est automatiquement inclus dans le coût des ventes. On notera que cela n'influe pas sur le résultat net. Par contre, le fait que ces pertes ne soient pas repérées nuit à la qualité de l'information fournie.

Le système d'inventaire permanent permet aussi à l'entreprise de dresser des **états financiers intermédiaires** sans être tenue de procéder à un inventaire matériel. Les livres comptables fournissent déjà le solde du poste Stock de marchandises qui sera présenté dans l'état de la situation financière, et qui devrait malgré tout être assez juste, ainsi que le solde du poste Coût des ventes, qui sera présenté dans l'état du résultat global. Les états financiers intermédiaires peuvent donc être produits plus rapidement et à un moindre coût. Il ne faut cependant pas penser que l'adoption d'un système d'inventaire périodique élimine toute possibilité de préparer des états financiers intermédiaires. Nous verrons plus loin des méthodes permettant, dans ce cas, d'estimer rapidement le coût des stocks à la date de clôture d'une période intermédiaire.

Un rapide examen du tableau 7.1 pourrait nous conduire à conclure que le système d'inventaire permanent est préférable au système d'inventaire périodique, car il fournit plus de renseignements sur les stocks. Cependant, lorsqu'une entreprise choisit un système d'inventaire, elle doit s'assurer que les coûts relatifs à l'utilisation de ce système sont inférieurs aux avantages économiques qu'il procurera. L'informatisation des systèmes comptables fait en sorte qu'il est maintenant plus facile et moins coûteux pour les entreprises d'utiliser un système d'inventaire permanent. La plupart des détaillants ont maintenant intégré leur système de gestion des stocks aux caisses enregistreuses. Au moment où le client se présente à la caisse du magasin, le caissier lit le code de l'article ainsi que son prix de vente à l'aide d'un lecteur optique : le grand livre auxiliaire des stocks ainsi que le journal des ventes sont alors automatiquement mis à jour. Certains systèmes informatisés préparent automatiquement un bon de commande des marchandises lorsque le point de réapprovisionnement est atteint. L'informatisation permet donc de réduire au minimum le travail d'écriture, même lorsqu'un système d'inventaire permanent est utilisé.

Toutefois, certaines entreprises qui vendent des biens périssables utilisent encore un système d'inventaire périodique ; les fleuristes et les marchands de fruits et légumes, par exemple. Le fleuriste n'a pas besoin d'information comptable périodique sur le stock de marchandises, car il maintient peu d'articles en inventaire. À mesure que la journée avance et que les clients achètent ses marchandises, il peut constater *de visu* s'il est nécessaire de se procurer d'autres articles.

7

Avez-vous remarqué ?

Puisque les entreprises qui appliquent les IFRS sont plutôt de taille importante, la grande majorité d'entre elles utilise un système d'inventaire permanent.

Les coûts incorporables

Après avoir choisi le système d'inventaire qui lui convient selon les critères énumérés précédemment, une entreprise doit préciser les éléments qu'elle portera au coût de chaque article ainsi que la façon dont elle établira ce coût. Pour y parvenir, elle distingue les **coûts incorporables** des **coûts non incorporables** et opte pour une méthode de détermination du coût des stocks. La figure 7.8 schématise le cheminement suivi dans l'établissement du coût des stocks.

Différence NCECF

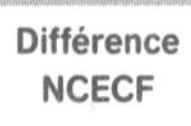

À ce stade, l'entreprise doit s'assurer de respecter l'**IAS 2**, intitulée « Stocks ». Soulignons que cette norme s'applique à tous les stocks, sauf aux :

(a) [supprimé]

(b) instruments financiers [...] ; et

(c) actifs biologiques relatifs à l'activité agricole et produits agricoles au moment de la récolte [...][4].

Différence NCECF

Les coûts incorporables et les coûts non incorporables

En principe, une entreprise industrielle ou commerciale doit inclure dans le coût de ses stocks tous les coûts d'acquisition et de transformation ainsi que tous les autres coûts qu'elle engage pour mettre ses stocks à l'endroit et dans l'état où ils doivent se trouver pour être vendus. Ainsi, dans le cas du détaillant d'articles de sport dont il a été question plus tôt, le coût d'un article de sport devrait théoriquement comprendre le montant payé au fournisseur pour acquérir cet objet de même que tous les autres coûts directs de l'article (les frais de transport, par exemple). De son côté, le producteur de meubles devrait inclure dans le coût de chaque meuble le coût des matières premières et de la main-d'œuvre directe, les frais généraux variables de production (par exemple, le coût des vis incluses dans la production de meubles) ainsi qu'une juste part des frais généraux fixes de production (tel l'amortissement des équipements de production).

Il est cependant difficile d'effectuer un rapprochement étroit des coûts et des unités. C'est pour cette raison que, dans la pratique courante, les entreprises classent tous leurs coûts dans deux catégories : les **coûts incorporables** et les **coûts non incorporables**. Les premiers sont incorporés au coût des articles achetés ou produits, alors que les seconds sont passés en charges au cours de l'exercice où ils sont engagés au lieu d'être incorporés au coût des biens achetés ou produits. Cette répartition des coûts peut avoir un effet important sur les états financiers.

4. CPA Canada, *Manuel de CPA Canada – Comptabilité – Partie I*, IAS 2, paragr. 2. (*Voir la page iv des liminaires pour plus de détails à l'égard des normes publiées mais non encore entrées en vigueur.*)

Précisons que les chapitres 4 et 8 traitent respectivement de la comptabilisation des instruments financiers et des actifs biologiques, alors que nous nous intéresserons, plus loin dans le présent chapitre, à la comptabilisation des produits agricoles.

FIGURE 7.8 Le cheminement suivi dans l'établissement du coût des stocks

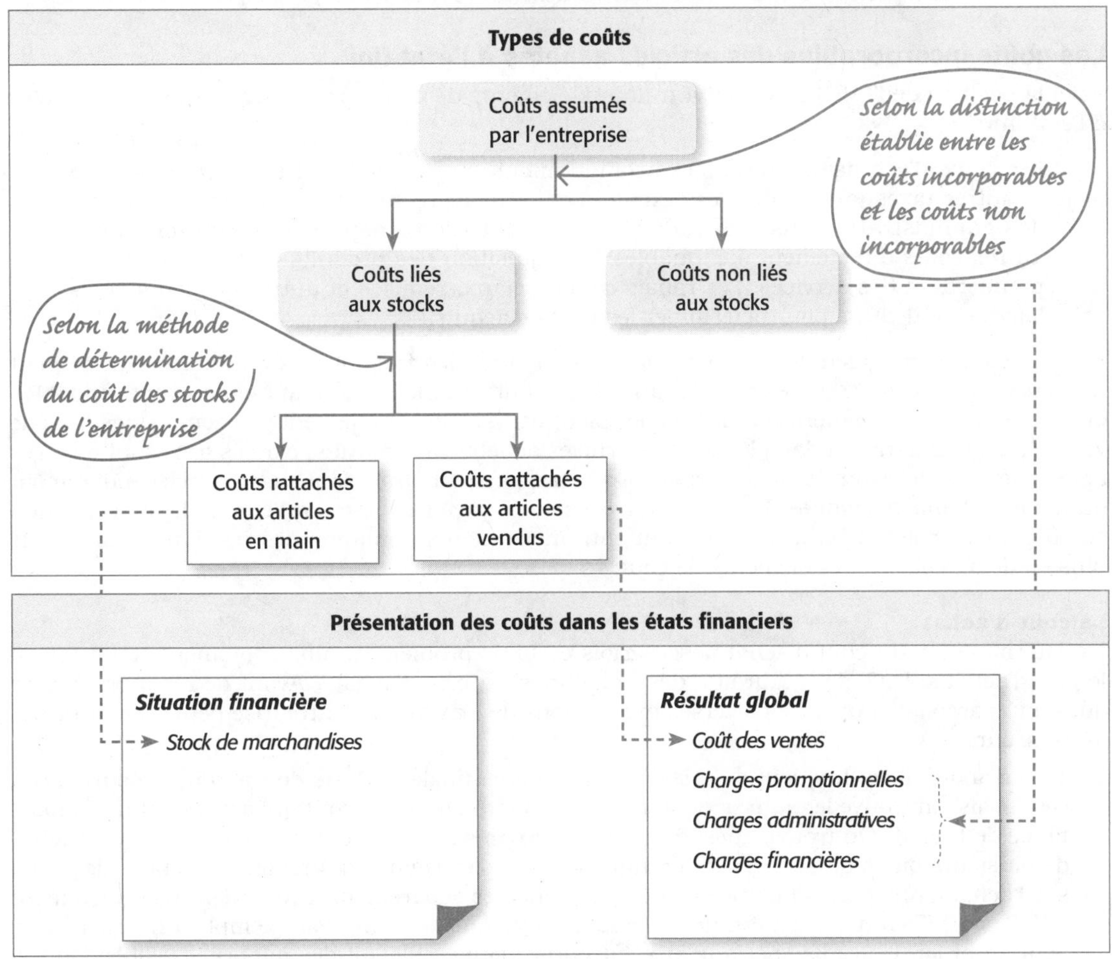

EXEMPLE

Effet de la classification des coûts sur les états financiers

La société ABC ltée a acheté 10 unités d'une marchandise à 5 $ chacune. Elle a aussi engagé 10 $ à titre de frais connexes. Au cours de l'exercice, 7 unités ont été vendues 15 $ chacune. Voici les postes des états financiers touchés selon que les frais connexes sont considérés ou non comme incorporables :

	Frais connexes incorporés	*Frais connexes non incorporés*
Situation financière		
Stock de marchandises		
(3 unités × 6 $)	*18 $*	
(3 unités × 5 $)		*15 $*
Résultat global		
Chiffre d'affaires (7 unités × 15 $)	*105 $*	*105 $*
Coût des ventes		
(7 unités × 6 $)	*(42)*	
(7 unités × 5 $)		*(35)*
Marge brute	*63*	*70*
Autres charges		*(10)*
Bénéfice net	*63 $*	*60 $*

La distinction entre les coûts incorporables et les coûts non incorporables doit se faire avec soin, car elle se répercute sur plusieurs postes des états financiers.

Les coûts incorporables des articles achetés à l'état fini

Voici la position de l'IASB en ce qui a trait aux éléments de coût à rattacher aux articles achetés à l'état fini :

> Les coûts d'acquisition des stocks comprennent le prix d'achat, les droits de douane et autres taxes (autres que les taxes ultérieurement récupérables par l'entité auprès des administrations fiscales), ainsi que les frais de transport, de manutention et autres coûts directement attribuables à l'acquisition des produits finis, des matières premières et des services. Les rabais commerciaux, remises et autres éléments similaires sont déduits pour déterminer les coûts d'acquisition[5].

Le coût en magasin des articles englobe donc tous les frais directs qu'une entreprise peut rattacher aux unités et qu'elle engage avant que les unités achetées à l'état fini ne soient **vendables** ou que les unités de matières premières ne soient **utilisables.** On ne tient pas compte des frais de vente et d'administration dans le coût des articles achetés ou produits, car ces frais sont engagés après que les articles ont été mis en vente. En outre, plusieurs frais sont engagés indépendamment du nombre d'unités vendues. Il en est ainsi du salaire payé au directeur général. Leur répartition serait pour le moins arbitraire et pourrait entraîner une manipulation des résultats. Examinons plus en détail chacun des éléments de coût.

Le coût d'achat

La détermination du coût d'achat pose parfois certains problèmes. Ainsi, comment établira-t-on le prix d'achat si l'acheteur a droit à des réductions du prix d'achat ? Avant de répondre à cette question, passons en revue les diverses diminutions de prix qu'une entreprise peut obtenir de ses fournisseurs.

1. Tout d'abord, il est fréquent qu'une entreprise obtienne des **rabais** de son fournisseur. Parmi ces rabais, on trouve les **rabais de gros**, soit des réductions du coût qui dépendent de l'importance de l'achat. On trouve aussi des **rabais sur forfait**, qui sont des réductions sur l'achat de plusieurs biens ou services différents. Pensons par exemple à un coût forfaitaire de 250 $ sur l'achat d'une porte et d'une poignée qui, achetées séparément, coûteraient respectivement 240 $ et 50 $. On trouve aussi des **rabais pour clientèle cible**. Par exemple, un fournisseur peut accorder des tarifs spéciaux aux entreprises qui emploient des minorités visibles ou qui ont une accréditation ISO 14001[6].
2. Les acheteurs peuvent aussi bénéficier des **ristournes** qu'accordent les fournisseurs dans le but de gagner la fidélité des acheteurs. Alors que les rabais de gros dépendent de l'importance de la quantité achetée à un moment donné, les ristournes constituent des diminutions de prix calculées en fonction du volume des achats faits par un acheteur au cours d'une période donnée. Généralement, les fournisseurs établissent des barèmes applicables à tous leurs clients. Ces barèmes sont progressifs, c'est-à-dire que le pourcentage de la ristourne augmente en fonction de la quantité d'articles achetés, comme l'illustre l'exemple suivant :

Volume des achats mensuels	*Ristournes*
Moins de 1 500 unités	*0 %*
De 1 501 à 3 000 unités	*1,5*
De 3 001 à 4 500 unités	*2,0*
De 4 501 à 6 000 unités	*2,5*
De 6 001 à 8 000 unités	*3,0*
8 001 unités et plus	*3,5*

3. Lorsque les articles achetés s'avèrent défectueux, l'acheteur peut obtenir des remises pour défaut ou des rendus sur achats. S'il obtient une **remise pour défaut**, il conserve les articles en question, qu'il paie moins cher que le prix convenu initialement. S'il obtient un **rendu sur achats**, cela signifie qu'il retourne simplement les articles au fournisseur.

5. *Manuel de CPA Canada – Comptabilité – Partie I*, IAS 2, paragr. 11.
6. La norme ISO 14001 est attribuée par l'Organisation internationale de normalisation aux entreprises qui en font la demande et qui respectent une série de critères visant à assurer la qualité de leur système de management environnemental.

4. Finalement, l'acheteur peut obtenir des **escomptes sur achats**. Ces escomptes représentent une diminution du coût, obtenue si l'acheteur paie comptant dans un délai donné. Par exemple, un escompte noté 2/10, n/30 signifie que l'acheteur obtient un escompte de 2 % sur le coût d'achat s'il paie dans un délai de 10 jours, même s'il a un délai de 30 jours pour payer son achat. Passé cette date, il doit habituellement supporter des frais d'intérêts sur le solde impayé. L'objectif du fournisseur qui accorde de tels escomptes est habituellement d'accélérer l'encaissement de ses comptes clients de façon à réduire les risques de non-recouvrement des créances. Pour l'entreprise acheteuse, il est généralement très avantageux de profiter de ces escomptes. Si, par exemple, l'entreprise fait un achat de marchandises au coût de 100 $ et sujet à un escompte de caisse de 2 %, elle doit débourser uniquement 98 $ si elle paie sa facture avant 10 jours. Si elle décide de se faire financer pendant une période supplémentaire de 20 jours par son fournisseur, ce financement lui coûtera 37,24 % sur une base annuelle [(2 $ ÷ 98 $) × (365 jours ÷ 20 jours)]. Si le taux d'intérêt sur emprunt est d'environ 10 %, tout bon gestionnaire comprendra qu'il est préférable, lorsque la trésorerie fait défaut, d'emprunter à la banque pour payer les fournisseurs dans les délais d'escompte.

Les rabais se distinguent des autres réductions, car ils sont connus au moment de l'achat. On comptabilise donc uniquement le montant net (coût de base diminué des rabais). Les ristournes, remises pour défaut, rendus sur achats et escomptes sur achats pourront diminuer, dans certaines circonstances, le montant réel payé par l'acheteur. Ces éléments diminuent aussi le coût mais peuvent nécessiter un suivi distinct, car ils seront connus uniquement plus tard. Une entreprise qui souhaite conserver de l'information à des fins de gestion peut comptabiliser ces diminutions du coût d'acquisition dans des comptes distincts de celui des stocks.

7

EXEMPLE

Comptabilisation des réductions du coût d'achat

Le 1er juillet 20X7, la société Kalmex ltée achète à crédit des marchandises d'un fournisseur aux conditions suivantes :

Prix de base	*1 000 $*
Rabais accordés au moment de la vente	*(40)*
Total à payer avant escompte	*960 $*
Escompte, si paiement dans un délai de 10 jours	*(20) $*

Généralement, à la date de l'achat, le fournisseur ne sait pas si Kalmex ltée profitera de l'escompte. C'est pourquoi il indique, sur la facture, le montant total à payer avant escompte. Voici l'écriture que Kalmex ltée devrait passer dans ses livres le 1er juillet :

	Débit	Crédit
Stock de marchandises (ou Achats)	*960*	
Escompte sur achats		*20*
Fournisseurs		*940*
Achat de marchandises.		

Si Kalmex ltée préparait des états financiers à cette date, le solde du compte Escompte sur achats serait présenté en diminution du coût des marchandises. Son état du résultat global présenterait les montants suivants, sachant que l'entreprise a vendu les marchandises le même jour au prix de 1 200 $:

KALMEX LTÉE
Résultat global partiel
de l'exercice terminé le 1er juillet 20X7

Chiffre d'affaires		*1 200 $*
Achats, montant brut	*960 $*	
Escompte sur achats	*(20)*	
Achats, montant net		*(940)*
Marge brute		*260 $*

7

Rappelons que Kalmex ltée aurait pu comptabiliser uniquement le **montant net** de l'achat en passant plutôt l'écriture suivante le 1er juillet :

Stock de marchandises (ou Achats)	*940*	
Fournisseurs		*940*
Achat de marchandises.		

Dans les jours suivant l'achat, deux scénarios sont possibles : soit Kalmex ltée paie la somme de 940 $ avant l'expiration du délai d'escompte, soit elle paie 960 $ car elle effectue son paiement après le délai d'escompte. Voici l'écriture que Kalmex ltée passera dans ses livres selon chaque scénario :

Scénario 1 : l'entreprise profite de l'escompte

Fournisseurs	*940*	
Caisse		*940*
Paiement d'un compte fournisseur dans le délai d'escompte prescrit.		

Scénario 2 : l'entreprise perd l'escompte

Fournisseurs	*940*	
Escompte perdu	*20*	
Caisse		*960*
Paiement d'un compte fournisseur après l'expiration du délai d'escompte.		

Dans le second scénario de l'exemple précédent, il ne faut pas confondre le compte crédité lors de l'achat (soit Escompte sur achats, qui est un compte de contrepartie du compte Achats) et le compte débité lors du paiement (soit Escompte perdu). Mais quelle est la véritable nature de ce dernier ? L'IAS 2 ne donne pas de réponse très claire à ce sujet. À notre avis, les escomptes perdus sont, en substance, des coûts de financement et, afin d'en présenter fidèlement la nature, ces coûts devraient figurer dans les états financiers à titre de charges financières. Comme nous l'avons déjà indiqué, il est généralement très coûteux de ne pas profiter des escomptes sur achats. C'est dire que, du point de vue financier, une entreprise a souvent avantage à utiliser sa marge de crédit pour payer son fournisseur à l'intérieur du délai d'escompte et ainsi minimiser ses charges financières. Le solde du compte Escompte perdu permet de faire l'objet d'un suivi à des fins de gestion interne, car il constitue un bon indicateur d'un mode de gestion inefficace de la trésorerie ou d'un manque de trésorerie.

Notre position, expliquée au paragraphe précédent, repose sur le principe selon lequel le coût des stocks doit comprendre uniquement les coûts nécessaires pour mettre les stocks à l'endroit et dans l'état où ils doivent être, ce qui exclut les coûts de financement. Toutefois, l'IASB mentionne à ce sujet :

> Une entité peut acheter des stocks selon des conditions de règlement différé. Lorsque l'accord contient effectivement un élément de financement, celui-ci, par exemple une différence entre le prix d'achat pour des conditions normales de crédit et le montant payé, est comptabilisé comme une charge d'intérêt sur la période du financement[7].

Certains comptables pourraient avancer que les escomptes sur achats sont des conditions de crédit normales et que ces escomptes n'ont pas à être comptabilisés comme une charge financière. Nous ne sommes pas de cet avis, car l'IASB parle « des conditions normales de crédit » à titre d'exemple seulement et non à titre de principe de base.

Toutefois, il est clair que le choix d'un traitement comptable doit toujours faire intervenir l'attribut de l'importance relative, qui est rattaché à la caractéristique qualitative essentielle de la pertinence. De ce fait, si le montant d'escomptes est faible, une entreprise pourrait décider de le comptabiliser dans le coût des stocks.

7. *Manuel de CPA Canada – Comptabilité – Partie I*, IAS 2, paragr. 18.

Au moment de préparer ses états financiers, notons que l'entreprise pourrait regrouper le solde du compte Escompte perdu et celui utilisé pour comptabiliser les autres charges financières sur ses dettes courantes.

Par ailleurs, il est pratique courante pour un fournisseur d'exiger des intérêts lorsque ses clients règlent leurs comptes après le délai normal de paiement. Ainsi, des intérêts calculés au taux de 12 % par année pourraient être exigés relativement aux achats effectués aux conditions 2/10, n/30 dont le paiement est effectué au-delà de la période de 30 jours. Ces intérêts, de l'avis de l'IASB, doivent être exclus du coût des stocks et comptabilisés à titre de charge financière.

Les frais d'acquisition complémentaires

Outre le montant facturé, nous avons mentionné, à la page 7.16, que le coût d'achat (par exemple, le coût de marchandises achetées pour être vendues) comprend d'autres frais directs qui peuvent y être rattachés. Ainsi, il arrive très souvent que les entreprises assument les frais du transport lors de l'achat des marchandises. Même si ces frais ne font pas partie du montant de la facture d'achat, ils sont partie intégrante du coût d'achat. Pour déterminer si l'entreprise a assumé les frais de **transport sur achats**, aussi appelés **fret à l'achat**, on cherchera sur la facture d'achat les mentions **Port payé** ou **Port dû**. Si la facture porte la mention « Port payé », cela signifie que le client n'a pas à acquitter les frais de transport[8], tandis que la mention « Port dû » fait référence au fait que le client doit régler directement les frais de transport. Dans le second cas, les frais de transport sont inscrits dans le compte Transport sur achats.

7

La structure des coûts incorporables des entreprises commerciales est illustrée dans la figure 7.9.

FIGURE 7.9 La structure des coûts incorporables des entreprises commerciales

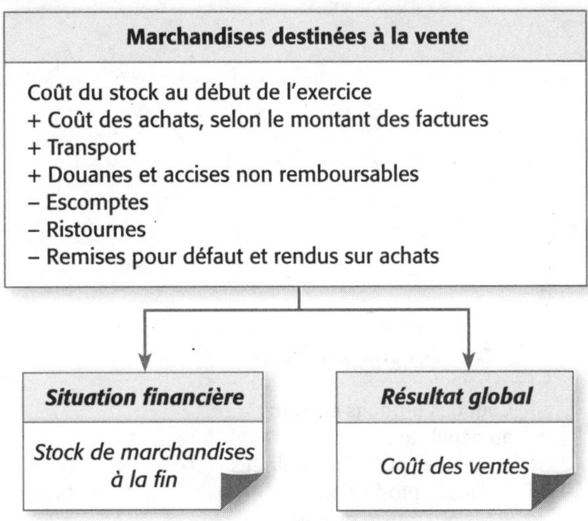

Cela met fin à notre analyse des coûts incorporables des articles achetés à l'état fini. Nous examinerons maintenant les cas où une entreprise produit elle-même ses marchandises destinées à la vente.

Les coûts incorporables des articles produits

Lorsqu'une entreprise produit elle-même ses articles destinés à la vente, l'IASB définit ainsi les coûts de transformation :

> Les coûts de transformation des stocks comprennent les coûts directement liés aux unités produites, tels que la main-d'œuvre directe. Ils comprennent également l'affectation systématique des frais généraux de production fixes et variables qui sont engagés pour transformer les matières premières en produits finis. Les frais généraux de production fixes sont les coûts indirects de production qui demeurent relativement constants

8. Même si le client n'a pas à payer directement les frais de transport, il est logique de présumer qu'en pareil cas le coût d'acquisition de l'article acheté a été établi en conséquence.

indépendamment du volume de production, tels que l'amortissement et l'entretien des bâtiments et de l'équipement industriels, et les frais de gestion et d'administration de l'usine. Les frais généraux de production variables sont les coûts indirects de production qui varient directement, ou presque directement, en fonction du volume de production, tels que les matières premières indirectes et la main-d'œuvre indirecte[9].

Lorsqu'une entreprise affecte les frais généraux de production fixes aux stocks, elle doit utiliser, comme base d'affectation, la **capacité normale** des installations de production, soit la capacité moyenne attendue dans des conditions normales. C'est donc dire que la capacité normale tient compte des conditions du marché, tout comme des arrêts réguliers que l'entreprise prévoit pour faire l'entretien des installations. S'il s'avère que le niveau réel de production est plus faible que le niveau prévu, le coût unitaire des stocks n'est pas augmenté. Toutefois, si le niveau réel de production est anormalement élevé, l'entreprise doit utiliser ce niveau pour affecter les frais généraux de production fixes, ce qui a pour effet de réduire le coût unitaire des stocks. Dans ces deux situations, on voit que la valeur comptable d'un actif ne doit jamais excéder la valeur des avantages économique attendus.

L'IASB donne quelques exemples de coûts qui sont généralement exclus du coût des stocks. Ainsi, celui-ci exclut les montants anormaux de déchets de production, de main-d'œuvre ou d'autres coûts de production ; les coûts de stockage, à moins qu'ils soient nécessaires au processus de production préalable à une nouvelle étape de la production ; les frais généraux administratifs qui ne contribuent pas à mettre les stocks à l'endroit et dans l'état où ils doivent se trouver pour être vendus ; et les frais de commercialisation. La figure 7.10 illustre la structure des coûts incorporables des entreprises industrielles.

FIGURE 7.10 La structure des coûts incorporables des entreprises industrielles

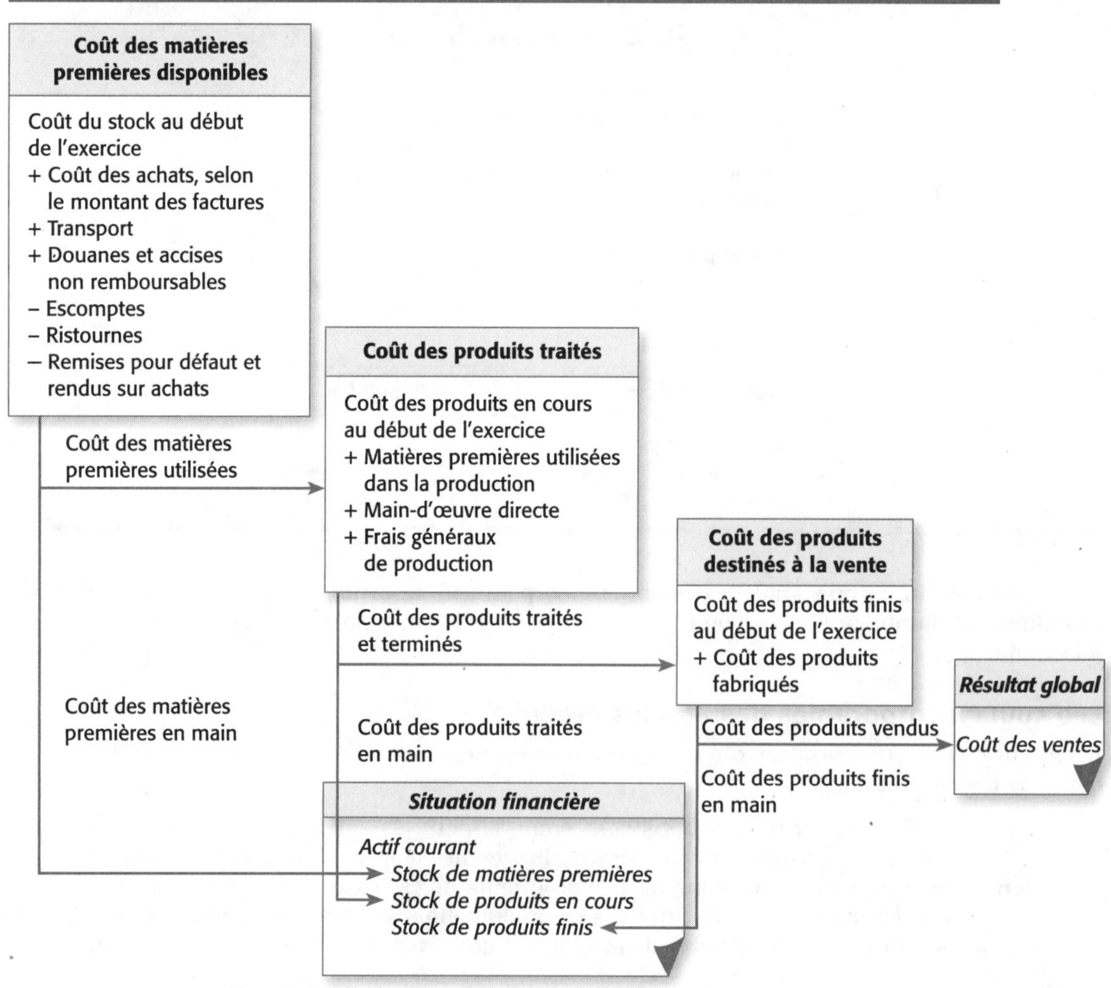

9. *Manuel de CPA Canada – Comptabilité – Partie I*, IAS 2, paragr. 12.

Les entreprises de production déterminent souvent le **coût de revient standard** des articles produits, c'est-à-dire ce que devraient être les coûts, compte tenu de certaines normes d'efficacité auxquelles adhère une entreprise. Le coût réel est ensuite comparé avec ce montant. L'IASB permet d'utiliser les coûts standard comme coûts historiques dans l'évaluation du stock, à condition que l'écart entre les deux ne soit pas considérable. S'il existe un écart important, celui-ci peut généralement être attribué à l'estimation faite des coûts standard et ceux-ci ne peuvent être utilisés.

Différence NCECF

Avant de conclure la présente division du chapitre, il est utile de relever quelques particularités. Premièrement, certaines entreprises produisent, pour le compte de clients déterminés, des articles qui exigent une longue période de préparation. Mentionnons, à titre d'exemple, une entreprise de bois d'œuvre qui doit laisser sécher le bois avant de pouvoir le revendre. Si une telle entreprise engage des coûts d'emprunt directement liés à la détention du bois pendant la période de séchage, elle doit inclure ces coûts dans celui du bois, conformément à la norme **IAS 23**, expliquée plus en détail au chapitre 8. Dans cette situation très précise, la comptabilisation des coûts d'emprunt à l'actif est logique, puisque ceux-ci sont engagés avant que le bois soit prêt à être vendu.

Différence NCECF

Deuxièmement, certains processus de production peuvent s'achever par la production de deux types de biens, appelés **produits conjoints**. Il en est ainsi d'une scierie qui reçoit des troncs d'arbres pour les transformer en planches de bois dans le but de les revendre aux entrepreneurs en construction. Les troncs d'arbres sont débités, et deux types de biens en résultent : les planches destinées à la construction et les écorces, qui peuvent être revendues à des entreprises papetières. La scierie ne pourra probablement pas distinguer les coûts de transformation des planches et ceux des écorces. Dans ce cas, elle devra les répartir sur une base rationnelle et cohérente, par exemple selon le prix de vente de chaque type de bien. Souvent, l'un des articles a une faible valeur comparativement à l'autre. Par exemple, même si la viande constitue la principale denrée d'une société exploitant un abattoir, celle-ci peut tirer un mince produit de la vente des os des animaux abattus. Elle peut évaluer les os à leur valeur nette de réalisation et diminuer cette valeur du coût de transformation de la viande. Dans ce cas, le rapport coûts/avantages justifie que l'évaluation comptable soit moins précise.

Troisièmement, certaines entreprises ne produisent pas de biens, mais rendent plutôt des services. Mentionnons, à titre d'exemple, les cabinets de comptables qui offrent des services d'audit ou de gestion. La prestation de tels services s'étend souvent sur plusieurs semaines, ce qui implique que, à la date de clôture d'un exercice financier, le cabinet de comptables aura des contrats en cours de réalisation. Pour bien évaluer cet actif, il appliquera la recommandation suivante de l'IASB :

> Les coûts engagés pour l'exécution d'un contrat conclu avec un client qui ne génèrent pas de stocks (ou d'actifs entrant dans le champ d'application d'une autre norme) sont comptabilisés conformément à IFRS 15 *Produits des activités ordinaires tirés de contrats conclus avec des clients*[10].

Nous traiterons en détail de l'IFRS 15 au chapitre 20.

Quatrièmement, le coût des stocks comprend parfois les coûts liés aux obligations de démantèlement, d'enlèvement ou de remise en état qu'une entreprise contracte en vue de produire des stocks. Le chapitre 12 expliquera en détail la comptabilisation de telles obligations.

En conclusion, rappelons qu'une majorité d'entreprises évaluent leur stock de marchandises au coût historique. Celui-ci est facile à retrouver, car les achats sont accompagnés des pièces justificatives qui indiquent le coût historique. En outre, celui-ci donne une image fidèle de la réalité, puisqu'il représente le montant auquel deux parties indépendantes ont convenu d'échanger des biens ou des services. La facilité avec laquelle on obtient de l'information et la fidélité de cette dernière militent donc en faveur de l'utilisation du coût historique.

Avez-vous remarqué ?

On peut raisonnablement s'attendre à ce que les coûts incorporables soient compensés par des avantages économiques futurs. On peut donc les ajouter à la valeur comptable de l'actif sans que celle-ci excède la valeur recouvrable, conformément à la définition d'un actif contenue dans le Cadre.

10. *Manuel de CPA Canada – Comptabilité – Partie I*, IAS 2, paragr. 08.

Les méthodes de détermination du coût des stocks[11]

Dans l'exemple de la société Excentrique ltée présenté aux pages 7.11 et 7.12, il était très facile de calculer le **coût unitaire** des gommes à effacer, car le montant payé pour ces articles ne variait pas d'une unité à l'autre. Cette situation est cependant très rare en pratique. Le plus souvent, l'entreprise paie des montants différents pour des articles identiques au cours d'un exercice donné. Modifions donc quelque peu les données de notre exemple pour mieux refléter cette réalité.

EXEMPLE

Données modifiées de l'exemple de base – Excentrique ltée

Les données suivantes seront utilisées pour expliquer chacune des principales méthodes de détermination du coût.

Date	*Opération*	*Achats*			*Ventes*		
		Quantité	*Coût unitaire*	*Coût total*	*Quantité*	*Prix de vente unitaire*	*Prix de vente total*
1er janvier	*Achat*	*300*	*1,10 $*	*330 $*			
9 janvier	*Achat*	*300*	*1,20*	*360*			
10 janvier	*Vente*				*400*	*1,50 $*	*600 $*
	Total	*600*		*690 $*	*400*		*600 $*

Comment déterminer le coût des articles vendus le 10 janvier ? Doit-on l'établir à partir d'un coût unitaire de 1,10 $, de 1,20 $ ou doit-on procéder autrement ?

La question précédente est importante, car la **méthode de détermination du coût des stocks** qu'adoptera l'entreprise peut avoir un effet marqué sur le résultat net. Les méthodes de détermination du coût des stocks permettent de trouver le coût des articles en main et le coût des ventes. Il existe trois principales méthodes de détermination du coût des stocks: la méthode du coût propre, la méthode du coût moyen pondéré et la méthode du premier entré, premier sorti (PEPS).

Une présentation sommaire

La **méthode du coût propre**, aussi appelée **méthode du coût d'achat réel**, exige d'attribuer à chaque article son coût réel. Selon cette méthode, lorsqu'une entreprise reçoit de nouvelles marchandises, elle indique sur chaque article un code lui permettant d'en déterminer le coût, ce qui, au moment de la vente, facilite la détermination du coût. C'est la méthode privilégiée par l'IASB pour les stocks qui ne sont pas fongibles, c'est-à-dire non interchangeables, comme le montre la citation suivante :

> Le coût des stocks d'éléments qui ne sont pas habituellement fongibles et des biens ou services produits aux fins de projets spécifiques et affectés à de tels projets doit être déterminé en utilisant une identification spécifique de leurs coûts individuels.
>
> L'identification spécifique du coût signifie que des coûts spécifiques sont attribués à des éléments identifiés des stocks. C'est le traitement approprié pour les éléments qui sont affectés à un projet spécifique, qu'ils aient été achetés ou produits [...][12].

Cette méthode ne convient évidemment pas lorsque les marchandises détenues sont pratiquement identiques ou que leur coût est relativement faible. Elle ne serait pas souhaitable pour Excentrique ltée. Pourquoi ? Simplement parce que l'entreprise pourrait **manipuler** le montant du résultat net périodique étant donné que les unités de l'article en question sont identiques, donc interchangeables. Ainsi, si Excentrique ltée voulait présenter le plus tôt possible un bénéfice net élevé, elle affirmerait vendre d'abord les gommes à effacer qui ont coûté 1,10 $. Le coût des ventes serait alors plus faible et le bénéfice net, plus élevé. Si elle désirait au contraire reporter la présentation du bénéfice net à une date ultérieure, elle affirmerait vendre d'abord les articles ayant

11. Nous traitons ici des méthodes de détermination du coût des stocks couramment utilisées. Une section subséquente traitera d'autres méthodes permettant d'estimer ou de vérifier le coût des stocks.

12. *Manuel de CPA Canada – Comptabilité – Partie I*, IAS 2, paragr. 23 et 24.

coûté 1,20 $. Dans les deux cas, le client obtient pourtant le même type de gomme à effacer, ce qui implique que la réalité économique est la même. Puisqu'une telle manipulation des chiffres aux seules fins de pouvoir présenter un meilleur résultat net est inacceptable, la méthode du coût propre ne devrait être utilisée que par les entreprises qui vendent des articles disparates et de grande valeur, tels les concessionnaires automobiles.

Voyons maintenant les méthodes de détermination du coût des stocks qui conviennent aux entreprises dont les articles sont interchangeables.

La **méthode du coût moyen pondéré** consiste à attribuer à chaque article vendu à une date donnée ou au cours d'un exercice donné un coût moyen pondéré calculé le jour du dernier achat avant la vente ou à la fin de l'exercice, en prenant en compte tous les coûts relatifs aux unités qui auraient pu être vendues à cette date ou au cours de cet exercice. Cette méthode s'applique très bien lorsque l'entreprise vend plusieurs unités d'un même article.

EXEMPLE

Coût du stock d'Excentrique ltée – Méthode du coût moyen pondéré

En utilisant la méthode du coût moyen, Excentrique ltée obtient les résultats suivants :

Achats de l'exercice	*690 $*
Nombre d'unités achetées	*÷ 600*
Coût moyen pondéré	*1,15*
Nombre d'unités vendues	*× 400*
Coût des articles vendus le 10 janvier	*460 $*

Marchandises destinées à la vente
690 $

Situation financière	**Résultat global**
200 unités à 1,15 $ **230 $**	400 unités à 1,15 $ **460 $**

Selon cette méthode, le coût des 200 articles en main après la vente des 400 unités s'élève à 230 $, soit 200 unités multipliées par le coût unitaire moyen de 1,15 $.

La **méthode du premier entré, premier sorti**, aussi appelée **PEPS** ou **épuisement successif**, consiste à attribuer aux articles vendus le coût le plus ancien.

EXEMPLE

Coût du stock d'Excentrique ltée – Méthode PEPS

Selon cette méthode, le coût des articles vendus le 10 janvier est de 450 $ (*voir le calcul ci-dessous*). Dès lors, le coût unitaire le plus récent, de 1,20 $, sert à déterminer le coût des 200 unités en main.

Marchandises destinées à la vente
690 $

Situation financière	**Résultat global**
200 unités à 1,20 $ **240 $**	300 unités à 1,10 $ 100 unités à 1,20 $ **450 $**

7

Reprenons maintenant les deux dernières méthodes de détermination du coût des stocks pour en examiner le fonctionnement détaillé en tenant compte du système d'inventaire utilisé par l'entreprise. En effet, le choix d'un système d'inventaire influe parfois sur le calcul des coûts unitaires.

La méthode du coût moyen pondéré

Lorsque cette méthode est jumelée à un système d'inventaire périodique, on calcule le coût moyen pondéré une seule fois en fin d'exercice.

EXEMPLE

Méthode du coût moyen pondéré jumelé à un système d'inventaire périodique

La société Ordonnée ltée vend un seul modèle de crayons. Puisque toutes les unités vendues sont identiques, la méthode du coût propre ne convient pas. Voici les opérations de l'entreprise pour le mois de janvier :

Date	Opération	Achats			Ventes		
		Quantité	Coût unitaire	Coût total	Quantité	Prix de vente unitaire	Prix de vente total
1er janvier	Achat	300	1,10 $	330 $			
9 janvier	Achat	300	1,10	330			
10 janvier	Vente				400	1,50 $	600 $
18 janvier	Achat	400	1,16	464			
26 janvier	Vente				300	1,60	480
	Total	1 000		1 124 $	700		1 080 $

La société utilise la méthode du coût moyen pondéré pour déterminer le coût de ses stocks. Voici le calcul du coût total des ventes et du coût total du stock en main au 31 janvier arrondi au dollar près, sachant qu'Ordonnée ltée utilise un **système d'inventaire périodique** :

Coût total des marchandises destinées à la vente	1 124 $
Nombre d'unités	÷ 1 000
Coût unitaire	1,124 $
Marchandises destinées à la vente	1 124 $
Coût des ventes (700 crayons × 1,124 $)	(787)
Stock de marchandises au 31 janvier (300 crayons × 1,124 $)	337 $

Lorsque l'entreprise utilise un système d'inventaire permanent, elle doit calculer le coût des ventes chaque fois qu'elle effectue une vente. Elle a alors recours à une **moyenne mobile**, puisqu'elle calcule un nouveau coût moyen des marchandises destinées à la vente chaque fois qu'elle effectue un achat. Par comparaison, si elle utilisait un système d'inventaire périodique, elle calculerait la moyenne une seule fois par période en prenant en compte toutes les opérations d'achat de cette période, comme expliqué précédemment.

EXEMPLE

Méthode du coût moyen pondéré jumelé à un système d'inventaire permanent

Reprenons l'exemple d'Ordonnée ltée, sachant que l'entreprise utilise un système d'inventaire permanent. Le 10 janvier, elle détermine le coût moyen des crayons vendus à partir des achats faits les 1er et 9 janvier. Lors de l'achat subséquent du 18 janvier, elle ajoute aux soldes existants la quantité et le coût afférents à cet achat. Elle calcule de nouveau le coût unitaire en divisant le nouveau solde du coût total par la quantité totale à cette date. On notera que seules les opérations d'achat modifient le coût moyen et que tout coût unitaire relatif à une vente de marchandises correspond au dernier coût moyen à avoir été calculé avant la vente.

Date	Achats			Ventes			Solde		
	Quantité	Coût unitaire	Coût total	Quantité	Coût unitaire	Coût total	Quantité	Coût unitaire	Coût total
1er janvier	300	1,10 $	330 $				300	1,10 $	330 $
9 janvier	300	1,10	330				600	1,10	660
10 janvier				400	1,10 $	440 $	200	1,10	220
18 janvier	400	1,16	464				600	1,14	684
26 janvier				300	1,14	342	300	1,14	342
	1 000		1 124 $	700		782 $			

La méthode du premier entré, premier sorti

Avec la méthode du premier entré, premier sorti, le système d'inventaire n'influe pas sur le calcul du coût des ventes, car celui-ci se fait toujours à partir des coûts les plus anciens. La figure 7.11 illustre le fonctionnement de cette méthode. On constatera que l'inscription du coût des unités vendues à chaque opération de vente donne le même chiffre que l'inscription effectuée une seule fois en fin d'exercice.

FIGURE 7.11 Le fonctionnement de la méthode du premier entré, premier sorti, peu importe le système d'inventaire utilisé

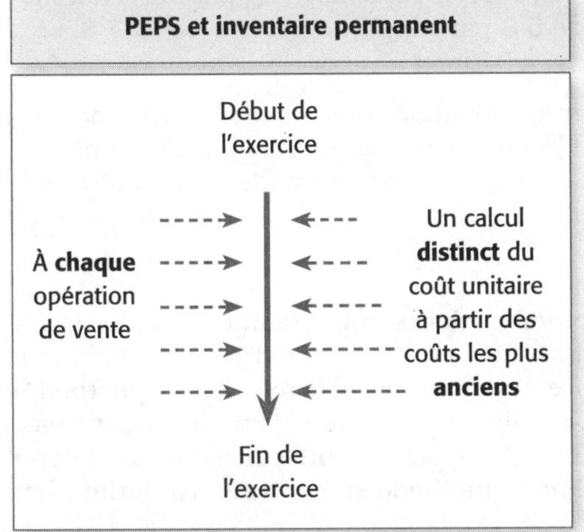

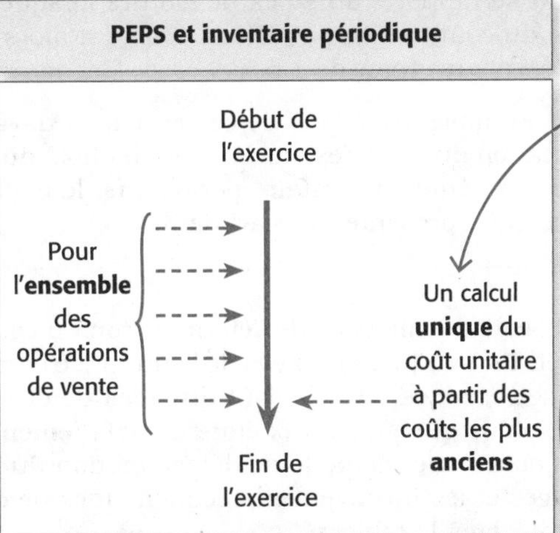

Le coût unitaire obtenu avec l'inventaire périodique correspond toujours à celui obtenu avec l'inventaire permanent, car ce sont toujours les premières unités achetées qui sont considérées comme vendues.

EXEMPLE

Méthode PEPS

Reprenons l'exemple d'Ordonnée ltée. Voici les calculs que la société doit effectuer si elle utilise la méthode du premier entré, premier sorti :

	Quantité	Coût unitaire	Coût total
Coût des ventes			
Coût d'acquisition			
Lot du 1er janvier	300	1,10 $	330 $
Lot du 9 janvier	300	1,10	330
Fraction du lot du 18 janvier	100	1,16	116
Total	700		776 $
Stocks de marchandises au 31 janvier			
Coût de la fraction résiduelle du lot du 18 janvier	300	1,16	348 $

Les critères de choix d'une méthode de détermination du coût des stocks

Nous avons jusqu'à présent étudié la mécanique des calculs requis dans chaque situation. Pour donner une vue d'ensemble de l'incidence des méthodes comptables, voici une synthèse des montants obtenus par Ordonnée ltée selon les diverses méthodes.

EXEMPLE

Comparaison des méthodes de détermination du coût

Reprenons les montants calculés dans l'exemple de la société Ordonnée ltée.

Méthode de détermination du coût	Coût des ventes*		Stock de marchandises à la fin*	
	Inventaire périodique	Inventaire permanent	Inventaire périodique	Inventaire permanent
Coût moyen pondéré	787 $	782 $	337 $	342 $
Premier entré, premier sorti	776	776	348	348

* Arrondi au dollar près

On remarque que le coût des ventes et le coût du stock à la fin **varient peu** selon que l'entreprise utilise un système d'inventaire périodique ou permanent. Le pourcentage d'écart le plus important se rapporte au stock de clôture lorsque l'entreprise en détermine le coût selon la méthode du coût moyen pondéré. L'écart est alors de 5 $ par rapport à un coût de 337 $, ce qui représente un écart de 1,5 %.

Dans cet exemple, les écarts de ce genre sont davantage fonction du choix de la méthode de détermination du coût des stocks que du choix du système d'inventaire. Ainsi, si l'entreprise utilise un système d'inventaire périodique, le coût du stock de clôture varie entre 337 $ et 348 $, ce qui représente un écart de 3,3 %.

Le choix d'une méthode de détermination du coût des stocks est important, car il influe sur le résultat net. En s'en tenant au cas de l'entreprise commerciale, plus les coûts d'acquisition varient au cours de l'exercice, plus le coût du stock de clôture et des ventes diffère selon les méthodes utilisées. Notons que si les prix étaient parfaitement stables, ces différences n'existeraient pas. Avant de choisir une méthode de détermination du coût des stocks, l'entreprise doit considérer les avantages et les inconvénients économiques de chaque méthode en contexte d'inflation, tels qu'énumérés dans le tableau 7.2.

L'IASB demande aux entreprises d'utiliser la même méthode pour tous ses stocks de même nature :

> [...] Une entité doit utiliser la même méthode de détermination du coût pour tous les stocks ayant une nature et un usage similaires pour l'entité. Pour les stocks ayant une nature ou un usage différent, l'application d'autres méthodes de détermination du coût peut être justifiée.
>
> Par exemple, des stocks utilisés dans un secteur opérationnel peuvent avoir un usage différent pour l'entité du même type de stocks utilisés dans un autre secteur opérationnel. Toutefois, une différence dans la situation géographique des stocks (ou dans les règles fiscales applicables) n'est pas suffisante en soi pour justifier l'utilisation de méthodes différentes de détermination du coût[13].

Les dirigeants qui veulent donner, dans les états financiers, l'image la plus reluisante possible de l'entreprise pourraient chercher à produire des montants qui mènent à des ratios élevés de rendement des investissements, de santé financière et de performance de la direction. Globalement, ils privilégieront, dans l'ordre, les méthodes du premier entré, premier sorti et du coût moyen pondéré.

13. *Manuel de CPA Canada – Comptabilité – Partie I*, IAS 2, paragr. 25 et 26.

TABLEAU 7.2 Les forces et les faiblesses des trois méthodes de détermination du coût des stocks en période d'inflation, du point de vue de l'entreprise commerciale

Articles disparates	Articles interchangeables	
Coût propre	**Premier entré, premier sorti**	**Coût moyen pondéré**
Avantages :		
Fournit des chiffres fidèles.	Évalue de façon appropriée le coût du stock de marchandises dans l'état de la situation financière, car il est basé sur des coûts récents.	Constitue une méthode simple et objective.
Permet de déterminer la marge brute réalisée sur chaque article vendu.		Élimine la possibilité de manipulation du résultat net.
Inconvénients :		
Ne peut être appliquée que par les entreprises qui vendent des articles disparates.	Sous-évalue le coût des ventes, car il est basé sur des coûts anciens.	
Facilite la manipulation du résultat net.	Montre des résultats nets fictifs qui vont à l'encontre de la préservation du patrimoine.	
	Fausse le calcul de certains ratios, tels celui du fonds de roulement et celui de la rotation des stocks.	Fausse le calcul de certains ratios, tels celui du fonds de roulement et celui de la rotation des stocks.

Source : Jocelyne Gosselin et Nicole Lacombe

EXEMPLE

Comparaison des ratios calculés selon diverses méthodes de détermination du coût

Reprenons les montants calculés dans l'exemple de la société Ordonnée ltée. On trouvera ci-après quelques ratios selon qu'Ordonnée ltée utilise chacune de ces deux méthodes avec un système d'inventaire périodique.

Ratios [14]	PEPS	Coût moyen
Rendement des investissements		
Résultat de base par action		
Résultat net (par exemple, 1 080 $ de ventes, diminué du coût des ventes) ÷ Nombre d'actions en circulation (par exemple, 1 000 actions)	0,304	0,293
Santé financière		
Ratio de liquidité		
Actif courant ÷ Passif courant (par exemple, 150 $)	2,320	2,248
Ratio d'endettement		
Dette non courante (disons 500 $) ÷ Total de l'actif (par exemple, 500 $ d'actif autre que le stock)	0,590	0,597
Ratios de rentabilité		
Ratio de la marge nette		
Résultat net ÷ Chiffre d'affaires	0,281	0,271
Rotation des stocks		
Coût des ventes ÷ Stock	2,230	2,333

L'examen de ces ratios permet de conclure que, à l'exception du ratio de rotation des stocks, Ordonnée ltée affiche une meilleure performance en utilisant la méthode du premier entré, premier sorti.

14. Les ratios présentés dans ce tableau sont ceux expliqués dans *L'utilisation des ratios et des graphiques dans le cadre de l'information financière*. Repris de Rapport de recherche, Toronto, Institut Canadien des Comptables Agréés, 1993, utilisé avec la permission des Comptables professionnels agréés du Canada, Toronto (Canada). L'éditeur assume l'entière responsabilité des modifications apportées aux documents originaux, celles-ci n'ayant été ni révisées ni cautionnées par les Comptables professionnels agréés du Canada.

Il faudrait toutefois se garder de généraliser ces conclusions s'il faut en croire les pratiques antérieures des entreprises canadiennes publiées dans l'édition 2007 du *Financial Reporting in Canada*[15]. En effet, 52 entreprises utilisaient la méthode du premier entré, premier sorti, alors que 49 utilisaient la méthode du coût moyen.

Étant donné que les entreprises peuvent utiliser différentes méthodes de détermination du coût des stocks, la **comparabilité** des états financiers entre les entreprises diminue. Il importe donc que celles-ci signalent aux utilisateurs des états financiers la méthode qu'elles ont utilisée. En comparant le résultat net, les utilisateurs peuvent alors tenir compte des différences qui découlent exclusivement du choix de la méthode utilisée.

Peu importe la méthode retenue et son influence sur la comparabilité, les entreprises doivent utiliser la même méthode au fil des ans, à moins que des changements dans les conditions économiques ne justifient l'adoption d'une nouvelle méthode.

7

Avez-vous remarqué ?

1. La directive précédente s'appuie sur l'importance de présenter des états financiers qui sont comparables dans le temps, de sorte que leurs utilisateurs peuvent dégager les tendances dans la situation financière et la performance de l'entreprise.
2. Lorsque les stocks sont fongibles, il est impossible de déterminer le coût d'un article vendu et, de ce fait, d'évaluer si le coût déterminé par l'entreprise en l'absence de normes représente fidèlement le coût du stock vendu. C'est pourquoi l'IASB n'autorise que deux méthodes acceptables dans ces contextes, soit les méthodes du coût moyen pondéré et du premier entré, premier sorti.

Le travail comptable de fin d'exercice

Dans la section précédente, nous avons en quelque sorte précisé les décisions qu'une nouvelle entreprise doit normalement prendre concernant la comptabilisation des stocks. Les entreprises déjà en activité doivent périodiquement réévaluer ces décisions. De plus, chaque fin d'exercice génère une somme de travail supplémentaire pour le Service de la comptabilité, qui doit alors procéder à l'évaluation des stocks et à l'inventaire matériel. La question du travail comptable de fin d'exercice sera traitée ici dans le cadre de l'entreprise commerciale.

L'inventaire matériel

Après avoir choisi un système d'inventaire, défini les coûts incorporables et adopté une méthode d'évaluation du coût des stocks, l'entreprise doit mettre en place des procédures qui faciliteront l'**inventaire matériel** des marchandises en main à la fin de l'exercice. Nous avons déjà expliqué que même si l'entreprise utilise un système d'inventaire permanent, elle doit périodiquement procéder à des inventaires matériels d'articles en main. Tout inventaire matériel comporte deux éléments : le dénombrement des unités de marchandises et la détermination du coût des unités dénombrées. Bien qu'il importe que la totalité des stocks fasse l'objet d'un inventaire matériel au cours de l'exercice, il n'est pas essentiel que le dénombrement ait lieu au même moment pour tous les articles. Ces inventaires matériels peuvent donc être échelonnés. Toutefois, dans la présente section, nous tiendrons pour acquis que l'inventaire matériel survient à la fin de l'exercice et porte sur tous les articles.

Le dénombrement

Certaines entreprises ferment leurs portes le jour du dénombrement des articles stockés afin de minimiser le risque d'erreurs. Il en est ainsi dans la plupart des commerces de détail.

15. Repris de *Financial Reporting in Canada*, Toronto, Institut Canadien des Comptables Agréés, 2007, p. 286, utilisé avec la permission des Comptables professionnels agréés du Canada, Toronto (Canada). L'éditeur assume l'entière responsabilité des modifications apportées aux documents originaux, celles-ci n'ayant été ni révisées ni cautionnées par les Comptables professionnels agréés du Canada. (Au moment de rédiger la 7e édition du présent manuel, aucun ouvrage canadien n'a encore répertorié les pratiques suivies par les entreprises canadiennes qui ont adopté les IFRS. C'est pourquoi nous nous reportons à l'inventaire des pratiques réalisé en 2007, même si cet inventaire est basé sur les anciennes normes canadiennes. Les constatations faites à propos de la méthode de détermination du coût des stocks sont sans doute encore pertinentes, car les IFRS sont identiques aux anciennes normes à cet égard.)

D'autres entreprises procèdent au dénombrement durant les périodes normales de fermeture, c'est-à-dire la nuit ou la fin de semaine. Lorsque le magasin est fermé, les employés peuvent procéder au dénombrement sans être constamment interrompus par les clients. L'inventaire matériel entraîne des frais assez élevés ; il faut donc que le travail soit bien fait afin d'éviter que tout soit à recommencer. C'est pour cette raison qu'il doit faire l'objet d'une planification minutieuse.

Quelques jours avant le dénombrement, les employés doivent ranger les marchandises de façon à grouper tous les articles semblables au même endroit. Simultanément, le personnel administratif prépare une liste dans laquelle on trouve la nature des articles achetés au cours de l'exercice ou stockés au début de l'exercice, et tous les renseignements nécessaires pour calculer le coût total des marchandises en main. Ainsi, si une entreprise possède certains articles en magasin et d'autres dans un entrepôt, la liste pourrait prendre la forme suivante :

Code de l'article	Description sommaire	Quantité en magasin	Quantité en entrepôt	Quantité totale	Coût unitaire	Coût total
100						
101						
102						
...						
...						
...						
...						

Le dénombrement est facilité par l'emploi de lecteurs optiques. Un employé scanne le code à barres d'un article, compte le nombre d'unités en main et saisit ce nombre dans le système informatique. À mesure que l'employé procède au dénombrement, il appose une étiquette ou un autocollant sur chaque lot de marchandises dénombrées. Un deuxième employé choisit ensuite au hasard quelques lots de marchandises et vérifie que le dénombrement des articles est exact. On doit s'assurer que tous les lots de marchandises ont été dénombrés.

Soulignons que le dénombrement peut parfois se faire très rapidement. Par exemple, une entreprise qui vend de l'essence (soit un bien liquide) a simplement à lire le niveau de liquide qu'indique l'échelle des réservoirs d'essence, alors qu'une entreprise qui vend du gravier en vrac mesurera le volume occupé par ses stocks.

La détermination du coût

Revenons aux entreprises qui établissent le nombre d'articles qu'elles ont en main. Le personnel de bureau, ou une commande du système informatique, doit retracer les coûts unitaires selon la méthode de détermination du coût du stock retenue par l'entreprise. Par la suite, il ne reste plus qu'à multiplier les quantités en main par ces coûts unitaires pour déterminer le coût total de ces articles.

Jusqu'à présent, il n'a été question que de l'inventaire matériel des marchandises destinées à la vente. Toutefois, il faut, pour se conformer à la notion d'indépendance des périodes et à la définition d'un actif, comptabiliser à l'actif tous les éléments de stock détenus par l'entreprise qui généreront des avantages économiques futurs. Il en est ainsi, par exemple, du stock de fournitures de bureau de l'entreprise. En fin d'exercice, celle-ci doit donc dénombrer et déterminer le coût des fournitures qu'elle a encore en main afin d'ajuster le compte de charges approprié au moyen de l'écriture suivante :

Stock de fournitures de bureau	*XX*	
Fournitures de bureau utilisées		*XX*
Fournitures de bureau en main à la fin de l'exercice.		

Toutefois, si l'entreprise débite le coût des fournitures de bureau acquises à un compte intitulé Stock de fournitures de bureau, elle doit, à la fin de l'exercice, ajuster ce compte en passant plutôt l'écriture suivante :

Fournitures de bureau utilisées	*XX*	
Stock de fournitures de bureau		*XX*
Fournitures de bureau en main à la fin de l'exercice.		

Le travail de démarcation en fin d'exercice

Dans la présente sous-section, nous traiterons de l'effet des erreurs relatives aux stocks et des marchandises à inclure dans le décompte d'inventaire, que celles-ci soient situées dans l'entreprise ou ailleurs.

Les effets des erreurs relatives aux stocks

7

En fin d'exercice, il faut s'assurer que les articles dénombrés appartiennent vraiment à l'entreprise et que tous les articles appartenant à l'entreprise ont été dénombrés. En effet, seuls ceux dont l'entreprise est économiquement propriétaire doivent être inclus dans l'inventaire matériel. La **détention économique** d'un bien signifie que l'entreprise assume la majorité des risques et avantages économiques inhérents à la propriété du bien. Les erreurs relatives au dénombrement des stocks peuvent avoir d'importantes répercussions. Avant de les examiner en détail, rappelons l'équation servant au calcul du coût des ventes :

Stock d'ouverture + Achats − Stock de clôture = Coût des ventes

Si le solde du compte Stock de marchandises est faussé, le total de l'actif courant, le total de l'actif et le solde des résultats non distribués le seront eux aussi dans l'état de la situation financière. De plus, cette erreur aura des répercussions sur le coût des ventes, la marge brute et le résultat dans l'état du résultat global. Tous les ratios calculés à partir de ces postes seront bien sûr erronés. Comme le solde du compte Stock de marchandises à la fin de l'exercice devient le solde d'ouverture de l'exercice suivant, cette erreur s'éliminera d'elle-même en deux exercices.

EXEMPLE

Effets des erreurs sur les états financiers

Reprenons l'exemple de la société Excentrique ltée, dont les opérations sont présentées à la page 7.22. Supposons que cette entreprise utilise un système d'inventaire périodique et la méthode du premier entré, premier sorti. Supposons aussi qu'au moment du dénombrement, les employés ont oublié d'inclure 20 unités. Au lieu d'avoir dénombré 200 unités en main à la fin de janvier, ils n'en ont repéré que 180. Examinons les répercussions de cette erreur en comparant les montants obtenus avec ceux qui auraient dû être comptabilisés, compte tenu d'un coût unitaire de 1,20 $.

EXCENTRIQUE LTÉE
Situation financière partielle
au 31 janvier 20X1

	Montants erronés	*Montants corrigés*
Stock de marchandises	*216 $*	*240 $*
Résultats non distribués	*126*	*150*

EXCENTRIQUE LTÉE
Résultat global partiel
du mois de janvier 20X1

	Montants erronés	*Montants corrigés*
Chiffre d'affaires	*600 $*	*600 $*
Coût des ventes		
Stock de marchandises au début	*θ*	*θ*
Achats	*690*	*690*
Stock de marchandises à la fin	*(216)*	*(240)*
Total du coût des ventes	*474*	*450*
Marge brute	*126 $*	*150 $*

Au cours du mois de février, Excentrique ltée a acheté 50 unités à 1,30 $, vendu 100 unités à 1,50 $ et les employés n'ont fait aucune erreur dans le dénombrement effectué le 28 février.

EXCENTRIQUE LTÉE
Situation financière partielle
au 28 février 20X1

	Montants erronés	*Montants corrigés*
Stock de marchandises	*185 $*	*185 $*
Résultats non distribués	*180*	*180*

EXCENTRIQUE LTÉE
Résultat global partiel
du mois de février 20X1

	Montants erronés	*Montants corrigés*
Chiffre d'affaires	*150 $*	*150 $*
Coût des ventes		
Stock de marchandises au début	*216*	*240*
Achats	*65*	*65*
Stock de marchandises à la fin	*(185)*	*(185)*
Total du coût des ventes	*96*	*120*
Marge brute	*54 $*	*30 $*

Cet exemple montre bien que l'erreur relative au dénombrement du stock du 31 janvier s'annule au cours du mois subséquent. En effet, même si l'erreur n'est pas corrigée au 31 janvier (colonne « Montants erronés »), l'état de la situation financière au 28 février reflète exactement ce que l'entreprise possède. De plus, la surévaluation de la marge brute de février (54 $ – 30 $) compense la sous-évaluation relative au mois antérieur (126 $ – 150 $). Bien que l'erreur s'annule d'elle-même, l'état de la situation financière au 31 janvier ainsi que l'état du résultat global des mois terminés le 31 janvier et le 28 février sont faussés. De ce fait, la notion d'indépendance des périodes et l'évaluation des actifs ne sont pas respectées.

On peut réduire le risque d'erreurs en prêtant une attention particulière aux différents éléments qui suivent.

Des marchandises en main dont l'entreprise n'est pas, en substance, propriétaire

Comme tous les autres actifs comptabilisés, le compte Stock de marchandises doit comprendre uniquement le coût des articles dont une entreprise contrôle les avantages économiques attendus[16]. Pour déterminer l'existence d'un tel contrôle, il est d'usage de s'assurer que l'entreprise contrôle les avantages économiques de ses marchandises. Il arrive qu'une entreprise ait en main des articles qui ne lui appartiennent pas vraiment. Examinons d'abord les **marchandises en consignation**.

Les inventeurs ou les grossistes désireux de vendre des articles inédits acceptent de mettre leurs marchandises en consignation chez un détaillant. C'est souvent leur seul recours, car les détaillants ne prennent que rarement le risque d'acheter des articles pour lesquels l'intérêt des clients est encore inconnu. L'inventeur ou le grossiste (**consignateur**) accepte alors d'attendre que le détaillant (**consignataire**) vende les marchandises aux clients avant d'être payé. Le détaillant remet au consignateur le produit de ces ventes, déduction faite d'une commission préalablement négociée. Dans ce genre d'opération, le consignateur demeure propriétaire des marchandises. C'est lui qui contrôle les avantages économiques inhérents à la propriété. Le détaillant (consignataire) doit donc s'assurer qu'il n'a pas inclus le coût des marchandises en consignation dans le solde de son compte Stock de marchandises, même si ces marchandises se trouvent dans son entrepôt ou dans son magasin. À l'inverse, l'inventeur ou le grossiste (consignateur) doit s'assurer qu'il a bien

16. *Manuel de CPA Canada – Comptabilité – Partie I*, « **Cadre conceptuel de l'information financière** », paragr. 4.12.

inclus dans le solde de son compte Stock de marchandises le coût des marchandises laissées en consignation chez le consignataire, même si elles ne se trouvent pas dans son entrepôt.

D'autres accords, bien que portant des noms différents, s'apparentent davantage à un **accord de consignation** qu'à un accord d'achat[17]. Le tableau 7.3 en dresse une liste non exhaustive. Dans chacun des exemples qui y sont présentés, l'acheteur ne contrôle pas les avantages économiques importants inhérents à la propriété des marchandises. Il ne doit donc pas en inclure le coût dans son compte Stock de marchandises. Ce sera plutôt le fournisseur qui inclura le coût des marchandises dans ses livres.

TABLEAU 7.3 Des accords qui s'apparentent à un accord de consignation

Exemples d'accord	Commentaires
La société Acheteuse ltée achète des marchandises de la société Vendeuse ltée. L'accord stipule qu'il y a transfert du droit de propriété. Acheteuse ltée a le droit de retourner les marchandises et n'a aucune obligation de paiement tant qu'elle ne les a pas vendues.	Bien qu'Acheteuse ltée soit la propriétaire des marchandises du point de vue légal, elle ne s'est pas engagée, de façon définitive, à les acheter. Le droit de retour et l'absence d'obligation de payer le prouvent. L'accord constitue en fait un accord de consignation.
La société Acheteuse ltée achète des marchandises de la société Vendeuse ltée. L'accord stipule qu'il y a transfert du droit de propriété. Acheteuse ltée a le droit de retourner les marchandises et n'a aucune obligation de paiement si les biens sont détruits.	Bien qu'Acheteuse ltée soit la propriétaire des marchandises du point de vue légal, ce n'est pas elle qui contrôle l'actif, comme l'indique la possibilité de retourner les marchandises. C'est pourquoi l'accord constitue en fait un accord de consignation.
La société Acheteuse ltée achète des marchandises de la société Vendeuse ltée. L'accord stipule qu'il y a transfert du droit de propriété. Acheteuse ltée a le droit de retourner les marchandises, et Vendeuse ltée s'est engagée à organiser la promotion qui permettra à Acheteuse ltée de vendre les marchandises. Acheteuse ltée doit payer la somme due dans les 30 jours suivant l'accord, mais cette somme est remboursable si elle ne réussit pas à vendre les marchandises.	Bien qu'Acheteuse ltée soit la propriétaire des marchandises du point de vue légal, ce n'est pas elle qui contrôle les marchandises. En effet, elle pourra récupérer les sommes déjà payées au fournisseur. C'est pourquoi l'accord constitue en fait un accord de consignation.

En fin d'exercice, l'entreprise doit aussi prêter une attention particulière aux **marchandises commandées par des clients, mais non encore livrées.** Le chapitre 20 présentera les principes à suivre pour déterminer le moment où l'entreprise peut comptabiliser les produits découlant des ventes. Ce n'est que lors de la comptabilisation des produits que l'entreprise peut considérer que les marchandises vendues ne lui appartiennent plus du point de vue économique. Elle détermine qui contrôle les marchandises en se reportant notamment à la facture de vente. Si celle-ci comporte la mention **FAB – point de livraison**, le vendeur contrôle les avantages économiques inhérents à la propriété jusqu'au moment où les marchandises sont livrées. Il doit donc en inclure le coût dans son stock. Si la facture porte plutôt la mention **FAB – point de départ** et que les marchandises sont entre les mains du transporteur à la fin de l'exercice financier, l'acheteur contrôle les avantages économiques inhérents à la propriété des marchandises en transit. Le vendeur ne doit donc pas inclure le coût de ces marchandises dans ses livres.

Les marchandises situées ailleurs que dans l'entreprise

Rappelons que le compte Stock de marchandises doit comprendre le coût des articles pour lesquels l'entreprise contrôle les avantages économiques. Qu'en est-il des **marchandises en transit** ? Examinons l'exemple de la société Dumais ltée, qui a commandé des marchandises qu'elle n'a pas encore reçues à la fin de son exercice financier. Pour déterminer si l'entreprise est propriétaire des articles commandés, elle doit examiner les conditions de l'achat, généralement consignées sur la facture de vente préparée par le fournisseur, disons Also ltée. Ainsi, si cette facture porte la mention FAB – point de livraison, Dumais ltée ne contrôle pas les avantages économiques liés à la détention des articles. Elle ne doit donc pas en inclure le coût dans son stock. Ce sera Also ltée qui le fera. Si la facture porte plutôt la mention FAB – point de départ et qu'Also ltée a déjà expédié les articles, Dumais ltée contrôle les avantages économiques inhérents à la propriété des articles en transit. Elle doit donc inclure le coût de ces articles dans son stock.

17. Le chapitre 20 abordera ces situations du point de vue du vendeur.

Il arrive aussi qu'une entreprise, afin de s'assurer de pouvoir acheter des articles, demande au vendeur de faire une mise de côté pour laquelle elle verse un dépôt. Habituellement, l'acheteur perd son dépôt s'il ne paie pas le montant total des articles, mais il le récupère si c'est le vendeur qui s'avère incapable de les livrer. C'est alors ce dernier qui contrôle les avantages économiques inhérents à la propriété.

EXEMPLE

Comptabilisation des mises de côté

La société Pat Grondin ltée a acheté des articles d'une valeur de 100 000 $ faisant l'objet d'une mise de côté accompagnée d'un dépôt de 23 000 $. Elle passera les écritures suivantes pour comptabiliser cet achat :

Charge payée d'avance	*23 000*	
Caisse		*23 000*
Dépôt versé à un fournisseur pour la mise de côté de marchandises coûtant 100 000 $.		
Stock de marchandises (ou Achats)	*100 000*	
Charge payée d'avance		*23 000*
Caisse		*77 000*
Achat de marchandises mises de côté.		

Soulignons que l'acheteur passera la seconde écriture uniquement lorsqu'il contrôlera les avantages économiques liés aux articles.

La situation précédente diffère d'un **engagement ferme d'achat avec une date de livraison ultérieure** pris par un acheteur. En tenant pour acquis que ce dernier contrôle les avantages économiques inhérents à la propriété des marchandises dès le moment de l'entente, il en est propriétaire à cette date. En vertu de la nécessité de refléter fidèlement cette réalité, il doit alors inclure le coût de ces marchandises dans son inventaire.

Enfin, certaines entreprises concluent des **ventes à tempérament**. Une vente de ce type est une opération par laquelle le vendeur accepte de financer directement l'acheteur. En contrepartie, celui-ci s'engage à effectuer des versements pour rembourser sa dette pendant un certain laps de temps. Même si l'acheteur obtient le droit de jouir du bien, c'est le vendeur qui en demeure légalement propriétaire jusqu'au moment où le client effectue le dernier versement. Malgré ces dispositions légales, il est important de déterminer laquelle des deux parties a la détention économique de l'article vendu. Si l'entreprise vendeuse est presque assurée de recevoir les paiements du client, elle peut comptabiliser le produit au moment de la vente. Dans ce cas, elle doit exclure les marchandises de son inventaire et comptabiliser les produits.

L'évaluation des stocks en fin d'exercice

En fin d'exercice, une entreprise doit s'assurer que la valeur comptable de ses stocks correspond au moins à la valeur des avantages économiques attendus.

L'application de la règle de la valeur minimale

Lorsqu'une entreprise a évalué le coût de ses stocks à l'aide de l'une des trois méthodes présentées plus tôt, elle doit comparer, en fin d'exercice, le coût ainsi calculé avec la valeur nette de réalisation des marchandises. Si celle-ci est inférieure au coût, la diminution de valeur doit être comptabilisée dans le résultat net de l'exercice en cours. L'entreprise doit généralement évaluer les stocks au moindre du coût et de la **valeur nette de réalisation**. Cette dernière valeur s'entend du prix de vente estimé dans le cours normal des activités, moins les coûts estimés pour l'achèvement et ceux qui sont nécessaires pour réaliser la vente. Comparativement à la juste valeur, qui reflète le point de vue des intervenants du marché, comme expliqué au chapitre 3, la valeur nette de réalisation est propre à l'entreprise. Elle peut donc différer de la juste valeur diminuée des coûts de vente.

Pour estimer cette valeur, une entreprise prend en considération l'information la plus fiable dont elle dispose à la date où elle fait l'estimation ainsi que le but dans lequel elle détient les stocks. Par exemple, si une entreprise détient des marchandises qui seront vendues à un client conformément à un contrat de vente ferme qui précise le prix de vente, c'est ce prix qui servira à établir la valeur nette de réalisation. De même, une entreprise ne diminuera pas la valeur comptable de ses matières premières et autres fournitures qu'elle détient dans le but d'être utilisées dans la production des stocks si elle prévoit que les produits finis, dans lesquels les matières premières et autres fournitures seront incorporées, seront vendus au coût ou au-dessus de celui-ci. L'IASB précise aussi que les « [...] estimations tiennent compte des fluctuations de prix ou de coût directement liées aux événements survenant après la date de clôture dans la mesure où de tels événements confirment les conditions existant à la fin de la période[18] ».

EXEMPLE

Renseignements pris en compte dans l'évaluation de la valeur de réalisation nette

La société Produits électroniques ltée clôture son exercice financier le 31 décembre 20X7. Devant l'augmentation importante des taux d'intérêt au cours du mois de décembre (événement passé), Produits électroniques ltée prévoit que ces hausses diminueront la demande des clients pour ses stocks au cours de l'exercice 20X8 et qu'elle devra donc diminuer ses prix de vente (événement futur) pour maintenir un niveau acceptable d'activité. Au 31 décembre 20X7, Produits électroniques ltée établira donc une valeur nette de réalisation plus faible que si les taux d'intérêt n'avaient pas augmenté.

La **règle de la valeur minimale**, aussi appelée **règle d'évaluation au moindre du coût et de la valeur nette de réalisation**, s'appuie sur le « [...] principe suivant lequel les actifs ne doivent pas être comptabilisés à un montant supérieur au montant que l'on s'attend à obtenir de leur vente ou de leur utilisation[19] ». Si la valeur nette de réalisation devient inférieure au coût, le comptable présume que l'entreprise ne pourra vendre ses articles à un prix plus élevé que la valeur nette de réalisation. Le coût ne pourra être récupéré à 100 %. Le comptable considère alors que seule une partie du montant payé générera des avantages économiques futurs. La partie du coût qui n'en procurera vraisemblablement pas devra être radiée de l'actif et imputée au résultat net de l'exercice en cours.

EXEMPLE

Incidence de la règle de la valeur nominale sur les états financiers

Le 26 avril 20X1, l'entreprise ABC ltée a acheté 10 unités d'une marchandise au coût unitaire de 150 $. Au cours de l'exercice, elle a vendu 6 unités à un prix équivalant à 160 % du coût, soit 240 $. ABC ltée fixe son prix de vente de façon à ce que son pourcentage de marge brute soit de 37,5 %. Au 31 décembre, date de clôture, la valeur nette de réalisation unitaire des 4 unités invendues n'est plus que de 140 $. La règle d'évaluation au moindre du coût et de la valeur nette de réalisation demande de comptabiliser immédiatement en charges la baisse de valeur de 10 $ l'unité.

Dès le début de janvier 20X2, ABC ltée vous informe que le prix de vente a diminué pour s'établir à 145 $ et qu'elle devra dorénavant payer une commission sur vente de 5 $ l'unité pour réaliser la vente. En 20X2 l'entreprise a vendu les 4 unités restantes sans en acheter de nouvelles.

Si la **règle d'évaluation au moindre du coût et de la valeur nette de réalisation n'était pas appliquée,** ces opérations seraient présentées de la façon suivante dans les états financiers de la société ABC ltée pour les exercices 20X1 et 20X2 :

ABC LTÉE
Situation financière partielle
au 31 décembre

	20X2	20X1
Stock de marchandises (4 unités × 150 $)	*θ*	*600 $*

18. *Manuel de CPA Canada – Comptabilité – Partie I*, IAS 2, paragr. 30.
19. *Manuel de CPA Canada – Comptabilité – Partie I*, IAS 2, paragr. 28.

ABC LTÉE
Résultat global partiel
de l'exercice terminé le 31 décembre

	20X2	20X1
Chiffre d'affaires	580 $	1 440 $
Coût des ventes	(600)	(900)
Marge brute	(20) $	540 $
Rentabilité	(3,4) %	37,5 %

Si, par contre, on **appliquait la règle d'évaluation au moindre du coût et de la valeur nette de réalisation,** les états financiers de la société ABC ltée s'établiraient comme suit :

ABC LTÉE
Situation financière partielle
au 31 décembre

	20X2	20X1
Stock de marchandises (4 unités × 140 $)	θ	560 $

ABC LTÉE
Résultat global partiel
de l'exercice terminé le 31 décembre

	20X2	20X1
Chiffre d'affaires	580 $	1 440 $
Coût des ventes	(560)	(900)
Marge brute	20	540
Dépréciation du stock		(40)
Commissions des vendeurs	(20)	
Bénéfice net	0 $	500 $
Rentabilité	0 %	34,7 %

L'IASB ne précise pas la nature de la dépréciation comptabilisée dans le résultat net de l'exercice. Bien que nous ayons présenté la dépréciation de 40 $ après la marge brute, il serait tout aussi acceptable de la regrouper avec le coût des ventes.

Lorsque l'on applique la règle de la valeur minimale, la baisse de valeur est comptabilisée en charges en 20X1 même si les articles ne sont vendus qu'en 20X2. D'une part, lorsque la règle de la valeur minimale n'est pas appliquée, la rentabilité est normale en 20X1, c'est-à-dire qu'elle reflète la politique de fixation des prix de la société ABC ltée. Cependant, en 20X2, la société ABC ltée présente une perte au moment de vendre ces marchandises. D'autre part, lorsque la règle de la valeur minimale est appliquée, la rentabilité est de 34,7 % en 20X1 et nulle en 20X2. L'application de la règle a donc pour conséquence de réduire la rentabilité durant l'exercice où la dépréciation se produit, tout en faisant en sorte que la société ne présente pas de perte durant l'exercice où la vente a lieu.

La règle de la valeur minimale s'applique, en principe, article par article. S'il s'agit d'une entreprise de services, la règle est appliquée à chacun des services facturés aux clients à un prix de vente distinct. Toutefois, lorsqu'une entreprise possède des articles similaires, il est approprié de les regrouper. Le comptable considère que des articles sont similaires si ces derniers font partie d'une même ligne de produits, par exemple des meubles de jardin pour un détaillant de piscines, et s'ils sont vendus dans une même zone géographique, disons l'Amérique du Nord. Ce qui diffère dans chaque cas, c'est le nombre d'articles que l'on prend en compte dans l'application de la règle.

EXEMPLE

Règle de la valeur minimale appliquée par article ou par groupe

Le 31 décembre 20X1, date de clôture de l'exercice, la société Quatuor ltée détient quatre types d'articles, dont voici le coût et la valeur nette de réalisation :

	Articles			
	W	X	Y	Z
Coût	50 $	62 $	29 $	46 $
Valeur nette de réalisation	52	48	25	40

Si Quatuor ltée applique la règle de la valeur minimale par article, elle établira ainsi la valeur comptable des articles en main :

	Articles			
	W	*X*	*Y*	*Z*
Moindre du coût et de la valeur nette de réalisation	*50 $*	*48 $*	*25 $*	*40 $*
Dépréciation à comptabiliser en charges, s'il y a lieu	*θ*	*14*	*4*	*6*

Pour appliquer la règle par groupe d'articles, par exemple par rayon dans le cas d'un grand magasin, il faut d'abord préciser que le rayon A comporte les articles W et X et que le rayon B comporte les articles Y et Z. On compare alors le coût total de W et X, soit 112 $, à leur valeur nette de réalisation totale, soit 100 $, d'où une dépréciation de 12 $ sur les articles du rayon A. Le même travail est repris pour les articles du rayon B, ce qui nous amène à comptabiliser une dépréciation de 10 $ sur les articles de ce rayon, soit la différence entre le coût total de 75 $ et la valeur nette de réalisation totale de 65 $.

7

Notons que plus la règle est appliquée à un grand nombre d'articles simultanément, moins la dévaluation des stocks est importante. Ainsi, la dépréciation est de 24 $ (14 $ + 4 $ + 6 $) lorsque la règle est appliquée à chaque article, alors qu'elle n'est que de 22 $ (10 $ + 12 $) lorsqu'elle l'est par rayon. Cette différence découle du fait que lorsque la règle est appliquée par rayon, la plus-value de 2 $ sur l'article W compense en partie la dépréciation sur l'article X. Les différences sont plus considérables si les valeurs nettes de réalisation ne varient pas de la même façon pour tous les articles.

La comptabilisation de la dépréciation

Après avoir estimé la valeur nette de réalisation et calculé la dépréciation, l'entreprise doit comptabiliser cette dépréciation relative au stock. Plus tard, lorsqu'elle vendra des marchandises dépréciées, l'entreprise ne saura probablement pas si les articles vendus font partie de ceux dont elle a déprécié la valeur comptable. C'est pourquoi elle débitera le coût initial au compte Coût des ventes. Ce n'est qu'en fin d'exercice qu'elle régularisera le solde du compte Provision pour dépréciation du stock.

EXEMPLE

Dépréciation de stocks, suivie de leur vente

Poursuivons l'exemple de la société Quatuor ltée en nous attardant à la dépréciation de l'article X. Quatuor ltée comptabilise cette baisse de valeur en passant l'écriture suivante :

Dépréciation du stock	*14*	
Provision pour dépréciation du stock		*14*
Dépréciation relative à l'article X en inventaire.		

Au moment de la vente, Quatuor ltée comptabilise le produit de cette vente. Sachant qu'elle utilise un système d'inventaire permanent, elle doit inscrire comme suit la charge relative à l'article vendu :

Coût des ventes	*62*	
Stock de marchandises		*62*
Charge relative à l'article X vendu.		

En fin d'exercice, elle régularisera ainsi le solde du compte Provision pour dépréciation du stock :

Provision pour dépréciation du stock	*14*	
Coût des ventes		*14*
Régularisation de la provision pour dépréciation.		

Notons deux éléments. Premièrement, la provision pour dépréciation ne figure pas dans l'état du résultat global. Rappelons qu'il s'agit d'un compte de contrepartie présenté en diminution du compte Stock de marchandises dans l'état de la situation financière. Deuxièmement, le compte Dépréciation du stock est présenté dans l'état du résultat global, soit à titre d'élément du coût des ventes soit à titre de frais de vente. C'est ce dernier mode de présentation que nous avons retenu dans l'exemple qui suit, lequel vise à donner une vue d'ensemble de la comptabilisation de la dépréciation.

EXEMPLE

Dépréciation de stocks selon le système d'inventaire

La société Unique inc. ne possède qu'un seul type d'article en inventaire à la fin de chacun des exercices 20X1 et 20X2. Cette unité est vendue au cours de l'exercice suivant et remplacée par une nouvelle unité identique. Voici quelques renseignements supplémentaires :

	20X1	*20X2*
Coût du stock de fin	*10 $*	*20 $*
Valeur nette de réalisation du stock de fin	*11*	*17*
Chiffre d'affaires		*65*
Achats		*20*

Voici maintenant les écritures de journal qu'il faut passer dans les livres de la société Unique inc. selon qu'elle utilise un système d'inventaire permanent ou périodique.

Inventaire permanent			**Inventaire périodique**		
20X1					
Aucune écriture n'est nécessaire pour comptabiliser une dépréciation, car la valeur nette de réalisation excède le coût. La société inscrit simplement ses opérations courantes d'achat et de vente d'articles.					
20X2					
Stock de marchandises	*20*		*Achats*	*20*	
Caisse		*20*	*Caisse*		*20*
Achats de l'exercice.			*Achats de l'exercice.*		
Caisse	*65*		*Caisse*	*65*	
Ventes		*65*	*Ventes*		*65*
Ventes de l'exercice.			*Ventes de l'exercice.*		
Coût des ventes	*10*		Aucune écriture n'est requise.		
Stock de marchandises		*10*			
Coût des marchandises vendues pendant l'exercice.					
Dépréciation du stock	*3*		*Dépréciation du stock*	*3*	
Provision pour dépréciation du stock		*3*	*Provision pour dépréciation du stock*		*3*
Dépréciation du stock de fin.			*Dépréciation du stock de fin.*		
			Stock de marchandises à la fin	*20*	
			Sommaire des résultats		*20*
			Inscription du stock de fin.		
Ventes	*65*		*Ventes*	*65*	
Dépréciation du stock		*3*	*Dépréciation du stock*		*3*
Coût des ventes		*10*	*Stock de marchandises au début*		*10*
Sommaire des résultats		*52*	*Achats*		*20*
Clôture des comptes de résultat net.			*Sommaire des résultats*		*32*
			Clôture du stock du début et des comptes de résultat net.		

7

Si Unique inc. utilise un système d'inventaire permanent, on peut voir l'effet global de la comptabilisation en examinant les comptes en T que voici :

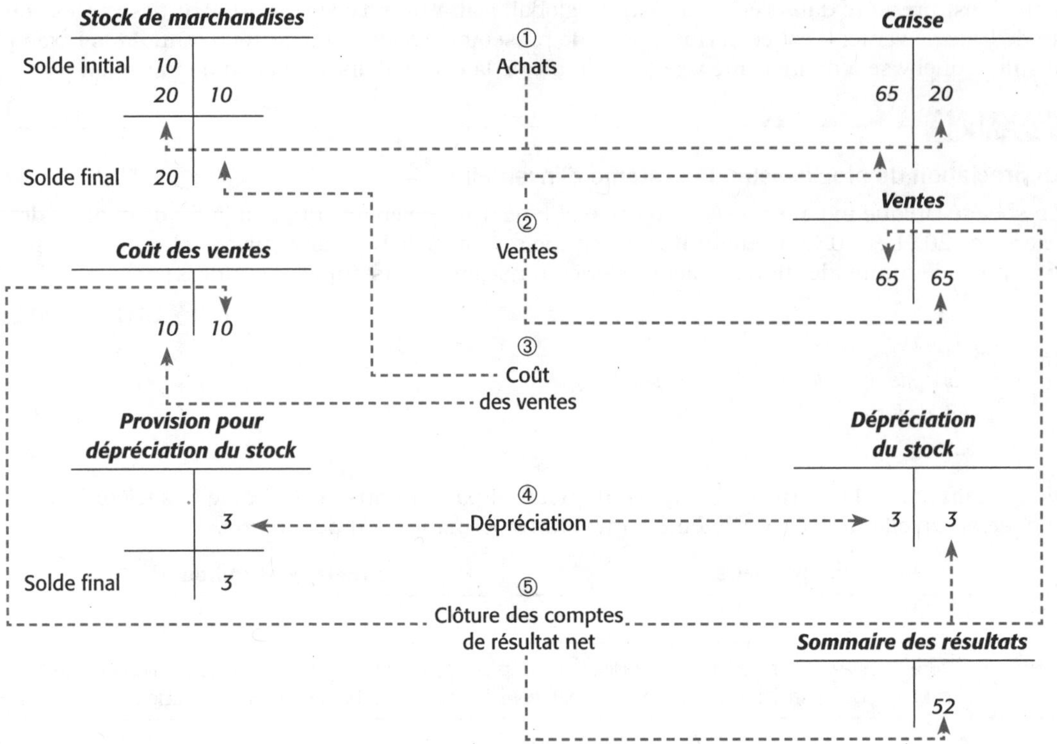

Si Unique inc. utilise plutôt un système d'inventaire périodique, voici les comptes en T comprenant les opérations de l'exercice 20X2 :

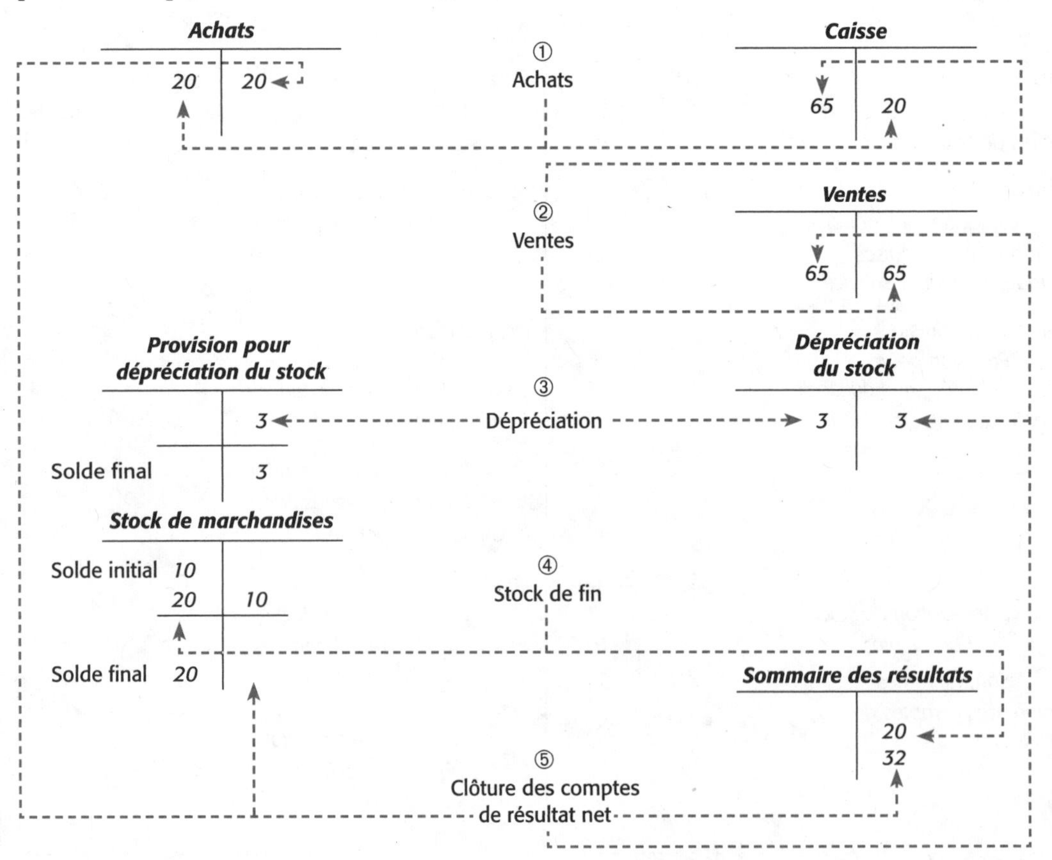

Voici maintenant quelques extraits des états financiers de la société Unique inc.

UNIQUE INC.
Situation financière partielle
au 31 décembre 20X2

Stock de marchandises, au coût	*20 $*
Provision pour dépréciation du stock	*(3)*
Stock de marchandises, au moindre du coût et de la valeur nette de réalisation	*17 $*

UNIQUE INC.
Résultat global partiel
de l'exercice terminé le 31 décembre 20X2

Chiffre d'affaires	*65 $*
Coût des ventes	
Stock de marchandises au début, au coût	*10*
Achats	*20*
Stock de marchandises à la fin, au coût	*(20)*
Coût des ventes	*(10)*
Marge brute	*55*
Dépréciation du stock	*(3)*
Bénéfice net	*52 $*

L'IAS 2 contient aussi des indications concernant la comptabilisation des **reprises de valeur**. Après avoir comptabilisé une dépréciation, si une entreprise obtient des informations selon lesquelles la dépréciation comptabilisée antérieurement ne se matérialisera pas, en raison de l'augmentation subséquente de la valeur nette de réalisation, elle doit comptabiliser la reprise de valeur. Pour ce faire, elle débite le compte Provision pour dépréciation du stock et crédite le compte de charge Dépréciation du stock. L'IASB précise aussi que le montant de toute reprise doit être comptabilisé comme une réduction du montant des stocks comptabilisé en charges durant l'exercice au cours duquel la reprise intervient.

EXEMPLE

Reprise de valeur

En janvier 20X3, la société Simard inc. a vendu des marchandises dont la valeur comptable s'élevait à 11 000 $ (coût de 13 000 $, diminué d'une dépréciation de 2 000 $) au coût de 21 000 $. Le 31 janvier 20X3, au moment de préparer ses états financiers mensuels, l'entreprise apprend que la valeur nette de réalisation des marchandises dépréciées durant le mois précédent et encore en main s'élève à 6 500 $ (valeur comptable de 5 100 $ et coût initial de 7 000 $). Au début du mois, les soldes des comptes Stock et Provision pour dépréciation s'élevaient respectivement à 20 000 $ et 3 900 $. Voici les écritures de journal requises, selon que l'entreprise utilise un système d'inventaire permanent ou périodique.

Inventaire permanent			**Inventaire périodique**		
Pendant le mois					
Caisse	*21 000*		*Caisse*	*21 000*	
Ventes		*21 000*	*Ventes*		*21 000*
Ventes de l'exercice.			*Ventes de l'exercice.*		
Coût des ventes	*13 000*		Aucune écriture n'est requise.		
Stock de marchandises		*13 000*			
Coût des marchandises vendues en janvier.					

31 janvier					
Provision pour dépréciation du stock	*1 400*		*Provision pour dépréciation du stock*	*1 400*	
Dépréciation du stock		*1 400*	*Dépréciation du stock*		*1 400*
Reprise de valeur des stocks (6 500 $ – 5 100 $).			*Reprise de valeur des stocks.*		
Provision pour dépréciation du stock	*2 000*		*Provision pour dépréciation du stock*	*2 000*	
Dépréciation du stock		*2 000*	*Dépréciation du stock*		*2 000*
Régularisation de la provision.			*Régularisation de la provision.*		
Calcul :					
Solde aux livres (3 900 $ – 1 400 $)	2 500 $		*Stock du début*	*20 000*	
Solde régularisé (7 000 $ – 6 500 $)	(500)		*Stock de marchandises*		*13 000*
Ajustement requis	2 000 $		*Stock de fin*		*7 000*
			Régularisation des postes relatifs au stock.		
Ventes	*21 000*		*Stock de fin*	*7 000*	
Dépréciation du stock	*3 400*		*Ventes*	*21 000*	
Coût des ventes		*13 000*	*Dépréciation du stock*	*3 400*	
Sommaire des résultats		*11 400*	*Sommaire des résultats*		*11 400*
Clôture des comptes de résultat net.			*Stock du début*		*20 000*
			Clôture des comptes de résultat net.		

Ces écritures de journal ont pour effet de porter le solde du compte Stock de marchandises à 7 000 $, soit le coût initial, et celui du compte Provision pour dépréciation du stock à 500 $, d'où une valeur comptable du stock égale à la valeur nette de réalisation de 6 500 $.

Soulignons enfin que si, le 31 janvier 20X3, la valeur nette de réalisation, disons 7 250 $, excédait le coût initial de 7 000 $, Simard inc. ne pourrait comptabiliser l'augmentation de valeur de 250 $. Elle pourrait uniquement annuler la dépréciation de 1 900 $ comptabilisée antérieurement, car l'IASB précise que la reprise est limitée au montant de la dépréciation initiale.

Avez-vous remarqué ?

Le travail comptable de fin d'exercice exige une bonne dose de jugement professionnel et ne peut, de ce fait, être accompli par un teneur de livres ou un comptable qui ne connaît pas bien le secteur d'activité dans lequel évolue l'entreprise.

Les engagements d'achats

Différence NCECF

Après avoir comparé le coût et la valeur nette de réalisation des stocks, une entreprise doit réaliser le même travail pour les **engagements d'achats**. Dans ces contextes, elle vérifie si cet engagement constitue un **contrat déficitaire**.

> La présente norme définit un contrat déficitaire comme un contrat pour lequel les coûts inévitables pour satisfaire aux obligations contractuelles sont supérieurs aux avantages économiques à recevoir attendus du contrat. Les coûts inévitables d'un contrat reflètent le coût net de sortie du contrat, c'est-à-dire le plus faible du coût d'exécution du contrat ou de toute indemnisation ou pénalité découlant du défaut d'exécution[20].

20. *Manuel de CPA Canada – Comptabilité – Partie I*, IAS 37, paragr. 68.

Un contrat déficitaire entraîne la comptabilisation d'un passif, plus précisément d'une provision, pour un montant correspondant au coût net de sortie du contrat. Ce coût correspond au plus faible du coût d'exécution du contrat ou de toute indemnisation ou pénalité découlant du défaut d'exécution. Au chapitre 12, nous expliquerons le calcul détaillé, lequel doit respecter les normes contenues dans l'**IAS 37**, intitulée « Provisions, passifs éventuels et actifs éventuels ». Dans le présent chapitre, nous utiliserons le montant calculé par l'entreprise pour illustrer uniquement le mode de comptabilisation.

EXEMPLE

Contrat déficitaire

La société Continentale ltée a signé un contrat qui est devenu un contrat déficitaire au 31 décembre 20X1. Elle estime le coût net de sortie du contrat à 2 000 $. Elle doit alors passer les deux écritures suivantes, sachant qu'elle achète les marchandises à un coût de 100 000 $ le 15 janvier suivant :

31 décembre 20X1		
Perte sur contrat déficitaire d'achat de marchandises	*2 000*	
Provision pour contrat déficitaire d'achat de marchandises		*2 000*
Baisse de la valeur nette de réalisation des marchandises que l'entreprise s'est engagée à acheter.		
15 janvier 20X2		
Provision pour contrat déficitaire d'achat de marchandises	*2 000*	
Stock de marchandises (ou Achats)	*98 000*	
Caisse		*100 000*
Achat de marchandises visées par un contrat déficitaire.		

Au moment de l'achat des marchandises, l'entreprise doit décomptabiliser le passif de 2 000 $, ce qui a pour effet de diminuer la valeur comptable du stock de marchandises. Continentale ltée comptabilise le stock à la valeur de 98 000 $, soit le montant correspondant au moindre du coût (100 000 $) et de la valeur nette de réalisation (98 000 $).

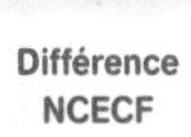
Différence NCECF

Les entreprises exemptées d'appliquer les normes d'évaluation des stocks

Certaines entreprises sont exemptées d'appliquer les normes comptables présentées précédemment relativement aux éléments portés au coût, aux méthodes de détermination du coût des stocks et à l'évaluation des stocks en fin d'exercice. Il s'agit essentiellement des entreprises agricoles, forestières, minières et de celles agissant à titre de négociants de marchandises.

La présente norme ne s'applique pas à l'évaluation des stocks détenus par :

a) les producteurs de produits agricoles et forestiers, de produits agricoles après récolte et de minéraux et de produits d'origine minérale, dans la mesure où ils sont évalués à la valeur nette de réalisation selon des pratiques bien établies dans ces secteurs d'activités. Lorsque ces stocks sont évalués à la valeur nette de réalisation, les variations de cette valeur sont comptabilisées en résultat net de la période au cours de laquelle la variation est intervenue ;

b) les courtiers négociants en marchandises, qui évaluent leurs stocks à la juste valeur diminuée des coûts de vente. Lorsque ces stocks sont évalués à la juste valeur diminuée des coûts de vente, les variations de juste valeur diminuée des coûts de vente sont comptabilisées en résultat net de la période au cours de laquelle est intervenue la variation[21].

21. *Manuel de CPA Canada – Comptabilité – Partie I*, IAS 2, paragr. 3.

Les producteurs de produits agricoles et forestiers, de produits agricoles après récolte, et de minéraux et de produits d'origine minérale mesurent souvent leur stock à la juste valeur nette. Ainsi, lorsqu'une entreprise minière extrait de l'or de l'une de ses mines, il est pour elle approprié de mesurer la valeur comptable de l'or à sa juste valeur, puisqu'il existe un marché actif de l'or qui donne à l'entreprise une quasi-certitude de vendre celui qu'elle a extrait. En somme, lorsqu'il est possible de mesurer la juste valeur des biens agricoles, forestiers ou miniers, et si l'entreprise est pratiquement assurée de pouvoir vendre ces biens, les stocks sont évalués à la juste valeur plutôt qu'au moindre du coût et de la valeur nette de réalisation. Une section suivante de ce chapitre présentera les normes internationales d'information financière applicables aux stocks détenus par les entreprises qui mènent des activités agricoles.

Les **courtiers arbitragistes** sont ceux qui achètent ou vendent des marchandises pour le compte de tiers ou pour leur propre compte. Leurs stocks sont essentiellement acquis en vue de leur vente dans un avenir proche, et pour dégager un bénéfice des fluctuations de prix ou de la marge du courtier arbitragiste. La juste valeur constitue donc une meilleure estimation des flux de trésorerie futurs, information importante pour les utilisateurs des états financiers. C'est pourquoi l'IASB accepte que de tels stocks soient évalués à la juste valeur, diminuée des coûts de vente.

Bien que ces entreprises soient autorisées à évaluer leur stock selon des règles différentes, elles doivent toutefois respecter les normes comptables afférentes à la présentation des stocks, que nous présenterons plus loin.

Les autres méthodes de détermination du coût des stocks

Dans les sections précédentes, nous avons fait une étude détaillée de la comptabilisation des stocks dans les situations courantes et de l'utilité du dénombrement selon que les entreprises utilisent un système d'inventaire périodique ou permanent. Nous avons aussi expliqué que l'inventaire matériel comprend deux étapes : le dénombrement des articles en main et leur évaluation au coût, en utilisant les méthodes du coût propre, du coût moyen pondéré ou du premier entré, premier sorti.

En principe, ces deux étapes devraient être franchies chaque fois qu'une entreprise désire présenter des états financiers. En pratique, cependant, il n'en est rien, car les sociétés sont parfois dans l'impossibilité de mener à bien un inventaire matériel ou considèrent que celui-ci est superflu. Ainsi, plusieurs entreprises publient des états financiers pendant le cycle d'exploitation. En plus des états financiers annuels, elles rendent publics des **états financiers intermédiaires** couvrant des périodes allant de un à six mois. Une entreprise qui désire publier des états financiers mensuels devrait procéder au dénombrement des articles en stock chaque mois. Compte tenu du fait que cette tâche exige beaucoup d'attention et entraîne des coûts importants, on utilise des méthodes d'estimation du coût des stocks pour la préparation d'états financiers intermédiaires. La préparation de **budgets** ou d'**informations financières prospectives** exige aussi de recourir à de telles méthodes.

Il se peut aussi que des **circonstances imprévues** empêchent les entreprises de procéder à un dénombrement des articles en stock. C'est le cas, par exemple, lorsque tous les articles en main ont été volés ou détruits dans un incendie, lors d'un tremblement de terre ou de toute autre catastrophe naturelle. L'entreprise doit alors recourir à des méthodes d'estimation du coût des articles en stock pour évaluer le montant de sa perte.

Les méthodes d'estimation du coût des stocks sont aussi utilisées par les **auditeurs** qui veulent s'assurer de la fiabilité du coût du stock de clôture et du coût des ventes. Après avoir suivi toutes les procédures d'audit jugées nécessaires, les auditeurs utilisent ces méthodes d'estimation pour obtenir une preuve supplémentaire de la fidélité des chiffres présentés dans les états financiers. Finalement, ces méthodes d'estimation peuvent faciliter l'évaluation des **transferts** de marchandises entre les succursales d'une même entreprise.

Les deux méthodes d'estimation les plus répandues sont la **méthode de l'inventaire au prix de détail** et la **méthode de la marge brute.** Toutes deux permettent d'établir une estimation du coût des ventes et du coût du stock de clôture. Par analogie, nous pourrions dire qu'elles aident à voir les choses de haut ; comme le voyageur pressé d'arriver à destination choisit le transport aérien, l'entreprise privilégie souvent ces méthodes pour alléger le travail de fin de période. Si elle désire établir une image plus détaillée, elle doit suivre la démarche décrite dans les sections précédentes, démarche qui consiste à dénombrer les articles en main et à en retrouver le coût réel. Dans les pages qui suivent, nous expliquerons chacune des méthodes d'estimation.

La méthode de l'inventaire au prix de détail

La **méthode de l'inventaire au prix de détail** est très répandue dans les entreprises commerciales. Imaginons le cas d'une quincaillerie qui vend au détail des pièces de plomberie, des systèmes de chauffage, des outils de jardinage et des matériaux de construction. Le dénombrement exhaustif, à une date donnée, d'une telle multitude d'articles requiert beaucoup de travail de la part des employés. Qui plus est, les employés de bureau doivent ensuite s'assurer que c'est le coût d'acquisition de chaque pièce qui a bien été attribué à celle-ci. Cette tâche demande à elle seule plus de temps que le dénombrement initial.

Dans une entreprise commerciale, étant donné que chaque article est étiqueté à son prix de vente, il est possible d'alléger le travail qu'exige le dénombrement matériel. **Lors du dénombrement,** les employés notent le prix de détail de chaque article en plus de la quantité en main. Les employés de bureau, ou une fonction d'un tableur, n'ont plus alors qu'à faire les extensions et les additions pour trouver le prix de détail de l'ensemble des articles. Lorsque l'entreprise dispose d'un système informatique et d'un lecteur optique, l'employé responsable du dénombrement passe d'abord le lecteur optique sur le code à barres, puis enregistre le nombre d'unités en main. Une fonction du système informatique permet par la suite de retrouver le prix de détail. Lorsque le dénombrement des articles est terminé, une autre fonction du système permet de calculer le prix de détail de l'ensemble des articles. En appliquant ensuite la méthode de l'inventaire au prix de détail, que nous expliquerons ci-après, on peut rapidement estimer le coût des stocks en main. Cette méthode étant acceptée par le fisc, plusieurs entreprises y ont recours.

En outre, lorsqu'il est **impossible de procéder au dénombrement des stocks** parce que les articles ont été détruits ou volés, la méthode de l'inventaire au prix de détail sert à estimer le coût des articles volés ou détruits. Les assureurs acceptent d'ailleurs cette façon de calculer le montant des pertes.

Le fonctionnement de base

Selon la méthode de l'inventaire au prix de détail, le coût des stocks est estimé à partir des prix de détail plutôt que déterminé à partir des factures d'achat. Pour ce faire, il faut d'abord calculer un **ratio** qui montre la relation entre les coûts et les prix de détail. On calcule ce ratio à l'aide des montants réels relatifs aux marchandises destinées à la vente au cours de l'exercice. Ainsi, le ratio calculé tient compte de la **méthode de détermination du coût des stocks** utilisée normalement par l'entreprise (coût moyen pondéré ou premier entré, premier sorti). Nous expliquerons le calcul détaillé de ce ratio un peu plus loin. Lorsque l'entreprise a procédé à un dénombrement matériel pour déterminer le **prix de détail du stock de clôture**, elle n'a qu'à multiplier ce montant par le ratio du coût au prix de détail pour estimer le **coût du stock de clôture.** S'il n'y a pas eu de dénombrement matériel, le comptable peut quand même estimer le prix de détail du stock de clôture en utilisant l'équation suivante :

Prix de détail des marchandises destinées à la vente	–	Prix de détail des marchandises vendues, soit le chiffre d'affaires	=	Prix de détail du stock de clôture

Une fois établi le prix de détail du stock de clôture, il faut y appliquer le ratio du coût au prix de détail pour estimer le coût du stock de clôture.

Quelques termes utilisés dans le commerce de détail

Avant d'examiner le fonctionnement détaillé de la méthode de l'inventaire au prix de détail, il convient de définir certains termes couramment employés dans le commerce de détail.

Prix de détail — Le prix de détail s'entend du prix de vente que fixe l'entreprise. Ce prix est généralement fonction de la marge brute que vise l'entreprise et de sa politique de fixation des prix. Le montant établi à la suite de ces considérations sera désigné par l'expression **prix de détail initial**.

Le prix de détail initial ne reste pas toujours en vigueur durant tout l'exercice financier. Les entreprises diminuent parfois leurs prix de détail en fonction de l'offre des commerçants et de la demande des consommateurs. Ainsi, les magasins de vêtements **soldent** leurs marchandises à la fin de chaque saison pour réduire leur inventaire et éviter la perte de valeur découlant du phénomène de la mode. De la même façon, mais dans une moindre mesure, les quincailleries soldent les articles de jardin à la fin de l'été et les articles de déneigement à la fin de l'hiver afin de réduire leurs coûts d'entreposage.

Il peut aussi arriver que les détaillants **augmentent** leurs prix de détail. Ainsi, un commerçant d'articles de sport pourrait augmenter le prix de détail des vélos devant l'engouement des consommateurs pour cet article. Si la demande de vélos est relativement inélastique, c'est-à-dire qu'elle ne réagit pas ou peu aux changements de prix, le commerçant obtient ainsi un prix plus élevé sans pour autant diminuer les quantités vendues. Ces ajustements du prix de détail initial sont illustrés dans la figure 7.12 et définis par la suite.

FIGURE 7.12 Les ajustements du prix de détail initial

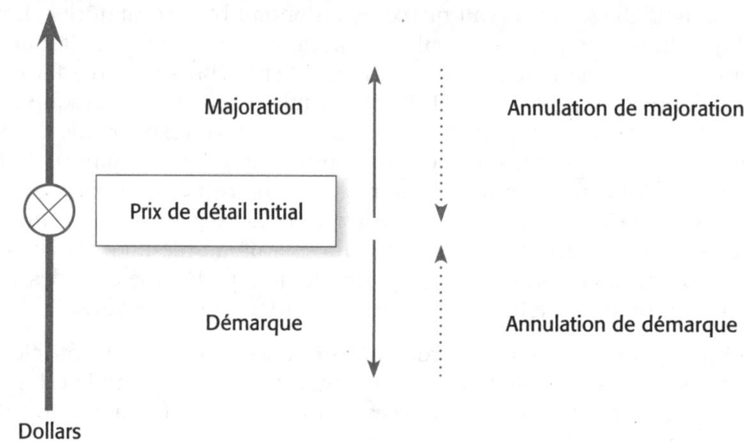

Majoration Augmentation du prix de détail initial.

Annulation de majoration Diminution du prix de détail majoré, jusqu'à concurrence du prix de détail initial.

Démarque Diminution du prix de détail initial.

Annulation de démarque Augmentation du prix de détail démarqué, jusqu'à concurrence du prix de détail initial.

EXEMPLE

Ajustements du prix de détail

La société Changeante ltée fait le commerce au détail d'une multitude d'articles, dont des chasse-neige. Voici les décisions qu'elle a prises concernant le prix de détail de ces articles.

30 septembre 20X1	Changeante ltée achète 300 chasse-neige à 750 $ chacun. Le prix de détail initial est fixé à 1 000 $ l'unité.
15 novembre 20X1	La demande de chasse-neige est très forte, car la première tempête de neige a eu lieu au cours de la semaine. Changeante ltée décide d'augmenter son prix de détail au niveau fixé par les concurrents, soit à 1 200 $ (majoration).
2 décembre 20X1	Devant cette hausse du prix de détail, le volume des ventes a sensiblement diminué. Changeante ltée décide alors de ramener le prix de détail à 1 075 $ (annulation de majoration).
5 mars 20X2	Afin d'écouler tous les chasse-neige avant la fin de la saison, Changeante ltée diminue de nouveau le prix de détail pour l'établir à 700 $ (annulation de majoration et démarque).

15 novembre 20X2	Malgré la baisse du prix de détail de mars dernier, Changeante ltée a entreposé pendant l'été quelques chasse-neige. L'hiver étant une fois de plus aux portes, l'entreprise décide de ramener le prix de détail à 1 050 $ (annulation de démarque et majoration).

Les majorations, la démarque, l'annulation de majoration et l'annulation de démarque s'établissent ainsi sur tout l'exercice couvert :

30 septembre 20X1		
Prix de détail initial	*1 000 $*	
15 novembre 20X1		
Prix de détail en vigueur jusqu'à ce jour	*1 000*	
Prix de détail réajusté	*1 200*	
Majoration (augmentation du prix de détail initial)		*200 $*
2 décembre 20X1		
Prix de détail en vigueur jusqu'à ce jour	*1 200*	
Prix de détail réajusté	*1 075*	
Annulation de majoration[22]		*(125)*
5 mars 20X2		
Prix de détail en vigueur jusqu'à ce jour	*1 075*	
Prix de détail initial	*1 000*	
Annulation de majoration		*(75)*
Prix de détail initial	*1 000*	
Prix de détail réajusté	*700*	
Démarque (diminution du prix de détail en deçà du prix de détail initial)		*(300)*
15 novembre 20X2		
Prix de détail en vigueur jusqu'à ce jour	*700*	
Prix de détail initial	*1 000*	
Annulation de démarque (jusqu'à concurrence du prix de détail initial)		*300*
Prix de détail initial	*1 000*	
Prix de détail réajusté	*1 050*	
Majoration (augmentation du prix de détail initial)		*50*
Majoration nette		*50 $*

Au total, il y a eu une démarque de 300 $, qui a subséquemment été annulée, des majorations de 250 $ ainsi que des annulations de majoration de 200 $. Ces ajustements laissent une **majoration nette** de 50 $ pour la période. En effet, le prix de détail au 15 novembre 20X2 est de 1 050 $, alors que le prix de détail initial était de 1 000 $.

Le fonctionnement détaillé

La méthode de l'inventaire au prix de détail exploite l'équation illustrée dans la figure 7.6. La figure 7.13 reprend l'essentiel de la figure 7.6, mais comporte les précisions additionnelles requises pour comprendre la méthode de l'inventaire au prix de détail.

Les rectangles aux traits continus de cette figure se rattachent directement à la méthode de l'inventaire au prix de détail. Pour trouver le coût des marchandises en main à la fin (rectangle ⑩), il faut essentiellement procéder en deux étapes (rectangles ombragés), soit calculer le ratio du coût au prix de détail des marchandises destinées à la vente (rectangle ⑦), puis appliquer ce ratio au prix de détail du stock de clôture (rectangle ⑨).

Le calcul du ratio du coût au prix de détail

Comme le montre la figure 7.13, le ratio du coût au prix de détail des marchandises destinées à la vente (rectangle ⑦) repose sur le rapport entre le coût de celles-ci (rectangle ⑤) et leur prix de

22. Le lecteur remarquera que cette baisse du prix n'est pas une démarque, car le prix de détail réajusté est encore supérieur au prix de détail initial.

7

FIGURE 7.13 Le fonctionnement de la méthode de l'inventaire au prix de détail

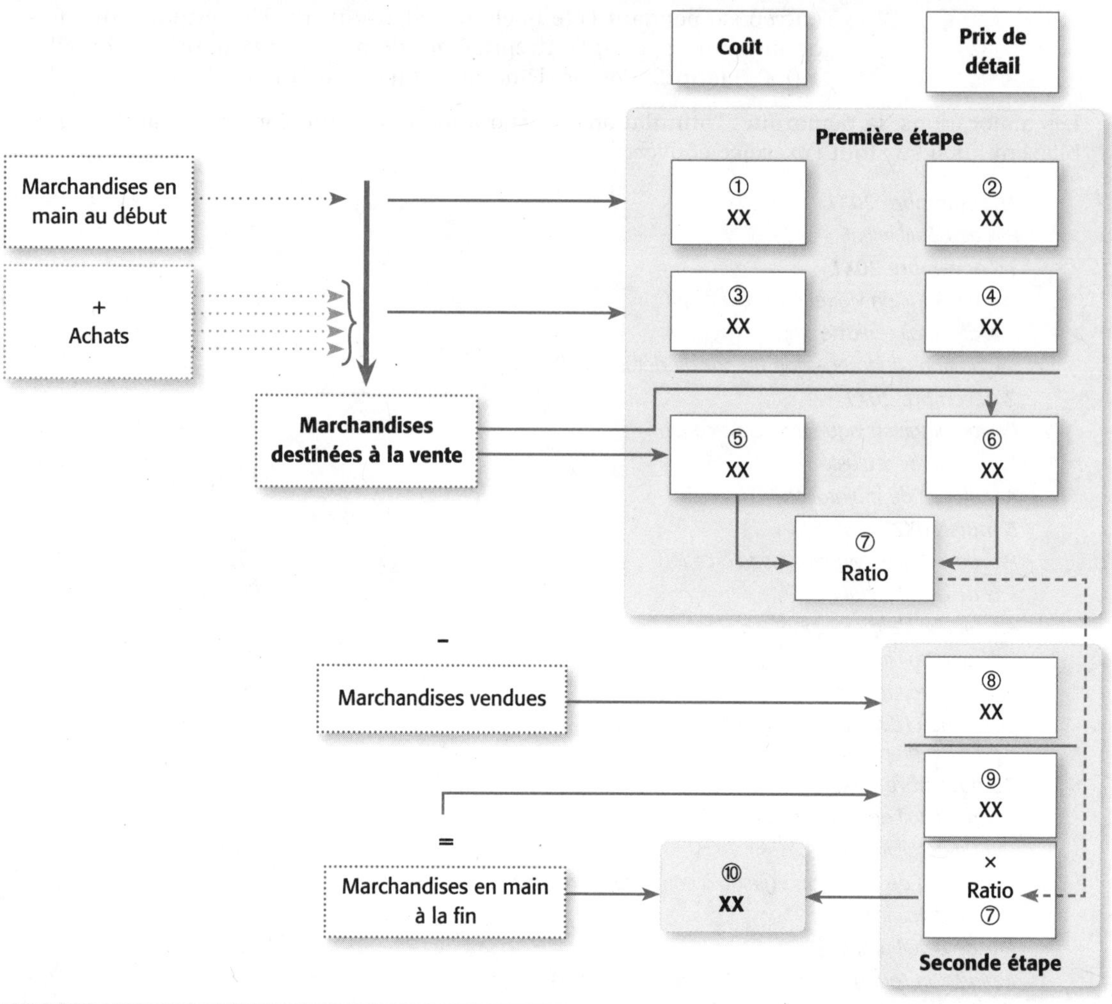

détail (rectangle ⑥). Rappelons que les marchandises destinées à la vente comprennent le stock au début (rectangles ① et ②) et les achats de l'exercice (rectangles ③ et ④).

Le coût des marchandises achetées (rectangle ③) correspond au montant qui, dans les états financiers, **entre dans le calcul de la marge brute.** Par exemple, il comprend les frais de transport qu'assume l'entreprise ainsi que les ristournes, remises pour défaut, rendus sur achats et escomptes sur achats qu'elle a obtenus. Ces réductions du coût n'affectent en rien le prix de détail, car les entreprises les ont déjà prises en compte au moment de le fixer. Cependant, le prix de détail des marchandises destinées à la vente (rectangle ⑥) doit tenir compte des modifications apportées au prix de détail annoncées aux éventuels acheteurs, soit les majorations nettes et les démarques nettes. L'entreprise décide de ces modifications après avoir fixé le prix de détail initial.

EXEMPLE

Ratio du coût au prix de détail

La société Galmar ltée vous remet des renseignements sommaires pour l'exercice financier terminé le 28 février 20X1 :

	Coût	*Prix de détail*
Stock d'ouverture	*30 000 $*	*40 000 $*
Achats	*145 000*	*180 000*
Transport sur achats	*5 000*	
Chiffre d'affaires		*170 000*

Remises pour défaut		*5 000*
Démarques nettes		*10 000*
Majorations nettes		*5 000*

Ces renseignements suffisent pour calculer le ratio du coût au prix de détail.

	Coût	***Prix de détail***
Stock d'ouverture	*30 000 $*	*40 000 $*
Achats	*145 000*	*180 000*
Transport sur achats	*5 000*	
Démarques nettes		*(10 000)*
Majorations nettes		*5 000*
Marchandises destinées à la vente	*180 000 $*	*215 000 $*
Ratio (180 000 $ ÷ 215 000 $)		*0,84*

Pour comprendre la logique sous-jacente à l'inclusion ou à l'exclusion des éléments à prendre en compte dans le calcul du ratio du coût au prix de détail, rappelons que nous cherchons le ratio caractéristique de l'entreprise au cours du dernier exercice concernant les marchandises **destinées** à la vente, qui ne sont donc pas encore vendues. De ce fait, le calcul du ratio ne peut tenir compte des ajustements, tels que les ristournes, remises pour défaut, rendus sur ventes et escomptes **sur ventes** consentis au moment de la vente ou peu de temps après.

Le calcul du prix de détail du stock de clôture

Pour estimer le prix de détail du stock de clôture (rectangle ⑨), l'entreprise déduit du prix de détail des marchandises destinées à la vente (rectangle ⑥), le prix de détail des marchandises vendues (rectangle ⑧).

Le prix de détail des marchandises vendues correspond au montant net du chiffre d'affaires qui, dans les états financiers, **entre dans le calcul de la marge brute.** Ainsi, les rabais, ristournes, remises pour défaut, rendus sur ventes, et escomptes sur ventes qu'accorde l'entreprise à ses clients au moment de la vente ou peu de temps après réduisent le montant du chiffre d'affaires. Le comptable doit donc tenir compte de ces éléments dans le calcul du prix de détail du stock de clôture. Cependant, si l'entreprise offre un service de livraison à ses clients, le comptable exclut ces frais de la colonne «Prix de détail», car de tels frais n'entrent pas dans le calcul de la marge brute à l'état du résultat global. Ils s'apparentent plutôt à des charges commerciales.

EXEMPLE

Estimation du coût du stock de clôture

Poursuivons l'exemple de Galmar ltée. On calcule d'abord le prix de détail du stock de clôture :

Marchandises destinées à la vente (calculées plus haut)		*215 000 $*
Prix de détail des marchandises vendues		
Chiffre d'affaires	*170 000 $*	
Remises pour défaut	*(5 000)*	*(165 000)*
Stock de clôture au prix de détail		*50 000 $*

Galmar ltée n'a plus qu'à appliquer au prix de détail du stock de clôture le ratio du coût au prix de détail. Le coût du stock en main au 28 février 20X1 (rectangle ⑩) s'élève donc à 42 000 $, soit 50 000 $ × 0,84.

Notons que Galmar ltée n'a pas procédé à un dénombrement au moment où elle a préparé ses états financiers intermédiaires, car il lui manquait certaines informations. Idéalement, l'entreprise devrait toutefois procéder à un dénombrement matériel du stock de clôture selon le prix de détail. La figure 7.14 schématise le fonctionnement de la méthode de l'inventaire au prix de détail dans ces situations.

Selon cette figure, si l'entreprise effectue un dénombrement, elle estimera à B le coût du stock à la fin. Elle pourra vérifier la fidélité de ce montant en suivant la démarche expliquée

7

FIGURE 7.14 L'effet d'un inventaire matériel sur le fonctionnement de la méthode de l'inventaire au prix de détail

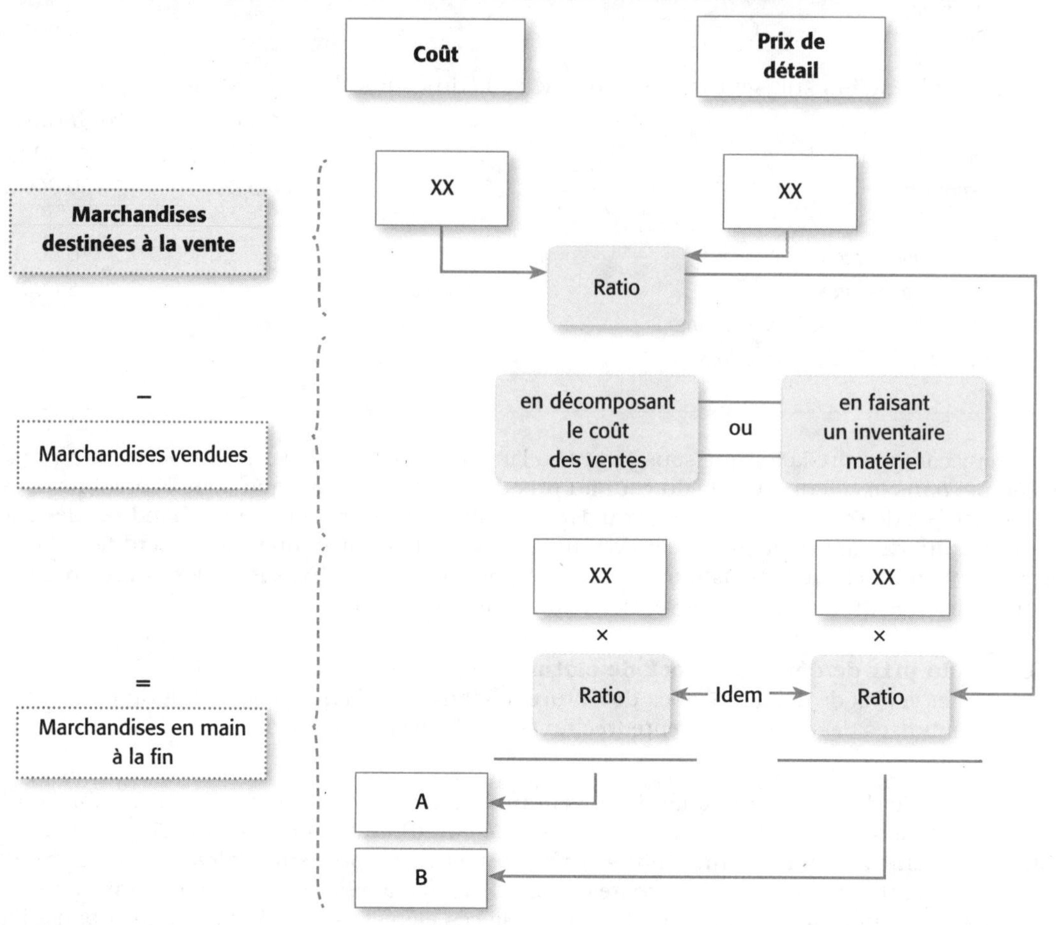

précédemment, laquelle l'amène à un montant A. L'entreprise analysera tout écart important entre les deux montants pour en déterminer les causes, telles que des erreurs de dénombrement, des erreurs de calcul, des vols ou du gaspillage de marchandises.

Le tableau 7.4 contient une synthèse des éléments à prendre en compte avec la méthode de l'inventaire au prix de détail.

La prise en considération de la méthode de détermination du coût du stock

L'entreprise peut modifier l'application de la méthode de l'inventaire au prix de détail pour tenir compte de la méthode de détermination du coût du stock qu'elle utilise. Pour ce faire, elle doit simplement modifier quelque peu le calcul du ratio du coût au prix de détail. Or, en incluant tous les éléments dans le calcul du ratio comme nous l'avons fait précédemment, on obtient une estimation du **coût moyen pondéré** du stock de clôture. Si l'entreprise utilise plutôt la méthode du premier entré, premier sorti, on calcule le ratio uniquement à partir des achats nets effectués au cours de l'exercice.

EXEMPLE

Estimation du coût du stock de clôture selon la méthode PEPS

Reprenons l'exemple précédent de Galmar ltée, sachant qu'elle utilise la méthode du premier entré, premier sorti. Le coût du stock de clôture se compose des coûts les plus récents. On utilise alors un ratio du coût au prix de détail (0,86) calculé uniquement à partir des achats nets effectués au cours de l'exercice (150 000 $ ÷ 175 000 $[23]). Le coût du stock de clôture de Galmar ltée s'établit à 43 000 $, soit le prix de détail de 50 000 $ du stock de clôture multiplié par 0,86.

23. Le prix de détail des achats correspond au montant brut (180 000 $), diminué des démarques nettes (10 000 $) et majoré des majorations nettes (5 000 $).

TABLEAU 7.4 Une synthèse des éléments à prendre en compte avec la méthode de l'inventaire au prix de détail

	Ratio du coût au prix de détail concernant les marchandises destinées à la vente		Prix de détail du stock de clôture
	Coût	**Prix de détail**	
Stock au début	✓	✓	
Achats			
Montant brut	✓	✓	
Transport sur achats	✓		
Rendus sur achats	✓	✓	
Remises pour défaut	✓	✓	
Escomptes sur achats	✓		
Majorations nettes		✓	
Démarques nettes		✓	
Marchandises destinées à la vente	XX	YY →	yy
Moins : Chiffre d'affaires			
Montant brut			✓
Ristournes sur ventes (accordées aux employés ou aux autres clients)			✓
Rendus sur ventes			✓
Remises pour défaut			✓
Escomptes sur ventes			✓
Prix de détail du stock de clôture			zz

La figure 7.15 présente les éléments qui doivent être pris en compte dans le calcul du ratio du coût au prix de détail lorsque l'on conjugue la méthode de l'inventaire au prix de détail et les méthodes de détermination du coût des stocks.

FIGURE 7.15 Les éléments pris en compte dans le calcul du ratio du coût au prix de détail

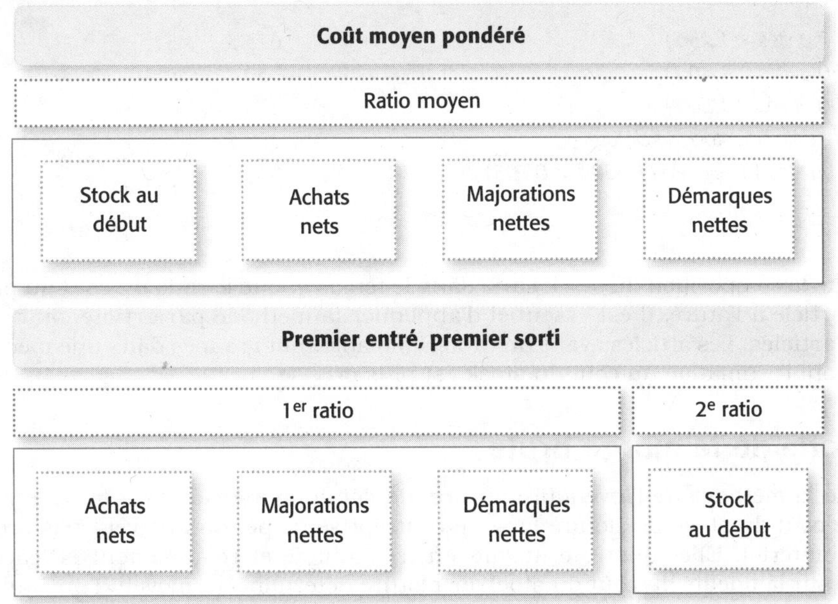

Une évaluation de la méthode de l'inventaire au prix de détail

Lorsque l'on détermine le coût du stock de clôture au moyen de la méthode de l'inventaire au prix de détail, ce coût n'est évidemment pas **aussi exact** que lorsque l'on retrouve le coût réel des marchandises en main à la fin de l'exercice. Toutefois, cette estimation est suffisamment fiable pour que le fisc et les assureurs l'acceptent. La fidélité du coût des stocks est assurée par le fait que le ratio du coût au prix de détail se calcule à partir des montants réels de l'exercice.

Le degré de fidélité dépend de la **stabilité** du ratio du coût au prix de détail. Lorsque tous les articles ont un ratio semblable, il est très acceptable de ne calculer qu'un seul ratio pour l'ensemble des stocks. Cependant, si le ratio du coût au prix de détail varie passablement selon les articles, il peut être trompeur de ne calculer qu'un seul ratio. Le coût des stocks sera faussé si les marchandises ayant servi à calculer le ratio ne composent pas une quantité proportionnelle du stock de clôture.

7

EXEMPLE

Stocks ayant divers ratios du coût au prix de détail

La société Trio ltée vend trois articles et en est à sa première année d'activité. Son ratio du coût au prix de détail de 0,708 a été calculé à partir des données suivantes :

Article	*Quantité achetée*	*Coût unitaire*	*Coût total*	*Prix de vente unitaire*	*Prix de vente total*
A	*500*	*1,00 $*	*500 $*	*1,25 $*	*625 $*
B	*500*	*1,00*	*500*	*1,40*	*700*
C	*1 000*	*1,00*	*1 000*	*1,50*	*1 500*

En supposant que le stock de clôture comprenne 1 000 unités et que les 3 articles s'y trouvent dans les mêmes proportions, soit 1/4, 1/4 et 1/2, il faut effectuer les calculs suivants, dont les résultats sont arrondis au dollar près, pour estimer le coût du stock de clôture :

A (250 unités × 1,25 $)	*313 $*
B (250 unités × 1,40 $)	*350*
C (500 unités × 1,50 $)	*750*
Prix de détail du stock de clôture	*1 413 $*
Coût du stock de clôture (1 413 $ × 0,708)	*1 000 $*

Ce montant correspond exactement au coût d'acquisition, soit 1 000 unités à 1,00 $.

Par contre, si les 3 articles ne se trouvent pas dans le stock de clôture dans les mêmes proportions, par exemple 1/2, 1/4 et 1/4, l'estimation sera faussée, comme l'indiquent les calculs suivants :

A (500 unités × 1,25 $)	*625 $*
B (250 unités × 1,40 $)	*350*
C (250 unités × 1,50 $)	*375*
Prix de détail du stock de clôture	*1 350 $*
Coût du stock de clôture (1 350 $ × 0,708)	*956 $*

Lorsque la composition du stock varie dans le temps et que le ratio du coût au prix de détail varie d'un article à l'autre, il est essentiel d'appliquer la méthode **par article,** ou du moins **par catégorie d'articles.** Les articles ayant un ratio semblable sont groupés dans une même catégorie. De cette façon, l'estimation du coût du stock est plus précise.

La méthode de la marge brute

Tout comme la méthode de l'inventaire au prix de détail, la **méthode de la marge brute** sert à estimer le coût du stock de clôture lorsque l'entreprise ne peut ou ne veut pas procéder à un inventaire matériel. Elle constitue un moyen très simple et relativement efficace d'exercer un contrôle sur la fidélité du coût du stock de clôture déterminé au moyen d'une autre méthode d'évaluation.

Le fonctionnement

Alors que la méthode de l'inventaire au prix de détail se base sur le prix de détail du stock à la fin de l'exercice, la méthode de la marge brute s'appuie sur l'état du résultat global. En examinant la marge brute des exercices précédents, on calcule le pourcentage de marge brute. On applique ensuite ce pourcentage au chiffre d'affaires de l'exercice en cours pour déterminer le coût des ventes. Une fois ce montant établi, il n'y a plus qu'à le soustraire du coût des marchandises destinées à la vente pour déterminer le coût du stock à la fin de l'exercice.

En somme, cette méthode se décompose en trois étapes.

Étape 1 : Le calcul du pourcentage de marge brute
Lorsque cette information n'est pas connue, on doit examiner les états du résultat global des trois à cinq exercices antérieurs et établir le pourcentage de marge brute en divisant les marges brutes de ces exercices par le chiffre d'affaires réalisé au cours de ces exercices.

Étape 2 : L'estimation du coût des ventes de l'exercice
Pour calculer le coût des ventes de l'exercice, on estime d'abord la marge brute en appliquant le pourcentage de marge au chiffre d'affaires. Le montant obtenu est ensuite soustrait du chiffre d'affaires pour trouver le coût des ventes.

Étape 3 : L'estimation du coût du stock à la fin de l'exercice
Le calcul du coût du stock à la fin de l'exercice a été expliqué dans une section précédente du présent chapitre. Rappelons que l'on détermine le coût du stock de clôture en soustrayant le coût des ventes du coût des marchandises destinées à la vente.

EXEMPLE

Coût du stock estimé avec la méthode de la marge brute

Le pourcentage de marge brute de la société Stable inc. a été de 40 % au cours des exercices antérieurs à celui de 20X1. Voici les opérations de cette société pour l'exercice terminé le 31 décembre 20X1 :

Chiffre d'affaires	*200 000 $*
Stock d'ouverture	*50 000*
Achats, montant net	*110 000*

Étape 1 : Le calcul du pourcentage de marge brute
Puisque le pourcentage de marge brute est fourni par Stable inc., aucun calcul supplémentaire n'est nécessaire.

Étape 2 : L'estimation du coût des ventes de l'exercice

Chiffre d'affaires	*200 000 $*
Marge brute (200 000 $ × 40 %)	*(80 000)*
Coût des ventes (60 %)	*120 000 $*

Étape 3 : L'estimation du coût du stock à la fin de l'exercice

Stock d'ouverture	*50 000 $*
Achats, montant net	*110 000*
Marchandises destinées à la vente	*160 000*
Coût des ventes	*(120 000)*
Stock de clôture	*40 000 $*

Quelques précisions concernant le calcul du pourcentage de marge brute

On calcule généralement le pourcentage de marge brute en rapprochant la marge brute du **prix de vente.** Pour ce faire, on divise la marge brute par le chiffre d'affaires. Lorsque le pourcentage est calculé de cette façon, il peut être directement appliqué au chiffre d'affaires de l'exercice pour estimer le coût des ventes. Cependant, certaines entreprises calculent le pourcentage de marge brute en fonction du **coût** des stocks plutôt que de leur prix de vente. On doit alors convertir ce pourcentage pour qu'il soit exprimé en fonction du prix de vente.

7

EXEMPLE

Pourcentage de marge brute

La société Machintruc inc. a établi son pourcentage de marge brute à 40 % au regard des chiffres moyens suivants pour les exercices antérieurs :

Chiffre d'affaires	*180 000 $*
Coût des ventes	*(108 000)*
Marge brute	*72 000 $*

Si l'entreprise calcule son pourcentage de marge brute en fonction de son chiffre d'affaires, le résultat qu'elle obtiendra sera de 40 %, soit 72 000 $ ÷ 180 000 $. Cependant, si elle le calcule en fonction du coût, son pourcentage s'établira à 66,67 %, soit 72 000 $ ÷ 108 000 $. Il est donc important de déterminer la **façon** dont le pourcentage de marge brute a été calculé. Pour convertir le pourcentage de marge établi en fonction du coût, le comptable de la société Machintruc inc. doit effectuer le calcul suivant :

Marge brute sur les coûts	*66,67 %*
Coût des ventes	*100,00*
Ventes	*166,67 %*

Le pourcentage du coût des ventes en fonction du chiffre d'affaires se calcule ensuite en divisant 100 % par ce pourcentage total de 166,67 %, ce qui donne un ratio de 60 %. Pour déterminer le coût des ventes de l'exercice (étape 2), l'entreprise multiplie le chiffre d'affaires de 180 000 $ par le ratio coût des ventes/chiffre d'affaires de 60 % et obtient un coût des ventes de 108 000 $.

Ces deux étapes, soit le calcul du pourcentage de la marge brute et l'estimation du coût des ventes, peuvent également s'évaluer en une seule opération dans ce cas-ci. Pour déterminer le coût des ventes (étape 2), l'entreprise divise son chiffre d'affaires de 180 000 $ par le ratio précédemment obtenu de 166,67 % et obtient ainsi directement le coût des ventes de 108 000 $.

Une évaluation de la méthode de la marge brute

L'application de la méthode de la marge brute permet d'obtenir des estimations fiables lorsque les marges brutes de tous les articles **se ressemblent.** Si tel n'est pas le cas, le calcul d'un seul pourcentage de marge brute qui est ensuite appliqué à l'ensemble des articles donne des estimations trompeuses. Comme nous l'avons mentionné à propos de la méthode de l'inventaire au prix de détail, il est alors essentiel de grouper les articles par catégories et d'appliquer la méthode de la marge brute à chaque catégorie.

Une comparaison de la méthode de l'inventaire au prix de détail et de la méthode de la marge brute

La méthode de la marge brute est **moins précise** que celle de l'inventaire au prix de détail. Pour reprendre l'analogie utilisée précédemment, on pourrait comparer, d'une part, les estimations obtenues avec la méthode de l'inventaire au prix de détail à la vue d'une ville que l'on aurait du haut d'un deltaplane et, d'autre part, les estimations obtenues avec la méthode de la marge brute à la vue de cette même ville que l'on aurait à bord d'un Boeing 727. Pourquoi la première méthode donne-t-elle des estimations plus précises ?

Cela s'explique d'abord du fait que, avec la méthode de l'inventaire au prix de détail, on utilise les **montants réels de l'exercice** pour calculer le ratio du coût au prix de détail, alors que, avec la méthode de la marge brute, on utilise les **montants des exercices antérieurs** pour établir le pourcentage de marge brute. Avec cette méthode, on ne tient donc compte ni des changements qui auraient pu survenir au cours de l'exercice dans les conditions du marché, ni des modifications possibles apportées à la politique de fixation des prix durant cet exercice. On néglige aussi de tenir compte des variations possibles du niveau des stocks.

Ensuite, avec la méthode de la marge brute, on ne tient pas compte des **quantités réelles** en main à la date de l'estimation. Par contre, avec la méthode de l'inventaire au prix de détail, on peut en tenir compte. Lorsqu'un dénombrement a eu lieu, la méthode de la marge brute ne sert donc qu'à comparer l'estimation obtenue avec le coût du stock déterminé selon la méthode du coût moyen pondéré ou la méthode du premier entré, premier sorti.

Finalement, avec la méthode de la marge brute, on ne tient compte qu'indirectement de la **méthode de détermination du coût du stock** utilisée par l'entreprise. En effet, cette dernière méthode n'entre en jeu qu'en raison de son influence sur le coût des ventes, lequel entre lui-même dans le calcul du pourcentage de marge brute. Avec la méthode de l'inventaire au prix de détail, on prend directement en considération la méthode de détermination du coût du stock, comme nous l'avons expliqué plus tôt dans le présent chapitre.

Pour toutes ces raisons, on doit préférer, dans la mesure du possible, la méthode de l'inventaire au prix de détail à la méthode de la marge brute lorsque l'information nécessaire est disponible.

Le tableau 7.5 contient un résumé des principales différences existant entre les deux méthodes d'estimation du stock.

TABLEAU 7.5 Une comparaison des deux méthodes d'estimation du stock

Inventaire au prix de détail	Marge brute
Il s'agit d'une méthode dont l'application peut s'avérer délicate.	Il s'agit d'une méthode simple.
Les commerces de vente au détail peuvent utiliser cette méthode.	Tout type d'entreprise peut utiliser cette méthode.
Le ratio du coût au prix de détail tient compte des opérations passées (stock au début) et des opérations récentes (achats nets de l'exercice).	Le calcul du pourcentage de marge brute repose uniquement sur les opérations des exercices antérieurs.
L'entreprise doit tenir des livres montrant le prix de détail des marchandises, ce qui entraîne des coûts supplémentaires.	Il n'y a aucun coût supplémentaire.
Cette méthode peut être intégrée au système de contrôle des stocks.	Cette méthode peut aussi être intégrée au système de contrôle des stocks, mais le montant obtenu est moins précis.

Avez-vous remarqué ?

Le fait de devoir préférer la méthode de l'inventaire au prix de détail ne veut pas dire que la méthode de la marge brute n'est pas utile. Par exemple, certaines entreprises de vente au détail l'utilisent pour dresser leurs états financiers mensuels ; elle permet alors d'évaluer la fidélité du coût estimatif du stock de clôture par rapport au coût réel.

La présentation dans les états financiers

Différence NCECF

Jusqu'à maintenant, le présent chapitre a traité des décisions concernant le système comptable relatif aux stocks et les méthodes de comptabilisation. Les entreprises qui ont une obligation d'information du public et qui publient des états financiers à usage général doivent normalement suivre les recommandations et suggestions de l'IASB contenues dans l'IAS 2. Dans le tableau 7.6, nous reproduisons les recommandations de cet organisme en y ajoutant quelques commentaires.

Lorsque la valeur comptable des stocks est teintée d'une incertitude importante, les entités doivent donner des renseignements concernant les hypothèses clés relatives à l'avenir et les autres sources principales d'incertitude relative aux estimations. La note doit aussi comprendre la nature de l'actif et sa valeur comptable à la date de clôture. C'est le cas, par exemple, si des stocks risquent de devenir désuets en raison de progrès technologiques. Cependant, l'incidence de l'utilisation d'une méthode de détermination du coût des stocks plutôt qu'une autre n'est pas considérée comme une incertitude relative aux estimations.

On trouvera ci-après des extraits d'états financiers de la société Cascades. On y trouve la présentation de l'actif dans l'état de la situation financière (bilan), des charges dans l'état du résultat global, et de l'effet de la variation des stocks sur les flux de trésorerie liés aux activités d'exploitation (tableau des flux et note 25). Les extraits indiquent aussi la méthode de détermination du coût des stocks (note 2), la valeur comptable par catégorie de stocks, et la dépréciation comptabilisée en 2015 et 2014 (note 7) ainsi que la valeur des stocks donnés en garantie de dettes (note 14).

TABLEAU 7.6 Les recommandations en matière de présentation dans les états financiers

Normes internationales d'information financière, IAS 2	Commentaires
Paragr. 36 *Les états financiers doivent indiquer:*	
(a) les méthodes comptables adoptées pour évaluer les stocks, y compris la méthode de détermination du coût utilisée;	Les états financiers doivent indiquer les méthodes comptables, par exemple, la valeur nette de réalisation pour les stocks pétroliers, ou le moindre du coût et de la valeur nette de réalisation pour une entreprise du secteur de la vente au détail. Ils doivent aussi indiquer si l'entreprise a utilisé la méthode du coût propre, celle du coût moyen pondéré ou celle du premier entré, premier sorti.
(b) la valeur comptable totale des stocks et la valeur comptable par catégories appropriées à l'entité;	La valeur comptable des stocks est une information utile aux utilisateurs des états financiers. Les entreprises distinguent souvent les catégories suivantes: les marchandises, les fournitures de production, les matières premières, les produits en cours et les produits finis. Soulignons qu'une entreprise de services désigne habituellement son stock de services en cours comme étant des travaux en cours.
(c) la valeur comptable des stocks comptabilisés à la juste valeur, diminuée des coûts de vente;	Lorsque les entreprises évaluent leurs stocks selon des méthodes différentes de celles généralement applicables, l'IASB exige qu'elles divulguent distinctement leur valeur comptable. Les utilisateurs des états financiers peuvent ainsi interpréter correctement la valeur des stocks.
(d) le montant des stocks comptabilisé en charges dans la période;	Le montant des stocks comptabilisé en charges de l'exercice, appelé Coût des ventes, comprend tous les coûts d'acquisition et de transformation, comme expliqué précédemment, des stocks vendus au cours de l'exercice. Parfois, ces coûts englobent aussi les frais généraux de production non attribués et des montants anormaux de coût de production des stocks. Le fait d'obliger les entreprises à divulguer le coût des ventes permet aux utilisateurs de connaître la marge brute globale réalisée par une entreprise sur ses ventes.
(e) le montant de toute dépréciation des stocks comptabilisée en charges de la période [...];	Les états financiers doivent indiquer le montant de la dépréciation comptabilisée au cours de l'exercice. Les utilisateurs des états financiers peuvent ainsi être informés de l'effet de la désuétude sur les stocks d'une entreprise.
(f) le montant de toute reprise de dépréciation comptabilisée en réduction du montant des stocks comptabilisé en charges de la période [...];	Les états financiers doivent indiquer le montant de toute reprise de valeur comptabilisée au cours de l'exercice.
(g) les circonstances ou événements ayant conduit à la reprise de la dépréciation des stocks [...]; et	Les états financiers doivent indiquer les faits qui ont conduit l'entreprise à comptabiliser une reprise de valeur, telle une augmentation des prix de vente découlant d'une pénurie des marchandises vendues sur les marchés. Les utilisateurs des états financiers doivent pouvoir juger eux-mêmes de l'incertitude entourant les montants comptabilisés à ce titre. En effet, la comptabilisation d'une reprise de valeur s'apparente à celle d'un profit avant que celui-ci ne soit confirmé par une opération entre l'entreprise et une tierce partie. Le montant comptabilisé comporte donc une bonne dose de subjectivité.
(h) la valeur comptable des stocks donnés en nantissement de passifs.	Les utilisateurs des états financiers doivent pouvoir déterminer les actifs qui ont été donnés en garantie sur des emprunts. Selon le Cadre, l'un des objectifs des états financiers est précisément de renseigner sur les droits que détiennent des tiers sur les ressources de l'entreprise.

BILANS CONSOLIDÉS

	(en millions de dollars canadiens)	Note	**31 décembre 2015**	31 décembre 2014
	Actifs			
	Actifs à court terme			
	[...]			
IAS 2, paragr. 36(b)	Stocks	7 et 14	494	462

7

RÉSULTATS CONSOLIDÉS

Pour les exercices terminés les 31 décembre (en millions de dollars canadiens, sauf les montants par action ordinaire et les nombres d'actions ordinaires)	Note	**2015**	2014
Ventes		**3 861**	3 561
Coût des produits vendus et charges			
Coût des produits vendus (incluant l'amortissement de 190 M $; 2014 – 174 M $)	21	**3 261**	3 063

IAS 2, paragr. 36(d)

TABLEAUX CONSOLIDÉS DES FLUX DE TRÉSORERIE

Pour les exercices terminés les 31 décembre (en millions de dollars canadiens)	Note	**2015**	2014
Activités d'exploitation [...]			
Perte nette [...]		**(66)**	(64)
[...]			
Variation hors caisse du fonds de roulement	25	**(38)**	(13)

NOTE 2

PRINCIPALES CONVENTIONS COMPTABLES

[...]

STOCKS

IAS 2, paragr. 36(a)

Les stocks de produits finis sont évalués au moindre du coût moyen de fabrication ou de la méthode du prix de détail et de la valeur de réalisation nette. Les stocks de matières premières et les approvisionnements sont évalués au moindre du coût et du coût de remplacement, et le coût de remplacement est la meilleure mesure disponible de la valeur nette de réalisation. Le coût des matières premières et des approvisionnements est déterminé respectivement selon les méthodes du coût moyen et de l'épuisement successif. La valeur de réalisation nette représente le prix de vente estimé dans le cours normal des affaires, déduction faite des frais de vente variables.

NOTE 7

STOCKS

IAS 2, paragr. 36(b)

(en millions de dollars canadiens)	**2015**	2014
Produits finis	**230**	218
Matières premières	**113**	99
Approvisionnements et pièces de rechange	**151**	145
	494	462

IAS 2, paragr. 36(c) et 36(e)

Au 31 décembre 2015, les produits finis, les matières premières et les stocks d'approvisionnement et pièces de rechange sont ajustés pour la valeur de réalisation nette (VRN) pour 7 M $, nul et nul respectivement (au 31 décembre 2014 – 7 M $, nul et 1 M $). Au 31 décembre 2015, la valeur comptable des stocks évalués à la VRN est de 15 M $ pour les stocks de produits finis, de nul pour les stocks de matières premières et de nul pour les stocks d'approvisionnement et pièces de rechange (31 décembre 2014 – 19 M $, nul et nul).

IAS 2, paragr. 36(f)

La Société a vendu tous les produits finis qui étaient dépréciés en 2014. En 2015 et en 2014, la Société n'a pas renversé d'ajustement de VRN précédemment enregistré sur des stocks. Les coûts de production comptabilisés en charges et inclus dans le coût des produits vendus s'élèvent à 1 532 M $ (1 405 M $ en 2014).

NOTE 14

DETTES À LONG TERME

[...]

IAS 2, paragr. 36(h)

d. Au 31 décembre 2015, les comptes débiteurs et les stocks totalisant environ 672 M $ (31 décembre 2014 – 627 M $) ainsi que les immobilisations corporelles totalisant environ 265 M $ (31 décembre 2014 – 249 M $) ont été donnés en garantie du crédit bancaire rotatif.

NOTE 25

RENSEIGNEMENTS SUPPLÉMENTAIRES

A. LA VARIATION DES ÉLÉMENTS HORS CAISSE DU FONDS DE ROULEMENT SE DÉTAILLE DE LA FAÇON SUIVANTE :

(en millions de dollars canadiens)	**2015**	2014
[...]		
Stocks	**(9)**	(7)
	(38)	(13)

IAS 7, paragr. 20(a)

Différence NCECF

Source : Rapport annuel 2015 de Cascades Inc.
Cascades Inc., *Le produit de nos actions : Rapport annuel 2015,* [En ligne], <www.cascades.com/fr/investisseurs/rapports-financiers/> (page consultée le 28 septembre 2016).

7

Les normes comptables applicables aux stocks liés à l'activité agricole

Différence NCECF

L'activité agricole, même si elle s'apparente à une activité de production, comporte plusieurs particularités. Afin que les états financiers reflètent fidèlement la situation financière et la performance des entreprises agricoles, l'IASB a adopté une norme comptable consignée dans l'**IAS 41** intitulée « Agriculture ».

Pour bien comprendre cette norme, il faut d'abord avoir une bonne connaissance terminologique des expressions propres à l'agriculture. Le tableau 7.7 présente les expressions les plus importantes, la définition qu'en donne l'IASB ainsi que quelques commentaires pour chacune.

TABLEAU 7.7 Les principaux termes et expressions utilisés dans l'IAS 41

Terme ou expression	Définition[24]	Commentaires
Activité agricole	Gestion par une entité des activités de transformation biologique et de récolte d'actifs biologiques en vue de la vente ou de la transformation en production agricole ou en d'autres actifs biologiques.	L'exploitation d'une ferme laitière, celle d'un cheptel de moutons, d'une plantation forestière ou d'une pisciculture sont des exemples d'activité agricole. À l'inverse, une entreprise qui fait de la pêche en mer n'exerce pas une activité agricole, car elle ne gère pas les poissons qui se trouvent dans la mer. Une activité agricole implique donc que l'entreprise a des possibilités de transformation biologique (*voir la définition donnée plus loin dans ce tableau*) et qu'elle gère cette transformation.
Actif biologique	Plante ou animal vivants.	Pour chacune des activités agricoles énumérées ci-dessus, les actifs biologiques sont respectivement les vaches laitières, les moutons, les arbres de la plantation forestière et les poissons (de la pisciculture). On notera que dans le cas de la pisciculture, les poissons sont des actifs biologiques consommables plutôt que des actifs biologiques producteurs. Dans les autres cas, les actifs biologiques s'apparentent aux immobilisations détenues par une entreprise commerciale ou industrielle[25].

24. *Manuel de CPA Canada – Comptabilité – Partie I*, IAS 41, paragr. 5.
25. Le chapitre 8 présentera les normes comptables applicables aux actifs biologiques.

TABLEAU 7.7 *(suite)*

Produit agricole	Bien récolté des actifs biologiques de l'entité.	Le produit agricole s'apparente au stock produit par une entreprise industrielle. Pour chacune des activités agricoles énumérées ci-dessus, les produits agricoles sont respectivement le lait, la laine des moutons et les arbres abattus. L'exploitation d'une pisciculture ne génère pas de produits agricoles. Les poissons, qui sont des actifs biologiques, ne peuvent être considérés comme des produits agricoles tant qu'ils sont vivants, même s'ils deviendront plus tard des biens destinés à la vente. On doit plutôt les traiter comme des actifs biologiques consommables.
Récolte	Détachement des biens d'un actif biologique ou arrêt des processus vitaux d'un actif biologique.	La récolte s'apparente à la fin du processus de production d'une entreprise industrielle.
Transformation biologique	Processus de croissance, d'appauvrissement, de production et de procréation qui engendrent des changements qualitatifs ou quantitatifs dans l'actif biologique.	La transformation biologique s'apparente au processus de production d'une entreprise industrielle. Par exemple, dans le cas d'un troupeau de vaches laitières, la transformation biologique comprend la croissance des animaux, leur variation de poids ainsi que la période de gestation conduisant à la naissance de veaux.

L'IAS 41 traite, en plus de la comptabilisation des produits agricoles, de celle des actifs biologiques et des subventions publiques. Ces sujets seront abordés au chapitre 8. Nous nous limiterons ici à présenter les normes comptables liées aux produits agricoles, car ceux-ci s'apparentent à des stocks de marchandises.

Prenons l'exemple d'une entreprise qui exploite un troupeau de vaches laitières dans le but de récolter le lait. Si cette entreprise devait comptabiliser le lait au coût historique, elle éprouverait de la difficulté. En effet, les coûts directs sont faibles et se limitent principalement aux salaires versés aux employés chargés de veiller à la traite. Cependant, les coûts indirects sont nombreux ; ils comprennent notamment ceux de la moulée et des soins vétérinaires, les salaires versés aux employés chargés de prodiguer des soins aux animaux et l'amortissement de l'étable. Il est pratiquement impossible de déterminer les coûts qui contribuent à la production du lait, qu'il serait justifié de comptabiliser au débit du compte stock, et ceux qui ne servent qu'à maintenir la santé des vaches laitières, qu'il serait justifié de comptabiliser au débit d'un compte de charges. L'entreprise devrait faire plusieurs répartitions très subjectives, ce qui diminuerait la fidélité de l'information comptable.

C'est pourquoi l'IASB recommande que, au moment où un produit agricole est récolté d'un actif biologique, l'entreprise le comptabilise à sa juste valeur diminuée des coûts de la vente. Ces derniers comprennent les droits et taxes de transfert, les commissions aux intermédiaires et aux négociants ainsi que les montants prélevés par les agences réglementaires, les foires et les marchés. Les coûts de la vente excluent les frais financiers et les impôts. Rappelons que la juste valeur, telle qu'expliquée au chapitre 3, est le prix qui serait reçu à la vente d'un actif ou payé pour le transfert d'un passif lors d'une transaction normale entre des intervenants du marché à la date d'évaluation. La comptabilisation de la juste valeur à l'actif s'accompagne de celle d'un profit[26]. Puisque le stock de produit agricole est comptabilisé à sa juste valeur nette dès sa récolte, il n'est pas nécessaire de déterminer les éléments de coûts incorporables à l'actif. Les dépenses qui couvrent, par exemple, les soins vétérinaires, la moulée ou l'amortissement de l'étable sont simplement comptabilisées en charges dès qu'elles sont engagées.

EXEMPLE

Comptabilisation de la production et de la vente de produits agricoles

Le 29 juin 20X1, la société Biolet ltée a récolté 3 000 litres de lait, dont elle a estimé la juste valeur nette à 1,20 $ le litre et a payé comptant des salaires de 1 000 $. Le lendemain,

26. *Manuel de CPA Canada – Comptabilité – Partie I*, IAS 41, paragr. 28.

elle vend tout le lait au prix de 3 700 $. Voici les écritures requises pour comptabiliser ces opérations :

29 juin 20X1		
Stock de lait	*3 600*	
Profit découlant de la comptabilisation initiale du stock de lait		*3 600*
Récolte de lait de la journée.		
Salaires	*1 000*	
Caisse		*1 000*
Salaires de la période.		

La valeur comptable de 3 600 $ du lait devient le coût du stock. Quant au compte Profit découlant de la comptabilisation initiale du stock de lait, il est présenté distinctement dans l'état du résultat global. Puisque le stock de produit agricole est comptabilisé à sa juste valeur nette dès sa récolte, il n'est pas nécessaire de déterminer les éléments de coûts incorporables à l'actif. Les salaires sont donc simplement comptabilisés en charges. Lors de la revente du lait, Biolet ltée inscrit ces deux écritures :

30 juin 20X1		
Caisse	*3 700*	
Ventes		*3 700*
Vente de lait.		
Coût des ventes	*3 600*	
Stock de lait		*3 600*
Coût du lait vendu.		

Il est intéressant de visualiser l'effet de ces opérations sur l'état du résultat global.

BIOLET LTÉE
Résultat global partiel
de l'exercice terminé le 30 juin 20X1

Ventes	*3 700 $*	
Coût des ventes	*(3 600)*	
Marge brute sur la vente de lait		*100 $*
Profit découlant de la comptabilisation initiale du stock de lait	*3 600*	
Salaires	*(1 000)*	*2 600*
Résultat partiel		*2 700 $*

En analysant cet état du résultat global, les utilisateurs des états financiers peuvent distinguer la partie du résultat de 2 700 $ (ventes de 3 700 $ diminuées des charges de 1 000 $) liée à la vente des produits agricoles (100 $) et le résultat des activités liées à la récolte de lait (2 600 $).

Avez-vous remarqué ?

La norme d'évaluation des stocks de produits agricoles a pour effet de devancer la comptabilisation des produits. En effet, les entreprises qui appliquent l'IAS 2 comptabilisent leurs produits uniquement lors de la vente des stocks.

Le tableau 7.8 présente les renseignements qu'une entreprise agricole doit donner dans ses états financiers.

En plus des informations précédentes, l'entreprise qui comptabilise ses stocks de produits agricoles à la juste valeur doit appliquer les recommandations de l'**IFRS 13** expliquées au chapitre 3. À ce titre, elle doit notamment déterminer le niveau de la hiérarchie des justes

TABLEAU 7.8 Les informations à fournir dans les états financiers concernant les stocks de produits agricoles

Normes internationales d'information financière, **IAS 41**	**Commentaires**
Paragr. 40 *Une entité doit indiquer le profit total ou la perte totale provenant, pour la période considérée, de la comptabilisation initiale* [...] *des produits agricoles* [...].	Dans l'exemple de Biolet ltée, cette exigence concerne la présentation distincte du profit de 3 600 $.
Paragr. 46 *Une entité doit communiquer les informations suivantes (à moins qu'elles ne soient déjà indiquées par ailleurs dans les états financiers) :* [...] *(b) les évaluations ou estimations non financières des quantités physiques de :* *(i)* [...] *(ii) la production de produits agricoles au cours de la période.*	Dans l'exemple de Biolet ltée, cette exigence concerne la présentation du nombre de litres de lait récolté, soit 3 000 litres.

7

Différence NCECF

valeurs auquel se situe la juste valeur des stocks de produits agricoles et fournir les renseignements propres à ce niveau.

L'entreprise doit également appliquer les directives de l'IAS 2 lorsqu'elle transforme le produit agricole après sa récolte. L'évaluation initiale selon la juste valeur diminuée des coûts de la vente au moment de la récolte devient alors le coût de la matière première utilisée dans les activités de transformation.

EXEMPLE

Comptabilisation de la production et de la vente de produits agricoles transformés

Supposons maintenant que la société Biolet ltée décide de transformer sa récolte de lait en différentes variétés de fromages. Biolet ltée ne vend plus sa récolte de lait et, de ce fait, ne comptabilisera pas la vente de 3 700 $. Le stock de lait d'une juste valeur diminuée des coûts de la vente de 3 600 $ devient alors le coût de cette matière première entrant dans le processus de fabrication des fromages. La société comptabilise alors les mêmes écritures relatives à la récolte et inscrit un profit de 3 600 $ à ce moment.

Par la suite, elle inclut dans le coût de ses stocks en cours de transformation tous les coûts incorporables, comme expliqué dans la sous-section **Les coûts incorporables** de ce chapitre. Par exemple, Biolet ltée doit ajouter au coût du stock en cours les achats des autres matières premières entrant dans la composition des fromages, les salaires des employés directement attribuables à la transformation du lait et une imputation logique des frais généraux de fabrication tels que les dépenses relatives à l'usine et aux équipements et le salaire des contremaîtres.

PARTIE II – LES NCECF

Équivalents terminologiques *Manuel de CPA Canada* – Partie II et Partie I.

La NCECF qui s'applique aux stocks se trouve dans le **chapitre 3031** du *Manuel – Partie II.* Son contenu est pratiquement identique à celui de l'IAS 2. En effet, les éléments de coûts incorporables, les méthodes permises à l'égard de la détermination du coût ainsi que la comptabilisation des dépréciations et des reprises de valeur sont les mêmes selon les deux référentiels.

La seule différence importante concerne le champ d'application. Dans les IFRS, l'IAS 2 ne s'applique pas aux entreprises agricoles, car c'est l'IAS 41 qui s'applique alors. Dans les NCECF, il n'y a pas d'équivalent à l'IAS 41[27]. C'est pourquoi le chapitre 3031 s'applique aux stocks de produits agricoles. Cependant, tout comme la partie correspondante de l'IAS 2, la partie du chapitre 3031 qui traite de l'évaluation des stocks ne s'applique pas aux stocks de produits agricoles. Le Conseil des normes comptables (CNC) précise que ces stocks peuvent, au moment de la récolte, être comptabilisés à la valeur nette de réalisation lorsque, par exemple, la vente est assurée ou qu'il existe un marché actif.

Trois autres différences mineures existent entre les deux référentiels. Premièrement, selon les NCECF, les coûts d'emprunt peuvent être inclus dans la valeur comptable, à la condition que l'entreprise ait choisi de les comptabiliser ainsi. Ils peuvent aussi être comptabilisés en charges. Au chapitre 8, nous expliquerons plus en détail ce traitement comptable qui s'applique aussi aux immobilisations.

Deuxièmement, les NCECF ne proposent aucune norme précise sur les contrats déficitaires. Cependant, en vertu de la prudence qui doit caractériser les informations comptables conformes aux NCECF, comme indiqué dans le **chapitre 1000**, si une entreprise a signé un engagement d'achat de marchandises non résiliable et que le coût prévu dans le contrat excède la juste valeur courante de la marchandise, nous croyons qu'il est logique de comptabiliser l'écart dans le résultat net dès que cet écart peut être estimé. Cependant, ce traitement n'est pas clairement indiqué dans les normes du *Manuel – Partie II*.

7

Enfin, les informations à fournir dans les états financiers selon les NCECF se limitent aux méthodes comptables, à la valeur comptable totale et par catégories de stocks, ainsi qu'au montant des stocks comptabilisé en charges[28].

i+ Les états financiers de Josy Dida inc.

Dans les états financiers de Josy Dida inc., disponibles dans la plateforme *i+ Interactif*, les méthodes utilisées par l'entreprise sont indiquées dans la note 4 et la valeur comptable par catégorie de stocks figure à la note 11. Le lecteur pourra s'inspirer de ces états financiers s'il a lui-même à préparer des états financiers d'une entreprise à capital fermé.

Rappelons qu'une entreprise qui applique les IFRS doit aussi indiquer le montant des dépréciations et des reprises de valeur comptabilisées pendant l'exercice ainsi que les circonstances ayant conduit à cette comptabilisation. Pour ce qui est des stocks donnés en nantissement de passifs, que l'IAS 2 exige d'indiquer dans les états financiers, le chapitre 3031 ne donne pas de précision équivalente. Cependant, le paragraphe 44 du **chapitre 3856** précise que la valeur comptable des actifs donnés en garantie des passifs ainsi que les conditions de cette mise en garantie doivent être indiquées dans les états financiers dressés selon les NCECF.

i+ Consultez le tableau synthèse des particularités des NCECF.

Avez-vous remarqué ?

Non seulement les deux référentiels contiennent des normes très semblables à l'égard des stocks, mais il en est de même en ce qui concerne la terminologie.

27. Le CNC travaille en ce moment à l'élaboration d'une norme que les entreprises agricoles seraient tenues d'appliquer.

28. *Manuel de CPA Canada – Comptabilité – Partie II*, paragr. 3031.35.

SYNTHÈSE DU CHAPITRE 7

La figure 7.16 illustre en un coup d'œil les principaux thèmes abordés dans le présent chapitre. Le texte qui suit la figure vous permettra de vérifier l'acquisition des objectifs d'apprentissage.

FIGURE 7.16 Les principaux thèmes abordés dans le présent chapitre

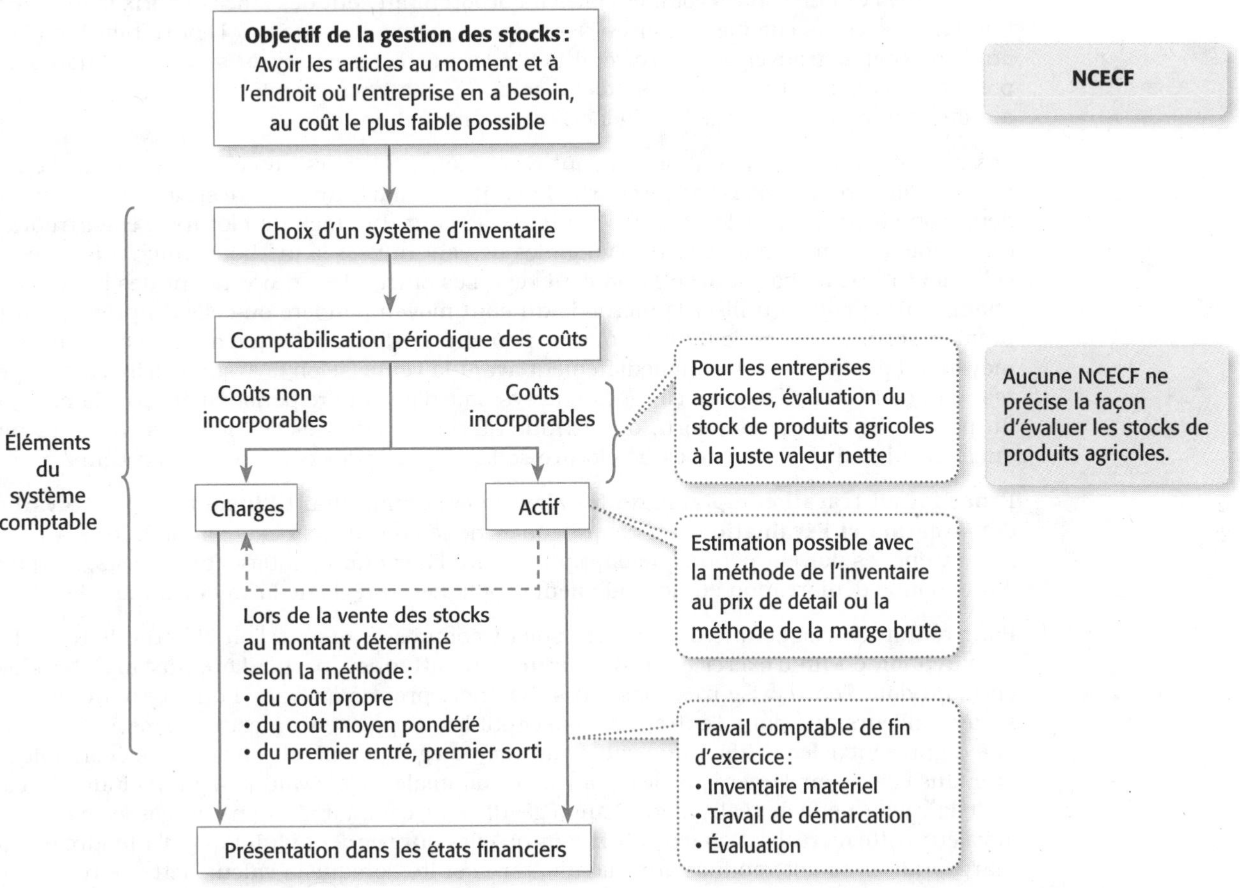

Expliquer les principes de base de la gestion des stocks. Les entreprises commerciales et industrielles doivent faire une saine gestion des stocks afin d'atteindre leurs objectifs d'optimisation des opérations, tant sur le plan des quantités de marchandises à maintenir au bon endroit que sur celui des **coûts** à optimiser.

Expliquer ce qui distingue les stocks des autres actifs. Les stocks font partie de l'actif courant, car l'entreprise prévoit les vendre au cours de l'exercice subséquent ou de son cycle d'exploitation suivant si ce dernier excède un an. Comparativement aux autres actifs courants, les stocks sont détenus dans le but de la revente dans le cours normal des affaires.

Comprendre et appliquer les éléments du système comptable, comprenant le système d'inventaire, les coûts incorporables et les méthodes de détermination du coût. Au moment d'amorcer un nouveau type d'activité, une entreprise choisit un système d'inventaire pour cumuler ses coûts. Les caractéristiques des marchandises destinées à la vente et les besoins d'information dictent ce choix. Le système d'inventaire périodique donne peu de renseignements pendant l'exercice, mais il est simple à appliquer, surtout lorsqu'il est utilisé par une entreprise commerciale. Lorsqu'une entreprise désire connaître le coût des marchandises en main, elle doit procéder à un inventaire matériel, car le coût des stocks en main au début de l'exercice n'est pas mis à jour pour tenir compte du coût des marchandises achetées. Lorsque l'entreprise commerciale utilise plutôt un système d'inventaire permanent, elle peut déterminer à tout moment le coût des articles en main, puisqu'elle ajuste le compte Stock de marchandises chaque fois qu'elle fait un achat ou vend des marchandises.

Chaque fois qu'une entreprise engage des coûts, elle se demande d'abord si elle doit les comptabiliser en charges ou à titre d'actif. En d'autres mots, elle détermine si le coût engagé est incorporable ou non incorporable à celui des marchandises destinées à la vente. L'entreprise comptabilise les coûts non incorporables, par exemple, des frais de vente, en charges dans le résultat net de l'exercice en cours. Elle comptabilise les coûts incorporables soit dans le compte Stock de marchandises si elle utilise un système d'inventaire permanent, soit dans le compte Achats, lequel sera régularisé en fin d'exercice, si elle utilise un système d'inventaire périodique. Les entreprises commerciales incorporent au coût des stocks le prix facturé ainsi que tous les coûts complémentaires requis pour mettre les stocks à l'endroit et dans l'état où ils doivent se trouver pour être vendus. De leur côté, les entreprises de production incorporent généralement au coût des stocks celui des matières premières, de la main-d'œuvre directe et une juste part des frais généraux de production.

Les méthodes de détermination du coût des stocks, toujours en ce qui a trait aux entreprises commerciales, servent à répartir le coût des marchandises destinées à la vente en deux composantes, soit le coût des ventes et le coût du stock de clôture. Les entreprises qui vendent des marchandises non fongibles doivent utiliser la méthode du coût propre, car celle-ci attribue à chaque article son coût réel. Les entreprises qui vendent des biens interchangeables peuvent utiliser la méthode du coût moyen pondéré ou celle du premier entré, premier sorti. La méthode du coût moyen pondéré attribue à chaque article vendu un coût moyen qui peut être calculé immédiatement avant la vente (selon le système d'inventaire permanent) ou l'être en fin d'exercice (selon le système d'inventaire périodique). Avec la méthode du premier entré, premier sorti, on attribue aux marchandises vendues les coûts les plus anciens et l'évaluation du stock de clôture se fait à partir des coûts les plus récents.

Procéder au travail comptable de fin d'exercice, comprenant l'inventaire, le travail de démarcation et l'évaluation. En ce qui concerne le coût des stocks comptabilisés à l'actif, les entreprises doivent périodiquement procéder à l'inventaire matériel des stocks, s'assurer d'une bonne démarcation et, normalement, appliquer la règle de la valeur minimale.

Pour réduire le risque que des erreurs soient commises lorsque l'on effectue le travail de démarcation en fin d'exercice, on doit prêter une attention particulière aux marchandises en main dont l'entreprise n'est pas, en substance, propriétaire ainsi qu'aux marchandises situées ailleurs que dans l'entreprise, susceptibles d'appartenir à cette dernière. La nécessité de présenter les actifs à une valeur au moins égale à celle des avantages économiques attendus exige d'appliquer la règle de la valeur minimale, soit l'évaluation au moindre du coût et de la valeur nette de réalisation. Cette règle dicte de comptabiliser en charges les baisses de la valeur nette de réalisation des stocks dès qu'elles surviennent plutôt que d'attendre que les marchandises soient vendues aux clients. Par la suite, lorsque la valeur nette de réalisation augmente, l'entreprise comptabilise la reprise de valeur, jusqu'à concurrence du montant de la dépréciation comptabilisée antérieurement.

Appliquer les méthodes de l'inventaire au prix de détail et de la marge brute afin d'estimer la valeur comptable des stocks. En matière de stocks, les méthodes d'estimation du coût ont plusieurs utilités : 1) elles permettent aux entreprises qui utilisent un système d'inventaire périodique de dresser des états financiers sans devoir procéder à un dénombrement ; 2) elles leur permettent de déterminer le coût des marchandises détruites lors d'une catastrophe naturelle ; 3) elles peuvent accélérer la détermination du coût des marchandises dénombrées à une date donnée ; et 4) elles permettent de juger de la fiabilité du coût des ventes et de celui du stock de clôture déterminé d'une autre façon.

La méthode de l'inventaire au prix de détail exige tout d'abord d'estimer le ratio du coût au prix de détail. On applique ensuite ce ratio au prix de détail du stock de clôture pour en déterminer le coût. Il est possible d'appliquer la méthode de l'inventaire au prix de détail de façon à tenir compte de la méthode de détermination du coût des stocks. Pour ce faire, il suffit de déterminer le lot d'où provient le stock de clôture et d'utiliser le ratio qui convient à ce lot.

La méthode de la marge brute exige d'abord de calculer le pourcentage de marge brute réalisé au cours des exercices antérieurs. Ce pourcentage permet ensuite d'estimer le coût des ventes de l'exercice et celui du stock de clôture.

Il semble que la méthode de l'inventaire au prix de détail donne des montants plus précis que celle de la marge brute. Le choix d'une méthode doit cependant reposer sur la disponibilité des renseignements et les besoins des utilisateurs de l'information financière.

 **Présenter et apprécier les informations relatives aux stocks dans les états financiers et les analyser.** Les stocks sont présentés distinctement dans l'état de la situation financière, alors que le montant des stocks comptabilisés en charges figure dans l'état du résultat global. Les états financiers indiquent aussi d'autres renseignements, tels que la méthode de détermination des coûts, les dépréciations et les reprises de valeur.

 **Appliquer les normes comptables aux stocks de produits agricoles.** Il est très difficile, pour une entreprise agricole, d'établir des liens entre ses dépenses indirectes et les stocks qu'elle récolte. C'est pourquoi elle comptabilise en charges toutes ses dépenses liées à la récolte. Au moment de la récolte, elle comptabilise à l'actif la juste valeur nette des biens récoltés et inscrit, en contrepartie un profit du même montant. Si l'entreprise transforme par la suite ses produits agricoles récoltés, cette juste valeur nette devient le coût des matières premières entrant dans le processus de transformation.

 **Comprendre et appliquer les NCECF liées aux stocks.** Les IFRS et les NCECF sont quasiment identiques, si ce n'est que l'IAS 2 ne s'applique pas aux stocks des entreprises agricoles, auxquels on doit plutôt appliquer l'IAS 41. On observe des différences mineures sur le plan de la comptabilisation des coûts d'emprunt sur les stocks produits, les engagements d'achat et les informations à fournir dans les états financiers.

Les immobilisations corporelles : acquisition et aliénation

8

Des ressources pédagogiques sont disponibles en ligne.

8

Objectifs d'apprentissage

À la fin de ce chapitre, vous pourrez :

1. expliquer les principes de base de la gestion des immobilisations corporelles ;
2. expliquer ce qui distingue les immobilisations corporelles des autres actifs ;
3. déterminer le coût d'une immobilisation corporelle ;
4. évaluer et présenter le coût d'une immobilisation pour laquelle l'entreprise a reçu une aide publique ;
5. classer, évaluer et présenter les actifs non courants détenus en vue de la vente ou de la distribution aux actionnaires ;
6. comptabiliser les ventes et les sorties involontaires d'immobilisations corporelles ;
7. comptabiliser les échanges d'immobilisations corporelles ;
8. classer, évaluer et présenter les actifs biologiques ;
9. comprendre et appliquer les NCECF liées à l'acquisition et à l'aliénation des immobilisations corporelles.

Aperçu du chapitre

Toutes les entreprises possèdent des immobilisations, que ce soit des terrains, des immeubles, du mobilier, des équipements ou du matériel roulant. Pour certaines, comme les institutions financières, les immobilisations corporelles sont peu importantes. Par exemple, celles de la Banque de Montréal représentaient moins de 1 % de la valeur de l'actif total le 31 octobre 2015. Pour d'autres, comme les entreprises pétrolières, les immobilisations corporelles constituent une large part de leur actif total. Par exemple, celles de la pétrolière Suncor Énergie inc. représentaient près de 80 % de la valeur de l'actif total le 31 décembre 2015. L'investissement important dans les immobilisations justifie que les entreprises les gèrent adéquatement ; c'est pourquoi le présent chapitre s'ouvre sur une synthèse de quelques **mesures de gestion** des immobilisations corporelles.

L'utilisation d'immobilisations appropriées durant plusieurs exercices assure en fait l'avenir d'une entreprise, car cela lui permet de générer des flux de trésorerie. Il importe donc que les utilisateurs des états financiers puissent avoir des informations pertinentes et fidèles à ce sujet afin, notamment, d'évaluer si l'entreprise pourra maintenir sa performance au cours des exercices suivants. Pour ce faire, les utilisateurs s'intéressent plus particulièrement aux investissements annuels en immobilisations et aux variations de ces investissements.

Les entreprises doivent ainsi prêter une attention particulière à la détermination de la **valeur comptable** de leurs immobilisations, que ce soit à la date d'acquisition ou plus tard. Suncor Énergie inc., par exemple, peut acheter certaines immobilisations de l'extérieur, comme le mobilier de bureau, en construire certaines, telles des parties d'oléoduc, ou encore décider, après quelques années de détention d'une immobilisation, d'y apporter des changements majeurs. Toutes ces opérations entraînent des coûts liés aux immobilisations et, chaque fois que Suncor Énergie inc. engage l'un de ces coûts, elle doit déterminer s'il sera comptabilisé en charges ou dans un compte d'actif. L'État accorde parfois des subventions à certaines entreprises pour qu'elles puissent réaliser leurs dépenses d'investissement. Ces sommes reçues diminuent-elles la valeur comptable des immobilisations ? Et si une subvention est reçue pour acheter une immobilisation et pour couvrir des dépenses de main-d'œuvre, le traitement comptable est-il le même ?

Après quelques années d'utilisation, l'entreprise décidera inévitablement de se départir de ses immobilisations ou de cesser de les utiliser. Certaines entreprises, comme Suncor Énergie inc. ou Produits forestiers Résolu, possèdent des immobilisations qui ne sont pas faciles à vendre en raison de leur nature très spécialisée. Elles adoptent donc un **plan de vente** qui précise, notamment, les démarches qu'elles comptent faire pour trouver des acheteurs potentiels. Du point de vue comptable, ces biens destinés à la vente, qu'une entreprise a cessé d'utiliser, peuvent-ils toujours être traités comme des immobilisations ? Leur valeur comptable doit-elle être modifiée ?

Suncor Énergie inc. et Produits forestiers Résolu possèdent aussi d'autres immobilisations moins spécialisées, tel du mobilier de bureau, qu'elles pourront vendre plus rapidement ou échanger contre d'autres biens détenus par d'autres entreprises. Au cours de ses opérations de **sortie** d'immobilisations, l'entreprise voudra savoir si elle réalisera un profit ou une perte à la sortie, en se basant notamment sur l'information comptable.

Dans le présent chapitre, la partie I – Les IFRS répondra à toutes les questions soulevées dans les paragraphes précédents, qui se rapportent aux informations comptables à consigner dans les livres au moment où une entreprise décide d'investir dans des immobilisations et à celui où elle décide de désinvestir. Nous traiterons aussi de la comptabilisation des actifs biologiques. La partie II – Les NCECF traitera des différences entre les IFRS et les NCECF à l'égard de l'acquisition et de l'aliénation des immobilisations corporelles. Le chapitre 9 approfondira les renseignements comptables entourant l'utilisation des immobilisations corporelles.

Lorsque des notions de mathématiques financières sont utilisées, les variables nécessaires aux calculs sont indiquées avec les abréviations suivantes :

N : nombre de périodes
I : taux d'intérêt
PMT : paiements périodiques
PV : valeur actualisée
FV : valeur future
BGN : paiements en début de période

PARTIE I – LES IFRS

 Équivalents terminologiques *Manuel de CPA Canada* – Partie I et Partie II.

La gestion des immobilisations corporelles

L'importance des immobilisations par rapport à l'actif total diffère selon le secteur d'activité. Si les entreprises évoluant dans les secteurs du savoir ou des services détiennent généralement peu d'immobilisations, il en va autrement des entreprises des autres secteurs d'activité. Ainsi, une entreprise manufacturière peut posséder des immobilisations dont la valeur totale représente une bonne partie de la valeur de l'entreprise dans son ensemble. L'importance des immobilisations entraîne au moins deux conséquences. Elle explique pourquoi les analystes financiers utilisent des méthodes d'évaluation fondées sur la valeur des actifs pour déterminer la valeur de ces entreprises. Elle justifie aussi que l'entreprise accorde un soin particulier à la gestion de ses immobilisations en utilisant notamment ses informations comptables. La figure 8.1 schématise quelques éléments de la gestion des immobilisations.

Le premier rectangle blanc renvoie au fait que les entreprises analysent judicieusement tout achat d'immobilisation, car une telle décision a plusieurs répercussions sur les ratios financiers, tels que ceux montrant le rendement de l'actif. Étant donné l'amortissement qui en découlera, tout achat aura pour effet de provoquer une hausse des charges des exercices subséquents. Au moment de prendre ses **décisions d'investissement**, l'entreprise doit tout d'abord s'assurer que l'acquisition projetée est rentable sur le plan financier. Pour ce faire, elle dispose de plusieurs outils financiers, dont la méthode de la valeur actualisée nette. Cette méthode consiste à actualiser les rentrées nettes de trésorerie futures découlant de l'immobilisation au

FIGURE 8.1 La gestion des immobilisations

Types de décisions de gestion à prendre selon leur séquence temporelle	Investissement ou désinvestissement	Financement	Utilisation efficace et efficiente
Options possibles	• Achat ou vente d'une immobilisation • Réparation d'une immobilisation existante	• Location • Emprunt • Capitaux propres	Établissement d'une politique de gestion comportant diverses caractéristiques
Moyens à la disposition de l'entreprise	1. Calculer la valeur actualisée nette (VAN). 2. Poursuivre par une analyse des facteurs qualitatifs tels que : • l'environnement externe ; • l'expertise requise pour exploiter le bien.	1. Analyser les coûts comparatifs des options possibles. 2. Poursuivre par une analyse des facteurs qualitatifs tels que : • la perte de contrôle par les actionnaires actuels ; • l'effet sur le niveau du risque de liquidité.	1. Contracter une couverture d'assurance adéquate. 2. Établir un programme d'entretien visant : • à éviter les coûteux arrêts de production non planifiés ; • à assurer la qualité des biens produits.

8

taux de rendement que désire l'entreprise. Si le résultat obtenu est positif, et toutes choses étant par ailleurs égales, l'investissement devrait être fait[1]. En pratique, l'entreprise doit souvent décider s'il est préférable d'acheter une nouvelle immobilisation ou d'apporter des réparations majeures à l'immobilisation qu'elle possède déjà. Elle doit alors comparer les coûts et les avantages économiques marginaux de l'acquisition avec ceux de la réparation, puis actualiser les rentrées nettes de trésorerie futures. Lorsque l'entreprise conclut à la rentabilité de la décision d'investissement, elle doit ensuite trouver le financement nécessaire.

Pour faciliter une saine gestion financière et profiter de l'effet de levier, l'entreprise optera pour un **financement** à long terme représenté par le second rectangle blanc de la figure 8.1. Par exemple, elle envisagera soit de louer une immobilisation à long terme, soit de l'acquérir en procédant à une analyse marginale des flux de trésorerie. Si elle acquiert l'immobilisation, elle devra encore décider du mode de financement du coût d'acquisition, tel que l'emprunt bancaire, garanti ou non, l'apport de capitaux par les actionnaires ou l'émission d'obligations à long terme. L'entreprise prend ses décisions de financement en comparant le coût des diverses options possibles. Bien que chaque entreprise cherche à minimiser les coûts de financement, elle tient aussi compte de facteurs qualitatifs tels que la perte de contrôle des actionnaires actuels et l'effet du mode de financement envisagé par rapport au niveau du risque de liquidité.

Enfin, lorsque l'entreprise prend possession de l'immobilisation, le troisième rectangle blanc de la figure 8.1 indique qu'elle doit organiser une utilisation efficace et efficiente de l'immobilisation, notamment en la protégeant contre les risques de vol, d'incendie, de vandalisme, etc. Puisque

1. Le lecteur qui désire obtenir de plus amples renseignements sur cette méthode peut consulter tout ouvrage de base portant sur la finance d'entreprise.

même une grande vigilance n'élimine pas tous ces risques et que la perte d'une immobilisation peut avoir des conséquences considérables sur les finances de l'entreprise, la plupart des entreprises contractent des assurances sur leurs immobilisations[2].

La gestion quotidienne de l'entreprise doit aussi faire une place à l'**entretien des immobilisations** en vue de s'assurer que celles-ci seront en état d'être utilisées périodiquement selon les besoins. Lorsque l'entreprise doit effectuer d'importants travaux d'entretien, elle essaie autant que possible de le faire pendant les périodes où les activités d'exploitation sont faibles ou, s'il y a lieu, pendant les périodes de fermeture.

Les entreprises qui possèdent plusieurs immobilisations tiennent parfois un grand livre auxiliaire des immobilisations dans lequel elles groupent, sur des fiches[3] séparées, tous les renseignements relatifs à chaque immobilisation. Voici un exemple de ce type de fiche.

Compte	*Équipement*		N°	*400-28*				
Description	*Bureau*		Durée de vie utile		*10 ans*			
N° de série	*LP230 941*		Amortissement annuel		*1 000 $*			
			Valeur résiduelle		*0 $*			
			Coût			*Amortissement cumulé*		
Date	*Intitulé*	*F°*	*Débit*	*Crédit*	*Solde*	*Débit*	*Crédit*	*Solde*
20X1								
2 janvier	*Acquisition*	*D7*	*10 000*		*10 000*			
31 décembre	*Amortissement*	*JG9*					*1 000*	*1 000*
20X2								
31 décembre	*Amortissement*	*JG9*					*1 000*	*2 000*

Le numéro de la fiche (400-28, dans cet exemple) se compose du numéro du compte Équipement au grand livre général (400) et du numéro attribué au bureau en question (28). À la fin de chaque exercice financier, l'entreprise concilie les soldes figurant dans le grand livre auxiliaire avec ceux des comptes d'immobilisations et d'amortissement cumulé appropriés. À la suite de la décomptabilisation d'une immobilisation, elle retire la fiche qui s'y rapporte du grand livre auxiliaire.

Avez-vous remarqué ?

La gestion des immobilisations implique la prise de décisions d'investissement, de financement (locations, emprunts ou capitaux propres) et d'utilisation (protection et entretien) des immobilisations. Avant de prendre une décision d'investissement et de financement qui influera sur l'entreprise pendant plusieurs exercices, on doit tenir compte non seulement des coûts et des avantages économiques, mais aussi des facteurs qualitatifs.

La définition des immobilisations du point de vue comptable

Il existe des immobilisations corporelles ainsi que des immobilisations incorporelles. Les **immobilisations corporelles** groupent toutes les immobilisations qui ont une substance à la fois tangible et physique, par exemple des terrains, des immeubles, du matériel, etc. Les **immobilisations incorporelles** sont des actifs non monétaires identifiables sans substance physique. Un **actif monétaire** représente de la trésorerie ou des droits sur des flux de trésorerie futurs dont les montants et l'échelonnement sont déterminés ou déterminables par contrat ou autrement. Tous les autres actifs entrent dans la catégorie des **actifs non monétaires**. Ainsi, alors que la trésorerie et les effets à recevoir constituent des éléments monétaires, les stocks et les immobilisations

2. D'autres préfèrent recourir à l'autoassurance. Nous y reviendrons au chapitre 12.
3. Bien que nous utilisions le terme fiche, il peut s'agir d'une feuille de travail de type Microsoft Excel ou de tout autre dossier informatique.

constituent des éléments non monétaires. Les chapitres 8 et 9 traiteront de tous les aspects de la comptabilisation des immobilisations corporelles, alors que le chapitre 10 portera sur la comptabilisation des immobilisations incorporelles.

Comme tous les autres actifs, les immobilisations possèdent les caractéristiques distinctives d'un **actif** énoncées dans le « Cadre conceptuel de l'information financière » (le **Cadre**). « Un actif est une ressource contrôlée par l'entité du fait d'événements passés et dont des avantages économiques futurs sont attendus par l'entité[4]. »

Les **immobilisations corporelles** possèdent aussi certaines caractéristiques qui les distinguent des autres actifs. En effet, elles constituent des actifs corporels :

(a) qui sont détenus par une entité soit pour être utilisés dans la production ou la fourniture de biens ou de services, soit pour être loués à des tiers, soit à des fins administratives ; et

(b) dont on s'attend à ce qu'ils soient utilisés sur plus d'une période[5].

Soulignons d'abord que ce n'est pas le type de bien qui en détermine la nature comptable, mais bien l'utilisation qu'en fait une entreprise. La figure 8.2 illustre cette règle. Par exemple, un immeuble abritant le siège social d'une entreprise possède toutes les caractéristiques d'une immobilisation, puisque l'entreprise l'utilise de façon durable pour l'administration. Par contre, un immeuble détenu à des fins spéculatives, même si l'entreprise peut le détenir pendant plusieurs exercices, ne constitue pas une immobilisation, car il est destiné à être vendu pour en tirer un profit. Il s'agit donc d'un immeuble de placement, ce dont traitera le chapitre 11. Enfin, une entreprise de construction détenant par exemple plusieurs immeubles destinés à la vente devrait les traiter comme des stocks.

Voici un autre exemple. Une entreprise de transport routier détient une certaine quantité d'huile à moteur. Cette huile constitue un stock de fourniture, et l'entreprise en comptabilisera le coût à titre de charges pendant l'exercice où l'huile sera consommée. L'entreprise possède aussi un stock de pneus. Étant donné qu'il s'agit là de pièces principales qui ne peuvent être utilisées qu'avec certains camions, que les pneus sont utilisables durant plus d'un exercice financier et, surtout, qu'ils ont certaines spécifications, telle la grandeur ou la largeur, ces pneus constituent des immobilisations corporelles.

FIGURE 8.2 Une comparaison de certains éléments d'actif

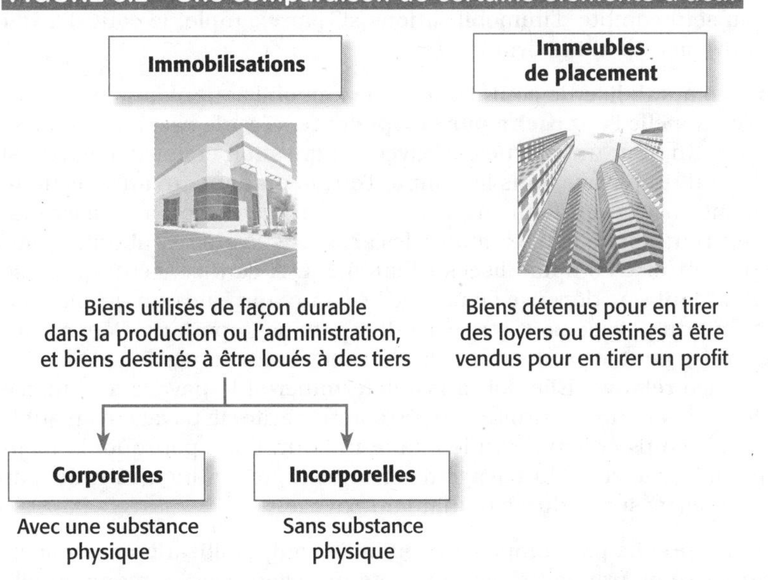

4. CPA Canada, *Manuel de CPA Canada – Comptabilité – Partie I*, « Cadre conceptuel de l'information financière », paragr. 4.4a. (*Voir la page iv des liminaires pour plus de détails à l'égard des normes publiées mais non encore entrées en vigueur.*)

5. *Manuel de CPA Canada – Comptabilité – Partie I*, IAS 16, paragr. 6.

La plupart des immobilisations corporelles doivent être comptabilisées selon les recommandations contenues dans l'**IAS 16**, intitulée « Immobilisations corporelles ». Y font exception :

1. les immobilisations corporelles classées comme étant détenues en vue de la vente ;
2. les actifs biologiques qui ne sont pas des plantes productrices ;
3. les actifs de prospection et d'évaluation de ressources minérales ;
4. les droits miniers et les réserves minérales, tel le pétrole ;
5. les immeubles de placement ;
6. les immobilisations corporelles louées d'un bailleur selon certaines modalités.

Plus loin dans le présent chapitre, nous présenterons les normes comptables applicables aux immobilisations classées comme étant détenues en vue de la vente et aux actifs biologiques qui ne sont pas des plantes productrices. Soulignons qu'une **plante productrice** est une plante vivante qui :

(a) est utilisée dans la production ou la fourniture de produits agricoles ;
(b) est susceptible de produire sur plus d'une période ;
(c) n'a qu'une faible probabilité d'être vendue comme produit agricole, sauf à titre accessoire en tant que rebut [6].

8

La norme sur les immobilisations corporelles s'applique aux plantes productrices mais pas aux produits de ces plantes. Revenons aux six exceptions listées précédemment. Le chapitre 10 traitera des actifs de prospection et de l'évaluation des ressources minérales. Le chapitre 11 présentera les normes comptables relatives aux immeubles de placement, alors que le chapitre 16 présentera en détail la comptabilisation des immobilisations louées par l'entreprise.

L'IAS 16 ne précise pas clairement la base de comptabilisation des immobilisations corporelles. Il est clair que si l'entreprise achète simultanément un terrain et un immeuble, elle doit répartir le coût total entre ces deux immobilisations corporelles. Cette question est plus importante qu'elle ne le semble *a priori*, car l'entreprise ne passe pas périodiquement en charges le coût du terrain au moyen de l'amortissement, contrairement au coût des autres immobilisations. La durée d'utilité du terrain étant illimitée, l'entreprise n'a pas à en répartir le coût sur les exercices au cours desquels elle l'utilisera. Dans d'autres circonstances, le comptable doit faire preuve de jugement. Lorsqu'une entreprise de construction achète simultanément plusieurs outils électriques, elle peut en comptabiliser le coût dans un seul compte d'immobilisations si, par exemple, le coût d'achat unitaire de chaque outil est relativement peu important.

Parfois, il faut au contraire comptabiliser le coût d'une seule immobilisation dans plusieurs comptes distincts ; c'est ce que l'on appelle l'**approche par composante**. C'est le cas, par exemple, d'une entreprise qui achète un terrain dont une partie est pavée. La question consiste à savoir si l'entreprise doit comptabiliser le coût du pavage dans le compte Terrain ou dans un autre compte d'immobilisation, tel Aménagement du terrain. Pour juger de la pertinence de comptabiliser distinctement ces deux composantes, l'entreprise peut examiner les aspects suivants. D'abord, seules les composantes importantes doivent être comptabilisées séparément. À ce titre, l'entreprise se demande si elle comptabiliserait à l'actif une dépense de pavage liée à un autre terrain qu'elle possède déjà. Dans l'affirmative, le coût du pavage peut être considéré comme important. Cependant, s'il est relativement faible, l'entreprise peut le grouper avec le coût du terrain en vertu de la caractéristique qualitative de l'importance relative. Elle doit aussi déterminer si le pavage a la même durée d'utilité que le terrain. Même si sa durée d'utilité peut être importante, le pavage n'en subit pas moins les effets du passage du temps et l'on devra le refaire un jour. C'est pourquoi la meilleure solution consiste à comptabiliser le coût du pavage dans un compte distinct, intitulé, par exemple, Terrain – Pavage, et à l'amortir sur la durée d'utilité du pavage.

Voici un autre contexte où l'approche par composante guide la comptabilisation des immobilisations corporelles. Une entreprise de transport aérien achète un avion. Dès ce moment, elle sait que la carlingue de l'avion durera disons 30 ans, les moteurs, 5 ans et les sièges, 3 ans. En tenant compte du fait que chaque composante a une valeur relativement importante par rapport au coût d'achat global et que sa durée d'utilité diffère de celle des autres composantes, l'entreprise

6. *Manuel de CPA Canada – Comptabilité – Partie I*, IAS 16, paragr. 6.

doit ventiler le coût d'achat entre les diverses composantes. Il importe de noter que cette façon de faire est nécessaire pour que l'entreprise puisse calculer, au cours des exercices subséquents, une charge d'amortissement qui répartit adéquatement le coût de chaque composante sur sa durée d'utilité. Elle assure donc que l'amortissement comptabilisé en résultat net des exercices subséquents possède les caractéristiques qualitatives de pertinence et de fidélité que toute information comptable doit avoir.

Avez-vous remarqué ?

En pratique, le comptable doit prendre le temps d'analyser si un actif répond à la définition d'une immobilisation, en examinant non seulement la nature de l'actif, mais aussi l'utilisation prévue. Nous verrons, par exemple, qu'un immeuble peut être considéré comme une immobilisation corporelle comptabilisée selon l'IAS 16 (tel qu'expliqué dans le présent chapitre), un immeuble de placement comptabilisé selon l'IAS 40 (*voir le chapitre 11*), un actif détenu en vue de la vente selon l'IFRS 5 (expliqué plus loin dans le présent chapitre), ou un actif loué d'un bailleur, comptabilisé initialement selon l'**IAS 17** (*voir le chapitre 16*). Si un actif répond à la définition d'une immobilisation, le comptable doit ensuite déterminer si le coût global doit être réparti par composante à des fins de comptabilisation.

La détermination du coût

Au moment où une entreprise acquiert une immobilisation, elle doit se poser une question fondamentale : doit-elle imputer les coûts engagés en résultat net ou doit-elle plutôt les comptabiliser dans un compte d'actif ? En réponse à cette question, l'International Accounting Standards Board (IASB) précise que les coûts sont comptabilisés à l'actif uniquement si :

(a) il est probable que les avantages économiques futurs associés à cet élément iront à l'entité, et

(b) le coût de cet élément peut être évalué de façon fiable [7].

Ces critères importants sont aussi utilisés pour décider de la comptabilisation d'autres actifs, tels que les immobilisations incorporelles. Il ne faut pas confondre les avantages économiques attendus d'un actif et les encaissements futurs probables. Selon le Cadre, les avantages économiques futurs peuvent aussi prendre la forme d'une réduction des sorties de trésorerie futures. Par exemple, une entreprise de vente au détail qui informatise la gestion de ses stocks ne verra pas automatiquement ses ventes augmenter. Par contre, l'informatisation réduit les coûts administratifs futurs et on peut donc comptabiliser à l'actif le coût des systèmes informatiques. De même, le fait que les avantages économiques futurs d'un actif ne soient pas dissociables de ceux générés par un second actif n'empêche pas de conclure à l'existence de deux actifs distincts. Pensons, par exemple, à un magasin de vente au détail et au terrain sur lequel il se situe.

L'acquisition d'une immobilisation, qui porte aussi le nom de **dépense en capital**, se distingue ainsi des **dépenses d'exploitation**, qui sont immédiatement comptabilisées en résultat net, car elles n'apportent pas d'avantages économiques au-delà de l'exercice en cours.

En plus de choisir le mode de comptabilisation d'une immobilisation, l'acquéreur doit déterminer le montant qu'il comptabilisera dans le compte d'actif approprié. Au moment de l'acquisition, il comptabilise le coût de l'immobilisation, puisque ce coût représente généralement la juste valeur de l'immobilisation.

La règle de base

Le **coût d'une immobilisation** comprend tous les coûts qu'engage l'acquéreur jusqu'au moment où l'immobilisation se trouve à l'endroit et dans l'état nécessaires pour être exploitée de la manière prévue. À moins d'indications contraires dans d'autres normes applicables, par exemple un achat d'immobilisations payé en actions et comptabilisé selon l'**IFRS 2**, que nous verrons au chapitre 14, le coût correspond au montant de trésorerie ou d'équivalents de trésorerie payé, ou à la juste

7. *Manuel de CPA Canada – Comptabilité – Partie I*, IAS 16, paragr. 7.

valeur de toute autre contrepartie cédée. Au moment de l'acquisition, l'acquéreur comptabilise le coût de l'immobilisation dans un compte d'actif, sachant que le coût comprend :

(a) son prix d'achat, y compris les droits de douane et les taxes non remboursables, après déduction des remises et rabais commerciaux ;

(b) tout coût directement attribuable au transfert de l'actif jusqu'à son lieu d'exploitation et à sa mise en état pour permettre son exploitation de la manière prévue par la direction ;

(c) l'estimation initiale des coûts relatifs au démantèlement et à l'enlèvement de l'immobilisation et à la remise en état du site sur lequel elle est située, obligation qu'une entité contracte soit du fait de l'acquisition de l'immobilisation corporelle, soit du fait de son utilisation pendant une durée spécifique à des fins autres que la production de stocks au cours de cette période [8].

8

Par exemple, le coût d'un équipement comprend le coût de base, diminué de tout escompte, remise ou autre, mais majoré des frais d'installation initiale, du coût des tests de bon fonctionnement ainsi que de celui des pièces de rechange et du matériel d'entretien réservés uniquement à cet équipement. La comptabilisation des coûts au débit du compte de l'immobilisation corporelle en cause doit cesser lorsque cette immobilisation est **prête** à être utilisée. Ainsi, les coûts de relocalisation sont exclus du coût de l'immobilisation en cause, car ils sont engagés après que l'entreprise en a commencé l'utilisation. Il en est de même des pertes d'exploitation initiales ou des coûts engagés pendant la période où l'immobilisation corporelle est sous-exploitée en raison, par exemple, d'une baisse de la demande du marché. Comme les frais de publicité ou d'administration ne peuvent être inclus dans le coût des stocks, ils ne peuvent non plus être pris en compte lors de l'établissement du coût d'une immobilisation, puisque les liens sont trop ténus.

Il arrive qu'une entreprise achète une immobilisation corporelle et conclue des opérations rattachées à cette immobilisation qui ne sont cependant pas nécessaires pour que celle-ci se trouve à l'endroit et dans l'état prévus pour son utilisation. Pensons à un terrain acquis pour la construction d'une usine, censée se faire deux ans plus tard. Entre temps, l'entreprise loue le terrain et en tire un produit. L'activité de location est une **activité accessoire** dont les loyers gagnés doivent être comptabilisés à titre de produits des deux exercices financiers. En pratique, on doit faire preuve de jugement pour pouvoir distinguer ces activités accessoires des autres activités requises pour que l'immobilisation se trouve à l'endroit et dans l'état prévus. Dans ce cas, les coûts sont comptabilisés en ajustement du coût initial. Par exemple, si une entreprise achète un terrain sur lequel se situe un vieil immeuble et qu'elle démolit celui-ci, elle pourrait encaisser de la trésorerie en revendant certains matériaux récupérés. De l'avis des auteurs, il est logique de porter un tel encaissement au crédit du compte de l'immobilisation en cause, c'est-à-dire le terrain dans l'exemple précédent. En effet, la démolition étant un préalable à l'utilisation du terrain, ce n'est pas une activité accessoire, mais plutôt une activité nécessaire pour que le terrain se trouve dans l'état prévu pour son utilisation.

Le coût d'une immobilisation corporelle comprend aussi l'estimation initiale des coûts relatifs à son démantèlement et à son enlèvement futur lorsque ces coûts naissent de l'acquisition de l'immobilisation ou de son utilisation autrement que dans le processus de production de stocks destinés à la vente. Examinons quelques exemples représentatifs de la comptabilisation de ces coûts.

EXEMPLE

Activités futures de démantèlement ou d'enlèvement d'une immobilisation

Au moment de l'achat de pneus, comptabilisés dans un compte d'actif distinct, Trans Porté ltée, entreprise de transport routier, sait qu'elle devra payer une taxe de recyclage pour se départir des pneus usés. Ces coûts futurs naissent à l'achat, car le montant de la taxe ne change pas, peu importe l'utilisation que l'entreprise fera des pneus. Celle-ci comptabilise donc la taxe dans le coût des pneus dès la date de l'achat dans la mesure où le montant est important. L'objectif poursuivi par ce traitement comptable est de répartir tous les coûts liés aux pneus sur leur durée d'utilité. Soulignons que, en contrepartie du montant porté au

8. *Manuel de CPA Canada – Comptabilité – Partie I*, IAS 16, paragr. 16.

débit du compte de l'immobilisation en cause, l'entreprise créditera le montant de la taxe au compte Provision pour démantèlement ou enlèvement, comme l'exige la norme **IAS 37** portant sur les provisions et expliquée au chapitre 12.

Un autre exemple fait état de la société Bruyante ltée, qui achète un système de chauffage pour son siège social. Ce système est alimenté par des résidus de production qui laisseront échapper quelques substances chimiques, de sorte qu'à la fin de la durée d'utilité du système de chauffage, l'entreprise devra décontaminer le sol. Ainsi, plus le système de chauffage fonctionnera, plus les coûts de décontamination du terrain seront élevés. Au moment de l'utilisation du système, l'entreprise doit ajouter les coûts futurs de décontamination du terrain à la valeur comptable du système de chauffage, encore une fois pour bien répartir tous les coûts liés au système de chauffage sur sa durée d'utilité. Un dernier exemple, plus fréquent, porte sur l'acquisition d'un immeuble. Si l'entreprise prévoit le démolir à la fin de sa durée d'utilité, les coûts pour le faire doivent aussi être ajoutés au coût de l'immeuble à la date de l'acquisition. Par contre, si l'entreprise utilise l'immeuble dans ses activités de production de stocks destinés à la vente, les coûts futurs de démolition sont comptabilisés à titre d'élément du coût des stocks par l'amortissement du coût de l'usine.

8

On peut douter, *a priori*, que les frais futurs de démantèlement et d'enlèvement d'une immobilisation ou de remise en état du site généreront des avantages économiques futurs. Il est vrai que ces frais n'augmentent pas directement ces avantages. Par contre, pour que l'immobilisation en cause soit utilisée, ces coûts **doivent** être supportés par l'entreprise. C'est pourquoi ils font partie intégrante de la valeur comptable de l'immobilisation.

La règle générale concernant la détermination du coût guide le comptable dans une foule de situations que nous examinerons dans les pages qui suivent et que nous classerons dans cinq catégories : le coût d'une immobilisation achetée de l'extérieur, celui d'une immobilisation qu'une entreprise construit pour son propre compte, le coût d'une immobilisation selon le mode de financement, celui d'une immobilisation pour laquelle l'entreprise a reçu une aide publique et les coûts ultérieurs.

Avez-vous remarqué ?

Le coût d'une immobilisation comprend son coût d'achat net, les coûts attribuables au transfert de l'actif ainsi que ceux qui sont relatifs à son démantèlement et à son enlèvement. L'entreprise doit s'assurer, en vertu de la définition d'un actif donnée dans le Cadre, que ces coûts seront compensés par des avantages économiques futurs.

Le coût d'une immobilisation corporelle achetée de l'extérieur

La détermination du **coût d'une immobilisation achetée de l'extérieur** ne pose généralement aucun problème particulier. Le coût comprend tous les frais qu'une entreprise engage pour que l'immobilisation corporelle se trouve à l'endroit et dans l'état nécessaires pour qu'elle puisse être exploitée normalement. Par exemple, le coût d'un **immeuble** comprend le coût de base, auquel s'ajoutent, s'il y a lieu, les frais de courtage, les frais juridiques engagés pour conclure l'opération, les droits de mutation, les arrérages de taxes foncières et scolaires, etc.

Le **matériel et l'outillage** comprennent l'ensemble des machines, de l'outillage, des appareils et de l'équipement qu'une entreprise utilise lors de son exploitation courante. Lorsque l'acheteur peut utiliser le matériel et l'outillage dès leur acquisition, le coût correspond au montant de la facture, y compris toutes les taxes non remboursables, les frais juridiques afférents à l'acquisition ainsi que les frais de transport qu'assume l'acheteur pour que le matériel et l'outillage se trouvent à l'endroit où il les utilisera. Lorsque le matériel et l'outillage nécessitent des travaux de montage, d'installation ou autres, les frais engagés pour accomplir ces travaux s'ajoutent au coût des immobilisations en cause. De même, l'acquéreur comptabilise dans le coût du matériel ou de l'outillage tous les frais qu'il engage pour vérifier le bon fonctionnement de ces actifs. Il en est ainsi des coûts des matières premières et de la main-d'œuvre liés aux premiers tests de bon fonctionnement. Enfin, le coût des pièces de rechange principales et du stock de pièces de sécurité est comptabilisé à la valeur comptable du matériel et de l'outillage si l'entreprise compte les utiliser durant plus d'un exercice.

EXEMPLE

Erreur de comptabilisation du coût initial d'une machine achetée de l'extérieur

Examinons l'exemple de la société Hubert Renaud ltée pour visualiser clairement l'incidence des erreurs de comptabilisation.

Au début de l'exercice 20X1, Hubert Renaud ltée paie 1 000 $ pour acheter une machine dont la période d'amortissement est de 5 ans. En supposant que l'entreprise utilise le mode d'amortissement linéaire, les états financiers présentent les montants suivants :

	Le coût est comptabilisé	
	à l'actif	*en résultat net*
Résultat net		
20X1	*(200) $*	*(1 000) $*
20X2	*(200)*	*θ*
20X3	*(200)*	*θ*
20X4	*(200)*	*θ*
20X5	*(200)*	*θ*
Résultats non distribués		
20X1	*(200)*	*(1 000)*
20X2	*(400)*	*(1 000)*
20X3	*(600)*	*(1 000)*
20X4	*(800)*	*(1 000)*
20X5	*(1 000)*	*(1 000)*
Immobilisations, montant net		
20X1	*800*	*θ*
20X2	*600*	*θ*
20X3	*400*	*θ*
20X4	*200*	*θ*
20X5	*θ*	*θ*

Cet exemple illustre bien l'incidence du traitement comptable sur les états financiers. Si Hubert Renaud ltée impute par erreur le montant de 1 000 $ en résultat net, on peut déterminer les erreurs en comparant les montants présentés dans les deux colonnes. Ainsi, le résultat net sera sous-évalué en 20X1 et surévalué au cours des exercices subséquents. De plus, l'actif sera sous-évalué et les résultats non distribués seront sous-évalués au cours des quatre premiers exercices.

Si le montant d'une erreur était important, et tant que l'erreur n'est pas découverte, les utilisateurs des états financiers erronés désireux de comparer une entreprise à d'autres semblables pourraient tirer de mauvaises conclusions, car l'information financière de l'entreprise ne serait plus comparable à celle des autres. D'ailleurs, toute erreur de comptabilisation diminue la qualité de la comparaison des états financiers de diverses entreprises.

Parfois, la valeur comptable d'une immobilisation diffère de sa valeur fiscale. Une telle situation entraîne des impôts différés, ce dont traitera le chapitre 18.

Les principaux éléments de coût compris dans la valeur comptable d'un **terrain** sont le coût de base qui figure dans le contrat d'achat, la commission payée au courtier immobilier, les frais juridiques engagés pour conclure l'opération et les frais d'honoraires professionnels engagés pour viabiliser le terrain acquis. L'examen du contrat notarié révèle souvent que, en plus du montant de base convenu, l'acheteur assume les taxes foncières et scolaires arriérées que le vendeur n'a pas payées. L'acheteur inclut ces taxes dans la valeur comptable du terrain car, si le vendeur les avait déjà payées, le montant de base convenu aurait sans doute été plus élevé. Lorsque le vendeur a payé d'avance les taxes foncières et scolaires, il en exige le remboursement de l'acheteur. Toutefois, ce dernier ne peut comptabiliser à l'actif les taxes couvrant la période pendant laquelle il peut utiliser le terrain. Comme nous l'avons déjà mentionné, l'acheteur comptabilise à l'actif uniquement les coûts engagés avant de pouvoir utiliser l'immobilisation acquise.

EXEMPLE

Coût initial d'un terrain acheté de l'extérieur et coûts subséquents imprévus

Le 31 janvier 20X1, la société Termite ltée achète au coût de 60 000 $ un terrain qu'elle doit d'abord défricher avant de commencer la construction d'une usine. Au moment de prendre sa décision d'investissement, la société estime à 5 000 $ le coût supplémentaire afférent à la préparation du terrain. En mai 20X1, après en avoir entrepris le défrichage, elle constate qu'elle doit également engager des frais de remplissage et de nivelage de 10 000 $ pour viabiliser ce terrain. Peut-elle comptabiliser à l'actif le coût total de 75 000 $, soit 60 000 $ pour l'acquisition, 5 000 $ pour le défrichage, et 10 000 $ pour le remplissage et le nivelage ?

En principe, Termite ltée peut comptabiliser à l'actif les frais de défrichage ainsi que les frais de remplissage et de nivelage ; elle doit cependant engager ces coûts avant de pouvoir commencer à utiliser le terrain comme elle avait prévu le faire. Certains comptables pourraient avancer que Termite ltée ne peut comptabiliser à l'actif les frais de nivelage et de remplissage, ceux-ci s'apparentant à des coûts d'inefficacité. Si la société avait su qu'elle devrait engager des frais de remplissage et de nivelage, elle aurait négocié un prix inférieur à 60 000 $; la juste valeur d'un terrain semblable, prêt à utiliser, n'étant que de 65 000 $. Engager des frais non prévus de l'ordre de 10 000 $ pour rendre le terrain utilisable n'augmente pas automatiquement les avantages économiques prévus au moment de l'acquisition.

Cette question, et le débat qui peut en découler, sont somme toute secondaires, car en fin d'exercice 20X1, Termite ltée doit appliquer un test de dépréciation au terrain, comme nous le verrons au chapitre 9. Si la valeur comptable du terrain excède sa **valeur recouvrable**[9], notamment en raison de la comptabilisation à l'actif des frais de nivelage et de remplissage, Termite ltée devra comptabiliser en résultat net de l'exercice en cours la perte de valeur représentée par l'excédent de la valeur comptable de 75 000 $ sur la valeur recouvrable, disons de 65 000 $. Ajoutons que le fait de diminuer ainsi le résultat net de l'exercice reflète en quelque sorte la mauvaise décision de l'entreprise d'acquérir ce terrain au prix de 60 000 $.

Parfois, une entreprise achète un terrain en même temps qu'une autre immobilisation qu'elle démolira. Si elle acquiert tout de même les deux immobilisations, c'est que le coût total payé correspond au moins à la juste valeur du terrain qu'elle convoite. L'entreprise comptabilise alors le coût total des deux immobilisations au compte Terrain.

EXEMPLE

Coût initial de deux immobilisations achetées simultanément

En avril 20X1, Muette ltée achète un terrain sur lequel se trouve un vieil immeuble. La société a l'intention de démolir l'immeuble avant de construire celui qui abritera son siège social. Voici les renseignements relatifs à cette opération :

Coût de base convenu entre Muette ltée et le vendeur	*70 000 $*
Commission payée au courtier immobilier, incluse dans le coût de base	*4 500*
Frais juridiques	*1 000*
Impôts fonciers arriérés, assumés par Muette ltée	*500*
Droit de mutation[10]	*300*
Coût lié à la démolition du vieil immeuble	*8 000*
Produits découlant de la vente de certains matériaux récupérés lors de la démolition	*2 000*
Coût des travaux d'excavation afférents à la construction de l'immeuble	*5 000*

9. Comme nous le verrons au chapitre 9, la valeur recouvrable d'un actif correspond au montant le plus élevé entre sa juste valeur diminuée des coûts de la vente et sa valeur d'utilité, elle-même définie comme la valeur actualisée attendue de l'utilisation de l'actif.

10. Le **droit de mutation**, appelé à tort **taxe de Bienvenue** en raison du nom de son instigateur, l'ancien ministre Jean Bienvenue, représente un montant que l'acheteur d'une propriété doit payer à la municipalité où se situe cette propriété. Le montant du droit est déterminé en fonction d'un pourcentage du coût d'acquisition.

8

Voici les éléments de coût que Muette ltée doit comptabiliser au compte Terrain :

Coût de base convenu entre Muette ltée et le vendeur	*70 000 $*
Frais juridiques	*1 000*
Impôts fonciers arriérés, assumés par Muette ltée	*500*
Droit de mutation	*300*
Coût net pour la démolition du vieil immeuble (8 000 $ – 2 000 $)	*6 000*
Coût du terrain	*77 800 $*

Pour comptabiliser cette acquisition, Muette ltée doit passer l'écriture de journal suivante :

Terrain	*77 800*	
Immeuble	*5 000*	
Caisse (ou Effets à payer)		*82 800*
Acquisition d'un terrain et travaux d'excavation relatifs à un immeuble.		

Les éléments de coût que nous venons d'énumérer représentent tous les frais que Muette ltée doit engager pour préparer le terrain en vue de son utilisation. De ce fait, elle ajoute au coût de base convenu les frais juridiques, les impôts fonciers, les droits de mutation ainsi que le coût net attendu de la démolition du vieil immeuble. La société ne doit toutefois pas ajouter au coût de base de 70 000 $ la commission payée au courtier immobilier, car le coût de base comprend déjà cette commission. On remarquera aussi que le **coût net** attendu pour la démolition est inclus dans la valeur comptable du terrain. Puisque le coût de démolition brut est comptabilisé à l'actif, on doit donc porter les produits découlant de la démolition en réduction des coûts bruts comptabilisés à l'actif. On notera finalement que le coût des travaux d'excavation afférents à la construction de l'immeuble n'est pas comptabilisé dans le compte Terrain, car il se rapporte directement à la construction de l'immeuble. On comptabilise ce coût de 5 000 $ dans le compte Immeuble.

Plutôt que d'acheter toutes les immobilisations nécessaires à l'exploitation, certaines entreprises peuvent opter pour la location de certaines d'entre elles. La location d'immeubles, d'équipements spécialisés et de matériel roulant est fréquente ; le chapitre 16 traitera de la comptabilisation des immobilisations corporelles que loue une entreprise. Nous expliquerons ici le mode de comptabilisation des **améliorations locatives** apportées à une immobilisation louée d'un bailleur. Par exemple, une entreprise peut apporter des modifications à un immeuble loué en y installant des cloisons mobiles ou un système électrique plus puissant de façon à mieux répondre à ses besoins. Si le coût des modifications est à la charge du bailleur, c'est lui qui le comptabilisera dans ses livres comptables.

Puisque les coûts liés aux améliorations locatives répondent aux conditions de comptabilisation à l'actif dont il a été question plus tôt, le bailleur, responsable des coûts, les comptabilise selon les règles énoncées précédemment[11]. Il passe donc l'écriture suivante pour comptabiliser les améliorations locatives :

Améliorations locatives	*XX*	
Caisse (ou Effets à payer)		*XX*
Améliorations apportées à une immobilisation louée.		

Jusqu'à présent, nos exemples ont illustré l'achat d'une immobilisation, dont le coût était comptabilisé dans un seul compte. Cependant, il arrive qu'une entreprise acquière une seule immobilisation dont le coût doit être ventilé entre diverses composantes, comme c'est le cas dans l'exemple de l'achat d'un avion donné précédemment. Dans de tels contextes, l'entente avec le vendeur ne précise pas toujours le coût respectif de chacune des immobilisations ou des composantes acquises.

Dans ce cas, comment doit-on répartir le coût global entre les actifs ou entre les composantes d'un même actif ? L'IAS 16 ne contient aucune directive à cet égard. Une façon de faire consiste à

11. Le chapitre 9 traitera de l'amortissement des améliorations locatives.

ventiler le coût global selon la juste valeur respective de chacune des immobilisations ou composantes acquises, juste valeur établie selon les précisions données au chapitre 3.

EXEMPLE

Répartition du coût initial entre deux immobilisations achetées simultanément

La société Sanschagrin ltée a acheté simultanément un terrain et un immeuble. Voici les renseignements relatifs à cette opération du 18 janvier 20X1 :

Montant de base convenu avec le vendeur		*68 000 $*
Coûts supplémentaires engagés		
Droit de mutation	*1 075 $*	
Frais d'arpentage	*175*	
Certificat de localisation [12]	*150*	
Honoraires du notaire	*600*	*2 000*
Coût du terrain et de l'immeuble		*70 000 $*
Juste valeur déterminée en 20X1		
Terrain		*28 000 $*
Immeuble		*56 000*
Juste valeur totale		*84 000 $*

On doit d'abord déterminer le coût global à répartir entre le terrain et l'immeuble, de la façon suivante :

Montant de base convenu avec le vendeur	*68 000 $*
Droit de mutation	*1 075*
Certificat de localisation	*150*
Honoraires du notaire	*600*
Coût global à répartir	*69 825 $*

Le lecteur notera que les frais d'arpentage, d'un montant de 175 $, ne sont pas inclus dans le coût global à répartir. Puisqu'il se rapporte exclusivement à l'acquisition du terrain, la société comptabilisera ce coût uniquement au compte Terrain. Après avoir déterminé le coût global du terrain et de l'immeuble, elle le répartit entre les deux immobilisations, selon leur juste valeur respective :

	Terrain	*Immeuble*	*Total*
Coût global à répartir			
(28 000 $ ÷ 84 000 $ × 69 825 $)	*23 275 $*		
(56 000 $ ÷ 84 000 $ × 69 825 $)		*46 550 $*	*69 825 $*
Frais d'arpentage	*175*		*175*
Total du coût	*23 450 $*	*46 550 $*	*70 000 $*

La société passera ensuite l'écriture de journal suivante dans ses livres :

Terrain	*23 450*	
Immeuble	*46 550*	
Caisse (ou Effets à payer)		*70 000*
Acquisition d'un terrain et d'un immeuble.		

Avez-vous remarqué ?

Peu importe la nature de l'immobilisation acquise, les coûts que l'on peut comptabiliser à l'actif doivent être engagés avant que l'immobilisation soit **prête** à être utilisée de la manière prévue et non avant que l'entreprise commence à utiliser l'immobilisation de la manière prévue. En effet, si une immobilisation est prête à être utilisée mais qu'elle ne sert pas, il est peu probable que les coûts engagés soient recouvrables, car le report de son utilisation s'apparente à de l'inefficience.

12. Le **certificat de localisation**, que prépare l'arpenteur, permet notamment de repérer toutes les servitudes associées au terrain et de vérifier que l'emplacement de l'immeuble remplit toutes les exigences légales. C'est l'entente entre l'acheteur et le vendeur qui détermine la partie qui assume les honoraires de l'arpenteur.

Le coût d'une immobilisation corporelle que construit l'entreprise pour son propre compte

Différence NCECF

Dans la deuxième section du chapitre traitant de la définition des immobilisations, nous avons précisé que l'IAS 16 s'applique aux plantes productrices. Afin que ces plantes vivantes puissent croître, puis produire pendant plusieurs exercices, elles nécessitent des soins. Le coût de ces soins est comptabilisé de la même façon que les immobilisations corporelles que construit l'entreprise pour son propre compte. « Par conséquent, l'emploi du terme "construction" dans la présente norme englobe les activités nécessaires à la culture des plantes productrices avant que celles-ci ne se trouvent à l'endroit et dans l'état nécessaires pour être exploitées de la manière prévue par la direction[13]. »

8

Les entreprises qui utilisent des immobilisations très spécialisées fabriquent parfois elles-mêmes ces immobilisations. De même, les entreprises dont la construction constitue l'activité principale peuvent garder pour leur propre utilisation certains des biens qu'elles construisent. La détermination du coût est alors un peu plus difficile, car l'opération de construction de l'immobilisation ne donne pas lieu à une entente unique survenue avec un seul vendeur à une date déterminée. Pour construire plusieurs immeubles ou fabriquer plusieurs équipements, l'entreprise a acheté des matières premières auprès de divers fournisseurs, en plus de payer des salaires à ses employés et d'engager des frais généraux de production, des frais d'administration et des frais de financement. Elle doit alors relever le défi de répartir tous ces frais entre, d'une part, les biens qu'elle construit dans le but de les vendre et qui seront comptabilisés en stock et, d'autre part, les biens qu'elle construit dans le but de les utiliser afin de respecter la recommandation suivante :

> Le coût d'un actif produit par l'entité pour elle-même est déterminé en utilisant les mêmes principes que pour un actif acquis. Si une entité produit des actifs similaires en vue de les vendre dans le cadre de son activité normale, le coût de cet actif est en général le même que le coût de construction d'un actif destiné à la vente (voir IAS 2). En conséquence, tous les profits internes sont éliminés pour arriver à ces coûts. De même, les montants anormaux au titre des matières premières, de la main-d'œuvre ou des autres ressources gaspillées dans la construction d'un actif par l'entité pour elle-même ne sont pas inclus dans le coût de cet actif [...][14].

Les coûts qu'une entreprise peut comptabiliser à titre de stock, conformément à l'**IAS 2**, intitulée « Stocks » et expliquée au chapitre 7, se limitent à ceux qui sont directement attribuables à la production. La même restriction s'applique aux coûts d'une immobilisation corporelle construite par l'entreprise pour son propre compte. Les problèmes de ventilation s'en trouvent donc considérablement réduits, car seuls les coûts pouvant être rattachés à l'immobilisation construite sont comptabilisés dans sa valeur comptable. Ainsi, une entreprise ne doit pas inclure dans le coût de l'immobilisation construite les frais d'électricité liés à ses activités habituelles, les fournitures de bureau ou les salaires des dirigeants. Par contre, si elle a affecté un dirigeant à temps complet au projet de construction, elle comptabilise dans le coût de l'immobilisation construite le salaire du dirigeant en cause.

Généralement, on comptabilise en résultat net les **coûts d'emprunt**, puisqu'ils se rattachent à des actifs prêts à être utilisés ou vendus. Les coûts d'emprunt engagés pendant la construction d'une immobilisation diffèrent cependant des autres coûts d'emprunt, car l'immobilisation en cours de construction n'est pas encore en état d'être utilisée et n'a donc pas commencé à générer des avantages économiques pour l'entreprise. Puisque la règle de base en matière de détermination du coût d'une immobilisation précise qu'une entreprise comptabilise à l'actif tous les éléments de coût engagés avant qu'elle puisse commencer à utiliser l'immobilisation, il y a lieu de se demander si cette règle s'applique aux coûts d'emprunt engagés pendant la construction.

Dans l'**IAS 23**, intitulée « Coûts d'emprunt », l'IASB recommande la comptabilisation à l'actif des coûts d'emprunt lorsqu'une entreprise construit une immobilisation. Cette norme s'applique aussi à tous les **actifs qualifiables**, soit les actifs pour lesquels une longue période de préparation est nécessaire avant de pouvoir les utiliser. C'est le cas, par exemple, d'une entreprise qui a acheté un satellite de communication pour lequel plusieurs essais doivent être faits et qui requiert l'installation de tours de transmission, ou d'une entreprise qui construit des avions en vue de les vendre dans le cadre de son activité courante. Cette norme ne s'applique toutefois pas

13. *Manuel de CPA Canada – Comptabilité – Partie I*, IAS 16, paragr. 22A.

14. *Manuel de CPA Canada – Comptabilité – Partie I*, IAS 16, paragr. 22.

aux actifs comptabilisés à la juste valeur[15] ni aux biens produits en grande quantité sur une base répétitive. L'IASB ne précise pas ce qui doit être considéré comme une « longue période », et il revient au comptable d'exercer son jugement professionnel tout en tenant compte de l'importance relative des coûts d'emprunt. À notre avis, une période inférieure à deux ou trois mois est rarement jugée longue, alors qu'une période de préparation dépassant un an est souvent considérée comme une longue période.

Revenons aux immobilisations corporelles qu'une entreprise construit pour son propre compte. Lorsqu'elle a obtenu le financement pour la construction, le montant des coûts d'emprunt comptabilisé à l'actif correspond aux coûts d'emprunt réels engagés au cours de l'exercice, diminués de tout produit obtenu du placement à court terme des fonds empruntés. Il arrive aussi qu'une entreprise obtienne un financement de base et en utilise une partie pour la construction d'une immobilisation corporelle. Elle applique alors la méthode du taux d'intérêt effectif pour calculer les coûts d'emprunt qu'elle peut comptabiliser à l'actif. L'IASB précise aussi que la comptabilisation à l'actif des coûts d'emprunt doit commencer lorsque l'entreprise remplit pour la première fois toutes les conditions suivantes :

(a) elle engage des dépenses pour l'actif ;

(b) elle engage des coûts d'emprunt ; et

(c) elle entreprend des activités indispensables à la préparation de l'actif préalablement à son utilisation ou à sa vente prévue[16].

8

La comptabilisation des coûts d'emprunt à l'actif doit cesser lorsque les activités indispensables à la préparation de l'actif préalablement à son utilisation prévue sont pratiquement terminées. Si la construction d'un actif fait partie d'un ensemble et que chaque actif peut être utilisé isolément, c'est la fin de la préparation de chaque actif qui détermine la date où l'on doit cesser la comptabilisation à l'actif. Par contre, si chaque actif doit être terminé avant que l'ensemble soit prêt à être utilisé, la comptabilisation à l'actif des coûts d'emprunt cesse lorsque l'ensemble des actifs est prêt à être utilisé. Il arrive parfois que la construction ou la préparation de l'actif soit interrompue. La comptabilisation des intérêts qui courent pendant cette période dépend de la durée de l'interruption. S'il s'agit d'un arrêt temporaire des travaux, par exemple de quelques jours ou semaines parce que l'entreprise attend une livraison de matières premières, on continue de comptabiliser à l'actif les coûts d'emprunt. Toutefois, si les travaux sont suspendus durant une longue période, la comptabilisation des coûts d'emprunt à l'actif doit cesser. Pensons, notamment, au cas où une entreprise interrompt la construction de son siège social parce qu'une crise secoue le marché immobilier. Pendant la période d'interruption, l'entreprise analyse s'il est toujours plus économique de construire son siège social ou d'acheter un immeuble déjà prêt à plus bas coût.

La comptabilisation des coûts d'emprunt à l'actif ne doit pas avoir pour effet de porter la valeur comptable de l'actif à un montant excédant sa valeur recouvrable. En d'autres termes, une entreprise comptabilise les coûts d'emprunt à l'actif uniquement lorsqu'elle estime probable de pouvoir recouvrer ses coûts grâce aux avantages économiques futurs que générera l'actif en cause.

EXEMPLE

Comptabilisation des coûts d'emprunt

Voici des renseignements pertinents au sujet de la société Inter ltée :

Coûts fixes et coûts variables directement rattachés à la construction terminée le 31 décembre	80 000 $
Emprunt obtenus spécialement pour la construction (au taux d'intérêt de 10 % par année)	
1er janvier	25 000 $
1er février	20 000
Total du financement	45 000 $
Autres emprunts obtenus le 1er janvier au taux d'intérêt effectif de 11 % par année et qui ne sont pas directement rattachés à la construction	58 000 $

15. Comme il est expliqué dans d'autres chapitres du présent ouvrage, une entreprise peut décider de comptabiliser ses immobilisations corporelles, ses immobilisations incorporelles et ses immeubles de placement à leur juste valeur, alors qu'elle **doit** comptabiliser ses actifs biologiques à la juste valeur.

16. *Manuel de CPA Canada – Comptabilité – Partie I*, IAS 23, paragr. 17.

Inter ltée doit comptabiliser à l'actif les coûts d'emprunt de 4 333 $ [(25 000 $ × 10 %) + (20 000 $ × 10 % × 11 mois ÷ 12 mois)], soit les coûts liés aux emprunts obtenus spécialement pour la construction. Dans la mesure où les autres emprunts obtenus au cours de l'exercice ont servi à financer la construction et auraient été évités si Inter ltée n'avait pas construit l'actif, elle doit comptabiliser à l'actif des coûts d'emprunt additionnels, calculés de la façon suivante :

Coûts de construction financés à même les autres emprunts obtenus pendant l'exercice (80 000 $ – 45 000 $)	*35 000 $*
Taux d'intérêt effectif	× *11 %*
Coûts d'emprunt additionnels devant être comptabilisés à l'actif	*3 850 $*

En plus de définir les coûts comptabilisés à l'actif, une entreprise doit aussi limiter ces coûts aux seuls coûts d'emprunt engagés pour la construction.

EXEMPLE

Distinction entre les coûts d'emprunt comptabilisés à l'actif ou en charges

Le 1er janvier 20X1, la société Haddock ltée a entrepris la construction d'un immeuble qui abritera ses ateliers de production. Pour financer la construction, dont le coût est estimé à 400 000 $, Haddock ltée émet au pair 400 000 $ d'obligations portant un taux d'intérêt nominal de 10 % par année. Au cours de l'exercice, la société engage des coûts de construction de 100 000 $ et, au 31 décembre, elle paie les intérêts sur les obligations. Voici les écritures de journal que Haddock ltée doit passer dans ses livres :

Immeubles	*100 000*	
Caisse (ou autre compte approprié)		*100 000*
Coûts afférents à la construction de l'immeuble.		
Intérêts sur la dette non courante	*30 000*	
Immeubles	*10 000*	
Caisse (ou autre compte approprié) (400 000 $ × 10 %)		*40 000*
Intérêts annuels sur les obligations.		

On constatera que même si la société a émis les obligations dans l'intention de financer la construction, elle n'a eu besoin que de 100 000 $ en 20X1. Les intérêts comptabilisés dans le compte Immeubles ne s'élèvent donc qu'à 10 000 $, soit 10 % de 100 000 $. Les intérêts payés sur les 300 000 $ d'obligations ne se rattachent pas à l'activité de construction de l'exercice, et la société les impute en résultat net de 20X1.

Poursuivons notre exemple en supposant que Haddock ltée engage des coûts de construction de 300 000 $ le 1er janvier 20X2. Elle termine la construction de l'immeuble le 31 mai 20X2, et l'immeuble est alors prêt à être utilisé. Voici le calcul des intérêts comptabilisés au compte Immeubles en 20X1 et 20X2 :

Coûts d'emprunt de 20X1 rattachés à la construction (100 000 $ × 10 %)	*10 000 $*
Coûts d'emprunt de 20X2 rattachés à la construction (400 000 $ × 10 % × 5 mois ÷ 12 mois)	*16 667*
Coûts d'emprunt comptabilisés dans le compte d'actif	*26 667 $*

Le solde du compte Immeubles s'élève donc à 426 667 $ et représente le coût de l'immeuble qu'a construit Haddock ltée pour son propre usage.

Lorsqu'une entreprise comptabilise à l'actif les coûts d'emprunt, elle doit préciser le montant ainsi comptabilisé au cours de l'exercice financier de même que le taux d'intérêt effectif utilisé pour déterminer ce montant.

Avez-vous remarqué ?

La détermination du coût d'une immobilisation qu'une entreprise construit pour son propre compte, y compris les coûts liés à une plante productrice avant que celle-ci se trouve à l'endroit et dans l'état nécessaires pour être exploitée de la manière prévue, fait davantage appel au jugement professionnel que lorsque l'immobilisation est achetée de l'extérieur. Il peut donc s'avérer plus difficile d'évaluer la fidélité de cette information.

Le coût d'une immobilisation corporelle selon le mode de financement

Différence NCECF

Peu importe le mode de financement retenu par l'entreprise, le coût comptabilisé à l'actif doit correspondre au **prix comptant équivalent** à la date de l'acquisition. Ce prix correspond au montant que l'entreprise aurait payé en trésorerie à la date où l'immobilisation corporelle se trouve à l'endroit et dans l'état nécessaires pour pouvoir être utilisée. Il s'agit d'une règle généralement simple à appliquer, comme le montrent les explications suivantes de deux contextes possibles.

Dans le premier contexte, l'acheteur d'une immobilisation est un client fiable connu du vendeur. Celui-ci accepte de baisser son prix de vente en lui accordant une réduction forfaitaire appelée **rabais** [17]. À la date d'acquisition, l'acheteur doit comptabiliser à l'actif uniquement le prix comptant équivalent. Puisqu'il n'aurait peut-être pas accepté de payer le montant brut de l'immobilisation au regard des avantages économiques futurs attendus de celle-ci, on comptabilise à l'actif seulement le coût d'acquisition net réel. De cette façon, les livres reflètent l'opération réelle et non un autre coût que l'entreprise aurait pu débourser. En effet, dans certains cas, on pourrait soutenir que le vendeur n'a accordé l'escompte de caisse que pour satisfaire l'acheteur en lui donnant l'impression de réaliser une bonne affaire.

En règle générale, l'acheteur d'une immobilisation fait affaire avec deux entreprises distinctes : l'entreprise qui vend l'immobilisation et l'institution financière qui fournit le financement. Dans le second contexte, soit celui des **ventes à tempérament**, l'entreprise qui vend une immobilisation à tempérament [18] fournit elle-même le financement à l'acheteur. Le contrat signé entre l'acheteur et le vendeur reflète alors simultanément les volets achat et financement de l'opération.

Soulignons que lors de ce type d'opération, le vendeur demeure légalement propriétaire de l'immobilisation jusqu'à ce que l'acheteur ait fait le dernier paiement. Cependant, sur le plan économique, c'est l'acheteur qui jouit de tous les avantages découlant de l'immobilisation et qui assume tous les risques. De ce fait, l'immobilisation doit figurer parmi les actifs de l'acheteur. Comment détermine-t-on le coût d'une immobilisation achetée à tempérament ? Le point de départ consiste à distinguer les deux volets de l'opération, c'est-à-dire le volet acquisition et le volet financement. Par la suite, l'acheteur comptabilise à l'actif le prix comptant équivalent ; il comptabilisera plus tard les frais financiers selon la recommandation de l'IASB : « Si le règlement est différé au-delà des conditions habituelles de crédit, la différence entre le prix comptant équivalent et le total des paiements est comptabilisée en charges financières sur la période de crédit [...] [19] ».

EXEMPLE

Achat à tempérament d'un camion

Jeanfile ltée a fait l'acquisition d'un camion le 31 décembre 20X1. Selon l'entente conclue avec le vendeur, Jeanvend ltée, celui-ci financera l'achat du camion. Jeanfile ltée a accepté de débourser 5 000 $ le 31 décembre et de verser annuellement la somme de 10 000 $, y compris le remboursement du principal et le paiement des intérêts, au cours des 3 années à venir. Le contrat précise aussi que les parties conviennent d'un taux d'intérêt de 10 % par année. On notera que le coût du camion n'est pas de 35 000 $, car ce montant comprend à la fois le

17. Les rabais ont été expliqués aux chapitres 6 et 7.

18. Nous avons traité des achats à tempérament de marchandises destinées à la vente au chapitre 7. La plupart de ces explications peuvent s'appliquer aux acquisitions d'immobilisations à tempérament.

19. *Manuel de CPA Canada – Comptabilité – Partie I*, IAS 16, paragr. 23.

8

coût d'acquisition et les frais de financement. Sachant que la juste valeur du camion s'élève à 29 869 $, Jeanfile ltée enregistre ainsi l'opération :

Matériel roulant	*29 869*	
Caisse		*5 000*
Effets à payer		*24 869*
Acquisition d'un camion.		

L'écart entre le débours total de 35 000 $ et la juste valeur de 29 869 $ correspond aux charges financières que Jeanfile ltée assumera au cours des 3 années à venir. La société ne peut comptabiliser les charges financières au compte Matériel roulant, parce qu'au 31 décembre 20X1, le camion était déjà prêt à être utilisé de la manière prévue par Jeanfile ltée. C'est pourquoi la société imputera les charges financières en résultat net pendant toute la durée du financement.

Dès l'achat, la société pourra préparer une feuille de travail comme celle présentée ci-dessous afin de déterminer les montants à comptabiliser périodiquement.

31 décembre	(1) Versements	(2) Intérêts à 10 %	(3) Principal remboursé [(1) – (2)]	(4) Solde de la dette [montant de la ligne précédente – (3)]
20X1				29 869 $
20X1	5 000 $	θ	5 000 $	24 869
20X2	10 000	2 487 $	7 513	17 356
20X3	10 000	1 736	8 264	9 092
20X4	10 000	908*	9 092	θ

* Montant arrondi

Lors du versement de 10 000 $ le 31 décembre 20X2, Jeanfile ltée passera l'écriture suivante dans ses livres :

Effets à payer	*7 513*	
Intérêts sur dette non courante	*2 487*	
Caisse		*10 000*
Remboursement annuel afférent à l'effet à payer.		

Dans cet exemple, le taux d'intérêt précisé au contrat d'achat correspond à celui du marché, c'est-à-dire au taux d'intérêt que l'entreprise devrait payer pour un prêt d'une durée identique. Supposons que la société Jeanfile ltée ait emprunté 30 000 $ auprès de son banquier et qu'elle aurait dû payer des intérêts calculés au taux de 12 % par année. On pourrait alors croire que le taux de 10 % qu'offre Jeanvend ltée est nettement avantageux pour Jeanfile ltée. Toutefois, tel n'est probablement pas le cas, car il faut croire qu'en contrepartie de cette réduction du taux d'intérêt, Jeanvend ltée a augmenté artificiellement le prix de vente du camion. Cet exemple illustre les précisions données au paragraphe 23 de l'IAS 16, selon lesquelles le coût d'une immobilisation est le prix comptant équivalent.

Différence NCECF

Avez-vous remarqué ?

En vertu de la notion du prix comptant équivalent, le mode de financement et les coûts qui en découlent n'ont aucune incidence sur la valeur comptable initiale d'une immobilisation.

Les coûts ultérieurs

Différence NCECF

Les pages précédentes traitaient de la comptabilisation des coûts engagés **avant** que l'immobilisation ne se trouve à l'endroit et dans l'état nécessaires pour pouvoir être utilisée de la manière prévue par l'entreprise. Après cette date, il est évident que l'entreprise engage d'autres coûts, aussi appelés **coûts ultérieurs**, par exemple pour entretenir l'immobilisation, la réparer ou l'améliorer. Elle doit alors en déterminer le mode de comptabilisation, c'est-à-dire établir si les coûts qu'elle engage sont des dépenses d'exploitation ou des dépenses en capital.

Pour ce faire, elle applique les mêmes critères de comptabilisation à l'actif que ceux relatifs aux coûts engagés initialement. En effet, elle évalue la possibilité de mesurer le coût de l'entretien, de la réparation ou de l'amélioration avec une assurance raisonnable ainsi que la probabilité que les coûts ultérieurs génèrent des avantages économiques futurs dont elle pourra bénéficier. Par exemple, lorsqu'une dépense augmente la capacité de production d'un équipement par rapport à ce qui était prévu au moment de son acquisition, les deux critères de comptabilisation à l'actif sont remplis. En incluant ces coûts dans la valeur comptable de l'immobilisation corporelle, l'entreprise peut évaluer plus fidèlement celle-ci.

La règle de comptabilisation à l'actif est simple, mais son application doit faire appel au jugement professionnel et tenir compte de l'importance relative des montants en cause. Entre autres, comment évaluer la probabilité d'éventuels avantages économiques futurs ? L'expérience de l'entreprise est alors utile. On considère généralement qu'une dépense générera des avantages économiques futurs si elle a pour effet d'augmenter la capacité de production physique ou de service estimée antérieurement, d'améliorer la qualité des extrants, de prolonger la durée d'utilité ou de diminuer les frais d'exploitation afférents. Avant d'examiner quelques exemples d'application des deux critères de comptabilisation à l'actif, soulignons que le comptable doit demeurer très vigilant dans son appréciation et faire preuve d'esprit critique, comme le laisse entendre l'IASB dans le document intitulé « Base des conclusions de IAS 16 *Immobilisations corporelles* » :

> Le Conseil s'est aperçu que certaines dépenses subséquentes sur les immobilisations corporelles, quoique encourues de manière non discutable dans la poursuite de bénéfices économiques futurs, ne sont pas suffisamment certaines pour être activées suivant le principe général de comptabilisation. Le Conseil a donc décidé d'énoncer dans la Norme qu'une entité doit comptabiliser en charges les coûts d'entretien courant des immobilisations corporelles[20].

Même si la norme précise que les coûts d'entretien doivent être comptabilisés en charges lorsqu'ils sont engagés, la difficulté pratique est de déterminer ce qui constitue un entretien. Par exemple, il est clair que les changements d'huile des véhicules, répétés à courts intervalles, sont des travaux d'entretien dont le coût peut comprendre la valeur de l'huile et de la main-d'œuvre affectée à l'entretien. À l'inverse, il est clair que si une entreprise profite d'un arrêt prévu de la production pour faire l'entretien régulier et changer une pièce qui augmentera la durée d'utilité d'un équipement de production, elle bénéficiera d'avantages économiques. Puisque la dépense augmentera les avantages économiques attendus, elle est **activée**, c'est-à-dire qu'elle est comptabilisée à l'actif, conformément aux critères établis dans le Cadre. Rappelons que, selon les explications données précédemment au sujet de la comptabilisation des composantes, si le coût de la pièce est important et si la durée d'utilité de celle-ci diffère de la durée d'utilité de l'équipement, on comptabilise le coût de la nouvelle pièce dans un compte d'immobilisation distinct.

Plusieurs autres situations sont plus difficiles à comptabiliser. Il en est ainsi lorsque l'exploitation d'une immobilisation exige que des parties de celle-ci soient remplacées à intervalles réguliers. Par exemple, pendant la durée d'utilité de 20 ans d'un convoyeur, il peut être d'usage de remplacer le moteur tous les 5 ans. On peut aussi penser au remplacement régulier des sièges d'un avion, disons 5 fois au cours de la durée d'utilité de l'avion, ou au remplacement bisannuel de l'intérieur d'un four ayant une durée d'utilité de 10 ans.

20. *Normes internationales d'information financière*, « Base des conclusions de IAS 16 *Immobilisations corporelles* », paragr. BC12. Soulignons que les dépenses activées sont des dépenses qui ont été comptabilisées à l'actif.

Dans l'exemple précédent du convoyeur, si l'entreprise a initialement comptabilisé le coût du moteur dans un compte distinct pour l'amortir sur sa durée d'utilité de cinq ans, il est clair que le remplacement du moteur pendant la cinquième année entraîne la décomptabilisation du coût et de l'amortissement cumulé du moteur remplacé et la comptabilisation du coût du nouveau moteur. Si l'entreprise n'a pas initialement comptabilisé le coût du moteur dans un compte distinct, le remplacement du moteur cinq ans plus tard serait comptabilisé dans le même compte que le convoyeur. L'entreprise doit toutefois s'assurer de décomptabiliser le coût et l'amortissement cumulé de l'ancien moteur, qu'elle doit alors estimer.

EXEMPLE

Coûts ultérieurs pour remplacer une partie d'une immobilisation

La société Tournesol ltée a remplacé tous les vieux planchers de bois de l'immeuble abritant son siège social par des planchers de granit. Ce travail a entraîné des frais de 27 000 $, et la société sait que le nouveau plancher générera des avantages économiques futurs sous forme de réduction des coûts d'entretien à venir. Au moment de l'achat de l'immeuble, elle n'avait pas comptabilisé dans un compte distinct le coût des planchers, compte tenu de la faible importance des montants en cause et de leur durée d'utilité, jugée semblable à celle prévue pour l'ensemble de l'immeuble. Au moment du remplacement, Tournesol ltée passe les écritures de journal suivantes, en tenant pour acquis que le coût et l'amortissement cumulé liés aux planchers de bois s'élèvent respectivement à 14 000 $ et à 11 500 $.

Amortissement cumulé – Immeubles	*11 500*	
Perte sur aliénation d'immeubles	*2 500*	
Immeubles		*14 000*
Décomptabilisation de la valeur comptable des planchers remplacés.		
Immeubles	*27 000*	
Caisse (ou compte de passif approprié)		*27 000*
Remplacement des planchers de bois par des planchers de granit.		

Il arrive aussi que, avant même de remplacer une partie importante d'une immobilisation corporelle, l'entreprise soit tenue de réaliser des inspections majeures destinées à repérer d'éventuels bris. Pensons, notamment, aux compagnies aériennes qui doivent procéder à des inspections régulières de leurs avions, ou à certaines entreprises de production qui doivent inspecter périodiquement l'épaisseur des parois de leurs bouilloires électriques afin d'éviter d'éventuels accidents de travail. Dans ces circonstances, le montant initialement payé pour une immobilisation corporelle inclut généralement le coût de l'inspection initiale, préalable à l'utilisation de l'immobilisation pendant les premières années. Cette portion de coût doit être comptabilisée dans un compte d'immobilisation distinct, pour autant que l'importance relative le justifie. Il s'agit là d'un traitement comptable prudent, car cette portion du coût total sera amortie sur une plus courte période que celle qui est liée à l'immobilisation même. De plus, lors de l'inspection suivante, l'entreprise devra décomptabiliser le coût de la précédente inspection, tout comme Tournesol ltée doit décomptabiliser le coût des planchers remplacés dans l'exemple précédent.

Les entreprises engagent parfois des frais de déménagement. Ces frais ne se rattachent pas directement à une immobilisation précise, mais à plusieurs. En principe, une entreprise pourrait comptabiliser ces frais à l'actif s'ils génèrent des avantages économiques futurs. On peut difficilement affirmer que les immobilisations servant à la production donneront un meilleur service parce qu'elles sont situées dans un autre local. C'est pourquoi les entreprises ne comptabilisent généralement pas à l'actif les frais de déménagement. Par contre, le déménagement d'un magasin de vente au détail dans un quartier plus achalandé pourrait permettre d'augmenter les avantages économiques futurs sous la forme d'augmentation du chiffre d'affaires. Cependant, puisque la détermination du montant de cette augmentation est très subjective, et compte tenu de l'importance relative des montants en cause, il est généralement justifié de comptabiliser ces frais en charges au cours de l'exercice du déménagement.

Avez-vous remarqué ?

La comptabilisation par composante facilite la comptabilisation des coûts ultérieurs. En effet, si une composante est comptabilisée dans un compte distinct, il est clair que son remplacement nécessite de procéder en deux temps. Premièrement, on doit décomptabiliser la composante remplacée ; ce travail est facile à faire, car le coût et l'amortissement cumulé qui s'y rapportent figurent dans des comptes distincts. Deuxièmement, on comptabilise le coût de la nouvelle composante.

Lorsque les coûts ultérieurs se rapportent à une partie d'une immobilisation qui n'était pas comptabilisée distinctement, l'entreprise doit alors déterminer si les coûts doivent être comptabilisés à l'actif ou passés en charges. Dans le premier cas, elle doit estimer les montants à décomptabiliser à l'égard de la partie de l'immobilisation remplacée.

Différence NCECF

4 Le coût d'une immobilisation corporelle pour laquelle l'entreprise a reçu une aide publique

Différence NCECF

Les États accordent parfois de l'aide aux entreprises afin de maintenir ou de relancer l'activité économique ou encore dans le but d'orienter l'activité économique vers certains secteurs qu'ils privilégient. Ce faisant, ils contribuent, notamment, à enrayer le chômage, à maintenir la valeur de la devise et à attirer des capitaux étrangers. Une entreprise qui obtient une telle aide publique de l'État, par exemple pour l'inciter à investir, bénéficie en substance non seulement d'une forme de financement à coût nul, mais aussi d'une diminution de la sortie de trésorerie requise pour obtenir une immobilisation corporelle. Comment cette entreprise détermine-t-elle alors le coût de l'immobilisation acquise ? La réponse à cette question se trouve dans l'**IAS 20**, intitulée « Comptabilisation des subventions publiques et informations à fournir sur l'aide publique », et elle passe par l'analyse de divers aspects, dont les liens sont illustrés dans la figure 8.3.

L'IASB distingue d'abord l'aide publique et les subventions publiques. Une **aide publique** est une mesure prise par l'État, que ce soit par l'entremise d'un organisme public local, national ou international, destinée à fournir un avantage économique particulier à une entreprise ou à une catégorie d'entreprises répondant à certains critères. Il peut s'agir, par exemple, d'un soutien à l'investissement consenti par un État ou de conseils techniques offerts à titre gratuit. Les mesures prises par un État et qui concernent les conditions générales de l'économie, telle la mise en place d'un réseau routier ou l'instauration de mesures protectionnistes contre la concurrence étrangère, ne constituent pas une aide publique, car elles ne s'adressent pas à une entreprise ou à une catégorie d'entreprises en particulier. Une **subvention publique** se distingue d'une aide publique du fait que sa juste valeur peut raisonnablement être déterminée.

Lorsqu'un État conclut des opérations commerciales avec l'entreprise, par exemple quand le gouvernement canadien achète des avions construits par Bombardier, cette opération ne doit pas être traitée comme une subvention publique, même si l'achat par le gouvernement canadien aide Bombardier à poursuivre ses activités de recherche et de développement dans le secteur aéronautique. Il est en effet trop arbitraire de chercher à distinguer la portion commerciale et la portion aide publique d'une telle transaction.

L'IAS 20 ne s'applique pas à toute forme d'aide publique. En sont nommément exclus les cas suivants :

(a) [...] ;

(b) [...] l'aide publique fournie à une entité sous forme d'avantages qui sont octroyés lors de la détermination du bénéfice imposable ou de la perte fiscale, ou qui sont déterminés ou limités sur la base du passif d'impôt sur le résultat, tels que les exonérations fiscales, les crédits d'impôt pour investissement, les amortissements accélérés et les taux réduits d'impôt sur le résultat ;

(c) [...] la participation de l'État dans la propriété de l'entité ;

(d) [... les] subventions publiques traitées dans IAS 41 *Agriculture*[21].

21. *Manuel de CPA Canada – Comptabilité – Partie I*, IAS 20, paragr. 2.

FIGURE 8.3 Un aperçu des questions abordées dans l'IAS 20

8

La comptabilisation des subventions publiques

Comme l'indique la figure 8.3, les subventions publiques sont reflétées dans les livres d'une entreprise, alors que l'aide publique ne fait l'objet que d'information donnée dans les notes qui accompagnent les états financiers. L'absence de comptabilisation de l'aide publique, laquelle n'est pas une subvention, se justifie par la difficulté d'en faire une estimation fiable. Il en est ainsi des conseils techniques ou commerciaux offerts gratuitement par un État à une entreprise pour la soutenir dans le développement d'un marché étranger. Cependant, lorsqu'une entreprise bénéficie d'un prêt consenti par l'État à taux réduit, elle doit initialement mesurer cette dette conformément aux recommandations de l'**IFRS 9**, intitulée « Instruments financiers », soit à la juste valeur, probablement déterminée en actualisant au taux d'intérêt effectif les sorties de fonds qui seront nécessaires pour rembourser la dette. L'écart entre cette juste valeur et les sommes reçues de l'État constitue la mesure de l'aide reçue.

Examinons maintenant la comptabilisation des subventions publiques. La première question qui se pose consiste à savoir à quel moment une entreprise doit comptabiliser une subvention. Selon les principes de la comptabilité d'engagement, on ne peut évidemment pas attendre que l'entreprise encaisse le montant de la subvention, s'il s'agit d'une subvention monétaire, ou qu'elle reçoive l'actif ou le service en cause, s'il s'agit d'une subvention non monétaire. À l'inverse, ce n'est pas au moment où un État annonce un programme d'aide que l'entreprise peut comptabiliser l'aide publique, même si elle s'y croit admissible. Conformément à l'IAS 20, elle le fait lorsqu'elle a l'assurance raisonnable de remplir deux conditions. Premièrement, elle estime pouvoir se conformer aux conditions rattachées à la subvention. Deuxièmement, elle considère que la subvention sera reçue. L'IASB précise même ceci : « L'obtention d'une subvention ne fournit pas en elle-même un élément probant permettant de conclure que les conditions attachées à la subvention ont été ou seront remplies[22]. »

Il ressort de ces deux conditions que la forme que prend l'aide, c'est-à-dire monétaire ou non monétaire, n'a pas d'incidence sur le moment de comptabilisation. De même, le nom donné par l'État n'a pas d'incidence. Ainsi, une entreprise traite un prêt consenti par un État, qui serait transformé en subvention à certaines conditions, comme une subvention publique dans la mesure où elle a une assurance raisonnable de remplir ces conditions. Si elle n'a pas une telle assurance, elle comptabilise les montants reçus de l'État au débit du compte Caisse et au crédit d'un compte de passif, tel que Dette payable à l'État.

8

Après avoir déterminé à quel moment comptabiliser une subvention publique, la question suivante, indiquée dans la figure 8.3, consiste à établir sur quelle période la comptabiliser et à quel titre. C'est la nature de la subvention publique qui dictera comment donner une représentation fidèle de celle-ci.

Il existe deux façons de concevoir les subventions publiques. Pour certains, il s'agit d'un apport de capital qui doit être crédité à un compte de capitaux propres. L'IASB désigne cette façon de percevoir les subventions comme l'**approche par le bilan**. Pour d'autres, les subventions publiques s'apparentent à un produit qui devra plus tard figurer parmi les résultats de l'exploitation. L'IASB désigne cette façon de percevoir les subventions comme l'**approche par le résultat**. Le tableau 8.1 recense les arguments que font valoir les tenants de chacun des deux points de vue.

L'IASB estime que l'approche par le résultat est préférable. Toute subvention doit donc figurer parmi les résultats de l'exploitation. Cette position concorde avec l'objectif de l'état du résultat global, soit présenter toute opération ayant une incidence sur la rentabilité d'une entreprise. De façon plus précise, l'IASB recommande de répartir la comptabilisation des produits sur les exercices pendant lesquels l'entreprise passe en charges les dépenses qui déclenchent l'obtention de la subvention. Par exemple, si la subvention a été accordée pour couvrir les coûts de l'exercice en cours, le montant total de la subvention est comptabilisé à titre de produits dans le même exercice.

TABLEAU 8.1 La nature des subventions publiques

L'approche par le bilan	L'approche par le résultat
Les subventions publiques sont des instruments de financement, car elles permettent de réduire le montant de capital que l'entreprise devrait se procurer d'une autre façon pour financer certaines dépenses. Elles doivent donc être comptabilisées comme telles dans l'état de la situation financière.	Les subventions sont des rentrées qui ne proviennent pas des actionnaires. Elles ne peuvent donc pas être comptabilisées directement dans les capitaux propres.
Les subventions publiques ne doivent pas être comptabilisées à titre de produits, car elles ne sont pas acquises. Elles représentent un incitatif accordé par l'État, à coût nul.	Les subventions publiques ne sont pas gratuites. En effet, l'entreprise doit presque toujours satisfaire à certaines conditions afin d'en bénéficier. C'est pourquoi elles constituent, en substance, des produits.
	Les subventions publiques, tout comme l'impôt sur le résultat, découlent des politiques économiques. Puisque l'impôt est perçu comme une charge, il est cohérent de percevoir les subventions comme des produits.

22. *Manuel de CPA Canada – Comptabilité – Partie I*, IAS 20, paragr. 8.

Si une subvention est liée à l'achat d'une immobilisation, le coût d'achat de cette dernière n'est pas comptabilisé en charges pendant l'exercice. Ce n'est qu'au moyen de l'amortissement que l'entreprise comptabilisera ultérieurement en charges, de façon systématique et rationnelle sur la durée d'utilité de l'immobilisation, le coût d'achat de l'immobilisation. Elle devra donc comptabiliser la subvention à titre de produits au même rythme que l'amortissement.

Examinons plus en détail la comptabilisation de ces deux types de subventions.

Les subventions publiques liées au résultat

Une **subvention publique liée au résultat**, qu'on ne doit pas confondre avec l'approche par le résultat, se définit comme une subvention qui n'est pas conditionnelle à l'achat, à la construction ou à l'acquisition par tout autre moyen d'actifs non courants. Cette subvention peut être conditionnelle, par exemple, à l'embauche de personnel, à l'achat de stocks ou au maintien d'un certain niveau de dépenses d'exportation.

L'entreprise qui reçoit une subvention publique liée au résultat la comptabilise dans le même exercice que celui où elle comptabilise les charges couvertes par la subvention, soit en diminuant ses charges, soit en augmentant ses produits. Ce traitement permet de montrer le coût net réel qu'elle assume. Ainsi, une entreprise comptabilise de la façon suivante une subvention de 10 000 $ accordée par l'État pour la création d'un nouvel emploi :

Première possibilité

Caisse (ou Subvention publique à recevoir)	*10 000*	
Produits découlant d'une subvention publique		*10 000*

Seconde possibilité

Caisse (ou Subvention publique à recevoir)	*10 000*	
Salaires		*10 000*

Ces deux possibilités sont acceptables selon les IFRS. D'un côté, les partisans de la comptabilisation à titre de produit soutiennent que la compensation des produits et des charges est généralement interdite, car elle ne permet pas de dresser des états financiers transparents. Ne présenter que le montant net de la charge rend aussi difficile la comparaison avec d'autres charges non subventionnées. De l'autre côté, les partisans de la comptabilisation en réduction des charges soutiennent que si l'entreprise n'avait pas reçu la subvention, elle n'aurait peut-être pas engagé le coût brut. De ce fait, la présentation de la charge sans compensation pourrait s'avérer trompeuse. L'IASB n'a pas voulu trancher ce débat, et il laisse à l'entreprise le soin de choisir l'un des deux modes de comptabilisation. Comme dans tous les cas où une entreprise a le choix parmi plusieurs méthodes comptables, elle doit alors présenter des informations complémentaires dans ses états financiers, comme nous l'expliquerons un peu plus loin.

Lorsqu'un État accorde une subvention pour des dépenses engagées au cours d'exercices antérieurs, à la suite, par exemple, de l'adoption d'une nouvelle politique gouvernementale, l'entreprise comptabilise cette subvention en produits de l'exercice au cours duquel la subvention est acquise. Elle applique le même traitement si elle reçoit une subvention qui n'est pas rattachée à des charges futures.

EXEMPLE

Subvention reçue pour des dépenses engagées dans les exercices antérieurs

La société Jemémouille ltée a subi d'importants dommages en 20X1 à la suite du débordement de la rivière qui borde ses locaux. La société a immédiatement demandé au gouvernement provincial une subvention publique de 110 000 $. La demande est restée sans réponse jusqu'au 18 août 20X3. À cette date, la société a reçu une réponse positive et a passé l'écriture de journal suivante :

Subvention publique à recevoir	*110 000*	
Produits découlant d'une subvention publique (ou d'un compte de charge approprié)		*110 000*
Confirmation par l'État de l'accord d'une subvention pour des dommages subis en 20X1.		

Il est inapproprié de comptabiliser cette subvention comme un retraitement rétrospectif. Si Jememouille ltée n'a pas comptabilisé la subvention en 20X1, c'est parce que, dans cet exercice, elle ne pouvait démontrer que la subvention publique remplissait les deux critères de comptabilisation. L'entreprise n'avait pas l'assurance raisonnable de recevoir la subvention. Lorsque les critères de comptabilisation sont remplis pour la première fois, soit le 18 août 20X3, Jememouille ltée la comptabilise comme une révision d'estimation, c'est-à-dire en produits de l'exercice (ou en diminution des charges de l'exercice).

La même logique s'applique aux subventions reçues pour couvrir des charges qui seront comptabilisées dans les exercices futurs. Lors de la comptabilisation initiale de la subvention, on débite le compte Caisse et on crédite le compte Produits différés découlant d'une subvention publique. Le montant crédité à ce dernier sera viré dans le compte Produits découlant d'une subvention publique (ou à un compte de charges approprié) au cours de l'exercice futur, lorsque les charges couvertes par la subvention seront comptabilisées.

Une aide publique peut aussi être accordée à titre gratuit, c'est-à-dire sans aucune condition, par exemple pour apporter un soutien financier immédiat à une entreprise qui subit les contrecoups d'une crise économique ou qui exerce ses activités en région éloignée. Comme l'indique l'International Financial Reporting Standards Interpretations Committee (IFRIC) dans l'Interprétation **SIC-10**, intitulée « Aide publique – Absence de relation spécifique avec des activités d'exploitation », une telle aide répond à la définition des subventions publiques et doit être comptabilisée à titre de produits et non de capitaux propres. Pour déterminer le moment de la comptabilisation du produit, l'entreprise doit appliquer la recommandation énoncée au paragraphe 20 de l'IAS 20. L'IASB y mentionne que lorsqu'une subvention publique n'est pas une incitation à engager des dépenses précises, elle est comptabilisée en produits au cours de l'exercice où la subvention est acquise, c'est-à-dire lorsque l'entreprise remplit les conditions d'attribution.

8

Les subventions publiques liées à l'actif

Lorsqu'une entreprise reçoit une **subvention publique liée à l'actif**, cette aide a pour conséquence de réduire le coût net des immobilisations de même que les charges des exercices au cours desquels l'entreprise amortira ces immobilisations. L'IASB offre le choix de comptabiliser cette forme de subvention publique de l'une ou l'autre des deux façons suivantes :

> Les subventions liées à des actifs, y compris les subventions non monétaires évaluées à la juste valeur, doivent être présentées dans l'état de la situation financière soit en produits différés, soit en déduisant la subvention pour arriver à la valeur comptable de l'actif[23].

Si l'entreprise adopte la première façon, elle amortit le produit différé et les immobilisations en cause selon le même mode afin de comptabiliser aux bons exercices tous les coûts et avantages économiques que génèrent ces immobilisations.

EXEMPLE

Subvention reçue pour l'achat d'une immobilisation

Le 2 janvier, Groleau ltée a reçu une subvention publique de 100 000 $ pour l'acquisition d'un immeuble coûtant 500 000 $, que la société compte amortir de façon linéaire sur 10 ans. Voici les écritures que le comptable passera selon que l'une ou l'autre des deux méthodes est adoptée :

La subvention publique est portée en diminution du coût de l'immeuble			La subvention publique est portée dans un compte de produits différés		
Au moment où l'immeuble est acquis					
Immeubles	*500 000*		*Immeubles*	*500 000*	
Caisse		*500 000*	*Caisse*		*500 000*
Acquisition d'un immeuble.			*Acquisition d'un immeuble.*		

23. *Manuel de CPA Canada – Comptabilité – Partie I*, IAS 20, paragr. 24.

Au moment où la subvention publique est accordée					
Caisse (ou Subvention publique à recevoir)	*100 000*		*Caisse (ou Subvention publique à recevoir)*	*100 000*	
Immeubles		*100 000*	*Produits différés d'une subvention publique*		*100 000*
Confirmation d'une subvention publique.			*Confirmation d'une subvention publique.*		
À la fin de chaque exercice					
Amortissement – Immeubles	*40 000*		*Amortissement – Immeubles*	*50 000*	
Amortissement cumulé – Immeubles		*40 000*	*Amortissement cumulé – Immeubles*		*50 000*
Charge annuelle (400 000 $ ÷ 10 ans).			*Charge annuelle (500 000 $ ÷ 10 ans).*		
			Produits différés d'une subvention publique	*10 000*	
			*Produits découlant d'une subvention publique**		*10 000*
			Amortissement annuel du produit différé d'une subvention publique (100 000 $ ÷ 10 ans).		
			* Il serait tout aussi acceptable de créditer un compte de charges, car la norme précise uniquement que la subvention doit être comptabilisée en résultat net.		

Cet exemple montre bien que peu importe la méthode de comptabilisation retenue, l'effet sur le résultat net est identique. Toutefois, la présentation dans l'état de la situation financière diffère, car seule la seconde méthode permet de montrer le coût initial de l'immeuble.

Que penser de ces deux modes de comptabilisation du point de vue des utilisateurs des états financiers ? La méthode qui consiste à comptabiliser la subvention publique en diminution du coût de l'immobilisation corporelle a pour effet de présenter l'actif dans l'état de la situation financière à son coût réel pour l'entreprise. Elle se répercute aussi sur la charge d'amortissement, laquelle sera plus faible. Par opposition, la méthode qui consiste à comptabiliser la subvention publique dans un compte de produits différés permet de présenter l'actif à son coût à la date de l'acquisition. Elle a toutefois pour effet d'augmenter la valeur de l'actif total du montant de la subvention ainsi que le passif du montant du produit différé. Ces variations se refléteront sur le ratio d'endettement. Les utilisateurs des états financiers se demanderont probablement comment interpréter le poste Produits différés d'une subvention publique. En substance, ce poste ne constitue pas un passif parce que l'entreprise n'aura pas à rembourser les sommes reçues. Au cours des exercices subséquents, si l'amortissement du produit différé est présenté à titre d'autre produit alors que la charge d'amortissement est présentée dans les activités d'exploitation, les ratios de rentabilité calculés sur les activités d'exploitation montreront une moins bonne performance que si l'entreprise avait calculé l'amortissement sur le coût, diminué du montant de la subvention.

Qu'arrive-t-il si l'État consent une subvention publique pour acheter un actif non amortissable, par exemple un terrain ? L'IASB traite des cas où de telles subventions sont assorties de conditions additionnelles :

> Les subventions relatives à des actifs non amortissables peuvent également nécessiter de remplir certaines obligations et sont alors comptabilisées en résultat net sur les périodes sur lesquelles s'échelonne le coût à engager pour satisfaire à ces obligations. Par exemple, l'octroi d'un terrain peut être conditionné à la construction d'un immeuble sur le site et il peut être approprié de comptabiliser la subvention liée au terrain en résultat net sur la durée de vie de l'immeuble[24].

24. *Manuel de CPA Canada – Comptabilité – Partie I*, IAS 20, paragr. 18.

L'IASB ne traite pas des subventions reçues pour l'achat d'immobilisations non amortissables sans autre condition que l'achat de l'immobilisation. Puisqu'un terrain a une durée d'utilité illimitée, son coût n'est jamais imputé en charges. Cette caractéristique rend difficile l'application du principe de comptabilisation des subventions, selon lequel le produit est comptabilisé dans le même exercice que la charge que couvre la subvention. Une entreprise pourrait donc choisir de comptabiliser le produit découlant de la subvention dès le moment où elle achète le terrain. Elle pourrait plutôt décider de comptabiliser la subvention publique au crédit d'un compte Produits différés qu'elle virerait dans ses produits uniquement au moment où elle revendrait le terrain. Elle pourrait enfin porter le montant de la subvention en diminution du coût initial du terrain. Dans ce cas, ce n'est qu'au moment de la revente que l'entreprise comptabiliserait un profit plus élevé que si elle n'avait jamais reçu la subvention. La première solution s'apparente à la comptabilisation des subventions publiques liées à des actifs biologiques, comme nous le verrons plus loin dans le présent chapitre. Puisque la plupart des entreprises préfèrent présenter rapidement leurs produits, on peut croire qu'elles privilégieront la première solution, illustrée par l'exemple qui suit.

EXEMPLE

Subvention reçue pour l'achat d'une immobilisation non amortissable sans autre condition que l'achat

Le 15 novembre 20X1, la société Papier électronic ltée. reçoit une subvention publique de 100 000 $ pour acheter un terrain, qu'elle acquiert au coût de 150 000 $ le 3 mars 20X2. Voici les écritures de journal requises :

	Débit	Crédit
15 novembre 20X1		
Caisse	*100 000*	
Produits différés d'une subvention publique		*100 000*
Réception d'une subvention publique conditionnelle à l'achat d'un terrain.		
3 mars 20X2		
Terrain	*150 000*	
Caisse		*150 000*
Acquisition d'un terrain.		
Produits différés d'une subvention publique	*100 000*	
Produits découlant d'une subvention publique		*100 000*
Réalisation des activités subventionnées.		

Si la société avait reçu de l'État le terrain plutôt qu'un montant en trésorerie, elle appliquerait la même règle de comptabilisation. Au moment de comptabiliser cette subvention non monétaire, elle doit toutefois se poser une question additionnelle : À quelle valeur comptabilisera-t-elle le terrain ? On trouve la réponse dans l'IAS 20 : « [...] il est habituel d'apprécier la juste valeur de l'actif non monétaire et de comptabiliser la subvention et l'actif à cette juste valeur. Une autre solution qui est parfois suivie consiste à enregistrer l'actif et la subvention pour un montant symbolique[25] ».

EXEMPLE

Évaluation d'une subvention non monétaire

Reprenons l'exemple de Papier électronic ltée pour illustrer les deux modes d'évaluation possibles, en tenant pour acquis que la valeur symbolique est fixée à 1 $. Voici l'écriture requise le 15 novembre 20X1 selon chaque mode.

Subvention publique non monétaire évaluée à la juste valeur			**Subvention publique non monétaire évaluée à une valeur symbolique**		
Terrain	*150 000*		*Terrain*	*1*	
Produits découlant d'une subvention publique		*150 000*	*Produits découlant d'une subvention publique*		*1*
Réception d'une subvention publique sous la forme d'un terrain.			*Réception d'une subvention publique sous la forme d'un terrain.*		

25. *Manuel de CPA Canada – Comptabilité – Partie I*, IAS 20, paragr. 23.

Ces deux écritures nous permettent de constater que l'évaluation à une valeur symbolique fournit, dans les états financiers, des informations de moindre qualité. Par exemple, en présentant le terrain à 1 $, Papier électronic ltée donne une image très peu précise de la valeur de ses actifs ; les utilisateurs des états financiers ne sauront pas que l'entreprise possède un terrain qui générera des avantages économiques futurs dont la juste valeur est de 150 000 $. De même, tous les ratios calculés sur la base des actifs ou des produits seront faussés. C'est pourquoi la comptabilisation à sa juste valeur d'une subvention publique non monétaire nous semble le meilleur traitement[26]. Elle donne une meilleure indication de l'étendue de l'aide reçue par Papier électronic ltée et facilite la comparaison des états financiers de l'exercice avec ceux des exercices antérieurs ou ceux d'autres entreprises.

Il ressort des deux sous-sections précédentes que les subventions publiques, qu'elles soient liées au résultat ou à l'actif, peuvent être comptabilisées soit en opérant une compensation, soit sans opérer de compensation. La figure 8.4 illustre les quatre options qui en résultent.

FIGURE 8.4 Quatre options de comptabilisation des subventions publiques

	Subvention publique liée au résultat		
Comptabilisation sans compensation	La subvention publique est comptabilisée dans un compte de produits.	La subvention publique est comptabilisée au crédit d'un compte de charges.	Comptabilisation avec compensation
	La subvention publique est comptabilisée dans un compte de produits différés.	La subvention publique est comptabilisée au crédit du compte d'actif.	
	Subvention publique liée à l'actif		

Le remboursement d'une subvention publique

Les programmes de subvention publique prévoient habituellement que les entreprises bénéficiaires peuvent être tenues d'en remettre le montant à l'État si elles ne se conforment pas à certaines conditions déterminées au moment où la subvention a été consentie. Lorsqu'une entreprise est dans l'obligation de rembourser une subvention, elle ne peut pas comptabiliser le remboursement à titre de retraitement rétrospectif. Puisque ce sont des circonstances nouvelles qui font que l'État exige le **remboursement d'une subvention publique**, l'entreprise le comptabilise dans l'exercice au cours duquel les conditions à remplir pour qu'elle soit dispensée de rembourser la subvention ne sont plus remplies, en tenant compte de la façon dont la subvention a initialement été comptabilisée.

La figure 8.5 fait ressortir le fait que peu importe la forme de la subvention, le remboursement doit être comptabilisé au moment où l'entreprise ne remplit plus les conditions de la subvention et de façon cohérente par rapport aux conditions dont cette subvention était initialement assortie. Par exemple, si elle a crédité le montant de la subvention au compte d'immobilisations, l'entreprise porte le remboursement au débit de ce compte, ce qui a pour effet d'augmenter la charge d'amortissement des exercices subséquents.

La figure 8.5 illustre la recommandation suivante de l'IASB :

> Une subvention publique qui devient remboursable doit être comptabilisée en tant que changement d'estimation comptable [...]. Le remboursement d'une subvention liée au résultat doit être imputé en premier à tout crédit différé non amorti comptabilisé au titre de la subvention. Dans la mesure où le remboursement excède un tel crédit différé, ou s'il n'existe pas de crédit différé, le remboursement doit être

26. On ne peut conclure que la comptabilisation à une valeur symbolique doit être réservée aux subventions dont on ne peut évaluer la juste valeur avec une assurance raisonnable, car, dans l'IAS 20, l'IASB précise que les subventions publiques « excluent les formes d'aide publique dont la valeur ne peut pas être raisonnablement déterminée [...] » (*Manuel de CPA Canada – Comptabilité – Partie I*, IAS 20, paragr. 3.).

comptabilisé immédiatement en résultat net. Le remboursement d'une subvention liée à un actif doit être comptabilisé soit en augmentant la valeur comptable de l'actif, soit en réduisant le solde du produit différé du montant remboursable. Le cumul de l'amortissement supplémentaire qui aurait été comptabilisé en résultat net jusqu'à cette date en l'absence de la subvention doit être comptabilisé immédiatement en résultat net[27].

FIGURE 8.5 La comptabilisation d'un remboursement d'une subvention publique

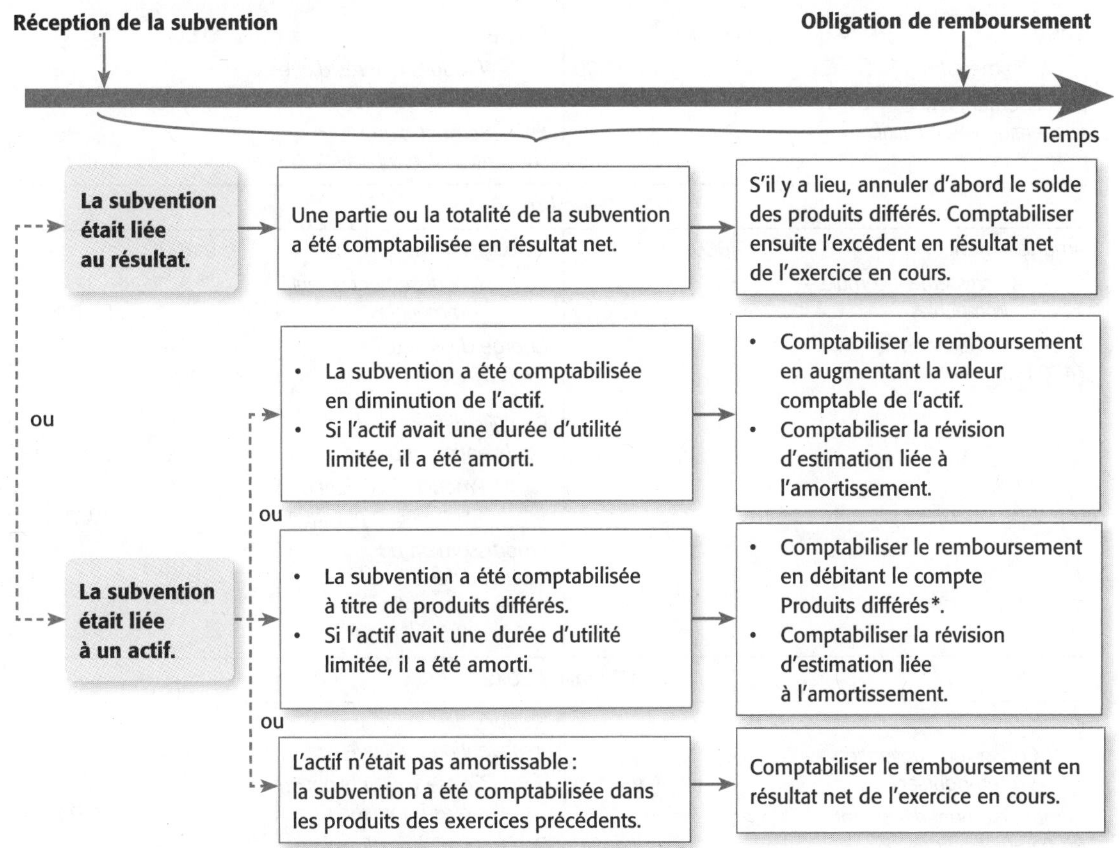

* Nous présenterons plus loin des exemples qui permettront de nuancer cette règle de base.

Comme le montre la figure 8.5, si l'État avait accordé une subvention liée au résultat qui couvrait une dépense déjà comptabilisée en charges, l'entreprise l'aurait portée soit au crédit d'un compte de produits, soit au crédit d'un compte de charges. Au moment du remboursement, elle aurait simplement porté le débours au débit d'un compte de résultat net de l'exercice en cours.

EXEMPLE

Remboursement d'une subvention liée à un actif

Le 1er janvier 20X1, la société Tintou ltée acquiert un immeuble au coût de 500 000 $ et reçoit de l'État une subvention de 100 000 $. La période d'amortissement de l'immobilisation est de 10 ans, et il n'existe aucune valeur résiduelle. Le 1er janvier 20X2, l'État exige que la société rembourse 85 000 $, car elle ne remplit plus les conditions dont la subvention était assortie. Voici les écritures de journal que Tintou ltée doit passer dans ses livres, selon deux scénarios. Dans le premier, la subvention a initialement été comptabilisée en diminution de l'actif, alors que dans le second, elle a été comptabilisée en produits différés, Tintou ltée ayant décidé de ne pas compenser les produits et les charges liés à l'immobilisation subventionnée.

27. *Manuel de CPA Canada – Comptabilité – Partie I*, IAS 20, paragr. 32.

Premier scénario : La subvention a été comptabilisée en diminution de l'actif			**Second scénario : La subvention a été comptabilisée en produits différés**		
		1er janvier 20X1			
Immeubles	*500 000*		*Immeubles*	*500 000*	
Caisse		*500 000*	*Caisse*		*500 000*
Acquisition d'un immeuble.			*Acquisition d'un immeuble.*		
Caisse	*100 000*		*Caisse*	*100 000*	
Immeubles		*100 000*	*Produits différés d'une subvention publique*		*100 000*
Encaissement d'une subvention liée à l'actif.			*Encaissement d'une subvention liée à l'actif.*		
		31 décembre 20X1			
Amortissement	*40 000*		*Amortissement*	*50 000*	
Amortissement cumulé – Immeubles		*40 000*	*Amortissement cumulé – Immeubles*		*50 000*
Charge de l'exercice (400 000 $ ÷ 10 ans).			*Charge de l'exercice (500 000 $ ÷ 10 ans).*		
			Produits différés d'une subvention publique	*10 000*	
			Produits découlant d'une subvention publique		*10 000*
			Amortissement du produit différé lié à la subvention publique (100 000 $ ÷ 10 ans).		
		1er janvier 20X2			
Immeubles	*85 000*		*Produits différés d'une subvention publique*	*85 000*	
Caisse (ou Subvention à rembourser)		*85 000*	*Caisse (ou Subvention à rembourser)*		*85 000*
Remboursement découlant du non-respect des conditions assorties à la subvention publique.			*Remboursement découlant du non-respect des conditions assorties à la subvention publique.*		
Amortissement	*8 500*		*Amortissement*	*8 500*	
Amortissement cumulé – Immeubles		*8 500*	*Produits différés d'une subvention publique*		*8 500*
Révision de la charge d'amortissement.			*Révision de la charge d'amortissement.*		
Calcul :			**Calcul :**		
Amortissement révisé (485 000 $ ÷ 10 ans)	48 500 $		Amortissement révisé (485 000 $ ÷ 10 ans)	48 500 $	
Amortissement comptabilisé en 20X1	(40 000)		Amortissement net comptabilisé en 20X1 (50 000 $ – 10 000 $)	(40 000)	
Correction requise en 20X2	8 500 $		Correction requise en 20X2	8 500 $	

Le 31 décembre 20X1, dans le scénario où l'entreprise a initialement comptabilisé la subvention publique reçue dans le compte de l'immobilisation, le coût de celle-ci s'élève à 400 000 $ et l'amortissement cumulé, à 40 000 $, pour une valeur comptable de 360 000 $. La comptabilisation du remboursement de la subvention le 1er janvier 20X2 est alors simple.

L'entreprise débite le montant remboursé, soit 85 000 $, au compte Immeubles, ce qui porte le coût de l'immeuble à 485 000 $. Elle doit de plus passer une écriture additionnelle dans le but de corriger la charge d'amortissement pour refléter le cumul de l'amortissement[28] qui aurait été comptabilisé si la société n'avait pas comptabilisé la subvention qu'elle doit plus tard rembourser. En effet, l'entreprise estimait en 20X1 que le coût de l'immobilisation à répartir sur les exercices subséquents s'élevait à 400 000 $. Le 1er janvier 20X2, sachant que la subvention se limitera à 15 000 $ (100 000 $ initialement reçus, diminués du remboursement de 85 000 $), c'est plutôt la somme de 485 000 $ qu'elle doit amortir sur la durée d'utilité de l'immeuble, d'où la comptabilisation en charges d'un amortissement additionnel de 8 500 $. Ces écritures ont pour effet de porter la valeur comptable de l'immeuble à 436 500 $ (coût de 485 000 $, diminué de l'amortissement cumulé de 48 500 $), soit la fraction non amortie du coût réel de l'immeuble (9/10 de 485 000 $).

Dans le scénario où l'entreprise a initialement comptabilisé la subvention publique reçue dans le compte Produits différés d'une subvention publique, la valeur comptable de l'immeuble le 31 décembre 20X1 s'élève à 450 000 $ (coût de 500 000 $, diminué de l'amortissement cumulé de 50 000 $) et celle du compte Produits différés d'une subvention publique, à 90 000 $ (100 000 $ – 10 000 $). Au moment du remboursement, le 1er janvier 20X2, Tintou ltée décomptabilise une partie du produit différé. Le remboursement de 85 000 $ est porté au débit du compte Produits différés d'une subvention publique et crédité au compte Caisse. L'entreprise doit aussi passer une deuxième écriture visant à corriger le cumul de l'amortissement pour y inscrire l'amortissement supplémentaire qui aurait été comptabilisé en résultat net en l'absence de la subvention remboursée[29]. Plutôt que de créditer le compte Amortissement cumulé – Immeubles comme dans le premier scénario, elle crédite plutôt le compte Produits différés d'une subvention publique. Ces écritures n'ont pas d'effet sur la valeur comptable de l'immeuble (coût de 500 000 $, diminué de l'amortissement cumulé de 50 000 $), mais portent à 13 500 $ le solde du compte Produits différés d'une subvention publique, soit la fraction non amortie de la subvention réellement reçue (9/10 de 15 000 $).

L'exemple de Tintou ltée est relativement simple. On rencontre aussi des cas plus complexes où, après avoir comptabilisé le montant de la subvention au compte Produits différés d'une subvention publique, l'entreprise doit rembourser un montant qui en excède le solde.

EXEMPLE

Remboursement d'un montant de subvention, liée à un actif, qui excède le solde des produits différés

Modifions l'exemple précédent, en tenant cette fois pour acquis que, le 1er janvier 20X2, Tintou ltée doit rembourser 96 000 $ à l'État. Voici les écritures de journal qu'elle doit alors passer à la date du remboursement :

Produits différés d'une subvention publique	*90 000*	
Charge découlant d'une subvention publique (ou Amortissement)	*6 000*	
Caisse (ou Subvention à rembourser)		*96 000*
Remboursement découlant du non-respect des conditions assorties à la subvention publique.		
Amortissement	*3 600*	
Amortissement cumulé – Immeubles		*3 600*
Révision de la charge d'amortissement.		

28. Dans cet exemple, le cumul de l'amortissement se limite au montant comptabilisé en charges en 20X1. Toutefois, si le remboursement survenait plus de un an après la date de la réception, il faudrait prendre en compte les charges de tous les exercices précédents.

29. Comme l'indique l'écriture de la page précédente, nous avons choisi de débiter le compte Amortissement. Soulignons qu'il serait aussi acceptable de débiter le compte Charge découlant de la subvention plutôt que le compte Amortissement. Ce qui importe, pour se conformer à la recommandation de l'IASB, c'est de comptabiliser la correction de 8 500 $ dans un compte de résultat net.

Calcul :

Amortissement révisé (496 000 $ ÷ 10 ans)	(49 600) $
Charge nette comptabilisée en 20X1	40 000
Charge comptabilisée le 1er janvier 20X2	6 000
Correction requise le 1er janvier 20X2	(3 600) $

Rappelons d'abord que le 31 décembre 20X1, la valeur comptable de l'immeuble s'élève à 450 000 $ (coût de 500 000 $, diminué de l'amortissement cumulé de 50 000 $) et celle du compte Produits différés d'une subvention publique, à 90 000 $ (100 000 $ – 10 000 $). Au moment du remboursement, le 1er janvier 20X2, Tintou ltée doit d'abord décomptabiliser le produit différé. Toutefois, le montant réellement remboursé (96 000 $) excède le solde du compte Produits différés d'une subvention publique (90 000 $). Tintou ltée doit comptabiliser l'excédent de 6 000 $ en charges de l'exercice 20X2. Dans l'IAS 20, on ne trouve pas de recommandation précisant la nature de cette charge. Tintou ltée peut donc débiter soit le compte Amortissement, soit un compte Charges découlant du remboursement d'une subvention publique.

Le 1er janvier 20X2, l'entreprise doit aussi passer une deuxième écriture visant à corriger le cumul de l'amortissement. On notera ici que le montant de 3 600 $ est crédité au compte Amortissement cumulé – Immeubles, puisque le solde du compte Produits différés d'une subvention publique a déjà été ramené à zéro. Les écritures du 1er janvier 20X2 ont pour effet de porter la valeur comptable de l'immeuble à 446 400 $ (coût de 500 000 $ diminué d'un amortissement cumulé de 53 600 $). La valeur comptable correspond bien à la fraction non amortie du coût réel (9/10 de 496 000 $).

8

Soulignons que l'IAS 20 n'est, une fois de plus, pas très explicite en ce qui concerne le compte à créditer (3 600 $ dans l'exemple précédent). Certains comptables pourraient donc avancer que le montant doit être crédité au compte Produits différés d'une subvention publique afin d'y réinscrire la fraction non amortie de la subvention réellement reçue (9/10 de 4 000 $).

Revenons au traitement comptable que nous préconisons dans l'exemple précédent, selon lequel le coût de l'immobilisation s'élève à 500 000 $ et l'amortissement cumulé, à 53 600 $ au 1er janvier 20X2. À compter de cette date, Tintou ltée répartira la valeur comptable de 446 400 $ sur les 9 années restantes de la durée d'utilité, soit une charge d'amortissement annuelle de 49 600 $.

Avant de conclure nos explications traitant de la comptabilisation de l'aide publique, notamment celle d'une subvention publique qui influe sur le coût d'une immobilisation corporelle, passons rapidement en revue la question de la présentation de l'aide publique dans les états financiers. L'IASB recommande de présenter les renseignements suivants à l'égard de l'aide publique :

> Les informations suivantes doivent être fournies :
>
> (a) la méthode comptable adoptée pour les subventions publiques, y compris les méthodes de présentation adoptées dans les états financiers ;
>
> (b) la nature et l'étendue des subventions publiques comptabilisées dans les états financiers et une indication des autres formes d'aide publique dont l'entité a directement bénéficié ; et
>
> (c) les conditions non remplies et toute autre éventualité relative à de l'aide publique qui a été comptabilisée[30].

Les subventions publiques ont des répercussions importantes sur la trésorerie, qui doivent être présentées dans le tableau des flux de trésorerie. Dans l'année de la réception d'une subvention publique liée au résultat, que celle-ci soit comptabilisée en produit ou en diminution des charges de l'exercice en cours, il serait logique de présenter l'encaissement dans la section des activités d'exploitation du tableau des flux de trésorerie.

On doit aussi présenter dans le tableau des flux de trésorerie une subvention publique liée à un actif, comme le montre la citation suivante :

> L'acquisition d'actifs et l'obtention de subventions liées peuvent provoquer d'importants mouvements dans la trésorerie d'une entité. Pour cette raison et afin de montrer

30. *Manuel de CPA Canada – Comptabilité – Partie I*, IAS 20, paragr. 39.

l'investissement brut dans les actifs, ces mouvements sont souvent indiqués comme des éléments distincts dans le tableau des flux de trésorerie, sans tenir compte du fait que la subvention est ou n'est pas déduite de l'actif lié lors de la présentation dans l'état de la situation financière[31].

La recommandation précédente ne précise pas à quel titre on doit présenter ces mouvements de trésorerie. Il semble logique de présenter les subventions publiques en tenant compte des raisons pour lesquelles une subvention a été accordée. En effet, lorsqu'une entreprise reçoit une subvention liée à l'actif, elle peut la présenter dans la section des activités d'investissement ou dans celle des activités de financement. La question de la présentation dans un tableau des flux de trésorerie établi selon la méthode directe ne se pose plus pour les exercices qui suivent la réception de la subvention. En effet, même lorsque l'entreprise a reçu une subvention publique pour l'un de ses investissements et l'a comptabilisée dans un compte de produits différés, l'amortissement d'un tel produit différé réduit la charge d'amortissement de l'immobilisation qui n'a, elle-même, aucune incidence sur les mouvements de trésorerie. Dans un tableau des flux de trésorerie établi selon la méthode indirecte, l'amortissement de l'actif et, s'il y a lieu du crédit différé, sont présentés en ajustement du montant de résultat net.

Avez-vous remarqué ?

Le fait que la comptabilisation des subventions diffère selon leur nature, étant soit liées à un actif, soit liées au résultat, assure que l'information présentée dans les états financiers reflète fidèlement la substance de l'aide gagnée par l'entreprise.

Les plans de vente d'immobilisations

Bien que les immobilisations génèrent des avantages économiques pendant plusieurs exercices, les entreprises ne les détiennent pas nécessairement durant toute leur durée de vie. Il peut s'écouler plusieurs mois entre le moment où une entreprise décide définitivement de ne plus utiliser une immobilisation et celui où elle réussit à s'en départir. Nous examinerons dans cette section les normes comptables afférentes au classement de telles immobilisations, à leur évaluation et à leur présentation dans les états financiers. Une section ultérieure approfondira les normes comptables que l'entreprise applique au moment où elle se départit effectivement des immobilisations.

Lorsqu'une entreprise prend la ferme décision de se départir de certains actifs non courants, elle sait que ses flux de trésorerie futurs différeront de ceux reçus au cours des exercices précédents. Par exemple, en vendant sa petite centrale hydroélectrique, une entreprise du secteur de l'aluminerie sait qu'elle disposera prochainement d'un important flux de trésorerie découlant de la vente, mais que, au cours des exercices subséquents, elle devra probablement débourser un montant plus élevé pour acheter l'électricité dont elle aura besoin. Puisque les états financiers visent principalement à aider les utilisateurs à apprécier l'échéance, le montant et le degré d'incertitude des flux de trésorerie, ils doivent fournir de l'information indiquant si l'entreprise a la ferme intention de vendre un actif non courant, même si la vente n'a pas encore été conclue. On ne doit toutefois pas tomber dans l'excès et donner aux utilisateurs des états financiers des informations relatives à tout actif susceptible d'être vendu car, rappelons-le, en vertu de la notion d'indépendance des périodes, les états financiers à la date de clôture les renseignent sur les opérations passées.

Afin de guider les entreprises dans le choix des informations à présenter dans les états financiers, ainsi que dans l'évaluation des actifs non courants détenus en vue de la vente, l'IASB a publié l'**IFRS 5**, intitulée « Actifs non courants détenus en vue de la vente et activités abandonnées ». Cette IFRS énonce les normes comptables que les entreprises doivent suivre lorsqu'elles décident de se départir d'actifs non courants comptabilisés. Un **actif non courant** est simplement défini comme un actif qui ne répond pas à la définition d'un actif courant. Une entreprise doit classer un actif en tant qu'**actif courant** s'il satisfait à au moins un des critères suivants :

(a) elle s'attend à réaliser l'actif, ou [... elle] entend le vendre ou le consommer dans son cycle d'exploitation normal ;

(b) elle détient l'actif principalement aux fins d'être négocié ;

(c) elle s'attend à réaliser cet actif dans les douze mois qui suivent la période de présentation de l'information financière ; ou

31. *Manuel de CPA Canada – Comptabilité – Partie I*, IAS 20, paragr. 28.

(d) l'actif se compose de trésorerie ou d'équivalents de trésorerie (tels que définis dans IAS 7), sauf s'il ne peut être échangé ou utilisé pour régler un passif pendant au moins douze mois après la période de présentation de l'information financière[32].

Les actifs non courants (ou groupes destinés à être cédés) classés comme étant détenus en vue de la vente

Différence NCECF

8

L'IFRS 5 s'applique, par exemple, aux immobilisations corporelles et aux immobilisations incorporelles (ces dernières seront abordées au chapitre 10). Elle s'applique aussi aux actifs non courants détenus en vue d'être distribués aux propriétaires de l'entreprise, dont nous traiterons plus loin. Les paragraphes suivants aborderont uniquement le traitement des actifs détenus en vue de la vente. On considère qu'un actif non courant est **détenu en vue de la vente** si l'entreprise prévoit que sa valeur comptable sera recouvrée principalement au moyen d'une transaction de vente plutôt qu'en raison de son utilisation continue. L'IASB précise aussi que les transactions de vente incluent les actifs non courants qu'une entreprise prévoit échanger contre d'autres actifs non courants, pour autant que l'échange prévu ait une substance commerciale. Par contre, lorsqu'une entreprise prévoit mettre au rebut un actif non courant ou qu'elle cesse temporairement de l'utiliser, elle ne peut classer cet actif comme étant détenu en vue de la vente, car la valeur comptable de cet actif ne sera pas recouvrée par une opération de vente[33].

Du point de vue comptable, l'entreprise présentera distinctement ses actifs non courants détenus en vue de la vente uniquement lorsqu'elle remplit certains critères, présentés dans la figure 8.6.

FIGURE 8.6 Les critères de classement d'un actif non courant comme étant détenu en vue de la vente

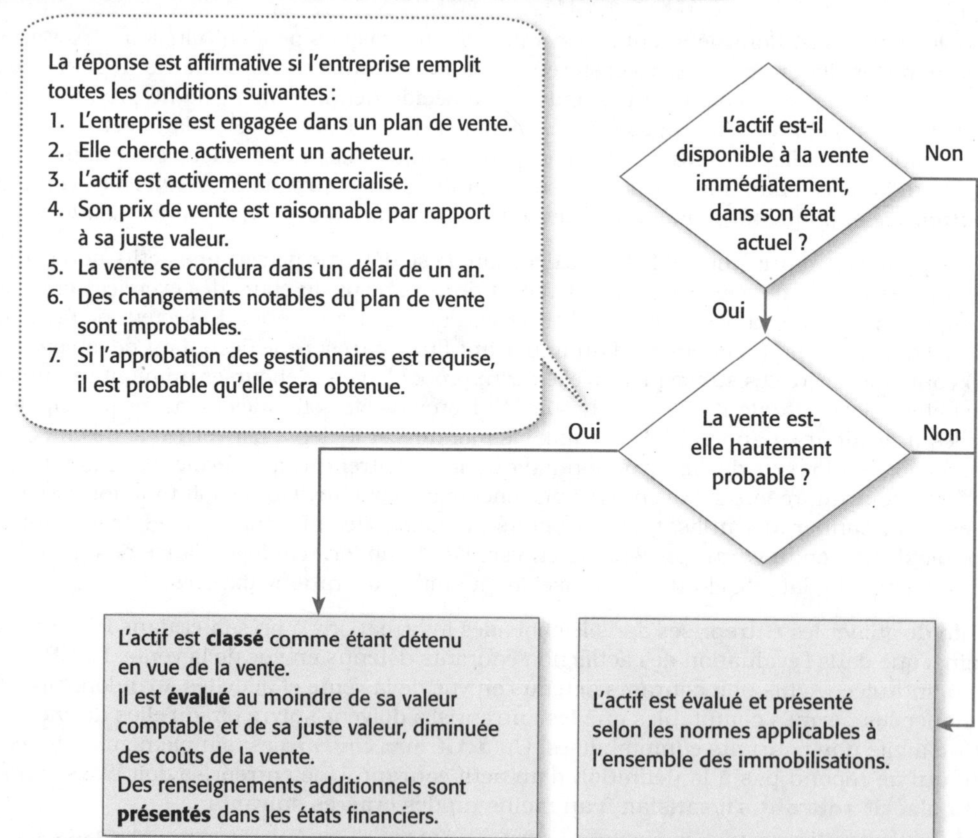
La réponse est affirmative si l'entreprise remplit toutes les conditions suivantes :
1. L'entreprise est engagée dans un plan de vente.
2. Elle cherche activement un acheteur.
3. L'actif est activement commercialisé.
4. Son prix de vente est raisonnable par rapport à sa juste valeur.
5. La vente se conclura dans un délai de un an.
6. Des changements notables du plan de vente sont improbables.
7. Si l'approbation des gestionnaires est requise, il est probable qu'elle sera obtenue.
L'actif est-il disponible à la vente immédiatement, dans son état actuel ?
Non
Oui
La vente est-elle hautement probable ?
Oui
Non
L'actif est classé comme étant détenu en vue de la vente.
Il est évalué au moindre de sa valeur comptable et de sa juste valeur, diminuée des coûts de la vente.
Des renseignements additionnels sont présentés dans les états financiers.
L'actif est évalué et présenté selon les normes applicables à l'ensemble des immobilisations.

32. *Manuel de CPA Canada – Comptabilité – Partie I*, IFRS 5, Annexe A.

33. Le chapitre 20 traitera de la présentation des **activités abandonnées** dans l'état du résultat global. De telles activités peuvent impliquer des immobilisations destinées à la vente. Les règles d'évaluation et de présentation dans l'état de la situation financière exposées dans le présent chapitre sont tout aussi pertinentes dans le cas des abandons d'activités.

Sur le plan comptable, une entreprise doit remplir deux critères, indiqués dans les deux losanges de la figure 8.6, pour pouvoir classer un actif comme étant détenu en vue de la vente. Le premier est que cet actif soit immédiatement disponible à la vente, ce qui implique généralement qu'il n'est plus utilisé par l'entreprise. Le second est que la vente de l'actif doit être hautement probable. Pour que l'on puisse conclure qu'une entreprise remplit ce critère, l'IASB précise qu'elle doit remplir sept conditions, indiquées dans la bulle en traits pointillés de la même figure et illustrées dans l'exemple suivant de la société Tonnelle ltée.

EXEMPLE

Actif se qualifiant comme étant détenu en vue de la vente

Tonnelle ltée détient un terrain situé à Chicoutimi, dont la valeur comptable s'élève à 40 000 $, qu'elle a utilisé jusqu'à maintenant comme parc de stationnement pour les véhicules de ses employés. Avec l'avènement du télétravail, Tonnelle ltée n'a plus besoin de ce terrain de stationnement et, le 15 septembre 20X3, elle envisage de le vendre. La société a approuvé le **plan de vente** en décembre 20X4 et entrepris des démarches actives pour vendre le terrain à un prix correspondant à sa juste valeur. À ce moment, elle estime que la vente devrait se concrétiser dans un délai allant de 10 à 12 mois. Effectivement, Tonnelle ltée a trouvé un acheteur au début du mois de novembre 20X5 et la transaction a été notariée le 18 novembre 20X5.

La première chose à faire consiste à déterminer comment Tonnelle ltée doit présenter le terrain détenu à Chicoutimi dans ses états financiers de l'exercice terminé le 31 décembre 20X3. À cette date, la société en est à analyser la vente éventuelle du terrain. Elle ne peut donc conclure que la vente est hautement probable. Puisqu'elle ne remplit pas le second critère de classement du terrain comme étant détenu en vue de la vente, plus particulièrement la condition énoncée au point 1 de la bulle de la figure 8.6, elle présente la valeur comptable du terrain parmi ses autres immobilisations corporelles détenues et utilisées. Cependant, en décembre 20X4, Tonnelle ltée remplit les deux critères de classement et elle présente alors le terrain comme étant détenu en vue de la vente.

Pour faciliter la présentation de son état de la situation financière, Tonnelle ltée pourrait passer l'écriture de journal suivante en décembre 20X4 :

Terrain détenu en vue de la vente	*40 000*	
Terrain		*40 000*
Reclassement d'un terrain détenu en vue de la vente.		

Certains événements ou certaines circonstances prolongent parfois le délai de vente (critère énoncé au point 5 de la bulle de la figure 8.6). Lorsque le délai additionnel résulte d'événements ou de circonstances que l'entreprise ne peut contrôler et qu'il existe suffisamment d'indices laissant croire que celle-ci demeure activement engagée dans son plan de vente, elle peut continuer de classer les actifs non courants comme étant détenus en vue de la vente. Le tableau 8.2 présente les exceptions prévues par l'IASB ainsi que des exemples commentés.

Les entreprises doivent présenter leurs actifs non courants détenus en vue de la vente soit dans une rubrique distincte de l'état de la situation financière, comme le montre l'exemple suivant de la société Modigliani ltée, soit par voie de notes.

TABLEAU 8.2 Les situations dans lesquelles il est permis de classer des actifs comme étant détenus en vue de la vente, même si la vente ne sera conclue que dans plus de un an

***Normes internationales d'information financière*, IFRS 5**	**Exemples commentés**
Paragr. B1 (a) *à la date à laquelle elle s'engage dans un plan de cession d'un actif non courant […], une entité s'attend de manière raisonnable à ce que des tiers (distincts d'un*	Une entreprise de télédiffusion a décidé de vendre sa chaîne d'information continue. Le 26 mars 20X1, elle remplit toutes les conditions pour que la vente soit jugée

TABLEAU 8.2 ***(suite)***

acheteur) imposent des conditions au transfert de l'actif [...] qui prolongeront la période requise pour conclure la vente, et : *(i) les actions nécessaires pour satisfaire à ces conditions ne peuvent pas être mises en œuvre avant l'obtention d'un* engagement d'achat ferme, *(ii) un engagement d'achat ferme est hautement probable dans le délai d'une année ;*	hautement probable, à l'exception du délai de un an. En effet, lorsqu'elle aura conclu une entente ferme avec un acheteur, elle devra faire approuver par un organisme gouvernemental de surveillance la vente à cet acheteur. Puisque l'entreprise prévoit pouvoir conclure une entente ferme avec un acheteur dans un délai de un an et qu'elle ne peut demander immédiatement à l'organisme de réglementation d'approuver la vente, elle conclura être dans le cas d'exception au délai de un an. Elle pourra donc classer ces actifs non courants comme étant détenus en vue de la vente dès le 26 mars 20X1.
(b) une entité obtient un engagement d'achat ferme à la suite duquel un acheteur ou d'autres tiers imposent de manière inattendue des conditions au transfert d'un actif non courant [...] classé précédemment comme détenu en vue de la vente qui prolongeront la durée requise pour conclure la vente, et : *(i) les mesures nécessaires pour faire face aux conditions ont été prises avec diligence, et* *(ii) on s'attend à une résolution favorable des facteurs de retard ;*	L'exemple de la société Golf et villégiatures ltée illustre cette situation. Le 3 septembre 20X1, la société remplit tous les critères pour conclure que la vente de l'un de ses terrains est hautement probable. Le 10 novembre suivant, Pafoux ltée a signé un engagement d'achat ferme sur le terrain, sous réserve de résultats favorables du contrôle diligent qu'il a exigé. Au terme de ce contrôle, les auditeurs ont conclu que le terrain était grandement contaminé. Golf et villégiatures ltée a donc accepté de décontaminer le terrain dès le 15 mai suivant et elle estime que les travaux dureront six mois, pour se terminer le 15 novembre 20X1. Elle n'a cependant aucun doute de pouvoir terminer les travaux de décontamination aux coûts prévus et dans les délais convenus. On doit conclure, dès le 3 septembre 20X1, que le terrain est détenu en vue de la vente, et ce, jusqu'au 15 novembre 20X2, car Golf et villégiatures ltée se trouve dans le cas d'exception au délai de un an.
(c) pendant la période initiale d'une année, des circonstances surviennent qui étaient précédemment considérées comme peu probables et, en conséquence, un actif non courant [...] classé auparavant comme détenu en vue de la vente n'est pas vendu à la fin de cette période, et : *(i) au cours de la période initiale d'une année, l'entité a pris les mesures nécessaires pour faire face au changement de circonstances,* *(ii) l'actif non courant [...] est activement commercialisé à un prix qui est raisonnable, étant donné le changement de circonstances, et* *(iii) les critères des paragraphes 7 et 8 sont remplis.*	Le 7 août 20X1, la société internationale Équipements spécialisés ltée remplit tous les critères pour classer l'un de ses avions comme étant détenu en vue de la vente. Elle utilisait auparavant cet avion pour accélérer les déplacements de ses dirigeants. À partir de mai 20X2, le prix du pétrole a subi une hausse importante, que personne n'avait prévue et qui semble maintenant irréversible. Cette hausse change déjà les comportements des consommateurs ; les entreprises incitent maintenant leurs dirigeants à utiliser les moyens de communication électronique pour diminuer leurs déplacements. Peu d'entreprises auront dorénavant leur propre avion. Équipements spécialisés ltée a donc dû diminuer le prix de vente demandé le 10 août 20X2, mais elle estime que la vente est toujours hautement probable. La société continuera de classer l'avion comme étant détenu en vue de la vente, car elle se trouve dans la mesure d'exception prévue ci-contre. Cependant, si Équipements spécialisés ltée avait conclu en août 20X2 que la hausse du prix du pétrole était réversible et avait maintenu le prix de vente demandé en estimant qu'elle pourrait éventuellement trouver un acheteur un peu plus tard, elle ne se trouverait pas dans la situation d'exception. En réalité, sa réaction montrerait que l'avion n'est pas disponible en vue de sa vente immédiate.

EXEMPLE

Présentation des actifs détenus en vue de la vente

MODIGLIANI LTÉE
Situation financière partielle
au 31 décembre 20X1

Actifs courants		
Stock	*XX $*	
Placements à la juste valeur par le biais du résultat net	*XX*	
Trésorerie	*XX*	
Total des actifs courants		*XX $*
Actifs non courants détenus en vue de la vente		*XX*
Actifs non courants		
Terrain	*XX*	
Immeubles	*XX*	
Équipements	*XX*	
Total des actifs non courants		*XX*
Total des actifs		*XX $*

L'IFRS 5 ne précise pas la section de l'état des flux de trésorerie où présenter ces actifs non courants détenus en vue de la vente. Une entreprise peut invoquer la définition d'un actif courant donnée au paragraphe 66 de l'**IAS 1**, intitulée «Présentation des états financiers», pour justifier qu'elle présente un actif non courant détenu en vue de la vente parmi ses actifs courants.

Les entreprises doivent de plus fournir des renseignements additionnels au sujet de leurs actifs non courants détenus en vue de la vente :

(a) une description de l'actif non courant [...] ;

(b) une description des faits et des circonstances de la vente, ou conduisant à la cession attendue, et les modalités et l'échéancier prévus pour cette cession ;

(c) le profit ou la perte comptabilisé selon les paragraphes 20 à 22 et, si ce profit ou cette perte n'est pas présenté séparément dans l'état du résultat global, la rubrique de l'état du résultat global qui inclut ce profit ou cette perte ;

(d) le cas échéant, le secteur à présenter dans lequel l'actif non courant [...] est présenté selon IFRS 8 *Secteurs opérationnels*[34].

Nous expliquerons plus loin le calcul du profit ou de la perte dont traite l'énoncé en (c) ci-dessus. Pour le moment, précisons que ces informations doivent aussi être incluses dans les états financiers couvrant l'exercice où l'actif est vendu. Il importe aussi de rappeler que ces informations visent à permettre aux utilisateurs des états financiers de mieux apprécier l'échéance, le montant et le degré d'incertitude des flux de trésorerie liés aux actifs que détient une entreprise.

Il arrive parfois que les deux critères liés au classement à titre d'actif non courant détenu en vue de la vente ne soient pas remplis à la date de clôture d'un exercice, mais le deviennent quelques jours plus tard. En vertu de la notion d'indépendance des périodes, on considère que les événements qui se sont produits ou les informations qui ont été obtenues après la date de clôture et qui justifieraient le classement à titre d'actif non courant détenu en vue de la vente sont des événements postérieurs à la date de clôture. Si les critères de classement sont remplis pour la première fois après la date de clôture, mais avant la date d'approbation des états financiers, une entreprise ne présente pas distinctement, dans l'état de la situation financière, la valeur comptable du bien détenu en vue de la vente, mais indique dans les notes aux états financiers les informations décrites précédemment en (a), (b) et (d).

Enfin, lorsqu'une entreprise classe un actif non courant comme étant détenu en vue de la vente, disons en 20X2, et qu'elle prépare à des fins comparatives des états financiers montrant

34. *Manuel de CPA Canada – Comptabilité – Partie I*, IFRS 5, paragr. 41.

les chiffres d'un exercice antérieur, disons 20X1, elle ne reclasse pas l'actif présenté dans l'état de la situation financière au 31 décembre 20X1. En effet, à cette date, l'entreprise ne remplissait pas les critères lui permettant de classer l'actif non courant comme étant détenu en vue de la vente.

Jusqu'à maintenant, nous avons posé l'hypothèse que l'entreprise adoptait un plan de vente pour un seul actif non courant. Il est fréquent qu'un tel plan couvre plutôt un groupe d'actifs, tel un secteur d'exploitation ou un ensemble de magasins situés sur un territoire déterminé, que l'entreprise prévoit vendre en bloc en une seule transaction. On parle alors de **groupe d'actifs destinés à être cédés**, et on applique les mêmes critères de classement à l'ensemble du groupe. Un groupe peut comprendre plusieurs actifs non courants ainsi que des actifs courants et des passifs. L'entreprise doit alors présenter séparément les actifs détenus en vue de la vente dans la section de l'actif de l'état de la situation financière. De même, elle doit présenter séparément les passifs détenus en vue de la vente dans la section du passif de l'état de la situation financière. Une entreprise ne peut pas opérer de compensation entre les actifs et les passifs d'un groupe.

Différence NCECF

8

L'évaluation d'actifs non courants (ou de groupes destinés à être cédés) classés comme étant détenus en vue de la vente

Les paragraphes précédents traitaient de la présentation dans les états financiers des actifs non courants classés comme étant détenus en vue de la vente. Examinons maintenant les normes comptables afférentes à l'évaluation de ces actifs. Au moment où une entreprise classe un actif non courant comme étant détenu en vue de la vente, elle doit s'assurer que la valeur comptable de l'actif en cause est inférieure à sa juste valeur diminuée des coûts de la vente[35]. Si ce n'est pas le cas, l'entreprise doit comptabiliser la réduction de valeur à titre de perte en résultat net de l'exercice en cours. Par la suite, si la juste valeur nette augmente, elle comptabilise un profit jusqu'à concurrence des pertes de valeur comptabilisées sur les actifs détenus en vue de la vente et des pertes comptabilisées par suite de l'application des tests de dépréciation, dont nous traiterons au chapitre 9.

Précisons qu'une entreprise inclut dans les **coûts de la vente** prévus tous les coûts marginaux directement attribuables à la cession d'un actif (ou d'un groupe destiné à être cédé), à l'exclusion des charges financières et des impôts sur le résultat. Il peut s'agir, par exemple, des frais de courtage, des frais juridiques ou des frais de transfert des titres de propriété. Toutefois, les coûts de la vente excluent les pertes d'exploitation futures inhérentes aux actifs non courants détenus en vue de la vente. Lorsque l'entreprise prévoit que la vente se fera dans plus de un an, mais que ce délai résulte d'événements ou de circonstances indépendants de son contrôle, elle évalue les coûts de la vente à leur valeur actualisée.

EXEMPLE

Classement d'actifs maintenant détenus en vue de la vente

Le 30 avril 20X3, la société Gouttières Arsenault ltée approuve un plan de vente portant sur les éléments suivants :

	Coût	*Amortissement cumulé*	*Juste valeur*	*Coût de la vente*
Camion	*100 000 $*	*30 000 $*	*85 000 $*	*1 000 $*
Équipements	*30 000*	*10 000*	*18 000*	*500*
Effet à payer lié au camion	*56 000*		*56 000*	

En tenant pour acquis que Gouttières Arsenault ltée remplit tous les critères lui permettant de classer le groupe d'éléments comme étant un groupe destiné à être cédé, elle passe alors l'écriture de journal suivante.

35. Lorsqu'une entreprise achète un actif non courant et le classe immédiatement comme étant détenu en vue de la vente, l'IASB recommande de le comptabiliser, à la date d'acquisition, au moindre de sa valeur comptable s'il n'avait pas été classé à titre d'actif détenu en vue de la vente et de sa juste valeur diminuée des coûts de la vente.

30 avril 20X3		
Camion détenu en vue de la vente	*100 000*	
Équipements détenus en vue de la vente	*30 000*	
Effet à payer lié au camion	*56 000*	
Amortissement cumulé – Camion	*30 000*	
Amortissement cumulé – Équipements	*10 000*	
Camion		*100 000*
Équipements		*30 000*
Effet à payer lié au camion détenu en vue de la vente		*56 000*
Amortissement cumulé – Camion détenu en vue de la vente		*30 000*
Amortissement cumulé – Équipements détenus en vue de la vente		*10 000*
Reclassement d'un groupe d'éléments à la suite de l'approbation d'un plan de vente.		

Le même jour, Gouttières Arsenault ltée effectue aussi une comparaison des valeurs comptables et des justes valeurs nettes, comme nous le montrons ci-dessous, et passe l'écriture de journal suivante :

	Valeur comptable	*Juste valeur nette*	*Perte de valeur*
Camion	*70 000 $*	*84 000 $*	*θ*
Équipements	*20 000*	*17 500*	*2 500 $*
Effet à payer lié au camion	*56 000*	*56 000*	*θ*

Perte de valeur des équipements détenus en vue de la vente	*2 500*	
Amortissement cumulé – Équipements détenus en vue de la vente		*2 500*
Réduction initiale de valeur des équipements détenus en vue de la vente.		

Soulignons que Gouttières Arsenault ltée présentera dans ses états financiers la réduction de valeur de 2 500 $ à titre de résultat généré par les activités poursuivies.

Lorsqu'une entreprise est prête à vendre immédiatement ces éléments, elle ne peut plus compter sur ceux-ci dans son activité courante. C'est la raison pour laquelle l'IASB recommande de ne plus amortir les immobilisations après les avoir classées comme étant détenues en vue de la vente. Une fois l'actif réévalué, l'amortissement aurait pour effet de ramener sa valeur comptable en-dessous de sa juste valeur diminuée des coûts de la vente. L'IASB recommande aussi de continuer à comptabiliser normalement les intérêts courus et les autres charges rattachées au passif du groupe, puisque l'entreprise continue de les assumer. Elle reste responsable de ses passifs tant que ceux-ci ne sont pas légalement transférés à un tiers.

EXEMPLE

Comptabilisation subséquente des actifs détenus en vue de la vente

Continuons notre exemple. Dans ses états financiers des exercices terminés après le 30 avril 20X3, Gouttières Arsenault ltée doit présenter séparément, dans son état de la situation financière, les éléments du groupe destiné à être cédé. Le 31 décembre 20X3, date de clôture de l'exercice financier, la juste valeur nette du camion n'a pas changé, mais celle des équipements s'élève maintenant à 18 500 $. Elle se situe donc entre la valeur comptable avant le classement (20 000 $) et la nouvelle valeur comptabilisée le 30 avril 20X3 (17 500 $). Gouttières Arsenault ltée passe alors l'écriture suivante pour comptabiliser la reprise de valeur :

Amortissement cumulé – Équipements détenus en vue de la vente	*1 000*	
Reprise de valeur des équipements détenus en vue de la vente		*1 000*
Reprise de valeur des équipements détenus en vue de la vente (18 500 $ – 17 500 $).		

Le 14 février 20X4, l'entreprise vend son camion et ses équipements aux prix de vente respectifs de 85 000 $ et de 19 500 $, et elle paie des coûts de vente s'élevant respectivement à 1 000 $ et à 500 $. La banque transfère l'effet à payer à l'acquéreur sans aucune pénalité. Voici l'écriture de journal à passer dans les livres de Gouttières Arsenault ltée.

Caisse ①	*103 000*	
Amortissement cumulé – Camion détenu en vue de la vente	*30 000*	
Amortissement cumulé – Équipements détenus en vue de la vente ②	*11 500*	
Camion détenu en vue de la vente		*100 000*
Équipements détenus en vue de la vente		*30 000*
Profit sur la vente du camion ③		*14 000*
Profit sur la vente d'équipements ④		*500*
Vente d'un groupe d'éléments détenus en vue de la vente.		

Calculs :

① (85 000 $ + 19 500 $ – 1 000 $ – 500 $)

② (10 000 $ + 2 500 $ – 1 000 $)

③ Prix de vente	85 000 $
Coûts de la vente	(1 000)
Valeur comptable	(70 000)
Profit sur la vente du camion	14 000 $
④ Prix de vente	19 500 $
Coûts de la vente	(500)
Valeur comptable	(18 500)
Profit sur la vente d'équipements	500 $

Avant de classer un groupe d'actifs destiné à être cédé à titre d'actifs non courants détenus en vue de la vente, l'entreprise doit appliquer les tests de dépréciation, s'il y a lieu, à chaque actif. Ce n'est qu'après qu'elle comparera la valeur comptable obtenue par l'application des tests de dépréciation à la juste valeur diminuée des coûts de la vente. De plus, les **dispositions d'évaluation** de l'IFRS 5 ne s'appliquent pas aux actifs non courants suivants :

(a) actifs d'impôt différé [...] ;

(b) actifs générés par des avantages du personnel [...] ;

(c) actifs financiers entrant dans le champ d'application d'IFRS 9 *Instruments financiers* ;

(d) actifs non courants qui sont comptabilisés selon le modèle de la juste valeur dans IAS 40 *Immeubles de placement* ;

(e) actifs non courants qui sont évalués à la juste valeur diminuée des coûts de la vente selon IAS 41 *Agriculture* ;

(f) droits contractuels selon des contrats d'assurance [...][36].

Lorsqu'un groupe destiné à être cédé comprend de tels actifs, l'évaluation de ces derniers doit se faire conformément aux normes applicables à chacun d'eux. De même, les dispositions d'évaluation de l'IFRS 5 ne s'appliquent pas aux actifs courants inclus dans le groupe.

> La perte de valeur (ou tout profit ultérieur) comptabilisé au titre d'un groupe destiné à être cédé doit réduire (ou augmenter) la valeur comptable des actifs non courants du groupe qui entrent dans le champ d'application des dispositions de la présente norme en matière d'évaluation [...][37].

36. *Manuel de CPA Canada – Comptabilité – Partie I*, IFRS 5, paragr. 5.
37. *Manuel de CPA Canada – Comptabilité – Partie I*, IFRS 5, paragr. 23.

EXEMPLE

Perte de valeur d'un groupe d'actifs avant et après le classement comme étant détenus en vue de la vente

Examinons un exemple adapté du *Guide d'application* de l'IFRS 5. La société Lion d'or ltée projette de se départir d'un groupe d'actifs (par voie de cession d'actifs). Ces actifs forment un groupe destiné à être cédé et sont évalués comme suit :

	Valeur comptable initiale	*Valeur comptable réévaluée*
Immobilisations corporelles	*10 300 $*	*9 700 $*
Stocks	*2 400*	*2 200*
Actifs financiers à la juste valeur par le biais du résultat net, classés dans l'actif courant	*3 300*	*3 000*
Total	*16 000 $*	*14 900 $*

Au moment où Lion d'or ltée remplit pour la première fois les critères de classement du groupe destiné à être cédé à titre d'actifs détenus en vue de la vente, disons le 11 novembre 20X1, elle évalue que la juste valeur nette du groupe d'actifs s'élève à 13 000 $.

Le 11 novembre 20X1, Lion d'or ltée comptabilise d'abord la perte de 1 100 $ (16 000 $ – 14 900 $) immédiatement avant la classification du groupe destiné à être cédé comme étant détenu en vue de la vente.

Perte de valeur des immobilisations corporelles	*600*	
Perte de valeur des stocks	*200*	
Perte de valeur des actifs financiers à la juste valeur par le biais du résultat net	*300*	
Immobilisations corporelles		*600*
Stocks		*200*
Actifs financiers à la juste valeur par le biais du résultat net		*300*
Réduction de valeur sur des actifs, en application des tests de dépréciation.		

Du fait qu'une entreprise doive évaluer un groupe d'actifs destiné à être cédé, classé comme étant détenu en vue de la vente, à la valeur la plus faible entre sa valeur comptable et sa juste valeur diminuée des coûts de la vente, Lion d'or ltée comptabilise une perte de valeur additionnelle de 1 900 $ (14 900 $ – 13 000 $) au moment où elle classe initialement le groupe comme étant détenu en vue de la vente. Elle affecte la perte de valeur aux actifs non courants auxquels s'appliquent les dispositions d'évaluation de l'IFRS 5, c'est-à-dire aux immobilisations. Par conséquent, elle n'attribue aucune perte de valeur additionnelle aux stocks ou aux actifs financiers.

Les modifications des plans de vente

Différence NCECF

Il se peut qu'une entreprise ayant adopté un plan de vente décide de le modifier ultérieurement. Lorsqu'une entreprise adopte une **modification d'un plan de vente**, elle doit respecter cette recommandation de l'IASB :

> L'entité doit évaluer un actif non courant (ou un groupe destiné à être cédé) qui cesse d'être classé comme détenu en vue de la vente ou comme détenu en vue de la distribution aux propriétaires (ou qui cesse d'être inclus dans un groupe destiné à être cédé classé comme détenu en vue de la vente ou comme détenu en vue de la distribution aux propriétaires) à la plus faible des deux valeurs suivantes :
>
> (a) sa valeur comptable avant son classement comme détenu en vue de la vente ou comme détenu en vue de la distribution aux propriétaires, ajustée au titre de tout amortissement ou de toute réévaluation qui aurait été comptabilisé si cet actif (ou ce groupe destiné à être cédé) n'avait pas été classé comme détenu en vue de la vente ou comme détenu en vue de la distribution aux propriétaires ;
>
> (b) sa *valeur recouvrable* à la date de la décision ultérieure de ne pas le vendre ou le distribuer[38].

38. *Manuel de CPA Canada – Comptabilité – Partie I*, IFRS 5, paragr. 27.

Soulignons d'abord que la section suivante traitera plus en détail des actifs détenus en vue de la distribution aux actionnaires. La recommandation précédente repose sur le but visé, soit celui selon lequel, après la modification du plan de vente, les livres comptables devraient montrer les mêmes valeurs comptables que si l'entreprise n'avait jamais adopté de plan de vente. Rappelons que la **valeur recouvrable** d'un actif correspond au montant le plus élevé entre sa juste valeur diminuée des coûts de la vente et sa **valeur d'utilité**. Cette dernière est elle-même définie comme la valeur actualisée des flux de trésorerie attendus de l'utilisation d'un actif et de sa cession à la fin de sa durée d'utilité.

EXEMPLE

Adoption d'un plan de vente, suivie d'une modification

Le 1er avril 20X3, à la suite d'une analyse des facteurs économiques, la société Les Ailes du rêve ltée adopte un plan de vente pour un terrain, un immeuble abritant des bureaux de vente et divers équipements. Voici les extraits pertinents du plan de vente :

	Coût	Amortissement cumulé	Juste valeur	Coûts de la vente
Terrain	*50 000 $*	*0*	*70 000 $*	*800 $*
Immeuble	*260 000*	*72 583 $*	*190 000*	*6 000*
Équipement	*30 000*	*13 040*	*11 000*	*200*

À la même date, Les Ailes du rêve ltée remplit tous les critères pour classer ces immobilisations comme étant détenues en vue de la vente. La société clôture son exercice financier le 31 août 20X3.

Voici d'abord l'écriture de journal que la société passe le 1er avril 20X3 :

	Débit	Crédit
Terrain détenu en vue de la vente	*50 000*	
Immeuble détenu en vue de la vente	*260 000*	
Équipement détenu en vue de la vente	*30 000*	
Amortissement cumulé – Immeuble	*72 583*	
Amortissement cumulé – Équipement	*13 040*	
Terrain		*50 000*
Immeuble		*260 000*
Équipement		*30 000*
Amortissement cumulé – Immeuble détenu en vue de la vente		*72 583*
Amortissement cumulé – Équipement détenu en vue de la vente		*13 040*
Reclassement des immobilisations détenues en vue de la vente, à la suite de l'approbation d'un plan de vente.		

Cette écriture de journal, qui n'a aucun effet sur le total de l'actif, vise simplement à aider Les Ailes du rêve ltée, qui doit présenter séparément ses immobilisations détenues en vue de la vente dans ses états financiers. Examinons maintenant l'autre écriture de journal que Les Ailes du rêve ltée passe dans ses livres le 1er avril 20X3, afin de respecter la norme inhérente à l'évaluation des actifs détenus en vue de la vente, ainsi que les extraits pertinents des états financiers de l'exercice terminé le 31 août 20X3.

	Débit	Crédit
Perte de valeur de l'immeuble détenu en vue de la vente	*3 417*	
Perte de valeur de l'équipement détenu en vue de la vente	*6 160*	
Amortissement cumulé – Immeuble détenu en vue de la vente		*3 417*
Amortissement cumulé – Équipement détenu en vue de la vente		*6 160*
Perte initiale de valeur de l'immeuble et de l'équipement détenu en vue de la vente.		

Calculs :

	Valeur comptable	Juste valeur nette	Perte de valeur
Terrain	50 000 $	69 200 $	θ
Immeuble	187 417	184 000	3 417 $
Équipement	16 960	10 800	6 160

LES AILES DU RÊVE LTÉE
Situation financière partielle
au 31 août 20X3

Actifs non courants détenus en vue de la vente (Note X)		*244 800 $*

Calcul :

Terrain	50 000 $
Immeuble	184 000
Équipement	10 800
Total de la valeur comptable après le classement des actifs non courants détenus en vue de la vente	244 800 $

LES AILES DU RÊVE LTÉE
Résultat global partiel
de l'exercice terminé le 31 août 20X3

Perte de valeur des actifs non courants détenus en vue de la vente (Note X)	*9 577 $*

Calcul :

Immeuble	3 417 $
Équipement	6 160
Total de la perte de valeur	9 577 $

Poursuivons notre exemple. Le 30 novembre 20X3, Les Ailes du rêve ltée n'a pas encore trouvé d'acquéreur, même si la valeur recouvrable du terrain et de l'immeuble, égale à la juste valeur, a augmenté de 2 %. La société prévoit maintenant que le marché immobilier explosera en 20X5 et que les justes valeurs grimperont de 30 % par rapport à celles ayant cours le 1er avril 20X3, et ce, sans que les coûts de la vente augmentent pour autant. Les Ailes du rêve ltée décide alors de reporter la vente du terrain et de l'immeuble en 20X5 pour profiter de la plus-value attendue.

Le 30 novembre 20X3, jour de la modification du plan de vente, Les Ailes du rêve ltée n'est plus prête à vendre son terrain et son immeuble à leur juste valeur à cette date. Puisqu'elle ne remplit plus les critères permettant de classer ces deux immobilisations comme étant détenues en vue de la vente, elle doit les reclasser comme étant détenues et utilisées.

Terrain	*50 000*	
Immeubles	*260 000*	
Amortissement cumulé – Immeubles détenus en vue de la vente	*76 000*	
Terrain détenu en vue de la vente		*50 000*
Immeubles détenus en vue de la vente		*260 000*
Amortissement cumulé – Immeubles		*76 000*
Reclassement d'un groupe d'éléments à la suite d'une modification d'un plan de vente.		

La société établit ensuite la nouvelle valeur comptable de chacune des immobilisations, sachant que l'amortissement concernant l'immeuble qu'elle aurait imputé entre le 1er avril et le 30 novembre 20X3 s'élève à 8 667 $:

Perte de valeur des immeubles	*5 250*	
Amortissement cumulé – Immeubles		*5 250*

Perte de valeur de l'immeuble reclassé comme détenu et utilisé.

Calculs :

	Terrain	Immeubles
Valeur comptable avant le classement du 1er avril	50 000 $	187 417 $
Amortissement de la période allant du 1er avril au 30 novembre 20X3		(8 667)
Valeur comptable ajustée	50 000	178 750
Valeur recouvrable à la date de la décision ultérieure de ne pas vendre		
Terrain [(70 000 $ × 1,02*) – 800 $]	70 600	
Immeubles [(190 000 $ × 1,02*) – 6 000 $]		187 800
Valeur à retenir (la moins élevée des deux)	50 000	178 750
Valeur comptable au 30 novembre 20X3	(50 000)	(184 000)
Reprise (perte) de valeur à comptabiliser	0 $	(5 250) $

* On multiplie par 1,02 afin de tenir compte de l'augmentation de 2 % de la valeur recouvrable.

À des fins de présentation de l'état du résultat global, la société présente le poste Perte de valeur de l'immeuble dans le résultat généré par les activités poursuivies. L'IASB recommande de fournir les renseignements suivants lorsqu'une entreprise a modifié son plan de vente :

> [...] une entité doit fournir, dans la période où la décision a été prise de modifier le plan de vendre l'actif non courant (ou le groupe destiné à être cédé), une description des faits et des circonstances menant à la décision et l'effet de la décision sur les résultats des activités pour la période et pour toutes les périodes antérieures présentées[39].

Voici un exemple de la note complémentaire que Les Ailes du rêve ltée pourrait inclure dans ses états financiers afin de respecter cette recommandation :

Différence NCECF

La société a décidé de reporter la vente d'un terrain et d'un immeuble afin de profiter des conditions intéressantes attendues. Cette décision a eu pour effet de comptabiliser au cours de l'exercice une perte de 5 250 $. La société prévoit toutefois réaliser un profit au moment de la future vente du terrain et de l'immeuble.

Avez-vous remarqué ?

Le classement, l'évaluation et la présentation distincte des actifs non courants détenus en vue de la vente (ou du groupe destiné à être cédé) aide les utilisateurs des états financiers à prévoir le montant, l'échéancier et le risque associés aux flux de trésorerie, conformément à l'objectif visé par de tels états et énoncé dans le Cadre.

Les plans de distribution aux actionnaires

Différence NCECF

L'IFRS 5 s'applique aussi aux actifs non courants qui sont détenus en vue de leur distribution aux actionnaires. Une entreprise pourrait, par exemple, décider le 20 décembre 20X1 de conserver certains actifs qu'elle n'utilise plus dans le cadre de ses activités d'exploitation dans le but de les distribuer plus tard aux actionnaires à titre de dividendes. Le chapitre 15 du présent ouvrage traite de la comptabilisation de tels dividendes, pour la courte période comprise entre la date de

39. *Manuel de CPA Canada – Comptabilité – Partie I*, IFRS 5, paragr. 42.

déclaration, disons le 15 décembre 20X2, jusqu'à la date de distribution du dividende, disons le 15 janvier 20X3. Nous traitons ici de la comptabilisation de ces actifs pendant la période antérieure à la déclaration du dividende. La figure 8.7 présente les dates importantes.

FIGURE 8.7 Les dates importantes lors d'une distribution aux actionnaires

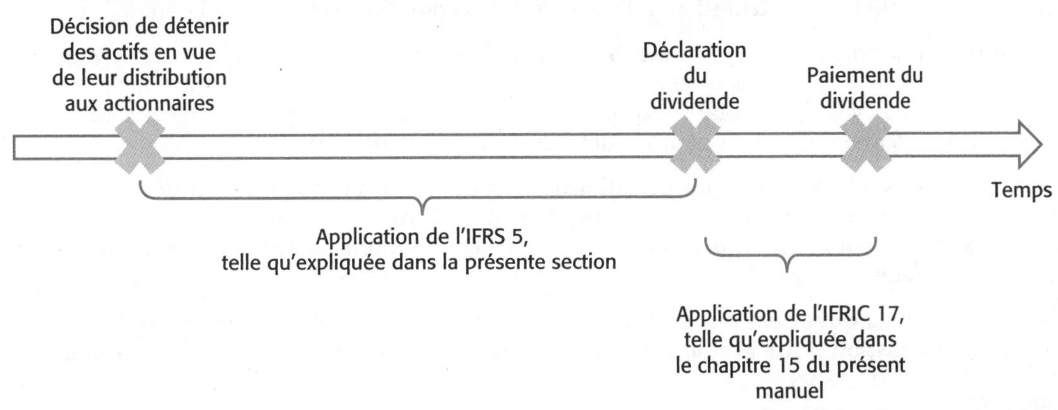

Les normes applicables aux **actifs non courants détenus en vue de la distribution aux actionnaires** ressemblent beaucoup à celles applicables aux actifs détenus en vue de la vente. C'est pourquoi, leur apprentissage est simplifié si l'on fait ressortir les ressemblances et les différences entre les deux catégories d'actifs.

Premièrement, des actifs non courants peuvent être classés comme détenus en vue de la distribution aux actionnaires sur des critères qui diffèrent légèrement (*voir la figure 8.8*) de ceux applicables aux actifs détenus en vue de la vente (*voir la figure 8.6*).

FIGURE 8.8 Les critères de classement d'un actif non courant comme détenu en vue de la distribution aux actionnaires

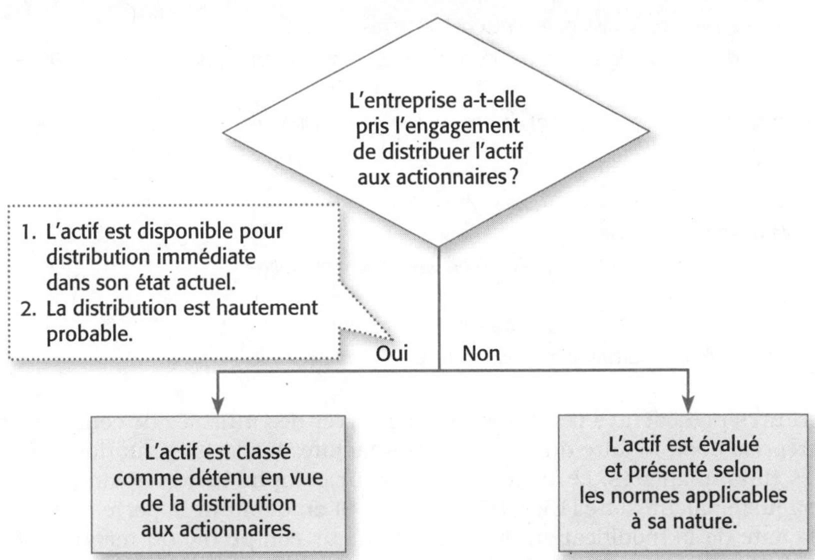

Le classement d'un actif comme étant détenu en vue de la distribution aux actionnaires ne nécessite pas l'adoption d'un plan bien défini mais uniquement un engagement de la direction. Ce n'est toutefois pas une simple intention de la direction même si l'IASB ne donne pas de critère précis pour définir ce qu'est un tel engagement. De la même façon que pour un actif non courant classé comme étant détenu en vue de la vente, l'actif détenu en vue de la distribution aux actionnaires doit être disponible pour distribution immédiate dans son état actuel et la distribution doit être hautement probable. À cet égard, les mesures requises pour réaliser la distribution doivent avoir été entreprises et leur achèvement doit être attendu dans l'année qui suit la date de classement.

Au moment d'évaluer un actif non courant détenu en vue de la distribution aux actionnaires, on retient la valeur la plus faible entre :

- la valeur comptable à la date du classement, et
- la juste valeur diminuée des **coûts de distribution**. Ces derniers désignent les coûts marginaux qu'entraînera la distribution, à l'exception des coûts financiers et de l'impôt.

Cette évaluation est donc très semblable à celle d'un actif détenu en vue de la vente, à la seule exception que la juste valeur est diminuée des coûts de distribution plutôt que des coûts de la vente. Lorsque la valeur comptable excède la juste valeur nette, la dépréciation est comptabilisée en résultat net, comme on l'a vu pour un actif détenu en vue de la vente.

Les normes applicables aux modifications d'un plan de distribution découlant d'une décision ultérieure de conserver l'actif dans le but de l'utiliser correspondent à celles applicables aux modifications d'un plan de vente et présentées dans la section **Les plans de vente d'immobilisations**.

Il arrive aussi qu'un plan de distribution soit modifié pour refléter l'adoption d'un plan de vente. Dans ce cas, on traite le changement comme la poursuite du plan de cession initial.

8

EXEMPLE

Plan de distribution aux actionnaires modifié en plan de vente

La société Hay Tourdy ltée détient, au 31 décembre 20X0, un terrain d'une valeur comptable de 150 000 $. Le 1er février 20X1, elle répond aux critères pour le classer comme étant détenu en vue d'une distribution aux actionnaires. À cette date, la juste valeur du terrain est de 150 000 $ et la société estime les coûts de distribution à 1 000 $. Le 1er juin, elle réalise qu'un acheteur est fortement intéressé à acquérir ce terrain, adjacent au principal établissement de ce dernier, afin de réaliser un projet d'agrandissement. Hay Tourdy ltée adopte alors un plan de vente qui lui permet de classer, à compter de cette date, le terrain comme étant détenu en vue de la vente. La juste valeur est passée à 155 000 $ et elle estime les coûts de la vente à 1 100 $. Voici les écritures requises dans ses livres :

1er février 20X1		
Terrain détenu en vue de la distribution aux actionnaires	*149 000*	
Perte de valeur d'un terrain détenu en vue de la distribution aux actionnaires	*1 000*	
Terrain		*150 000*
Classement d'un terrain comme étant détenu en vue de la distribution aux actionnaires.		
1er juin 20X1		
Terrain détenu en vue de la vente	*150 000*	
Reprise de valeur d'un terrain détenu en vue de la distribution aux actionnaires		*1 000*
Terrain détenu en vue de la distribution aux actionnaires		*149 000*
Modification d'un plan de distribution pour en faire un plan de vente.		

Les deux écritures précédentes permettent de conserver des intitulés de comptes qui reflètent ce que l'entreprise compte faire du terrain. Elles faciliteront la présentation distincte de cet actif dans les états financiers. Le 1er février, la valeur comptable du terrain (150 000 $) a été ramenée à sa juste valeur nette (150 000 $ – 1 000 $) en débitant la perte en résultat net. Le 1er juin, à la date de la modification du plan, la valeur comptable du terrain détenu en vue de la vente est passée à 150 000 $. La reprise de valeur, aussi comptabilisée en résultat net, est en effet limitée à l'écart entre d'une part la valeur comptable juste avant la modification (149 000 $) et d'autre part la valeur la plus faible de la valeur comptable à la date de l'adoption du plan initial le 1er février (150 000 $) et de la juste valeur nette le 1er juin (155 000 $ – 1 100 $). Ceci fait bien ressortir que le plan de vente est traité, du point de vue comptable, comme la continuation du plan de distribution aux actionnaires.

Différence NCECF

En terminant, le traitement illustré dans l'exemple de Hay Tourdy ltée s'applique aussi dans les cas où un plan de vente devient un plan de distribution, ce dernier étant traité comme la poursuite du plan de vente initial.

Les sorties

Il est possible de conserver une immobilisation corporelle auparavant utilisée dans le cadre de l'activité courante pour la détenir à titre de placement. Le chapitre 11 traitera de ce sujet. Lorsqu'une entreprise se départit d'une immobilisation, elle peut le faire de diverses façons : les ventes, les sorties involontaires et les échanges d'actifs. Examinons maintenant la comptabilisation de chacune de ces **sorties d'immobilisation**. Pour déterminer le **moment** où le produit de la vente lié à la sortie doit être comptabilisé, l'entreprise se rapporte aux critères énoncés au paragraphe 69 de l'IAS 16. Il s'agit de la date à laquelle l'acheteur en acquiert le contrôle. Cette dernière est elle-même déterminée en appliquant l'**IFRS 15** intitulée « Produits des activités ordinaires tirés de contrats conclus avec des clients » et, comme nous l'expliquerons en détail au chapitre 20, elle correspond à la date où le vendeur a notamment rempli son obligation de prestation, c'est-à-dire les engagements qu'il a pris en concluant la vente. Lorsqu'une entreprise se départit d'une immobilisation, elle doit mettre à jour le solde des comptes relatifs à cette immobilisation avant de les radier.

Différence NCECF

Les ventes

La vente d'une immobilisation, type de sortie très fréquente, consiste en la cession faite par l'entreprise à une tierce partie contre rémunération. Le produit de la vente représente le prix de transaction convenu avec l'acheteur et déterminé selon l'IFRS 15. Si la vente a occasionné certains frais, des frais de publicité ou de déplacement, par exemple, on les diminue du produit de la vente. La valeur comptable correspond au coût comptabilisé à l'achat majoré des frais comptabilisés à l'actif engagés par la suite et des éventuelles reprises de valeur, le tout diminué de l'amortissement cumulé et de toute perte de valeur comptabilisée depuis la date de l'acquisition. La figure 8.9 illustre le calcul du profit ou de la perte découlant de l'écart entre le produit net de l'aliénation et la valeur comptable de l'immobilisation.

8

FIGURE 8.9 Le profit ou la perte découlant de l'aliénation d'une immobilisation

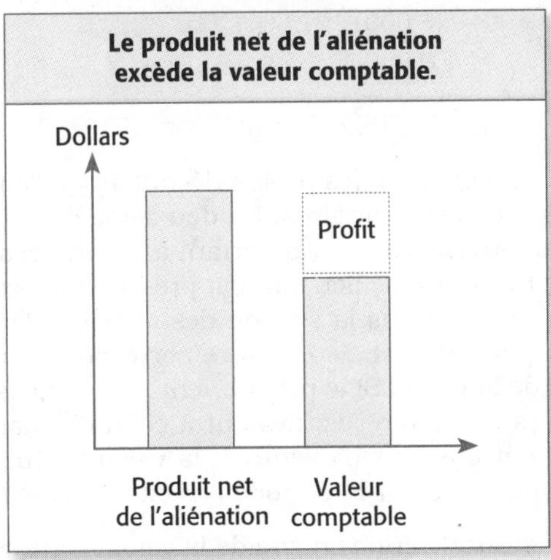

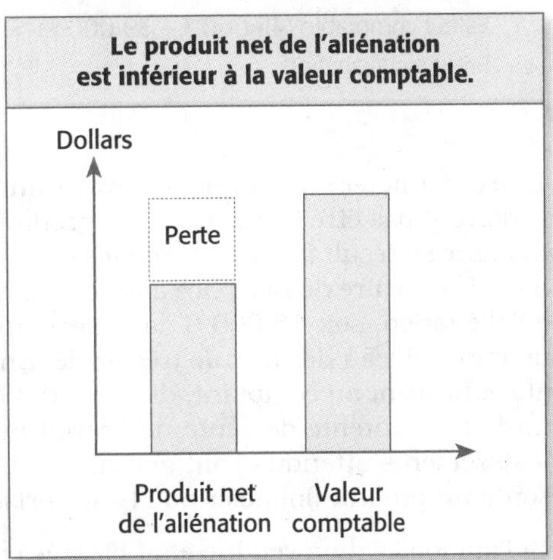

Au moment de comptabiliser la vente, l'entreprise vérifie si elle a auparavant classé l'immobilisation vendue parmi les immobilisations utilisées, ou comme détenues en vue de la vente ou de la distribution aux actionnaires.

Si l'immobilisation vendue était classée parmi les immobilisations utilisées, l'entreprise devrait d'abord comptabiliser l'amortissement jusqu'à la date de la vente, radier le solde mis à jour des comptes afférents à l'immobilisation et, s'il y a lieu, comptabiliser immédiatement le profit ou la perte découlant de la vente.

EXEMPLE

Vente d'une immobilisation utilisée

Le 1er mai 20X4, la société Berger ltée vend, au prix de 15 000 $, un camion qu'elle avait acquis pour 45 000 $ le 1er janvier 20X0. Depuis ce moment, la société a amorti le coût du camion de façon linéaire sur 5 ans. Au 31 décembre 20X3, date de clôture de l'exercice financier, le solde du compte Amortissement cumulé s'élevait donc à 36 000 $ (45 000 $ × 4 ans ÷ 5 ans). À cette date, Berger ltée ne remplissait pas les critères lui permettant de classer le camion comme étant détenu en vue de la vente.

Lors de la vente du camion, Berger ltée doit d'abord comptabiliser l'amortissement relatif aux quatre premiers mois de l'exercice 20X4, puis inscrire la vente proprement dite. Elle passe donc les deux écritures suivantes :

Amortissement – Matériel roulant	*3 000*	
Amortissement cumulé – Matériel roulant		*3 000*
Amortissement des quatre premiers mois de 20X4 (45 000 $ ÷ 5 ans × 4 mois ÷ 12 mois).		
Caisse	*15 000*	
Amortissement cumulé – Matériel roulant ①	*39 000*	
Matériel roulant		*45 000*
Profit sur aliénation ②		*9 000*
Vente d'un camion.		

Calculs :

① Amortissement cumulé	
Solde au 31 décembre 20X3	36 000 $
Ajustement au 1er mai 20X4	3 000
Solde au 1er mai 20X4	39 000 $
② Profit sur aliénation	
Produit de l'aliénation	15 000 $
Valeur comptable (45 000 $ – 39 000 $)	(6 000)
Profit sur aliénation	9 000 $

8

Le lecteur notera quatre points importants. En premier lieu, les profits découlant de l'aliénation ne doivent pas être inclus dans les produits des activités ordinaires. En deuxième lieu, il faut comptabiliser en résultat net de l'exercice en cours l'amortissement se rapportant à la période allant de la date d'ouverture de l'exercice à celle de la vente. En troisième lieu, on doit présenter le produit net de l'aliénation, soit 15 000 $ dans l'exemple précédent, dans la section des activités d'investissement du tableau des flux de trésorerie. Enfin, le **produit net de la vente** correspond au prix de vente équivalent au comptant, diminué des coûts de la vente. Si le prix de vente est encaissable plus tard et si l'entente de vente ne prévoit pas un taux d'intérêt équivalent à celui du marché, les encaissements attendus sont actualisés. L'écart entre le prix de vente et la valeur actualisée représente un produit financier que l'entreprise comptabilise sur la période des encaissements.

Si l'immobilisation vendue était classée comme étant détenue en vue de la vente, l'entreprise n'a pas à comptabiliser la charge d'amortissement jusqu'à la date de la vente, car elle ne conservait plus l'immobilisation dans le but de profiter de ses avantages économiques futurs. Il se peut qu'une entreprise vende, dans le cours de ses activités courantes, des immobilisations qu'elle détenait en vue de générer des produits de location. Pensons, par exemple, à une société qui occupe le tiers d'un immeuble et loue les deux autres tiers[40]. Dans ce cas, lorsqu'elle cesse la location et rend les immobilisations disponibles à la vente, elle en transfère la valeur comptable dans le compte Stock[41]. Ainsi, au moment de la vente, le produit (prix de vente) et le coût des immobilisations vendues figureront distinctement dans l'état du résultat global, plutôt que le seul montant net du profit ou de la perte.

Rappelons qu'il est aussi possible de ne décomptabiliser qu'une partie d'une immobilisation corporelle, par exemple lorsque celle-ci est partiellement remplacée ou abandonnée. Le mode de

40. Comme nous le verrons au chapitre 11, et dans l'hypothèse où les deux parties ne peuvent être vendues séparément, l'entreprise ne peut considérer son immeuble à titre d'immeuble de placement, car elle en occupe une partie significative. L'immeuble est alors comptabilisé à titre d'immobilisation.

41. Si l'immeuble était comptabilisé comme un immeuble de placement et n'était pas réaménagé avant sa mise en vente, il ne serait pas transféré dans les stocks, conformément au paragraphe 58 de l'IAS 40.

comptabilisation expliqué précédemment demeure alors le même. En pratique, la difficulté consiste à déterminer la valeur comptable de la partie de l'immobilisation à décomptabiliser. Lorsqu'une entreprise est incapable de déterminer cette valeur, elle peut s'inspirer du coût de remplacement de la partie en cause de l'immobilisation corporelle.

Les sorties involontaires

Les **sorties involontaires**, telles que les pertes d'immobilisations découlant d'incendies, d'inondations ou d'expropriations, sont la conséquence de circonstances qui échappent au contrôle de l'entreprise. Ces événements sont susceptibles d'entraîner plusieurs opérations. Prenons l'exemple d'un incendie ayant détruit un immeuble. D'abord, l'entreprise doit comptabiliser la baisse de valeur causée par l'incendie ou décomptabiliser la valeur comptable de la partie de l'immeuble que le feu a détruite. Ensuite, si l'entreprise détenait une assurance incendie, elle doit comptabiliser l'indemnité d'assurance. Enfin, si elle reconstruit l'immeuble, elle doit en comptabiliser le coût. Même si toutes ces opérations ont été déclenchées par un seul événement, soit l'incendie, l'IASB recommande de les comptabiliser comme des opérations indépendantes. Le tableau 8.3 montre les recommandations de l'IASB, accompagnées de commentaires.

8

TABLEAU 8.3 La comptabilisation des sorties involontaires

***Normes internationales d'information financière,* IAS 16**	**Commentaires**
Paragr. 66 *Les dépréciations ou pertes d'immobilisations corporelles, les demandes de règlement ou le paiement d'indemnités liées provenant de tiers, et tout achat ou construction ultérieurs d'actifs de remplacement sont des événements économiques indépendants et doivent être comptabilisés séparément de la façon suivante :*	L'IASB recommande de décortiquer ces événements et de les comptabiliser séparément.
(a) les dépréciations d'immobilisations corporelles sont comptabilisées selon IAS 36 ;	Le chapitre 9 montrera la façon d'appliquer les tests de dépréciation.
(b) la décomptabilisation d'immobilisations corporelles mises hors service ou sorties est déterminée selon la présente norme ;	On décomptabilise une immobilisation corporelle lors de sa sortie ou lorsque l'entreprise ne s'attend plus à profiter des avantages économiques futurs afférents.
(c) les indemnisations accordées par des tiers relativement à des immobilisations corporelles dépréciées, perdues ou cédées sont incluses dans le résultat net lorsqu'elles deviennent exigibles ; et	La comptabilisation de l'indemnité en résultat net est cohérente par rapport au fait que l'entreprise comptabilise en charges les primes d'assurance. L'indemnité est comptabilisée au moment où elle devient exigible.
(d) le coût des immobilisations corporelles restaurées, acquises ou construites au titre de remplacement est déterminé selon la présente norme.	Si l'entreprise a remplacé l'immobilisation, elle suit les explications données au début du présent chapitre pour déterminer les éléments de coût qu'elle peut comptabiliser à l'actif.

EXEMPLE

Sortie involontaire d'une immobilisation à la suite d'un incendie

Les bureaux administratifs de la société Les Poètes disparus inc. ont été endommagés à la suite d'un incendie survenu le 10 mars 20X1. Afin de refléter ce fait dans les livres, le comptable de la société a obtenu les renseignements suivants :

Coût de l'immeuble	*175 000 $*
Amortissement cumulé – Immeuble (solde à la date de l'incendie)	*90 000*
Matériel de bureau	*40 000*
Amortissement cumulé – Matériel de bureau (solde à la date de l'incendie)	*25 000*

Tout le matériel a été détruit. L'immeuble a été détruit à 75 %. Le 22 mai 20X1, Les Poètes disparus inc. a reçu la confirmation que son assureur lui versait 70 000 $ en règlement complet des dommages.

Voici les écritures de journal à passer pour comptabiliser cette opération :

10 mars 20X1		
Amortissement cumulé – Immeuble ①	*67 500*	
Amortissement cumulé – Matériel de bureau	*25 000*	
Perte sur aliénation d'immobilisations corporelles	*78 750*	
Immeuble ②		*131 250*
Matériel de bureau		*40 000*
Décomptabilisation de la valeur comptable de l'immeuble et du matériel de bureau détruits par un incendie.		

Calculs :

① (90 000 $ × 75 %)

② (175 000 $ × 75 %)

22 mai 20X1		
Indemnité d'assurance à recevoir	*70 000*	
Profit découlant d'une indemnité d'assurance		*70 000*
Indemnité à recevoir de l'assureur en règlement complet des dommages causés par l'incendie survenu le 10 mars 20X1.		

La recommandation de l'IASB concernant le fait de comptabiliser en résultat net l'indemnité de 70 000 $ se justifie probablement du fait que les primes d'assurance payées antérieurement par l'entreprise ont aussi été comptabilisées en résultat net. Les écritures de journal que Les Poètes disparus inc. a passées lui permettront de préparer des états financiers transparents. Ces derniers feront état de la perte sur aliénation (78 750 $) et du profit découlant de l'indemnité d'assurance (70 000 $), et pas seulement de la perte nette de 8 750 $ entre les deux opérations.

Différence NCECF

Dans l'exemple précédent, le sinistré recevait une indemnité ne couvrant que partiellement la valeur comptable des immobilisations détruites. Aujourd'hui, de telles situations sont rares, car les contrats d'assurance offrent une protection contre l'inflation et les changements technologiques, notamment en offrant aux assurés la possibilité de recevoir une indemnité d'assurance basée sur la valeur à neuf des immobilisations détruites, à condition que le sinistré remplace les biens détruits. Ainsi, la plupart des sinistres se traduisent par la comptabilisation d'un profit, puisque le montant de l'indemnité d'assurance est plus élevé que la valeur comptable du bien détruit. De plus, si l'indemnité est conditionnelle à la reconstruction, elle ne devrait pas, en principe, être comptabilisée au résultat net tant que l'entreprise n'a pas rempli les conditions.

Les échanges d'actifs

Plutôt que de recevoir une certaine somme d'argent lors de l'aliénation d'une immobilisation, une entreprise peut recevoir d'autres actifs. Il s'agit en quelque sorte d'une **opération de troc**. Le comptable doit alors comptabiliser l'acquisition de l'immobilisation reçue et l'aliénation de l'immobilisation cédée.

Les **échanges** sont des opérations dans lesquelles l'entreprise acquiert ou transfère des actifs ou des passifs non monétaires ou encore un ensemble d'actifs monétaires et non monétaires.

Les échanges comptabilisés à la juste valeur

Les passages suivants traitent de l'échange d'immobilisations corporelles, mais les mêmes méthodes de comptabilisation s'appliquent à toutes les opérations d'échange. Le coût de l'immobilisation reçue et le prix de vente de l'immobilisation cédée correspondent généralement à la juste valeur, sauf si l'échange manque de substance commerciale ou si l'entreprise ne peut évaluer de manière fiable ni la juste valeur de l'immobilisation reçue, ni celle de l'immobilisation cédée[42]. Simultanément, l'entreprise comptabilise le profit ou la perte qui en découle.

EXEMPLE

Comptabilisation d'un échange à la juste valeur

La société Avan ltée possède un terrain ayant coûté 120 000 $ le 15 janvier 20X1. Le 19 juin 20X5, Avan ltée échange ce terrain contre un équipement de production de la société Bison ltée. Le coût de l'équipement de production doit correspondre à la juste valeur de l'immobilisation cédée, soit à celle du terrain, qui est de 175 000 $ au 19 juin 20X5. Avan ltée comptabilise l'échange de la façon suivante.

Équipements de production	*175 000*	
Terrain		*120 000*
Profit sur aliénation		*55 000*
Échange d'un terrain contre un équipement.		

Ce traitement comptable permet de refléter fidèlement la réalité économique. À la date de l'échange, les livres comptables d'Avan ltée reflètent la juste valeur de l'équipement de production. Cette juste valeur est la même que celle qui aurait été inscrite si Avan ltée avait payé au comptant l'équipement de production. Les livres reflètent donc la substance de l'opération, soit une acquisition financée par la cession d'un bien. L'écriture précédente a aussi pour conséquence de comptabiliser immédiatement le profit découlant de l'aliénation du terrain, ce qui est comparable, comme l'indique la figure 8.10, au traitement comptable adopté lorsqu'une entreprise cède au comptant l'un de ses actifs.

FIGURE 8.10 Une comparaison de deux traitements comptables

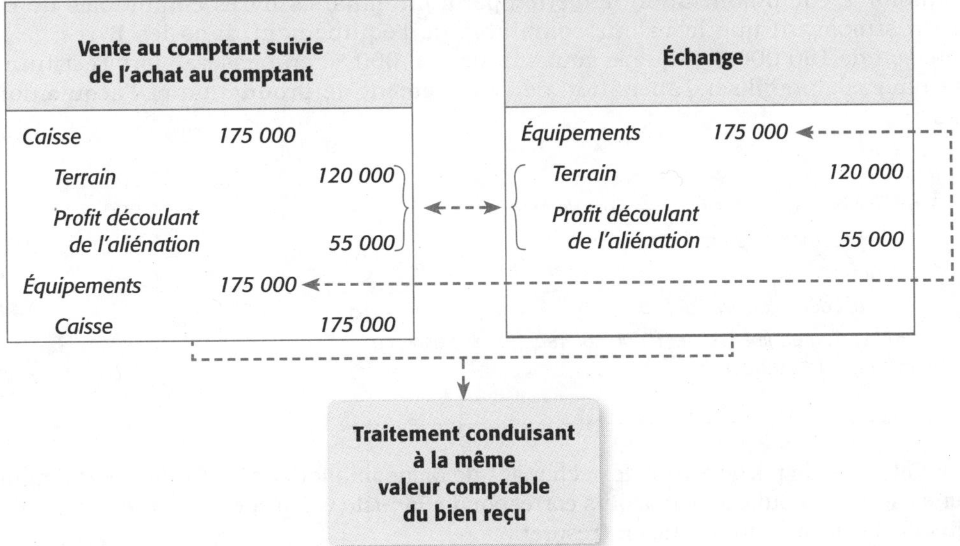

EXEMPLE

Comptabilisation à la juste valeur d'un échange assorti de l'encaissement d'une contrepartie monétaire minime

Modifions maintenant l'exemple précédent en supposant qu'Avan ltée et Bison ltée aient convenu que la juste valeur du terrain détenu par Avan ltée excède de 1 000 $ la juste valeur de l'équipement de production. L'entente intervenue entre les deux parties stipule donc qu'Avan ltée recevra l'équipement de production et une contrepartie en trésorerie de 1 000 $. Bien que

42. En pratique, on peut croire que la juste valeur des biens cédés et celle des biens reçus sont identiques dans les cas où deux entreprises indépendantes acceptent de faire l'échange.

l'IASB ne traite pas clairement de tels échanges, il apparaît logique de comptabiliser l'échange de la façon suivante dans les livres d'Avan ltée :

Équipements de production	*174 000*	
Caisse	*1 000*	
Terrain		*120 000*
Profit découlant de l'aliénation		*55 000*
Échange d'un terrain contre un équipement et une contrepartie en trésorerie.		

L'écriture montre que la contrepartie minime reçue en trésorerie a pour effet de réduire le montant inscrit dans le compte Équipements de production. Le solde de ce compte reflète la juste valeur de l'équipement à la date de l'échange, établie à 174 000 $ par les deux parties. On notera aussi que la **contrepartie reçue en trésorerie** n'a aucun effet sur la détermination du montant du profit découlant de l'aliénation du terrain.

8

Le même raisonnement que celui que nous venons de faire sert de guide à la comptabilisation d'un échange d'immobilisations impliquant le **décaissement** d'une contrepartie minime en trésorerie. La contrepartie cédée en trésorerie a pour effet d'augmenter le montant comptabilisé dans le compte de l'immobilisation reçue.

EXEMPLE

Comptabilisation à la juste valeur d'un échange assorti du décaissement d'une contrepartie monétaire minime

Examinons la comptabilisation de cette opération dans les livres comptables de Bison ltée. En supposant que la valeur comptable de l'équipement dans les livres de cette société soit de 130 000 $ et que le coût soit de 150 000 $, on passera alors l'écriture suivante pour comptabiliser l'aliénation de l'équipement de production et l'acquisition du terrain :

Terrain	*175 000*	
Amortissement cumulé – Équipements de production	*20 000*	
Équipements de production		*150 000*
Caisse		*1 000*
Profit découlant de l'aliénation		*44 000*
Aliénation d'un équipement et d'une contrepartie en trésorerie en échange d'un terrain.		

En fait, la seule particularité des échanges de biens impliquant une contrepartie minime en trésorerie est que le coût du bien acquis correspond à la juste valeur des actifs échangés, soit celle du bien **et** celle de la contrepartie en trésorerie.

Les échanges comptabilisés à la valeur comptable

Différence NCECF

La comptabilisation des échanges à leur juste valeur souffre deux exceptions que nous aborderons dans les sous-divisions suivantes.

Les échanges impliquant des actifs cédés ou reçus dont on ne peut déterminer la juste valeur de façon fiable

Même si la juste valeur constitue souvent la mesure la plus pertinente pour comptabiliser les échanges d'actifs, elle est parfois difficile à évaluer. Plutôt que de comptabiliser une valeur peu fiable, l'IASB recommande de comptabiliser l'opération à la valeur comptable du bien cédé.

Il précise aussi les situations dans lesquelles le comptable peut conclure qu'une évaluation de la juste valeur est fiable :

> La juste valeur d'un actif peut être évaluée de façon fiable si (a) la variabilité de l'intervalle des justes valeurs raisonnables n'est pas importante pour cet actif ou (b) si les probabilités des différentes estimations dans l'intervalle peuvent être raisonnablement appréciées et utilisées pour évaluer la juste valeur. Si une entité est en mesure d'évaluer de manière fiable la juste valeur de l'actif reçu ou de l'actif cédé, la juste valeur de l'actif cédé est alors utilisée pour évaluer le coût de l'actif reçu, sauf si la juste valeur de l'actif reçu est plus clairement évidente[43].

Les échanges sans substance commerciale

Une entreprise doit aussi comptabiliser à la valeur comptable du bien cédé les **échanges sans substance commerciale**, que l'on pourrait pour l'instant définir comme étant des échanges faits sans véritable motif d'affaires et donc comme des échanges fictifs[44]. Il est facile de comprendre que si tous les échanges étaient comptabilisés à la juste valeur, un dirigeant d'entreprise soucieux de comptabiliser à titre de profit l'augmentation de valeur de ses immobilisations pourrait chercher à conclure des échanges fictifs. Par exemple, il pourrait décider d'échanger l'un des camions de livraison de l'entreprise contre un autre camion identique en tout point, que l'entreprise pourrait utiliser de la même façon que le camion cédé. En substance, l'entreprise aurait la même valeur économique avant et après l'échange, mais elle présenterait un montant de résultat net comptable plus élevé au cours de l'exercice de l'échange.

Pour éviter de telles manipulations, l'IASB recommande de comptabiliser les échanges sans substance commerciale à la valeur comptable de l'actif cédé. Ainsi, la valeur comptable de l'immobilisation cédée demeure dans les livres comptables de l'entreprise jusqu'au moment où cette dernière décomptabilise l'immobilisation reçue.

8

EXEMPLE

Échange comptabilisé à la valeur comptable et comparaison avec un échange comptabilisé à la juste valeur

La société Indécise ltée possède un terrain X ayant coûté 120 000 $ le 15 janvier 20X1. Le 15 janvier 20X6, Indécise ltée échange ce terrain X contre un terrain Y, situé à quelques kilomètres de ses locaux. Comète ltée, propriétaire du terrain Y, l'avait acquis en 20X3 au coût de 150 000 $. Puisqu'il s'agit d'un échange d'immobilisations sans substance commerciale, Indécise ltée établit le coût du terrain Y en fonction de la valeur comptable de l'immobilisation cédée, soit la valeur comptable du terrain X. Même si la juste valeur du terrain X s'élève maintenant à 175 000 $, le comptable d'Indécise ltée comptabilise l'opération de la façon suivante :

Terrain Y	*120 000*	
Terrain X		*120 000*
Échange de terrains sans substance commerciale.		

Poursuivons cet exemple en supposant qu'au mois de juin 20X7, Indécise ltée vende le terrain pour une considération de 180 000 $. Nous présentons ensuite les écritures relatives à la comptabilisation de l'échange et à la vente subséquente qu'il convient de passer selon les normes comptables actuelles portant sur les échanges comptabilisés à la juste valeur ou à la valeur comptable.

43. *Manuel de CPA Canada – Comptabilité – Partie I*, IAS 16, paragr. 26.

44. La notion de substance commerciale sera approfondie plus loin.

	Échange comptabilisé à la juste valeur				Échange comptabilisé à la valeur comptable	
	Solde aux livres :				**Solde aux livres :**	
Terrain X		*120 000 $*	Avant l'échange	*Terrain X*		*120 000 $*
Terrain Y	*175 000*		Comptabilisation de l'échange survenu le 15 janvier 20X6	*Terrain Y*	*120 000*	
Terrain X		*120 000*		*Terrain X*		*120 000*
Profit découlant de l'aliénation		*55 000*				
Solde aux livres :				**Solde aux livres :**		
Terrain Y		*175 000 $*	Après l'échange	*Terrain Y*		*120 000 $*
Caisse	*180 000*		Vente du terrain en 20X7	*Caisse*	*180 000*	
Terrain Y		*175 000*		*Terrain Y*		*120 000*
Profit découlant de l'aliénation		*5 000*		*Profit découlant de l'aliénation*		*60 000*

Si Indécise ltée conclut que l'échange a une substance commerciale, elle comptabilise un profit de 55 000 $ dans son résultat net de l'exercice 20X6. Peut-on vraiment considérer que la société a réalisé ce profit ? Elle a simplement troqué un terrain pour un autre, ce qui n'influe pas sur les flux de trésorerie qu'elle prévoit réaliser. Conformément aux recommandations formulées dans l'IAS 16, la société ne peut, dans ce cas, comptabiliser un profit. Ce n'est qu'au moment de la vente, c'est-à-dire lorsqu'elle transformera le terrain en trésorerie, qu'Indécise ltée pourra comptabiliser le profit total de 60 000 $.

Comme pour les échanges d'immobilisations ayant une substance commerciale, l'IASB ne traite pas clairement des échanges comptabilisés à la valeur comptable et impliquant une minime contrepartie reçue ou cédée en trésorerie. Il apparaît toutefois logique de porter une telle contrepartie en **ajustement de la valeur comptable** de l'immobilisation reçue.

EXEMPLE

Échange comptabilisé à la valeur comptable et assorti d'une contrepartie monétaire minime

Supposons qu'Indécise ltée ait échangé son terrain X contre le terrain Y et ait simultanément reçu 1 000 $ de Comète ltée. Elle répartit la valeur comptable du bien cédé entre les deux actifs acquis. Elle passe l'écriture de journal suivante dans ses livres :

Terrain Y	*119 000*	
Caisse	*1 000*	
Terrain X		*120 000*
Échange de terrains impliquant l'encaissement d'une contrepartie minime en trésorerie.		

Dans les livres de Comète ltée, on passe l'écriture suivante :

Terrain X	*151 000*	
Caisse		*1 000*
Terrain Y		*150 000*
Échange de terrains impliquant le décaissement d'une contrepartie minime en trésorerie.		

Puisque l'entreprise détermine le coût de l'immobilisation reçue en fonction de la valeur comptable des actifs cédés, elle ne peut comptabiliser de profit ou de perte au moment de l'échange. Ce n'est qu'au moment où elle se départira définitivement de l'immobilisation reçue lors de l'échange qu'elle pourra comptabiliser un profit ou une perte.

Rappelons que le comptable examine la substance commerciale de l'opération pour s'assurer que l'entreprise se trouve, après l'échange, dans une situation différente de celle où elle était avant celui-ci. Examinons maintenant les critères énoncés par l'IASB, lesquels permettent de conclure qu'une opération présente une réelle **substance commerciale**.

> Une entité détermine si une opération d'échange présente une substance commerciale en considérant dans quelle mesure il faut s'attendre à un changement de ses flux de trésorerie futurs du fait de cette opération. Une opération d'échange a une substance commerciale si :
>
> (a) la configuration (risque, calendrier et montant) des flux de trésorerie de l'actif reçu diffère de la configuration des flux de trésorerie de l'actif transféré ; ou
>
> (b) la valeur spécifique à l'entité de la partie des activités de l'entité affectée par l'opération varie du fait de l'échange ; et
>
> (c) la différence en (a) ou en (b) est significative par rapport à la juste valeur des actifs échangés.
>
> Pour déterminer si une opération d'échange a une substance commerciale, la valeur spécifique à l'entité de la partie des activités de l'entité affectée par l'opération doit refléter les flux de trésorerie après impôt. Le résultat de ces analyses peut être évident sans qu'une entité ait à effectuer des calculs détaillés[45].

8

La citation précédente mentionne deux cas où la variation attendue des flux de trésorerie est significative. Dans le premier cas, l'échange peut entraîner une variation significative dans la **configuration des flux de trésorerie**, c'est-à-dire une variation dans le montant, l'échéancier ou le risque lié aux flux de trésorerie. Lorsque les biens échangés sont de nature différente, par exemple un terrain échangé contre un brevet, il est évident que ces biens ne génèrent pas les mêmes configurations de flux de trésorerie, même si leur juste valeur est identique. Ainsi, le terrain pourrait générer un encaissement de 100 000 $ le jour même, alors que le brevet pourrait générer des encaissements annuels de 16 275 $ pendant 10 ans, qui, actualisés à 10 %, représentent une valeur de 100 000 $ le jour de l'échange. Le comptable n'est alors pas tenu de calculer les flux de trésorerie avec précision ; une simple appréciation qualitative permet de conclure que la variation attendue des flux de trésorerie est significative et, de ce fait, que l'échange présente une substance commerciale.

Dans le second cas, même si la configuration des flux de trésorerie liés à chaque bien était identique, la variation attendue des flux de trésorerie peut aussi être significative lorsque l'on examine la **valeur spécifique à l'entité** des biens échangés. La valeur spécifique à l'entreprise d'un bien correspond à la valeur actualisée des flux de trésorerie attendus de son utilisation et de sa revente à la fin de sa durée d'utilité. L'entreprise tient compte de toutes les particularités du bien, comme les économies d'impôts ou les économies d'échelle qu'elle pourrait réaliser grâce à lui. C'est pourquoi la valeur spécifique à l'entreprise peut différer de la juste valeur.

EXEMPLE

Substance commerciale d'un échange de biens ayant la même juste valeur mais une valeur spécifique différente

La société Habitats du boisé ltée est propriétaire d'un lot de terrains sur lesquels elle a construit des immeubles locatifs situés sur la rue Marien. La société possède aussi un autre terrain, situé sur la rue Propette, encore inexploité et dont la juste valeur, égale à la valeur spécifique à l'entreprise, s'élève à 75 000 $. Habitats du boisé ltée souhaite échanger ce terrain contre un autre, dont la juste valeur s'élève aussi à 75 000 $. Cet autre terrain, actuellement détenu par M. Hamel, est adjacent à son lot de terrains sur la rue Marien. L'échange lui permettrait de construire un nouvel immeuble locatif ainsi que des installations sportives que les locataires de tous ses immeubles pourraient utiliser. Ce faisant, Habitats du boisé ltée pourrait augmenter les loyers de tous ses immeubles. Elle estime que la valeur actualisée de l'augmentation des loyers s'élève à 55 000 $.

45. *Manuel de CPA Canada – Comptabilité – Partie I*, IAS 16, paragr. 25.

8

Compte tenu de cette augmentation potentielle des loyers, le terrain détenu par M. Hamel a une valeur de 130 000 $ pour Habitats du boisé ltée. L'écart de 55 000 $ entre la valeur spécifique du terrain reçu (130 000 $) et celle du terrain cédé (75 000 $) est significatif par rapport à la juste valeur des terrains échangés (75 000 $), ce qui remplit la troisième condition énoncée par l'IASB. Le comptable conclut que l'échange entraînera une variation significative des flux de trésorerie ou, en d'autres termes, que l'échange présente une substance commerciale. C'est pourquoi il comptabilise l'échange à la juste valeur du terrain cédé, soit 75 000 $.

La figure 8.11 illustre les recommandations de l'IASB portant sur les échanges de biens.

FIGURE 8.11 Une synthèse des recommandations de l'IASB portant sur les échanges de biens

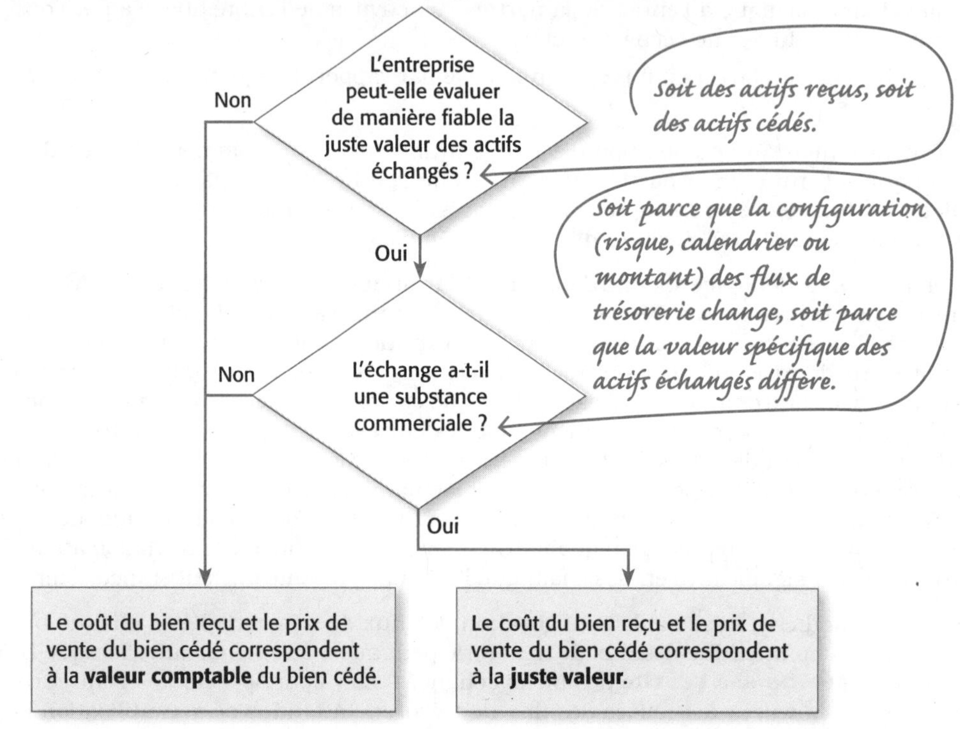
L'entreprise peut-elle évaluer de manière fiable la juste valeur des actifs échangés ?
Non
Oui
Soit des actifs reçus, soit des actifs cédés.
L'échange a-t-il une substance commerciale ?
Non
Oui
Soit parce que la configuration (risque, calendrier ou montant) des flux de trésorerie change, soit parce que la valeur spécifique des actifs échangés diffère.
Le coût du bien reçu et le prix de vente du bien cédé correspondent à la valeur comptable du bien cédé.
Le coût du bien reçu et le prix de vente du bien cédé correspondent à la juste valeur.

Avez-vous remarqué ?

Les IFRS précisent qu'une immobilisation est décomptabilisée lors de sa sortie ou lorsqu'aucun avantage économique n'est attendu. C'est dire que les immobilisations présentées dans les états financiers comprennent celles dont l'utilisation est interrompue. Cette constatation permet de moduler la définition d'une immobilisation donnée dans une section précédente du présent chapitre. En effet, même si l'IASB précise qu'une immobilisation est un actif **utilisé** dans la production ou la fourniture de biens ou de services, on doit comprendre qu'il s'agit d'un actif qui, à un moment donné, est utilisé à ces fins.

Différence NCECF

8 Les normes comptables applicables aux actifs biologiques liés à l'activité agricole

Différence NCECF

L'activité agricole comporte plusieurs particularités. Afin que les états financiers reflètent bien la situation financière et la performance des entreprises agricoles, l'IASB a adopté une norme comptable propre à ces entreprises, consignée dans l'**IAS 41** intitulée «Agriculture». Nous invitons le lecteur à relire la section du chapitre 7 qui traite des stocks liés à l'activité agricole, alors que la présente section traite des actifs biologiques autres que les plantes productrices, lesquelles sont comptabilisées conformément à l'IAS 16. L'IASB précise quelques éléments qui ne sont pas des plantes productrices :

(a) les plantes cultivées pour être récoltées comme produits agricoles (par exemple, des arbres cultivés pour le bois) ;

(b) les plantes cultivées pour la production de produits agricoles, lorsqu'il y a plus qu'une faible probabilité que l'entité récolte également la plante elle-même pour la vendre en tant que produit agricole et non à titre accessoire en tant que rebut (par exemple, les arbres cultivés aussi bien pour leurs fruits que pour leur bois) ;

(c) les cultures annuelles (par exemple, le maïs et le blé)[46].

Une plante productrice est, selon la définition donnée en début de chapitre, utilisée dans la production ou la fourniture de produits agricoles. C'est pourquoi de telles plantes s'apparentent à des machines utilisées dans la production de biens et sont, par conséquent, comptabilisées comme les immobilisations corporelles, conformément à l'IAS 16. Précisons enfin que les produits qui croissent sur une plante productrice, par exemple les raisins récoltés des ceps de vigne, sont des actifs biologiques. Pour bien définir les contextes dans lesquels une entreprise doit appliquer l'IAS 41, nous reproduisons quelques définitions dans le tableau 8.4.

TABLEAU 8.4 Les principaux termes et expressions utilisés dans l'IAS 41

Terme ou expression	*Définition*, IAS 41
Paragr. 5	
Activité agricole	*Gestion par une entité de la transformation biologique et de la récolte d'actifs biologiques en vue de la vente ou de la transformation en production agricole ou en d'autres actifs biologiques.*
Actif biologique	*Plante ou animal vivant.*
Produit agricole	*Produit récolté des actifs biologiques de l'entité.*
Transformation biologique	*Processus de croissance, d'appauvrissement, de production et de procréation qui engendrent des changements qualitatifs ou quantitatifs dans l'actif biologique.*
Récolte	*Détachement de produits d'un actif biologique ou arrêt des processus vitaux d'un actif biologique.*

Plusieurs entreprises agricoles détiennent des **actifs biologiques**, soit des plantes ou des animaux vivants obtenus à la suite d'une transformation biologique ou d'une récolte. Par exemple, les bovins sont des actifs biologiques qui permettent de « récolter du lait », c'est-à-dire un produit agricole, à la suite du processus de croissance et de soins constants. De tels actifs s'apparentent généralement aux immobilisations corporelles détenues par une entreprise commerciale ou industrielle, mais ils ont la particularité d'avoir souvent un coût minime. Ainsi, un producteur de porcs verra naître sur sa ferme, sans qu'il n'ait à faire de débours additionnels, les porcelets qu'il engraissera avant de les revendre.

L'IASB recommande de comptabiliser les actifs biologiques lorsqu'une entreprise remplit trois critères. Premièrement, elle contrôle l'actif biologique du fait d'événements passés, par exemple parce qu'elle en détient le titre légal de propriété. Deuxièmement, l'entreprise s'attend à des avantages économiques futurs probables, telle la laine « récoltée des moutons » ou la vente d'un autre produit agricole généré par l'actif biologique. Troisièmement, l'entreprise peut évaluer de façon fiable la juste valeur de l'actif biologique. Ce dernier critère vise à comptabiliser seulement des montants qui auront la caractéristique qualitative de fidélité. Somme toute, l'entreprise agricole comptabilise initialement ses actifs biologiques sensiblement au même moment que toute entreprise le fait pour ses immobilisations corporelles.

Une entreprise agricole pourrait éprouver passablement de difficulté à comptabiliser le coût d'un actif biologique, lequel s'apparente en quelque sorte à une immobilisation que construit une entreprise pour son propre compte. En effet, comment évaluer le coût d'un animal né sur la ferme ?

46. *Manuel de CPA Canada – Comptabilité – Partie I*, IAS 41, paragr. 5A.

Les coûts directs liés à la naissance sont faibles, alors que les coûts indirects peuvent être importants si l'on considère qu'ils englobent une partie des coûts liés aux soins accordés à l'animal mère. L'entreprise agricole devrait faire plusieurs répartitions très subjectives, ce qui diminuerait la fidélité de l'information comptable. C'est pourquoi l'IASB recommande que l'entreprise comptabilise initialement, et à la fin de chaque date de présentation de l'information financière, ses actifs biologiques à leur juste valeur diminuée des coûts de la vente. Rappelons que les **coûts de la vente** sont les coûts marginaux directement attribuables à la cession. Ils comprennent, par exemple, les commissions payées aux intermédiaires, les montants prélevés par certaines agences et les taxes de vente non remboursables, mais ils excluent les charges financières et l'impôt sur le résultat. Soulignons que l'entreprise comptabilise ses immobilisations corporelles autres que ses actifs biologiques qui ne sont pas des plantes productrices selon les normes expliquées dans le présent chapitre.

Prenons l'exemple d'une entreprise qui élève des moutons et en commercialise la laine. Le cheptel de moutons est un actif biologique comptabilisé à la juste valeur, diminué des coûts de la vente. Pour déterminer la juste valeur, l'entreprise applique les recommandations de l'**IFRS 13**, expliquées au chapitre 3 du présent ouvrage.

Il arrive assez souvent qu'une entreprise agricole signe des contrats de vente de ses actifs biologiques. Par exemple, un producteur de poulets peut signer un contrat avec une entreprise de préparation d'aliments transformés précisant le nombre de poulets et le prix de vente. Ce dernier n'est pas une évaluation appropriée de la juste valeur, car le prix de vente convenu résulte d'une négociation entre deux parties qui ont fait une anticipation des conditions futures d'un marché, alors que la juste valeur reflète les conditions actuelles du marché telles que retenues par les intervenants du marché. Toutefois, si un contrat précise un prix de vente inférieur à la juste valeur de l'actif biologique, l'entreprise doit parfois comptabiliser une provision pour contrat déficitaire, comme nous l'expliquerons au chapitre 12.

Une entreprise agricole détient parfois un actif biologique lié à une autre immobilisation. Pensons, par exemple, à une entreprise de production d'arbres ornementaux, lesquels constituent l'actif biologique et ne peuvent être séparés du terrain. L'entreprise ne peut généralement évaluer que la juste valeur totale du terrain et des arbres. L'IASB recommande alors de soustraire de cette dernière la juste valeur d'un terrain semblable qui ne serait pas cultivé afin de déterminer la juste valeur de l'actif biologique.

L'IASB prévoit aussi certaines situations où la juste valeur peut être évaluée sur la base des coûts engagés :

> Les coûts peuvent parfois être proches de la juste valeur, en particulier :
>
> (a) lorsque peu de transformations biologiques ont eu lieu depuis l'engagement des coûts initiaux (par exemple, pour des semis plantés juste avant la fin d'une période de présentation de l'information financière, ou les cheptels nouvellement acquis) ; ou
>
> (b) lorsque la transformation biologique n'est pas susceptible d'avoir un effet significatif sur le prix (par exemple, pour la croissance initiale dans un cycle de production de 30 ans d'une plantation de pins)[47].

Les comptables des entreprises agricoles doivent faire preuve d'un grand jugement professionnel pour déterminer la juste valeur d'un actif biologique. Dans certains cas exceptionnels, il se peut que le comptable doive réfuter la présomption selon laquelle la juste valeur initiale peut être évaluée. Ce peut être le cas, par exemple, d'une entreprise exploitant une pisciculture qui obtient des poissons par reproduction. Soulignons que dans cet exemple, les poissons sont des **actifs biologiques consommables**, c'est-à-dire des actifs biologiques qui seront récoltés en tant que produits agricoles ou vendus en tant qu'actifs biologiques. Les méthodes d'évaluation de la juste valeur pourraient être manifestement non fiables, par exemple parce que la juste valeur des poissons ne peut être obtenue qu'à la suite de l'estimation des coûts des traitements futurs, des coûts de la nourriture avant maturité et du taux de mortalité des poissons, lui-même très variable en raison des maladies qui touchent parfois les piscicultures. Par conséquent, la juste valeur initiale peut être pratiquement impossible à évaluer. Dans ces rares cas d'exception, l'entreprise comptabilise initialement ses actifs biologiques au coût pour ensuite comptabiliser l'amortissement cumulé et les pertes de valeur en appliquant les recommandations expliquées au chapitre 9. Dès qu'il lui devient possible d'évaluer la juste valeur, elle comptabilise alors en résultat net l'écart entre la juste valeur et la valeur comptable.

47. *Manuel de CPA Canada – Comptabilité – Partie I*, IAS 41, paragr. 24.

Lorsque l'entreprise a déterminé la juste valeur de son actif biologique, elle en déduit les coûts estimatifs de la vente. Elle compare ensuite le montant ainsi obtenu à la valeur comptable de l'actif, puis comptabilise en résultat net de l'exercice en cours tout écart à titre de profit ou de perte.

EXEMPLE

Comptabilisation de la juste valeur des actifs biologiques

La société Fromages fins ltée possède son propre troupeau de vaches laitières, qui fournit la matière première entrant dans la production des fromages. Le 1er janvier 20X1, la société détenait 100 vaches laitières dont la valeur comptable s'élève à 95 000 $. Pendant l'exercice terminé le 31 décembre 20X1, 5 veaux sont nés sur la ferme et ont été comptabilisés à une juste valeur nette de 475 $ chacun. Le 31 décembre, les vaches matures sont évaluées à 1 025 $ chacune et les 5 veaux valent maintenant 600 $ chacun. Voici les écritures de journal que Fromages fins ltée passera au cours de l'exercice concernant son troupeau :

Pendant l'exercice		
Troupeau laitier – Immature	*2 375*	
Profit découlant des variations de valeur du troupeau		*2 375*
Comptabilisation initiale de 5 veaux nés sur la ferme (475 $ × 5).		
31 décembre 20X1		
Troupeau laitier – Immature ①	*625*	
Troupeau laitier – Adulte ②	*7 500*	
Profit découlant des variations de valeur du troupeau		*8 125*
Variation de valeur du troupeau à la date de clôture.		

Calculs :

① Juste valeur (600 $ × 5)	3 000 $
Valeur comptable des 5 veaux	(2 375)
Augmentation de valeur à comptabiliser	625 $
② Juste valeur (1 025 $ × 100)	102 500 $
Valeur comptable des vaches adultes	(95 000)
Augmentation de valeur à comptabiliser	7 500 $

Avez-vous remarqué ?

On comptabilise en résultat net toutes les variations de la juste valeur, notamment celles qui reflètent l'amoindrissement du potentiel de service. Il n'est alors pas nécessaire de comptabiliser distinctement un amortissement sur les actifs biologiques.

De plus, l'évaluation prescrite par l'IAS 41 se justifie du fait qu'il est habituellement plus facile, et donc plus neutre, de déterminer la juste valeur d'un actif biologique que son coût d'origine.

Les entreprises agricoles reçoivent parfois des **subventions publiques rattachées à des actifs biologiques** comptabilisés à la juste valeur. Dans ce cas, l'IAS 20, traitant de la comptabilisation des subventions, ne s'applique pas. Puisque la valeur comptable de l'actif biologique autre qu'une plante productrice n'est pas amortie sur sa durée d'utilité, la subvention qui serait comptabilisée au crédit du compte de l'actif biologique en cause ou d'un compte de produits différés ne pourrait être virée en produits au moyen d'un amortissement correspondant. C'est pourquoi l'entreprise agricole doit plutôt appliquer les recommandations contenues dans l'IAS 41 lorsqu'elle reçoit une subvention publique liée à un actif biologique évalué à sa juste valeur. On y précise que les subventions accordées à une ou à plusieurs conditions doivent être comptabilisées en résultat net uniquement lorsque l'entreprise agricole a rempli ces dernières. Si une subvention n'est pas assortie de conditions, l'entreprise la comptabilise en résultat net dès qu'elle reçoit la confirmation de pouvoir bénéficier de cette subvention.

8

EXEMPLE

Subventions publiques, sous forme d'actifs monétaires et non monétaires, à une entreprise agricole

Le 14 mai 20X2, le gouvernement provincial a donné à la ferme d'équitation Heureuse ltée des poulains, sans condition, évalués à 35 000 $ et un montant additionnel de 10 000 $ pour couvrir les frais de vétérinaire. Le 1er septembre, un vétérinaire a prodigué des soins aux poulains, pour une somme de 15 000 $. Voici les écritures que l'entreprise doit passer pour refléter dans ses livres les deux opérations précédentes.

14 mai 20X2		
Actifs biologiques – Poulains	*35 000*	
Produits découlant d'une subvention		*35 000*
Réception d'une subvention publique sans condition sous forme de poulains.		
Caisse	*10 000*	
Produits différés découlant d'une subvention publique		*10 000*
Encaissement d'une subvention conditionnelle à des soins de vétérinaire.		
1er septembre 20X2		
Frais de vétérinaire	*15 000*	
Caisse (ou Fournisseurs à payer)		*15 000*
Paiement des frais couvrant les soins vétérinaires.		
Produits différés découlant d'une subvention publique	*10 000*	
Produits découlant d'une subvention publique		*10 000*
Produits découlant d'une subvention publique reçue pour couvrir les frais de vétérinaire.		

Cet exemple, simple en apparence, illustre plusieurs particularités en ce qui concerne la comptabilisation des actifs biologiques. D'abord, Heureuse ltée a reçu une subvention sous forme d'actif non monétaire, soit des poulains, plutôt que de l'argent pour acheter les poulains. Ces poulains sont des actifs biologiques et doivent donc être comptabilisés à la juste valeur, ce qui entraîne la comptabilisation du produit de subvention à la juste valeur. On en déduit que contrairement aux subventions reçues sous forme d'actifs non monétaires autres que des actifs biologiques, que l'IAS 20 permet de comptabiliser à une valeur symbolique, les subventions reçues sous forme d'actifs biologiques doivent être comptabilisées à leur juste valeur. De plus, le produit afférent est comptabilisé dès que la subvention est confirmée et non à titre de produits différés.

La deuxième écriture se rapporte à la subvention monétaire de 10 000 $, conditionnelle à l'engagement des soins vétérinaires. On comptabilise le montant reçu à titre de produits différés, tant que l'entreprise n'aura pas rempli la condition, soit de prodiguer les soins vétérinaires.

La troisième écriture mérite aussi quelques commentaires. On constate que la dépense est comptabilisée en charges dès que les soins sont prodigués. Le comptable aurait-il pu débiter le compte d'actif Actifs biologiques – Poulains ? En fait, par souci de simplicité, la pratique suggère de comptabiliser les dépenses directement en charges, sans procéder à une analyse poussée à savoir si les soins généreront des avantages économiques futurs. Cette analyse serait trop délicate à conduire, car même si les soins vétérinaires sont essentiels pour la santé des animaux, il est difficile d'affirmer que ceux-ci seront en santé sur une longue période principalement parce qu'ils ont été bien soignés. Si leur santé devenait vraiment excellente, cela se refléterait de toute façon par une augmentation de leur juste valeur en fin de période, laquelle serait alors comptabilisée à titre de produits. À l'état du résultat global, on verrait alors le produit lié à l'augmentation de leur valeur ainsi que la charge de vétérinaire, laissant un montant net montrant l'enrichissement réel de l'entreprise.

Enfin, la dernière écriture montre la comptabilisation du produit de subvention, puisque la condition sous-jacente est remplie le 1er septembre.

Rappelons, en terminant, que ces règles de comptabilisation des subventions ne s'appliquent que si l'actif biologique autre qu'une plante productrice est comptabilisé à sa juste valeur. Si l'actif biologique est comptabilisé au coût, les subventions qui y sont liées sont comptabilisées selon les règles habituelles contenues dans l'IAS 20.

La figure 8.12 résume les normes comptables en matière de comptabilisation des actifs biologiques autres que des plantes productrices que nous avons expliquées précédemment.

FIGURE 8.12 Les normes comptables en matière de comptabilisation des actifs biologiques autres que des plantes productrices

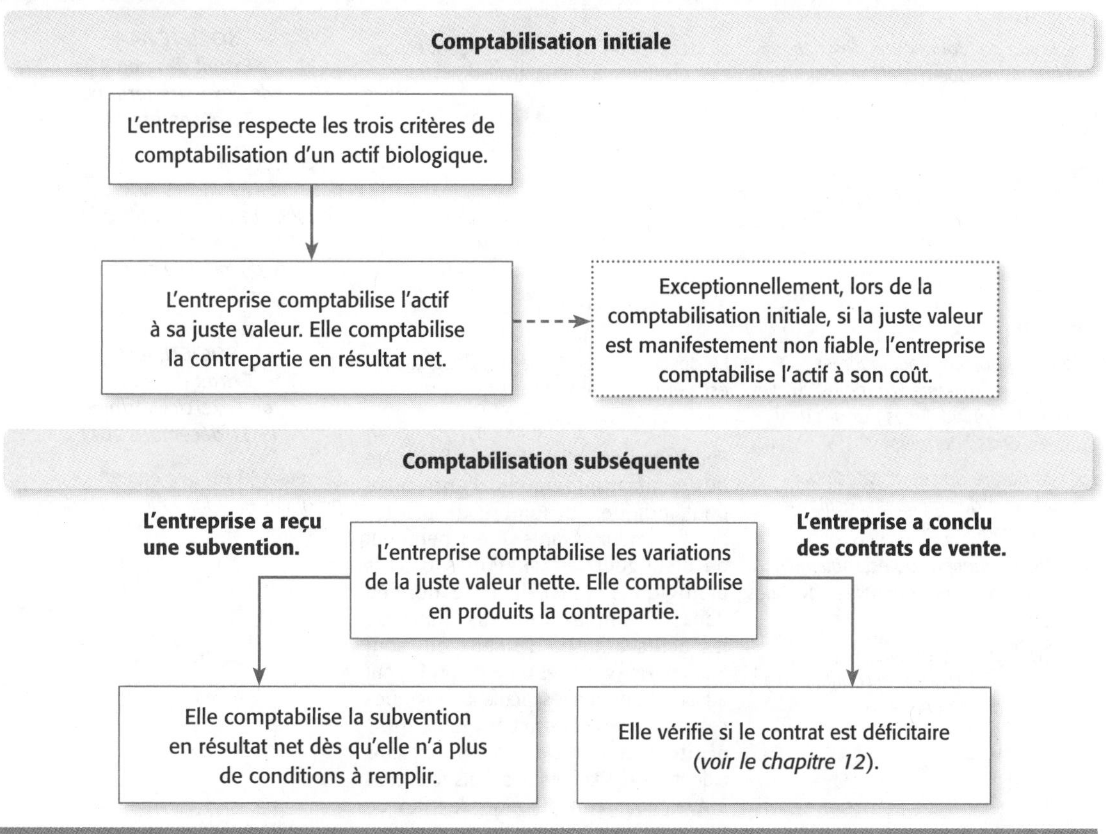

Comptabilisation initiale
L'entreprise respecte les trois critères de comptabilisation d'un actif biologique.
L'entreprise comptabilise l'actif à sa juste valeur. Elle comptabilise la contrepartie en résultat net.
Exceptionnellement, lors de la comptabilisation initiale, si la juste valeur est manifestement non fiable, l'entreprise comptabilise l'actif à son coût.
Comptabilisation subséquente
L'entreprise a reçu une subvention.
L'entreprise comptabilise les variations de la juste valeur nette. Elle comptabilise en produits la contrepartie.
L'entreprise a conclu des contrats de vente.
Elle comptabilise la subvention en résultat net dès qu'elle n'a plus de conditions à remplir.
Elle vérifie si le contrat est déficitaire (voir le chapitre 12).

Outre les recommandations concernant la comptabilisation, l'IAS 41 en contient d'autres portant sur les renseignements à donner dans les états financiers. Ces dernières sont reproduites dans le tableau 8.5, accompagnées de commentaires et de quelques exemples d'illustration.

TABLEAU 8.5 Les normes comptables en matière de présentation des actifs biologiques

Normes internationales d'information financière, IAS 41	Commentaires	*Exemples de présentation*[48]
Paragr. 40 *Une entité doit indiquer le profit total ou la perte totale provenant, pour la période considérée, de la comptabilisation initiale des actifs biologiques* [...] *et de la variation de la juste valeur des actifs biologiques diminuée des coûts de la vente.*	La recommandation ci-contre implique de présenter le total des profits ou des pertes comptabilisés pendant l'exercice pour refléter les variations de la juste valeur, diminuée des coûts de la vente, des actifs biologiques.	***SOCIÉTÉ AAA*** ***Résultat global partiel de l'exercice terminé le 31 décembre 20X1*** *Chiffre d'affaires* XX $ *Profit provenant des variations de la juste valeur, diminuée des coûts de la vente, des actifs biologiques* XX *Total des produits* XX $

48. Les exemples de notes sont tirés de l'IASB, *Normes internationales d'information financière (IFRS) y compris les Normes comptables internationales (IAS) et les Interprétations au 1er janvier 2006*, IAS 41, Annexe A, Londres, 2006.

TABLEAU 8.5 ***(suite)***

***Normes internationales d'information financière,* IAS 41**	**Commentaires**	***Exemples de présentation***
Paragr. 41 *Une entité doit fournir une description de chaque groupe d'actifs biologiques.*	La description demandée ci-contre peut être qualitative ou quantitative.	***SOCIÉTÉ AAA*** ***Extrait des notes de l'exercice terminé le 31 décembre 20X1*** *Au 31 décembre 20X1, la Société détenait 419 vaches susceptibles de produire du lait (actifs adultes) et 137 génisses élevées en vue de produire du lait à l'avenir (actifs immatures).*
Paragr. 46 *Une entité doit communiquer les informations suivantes (à moins qu'elles ne soient déjà indiquées par ailleurs dans les états financiers) :* *(a) la nature de ses activités pour chacun des groupes d'actifs biologiques ; et* *(b) les évaluations ou estimations non financières des quantités physiques de :* *(i) chaque groupe d'actifs biologiques de l'entité à la fin de la période ; et* *(ii)* […].	La description de la nature des activités est généralement sommaire, comme le montre l'exemple de droite. Pour faire une estimation non financière des actifs biologiques, l'entreprise peut indiquer le nombre de plantes ou d'animaux vivants. Il est pertinent de distinguer les catégories d'actifs biologiques. Ainsi, la note donnée dans l'exemple ci-dessus distingue les actifs adultes de ceux qui sont immatures (génisses). L'entreprise peut aussi distinguer les actifs biologiques consommables et les **actifs biologiques producteurs**[49]. De telles distinctions aident les utilisateurs des états financiers à évaluer la configuration des flux de trésorerie futurs.	***SOCIÉTÉ AAA*** ***Extrait des notes de l'exercice terminé le 31 décembre 20X1*** *Société AAA est une entité productrice de lait fournissant divers clients.*
Paragr. 49 *Une entité doit fournir les informations suivantes :* *(a) l'existence et les valeurs comptables d'actifs biologiques dont la propriété est soumise à restrictions et dont les valeurs comptables des actifs biologiques sont donnés en nantissement de dettes ;* *(b) le montant des engagements pour le développement ou l'acquisition d'actifs biologiques ; et* *(c) les stratégies de gestion des risques financiers liés à l'activité agricole.*	La recommandation énoncée en (a) ci-contre est semblable à celle que toute entreprise applique à ses immobilisations corporelles (*voir le chapitre 9*). La recommandation énoncée en (b) vise à renseigner les utilisateurs des états financiers sur tout engagement pris par l'entreprise qui limitera sa latitude financière à utiliser les flux de trésorerie qui seront générés au cours de prochaines périodes. Enfin, la recommandation énoncée en (c) vise à renseigner les utilisateurs des états financiers sur l'incertitude entourant les flux de trésorerie futurs et les stratégies de l'entreprise pour y faire face.	*Exemple de la recommandation énoncée en (c) :* ***SOCIÉTÉ AAA*** ***Extrait des notes de l'exercice terminé le 31 décembre 20X1*** *La Société est exposée aux risques financiers découlant des variations du prix du lait. La Société ne prévoit pas de baisse significative des prix du lait dans un proche avenir et n'a donc pas conclu de contrats sur instruments dérivés ou d'autres contrats pour gérer le risque de baisse des prix du lait. La Société réexamine régulièrement ses prévisions du prix du lait pour étudier le besoin d'une gestion active du risque financier.*

49. Les actifs biologiques producteurs, telles les vaches laitières, ne sont pas des produits agricoles.

TABLEAU 8.5 *(suite)*

***Normes internationales d'information financière,* IAS 41**	**Commentaires**	***Exemples de présentation***
Paragr. 50 *Une entité doit présenter un rapprochement des variations de la valeur comptable des actifs biologiques entre le début et la fin de la période considérée. Le rapprochement doit comprendre :* *(a) le profit ou la perte provenant des variations de la juste valeur diminuée des coûts de la vente ;* *(b) les augmentations dues aux achats ;* *(c) les diminutions attribuables aux ventes et aux actifs biologiques classés comme détenus en vue de la vente (ou inclus dans un groupe destiné à être cédé classé comme détenu en vue de la vente) selon* IFRS 5*;* *(d) les diminutions dues aux récoltes ;* *(e) […] ;* *(f) […] ; et* *(g) autres variations.*	Les entreprises agricoles doivent montrer l'évolution de la valeur comptable de leurs actifs biologiques survenue au cours de l'exercice financier. L'exemple présenté à droite distingue le profit découlant des variations physiques et celui découlant de la juste valeur, même si cette distinction n'est pas obligatoire.	***SOCIÉTÉ AAA*** ***Extrait des notes de l'exercice terminé le 31 décembre 20X1*** ***Rapprochement de la valeur comptable du troupeau laitier*** *Valeur comptable au 1er janvier 20X1* — *459 570 $* *Augmentations dues aux achats* — *26 250* *Profit provenant des variations de la juste valeur diminuée des coûts de la vente attribuable à des changements physiques* — *15 350* *Profit provenant des variations de la juste valeur diminuée des coûts de la vente attribuable à des variations de prix* — *24 580* *Diminutions dues aux ventes* — *(100 700)* *Valeur comptable au 31 décembre 20X1* — *425 050 $*
Paragr. 57 *Une entité doit indiquer les points suivants liés à l'activité agricole couverte par la présente norme :* *(a) la nature et l'étendue des subventions publiques comptabilisées dans les états financiers ;* *(b) les conditions non remplies et toute autre éventualité relative à des subventions publiques ; et* *(c) les diminutions significatives attendues du montant des subventions publiques.*	Les utilisateurs des états financiers doivent savoir dans quelle mesure une subvention publique se répercute sur la performance de l'entreprise, car elle est souvent non récurrente. De ce fait l'information exigée en (a), (b) et (c) ci-contre est requise pour estimer correctement les flux de trésorerie futurs.	

En plus des informations précédentes, l'entreprise qui comptabilise ses actifs biologiques à la juste valeur doit appliquer les recommandations de l'IFRS 13 expliquées au chapitre 3 du présent ouvrage. À ce titre, elle doit notamment déterminer le niveau de la hiérarchie des justes valeurs où se situe la juste valeur des actifs biologiques et fournir les renseignements pertinents à ce niveau.

Dans les rares cas où l'entreprise agricole doit évaluer certains de ses actifs biologiques au coût, elle présente de plus les informations suivantes :

> Si une entité évalue des actifs biologiques à leur coût diminué du cumul des amortissements et du cumul des pertes de valeur […] à la fin de la période, elle devra fournir les informations suivantes concernant ces actifs biologiques :
>
> (a) une description des actifs biologiques ;
>
> (b) une explication de la raison pour laquelle la juste valeur ne peut être évaluée de façon fiable ;
>
> (c) si possible, l'intervalle d'estimations à l'intérieur duquel il est hautement probable que la juste valeur se situe ;

(d) le mode d'amortissement utilisé ;

(e) les durées d'utilité ou les taux d'amortissement utilisés ; et

(f) la valeur comptable brute et le cumul des amortissements (regroupé avec le cumul des pertes de valeur) à l'ouverture et à la clôture de la période[50].

Si pendant la période considérée, une entité évalue des actifs biologiques à leur coût diminué du cumul des amortissements et du cumul des pertes de valeur [...], elle devra indiquer tout profit ou perte comptabilisé lors de la cession de ces actifs biologiques, et le rapprochement imposé au paragraphe 50 devra indiquer séparément les montants associés à ces actifs biologiques. De plus, le rapprochement devra inclure les montants suivants liés à ces actifs biologiques et comptabilisés en résultat net :

(a) pertes de valeur ;

(b) reprises de pertes de valeur ; et

(c) amortissements[51].

Comme l'indique le tableau 8.5, le paragraphe 50 exige de présenter un rapprochement entre les valeurs comptables au début et à la fin de la période.

8

Si la juste valeur d'actifs biologiques qui ont précédemment été évalués à leur coût diminué du cumul des amortissements et du cumul des pertes de valeur devient évaluable de façon fiable pendant la période considérée, l'entité devra fournir les informations suivantes pour ces actifs biologiques :

Différence NCECF

(a) une description des actifs biologiques ;

(b) une explication de la raison pour laquelle la juste valeur est devenue évaluable de façon fiable ; et

(c) l'effet de ce changement[52].

En terminant, voici un extrait des états financiers d'Investissement Québec pour l'exercice terminé le 31 mars 2015.

NOTES COMPLÉMENTAIRES AUX ÉTATS FINANCIERS CONSOLIDÉS

Exercice terminé le 31 mars 2015

(les chiffres des tableaux sont en milliers de dollars canadiens, sauf indication contraire)

22. ACTIFS BIOLOGIQUES

IAS 41, paragr. 50

	Terrains boisés
Solde au 1er avril 2013	**70 819**
Acquisitions	12
Cessions	(22)
Variation de la juste valeur diminuée des coûts de vente	3 324
Solde au 31 mars 2014	**74 133**
Acquisitions	150
Cessions	(12)
Variation de la juste valeur diminuée des coûts de vente	4 840
Solde au 31 mars 2015	**79 111**

IAS 41, paragr. 40

IAS 41, paragr. 41

Le bois d'œuvre exploitable comprend 455 158 hectares de plantations (455 158 hectares en 2014) dont 81 % de résineux (81 % en 2014) et 19 % de feuillus (19 % en 2014) qui se répartissent selon le stade du couvert forestier suivant :

	2015	**2014**
Forêt mature (classe d'âge 70 ans et plus)	**27,0 %**	26,0 %
Forêt intermédiaire (classe d'âge 50 à 70 ans)	**14,0 %**	14,0 %
Forêt jeune (classe d'âge 10 à 30 ans)	**10,0 %**	10,0 %
Régénération	**31,0 %**	32,0 %
Improductif et non forestier	**18,0 %**	18,0 %

50. *Manuel de CPA Canada – Comptabilité – Partie I*, IAS. 41, paragr. 54.
51. *Manuel de CPA Canada – Comptabilité – Partie I*, IAS. 41, paragr. 55.
52. *Manuel de CPA Canada – Comptabilité – Partie I*, IAS. 41, paragr. 56.

IAS 41, paragr. 46 Le volume marchand de bois sur pied est approximativement de 24 392 000 m³ (24 392 000 m³ en 2014). Au cours de l'exercice, la Société a procédé à la coupe de 156 511 m³ (140 099 m³ en 2014) et a vendu des droits de coupe pour 311 406 m² (108 060 m² en 2014). Selon le dernier plan d'aménagement préparé par la direction, la capacité annuelle de coupe est de 445 238 m³ (445 138 m³ en 2014). Selon la direction, les méthodes de coupe ainsi que les travaux d'aménagement forestier effectués par la Société permettent de conserver à un niveau stable la capacité annuelle de coupe. Au cours de la saison de coupe 2014-2015, la Société n'a procédé à aucun reboisement (481 274 plants en 2014), mais des travaux d'éclaircie précommerciale ont été effectués sur 515 hectares (12 403 hectares en 2014) et du dégagement mécanique a été effectué sur 11 151 hectares (27 041 hectares au 31 mars 2014).

IAS 41, paragr. 50(d) La juste valeur moins les coûts de vente des produits agricoles récoltés est de 7 260 000 $ au 31 mars 2015 (6 601 000 $ au 31 mars 2014).

[...]

B) RISQUES FINANCIERS

IAS 41, paragr. 49(c)

Dans le cours normal de son exploitation, la Société est exposée à un certain nombre de risques liés à ses plantations de bois d'œuvre exploitable. Les activités de la Société sont régies par des lois gouvernementales et règlements concernant notamment la protection de l'environnement. La Société a établi des politiques et procédures environnementales en conformité avec les lois environnementales et autres lois applicables. La Société est certifiée ISO-14001 (gestion environnementale). La direction effectue l'évaluation de ses risques environnementaux sur une base continuelle afin de s'assurer que les systèmes en place permettent une gestion adéquate de ces risques.

La Société est exposée aux risques découlant des fluctuations du prix et du volume des ventes de bois d'œuvre. Dans la mesure du possible, la Société gère ce risque en coordonnant son volume de coupe avec l'offre et la demande du marché. La direction effectue une évaluation régulière des tendances du marché afin de s'assurer que sa structure de prix suit la tendance du marché et que les volumes de coupe prévus sont cohérents avec la demande attendue.

Les plantations de bois d'œuvre exploitable sont exposées au risque de dommages causés par les changements climatiques, les maladies, les feux de forêt et les autres forces de la nature. La Société a mis en place une procédure visant à surveiller et à atténuer ces risques, comprenant des inspections régulières de la santé des forêts et des analyses des parasites et maladies connues de l'industrie.

Source : Rapport annuel 2014-2015 d'Investissement Québec

Investissement Québec, *Rapport annuel d'activités et de développement durable 2014-2015*, [En ligne], <http://www.investquebec.com/quebec/fr/documentation/rapports-annuels.html> (page consultée le 18 février 2016).

8

PARTIE II – LES NCECF

Équivalents terminologiques *Manuel de CPA Canada* – Partie II et Partie I.

La comptabilisation des immobilisations corporelles doit suivre les directives contenues dans le **chapitre 3061** du *Manuel – Partie II*. À la lecture du présent chapitre, vous avez déjà pu déterminer les sujets qui diffèrent selon le référentiel grâce aux pictogrammes « Différence NCECF » qui apparaissent dans les marges de la partie I – Les IFRS. Nous expliquerons maintenant plus en détail ces différences qui sont relevées dans la figure 8.13.

La détermination du coût

Les NCECF diffèrent des IFRS quant à la comptabilisation des coûts d'emprunt, du prix comptant équivalent, des coûts ultérieurs et des subventions publiques reçues. Les quatre sous-sections suivantes aborderont plus en détail ces différences.

Le coût d'une immobilisation corporelle que construit l'entreprise pour son propre compte

IFRS Comptabiliser à l'actif

Le Conseil des normes comptables (CNC) laisse aux entreprises qui appliquent les NCECF le choix de **capitaliser** les frais financiers directement rattachés à l'acquisition, à la construction ainsi qu'au développement ou à la mise en valeur d'une immobilisation corporelle. Les paragraphes 11 et 12 du chapitre 3061 sont moins détaillés que ce que l'on trouve dans l'IAS 23. Ainsi, les frais financiers ne sont pas clairement définis, le CNC se limitant à citer les intérêts débiteurs comme exemple de tels frais. Aucune directive ne concerne le moment à compter duquel on peut commencer à capitaliser les frais financiers, et une brève mention stipule que la capitalisation doit cesser lorsque l'immobilisation est quasi-achevée et que son utilisation prévue peut commencer. Enfin, lorsqu'une entreprise choisit de capitaliser les frais financiers, elle applique le **chapitre 3850**, intitulé « Intérêts capitalisés — information à fournir », qui se limite à exiger, dans ce cas, que l'entreprise indique, dans ses états financiers, le montant des intérêts capitalisés pendant l'exercice.

FIGURE 8.13 Les particularités des NCECF au sujet des acquisitions et des aliénations d'immobilisation

Coût initial			
Ne comprend pas toujours les coûts d'emprunt engagés avant que l'immobilisation ne soit prête à être utilisée, car les NCECF laissent le choix de les comptabiliser directement en charges.	Comprend parfois les crédits d'impôt à l'investissement.	En présence d'une subvention publique remboursable, aucune obligation de corriger la charge d'amortissement, et par conséquent, l'amortissement cumulé de l'immobilisation en cause ou le crédit reporté.	Aucune norme applicable spécifiquement aux actifs biologiques.

Décision de se départir d'une immobilisation	
Lors de la modification d'un plan de vente, on compare la valeur comptable de l'actif en cause à sa juste valeur.	Les actifs à long terme détenus en vue de leur distribution aux actionnaires sont traités comme des actifs détenus et utilisés.

Décomptabilisation		
Non traité dans le chapitre 3061.	Les échanges de biens destinés à être vendus dans le cours normal des affaires et les échanges non monétaires non réciproques sont comptabilisés à la valeur comptable.	Pas nécessaire de comptabiliser distinctement les divers volets d'une sortie involontaire d'immobilisation.

EXEMPLE

Coûts d'emprunt capitalisables

Reprenons l'exemple de la société Inter ltée, donné aux pages 8.17 et 8.18. Si l'entreprise appliquait les NCECF, elle pourrait faire exactement les mêmes calculs que ceux déterminés conformément aux IFRS et capitaliser des coûts d'emprunt de 8 183 $ (4 333 $ + 3 850 $) au débit du compte Immeubles. Mais elle pourrait aussi calculer les coûts d'emprunt d'une autre façon, disons en utilisant simplement le taux moyen de ses emprunts bancaires.

Coûts de construction	80 000 $
Taux d'intérêt moyen [(10 % + 11 %) ÷ 2]	× 10,5 %
Coûts d'emprunt capitalisables	8 400 $

Dans ses états financiers, la seule exigence imposée par le CNC l'amènerait à indiquer le montant d'intérêts capitalisés de 8 400 $.

Enfin, elle pourrait décider de comptabiliser tous ses coûts d'emprunt directement en charges lorsqu'ils sont engagés.

Le coût d'une immobilisation corporelle selon le mode de financement

Le chapitre 3061 ne contient aucune référence à la notion de prix comptant équivalent. Même s'il est logique qu'une entreprise appliquant les NCECF actualise les sorties de fonds au taux du marché, aucune précision dans le chapitre 3061 ne l'y oblige. On doit par contre se rappeler que si l'achat à crédit d'une immobilisation entraîne la comptabilisation d'un passif financier, ce dernier est enregistré à sa juste valeur, laquelle est souvent déterminée par la valeur actualisée des débours futurs. C'est pourquoi, en pratique, les immobilisations sont souvent inscrites à cette même valeur. En d'autres mots, le coût initial d'une immobilisation correspond souvent au prix comptant équivalent.

Les coûts ultérieurs

Selon les IFRS, on comptabilise à l'actif les coûts ultérieurs s'ils remplissent deux critères, à savoir qu'ils généreront des avantages économiques et que le coût de l'élément peut être évalué de façon fiable. Dans les NCECF, le paragraphe 3061.14 précise la façon dont les coûts ultérieurs peuvent générer des avantages économiques. C'est le cas lorsque le coût engagé entraîne une augmentation du potentiel de service de l'immobilisation, ce qui peut prendre quatre formes :

1. La capacité de production physique ou de service estimée antérieurement est augmentée.
2. Les frais d'exploitation sont réduits.
3. La durée de vie ou durée de vie utile est prolongée.
4. La qualité des extrants est améliorée.

On doit imputer en charges les coûts qui n'entraînent pas une augmentation du potentiel de service d'une immobilisation. Bien que la démarche diffère légèrement entre les deux référentiels, le traitement comptable est souvent le même.

Le coût d'une immobilisation corporelle pour laquelle l'entreprise a reçu une aide publique

IFRS Subvention publique

Les NCECF portant sur la comptabilisation de l'**aide gouvernementale** se trouvent au **chapitre 3800** du *Manuel – Partie II*. Le contenu de ce chapitre présente plusieurs ressemblances avec celui de l'IAS 20. En effet, l'aide gouvernementale y est traitée comme un élément de résultat et non comme un apport de capital. La comptabilisation repose sur l'analyse de la substance économique de l'aide, soit une **aide concernant des investissements** ou une **aide ne concernant pas des investissements**. Cependant, le CNC ne traite pas précisément des prêts consentis à taux réduit. Rappelons que le paragraphe 10A de l'IAS 20 mentionne à ce sujet que la valeur de l'avantage doit être comptabilisée à titre de subvention.

Subvention liée à des actifs

Subvention liée au résultat

Les différences les plus importantes entre le chapitre 3800 et l'IAS 20 concernent le remboursement de l'aide gouvernementale et les informations à fournir.

En ce qui a trait au **remboursement de l'aide gouvernementale**, le CNC n'exige pas, dans l'exercice au cours duquel a lieu le remboursement, de comptabiliser en charges le cumul de l'amortissement supplémentaire qui aurait été comptabilisé en l'absence de la subvention remboursée. En reprenant l'exemple de la société Tintou ltée (*voir l'énoncé à la page 8.31*), on constate que la comptabilisation du remboursement le 1er janvier 20X2 n'entraîne pas obligatoirement la comptabilisation de la charge de 8 500 $ (*voir la page 8.32*). Par contre, le remboursement est comptabilisé de façon cohérente par rapport à la comptabilisation initiale de la subvention, comme le montre le tableau 8.6, qui permet de constater, quand on le compare à la figure 8.5, que les NCECF sont moins détaillées que les IFRS.

En ce qui a trait aux **informations à fournir** dans les états financiers, le chapitre 3800 contient des directives plus précises, comme en fait foi le tableau 8.7.

TABLEAU 8.6 Le remboursement de l'aide gouvernementale selon les NCECF

Comptabilisation de l'aide gouvernementale reçue	Comptabilisation du remboursement de l'aide gouvernementale
1. L'aide a été créditée au compte d'actif.	1. Le remboursement est débité au compte d'actif.
2. L'aide a été créditée au compte Produits différés.	2. Le remboursement est débité au compte Produits différés.
3. L'aide a été créditée à un compte de résultat net.	3. Le remboursement est débité à un compte de résultat net.

TABLEAU 8.7 Les informations à fournir conformément aux NCECF

NCECF, chapitre 3800	Commentaires
Paragr. 31 *On doit fournir les informations suivantes à l'égard de l'aide gouvernementale :* *a) en ce qui concerne l'aide reçue ou échue au cours de l'exercice :* *i) le montant en cause,* *ii) les montants crédités directement aux résultats, aux crédits reportés ou aux immobilisations,* *iii) les conditions dont l'aide est assortie,* *iv) le montant de tout passif éventuel afférent à toute clause de remboursement ;*	En vertu des IFRS, les informations exigées au sous-alinéa ii) ci-contre ne sont pas obligatoirement fournies. L'IASB exige plutôt de décrire de façon générale la méthode comptable utilisée. De plus, il n'énonce aucune exigence quant à la description des conditions dont la subvention est assortie [sous-alinéa iii)].
b) en ce qui concerne l'aide reçue dans des exercices antérieurs, pour laquelle il existe une éventualité de remboursement : *i) le montant du passif éventuel,* *ii) les conditions dont l'aide est assortie ;*	L'IASB n'impose pas d'informations précises sur les subventions reçues au cours des années antérieures, à moins que l'entreprise ne remplisse plus certaines conditions. Dans ce cas, elle doit préciser les conditions non remplies et toute éventualité qui en découle.
c) en ce qui concerne l'aide gouvernementale qui a été comptabilisée à titre de crédit reporté en conformité avec le paragraphe 3800.20 ou l'alinéa 3800.22b), la **méthode** *d'amortissement utilisée, y compris la période ou le taux d'amortissement ;*	Le paragraphe 3800.20 s'applique à l'aide reçue pour des dépenses futures d'exploitation, et l'alinéa 3800.22b) s'applique à l'aide reçue concernant des investissements.
d) en ce qui concerne les prêts-subventions : *i) le montant du capital restant dû,* *ii) une description des conditions de la renonciation au remboursement.*	Selon l'IAS 20, les prêts-subventions pour lesquels l'entreprise prévoit remplir les conditions sont traités comme toute autre subvention et aucune information précise n'est fournie distinctement dans les états financiers.

IFRS Mode

Enfin, le CNC ne traite pas précisément des prêts à taux réduit, des subventions liées à des immobilisations non amortissables ni des subventions non monétaires.

Les NCECF traitent distinctement des **crédits d'impôt à l'investissement** au **chapitre 3805**, intitulé « Crédits d'impôt à l'investissement ». Rappelons que l'IAS 20 ne s'applique pas à de tels crédits. Ceux-ci représentent une forme d'aide gouvernementale axée sur les dépenses admissibles prévues par la loi fiscale. Cette aide prend généralement la forme d'une réduction d'impôt à payer. La profession comptable est depuis longtemps divisée sur la question de la méthode qu'il convient d'adopter pour la comptabilisation de ces crédits.

La première méthode, connue sous le nom de **méthode de la réduction du coût des immobilisations**, repose principalement sur la substance économique des crédits d'impôt à l'investissement. Les tenants de cette méthode estiment que les crédits d'impôt à l'investissement sont fondamentalement une variante des subventions : ces deux formes d'aide incitent les entreprises à investir en diminuant le coût d'acquisition des immobilisations et doivent donc être comptabilisées de la même façon. Ils s'appuient sur le fait que, afin de donner une image fidèle, le CNC précise que l'on doit tenir compte de la substance d'une opération et non obligatoirement de sa forme juridique[53], donc ici de la forme que prend l'encaissement de l'aide. Ils soutiennent aussi que pour bien rattacher les charges aux produits, les crédits d'impôt à l'investissement doivent être portés aux résultats durant toute la durée de vie des immobilisations.

Les tenants de la seconde méthode, qui porte le nom de **méthode de l'imputation directe aux résultats**, accordent plus d'importance aux particularités des crédits d'impôt à l'investissement que les partisans de la méthode de la réduction du coût des immobilisations. Puisque les crédits d'impôt sont conditionnels à l'existence d'impôts à payer et à l'engagement de dépenses admissibles, ces deux éléments constitueraient les critères déterminants de la comptabilisation des crédits d'impôt à l'investissement. Les tenants de la méthode de l'imputation directe aux résultats soutiennent donc qu'un bon rattachement des charges aux produits exige de **constater** les crédits

Comptabiliser

53. *Manuel de CPA Canada – Comptabilité – Partie II*, paragr. 1000.18a).

d'impôt à l'investissement en diminution de la charge d'impôts, et ce, dès que l'entreprise a des impôts à payer. Ils estiment aussi que lorsque cette méthode est appliquée, l'état des résultats suit mieux les mouvements de trésorerie et, de ce fait, est plus utile aux utilisateurs des états financiers. Ce dernier argument est faible, car si le raisonnement sous-jacent était poussé un peu plus loin, on pourrait conclure que la comptabilité de caisse conduit à des états financiers plus utiles que ceux préparés selon les principes de la **comptabilité d'exercice**, ce qui est évidemment faux.

IFRS
Comptabilité d'engagement

Le CNC est d'avis que les arguments invoqués en faveur de la méthode de la réduction du coût des immobilisations sont plus forts que ceux soulevés en faveur de la méthode de l'imputation directe aux résultats. Il recommande par conséquent de comptabiliser les crédits d'impôt à l'investissement selon la méthode de la réduction du coût des immobilisations. Cependant, bien que l'on prône l'utilisation de cette méthode pour la comptabilisation de l'aide gouvernementale, il faut tenir compte du fait que les crédits d'impôt à l'investissement prennent la forme d'une réduction de l'impôt à payer. Le comptable ne peut donc appliquer cette méthode qu'**à la seule condition** que l'entreprise soit raisonnablement certaine que les crédits d'impôt se matérialiseront. La méthode de la réduction du coût des immobilisations permet soit de réduire le coût des immobilisations, soit d'utiliser un compte de **crédit reporté**. Il s'agit des deux traitements comptables exposés dans la partie I – Les IFRS dans le cas de l'aide concernant les activités d'investissement.

Produit différé

8

Puisque la capitalisation des crédits d'impôt à l'investissement n'est possible que s'il existe des impôts à payer, le comptable doit périodiquement réviser la comptabilisation de ces crédits (*voir la figure 8.14*). Lorsque les crédits d'impôt à l'investissement ont déjà été comptabilisés dans un exercice

FIGURE 8.14 La révision périodique du traitement comptable des crédits d'impôt à l'investissement

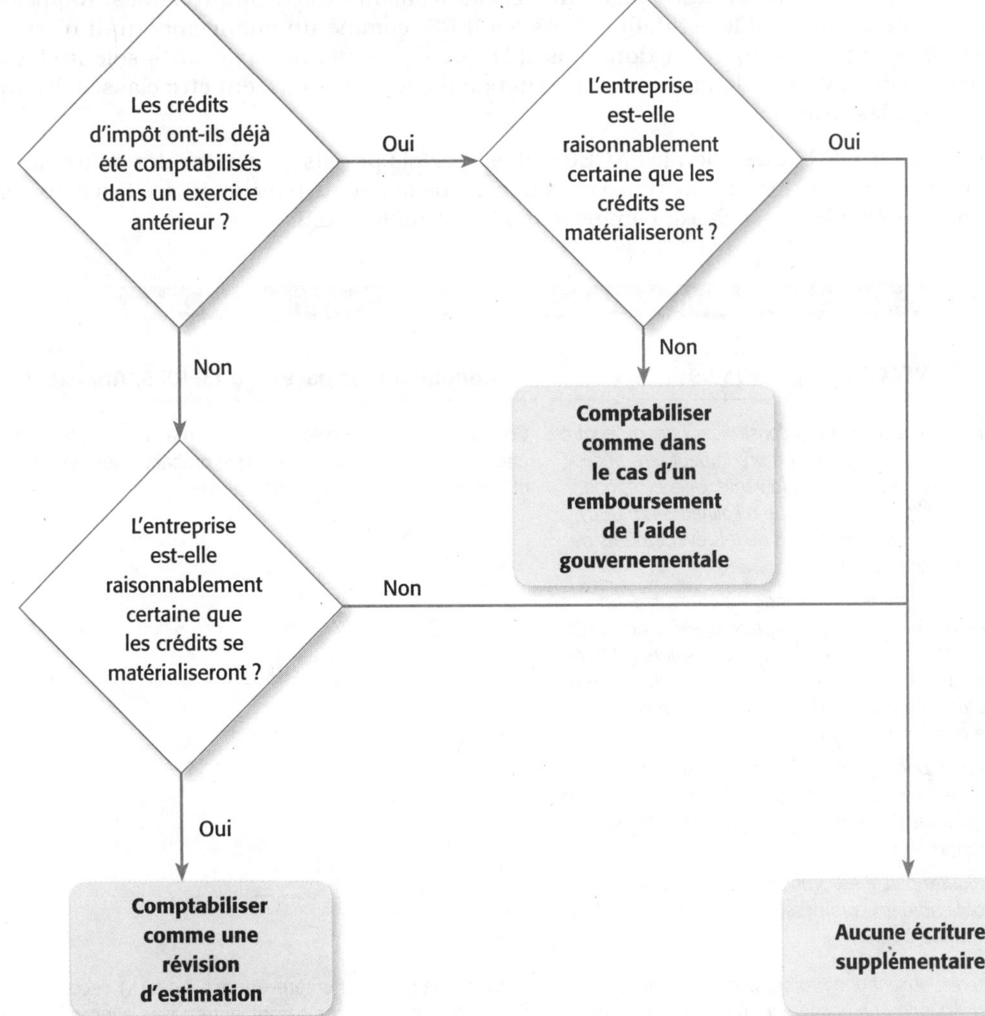

antérieur et que l'entreprise n'a plus l'assurance raisonnable que ces crédits se matérialiseront, on doit en comptabiliser l'annulation comme un remboursement d'aide gouvernementale. Si les crédits d'impôt à l'investissement ont été portés au crédit du compte d'immobilisations, on doit débiter ce compte du montant des crédits d'impôt qui ne se matérialiseront pas. Si les crédits d'impôt ont été portés au crédit d'un compte de crédit reporté, on doit débiter ce compte. Enfin, si les crédits d'impôt à l'investissement n'ont pas été comptabilisés dans un exercice antérieur et si l'entreprise acquiert plus tard l'assurance raisonnable que ces crédits se matérialiseront, on doit traiter ce fait comme une révision d'estimation comptable, c'est-à-dire comptabiliser les crédits d'impôt à l'exercice en cours.

Les plans de vente d'immobilisations

IFRS
Actif non courant

Les plans de vente sont traités dans le **chapitre 3475** du *Manuel – Partie II*, intitulé « Sortie d'actifs à long terme et abandon d'activités ». Nous aborderons ici uniquement les sorties d'**actif à long terme**, alors que le chapitre 20 portera sur les abandons d'activités.

Contrairement à l'IFRS 5, le chapitre 3475 ne traite pas de la comptabilisation des actifs non courants détenus en vue d'être distribués aux actionnaires. Cependant, on y aborde les cas où des **actifs à long terme sont destinés à être sortis autrement que par vente**. Dans ce cas, l'entreprise doit continuer de classer les actifs en cause comme étant détenus et utilisés jusqu'au moment de leur sortie. Cela implique notamment que l'on continue de les amortir.

8

Détenu en vue de la vente

Lorsque l'entreprise a plutôt l'intention de vendre un actif à long terme (ou un groupe à sortir), elle le classe comme étant **destiné à la vente** si elle remplit six critères qui sont pratiquement les mêmes que ceux énoncés dans l'IFRS 5.

Soulignons que le CNC précise que les modifications significatives du plan doivent être peu probables. Pour sa part, l'IASB exige que les changements soient improbables. Rappelons qu'un changement improbable est défini, dans les IFRS, comme un changement qui n'est pas plus probable qu'improbable. Il est donc possible que des actifs non courants soient classés détenus en vue de la vente selon la norme internationale, mais ne puissent être classés destinés à la vente selon les NCECF.

Tant selon les IFRS que selon les NCECF, il est parfois permis de classer des actifs comme étant destinés à la vente, même si la vente ne sera conclue que dans plus de un an. Les deux référentiels sont semblables à cet égard, comme le montre le tableau 8.8.

TABLEAU 8.8 Une comparaison des exceptions permises au critère de un an

NCECF, paragr. 3475.09	Commentaires basés sur l'IFRS 5, Annexe B
En raison d'événements ou de circonstances hors du contrôle de l'entreprise, un délai supérieur à un an peut être nécessaire pour la bonne exécution de la vente. Une exception à l'exigence du délai d'un an prévue à l'alinéa 3475.08d) s'applique dans les cas suivants où de tels événements ou circonstances se produisent : *a) à la date où l'entreprise s'engage à poursuivre un plan de vente d'un actif à long terme, elle a des motifs raisonnables de s'attendre à ce que des tiers (et non pas l'acquéreur) imposent des conditions au transfert qui accroîtront la durée du délai nécessaire pour la bonne exécution de la vente, et :* *i) d'une part, les démarches nécessaires pour satisfaire à ces conditions ne peuvent être entreprises qu'après l'obtention d'une promesse d'achat ferme,* *ii) d'autre part, il est probable que l'entreprise obtiendra une promesse d'achat ferme pendant l'année à venir ;*	Comparativement au critère énoncé en a) ii) ci-contre, il doit être hautement probable, plutôt que probable, que l'entreprise obtiendra une promesse d'achat ferme.
b) l'entreprise obtient une promesse d'achat ferme et, en conséquence, un acquéreur ou des tiers imposent de manière inattendue des conditions au transfert d'un	Comparativement au critère énoncé en b) i) ci-contre, les démarches nécessaires seront entreprises avec diligence, c'est-à-dire avec empressement, plutôt qu'en temps opportun.

TABLEAU 8.8 *(suite)*

actif à long terme auparavant classé comme destiné à la vente, lesquelles auront pour effet d'accroître la durée du délai nécessaire pour la bonne exécution de la vente, et : *i) d'une part, les démarches nécessaires pour satisfaire aux conditions ont été entreprises ou seront entreprises en temps opportun,* *ii) d'autre part, l'entreprise s'attend à ce que soient réalisées les conditions imposées ;*	
c) au cours de la période initiale d'un an, des circonstances auparavant considérées comme improbables surviennent et, en conséquence, un actif à long terme auparavant classé comme destiné à la vente n'est pas vendu avant la fin de cette période, et les conditions suivantes sont réunies : *i) au cours de la période initiale d'un an, l'entreprise a entrepris les démarches nécessaires pour réagir aux nouvelles circonstances,* *ii) l'actif fait l'objet d'efforts de vente soutenus et est offert à un prix qui est raisonnable compte tenu des nouvelles circonstances,* *iii) les critères du paragraphe 3475.08 sont atteints.*	Comparativement au critère énoncé en c) ci-contre, les circonstances qui surviennent devaient auparavant être considérées comme peu probables plutôt que improbables.

8

Peu importe le référentiel, au moment où un actif à long terme est classé comme étant destiné à la vente, il est évalué au moindre de sa valeur comptable ou de sa juste valeur nette. Rappelons que les NCECF ne contiennent toutefois aucune norme équivalente à l'IFRS 13, laquelle précise la façon d'évaluer la juste valeur. Le chapitre 3475 définit simplement cette valeur comme étant le « montant de la contrepartie dont conviendraient des parties compétentes agissant en toute liberté dans des conditions de pleine concurrence[54] ». Selon les NCECF et les IFRS, à la fin de chaque période de présentation de l'information financière, on comptabilise les pertes additionnelles. Si la juste valeur a augmenté, on comptabilise le **gain**, mais uniquement à hauteur des pertes comptabilisées antérieurement. **IFRS Profit**

Lors d'une modification d'un plan de vente ayant pour effet que l'actif à long terme ne remplit plus les conditions lui permettant d'être classé comme étant destiné à la vente, une entreprise qui applique les IFRS évalue cet actif au moindre, d'une part, de sa valeur comptable avant le classement, ajustée de façon à tenir compte de l'amortissement qui aurait été comptabilisé si l'actif n'avait pas été classé destiné à la vente et, d'autre part, de sa valeur recouvrable[55]. Une entreprise dans la même situation qui applique les NCECF doit plutôt retenir la plus faible de la valeur comptable ajustée et de la **juste valeur.**

EXEMPLE

Modification d'un plan de vente

La société Les Cent ciels ltée a adopté le 2 janvier 20X1 un plan de vente d'un équipement, qu'elle a ensuite modifié le 20 décembre suivant. Elle amortit l'équipement sur six ans, en utilisant la méthode linéaire. Voici quelques renseignements complémentaires :

	1er janvier	*20 décembre*
Coût de l'équipement	*600 000 $*	
Amortissement cumulé	*(200 000)*	
Juste valeur nette	*360 000*	*290 000 $*
Valeur d'utilité	*370 000*	*350 000*

54. *Manuel de CPA Canada – Comptabilité – Partie II*, paragr. 3475.03b).

55. L'expression « valeur recouvrable » est utilisée ici au sens qu'en donnent les IFRS, soit la valeur la plus élevée de la juste valeur ou de la valeur d'utilité.

Le 1er janvier 20X1, Les Cent ciels ltée a comptabilisé une perte de 40 000 $, calculée ainsi :

Valeur comptable (600 000 $ – 200 000 $)	*400 000 $*
Juste valeur nette	*(360 000)*
Perte de valeur de l'équipement détenu en vue de la vente	*40 000 $*

Si l'entreprise appliquait les IFRS, elle aurait comptabilisé le même montant de perte. Le 20 décembre suivant, date de la modification du plan de vente, Les Cents ciels ltée procède au calcul qui suit :

Valeur comptable ajustée	
Valeur comptable au 1er janvier, avant l'adoption du plan de vente	*400 000 $*
Amortissement qu'elle aurait pris en 20X1 si elle n'avait pas adopté de plan de vente (600 000 $ ÷ 6 ans)	*(100 000)*
Valeur comptable ajustée	*300 000 $*
Juste valeur nette le 20 décembre	*290 000 $*
Valeur à retenir (la moins élevée des deux)	*290 000 $*
Valeur aux livres le 20 décembre	*(360 000)*
Montant à imputer aux résultats de 20X1	*(70 000) $*

Soulignons en terminant que si l'entreprise appliquait les IFRS, elle aurait plutôt fait l'analyse suivante :

Valeur comptable ajustée (la même que ci-dessus)	*300 000 $*
Valeur recouvrable le 20 décembre (la plus élevée de la juste valeur nette de 290 000 $ et de la valeur d'utilité de 350 000 $)	*350 000 $*
Valeur à retenir (la moins élevée des deux)	*300 000 $*
Valeur aux livres le 20 décembre	*(360 000)*
Montant à imputer aux résultats de 20X1	*(60 000) $*

IFRS
Actif courant
Date de l'autorisation de publication

Quant à la présentation dans les états financiers, les NCECF précisent clairement que les actifs à long terme destinés à la vente ne sont pas reclassés dans l'**actif à court terme**, sauf s'ils ont été vendus avant la **date de la mise au point définitive** des états financiers et si le produit de la vente est réalisé au cours de l'année qui suit la date de clôture. L'IFRS 5 ne précise rien à cet égard, comme mentionné à la page 8.39.

Enfin, les informations à fournir dans les états financiers quant aux actifs destinés à la vente sont pratiquement les mêmes selon les deux référentiels.

Les sorties

Le chapitre 3061 n'indique aucune précision sur le moment de la décomptabilisation des immobilisations corporelles, alors que l'IAS 16 précise que ce moment correspond à la date de sortie ou à celui où aucun avantage économique n'est attendu de son utilisation. De ce fait, une entreprise qui applique les NCECF et qui, lors du remplacement de certaines immobilisations, a conservé les immobilisations remplacées même s'il est peu probable que celles-ci génèrent des avantages économiques, peut en garder la valeur comptable dans ses livres.

Peu importe le référentiel, le gain ou la perte sur la vente d'immobilisations est comptabilisé au même moment et habituellement évalué de la même façon. En principe, le montant du gain ou de la perte peut différer, car les IFRS précisent que ce montant correspond à l'écart entre le produit net de la vente et la valeur comptable. Puisque les NCECF ne font pas de recommandation équivalente, une entreprise pourrait constater les frais de vente dans ses charges commerciales et présenter à titre de gain ou de perte la différence entre le produit **brut** de la vente et la valeur comptable.

Les sorties involontaires

En présence de sorties involontaires, les NCECF n'obligent pas les entreprises à considérer séparément les pertes découlant d'un sinistre et les indemnités à recevoir des tiers. C'est pourquoi il est d'usage de ne présenter dans les états financiers dressés selon les NCECF que la différence entre ces deux montants.

EXEMPLE

Sortie involontaire d'une immobilisation

Reprenons l'exemple de la société Les Poètes disparus inc. (*voir les pages 8.51 et 8.52*). Conformément aux NCECF, la société pourrait, le 22 mai 20X1, créditer le compte Perte sur aliénation d'immobilisations corporelles. En l'absence d'une fin d'exercice entre la date de l'incendie et le 22 mai, la société présenterait ainsi uniquement le montant net de la perte, soit 8 750 $ (perte de 78 750 $ comptabilisée à la date de l'incendie, diminuée de l'indemnité d'assurance de 70 000 $). Ses états financiers seraient alors un peu moins transparents que si elle avait appliqué les IFRS.

L'échange d'actifs

Le **chapitre 3831** du *Manuel – Partie II*, intitulé « Opérations non monétaires », traite exclusivement des opérations non monétaires. On y trouve des directives beaucoup plus détaillées que les quelques indications contenues dans l'IAS 16, même si ces deux normes reposent sur des principes semblables. L'IAS 16 précise que, en règle générale, les échanges d'immobilisations sont comptabilisés à la juste valeur des biens échangés, sauf si l'échange n'a pas de substance commerciale ou si l'on ne peut évaluer de manière fiable la juste valeur des biens échangés. Dans ces cas, l'échange est comptabilisé à la valeur comptable du bien cédé. Le chapitre 3831 précise deux autres circonstances additionnelles entraînant la comptabilisation à la valeur comptable.

1. L'entreprise cède un bien détenu en vue de la vente dans le cours normal des affaires contre un bien qui sera vendu dans la même branche d'activité, afin de faciliter les ventes à des clients autres que les parties prenant part à l'échange.
2. L'opération est un **transfert non monétaire et non réciproque** au profit des propriétaires[56]. Ce type de transfert englobe certaines opérations exceptionnelles, tels les « spin-off » ou les restructurations, qui dépassent largement l'objet du présent ouvrage.

Selon le chapitre 3831, une opération non monétaire comptabilisée à la valeur comptable de l'actif cédé peut parfois comporter une contrepartie monétaire négligeable. Dans ce cas, l'entreprise ajuste la valeur comptable de l'actif cédé pour tenir compte de la contrepartie monétaire reçue ou cédée. C'est ce traitement que nous avons illustré par l'exemple de la page 8.56, en précisant qu'il s'agissait d'un traitement logique, mais non obligatoire selon l'IAS 16.

Comparativement aux IFRS, qui ne contiennent aucune directive relatives aux informations à fournir dans les états financiers, les NCECF obligent les entreprises qui concluent des opérations non monétaires au cours d'un exercice à fournir les informations suivantes afin de permettre aux utilisateurs des états financiers de comprendre les effets d'une opération non monétaire sur les états financiers :

a) la nature de l'opération ;

b) la base d'évaluation ;

c) le montant de l'opération ;

d) les gains et les pertes connexes[57].

56. Un transfert non monétaire non réciproque est un transfert non monétaire dans lequel l'entreprise cède un actif sans recevoir un autre actif en échange.

57. *Manuel de CPA Canada – Comptabilité – Partie II*, paragr. 3831.17.

Les normes comptables applicables aux actifs biologiques liés à l'activité agricole

Comme nous l'avons mentionné au chapitre précédent, les NCECF ne renferment pas de norme équivalente à l'IAS 41 traitant des questions propres au secteur agricole. Une entreprise agricole qui applique les NCECF et qui détient des actifs biologiques doit en évaluer la substance pour déterminer le traitement comptable approprié. Par exemple, des animaux reproducteurs ou des plantes, tels des pommiers, qui produisent des récoltes répondent à la définition d'une immobilisation corporelle donnée au chapitre 3061. C'est pourquoi il serait logique qu'une entreprise agricole évalue ses actifs biologiques producteurs comme des immobilisations corporelles, soit au coût, puis qu'elle amortisse ce coût, comme nous l'expliquerons au chapitre suivant. Cependant, elle peut plutôt invoquer les pratiques adoptées par les entreprises de son secteur d'activité pour utiliser des règles comptables différentes. Au moment de rédiger le présent chapitre, le CNC travaille sur un projet d'exposé-sondage qui aborderait toutes les questions comptables entourant l'activité agricole.

i+ Consultez le tableau synthèse des particularités des NCECF.

Avez-vous remarqué ?

Alors que les deux référentiels comptabilisent les stocks de manière pratiquement identique, les IFRS et les NCECF présentent de nombreuses différences pour ce qui est de la comptabilisation, de l'acquisition et de l'aliénation des immobilisations corporelles.

SYNTHÈSE DU CHAPITRE 8

La figure 8.15 illustre en un coup d'œil les principaux thèmes abordés dans le présent chapitre. Le texte qui suit la figure vous permettra de vérifier l'acquisition des objectifs d'apprentissage.

FIGURE 8.15 Les principaux thèmes abordés dans le présent chapitre

C'est un actif à être utilisé sur plus d'une période.

Temps

Objectifs de la gestion des immobilisations corporelles :
Prendre des décisions d'investissement, de financement et d'utilisation des immobilisations qui sont rentables sur le plan financier et conformes aux critères qualitatifs de l'entreprise.

L'entreprise acquiert une immobilisation

Règles de base :
- On comptabilise à l'actif les dépenses en capital, qu'elles soient réglées à la date de l'achat ou ultérieurement, s'il est probable qu'elles généreront des avantages économiques futurs dont bénéficiera l'entreprise et si celle-ci peut en estimer le coût de façon fiable.
- Le coût englobe tous les frais engagés pour que l'immobilisation se trouve à l'endroit et dans l'état nécessaires pour son utilisation aux fins prévues.

→ Le coût d'une immobilisation construite pour le compte de l'entreprise inclut les coûts qui y sont directement attribuables ainsi que les coûts d'emprunt.

→ Une subvention liée à un actif est comptabilisée en diminution du coût de cet actif ou en produit différé.

→ Les composantes importantes d'une immobilisation sont comptabilisées séparément.

NCECF

La capitalisation des frais financiers est facultative.

- Une norme précise s'applique aux crédits d'impôt à l'investissement.
- Lors d'un remboursement, il n'est pas obligatoire de corriger l'amortissement.

L'entreprise décide de se départir d'une immobilisation

Règle de base :
Lorsqu'un actif non courant est immédiatement disponible à la vente (ou pour distribution aux actionnaires) et que celle-ci est hautement probable, cet actif doit être classé à titre d'actif non courant détenu en vue de la vente (ou pour distribution aux actionnaires).

→ L'actif est évalué au moindre de sa valeur comptable et de sa juste valeur diminuée des coûts de la vente, et cesse d'être amorti.

→ Des renseignements complémentaires sont fournis aux états financiers.

- Lors de la modification d'un plan de vente, on retient la plus faible de la valeur comptable ajustée et de la juste valeur.
- Ces actifs sont présentés parmi les actifs à long terme dans le bilan.
- Il n'existe aucune norme pour les actifs détenus en vue d'une distribution aux actionnaires.

L'immobilisation ne générera plus d'avantages économiques

Règle de base :
On décomptabilise l'immobilisation lorsqu'elle cesse de générer des avantages économiques futurs ou lorsque l'entreprise s'en départit.

→ On comptabilise l'amortissement jusqu'à la date de la sortie.

→ On comptabilise le profit ou la perte découlant de la sortie.

→ Les échanges qui ont une substance commerciale sont comptabilisés à la juste valeur.

- La norme ne traite pas de la décomptabilisation.
- Les échanges de biens destinés à être vendus dans le cours normal des affaires et les transferts non monétaires non réciproques sont aussi comptabilisés à la valeur comptable.

L'entreprise détient des actifs biologiques autres que des plantes productrices

Règle de base :
Les actifs biologiques autres que des plantes productrices sont évalués à la juste valeur nette et les variations de valeur sont comptabilisées en résultat net dès qu'elles surviennent.

- Il n'existe aucune norme à ce sujet.

Expliquer les principes de base de la gestion des immobilisations corporelles. La gestion des immobilisations corporelles s'intéresse à trois aspects. Premièrement, les décisions d'achat, de vente ou de réparation doivent reposer sur une analyse de la valeur actualisée nette et de facteurs qualitatifs. Deuxièmement, le mode de financement retenu doit être celui qui minimise les coûts de financement, compte tenu de facteurs qualitatifs tels que la perte de contrôle des actionnaires. Troisièmement, des mesures doivent être prises afin d'assurer une utilisation efficace et efficiente des immobilisations.

Expliquer ce qui distingue les immobilisations corporelles des autres actifs. Les immobilisations corporelles sont des actifs corporels utilisés pendant plus d'un exercice dans la production ou la fourniture de biens ou de services.

Déterminer le coût d'une immobilisation corporelle. On comptabilise à l'actif les dépenses en capital, qu'elles soient engagées à la date de l'achat ou ultérieurement, s'il est probable qu'elles généreront des avantages économiques futurs dont bénéficiera l'entreprise et si celle-ci peut en estimer le coût de façon fiable. Le coût d'une immobilisation, qui correspond au prix comptant équivalent, comprend tous les frais engagés pour que cette immobilisation se trouve à l'endroit et dans l'état nécessaires à son utilisation aux fins prévues. De plus, une entreprise comptabilise séparément les composantes importantes d'une immobilisation afin d'en répartir adéquatement le coût sur leur durée d'utilité respective.

8

Lorsqu'une entreprise construit une immobilisation pour son propre compte, elle comptabilise à l'actif tous les éléments de coût directement rattachables à la construction ainsi que les coûts d'emprunt. Ces derniers englobent les coûts liés aux emprunts obtenus spécialement pour financer la construction ainsi que ceux liés au financement de base. La comptabilisation à l'actif des coûts d'emprunt se justifie par le fait que ceux-ci doivent être engagés avant que commence l'utilisation de l'immobilisation aux fins prévues. La comptabilisation à l'actif doit cesser lorsque la préparation de l'actif préalable à son utilisation prévue est pratiquement terminée.

Évaluer et présenter le coût d'une immobilisation pour laquelle l'entreprise a reçu une aide publique. Toute subvention publique est considérée comme un avantage qui doit se refléter dans le résultat net de l'entreprise bénéficiaire et, plus particulièrement, durant les exercices où celle-ci comptabilise les charges couvertes par la subvention. Pour comptabiliser une subvention publique, on doit donc tenir compte des raisons qui ont justifié son obtention. Ainsi, une subvention liée à un actif est comptabilisée en diminution du coût de l'actif ou en produit différé qui sera ensuite amorti de la même façon que l'actif en cause, alors qu'une subvention liée au résultat est comptabilisée en résultat net du même exercice que celui des charges qu'elle est censée couvrir.

Classer, évaluer et présenter les actifs non courants détenus en vue de la vente ou de la distribution aux actionnaires. Une entreprise qui possède des immobilisations détenues en vue de la vente les présente dans ses états financiers à titre d'actifs non courants détenus en vue de la vente, car la décision de vendre influencera les flux de trésorerie futurs. L'entreprise doit évaluer ces actifs au moindre de leur valeur comptable avant le classement ou de leur juste valeur diminuée des coûts de la vente. Le cas échéant, elle comptabilise les réductions de valeur en résultat net de l'exercice en cours et, ultérieurement, les reprises de valeur. Les actifs non courants détenus en vue de la vente ne sont pas amortis, car une fois que l'actif est réévalué, l'amortir ramènerait sa valeur comptable en dessous de sa juste valeur diminuée des coûts de la vente. Des renseignements complémentaires sont fournis dans les états financiers, puisque la décision de se départir d'une immobilisation a des répercussions importantes sur les flux de trésorerie futurs. L'adoption d'un plan de distribution aux actionnaires a le même effet que celui d'un plan de vente.

Comptabiliser les ventes et les sorties involontaires d'immobilisations corporelles. La sortie d'une immobilisation peut prendre la forme d'une vente, d'un échange d'actifs ou d'une sortie involontaire. Lorsqu'une immobilisation ne génère plus d'avantages économiques, l'entreprise comptabilise d'abord l'amortissement jusqu'à la date de sortie, sauf s'il s'agit d'un actif non courant détenu en vue de la vente ou de la distribution aux actionnaires puis elle radie les soldes des comptes relatifs à la valeur comptable de l'immobilisation sortie. S'il y a lieu, elle comptabilise en résultat net de l'exercice le profit ou la perte découlant de la sortie.

 **Comptabiliser les échanges d'immobilisations corporelles.** Lorsqu'une entreprise cède des immobilisations dans le cadre d'un échange, c'est-à-dire qu'elle cède un actif ou un ensemble d'actifs monétaires et non monétaires en paiement de l'immobilisation obtenue, celle-ci est généralement comptabilisée à la juste valeur. On comptabilise à la valeur comptable les échanges sans substance commerciale ou ceux dont la juste valeur ne peut être établie de façon fiable. En d'autres termes, le coût de l'immobilisation acquise correspond alors à la valeur comptable de l'actif ou du service cédé. Une opération d'échange a une substance commerciale lorsque l'échange aura pour effet de modifier la configuration des flux de trésorerie, sur le plan des montants, des moments où ils se réaliseront ou de leur probabilité, ou lorsque la valeur spécifique à l'entreprise des biens échangés diffère.

 **Classer, évaluer et présenter les actifs biologiques.** Les actifs biologiques autres que des plantes productrices sont initialement comptabilisés à leur juste valeur, sauf si toutes les méthodes d'évaluation conduisent à une juste valeur manifestement non fiable. À la fin de chaque période de présentation de l'information financière, on réévalue la juste valeur. L'écart entre celle-ci et la valeur comptable est comptabilisé en résultat net.

 **Comprendre et appliquer les NCECF liées à l'acquisition et à l'aliénation des immobilisations corporelles.** Il existe quatre différences majeures entre les IFRS et les NCECF. Premièrement, la capitalisation des frais financiers est facultative selon les NCECF. L'entreprise qui fait ce choix doit indiquer dans ses états financiers le montant capitalisé. Deuxièmement, les actifs à long terme classés comme étant destinés à la vente ne peuvent être présentés dans la section des actifs à court terme du bilan. Troisièmement, les NCECF ne contiennent aucune directive sur la décomptabilisation des immobilisations corporelles. Quatrièmement, les NCECF ne donnent aucune directive précise sur la comptabilisation des actifs biologiques producteurs.

9

Les immobilisations corporelles pendant leur détention

(i+) Des ressources pédagogiques sont disponibles en ligne.

Objectifs d'apprentissage

À la fin de ce chapitre, vous pourrez :

1. évaluer les deux modèles de détermination de la valeur comptable des immobilisations corporelles et les appliquer ;
2. évaluer les modes d'amortissement et les appliquer à la comptabilisation de la charge d'amortissement ;
3. déterminer l'amortissement dans des contextes particuliers ;
4. comptabiliser les dépréciations d'un actif ou d'un groupe d'actifs et présenter l'information pertinente dans les états financiers ;
5. comptabiliser les reprises de valeur et présenter l'information pertinente dans les états financiers ;
6. présenter les opérations inhérentes aux immobilisations corporelles dans les états financiers ;
7. comprendre et appliquer les NCECF liées aux immobilisations corporelles pendant leur détention.

Aperçu du chapitre

9

La multitude des cônes oranges sur nos routes ou les moisissures présentes dans certains centres hospitaliers ont suscité de nombreux débats sur la qualité et surtout l'entretien des infrastructures vieillissantes au Québec. La plupart des entreprises se posent des questions similaires en ce qui concerne leurs immobilisations. Par exemple, Air Canada doit s'assurer que tous ses avions sont en excellent état, car il en va de la vie de ses clients.

Le système comptable d'une entreprise contient une abondance de renseignements montrant l'effet financier de l'utilisation des immobilisations pendant leur durée d'utilité, car une entreprise doit faire plusieurs choix quant à ce type d'actif. D'abord, elle peut choisir d'**évaluer ses immobilisations** selon le modèle du coût ou selon le modèle de la réévaluation. Par exemple, Air Canada a choisi d'évaluer ses immobilisations selon le modèle du coût.

Lorsqu'elle décide d'investir dans des immobilisations, Air Canada doit estimer la durée d'utilité de l'immobilisation et la façon dont celle-ci procurera des avantages économiques futurs. Si elle achète l'immobilisation, elle utilisera ces estimations pour calculer la **charge d'amortissement** après avoir choisi un mode d'amortissement. La charge d'amortissement lui permet de savoir quelle portion du potentiel de service de l'immobilisation elle a consommée dans ses activités d'exploitation et administratives. De plus, en comparant la portion non amortie de la valeur de l'immobilisation et son coût initial, les utilisateurs des états financiers peuvent savoir, en un rapide coup d'œil, si les immobilisations de l'entreprise sont détenues et utilisées depuis longtemps.

Dans son analyse de la décision d'investir, Air Canada, comme toute entreprise, a dû poser des hypothèses concernant l'utilisation, par exemple, de ses avions compte tenu de la demande des consommateurs pour des billets d'avion. Plus tard, l'utilisation réelle d'un avion différera inévitablement de l'utilisation prévue, de façon parfois très marquée. Par exemple, au début des années 2000, les attentats terroristes ciblant des avions en vol avaient réduit la demande des consommateurs pour les déplacements en avion. Lorsque les marchés se dégradent ainsi, il se peut que l'entreprise ne réussisse pas à récupérer son investissement dans une immobilisation corporelle. Elle doit alors appliquer un **test de dépréciation** et, le cas échéant, comptabiliser une diminution de valeur sur une ou plusieurs immobilisations. Ses charges de l'exercice financier montrent alors l'effet financier des changements économiques du marché.

Enfin, au moment de **préparer ses états financiers,** Air Canada doit s'assurer que certaines informations comptables qui ont été utiles à sa gestion sont communiquées aux utilisateurs des états financiers. Ces utilisateurs peuvent ainsi se faire une juste opinion sur ses immobilisations corporelles et sur la performance de l'entreprise à l'égard de leur utilisation.

Dans le présent chapitre, nous explorerons tout ce que l'entreprise doit faire pour disposer, pendant la période de détention des immobilisations corporelles, d'une information comptable qui soit pertinente et fidèle. Enfin, dans la partie II – Les NCECF, nous présenterons des recommandations contenues dans les **NCECF** qui diffèrent de celles incluses dans les IFRS.

Lorsque des notions de mathématiques financières sont utilisées, les variables nécessaires aux calculs sont indiquées avec les abréviations suivantes :

N : nombre de périodes	PV : valeur actualisée
I : taux d'intérêt	FV : valeur future
PMT : paiements périodiques	BGN : paiements en début de période

PARTIE I – LES IFRS

Équivalents terminologiques *Manuel de CPA Canada* – Partie I et Partie II.

Les deux modèles de détermination de la valeur comptable

Après avoir comptabilisé le coût d'une immobilisation à la date d'acquisition, les entreprises ont le choix d'évaluer leurs immobilisations corporelles selon deux modèles : celui du coût et celui de la réévaluation. Selon ce dernier, la valeur comptable d'une immobilisation repose sur sa juste valeur. Pour faire son choix, une entreprise groupe d'abord ses immobilisations corporelles par catégories, telles que les terrains, immeubles, équipements de production, matériel roulant, équipements informatiques ou mobilier. Une **catégorie** englobe toutes les immobilisations corporelles qui ont une nature et une utilisation similaires. Par exemple, une entreprise pourrait créer une catégorie pour les terrains de stationnement loués à des clients et une autre pour les terrains sur lesquels sont construits les édifices de l'entreprise. Celle-ci choisit ensuite un modèle d'évaluation pour chaque catégorie. Ainsi, elle peut décider d'évaluer ses terrains selon le modèle de la réévaluation et ses équipements de production selon le modèle du coût. Soulignons que toutes les immobilisations d'une même catégorie, par exemple tous les équipements de production qu'une entreprise possède, doivent être évaluées selon le même modèle.

Pour utiliser le modèle de la réévaluation, une entreprise doit évidemment s'assurer qu'elle pourra évaluer la juste valeur des immobilisations corporelles de façon fiable, selon les indications données dans le chapitre 3. De plus, elle doit conserver le modèle retenu, qui constitue une méthode comptable, au cours des exercices subséquents. En effet, le maintien dans le temps d'un même modèle favorise la comparabilité des informations fournies dans les états financiers. Examinons plus en détail les deux modèles d'évaluation.

Le modèle du coût

Lorsqu'une entreprise utilise le **modèle du coût**, le montant comptabilisé au compte de l'immobilisation corporelle en cause ne change pas au cours des exercices subséquents. Le lecteur est invité à relire la partie I – Les IFRS du chapitre 8 pour obtenir des explications détaillées sur la comptabilisation du coût d'acquisition, par exemple, la distinction entre les dépenses en capital et les dépenses d'exploitation et la comptabilisation par composantes. Au cours des exercices subséquents, l'entreprise devra simplement calculer l'amortissement périodique et, le cas échéant, soumettre ses immobilisations corporelles à un test de dépréciation, selon les explications données plus loin.

Le modèle de la réévaluation

Différence NCECF

Lorsqu'une entreprise utilise le **modèle de la réévaluation**, elle réévalue périodiquement la valeur de ses immobilisations corporelles et comptabilise les variations de valeur, comme nous l'expliquerons plus loin, dès que celles-ci surviennent. Les variations sont parfois comptabilisées en résultat net, parfois dans un compte Écart de réévaluation traité comme un autre élément du résultat global (AERG) et cumulé aux capitaux propres. Il n'est pas nécessaire qu'une entreprise procède à une réévaluation des actifs de même catégorie tous les ans, comme le précise le *Manuel de CPA Canada*:

> La fréquence des réévaluations dépend des variations de la juste valeur des immobilisations corporelles à réévaluer. Lorsque la juste valeur d'un actif réévalué diffère significativement de sa valeur comptable, une nouvelle réévaluation est nécessaire. Certaines immobilisations corporelles peuvent connaître des variations importantes et volatiles de leur juste valeur, nécessitant une réévaluation annuelle. D'aussi fréquentes réévaluations ne sont pas nécessaires pour les immobilisations corporelles qui enregistrent des variations négligeables de leur juste valeur. Au contraire, il peut n'être nécessaire de réévaluer l'immobilisation corporelle que tous les trois ou cinq ans[1].

9

Par exemple, on pourrait réévaluer les terrains tous les trois ans. Toutefois, en période de crise du marché immobilier, les terrains et les immeubles devraient sans doute être réévalués. À chaque réévaluation, tous les actifs d'une même catégorie doivent être évalués. Cette recommandation de l'International Accounting Standards Board (IASB) vise à éviter que les entreprises décident de réévaluer uniquement les immobilisations corporelles dont la valeur a augmenté. Les entreprises pourraient ainsi manipuler les chiffres comptables pour présenter une valeur plus élevée de leur actif et de leurs capitaux propres. Ce faisant, elle donnerait ainsi une image plus reluisante de leur solidité financière.

Les augmentations et les diminutions de valeur ne sont pas comptabilisées de la même façon. On comptabilise une diminution de valeur en résultat net de l'exercice. Comme une diminution de valeur indique une diminution des flux de trésorerie attendus, on s'assure que les utilisateurs en sont bien informés en présentant cette diminution en résultat net de l'exercice. Cependant, si le compte Cumul des écarts de réévaluation, présenté dans les capitaux propres, affiche un solde créditeur, une portion de la diminution correspondant au solde créditeur est alors débitée du compte Écart de réévaluation (AERG). Précisons ici que les intitulés de comptes portant la mention AERG renvoient à des comptes présentés en résultat global de l'exercice. À l'inverse, on comptabilise une augmentation de valeur au compte Écart de réévaluation (AERG). Comme une augmentation de la juste valeur indique que l'entreprise paierait plus cher aujourd'hui pour remplacer son immobilisation, l'augmentation de valeur n'est pas un véritable profit à inclure dans le résultat net. Elle représenterait un profit si elle était liée à un actif que l'entreprise pourrait vendre aujourd'hui (par exemple, un placement détenu à des fins de transaction), ce qui, par définition, n'est pas le cas des immobilisations que l'entreprise utilisera pendant plusieurs exercices. Cependant, si l'augmentation compense des pertes antérieurement comptabilisées en résultat net, elle est débitée au compte Profit découlant de la réévaluation (RN). La figure 9.1 illustre de façon simple cette règle comptable dans le contexte de la réévaluation d'une immobilisation non amortissable.

1. CPA Canada, *Manuel de CPA Canada – Comptabilité – Partie I*, **IAS 16**, paragr. 34. (*Voir la page iv des liminaires pour plus de détails à l'égard des normes publiées mais non encore entrées en vigueur.*)

FIGURE 9.1 La comptabilisation des variations de valeur

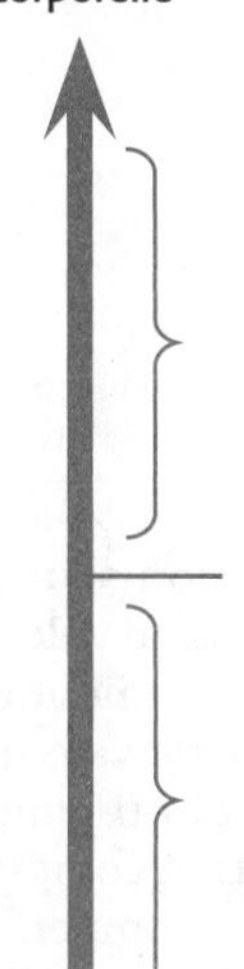
Juste valeur
de l'immobilisation
corporelle
Ces variations de valeur sont comptabilisées
au compte Écart de réévaluation (AERG).
Coût historique
Ces variations de valeur sont comptabilisées
en résultat net de l'exercice en cours.

9

EXEMPLE

Comptabilisation des variations de valeur d'une immobilisation non amortissable

La société Kee Roucoule ltée évalue son unique terrain selon le modèle de la réévaluation. Voici les renseignements pertinents de 20X1 à 20X3, suivis des écritures de journal requises après la date d'acquisition.

Coût d'acquisition du terrain le 1er septembre 20X1	*193 000 $*
Juste valeur	
Le 31 décembre 20X1	*190 000*
Le 31 décembre 20X2	*195 000*
Le 31 décembre 20X3	*201 000*
Le 31 décembre 20X4	*192 000*

31 décembre 20X1

Perte découlant de la réévaluation d'un terrain	*3 000*	
Provision pour perte de valeur – Terrain ①		*3 000*
Diminution de la valeur d'un terrain comptabilisé selon le modèle de la réévaluation (193 000 $ – 190 000 $).		

Explication :

① Il serait aussi acceptable de créditer le compte Terrain, mais nous préférons créditer le compte Provision pour perte de valeur – Terrain car, comme nous l'expliquerons plus loin, l'entreprise aura besoin de connaître les pertes antérieurement comptabilisées en résultat net pour comptabiliser correctement les éventuelles augmentations de valeur subséquentes.

À la fin de l'exercice 20X1, la juste valeur du terrain a diminué. Comme cette diminution de valeur indique une diminution des flux de trésorerie attendus, on s'assure que les utilisateurs en sont bien informés en présentant cette diminution en résultat net de l'exercice.

Résultats non distribués	*3 000*	
Perte découlant de la réévaluation d'un terrain		*3 000*
Fermeture des comptes de résultat net.		

Exceptionnellement, nous présentons les écritures de clôture dans ce premier exemple pour permettre au lecteur de bien visualiser les effets des variations de juste valeur sur le résultat net et le résultat global. Les exemples subséquents ne montrent pas ces écritures.

31 décembre 20X2

Provision pour perte de valeur – Terrain	*3 000*	
Terrain	*2 000*	
Profit découlant de la réévaluation d'un terrain		*3 000*
Écart de réévaluation – Terrain (AERG)		*2 000*

Augmentation de la valeur d'un terrain comptabilisé selon le modèle de la réévaluation (190 000 $ – 195 000 $).

Un an plus tard, Kee Roucoule ltée estime maintenant que non seulement la perte comptabilisée en 20X1 ne se matérialise pas, mais également que la juste valeur du terrain (195 000 $) excède le coût historique (193 000 $). Elle comptabilise l'augmentation totale de valeur de 5 000 $ en annulant d'abord le compte Provision pour perte de valeur au montant de 3 000 $ qui avait été créé en 20X1 et en débitant le solde (2 000 $) au compte Terrain. En contrepartie, Kee Roucoule ltée suit les recommandations de l'IASB et comptabilise en résultat net de l'exercice courant la portion de l'augmentation de valeur qui compense la perte comptabilisée en 20X1, soit 3 000 $. Elle comptabilise l'augmentation additionnelle de 2 000 $ au compte Écart de réévaluation – Terrain (AERG) plutôt que dans les produits de l'exercice.

Profit découlant de la réévaluation d'un terrain	*3 000*	
Écart de réévaluation – Terrain (AERG)	*2 000*	
Résultats non distribués		*3 000*
Cumul des écarts de réévaluation – Terrain		*2 000*

Fermeture des comptes de résultat net virés dans les résultats non distribués et fermeture des comptes d'AERG virés dans le compte de cumul correspondant dans les capitaux propres.

31 décembre 20X3

Terrain	*6 000*	
Écart de réévaluation – Terrain (AERG)		*6 000*

Augmentation de la valeur d'un terrain comptabilisé selon le modèle de la réévaluation (195 000 $ – 201 000 $).

Le 31 décembre 20X3, l'augmentation de 6 000 $ est entièrement comptabilisée au compte Écart de réévaluation – Terrain (AERG), car cette augmentation excède le coût historique.

Écart de réévaluation – Terrain (AERG)	*6 000*	
Cumul des écarts de réévaluation – Terrain		*6 000*

Fermeture des comptes d'AERG virés dans le compte de cumul correspondant dans les capitaux propres.

Après cette écriture, le solde du compte Cumul des écarts de réévaluation – Terrain aux capitaux propres est créditeur de 8 000 $.

31 décembre 20X4

Écart de réévaluation – Terrain (AERG)	*8 000*	
Perte découlant de la réévaluation d'un terrain	*1 000*	
Provision pour perte de valeur – Terrain		*1 000*
Terrain		*8 000*

Diminution de la valeur d'un terrain comptabilisé selon le modèle de la réévaluation (201 000 $ – 192 000 $).

Enfin, le 31 décembre 20X4, la baisse de valeur de 9 000 $ se compose de deux éléments : l'annulation du solde du compte Cumul des écarts de réévaluation – Terrain (8 000 $) et une diminution de valeur sous la barre du coût historique (1 000 $) comptabilisée en résultat net de l'exercice.

Cumul des écarts de réévaluation – Terrain	*8 000*	
Résultats non distribués	*1 000*	
Écart de réévaluation – Terrain (AERG)		*8 000*
Perte découlant de la réévaluation d'un terrain		*1 000*
Fermeture des comptes de résultat net virés dans les résultats non distribués et fermeture des comptes d'AERG virés dans le compte de cumul correspondant dans les capitaux propres.		

La figure 9.2 montre les variations de la juste valeur du terrain de Kee Roucoule ltée ainsi que les comptes touchés par la comptabilisation des variations de valeur, outre le compte Terrain.

FIGURE 9.2 Les variations de la juste valeur du terrain

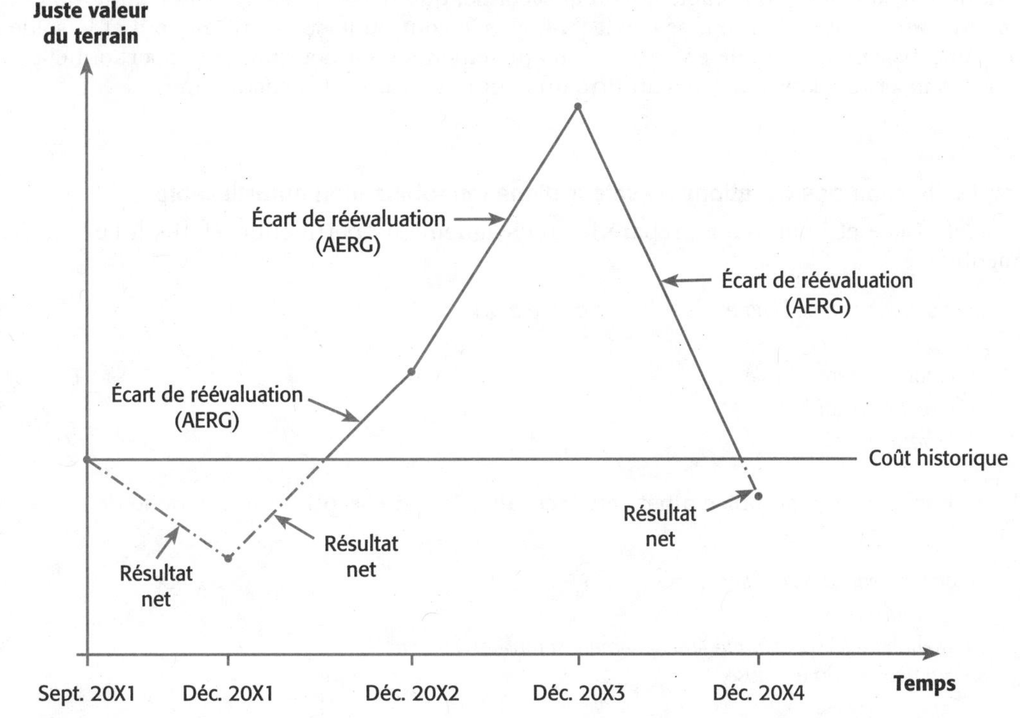

Cet exemple montre bien que le modèle de la réévaluation diffère du modèle de la juste valeur, applicable par exemple aux actifs biologiques dont traitait le chapitre 8. En effet, selon le modèle de la juste valeur, on comptabilise toutes les variations de valeur en résultat net dès qu'elles surviennent. Selon le modèle de la réévaluation, le coût historique d'une immobilisation corporelle non amortissable demeure la référence qui permet de déterminer la comptabilisation des variations de valeur en résultat net ou dans le compte Écart de réévaluation (AERG).

Avant de clore cet exemple, on notera que le solde du compte Cumul des écarts de réévaluation – Terrain sera viré au compte Résultats non distribués lorsque l'entreprise décomptabilisera le terrain en cause.

Si une entreprise possède plusieurs terrains utilisés à la même fin et groupés dans une seule catégorie, nous avons déjà mentionné qu'elle doit tous les évaluer à la juste valeur, car le modèle de la réévaluation doit être appliqué à tous les actifs d'une même catégorie. L'entreprise doit utiliser un compte Écart de réévaluation (AERG) distinct pour chaque terrain détenu. Ce n'est que de cette façon qu'elle peut savoir si une variation de valeur au temps t_i compense une variation inverse comptabilisée en t_{i-1}, comme le mentionne le *Manuel de CPA Canada* :

> Lorsque la valeur comptable d'un actif est augmentée à la suite d'une réévaluation, l'augmentation doit être comptabilisée dans les autres éléments du résultat global et cumulée avec les capitaux propres sous la rubrique écarts de réévaluation. Toutefois, l'augmentation doit être comptabilisée en résultat net dans la mesure où elle compense une diminution de réévaluation **du même actif**, précédemment comptabilisée en résultat net.
>
> Lorsque, à la suite d'une réévaluation, la valeur comptable d'un actif diminue, cette diminution doit être comptabilisée en résultat net. Toutefois, la diminution de la réévaluation doit être comptabilisée dans les autres éléments du résultat global dans la limite de l'écart de réévaluation créditeur pour **ce même actif** [...][2].

L'exemple précédent portait sur un actif non amortissable afin d'insister sur l'importance de savoir si la variation de valeur doit être comptabilisée en résultat net ou dans les autres éléments du résultat global. Le raisonnement à suivre ayant été expliqué, examinons maintenant les réévaluations d'immobilisations corporelles amortissables, par exemple, des immeubles. Toute entreprise a un choix à faire entre deux méthodes pour traiter l'amortissement cumulé. Selon la première, que nous appellerons **méthode de l'ajustement net**, l'entreprise vire d'abord le solde du compte Amortissement cumulé au compte de l'immobilisation en cause, puis comptabilise la réévaluation de la valeur comptable. Selon la seconde, que nous appellerons **méthode de l'ajustement proportionnel**, l'entreprise corrige à la fois le coût ou le substitut du coût et le solde du compte Amortissement cumulé en cause. Les ajustements sont déterminés proportionnellement aux valeurs inscrites dans les livres au titre du coût et de l'amortissement cumulé.

9

EXEMPLE

Comptabilisation des variations de valeur d'une immobilisation amortissable

La société Belle et bom ltée a préparé les renseignements pertinents relatifs à l'un de ses immeubles.

Coût d'acquisition de l'immeuble le 1er septembre 20X1	*193 000 $*
31 décembre 20X1	
Amortissement cumulé	*(2 400)*
Valeur comptable	*190 600 $*
Juste valeur	*200 000 $*

Belle et bom ltée comptabilise ainsi cette réévaluation si elle utilise la méthode de l'ajustement net.

Amortissement cumulé – Immeuble	*2 400*	
Immeuble		*2 400*
Virement du solde du compte Amortissement cumulé au compte de l'immobilisation en cause.		
Immeuble	*9 400*	
Écart de réévaluation – Immeuble (AERG)		*9 400*
Ajustement de la valeur comptable de l'immeuble à la suite de sa réévaluation (200 000 $ – 190 600 $).		

Si Belle et bom ltée utilise la méthode de l'ajustement proportionnel, elle passe plutôt l'écriture qui suit.

Immeuble ①	*9 518*	
Amortissement cumulé – Immeuble ②		*118*
Écart de réévaluation – Immeuble (AERG) ③		*9 400*
Ajustement proportionnel des comptes à la suite de la réévaluation de l'immeuble.		

2. *Manuel de CPA Canada – Comptabilité – Partie I*, IAS 16, paragr. 39 et 40. (Mise en relief ajoutée.)

Calculs :

① Coût ou substitut du coût révisé	
(200 000 $ ÷ 190 600 $ × 193 000 $)	202 518 $
Valeur aux livres	(193 000)
Ajustement requis	9 518 $
② Amortissement cumulé révisé	
(200 000 $ ÷ 190 600 $ × 2 400 $)	2 518 $
Amortissement cumulé aux livres	(2 400)
Ajustement requis	118 $
③ Valeur comptable révisée	200 000 $
Valeur comptable aux livres	(190 600)
Écart de réévaluation	9 400 $

Voici les comptes en T selon les deux méthodes de comptabilisation d'une réévaluation d'immobilisations corporelles et amortissables.

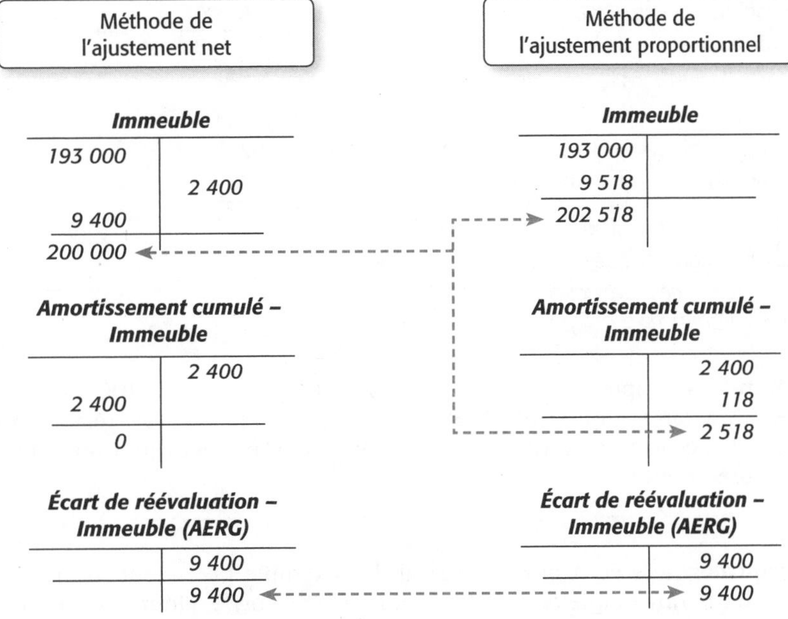

Les comptes en T de l'exemple précédent facilitent la comparaison de ces deux méthodes. D'abord, on constate que celles-ci donnent le même montant comptabilisé au compte Écart de réévaluation – Immeuble (AERG) et la même valeur comptable de l'immeuble, soit 200 000 $. Toutefois, la méthode de l'ajustement proportionnel montre que l'immeuble n'est pas neuf, car les livres font état d'un montant d'amortissement cumulé. À l'opposé, la méthode de l'ajustement net a pour effet de ramener le solde du compte Amortissement cumulé à zéro, ce qui peut laisser croire aux utilisateurs des états financiers que l'entreprise dispose d'un immeuble neuf, ce qui n'est pas le cas. C'est pourquoi la méthode de l'ajustement proportionnel nous semble préférable.

EXEMPLE

Vente d'une immobilisation amortissable comptabilisée selon le modèle de la réévaluation

Poursuivons l'exemple de Belle et bom ltée, en tenant pour acquis que l'entreprise utilise la méthode de l'ajustement proportionnel. À la fin de l'exercice 20X2, elle comptabilise une charge d'amortissement, disons de 8 000 $, et le 1er janvier 20X3, elle vend l'immeuble au coût de 198 000 $. Elle reflétera ces deux opérations dans ses livres de la façon suivante :

31 décembre 20X2		
Amortissement – Immeuble	*8 000*	
Amortissement cumulé – Immeuble		*8 000*
Amortissement de 20X2.		
1er janvier 20X3		
Caisse	*198 000*	
Amortissement cumulé – Immeuble ①	*10 518*	
Immeuble ②		*202 518*
Profit sur aliénation d'un immeuble ③		*6 000*
Vente d'un immeuble.		

Calculs :

① Amortissement cumulé – Immeuble	
Solde au 31 décembre 20X1 (comme présenté dans les comptes en T)	2 518 $
Amortissement de 20X2	8 000
Solde au moment de la vente	10 518 $
② Comme présenté dans les comptes en T	
③ Prix de vente	198 000 $
Valeur comptable (202 518 $ – 10 518 $)	(192 000)
Profit sur aliénation d'un immeuble	6 000 $

Cumul des écarts de réévaluation – Immeuble	*9 400*	
Résultats non distribués		*9 400*
Virement de l'écart de réévaluation au moment de la vente de l'immeuble.		

Lors de la clôture des comptes au 31 décembre 20X1, le montant de 9 400 $ crédité au compte Écart de réévaluation – Immeuble (AERG) pendant l'exercice a été viré au crédit du compte Cumul des écarts de réévaluation – Immeuble. C'est pourquoi on débite ce compte dans l'écriture précédente.

Dans l'avant-dernière écriture de journal de l'exemple précédent, nous avons crédité le profit de 6 000 $ dans un compte de résultat net à titre de sortie d'immobilisation. Évidemment, l'entreprise aurait pu procéder à une réévaluation de son immeuble et inscrire l'augmentation de valeur au crédit du compte Écart de réévaluation – Immeuble (AERG). Même si l'IAS 16, intitulée « Immobilisations corporelles », est muette à ce sujet, nous n'avons pas retenu ce traitement comptable car il aurait entraîné l'obligation, pour l'entreprise, de réévaluer l'ensemble de ses immeubles et d'assumer les coûts potentiellement importants d'une telle réévaluation.

Lorsqu'une entreprise vend une immobilisation corporelle évaluée selon le modèle de la réévaluation, elle peut transférer le solde du compte Cumul des écarts de réévaluation en cause dans le compte Résultats non distribués, comme le montre la dernière écriture ci-dessus. Soulignons que l'IASB permet aussi de virer le solde du compte Cumul des écarts de réévaluation dans le compte Résultats non distribués sur la durée d'utilité de l'immobilisation en cause. « Dans ce cas, le montant [...] transféré serait la différence entre l'amortissement basé sur la valeur comptable réévaluée de l'actif et l'amortissement basé sur le coût initial de l'actif[3]. » Il est probable qu'un tel virement périodique ne soit pas chose courante. En effet, il est dans l'intérêt de la direction d'une entreprise de ne pas virer le solde du compte Cumul des écarts de réévaluation car, lors d'éventuelles baisses subséquentes de la juste valeur, celles-ci pourraient être portées au compte Écart de réévaluation plutôt que d'être débitée en résultat net. C'est pourquoi nous n'approfondissons pas ce traitement comptable. Il importe toutefois de noter que le solde du compte Écart de

3. *Manuel de CPA Canada – Comptabilité – Partie I*, IAS 16, paragr. 41.

réévaluation n'est jamais viré dans un compte de résultat net. Aussi, la variation d'un écart de réévaluation comptabilisée pendant un exercice doit être présentée, dans l'état du résultat global d'un exercice, dans la section des éléments qui ne seront pas reclassés ultérieurement en résultat net[4].

La figure 9.3 résume les choix comptables qu'une entreprise doit faire lorsqu'elle détient des immobilisations corporelles amortissables.

FIGURE 9.3 Les choix comptables relatifs aux immobilisations corporelles amortissables

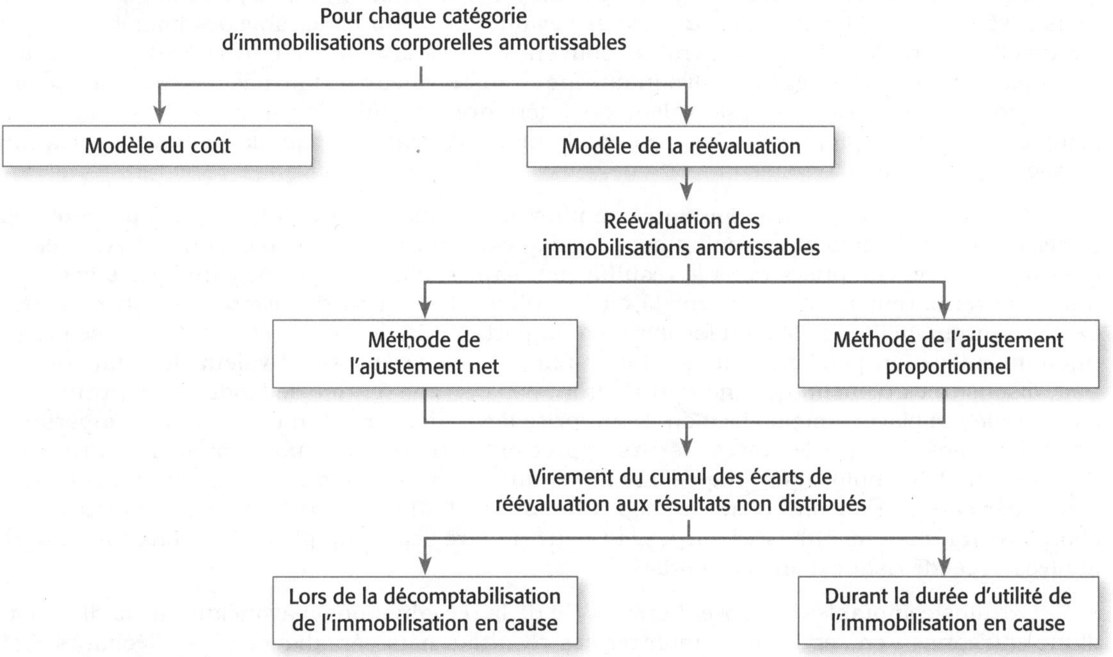

9

Avant de clore notre présentation du modèle de la réévaluation, rappelons que l'**IFRS 13**, intitulée « Évaluation de la juste valeur », souligne que la juste valeur d'un actif est le prix qui serait reçu pour sa vente lors d'une transaction normale entre les intervenants du marché à la date d'évaluation. Cette norme indique les directives à suivre au moment d'évaluer la juste valeur et de présenter celle-ci dans les états financiers. À ce titre, le lecteur peut revoir les explications présentées au chapitre 3.

Une étude menée à partir des états financiers de 2004, dressés selon les IFRS, d'un groupe de 43 grandes sociétés françaises montrait que seules 2 sociétés, soit 4,6 %, avaient évalué certaines catégories d'immobilisations selon le modèle de la réévaluation[5]. Même en tenant compte du fait que les sociétés françaises appliquaient les IFRS pour la première fois en 2005, avec redressement des chiffres de 2004 donnés à des fins comparatives, et qu'elles pouvaient probablement opposer une résistance face au modèle de la réévaluation, auparavant interdit, le pourcentage d'utilisation reste bien mince.

Différence NCECF

Une évaluation comparative des deux modèles

Que penser du modèle de la réévaluation comparativement au modèle du coût ? Premièrement, le lecteur aura sans doute constaté que le premier est plus complexe que le second. Il nécessite plus d'écritures de journal et un suivi des variations de valeur dans le temps. Ce travail additionnel de comptabilisation, de même que l'évaluation en tant que telle, entraîne des coûts qui doivent être compensés par des avantages pour en justifier l'utilisation.

4. *Manuel de CPA Canada – Comptabilité – Partie I*, **IAS 1**, paragr. 82A.
5. Samira Benabdellah-Demaria, « Vers une dynamique de la convention "coût historique" sous l'effet de l'application des normes comptables IAS/IFRS ? », [En ligne], <www.researchgate.net/publication/37314005_Vers_une_dynamique_de_la_convention_cot_historique_sous__l'effet_de_l'application_des_normes_comptables_IASIFRS_> (page consultée le 6 janvier 2016).

Les entreprises qui adoptent le modèle de la réévaluation jugent qu'il permet de fournir des informations plus pertinentes sans réduire la fidélité. Plusieurs affirmeront d'emblée que la juste valeur est moins fidèle que le coût historique. Bien que cette affirmation puisse être vraie lorsque l'immobilisation ne se négocie pas sur un marché actif, il en va autrement lorsque des immobilisations semblables à celle réévaluée sont souvent négociées sur un marché. De plus, pour contrer la subjectivité inhérente à la réévaluation qui pourrait entraîner des manipulations de la part de la direction de l'entreprise, l'IASB précise qu'une entreprise peut utiliser le modèle de la réévaluation uniquement lorsque la juste valeur peut être évaluée de façon fiable. L'argument du manque de fidélité ne devrait pas peser trop lourd dans la décision car, comme nous l'expliquerons plus loin, l'IASB exige de dévaluer la valeur comptable des immobilisations lorsqu'elle excède la valeur recouvrable, souvent égale à la juste valeur. Or, les comptables n'ont pas critiqué cette règle en invoquant que la juste valeur n'était pas assez fidèle. Donc, si l'on admet que lorsque la juste valeur est inférieure au coût elle est assez fidèle pour être comptabilisée, pourquoi ne tiendrait-on pas le même discours lorsque la juste valeur excède la valeur comptable ?

Le modèle de la réévaluation entraîne plus de variabilité du résultat net. D'un côté, les pertes de valeur diminuent le résultat net périodique. En revanche, les augmentations de valeur, elles-mêmes non comprises dans le résultat net, sauf si elles compensent une perte comptabilisée antérieurement, augmentent la charge d'amortissement des exercices subséquents. Certains diront qu'il s'agit là d'un inconvénient important. Il est vrai que si une entreprise utilise une immobilisation pendant toute sa durée d'utilité, les variations de valeur de l'immobilisation, disons une augmentation, ne se traduiront pas par une rentrée de fonds. Au contraire, au moment de remplacer l'immobilisation, l'entreprise devra débourser un montant plus important. Il est donc possible que les investisseurs apprécient connaître dès maintenant les variations de valeur de l'immobilisation. Rappelons aussi que la variabilité du résultat net ne peut pas constituer en soi un inconvénient. Au contraire, on peut affirmer que l'étalement uniforme des charges d'amortissement basées sur le coût pourrait être beaucoup plus dangereux s'il masque le niveau réel de risque d'une entreprise.

Certains comptables s'opposent au modèle de la réévaluation en avançant que la direction d'une entreprise s'en servira pour montrer des résultats nets périodiques plus alléchants. Cet argument ne tient pas la route, car comme nous l'avons expliqué, les augmentations de valeur ne sont pas comptabilisées en résultat net, mais dans les autres éléments du résultat global (Écart de réévaluation). Au contraire, si une entreprise décide de réévaluer ses immobilisations, en tenant toujours pour acquis que la juste valeur augmente, le résultat net des exercices subséquents sera plus faible, car la charge d'amortissement, calculée d'après la valeur réévaluée, sera plus élevée.

Tenons donc pour acquis que la juste valeur est fidèle. La question fondamentale est de déterminer si elle est pertinente. Pendant longtemps, les comptables ont affirmé que l'évaluation des immobilisations à leur juste valeur ne l'était pas, car l'entreprise a l'intention d'utiliser ses immobilisations et non de les vendre. Ce fait est indéniable. Toutefois, dans un contexte où, par exemple, les justes valeurs augmentent rapidement, le détenteur de l'immobilisation corporelle doit tenir compte du fait que, au moment de remplacer l'immobilisation, il devra débourser un montant beaucoup plus élevé. En principe, il pourrait donc vouloir augmenter le coût des marchandises vendues afin de couvrir le coût actuel des immobilisations. Si l'information est utile à des fins de gestion interne, on peut croire qu'elle l'est aussi pour les utilisateurs des états financiers. Si le détenteur de l'immobilisation ne peut augmenter les prix de vente des marchandises, il pourrait, à tout le moins, vouloir évaluer si son utilisation de l'immobilisation demeure l'option financièrement la plus rentable, comparativement à sa vente sur le marché.

Un autre avantage de l'utilisation du modèle de la réévaluation est qu'il permet de fournir des renseignements plus comparables. En effet, peu importe que l'entreprise ait acheté son immobilisation depuis longtemps, la réévaluation permet de la comparer avec une autre entreprise ayant acheté une immobilisation de même nature à une autre date.

Le tableau 9.1 présente les caractéristiques particulières à chacun des modèles. Rappelons en terminant que le choix d'un modèle reste du ressort de chaque entreprise.

Peu importe qu'une entreprise utilise le modèle du coût ou celui de la réévaluation, elle doit amortir toutes ses immobilisations corporelles dont la durée d'utilité est limitée. La section suivante examinera pourquoi et comment une entreprise effectue ce travail.

TABLEAU 9.1 Une synthèse des avantages comparatifs des deux modèles d'évaluation

Caractéristiques qualitatives selon le « Cadre conceptuel de l'information financière »	Modèle du coût*	Modèle de la réévaluation*
Caractéristiques qualitatives essentielles		
Pertinence		✓
Fidélité	✓	
Caractéristiques qualitatives auxiliaires		
Comparabilité		✓
Vérifiabilité	✓	
Rapidité	Aucun modèle ne se démarque, compte tenu du fait que les réévaluations ne doivent pas obligatoirement être conduites en fin d'exercice.	
Compréhensibilité	Les deux modèles sont plutôt comparables.	

* Le modèle coché est celui qui se démarque généralement le mieux à l'égard de la caractéristique qualitative.

Avez-vous remarqué ?

Compte tenu des conséquences de l'utilisation du modèle de la réévaluation, notamment le travail additionnel requis et l'effet négatif sur le résultat net, on ne s'étonne pas de la conclusion de l'étude menée auprès des sociétés françaises, selon laquelle seules les très grandes entreprises vraiment rentables ont adopté ce modèle de détermination de la valeur comptable des immobilisations.

9

L'amortissement

Bien qu'elles soient utilisées de façon durable, entre autres pour la production, la prestation de services et l'administration, les immobilisations, à l'exception des terrains, n'ont pas une durée d'utilité illimitée. Une entreprise doit donc répartir le montant amortissable sur les exercices au cours desquels elle les utilise afin de refléter l'amoindrissement du potentiel de service d'une immobilisation, soit la portion consommée de celle-ci. L'amortissement est aussi requis en vertu de la notion d'indépendance des périodes, laquelle exige d'imputer à chaque période tous les faits, événements ou opérations qui s'y rattachent.

L'**amortissement** s'entend donc de la charge comptabilisée en résultat net pour répartir de façon systématique le montant amortissable, expliqué plus loin. Ce dernier est réparti sur les exercices au cours desquels l'entreprise consomme le potentiel de service de l'immobilisation. Dans le secteur des ressources naturelles, on utilise parfois les termes «**épuisement**» ou «**déplétion**» plutôt que le terme «amortissement».

Pour mieux comprendre ce qu'est l'amortissement, on peut procéder à contresens et examiner ce que n'est pas l'amortissement. En premier lieu, l'amortissement n'est généralement pas le reflet de la diminution de valeur des immobilisations, à tout le moins si l'entreprise utilise le modèle du coût. En retranchant du coût initial d'une immobilisation le montant de l'amortissement cumulé, le montant obtenu, soit la **valeur comptable** de l'immobilisation, diffère habituellement de la juste valeur.

En second lieu, l'amortissement ne représente pas un montant d'argent mis de côté en vue de pourvoir au remplacement des immobilisations. Si tel était le cas, les entreprises voudraient que la charge d'amortissement soit élevée durant les exercices au cours desquels elles disposent d'une trésorerie excédentaire et que la charge soit faible au cours des exercices où elles disposent de peu de trésorerie, ce qui ne conduirait sûrement pas à une présentation fidèle du coût lié à la détention des immobilisations. C'est pourquoi la gestion de la trésorerie doit demeurer indépendante de la détermination de la charge d'amortissement, laquelle représente simplement, répétons-le, la répartition systématique du montant amortissable sur la durée d'utilité de l'immobilisation. On peut donc affirmer que la charge d'amortissement n'entraîne aucun décaissement. Au moment de dresser le tableau des flux de trésorerie présenté selon la méthode indirecte, le comptable doit ajouter la charge d'amortissement au montant de résultat net afin d'éliminer la valeur de cette charge et de déterminer le montant des flux de trésorerie générés par les activités d'exploitation.

Une charge d'amortissement de 1 000 $ afférente à un camion se comptabilise de la façon suivante :

Amortissement – Matériel roulant	*1 000*	
Amortissement cumulé – Matériel roulant		*1 000*
Charge de l'exercice.		

L'écriture précédente nous mène à faire trois observations. Premièrement, le montant débité au compte Amortissement – Matériel roulant est comptabilisé en charges de l'exercice en cours. Cependant, si le matériel roulant est utilisé dans la production d'un autre actif, par exemple, pour produire des marchandises destinées à la vente, le montant d'amortissement du matériel roulant est débité au compte Stock de marchandises.

Deuxièmement, comme l'entreprise porte la charge d'amortissement afférente à ce camion au compte Amortissement – Matériel roulant, on peut conclure que son plan comptable général comprend un compte d'amortissement pour chaque catégorie d'immobilisations. Aux fins de la présentation dans les états financiers, l'entreprise peut grouper tous ces comptes en un seul poste.

Troisièmement, soulignons que si l'entreprise a comptabilisé distinctement le coût des composantes lors de l'achat du matériel roulant, comme expliqué au chapitre 8, elle comptabilise distinctement l'amortissement de chaque composante.

9

Enfin, on pourrait se demander pourquoi l'entreprise comptabilise la charge dans le compte Amortissement cumulé – Matériel roulant. Pourquoi ne pas créditer directement le compte Matériel roulant et présenter uniquement la valeur comptable de l'immobilisation ? En utilisant un compte distinct dans lequel elle cumule les charges d'amortissement, l'information présentée dans les états financiers est plus complète. Connaître le coût et l'amortissement cumulé permet en effet d'accroître la comparabilité des états financiers entre les entreprises.

EXEMPLE

Utilité du montant d'amortissement cumulé

Les sociétés Laurel ltée et Hardy ltée évoluent toutes deux dans le secteur manufacturier et utilisent le modèle du coût. Chacune a présenté l'information suivante relative à son usine dans son état de la situation financière :

	Laurel ltée	*Hardy ltée*
Usine (valeur comptable)	*450 000 $*	*450 000 $*
Voici les détails de cette information :		
Coût	*950 000 $*	*500 000 $*
Amortissement cumulé	*(500 000)*	*(50 000)*
Valeur comptable	*450 000 $*	*450 000 $*

Ces détails nous permettent de conclure que l'usine de Laurel ltée est plus vieille que celle de Hardy ltée, car la première est amortie à plus de 50 %, alors que la seconde ne l'est qu'à 10 %. Cela signifie que Laurel ltée devra songer, peut-être à moyen terme, à un nouveau projet d'investissement pour remplacer son usine. Étant donné les augmentations de valeur sur le marché immobilier, on peut également conclure, en examinant les informations détaillées, que la juste valeur de l'usine de Laurel ltée est probablement très supérieure à son coût. Si les deux sociétés ont sensiblement le même chiffre d'affaires, il est probable que Laurel ltée n'utilise pas totalement l'usine, présumée plus grande en raison de sa juste valeur plus élevée que celle détenue par Hardy ltée. Ces quelques commentaires, bien que non exhaustifs, mettent en évidence l'utilité d'employer deux comptes distincts dont l'un sert à traduire le coût et l'autre, qui est un compte de contrepartie, à cumuler les amortissements.

Ayant défini la nature de l'amortissement, nous pouvons maintenant aborder les questions plus techniques liées à la comptabilisation de cette charge. Lorsqu'une entreprise acquiert une immobilisation sujette à amortissement, elle doit en répartir le montant amortissable sur la durée d'utilité de l'immobilisation de façon systématique. Avant de déterminer le montant de la charge annuelle, l'entreprise doit examiner les éléments suivants, qui influent sur ce calcul : la durée d'utilité, le montant amortissable et le choix d'un mode d'amortissement. Dans les pages suivantes, nous traiterons en détail de chacun de ces éléments.

L'estimation de la durée d'utilité

Comme nous l'avons déjà mentionné, on doit comptabiliser pendant un exercice tous les éléments de coût engagés pour réaliser les produits comptabilisés au cours du même exercice. Le point de départ consiste donc à estimer la **durée d'utilité**, c'est-à-dire la durée au cours de laquelle l'entreprise utilisera l'immobilisation ou le nombre d'unités de production que l'entreprise s'attend à obtenir de l'immobilisation. Pour ce faire, on doit tenir compte de tous les facteurs pouvant réduire cette durée, comme l'illustre la figure 9.4.

FIGURE 9.4 Les facteurs limitant la durée d'utilité d'une immobilisation corporelle

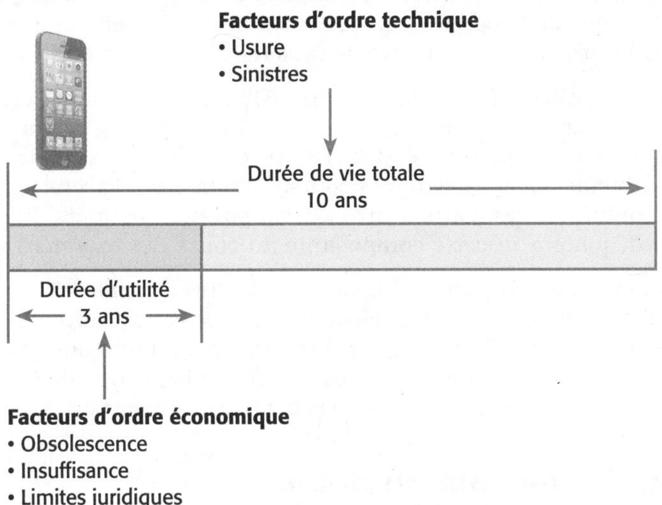

Ces facteurs se divisent en deux principales catégories : les facteurs d'ordre technique et les facteurs d'ordre économique. Les **facteurs d'ordre technique** groupent tous les phénomènes matériels pouvant limiter la durée de vie de l'immobilisation. L'usure provoquée par l'utilisation de l'immobilisation ainsi que les événements fortuits tels que les incendies, les inondations et les tremblements de terre en constituent les exemples les plus courants. Ces facteurs déterminent la **durée au cours de laquelle l'immobilisation est utilisable.**

Les **facteurs d'ordre économique** ne sont pas nécessairement liés à l'utilisation de l'immobilisation ; ils se rattachent plutôt au contexte dans lequel l'entreprise l'utilise. L'obsolescence, l'insuffisance et les limites juridiques sont les trois facteurs d'ordre économique les plus courants. L'**obsolescence**, aussi appelée **péremption**, est la conséquence des innovations technologiques qui rendent plus ou moins périmées les immobilisations existantes. Ainsi, lorsqu'une nouvelle génération d'iPhone remplace la génération précédente, ce n'est pas parce que les téléphones de la génération précédente étaient soudainement devenus inutilisables, mais plutôt parce qu'un appareil plus performant était offert sur le marché. Beaucoup d'utilisateurs ont alors décidé de remplacer leurs vieux téléphones intelligents par cet équipement plus récent afin de bénéficier de ses avantages économiques. Dans d'autres cas, les biens destinés à la vente fabriqués à partir des équipements de production continueront à se vendre, mais à un prix moindre. Pensons par exemple à des unités de stockage des données informatiques dont les prix de vente ont diminué au fil des ans, notamment en raison de l'infonuagique. « La réduction future attendue du prix de vente d'un article fabriqué au moyen d'un actif pourrait être une indication de l'obsolescence technique ou commerciale prévue de cet actif, ce qui pourrait refléter une diminution des avantages économiques futurs qui en sont représentatifs[6]. »

Il y a **insuffisance** d'une immobilisation lorsque celle-ci n'est plus adaptée aux besoins grandissants de l'entreprise. Par exemple, 10 ans après sa construction, une usine peut devenir insuffisante si le niveau d'activité de l'entreprise à cette date nécessite une plus grande capacité de fonctionnement. Cette entreprise pourrait alors conserver son usine et en acquérir une seconde. Cependant, comme il n'est pas toujours efficace de dédoubler les opérations, l'entreprise pourrait céder son usine afin d'en acquérir une autre qui serait plus performante et qui répondrait mieux à ses besoins. Même si la vieille usine est toujours **utilisable**, son potentiel d'avantages économiques futurs pour l'entreprise est considérablement réduit ; l'entreprise pourrait donc s'en départir.

6. *Manuel de CPA Canada – Comptabilité – Partie I*, IAS 16, paragr. 56 (c).

L'économie nord-américaine misant de plus en plus sur l'avancement technologique, les facteurs d'ordre économique influent souvent sur la détermination de la durée d'utilité d'une immobilisation. Évidemment, la durée d'utilité ne peut excéder la durée de vie totale.

Pour bien estimer la durée d'utilité d'une immobilisation, on doit tenir compte de tous les facteurs pouvant la réduire. Outre les deux catégories dont il vient d'être question, il peut être pertinent d'examiner d'autres facteurs tels que les **facteurs juridiques** et **écologiques.** Ainsi, l'entreprise doit essayer de prévoir les actions des groupes écologistes visant à interdire un bien ou un procédé de production jugé nuisible à l'environnement. Elle doit aussi prévoir la probabilité de succès de ces actions, ce qui est très difficile, car cette probabilité peut reposer sur des éléments hors de son contrôle, tels que des décisions politiques. L'entreprise doit de plus tenir compte du programme d'entretien qu'elle adoptera, car des travaux d'entretien complets effectués à intervalles réguliers pourront parfois lui permettre de prolonger la durée d'utilité d'une immobilisation.

Les terrains ont généralement une durée d'utilité illimitée et ne sont donc pas amortis. Cette règle souffre parfois d'exception. Par exemple, si le coût du terrain englobe des frais de démantèlement d'installations ou de remise en état des lieux, cette composante doit être amortie sur la durée des avantages obtenus en engageant ces coûts. Comme nous l'avons expliqué au chapitre 8, l'entreprise doit comptabiliser ces coûts à titre de composante distincte du coût du terrain afin de pouvoir amortir adéquatement cette composante au cours des exercices subséquents.

Tous ces éléments rendent difficile l'estimation de la durée d'utilité d'une immobilisation. Qui aurait pu, il y a 30 ans, prévoir les campagnes de boycottage contre certains produits polluants ? C'est pourquoi les estimations relatives à la période d'amortissement requièrent à la fois une bonne connaissance du secteur d'activité, une grande expérience et beaucoup de jugement. Plus les estimations portent sur une longue période, plus elles deviennent incertaines.

L'estimation du montant amortissable

Différence NCECF

Lorsqu'une entreprise utilise le **modèle du coût**, le coût qu'elle supporte pour utiliser une immobilisation ne correspond pas toujours au coût total dont nous avons traité au chapitre 8. En effet, l'aliénation du bien au terme de sa durée d'utilité permettra probablement à l'entreprise d'en tirer une certaine valeur, appelée **valeur résiduelle**. Le coût supporté par l'entreprise, que l'on nomme **montant amortissable**, correspond au coût total diminué de la valeur résiduelle.

L'IASB précise la façon d'estimer cette dernière :

> La *valeur résiduelle* d'un actif est le montant estimé qu'une entité obtiendrait actuellement de la sortie de l'actif, après déduction des coûts de sortie estimés, si l'actif avait déjà l'âge et se trouvait déjà dans l'état prévu à la fin de sa durée d'utilité[7].

Dans la pratique, la valeur résiduelle est souvent mineure ou nulle et, en vertu de l'importance relative, il est alors acceptable de ne pas en tenir compte. En de rares cas, il est possible que la valeur résiduelle augmente pendant la période de détention de l'immobilisation corporelle au point de dépasser la valeur comptable. Dans ces circonstances, le montant amortissable est nul et l'entreprise cesse d'amortir le bien jusqu'à ce que la valeur résiduelle redescende sous la valeur comptable.

EXEMPLE

Montant amortissable avec le modèle du coût

La société Tom Bit ltée achète un ordinateur au coût de 5 000 $ le 2 janvier 20X1. Elle prévoit utiliser cet ordinateur pendant trois ans. À la date de l'achat, des ordinateurs semblables, âgés de 3 ans, se vendent 2 000 $. Si nous émettons l'hypothèse que Tom Bit ltée utilisera l'ordinateur de façon uniforme au fil des ans, elle calculera ainsi la charge annuelle d'amortissement :

Coût	*5 000 $*
Valeur résiduelle	*(2 000)*
Montant amortissable	*3 000*
Durée d'utilité	*÷ 3 ans*
Charge annuelle (de 20X1 à 20X3)	*1 000 $*

7. *Manuel de CPA Canada – Comptabilité – Partie I*, IAS 16, paragr. 6.

Lorsqu'une entreprise utilise plutôt le **modèle de la réévaluation**, le **montant amortissable** est la valeur comptable réévaluée (le coût ou tout autre montant substitué au coût, minoré de l'amortissement cumulé) diminuée de la valeur résiduelle. On comptabilise le montant amortissable en résultat net à mesure que l'entreprise utilise l'immobilisation. Évidemment, les variations de valeur comptabilisées au compte de l'immobilisation en cause ont pour effet de modifier la charge d'amortissement annuelle des exercices subséquents. En d'autres termes, chaque fois que l'entreprise réévalue une immobilisation, elle effectuera une révision d'estimation de la charge d'amortissement[8].

EXEMPLE

Montant amortissable avec le modèle de la réévaluation

Reprenons l'exemple de Tom Bit ltée, en tenant maintenant pour acquis que l'entreprise a réévalué la juste valeur de l'ordinateur à 4 200 $ le 31 décembre 20X1.

À cette date, Tom Bit ltée calcule d'abord la charge d'amortissement de 20X1, sans tenir compte de la réévaluation, car l'amortissement calculé le 31 décembre se rattache à la charge de l'exercice 20X1, pendant lequel l'immobilisation n'avait pas encore fait l'objet de la réévaluation. Le détail du calcul est le même que si l'entreprise utilisait le modèle du coût, soit une charge d'amortissement de 1 000 $ en 20X1. Ensuite, elle comptabilise la réévaluation. Pour simplifier, disons que l'entreprise utilise la méthode de l'ajustement net. Elle porte donc le solde du compte Amortissement cumulé – Ordinateur (1 000 $) au crédit du compte Ordinateur, laissant le solde de ce compte à 4 000 $. Puis, elle comptabilise l'augmentation de valeur de 200 $ au débit du compte Ordinateur[9]. Toujours pour simplifier, nous tenons pour acquis que la réévaluation ne change pas l'estimation de la durée d'utilité ni la valeur résiduelle. À la fin de l'exercice subséquent, Tom Bit ltée calcule ainsi la charge d'amortissement :

Solde du compte Ordinateur	*4 200 $*
Valeur résiduelle	*(2 000)*
Montant amortissable	*2 200*
Durée d'utilité restante	*÷ 2 ans*
Charge annuelle (20X2 et 20X3)	*1 100 $*

9

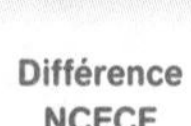

Différence NCECF

Le choix d'un mode d'amortissement

Les modes d'amortissement sont des outils permettant de répartir de façon systématique le montant amortissable d'une immobilisation sur les exercices au cours desquels l'entreprise détient cette immobilisation. N'oublions pas que l'objectif de la comptabilisation d'une charge d'amortissement en résultat net est de refléter l'amoindrissement du potentiel de service d'une immobilisation. De ce fait, l'amortissement d'une immobilisation commence dès que l'immobilisation amortissable est prête à être utilisée, c'est-à-dire dès qu'elle se trouve à l'endroit et dans l'état nécessaires pour être exploitée de la manière prévue par la direction. Il cesse à la première des deux dates suivantes :

1. L'immobilisation est classée à titre d'actif non courant détenu en vue de la vente ;
2. L'immobilisation est décomptabilisée.

Cette règle a pour conséquence que si l'entreprise cesse temporairement d'utiliser une immobilisation, elle ne doit pas cesser de l'amortir.

Les avantages économiques découlant de l'utilisation d'une immobilisation ne surviennent pas toujours au même rythme. En outre, ces avantages peuvent :

- être constants dans le temps, comme le sont les avantages économiques liés à la possession d'un immeuble ;
- diminuer avec le temps, comme le font les avantages économiques découlant de l'utilisation de matériel roulant ;
- se comporter de façon erratique d'un exercice à l'autre, comme le font les avantages économiques découlant de l'utilisation irrégulière d'une machine.

8. Les révisions d'estimation seront expliquées plus en détail dans la division **L'effet des révisions d'estimations**.
9. Comme nous l'avons déjà expliqué, le crédit correspondant est porté au compte Écart de réévaluation – Ordinateur (AERG).

Dans chacune de ces trois situations, l'entreprise choisit un mode d'amortissement approprié. Dans le tableau 9.2, nous énumérons et commentons brièvement les modes d'amortissement généralement reconnus dont il sera question dans les pages qui suivent. Soulignons qu'il n'est pas nécessaire que l'entreprise détermine le montant des avantages économiques futurs. Elle doit plutôt s'intéresser à la distribution des avantages dans le temps (stables, décroissants ou erratiques).

TABLEAU 9.2 Les modes d'amortissement

Modes d'amortissement	Commentaires
• Mode d'amortissement linéaire	Ce mode donne une charge d'amortissement constante sur toute la période d'amortissement.
• Mode d'amortissement dégressif à taux constant • Mode d'amortissement dégressif à taux double	Ces modes donnent une charge d'amortissement décroissante au cours de la période d'amortissement. Ils conviennent lorsque l'efficacité de fonctionnement s'amoindrit avec le temps.
• Mode d'amortissement fondé sur les unités de production	Ce mode donne une charge erratique au cours de la période d'amortissement. Il convient particulièrement lorsque le potentiel de service de l'immobilisation s'amoindrit en fonction de l'utilisation.

9

En matière de comptabilisation de l'amortissement, l'IASB fait la recommandation suivante, qui s'applique à tous les modes que nous venons d'énumérer : « Le montant amortissable d'un actif doit être réparti systématiquement sur sa durée d'utilité[10]. »

On considère que l'amortissement est calculé d'une manière systématique lorsque l'entreprise a recours à un mode d'amortissement généralement reconnu et que le montant de l'amortissement n'est pas déterminé en fonction du montant de résultat net de l'exercice.

Il importe de bien estimer la durée d'utilité et le montant amortissable, et de bien choisir le mode d'amortissement, car tous ces éléments influent sur la charge d'amortissement et, par conséquent, sur le résultat net de l'exercice. De même, ces estimations se répercutent sur la valeur de plusieurs ratios financiers.

Une analyse du fonctionnement des modes d'amortissement généralement reconnus

Différence NCECF

Dans les pages qui suivent, nous analyserons en détail le fonctionnement de quatre modes d'amortissement généralement reconnus. Dans un premier temps, nous tiendrons pour acquis que l'entreprise a retenu le modèle du coût pour déterminer la valeur comptable de ses immobilisations corporelles.

Le mode d'amortissement linéaire

Une entreprise utilise le **mode d'amortissement linéaire** lorsque les avantages économiques découlant de l'utilisation d'une immobilisation sont constants d'un exercice à l'autre. C'est habituellement le cas lorsque des facteurs d'ordre économique limitent la durée de l'amortissement. Ce mode consiste tout simplement à diviser le montant amortissable par la période d'amortissement.

EXEMPLE

Amortissement linéaire

Le 1er janvier 20X1, la société Excroissance ltée a acquis une machine au coût de 25 000 $. Elle prévoit que les progrès technologiques rendront cette machine désuète dans trois ans. La société estime aussi que la valeur résiduelle s'élève à 1 000 $. Voici le calcul de la charge d'amortissement du premier exercice financier :

Montant amortissable	=	Coût – Valeur résiduelle
	=	25 000 $ – 1 000 $
	=	24 000 $

10. *Manuel de CPA Canada – Comptabilité – Partie I*, IAS 16, paragr. 50.

Charge relative au premier exercice	=	*Montant amortissable ÷ Durée d'utilité*
	=	24 000 $ ÷ 3 ans
	=	8 000 $

Excroissance ltée comptabilisera cette charge d'amortissement de 8 000 $ en résultat net de chaque exercice pendant 3 ans.

En imputant une charge constante à chaque exercice, le taux de rendement calculé sur la valeur comptable de l'immobilisation augmente généralement au cours des exercices subséquents. En effet, toutes choses étant par ailleurs égales, le montant de résultat net sera stable, alors que la valeur comptable de l'immobilisation diminuera. Un taux de rendement qui augmente à mesure que l'immobilisation vieillit est quelque peu étonnant ; on s'attend plutôt au contraire. C'est pourquoi le mode d'amortissement linéaire, bien qu'il soit très simple à appliquer, ne convient pas à toutes les immobilisations.

Le mode d'amortissement dégressif à taux constant

Le **mode d'amortissement dégressif à taux constant** donne une charge d'amortissement décroissante au cours de la période d'amortissement. Ce mode consiste à appliquer un taux d'amortissement à la valeur comptable de l'immobilisation du début de l'exercice. Le lecteur remarquera que l'on n'applique pas ce taux au montant amortissable, mais bien à la valeur comptable. On calcule ce taux d'amortissement à l'aide de la formule suivante :

9

$$1 - \sqrt[N]{\frac{\text{Valeur résiduelle}}{\text{Coût}}}$$

où N = période d'amortissement, soit la durée d'utilité

Annexe 9.1W

Le lecteur trouvera une démonstration de cette formule dans l'annexe 9.1W disponible dans la plateforme *i+ Interactif*.

Une valeur résiduelle nulle pose un problème de calcul. En effet, diviser un montant nul par un autre montant donne l'infini. Pour contourner cette difficulté, on attribue une valeur symbolique, disons 1 $, à toute valeur résiduelle nulle.

EXEMPLE

Amortissement dégressif à taux constant

Reprenons l'exemple de la société Excroissance ltée et calculons la charge d'amortissement relative à chacun des trois exercices au cours desquels l'entreprise utilise la machine.

Taux d'amortissement	=	$1 - \sqrt[3]{\frac{1\,000\ \$}{25\,000\ \$}}$
	=	0,658
Charge relative au premier exercice	=	*Valeur comptable du début × Taux d'amortissement*
	=	25 000 $ × 0,658
	=	16 450 $

Pour calculer la charge de l'exercice suivant, l'entreprise applique le taux d'amortissement de 0,658 à la valeur comptable de 8 550 $ (25 000 $ – 16 450 $), ce qui donne 5 626 $. La charge relative au troisième exercice représente également 0,658 de la valeur comptable de 2 924 $ (8 550 $ – 5 626 $). Elle s'établit donc à 1 924 $. À moins que l'entreprise ne fasse des révisions d'estimations, elle utilisera le même taux pendant toute la durée d'utilité de l'immobilisation.

Le mode d'amortissement dégressif à taux double

Le **mode d'amortissement dégressif à taux double**, tout comme celui que nous venons de voir, consiste à appliquer un taux d'amortissement constant à la valeur comptable de l'immobilisation du début de l'exercice. Comparativement au mode précédent, le calcul du taux d'amortissement est beaucoup plus simple. Il suffit de prendre le double du taux d'amortissement annuel utilisé selon le mode d'amortissement linéaire.

EXEMPLE

Amortissement dégressif à taux double

Reprenons l'exemple d'Excroissance ltée :

Taux d'amortissement = *Selon le mode d'amortissement linéaire*
100 % ÷ 3 ans = 33,3 %
Selon le mode d'amortissement dégressif à taux double
33,3 % × 2 = 67 %[11]

Charge relative au premier exercice = *Valeur comptable du début × Taux d'amortissement*
= 25 000 $ × 67 %
= 16 750 $

La charge d'amortissement relative au deuxième exercice s'élève à 5 528 $ et est déterminée à l'aide du même pourcentage, soit 67 %, ce qui conduit à une valeur comptable de 2 722 $ (25 000 $ – 16 750 $ – 5 528 $). La charge d'amortissement relative au troisième exercice, trouvée à partir du même pourcentage, soit 1 824 $, conduirait à la valeur comptable de 898 $. Cependant, lorsque la durée d'utilité achève, le comptable doit prendre soin de comparer la nouvelle valeur comptable avec la valeur résiduelle. Celle-ci est estimée à 1 000 $, ce qui implique que la valeur comptable ne doit pas descendre en dessous de ce 1 000 $. C'est pourquoi on soustrait de 1 824 $ la différence entre la valeur résiduelle de 1 000 $ et le montant de 898 $ pour déterminer la charge de 1 722 $ (2 722 $ – 1 000 $).

Le mode d'amortissement fondé sur les unités de production

Avec le **mode d'amortissement fondé sur les unités de production**, l'entreprise établit le montant d'amortissement qu'elle comptabilisera en résultat net à partir du degré d'utilisation de l'immobilisation ou de son rendement. Le mode d'amortissement fondé sur les unités de production est fréquemment utilisé dans le secteur des ressources naturelles. Il consiste à calculer l'amortissement en fonction du nombre d'unités d'extrants (unités de production[12]) ou d'unités d'intrants utilisées (heures de main-d'œuvre, par exemple) ayant caractérisé l'exercice par rapport au nombre total d'unités d'extrants ou d'intrants attendues pour la période d'amortissement. Ce calcul se fait à l'aide de la formule suivante :

$$\frac{\text{Nombre réel d'unités d'extrants ou d'intrants de l'exercice}}{\text{Nombre attendu d'unités d'extrants ou d'intrants pour la période d'amortissement}} \times \text{Montant amortissable}$$

On remarquera que le numérateur du ratio correspond à un nombre réel, alors que le dénominateur représente un nombre attendu. L'estimation de ce dénominateur constitue la principale difficulté d'application de ce mode. De plus, comme la réalité diffère généralement de ce qui était attendu, l'entreprise doit constamment réévaluer le dénominateur de la fraction afin d'obtenir une charge d'amortissement fidèle.

11. Il est acceptable d'arrondir le taux d'amortissement à l'entier le plus près, car la charge d'amortissement n'est qu'une estimation.
12. Les entreprises minières utilisent les quantités de minerai brut ou de minerai purifié qu'elles prévoient extraire comme base de mesure des extrants.

Selon l'édition 2007 du *Financial Reporting in Canada*, 11 des 109 entreprises analysées avaient utilisé le mode d'amortissement fondé sur les unités de production en 2006, soit un peu plus de 10 %[13]. Cinq de ces entreprises évoluaient dans le secteur de l'énergie et six, dans le secteur industriel.

EXEMPLE

Amortissement fondé sur les unités de production

Reprenons l'exemple d'Excroissance ltée, qu'accompagnent d'autres renseignements :

	Nombre estimatif d'heures d'utilisation	
	Annuel	*Cumulatif*
20X1	*8 000*	*8 000*
20X2	*6 000*	*14 000*
20X3	*3 000*	*17 000*

Charge relative au premier exercice :

8 000 h ÷ 17 000 h × (25 000 $ – 1 000 $) = 11 294 $

Les amortissements des deux exercices suivants seront respectivement de 8 471 $ (6 000 h ÷ 17 000 h × 24 000 $) et de 4 235 $ (3 000 h ÷ 17 000 h × 24 000 $).

Dans le tableau 9.3, nous comparons les postes des états financiers afférents aux immobilisations selon les modes d'amortissement illustrés au moyen de l'exemple de la société Excroissance ltée.

Afin de faciliter les comparaisons, supposons que les bénéfices annuels de la société avant amortissement sont les suivants :

20X1	*12 000 $*
20X2	*6 000*
20X3	*10 000*

TABLEAU 9.3 Une comparaison des postes présentés dans les états financiers selon quatre modes d'amortissement

Date	Coût	Amortissement cumulé	Valeur comptable	Bénéfice avant impôts et amortissement	Amortissement	Bénéfice (Perte) avant impôts
Mode d'amortissement linéaire						
20X1-12-31	25 000 $	8 000 $	17 000 $	12 000 $	8 000 $	4 000 $
20X2-12-31	25 000	16 000	9 000	6 000	8 000	(2 000)
20X3-12-31	25 000	24 000	1 000	10 000	8 000	2 000
Mode d'amortissement dégressif à taux constant						
20X1-12-31	25 000 $	16 450 $	8 550 $	12 000 $	16 450 $	(4 450) $
20X2-12-31	25 000	22 076	2 924	6 000	5 626 ①	374
20X3-12-31	25 000	24 000	1 000 ②	10 000	1 924 ③	8 076
Mode d'amortissement dégressif à taux double						
20X1-12-31	25 000 $	16 750 $	8 250 $	12 000 $	16 750 $	(4 750) $
20X2-12-31	25 000	22 278	2 722	6 000	5 528 ④	472
20X3-12-31	25 000	24 000	1 000 ②	10 000	1 722 ⑤	8 278

13. Institut Canadien des Comptables Agréés, *Financial Reporting in Canada – 2007*, Toronto, 2007, p. 328. (Au moment de rédiger la 7e édition du présent ouvrage, aucun ouvrage canadien n'avait encore répertorié les pratiques suivies par les entreprises canadiennes ayant adopté les IFRS. C'est pourquoi nous faisons référence à l'inventaire des pratiques réalisé en 2007, même s'il est basé sur les anciennes normes canadiennes. Les constatations faites à propos du mode d'amortissement sont sans doute encore pertinentes, car les IFRS sont identiques aux anciennes normes à cet égard.)

TABLEAU 9.3 *(suite)*

Date	Coût	Amortissement cumulé	Valeur comptable	Bénéfice avant impôts et amortissement	Amortissement	Bénéfice (Perte) avant impôts
Mode d'amortissement fondé sur les unités de production						
20X1-12-31	25 000 $	11 294 $	13 706 $	12 000 $	11 294 $	706 $
20X2-12-31	25 000	19 765	5 235	6 000	8 471 ⑥	(2 471)
20X3-12-31	25 000	24 000	1 000 ②	10 000	4 235 ⑦	5 765

Calculs et explications :

① (8 550 $ × 0,658)
② La valeur comptable au 31 décembre 20X3 correspond à la valeur résiduelle, car l'amortissement a été calculé en fonction de la durée d'utilité de trois ans.
③ (2 924 $ × 0,658)
④ (8 250 $ × 67 %)
⑤ Le moins élevé de 1 824 $ (2 722 $ × 67 %) et de 1 722 $ (25 000 $ – 22 278 $ – 1 000 $)
⑥ [(6 000 h ÷ 17 000 h) × 24 000 $]
⑦ [(3 000 h ÷ 17 000 h) × 24 000 $]

9

Le tableau 9.4 montre l'incidence des modes d'amortissement sur trois ratios, compte tenu des renseignements complémentaires suivants :

	20X3	*20X2*	*20X1*
Dette	*80 000 $*	*80 000 $*	*80 000 $*
Total de l'actif, excluant les immobilisations amortissables	*150 000*	*150 000*	*150 000*
Chiffre d'affaires	*120 000*	*120 000*	*120 000*

TABLEAU 9.4 L'incidence des modes d'amortissement sur trois ratios

Ratios*	Mode d'amortissement linéaire		Mode d'amortissement dégressif à taux constant		Mode d'amortissement dégressif à taux double		Mode d'amortissement fondé sur les unités de production	
Ratio d'endettement								
Dette / Actif total								
20X1	80 000 / 167 000	0,479	80 000 / 158 550	0,505	80 000 / 158 250	0,506	80 000 / 163 706	0,489
20X2	80 000 / 159 000	0,503	80 000 / 152 924	0,523	80 000 / 152 722	0,524	80 000 / 155 235	0,515
20X3	80 000 / 151 000	0,530	80 000 / 151 000	0,530	80 000 / 151 000	0,530	80 000 / 151 000	0,530
Rendement, avant impôts, de l'actif total								
Résultat avant impôts / Actif total								
20X1	4 000 / 167 000	0,024	–4 450 / 158 550	–0,028	–4 750 / 158 250	–0,030	706 / 163 706	0,004
20X2	–2 000 / 159 000	–0,013	374 / 152 924	0,002	472 / 152 722	0,003	–2 471 / 155 235	–0,016
20X3	2 000 / 151 000	0,013	8 076 / 151 000	0,053	8 278 / 151 000	0,055	5 765 / 151 000	0,038

TABLEAU 9.4 ***(suite)***

Ratios*	Mode d'amortissement linéaire		Mode d'amortissement dégressif à taux constant		Mode d'amortissement dégressif à taux double		Mode d'amortissement fondé sur les unités de production	
Rotation de l'actif total								
Chiffre d'affaires / Actif total								
20X1	120 000 / 167 000	0,719	120 000 / 158 550	0,757	120 000 / 158 250	0,758	120 000 / 163 706	0,733
20X2	120 000 / 159 000	0,755	120 000 / 152 924	0,785	120 000 / 152 722	0,786	120 000 / 155 235	0,773
20X3	120 000 / 151 000	0,795	120 000 / 151 000	0,795	120 000 / 151 000	0,795	120 000 / 151 000	0,795

* Les ratios présentés dans ce tableau sont ceux expliqués dans *L'utilisation des ratios et des graphiques dans le cadre de l'information financière*, Rapport de recherche, Toronto, Institut Canadien des Comptables Agréés, 1993, 246 p.

Avez-vous remarqué ?

L'application des divers modes d'amortissement ne requiert pas beaucoup de jugement, car il s'agit d'appliquer une formule précise. C'est plutôt le choix d'un mode d'amortissement qui requiert du jugement professionnel, tout comme l'estimation de la durée d'utilité et de la valeur résiduelle. Aussi, les utilisateurs des états financiers ne doivent jamais oublier que le montant de la charge d'amortissement n'est pas totalement certain, car il repose sur plusieurs hypothèses.

Ceci met fin à la présentation des modes d'amortissement les plus couramment utilisés, en tenant pour acquis qu'Excroissance ltée utilisait le modèle du coût. Voyons maintenant ce qui changerait si l'entreprise utilisait le modèle de la réévaluation. Le 31 décembre 20X1, Excroissance ltée estime que la juste valeur de la machine, dans son état actuel, s'élève à 10 000 $.

Comme nous l'avons déjà mentionné, la réévaluation en fin d'exercice ne change pas la charge d'amortissement de 20X1, calculée aux pages 9.18 à 9.21. Le tableau 9.5 montre les ajustements du solde du compte Machine au 31 décembre 20X1 ainsi que le calcul de la charge d'amortissement de l'exercice subséquent terminé le 31 décembre 20X2. À cette fin, nous posons les hypothèses que la réévaluation ne change pas l'estimation de la valeur résiduelle ni de la durée d'utilité et qu'Excroissance ltée utilise la méthode de l'ajustement net.

Il ressort de ces calculs que la réévaluation d'une immobilisation modifie le montant amortissable. En effet, ce dernier ne correspond plus au coût diminué de la valeur résiduelle, mais plutôt au solde du compte de l'immobilisation, aussi appelé **substitut du coût**, diminué de la valeur résiduelle. De plus, le montant amortissable est réparti sur la durée d'utilité restante.

Comme nous l'avons déjà mentionné, la société devra adopter le mode d'amortissement qui reflète l'amoindrissement du potentiel de service. Ce choix est difficile à faire en raison des nombreuses estimations que l'entreprise doit effectuer. Ces estimations étant plutôt subjectives, les entreprises sont conscientes de la part d'arbitraire de la charge d'amortissement. Par conséquent, elles optent souvent pour le mode d'amortissement le plus simple, c'est-à-dire le mode d'amortissement linéaire.

Différence NCECF

L'édition 2007 du *Financial Reporting in Canada* confirmait que, parmi les 109 entreprises recensées qui n'utilisaient qu'un seul mode d'amortissement pour l'ensemble de leurs immobilisations, 87 % employaient le mode d'amortissement linéaire. Parmi les 82 entreprises qui utilisaient plus d'un mode, 51 % combinaient les modes d'amortissement linéaire et fondé sur les unités de production, alors que 39 % combinaient les modes d'amortissement linéaire et dégressif[14].

14. Institut Canadien des Comptables Agréés, *Financial Reporting in Canada – 2007*, Toronto, 2007, p. 328-329. *(Voir la précision donnée à la note 13.)*

TABLEAU 9.5 La charge d'amortissement de l'exercice terminé le 31 décembre 20X2 – Excroissance ltée utilise le modèle de la réévaluation

	Mode d'amortissement linéaire	Mode d'amortissement dégressif à taux constant	Mode d'amortissement dégressif à taux double	Mode d'amortissement fondé sur les unités de production
31 décembre 20X1				
Solde du compte Machine, avant réévaluation ①	25 000 $	25 000 $	25 000 $	25 000 $
Amortissement cumulé porté au crédit du compte Machine ①	(8 000)	(16 450)	(16 750)	(11 294)
Total partiel ①	17 000	8 550	8 250	13 706
Réévaluation	(7 000)	1 450	1 750	(3 706)
Solde du compte Machine, après réévaluation	10 000 $	10 000 $	10 000 $	10 000 $
Amortissement de 20X2	4 500 $ ②	6 840 $ ③	9 000 $ ④	6 000 $ ⑤

Calculs et explications :

① Ces montants sont détaillés aux pages 9.18 à 9.21.

②

Montant amortissable	10 000 $
Valeur résiduelle	(1 000)
Montant amortissable	9 000
Durée d'utilité restante	÷ 2 ans
Charge d'amortissement	4 500 $

③ Taux d'amortissement

$1-\sqrt[n]{\text{Valeur résiduelle/Coût}}$ *

$1-\sqrt[2]{1\,000\ \$/10\,000\ \$}$ = 0,684

Solde du compte Machine	10 000 $
Taux d'amortissement	× 0,684
Charge d'amortissement	6 840 $

④

Solde du compte Machine	10 000 $
Taux d'amortissement**	× 1,000
Charge d'amortissement	10 000
Valeur résiduelle	(1 000)
Charge d'amortissement maximale	9 000 $

Dans ce contexte, le mode d'amortissement dégressif à taux double ne donne pas une charge appropriée. Le montant amortissable serait en effet comptabilisé en entier dans les charges de 20X2, même si Excroissance ltée prévoit utiliser la machine en 20X3.

⑤

Montant amortissable	9 000 $
Heures d'utilisation/Heures totales attendues (en milliers)	× 6/9
Charge d'amortissement	6 000 $

* On notera que *n* représente la durée d'utilité restante et que, au dénominateur du radical, le coût a été remplacé par le solde du compte Machine après réévaluation (le substitut du coût).

** 100 % ÷ 2 ans = 50 %

50 % × 2 = 100 %

Quelques problèmes liés au calcul de l'amortissement

Après avoir traité des estimations qu'une entreprise doit effectuer et des divers modes d'amortissement qui servent à calculer la charge annuelle, nous examinerons, dans la présente sous-section, quelques situations particulières, soit l'amortissement pour une fraction d'exercice, l'effet des révisions d'estimations, l'amortissement des subventions publiques, l'amortissement des améliorations locatives et, finalement, l'amortissement fiscal.

L'amortissement pour une fraction d'exercice

Afin de simplifier les exemples présentés dans la sous-section **Une analyse du fonctionnement des modes d'amortissement généralement reconnus**, la date d'acquisition des immobilisations correspondait toujours au premier jour de l'exercice financier. Évidemment, tel n'est que rarement le cas en pratique, car les acquisitions se font tout au long de l'exercice financier. Lorsqu'une entreprise détient des immobilisations pendant une seule partie de son exercice financier, on ne comptabilise qu'une fraction de la charge annuelle d'amortissement, comme le montre la figure 9.5.

FIGURE 9.5 L'amortissement pour une fraction d'exercice

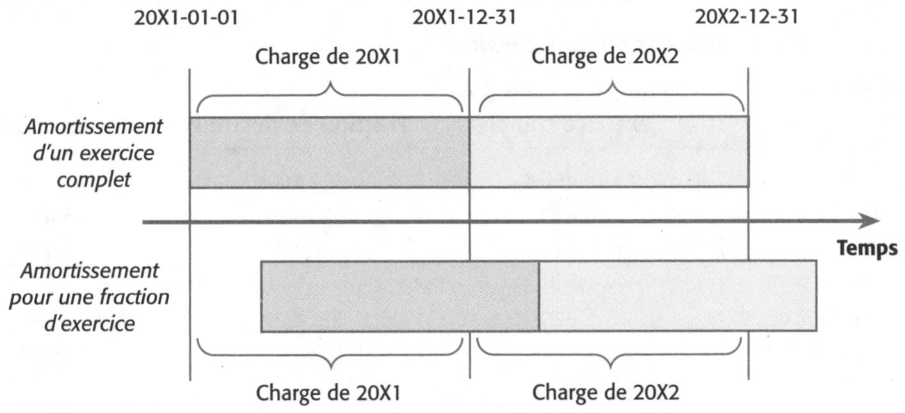

Si l'entreprise utilise le **mode d'amortissement linéaire**, on doit en principe appliquer à la charge annuelle une fraction représentant le nombre de jours de détention de l'immobilisation sur le nombre total de jours de l'exercice financier. En règle générale, une telle précision n'est cependant pas requise, d'autant plus que la charge d'amortissement d'un exercice complet repose elle-même sur des estimations. C'est pourquoi la fraction utilisée est souvent basée sur le nombre de mois plutôt que sur le nombre de jours :

$$\text{Charge annuelle} \times \frac{\text{Nombre de mois de détention}}{12}$$

Lorsque l'entreprise utilise le **mode d'amortissement dégressif à taux constant**, elle peut se servir de la formule précédente durant le premier exercice. Au cours des exercices suivants, elle calcule la charge annuelle en deux temps :

$$\left(\begin{array}{c}\text{Excédent de}\\ \text{la charge annuelle}\\ \text{de l'exercice précédent}\end{array} - \begin{array}{c}\text{Charge}\\ \text{calculée pour}\\ \text{la fraction d'exercice}\end{array}\right) + \left(\begin{array}{c}\text{Charge}\\ \text{annuelle du}\\ \text{deuxième exercice}\end{array} \times \begin{array}{c}\text{Fraction}\\ \text{de détention}\end{array}\right)$$

On peut calculer la charge d'amortissement plus rapidement en appliquant la première partie de la formule dans l'exercice de l'acquisition. Au cours des exercices suivants, il ne reste alors qu'à appliquer le taux d'amortissement à la valeur comptable de l'immobilisation au début de l'exercice.

9

EXEMPLE

Amortissement pour une fraction d'exercice selon divers modes d'amortissement

Reprenons les exemples de la société Excroissance ltée présentés aux pages 9.18 à 9.21, en supposant cette fois que la société a acheté la machine le 1er mai 20X1 plutôt que le 1er janvier 20X1. La durée d'utilité est la même, c'est-à-dire trois ans. Voici une synthèse des charges d'amortissement annuelles des exercices terminés les 31 décembre 20X1 à 20X4 selon trois modes d'amortissement couramment utilisés.

Mode d'amortissement linéaire

Exercice	Amortissement d'un exercice complet	Fraction de détention	Charge annuelle
20X1	8 000 $	8/12	5 333 $
20X2	8 000	12/12	8 000
20X3	8 000	12/12	8 000
20X4	8 000	4/12	2 667
Total			24 000 $

Mode d'amortissement dégressif à taux constant

Calcul détaillé Exercice		Amortissement d'un exercice complet	Fraction de détention	Charge annuelle
20X1		16 450 $	8/12	10 967 $
20X2	(Excédent de 20X1)	16 450	4/12	5 483
	(Fraction de 20X2)	5 626	8/12	3 751
				9 234
20X3	(Excédent de 20X2)	5 626	4/12	1 875
	(Fraction de 20X3)	1 924	8/12	1 283
				3 158
20X4	(Excédent de 20X3)	1 924	4/12	641
Total				24 000 $

Calcul simplifié Exercice	Valeur comptable au début	Taux d'amortissement	Fraction de détention	Charge annuelle
20X1	25 000 $	0,658*	8/12	10 967 $
20X2	14 033	0,658	12/12	9 234
20X3	4 799	0,658	12/12	3 158
20X4	1 641	0,658	4/12	360
Total				23 719 $**

Mode d'amortissement dégressif à taux double

Exercice	Valeur comptable au début	Taux d'amortissement	Fraction de détention	Charge annuelle
20X1	25 000 $	0,67***	8/12	11 167 $
20X2	13 833	0,67	12/12	9 268
20X3	4 565	0,67	12/12	3 059
20X4	1 506	0,67	4/12	336
Total				23 380 $**

* Taux calculé à la page 9.19.

** Le calcul simplifié avec le mode d'amortissement dégressif à taux constant et celui avec le mode d'amortissement dégressif à taux double donnent une charge totale de 20X1 à 20X4 légèrement différente du montant amortissable de 24 000 $. De ce fait, le profit que l'entreprise comptabilisera lors de la cession sera légèrement supérieur (ou la perte inférieure).

*** Taux calculé à la page 9.20.

Dans certains cas, il peut être acceptable de ne pas suivre la démarche expliquée ci-dessus, notamment lorsque les montants en cause sont faibles ou lorsque l'entreprise acquiert et aliène des immobilisations à chaque exercice. L'entreprise peut alors comptabiliser une charge d'amortissement complète en résultat net de l'exercice de l'acquisition (ou de l'aliénation) et ne comptabiliser aucune charge en résultat net de l'exercice de l'aliénation (ou de l'acquisition).

Finalement, si l'entreprise utilise le **mode d'amortissement fondé sur les unités de production,** la charge d'amortissement est calculée en fonction d'extrants ou d'intrants, ce qui donne automatiquement le montant correspondant à une fraction d'exercice.

L'effet des révisions d'estimations

Différence NCECF

Nous avons abordé plus tôt les décisions qu'une entreprise doit prendre avant de pouvoir calculer la charge d'amortissement. Ces décisions, rappelons-le, portent sur la durée d'utilité de l'immobilisation, le montant amortissable, ainsi que sur le mode d'amortissement qui convient le mieux à l'entreprise. Lorsque l'entreprise acquiert une immobilisation, le comptable fait ces estimations en s'appuyant sur toutes les informations disponibles à cette date. Pendant la période de détention de l'immobilisation, il se peut que de **nouvelles informations** indiquent le besoin de procéder à des **révisions d'estimations**. Ces révisions sont faites dans le but de déterminer une charge d'amortissement qui reflète le mieux possible la portion du coût initial du potentiel de service de l'immobilisation amortissable qui est consommé périodiquement. Voici quelques faits à la suite desquels il peut être nécessaire de modifier les estimations faites au moment de l'acquisition :

- La modification du degré d'utilisation de l'immobilisation ;
- La modification du mode d'utilisation de l'immobilisation ;
- La mise hors service de l'immobilisation avant la date prévue ;
- Les progrès technologiques plus rapides que ceux qui étaient attendus, ce qui a pour conséquence de réduire considérablement la durée d'utilité de l'immobilisation ;
- Les changements dans les goûts des consommateurs qui entraînent une réduction des avantages économiques futurs découlant de l'utilisation de l'immobilisation.

Le comptable doit tenir compte de ces nouvelles informations, comme l'indiquent les recommandations suivantes de l'IASB :

> La valeur résiduelle et la durée d'utilité d'un actif doivent être révisées au moins à chaque fin d'exercice et, si les attentes diffèrent par rapport aux estimations précédentes, les changements doivent être comptabilisés comme un changement d'estimation comptable selon IAS 8 *Méthodes comptables, changements d'estimations comptables et erreurs.*
>
> Le mode d'amortissement appliqué à un actif doit être examiné au moins à la fin de chaque exercice et, si le rythme attendu de consommation des avantages économiques futurs de l'actif a connu un changement important, le mode d'amortissement doit être modifié pour refléter le nouveau rythme. Ce changement doit être comptabilisé comme un changement d'estimation comptable selon IAS 8[15].

Lorsque l'on révise des estimations, c'est la valeur comptable à la date de la révision, diminuée de la valeur résiduelle, qui sera amortie sur la durée d'utilité restante. On ne modifie jamais les charges comptabilisées dans les exercices antérieurs. La raison en est qu'une révision d'estimation n'est pas une correction d'erreur. Elle résulte en effet de nouvelles informations qui sont devenues disponibles uniquement au moment de la révision.

EXEMPLE

Comptabilisation d'une révision d'estimation

La société Ré Vision ltée a acquis un équipement sophistiqué le 1er janvier 20X1 au coût de 26 000 $. À cette date, elle a décidé d'amortir cet équipement selon le mode d'amortissement linéaire. La société estimait alors qu'elle pourrait utiliser cet équipement pendant environ 10 ans et que la valeur résiduelle s'élevait à 6 000 $. L'entreprise utilise le modèle du coût pour évaluer ses équipements.

15. *Manuel de CPA Canada – Comptabilité – Partie I,* IAS 16, paragr. 51 et 61.

Par contre, le 31 décembre 20X4, le directeur de Ré Vision ltée constate pour la première fois que l'équipement devra être remplacé à la fin de l'exercice 20X5 en raison des derniers développements technologiques et de la croissance inattendue des affaires de la société. À cette date, il estime la valeur résiduelle à 12 000 $. L'estimation relative à la durée d'utilité ainsi que le mode d'amortissement qu'utilise Ré Vision ltée demeurera la même. L'entreprise calculera la charge d'amortissement révisée de l'exercice 20X4 de la façon suivante :

1. **Montant amortissable à la date d'acquisition (1er janvier 20X1)**

Coût de l'immobilisation	*26 000 $*	
Valeur résiduelle	*(6 000)*	
Montant amortissable	*20 000 $*	

2. **Amortissement annuel de 20X1 à 20X3 inclusivement**

(1/10 × 20 000 $)		*2 000 $*

3. **Valeur comptable au 31 décembre 20X3**

Coût de l'immobilisation	*26 000 $*	
Amortissement cumulé (2 000 $ × 3 ans)	*(6 000)*	
Valeur comptable	*20 000 $*	

4. **Révision à effectuer pour 20X4 et les années subséquentes**

Montant amortissable révisé		
Valeur comptable au 31 décembre 20X3	*20 000 $*	
Valeur résiduelle	*(12 000)*	
Montant amortissable	*8 000 $*	
Amortissement annuel de 20X4 et 20X5 (8 000 $ ÷ 2 ans ①)		*4 000 $*

Explication :

① La durée d'utilité restante est de deux ans, car le directeur prévoit remplacer l'équipement à la fin de 20X5.

On comptabilise ainsi la charge de 20X4 :

Amortissement – Équipements	*4 000*	
Amortissement cumulé – Équipements		*4 000*
Charge de l'exercice 20X4.		

De l'écriture précédente, le lecteur retiendra que les **révisions d'estimations modifient la charge d'amortissement de l'exercice en cours et des exercices subséquents.** Nous n'avons fait aucune correction du résultat net des exercices antérieurs, car les révisions d'estimations découlent de circonstances nouvelles qui n'existaient pas avant 20X4. Ce principe s'applique, qu'il s'agisse d'une révision du montant amortissable, de la durée d'utilité ou du choix d'un mode d'amortissement.

Différence NCECF

Dans de rares situations, il se peut que la valeur résiduelle révisée excède le coût. Rappelons que le montant amortissable est alors nul et que l'entreprise n'a pas à comptabiliser de charge d'amortissement tant que la valeur résiduelle excède le coût.

L'amortissement des subventions publiques

Au chapitre 8, nous avons traité de la comptabilisation des **subventions publiques** au moment où le gouvernement accorde une aide. Lorsque la subvention est liée à un actif, rappelons que l'entreprise bénéficiaire doit en porter le montant au crédit du compte de l'immobilisation en cause ou au crédit du compte Produit différé d'une subvention publique. Si l'entreprise porte le crédit au compte de l'immobilisation, le montant amortissable correspond au **montant net** inscrit à ce compte, réduit de la valeur résiduelle. Ce montant net représente le coût diminué de la subvention publique. Si l'entreprise porte plutôt le crédit au compte Produit différé d'une subvention publique, le montant amortissable correspond au **montant brut** inscrit au compte de l'immobilisation en cause, réduit de la valeur résiduelle. Pour assurer que le choix de la méthode de comptabilisation n'ait pas d'incidence sur le résultat net, le paragraphe 26 de l'**IAS 20**, intitulée « Comptabilisation des subventions publiques et informations à fournir sur l'aide publique », recommande de virer graduellement dans les produits le solde du compte Produit différé d'une subvention publique en suivant le même rythme que le virement relatif à l'imputation de l'amortissement (*voir les pages 8.27 et 8.28*).

L'amortissement des améliorations locatives

Comme nous l'avons vu au chapitre 8, une entreprise peut apporter des modifications aux immobilisations qu'elle loue à long terme. Pour amortir le coût de ces modifications, que l'entreprise comptabilise dans le compte **Améliorations locatives**, elle doit suivre la démarche décrite précédemment pour estimer le montant amortissable et la durée d'utilité ainsi que pour choisir un mode d'amortissement. Elle doit cependant tenir compte du fait que la **durée du bail** de l'immobilisation limite la durée d'utilité de ces modifications.

Cette particularité n'est toutefois pas sans exception puisque, afin de refléter fidèlement le coût lié à la détention des immobilisations, on doit tenir compte du fait que la durée d'utilité n'est pas toujours limitée par la durée du bail indiquée dans le contrat de location. On doit donc plutôt estimer la **durée économique probable** du bail. Par exemple, si une entreprise signe un bail de 10 ans avec une option de renouvellement à prix de faveur de 5 ans, la durée économique probable de ce bail est de 15 ans.

Avez-vous remarqué ?

L'objectif visé par l'amortissement est de refléter ce qu'il en coûte à l'entreprise d'avoir des immobilisations corporelles qu'elle utilise chaque année pendant un certain nombre d'années. Ce coût, qui influe sur la performance financière, se répercute aussi sur la valeur comptable des actifs, d'où l'importance accordée au processus d'amortissement.

9

L'amortissement fiscal

L'**amortissement fiscal**, qui porte aussi le nom de **déduction pour amortissement** dans les lois fiscales, diffère fréquemment de l'amortissement comptable. Cet écart s'explique par les objectifs différents poursuivis lors de l'élaboration des normes comptables et des lois fiscales. D'une part, les états financiers à usage général visent à présenter, outre la situation financière et les changements survenus dans celle-ci, le potentiel de profit de l'entreprise. Pour ce faire, l'état du résultat global doit montrer toutes les charges engagées par l'entreprise pour réaliser les produits comptabilisés au cours d'un exercice donné. D'autre part, le fisc vise les objectifs suivants :

- Utiliser l'amortissement comme outil de stimulation économique ;
- Permettre à l'entreprise de déduire rapidement les coûts d'utilisation d'un actif amortissable ;
- Permettre à l'entreprise de choisir la déduction requise chaque année, la seule contrainte étant un maximum déductible.

Une entreprise soucieuse de maximiser la valeur actualisée des réductions d'impôt auxquelles elle a droit déduira le montant d'amortissement fiscal nécessaire pour réduire au maximum le bénéfice imposable. Les grandes lignes du calcul de l'amortissement fiscal sont les suivantes :

1. Les immobilisations sont groupées par catégories en fonction de leur nature et évaluées selon le modèle du coût.
2. Lorsqu'il n'y a pas d'acquisition ni d'aliénation d'immobilisations au cours d'un exercice, l'amortissement fiscal maximal correspond habituellement à la fraction non amortie du coût en capital, soit le solde de la catégorie multiplié par le taux d'amortissement de la catégorie.
3. Lorsque des immobilisations ont été acquises au cours d'un exercice, l'amortissement fiscal maximal à l'égard des immobilisations acquises ne doit pas dépasser 50 % du coût multiplié par le taux d'amortissement de la catégorie à laquelle appartiennent les immobilisations. La date d'acquisition n'influe en rien sur ce calcul.
4. Les entreprises ne peuvent déduire aucune charge d'amortissement fiscal pour les immobilisations cédées au cours de l'exercice. En effet, la loi stipule qu'à la fin de l'exercice, elles doivent avoir en main les immobilisations pour lesquelles elles réclament une déduction pour amortissement fiscal.

Ce survol des grandes lignes de l'amortissement fiscal a pour objet de faire comprendre au lecteur que cet amortissement s'écarte généralement de l'amortissement comptable. Lorsque les entreprises réclament des déductions pour amortissement fiscal qui diffèrent de l'amortissement comptable, cela crée des actifs et des passifs d'impôt différé, notion qui sera expliquée au chapitre 18.

 Les dépréciations d'actifs

Différence NCECF

Dans les deux premières sections de la partie I – Les IFRS du présent chapitre, il a été question de l'évaluation subséquente des immobilisations corporelles et de la comptabilisation de l'amortissement. Dans cette troisième section, nous aborderons une autre situation rattachée à la détention des immobilisations, soit la comptabilisation des dépréciations de valeur des immobilisations.

Dans le « Cadre conceptuel de l'information financière » (le Cadre), l'IASB précise que tout actif a le potentiel de générer des avantages économiques futurs. On en déduit que si la valeur comptable d'un actif ne peut être totalement compensée par des avantages économiques futurs, on doit réduire la valeur comptable. Les utilisateurs des états financiers s'attendent à ce que les montants d'actifs présentés dans l'état de la situation financière correspondent, au minimum, à la valeur actualisée des avantages économiques futurs attendus de ces actifs.

Nous avons expliqué, au chapitre 7, que cette règle, appelée règle de la valeur minimale, s'applique aussi aux stocks. Nous verrons au chapitre 11 son application aux placements. Dans les pages qui suivent, nous présenterons certaines situations dans lesquelles il peut s'avérer nécessaire de comptabiliser une dépréciation sur des immobilisations corporelles.

Bien que nous abordions l'étude de l'**IAS 36**, intitulée « Dépréciation d'actifs », dans le cadre de la comptabilisation des immobilisations corporelles, les mêmes règles comptables s'appliquent aux immobilisations incorporelles dont la durée d'utilité est finie. Quant aux immobilisations incorporelles dont la durée d'utilité est indéterminée, nous détaillerons au chapitre 10 les règles d'application du test de dépréciation.

L'IAS 36 ne s'applique pas aux actifs suivants :

(a) les stocks (voir IAS 2 *Stocks*) ;

(b) les actifs sur contrat et les actifs découlant des coûts engagés pour l'obtention ou l'exécution d'un contrat qui sont comptabilisés selon IFRS 15 *Produits des activités ordinaires tirés de contrats conclus avec des clients* ;

(c) les actifs d'impôt différé (voir IAS 12 *Impôts sur le résultat*) ;

(d) les actifs résultant d'avantages du personnel (voir IAS 19 *Avantages du personnel*) ;

(e) les actifs financiers compris dans le champ d'application d'IFRS 9 *Instruments financiers*;

(f) les immeubles de placement évalués à la juste valeur (voir IAS 40 *Immeubles de placement*) ;

(g) les actifs biologiques liés à une activité agricole compris dans le champ d'application d'IAS 41 *Agriculture* et évalués à la juste valeur diminuée des coûts de la vente ;

(h) les coûts d'acquisition différés et les immobilisations incorporelles générées par les droits contractuels d'un assureur selon des contrats d'assurance compris dans le champ d'application d'IFRS 4 *Contrats d'assurance* ; et

(i) les actifs non courants (ou groupes destinés à être sortis) classés comme étant détenus en vue de la vente selon IFRS 5 *Actifs non courants détenus en vue de la vente et activités abandonnées*[16].

L'évaluation des actifs énumérés ci-dessus doit se faire en respectant les règles précisées dans les normes mentionnées. On notera aussi que cette liste ne contient pas les immobilisations évaluées selon le modèle de la réévaluation. En effet, la valeur réévaluée des immobilisations devient le « coût », et c'est à cette valeur que l'on applique la règle de la valeur minimale.

La figure 9.6 présente le raisonnement de base qu'une entreprise doit suivre pour réaliser un **test de dépréciation** conformément à l'IAS 36. Il s'agit pour le moment de dresser un premier portrait général de la marche à suivre. Les sections subséquentes aborderont plus en détail certaines questions d'ordre pratique.

16. *Manuel de CPA Canada – Comptabilité – Partie I*, IAS 36, paragr. 2.

FIGURE 9.6 Un portrait global d'un test de dépréciation

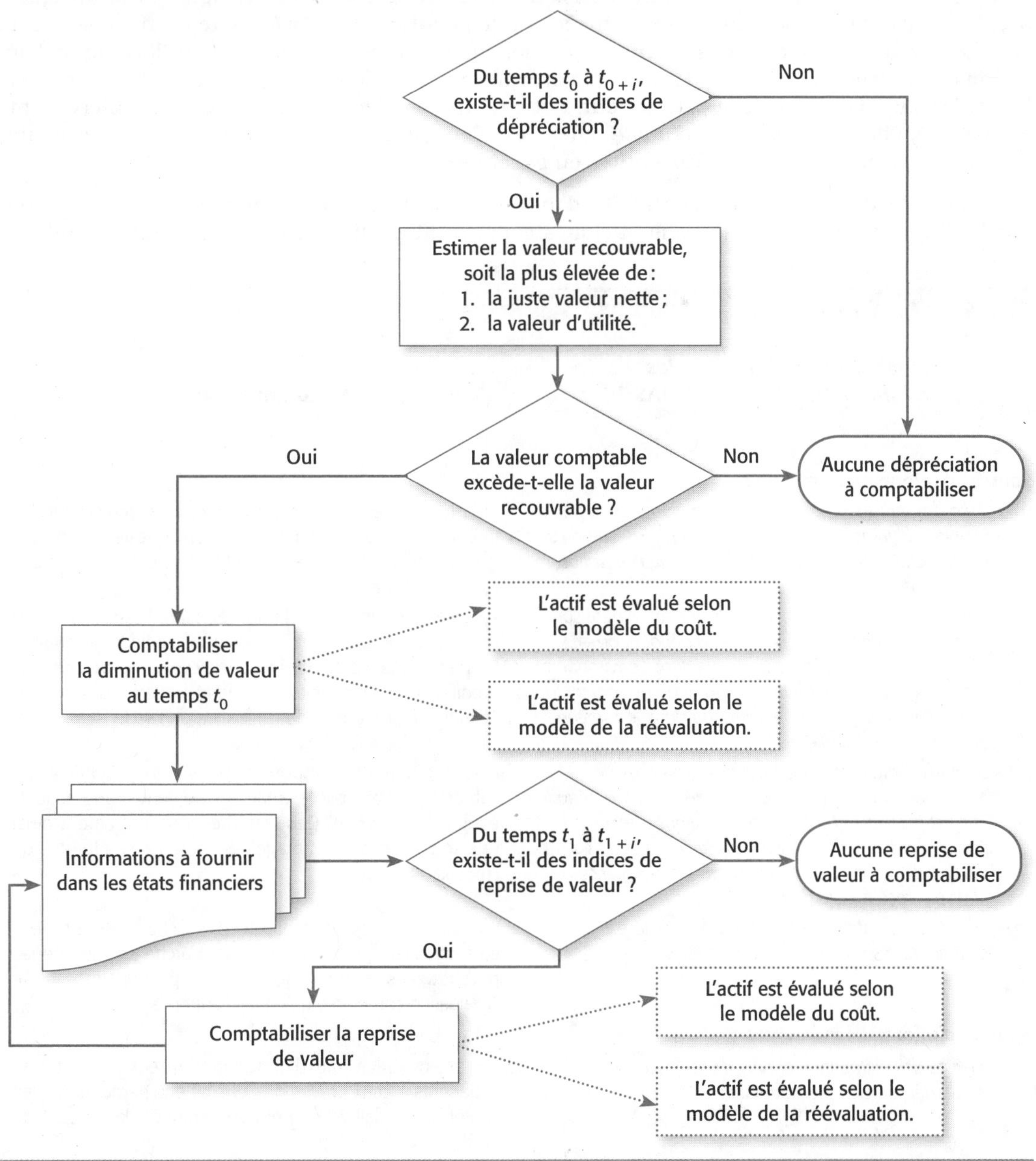

À la date de clôture de chaque exercice financier (de t_0 à t_{0+i}), l'entreprise évalue s'il existe des indices laissant croire que la valeur comptable d'une immobilisation excède la valeur recouvrable. Fondamentalement, deux choix s'offrent à elle concernant ses immobilisations : soit elle les utilise, soit elle les revend, selon ce qui est le plus rentable. C'est pourquoi la **valeur recouvrable** correspond à la plus élevée des valeurs obtenues dans chacun de ces scénarios. Si l'entreprise décide de vendre son immobilisation, elle encaissera la juste valeur, diminuée des coûts de sortie. « La *juste valeur* est le prix qui serait reçu pour la vente d'un actif ou payé pour le transfert d'un passif lors d'une transaction normale entre des intervenants du marché à la date d'évaluation[17]. » La seule différence entre la juste valeur de l'actif et sa **juste valeur nette** (juste valeur diminuée des coûts de sortie) correspond aux coûts marginaux directs attribuables à la sortie de l'actif. Lorsque l'entreprise utilise le modèle de la réévaluation et comptabilise la juste valeur à la date de clôture de l'exercice financier, on peut croire que cette valeur s'apparentera à la juste valeur nette si les coûts prévus de sortie sont négligeables. Dans un tel contexte, l'entreprise n'est pas tenue d'estimer la valeur recouvrable de l'immobilisation. Cependant, si les coûts de sortie estimatifs ne

17. *Manuel de CPA Canada – Comptabilité – Partie I*, IAS 36, paragr. 6.

sont pas négligeables, la juste valeur diminuée des coûts de sortie est nécessairement inférieure à la juste valeur comptabilisée et l'entreprise doit estimer la valeur recouvrable[18]. Si l'entreprise décide d'utiliser l'immobilisation, elle bénéficiera de la **valeur d'utilité**. Cette dernière se définit comme la valeur actualisée des avantages économiques futurs que générera l'utilisation de l'immobilisation pendant sa durée d'utilité, majorée de la valeur de revente au terme de cette durée. La valeur d'utilité diffère de la juste valeur. Cette dernière reflète le point de vue des intervenants du marché, alors que « la *valeur d'utilité* reflète les effets des facteurs qui peuvent être spécifiques à l'entité et ne pas s'appliquer aux entités en général[19] ».

Le tableau 9.6 reprend les exemples d'indices de dépréciation d'une immobilisation donnés par l'IASB, auxquels nous ajoutons quelques commentaires. Il montre des exemples d'indices,

TABLEAU 9.6 Des indices de dépréciation

***Normes internationales d'information financière,* IAS 36**	**Commentaires**
Paragr. 12	
Sources d'informations externes	
(a) *Il y a des indices observables que, au cours de la période, la valeur d'un actif a diminué beaucoup plus que du seul effet attendu du passage du temps ou de l'utilisation normale de l'actif.*	Si la juste valeur de l'actif diminue, cela signifie que les intervenants sur le marché estiment que les avantages économiques futurs inhérents à l'actif seront moindres que ceux attendus antérieurement.
(b) *D'importants changements ayant un effet négatif sur l'entité sont survenus au cours de la période, ou surviendront dans un proche avenir, dans l'environnement technologique, économique, juridique ou de marché dans lequel l'entité exerce ses activités, ou dans le marché auquel l'actif est dédié.*	Par exemple, une nouvelle loi régissant l'exportation des marchandises produites en utilisant l'actif peut affaiblir les marchés de vente dans lesquels évolue l'entreprise. Ces modifications entraînent ainsi une réduction des avantages économiques attendus de l'utilisation de l'actif.
(c) *Les taux d'intérêt du marché ou d'autres taux de rendement du marché ont augmenté durant la période et il est probable que ces augmentations affecteront le taux d'actualisation utilisé dans le calcul de la valeur d'utilité d'un actif et diminueront de façon significative la valeur recouvrable de l'actif.*	Une augmentation importante des taux de change ou d'intérêt peut affaiblir les marchés de vente dans lesquels évolue l'entreprise. Ces modifications entraînent ainsi une réduction des avantages économiques attendus de l'utilisation de l'actif.
(d) *La valeur comptable de l'actif net de l'entité est supérieure à sa capitalisation boursière.*	Lorsque la valeur comptable des actions excède leur cote boursière, c'est signe que le marché estime que les perspectives d'avenir sont moins prometteuses que l'évaluation comptable qu'en fait l'entreprise.
Sources d'informations internes	
(e) *Il existe des éléments probants d'obsolescence ou de dégradation physique d'un actif.*	Par exemple, les frais d'entretien d'un équipement sont supérieurs à ceux prévus ou certains équipements ont fait l'objet de vandalisme, ce qui en diminuera la capacité de production.
(f) *Des changements importants ayant un effet négatif sur l'entité sont survenus au cours de la période, ou devraient survenir dans un proche avenir, dans le degré ou le mode d'utilisation actuels ou attendus d'un actif. Ces changements incluent la mise hors service de l'actif, les plans d'abandon ou de restructuration de l'activité à laquelle l'actif appartient, les plans de sortie de l'actif avant la date antérieurement prévue, et le fait de constater que la durée d'utilité de l'actif qui était considérée comme indéterminée est plutôt déterminée.*	Si l'entreprise décide, par exemple, de diminuer l'utilisation de l'actif ou si elle doit augmenter les mesures de sécurité afférentes à son utilisation, il est possible que le montant net des avantages économiques futurs soit moindre que celui initialement attendu. Des pertes passées découlant de l'exploitation de l'actif sont aussi un autre indice de dépréciation.
(g) *Des éléments probants provenant du système d'information interne montrent que la performance économique d'un actif est ou sera moins bonne que celle attendue.*	L'entreprise avait estimé que les avantages économiques futurs découlant d'un actif seraient au moins égaux aux frais attendus. Si ses coûts réels excèdent ceux qui étaient attendus, elle ne peut pas présumer que la valeur des avantages économiques futurs réels augmentera automatiquement.

18. *Manuel de CPA Canada – Comptabilité – Partie I*, IAS 36, paragr. 5.
19. *Manuel de CPA Canada – Comptabilité – Partie I*, IAS 36, paragr. 53A.

et non une liste exhaustive de faits ou de circonstances susceptibles d'indiquer une diminution de valeur des immobilisations. Il revient en fait à chaque entreprise d'évaluer la possibilité qu'un actif ait perdu de la valeur. Pour ce faire, les dirigeants exercent leur jugement et tiennent compte de l'importance relative de l'effet des circonstances, externes ou internes, susceptibles d'entraîner une valeur recouvrable inférieure à la valeur comptable.

Comme nous l'avons indiqué dans la figure 9.6, à la date de clôture de l'exercice financier (de t_0 à t_{0+i}), s'il n'existe aucun indice laissant croire à une dépréciation de l'immobilisation, l'entreprise n'a pas d'autre travail à effectuer. Dans le cas contraire, elle doit estimer la valeur recouvrable, qui, rappelons-le correspond à la plus élevée de la juste valeur nette et de la valeur d'utilité. D'un point de vue pratique, l'entreprise commencera probablement par évaluer la juste valeur nette, qui requiert souvent moins de travail que l'évaluation de la valeur d'utilité. Si la juste valeur nette excède la valeur comptable, l'entreprise pourra dès lors conclure qu'elle n'a aucune dépréciation à comptabiliser[20]. Sinon, elle devra évaluer la valeur d'utilité, qui pourrait s'avérer supérieure à la juste valeur nette et même à la valeur comptable.

Dans l'hypothèse où la valeur comptable excède la valeur recouvrable (réponse affirmative à la question indiquée dans le deuxième losange de la figure 9.6), l'entreprise doit comptabiliser la diminution de valeur de l'immobilisation. La comptabilisation diffère selon que l'immobilisation en cause est évaluée selon le **modèle du coût** ou le **modèle de la réévaluation.** Si l'immobilisation est évaluée au coût, on comptabilise la diminution de valeur en résultat net de l'exercice où elle survient. Si l'immobilisation est évaluée selon le modèle de la réévaluation, on comptabilise aussi la diminution de valeur en résultat net, à moins qu'il existe un solde créditeur au compte Cumul des écarts de réévaluation de l'immobilisation en cause, auquel cas la diminution est d'abord portée au débit du compte Écart de réévaluation (AERG). Il ne faudrait pas croire qu'il est inutile d'appliquer un test de dépréciation à un actif évalué selon le modèle de la réévaluation. En effet, il se peut que la valeur comptable d'un tel actif, égale à sa juste valeur, excède la valeur recouvrable. La dépréciation d'un actif évalué selon le modèle de la réévaluation pourrait donc correspondre aux coûts estimatifs de sortie ou à l'écart entre la valeur d'utilité et la juste valeur évaluée sur une base autre que sa valeur de marché.

9

EXEMPLE

Comptabilisation d'une dépréciation sur une immobilisation comptabilisée selon le modèle du coût

La société Bonne Leffe ltée possède un équipement de production. Au 31 décembre 20X1, date de clôture de l'exercice financier, la société conclut qu'il est possible que la valeur recouvrable de l'équipement soit inférieure à la valeur comptable. Elle doit donc procéder à l'estimation de la valeur recouvrable. La société, qui utilise le modèle du coût pour évaluer ses équipements, vous transmet les renseignements qu'elle possède en vue de la préparation de ses états financiers.

Juste valeur de l'équipement, diminuée des coûts de sortie	*615 000 $*
Valeur d'utilité	*620 000*
Coût	*800 000*
Amortissement cumulé	*150 000*

Aux fins du test de dépréciation, la valeur recouvrable s'élève à 620 000 $, soit la valeur la plus élevée de la juste valeur nette de l'équipement (615 000 $) et de la valeur d'utilité (620 000 $). La valeur recouvrable est ensuite comparée à la valeur comptable de 650 000 $ (coût de 800 000 $, diminué de l'amortissement cumulé de 150 000 $). Bonne Leffe ltée conclut qu'elle doit comptabiliser ainsi la dépréciation de 30 000 $:

Dépréciation – Équipement	*30 000*	
Provision pour dépréciation – Équipement		*30 000*
Diminution de valeur de l'exercice.		

Rappelons que le compte Provision pour dépréciation – Équipement est un compte de contrepartie du compte Équipement. De plus, les charges d'amortissement futures seront calculées d'après la nouvelle valeur comptable, qui tiendra compte du solde de ce compte de contrepartie.

20. De même, si l'entreprise estime d'abord la valeur d'utilité et détermine une valeur qui excède la valeur comptable, elle n'a aucun travail additionnel à effectuer.

EXEMPLE

Comptabilisation d'une dépréciation sur une immobilisation comptabilisée selon le modèle de la réévaluation

Modifions maintenant l'exemple de Bonne Leffe ltée en posant l'hypothèse que l'entreprise évalue ses équipements selon le modèle de la réévaluation. Le 31 décembre 20X0, la juste valeur de l'équipement a été évaluée à 660 000 $ et la réévaluation a été comptabilisée selon la méthode de l'ajustement net. Le solde du compte Cumul des écarts de réévaluation – Équipement s'élève à 10 000 $. Le 31 décembre 20X1, le coût, ou le substitut du coût, est de 660 000 $ et le solde du compte Amortissement cumulé – Équipement est de 33 000 $. Voici les deux écritures de journal requises pour comptabiliser la perte de valeur :

Amortissement cumulé – Équipement	*33 000*	
Équipement		*33 000*
Transfert du solde de l'amortissement cumulé au compte d'actif.		
Écart de réévaluation – Équipement (AERG)	*7 000*	
Équipement		*7 000*
Diminution de valeur de l'exercice (627 000 $ – 620 000 $).		

9

Lorsqu'une entreprise comptabilise une diminution de valeur sur une immobilisation, il est clair que l'amortissement des exercices subséquents change. Le montant amortissable diminue mais, en contrepartie, il est fréquent que la durée d'utilité de l'immobilisation diminue aussi. De plus, lorsqu'une entreprise a conclu qu'il existait des indices de dépréciation, ce qui l'a conduite à évaluer la valeur recouvrable, il se peut qu'elle n'ait pas eu à comptabiliser une diminution de valeur. Elle doit tout de même réviser la valeur résiduelle, la durée d'utilité ou le mode d'amortissement concernant l'immobilisation en cause.

L'estimation de la valeur recouvrable

En pratique, il s'avère souvent délicat de déterminer la juste valeur nette ainsi que la valeur d'utilité. Nous présentons maintenant les recommandations de l'IASB à ce sujet.

L'estimation de la juste valeur nette

Rappelons d'abord que l'on évalue la juste valeur en appliquant les recommandations contenues dans l'**IFRS 13** et expliquées au chapitre 3. Après avoir déterminé la juste valeur, on doit soustraire les **coûts de sortie**. Ceux-ci désignent les coûts marginaux qui sont directement attribuables à la sortie et que l'entreprise devrait assumer pour être en mesure de conclure la transaction à la juste valeur. Ils englobent, par exemple, les frais de publicité directement liés à la vente, les commissions payées à un courtier immobilier, et les honoraires du professionnel chargé de rédiger et d'enregistrer l'acte notarié. Ils excluent toujours les charges financières et la charge d'impôt sur le résultat.

Dans les rares cas où l'entreprise serait incapable d'évaluer la juste valeur nette, « [...] parce qu'il n'existe aucune base permettant d'estimer de manière fiable le prix auquel une transaction normale visant la vente d'un actif serait conclue entre des intervenants du marché à la date d'évaluation dans les conditions actuelles du marché[21] », par exemple parce que l'immobilisation en cause est très spécialisée, l'IASB précise que la valeur recouvrable est alors égale à la valeur d'utilité.

L'estimation de la valeur d'utilité

Comme nous l'avons vu précédemment, la **valeur d'utilité** correspond à la valeur actualisée des flux de trésorerie attendus de l'utilisation de l'actif. Pour ce faire, l'entreprise choisit d'abord une technique d'actualisation. Ensuite, elle établit la valeur d'utilité en deux étapes. Elle estime premièrement toutes les rentrées et les sorties de trésorerie qui découleront de l'utilisation de l'immobilisation pendant sa durée d'utilité, augmentées de sa valeur de revente au terme de cette durée et diminuées des coûts de sortie. Deuxièmement, elle actualise les flux de trésorerie nets selon un taux d'actualisation approprié. Ce travail s'apparente au calcul d'une valeur actualisée nette (VAN) souvent effectué lors de la prise d'une décision d'investissement, mais s'en écarte pour certains aspects mentionnés ci-dessous. Les paragraphes qui suivent traiteront du choix d'une technique d'actualisation, qui se répercute à la fois sur l'estimation des flux de trésorerie et sur le taux d'actualisation.

21. *Manuel de CPA Canada – Comptabilité – Partie I*, IAS 36, paragr. 20.

Pour déterminer la valeur d'utilité, l'entreprise doit faire plusieurs choix, guidés par les précisions de l'IASB.

Le calcul de la valeur d'utilité d'un actif doit refléter les éléments suivants :

(a) une estimation des flux de trésorerie futurs que l'entité s'attend à obtenir de l'actif ;

(b) les attentes relatives à des variations possibles du montant ou de l'échéance de ces flux de trésorerie futurs ;

(c) la valeur temps de l'argent, représentée par le taux d'intérêt sans risque actuel du marché ;

(d) le prix pour supporter l'incertitude inhérente à l'actif ; et

(e) d'autres facteurs, tels que l'illiquidité, que les intervenants du marché refléteraient dans l'estimation des flux de trésorerie futurs que l'entité s'attend à obtenir de l'actif[22].

L'IASB mentionne que les éléments cités en (b), (d) et (e) ci-dessus peuvent être intégrés soit au calcul des flux de trésorerie attendus, soit à celui du taux d'actualisation. En d'autres termes, l'IASB laisse aux entreprises le choix d'une **technique d'actualisation** : soit la technique d'actualisation traditionnelle soit la technique de la valeur attendue.

Selon la **technique d'actualisation traditionnelle**, une entreprise estime le montant total des flux de trésorerie nets le plus probable qu'elle actualise à un taux d'intérêt unique reflétant le risque caractéristique inhérent aux flux de trésorerie. Cette technique s'avère appropriée, par exemple, pour des actifs qui génèrent des flux de trésorerie contractuels et qui se négocient sur un marché actif. Il est alors simple d'estimer le montant le plus probable des flux de trésorerie nets et de déterminer le taux d'actualisation approprié. À ce titre, l'IASB précise que l'entreprise doit premièrement choisir un actif similaire qui se négocie sur le marché et qui a un taux d'intérêt observable, pour lequel elle peut déduire le taux d'actualisation du marché. Deuxièmement, elle compare cet actif avec l'actif à évaluer, en s'assurant que les flux de trésorerie des deux actifs sont semblables, par exemple, qu'ils généreront des flux de trésorerie contractuels et que les deux ensembles de flux de trésorerie varieront de la même façon selon les changements des conditions économiques.

Quoique très valable du point de vue théorique, la technique d'actualisation traditionnelle s'applique difficilement à l'estimation de la valeur d'utilité d'un actif pour lequel il n'existe pas d'actif semblable négocié sur le marché. C'est pourquoi les entreprises doivent souvent utiliser la **technique de la valeur attendue**. Selon cette dernière, l'entreprise prend en compte l'incertitude non pas dans le taux d'actualisation, mais bien dans l'estimation des flux de trésorerie, qu'elle actualise ensuite à un taux sans risque.

EXEMPLE

Estimation de la valeur d'utilité selon la technique de la valeur attendue

Auto atout ltée est une société active dans le secteur de l'automobile. Le 31 décembre 20X3, Auto atout ltée estime la valeur d'utilité de certains de ses équipements qu'elle prévoit utiliser pendant 10 ans. En se basant sur les meilleures informations disponibles, la société évalue trois scénarios possibles, dont chacun générerait les flux de trésorerie annuels suivants :

(1) Flux de trésorerie annuels estimés	(2) Probabilité	(3) Flux de trésorerie annuels attendus [(1) × (2)]
150 000 $	25 %	37 500 $
400 000	50	200 000
600 000	25	150 000
	100 %	387 500 $

Compte tenu de la probabilité évaluée de chaque scénario, le montant des flux de trésorerie annuels attendus s'élève à 387 500 $. On notera que ce montant ne correspond à aucun des montants attendus dans chaque scénario, mais qu'il découle plutôt de la prise en compte de l'incertitude inhérente à chaque scénario.

22. *Manuel de CPA Canada – Comptabilité – Partie I*, IAS 36, paragr. 30.

La technique de la valeur attendue permet aussi de prendre en compte des durées d'actualisation différentes. Par exemple, le premier scénario prévu par Auto atout ltée pourrait refléter une utilisation moins intensive des équipements, mais pendant une période de 15 ans. Le deuxième scénario pourrait refléter une utilisation normale pendant 10 ans, alors que le dernier scénario pourrait refléter une utilisation intensive découlant d'une hausse de la demande des biens produits à l'aide des équipements. Pour chacun des scénarios, l'entreprise pourrait aussi retenir un taux d'actualisation différent. Par exemple, le taux d'actualisation du premier scénario pourrait être plus élevé afin de tenir compte de la plus grande incertitude liée à des flux de trésorerie encaissables plus tard. On constate donc que la technique de la valeur attendue permet de prendre en compte plus explicitement les divers facteurs d'incertitude que ne le permet la technique d'actualisation traditionnelle. C'est pourquoi son utilisation doit souvent être privilégiée.

En pratique, il est possible qu'une entreprise ne puisse pas pondérer chaque scénario, soit parce que l'information n'est simplement pas disponible, soit parce que les coûts d'obtention de l'information surpassent les avantages qui en découleraient. L'entreprise peut se trouver, par exemple, dans l'un des deux premiers contextes listés dans le tableau 9.7.

TABLEAU 9.7 Les divers contextes pour estimer le flux de trésorerie attendu

Normes internationales d'information financière, **IAS 36**	**Valeur actualisée attendue**
Paragr. A11	
(a) *le montant estimé tombe quelque part entre 50 000 $ et 250 000 $, mais aucun montant inclus dans la fourchette n'est plus probable qu'un autre.*	Sur la base de cette information limitée, le flux de trésorerie attendu estimé est de 150 000 $ [(50 000 $ + 250 000 $) ÷ 2].
(b) *le montant estimé tombe quelque part entre 50 000 $ et 250 000 $, et le montant le plus probable est de 100 000 $. Toutefois, les probabilités afférentes à chaque montant sont inconnues.*	Sur la base de cette information limitée, le flux de trésorerie attendu estimé est de 133 333 $ [(50 000 $ + 100 000 $ + 250 000 $) ÷ 3].
(c) *le montant estimé sera de 50 000 $ (probabilité de 10 %), de 250 000 $ (probabilité de 30 %), ou de 100 000 $ (probabilité de 60 %).*	Sur la base de cette information limitée, le flux de trésorerie attendu estimé est de 140 000 $ [(50 000 $ × 0,10) + (250 000 $ × 0,30) + (100 000 $ × 0,60)].

Comme le précise l'IASB, dans l'évaluation des flux de trésorerie et des pondérations, l'entreprise recherche l'équilibre entre la fidélité supplémentaire qu'une information apporte à l'évaluation et le coût de l'obtention de cette information complémentaire.

Après avoir estimé les flux de trésorerie les plus probables selon la technique de l'actualisation traditionnelle ou les flux de trésorerie attendus selon la technique de la valeur attendue, l'entreprise doit retenir un **taux d'actualisation**. Si elle ne peut déduire le taux d'actualisation directement sur le marché, elle peut utiliser, comme point de départ, son coût pondéré du capital, son taux d'emprunt marginal ou un autre taux d'emprunt observé sur le marché. Elle ajuste le taux retenu, premièrement, pour tenir compte des risques particuliers inhérents à l'actif évalué qu'elle n'a pas pris en compte dans l'estimation des flux de trésorerie et, deuxièmement, pour exclure les risques particuliers dont elle a déjà tenu compte dans l'estimation des flux de trésorerie. Par exemple, si elle a tenu compte d'un risque de crédit de 1 % dans l'estimation des flux de trésorerie, elle ne doit pas en tenir compte une seconde fois dans le taux d'actualisation. Soulignons enfin que le taux d'actualisation retenu est indépendant du mode de financement de l'actif, car les flux de trésorerie attendus d'un actif sont indépendants du mode de financement.

Peu importe la technique d'actualisation retenue, lorsqu'une entreprise estime les **flux de trésorerie** attendus d'un actif, elle tient compte de l'état de l'actif **à la date de l'évaluation.** Elle ignore donc les ajouts, améliorations ou modifications majeures qu'elle pourrait faire au cours des exercices subséquents de même que les effets d'une éventuelle **restructuration**[23] de l'entreprise. Toutefois, elle tient compte des coûts de l'entretien normal qu'elle compte faire pour maintenir le potentiel de service. Lorsqu'une entreprise évalue la valeur d'utilité d'un actif qui n'est pas encore prêt à être utilisé, les flux de trésorerie attendus sont indéniablement ceux d'un actif prêt

23. L'IASB définit la restructuration comme « un programme planifié et contrôlé par la direction et qui modifie de façon significative soit le champ d'activité d'une entité, soit la manière dont cette activité est gérée ». (*Manuel de CPA Canada – Comptabilité – Partie I*, IAS 36, paragr. 46.)

à être utilisé. C'est pourquoi, dans ce contexte précis, l'entreprise doit soustraire des flux de trésorerie attendus les décaissements qu'elle devra faire pour rendre l'actif prêt à être utilisé.

On estime à la fois les rentrées et les sorties de flux de trésorerie, et non seulement les rentrées nettes. Les sorties de flux de trésorerie liées à l'immobilisation comprennent, outre les frais d'entretien déjà mentionnés, les frais de gestion et les frais généraux, dans la mesure où ils peuvent être directement rattachés à l'immobilisation ou affectés sur une base raisonnable et cohérente. Elles excluent toutefois les impôts et les coûts de financement que l'entreprise assume par rapport à l'immobilisation en cause.

L'estimation des flux de trésorerie repose inévitablement sur de nombreuses **hypothèses.** L'entreprise retient des hypothèses raisonnables, qu'elle documente, qui représentent la meilleure estimation possible de l'ensemble des conditions économiques qui prévaudront pendant la durée d'utilité de l'immobilisation. Elle compare ensuite ses hypothèses avec les conditions économiques passées pour évaluer jusqu'à quel point les flux de trésorerie passés perdureront.

La plupart des entreprises préparent, à des fins de gestion, des **budgets**, parfois appelés **prévisions**. Ces budgets peuvent servir de base à l'estimation des flux de trésorerie. Puisque la fiabilité des prévisions à court terme surpasse celle des prévisions à long terme, l'IASB précise que les données budgétaires utilisées dans les tests de dépréciation ne doivent habituellement pas excéder une période de cinq ans. Lorsque la durée d'utilité d'une immobilisation est supérieure à cette période, par exemple 12 ans, l'estimation des flux de trésorerie pourrait reposer sur les prévisions budgétaires couvrant les 5 premières années. Pour les 7 années subséquentes, l'entreprise extrapolerait les projections en appliquant aux prévisions budgétaires un taux de croissance stable ou décroissant, à moins d'être en mesure de démontrer la pertinence d'un taux croissant. On constate donc que le taux de croissance retenu demeure prudent. L'IASB précise de plus que le taux de projection retenu ne doit pas excéder le taux de croissance moyen à long terme obtenu par le passé au sujet de la rentabilité de l'immobilisation en cause.

Rappelons que lorsqu'une entreprise évalue les flux de trésorerie et le taux d'actualisation, elle doit faire les meilleures estimations possibles, exemptes de distorsion. Par exemple, elle ne doit pas être exagérément prudente, car cela nuirait à la fidélité des chiffres utilisés.

EXEMPLE

Estimation de la valeur d'utilité à deux moments différents

La mise en situation qui suit est adaptée d'un exemple d'application préparé par l'IASB. Le 31 décembre 20X0, date de clôture de l'exercice financier, Platolift ltée procède à un test de dépréciation d'une plateforme utilisée dans le cadre de son activité normale. L'équipement, acheté le 1er janvier 20X0 au coût de 165 000 $, est comptabilisé à son coût historique et amorti de façon linéaire sur 11 ans. Le 31 décembre 20X0, sa valeur comptable est de 150 000 $ et sa durée d'utilité restant à courir est estimée à 10 ans. L'entreprise doit calculer la valeur d'utilité de la plateforme. En effet, elle a déterminé que la juste valeur nette s'élevait à 120 000 $, ce qui représente un montant inférieur à la valeur comptable. Si la valeur d'utilité est elle aussi inférieure à la valeur comptable, l'entreprise devra comptabiliser une dépréciation. La valeur d'utilité est calculée en appliquant un taux d'actualisation avant impôts de 14 %. La direction a approuvé des budgets montrant les estimations de coûts nécessaires au maintien du niveau d'avantages économiques susceptibles d'être générés à partir de la plateforme dans son état actuel. Les budgets prévoient aussi que des coûts de 25 000 $ seront engagés en 20X4 pour améliorer la performance de la plateforme en augmentant sa capacité de production. Ces budgets ont servi à estimer les flux de trésorerie présentés ci-dessous.

Voici le calcul de la valeur d'utilité au 31 décembre 20X0 :

Année	*Flux de trésorerie budgétés*	*Flux de trésorerie actualisés à 14 %*
*20X1 **	*22 165 $*	*19 443 $*
*20X2 **	*21 450*	*16 505*
*20X3 **	*20 550*	*13 871*
*20X4 ***	*24 725*	*14 639*
*20X5 ****	*25 325*	*13 153*
*20X6 ****	*24 825*	*11 310*

*20X7 ****	*24 123*	*9 640*
*20X8 ****	*25 533*	*8 951*
*20X9 ****	*24 234*	*7 452*
*20Y0 ****	*22 850*	*6 164*
Valeur d'utilité		*121 128 $*

* Les flux de trésorerie tiennent compte des estimations de coûts nécessaires au **maintien** du niveau d'avantages économiques susceptibles d'être générés au moyen de la plateforme dans son état actuel.

** Les flux de trésorerie ne tiennent pas compte des coûts estimés pour **améliorer** la performance de la plateforme tels qu'ils ressortent des budgets de la direction.

*** Les flux de trésorerie ne tiennent pas compte des avantages estimés attendus de l'**amélioration** de la performance de la plateforme tels qu'ils ressortent des budgets de la direction.

La valeur recouvrable de la plateforme correspond à la valeur d'utilité (121 128 $), car celle-ci excède la juste valeur nette (120 000 $). L'entreprise comptabilise une diminution de valeur d'un montant correspondant à l'écart entre la valeur recouvrable (121 128 $) et la valeur comptable (150 000 $), en passant l'écriture suivante à la fin de 20X0 :

Dépréciation – Équipement	*28 872*	
Provision pour dépréciation – Équipement		*28 872*
Diminution de valeur de l'exercice.		

Calcul :

Valeur comptable	150 000 $
Valeur recouvrable (calculée ci-dessus)	(121 128)
Diminution de valeur	28 872 $

Rappelons que l'amortissement des exercices subséquents, initialement évalué à 15 000 $ (165 000 $ réparti sur 11 ans), passera à 12 113 $ (121 128 $ réparti sur 10 ans). L'écart annuel de 2 887 $, compte tenu d'une durée d'utilité restante de 10 ans, se trouve, en somme, comptabilisé en entier dans le résultat net de 20X0. Poursuivons notre exemple, sachant qu'aucun événement n'est survenu laissant croire à une diminution de la valeur recouvrable jusqu'à la fin de 20X4. Platolift ltée n'a donc pas réévalué la valeur d'utilité au cours de ces exercices. À la clôture de l'exercice 20X4, la société engage des coûts pour améliorer la performance de la plateforme. Les flux de trésorerie futurs estimés de la plateforme, tels qu'ils sont reflétés dans les budgets les plus récents approuvés par la direction à la fin de 20X4, sont donnés plus loin, et le taux d'actualisation courant est identique à celui à la date de clôture de l'exercice 20X0.

La société a maintenant engagé les coûts pour améliorer la performance de la plateforme. Par conséquent, elle prend en compte les avantages économiques futurs attendus de l'amélioration de la performance de la plateforme dans ses prévisions de trésorerie pour déterminer la valeur d'utilité. Il en découle une augmentation des flux de trésorerie futurs estimés comparativement à ceux antérieurement utilisés pour déterminer la valeur d'utilité le 31 décembre 20X0. En conséquence, la valeur recouvrable de la plateforme est recalculée à la date de clôture de l'exercice 20X4. À cette même date, l'entreprise estime la juste valeur nette de la plateforme à 90 000 $ et la valeur comptable s'élève à 97 676 $, comme le montrent les calculs suivants :

Valeur comptable le 31 décembre 20X0	*121 128 $*
Amortissement de 20X1 à 20X4 (12 113 $ × 4 ans)	*(48 452)*
Améliorations apportées le 31 décembre 20X4	*25 000*
Valeur comptable le 31 décembre 20X4	*97 676 $*

Puisque la valeur recouvrable est le montant le plus élevé entre la juste valeur nette et la valeur d'utilité, on doit recalculer cette dernière au 31 décembre 20X4.

Année	*Flux de trésorerie budgétés*	*Flux de trésorerie actualisés à 14 %*
20X5	*30 321 $*	*26 597 $*
20X6	*32 750*	*25 200*
20X7	*31 721*	*21 411*

20X8	*31 950*	*18 917*
20X9	*33 100*	*17 191*
20Y0	*27 999*	*12 756*
Valeur d'utilité		*122 072 $*

Les flux de trésorerie incluent maintenant les avantages économiques estimés attendus de l'amélioration de la performance de la plateforme tels qu'ils ressortent des budgets de la direction. La valeur recouvrable de la plateforme sera égale à la valeur d'utilité (122 072 $), car celle-ci excède la juste valeur nette (90 000 $). Comme la valeur recouvrable (122 072 $) est supérieure à la valeur comptable (97 676 $), Platolift ltée pourra comptabiliser la reprise de valeur, dans la mesure où elle compensera la perte comptabilisée en 20X0, comme nous l'expliquerons dans la sous-section suivante.

Dès maintenant, le lecteur peut facilement conclure que la juste valeur est généralement plus objective que la valeur d'utilité. Toutefois, ces deux valeurs peuvent comporter une certaine dose de subjectivité, ce qui en diminue la fiabilité. Rappelons toutefois que ces deux évaluations ne sont pas présentées dans les états financiers, sauf si l'entreprise conclut que la valeur comptable excède la valeur recouvrable.

On peut craindre que cette subjectivité ouvre la porte à certaines manipulations de la part d'entreprises désireuses d'assainir leur état de la situation financière. Les **pratiques d'assainissement de l'état de la situation financière** consistent, dans un exercice donné, à réduire la valeur comptable des actifs de façon à diminuer les charges d'amortissement ultérieures ou à comptabiliser un profit plus important au moment de leur vente future.

Les reprises de valeur

Au cours des exercices suivant la comptabilisation d'une diminution de valeur, soit à compter de 20X1 dans l'exemple précédent, et plus précisément à chaque date de clôture des exercices financiers subséquents, l'entreprise doit évaluer s'il existe des indices de dépréciation additionnelle. De plus, si elle évalue ses immobilisations selon le modèle du coût, elle doit évaluer s'il existe des indices de **reprise de valeur**, soit l'augmentation subséquente de la valeur recouvrable qui compense une diminution de valeur comptabilisée antérieurement. Ce n'est donc pas toute augmentation de valeur qui correspond à une reprise de valeur comptabilisée. Selon l'IAS 36, une entreprise doit comptabiliser les reprises de valeur. Le tableau 9.8 relève des exemples donnés à ce titre par l'IASB et les présente parallèlement aux indices de dépréciation.

TABLEAU 9.8 Des indices de variation de valeur

***Indices de reprise de valeur,* IAS 36**	***Indices de dépréciation,* IAS 36**
Paragr. 111	Paragr. 12
Sources d'informations externes	**Sources d'informations externes**
(a) *Il y a des indices observables que, au cours de la période, la valeur de l'actif a augmenté de façon importante.*	(a) *Il y a des indices observables que, au cours de la période, la valeur d'un actif a diminué beaucoup plus que du seul effet attendu du passage du temps ou de l'utilisation normale de l'actif.*
(b) *Des changements importants ayant un effet favorable sur l'entité sont survenus au cours de la période, ou surviendront dans un proche avenir, dans l'environnement technologique, économique, juridique ou de marché dans lequel elle exerce ses activités ou dans le marché auquel l'actif est dédié.*	(b) *D'importants changements ayant un effet négatif sur l'entité sont survenus au cours de la période, ou surviendront dans un proche avenir, dans l'environnement technologique, économique, juridique ou de marché dans lequel l'entité exerce ses activités ou dans le marché auquel l'actif est dédié.*
(c) *Les taux d'intérêt du marché ou d'autres taux de rendement du marché ont diminué durant la période et il est probable que ces diminutions affecteront le taux d'actualisation utilisé dans le calcul de la valeur d'utilité de l'actif et augmenteront de façon significative la valeur recouvrable de l'actif.*	(c) *Les taux d'intérêt du marché ou d'autres taux de rendement du marché ont augmenté durant la période et il est probable que ces augmentations affecteront le taux d'actualisation utilisé dans le calcul de la valeur d'utilité d'un actif et diminueront de façon significative la valeur recouvrable de l'actif.*
	(d) *La valeur comptable de l'actif net de l'entité est supérieure à sa capitalisation boursière.*

TABLEAU 9.8 ***(suite)***

Sources d'informations internes	**Sources d'informations internes**
	(e) *Il existe des éléments probants d'obsolescence ou de dégradation physique d'un actif.*
(d) *Des changements importants ayant un effet favorable sur l'entité sont survenus au cours de la période, ou sont susceptibles de survenir dans un proche avenir, dans le degré ou le mode d'utilisation actuels ou attendus de l'actif. Ces changements incluent les coûts engagés pendant la période pour améliorer ou accroître la performance de l'actif ou pour restructurer l'activité à laquelle appartient l'actif.*	(f) *Des changements importants ayant un effet négatif sur l'entité sont survenus au cours de la période ou devraient survenir dans un proche avenir, dans le degré ou le mode d'utilisation actuels ou attendus d'un actif. Ces changements incluent la mise hors service de l'actif, les plans d'abandon ou de restructuration de l'activité à laquelle l'actif appartient, les plans de sortie de l'actif avant la date antérieurement prévue, et le fait de constater que la durée d'utilité de l'actif qui était considérée comme indéterminée est plutôt déterminée.*
(e) *Des éléments probants provenant du système d'information interne montrent que la performance économique de l'actif est ou sera meilleure que celle attendue.*	(g) *Des éléments probants provenant du système d'information interne montrent que la performance économique d'un actif est ou sera moins bonne que celle attendue.*

9

Il ressort de ce tableau que les indices de reprise de valeur correspondent à l'inverse de certains indices de dépréciation. Lorsqu'il existe des indices de reprise de valeur, l'entreprise doit réévaluer la valeur recouvrable et, le cas échéant, comptabiliser la reprise de valeur.

L'IASB recommande aux entreprises qui utilisent le modèle du coût de comptabiliser les reprises de valeur, soit l'augmentation subséquente de la valeur recouvrable. Le montant est cependant limité à un maximum donné par la valeur comptable qui aurait été déterminée, nette des amortissements, si l'entreprise n'avait pas comptabilisé la dépréciation qui s'avère maintenant annulée. Ce maximum est aussi appelé **coût historique amorti**. Tout comme la comptabilisation des diminutions de valeur, la comptabilisation des augmentations de valeur diffère aussi selon que l'entreprise utilise le **modèle du coût** ou celui de la réévaluation. Lorsque l'immobilisation est évaluée au coût, on comptabilise la reprise de valeur en résultat net de l'exercice courant. Lorsque l'immobilisation est évaluée selon le **modèle de la réévaluation**, on comptabilise la reprise de valeur dans le compte Écart de réévaluation (AERG) de l'immobilisation en cause, sauf si l'entreprise a comptabilisé en résultat net des pertes de valeur qui n'ont pas ensuite été annulées.

EXEMPLE

Comptabilisation d'une reprise de valeur et composantes de la valeur comptable d'une immobilisation dépréciée

Reprenons l'exemple de Platolift ltée au 31 décembre 20X4, date à laquelle la valeur comptable s'élève à 97 676 $ et la valeur recouvrable est estimée à 122 072 $. Il y a donc une reprise de valeur de 24 396 $ (122 072 $ – 97 676 $). Ce n'est toutefois pas ce plein montant qui est comptabilisé, car la nouvelle valeur qui sera inscrite dans les livres ne peut excéder le coût historique amorti présumé. Celui-ci correspond au montant auquel s'élèverait la valeur comptable de la plateforme si Platolift ltée n'avait pas comptabilisé une dépréciation en 20X0. Nous accolons le qualificatif « présumé » à l'expression « coût historique amorti » pour bien faire ressortir qu'il ne s'agit pas d'une valeur inscrite dans les livres comptables de l'entreprise.

Provision pour dépréciation – Équipement	*17 324*	
Reprise de valeur – Équipement		*17 324*
Reprise de valeur de l'exercice.		

Calcul :

Coût	165 000 $
Amortissement de 20X0 à 20X4 (15 000 $ × 5 ans)	(75 000)
Améliorations apportées le 31 décembre 20X4	25 000
Valeur comptable le 31 décembre 20X4, si aucune dépréciation n'avait été comptabilisée en 20X0	115 000
Valeur comptable réelle	(97 676)
Reprise de valeur	17 324 $

Les comptes en T présentés ci-après permettent de visualiser les variations de la valeur comptable de la plateforme de 20X0 à 20X4. Le solde du compte Provision pour dépréciation – Équipement

(11 548 $) représente la diminution annuelle de 2 887 $ de la charge d'amortissement (15 000 $ – 12 113 $) multipliée par la période de 4 ans écoulée depuis la comptabilisation de cette dépréciation.

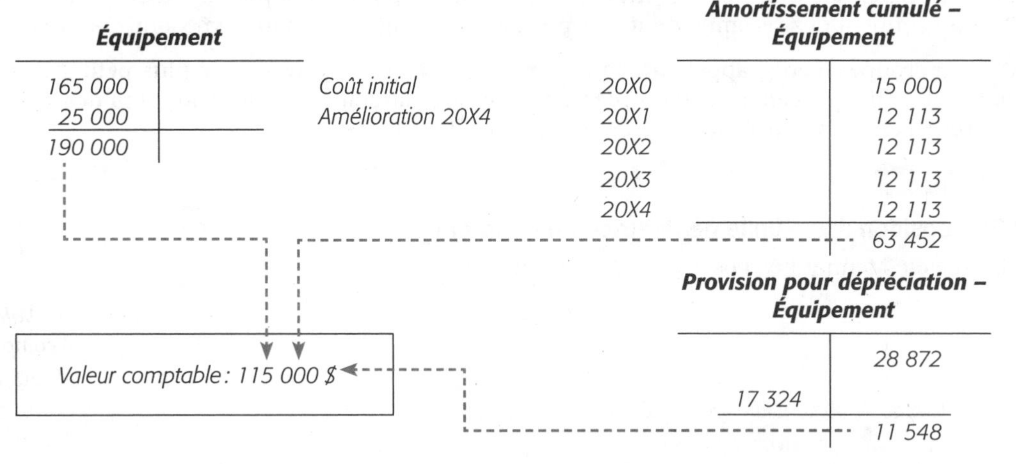

Le compte Reprise de valeur – Équipement est un compte qui sera présenté en résultat net de l'exercice 20X4.

La droite supérieure de la figure 9.7 indique l'évolution du coût historique amorti présumé, alors que la droite inférieure montre l'évolution de la valeur comptable réelle. Lors des reprises de valeur, seul l'écart entre les deux droites peut être comptabilisé, même si la valeur recouvrable se situe au-dessus de la ligne supérieure. En d'autres termes, la droite supérieure constitue un plafond à la reprise de valeur. Évidemment, si la valeur recouvrable se situe à l'intérieur de cet écart, la valeur comptable est ramenée à la valeur recouvrable.

FIGURE 9.7 L'évolution de la valeur comptable de l'équipement

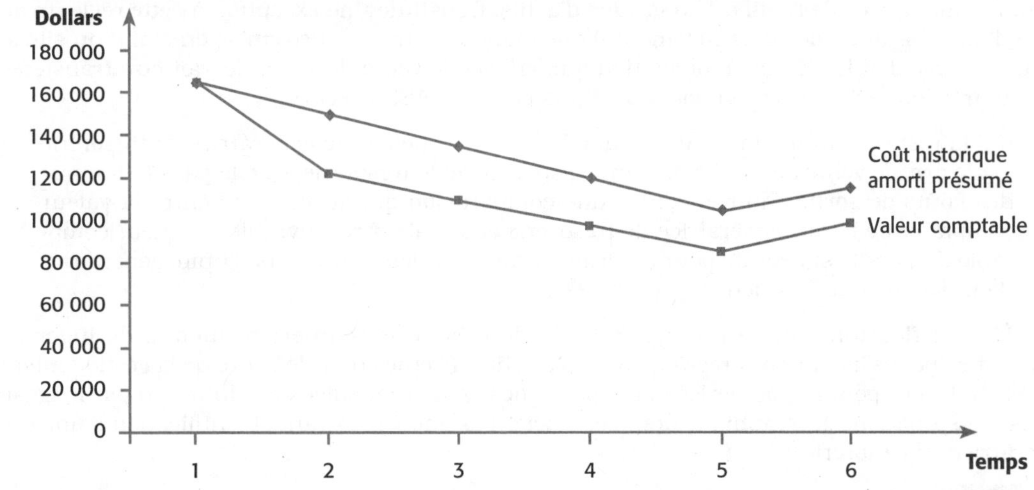

Soulignons enfin que lorsqu'une entreprise constate des indices de reprise de valeur, cela peut indiquer la nécessité de revoir le mode d'amortissement, la valeur résiduelle ou la durée d'utilité de l'immobilisation en cause. Lorsque ces indices l'amènent à comptabiliser une reprise de valeur, c'est la nouvelle valeur comptable qu'elle doit répartir sur les exercices subséquents au moyen de l'amortissement.

Les dépréciations appliquées à un groupe d'actifs

Jusqu'à maintenant, nous avons tenu pour acquis que le coût d'une immobilisation était comptabilisé dans un seul compte. Il se peut aussi que les composantes importantes d'une immobilisation soient comptabilisées dans des comptes distincts. Dans ces circonstances, l'entreprise regroupe la valeur comptable de chaque composante à des fins d'application du test de dépréciation. Il arrive aussi qu'il soit impossible d'estimer la valeur recouvrable d'un actif pris isolément lorsque ce dernier ne génère pas de flux de trésorerie indépendants de ceux découlant de l'utilisation d'autres actifs. L'entreprise doit alors grouper certains actifs pour appliquer un test de dépréciation. L'IAS 36 contient des recommandations précises à ce sujet, que nous exposons ci-après.

Un groupe d'actifs, appelé **unité génératrice de trésorerie**, est «le plus petit groupe identifiable d'actifs qui génère des entrées de trésorerie largement indépendantes des entrées de trésorerie générées par d'autres actifs ou groupes d'actifs[24]».

EXEMPLE

Composition d'une unité génératrice de trésorerie

La société Menuet ltée possède le groupe suivant :

	Valeur comptable
Terrain	*30 000 $*
Immeuble abritant le siège social et l'usine	*200 000*
Équipement de production	*100 000*
Dette bancaire, garantie par l'équipement	*60 000*

À la suite d'un affaiblissement du marché immobilier, Menuet ltée doit appliquer un test de dépréciation à son immeuble. Puisque ce dernier ne génère pas de flux de trésorerie autres que ceux découlant de la production, Menuet ltée doit regrouper son immeuble avec le terrain et l'équipement, et ce, même si elle peut déterminer la juste valeur spécifique du terrain ou de l'équipement. Cependant, l'entreprise ne peut pas inclure la dette bancaire dans l'unité génératrice de trésorerie, même si elle a contracté cette dette en donnant en garantie l'un des actifs de l'unité génératrice de trésorerie.

On ne doit pas inclure les dettes dans une unité génératrice de trésorerie parce que la juste valeur d'un actif ou d'un groupe d'actifs ne tient pas compte du mode de financement retenu par le propriétaire actuel de l'actif ou du groupe d'actifs. Constitue une exception à cette règle un actif grevé d'une obligation de démantèlement d'une immobilisation ou de remise en état d'un site à la fin de la durée d'utilité du bien, obligation qui, en cas de vente du bien, devrait être transférée à l'acheteur selon certaines lois en vigueur. Dans ce cas, l'IASB précise :

> [...] la juste valeur diminuée des coûts de sortie [...] de l'unité génératrice de trésorerie est le prix de vente des actifs de l'unité génératrice de trésorerie avec le passif, diminué des coûts de sortie. Pour effectuer une comparaison qui ait un sens entre la valeur comptable de l'unité génératrice de trésorerie et sa valeur recouvrable, la valeur comptable du passif est déduite pour déterminer tant la valeur d'utilité de l'unité génératrice de trésorerie que sa valeur comptable[25].

L'**identification** d'une unité génératrice de trésorerie requiert beaucoup de jugement. L'entreprise peut s'inspirer des regroupements d'actifs effectués dans le cadre de la gestion interne. Par exemple, elle peut regrouper les actifs par lignes de marchandises produites ou par magasins situés dans une zone géographique donnée. Voici un exemple illustrant l'identification d'une unité génératrice de trésorerie[26].

EXEMPLE

Identification d'une unité génératrice de trésorerie

Le magasin Xénon appartient à Murano, une chaîne de magasins de distribution. Xénon effectue tous ses achats par l'intermédiaire de la centrale d'achats de Murano. Les politiques de

24. *Manuel de CPA Canada – Comptabilité – Partie I*, IAS 36, paragr. 6.

25. *Manuel de CPA Canada – Comptabilité – Partie I*, IAS 36, paragr. 78.

26. Les deux exemples qui suivent sont adaptés de : International Accounting Standards Board, *Normes internationales d'information financière (IFRS) y compris les Normes comptables internationales (IAS) et les Interprétations au 1er janvier 2006*, IAS 36, Exemples d'application, Londres, 2006.

prix, de marketing, de publicité et de gestion des ressources humaines (sauf en ce qui concerne l'embauche du personnel de vente et de caisse de Xénon) sont définies par Murano. Cette dernière possède également 5 autres magasins dans la ville où est implanté Xénon, mais dans des quartiers différents, et 20 magasins dans d'autres villes. Tous les magasins sont gérés de la même manière que Xénon. Xénon et 4 autres magasins ont été achetés il y a 5 ans.

Pour identifier l'unité génératrice de trésorerie de Xénon, l'entreprise examine par exemple :

1. si le système d'information interne de la direction est organisé pour évaluer la performance magasin par magasin ; et
2. si l'activité est gérée magasin par magasin ou sur la base d'une région ou d'une ville.

Tous les magasins de Murano sont situés dans des quartiers différents et ont probablement des clientèles différentes. Ainsi, bien que Xénon soit géré à partir du siège social, il génère des rentrées de trésorerie qui sont largement indépendantes de celles générées par les autres magasins de Murano. Il est donc probable que Xénon soit une unité génératrice de trésorerie.

Au moment de juger si les flux de trésorerie générés par un bien sont indépendants de ceux générés par d'autres biens, l'entreprise prend en compte les rentrées de trésorerie qui pourraient être reçues de tiers extérieurs.

EXEMPLE

Analyse des flux de trésorerie en vue d'identifier une unité génératrice de trésorerie

Posons, par exemple, l'hypothèse que la société Fil Hatur ltée produit des foulards de soie et possède 3 usines situées dans 3 pays. L'usine située en Chine produit le fil de soie utilisé comme matière première dans les usines situées au Vietnam ou en Russie, où l'on produit les foulards. Le fil de soie pourrait être vendu sur le marché à d'autres entreprises. La production des usines situées au Vietnam ou en Russie est inférieure à la capacité de production. Les foulards de Fil Hatur ltée sont vendus dans le monde entier à partir des usines du Vietnam et de la Russie, selon celle qui peut livrer les produits le plus rapidement. Les niveaux de production de ces deux usines dépendent de l'affectation décidée par le siège social. Puisqu'il existe un marché pour la production réalisée en Chine, Fil Hatur ltée conclut que les flux de trésorerie générés par les installations chinoises sont indépendants de ceux générés par les installations situées au Vietnam ou en Russie. De ce fait, les actifs situés en Chine constituent une unité génératrice de trésorerie. Par contre, les rentrées de trésorerie des usines vietnamienne et russe dépendent de l'affectation de la production et Fil Hatur ltée ne connaît pas les rentrées de trésorerie qui pourraient être rattachées à chacune des deux usines. L'entreprise groupera donc les installations situées dans ces deux pays dans une seule unité génératrice de trésorerie.

Soulignons enfin que lorsqu'une entreprise a identifié ses unités génératrices de trésorerie, elle garde le même regroupement des actifs au cours des exercices subséquents, à moins de pouvoir justifier un changement. La méthode de regroupement doit rester la même afin d'assurer la comparabilité des données comptables, caractéristique qualitative auxiliaire recherchée par les utilisateurs des états financiers.

Lorsque l'on estime les **flux de trésorerie nets** pour une unité génératrice de trésorerie, la question de la période couverte par les prévisions se pose. En effet, il est fréquent qu'une telle unité englobe des actifs dont la durée d'utilité diffère. L'IASB précise alors que le coût de remplacement des actifs dont la durée d'utilité est plus courte est inclus dans les sorties de trésorerie attendues au niveau de l'unité génératrice de trésorerie.

Arrive ensuite la comparaison de la valeur comptable totale du groupe et de la valeur recouvrable totale du groupe. Lorsque la première excède la seconde, l'entreprise doit comptabiliser une dépréciation. Lorsque la valeur comptable de l'unité génératrice de trésorerie est inférieure à sa valeur recouvrable, l'entreprise ne comptabilise aucune dépréciation, et ce, même si la valeur comptable de certains actifs compris dans l'unité génératrice de trésorerie excède leur valeur recouvrable. Il ne serait pas cohérent de réaliser certaines étapes du test de dépréciation sur la base d'un groupe d'actifs et d'autres étapes sur la base d'un actif pris isolément. Soulignons qu'il se peut qu'une unité génératrice de flux de trésorerie inclue certains actifs dont on peut évaluer la juste valeur, mais qui ont été regroupés car ils sont essentiels pour générer les flux de trésorerie de l'unité. Pensons, par exemple, à un immeuble abritant l'usine d'une entreprise produisant des outils. Si les flux de trésorerie générés par les équipements de production ne sont pas indépendants, l'entreprise peut les grouper avec ceux générés par l'immeuble même si elle peut évaluer la juste valeur de celui-ci.

Lorsqu'une entreprise conclut qu'elle doit comptabiliser une dépréciation sur les actifs groupés au sein d'une unité génératrice de trésorerie, il lui reste encore à répartir la dépréciation entre les actifs qui composent cette unité et qui sont couverts par l'IAS 36. La répartition se fait au prorata de la valeur comptable de chaque actif assujetti et compris dans l'unité génératrice de trésorerie. Lorsque cette dernière comprend des actifs non couverts par l'IAS 36, par exemple des stocks ou des actifs financiers, la valeur comptable de ceux-ci n'est pas ajustée.

9

EXEMPLE

Dépréciation d'une unité génératrice de trésorerie

La société Micro Terme ltée, une société de services conseils, a dû regrouper les actifs suivants pour appliquer le test de dépréciation :

	Valeur comptable	*Valeur d'utilité*	*Juste valeur nette*
Stocks	*100 000 $*		
Liste et relations avec des clients	*10 000*		
Équipement de télécommunication	*50 000*		
Mobilier de bureau	*110 000*		
Total	*270 000 $*	*240 000 $*	*250 000 $*

Dans ce groupe d'actifs, les stocks ne sont pas assujettis aux normes présentées dans l'IAS 36. Ils sont inclus dans l'unité génératrice de trésorerie, car ils sont une partie intégrante des flux de trésorerie identifiables rattachés à l'unité génératrice de trésorerie. Toutefois, leur valeur comptable n'est pas ajustée au terme du test de dépréciation, qui peut conduire uniquement à comptabiliser une dépréciation sur la liste de clients, l'équipement de télécommunication et le mobilier de bureau.

Puisque la valeur comptable du groupe (270 000 $) excède sa valeur recouvrable de 250 000 $ (la plus élevée de la valeur d'utilité de 240 000 $ et de la juste valeur nette de 250 000 $), Micro Terme ltée doit comptabiliser une dépréciation de 20 000 $ (270 000 $ – 250 000 $). Elle passe l'écriture de journal suivante pour comptabiliser les dépréciations de ses immobilisations :

Dépréciation – Liste et relations avec des clients	*1 200*	
Dépréciation – Équipement de télécommunication	*5 800*	
Dépréciation – Mobilier de bureau	*13 000*	
Provision pour dépréciation – Liste et relations avec des clients		*1 200*
Provision pour dépréciation – Équipement de télécommunication		*5 800*
Provision pour dépréciation – Mobilier de bureau		*13 000*
Dépréciation répartie proportionnellement selon la valeur comptable des immobilisations.		

Calculs :

	Valeur comptable	Pourcentage de la répartition proportionnelle	Répartition de la dépréciation	Valeur comptable ajustée
Stocks	100 000 $			100 000 $
Immobilisations :				
Liste et relations avec des clients	10 000	6 %	1 200 $	8 800
Équipement de télécommunication	50 000	29	5 800	44 200
Mobilier de bureau	110 000	65	13 000	97 000
Total partiel	170 000	100 %	20 000 $	150 000
Total des éléments du groupe	270 000 $			250 000 $

Dans l'écriture précédente, nous avons utilisé trois comptes de résultat distincts pour comptabiliser la dépréciation car, au moment de préparer ses états financiers, Micro Terme ltée devra indiquer les dépréciations par catégories d'actifs, tel qu'expliqué plus loin.

Comme toujours, l'entreprise jugera de l'importance relative des montants en cause et, le cas échéant, pourra regrouper certains renseignements afin de ne pas surcharger ses états financiers. L'IASB précise aussi qu'une entreprise :

> [...] ne doit pas réduire la valeur comptable d'un actif en dessous du plus élevé de :
>
> (a) sa juste valeur diminuée des coûts de sortie (si on peut l'évaluer) ;
>
> (b) sa valeur d'utilité (si on peut la déterminer) ; et
>
> (c) zéro.
>
> Le montant de la perte de valeur qui, sinon, aurait été affecté à l'actif, doit être réparti au prorata entre les autres actifs de l'unité (du groupe d'unités)[27].

9

EXEMPLE

Seuil minimal de dépréciation des actifs groupés dans une unité génératrice de trésorerie

Reprenons l'exemple précédent en supposant que Micro Terme ltée ait pu établir à 105 000 $ la juste valeur nette du mobilier de bureau et à 100 000 $ sa valeur d'utilité. Puisque la valeur recouvrable de 105 000 $ excède la valeur comptable ajustée de 97 000 $ calculée précédemment, Micro Terme ltée doit redresser les valeurs comptables des 3 immobilisations de la façon suivante :

	Valeur comptable ajustée	*Pourcentage de redressement proportionnel*	*Redressement de la dépréciation*	*Valeur comptable redressée*
Stocks	*100 000 $*			*100 000 $*
Immobilisations :				
Mobilier de bureau	*97 000*	*–*	*8 000 $*	*105 000*
Liste et relations avec des clients	*8 800*	*17 %*	*(1 360)*	*7 440*
Équipement de télécommunication	*44 200*	*83*	*(6 640)*	*37 560*
Total partiel	*150 000*	*100 %*	*(8 000)*	*150 000*
Total des éléments du groupe	*250 000 $*		*0 $*	*250 000 $*

Une entreprise qui comptabilise une dépréciation de ses actifs doit aussi respecter certaines normes de présentation, exposées dans la sous-section qui suit.

Les informations à fournir

L'IASB recommande aux entreprises de donner un minimum d'informations dans leurs états financiers de l'exercice au cours duquel elles ont comptabilisé une dépréciation ou une reprise de valeur. Le tableau 9.9 énumère ces informations et apporte quelques commentaires.

On trouvera à la section suivante un exemple d'application de ces normes dans les extraits pertinents des états financiers de la société Bombardier inc. (*voir les pages 9.50 et 9.51*). Même si nous avons expliqué les règles comptables relatives aux dépréciations dans le présent chapitre portant sur les immobilisations corporelles, ces extraits montrent bien que ces règles s'appliquent aussi aux immobilisations incorporelles.

27. *Manuel de CPA Canada – Comptabilité – Partie I*, IAS 36, paragr. 105.

TABLEAU 9.9 Les informations à fournir à l'égard des dépréciations et des reprises de valeur

Normes internationales d'information financière, **IAS 36**	**Commentaires**
Paragr. 126 *Pour chaque catégorie d'actifs, l'entité doit fournir :* *(a) le montant des pertes de valeur comptabilisées en résultat net au cours de la période et les postes de l'état du résultat global dans lesquels ces pertes de valeur sont incluses ;* *(b) le montant des reprises de pertes de valeur comptabilisées en résultat net au cours de la période et les postes de l'état du résultat global dans lesquels ces pertes de valeur sont reprises ;*	Lorsqu'une entreprise a groupé, par exemple, le solde du compte Dépréciation ou Reprise de valeur d'un équipement et celui du compte Frais d'entretien à des fins de présentation dans l'état du résultat global, elle doit indiquer par voie de notes le montant comptabilisé à titre de dépréciation. Les utilisateurs des états financiers ont besoin de connaître cette information, car les dépréciations ne sont habituellement pas récurrentes.
(c) le montant des pertes de valeur sur des actifs réévalués comptabilisées dans les autres éléments du résultat global au cours de la période ; *(d) le montant des reprises de pertes de valeur sur des actifs réévalués comptabilisées dans les autres éléments du résultat global au cours de la période.*	L'entreprise doit aussi présenter séparément les variations de valeur comptabilisées en résultat net (par exemple, sur des actifs évalués selon le modèle du coût) et les variations de valeur comptabilisées au compte Écart de réévaluation (AERG) (par exemple, sur des actifs évalués selon le modèle de la réévaluation). Ces informations peuvent être présentées dans le rapprochement des valeurs comptables au début et à la fin de la période.
Paragr. 129 *Une entité qui communique des informations sectorielles selon IFRS 8 doit indiquer ce qui suit, pour chaque secteur à présenter :* *(a) le montant des pertes de valeur comptabilisées en résultat net et dans les autres éléments du résultat global au cours de la période ;* *(b) le montant des reprises de pertes de valeur comptabilisées en résultat net et dans les autres éléments du résultat global au cours de la période.*	Une entreprise exerçant, par exemple, ses activités dans trois secteurs d'exploitation doit préciser le secteur affecté par la dépréciation ou la reprise de valeur des actifs, en distinguant simultanément les variations comptabilisées en résultat net et celles comptabilisées dans les autres éléments du résultat global, de façon à permettre aux utilisateurs des états financiers de mieux juger de la performance du secteur en cause. Le chapitre 21 traitera de l'information sectorielle.
Paragr. 130 *Une entité doit fournir les informations suivantes pour un actif pris individuellement [...] ou une unité génératrice de trésorerie, à l'égard duquel une perte de valeur a été comptabilisée ou reprise au cours de la période :* *(a) les événements et circonstances qui ont conduit à comptabiliser ou à reprendre la perte de valeur ;* *(b) le montant de la perte de valeur comptabilisée ou reprise ;* *(c) pour un actif pris individuellement :* *(i) la nature de l'actif, et* *(ii) si l'entité communique des informations sectorielles selon IFRS 8, le secteur à présenter auquel l'actif appartient ;*	L'entreprise devra donner une description claire des faits et circonstances à l'origine de la dépréciation ou de la reprise de valeur, car les utilisateurs des états financiers ont besoin de cette information pour juger de leurs effets sur le résultat, net ou global, courant et futur de l'entreprise. Une entreprise pourrait, par exemple, expliquer qu'elle a comptabilisé une dépréciation à la suite de l'adoption d'une nouvelle loi régissant la commercialisation des aliments génétiquement modifiés qu'elle produit. La description peut être brève et se limiter à nommer l'actif dont la valeur comptable a été dévaluée ou reprise, par exemple, un équipement servant à la production de composantes électroniques.
(d) pour une unité génératrice de trésorerie : *(i) une description de l'unité génératrice de trésorerie (par exemple, s'il s'agit d'une ligne de produits, d'une usine, d'une activité, d'une zone géographique ou d'un secteur à présenter [...],* *(ii) le montant de la perte de valeur comptabilisée ou reprise par catégorie d'actifs et, si l'entité communique des informations sectorielles selon IFRS 8, par secteur à présenter, et*	L'entreprise explique la façon dont elle identifie ses unités génératrices de trésorerie. Si elle a changé sa façon d'identifier ses unités génératrices de trésorerie, elle explique ce qui a motivé le changement, par exemple, une restructuration de ses activités d'exploitation.

9

TABLEAU 9.9 *(suite)*

(iii) si le regroupement d'actifs composant l'unité génératrice de trésorerie a changé depuis l'estimation précédente de la valeur recouvrable de l'unité génératrice de trésorerie (le cas échéant), une description du mode actuel et du mode antérieur de regroupement des actifs ainsi que les raisons ayant conduit à changer le mode d'identification de l'unité génératrice de trésorerie;	
(e) la valeur recouvrable de l'actif (de l'unité génératrice de trésorerie), en indiquant si elle correspond à sa juste valeur diminuée des coûts de sortie ou à sa valeur d'utilité;	L'entreprise doit préciser à quoi correspond la valeur la plus élevée qu'elle a retenue à titre de valeur recouvrable.
(f) lorsque la valeur recouvrable est la juste valeur diminuée des coûts de sortie, l'entité doit fournir les informations suivantes : *(i) le niveau auquel la juste valeur de l'actif (de l'unité génératrice de trésorerie) prise dans son ensemble est classée dans la hiérarchie des justes valeurs (voir IFRS 13) (compte non tenu de l'observabilité des « coûts de sortie »),* *(ii) pour les justes valeurs classées au niveau 2 ou 3 de la hiérarchie, une description de la ou des techniques d'évaluation utilisées pour déterminer la juste valeur diminuée des coûts de sortie. En cas de changement de technique d'évaluation, l'entité doit mentionner ce changement et la ou les raisons qui le sous-tendent,* *(iii) pour les justes valeurs classées au niveau 2 ou 3 de la hiérarchie, chaque hypothèse clé sur laquelle la direction a fondé sa détermination de la juste valeur diminuée des coûts de sortie. Les hypothèses clés sont celles auxquelles la valeur recouvrable de l'actif (de l'unité génératrice de trésorerie) est la plus sensible. L'entité doit également indiquer le ou les taux d'actualisation utilisés pour l'évaluation actuelle et l'évaluation antérieure si la juste valeur diminuée des coûts de sortie est évaluée à l'aide d'une technique d'actualisation;*	Par exemple, l'entreprise précise si la juste valeur repose sur un accord de vente irrévocable ou sur le prix de marché observé sur un marché actif. Les utilisateurs des états financiers doivent connaître ces renseignements afin de juger de la fidélité des chiffres estimés par l'entreprise.
(g) lorsque la valeur recouvrable est la valeur d'utilité, le ou les taux d'actualisation utilisés dans l'estimation actuelle et dans l'estimation précédente (le cas échéant) de la valeur d'utilité.	Lorsque la valeur d'utilité est retenue, parce qu'elle excède la juste valeur nette, l'entreprise doit indiquer le taux d'actualisation. Celui-ci a un effet très important sur la valeur actualisée obtenue, une variation d'un point de base de ce taux pouvant faire varier la valeur actualisée de plusieurs milliers de dollars. Il importe donc que l'entreprise indique le taux d'actualisation qu'elle a utilisé. L'IASB encourage aussi les entreprises à fournir les principales hypothèses utilisées pour déterminer la valeur recouvrable.
Paragr. 131 *Une entité doit communiquer les informations suivantes concernant le total des pertes de valeur et le total des reprises de pertes de valeur comptabilisées au cours de la période au titre desquelles aucune information n'est fournie selon le paragraphe 130 :*	Lorsqu'une entreprise a procédé à la dépréciation ou à la reprise de valeur de plusieurs actifs et que la dépréciation ou la reprise a été jugée non importante, elle regroupe d'une part les pertes individuelles et d'autre part les reprises de valeur individuelles afin de donner à leur sujet des informations complémentaires dans ses états financiers.
(a) les principales catégories d'actifs affectés par les pertes de valeur et les principales catégories d'actifs affectés par les reprises de pertes de valeur;	Cette exigence montre que l'IASB juge que les dépréciations et les reprises de valeur sont des événements importants de par leur nature, *indépendamment des montants en cause.*
(b) les principaux événements et circonstances qui ont conduit à comptabiliser ces pertes de valeur et ces reprises de pertes de valeur.	

Différence NCECF

Avez-vous remarqué ?

La comptabilisation des dépréciations d'actif découle du Cadre, plus précisément de la définition d'un actif, qui précise qu'un actif génère des avantages économiques futurs. Cela sous-entend que la valeur comptable d'un actif doit être au moins égale à la valeur des avantages économiques attendus. En pratique, la plus grande difficulté est de déterminer les éléments de l'environnement économique de l'entreprise qui sont susceptibles d'influencer les avantages économiques attendus d'un actif et de prévoir leur incidence sur ceux-ci.

6 La présentation dans les états financiers

Différence NCECF

Dans l'IAS 16, l'IASB énumère les exigences minimales en matière de présentation des immobilisations dans les états financiers. Elles sont présentées et commentées dans le tableau 9.10. Celui-ci contient aussi les normes relatives aux thèmes dont la comptabilisation a été abordée dans le chapitre 8.

TABLEAU 9.10 Les exigences minimales de présentation des immobilisations

Normes internationales d'information financière	**Commentaires**
IAS 16 Paragr. 73 *Les états financiers doivent indiquer, pour chaque catégorie d'immobilisations corporelles :* *(a) les conventions d'évaluation utilisées pour déterminer la valeur comptable brute ;* *(b) les modes d'amortissement utilisés ;* *(c) les durées d'utilité ou les taux d'amortissement utilisés ;* *(d) la valeur comptable brute et le cumul des amortissements (ajouté aux cumuls des pertes de valeur) en début et en fin de période ; et* *(e) un rapprochement entre les valeurs comptables à l'ouverture et à la clôture de la période, faisant apparaître :* *(i) les entrées,* *(ii) les actifs classés comme détenus en vue de la vente ou inclus dans un groupe destiné à être cédé classé comme détenu en vue de la vente selon IFRS 5 et autres sorties,* *(iii) […],*	Une entreprise peut établir les principales catégories d'immobilisations selon leur nature et leur usage (par exemple, terrains, immeubles, équipements et améliorations locatives). Elle peut aussi les établir selon le secteur d'activité dans lequel les immobilisations sont utilisées. Finalement, elle peut les établir selon la nature des activités (par exemple, production, transformation, distribution et exploitation d'immeubles destinés à la location).
(iv) les augmentations ou les diminutions résultant des réévaluations décrites aux paragraphes 31, 39 et 40 et des pertes de valeur comptabilisées ou reprises dans les autres éléments du résultat global selon IAS 36,	Les augmentations et diminutions énoncées en *(e) (iv)* et décrites aux paragraphes 31, 39 et 40 concernent les réévaluations à effectuer lorsqu'une entreprise évalue ses immobilisations corporelles selon le modèle de la réévaluation, alors que les variations comptabilisées selon l'IAS 36 concernent les tests de dépréciation.
(v) les pertes de valeur comptabilisées en résultat net selon IAS 36, *(vi) les pertes de valeur faisant l'objet d'une reprise en résultat net selon IAS 36,* *(vii) les amortissements,* *(viii) […], et* *(ix) les autres variations.* Paragr. 74 *Les états financiers doivent également indiquer :*	
(a) l'existence et les montants des restrictions sur les immobilisations corporelles données en nantissement de dettes ;	Il importe d'indiquer les immobilisations données en nantissement de dettes, car cela diminue la latitude laissée à l'entreprise quant à leur utilisation.

TABLEAU 9.10 *(suite)*

(b) *le montant des dépenses comptabilisées dans la valeur comptable d'une immobilisation corporelle en cours de construction ;*	En ce qui concerne les immobilisations construites par l'entreprise, leur valeur comptable initiale est plus subjective, car elle ne repose pas sur une transaction d'achat auprès d'un tiers. C'est pourquoi l'entreprise doit donner des renseignements aux utilisateurs afin de leur permettre d'apprécier ses choix comptables.
(c) *le montant des engagements contractuels pour l'acquisition d'immobilisations corporelles ; et*	Le montant des engagements contractuels ayant un effet important sur les flux de trésorerie futurs, les utilisateurs doivent en être informés.
(d) *s'il n'est pas présenté séparément dans l'état du résultat global, le montant des indemnisations accordées par des tiers relativement à des immobilisations corporelles dépréciées, perdues ou cédées qui sont incluses dans le résultat net.*	Enfin, les indemnisations reçues de tiers doivent aussi être connues des utilisateurs des états financiers, car elles ne sont pas récurrentes.
Paragr. 77 *Lorsque les immobilisations corporelles sont inscrites à leur montant réévalué, les informations suivantes doivent être fournies en plus des informations exigées par IFRS 13 :* (a) *la date d'entrée en vigueur de la réévaluation ;* (b) *le recours ou non à un évaluateur indépendant ;* (c) [supprimé] (d) [supprimé] (e) *pour chaque catégorie d'immobilisations corporelles réévaluées, la valeur comptable qui aurait été comptabilisée si les actifs avaient été comptabilisés selon le modèle du coût ; et*	Le modèle de la réévaluation peut permettre de donner des informations plus pertinentes, mais il entraîne parfois une réduction de la fidélité. C'est pourquoi l'IASB exige des entreprises qu'elles donnent toute l'information pertinente afin que les utilisateurs puissent se faire leur propre opinion sur la fidélité.
(f) *l'écart de réévaluation, en indiquant les variations de la période ainsi que toute restriction sur la distribution de cet écart aux actionnaires.*	Les variations de valeur sont aussi des informations très pertinentes, car elles entraînent une augmentation des ressources sans diminution des flux de trésorerie à court terme.
IAS 23 Paragr. 26 *Une entité doit fournir les informations suivantes :* (a) *le montant des coûts d'emprunt incorporés dans le coût d'actifs au cours de la période ; et* (b) *le taux de capitalisation utilisé pour déterminer le montant des coûts d'emprunt pouvant être incorporés dans le coût d'actifs.*	En ce qui concerne les coûts d'emprunt, dont la comptabilisation est expliquée au chapitre 8, les renseignements ci-contre aident les utilisateurs des états financiers à déterminer la portion des intérêts sur dette qui n'ont pas été comptabilisés en charges dans la période en cours, mais qui le seront dans les périodes subséquentes.
IAS 20 Paragr. 39 *Les informations suivantes doivent être fournies :* (a) *la méthode comptable adoptée pour les subventions publiques, y compris les méthodes de présentation adoptées dans les états financiers ;* (b) *la nature et l'étendue des subventions publiques comptabilisées dans les états financiers et une indication des autres formes d'aide publique dont l'entité a directement bénéficié ; et* (c) *les conditions non remplies et toute autre éventualité relative à de l'aide publique qui a été comptabilisée.*	À l'égard de l'exigence énoncée en *(a)* ci-contre, l'entreprise indique, par exemple, si elle a comptabilisé une subvention en diminution du coût d'une immobilisation ou dans un compte de Produits différés. Dans ce dernier cas, elle indique le mode et le taux d'amortissement.

D'autres normes contiennent des recommandations touchant la présentation des immobilisations corporelles. Par exemple, selon l'**IAS 1**, intitulée « Présentation des états financiers », une entreprise doit fournir des informations sur toute hypothèse-clé relative à l'avenir qui présente un risque important d'entraîner un ajustement significatif des montants comptabilisés à l'actif.

Pour terminer, voici les extraits pertinents des états financiers de la société Bombardier inc. Nous reproduisons les extraits des états des flux de trésorerie consolidés afin de sensibiliser le lecteur aux incidences des immobilisations corporelles sur cet état.

BOMBARDIER INC.

ÉTATS DES FLUX DE TRÉSORERIE CONSOLIDÉS

Pour les exercices clos les 31 décembre
(en millions de dollars américains)

	Notes	**2015**	2014
Activités opérationnelles			
Résultat net		**(5 340) $**	(1 246) $
Éléments sans effet de trésorerie			
Amortissement	20, 21	**438**	417
Dépréciation des immobilisations corporelles et incorporelles	9, 20, 21	**4 300**	1 266
[…]			
Gains sur cessions d'immobilisations corporelles et incorporelles	8	**(3)**	(3)
[…]			
Activités d'investissement			
Additions aux immobilisations corporelles et incorporelles		**(1 879)**	(1 982)
Produit de la cession d'immobilisations corporelles et incorporelles		**17**	18
[…]			

9

BOMBARDIER INC.

NOTES AUX ÉTATS FINANCIERS CONSOLIDÉS

Pour les exercices clos les 31 décembre 2015 et 2014

(Les montant des tableaux sont en millions de dollars américains à moins d'indication contraire)

[…]

2. SOMMAIRE DES PRINCIPALES MÉTHODES COMPTABLES

[…]

Immobilisations corporelles

IAS 16, paragr. 73(a)

Les immobilisations corporelles sont comptabilisées au coût, moins l'amortissement cumulé et les pertes de valeur. Le coût d'un élément des immobilisations corporelles comprend son prix d'achat ou son coût de fabrication, ses coûts d'emprunt ainsi que tous les autres coûts engagés en vue d'amener l'actif à l'endroit et dans l'état où il se trouve. Si le coût de certaines composantes d'un élément des immobilisations corporelles est important par rapport au coût total de l'élément, le coût total est réparti entre les diverses composantes, qui sont par la suite amorties séparément sur la durée de vie utile de chaque composante.

IAS 16, paragr. 73(b) et (c)

L'amortissement des immobilisations corporelles est calculé sur une base linéaire sur les durées de vie utile suivantes :

Bâtiments	De 5 à 75 ans
Matériel	De 2 à 15 ans
Autres	De 3 à 20 ans

[…]

9. ÉLÉMENTS SPÉCIAUX

IAS 36, paragr. 130(b)

Les éléments spéciaux se présentaient comme suit pour les exercices :

	2015	2014
Charge de dépréciation et autres charges – Programme d'avions *C Series*(1)	**3 235 $**	– $
Charge de dépréciation et autres charges – Programme d'avion *Learjet 85*(2)	**1 163**	1 357
[…]		
Charge de dépréciation – Programme d'avion *CRJ1000*(4)	**243**	–
[…]		
Charge de dépréciation – Gamme d'avions *Learjet*(7)	**53**	–
[…]		
	5 561 $	1 797 $

IAS 36, paragr. 130(b)

Présentés dans		
Éléments spéciaux dans le RAII	**5 392 $**	1 489 $
Charges de financement – Perte sur instruments financiers(3)	**41**	–
Charges de financement – Perte sur remboursement de dette à long terme(9)	**22**	43
Revenus de financement – Intérêts relatifs à la résolution d'un litige(11)	**–**	(8)
Impôts sur le résultat – incidence des éléments spéciaux(12)	**106**	273
	5 561 $	1 797 $

IAS 36, paragr. 130(a)

1. Représente une charge de dépréciation de l'outillage du programme aéronautique de 3 070 millions $ et des dépréciations des stocks et d'autres provisions de 165 millions $, par suite d'un examen approfondi du programme d'avions C Series ainsi que des discussions avec le gouvernement du Québec qui ont entraîné le protocole d'entente d'octobre 2015. Voir la Note 17 – Stocks, la Note 21 – Immobilisations incorporelles et la Note 24 – Provisions.

[…]

IAS 16, paragr. 73(d)

20. IMMOBILISATIONS CORPORELLES

Les immobilisations corporelles étaient comme suit aux :

IAS 16, paragr. 73(e)

	Terrains	**Bâtiments**	**Matériel**	**Construction en cours**	**Autres**	**Total**
Coût						
Solde au 31 décembre 2014	**91 $**	**2 413 $**	**1 347 $**	**171 $**	**422 $**	**4 444 $**
Additions	**3**	**25**	**61**	**139**	**45**	**273**
Cessions	**(2)**	**(11)**	**(52)**	**–**	**(59)**	**(124)**
Transferts	**–**	**70**	**77**	**(148)**	**1**	**–**
Incidence des fluctuations de taux de change	**(5)**	**(88)**	**(15)**	**(7)**	**(3)**	**(118)**
Solde au 31 décembre 2015	**87 $**	**2 409 $**	**1 418 $**	**155 $**	**406 $**	**4 475 $**
Amortissement et moins-value cumulés						
Solde au 31 décembre 2014	**– $**	**(1 212) $**	**(864) $**	**– $**	**(276) $**	**(2 352) $**
Amortissement	**–**	**(75)**	**(108)**	**–**	**(25)**	**(208)**
Moins-value	**–**	**–**	**(10)**	**–**	**–**	**(10)**
Cessions	**–**	**11**	**49**	**–**	**41**	**101**
Incidence des fluctuations de taux de change	**–**	**60**	**(2)**	**–**	**(3)**	**55**
Solde au 31 décembre 2015	**– $**	**(1 216) $**	**(935) $**	**– $**	**(263) $**	**(2 414) $**
Valeur comptable nette	**87 $**	**1 193 $**	**483 $**	**155 $**	**143 $**	**2 061 $**

	Terrains	Bâtiments	Matériel	Construction en cours	Autres	Total
Coût						
Solde au 1er janvier 2014	98 $	2 218 $	1 287 $	356 $	429 $	4 388 $
Additions	–	41	45	228	2	316
Cessions	–	(5)	(81)	–	(12)	(98)
Transferts	–	279	124	(407)	4	–
Incidence des fluctuations de taux de change	(7)	(120)	(28)	(6)	(1)	(162)
Solde au 31 décembre 2014	91 $	2 413 $	1 347 $	171 $	422 $	4 444 $
Amortissement et moins-value cumulés						
Solde au 1er janvier 2014	– $	(1 232) $	(825) $	– $	(265) $	(2 322) $
Amortissement	–	(65)	(107)	–	(17)	(189)
Cessions	–	4	66	–	10	80
Incidence des fluctuations de taux de change	–	81	2	–	(4)	79
Solde au 31 décembre 2014	– $	(1 212) $	(864) $	– $	(276) $	(2 352) $
Valeur comptable nette	91 $	1 201 $	483 $	171 $	146 $	2 092 $

[…]

IAS 16, paragr. 73(d)

Source : Rapport annuel 2015 de Bombardier Inc.
Bombardier Inc., *Rapport annuel 2015 : Exercice clos le 31 décembre 2015*, [En ligne], < http://ir.bombardier.com/fr/rapports-financiers > (page consultée le 19 février 2016).
© 2016 Bombardier Inc. ou ses filiales

9

La figure 9.8 résume l'incidence sur les états financiers des opérations afférentes aux immobilisations corporelles, à partir de leur date d'acquisition jusqu'à leur date d'aliénation.

FIGURE 9.8 L'incidence sur les états financiers des opérations afférentes aux immobilisations corporelles

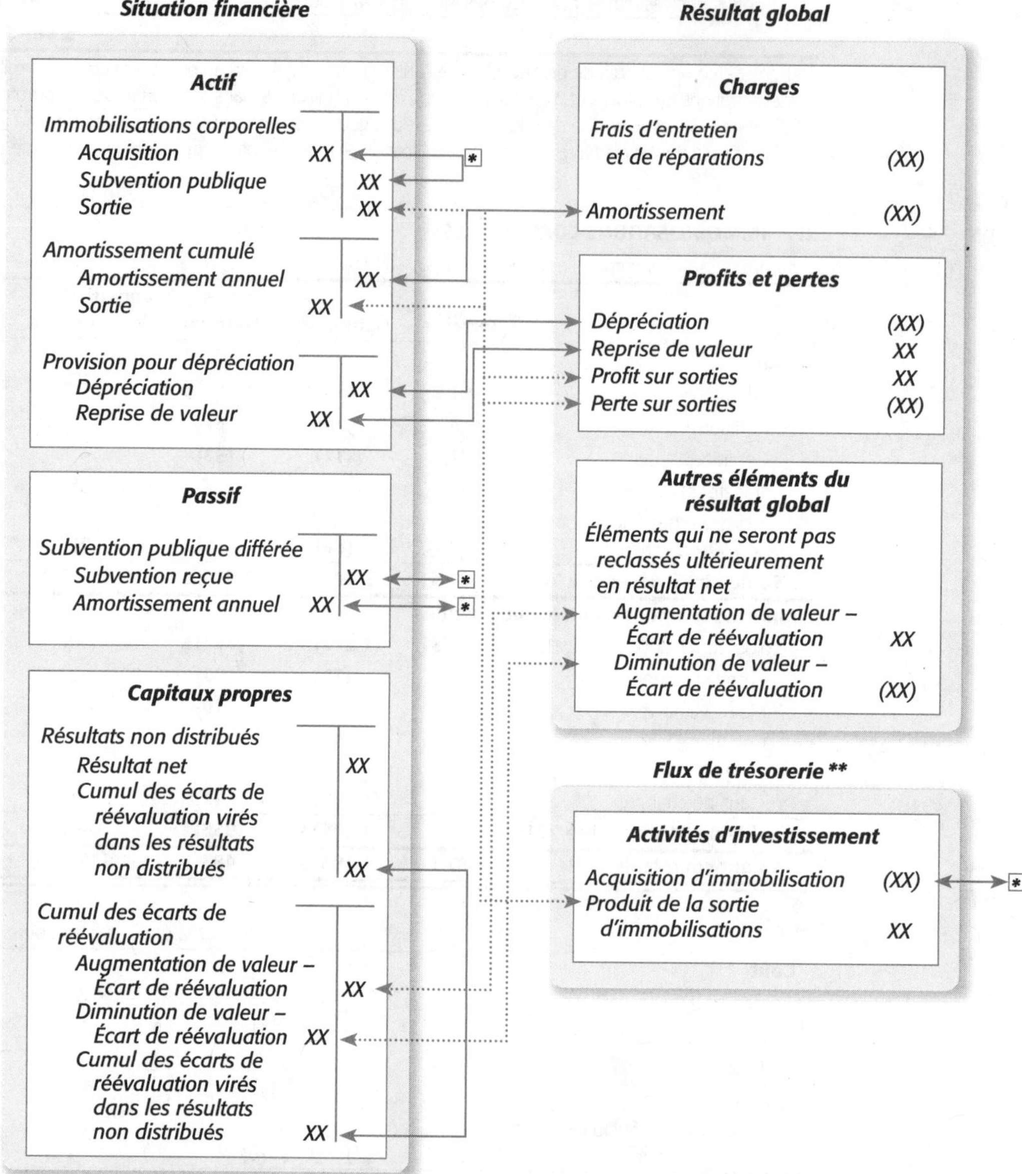

* La subvention publique peut être présentée soit en déduction de l'immobilisation, soit à titre de produit différé. La répercussion de ces éléments dans l'état du résultat global peut varier. Le lecteur est invité à consulter le chapitre 8 pour de plus amples renseignements à ce sujet.

** Le lecteur notera qu'une entreprise qui déciderait de présenter un tableau des flux de trésorerie selon la méthode indirecte inclurait les postes suivants dans la section Activités d'exploitation :

Résultat net	*XX $*
Amortissement	*XX*
Dépréciation	*XX*
Reprise de valeur	*(XX)*
Perte sur sorties	*XX*
Profit sur sorties	*(XX)*

Différence NCECF

PARTIE II – LES NCECF

Équivalents terminologiques *Manuel de CPA Canada* – Partie II et Partie I.

À la lecture du présent chapitre, vous avez déjà pu identifier les sujets qui diffèrent selon le référentiel, en observant les pictogrammes « Différence NCECF » indiqués dans les marges de la partie I – Les IFRS. Vous avez sans doute remarqué que les référentiels IFRS et NCECF présentent plusieurs différences relatives à la comptabilisation des immobilisations corporelles pendant leur détention. Ces différences s'expliquent par les éléments du cadre conceptuel à la base de chaque référentiel. Selon les IFRS, l'un des objectifs des états financiers est de donner des informations sur les ressources et les droits d'autrui sur ces ressources. Selon les NCECF, les états financiers servent aussi à communiquer des informations sur les ressources et leur financement, mais en s'assurant que l'information fournie soit prudente.

La figure 9.9 montre une synthèse des principales règles.

FIGURE 9.9 Les particularités des NCECF au sujet des immobilisations corporelles pendant la détention

Évaluation subséquente → Au coût ou au coût amorti

Dotation à l'amortissement → Montant le plus élevé entre :
a) le coût diminué de la valeur de récupération, réparti sur la durée de vie ;
b) le coût diminué de la valeur résiduelle, réparti sur la durée de vie utile.

↓

Utilisation d'une méthode d'amortissement systématique et rationnelle. Lorsqu'analysée sur plusieurs exercices, la charge peut être :
- constante ;
- croissante ;
- décroissante, ou ;
- erratique dans le temps.

↓

Révision périodique, pas forcément annuelle, de deux éléments :
a) La méthode d'amortissement ;
b) L'estimation de la durée de vie et de la durée de vie utile.

Dépréciation →
a) Quand ? Lorsque des événements ou des changements de situation indiquent que la valeur comptable pourrait ne pas être recouvrable, c'est-à-dire lorsque cette dernière est inférieure aux flux de trésorerie (non actualisés) directement rattachés à l'utilisation et à la sortie éventuelle de l'actif.
b) Quel montant ? La dépréciation correspond à l'excédent de la valeur comptable sur la juste valeur.
c) Que faire au cours des exercices suivants ? Si la juste valeur de l'actif augmente, on ne peut pas comptabiliser les reprises de valeur.

Le modèle de la réévaluation

Le **chapitre 3061** du *Manuel – Partie II*, intitulé «Immobilisations corporelles», indique que les immobilisations sont comptabilisées au coût. Les entreprises ne peuvent donc pas utiliser le modèle de la réévaluation. En pratique, cette interdiction peut entraîner des différences majeures entre la valeur comptable des immobilisations comptabilisées selon les IFRS ou les NCECF.

L'amortissement

La recommandation du Conseil des normes comptables (CNC) à l'égard de l'amortissement exige de répartir le montant amortissable d'une immobilisation sur les périodes de détention, de manière logique et systématique. Voici ce que le CNC précise au sujet du mode de cette répartition :

> [...] Le montant d'amortissement qui doit être passé en charges est le plus élevé des montants suivants :
>
> a) le coût, moins la valeur de récupération, réparti sur la durée de vie de l'immobilisation ;
>
> b) le coût, moins la valeur résiduelle, réparti sur la durée de vie utile de l'immobilisation[28].

IFRS
Durée d'utilité

Comparativement aux IFRS, qui exigent que l'amortissement soit calculé sur la **durée de vie utile**, selon ce qui est indiqué au paragraphe b) ci-dessus, une entreprise qui applique les NCECF doit de plus faire le calcul additionnel indiqué en a) ci-dessus. Pour ce faire, elle doit procéder aux estimations additionnelles de la **durée de vie totale** de l'immobilisation, expliquée à la page 9.15 et illustrée dans la figure 9.4, et de sa **valeur de récupération**. Celle-ci correspond à la valeur de réalisation nette estimative que l'entreprise pourra probablement obtenir à la fin de la durée de vie totale de l'immobilisation. Puisqu'à la fin de cette période, l'immobilisation ne sera à peu près plus utilisable, la valeur de récupération est normalement négligeable. Le CNC ne précise pas si la valeur résiduelle et la valeur de récupération sont les valeurs que l'entreprise obtiendrait aujourd'hui en vendant une immobilisation arrivée au terme de sa durée ou si ce sont les valeurs qui prévaudront au moment où elle vendra l'immobilisation. L'écart entre ces deux séries d'estimations pourrait être important en raison des variations de prix qui surviendront inévitablement dans l'économie entre le moment du début et de la fin de l'amortissement de l'immobilisation.

Une analyse du fonctionnement des méthodes d'amortissement généralement reconnues

Modes

Une entreprise qui applique les NCECF peut utiliser les mêmes **méthodes** d'amortissement généralement reconnues, expliquées dans la partie I – Les IFRS du présent chapitre. Elle doit cependant déterminer la charge d'amortissement en procédant aux deux calculs présentés ci-dessus.

EXEMPLE

Diverses méthodes d'amortissement

Pour illustrer l'application de ces deux calculs en tenant compte des méthodes d'amortissement généralement reconnues, nous reprenons ici l'exemple de la société Excroissance ltée, donné aux pages 9.18 à 9.21, sachant que l'entreprise estime la durée de vie totale à 5 ans et utilise une valeur de récupération symbolique de 1 $.

Selon la **méthode d'amortissement linéaire**, la répartition du montant amortissable sur la durée de vie utile était de 8 000 $ par année (*voir la page 9.19*). On doit maintenant procéder au calcul de l'amortissement basé sur la durée de vie totale :

Montant amortissable	=	*Coût d'acquisition – Valeur de récupération*
	=	*25 000 $ – 1 $*
	=	*24 999 $*
Charge relative au premier exercice	=	*Montant amortissable ÷ Durée de vie totale*
	=	*24 999 $ ÷ 5 ans*
	=	*5 000 $*

28. *Manuel de CPA Canada – Comptabilité – Partie II*, paragr. 3061.16.

Puisque la charge comptabilisée en résultats doit correspondre au montant le plus élevé des deux calculs, la charge d'amortissement correspond à 8 000 $ par année.

Selon la **méthode d'amortissement dégressif à taux constant**, la répartition du montant amortissable sur la durée de vie utile était de 16 450 $ pour le premier exercice (*voir la page 9.19*). On procède ainsi au calcul de l'amortissement basé sur la durée de vie totale :

$$1 - \sqrt[N]{\frac{\text{Valeur de récupération}}{\text{Coût}}}$$

où N = période d'amortissement, soit la durée de vie totale

Taux d'amortissement = $1 - \sqrt[5]{\frac{1\,\$}{25\,000\,\$}}$

= *0,868*

Charge relative au premier exercice = *Valeur comptable du début × Taux d'amortissement*

= *25 000 $ × 0,868*

= *21 700 $*

Puisque la charge comptabilisée en résultats doit correspondre au montant le plus élevé des deux calculs, la charge d'amortissement du premier exercice correspond à 21 700 $. Soulignons que les deux calculs sont effectués, peu importe la méthode d'amortissement retenue, uniquement la première année d'amortissement ou lors de révisions d'estimations. Ainsi, Excroissance ltée applique le taux d'amortissement de 0,868 à la valeur comptable au début du deuxième exercice, soit 3 300 $ (25 000 $ – 21 700 $), ce qui donne 2 864 $.

Selon la **méthode d'amortissement dégressif à taux double**, la répartition du montant amortissable sur la durée de vie utile était de 16 750 $ pour le premier exercice (*voir la page 9.20*). Voici le calcul de l'amortissement basé sur la durée de vie totale :

Taux d'amortissement = *Selon le mode d'amortissement linéaire*

100 % ÷ 5 ans = 20 %

Selon le mode d'amortissement dégressif à taux double

20 % × 2 = 40 %

Charge relative au premier exercice = *Valeur comptable du début × Taux d'amortissement*

= *25 000 $ × 40 %*

= *10 000 $*

La charge d'amortissement, conformément aux NCECF, correspond à celle calculée conformément aux IFRS, soit 16 750 $ pour la première année.

IFRS
Méthode fondée sur les unités de production

Enfin, selon la **méthode d'amortissement fonctionnel**, le calcul basé sur la durée de vie totale exige d'abord qu'Excroissance ltée établisse ses prévisions d'heures d'utilisation pour les quatrième et cinquième années, soit respectivement 2 000 et 1 000 heures, qui s'ajouteraient aux prévisions données à la page 9.21 et qui conduisaient à une charge d'amortissement de 11 294 $ la première année. En tenant compte de la durée de vie totale, l'entreprise prévoit que la machine pourra fonctionner 20 000 heures. Voici le calcul requis la première année pour établir l'amortissement sur la base de la durée de vie totale :

8 000 h ÷ 20 000 h × 24 999 $ = 10 000 $

Le montant le plus élevé découlant des deux calculs, soit 11 294 $, est retenu à titre de charge d'amortissement de la première année.

Outre les méthodes d'amortissement linéaire, dégressif ou fonctionnel, le CNC précise en effet que d'autres méthodes peuvent convenir dans certaines situations :

> [...] Une entreprise peut, par exemple, pratiquer un amortissement croissant lorsqu'elle est en mesure d'établir le prix de ses produits ou services de façon que son investissement dans l'actif lui procure un taux de rendement constant [...][29].

Les NCECF, tout comme les IFRS, précisent que la méthode d'amortissement choisie doit permettre d'étaler le montant amortissable sur la durée de vie ou la durée de vie utile estimative de l'immobilisation.

L'effet des révisions d'estimations

Une autre différence semble mineure en principe mais peut s'avérer appréciable en pratique, car elle peut permettre à une entreprise d'alléger les heures de travail. En effet, les NCECF n'exigent pas qu'une révision de la méthode d'amortissement et de l'estimation des durées de vie, totale et utile, soit faite annuellement, comme c'est le cas dans les IFRS. Au paragraphe 3061.21, qui énonce cette règle, le CNC n'ajoute aucune exigence relative aux révisions d'estimation de la valeur résiduelle et de la valeur de récupération. Lorsque des révisions d'estimation s'avèrent nécessaires, elles se répercutent sur la charge de l'exercice en cours et des exercices subséquents, tant selon les NCECF que les IFRS.

Les dépréciations d'actif

IFRS Comptabiliser

Le **chapitre 3063** traite de la dépréciation des actifs à long terme destinés à être utilisés, comme les immobilisations corporelles, les immobilisations incorporelles amortissables, dont nous traiterons au chapitre 10, et les éléments d'actif à long terme payés d'avance. On doit **constater** une dépréciation de valeur sur ces actifs lorsque deux conditions sont en place, à savoir que la valeur comptable de l'actif à long terme :

1. n'est pas recouvrable ;
2. excède la juste valeur.

Test de dépréciation

Pour déterminer si la valeur comptable est recouvrable, ce que le CNC désigne comme un **test de recouvrabilité**, on doit vérifier si la valeur comptable excède le total des flux de trésorerie **non actualisés** attendus de l'utilisation et de la sortie éventuelle de l'actif. Cette démarche s'apparente à l'estimation de la valeur d'utilité, comme il a été expliqué aux pages 9.34 à 9.39, mais sans actualisation des flux de trésorerie. Il faut donc que les flux de trésorerie attendus soient très faibles pour que, sans être actualisés, ils soient inférieurs à la valeur comptable. Le test de recouvrabilité doit être fait uniquement lorsque des événements ou des changements de situation indiquent que la valeur comptable d'un actif à long terme pourrait ne pas être recouvrable.

EXEMPLE

Dépréciation d'une immobilisation

Reprenons l'exemple de la société Bonne Leffe ltée pour faire ressortir les différences entre les deux référentiels. Il faut d'abord adapter les données fournies à la page 9.33. En effet, selon les NCECF, on doit utiliser le total des flux de trésorerie non actualisés.

Juste valeur de l'équipement, diminuée des coûts de sortie	*615 000 $*
Valeur d'utilité	*620 000*
Flux de trésorerie non actualisés	*700 000*
Coût	*800 000*
Amortissement cumulé	*150 000*

Au lieu de retenir la valeur d'utilité de 620 000 $, qui est une valeur actualisée, l'entreprise utilise le montant des flux de trésorerie non actualisés de 700 000 $. Cette valeur excède la valeur comptable de 650 000 $ (800 000 $ – 150 000 $). Bonne Leffe ltée conclut donc que la valeur comptable est recouvrable et qu'elle n'a aucune dépréciation à comptabiliser.

29. *Manuel de CPA Canada – Comptabilité – Partie II*, paragr. 3061.19.

Lorsque les flux de trésorerie non actualisés attendus de l'actif sont inférieurs à la valeur comptable, on vérifie si la valeur comptable excède la juste valeur. Nous avons déjà mentionné que les NCECF ne comportent pas de norme équivalente à l'IFRS 13, qui explique la façon de déterminer cette valeur. C'est pourquoi, en annexe au chapitre 3063, le CNC donne plusieurs directives pour procéder à cette évaluation. On y précise que s'il existe un marché actif sur lequel se négocie l'actif à long terme à évaluer, la juste valeur correspond au cours du marché. Dans les autres cas, on évalue la juste valeur en utilisant une technique d'actualisation, que ce soit la technique d'actualisation traditionnelle ou celle de la valeur actualisée prévue.

EXEMPLE

Évaluation d'une dépréciation

Modifions de nouveau l'exemple de Bonne Leffe ltée, en tenant maintenant pour acquis que le coût est de 910 000 $. Les flux de trésorerie non actualisés de 700 000 $ sont inférieurs à la valeur comptable de 760 000 $ (910 000 $ – 150 000 $). L'entreprise doit conclure que la valeur comptable n'est pas recouvrable. Elle passe à la deuxième étape du travail qui consiste à vérifier si la valeur comptable (760 000 $) excède la juste valeur (615 000 $). Comme c'est le cas, elle doit constater l'excédent de 145 000 $ à titre de dépréciation.

Lorsque la valeur comptable excède la juste valeur, on doit enfin comptabiliser la dépréciation en résultats de l'exercice en cours. En contrepartie, on diminue la valeur comptable de l'actif. Le CNC ne précise pas dans quel compte comptabiliser la contrepartie, on pourrait donc créditer l'un ou l'autre des comptes suivants :

1. Le compte Provision pour dépréciation ;
2. Le compte d'actif à long terme ;
3. Le compte d'amortissement cumulé lié à l'actif à long terme.

En pratique, on utilise rarement un compte de provision, ce qui est très compréhensible. Dans la partie I – Les IFRS, nous avons mentionné que l'avantage d'utiliser un tel compte est de pouvoir suivre plus facilement les dépréciations et de déterminer ensuite les reprises de valeur que l'on peut parfois comptabiliser. Or, selon les NCECF, on ne peut jamais comptabiliser les reprises de valeur sur les actifs à long terme.

Mentionnons enfin que lorsqu'une entreprise comptabilise une dépréciation, la valeur comptable ajustée devient le nouveau coût de base, lequel, compte tenu de la valeur résiduelle et de la valeur de récupération, sera amorti de manière logique et systématique. Au moment de préparer ses états financiers, l'entreprise s'assurera de fournir les informations qui suivent.

> Les états financiers doivent fournir les informations suivantes dans la période au cours de laquelle une perte de valeur est constatée :
>
> a) une description de l'actif à long terme ayant subi une dépréciation ;
>
> b) une description des faits et circonstances à l'origine de la dépréciation ;
>
> c) s'il n'est pas présenté séparément dans le corps même de l'**état des résultats**, le montant de la perte de valeur et le libellé du poste de l'état des résultats dans lequel la perte de valeur a été prise en compte[30].

IFRS
État du résultat global

Avez-vous remarqué ?

Il peut exister un écart important entre le coût et la juste valeur. Plusieurs des différences entre les IFRS et les NCECF s'expliquent du fait que les IFRS accordent une plus grande importance à une évaluation pertinente et fidèle, alors que les NCECF mettent davantage l'accent sur la prudence et la facilité à évaluer les actifs.

30. *Manuel de CPA Canada – Comptabilité – Partie II*, paragr. 3063.24.

La présentation dans les états financiers

Comme il le fait pour bien d'autres sujets, le CNC exige de présenter dans les états financiers moins d'information, comparativement aux IFRS, ce qui ressort du tableau 9.11[31].

Les états financiers de Josy Dida inc.

Le lecteur peut consulter les états financiers de Josy Dida inc., disponibles dans la plateforme *i+ Interactif*, plus précisément les sections pertinentes de la note 4 portant sur les méthodes comptables ainsi que la note 12 portant sur les immobilisations. Il y trouvera une façon simple d'appliquer les recommandations contenues dans le tableau 9.11 s'il doit préparer des états financiers conformes aux NCECF.

TABLEAU 9.11 Les informations à fournir aux états financiers à l'égard des immobilisations corporelles

IFRS État de la situation financière

NCECF, Chapitres 3061 et 3850	Commentaires
Paragr. 3061.24 *Pour chaque grande catégorie d'immobilisations corporelles, les informations suivantes doivent être fournies :* *a) le coût ;* *b) l'amortissement cumulé, y compris le montant de toute réduction de valeur ;* *c) la méthode d'amortissement utilisée, y compris la période ou le taux d'amortissement.*	Il est d'usage de présenter uniquement la valeur comptable dans le **bilan** et de fournir dans la note sur les immobilisations corporelles le coût et l'amortissement cumulé par catégories d'immobilisations.
Paragr. 3061.25 *Lorsque des immobilisations corporelles ne font pas l'objet d'un amortissement, parce qu'elles sont en cours de construction, de développement ou de mise en valeur ou parce qu'elles ont été mises hors service pour une période prolongée, leur valeur comptable [...] doit être indiquée.*	Des immobilisations en cours de construction, de développement ou de mise en valeur ne doivent pas être amorties, car elles ne sont pas encore en état d'utilisation productive. Dans le cas d'immobilisations mises hors service durant une période prolongée, la présentation de la valeur comptable, et non celle du coût et de l'amortissement cumulé, reflète mieux la situation des immobilisations en cause, qui est de ne plus servir à l'exploitation courante. L'investisseur peut ainsi juger des investissements faits par une entreprise qui ne sont pas utilisés. Soulignons que cette exigence ne s'applique pas à une immobilisation prise isolément mais à un groupe d'immobilisations.
Paragr. 3061.26 *Le montant de l'amortissement des immobilisations corporelles qui est passé en charges au cours de la période doit être indiqué.* (Voir le chapitre 1520, État des résultats.)	À ce sujet, le paragraphe 1520.04d) précise de plus que l'amortissement des immobilisations corporelles doit être présenté avant le bénéfice (ou la perte) avant activités abandonnées.
Paragr. 3850.03 *Le montant des intérêts capitalisés au cours de l'exercice doit être indiqué dans les états financiers.*	

Consultez le tableau synthèse des particularités des NCECF.

31. Les informations à fournir au sujet de l'aide gouvernementale et des crédits d'impôts ont été présentées dans le chapitre 8.

SYNTHÈSE DU CHAPITRE 9

La figure 9.10 illustre en un coup d'œil les principaux thèmes abordés dans le présent chapitre. Le texte qui suit la figure vous permettra de vérifier l'acquisition des objectifs d'apprentissage.

FIGURE 9.10 Les principaux thèmes abordés dans le présent chapitre

Comptabilisation pendant la détention

		NCECF
Évaluation	• Modèle du coût – Aucune réévaluation subséquente • Modèle de la réévaluation – Par catégories – Fréquence des réévaluations – Détermination de la juste valeur – Variation de valeur en résultat net ou dans les autres éléments du résultat global – Ajustement (net ou proportionnel) de l'amortissement cumulé	Non permis
Amortissement	• Début et fin de l'amortissement • Par composantes • Estimations requises (durée d'utilité et valeur résiduelle) • Choix d'un mode et son application au montant amortissable • Révision des estimations (fréquence et comptabilisation)	• Plus d'estimations • Plus de méthodes • Moins fréquentes
Dépréciation	• Fréquence (lorsqu'il existe des indices de dépréciation) • Estimation de la valeur recouvrable : la plus élevée de – la juste valeur diminuée des coûts de la vente – la valeur d'utilité (méthode d'actualisation, estimation des flux de trésorerie cohérente par rapport au taux d'actualisation) • Comptabilisation selon les deux modèles d'évaluation	• Moins fréquentes : si valeur comptable non recouvrable • Dépréciation = Excédent de la valeur comptable sur la juste valeur
	• Reprises de valeur (lorsqu'il existe des indices de reprises de valeur) – Montant maximal à comptabiliser	Interdite
	• Test appliqué à un groupe d'actifs – Détermination du groupe – Traitement des actifs à durée d'utilité plus courte – Répartition de la dépréciation – Montant maximal à comptabiliser	

Présentation dans les états financiers

Évaluer les deux modèles de détermination de la valeur comptable des immobilisations corporelles et les appliquer. L'entreprise choisit d'évaluer ses immobilisations selon le modèle du coût ou selon le modèle de la réévaluation, puis elle applique ce choix par catégories d'immobilisations. Le modèle du coût est simple, en ce sens que le montant comptabilisé au compte d'actif ne change généralement pas. Le modèle de la réévaluation exige que l'entreprise réévalue régulièrement la juste valeur des immobilisations corporelles. La fréquence des évaluations doit être suffisante pour que la valeur comptable ne s'écarte jamais trop de la juste valeur. On comptabilise les augmentations de valeur dans les autres éléments du résultat global, dans le compte Écart de réévaluation de l'immobilisation en cause, sauf si l'entreprise a comptabilisé des pertes de valeur en résultat net des exercices précédents. On comptabilise les diminutions de valeur en résultat net de l'exercice en cours, sauf s'il existe un solde créditeur dans le compte Cumul des écarts de réévaluation de l'immobilisation en cause. L'ajustement de l'amortissement cumulé peut se faire au moyen de deux méthodes. Selon la méthode de l'ajustement net, l'entreprise vire l'amortissement cumulé au compte de l'immobilisation en cause. Selon la méthode de l'ajustement proportionnel, l'entreprise répartit l'ajustement proportionnellement entre le coût ou le substitut du coût et l'amortissement cumulé de l'immobilisation en cause.

Évaluer les modes d'amortissement et les appliquer à la comptabilisation de la charge d'amortissement. Une entreprise commence à amortir ses immobilisations corporelles lorsque celles-ci sont prêtes à être utilisées. Elle cesse de les amortir à la date du classement à titre d'actif non courant détenu en vue de la vente, lorsque la valeur comptable correspond à la valeur résiduelle ou lorsqu'elle décomptabilise l'actif selon la date la plus hâtive. Une entreprise qui détient une immobilisation corporelle, dont elle a comptabilisé distinctement certaines composantes, amortit aussi distinctement chaque composante. Pour établir la charge d'amortissement, l'entreprise doit procéder à l'estimation de la durée d'utilité et de la valeur résiduelle. Puis, elle choisit le mode d'amortissement qui reflète le mieux le coût de l'utilisation de la capacité de service de l'immobilisation. Les modes d'amortissement les plus courants sont l'amortissement linéaire, l'amortissement dégressif à taux constant, l'amortissement dégressif à taux double et l'amortissement fondé sur les unités de production. Le premier mode, largement utilisé, consiste à répartir uniformément le montant amortissable sur la période d'amortissement retenue. Les deuxième et troisième modes donnent une charge d'amortissement décroissante, alors que le dernier donne une charge qui varie selon les unités d'extrants ou d'intrants.

9

Déterminer l'amortissement dans des contextes particuliers. Lorsque des immobilisations sont achetées ou vendues au cours d'un exercice, on comptabilise uniquement une fraction correspondante de la charge annuelle afin de tenir compte de la période de détention. Étant donné que le calcul de la charge d'amortissement repose sur de nombreuses estimations, une entreprise doit réviser ces estimations au moins à chaque année. À la lumière de ses révisions, elle peut être amenée à modifier ses estimations relatives à la durée d'utilité ou à la valeur résiduelle. Elle peut aussi opter pour un nouveau mode d'amortissement. Lorsque les révisions découlent de faits ou de circonstances nouvelles, comme c'est habituellement le cas, elles ont une incidence uniquement sur le résultat net de l'exercice en cours et sur celui des exercices subséquents.

Comptabiliser les dépréciations d'un actif ou d'un groupe d'actifs et présenter l'information pertinente dans les états financiers. La règle de la valeur minimale s'applique aussi aux immobilisations corporelles. À chaque exercice financier, l'entreprise vérifie s'il existe des indices objectifs de dépréciation. Si oui, elle estime la valeur recouvrable. Lorsque la valeur comptable de l'immobilisation excède sa valeur recouvrable, l'entreprise comptabilise la dépréciation d'une manière cohérente par rapport au modèle d'évaluation retenu. Dans le cas où les flux de trésorerie attendus d'une immobilisation ne sont pas indépendants de ceux générés par d'autres immobilisations, l'entreprise applique le test de dépréciation à un groupe d'actifs, nommé unité génératrice de trésorerie.

Comptabiliser les reprises de valeur et présenter l'information pertinente dans les états financiers. Au cours des exercices suivant la comptabilisation d'une dépréciation, l'entreprise vérifie s'il existe des indices objectifs d'une reprise de valeur de l'immobilisation dépréciée. Si oui, elle estime la valeur recouvrable et comptabilise la reprise d'une manière cohérente par rapport au modèle d'évaluation retenu, sujet à un montant maximal. La reprise de valeur ne doit pas avoir pour effet de ramener la valeur comptable au-dessus de ce qu'elle serait si l'entreprise n'avait pas antérieurement comptabilisé une dépréciation.

Présenter les opérations inhérentes aux immobilisations corporelles dans les états financiers. L'entreprise doit respecter les nombreuses exigences de l'IASB en ce qui concerne la présentation des immobilisations corporelles dans les états financiers. Outre les informations présentées par voie de notes, on trouve dans la figure 9.8 les opérations afférentes aux immobilisations corporelles présentées dans les états financiers.

Comprendre et appliquer les NCECF liées aux immobilisations corporelles pendant leur détention. Il existe plusieurs différences importantes entre ces deux référentiels. Premièrement, il n'est pas permis d'utiliser le modèle de la réévaluation selon les NCECF. Deuxièmement, l'amortissement calculé selon les NCECF découle d'un calcul basé sur la durée de vie utile en tenant compte de la valeur résiduelle et d'un second calcul basé sur la durée de vie totale, compte tenu de la valeur de récupération. De plus, les NCECF n'interdisent pas les méthodes d'amortissement qui donnent une charge croissante. Toujours à l'égard de l'amortissement, les révisions d'estimations ne doivent pas être faites au minimum chaque année, le CNC précisant uniquement qu'elles doivent être faites périodiquement. Le CNC ne soulève pas non plus la nécessité de réviser les estimations de la valeur résiduelle ni de la valeur de récupération. Troisièmement, la comptabilisation des dépréciations des actifs à long terme diffère grandement. Selon les NCECF, une entreprise applique un test de recouvrabilité uniquement si des événements ou des changements de situation l'imposent. Dans ce cas, la dépréciation correspond à l'excédent de la valeur comptable sur la juste valeur de l'immobilisation et il est interdit de comptabiliser, dans les exercices subséquents, des reprises de valeur. Quatrièmement, les informations à fournir dans les états financiers sont beaucoup moins nombreuses selon les NCECF que selon les IFRS.

Les immobilisations incorporelles

10

Des ressources pédagogiques sont disponibles en ligne.

Objectifs d'apprentissage

À la fin de ce chapitre, vous pourrez :

1. expliquer ce que sont les éléments du patrimoine immatériel d'une entreprise ;
2. identifier les immobilisations incorporelles pouvant être comptabilisées ;
3. déterminer le traitement comptable initial d'une immobilisation incorporelle ;
4. appliquer le traitement comptable approprié pendant la période de détention d'une immobilisation incorporelle ;
5. présenter les immobilisations incorporelles dans les états financiers ;
6. appliquer les deux méthodes de comptabilisation des coûts liés aux actifs de prospection et d'évaluation de ressources minérales ;
7. comprendre et appliquer les NCECF liées aux immobilisations incorporelles.

Aperçu du chapitre

Notre perception d'une situation, d'un événement ou d'une transaction varie selon le niveau d'interprétation que nous privilégions. Par exemple, à un premier niveau d'interprétation, le statut d'étudiant est souvent lié à l'absence de richesse. Il est vrai qu'un étudiant universitaire n'a généralement pas beaucoup de trésorerie à dépenser pour les activités de loisir. Pour certains, le soutien financier des parents peut tout de même assurer un minimum d'actifs, tels un mobilier de base ou encore une automobile. L'analyse à un deuxième niveau nous amènerait à conclure que cet étudiant a peut-être peu de trésorerie, mais qu'il a tout de même des actifs suffisants. Nous pourrions pousser l'analyse à un niveau supérieur et concevoir que même si un étudiant n'a pas beaucoup de trésorerie ou d'autres actifs, il est en voie d'acquérir un savoir qui aura une valeur potentielle notable et, en ce sens, conclure que cet étudiant est tout de même plus riche qu'une autre personne qui possède des biens tangibles de plus grande valeur, mais qui a moins de connaissances ou de compétences spécialisées. Ces compétences sont en quelque sorte un **patrimoine immatériel,** ou une immobilisation incorporelle, sujet dont traitera principalement le présent chapitre.

Aussi, nous pouvons analyser la situation financière d'une entreprise en utilisant ces trois niveaux d'interprétation, soit la suffisance de trésorerie, indiquée notamment dans son tableau des flux de trésorerie, la détention d'immobilisations corporelles et la détention d'immobilisations incorporelles. Il est à noter que l'importance des immobilisations incorporelles est en progression constante. Le nombre d'entreprises de services s'est accru, et plusieurs d'entre elles basent leur succès non pas sur la détention d'actifs tangibles, mais plutôt sur leur expertise, soit une immobilisation incorporelle. Au fil des ans, l'économie des pays industrialisés s'est mutée en économie du savoir, laissant la production industrielle aux pays en émergence où la main-d'œuvre est beaucoup moins coûteuse.

Dans un tel environnement économique, la comptabilisation des immobilisations incorporelles s'avère une tâche très importante et, avouons-le, elle relève d'un véritable défi. Mais pourquoi donc ?

Imaginons un instant que nous marchons dans une rue commerciale avec notre meilleur ami, qui nous explique vouloir investir l'argent qu'il a récemment reçu en héritage dans une entreprise de vente au détail. Notre promenade nous amène à passer devant une librairie remplie de clients et, presque immédiatement après, devant une autre, semblable mais presque vide. Notre ami réalise tout à coup que ce type de commerce l'intéresse et, évidemment, son intérêt se porte sur la première librairie. En principe, nous pourrions nous attendre à tirer la même conclusion que lui en comparant l'état de la situation financière des deux librairies. Malheureusement, rien ne nous assure que ces deux états refléteront cette différence. Même en examinant l'état de la situation financière de la librairie achalandée, nous ne trouverons peut-être pas à l'actif la juste valeur du savoir-faire de l'entreprise, qui pourrait par exemple reposer sur sa capacité à commander des volumes qui plaisent aux clients ou sur l'accueil chaleureux qu'offrent ses employés. La raison en est fort simple. Pour pouvoir comptabiliser ce savoir-faire à l'actif, l'entreprise doit être capable d'évaluer ce qu'il lui a coûté, ce qui n'est pas une mince tâche.

Lorsqu'une entreprise possède un actif incorporel, elle se demande d'abord si cet actif répond à la définition comptable d'une immobilisation incorporelle et aux **critères de comptabilisation à l'actif.** Elle se posera les mêmes questions si, plus tard, elle engage des dépenses qui semblent liées à l'immobilisation incorporelle. Puis, pendant les exercices subséquents où elle détiendra l'immobilisation, elle devra s'assurer que la **valeur comptable est adéquate,** un peu à la manière dont elle doit le faire pour ses immobilisations corporelles.

Le présent chapitre expliquera le travail du comptable en ce qui concerne les immobilisations incorporelles et, principalement, la comptabilisation initiale, qui constitue souvent la tâche la plus délicate. Il traitera aussi des **actifs de prospection et d'évaluation** propres aux entreprises qui exploitent des ressources minérales. Pour terminer, les **principales différences** entre les IFRS et les NCECF, en matière d'immobilisations incorporelles, seront relevées.

Lorsque des notions de mathématiques financières sont utilisées, les variables nécessaires aux calculs sont indiquées avec les abréviations suivantes :

N : nombre de périodes
I : taux d'intérêt
PMT : paiements périodiques
PV : valeur actualisée
FV : valeur future
BGN : paiements en début de période

PARTIE I – LES IFRS

Équivalents terminologiques *Manuel de CPA Canada* – Partie I et Partie II.

 La nature des éléments du patrimoine immatériel

Avant d'entreprendre l'étude des normes comptables applicables aux immobilisations incorporelles, il importe de connaître le type d'actif dont il est question dans le présent chapitre. La juste valeur d'une entreprise dépend notamment des éléments de son patrimoine immatériel. Ceux-ci peuvent être groupés selon divers critères. Nous nous attarderons plus particulièrement à deux groupements. Le premier a été retenu par l'International Accounting Standards Board (IASB) dans les *Normes internationales d'information financière*, plus exactement dans le document IFRS 3 IE, intitulé « Regroupements d'entreprises, Exemples d'application ». Bien que cette norme traite de la comptabilisation des regroupements d'entreprises, sujet qui déborde l'objet du présent chapitre, la classification des **éléments du patrimoine immatériel**[1] que l'on y trouve est intéressante.

L'IASB y propose cinq catégories d'éléments du patrimoine immatériel : ceux liés au marketing, ceux liés à la clientèle, ceux de nature artistique, ceux fondés sur des contrats et ceux fondés sur la technologie. Examinons chacun d'eux.

Les **éléments du patrimoine immatériel liés au marketing** englobent les éléments qu'une entreprise utilise pour se démarquer de ses concurrents. On y trouve notamment les marques, les noms commerciaux, les dessins industriels, les noms de domaine Internet et les titres de journaux. Il importe de distinguer ces divers types d'éléments du patrimoine immatériel.

1. Bien que l'IASB utilise l'expression « immobilisation incorporelle » dans l'IFRS 3 IE, nous employons ici l'expression « éléments du patrimoine immatériel » afin que le lecteur garde constamment à l'esprit que les éléments relevés dans la présente section ne sont pas tous comptabilisés à titre d'immobilisations incorporelles.

Les **marques** sont des mots, symboles ou dessins, ou des combinaisons de ceux-ci, servant à différencier les biens ou les services qu'offre une entreprise de ceux offerts par la concurrence. Pensons par exemple au célèbre logo des manteaux de la marque Canada Goose. Elles représentent la réputation, la qualité, la fiabilité des biens vendus ou des services rendus par l'entreprise. En somme, elles visent à renforcer le rapport positif, et souvent affectif, à plus long terme avec les consommateurs grâce à une image constamment entretenue. En créant une marque, l'entreprise cherche à produire chez le consommateur une image concrète de certaines caractéristiques intangibles d'un bien ou d'un service, contribuant ainsi à fidéliser les clients ou à engendrer chez le consommateur la satisfaction d'obtenir un bien ou un service au moins égal au prix payé.

Il n'est pas facile de distinguer les divers types de marques, car les législations nationales diffèrent, alors que les normes comptables internationales, dont nous traiterons plus loin dans le présent chapitre, imposent leur propre terminologie. Le lecteur veillera donc à bien comprendre la substance de chaque élément du patrimoine immatériel, sachant qu'il pourra un jour se trouver dans un contexte où les termes pourraient être définis différemment. Les marques englobent notamment les marques de fabrique, les marques de services et les marques d'homologation. Une **marque de fabrique** porte sur une caractéristique de la fabrication ou de la production. Par exemple, une entreprise de production de meubles pourrait se distinguer en assemblant ses meubles selon la méthode ancestrale utilisant des queues d'aronde plutôt qu'en utilisant de la colle et des vis. Une **marque de services** distingue un service plutôt qu'un bien. Par exemple, une entreprise de services d'entretien ménager pourrait vouloir se distinguer de ses concurrents par le fait de n'utiliser que des produits d'entretien biodégradables, reconnus pour leur caractère inoffensif sur l'environnement. Enfin, une **marque d'homologation** sert à certifier l'origine géographique ou d'autres caractéristiques d'un bien. Par exemple, des organismes d'homologation du Canada peuvent déterminer le risque d'incendie ou d'explosion présenté par un bien et décider d'accréditer certains biens comme étant sécuritaires. De même, une entreprise de production de sièges d'enfant pourrait obtenir l'homologation de ses sièges afin de rassurer les clients quant à la sécurité de ces derniers.

Alors que la marque sert à particulariser un bien ou un service, ou à protéger un symbole, un slogan publicitaire, etc., le **nom commercial** est le nom sous lequel une entreprise est exploitée et qui porte le symbole de la réputation de l'entreprise, de son expérience ou de son savoir-faire. Voici quelques exemples de noms commerciaux et de marques de commerce :

Noms commerciaux	**Marques de commerce**
Bayer	Aspirin
McDonald's	Big Mac
Pharmacie Jean Coutu	On trouve de tout… même un ami.
TELUS	Le futur est simple
Groupe Marcelle inc.	La beauté sans compromis

Même s'il importe de distinguer les expressions « marque de commerce » et « nom commercial », cela n'empêche pas certaines entreprises d'enregistrer, à titre de marque de commerce, leur propre nom commercial. C'est le cas notamment de Coca-Cola, de Microsoft ou d'IBM. D'ailleurs, selon le palmarès 2015 d'Interbrand[2], les trois entreprises américaines détentrices des marques dont la valeur, en dollars américains, est la plus élevée sont Apple (170 276 M$), Google (120 314 M$) et Coca Cola (78 423 M$).

Un **dessin industriel** représente toute forme, tout modèle ou toute décoration d'un article produit sur une base industrielle, tel que les célèbres sacs à main Gucci. Il se rattache donc à l'apparence d'un article, comparativement à un brevet[3], qui se rattache à l'utilité d'une invention.

Le **nom de domaine Internet** permet à une entreprise d'associer son nom ou ses marques à une adresse Internet et, surtout, de protéger l'exclusivité de ce lien. Il est évident qu'aucune entreprise, par exemple Bombardier, ne voudrait que l'un de ses concurrents inclue le mot « bombardier » dans son adresse Internet. Enfin, les **titres de journaux ou de revues**, tels *Le Soleil*, *L'Actualité* ou *Les Affaires*, constituent aussi un moyen pour une entreprise de faire connaître les caractéristiques distinctives de ses publications.

2. Interbrand, *Best Retail Brands 2015*, [En ligne], <http://interbrand.com/best-brands/best-global-brands/2015/ranking/> (page consultée le 15 février 2016).

3. Les brevets seront définis un peu plus loin.

Une deuxième catégorie groupe les **éléments du patrimoine immatériel liés à la clientèle**. On y trouve des éléments permettant à une entreprise de profiter de liens établis avec ses clients. Cette catégorie englobe les **listes de clients**, qui peuvent contenir non seulement les coordonnées des clients, mais aussi leurs habitudes de consommation. En fait, cet actif ne se présente pas sous la simple forme d'une liste de noms de clients, mais plutôt sous la forme d'une banque de données plus ou moins exhaustive des opérations antérieures conclues avec chaque client, de la qualité de leur crédit, etc. Cette catégorie d'éléments englobe aussi les **carnets de commandes**, par exemple des contrats qu'une entreprise du secteur aéronautique a signés avec des clients pour la construction d'hélicoptères. Si l'entreprise évolue plutôt dans le secteur des services, pensons à une entreprise de téléphonie, on parlera plutôt de carnet de contrats.

Une troisième catégorie inclut les **éléments du patrimoine immatériel de nature artistique**. Il s'agit d'éléments qui résultent d'un processus créatif et qui sont exploités commercialement par une entreprise. On trouve dans cette catégorie les **droits d'auteur** liés à une création littéraire, à une œuvre musicale, à une œuvre visuelle ou à une production audiovisuelle. Certaines entreprises ont comme principale activité l'exploitation de tels éléments. Pensons, par exemple, aux maisons d'édition, aux producteurs de musique, de spectacles, de pièces de théâtre, de films ou d'émissions de télévision. Une entreprise peut elle-même élaborer des éléments du patrimoine immatériel de nature artistique ou les acheter d'un tiers afin d'obtenir les droits d'utilisation ou de distribution des œuvres artistiques, ce qui nous amène à la quatrième catégorie d'éléments du patrimoine immatériel.

Les **éléments du patrimoine immatériel fondés sur des contrats** peuvent prendre plusieurs formes. Mentionnons à titre d'exemples les contrats de redevances, les contrats de franchise ou de licence, les droits de distribution et les droits de forage. La caractéristique commune de tous ces éléments est que l'entreprise a obtenu, par contrat, le droit d'utiliser un actif, tangible ou intangible, appartenant à un tiers. Les franchises et les licences représentent des autorisations de s'engager dans des activités déterminées. D'une part, une **franchise**, qui est une forme de concession, est une autorisation donnée par une entreprise ou un individu de vendre un bien, d'utiliser un nom commercial ou une marque, ou de rendre un service dans une région donnée. Le **franchiseur** est la partie qui accorde ce droit, alors que le **franchisé** est la partie qui le reçoit. D'autre part, une **licence** est une autorisation accordée par un pouvoir public. Il en est ainsi des permis de construction qu'accordent les municipalités et des licences de radiodiffusion qu'accorde l'État.

10

Enfin, la dernière catégorie regroupe les **éléments du patrimoine immatériel fondés sur la technologie**. Cette catégorie englobe les biens ou procédés qu'une entreprise peut protéger ou non par un brevet, par exemple les logiciels et les secrets commerciaux. Pensons aussi à la découverte d'un nouveau médicament breveté, à un logiciel de reconnaissance vocale, ou à une formule chimique secrète utilisée par une entreprise qui offre un service de protection des voitures contre la rouille. Un **brevet** protège à la fois la structure et la fonction d'une invention. Il donne à son détenteur le droit exclusif de produire, d'utiliser ou de vendre le fruit de l'invention.

Le lecteur a peut-être déjà remarqué que toutes ces catégories ne sont pas mutuellement exclusives. Par exemple, une entreprise de publicité qui détient des contrats avec certains de ses clients pourrait classer de tels contrats soit dans la catégorie des éléments du patrimoine immatériel liés à la clientèle, soit dans celle des éléments fondés sur des contrats. Soulignons que cette classification n'a aucune répercussion sur le traitement comptable dont nous traiterons plus loin. La présentation précédente des cinq catégories d'éléments du patrimoine immatériel visait uniquement à fournir de nombreux exemples de tels éléments connus en ce moment et à susciter la réflexion en ce qui concerne d'autres éléments du patrimoine immatériel qui pourraient être élaborés au cours des prochaines années.

Les éléments du patrimoine immatériel peuvent aussi se distinguer du fait que certains sont précieusement gardés confidentiels par leur détenteur, alors que d'autres résultent de droits contractuels ou légaux. Il s'agit là de la deuxième façon de grouper les éléments du patrimoine immatériel. Comme nous le verrons plus loin, cette distinction est importante car elle peut se répercuter sur le traitement comptable.

Les éléments du patrimoine immatériel souvent gardés confidentiels comprennent les secrets commerciaux, les systèmes d'information, les relations d'affaires, les clientèles, les bases de données, les recettes, les réseaux de distribution, les savoir-faire, les processus d'affaires, les modèles d'affaires, les modèles de fixation des prix, les concepts, etc. À titre d'exemples d'**éléments du patrimoine immatériel résultant de droits contractuels ou légaux**, pensons notamment aux franchises, aux concessions, aux licences, aux permis et aux droits miniers. D'autres éléments confèrent à leur détenteur des droits enchâssés dans une loi, telle la *Loi sur le droit d'auteur*. Diverses lois protègent, par dépôt légal, les **droits de propriété intellectuelle**, que ce soit des droits de propriété industrielle, tels les dessins industriels ou les topographies de circuits intégrés, ou les **droits de propriété littéraire et artistique**, tels les droits d'auteur.

Le tableau 10.1 présente les caractéristiques de quatre droits prévus dans la législation canadienne.

TABLEAU 10.1 Les caractéristiques légales des droits au Canada

Élément du patrimoine immatériel	Définition légale	Durée de vie légale (selon la loi appropriée)
Brevets	Droits exclusifs de produire, d'utiliser ou de vendre le fruit d'une invention.	Maximum de 20 ans à partir de la date de la demande
Droits d'auteur	Droits acquis automatiquement lorsqu'une œuvre originale est créée.	De la création de l'œuvre jusqu'à 50 ans après la mort de l'auteur
Marques de commerce et noms commerciaux	Droits exclusifs d'utiliser un mot, un symbole, un dessin ou une combinaison de ceux-ci.	Période de 15 ans, renouvelable indéfiniment par période de 15 ans
Dessins industriels	Droits exclusifs de produire à une échelle industrielle un article selon une forme, un modèle ou une décoration donnés.	Période de 5 ans, renouvelable pour une période supplémentaire de 5 ans

10

WWW
opic.ic.gc.ca

Ce tableau requiert quelques précisions supplémentaires. Un brevet donne à son détenteur le droit exclusif de produire, d'utiliser ou de vendre le fruit de son invention. L'Office de la propriété intellectuelle du Canada (l'Office), qui relève du gouvernement fédéral, délivre les brevets pour l'invention d'un bien, d'une composition de matière, d'un appareil ou d'un procédé, ou pour une amélioration apportée à ces derniers. Pour obtenir un brevet, l'objet de l'invention doit être nouveau, utile et inventif. Lorsque l'invention a été rendue publique plus de un an avant la date de la demande de brevet, l'Office rejette automatiquement cette demande. Cependant, lorsque l'invention a été rendue publique moins de un an avant cette date, le brevet peut être accordé. On notera aussi que lorsque plusieurs requérants demandent un brevet pour la même invention, c'est le premier demandeur qui obtient le brevet. Les requérants ont donc avantage à déposer leur demande de brevet le plus tôt possible, d'autant plus que la date de la demande correspond au début de la période de protection de 20 ans. Lorsqu'un brevet a été émis, il est d'usage d'indiquer la mention «breveté». Lorsqu'une demande de brevet est à l'étude, on indique plutôt «brevet en instance».

Alors que les brevets, qui portent sur des découvertes ou des inventions concrètes, ne sont accordés que sur demande, les droits d'auteur, généralement marqués du symbole © (*copyright*), qui portent sur des inventions abstraites, sont automatiquement acquis lorsqu'une œuvre originale est créée. L'enregistrement des droits d'auteur auprès du gouvernement fédéral, plus particulièrement auprès de l'Office, est quand même préférable, car le droit d'auteur est alors dûment consigné dans le registre des droits d'auteur tenu par l'Office. Cette inscription facilite, le cas échéant, le règlement de poursuites judiciaires. Les œuvres couvertes par les droits d'auteur groupent un vaste éventail. Il peut s'agir d'œuvres littéraires, dramatiques, musicales ou artistiques comme les livres, les compositions musicales, les tableaux, les films, les logiciels, etc. La durée de vie légale indiquée dans le tableau 10.1 comporte des exceptions : les cédéroms, les bandes magnétiques et les autres formes d'enregistrement, de même que les photographies, ont une durée de vie légale limitée à 50 ans à partir de la date de la confection de la planche ou du cliché original. La durée de vie légale des droits d'auteur est illustrée dans la figure 10.1.

Tout comme pour les droits d'auteur, l'enregistrement des marques de commerce n'est pas obligatoire, mais il facilite le règlement, le cas échéant, de poursuites judiciaires. Il permet aussi d'utiliser les symboles ® (*registered*) ou MD (marque déposée), démontrant que la marque de commerce a été enregistrée. L'enregistrement donne droit à une protection pour une période initiale de 15 ans, qui peut être renouvelée indéfiniment par période supplémentaire de 15 ans.

Lorsqu'un dessin industriel est enregistré, son détenteur possède le droit exclusif de l'utiliser pendant une période de 5 ans, qui peut être renouvelée pour une période supplémentaire de 5 ans. Bien que ce ne soit pas obligatoire, il est conseillé d'y ajouter le symbole «D» afin de souligner que le dessin a été déposé. Lorsqu'un dessin industriel a été rendu public plus de un an avant la date de la demande, l'Office rejette automatiquement la demande.

FIGURE 10.1 La durée de vie légale des droits d'auteur

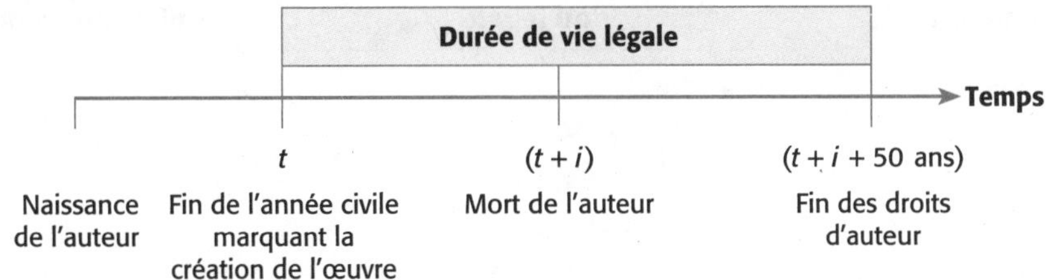

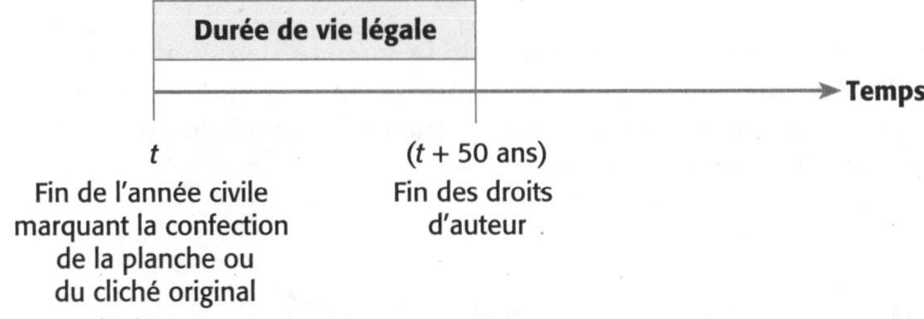

L'Office prévoit aussi la protection de la topographie de circuits intégrés pour en protéger la configuration tridimensionnelle initiale. «Les gens confondent souvent les cartes de circuits imprimés et les circuits intégrés, appelés communément puces ou micropuces. Les cartes comprennent de nombreux éléments, notamment des circuits intégrés[4].»

Le tableau 10.2 présente quelques exemples d'éléments du patrimoine immatériel classés selon les deux classifications croisées dont nous avons fait état au début du présent chapitre.

Avez-vous remarqué?

Dans une économie du savoir, l'importance du patrimoine immatériel ne cesse d'augmenter.

TABLEAU 10.2 Quelques exemples d'éléments du patrimoine immatériel selon les deux classifications croisées

Éléments du patrimoine immatériel	D'origine contractuelle ou légale	D'origine autre que contractuelle ou légale
Liés au marketing	• Marque enregistrée • Nom commercial enregistré • Dessin industriel enregistré • Titre de journal enregistré • Nom de domaine Internet	• Marque non enregistrée • Nom commercial non enregistré • Dessin industriel non enregistré • Titre de journal non enregistré
Liés à la clientèle	• Carnet de commandes fermes	• Liste de clients
De nature artistique	• Droit d'auteur sur une œuvre littéraire • Droit d'auteur sur une œuvre musicale • Droit d'auteur sur un enregistrement vidéo	• Immobilisations incorporelles de même nature que celles listées dans la colonne de gauche, mais qui n'ont pas été enregistrées

4. Office de la propriété intellectuelle du Canada, *Démarquez-vous de vos concurrents*, [En ligne], <www.cipo.ic.gc.ca/eic/site/cipointernet-internetopic.nsf/fra/wr00822.html> (page consultée le 15 février 2016).

TABLEAU 10.2 *(suite)*

Éléments du patrimoine immatériel	D'origine contractuelle ou légale	D'origine autre que contractuelle ou légale
Fondés sur des contrats	• Franchise • Licence • Droit de distribution • Droit de forage	Sans objet
Fondés sur la technologie	• Invention protégée par un brevet • Logiciel	• Base de données • Secret commercial • Progiciel

Cette première section a fait ressortir la variété des éléments du patrimoine immatériel susceptibles d'avoir une valeur pour une entreprise. Cependant, tous ces éléments ne sont pas comptabilisés dans les livres comptables. Seules les immobilisations incorporelles, dont traitera la section suivante, le sont.

Le traitement comptable initial des immobilisations incorporelles

10

Il existe deux grandes différences sur le plan de la comptabilisation entre les immobilisations corporelles et les immobilisations incorporelles. La première réside dans l'incertitude entourant les avantages économiques futurs qui découleront de l'utilisation des immobilisations incorporelles. En effet, même si celles-ci sont nécessaires au fonctionnement d'une entreprise, il est généralement délicat d'établir un lien étroit entre la détention de ces immobilisations et les avantages économiques dont pourra bénéficier l'entreprise au cours d'un exercice futur. Par conséquent, le comptable peut difficilement calculer la valeur recouvrable et estimer la durée d'utilité des immobilisations incorporelles.

La seconde différence réside dans la complexité d'établir la juste valeur des immobilisations incorporelles, car il n'existe habituellement pas de marché actif pour ces immobilisations. En effet, une entreprise peut difficilement vendre certaines de ses immobilisations incorporelles, car elle est souvent la seule à pouvoir en tirer des avantages économiques futurs.

La comptabilisation des immobilisations incorporelles repose sur les normes contenues dans l'**IAS 38**, intitulée « Immobilisations incorporelles ». Cette norme s'applique à la comptabilisation des immobilisations incorporelles, sauf :

(a) des immobilisations incorporelles entrant dans le champ d'application d'une autre norme ;

(b) des actifs financiers, tels que définis dans IAS 32 *Instruments financiers : Présentation* ;

(c) de la comptabilisation et de l'évaluation des actifs de prospection et d'évaluation (voir IFRS 6 *Prospection et évaluation de ressources minérales*) ; et

(d) des dépenses relatives à la mise en valeur de gisements et à l'extraction de minerais, de pétrole, de gaz naturel et d'autres ressources similaires non renouvelables[5].

Voici d'autres normes qui peuvent s'appliquer à certaines immobilisations incorporelles et auxquelles réfère le paragraphe (a) cité précédemment :

(a) immobilisations incorporelles détenues par une entité en vue de leur vente dans le cadre de son activité ordinaire (voir IAS 2 *Stocks*) ;

(b) actifs d'impôt différé (voir IAS 12 *Impôts sur le résultat*) ;

(c) contrats de location entrant dans le champ d'application de IAS 17 *Contrats de location* ;

5. CPA Canada, *Manuel de CPA Canada – Comptabilité – Partie I*, IAS 38, paragr. 2. (*Voir la page iv des liminaires pour plus de détails à l'égard des normes publiées mais non encore entrées en vigueur.*)

(d) actifs résultant d'avantages du personnel (voir IAS 19 *Avantages du personnel*) ;

(e) actifs financiers tels que définis dans IAS 32. La comptabilisation et l'évaluation de certains actifs financiers sont couvertes par IFRS 10 *États financiers consolidés*, IAS 27 *États financiers individuels* et IAS 28 *Participations dans des entreprises associées et des coentreprises* ;

(f) goodwill acquis lors d'un regroupement d'entreprises (voir IFRS 3 *Regroupements d'entreprises*) ;

(g) coûts d'acquisition différés, et immobilisations incorporelles, résultant des droits contractuels d'un assureur selon des contrats d'assurance entrant dans le champ d'application de IFRS 4 *Contrats d'assurance*. IFRS 4 énonce des dispositions spécifiques en matière d'informations à fournir concernant ces coûts d'acquisition différés mais pas en ce qui concerne ces immobilisations incorporelles. Par conséquent, les obligations en matière d'informations à fournir dans la présente norme s'appliquent à ces immobilisations incorporelles ;

(h) immobilisations incorporelles non courantes classées comme détenues en vue de la vente (ou incluses dans un groupe destiné à être cédé qui est classé comme détenu en vue de la vente) selon IFRS 5 *Actifs non courants détenus en vue de la vente et activités abandonnées* ;

(i) actifs découlant de contrats conclus avec des clients qui sont comptabilisés selon IFRS 15 *Produits des activités ordinaires tirés de contrats conclus avec des clients*[6].

L'IAS 38 s'applique, par exemple, aux brevets et aux droits d'auteur, dont nous avons déjà parlé, mais aussi aux logiciels, aux marques, aux franchises et aux licences, aux listes de clients, aux quotas de lait, aux droits de distribution, etc. Comment tous ces actifs se distinguent-ils des immobilisations corporelles et qu'ont-ils en commun ?

10

La définition, du point de vue comptable, des immobilisations incorporelles

Pour définir les immobilisations incorporelles, puis les comparer aux autres actifs présentés dans l'état de la situation financière, imaginons que cet état est un puzzle comptant plusieurs morceaux qui s'imbriquent les uns dans les autres pour fournir une image globale de la situation d'une entreprise. Afin de composer cette image globale, on doit d'abord assembler les pièces relatives à un fragment, disons une immobilisation incorporelle. Cette dernière se distingue des autres éléments du puzzle par quatre aspects, conformément à la définition qu'en donne l'IASB. La figure 10.2 illustre qu'une **immobilisation incorporelle** est 1) un actif, 2) non monétaire, 3) identifiable, et 4) sans substance physique.

Reprenons chacun de ces aspects. Le premier précise qu'une immobilisation incorporelle est un actif. On se rappellera qu'au chapitre 1, un **actif** a été défini comme étant une ressource contrôlée par l'entreprise du fait d'événements passés et qui procure des avantages économiques futurs. Le commentaire « manuscrit » de la figure 10.2 rappelle ces caractéristiques d'un actif.

Premièrement, le propriétaire d'un actif doit contrôler cette ressource, c'est-à-dire qu'il doit s'assurer d'avoir le pouvoir d'obtenir des avantages économiques futurs, ce qui implique généralement qu'il peut simultanément restreindre l'accès de tiers à ces avantages. Ainsi, une entreprise qui enregistre ses droits d'auteur s'assure qu'elle aura plus de facilité à défendre ses droits si une autre partie décidait de copier l'œuvre ainsi protégée. Il en est de même d'une entreprise qui conclut des accords de non-concurrence avec l'un de ses sous-traitants qui produit des composantes entrant dans un procédé de production secret. Examinons deux exemples illustrant l'application du critère de contrôle. Le premier exemple porte sur la société Investitout ltée. L'entreprise, qui évolue dans le secteur financier, bénéficie des compétences exceptionnelles de sept gestionnaires de portefeuille reconnus mondialement. Il est indéniable que ces sept employés apportent des avantages économiques à l'entreprise, car leur performance antérieure montre qu'ils obtiennent un rendement sur les portefeuilles qu'ils gèrent excédant largement le rendement obtenu par leurs collègues. Investitout ltée ne peut toutefois pas comptabiliser à titre de savoir-faire une partie des salaires ou des bonis qu'elle verse à ces sept gestionnaires, car elle a un contrôle insuffisant sur leur compétence. Le deuxième exemple se rapporte à la société de vente au détail On vend de tout ltée.

6. *Manuel de CPA Canada – Comptabilité – Partie I*, IAS 38, paragr. 3.

FIGURE 10.2 La définition, du point de vue comptable, d'une immobilisation incorporelle

Un actif :
• est une ressource contrôlée par l'entreprise du fait d'événements passés ;
• génère des avantages.
1. Actif
2. Non monétaire
1. L'immobilisation peut être cédée soit seule, soit avec un autre actif.
2. L'immobilisation découle de droits contractuels ou légaux.
3. Identifiable
4. Sans substance physique

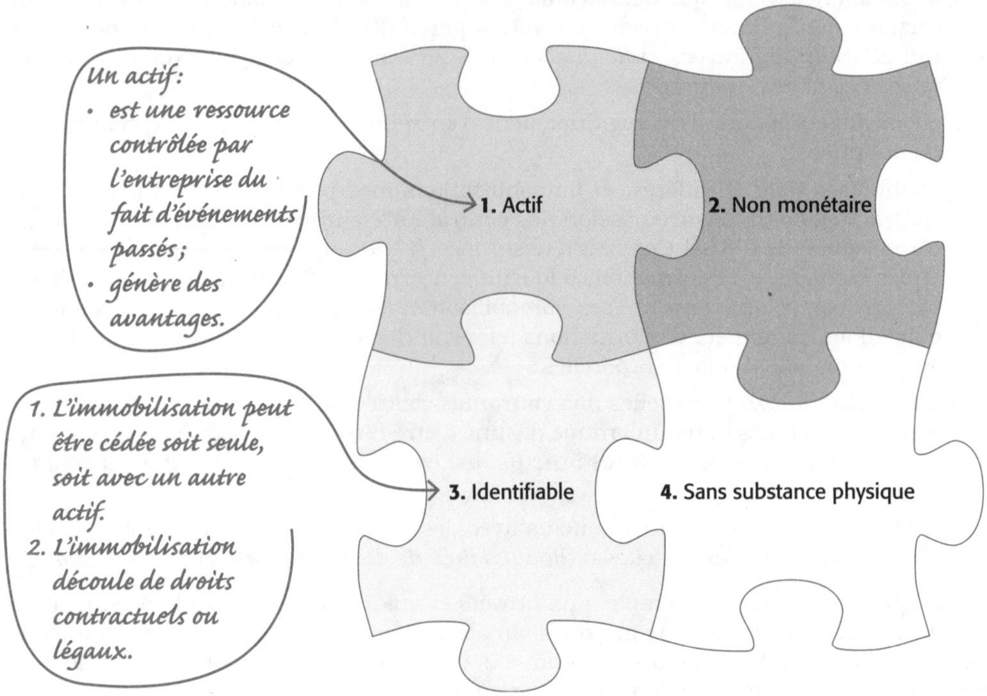

Au fil des ans, la société a mis en place un programme de fidélisation de sa clientèle qui permet aux clients d'accumuler des points lorsqu'ils achètent des biens vendus par On vend de tout ltée. Il est indéniable que le programme de fidélisation a pour effet d'augmenter les ventes. Toutefois, la société ne peut comptabiliser à l'actif ses coûts liés au programme de fidélisation, car elle n'a pas un contrôle suffisant sur les avantages économiques futurs qui découleront de la fidélisation des clients. Soulignons toutefois que si les clients signaient des promesses d'achat pour une valeur déterminée, la situation serait différente. On vend de tout ltée aurait alors, du fait d'un événement passé, un droit contractuel d'exiger que les clients achètent des biens, ce qui l'assurerait de pouvoir récupérer les coûts engagés pour négocier les contrats signés avec ses clients.

Deuxièmement, tout actif doit générer des avantages économiques futurs à son détenteur. Ces avantages peuvent prendre la forme de produits découlant de la vente de biens ou de la prestation de services, ou encore d'une diminution des dépenses futures. Par exemple, l'acquisition d'un brevet générera sans doute des produits additionnels découlant de la vente du bien breveté, alors que l'acquisition d'un logiciel comptable permettra sans doute de réduire les coûts administratifs futurs.

Revenons à la figure 10.2. Le deuxième aspect d'une immobilisation incorporelle est qu'il s'agit d'un actif non monétaire. Un **actif non monétaire** est un actif autre que monétaire. Il faut donc savoir qu'un **actif monétaire** représente « l'argent détenu et les actifs à recevoir en argent pour des montants fixes ou déterminables[7] ». Les stocks, les placements en actions ordinaires et les immobilisations corporelles sont des actifs non monétaires. À l'opposé, les comptes clients et les placements en obligations sont des actifs monétaires et ne sont donc pas des immobilisations incorporelles.

Le troisième aspect d'une immobilisation incorporelle est qu'il s'agit d'un **actif identifiable**. Ce critère d'identifiabilité est rempli lorsque l'une ou l'autre des situations suivantes s'applique. La première situation concerne les immobilisations incorporelles qui peuvent être vendues, transférées, concédées, louées ou échangées soit seules, soit accompagnées d'un autre actif. De ce fait, l'achalandage d'une entreprise, aussi appelé goodwill[8], n'est pas une immobilisation incorporelle, car il ne peut être pris séparément ou cédé sans que l'entreprise dans son ensemble soit aliénée. La seconde situation concerne les immobilisations incorporelles qui découlent de droits contractuels ou légaux, tels les brevets ou les marques. Lorsqu'une

7. *Manuel de CPA Canada – Comptabilité – Partie I*, IAS 38, paragr. 8.
8. Le lecteur intéressé par la comptabilisation du goodwill consultera un ouvrage de comptabilité avancée.

immobilisation incorporelle découle de tels droits, elle est automatiquement reconnue comme étant identifiable, peu importe qu'elle puisse ou non être séparable de l'entreprise ou d'autres droits ou obligations.

Finalement, l'**immobilisation incorporelle** est **sans substance physique**. C'est cet aspect qui la distingue des immobilisations corporelles. Il est parfois facile d'affirmer qu'un bien n'a aucune substance physique. Pensons, par exemple, aux brevets ou aux marques. Mais il arrive aussi fréquemment qu'une immobilisation incorporelle soit contenue sur un support physique, tel un logiciel gravé sur un cédérom ou une liste de clients consignée sur papier. L'entreprise devra alors déterminer si l'immobilisation incorporelle comporte à la fois une composante « corporelle » et une composante « incorporelle ». Le comptable professionnel devra faire preuve de jugement pour apprécier l'importance relative de chaque composante. Par exemple, un logiciel gravé sur cédérom serait traité comme une immobilisation incorporelle, alors qu'un logiciel intégré dans une machine de production de papier serait traité comme faisant partie intégrante de l'immobilisation corporelle compte tenu de sa faible importance relative par rapport à la valeur de la machine.

Toutes les immobilisations incorporelles ne sont pas comptabilisées à l'actif. Il arrive que les dépenses engagées pour acheter ou générer en interne une immobilisation incorporelle soient comptabilisées en charges. Quelles sont les caractéristiques d'une dépense qui permettent de choisir le traitement comptable approprié ? La sous-section qui suit présentera les critères auxquels une dépense doit répondre pour pouvoir être comptabilisée à l'actif.

Les caractéristiques des dépenses pouvant être comptabilisées à l'actif

Lorsqu'une entreprise acquiert une ressource incorporelle, la première question comptable qu'elle se pose est de savoir si elle peut comptabiliser la dépense à titre d'actif ou si elle doit la comptabiliser en charges dans l'exercice en cours. La plupart des entreprises préféreraient généralement comptabiliser à l'actif le plus grand nombre de dépenses possible afin de ne pas réduire le bénéfice net de l'exercice en cours et d'améliorer la valeur des ratios d'endettement calculés à partir des montants présentés dans les états financiers. La comptabilisation à l'actif étant, pour ainsi dire, moins prudente, l'IASB énumère des critères de comptabilisation que l'entreprise doit remplir.

Une entreprise comptabilise ses dépenses liées à une ressource incorporelle à titre d'immobilisation incorporelle plutôt qu'à titre de charge lorsqu'elle peut démontrer que l'actif répond à la définition d'une immobilisation incorporelle déjà présentée et que, de plus :

(a) il est probable que les avantages économiques futurs attribuables à l'actif iront à l'entité ; et

(b) le coût de cet actif peut être évalué de façon fiable[9].

Une entreprise éprouvera parfois de la difficulté à soutenir qu'une dépense entraînera des avantages économiques futurs probables. À cette fin, l'IASB précise : « Une entité doit apprécier la probabilité des avantages économiques futurs en utilisant des hypothèses raisonnables et justifiables représentant la meilleure estimation par la direction de l'ensemble des conditions économiques qui existeront pendant la durée d'utilité de l'actif[10]. »

Voici deux exemples d'application de cette recommandation. La société Chapeaux melon ltée achète un nouveau logiciel lui permettant d'automatiser une partie importante de sa production. Au moment d'apprécier les économies de coûts futurs découlant du logiciel, elle estime les économies de salaires découlant de l'automatisation des tâches en tenant compte des clauses de la convention collective des employés de production, celle qui est notamment relative au nombre minimal de postes qu'elle doit maintenir ou aux primes de séparation qu'elle devra verser aux employés licenciés. Elle estime aussi les économies de coûts découlant d'une baisse de la qualité des biens produits.

Le second exemple concerne la société ABC ltée, qui a acheté une liste de clients dans une ville donnée. Au moment d'apprécier la probabilité des avantages économiques futurs découlant de la liste de clients, qui prendront la forme de ventes additionnelles, ABC ltée doit connaître la vigueur de l'économie propre à cette ville, en analysant, par exemple, le degré de diversité des activités économiques locales. Si la majorité des travailleurs de cette ville sont au service d'une

9. *Manuel de CPA Canada – Comptabilité – Partie I,* IAS 38, paragr. 21.

10. *Manuel de CPA Canada – Comptabilité – Partie I,* IAS 38, paragr. 22.

même entreprise et que cette dernière évolue dans un secteur en déclin, le risque de récession économique est grand dans cette ville, ce qui remet sérieusement en question la probabilité qu'ABC ltée puisse tirer beaucoup d'avantages économiques de sa liste de clients.

Bien que les deux critères de comptabilisation relatifs à la probabilité des avantages économiques futurs et à la capacité d'évaluer le coût s'appliquent à toutes les ressources incorporelles, les modalités d'application diffèrent selon que cette ressource est acquise d'un tiers ou qu'elle est générée en interne. Ces modalités diffèrent car, lorsqu'une entreprise commence à générer une immobilisation incorporelle en interne, les avantages économiques futurs sont bien incertains.

Avez-vous remarqué ?

L'obligation imposée à une entreprise de montrer qu'une dépense générera des avantages économiques dont elle aura le contrôle explique qu'un grand nombre d'éléments du patrimoine immatériel ne sont pas comptabilisés.

Le traitement comptable initial des immobilisations incorporelles

Nous traiterons dans cette sous-section des immobilisations incorporelles achetées et de celles générées en interne.

Les immobilisations incorporelles achetées

Lorsqu'une entreprise achète une immobilisation incorporelle d'un tiers, elle peut plus facilement déterminer si les critères de comptabilisation à l'actif sont remplis. Premièrement, selon de saines pratiques d'affaires, l'acquéreur vérifie que le vendeur est bien le propriétaire légal du bien et qu'il est prêt à céder son titre de propriété. De ce fait, l'acquéreur obtient la confirmation que, à compter de la date d'achat, il contrôlera l'actif acquis. Deuxièmement, le coût est généralement facile à évaluer, surtout si le prix payé est réglé en argent ou en cédant des actifs monétaires.

Le **coût d'une immobilisation incorporelle acquise** inclut le coût de base convenu avec le vendeur, diminué de toute réduction consentie par le vendeur, et augmenté des taxes non remboursables, tels les droits de douane. Le coût comptabilisé à l'actif inclut aussi tous les coûts directement attribuables à l'acquisition que l'acquéreur doit engager avant de pouvoir utiliser l'immobilisation incorporelle de la façon prévue. Si une entreprise n'avait pas eu à engager la dépense si elle n'avait pas acheté l'immobilisation incorporelle, il est clair que cette dépense est directement rattachée à l'achat de l'immobilisation. Par exemple, une entreprise qui achète un brevet inclura dans le coût de celui-ci les honoraires payés à ses conseillers juridiques ayant pris part à l'achat. Une entreprise qui achète des droits sur la topographie de circuits intégrés inclura dans le coût des droits le coût des tests visant à vérifier le bon fonctionnement des circuits conçus selon ces droits.

Toutefois, le coût d'une immobilisation incorporelle acquise exclut les coûts de lancement d'un nouveau bien ou service, les coûts de lancement d'une activité dans un nouveau lieu ainsi que les frais administratifs et autres frais généraux. Par exemple, si une entreprise achète une nouvelle liste de clients dans une région donnée, elle doit exclure du coût de cette liste une partie du salaire payé à son directeur des ventes, car ce salaire n'est pas directement lié à l'acquisition de la liste de clients. De même, l'entreprise exclut du coût de la liste de clients les coûts d'un envoi postal aux nouveaux clients, car ces coûts s'apparentent à des dépenses de publicité dont les avantages économiques futurs sont trop incertains pour être comptabilisés à l'actif.

Tout comme pour ses immobilisations corporelles, il arrive qu'une entreprise achète une immobilisation incorporelle et qu'elle en tire un **produit accessoire** avant même de l'utiliser aux fins prévues. Ces sommes doivent être comptabilisées à titre de produits dès que ceux-ci se réalisent et non être portées en diminution du coût de l'immobilisation. Enfin, si le montant convenu avec le vendeur pour acheter l'immobilisation incorporelle n'est payable que plus tard et qu'il ne porte pas intérêt au taux du marché, le coût de l'immobilisation correspond au **prix comptant équivalent** à la date de l'acquisition, lequel diffère de la valeur nominale de la dette ainsi contractée. Le coût est alors égal au prix que l'entreprise aurait payé en argent au moment où l'immobilisation incorporelle se trouve dans l'état nécessaire pour pouvoir être utilisée. La différence entre le prix comptant équivalent et le débours correspond à une charge financière qui sera comptabilisée en charges dans les périodes subséquentes, au fil du temps.

Lorsque l'immobilisation est prête à être utilisée de la façon prévue, l'entreprise doit cesser de comptabiliser à l'actif les coûts engagés subséquemment. Par exemple, elle n'inclut pas dans le coût de l'immobilisation incorporelle les coûts engagés pour délocaliser subséquemment l'immobilisation ou les pertes d'exploitation initiales.

L'achat de franchises

Au Canada, le secteur du franchisage est en pleine croissance depuis quelques années. McDonald's, Mike's, Cora Déjeuners et Dîners, Petro-Canada et Chaussures Pop sont quelques exemples de franchises. Cette croissance se maintiendra sûrement à l'avenir en raison des nombreux avantages que procure le franchisage. D'une part, le franchiseur peut offrir au franchisé des conseils d'ordres technique, commercial et administratif; cette assistance prend souvent la forme de programmes de formation. D'autre part, le franchisé offre ses qualités d'entrepreneuriat et tous les avantages découlant de la gestion décentralisée d'une entreprise de petite taille exploitée par son propriétaire.

Du côté du franchisé, la comptabilisation du coût des franchises doit se faire selon les recommandations formulées dans l'IAS 38. Le montant payé pour acheter une franchise peut notamment couvrir le choix de l'emplacement, l'obtention du financement, la conception et la construction des installations, la publicité, la formation du personnel et l'établissement du programme de contrôle de la qualité. Ces frais s'apparentent à des frais de démarrage d'une nouvelle entreprise. Lorsqu'une entreprise engage de tels coûts pour démarrer ses propres activités, elle les comptabilise en charges à mesure qu'elle les engage. Deux raisons justifient ce traitement : les dépenses engagées ne satisfont pas au critère d'identifiabilité et la probabilité que ces dépenses génèrent des avantages économiques futurs est trop incertaine pour justifier la comptabilisation à l'actif.

Toutefois, lorsqu'une entreprise veut démarrer une nouvelle activité en achetant une franchise, elle comptabilise généralement le coût à titre d'immobilisation incorporelle, car la dépense permet d'acquérir une immobilisation incorporelle qui répond à la définition qu'en donne l'IASB. Premièrement, la dépense permet d'acquérir un actif. L'acheteur d'une franchise signe généralement un contrat qui établit clairement son contrôle sur les avantages économiques futurs générés par l'immobilisation incorporelle. De plus, la réputation du franchiseur est déjà établie, ce qui confirme la probabilité d'avantages économiques futurs liés au droit d'utiliser le nom de marque du franchiseur ou de bénéficier de ses services. Deuxièmement, les droits d'exploiter une franchise constituent un actif incorporel non monétaire, car ils ne donnent pas l'assurance de recevoir un montant d'argent déterminé. Troisièmement, la franchise satisfait au critère d'identifiabilité, puisque l'immobilisation incorporelle est achetée séparément d'un tiers. Enfin, les droits d'exploiter une franchise n'ont pas de substance physique. L'acquéreur de la franchise la comptabilise à titre d'immobilisation incorporelle, car il peut en déterminer le coût de façon fiable.

En pratique, le comptable peut être amené à comptabiliser toutes sortes de contrats d'acquisition de franchises qui ne sont pas nécessairement prévus dans l'IAS 38. En plus de s'inspirer du « Cadre conceptuel de l'information financière » (le Cadre) des IFRS dans le choix du mode de comptabilisation, il s'inspire aussi des dispositions prévues dans l'**IFRS 15**, intitulée « Produits des activités ordinaires tirés de contrats conclus avec des clients ». Bien qu'elle ait été initialement conçue pour répondre aux questions de comptabilisation des franchiseurs, cette norme apporte des précisions supplémentaires dont le franchisé peut s'inspirer. L'un des principes importants de l'IFRS 15 est que, lorsqu'un contrat couvre plusieurs éléments, on doit d'abord identifier chaque élément, puis le comptabiliser distinctement. Nous approfondirons au chapitre 20, du point de vue des franchiseurs, les produits découlant de contrats de licence qui portent sur des droits d'accès à la propriété intellectuelle selon que le bien se modifiera ou non tout au long de la durée du contrat. Voyons ici comment le franchisé peut identifier les éléments multiples d'un contrat de franchise selon lequel il obtient le contrôle du droit d'accès à la propriété[11].

Le franchisé comptabilise le coût d'une franchise, soit la **redevance initiale**, au débit d'un compte intitulé, par exemple, Droits de franchise ou Franchise. Il arrive parfois que le montant de la redevance initiale soit payable à une date ultérieure à celle de la signature du contrat de franchisage et que le franchisé ne soit pas tenu de payer des intérêts, ou que les intérêts soient calculés à un taux inférieur à celui du marché. Le montant de la redevance initiale qui peut alors être comptabilisé à l'actif est limité au prix comptant équivalent. Ce prix correspond à la juste valeur des droits de franchise. Puisqu'il existe rarement un marché actif où se négocient des franchises,

11. Au chapitre 20, nous expliquerons la comptabilisation des franchises du côté du franchiseur, alors que dans le présent chapitre, nous étudions la comptabilisation sous l'angle du franchisé.

on peut évaluer la juste valeur à l'aide d'une technique d'actualisation, par exemple, en actualisant les flux de trésorerie sur la base des hypothèses que poseraient les intervenants du marché.

EXEMPLE

Évaluation initiale d'une franchise au prix comptant équivalent

Le 15 juin 20X1, Mont Allaire ltée (MAL) achète une franchise du Centre d'activité physique Lambert (CAPL). Le 15 juin 20X2, M. Allaire versera à CAPL la somme de 15 000 $, plus un intérêt calculé au taux annuel de 5 %, en contrepartie de la création de la franchise et de la prestation des services initiaux. En supposant que le taux du marché pour un prêt semblable est de 10 % par année, voici l'écriture que l'on doit passer dans les livres de MAL :

15 juin 20X1		
Franchise	*14 318*	
Dû au franchiseur		*14 318*
Acquisition d'une franchise.		

Calcul :

Montant payé le 15 juin 20X2 (15 000 $ × 1,05)	15 750 $
Valeur actualisée de la redevance initiale (égale au prix comptant équivalent) (N = 1, I = 10 %, PMT = 0 $, FV = 15 750 $, CPT PV ?)	(14 318)
Portion d'intérêt	1 432 $

Le montant qui sera payé le 15 juin 20X2 (15 750 $) comprend des intérêts calculés au taux de 5 % (750 $). On doit donc actualiser le montant de 15 750 $ au taux qui a cours sur le marché, soit 10 %. L'écart entre le montant qui sera effectivement payé et la valeur actualisée de ce dernier, soit 1 432 $, constitue des frais financiers qui seront comptabilisés en charges selon les principes de la comptabilité d'engagement, c'est-à-dire à mesure qu'ils seront engagés.

Le franchisé doit également appliquer un traitement comptable différent lorsqu'il verse une redevance initiale en contrepartie de services et de biens tels que la création de la franchise, la prestation des services initiaux et l'acquisition d'autres actifs. Dans ce cas, il répartit le montant versé initialement entre la portion applicable à la création de la franchise et la prestation des services initiaux, et la portion représentant la juste valeur des autres actifs acquis. Il comptabilise la première portion dans le compte Franchise, alors qu'il comptabilise la seconde dans les comptes d'actifs en cause. Rappelons que le franchisé comptabilise le coût de ces actifs au moment où il estime probable de bénéficier des avantages économiques futurs attribuables à l'actif et s'il peut évaluer le coût de l'actif d'une manière fiable.

EXEMPLE

Contrat de franchise couvrant l'achat d'équipements

Le 1er janvier 20X1, Mme Bélair achète une franchise de Nautulis. Le coût initial de 50 000 $ comprend un montant de 40 000 $ pour la création de la franchise et la prestation des services initiaux, et un montant de 10 000 $ pour un appareil de conditionnement fabriqué exclusivement pour le franchiseur. On comptabilise cette opération de la façon suivante dans les livres de Mme Bélair :

Franchise	*40 000*	
Matériel et équipements	*10 000*	
Caisse (ou autre compte approprié)		*50 000*
Acquisition d'une franchise et d'un équipement.		

Enfin, le franchisé applique un traitement comptable particulier s'il verse une redevance initiale en contrepartie à la fois de la création de la franchise, de la prestation des services initiaux et des rabais sur des services périodiques futurs. Autrement dit, il peut arriver que les redevances périodiques soient à prix de faveur en contrepartie d'une redevance initiale plus élevée que la juste valeur. Le franchisé répartit le montant du versement initial entre la portion couvrant la création de la franchise et la prestation des services initiaux, et la portion applicable aux services périodiques futurs. Lors de l'acquisition de la franchise, il comptabilise dans le compte Charges payées d'avance la portion relative aux services qu'il recevra à court terme. Quant à la portion relative aux services à plus long terme, le franchisé la comptabilise dans le compte Services à recevoir à long terme ; il la comptabilisera progressivement en résultat net à mesure qu'il recevra les services périodiques.

EXEMPLE

Contrat de franchise couvrant l'achat futur de services à prix de faveur

Le 1er janvier 20X1, la société Franchisée ltée signe un contrat de franchisage pour une période de cinq ans. Ce contrat précise que la société doit verser 50 000 $ à la signature et qu'elle devra s'en remettre au franchiseur pour la publicité périodique. Cette publicité lui coûtera 7 000 $ par année, alors qu'un programme publicitaire indépendant lui en coûterait 9 000 $. Franchisée ltée doit alors passer l'écriture de journal suivante :

Charges payées d'avance ①	*2 000*	
Services à recevoir à long terme ②	*8 000*	
Franchise	*40 000*	
Caisse (ou autre compte approprié)		*50 000*
Acquisition d'une franchise dont la redevance initiale comprend la contrepartie des rabais obtenus sur des services à recevoir à l'avenir.		

Calculs :

① (9 000 $ – 7 000 $)

② [(9 000 $ – 7 000 $) × 4 ans]

En 20X1, Franchisée ltée passe l'écriture suivante pour comptabiliser les services reçus :

Publicité	*9 000*	
Caisse (ou autre compte approprié)		*7 000*
Charges payées d'avance		*2 000*
Publicité faite par le franchiseur.		

Il existe également une variante de la situation précédente lorsque, conformément au contrat de franchisage, le franchiseur fournit périodiquement au franchisé des actifs à des prix de faveur. Il convient alors que le franchisé comptabilise une partie du versement initial à titre d'ajustement du coût des actifs et qu'il vire en résultat le solde de ce compte au moment où il se procurera les actifs.

EXEMPLE

Contrat de franchise couvrant l'achat futur d'actifs à prix de faveur

Le 30 août 20X1, Mme Leduc signe un contrat de franchisage pour une période de 10 ans. Le contrat indique qu'elle doit verser 100 000 $ à la signature du contrat. Elle s'engage aussi à acheter des marchandises du franchiseur pendant une période de quatre ans. Ces marchandises lui coûteront 490 000 $ par année en dollars d'aujourd'hui et elles ont une juste valeur estimée à 500 000 $ en dollars d'aujourd'hui. On comptabilise ainsi cette opération dans les livres de Mme Leduc à la date de la signature du contrat :

Dépôt sur achats futurs de marchandises ①	*40 000*	
Franchise	*60 000*	
Caisse (ou autre compte approprié)		*100 000*
Acquisition d'une franchise dont la redevance initiale comprend la contrepartie des rabais obtenus sur des achats futurs de marchandises.		

Calcul :

① [(500 000 $ – 490 000 $) × 4 ans]

En 20X1, le franchisé comptabilise l'acquisition des marchandises de la façon suivante :

Stock de marchandises	*500 000*	
Caisse (ou autre compte approprié)		*490 000*
Dépôt sur achats futurs de marchandises		*10 000*
Achat de marchandises (selon le système d'inventaire permanent).		

Ce traitement comptable a pour effet de dégager la véritable marge brute. En effet, le coût des ventes sera bien de 500 000 $, soit un montant de 490 000 $ payé au moment de l'acquisition des marchandises et un montant de 10 000 $ payé au moment de la signature du contrat de franchisage.

Avez-vous remarqué ?

C'est surtout le nom de marque du franchiseur, promesse d'avantages économiques futurs, et l'existence d'une transaction entre le franchisé et le franchiseur qui justifient de comptabiliser à l'actif le coût d'acquisition d'une franchise.

La figure 10.3 résume la comptabilisation d'une redevance initiale.

10

FIGURE 10.3 La comptabilisation d'une redevance initiale

Portion de la redevance initiale qui couvre :	Traitement comptable
Les services initiaux	Cette portion est comptabilisée au débit d'un compte d'immobilisation incorporelle.
L'achat d'actifs	Cette portion est comptabilisée au débit d'un compte d'actif approprié.
Des rabais sur des services périodiques futurs	Cette portion est comptabilisée au débit d'un compte de charges payées d'avance*.
Des rabais sur des achats futurs de marchandises	Cette portion est comptabilisée au débit d'un compte Dépôt sur achats futurs de marchandises.

* On distingue les portions à recevoir à court et à long terme.

Les immobilisations incorporelles générées en interne

Il est fréquent qu'une entreprise engage des dépenses qui, quelques années plus tard, lui procurent un avantage économique ou une caractéristique distinctive. Il en est ainsi lorsqu'une entreprise, par ses campagnes de promotion, son excellent service à la clientèle ou la compétence de ses employés, se construit une marque. Elle peut aussi, grâce aux compétences de ses vendeurs, à la qualité des biens vendus et à son service après-vente, établir une liste de clients. Lorsqu'une entreprise génère en interne une immobilisation incorporelle, elle peut plus difficilement, pendant les travaux, déterminer si les critères de comptabilisation à l'actif sont remplis. Plus précisément, il lui est difficile de vérifier la probabilité des avantages économiques futurs et d'en déterminer le coût.

Pour contourner ces difficultés, l'IASB propose des critères plus précis concernant la comptabilisation à l'actif des dépenses engagées pour générer en interne une immobilisation incorporelle. La première tâche de l'entreprise est de déterminer si les dépenses engagées s'inscrivent dans la **phase de recherche** ou dans la **phase de développement**. Les recommandations de l'IASB applicables à la comptabilisation des frais de recherche diffèrent de celles applicables aux frais de développement. Les frais de recherche sont toujours comptabilisés en charges dès qu'ils sont engagés, alors que les frais de développement sont comptabilisés à l'actif à certaines conditions. Nous expliquerons plus loin ces conditions de comptabilisation à l'actif. Auparavant, il importe de bien distinguer les deux catégories d'activités. Le tableau 10.3 présente ces catégories d'activités.

TABLEAU 10.3 La nature des activités de recherche et des activités de développement

Normes internationales d'information financière, **IAS 38**	**Exemples**
Paragr. 8 ***Recherche*** *Investigation originale et programmée entreprise en vue d'acquérir une compréhension et des connaissances scientifiques ou techniques nouvelles.*	**1R.** Une entreprise pharmaceutique entreprend des recherches en laboratoire afin de découvrir un médicament pour traiter un certain type de cancer.
	2R. Une entreprise de produits chimiques a découvert un nouveau composé. Elle cherche maintenant la façon dont il pourrait servir aux entreprises de pâtes et papiers.
	3R. Une entreprise conçoit et fabrique des serrures de portes en acier. Elle souhaite découvrir un autre matériau susceptible de remplacer l'acier et qui, à un coût moindre, serait aussi résistant que l'acier.
Développement *Application des résultats de la recherche ou d'autres connaissances à un plan ou un modèle en vue de la production de matériaux, dispositifs, produits, procédés, systèmes ou services nouveaux ou substantiellement améliorés, avant le commencement de leur production commerciale ou de leur utilisation.*	**1D.** L'entreprise pharmaceutique dont il est question en **1R** a découvert le fameux médicament. Malheureusement, le comprimé a la taille d'un ballon de football. Le développement consiste à transformer ce comprimé de façon à ce qu'il puisse être administré aux patients. Ce n'est que lorsque ce développement sera terminé qu'il sera possible d'entreprendre la phase commerciale.
	2D. L'entreprise de produits chimiques dont il est question en **2R** a découvert que le composé permettait de blanchir la pâte à papier. Elle travaille maintenant au développement, c'est-à-dire à concevoir les cuves ainsi que les systèmes d'alimentation et de vidange des cuves qui permettraient une utilisation efficace du composé.
	3D. L'entreprise de production de serrures dont il est question en **3R** a découvert un matériau composite. Le développement consiste maintenant à fabriquer des prototypes de serrures pour tester leur qualité.

La phase de développement d'une immobilisation incorporelle survient à un stade plus avancé que la phase de recherche. Le temps écoulé depuis le début des travaux apporte souvent à l'entreprise des informations additionnelles lui permettant de mieux évaluer sa capacité à terminer les travaux et à obtenir une immobilisation incorporelle susceptible de générer des avantages économiques futurs. Outre les exemples présentés dans le tableau 10.3, les activités de développement comprennent :

(a) la conception, la construction et les tests de pré-production ou de pré-utilisation de modèles et prototypes ;

(b) la conception d'outils, de gabarits, moules et matrices impliquant une technologie nouvelle ;

(c) la conception, la construction et l'exploitation d'une unité pilote qui n'est pas à une échelle permettant une production commerciale dans des conditions économiques ; et

(d) la conception, la construction et les tests pour la solution choisie parmi différentes possibilités de matériaux, dispositifs, produits, procédés, systèmes ou services nouveaux ou améliorés [12].

12. *Manuel de CPA Canada – Comptabilité – Partie I*, IAS 38, paragr. 59.

Si une entreprise est incapable de distinguer la phase de recherche de la phase de développement, elle doit présumer que les dépenses engagées pour générer une immobilisation incorporelle se rattachent à la phase de recherche. Cette présomption conduit à une comptabilisation prudente, car les dépenses engagées durant la phase de recherche sont toujours comptabilisées en charges dès qu'elles sont engagées. La comptabilisation en charges est justifiée car, pendant la phase de recherche, il est presque impossible de démontrer que les activités déboucheront sur une découverte et que celle-ci permettra de générer des avantages économiques futurs probables. Tant et aussi longtemps que rien n'est découvert, aucun avantage économique futur ne peut être prévu.

Avez-vous remarqué ?

Le traitement comptable des frais de recherche et celui des frais de développement diffèrent afin de refléter fidèlement la nature propre à ces deux types d'activité.

Les frais de développement

Différence NCECF

C'est au moyen du développement d'une découverte qu'une entreprise pourra plus tard réaliser des produits. Toutefois, les avantages découlant des activités de développement sont plus ou moins incertains selon les projets. C'est pourquoi le comptable comptabilise les **frais de développement** en résultat net, à moins que toutes les conditions exposées dans le tableau 10.4 ne soient remplies.

Les quatre premières conditions énoncées dans le tableau 10.4 requièrent quelques explications. D'abord, pour évaluer la faisabilité technique, le responsable des services

10

TABLEAU 10.4 Les conditions justifiant la comptabilisation à l'actif des frais de développement

Normes internationales d'information financière, IAS 38	Exemples de conditions remplies
Paragr. 57 *Une immobilisation incorporelle résultant du développement (ou de la phase de développement d'un projet interne) doit être comptabilisée si, et seulement si, une entité peut démontrer tout ce qui suit :*	En ce qui concerne la recette du nouveau médicament développée par l'entreprise pharmaceutique dont il est fait mention aux points **1R** et **1D** du tableau 10.3 :
(a) la faisabilité technique de l'achèvement de l'immobilisation incorporelle en vue de sa mise en service ou de sa vente ;	Les travaux réalisés par les chimistes ont permis de réduire effectivement la taille du médicament à celle d'un comprimé ordinaire. Tous les tests médicaux démontrent l'efficacité de la recette.
(b) son intention d'achever l'immobilisation incorporelle et de la mettre en service ou de la vendre ;	Le conseil d'administration a approuvé la production du nouveau médicament à l'échelle commerciale.
(c) sa capacité à mettre en service ou à vendre l'immobilisation incorporelle ;	Le plan d'affaires précise notamment que la recette sera protégée par un brevet.
(d) la façon dont l'immobilisation incorporelle générera des avantages économiques futurs probables. L'entité doit démontrer, entre autres choses, l'existence d'un marché pour la production issue de l'immobilisation incorporelle ou pour l'immobilisation incorporelle elle-même ou, si celle-ci doit être utilisée en interne, son utilité ;	Le plan d'affaires précise aussi que le nouveau médicament sera distribué par l'entremise des canaux de distribution que l'entreprise utilise déjà. Il renvoie aussi à l'étude de marché, qui révèle un potentiel de marché indiscutable pour les médicaments produits avec la nouvelle recette.
(e) la disponibilité de ressources techniques, financières et autres, appropriées pour achever le développement et mettre en service ou vendre l'immobilisation incorporelle ;	Le plan d'affaires a été présenté à des créanciers qui ont accepté de fournir le financement additionnel requis pour mettre en marché le médicament. L'entreprise a aussi les ressources techniques, soit le matériel de laboratoire et les réseaux de distribution, pour exploiter la recette qui sera brevetée.
(f) sa capacité à évaluer de façon fiable les dépenses attribuables à l'immobilisation incorporelle au cours de son développement.	L'entreprise peut analyser son expérience passée et utiliser les données produites par ses systèmes d'information pour estimer, par exemple, les honoraires des professionnels juridiques qu'elle devra engager afin d'obtenir le brevet.

comptables de l'entreprise consultera les employés experts chargés du développement et analysera la technologie existante à ce jour. Pour évaluer la deuxième condition, il pourrait consulter les documents internes, tels les procès-verbaux des assemblées du conseil d'administration, pour juger de l'intention de l'entreprise d'achever l'immobilisation. Il cherchera simultanément des renseignements confirmant que l'entreprise a l'intention soit d'utiliser elle-même l'immobilisation, soit de la revendre. La troisième condition est plus exigeante que la précédente, car elle consiste à démontrer que les intentions de l'entreprise, vérifiées au point précédent, sont réalistes. La quatrième condition exige que l'entreprise évalue comment l'immobilisation incorporelle en cours de développement générera des avantages économiques futurs. Pour ce faire, l'entreprise s'inspire des principes comptables relatifs à l'estimation de la valeur recouvrable d'une immobilisation exposés dans l'**IAS 36**, traitant de la dépréciation d'actifs et expliqués plus loin dans le présent chapitre. Par exemple, elle estime les rentrées et les sorties prévues de trésorerie sur la base des meilleures estimations possibles, qu'elle actualise au taux approprié, en utilisant la technique d'actualisation traditionnelle ou celle de la valeur attendue que nous avons expliquées au chapitre 9. Si l'entreprise prévoit que l'immobilisation incorporelle en développement générera des flux de trésorerie liés à ceux d'autres actifs qu'elle possède, elle groupera l'immobilisation incorporelle et les autres actifs dans une unité génératrice de trésorerie afin d'estimer la valeur recouvrable.

Dès le moment où l'entreprise remplit les six conditions énoncées dans le tableau 10.4, les avantages économiques futurs découlant des activités de développement sont raisonnablement certains et les coûts peuvent être déterminés de façon fiable. Dans ces conditions, l'entreprise doit comptabiliser ses dépenses à l'actif, même si elle n'a pas encore obtenu le brevet.

De façon plus précise, le **coût d'une immobilisation incorporelle générée en interne** comprend tous les coûts directement attribuables et nécessaires pour créer, produire et préparer l'immobilisation de façon à ce que celle-ci puisse être exploitée de la manière prévue par la direction.

Le tableau 10.5 présente des exemples d'éléments de coûts fournis par l'IASB ainsi que quelques commentaires.

Que penser du bien-fondé des normes relatives à la comptabilisation à l'actif des frais de développement ? Premièrement, les recommandations et suggestions de l'IASB visent notamment à refléter fidèlement les activités de recherche et de développement. Les entreprises qui engagent des dépenses pour générer en interne une immobilisation incorporelle espèrent sûrement en tirer des avantages économiques futurs. Il est donc logique de vouloir comptabiliser à l'actif ces dépenses. Cette façon de procéder permet aux utilisateurs des états financiers d'évaluer la performance de l'entreprise en comparant les frais passés en charges et les frais comptabilisés à l'actif au cours de l'exercice. Deuxièmement, la comptabilisation à l'actif de certains frais permet d'éviter les conséquences économiques néfastes qu'entraîneraient des décisions axées sur l'incidence de ces frais à court terme. Par exemple, un dirigeant qui veut maximiser le résultat net comptable ne réduira pas automatiquement les frais de développement car, si ces frais sont comptabilisés à l'actif, le résultat net de l'exercice en cours ne sera que peu modifié par une compression des frais.

La comptabilisation à l'actif des dépenses engagées pour générer en interne une immobilisation incorporelle comporte aussi certains inconvénients. D'abord, les montants comptabilisés à l'actif sont subjectifs. En effet, puisque les critères de comptabilisation à l'actif sont subjectifs et, donc, difficiles à vérifier, les entreprises peuvent manipuler les informations présentées dans les états financiers et fausser ainsi leurs résultats nets. C'est d'ailleurs l'une des raisons pour lesquelles certains investisseurs professionnels retraitent les résultats nets des entreprises qui ont comptabilisé à l'actif les frais de développement. En outre, la subjectivité des frais de développement comptabilisés à l'actif diminue leur neutralité. Ainsi, deux spécialistes en marketing chargés d'évaluer l'existence d'un marché potentiel pour une immobilisation incorporelle générée en interne pourraient arriver à des conclusions différentes. De plus, il est parfois très difficile, et donc subjectif, de distinguer les frais de recherche des frais de développement. Enfin, la comptabilisation à l'actif entraîne des problèmes d'évaluation au cours des exercices subséquents. Les changements technologiques et la concurrence rendent difficile la détermination de la période pendant laquelle on devra amortir l'immobilisation incorporelle générée en interne. Dans chaque cas, le choix de cette période est affaire de jugement. De ce fait, les résultats nets de deux entreprises du même secteur d'activité pourraient différer uniquement parce

TABLEAU 10.5 Des éléments de coûts liés à une immobilisation incorporelle générée en interne

Normes internationales d'information financière, IAS 38	Commentaires
Exemples de coûts directement attribuables	
Paragr. 66	
(a) *les coûts des matériaux et services utilisés ou consommés pour générer l'immobilisation incorporelle;*	Par analogie, ces coûts correspondent au coût des matériaux de construction utilisés pour construire un immeuble. Dans le cadre du développement d'un brevet portant sur un nouveau médicament, ces frais correspondent, par exemple, aux coûts des produits chimiques utilisés.
(b) *les coûts des avantages du personnel* [...] *résultant de la création de l'immobilisation incorporelle;*	Le coût des salaires et des avantages sociaux versés aux chimistes pendant la phase de développement fait partie intégrante du coût du brevet.
(c) *les honoraires d'enregistrement d'un droit établi; et*	Les taxes payables pour le dépôt d'une demande de brevet et pour la requête d'examen de la demande sont comprises dans la valeur comptable du brevet.
(d) *l'amortissement des brevets et licences qui sont utilisés pour générer l'immobilisation incorporelle.*	L'amortissement d'un brevet portant sur un composé chimique entrant dans la recette en cours de développement, tout comme l'amortissement de l'immeuble abritant le laboratoire, sont compris dans le coût de la recette qui sera brevetée.
	Lorsque l'entreprise a obtenu du financement pour ses activités de développement, le coût de l'immobilisation incorporelle comprend les coûts d'emprunt comptabilisés selon l'**IAS 23**, intitulée « Coûts d'emprunt ».
Exemples de coûts non compris dans le montant comptabilisé à l'actif	
Paragr. 67	
(a) *les frais de vente, les frais administratifs et autres frais généraux à moins que ces dépenses puissent être directement attribuées à la préparation de l'actif en vue de sa mise en service;*	Puisqu'il est habituellement impossible de rattacher ces frais à des activités précises, ils sont, en règle générale, exclus du montant comptabilisé à l'actif.
(b) *les inefficacités constatées et les pertes d'exploitation initiales subies avant qu'un actif n'atteigne le niveau de performance prévu; et*	Il est évident que les inefficacités, tout comme les pertes d'exploitation, ne génèrent aucun avantage économique futur.
(c) *les dépenses au titre de la formation du personnel pour exploiter l'actif.*	Ces dépenses, par exemple les coûts d'inscription des chimistes à des séminaires de formation de quelques jours, ne sont pas comptabilisées à l'actif car, pendant la période de développement, il est pratiquement impossible d'établir un lien direct entre la formation acquise et la recette en développement.

que la première prévoit une période d'amortissement de six ans, tandis que la seconde prévoit une période d'amortissement de trois ans. Comme cette dernière aura un résultat net plus faible au cours des trois premiers exercices, il sera difficile de comparer les résultats nets et la situation financière des deux entreprises. Même si un tel problème peut aussi survenir pour tous les actifs amortissables, il est sans doute plus fréquent dans le cas des immobilisations incorporelles générées en interne.

Lorsqu'une entreprise a comptabilisé des frais de développement en résultat net d'un exercice précédent parce qu'ils ne remplissaient pas l'une des six conditions de comptabilisation à l'actif, elle ne peut, au cours des exercices subséquents, comptabiliser un ajustement de ses résultats nets antérieurs afin de comptabiliser à l'actif ces frais de développement. Au moment où elle a engagé ces frais, elle les a traités comme une charge de l'exercice en cours, car ils ne remplissaient pas les six conditions. Aucune correction n'est donc permise, comme le précise la recommandation suivante : « Les dépenses relatives à un élément incorporel qui ont été initialement comptabilisées en charges ne doivent pas être incorporées dans le coût d'une immobilisation incorporelle à une date ultérieure[13]. »

Les normes comptables relatives à la comptabilisation à l'actif des frais de développement souffrent une exception : « Lorsqu'ils sont générés en interne, les marques, cartouches de titre, titres de publication, listes de clients et autres éléments similaires en substance ne doivent pas être comptabilisés en tant qu'immobilisations incorporelles[14]. »

Lorsqu'une entreprise engage des dépenses pour générer en interne des marques, cartouches de titre, titres de publication, listes de clients et autres éléments semblables, elle ne peut pratiquement pas les distinguer du coût de développement de l'entreprise dans son ensemble. Les coûts engagés pour générer de telles immobilisations incorporelles ne remplissent donc pas le caractère d'identifiabilité préalable à la comptabilisation de toute immobilisation incorporelle. Il est de plus évident que puisque le goodwill n'est pas une immobilisation incorporelle, une entreprise ne peut pas comptabiliser à l'actif les coûts qu'elle engage pour le générer en interne.

En pratique, le comptable professionnel doit faire preuve d'un bon jugement pour déterminer les immobilisations incorporelles générées en interne qui remplissent les conditions de comptabilisation à l'actif. Par exemple, si une entreprise engage des dépenses pour concevoir un catalogue de ses biens qui servira à promouvoir les ventes postales ou en ligne, elle doit traiter ces dépenses comme une composante d'un programme de promotion. Or, puisque les dépenses de promotion servent principalement à développer un nom de marque ou des relations avec des clients, elles ne peuvent être comptabilisées à l'actif. Supposons maintenant que l'entreprise confie à un fournisseur le soin de préparer le catalogue et qu'elle paie d'avance la somme de 5 000 $. Au moment du décaissement, l'entreprise doit-elle comptabiliser le débours à titre de charge ? L'IASB répond non à cette question, car l'entreprise a le droit de recevoir des biens et des services de ce fournisseur et le droit constitue en substance un actif, plus précisément une charge payée d'avance. Cependant, dès que le fournisseur aura produit le catalogue, l'entreprise devra décomptabiliser la charge payée d'avance et comptabiliser une charge dans l'exercice en cours. Ce transfert du compte d'actif à un compte de charge ne peut être reporté au moment où l'entreprise distribuera les catalogues à ses propres clients.

10

EXEMPLE

Frais de développement

La société Dupois santé inc. travaille depuis plusieurs années à la mise au point de nutriments alimentaires révolutionnaires qui permettront aux humains de remplacer tous leurs repas par ces nutriments et d'avoir un apport quotidien parfait selon le *Guide alimentaire canadien*. Dupois santé inc. sait que ce produit aura un vif succès, car en plus de son caractère tout à fait innovateur et de ses bienfaits découlant d'une diète parfaitement équilibrée, il favorisera le maintien d'un poids santé et fera gagner beaucoup de temps.

En 20X0, la société engage des coûts de 200 000 $ afin de déterminer si son projet est techniquement réalisable. Par la suite, elle engage 100 000 $ additionnels avant de présenter le projet au conseil d'administration. Après discussion du plan d'affaires déposé à sa réunion du 12 novembre 20X0, le conseil d'administration approuve le projet et précise que la société devra obtenir un brevet et commercialiser elle-même les nutriments. En décembre 20X0, la société poursuit ses activités de développement au coût de 95 000 $. Elle obtient d'une firme indépendante qu'elle avait mandatée pour procéder à une analyse de marché la confirmation de l'existence d'un marché.

Au cours des 5 premiers mois de 20X1, la société a engagé des frais de développement de 375 200 $. Même si elle est incapable d'estimer les coûts futurs de l'achèvement du projet, les travaux se poursuivent. La société a dû attendre au 30 avril pour avoir l'assurance de disposer des liquidités nécessaires pour terminer le projet. Le 20 mai suivant, elle a négocié un nouvel emprunt de 575 000 $ pour financer la suite des travaux. L'emprunt a été obtenu le 30 mai 20X1 et porte intérêt au taux de 5 %. Le même jour, les dirigeants estiment que les coûts requis pour terminer le développement se maintiendront en deçà du montant emprunté.

De juin à décembre 20X1, des frais de développement additionnels de 362 800 $ sont engagés de façon linéaire.

13. *Manuel de CPA Canada – Comptabilité – Partie I*, IAS 38, paragr. 71.

14. *Manuel de CPA Canada – Comptabilité – Partie I*, IAS 38, paragr. 63.

Le 31 décembre 20X1, M. Tournesol, chercheur responsable du projet, a informé les dirigeants qu'une poursuite contre un concurrent qui produit des suppléments alimentaires a reçu une couverture médiatique très négative à l'égard de tels suppléments. Même si le projet de Dupois santé inc. porte sur un nutriment, M. Tournesol prévoit que la couverture médiatique pourrait nuire au projet en développement. Se basant sur son expertise du secteur, il évalue que la juste valeur nette de l'actif en développement s'élève à 310 000 $ et la valeur d'utilité, à 350 000 $.

Au cours de 20X2, l'entreprise a assumé 70 000 $ de dépenses de développement, dont 10 000 $ s'apparente à du gaspillage anormal, et elle a réussi à faire breveter son invention le 2 juillet, au coût additionnel de 105 000 $. La production a commencé le jour même. Dupois santé inc. prévoit bénéficier du brevet pendant 12 ans et elle estime que le mode d'amortissement linéaire est le meilleur.

Voici les écritures requises pour comptabiliser ces opérations :

Au cours de 20X0

Frais de développement	*395 000*	
Caisse		*395 000*

Coûts de développement engagés en 20X0 et comptabilisés en résultat net, puisque la société ne remplit pas les 6 conditions de comptabilisation à l'actif (200 000 $ + 100 000 $ + 95 000 $).

La comptabilisation des frais de développement à l'actif repose sur le fait que ceux-ci remplissent les six conditions de comptabilisation. Au 31 décembre 20X0 :

1. la faisabilité technique du projet est démontrée ;
2. le conseil d'administration a démontré son intention de l'achever ;
3. le plan d'affaires discuté par le conseil d'administration a été approuvé et, par conséquent, on peut conclure que la société a la capacité d'exploiter l'immobilisation incorporelle ;
4. la société a obtenu une confirmation de l'existence d'un marché potentiel.

10

On n'a toutefois pas d'information montrant que la société remplit les deux autres conditions préalables à la comptabilisation à l'actif, soit les disponibilités des ressources financières et la capacité à évaluer les coûts requis pour compléter le projet. C'est pourquoi on comptabilise en charges tous les coûts de développement engagés en 20X0.

De janvier à mai 20X1

Frais de développement	*375 200*	
Caisse		*375 200*

Coûts de développement engagés en 20X1 avant que la société ne remplisse les 6 conditions de comptabilisation à l'actif.

La société a dû attendre au 30 avril pour remplir le critère portant sur la disponibilité des ressources et au 30 mai pour remplir le critère lié à la capacité d'estimer de façon fiable les coûts nécessaires pour terminer le projet. C'est pourquoi on comptabilise en charges tous les coûts engagés avant le 30 mai.

30 mai 20X1

Caisse	*575 000*	
Emprunt bancaire		*575 000*

Nouvel emprunt bancaire portant intérêt au taux de 5 %.

De juin à décembre 20X1

Frais de développement différés ①	*368 091*	
Intérêts débiteurs ②	*11 480*	
Caisse		*362 800*
Intérêt à payer ③		*16 771*

Coûts de développement engagés en 20X1 qui remplissent les 6 conditions de comptabilisation à l'actif et intérêts sur l'emprunt bancaire.

Calculs :

① Coûts d'emprunt comptabilisés à l'actif

Frais de développement différés moyens engagés de juin à décembre (362 800 \$ ÷ 2)*	181 400 \$
Taux d'intérêt	× 0,05
Période pendant laquelle les coûts d'emprunt peuvent être comptabilisés à l'actif, comme expliqué dans le chapitre 8	× 7/12
Coûts d'emprunt comptabilisés à l'actif	5 291
Frais de développement engagés pendant cette période	362 800
Frais de développement différés	368 091 \$

* Puisque les coûts sont engagés de façon linéaire, nous avons pris une simple moyenne entre le solde de l'actif au 30 mai (0 \$) et le solde au 31 décembre (362 800 \$).

② Intérêts à payer sur l'emprunt (575 000 \$ × 5 % × 7 mois ÷ 12 mois)	16 771 \$
Montant compris dans les frais de développement capitalisés, calculés en ①	(5 291)
Intérêts débiteurs	11 480 \$

③ (575 000 \$ × 5 % × 7 mois ÷ 12 mois)

À compter du 30 mai 20X1, les six conditions de comptabilisation à l'actif sont remplies, comme mentionné précédemment, et les frais de développement sont donc comptabilisés à l'actif. On ne doit pas oublier d'inclure dans la valeur comptable initiale de l'immobilisation incorporelle les coûts d'emprunt directement liés au projet.

31 décembre 20X1

Dépréciation des frais de développement différés	*18 091*	
Frais de développement différés		*18 091*

Dépréciation de l'actif incorporel en développement (368 091 \$ – 350 000 \$).

La couverture médiatique très négative à l'égard des suppléments alimentaires est un indice de dépréciation possible. C'est pourquoi on doit comparer la valeur comptable des frais de développement différés de 368 091 \$ à la valeur recouvrable de 350 000 \$. Cette dernière correspond à la plus élevée de la juste valeur nette (310 000 \$) et de la valeur d'utilité (350 000 \$). On comptabilise en charges l'excédent de la valeur comptable sur la valeur recouvrable.

Du 1er janvier au 2 juillet 20X2

Frais de développement différés	*165 000*	
Frais de développement	*10 000*	
Caisse		*175 000*

Coûts de développement engagés en 20X2.

Les coûts liés à des inefficacités ne peuvent jamais être comptabilisés à l'actif. C'est pourquoi on comptabilise en charges les coûts liés à du gaspillage anormal.

2 juillet 20X2

Brevet	*515 000*	
Frais de développement différés		*515 000*

Reclassification des frais de développement différés dans un nouveau compte d'actif incorporel (368 091 \$ – 18 091 \$ + 165 000 \$).

Cette écriture n'est pas obligatoire, mais elle permet de montrer aux utilisateurs des états financiers que les activités de développement se sont achevées par l'obtention d'un nouveau brevet.

31 décembre 20X2

Amortissement des immobilisations incorporelles amortissables	*21 458*	
Amortissement cumulé – Brevet		*21 458*
Amortissement du brevet utilisé de juillet à décembre 20X2 (515 000 $ ÷ 12 ans × 6 mois ÷ 12 mois).		

Différence NCECF

L'entreprise ne doit pas oublier de comptabiliser la charge d'amortissement de la période pendant laquelle le brevet est utilisé, soit six mois ici.

Différence NCECF

Les frais de développement d'un site Web

Depuis la fin des années 1990, plusieurs entreprises tiennent à avoir une vitrine sur le Web. Certaines d'entre elles peuvent se limiter à des activités d'information diffusées en interne ou à des activités de promotion à l'externe, alors que d'autres vont jusqu'à effectuer une large part de leurs opérations de vente à l'aide d'un **site Web**. Mettre au point un site Web est souvent une activité que l'entreprise réalise en interne et qui engendre des coûts. Est-ce que ces coûts conduisent à la création d'une immobilisation incorporelle et est-ce qu'ils doivent, par conséquent, être comptabilisés en appliquant les recommandations énoncées dans l'IAS 38 ?

10

Le Standards Interpretations Committee (SIC), prédécesseur de l'International Financial Reporting Standards Interpretations Committee (IFRIC), a analysé cette question et publié sa réponse dans la norme **SIC-32**, intitulée « Immobilisations incorporelles – Coûts liés aux sites Web ». Notons que la SIC-32 ne s'applique pas aux coûts engagés par une entreprise pour acheter les immobilisations corporelles servant de support à son site, tel le coût des serveurs, ni aux sites qu'elle conçoit dans le but de les revendre à ses clients. La réponse de l'IFRIC est claire, comme le montre cette citation : « Le propre site Web d'une entité qui résulte du développement et est destiné à un accès interne ou externe est une immobilisation incorporelle générée en interne soumise aux dispositions d'IAS 38[15]. » En d'autres termes, cette recommandation implique que l'on comptabilise en charges les coûts engagés pendant la phase de recherche et que l'on comptabilise à l'actif les frais de développement qui remplissent les six conditions énumérées dans le tableau 10.4.

En pratique, une entreprise doit donc examiner la nature des coûts engagés afin de distinguer d'abord les coûts de recherche des coûts de développement. Par la suite, elle analyse les coûts engagés pendant la phase de développement pour déterminer s'ils remplissent les six conditions préalables à la comptabilisation à l'actif. Or, les entreprises peuvent engager des sommes considérables pour concevoir, puis exploiter leur site Web, et la distinction entre la phase de recherche et la phase de développement peut s'avérer ardue. C'est pourquoi l'IFRIC distingue quatre étapes dans la conception et la mise au point d'un site Web avant que ce dernier puisse commencer à être exploité. Pour chacune des étapes de développement du site Web, ainsi que pour son exploitation, le tableau 10.6 répertorie plusieurs exemples d'activités qu'une entreprise doit mener.

La figure 10.4 illustre quant à elle les recommandations de l'IFRIC quant à la comptabilisation des coûts engagés pour le développement d'un site Web.

L'entreprise comptabilise en résultat net les coûts engagés à l'étape de la planification en raison de l'incertitude des avantages économiques futurs inhérents au site Web, tout comme elle comptabilise en charges les coûts engagés pendant la phase de recherche. Les trois étapes suivantes, soit le développement des applications et de l'infrastructure du site, la création graphique et le développement du contenu, s'apparentent à des activités menées durant la phase de développement. L'entreprise comptabilise en charges les coûts engagés à ces trois étapes, à moins que ces coûts remplissent les six conditions de comptabilisation à l'actif que nous avons énumérées dans la division **Les frais de développement**. On se rappellera que l'une de ces conditions consiste à démontrer la façon dont l'immobilisation incorporelle générera des avantages économiques futurs. L'entreprise sera incapable de le faire si elle développe un site Web uniquement à des fins de diffusion d'information en interne ou à des fins de promotion.

15. *Manuel de CPA Canada – Comptabilité – Partie I*, Interprétation SIC-32, paragr. 7.

TABLEAU 10.6 Les activités de développement d'un site Web

Étape	Type d'activité
Planification	• Préparation d'un plan d'affaires • Détermination des fonctionnalités du site • Détermination du matériel et des applications Web nécessaires • Confirmation du fait que la technologie nécessaire à l'atteinte des fonctionnalités voulues est disponible • Exploration des options possibles pour l'atteinte des fonctionnalités • Représentation conceptuelle ou détermination des éléments graphiques et du contenu • Démonstration des fournisseurs quant aux moyens par lesquels leurs biens et services permettront d'atteindre les fonctionnalités du site Web • Sélection des fournisseurs externes ou des consultants • Détermination des ressources internes affectées à la conception et à la mise au point du site Web • Détermination des outils logiciels et progiciels utilisés à des fins de mise au point du site • Analyse des questions juridiques
Développement des applications et de l'infrastructure	• Acquisition ou création des outils logiciels nécessaires au développement • Obtention et enregistrement du nom de domaine Internet • Acquisition ou création des logiciels nécessaires au fonctionnement général du site • Élaboration ou acquisition et personnalisation du code des applications Web • Élaboration ou acquisition et personnalisation de logiciels de bases de données • Acquisition des serveurs Web • Installation des applications conçues sur les serveurs Web • Création des liens hypertextes initiaux • Mise à l'essai des applications Web
Création graphique	• Conception de chaque page • Détermination de l'aspect visuel (couleurs et images)
Développement du contenu	• Entrée du contenu initial sur le site Web • Création de contenu ou alimentation des bases de données
Exploitation	• Formation des employés affectés au site Web • Enregistrement du site auprès des moteurs de recherche Internet • Exécution des sauvegardes périodiques • Création de nouveaux liens • Vérification du bon fonctionnement des liens • Examens périodiques de la sécurité du site • Analyses du taux de fréquentation du site

En conséquence, elle doit comptabiliser en charges le coût d'un tel site dès qu'elle engage les dépenses de mise au point du site. Par contre, une entreprise qui conçoit un site transactionnel tentera de démontrer en quoi ce site augmentera ses ventes ou diminuera le coût de traitement des commandes passées par ses clients. Si elle réussit à démontrer que les dépenses engagées remplissent les six conditions déjà énumérées, la comptabilisation à l'actif, qui sera suivie par l'amortissement du coût au cours des exercices subséquents, permet de montrer fidèlement les ressources dont dispose l'entreprise.

Rappelons que les coûts engagés pendant la phase de développement d'une immobilisation incorporelle sont comptabilisés à l'actif uniquement s'ils sont nécessaires et directement rattachés

FIGURE 10.4 Les coûts liés à la mise au point et à l'exploitation d'un site Web

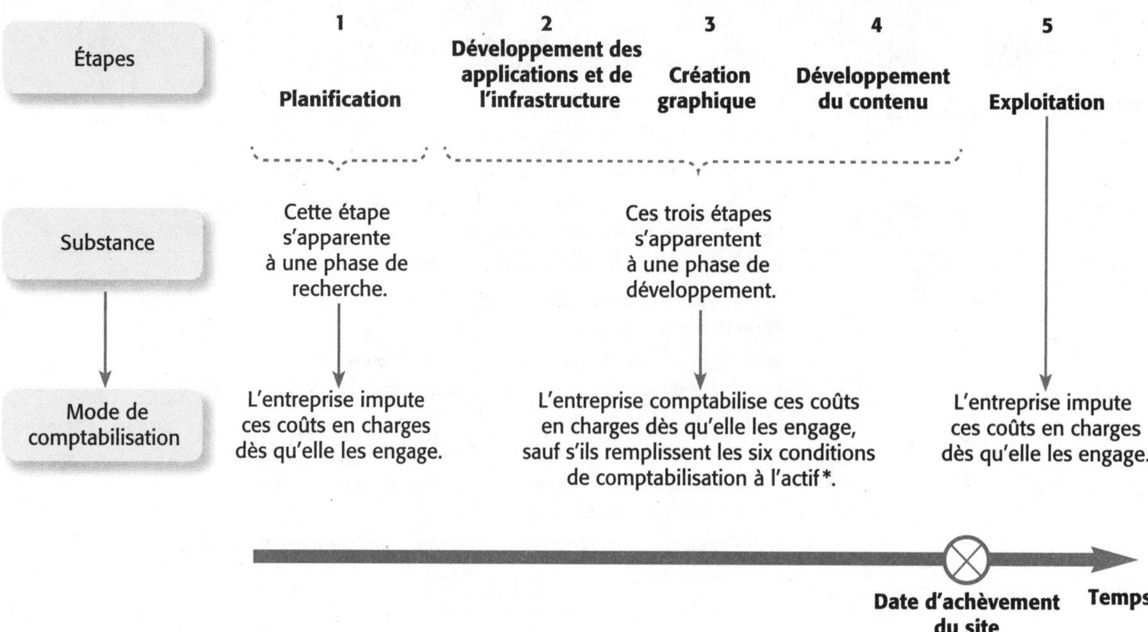

* La comptabilisation des coûts tient aussi compte de la nature des coûts et de la possibilité de les rattacher directement à la mise au point du site Web.

à la mise au point de l'immobilisation. La même règle s'applique aux coûts de développement d'un site Web. Ainsi, on comptabilise à l'actif les coûts du personnel affecté au développement du site, alors que l'on comptabilise en charges les frais généraux d'administration et les coûts de formation du personnel affecté à l'exploitation du site.

La figure 10.4 indique aussi, par un X sur la flèche représentant le temps, la date d'achèvement du site. C'est à compter de cette date que l'entreprise cesse de comptabiliser les coûts à l'actif et commence à amortir le coût du site. Compte tenu de l'évolution rapide de la technologie, la durée d'utilité d'un site Web est habituellement courte. À compter de cette date, l'entreprise doit, en principe, choisir un modèle d'évaluation de cette immobilisation incorporelle, tout comme elle le fait pour ses immobilisations corporelles, comme nous l'expliquerons plus loin. Puisqu'il n'existe pas de marché actif sur lequel les sites Web se négocient, les entreprises utilisent le modèle du coût.

Au cours des exercices subséquents, l'entreprise comptabilise en charges les frais d'exploitation du site, car il est pratiquement impossible de distinguer ces frais de ceux liés à l'ensemble des activités de l'entreprise. En d'autres termes, ces frais ne satisfont pas au critère d'identifiabilité préalable à la comptabilisation à l'actif d'une immobilisation incorporelle. Toutefois, si l'entreprise ajoute ou remplace certaines fonctions ou modifie l'infrastructure du site, elle applique les critères expliqués précédemment pour déterminer si elle peut comptabiliser les coûts à l'actif et, si oui, elle décomptabilise la valeur comptable des fonctions ou du contenu remplacés.

Bien que la norme SIC-32 ne traite pas du coût pour développer une **application mobile**, la comptabilisation de ce coût devrait se faire, à notre avis, en respectant les balises données dans la SIC-32.

Différence NCECF

Avez-vous remarqué ?

Les coûts liés au développement et à l'exploitation d'un site Web peuvent vite devenir importants. Songez, par exemple, à la société IKEA, qui modifie régulièrement la liste des articles que les clients peuvent commander sur son site, dont le contenu est par ailleurs traduit dans un grand nombre de langues. La portion des coûts que l'on peut comptabiliser à l'actif est limitée, car on doit remplir les critères de comptabilisation des actifs énoncés dans le Cadre. Selon ce dernier, un actif n'est comptabilisé que s'il est probable que l'entreprise pourra profiter d'avantages économiques futurs et qu'elle peut évaluer le coût de façon fiable.

Quelques ajustements au coût initial d'une immobilisation incorporelle

Peu importe que l'immobilisation incorporelle soit acquise ou qu'elle soit générée en interne, une entreprise reçoit parfois de l'**aide publique** pour l'acquisition ou le développement d'immobilisations incorporelles. L'entreprise comptabilise cette aide en appliquant les recommandations contenues dans l'**IAS 20**, intitulée « Comptabilisation des subventions publiques et informations à fournir sur l'aide publique ». Comme nous l'avons expliqué en détail au chapitre 8, lorsque l'aide prend la forme d'une subvention publique liée à l'actif, l'entreprise la comptabilise en créditant soit le compte de l'immobilisation en cause, soit un compte de produit différé. Dans ce cas, elle amortira le produit différé au même rythme que l'immobilisation incorporelle en cause. Lorsque l'aide prend la forme d'une subvention publique liée au résultat, elle est comptabilisée en résultat net dans le même exercice que les charges qu'elle couvre.

Lorsqu'une entreprise acquiert des immobilisations incorporelles dans le cadre d'une **opération d'échange**, c'est-à-dire contre un ou plusieurs actifs non monétaires, ou contre un groupe comprenant des actifs monétaires et des actifs non monétaires, elle doit comptabiliser l'opération en se conformant aux recommandations de l'IASB contenues dans l'IAS 38. Ces recommandations sont identiques à celles appliquées aux immobilisations corporelles, expliquées au chapitre 8. Ainsi, l'actif acquis est généralement évalué à la juste valeur.

Déterminer la juste valeur d'immobilisations incorporelles échangées est une tâche souvent délicate car, comme nous l'expliquerons plus loin, il existe rarement de marché actif pour de telles immobilisations. L'entreprise ne dispose donc qu'exceptionnellement d'un prix de marché et devra peut-être évaluer la valeur actualisée des avantages économiques attendus de l'immobilisation incorporelle reçue. L'IASB précise que, dans un tel contexte, la juste valeur est fiable « (a) si la variabilité de l'intervalle des justes valeurs raisonnables n'est pas importante pour cet actif ou (b) si les probabilités des différentes estimations dans l'intervalle peuvent être raisonnablement appréciées et utilisées pour évaluer la juste valeur [16] ». Si l'opération d'échange ne présente pas de substance commerciale ou s'il n'est pas possible de déterminer une juste valeur fiable, l'actif acquis est évalué à la valeur comptable de l'actif cédé. On se rappellera qu'une opération d'échange a une **substance commerciale** si elle entraîne, par exemple, un changement dans la configuration des flux de trésorerie.

Enfin, si une entreprise reçoit une subvention sous forme d'immobilisation incorporelle et si la juste valeur ne peut être déterminée, elle peut comptabiliser l'immobilisation à une valeur symbolique.

Le tableau 10.7 présente une synthèse des éléments de coûts comptabilisés à l'actif selon la forme que prend l'acquisition d'une immobilisation incorporelle.

Avez-vous remarqué ?

Il existe une grande ressemblance entre les principes comptables suivis pour déterminer le coût d'une immobilisation incorporelle et celui d'une immobilisation corporelle. C'est plutôt dans l'application de ces principes qu'il existe des différences, par exemple, pour tenir compte de la plus grande incertitude entourant les avantages économiques attendus de l'immobilisation incorporelle.

Le traitement comptable subséquent des immobilisations incorporelles

Nous avons vu que l'immobilisation incorporelle est initialement évaluée au coût mais, après sa comptabilisation initiale, l'entreprise peut choisir entre deux modèles d'évaluation. Il est possible également que l'entreprise engage des dépenses additionnelles liées à cette immobilisation. Au cours de la période d'utilisation de celle-ci, l'entreprise doit aussi s'assurer que la valeur comptable est adéquate, c'est-à-dire que les coûts ultérieurs sont correctement comptabilisés, que l'amortissement annuel est adéquat et que la valeur comptable demeure inférieure à la valeur recouvrable. La présente section abordera tous ces aspects.

16. *Manuel de CPA Canada – Comptabilité – Partie I*, IAS 38, paragr. 47.

TABLEAU 10.7 Les éléments de coûts selon la forme d'acquisition d'une immobilisation incorporelle

Coûts	Formes d'acquisitions			
	Achat	**Reçue sous forme de subvention publique non monétaire**	**Échange**	**Générée en interne**
Le principe permettant de distinguer les coûts incorporables et les coûts non incorporables	On comptabilise à l'actif les coûts engagés qui répondent à la définition d'une immobilisation incorporelle et aux critères de comptabilisation avant que l'immobilisation incorporelle ne se trouve dans l'état nécessaire pour pouvoir être exploitée de la manière prévue par la direction.			
Des exemples de coûts incorporables	• Coût d'achat net • Taxes non remboursables • Honoraires • Tests de bon fonctionnement • Coûts d'emprunt si l'actif est un bien qualifié selon IAS 23 • Tout autre coût directement lié à la préparation de l'actif	• Juste valeur ou valeur symbolique • Tout autre coût directement lié à la préparation de l'actif	Juste valeur de l'actif reçu, sauf si : • l'échange n'a pas de substance commerciale ; • la juste valeur ne peut être mesurée de façon fiable.	Coûts engagés pendant la phase de développement et qui remplissent les six conditions de comptabilisation à l'actif, tels : • matériaux et services utilisés ; • main-d'œuvre ; • amortissement des immobilisations utilisées pendant la période de développement ; • honoraires d'enregistrement d'un droit légal ; • coûts d'emprunt si l'actif est un bien qualifié selon IAS 23.
Des exemples de coûts non incorporables	• Frais administratifs récurrents • Frais généraux récurrents • Écart entre le coût d'achat et le prix comptant équivalent • Coûts d'introduction d'un nouveau bien ou d'un nouveau procédé, tels les coûts de publicité ou de promotion • Coûts de déménagement d'une activité • Coûts de formation du personnel • Pertes d'exploitation initiales	• Frais administratifs récurrents • Frais généraux récurrents	• Frais administratifs récurrents • Frais généraux récurrents	• Frais administratifs récurrents • Frais généraux récurrents • Coûts des inefficacités clairement établis • Coûts d'introduction d'un nouveau bien ou d'un nouveau procédé, tels les coûts de publicité ou de promotion • Coûts de formation du personnel • Pertes d'exploitation initiales

Les deux modèles de détermination de la valeur comptable

Tout comme pour la détermination de la valeur comptable des immobilisations corporelles, une entreprise peut utiliser le modèle du coût ou le modèle de la réévaluation pour déterminer la valeur comptable d'une immobilisation incorporelle. Pour faire son choix, elle groupe d'abord ses immobilisations incorporelles par catégories, telles que les marques ; les cartouches de titre et titres de publication ; les logiciels ; les licences et franchises ; les droits de reproduction ; les brevets et autres droits de propriété industrielle ; les droits de services et d'exploitation ; les recettes, formules, modèles, dessins et prototypes ; et les immobilisations incorporelles en cours de développement. Puis, l'entreprise choisit un modèle d'évaluation pour chaque catégorie. Par exemple, elle peut décider d'évaluer ses licences et franchises selon le modèle de la réévaluation et ses marques selon le modèle du coût. L'entreprise doit conserver le même modèle d'évaluation, qui constitue une méthode comptable, au cours des exercices subséquents. La raison est que le maintien dans le temps d'un même modèle favorise la comparabilité des informations fournies dans les états financiers. Examinons plus en détail les deux modèles d'évaluation.

Le modèle du coût

Lorsqu'une entreprise utilise le **modèle du coût**, le montant comptabilisé au compte de l'immobilisation incorporelle en cause, aussi appelé coût ou substitut du coût, ne change pas. Au cours des exercices subséquents à l'acquisition ou au développement, l'entreprise doit simplement calculer l'amortissement périodique et, le cas échéant, soumettre ses immobilisations incorporelles à un test de dépréciation, selon les explications données plus loin.

Le modèle de la réévaluation

Différence NCECF

Comme nous l'avons expliqué au chapitre 9, le **modèle de la réévaluation** consiste à réévaluer périodiquement la valeur comptable des immobilisations, ce qui vaut pour les immobilisations tant corporelles qu'incorporelles. Son utilisation n'est permise que si une entreprise peut évaluer la juste valeur des immobilisations incorporelles de façon fiable. En pratique, cette tâche est très difficile à effectuer et requiert de nombreuses compétences. Pour assurer la fiabilité de la valeur comptable réévaluée, l'IASB précise donc qu'une entreprise peut utiliser le modèle de la réévaluation uniquement **s'il existe un marché actif** sur lequel se négocient des immobilisations incorporelles identiques, ce qui est très rare. De tels marchés existent, par exemple, pour les quotas de lait ou les licences de taxis. Même si certaines immobilisations incorporelles font parfois l'objet de transactions entre acheteurs et vendeurs, l'IASB précise que le prix fixé lors de telles transactions privées ne fournit pas une indication suffisante de la juste valeur de l'immobilisation, car ces transactions sont trop peu fréquentes et le prix convenu n'est pas rendu public. Enfin, plusieurs immobilisations incorporelles sont uniques. Pensons, par exemple, à une marque ou à un brevet. La spécificité de ces immobilisations implique que celles-ci ne sont jamais négociées sur un marché actif.

Lorsqu'une entreprise décide d'utiliser le modèle de la réévaluation pour une certaine catégorie d'immobilisations incorporelles, rappelons que la réévaluation ne peut se faire que pour des immobilisations initialement comptabilisées au coût. Ainsi, si l'entreprise possède des éléments du patrimoine immatériel qui ne respectent pas la définition qu'en donne l'IASB ou les critères de comptabilisation à l'actif, elle ne peut réévaluer cet élément subséquemment. Cette règle admet deux exceptions. Premièrement, si l'entreprise n'a comptabilisé à l'actif qu'une partie d'une immobilisation générée en interne, parce que les conditions de comptabilisation à l'actif n'ont été remplies qu'en cours de développement, elle applique le modèle de la réévaluation à l'ensemble de l'immobilisation incorporelle. Deuxièmement, si l'entreprise a reçu l'immobilisation incorporelle à titre de subvention publique non monétaire, qu'elle a initialement comptabilisée à une valeur symbolique, elle peut utiliser le modèle de la réévaluation dans la mesure où l'immobilisation se négocie sur un marché actif.

Rappelons que toutes les immobilisations incorporelles d'une même catégorie, par exemple toutes les licences et franchises qu'une entreprise possède, doivent être évaluées selon le même modèle. En pratique, il se peut que l'entreprise ait choisi au temps t_0 d'évaluer l'une de ces catégories d'immobilisations incorporelles selon le modèle de la réévaluation et que, au cours d'un exercice subséquent, la juste valeur de l'une des immobilisations de cette catégorie ne soit plus disponible. L'exemple suivant illustre cette difficulté et la recommandation de l'IASB à ce sujet.

La société Taxis rouges ltée gère un parc de véhicules en vertu de licences de taxis dans une vingtaine de villes canadiennes, dont Saint-Perdu. Dans ses états financiers de l'exercice terminé le 31 décembre 20X4, la société mentionne que ses licences de taxis sont évaluées selon le modèle de la réévaluation. Le 1er juillet 20X5, la ville de Saint-Perdu décide de suspendre toute transaction sur les licences de taxis. Les détenteurs de licences au 1er juillet 20X5 peuvent continuer d'exploiter leurs taxis conformément aux licences, mais ils ne peuvent plus revendre celles-ci. De plus, la ville de Saint-Perdu ne délivrera plus de nouvelles licences. Dans ce contexte, Taxis rouges ltée n'a d'autre possibilité que de maintenir dans ses livres la valeur comptable des licences du territoire de Saint-Perdu, telle qu'elle a été évaluée en 20X4. Cette valeur devient le substitut du coût et doit par la suite être soumise aux normes comptables portant sur l'amortissement et les tests de dépréciation[17]. Cependant, la société continuera à évaluer à leur juste valeur les licences valides dans les autres villes canadiennes et groupées dans la même catégorie d'immobilisations incorporelles. L'IASB permet que l'entreprise maintienne sa méthode comptable relative à l'évaluation des licences à la juste valeur, car l'information incluse dans les états financiers à partir de 20X5 demeure plus facilement comparable avec celle des exercices précédents. Évidemment, l'entreprise pourra donner, par voie de notes aux états financiers, des renseignements additionnels sur les licences qui ne peuvent plus être réévaluées. Enfin, si la ville de Saint-Perdu décidait ultérieurement, disons en 20X9, de réactiver le système de licences négociées sur un marché public, Taxis rouges ltée devrait, dès 20X9, appliquer de nouveau le modèle de la réévaluation à ses licences de taxis du territoire de Saint-Perdu.

10

Il n'y a pas de différence entre l'application du modèle de la réévaluation aux immobilisations incorporelles comparativement à celle faite aux immobilisations corporelles. Lorsqu'une entreprise réévalue une immobilisation incorporelle amortissable, elle peut choisir entre la **méthode de l'ajustement net** et la **méthode de l'ajustement proportionnel**, expliquées au chapitre 9. Rappelons que selon la méthode de l'ajustement net, l'entreprise vire d'abord le solde du compte Amortissement cumulé au compte de l'immobilisation en cause, puis comptabilise la réévaluation de la valeur comptable dans ce compte. Selon la méthode de l'ajustement proportionnel, elle corrige à la fois le coût ou le substitut du coût et le solde du compte Amortissement cumulé en cause.

Les augmentations et les diminutions de valeur sont comptabilisées selon les règles expliquées au chapitre 9. Ainsi, on comptabilise une diminution de valeur en résultat net de l'exercice, sauf si le compte Cumul des écarts de réévaluation (présenté en capitaux propres) du même actif affiche un solde créditeur. Une portion de la diminution correspondant au solde créditeur est alors débitée au compte Écart de réévaluation (AERG[18]), qui sera fermé en fin d'exercice en débitant le compte Cumul des écarts de réévaluation, ramenant ainsi le solde à zéro. À l'inverse, on comptabilise une augmentation de valeur au compte Écart de réévaluation (AERG), sauf si l'augmentation compense des pertes antérieurement comptabilisées en résultat net. Une entreprise peut décider de virer dans ses résultats non distribués le solde du compte Cumul des écarts de réévaluation soit au moment où elle décomptabilise l'immobilisation incorporelle, soit tout au cours de la durée d'utilité. De plus, la fréquence des réévaluations doit être suffisante pour que la valeur comptable ne s'écarte pas sensiblement de la juste valeur. Enfin, l'entreprise qui utilise le modèle de la réévaluation doit appliquer le test de dépréciation que nous expliquerons plus loin.

Différence NCECF

Avez-vous remarqué ?

En pratique, presque aucune entreprise n'utilise le modèle de la réévaluation pour comptabiliser ses immobilisations incorporelles, parce que l'absence de marché actif empêche de donner une juste valeur fiable.

Les coûts ultérieurs

Lorsqu'une entreprise engage des coûts après la date d'acquisition d'une immobilisation corporelle, elle les comptabilise à l'actif seulement si ces coûts remplissent les critères de comptabilisation à l'actif, par exemple s'ils augmentent les avantages économiques futurs qui étaient initialement attendus de l'immobilisation corporelle. Ce principe ne peut pas être facilement transposé aux **coûts engagés pour maintenir ou améliorer une immobilisation incorporelle** étant donné la nature même des immobilisations incorporelles.

17. Comme nous le verrons plus loin, de telles circonstances peuvent indiquer que l'actif a subi une diminution de valeur.

18. Comme dans certains autres chapitres précédents, nous utilisons les lettres AERG pour désigner les comptes qui figurent dans la section Autres éléments du résultat global de l'état du résultat global.

Premièrement, il est souvent difficile de rattacher les dépenses subséquentes à une immobilisation incorporelle précise. Prenons l'exemple de la société Design ltée, qui détient des quotas d'importation négociés avec des fournisseurs allemands et français. Comment établir un lien précis entre les frais de représentation engagés auprès des fournisseurs de l'entreprise et les quotas d'importation ? Les frais de représentation ne sont-ils pas plutôt des charges répétitives assurant la disponibilité des stocks destinés à la vente ?

Deuxièmement, la nature même des immobilisations incorporelles fait qu'il est souvent impossible d'en remplacer une partie ou d'y apporter un ajout. Il est donc très difficile de démontrer qu'une dépense augmente les avantages économiques futurs initialement prévus. Par exemple, comment soutenir qu'une dépense augmente les avantages économiques futurs d'une licence de radiodiffusion ? Ou encore, comment démontrer que des dépenses subséquentes liées à un article breveté ont pour effet d'augmenter les avantages économiques futurs du brevet plutôt que de maintenir ceux initialement prévus ? En conséquence, les dépenses ultérieures sont rarement comptabilisées dans le compte de l'immobilisation incorporelle en cause, comme l'indique la citation suivante : « [...] il est probable que la plupart des dépenses ultérieures maintiendront les avantages économiques futurs incorporés dans une immobilisation incorporelle existante, plutôt que de satisfaire à la définition d'une immobilisation incorporelle et aux critères de comptabilisation définis dans la présente norme[19] ».

Soulignons de plus que lorsqu'une entreprise a généré en interne des marques, des cartouches de titre, des titres de publication, des listes de clients de même que d'autres éléments similaires en substance, elle n'en a pas comptabilisé le coût à l'actif en raison de l'impossibilité d'établir le critère d'identifiabilité. Il est donc évident qu'elle imputera en charges dès qu'elle les engage les coûts subséquents en lien avec des éléments du patrimoine immatériel semblables, que ceux-ci soient acquis à l'extérieur ou générés en interne. Ces frais sont toujours comptabilisés en charges à mesure qu'ils sont engagés, puisqu'il est impossible de les dissocier des efforts visant à développer l'entreprise dans son ensemble.

Les coûts liés aux franchises

Au cours des exercices suivant l'achat de la franchise, le franchisé applique les mêmes règles comptables que celles qu'il applique à ses autres immobilisations incorporelles. Il doit donc choisir un modèle d'évaluation, soit le modèle du coût ou celui de la réévaluation, et déterminer si la durée d'utilité est déterminée ou indéterminée[20]. Si la durée d'utilité est déterminée, il estime cette durée, la valeur résiduelle, et il choisit un mode d'amortissement. De plus, à la fin de chaque exercice, il examine s'il existe des indices objectifs de dépréciation ou de reprise de valeur. Si la durée d'utilité de la franchise est indéterminée, il applique à la fin de chaque exercice un test de dépréciation. Enfin, il détermine le moment de la décomptabilisation selon les règles habituelles applicables aux immobilisations incorporelles, c'est-à-dire en retenant la plus hâtive des deux dates suivantes : la date de sortie de l'immobilisation en cause ou la date à laquelle aucun avantage économique n'est plus attendu de l'immobilisation.

Plusieurs contrats de franchise prévoient aussi le paiement par le franchisé de redevances couvrant des services périodiques rendus par le franchiseur. Les sommes ainsi payées constituent les **redevances périodiques**. Le franchisé comptabilise ces redevances selon leur substance. Par exemple, si les redevances périodiques sont payées en échange de services de publicité, le franchisé les comptabilise en charges à mesure que la publicité est faite. Si une redevance annuelle fixe est payée en échange du droit continu d'utiliser le nom du franchiseur, le franchisé la comptabilise en charges durant l'exercice.

L'estimation de la durée d'utilité

La période pendant laquelle une immobilisation incorporelle procurera des avantages économiques futurs peut être fonction de divers facteurs, dont la compétence des employés travaillant au sein de l'entreprise, les phénomènes de mode ou la concurrence. La **durée d'utilité** d'une immobilisation incorporelle peut être limitée par des dispositions légales, réglementaires ou contractuelles. Il importe également de tenir compte de la période pendant laquelle il est possible de renouveler les droits afférents à cette immobilisation sans aucune difficulté. Ainsi, une

19. *Manuel de CPA Canada – Comptabilité – Partie I*, IAS 38, paragr. 20.
20. Nous expliquerons cette notion un peu plus loin.

entreprise qui possède une marque de commerce pourrait estimer que, même si elle détient le droit exclusif de l'utiliser pendant la durée de vie légale de 15 ans renouvelable indéfiniment, la marque n'aura une durée d'utilité que de 3 ans, compte tenu du phénomène de mode présent sur le marché.

Lors de l'estimation de la durée d'utilité, l'entreprise doit prendre en compte tous les facteurs susceptibles de limiter les avantages économiques futurs liés à l'immobilisation incorporelle, tels l'utilisation prévue du bien, l'obsolescence, la demande pour les biens et services qu'elle offre, la concurrence ainsi que d'autres facteurs économiques. Voici d'autres exemples de facteurs qu'elle devrait prendre en considération :

- Si l'entreprise utilise l'immobilisation incorporelle conjointement avec un groupe d'autres actifs, elle tiendra compte de la durée d'utilité de ces autres actifs dans l'estimation de la durée d'utilité de l'immobilisation incorporelle. Par exemple, une entreprise qui dispose d'une liste de clients pour vendre des forfaits vacances pour une croisière tiendra compte de la durée d'utilité restante du bateau qu'elle utilise dans les croisières.
- Si une entreprise détient un droit découlant d'une disposition légale ou d'un contrat, elle tiendra compte des possibilités qu'elle a de renouveler ce droit sans devoir assumer des coûts considérables. Par exemple, une marque peut être renouvelée automatiquement à la demande de son propriétaire, ce qui pourrait expliquer que le comptable retienne une durée d'utilité plus longue que la durée de vie légale initiale de 15 ans.
- L'exemple qui suit illustre la façon dont une entreprise doit tenir compte des effets des facteurs économiques. La stabilité de la technologie propre à un secteur d'activité justifie une durée d'utilité plus longue. Ainsi, il est logique d'affirmer que, toutes choses étant égales par ailleurs, la durée d'utilité d'un brevet portant sur un procédé de production de matelas est plus longue que celle d'un brevet dans le domaine informatique.
- Une entreprise qui évolue dans le domaine de la vente à domicile doit tenir compte des changements attendus dans ce canal de distribution au moment où elle estime la durée d'utilité de sa liste de clients. La popularité grandissante de la vente sur le Web est susceptible de réduire la durée d'utilité de sa liste de clients actuels.
- Un éditeur de revue qui achète une liste de clients, par exemple auprès d'un ordre comptable professionnel, doit tenir compte de l'importance des dépenses qu'il devra faire pour maintenir les avantages économiques futurs attendus de cette liste. La première année suivant l'achat, il prévoit faire peu de développement, mais cinq ans plus tard, il prévoit devoir dépenser des sommes plus importantes pour maintenir le nombre de clients sur sa liste. Ce facteur indique que la durée d'utilité de la liste serait d'environ cinq ans.

Plusieurs immobilisations incorporelles ont une **durée d'utilité déterminée**. L'entreprise doit amortir de tels actifs. Il en est ainsi des listes de clients, des brevets ou des droits d'auteur, indépendamment de la durée de vie légale de ces derniers.

D'autres immobilisations incorporelles semblent avoir une **durée d'utilité indéterminée** et n'ont pas à être amorties. Il en est ainsi de certaines licences de radiodiffusion, de certains droits d'exploitation de routes aériennes et de certaines marques. Il importe de bien saisir les situations dans lesquelles une entreprise peut considérer que la durée d'utilité de l'une de ses immobilisations incorporelles est indéterminée. En principe, pour que la durée d'utilité puisse être qualifiée d'indéterminée, aucun facteur légal, réglementaire, contractuel, concurrentiel, économique ou autre ne doit la limiter. Précisons que le terme indéterminé n'est pas synonyme de illimité. Une durée indéterminée signifie simplement qu'une entreprise n'a, à ce jour, déterminé aucun facteur susceptible de limiter la durée d'utilité de l'immobilisation incorporelle.

Le tableau 10.8, à titre de synthèse de la présente section portant sur le traitement comptable subséquent des immobilisations incorporelles, contient quelques exemples, adaptés de ceux élaborés par l'IASB, illustrant notamment l'estimation de la durée d'utilité.

Les immobilisations incorporelles dont la durée d'utilité est déterminée

Différence NCECF

Tout au cours de la période où une entreprise utilise des immobilisations incorporelles amortissables, elle doit s'assurer que leur valeur comptable est adéquate, c'est-à-dire que l'amortissement annuel est juste et que la valeur comptable demeure inférieure à la valeur recouvrable.

Les règles relatives à l'**amortissement des immobilisations incorporelles** ressemblent à celles applicables aux immobilisations corporelles. En plus d'établir la durée d'utilité, l'entreprise doit estimer la **valeur résiduelle**. Cette valeur correspond au « montant estimé qu'une entité obtiendrait à ce jour de la sortie de l'actif, après déduction des coûts de sortie estimés, si l'actif avait déjà l'âge et se trouvait déjà dans l'état prévu à la fin de sa durée d'utilité[21] ».

L'IASB précise que la valeur résiduelle d'une immobilisation incorporelle est généralement nulle. Cette précision va de pair avec la grande incertitude entourant les avantages économiques futurs, incertitude d'autant plus grande que la durée d'utilité est longue. La figure 10.5 illustre les exceptions à cette règle, soit les situations où la valeur résiduelle peut être supérieure à zéro.

FIGURE 10.5 Les situations où la valeur résiduelle peut être supérieure à zéro

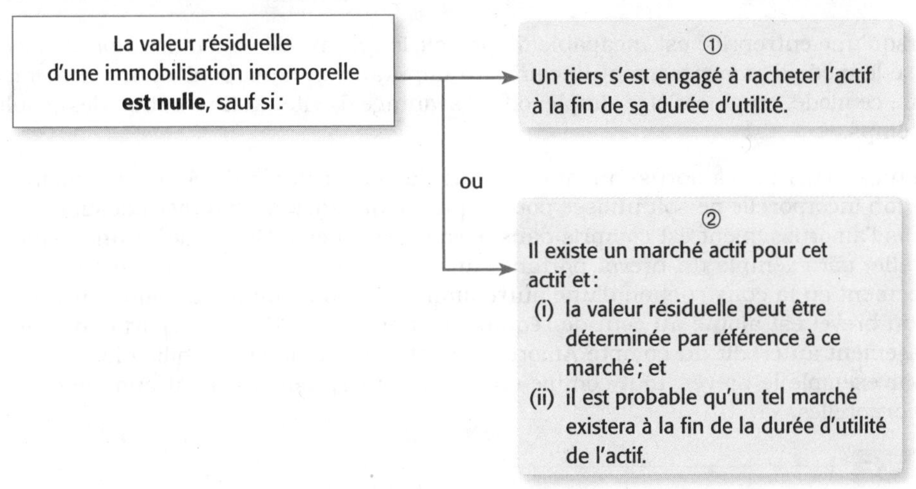

Source : Adapté du *Manuel de CPA Canada – Comptabilité – Partie I*, IAS 38, paragr. 100.

Pour attribuer une valeur résiduelle différente de zéro à une immobilisation incorporelle, une entreprise, disons A ltée, doit se trouver dans l'une des deux situations décrites dans les rectangles tramés de la figure 10.5. Dans la première situation, une autre entreprise, par exemple B ltée, s'est engagée à acheter l'immobilisation incorporelle au terme de la durée d'utilité définie par A ltée. Un tel accord prouve que, au terme de la durée d'utilité, A ltée récupérera une portion du coût de son immobilisation, cette portion correspondant à la valeur résiduelle. Dans la seconde situation, l'immobilisation incorporelle se négocie sur un **marché actif**, selon la définition qu'en donne l'Annexe A de l'**IFRS 13**, intitulée « Évaluation de la juste valeur[22] ». Dans ce cas, A ltée est capable de déterminer le prix prévalant à la date de l'évaluation d'une immobilisation incorporelle arrivée à la fin de sa durée d'utilité, après avoir été exploitée de façon similaire à celle prévue par A ltée. Cette valeur correspond à la valeur résiduelle. Si, de plus, A ltée prévoit que ce marché existera probablement au terme de la durée d'utilité de l'immobilisation, elle peut attribuer une valeur résiduelle à cette immobilisation. Dès que l'une des conditions précédentes n'est pas remplie, l'entreprise doit poser l'hypothèse que la valeur résiduelle de l'actif est nulle.

Le **mode d'amortissement** retenu est le dernier élément qui influe sur la charge d'amortissement. Tout comme pour les immobilisations corporelles, l'entreprise choisit le mode d'amortissement qui reflète le rythme de consommation des avantages économiques rattachés à l'immobilisation incorporelle.

21. *Manuel de CPA Canada – Comptabilité – Partie I*, IAS 38, paragr. 8.
22. Un marché actif est un « marché sur lequel ont lieu des transactions sur l'actif ou le passif selon une fréquence et un volume suffisants pour fournir de façon continue de l'information sur le prix » (*Manuel de CPA Canada – Comptabilité – Partie I*, IFRS 13, Annexe A).

Par conséquent, on doit éviter d'utiliser un mode d'amortissement basé sur les produits tirés d'une activité menée à partir de l'immobilisation incorporelle. Cependant, il existe deux exceptions à cette règle. On observe la première dans le cas où le principal facteur qui limite les avantages économiques attendus de l'immobilisation repose sur un seuil de produits. Par exemple, une entreprise pourrait avoir obtenu d'un entrepreneur le droit d'utiliser un nom de marque jusqu'à concurrence d'un montant déterminé de produits tirés des ventes de biens couverts par le nom de marque. Un autre exemple donné par l'IASB est un droit d'exploiter une autoroute à péage jusqu'à ce que l'entreprise en ait tiré des produits cumulatifs, disons de 100 M $. « Dans le cas où le contrat d'utilisation de l'immobilisation incorporelle fait des produits le facteur limitatif prédominant, il peut être approprié de fonder le mode d'amortissement de l'immobilisation incorporelle sur les produits, pourvu que le contrat stipule un montant total déterminé de produits à générer, qui servira à calculer l'amortissement[23]. » La seconde exception concerne les situations où une entreprise peut démontrer qu'il existe une forte corrélation entre les produits et la consommation des avantages économiques attendus de l'immobilisation incorporelle.

Lorsqu'une entreprise est incapable de prévoir le rythme de consommation de façon fiable, elle utilise le mode d'amortissement linéaire. En imputant une charge d'amortissement toujours constante, ce mode, en plus d'être simple, offre l'avantage d'éviter la fluctuation des résultats nets dans le temps.

En règle générale, l'amortissement est débité dans un compte de charges, à moins que l'immobilisation incorporelle ne soit utilisée pour la production de marchandises destinées à la vente, auquel cas l'amortissement est compris dans le coût des stocks. De même, si une immobilisation incorporelle, par exemple un brevet portant sur un procédé de production, est utilisée dans le développement ou la construction d'une autre immobilisation, comme un équipement, l'amortissement du brevet est ajouté au coût de l'équipement en cause. En contrepartie, on comptabilise l'amortissement au crédit du compte Amortissement cumulé de l'immobilisation incorporelle en cause, par exemple le brevet, tout comme on le fait pour l'amortissement cumulé des immobilisations corporelles.

EXEMPLE

Amortissement d'une immobilisation incorporelle comprise dans le coût d'un autre actif

La société Ynovant Santé inc. a développé un brevet portant sur un médicament qu'elle vendra au cours des 10 prochaines années. Pendant la période de développement du brevet, elle a correctement comptabilisé à l'actif des coûts de 1 200 000 $. Elle prévoit profiter de ce brevet pendant 10 ans et estime que les avantages économiques seront constants pendant cette période. La production du nouveau médicament a débuté en décembre 20X1. Au cours de ce mois, Ynovant Santé inc. a déboursé des coûts de production de 300 000 $, lesquels couvrent les matières premières et les salaires des employés de production. Voici les écritures requises en décembre 20X1 :

Pendant la production		
Stock de médicaments	*300 000*	
Caisse		*300 000*
Débours de décembre pour la production de médicaments.		
31 décembre 20X1		
Stock de médicaments	*10 000*	
Amortissement cumulé – Brevet		*10 000*
Amortissement du brevet utilisé dans la production des médicaments (1 200 000 $ ÷ 120 mois × 1 mois).		

Il ressort de cet exemple que la valeur comptable du brevet au 31 décembre 20X1 s'élève à 1 190 000 $, et il s'agit du coût amorti. Cependant, l'amortissement de 10 000 $ sera comptabilisé en charges uniquement lorsque le stock de médicaments sera vendu.

23. *Manuel de CPA Canada – Comptabilité – Partie I*, IAS 38, paragr. 98C.

Comme pour l'amortissement des immobilisations corporelles, l'amortissement des immobilisations incorporelles doit débuter dès que l'immobilisation est prête à être utilisée, même si l'entreprise retarde le début de son utilisation. L'entreprise cesse d'amortir l'immobilisation incorporelle au moment où cette dernière est décomptabilisée ou dès que l'immobilisation est classée comme étant détenue en vue de la vente ou de la distribution aux actionnaires. C'est dire qu'un arrêt temporaire de l'utilisation d'une immobilisation incorporelle ne met pas fin à l'amortissement systématique de son coût.

Notons aussi que toute entreprise doit, à chaque exercice financier, réexaminer le mode d'amortissement ainsi que la durée d'utilité de toutes ses immobilisations incorporelles amortissables[24]. Cette recommandation de l'IASB s'explique en raison de l'incertitude entourant les immobilisations incorporelles. Par exemple, la comptabilisation d'une diminution de valeur peut signifier que la durée d'utilité initialement prévue doit être révisée à la baisse ou qu'un mode d'amortissement dégressif doit remplacer le mode d'amortissement linéaire utilisé antérieurement.

Exceptionnellement, il est possible que la valeur résiduelle d'une immobilisation incorporelle augmente au fil du temps jusqu'à en excéder la valeur comptable. Puisque le montant amortissable, donné par le coût ou le substitut du coût diminué de la valeur résiduelle et de l'amortissement cumulé à ce jour, est alors nul, l'entreprise cesse d'amortir l'immobilisation. Lorsque le montant amortissable correspondra de nouveau à une valeur positive, l'entreprise reprendra l'amortissement de l'immobilisation. Lorsqu'elle constatera subséquemment que des circonstances ou des renseignements nouveaux confirment que la durée d'utilité d'une immobilisation qu'elle amortissait jusqu'à ce jour semble devenue indéterminée, elle appliquera un test de dépréciation. Elle comptabilisera éventuellement la diminution de valeur[25], puis cessera d'amortir l'immobilisation incorporelle.

10

Différence NCECF

L'entreprise doit périodiquement appliquer un **test de dépréciation** à ses immobilisations incorporelles amortissables afin de s'assurer que leur valeur comptable se situe en deçà de leur valeur recouvrable. Les modalités du test sont expliquées plus loin.

Les immobilisations incorporelles dont la durée d'utilité est indéterminée

Lorsqu'une entreprise possède une immobilisation incorporelle dont la durée d'utilité est indéterminée, elle ne doit pas en amortir le coût, mais s'assurer annuellement que la durée d'utilité demeure indéterminée, comme l'indique l'IASB :

> La durée d'utilité d'une immobilisation incorporelle qui n'est pas amortie doit être réexaminée à chaque période pour déterminer si les événements et circonstances continuent de justifier l'appréciation de durée d'utilité indéterminée concernant cet actif. Si ce n'est pas le cas, le changement d'appréciation de la durée d'utilité d'indéterminée à déterminée doit être comptabilisé comme un changement d'estimation comptable selon IAS 8[26].

Lors de la révision annuelle, si l'entreprise conclut que des circonstances ou des renseignements nouveaux viennent limiter la durée d'utilité de son immobilisation incorporelle, elle doit premièrement faire le test de dépréciation. Deuxièmement, elle comptabilise, s'il y a lieu, la diminution de valeur. L'entreprise ne traite pas la diminution de valeur comme un changement de méthode comptable, mais bien comme une révision d'estimation. La diminution de valeur est toujours comptabilisée en résultat net de l'exercice en cours lorsque l'immobilisation incorporelle est évaluée selon le modèle du coût. Lorsqu'elle l'est selon le modèle de la réévaluation, la diminution de valeur est aussi comptabilisée en résultat net de l'exercice en cours, sauf s'il existe un solde créditeur dans le compte Cumul des écarts de réévaluation de l'immobilisation incorporelle en cause, présenté dans les capitaux propres. Enfin, l'entreprise commence à amortir la valeur comptable de l'immobilisation incorporelle à compter de cette date, en se reportant aux explications données dans la division **Les immobilisations incorporelles dont la durée d'utilité est déterminée**. Ainsi, elle révisera périodiquement la durée d'utilité et le mode

24. *Manuel de CPA Canada – Comptabilité – Partie I*, IAS 38, paragr. 104.
25. Le mode de comptabilisation tiendra compte du modèle d'évaluation retenu, comme nous l'avons déjà expliqué.
26. *Manuel de CPA Canada – Comptabilité – Partie I*, IAS 38, paragr. 109.

d'amortissement retenu, puis elle appliquera le test de dépréciation uniquement lorsqu'il y aura des indices objectifs de dépréciation.

Un exemple chiffré sera donné à la fin de la sous-section suivante.

Le test de dépréciation

Différence NCECF

En ce qui concerne les **immobilisations incorporelles amortissables**, le **test de dépréciation** comporte les mêmes règles que celles utilisées dans le test de dépréciation des immobilisations corporelles[27]. Ainsi, lorsque la conjoncture laisse croire qu'il est nécessaire d'appliquer un test de dépréciation, l'entreprise estime la **valeur recouvrable**, laquelle correspond, rappelons-le, à la plus élevée de la juste valeur nette, soit la juste valeur diminuée des coûts de sortie, et de la valeur d'utilité. L'entreprise commence par déterminer la juste valeur nette. Si celle-ci excède la valeur comptable, l'entreprise conclut qu'elle n'a aucune diminution de valeur à comptabiliser. Si elle est incapable d'évaluer la juste valeur nette de façon fiable ou si cette dernière est inférieure à la valeur comptable, l'entreprise estime la valeur d'utilité représentée par les flux de trésorerie attendus actualisés. Lorsque celle-ci est inférieure à la valeur comptable, l'entreprise comptabilise en résultat net de l'exercice en cours la diminution de valeur de l'immobilisation incorporelle amortissable dont le montant correspond à l'écart entre la valeur recouvrable et la valeur comptable. En de rares occasions, lorsque l'entreprise utilise le modèle de la réévaluation et qu'il existe un solde créditeur au compte Cumul des écarts de réévaluation (présenté en capitaux propres) de l'immobilisation en cause, elle comptabilise la diminution de valeur au débit du compte Écart de réévaluation (AERG), jusqu'à la hauteur du solde créditeur du compte Cumul des écarts de réévaluation. S'il y a lieu, l'entreprise comptabilise l'excédent de la diminution de valeur en résultat net de l'exercice. Au cours des exercices subséquents, si la valeur recouvrable augmente, elle comptabilisera les reprises de valeur comme on le fait pour les immobilisations corporelles.

Lorsqu'une entreprise possède une immobilisation incorporelle qui n'est pas encore prête à être utilisée, par exemple parce que l'entreprise travaille à son développement, elle doit lui appliquer le test de dépréciation à chaque fin d'exercice. Tant que l'immobilisation incorporelle n'est pas prête à être utilisée, il existe un risque additionnel comparativement aux autres immobilisations incorporelles prêtes à être utilisées, à savoir le risque que l'entreprise ne réussisse pas à terminer l'immobilisation incorporelle. Cette incertitude suggère donc de s'assurer que la valeur comptable de l'immobilisation incorporelle en développement est au moins égale à sa valeur recouvrable.

Pour s'assurer que les états financiers restent fidèles, l'entreprise doit soumettre toutes ses **immobilisations incorporelles non amortissables** à un test de dépréciation au minimum chaque année, ou plus souvent si des événements ou des changements de situation indiquent qu'une immobilisation incorporelle non amortissable pourrait avoir subi une dépréciation. Cela implique que la valeur comptable d'une immobilisation incorporelle non amortissable est comparée à la valeur recouvrable chaque année. Par comparaison, en ce qui concerne les immobilisations incorporelles amortissables, l'entreprise doit uniquement s'assurer qu'il existe un quelconque indice qu'un actif a pu se déprécier. Ce n'est qu'en présence d'un tel indice que l'entreprise doit estimer la valeur recouvrable de l'actif.

Puisque le calcul détaillé de la valeur recouvrable requiert beaucoup de travail, l'IASB précise qu'une entreprise pourrait utiliser le calcul effectué au cours d'une année précédente si elle remplit trois conditions. Premièrement, l'immobilisation incorporelle est comprise dans une unité génératrice de trésorerie dont les actifs et les passifs n'ont pas changé de façon importante depuis le dernier calcul détaillé. Deuxièmement, le calcul détaillé le plus récent a montré que la valeur recouvrable excédait largement la valeur comptable. Troisièmement, il est peu probable que la valeur recouvrable soit passée sous la barre de la valeur comptable, compte tenu des événements qui se sont produits ou de l'évolution des circonstances depuis le calcul le plus récent.

Compte tenu de la nature même des immobilisations incorporelles, on peut croire que plusieurs d'entre elles génèrent des flux de trésorerie qui ne sont pas indépendants de ceux générés par d'autres actifs. Par exemple, une entreprise détenant une marque de fabrique achetée 10 ans plus tôt pourra très difficilement quantifier les ventes additionnelles faites en raison de cette marque de fabrique. C'est pourquoi les immobilisations incorporelles sont souvent groupées avec d'autres actifs au sein d'une unité génératrice de trésorerie afin d'appliquer le test de dépréciation.

27. Le chapitre 9 contient toutes les explications requises pour effectuer ce test.

Au moment d'identifier les unités génératrices de trésorerie, l'entreprise procède de la façon expliquée au chapitre 9, c'est-à-dire qu'elle forme le plus petit groupe identifiable d'actifs qui génère des rentrées de trésorerie largement indépendantes des rentrées de trésorerie générées par d'autres actifs ou groupes d'actifs.

Soulignons enfin que les **reprises de valeur** sur des immobilisations incorporelles à durée d'utilité indéterminée sont comptabilisées de la même façon que celles liées à des immobilisations corporelles.

Pour illustrer les normes relatives au traitement comptable subséquent des immobilisations incorporelles, le tableau 10.8 fournit quelques exemples, adaptés de ceux élaborés par l'IASB, illustrant l'estimation de la durée d'utilité et de la valeur résiduelle ainsi que la nécessité d'appliquer un test de dépréciation.

TABLEAU 10.8 Quelques exemples illustrant l'estimation de la durée d'utilité d'une immobilisation incorporelle

Exemples	Commentaires
Le Pro de la pub ltée, société de publicité, a acquis une liste de clients et prévoit être en mesure de tirer des avantages des renseignements qui y figurent, et ce, pendant une durée minimale de un an et une durée maximale de trois ans. Selon la direction, la meilleure estimation de sa durée d'utilité est de 18 mois.	La durée d'utilité de la liste de clients est déterminée. Le Pro de la pub ltée amortira le coût de la liste de clients sur une période de 18 mois. Même si la société prévoit ajouter des noms à cette liste de façon à en prolonger la durée d'utilité, la période d'amortissement se limite aux avantages économiques attendus de la liste dans l'état où elle se trouve à la date d'acquisition. Les dépenses subséquentes que la société engagera pour ajouter des noms à la liste s'apparentent à des dépenses concernant une nouvelle immobilisation incorporelle générée en interne. Le Pro de la pub ltée ne pourra pas comptabiliser ces dépenses à l'actif, car celles-ci ne remplissent pas le critère d'identifiabilité.
La société Techno ltée vient d'obtenir un brevet, au coût de 500 000 $, pour une durée de vie légale de 20 ans. Techno ltée ne prévoit pas que la concurrence ou d'autres facteurs viendront restreindre la durée de vie légale.	La durée d'utilité du brevet est déterminée, car elle ne peut excéder la durée de vie légale.
La société Branchée ltée s'est engagée à lui racheter ce brevet dans 5 ans au coût de 200 000 $.	Si Techno ltée prévoit profiter de l'offre de Branchée ltée : • la durée d'utilité est de 5 ans ; • le montant amortissable s'élève à 300 000 $ (500 000 $ – 200 000 $). Si Techno ltée prévoit ne pas profiter de l'offre de Branchée ltée : • la durée d'utilité est de 20 ans ; • le montant amortissable est alors de 500 000 $.
La société Éditions du tonnerre ltée achète des droits d'auteur ayant une durée de vie légale restante de 50 ans. Une analyse des habitudes des consommateurs et des tendances du marché indique que l'objet protégé par le droit d'auteur générera des flux de trésorerie pendant approximativement 30 ans encore.	Éditions du tonnerre ltée amortira les droits d'auteur sur leur durée d'utilité de 30 ans suivant le rythme attendu de consommation des avantages économiques.
La société Radioactif ltée a acquis une licence de radiodiffusion qui expire dans 10 ans et qui est renouvelable tous les 10 ans. Au moment de l'acquisition de la licence, l'entreprise ne s'attend pas à ce que la technologie de radiodiffusion utilisée soit remplacée par une autre technologie dans un avenir prévisible.	La durée d'utilité est peut-être indéterminée.
Radioactif ltée aimerait renouveler cette licence pendant une longue période.	Si le renouvellement de la licence se fait par une vente aux enchères : • la durée d'utilité de la licence se limite à 10 ans, car rien n'assure que Radioactif ltée sera en mesure de la renouveler.

TABLEAU 10.8 *(suite)*

	Si le renouvellement de la licence est automatique à la seule condition que Radioactif ltée se conforme aux exigences réglementaires et fournisse un niveau de service acceptable à ses clients : • la durée d'utilité de la licence est indéterminée. • Radioactif ltée comptabilisera sa licence en respectant les règles applicables aux immobilisations incorporelles dont la durée d'utilité est indéterminée.
La société Vol-Amérique ltée achète une autorisation d'exploiter une route aérienne vers le Royaume-Uni. L'autorisation expire dans 3 ans et peut être renouvelée tous les 5 ans. La société a l'intention de se conformer aux règles et règlements applicables en matière de renouvellement. En pratique, les autorisations d'exploitation de route sont automatiquement renouvelées à un coût minime et ont été renouvelées dans le passé lorsque le détenteur de l'autorisation se conformait aux règles et règlements applicables. L'acquéreur prévoit offrir le service vers le Royaume-Uni à partir de ses aéroports plaques tournantes pendant une période indéfinie et s'attend à ce que les infrastructures de soutien connexes (portes et créneaux d'aéroport, location des installations aéroportuaires) soient assurées dans ces aéroports tant qu'il sera titulaire de l'autorisation d'exploitation d'une route. Une analyse de la demande et des flux de trésorerie justifie ces hypothèses.	Comme les faits et les circonstances indiquent que Vol-Amérique ltée a la capacité de continuer à offrir indéfiniment une liaison aérienne vers le Royaume-Uni à partir de ses aéroports plaques tournantes, l'immobilisation incorporelle liée à l'autorisation d'exploitation de route est considérée comme ayant une durée d'utilité indéterminée. Par conséquent, Vol-Amérique ltée n'amortit pas l'autorisation d'exploitation de route tant et aussi longtemps que la durée d'utilité de cette immobilisation incorporelle n'est pas considérée comme déterminée.
La société Les Eaux limpides ltée achète une marque qui lui permettra de différencier une eau minérale. L'entreprise vendeuse détient, grâce à cette marque, une part de marché importante.	
• Au moment de l'acquisition, la marque a une durée de vie légale restante de 5 ans, mais son dépôt est renouvelable tous les 10 ans à peu de frais. Les Eaux limpides ltée a l'intention de renouveler le dépôt de la marque indéfiniment, et il existe des éléments probants à l'appui de sa capacité de le faire. Une analyse des études portant sur le cycle de vie des eaux minérales, des tendances du marché, des tendances concurrentielles et environnementales de même que des possibilités d'élargissement de la gamme indique que l'eau protégée par la marque générera des flux de trésorerie pendant une période indéfinie.	La marque est réputée avoir une durée d'utilité indéterminée parce que Les Eaux limpides ltée prévoit qu'elle contribuera aux flux de trésorerie pendant une période indéfinie. La société n'amortit donc pas la marque tant et aussi longtemps que la durée d'utilité n'est pas considérée comme déterminée.
• Au cours d'un exercice subséquent, Les Eaux limpides ltée apprend l'arrivée imminente et imprévue d'un concurrent sur le marché, ce qui entraînera une diminution des ventes futures. La direction estime que les flux de trésorerie générés par les ventes de bouteilles d'eau diminueront de 20 %, mais s'attend à ce que les ventes continuent de générer ces flux de trésorerie réduits indéfiniment.	Par suite de la diminution projetée des flux de trésorerie futurs, Les Eaux limpides ltée détermine que la valeur recouvrable de la marque est inférieure à sa valeur comptable. Elle doit comptabiliser la diminution de valeur. Comme la marque est encore réputée avoir une durée d'utilité indéterminée, elle continue de ne pas être amortie.
Il y a plusieurs années, Kiatu ltée a acheté une marque d'une gamme d'automobiles en même temps qu'elle achetait l'entreprise du constructeur d'automobiles. À la date d'acquisition, Kiatu ltée prévoyait continuer à construire la gamme d'automobiles et l'analyse de divers facteurs économiques indiquait qu'il n'existait aucune limite à la période pendant laquelle la marque contribuerait aux flux de trésorerie. Comme ceux-ci devaient vraisemblablement continuer à entrer indéfiniment, Kiatu ltée n'a pas amorti la marque. La direction a récemment décidé d'abandonner graduellement la production de cette gamme d'automobiles au cours des quatre prochaines années.	Comme la durée d'utilité de cette marque acquise n'est plus indéterminée, Kiatu ltée doit appliquer un test de dépréciation à la marque. La valeur comptable de la marque, déduction faite de toute diminution de valeur, est ensuite amortie sur les quatre années restantes de sa durée d'utilité en fonction du rythme de consommation des avantages économiques qui en sont attendus.

La figure 10.6 résume les facteurs à prendre en compte dans l'estimation de la durée d'utilité ainsi que le travail comptable qui en découle.

FIGURE 10.6 L'estimation de la durée d'utilité et le travail comptable qui en découle

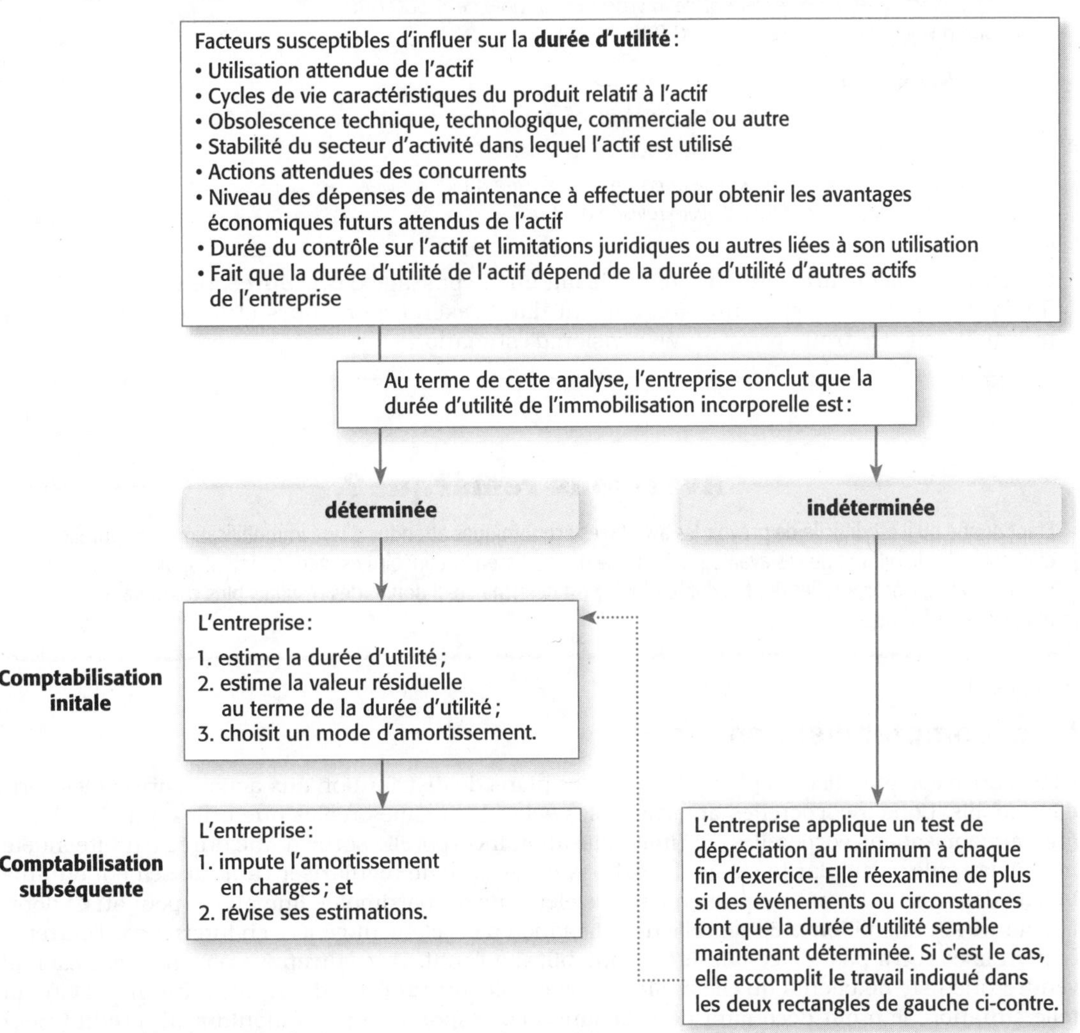

L'exemple qui suit illustre la situation indiquée dans le rectangle de droite au bas de la figure 10.6.

EXEMPLE

Passage d'une durée d'utilité indéterminée d'une immobilisation incorporelle à une durée d'utilité déterminée

Sansouci inc. exploite de nombreux magasins de vente au détail au Canada. Elle a longtemps profité du prestigieux nom de marque « SAS ». Depuis quelques années, l'entreprise éprouve des difficultés à concurrencer les nombreux sites internationaux de vente en ligne. La valeur comptable de la marque SAS n'a jamais été amortie et s'élève à 4 500 000 $ le 1er janvier 20X1. Consciente d'une possible dépréciation, Sansouci inc. a mandaté des experts en évaluation pour déterminer la valeur recouvrable de la marque. Celle-ci a été estimée à 3 000 000 $ le 1er janvier 20X1. Sansouci inc. prévoit qu'elle continuera à profiter de sa marque pendant encore 3 ans. Les écritures requises jusqu'au 31 décembre 20X1, date de clôture de l'exercice financier sont présentées à la page suivante.

1er janvier 20X1		
Dépréciation de la marque de commerce	*1 500 000*	
Marque de commerce		*1 500 000*
Dépréciation égale à l'excédent de la valeur comptable de 4 500 000 $ sur la valeur recouvrable de 3 000 000 $.		
31 décembre 20X1		
Amortissement des immobilisations incorporelles	*1 000 000*	
Amortissement cumulé – Marque de commerce		*1 000 000*
Amortissement linéaire de la valeur comptable révisée au 1er janvier (3 000 000 $) sur la durée d'utilité révisée de 3 ans.		

Cet exemple met clairement en lumière le fait que le passage d'une durée indéterminée à une durée déterminée se répercute uniquement dans l'exercice en cours et les exercices futurs puisqu'il doit être traité comme une révision d'estimation.

10

Différence NCECF

Avez-vous remarqué ?

Étant donné qu'il est difficile de prévoir les avantages économiques attendus d'une immobilisation incorporelle, et encore plus le rythme de ces avantages, le mode d'amortissement linéaire est généralement appliqué aux immobilisations incorporelles dont la durée d'utilité est déterminée. Il donne des résultats plus comparables d'un exercice à l'autre.

La décomptabilisation

Différence NCECF

L'entreprise comptabilise les plans de vente, les plans de distribution aux actionnaires et les sorties d'immobilisations incorporelles amortissables selon les mêmes règles que celles qui s'appliquent aux immobilisations corporelles. Si l'immobilisation incorporelle sortie a une durée d'utilité indéterminée, la seule particularité est qu'il n'est pas nécessaire de régulariser l'amortissement cumulé à la date de la sortie. La nature particulière des éléments du patrimoine immatériel peut aussi donner lieu à une situation bien précise, celle de l'aliénation d'un élément généré en interne par l'entreprise et dont le coût n'a pas, de ce fait, été comptabilisé à l'actif. Une entreprise pourrait, par exemple, vendre une liste de clients qu'elle a elle-même établie ou un procédé qu'elle a inventé. Dans une telle situation, le profit découlant de l'aliénation correspond au plein montant du produit net de l'aliénation, c'est-à-dire le produit de l'aliénation diminué des coûts de la vente.

Une entreprise décomptabilise une immobilisation incorporelle à la plus hâtive des deux dates suivantes : lors de la sortie de l'immobilisation ou quand aucun avantage économique futur n'est plus attendu de celle-ci.

Lorsqu'une entreprise sort une immobilisation incorporelle dont elle a comptabilisé le coût à l'actif, elle doit suivre la même démarche que dans le cas des immobilisations corporelles. S'il s'agit d'une immobilisation incorporelle amortissable classée comme étant détenue et utilisée : 1) elle calcule l'amortissement cumulé jusqu'à la date de l'aliénation afin de déterminer la valeur comptable de l'actif cédé ; 2) elle retire des livres tous les soldes afférents à l'actif cédé ; et 3) elle inscrit le produit net de l'aliénation et, s'il y a lieu, comptabilise un profit ou une perte correspondant à l'écart entre le produit net de l'aliénation et la valeur comptable de l'immobilisation incorporelle cédée. S'il s'agit d'une immobilisation incorporelle amortissable classée comme étant destinée à la vente ou à être distribuée aux actionnaires : 1) elle retire des livres tous les soldes afférents à l'immobilisation ; et 2) elle inscrit le produit de la vente et, s'il y a lieu, comptabilise le profit ou la perte en découlant. Comme nous l'avons mentionné au chapitre 1, les profits ne doivent pas être traités à titre de produits des activités ordinaires.

Peu importe le type de sortie, le moment de la décomptabilisation de l'actif est déterminé en appliquant les recommandations de l'IFRS 15, que nous approfondirons au chapitre 20. Pour le moment, mentionnons simplement que la date de sortie correspond à la date à laquelle l'acheteur en acquiert le contrôle. Lorsque le produit de la vente est différé sans porter intérêt au taux du marché, il correspond au prix comptant équivalent. L'écart entre le prix convenu et le prix comptant équivalent représente un produit financier et est comptabilisé sur la période d'encaissement du prix de vente.

Différence NCECF

5 La présentation dans les états financiers

Différence NCECF

Le tableau 10.9 contient les exigences de l'IASB concernant la présentation des immobilisations incorporelles dans les états financiers, ainsi que des commentaires pertinents.

La présente section serait incomplète si nous omettions de rappeler que la norme portant sur l'**incertitude relative aux estimations** s'appliquera fréquemment aux immobilisations incorporelles[28]. En effet, l'une des caractéristiques importantes de ces actifs concerne l'incertitude entourant les avantages économiques futurs qui découleront de leur utilisation. L'incertitude entourant plus particulièrement l'évaluation des immobilisations incorporelles générées en interne nécessite

TABLEAU 10.9 Les recommandations en matière de présentation dans les états financiers

***Normes internationales d'information financière,* IAS 38**	**Commentaires**

Dispositions générales

Paragr. 118

Pour chaque catégorie d'immobilisations incorporelles, une entité doit fournir les informations suivantes en distinguant les immobilisations incorporelles générées en interne des autres immobilisations incorporelles :

(a) *si les durées d'utilité sont indéterminées ou déterminées et, si elles sont déterminées, quels sont ces durées d'utilité ou les taux d'amortissement utilisés ;*

(b) *les modes d'amortissement utilisés pour les immobilisations incorporelles à durée d'utilité déterminée ;*

(c) *la valeur comptable brute et tout cumul des amortissements (regroupé avec le cumul des pertes de valeur) à l'ouverture et à la clôture de la période ;*

(d) *le ou les postes de l'état du résultat global dans lesquels est incluse la dotation aux amortissements des immobilisations incorporelles ;*

(e) *un rapprochement entre les valeurs comptables à l'ouverture et à la clôture de la période, montrant :*

- (i) *les entrées d'immobilisations incorporelles, en indiquant séparément celles générées en interne, celles acquises séparément et celles acquises par voie de regroupements d'entreprises,*
- (ii) *les actifs classés comme détenus en vue de la vente ou inclus dans un groupe destiné à être cédé classé comme détenu en vue de la vente selon IFRS 5 ainsi que les autres sorties,*
- (iii) *les augmentations ou les diminutions durant la période résultant des réévaluations décrites aux paragraphes 75, 85 et 86, et des pertes de valeur comptabilisées ou reprises directement dans les autres éléments du résultat global selon IAS 36 (s'il y a lieu),*
- (iv) *les pertes de valeur comptabilisées en résultat net durant la période selon IAS 36 (s'il y a lieu),*
- (v) *les pertes de valeur reprises en résultat net durant la période selon IAS 36 (s'il y a lieu),*

On ne peut grouper les immobilisations incorporelles avec les immobilisations corporelles à des fins de présentation dans l'état de la situation financière. Toutefois, une entreprise possédant plusieurs immobilisations incorporelles peut les grouper par catégories dans l'état de la situation financière, en distinguant celles ayant une durée d'utilité déterminée et celles ayant une durée d'utilité indéterminée. Comme il est indiqué ci-contre, l'entreprise doit aussi distinguer les immobilisations acquises et celles générées en interne.

Rappelons quelques exemples de catégories d'immobilisations incorporelles : les marques ; les titres de journaux et de magazines ; les logiciels ; les licences et franchises ; les droits de reproduction ; les brevets et autres droits de propriété industrielle ; les droits de services et d'exploitation ; et les immobilisations incorporelles en cours de développement.

La recommandation énoncée en (c) implique que l'on ne peut porter l'amortissement cumulé au crédit du compte de l'immobilisation incorporelle en cause. On doit plutôt comptabiliser l'amortissement cumulé dans un compte distinct.

Lorsque la charge d'amortissement des immobilisations incorporelles a été groupée avec d'autres charges dans l'état du résultat global, on doit indiquer l'intitulé du poste présenté dans cet état afin de respecter la recommandation énoncée en (d).

Une entreprise pourrait respecter les recommandations énoncées en (b), (c) et (e) en donnant, par exemple, les renseignements suivants pour chaque grande catégorie d'immobilisations incorporelles :

	Coût ou substitut du coût	*Amortissement cumulé*	*Valeur comptable*
Solde au début	*XX $*	*XX $*	*XX $*
Immobilisation acquise pendant l'exercice	*XX*		*XX*

28. Aussi, le lecteur relira avec intérêt les pages 1.38 et 1.39 ainsi que 2.57 et 2.58.

TABLEAU 10.9 *(suite)*

(vi) l'amortissement comptabilisé au cours de la période,

(vii) [...]

(viii) les autres variations de la valeur comptable au cours de la période.

	Coût ou substitut du coût	***Amortis-sement cumulé***	***Valeur comptable***
Immobilisation générée en interne	*XX*		*XX*
Immobilisations détenues en vue de la vente	*(XX)*	*(XX)*	*(XX)*
*Reprises (pertes) de valeur comptabilisées en résultat net**		*(XX)*	*XX*
*Reprises (pertes) de valeur comptabilisées dans les autres éléments du résultat global***		*(XX)*	*XX*
Amortissement		*XX*	*(XX)*
Solde à la fin	*XX $*	*XX $*	*XX $*

L'entreprise utilise le mode d'amortissement linéaire pour amortir ses immobilisations incorporelles dont la durée d'utilité moyenne est de 10 ans.

* Cette information s'ajoute à celle qu'une entreprise doit fournir lorsqu'elle a déprécié l'une de ses immobilisations (*voir le chapitre 9*).

** On présente cette information uniquement si l'entreprise utilise le modèle de la réévaluation pour estimer la valeur comptable de ses immobilisations incorporelles.

Rappelons que si l'entreprise avait modifié ses estimations de la durée d'utilité ou de la valeur résiduelle, l'**IAS 8**, intitulé « Méthodes comptables, changements d'estimations comptables et erreurs », impose d'indiquer la nature et le montant du changement d'estimation comptable.

Paragr. 122

Une entité doit fournir aussi les informations suivantes :

(a) pour une immobilisation incorporelle estimée comme ayant une durée d'utilité indéterminée, la valeur comptable de cet actif et les raisons justifiant l'appréciation d'une durée d'utilité indéterminée. En indiquant ces raisons, l'entité doit décrire le ou les facteurs ayant joué un rôle important pour établir que l'actif a une durée d'utilité indéterminée ;

Pour respecter la recommandation énoncée en (a), une entreprise pourrait indiquer, par exemple, que sa licence de radiodiffusion, dont la valeur comptable s'élève à XX $, découle de droits qui sont renouvelables indéfiniment, sans condition additionnelle et à faible coût, et que le marché pour cette immobilisation existera toujours.

(b) une description, la valeur comptable et la durée d'amortissement restant à courir de toute immobilisation incorporelle prise individuellement, significative pour les états financiers de l'entité ;

Le contexte décrit en (b), quoique rare, implique qu'une entreprise détenant une immobilisation incorporelle importante devrait donner des informations précises à son sujet. Pensons par exemple à une franchise, détenue par un franchisé qui offre des services professionnels, dont les autres actifs seraient peu importants.

(c) pour les immobilisations incorporelles acquises grâce à une subvention publique et comptabilisées initialement à leur juste valeur (voir paragraphe 44) :

(i) la juste valeur comptabilisée initialement pour ces actifs,

(ii) leur valeur comptable, et

(iii) s'ils sont évalués après comptabilisation selon le modèle du coût ou selon le modèle de la réévaluation ;

Le paragraphe 44 concerne la réception d'une subvention non monétaire sous forme d'immobilisation incorporelle. Puisque l'entreprise a le choix de la comptabiliser à une valeur symbolique ou à la juste valeur, si elle a choisi la seconde option, elle donne les informations additionnelles.

TABLEAU 10.9 *(suite)*

(d) l'existence et les valeurs comptables d'immobilisations incorporelles dont la propriété est soumise à des restrictions et les valeurs comptables d'immobilisations incorporelles données en nantissement de dettes ;	Lorsque l'utilisation d'une immobilisation incorporelle est sujette à certaines restrictions, il importe de mentionner ce fait, car cela diminue la latitude laissée à l'entreprise quant à son utilisation. Mentionnons à titre d'exemple une immobilisation incorporelle donnée en garantie d'une dette ou un droit de distribution d'une œuvre vidéo qui ne peut être revendu sans l'autorisation du créateur.
(e) le montant des engagements contractuels en vue de l'acquisition d'immobilisations incorporelles.	Les engagements contractuels portant sur l'acquisition d'immobilisations incorporelles ont un effet important sur les flux de trésorerie futurs, c'est pourquoi ils doivent être divulgués. Les utilisateurs des états financiers ont besoin de connaître toutes ces informations afin de saisir la réelle situation financière et la réelle performance présente et future de l'entreprise.
Immobilisations incorporelles évaluées après la comptabilisation en utilisant le modèle de la réévaluation Paragr. 124 *Si des immobilisations incorporelles sont comptabilisées à des montants réévalués, une entité doit fournir les informations suivantes :* *(a) par catégorie d'immobilisations incorporelles :* *(i) la date d'entrée en vigueur de la réévaluation,* *(ii) la valeur comptable des immobilisations incorporelles réévaluées, et* *(iii) la valeur comptable qui aurait été comptabilisée si la catégorie d'immobilisations incorporelles réévaluées avait été évaluée selon le modèle du coût […] ; et* *(b) le montant de l'écart de réévaluation se rapportant aux immobilisations incorporelles à l'ouverture et à la clôture de la période, en indiquant les changements survenus au cours de la période et toute restriction sur la distribution du solde aux actionnaires.* *(c)* [supprimé]	Le modèle de la réévaluation permet de donner des informations plus pertinentes, mais il entraîne parfois une baisse de la fiabilité lorsqu'il est appliqué à des immobilisations incorporelles. C'est pourquoi l'IASB exige des entreprises qu'elles donnent toute l'information pertinente afin que les utilisateurs puissent se faire leur propre opinion de la fiabilité. Les variations de valeur sont aussi des informations très pertinentes, car elles n'ont pas automatiquement d'effet sur les flux de trésorerie à court terme.
Dépenses de recherche et développement Paragr. 126 *Une entité doit indiquer le montant total des dépenses de recherche et développement comptabilisé en charges de la période.*	Les activités de recherche et de développement sont souvent essentielles à la survie d'une entreprise et à son succès futur. C'est pourquoi les montants comptabilisés en charges à ce titre ne doivent pas être noyés parmi les autres charges. Pour respecter la recommandation ci-contre, une entreprise pourrait soit divulguer la charge dans un poste distinct de l'état du résultat global, soit regrouper la charge avec d'autres comptes en donnant l'information additionnelle par voie de notes aux états financiers.

très souvent la divulgation des hypothèses clés relatives à l'avenir et les autres sources principales d'incertitude relatives aux estimations à la date de clôture, de même que certains détails liés à la nature des immobilisations en cause et à leur valeur comptable à la date de clôture.

La figure 10.7 contient un résumé de l'incidence des opérations afférentes aux immobilisations incorporelles sur les états financiers. Les comptes utilisés sont donnés à titre d'exemple et ne sont pas exhaustifs.

Suivent ensuite, aux pages 10.45 et 10.46, des extraits pertinents des états financiers de 2015 de Bombardier Inc. Outre les extraits des notes, nous présentons de courts extraits des états des flux de trésorerie consolidés afin de faire ressortir l'impact des immobilisations incorporelles sur cet état.

FIGURE 10.7 La présentation dans les états financiers des opérations afférentes aux immobilisations incorporelles

Les notes aux états financiers indiquent les raisons justifiant l'appréciation d'une durée d'utilité indéterminée, notamment les facteurs pris en compte.

Situation financière

Immobilisations incorporelles

Amortissables	
Brevets	*XX*
Amortissement cumulé	*(XX)*
Non amortissables	
Brevets en cours de développement	*XX*
Quotas de lait	*XX*
Franchise	*XX*

Si la valeur comptable et l'amortissement cumulé de chaque catégorie d'immobilisations incorporelles ne figurent pas dans l'état de la situation financière, ils devraient être fournis dans les notes aux états financiers en indiquant séparément celles générées en interne, celles acquises et celles classées comme étant détenues en vue de la vente.

Les notes montreront aussi :

- si les durées d'utilité sont indéterminées ou déterminées ;
- l'évolution de la valeur comptable au cours de l'exercice ;
- une description, le coût ou le substitut du coût et la durée d'amortissement restant à courir de toute immobilisation incorporelle significative ;
- les détails des subventions publiques liées aux immobilisations incorporelles ;
- les engagements contractuels portant sur l'achat d'immobilisations incorporelles ;
- les immobilisations incorporelles sujettes à certaines restrictions ;
- des informations complémentaires sur les immobilisations incorporelles évaluées selon le modèle de la réévaluation.

Flux de trésorerie*

Activités d'investissement

Achat d'immobilisations incorporelles amortissables	*(XX)*
Immobilisations incorporelles amortissables générées en interne	*(XX)*
Achat d'immobilisations incorporelles non amortissables	*(XX)*
Immobilisations incorporelles non amortissables générées en interne	*(XX)*
Vente d'immobilisations incorporelles	*XX*

Les notes indiquent aussi le mode d'amortissement, y compris la durée d'utilité (ou le taux).

Résultat global

Charges

Amortissement des immobilisations incorporelles	*XX*
Frais de recherche et de développement	*XX*

Autres

Dépréciation des immobilisations incorporelles amortissables	*(XX)*
Dépréciation des immobilisations incorporelles non amortissables	*(XX)*
Reprise de valeur des immobilisations incorporelles amortissables	*XX*
Reprise de valeur des immobilisations incorporelles non amortissables	*XX*
Perte sur sortie	*(XX)*
Profit sur sortie	*XX*

Autres éléments du résultat global

Écart de réévaluation	*XX*

Pour toute diminution ou augmentation de valeur, les notes présentent distinctement celles comptabilisées en résultat net et celles comptabilisées dans les autres éléments du résultat global. Elles donnent une description de l'immobilisation en cause et les faits et circonstances à l'origine de la diminution ou de l'augmentation. Elles précisent aussi la façon dont la valeur recouvrable a été déterminée.

* Notons qu'une entreprise qui présenterait un tableau des flux de trésorerie selon la méthode indirecte inclurait les postes suivants dans la section Activités d'exploitation :

Résultat net	*XX $*
Éléments sans effet sur la trésorerie	
Amortissements	*XX*
Pertes de valeur d'immobilisations incorporelles	*XX*
Reprises de valeur d'immobilisations incorporelles	*(XX)*
Perte sur sortie	*XX*
Profit sur sortie	*(XX)*

BOMBARDIER INC.
ÉTATS DES FLUX DE TRÉSORERIE CONSOLIDÉS

Pour les exercices clos les 31 décembre
(en millions de dollars américains)

	Notes	**2015**	2014
Activités opérationnelles			
Résultat net		**(5 340) $**	(1 246) $
Éléments sans effet de trésorerie			
Amortissement	20, 21	**438**	417
Dépréciation des immobilisations corporelles et incorporelles	9, 20, 21	**4 300**	1 266
[...]			
Gains sur cessions d'immobilisations corporelles et incorporelles	8	**(3)**	(3)
[...]			
Activités d'investissement			
Additions aux immobilisations corporelles et incorporelles		**(1 879)**	(1 982)
Produit de la cession d'immobilisations corporelles et incorporelles		**17**	18

[...]

BOMBARDIER INC.
ÉTATS DU RÉSULTAT CONSOLIDÉS

Pour les exercices clos les 31 décembre
(en millions de dollars américains, sauf les montants par action)

[...]	Notes	**2015**	2014
Marge brute		**1 973**	2 577
[...]			
R et D	7	**355**	347

IAS 38, paragr. 126 → R et D

[...]

Les notes font partie intégrante de ces états financiers consolidés.

NOTES AUX ÉTATS FINANCIERS CONSOLIDÉS
Pour les exercices clos les 31 décembre 2015 et 2014

(Les montants des tableaux sont en millions de dollars américains, à moins d'indication contraire)

2. SOMMAIRE DES PRINCIPALES MÉTHODES COMPTABLES

[...]

Immobilisations incorporelles

[...]

IAS 38, paragr. 118(a) et (b)

L'amortissement des autres immobilisations incorporelles commence lorsque l'actif est prêt à être utilisé. La dotation aux amortissements est comptabilisée comme suit :

	Mode	**Durée de vie utile estimée**
Outillage des programmes aéronautiques	Unités de production	Nombre prévu d'avions qui seront produits[1]
Autres immobilisations incorporelles		
Licences, brevets et marques de commerce	Linéaire	De 3 à 20 ans
Autres	Linéaire	De 3 à 5 ans

(1) Au 31 décembre 2015, le nombre restant d'unités permettant d'amortir entièrement l'outillage des programmes aéronautiques, outre l'outillage des programmes aéronautiques en développement, devrait être produit sur les six prochaines années.

[...]

IAS 38, paragr. 118(a) → Outre le goodwill, la Société n'a pas d'immobilisations incorporelles à durée de vie indéfinie.

[...]

IAS 38, paragr. 118(c)

IAS 38, paragr. 118(e)

IAS 38, paragr. 118(c)

IAS 38, paragr. 118(e)

10

21. IMMOBILISATIONS INCORPORELLES

Les immobilisations incorporelles étaient comme suit aux :

	Outillage des programmes aéronautiques			Goodwill	Autres[(1)(2)]	Total
	Acquis	**Généré en interne**	**Total[(3)]**			
Coût						
Solde au 31 décembre 2014	**1 639 $**	**9 923 $**	**11 562 $**	**2 127 $**	**714 $**	**14 403 $**
Additions	**225**	**1 399**	**1 624**	**–**	**20**	**1 644**
Cessions	**–**	**(2)**	**(2)**	**–**	**(14)**	**(16)**
Incidence des fluctuations de taux de change	**–**	**–**	**–**	**(149)**	**(37)**	**(186)**
Solde au 31 décembre 2015	**1 864 $**	**11 320 $**	**13 184 $**	**1 978 $**	**683 $**	**15 845 $**
Amortissement et moins-value cumulés						
Solde au 31 décembre 2014	**(700) $**	**(4 039) $**	**(4 739) $**	**– $**	**(558) $**	**(5 297) $**
Amortissement	**(25)**	**(160)**	**(185)**	**–**	**(45)**	**(230)**
Moins-value	**(835)**	**(3 450)**	**(4 285)**	**–**	**(5)**	**(4 290)**
Cessions	**–**	**–**	**–**	**–**	**8**	**8**
Incidence des fluctuations de taux de change	**–**	**–**	**–**	**–**	**31**	**31**
Solde au 31 décembre 2015	**(1 560) $**	**(7 649) $**	**(9 209) $**	**– $**	**(569) $**	**(9 778) $**
Valeur comptable nette	**304 $**	**3 671 $**	**3 975 $**	**1 978 $**	**114 $**	**6 067 $**

	Outillage des programmes aéronautiques			Goodwill	Autres[(1)(2)]	Total
	Acquis	Généré en interne	Total[(3)]			
Coût						
Solde au 1er janvier 2014	1 404 $	8 503 $	9 907 $	2 381 $	739 $	13 027 $
Additions	235	1 421	1 656	11	33	1 700
Cessions	–	(1)	(1)	–	(10)	(11)
Incidence des fluctuations de taux de change	–	–	–	(265)	(48)	(313)
Solde au 31 décembre 2014	1 639 $	9 923 $	11 562 $	2 127 $	714 $	14 403 $
Amortissement et moins-value cumulés						
Solde au 1er janvier 2014	(620) $	(2 681) $	(3 301) $	– $	(553) $	(3 854) $
Amortissement	(11)	(161)	(172)	–	(56)	(228)
Moins-value	(69)	(1 197)	(1 266)	–	–	(1 266)
Cessions	–	–	–	–	10	10
Incidence des fluctuations de taux de change	–	–	–	–	41	41
Solde au 31 décembre 2014	(700) $	(4 039) $	(4 739) $	– $	(558) $	(5 297) $
Valeur comptable nette	939 $	5 884 $	6 823 $	2 127 $	156 $	9 106 $

(1) Présenté à la Note 19 – Autres actifs.

(2) Comprennent les immobilisations incorporelles générées en interne dont le coût et l'amortissement cumulé s'établissaient respectivement à 365 millions $ et 278 millions $ au 31 décembre 2015 (respectivement 367 millions $ et 254 millions $ au 31 décembre 2014 et respectivement 359 millions $ et 243 millions $ au 1er janvier 2014).

(3) Comprend les immobilisations incorporelles en développement au coût de 3 622 millions $ au 31 décembre 2015 (6 126 millions $ au 31 décembre 2014 et 5 923 millions $ au 1er janvier 2014).

Différence NCECF

Source : Rapport annuel 2015 de Bombardier Inc.
Bombardier Inc., *Rapport annuel 2015 : Exercice clos le 31 décembre 2015*, [En ligne], <http ://ir.bombardier.com/fr/rapports-financiers> (page consultée le 18 février 2016).

Les actifs de prospection et d'évaluation des ressources minérales

L'incertitude entourant la présence d'avantages économiques attendus des immobilisations incorporelles est particulièrement importante dans le secteur des ressources minérales. C'est ce que nous présenterons dans cette section.

Certaines entreprises ont pour principale activité l'exploitation de ressources minérales non renouvelables, tels le pétrole, le gaz et les métaux (notamment le fer, le zinc et le nickel). Alors que la plupart des immobilisations utilisées par les entreprises des autres secteurs d'activité ne changent pas de forme physique au cours de leur utilisation, certaines immobilisations utilisées par les entreprises évoluant dans le secteur des ressources minérales ont pour particularité de disparaître physiquement. Par exemple, une réserve de pétrole disparaît à mesure que le pétrole est pompé. Les **ressources minérales** peuvent être comparées à un réservoir de marchandises[29] que l'entreprise pourra vendre au cours de nombreuses années à venir. Comme cet actif est généralement épuisable, une entreprise pétrolière qui extrait du pétrole de ses puits, par exemple, doit tenir compte du fait que cette extraction ne pourra durer indéfiniment.

Les ressources minérales sont importantes pour l'économie d'un pays, et il va de soi que les investissements dans ce secteur d'activité sont tout aussi considérables. On n'a qu'à penser au Plan Nord mis en avant par le gouvernement du Québec au début des années 2010. Pour prendre leurs décisions, les investisseurs doivent disposer d'informations comptables pertinentes et fidèles. La présente section a pour objet d'exposer uniquement les principaux problèmes de comptabilisation qui se posent aux entreprises de ce secteur et d'expliquer brièvement les solutions qui peuvent y être apportées.

10

Les catégories d'activités que mène une entreprise de ressources minérales

Il arrive qu'une entreprise achète le **droit d'exploiter** une mine ou un puits de pétrole déjà découvert par une autre entreprise spécialisée dans la prospection, et les équipements nécessaires à l'exploitation de la mine ou du puits. Dans la mesure où le coût d'acquisition sera compensé par les avantages économiques attendus durant plus d'un exercice, l'entreprise comptabilise le coût d'acquisition des droits à titre d'immobilisation incorporelle et celui des équipements à titre d'immobilisation corporelle en appliquant les règles comptables expliquées dans le présent chapitre et dans les deux précédents. Nous exposerons ici quelques cas plus complexes où une entreprise effectue elle-même la recherche de gisements miniers ou pétroliers.

Une entreprise évoluant dans l'industrie pétrolière, gazière ou minière doit d'abord obtenir des renseignements concernant les secteurs géographiques susceptibles de contenir des ressources minérales. Pour ce faire, elle peut acheter des informations d'entreprises spécialisées ou faire ses propres recherches. À ce stade, elle cherche des secteurs géographiques potentiels et non des lieux particuliers contenant une quantité intéressante de ressources minérales. On pourrait faire une analogie entre cette activité et la détermination d'un sujet de recherche par une équipe responsable de la recherche et du développement d'une entreprise industrielle. On comptabilise habituellement tous les coûts engagés à cette étape de **préprospection** en résultat net de l'exercice en cours, car les avantages économiques futurs sont très incertains.

Lorsque l'entreprise a ciblé un secteur géographique potentiel, elle doit ensuite mener à terme d'autres phases d'activités, illustrées dans la figure 10.8, avant d'être en mesure de conclure des ventes.

Il ne serait sans doute pas rentable que les entreprises qui font la prospection de ressources minérales achètent tous les terrains sous lesquels elles estiment possible de trouver des ressources. Dans ce secteur, les entreprises achètent plutôt des **droits de prospection**, lesquels sont des immobilisations incorporelles[30]. Il s'agit en quelque sorte de louer un accès à un terrain

29. Du point de vue comptable, seul le pétrole qui a été pompé se trouve dans le compte Stock, car c'est celui qui est disponible à la vente.

30. Les droits de prospection se distinguent des droits d'exploitation car les premiers donnent seulement le privilège de chercher une mine ou un puits de pétrole, alors que les seconds donnent le droit d'extraire une ressource minérale d'une mine ou d'un puits déjà découvert.

10

FIGURE 10.8 Les catégories d'activités des entreprises du secteur des ressources minérales ainsi que les règles comptables

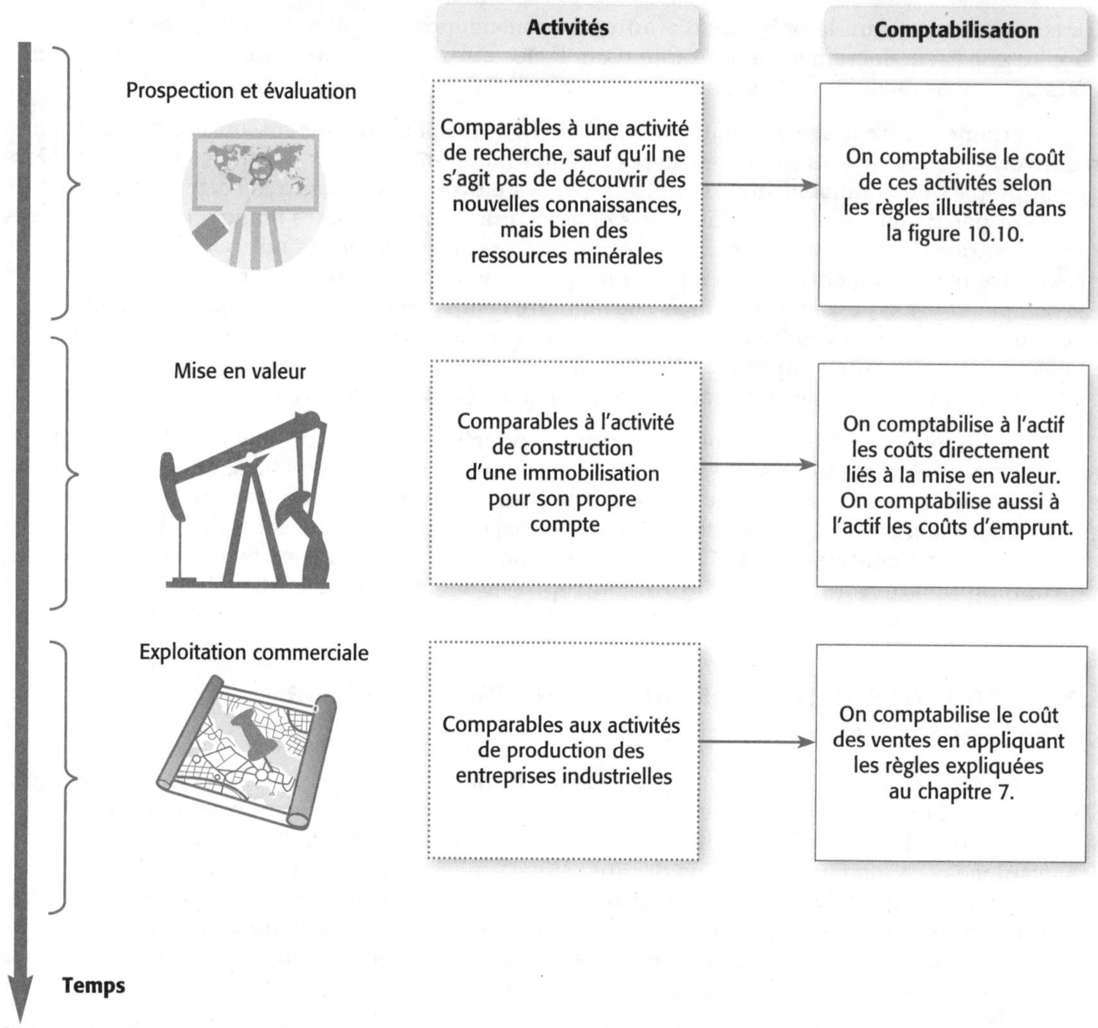
Activités
Comptabilisation
Prospection et évaluation
Comparables à une activité de recherche, sauf qu'il ne s'agit pas de découvrir des nouvelles connaissances, mais bien des ressources minérales
On comptabilise le coût de ces activités selon les règles illustrées dans la figure 10.10.
Mise en valeur
Comparables à l'activité de construction d'une immobilisation pour son propre compte
On comptabilise à l'actif les coûts directement liés à la mise en valeur. On comptabilise aussi à l'actif les coûts d'emprunt.
Exploitation commerciale
Comparables aux activités de production des entreprises industrielles
On comptabilise le coût des ventes en appliquant les règles expliquées au chapitre 7.
Temps

en précisant au propriétaire que l'entreprise compte faire des expertises géologiques. Commencent ensuite les **travaux de prospection et d'évaluation**, lesquels consistent en « la recherche de ressources minérales, après l'obtention par l'entité des droits légaux pour prospecter la zone spécifique, ainsi que la détermination de la faisabilité technique et de la viabilité commerciale de l'extraction des ressources minérales[31] ». L'activité de prospection se compare à une activité de recherche. Toutefois, le résultat attendu n'est pas la découverte d'un nouveau savoir jusque-là inconnu de tous, mais plutôt la découverte d'un article tangible, tel du pétrole ou de la potasse.

Au cours de cette période, l'entreprise engage notamment, en plus du coût des droits de prospection, des coûts de transport ou de location d'équipements, des coûts de main-d'œuvre, des frais pour les études topographiques, géologiques et géophysiques, des frais de possession et de conservation des propriétés, et des frais généraux, dont certains sont directement liés à la prospection.

Lorsque les travaux de prospection et d'évaluation conduisent à la découverte d'une quantité suffisante de ressources minérales, l'entreprise évalue alors la faisabilité technologique et la viabilité commerciale du site. Si elle conclut qu'il existe de bonnes probabilités de l'exploiter de façon rentable, elle procède par la suite aux **travaux de mise en valeur** du site. À cette étape, l'entreprise prépare l'exploitation commerciale, laquelle pourrait se comparer à la construction d'une immobilisation pour son propre compte. La mise en valeur entraîne des coûts additionnels, par exemple,

31. International Accounting Standards Board, *Normes internationales d'information financière (IFRS) y compris les Normes comptables internationales (IAS) et les Interprétations au 1er janvier 2006*, Glossaire, Londres, 2006.

le coût des têtes de pompage d'un puits ainsi que les frais de leur installation ou encore le coût des travaux de construction des tunnels à l'intérieur d'une mine. Voici d'autres exemples de coûts :

- Les coûts nécessaires pour avoir accès aux emplacements de forage et préparer les chantiers, y compris la prospection visant à déterminer les emplacements précis de forage, le déblaiement, le drainage et la construction de routes ;
- Les coûts pour forer et équiper les puits de développement ;
- Les coûts pour acquérir, construire et mettre en place des installations de production comme les conduites d'écoulement, les purificateurs, les collecteurs, les appareils de mesure, les réservoirs de stockage, ainsi que les systèmes de services généraux et d'évacuation des déchets.

On comptabilise à l'actif les coûts directement liés à la mise en valeur et, le cas échéant, les coûts d'emprunt, selon les règles comptables expliquées au chapitre 8. Puisque l'entreprise a découvert des ressources minérales, elle peut raisonnablement s'attendre à en tirer des avantages économiques futurs.

Lorsque l'entreprise a terminé les travaux de mise en valeur, elle peut enfin commencer à exploiter le puits ou la mine ; elle entre dans la phase d'**exploitation commerciale**. Cette activité s'apparente aux activités de production des entreprises industrielles. L'entreprise engage alors des coûts de main-d'œuvre, de fournitures ainsi que des frais généraux de production, qu'elle comptabilise selon les règles comptables applicables à la production de stocks, expliquées au chapitre 7. Compte tenu de la notion d'indépendance des périodes, il va de soi qu'elle doit imputer les coûts de production à la période au cours de laquelle elle vend les ressources minérales.

Pour terminer cette brève description, la figure 10.9 montre que le niveau de risque lié à chaque phase diminue à mesure que les activités progressent. En d'autres termes, plus l'entreprise progresse à l'intérieur de ces phases, plus elle est en mesure d'estimer les avantages économiques qui découleront des activités. Il s'agit là d'un élément important pour déterminer si elle comptabilise les coûts engagés à l'actif ou en charges de l'exercice.

10

FIGURE 10.9 Le risque associé aux activités liées aux ressources minérales

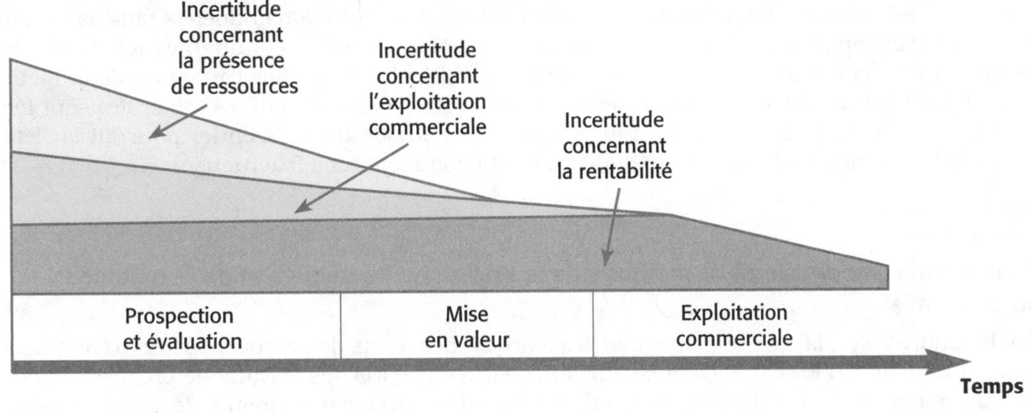

Il ressort de la description précédente que les questions de comptabilisation les plus délicates se posent pendant la phase de prospection et d'évaluation des ressources. La sous-section suivante abordera ces questions.

La comptabilisation des coûts engagés pendant la phase de prospection et d'évaluation des ressources minérales

Les coûts engagés pendant la phase de prospection et d'évaluation sont teintés d'une grande incertitude liée à la découverte de ressources minérales. Par le passé, les entreprises ont utilisé deux méthodes pour comptabiliser les coûts de prospection et d'évaluation. Il s'agit de la méthode du coût de la recherche fructueuse et de la méthode du coût entier. La différence entre ces deux méthodes réside essentiellement dans le **moment** où les coûts sont comptabilisés en charges.

La **méthode du coût de la recherche fructueuse** consiste à comptabiliser à l'actif uniquement les coûts de prospection et d'évaluation qui aboutissent à la découverte de ressources minérales. Les tenants de cette méthode justifient son utilisation en citant le fait que seuls les coûts susceptibles d'entraîner des avantages économiques futurs peuvent être comptabilisés à l'actif. Dès le moment où l'entreprise constate que certaines recherches s'avèrent infructueuses, elle ne peut plus justifier la comptabilisation à l'actif de ces éléments ; elle les comptabilise donc en charges durant l'exercice où elle les engage.

Selon la **méthode du coût entier**, on comptabilise tous les coûts de prospection et d'évaluation dans un compte d'actif à mesure qu'ils sont engagés. Les tenants de cette méthode affirment que l'échec de certaines recherches fait partie intégrante des activités de prospection et d'évaluation. En effet, il est normal que ces entreprises fassent des recherches qui s'avèrent infructueuses avant de découvrir un emplacement qui recèle une quantité suffisante de ressources minérales pour que celles-ci puissent être exploitées à l'échelle commerciale. De ce fait, on peut concevoir tous les coûts de prospection et d'évaluation comme des éléments de coûts des ressources minérales, au même titre que le coût du gaspillage normal est inclus dans les coûts de transformation des stocks d'une entreprise industrielle.

L'IASB ne prend pas position sur le choix d'une méthode, lequel revient donc à chaque entreprise. Dans l'**IFRS 6**, intitulée « Prospection et évaluation de ressources minérales », l'IASB s'attarde davantage sur l'évaluation des coûts de prospection et d'évaluation des ressources minérales comptabilisés à l'actif, comme on peut le déduire de l'extrait suivant :

> Une entité ne doit pas appliquer la présente norme aux dépenses engagées :
>
> (a) avant la prospection et l'évaluation de ressources minérales, telles que les dépenses engagées avant que l'entité n'ait obtenu les droits légaux de prospecter une zone spécifique ;
>
> (b) après que la faisabilité technique et la viabilité commerciale de l'extraction d'une ressource minérale soient démontrées[32].

L'IASB précise simplement que, au moment de choisir une méthode, une entreprise prend en compte la mesure dans laquelle la dépense peut être liée à la découverte de ressources minérales. Il en découle donc que les entreprises qui mènent par ailleurs des activités commerciales et qui ont déjà choisi une méthode comptable, peuvent continuer à l'utiliser. Par contre, si une entreprise décide de changer de méthode, l'IASB précise que le changement doit aboutir à la présentation d'états financiers plus pertinents, mais pas moins fiables, ou à des états financiers plus fiables, mais pas moins pertinents. On peut donc croire qu'une entreprise qui utilisait auparavant la méthode du coût de la recherche fructueuse aurait beaucoup de difficulté à justifier l'adoption de la méthode du coût entier, car les liens entre les dépenses et la découverte de ressources minérales sont ténus. À l'inverse, une entreprise qui utilisait auparavant la méthode du coût entier pourrait facilement justifier la pertinence d'adopter la méthode du coût de la recherche fructueuse.

EXEMPLE

Application comparative de la méthode de la recherche fructueuse et de la méthode du coût entier

En décembre 20X1, la société Fouineuse ltée a acquis des droits de prospection sur 10 propriétés au coût total de 1 000 000 $. L'année suivante, elle a entrepris des travaux de prospection dont le coût total a été de 5 000 000 $. Elle a financé les deux premiers éléments de coûts au moyen d'une dette à long terme. Elle a réalisé les mêmes travaux sur tous les terrains et a découvert une quantité importante de pétrole sur l'un d'entre eux. En 20X3, Fouineuse ltée a donc effectué des travaux de mise en valeur de ce terrain, au coût de 2 000 000 $. Ces frais ont aussi été financés au moyen d'une dette à long terme. Elle a terminé ces travaux en décembre 20X3, ce qui lui a permis d'amorcer l'exploitation dès le début de 20X4. Voici les écritures de journal que Fouineuse ltée devrait passer selon qu'elle utilise l'une ou l'autre des deux méthodes comptables :

Méthode du coût de la recherche fructueuse			**Méthode du coût entier**		
(En milliers de dollars)					
20X1					
Réserves non développées	*1 000*		*Réserves non développées*	*1 000*	
Dette à long terme		*1 000*	*Dette à long terme*		*1 000*
Acquisition de droits de prospection.			*Acquisition de droits de prospection.*		

32. *Manuel de CPA Canada – Comptabilité – Partie I*, IFRS 6, paragr. 5.

20X2					
Réserves non développées	*5 000*		*Réserves non développées*	*5 000*	
Dette à long terme		*5 000*	*Dette à long terme*		*5 000*
Coûts des travaux de prospection.			*Coûts des travaux de prospection.*		
Date de clôture de l'exercice 20X2					
Réserves prouvées ①	*600*		*Réserves prouvées*	*6 000*	
Charges de prospection ②	*5 400*		*Réserves non développées*		*6 000*
Réserves non développées		*6 000*	*Reclassement des droits et des coûts de prospection.*		
Reclassement des droits et des coûts de prospection.					
Calculs :					
① (6 000 $ × 10 %)					
② (6 000 $ × 90 %)					
20X3					
Réserves prouvées	*2 000*		*Réserves prouvées*	*2 000*	
Dette à long terme		*2 000*	*Dette à long terme*		*2 000*
Coûts des travaux de mise en valeur.			*Coûts des travaux de mise en valeur.*		
Incidence sur l'état de la situation financière au 31 décembre 20X3					
Situation financière			***Situation financière***		
Réserves prouvées		*2 600 $*	*Réserves prouvées*		*8 000 $*
Dette à long terme		*8 000*	*Dette à long terme*		*8 000*

Dans cet exemple, la seule différence entre les deux méthodes survient en 20X2 lorsque l'entreprise réalise qu'elle ne pourra exploiter 9 des 10 propriétés. À ce moment, si elle utilise la méthode du coût de la recherche fructueuse, elle doit passer en charges tous les coûts relatifs à ces 9 propriétés, soit 5 400 000 $ [(1 000 000 $ + 5 000 000 $) × 9/10]. Elle transfère dans le compte Réserves prouvées uniquement les coûts relatifs à la dixième propriété. Si Fouineuse ltée utilise plutôt la méthode du coût entier, elle vire dans le compte Réserves prouvées tous les coûts engagés en 20X1 et 20X2, qu'ils soient liés ou non à des recherches fructueuses. Soulignons que ce compte d'actif ne représente pas la valeur des réserves de minerai, de pétrole ou autre, car on y comptabilise uniquement les coûts engagés par l'entreprise qui s'apparentent, en quelques sorte, à des frais de développement. Ces deux méthodes conduisent à la même écriture en 20X3 concernant les coûts de mise en valeur, car l'entreprise est raisonnablement certaine de tirer des avantages économiques futurs de la dixième propriété. Évidemment, le choix de l'une ou l'autre de ces méthodes aura des répercussions sur le résultat net des exercices subséquents. La méthode du coût entier entraînera, au cours des exercices subséquents, une charge d'**épuisement**[33] supérieure à celle qui serait calculée au moyen de la méthode du coût de la recherche fructueuse.

Dans l'exemple précédent, le coût total des travaux de prospection a été comptabilisé au compte Réserves non développées et celui de la mise en valeur, au compte Réserves prouvées. Ce traitement comptable est retenu lorsque les coûts engagés couvrent, par exemple, les coûts nécessaires pour avoir accès aux emplacements de forage et pour préparer les chantiers. L'actif qui en résulte n'a pas de substance physique et constitue donc une immobilisation incorporelle. Si les travaux de prospection ou de mise en valeur entraînent l'achat d'équipements de forage, de conduites ou d'appareils de mesure, il est évident que l'entreprise comptabilise le coût de ces équipements dans un compte distinct, tel Équipements de prospection ou Équipements de production. Elle présente ces immobilisations distinctement dans l'état de la situation financière à titre

33. La charge d'épuisement correspond à la charge d'amortissement des ressources minérales.

d'immobilisations corporelles, puis elle les amortit sur leur durée d'utilité à compter du moment où elles deviennent utilisables.

Plusieurs entreprises du secteur des ressources minérales utilisent le mode d'**amortissement proportionnel au rendement** pour calculer la charge d'épuisement. L'application de ce mode se fait en deux étapes. Tout d'abord, l'entreprise estime le nombre total d'unités qu'elle pourra extraire du puits. Ensuite, elle applique aux coûts totaux amortissables une fraction composée, au numérateur, des quantités produites au cours de l'exercice et, au dénominateur, du nombre total d'unités qu'elle prévoit tirer du puits. Les coûts totaux amortissables correspondent à la valeur comptable des réserves prouvées, laquelle diffère selon que l'entreprise utilise la méthode du coût entier ou celle de la recherche fructueuse. En raison de l'important degré d'incertitude inhérent aux réserves, il convient de procéder périodiquement à la **révision de l'estimation** des unités que l'on prévoit tirer de la mine ou du puits.

Revenons aux directives contenues dans l'IFRS 6, illustrées dans la figure 10.10. Jusqu'à présent, nous avons expliqué ce que sont les activités de prospection et d'évaluation, puis avons distingué les coûts de prospection et d'évaluation comptabilisés en charges ou à l'actif, en précisant que l'entreprise doit distinguer les immobilisations corporelles et les immobilisations incorporelles. Concentrons-nous maintenant sur les coûts comptabilisés à l'actif.

Peu importe la nature des immobilisations, une entreprise peut, après la date d'engagement des coûts, choisir de déterminer la valeur comptable de ses actifs de prospection et d'évaluation selon le modèle du coût ou selon le modèle de la réévaluation. Par exemple, une entreprise pourrait utiliser le modèle du coût pour évaluer ses immobilisations incorporelles de prospection et d'évaluation et le modèle de la réévaluation pour évaluer ses équipements de prospection. Elle appliquerait alors les directives expliquées au chapitre 9 ou dans le présent chapitre, selon la nature des immobilisations.

10

FIGURE 10.10 Les normes comptables relatives aux actifs de prospection et d'évaluation

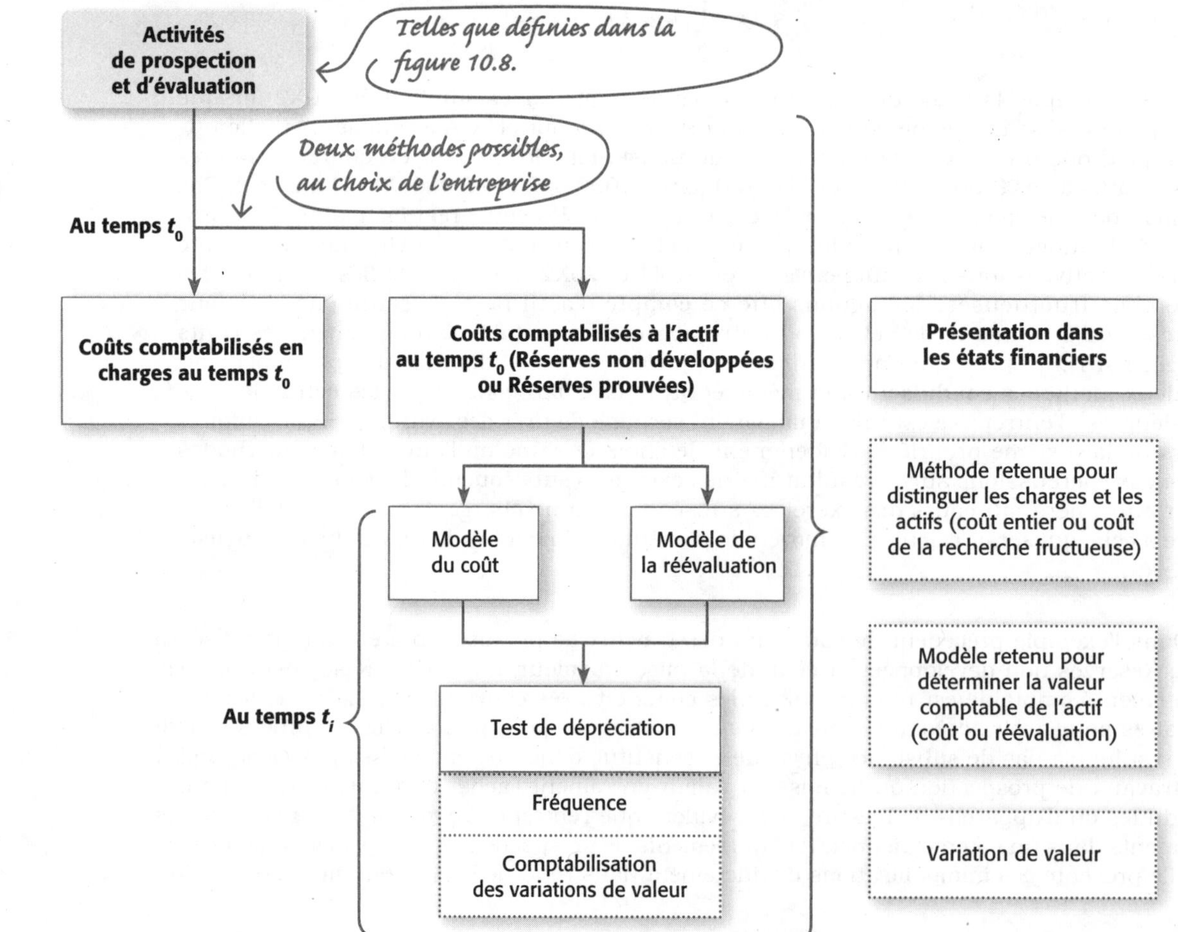

Les normes exigent aussi que l'entreprise applique un test de dépréciation à ses actifs de prospection et d'évaluation. Nous avons déjà expliqué les particularités du test de dépréciation applicable aux immobilisations incorporelles. Afin de guider davantage les entreprises qui doivent appliquer un test de dépréciation à leurs actifs de prospection et d'évaluation, l'IASB précise que ce test doit être effectué lorsque des événements ou des circonstances indiquent que la valeur recouvrable ne sera pas recouvrée. Il donne aussi quelques exemples de faits ou circonstances justifiant d'appliquer un test de dépréciation :

> L'existence d'un ou de plusieurs faits et circonstances suivants indique qu'une entité doit soumettre les actifs de prospection et d'évaluation à des tests de dépréciation (la liste n'est pas exhaustive) :
>
> (a) la période pendant laquelle l'entité a le droit de prospecter dans la zone spécifique a expiré pendant cette période ou expirera dans un proche avenir, et il n'est pas prévu qu'il soit renouvelé ;
>
> (b) d'importantes dépenses de prospection et d'évaluation ultérieures de ressources minérales dans la zone spécifique ne sont ni prévues au budget, ni programmées ;
>
> (c) la prospection et l'évaluation de ressources minérales dans la zone spécifique n'ont pas mené à la découverte de quantités de ressources minérales commercialement viables et l'entité a décidé de cesser de telles activités dans la zone spécifique ;
>
> (d) des données suffisantes existent pour indiquer que, bien qu'il soit probable qu'un développement dans la zone spécifique se poursuive, la valeur comptable de l'actif de prospection et d'évaluation ne sera probablement pas récupérée dans sa totalité suite au développement réussi ou à la vente[34].

Lorsqu'une entreprise conclut que la valeur de ses actifs a diminué, elle détermine le montant de la perte en suivant les recommandations de l'IAS 36, expliquées au chapitre 9.

10

Il y a fort à parier qu'une entreprise du secteur des ressources minérales devra assumer des obligations pour démantèlement ou enlèvement d'une immobilisation ou pour remise en état d'un site à la fin de l'exploitation des immobilisations ou des sites, et peut-être dès la fin de ses activités de prospection et d'évaluation. Dans ce cas, elle comptabilisera ces coûts en suivant les directives de l'IAS 37, qui seront expliquées au chapitre 12. Pour le moment, précisons simplement que la contrepartie de la dette est comptabilisée au débit du compte de l'immobilisation en cause.

Lorsque l'entreprise a terminé les travaux de prospection et d'évaluation et qu'elle a démontré la faisabilité technique et la viabilité commerciale d'un gisement, elle doit reclasser les actifs de prospection et d'évaluation à titre d'actifs de production. Dans l'exemple précédent de Fouineuse ltée, celle-ci a passé l'écriture de reclassement à la fin de 20X2. À la date du reclassement, l'IASB exige que l'entreprise applique un test de dépréciation afin de s'assurer que la valeur recouvrable des actifs excède leur valeur comptable et, le cas échéant, qu'elle comptabilise la perte en résultat net de l'exercice en cours.

Pour clore la présente section, soulignons que, à des fins de présentation des états financiers, l'entreprise s'assure de fournir toutes les informations qui indiquent et expliquent les montants comptabilisés. À cette fin, elle doit au minimum donner des informations sur les méthodes comptables qu'elle a utilisées et préciser les montants comptabilisés à titre d'actifs, de passifs, de produits et de charges. Elle mentionne aussi les flux de trésorerie liés aux activités de prospection et d'évaluation. Enfin, elle présente distinctement dans l'état de la situation financière les actifs de prospection et d'évaluation des ressources minérales.

PARTIE II – LES NCECF

Équivalents terminologiques *Manuel de CPA Canada* – Partie II et Partie I.

Les immobilisations incorporelles générées en interne

À la lecture du présent chapitre, vous avez déjà pu constater les sujets qui diffèrent selon le référentiel, en observant les pictogrammes « Différence NCECF » indiqués dans les marges de la partie I – Les IFRS. Nous expliquons maintenant plus en détail ces différences, qui sont regroupées dans la figure 10.11.

34. *Manuel de CPA Canada – Comptabilité – Partie I,* IFRS 6, paragr. 20.

FIGURE 10.11 Les particularités des NCECF au sujet des actifs incorporels

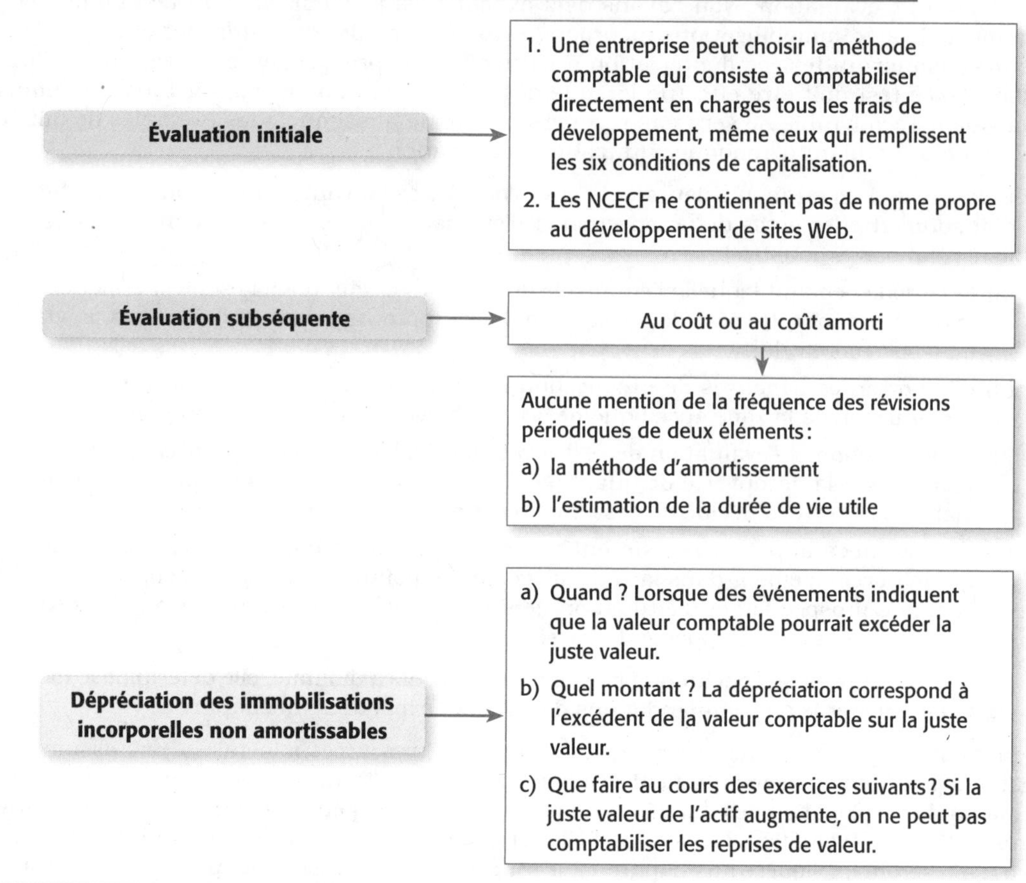

Évaluation initiale
1. Une entreprise peut choisir la méthode comptable qui consiste à comptabiliser directement en charges tous les frais de développement, même ceux qui remplissent les six conditions de capitalisation.
2. Les NCECF ne contiennent pas de norme propre au développement de sites Web.
Évaluation subséquente
Au coût ou au coût amorti
Aucune mention de la fréquence des révisions périodiques de deux éléments :
a) la méthode d'amortissement
b) l'estimation de la durée de vie utile
Dépréciation des immobilisations incorporelles non amortissables
a) Quand ? Lorsque des événements indiquent que la valeur comptable pourrait excéder la juste valeur.
b) Quel montant ? La dépréciation correspond à l'excédent de la valeur comptable sur la juste valeur.
c) Que faire au cours des exercices suivants ? Si la juste valeur de l'actif augmente, on ne peut pas comptabiliser les reprises de valeur.

IFRS
Immobilisations incorporelles
Comptabilise à l'actif

Le **chapitre 3064** du *Manuel – Partie II* porte sur la comptabilisation des **actifs incorporels**. Ce chapitre présente de très nombreuses ressemblances avec l'IAS 38, notamment en ce qui concerne la détermination du coût initial d'une immobilisation incorporelle. Ainsi, on **capitalise** tous les frais directement attribuables à l'achat et à la préparation de l'actif en vue de son utilisation prévue.

Ces deux référentiels prévoient la même distinction entre les frais de recherche et les frais de développement d'une immobilisation incorporelle générée en interne. Concernant les **frais de développement**, leur capitalisation est acceptable uniquement lorsqu'une entreprise remplit six critères. Ces derniers sont les mêmes que ceux énoncés dans les IFRS. Ce qui diffère pour une entreprise qui applique les NCECF, c'est qu'elle a le choix entre deux méthodes comptables : soit elle capitalise les frais de développement qui remplissent les six critères, soit elle les comptabilise en charges. Elle doit cependant appliquer la méthode retenue à tous ses projets.

Contrairement aux IFRS, les NCECF ne contiennent pas de directives propres aux frais de développement d'un **site Web**. Une entreprise qui développe un tel site doit appliquer les directives générales sur les frais de développement.

Le traitement comptable subséquent des immobilisations incorporelles

Une différence importante, du moins en principe, entre les IFRS et les NCECF est que ces dernières interdisent l'utilisation du **modèle de la réévaluation**. En pratique, cette différence est moins importante, car la plupart des entreprises qui appliquent les IFRS utilisent le modèle du coût pour évaluer la valeur comptable de leurs immobilisations incorporelles. Ce modèle est le seul permis pour les entreprises qui préparent leurs états financiers selon les NCECF.

L'**amortissement des immobilisations incorporelles amortissables** selon les NCECF mérite notre attention, même s'il ne s'agit pas comme tel d'une différence avec les IFRS. Au chapitre 9, nous avons souligné que l'amortissement des immobilisations corporelles calculé conformément aux NCECF correspond au montant le plus élevé résultant d'un premier calcul basé sur la durée de vie totale et d'un second basé sur la **durée de vie utile**. Lorsque l'on calcule l'amortissement sur des immobilisations incorporelles amortissables, on se fonde exclusivement sur la durée de vie utile. L'incertitude entourant l'estimation de la durée de vie totale explique probablement cette particularité. Ainsi, l'amortissement des immobilisations incorporelles ne diffère pas d'un référentiel à l'autre, contrairement aux différences relevées au chapitre 9 en ce qui concerne les immobilisations corporelles.

IFRS
Durée d'utilité

Soulignons enfin que le chapitre 3063 ne mentionne pas la fréquence à laquelle on doit réviser la **méthode d'amortissement** et l'estimation de la durée de vie utile, en dehors des périodes où l'on comptabilise une dépréciation.

Mode d'amortissement

Le test de dépréciation

Comme nous l'avons déjà mentionné au chapitre 9, les NCECF diffèrent de façon importante des IFRS en ce qui concerne le test de dépréciation. Le test applicable aux immobilisations incorporelles amortissables, tant selon les IFRS que selon les NCECF, correspond à celui applicable aux immobilisations corporelles. Le lecteur est invité à consulter le chapitre 9 au besoin. Nous nous attarderons ici à présenter le test de dépréciation applicable aux immobilisations incorporelles non amortissables. La figure 10.12 permet de comparer les IFRS et les NCECF à ce titre.

Le test de dépréciation prévu par chaque référentiel diffère selon trois aspects. Premièrement, d'après les NCECF, une entreprise n'est pas tenue, pour ses immobilisations incorporelles non

FIGURE 10.12 Une comparaison des IFRS et des NCECF quant au test de dépréciation des immobilisations incorporelles non amortissables

	IFRS	NCECF
Fréquence du test	Chaque année	Si des événements indiquent que la valeur comptable pourrait excéder la juste valeur
Modalités du test	L'excédent de la valeur comptable sur la valeur recouvrable* est comptabilisé conformément au modèle utilisé (coût ou réévaluation). * La valeur recouvrable** est la plus élevée de : a) la juste valeur nette ; b) la valeur d'utilité. ** Dans certaines circonstances (IAS 36, paragr. 24), il est possible d'utiliser la valeur recouvrable évaluée au cours d'une année précédente.	L'excédent de la valeur comptable sur la juste valeur est comptabilisé en résultats.
Reprise de valeur	Comptabilisée en résultat net, sujet à une valeur maximale correspondant au coût amorti présumé* * *Voir le chapitre 9 pour plus de détails.*	Comptabilisation interdite

amortissables, de procéder à ce test chaque année. Elle le fait uniquement si des « événements ou des changements de situation indiquent que [la] valeur comptable [de l'actif] peut excéder sa juste valeur[35] ». En pratique, cet assouplissement apporté à la norme, comparativement aux IFRS, aura pour conséquence d'alléger le travail comptable de fin d'exercice. Deuxièmement, les NCECF prévoient une seule comparaison, soit celle de la valeur comptable avec la juste valeur. L'entreprise n'est donc pas tenue d'évaluer la valeur recouvrable. Troisièmement, dans les exercices suivant la comptabilisation d'une dépréciation, il est interdit de comptabiliser les reprises de valeur, même si la juste valeur de l'immobilisation incorporelle non amortissable s'accroît ultérieurement.

EXEMPLE

Frais de développement

Pour bien comprendre les NCECF applicables aux frais de développement, reprenons l'exemple de la société Dupois santé inc., donné à la fin de la division **Les frais de développement** dans la partie I – Les IFRS du présent chapitre. Ajoutons comme information que les estimations des flux de trésorerie futurs utilisés pour tester la recouvrabilité du brevet au 31 décembre 20X1 sont de 500 000 $. Voici les écritures requises pour comptabiliser ces opérations selon les NCECF, compte tenu du fait que l'entreprise a le choix entre deux méthodes comptables pour ses frais de développement. Les commentaires et explications ci-dessous se limitent à ce qui diffère de la solution fournie pour les IFRS.

Capitalisation des frais de développement			Imputation en charges des frais de développement		
		Au cours de 20X0			
Frais de développement	*395 000*		Idem		
Caisse		*395 000*			
Coûts de développement engagés en 20X0 et comptabilisés en résultat net.					
		De janvier à mai 20X1			
Frais de développement	*375 200*		Idem		
Caisse		*375 200*			
Coûts de développement engagés en 20X1 et comptabilisés en résultat net.					
		30 mai 20X1			
Caisse	*575 000*		Idem		
Emprunt bancaire		*575 000*			
Nouvel emprunt bancaire portant intérêt au taux de 5 %.					
		De juin à décembre 20X1			
Frais de développement capitalisés	*368 091*		*Frais de développement*	*362 800*	
Intérêts débiteurs	*11 480*		*Intérêts débiteurs*	*16 771*	
Caisse		*362 800*	*Caisse*		*362 800*
Intérêts à payer		*16 771*	*Intérêts à payer*		*16 771*
Coûts de développement engagés en 20X1 qui remplissent les six conditions de capitalisation et intérêts sur l'emprunt bancaire.			*Coûts de développement engagés en 20X1, coûts d'emprunts et intérêts sur l'emprunt bancaire.*		

35. *Manuel de CPA Canada – Comptabilité – Partie II*, paragr. 3064.65.

31 décembre 20X1	
s. o. Puisque la valeur recouvrable est supérieure à la valeur comptable, on ne comptabilise aucune dépréciation. Le fait que la valeur recouvrable ne soit pas une valeur actualisée résulte en moins de dépréciation.	s. o.
Du 1er janvier au 2 juillet 20X2	
Frais de développement capitalisés 165 000 *Frais de développement* 10 000 *Caisse* 175 000 *Coûts de développement engagés en 20X2.*	*Brevet* 105 000 *Frais de développement* 70 000 *Caisse* 175 000 *Coûts de développement engagés en 20X2 et acquisition du brevet.*
2 juillet 20X2	
Brevet 515 000 *Frais de développement capitalisés* 515 000 *Reclassification des frais de développement capitalisés.*	s. o.
31 décembre 20X2	
Amortissement des actifs incorporels amortissables 21 458 *Amortissement cumulé – Brevet* 21 458 *Amortissement de juillet à décembre 20X2.*	*Amortissement des actifs incorporels amortissables* 4 375 *Amortissement cumulé – Brevet* 4 375 *Amortissement de juillet à décembre 20X2 (105 000 $ ÷ 12 ans × 6 mois ÷ 12 mois).*

Il ressort des écritures précédentes que la méthode qui consiste à imputer en charges les frais de développement s'avère beaucoup plus simple, pour au moins deux raisons. Cette simplicité se voit d'abord dans les exercices 20X1 et 20X2, car Dupois santé inc. n'a pas besoin d'analyser si les coûts de développement engagés remplissent les six critères de capitalisation. Ensuite, l'entreprise n'a pas à se préoccuper de la comptabilisation des éventuelles dépréciations de son actif incorporel, puisqu'elle n'a pas comptabilisé cet actif.

Cependant, lorsqu'une entreprise à capital fermé choisit une méthode comptable, elle ne doit pas négliger le fait que ses états financiers doivent montrer une image fidèle aux utilisateurs. Or, l'imputation en charges des frais de développement a pour conséquence de ne pas montrer le coût total de l'actif incorporel dans le **bilan**. Dans le présent exemple, c'est un actif au coût initial de 410 000 $ (515 000 $ – 105 000 $) qui ne figurera jamais au bilan.

IFRS État de la situation financière

La décomptabilisation

Tout comme dans plusieurs autres NCECF, le chapitre 3064 ne contient pas de directive quant à la décomptabilisation. Les comptables professionnels qui préparent des états financiers conformes aux NCECF sont donc libres d'utiliser leur jugement professionnel pour déterminer le moment où ils doivent décomptabiliser une immobilisation incorporelle et pour calculer le **gain** ou la perte qui en découle.

Profit

La présentation dans les états financiers

Le tableau 10.10 contient les recommandations comprises dans le chapitre 3064 à l'égard de la présentation des immobilisations incorporelles dans le bilan ou dans les notes complémentaires, accompagnées de quelques commentaires.

TABLEAU 10.10 Les recommandations en matière de présentation dans les états financiers conformes aux NCECF

NCECF, chapitre 3064	Commentaires
Paragr. 90 *Les actifs incorporels doivent être regroupés et présentés sous un poste distinct dans le bilan de l'entreprise.*	Bien que l'expression « actif incorporel » soit utilisée dans le chapitre 3064, cette notion est définie de la même façon que l'expression « immobilisation incorporelle » utilisée dans l'IAS 38. La recommandation ci-contre empêche de regrouper dans le même poste les immobilisations corporelles et incorporelles.
Paragr. 91 *Les états financiers doivent fournir les informations suivantes :* *a) dans le cas des actifs incorporels amortissables :*	
i) la valeur comptable nette, globalement et par grande catégorie d'actifs incorporels,	Les renseignements listés en a) i) peuvent être donnés en note ou dans le bilan.
ii) le montant global des amortissements pour la période,	Selon le sous-alinéa ii), les états financiers doivent fournir distinctement la charge d'amortissement des immobilisations incorporelles.
iii) la méthode d'amortissement utilisée, y compris la durée ou le taux d'amortissement;	L'information requise selon le sous-alinéa iii) est habituellement donnée en note.
b) dans le cas des actifs incorporels non amortissables, la valeur comptable, globalement et par grande catégorie d'actifs incorporels ; et	Les utilisateurs des états financiers pourront ainsi voir distinctement la valeur comptable des immobilisations incorporelles amortissables et celle des immobilisations incorporelles non amortissables.
c) les motifs à l'appui de la comptabilisation d'actifs incorporels générés en interne.	Cette exigence s'explique par le fait que l'entreprise a le choix de comptabiliser en charges ou à l'actif ses frais de développement qui remplissent les six critères de capitalisation.
Paragr. 94 *Pour toute perte de valeur comptabilisée relativement à un actif incorporel, les informations suivantes doivent être fournies dans les états financiers qui portent sur la période au cours de laquelle la perte de valeur est comptabilisée :* *a) une description de l'actif incorporel ayant subi une dépréciation et les faits et circonstances qui sont à l'origine de la perte de valeur;* *b) le montant de la perte de valeur;* *c) le libellé du poste de l'état des résultats dans lequel la perte de valeur a été prise en compte.*	Ces renseignements visent à ce que les utilisateurs des états financiers comprennent bien le contexte difficile dans lequel se trouve l'entreprise.

Les états financiers de Josy Dida inc.

Consultez le tableau synthèse des particularités des NCECF.

Lorsque l'on compare la colonne de gauche du tableau 10.10 à celle du tableau 10.9, on constate rapidement que les exigences contenues dans les NCECF sont beaucoup moins nombreuses, comme c'est le cas pour la plupart des postes des états financiers. Dans ses états financiers, disponibles dans la plateforme *i+ Interactif*, Josy Dida inc. présente une information très sommaire. Le lecteur peut retrouver cette information dans le corps même du bilan et dans la section pertinente de la note 4. Il pourra y trouver un modèle pour présenter des actifs incorporels amortissables.

SYNTHÈSE DU CHAPITRE 10

La figure 10.13 illustre en un coup d'œil les principaux thèmes abordés dans le présent chapitre. Le texte qui suit la figure vous permettra de vérifier l'acquisition des objectifs d'apprentissage.

FIGURE 10.13 Les principaux thèmes abordés dans le présent chapitre

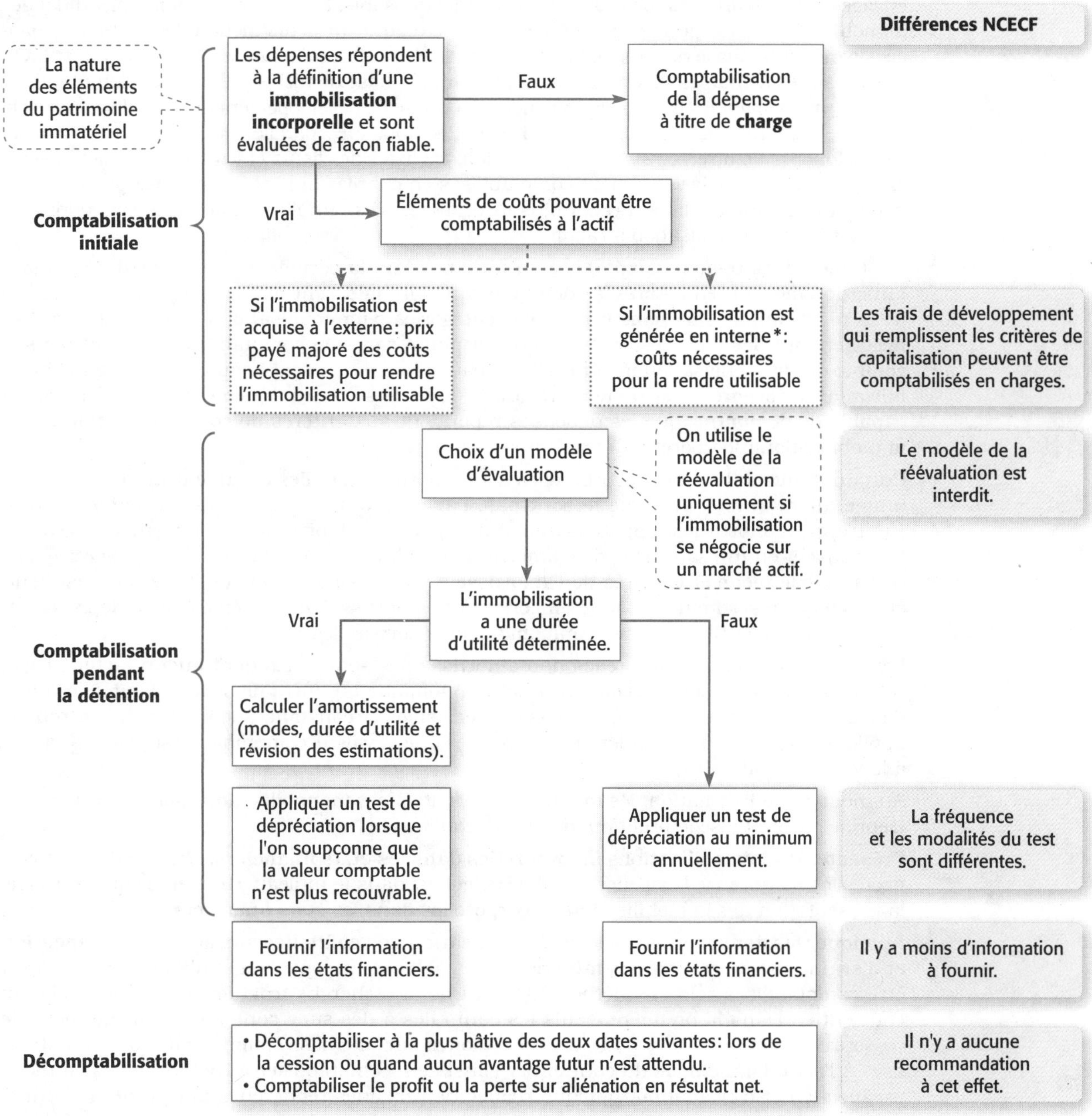

* Il s'agit ici des frais de développement qui remplissent les six critères de comptabilisation à l'actif.

Expliquer ce que sont les éléments du patrimoine immatériel d'une entreprise. Une entreprise peut posséder plusieurs avantages concurrentiels qui ne sont pas comptabilisés dans ses livres.

Identifier les immobilisations incorporelles pouvant être comptabilisées. Contrairement aux immobilisations corporelles, les immobilisations incorporelles n'ont pas de substance physique

tangible. Elles se distinguent aussi des immobilisations corporelles du fait que les avantages économiques futurs qu'elles engendrent sont très incertains. Les immobilisations incorporelles possèdent quatre caractéristiques : 1) ce sont des actifs et, de ce fait, elles génèrent des avantages futurs contrôlés par l'entreprise du fait d'événements passés ; 2) ce sont des actifs non monétaires ; 3) elles sont identifiables ; 4) elles sont sans substance physique.

Déterminer le traitement comptable initial d'une immobilisation incorporelle. Certains principes généraux de comptabilisation des immobilisations incorporelles sont les mêmes que ceux qui s'appliquent aux immobilisations corporelles. Ainsi, on comptabilise à l'actif tous les coûts engagés pour rendre l'immobilisation incorporelle utilisable. Le traitement comptable initial des immobilisations incorporelles générées en interne repose sur la distinction des dépenses engagées pendant la phase de recherche et celles engagées pendant la phase de développement. On comptabilise en charges les frais engagés pendant la phase de recherche. On doit comptabiliser à l'actif uniquement les frais engagés pendant la phase de développement qui remplissent les six conditions définies par l'IASB, pour les immobilisations incorporelles autres que les marques, les cartouches de titre, les titres de publication, les listes de clients et les autres éléments similaires. Les frais de développement comptabilisés en charges durant un exercice précédent ne peuvent être comptabilisés à l'actif plus tard, même s'ils remplissent alors les six conditions justifiant la comptabilisation à l'actif.

Appliquer le traitement comptable approprié pendant la période de détention d'une immobilisation incorporelle. Après la comptabilisation initiale, l'entreprise peut utiliser le modèle de la réévaluation uniquement pour ses catégories d'immobilisations incorporelles qui se négocient sur des marchés actifs, ce qui est plutôt rare. On comptabilise rarement dans le compte de l'immobilisation incorporelle en cause les coûts engagés après la date où l'immobilisation incorporelle est prête à être utilisée. Ils le seront uniquement si l'entreprise est capable de démontrer que les dépenses répondent aux critères de comptabilisation d'une immobilisation incorporelle.

Certaines immobilisations incorporelles sont amorties, car elles ont une durée de vie déterminée, alors que d'autres ne le sont pas, car elles ont une durée de vie indéterminée. L'entreprise amortit les immobilisations incorporelles amortissables sur leur durée d'utilité, souvent en utilisant le mode d'amortissement linéaire. À la fin de chaque exercice, elle réexamine le mode et la durée de l'amortissement. Lorsque les circonstances le justifient, elle applique à ses immobilisations incorporelles amortissables le même test de dépréciation que celui qu'elle utilise pour ses immobilisations corporelles.

Les immobilisations incorporelles non amortissables sont celles dont aucun facteur légal, réglementaire, contractuel, concurrentiel, économique ou autre ne semble limiter la durée de vie. Au moins une fois l'an, ou plus souvent si les circonstances le justifient, l'entreprise applique un test de dépréciation pour s'assurer que la valeur comptable n'est pas supérieure à la valeur recouvrable.

Au moment de l'aliénation, les montants afférents à ces immobilisations sont radiés et l'entreprise comptabilise le profit ou la perte découlant de l'aliénation.

Présenter les immobilisations incorporelles dans les états financiers. L'entreprise doit respecter les nombreuses exigences de l'IASB, listées dans le tableau 10.9, en ce qui concerne la présentation des immobilisations incorporelles dans les états financiers.

Appliquer les deux méthodes de comptabilisation des coûts liés aux actifs de prospection et d'évaluation de ressources minérales. Les actifs de prospection et d'évaluation peuvent être comptabilisés selon la méthode du coût de la recherche fructueuse ou selon celle du coût entier. Dans la première, seuls les coûts liés à des sites contenant suffisamment de ressources minérales pour pouvoir être exploités sur une base commerciale sont comptabilisés à l'actif. La méthode du coût entier consiste à comptabiliser à l'actif tous les coûts de prospection et d'évaluation, puisque l'échec de certaines recherches fait partie intégrante des activités de prospection.

Comprendre et appliquer les NCECF liées aux immobilisations incorporelles. Il existe des différences importantes entre les deux référentiels. Premièrement, une entreprise qui applique les NCECF a le choix de comptabiliser à l'actif ou en charges les frais de développement qui remplissent les six critères de capitalisation. Deuxièmement, il est interdit d'utiliser le modèle de la réévaluation. Troisièmement, le test de dépréciation, tant pour les immobilisations incorporelles amortissables que pour les immobilisations incorporelles non amortissables, diffère. Enfin, les NCECF comportent moins d'exigences quant à l'information à fournir dans les états financiers.

Les placements

11

Des ressources pédagogiques sont disponibles en ligne.

11

Objectifs d'apprentissage

À la fin de ce chapitre, vous pourrez:

1. expliquer les principes directeurs de la gestion des placements;
2. distinguer les placements qui constituent des actifs financiers, les comptabiliser et les présenter dans les états financiers;
3. lorsqu'elle est appropriée, appliquer la méthode de la mise en équivalence;
4. lorsque cela est approprié, comptabiliser au coût les participations dans des entreprises associées;
5. présenter dans les états financiers les participations dans des entreprises associées;
6. décrire l'information relative aux parties liées à fournir dans les états financiers;
7. comptabiliser les immeubles de placement et les présenter dans les états financiers;
8. comptabiliser d'autres types de placements et les présenter dans les états financiers;
9. comprendre et appliquer les NCECF liées aux placements.

Aperçu du chapitre

Supposons que, dès votre naissance, vos parents ont investi quelques dollars chaque année dans des fonds communs de placement afin de financer vos études. Avec le temps, ces économies ont fait boule de neige et représentent aujourd'hui une somme intéressante. Chaque mois, vous recevez un relevé du gestionnaire de fonds. Il contient une foule de renseignements, tels que la valeur marchande, la répartition de vos placements, les revenus ventilés sous la forme de dividendes et d'intérêts et une «valeur comptable». Jusqu'à maintenant, vous vous êtes principalement intéressé à l'information liée aux revenus, plus facile à comprendre.

Le présent chapitre vous sera fort utile pour acquérir les connaissances nécessaires à une meilleure compréhension de ces relevés, tout comme il l'est pour les utilisateurs des états financiers d'une entreprise qui possède des placements. On distingue quatre types de placements: 1) ceux détenus sous la forme d'actifs financiers, comme le seraient les placements mentionnés au paragraphe précédent; 2) les placements en titres de capitaux propres d'entreprises associées détenus pour obtenir le contrôle de la société émettrice ou, à tout le moins, une influence sur elle; 3) les immeubles de placement; 4) d'autres types de placements, tels que les œuvres d'art.

Parmi les placements détenus sous la forme d'**actifs financiers**, on distingue les titres d'emprunt, par exemple un placement en obligations qui génèrent des produits d'intérêts, et les titres de capitaux propres, par exemple un placement en actions qui génèrent des produits de dividendes. Ces deux types de placements sont assortis de caractéristiques dissemblables, ce qui justifie l'utilisation de règles comptables différentes. Le présent chapitre traitera de la comptabilisation de ces placements du moment de l'achat jusqu'à celui de leur revente (ou de leur échéance) ainsi que des renseignements à présenter dans les états financiers de l'investisseur.

Lorsqu'une entreprise dispose d'un niveau de trésorerie qui excède ses besoins courants, elle peut aussi vouloir investir dans d'autres entreprises, non seulement pour bénéficier des produits et de la plus-value de ses placements, mais surtout pour exercer une **influence sur la société émettrice.** Prenons l'exemple d'un producteur de papier qui, au cours des années précédentes, a éprouvé de la difficulté à s'approvisionner en copeaux. Il décide donc d'acheter des actions de l'un de ses fournisseurs, une scierie dont l'activité principale est la transformation de billes de bois en bois d'œuvre, générant des copeaux à titre de produit secondaire. Même si le producteur de papier ne détient pas suffisamment d'actions pour contrôler son fournisseur, s'il en possède suffisamment pour exercer une influence notable sur lui, il comptabilise son placement selon la méthode de la mise en équivalence. La comptabilisation d'un tel placement se différencie de la première catégorie de placements parce que le but de l'investisseur diffère. Les placements de la première catégorie pourraient être revendus pour combler des besoins de trésorerie, sans affecter la stratégie d'affaires de l'investisseur.

Il est aussi possible d'investir dans des biens immobiliers, soit des terrains et des immeubles. Aux chapitres 8 et 9, nous avons vu le traitement comptable de ces actifs lorsqu'ils sont définis comme des immobilisations corporelles. Nous verrons dans le présent chapitre le traitement comptable approprié s'ils sont considérés comme des **immeubles de placement.** La partie I – Les IFRS se terminera par une brève présentation de la comptabilisation d'**autres types de placements,** tels que les œuvres d'art.

Enfin, dans la partie II – Les NCECF, nous présenterons des recommandations contenues dans les NCECF qui diffèrent de celles incluses dans les IFRS.

Ce chapitre est le dernier de la deuxième partie du manuel, car il traite d'actifs qui ne sont pas indispensables à l'exploitation.

Lorsque des notions de mathématiques financières sont utilisées, les variables nécessaires aux calculs sont indiquées avec les abréviations suivantes :

N : nombre de périodes
I : taux d'intérêt
PMT : paiements périodiques
PV : valeur actualisée
FV : valeur future
BGN : paiements en début de période

11

PARTIE I – LES IFRS

Équivalents terminologiques *Manuel de CPA Canada* – Partie I et Partie II.

La gestion des placements

Il se peut que les activités d'exploitation d'une entreprise soient telles qu'elle dispose d'un excédent permanent de trésorerie qu'il lui faut faire fructifier le plus possible. Par ailleurs, ce n'est pas parce qu'une entreprise n'a pas de trésorerie excédentaire qu'elle ne peut profiter d'une occasion d'investissement qui lui semble prometteuse. La figure 11.1 illustre bien les mouvements de trésorerie particuliers aux placements.

Le présent chapitre traite des sources d'encaissement et des objets de décaissement contenus dans les rectangles pointillés et tramés de la figure 11.1. Il existe de nombreuses formes de placements, que ce soit les certificats de dépôt, les placements en actions, les immeubles de placement ou les œuvres d'art. Cette diversité est l'une des raisons qui motive toute entreprise à établir une politique de gestion pour ses placements.

La gestion des placements ne représente sans doute pas le cœur des activités d'une entreprise manufacturière ou d'une entreprise de service. Toutefois, une saine gestion des placements peut parfois faire en sorte que le résultat (net ou global) de l'entreprise se solde par un bénéfice plutôt que par une perte. Elle facilite aussi la prise de décisions et le contrôle des activités de placement.

Les entreprises dont la trésorerie permet d'investir dans des placements se dotent d'une **politique de placement**. Quels renseignements trouve-t-on dans une telle politique ? Le premier point précisé est l'objectif général des placements. Par exemple, une entreprise pourrait préciser que ses activités de placement visent à obtenir le meilleur rendement possible, compte tenu d'un niveau de risque jugé acceptable et du niveau de liquidité des placements. Elle pourrait aussi préciser d'autres objectifs, comme investir dans des titres qui généreront une plus-value, c'est-à-dire un profit sous forme de gain en capital ; investir dans des titres qui génèrent un

FIGURE 11.1 Les placements et les mouvements de trésorerie*

Activités	Sources d'encaissement	Objets de décaissement
Activités d'exploitation	• Vente de marchandises • Prestation de services • Rendement sur les placements qui constituent des équivalents de trésorerie ou qui sont détenus à des fins de transaction • Vente de placements détenus à des fins de transaction	• Achat de marchandises ou de services • Rendement payé sur les montants empruntés • Achat de placements qui seront détenus à des fins de transaction
Activités d'investissement	• Vente d'immobilisations, corporelles ou incorporelles • Vente d'autres actifs non courants • Vente de placements, autres que des placements qui constituent des équivalents de trésorerie ou qui sont détenus à des fins de transaction • Rendement sur les placements, autres que des placements qui constituent des équivalents de trésorerie ou qui sont détenus à des fins de transaction	• Achat d'immobilisations, corporelles ou incorporelles • Achat d'autres actifs non courants • Achat de placements, autres que des placements qui constituent des équivalents de trésorerie ou qui sont détenus à des fins de transaction
Activités de financement	• Emprunt • Émission d'actions	• Remboursement de dettes • Rachat d'actions • Paiement de dividendes

* Cette liste n'est pas exhaustive ; elle vise essentiellement à situer les opérations portant sur les placements parmi l'ensemble des opérations d'une entreprise.

rendement stable, c'est-à-dire un produit sous forme de dividendes ou d'intérêts ; investir dans des entreprises, par exemple pour en influencer les décisions, fidéliser un client ou un fournisseur ; ou encore investir dans des biens immobiliers afin de se protéger des fluctuations des marchés financiers.

La politique de placement doit définir clairement les types de placements inclus dans chaque catégorie. Voici une définition très sommaire que l'on pourrait trouver dans une politique de placement :

> *Les titres de valeurs mobilières comprennent les titres de capitaux propres émis par une autre entreprise, telles les actions ou les options d'achat d'actions, et cotées à la Bourse de Montréal ou de Toronto. L'entreprise émettrice doit recevoir au moins la cote AAA d'une agence de cotation reconnue*.*
>
> *Les parts dans des fonds de valeurs mobilières renvoient aux participations vendues par les fonds de placements gérés par des investisseurs institutionnels, tels Mackenzie, Fidelity, etc.*
>
> *Enfin, les titres d'emprunt à capital protégé peuvent prendre la forme de placements en certificats de dépôt ou en obligations émis par des institutions financières et des États ayant une cote minimale de AA.*
>
> * Aux fins de la présente politique, les deux agences de cotation reconnues sont Moody's Investors Service et Standard & Poor's.

L'objectif étant souvent énoncé de façon générale, les entreprises précisent ensuite la **répartition visée** de leur portefeuille de placement, exprimée en pourcentage. Cette répartition est souvent désignée comme étant le **portefeuille de référence**, aussi appelé **portefeuille cible**, et vise à donner des guides pratiques permettant de tenir compte de l'aversion au risque de l'entreprise. Par exemple, une entreprise pourrait préciser que l'ensemble de ses placements doit toujours se répartir ainsi :

Valeurs mobilières	*10 %*
Parts dans des fonds de valeurs mobilières	*30*
Titres d'emprunt à capital protégé	*60*

Le portefeuille de référence constitue, en quelque sorte, une contrainte à respecter pour atteindre l'objectif général de placement au moment de l'achat des titres. Après l'achat, la juste valeur des titres retenus fluctuera, ce qui aura pour effet de modifier la répartition du portefeuille. C'est pourquoi, en plus de préciser la répartition idéale, la politique devrait préciser la **répartition acceptable**, soit la **marge de fluctuation**, et le délai dont les gestionnaires bénéficient pour rééquilibrer le portefeuille. Dans l'exemple précédent, l'entreprise pourrait inclure les précisions suivantes dans sa politique :

En tout temps, le portefeuille de placement doit respecter les pourcentages suivants :

	Minimum	*Maximum*
Valeurs mobilières	*5 %*	*12 %*
Parts dans des fonds de valeurs mobilières	*25*	*40*
Titres d'emprunt à capital protégé	*50*	*70*

La politique de placement peut aussi préciser plusieurs critères guidant le choix des investissements. Mentionnons, à titre d'exemple, les critères suivants :

- *Le portefeuille de placement ne doit jamais comprendre plus de 25 % de titres en devises étrangères. De plus, les seules devises étrangères acceptables sont l'euro, le yen et le dollar américain.*
- *L'échéance des titres d'emprunt à capital protégé ne doit en aucun cas excéder 15 ans. Dans le portefeuille, les échéances doivent être variées afin de maximiser le rendement.*
- *L'entreprise applique la tolérance zéro pour les placements en valeurs mobilières émises par des entreprises liées à l'industrie du jeu et de la pornographie ou par des entreprises reconnues coupables d'infraction en matière d'environnement.*
- *À rentabilité égale, l'entreprise favorise les placements dans des entreprises ayant une politique d'équité culturelle et une politique de protection de l'environnement.*

Outre le critère du choix des placements, une autre section de la politique touche les droits et les responsabilités des gestionnaires. À ce titre, mentionnons simplement qu'une politique pourrait préciser que les gestionnaires sont autorisés à exercer les droits de vote que donnent les titres en valeurs mobilières, qu'ils doivent s'assurer que les activités de placement ne mettent pas l'entreprise en situation de conflit d'intérêts et que les titres doivent constamment être gardés dans un endroit sécurisé pour en protéger l'accès.

Enfin, la politique consigne aussi les directives en matière d'évaluation du rendement du portefeuille. On y trouve notamment les modèles d'évaluation de la juste valeur jugés acceptables aux fins de gestion interne, les renseignements à transmettre au supérieur hiérarchique des gestionnaires et la fréquence de cette reddition de comptes.

Avez-vous remarqué ?

En matière de saine gestion des placements, l'entreprise fixe clairement ses objectifs, évalue les risques, met en place les pratiques qui permettront non seulement d'atteindre les objectifs, mais aussi d'éviter les vols et les fraudes. En somme, une saine gestion des placements évite les décisions non conformes à la mission de l'entreprise.

Comme nous l'avons mentionné précédemment, il existe plusieurs types de placements. Une entreprise pourrait acheter, par exemple, des actions d'une société, que celle-ci soit ou non cotée en Bourse, des obligations, des titres dérivés[1], des immeubles de placement ou des œuvres d'art. Aux fins comptables, on distingue quatre types de placements. Le premier type comprend les **placements qui constituent des actifs financiers** et qui englobent les placements en actions, en obligations ou en titres dérivés. Le deuxième type comprend les **participations dans des entreprises associées**, c'est-à-dire les placements en actions effectués dans le but d'obtenir le contrôle de la société émettrice ou, à tout le moins, d'exercer une influence sur elle. Les **immeubles de**

1. Le chapitre 19 approfondira la comptabilisation des titres dérivés.

placement, définis plus loin dans le présent chapitre, sont regroupés dans un troisième type. Enfin, les **autres types de placements**, groupés dans le quatrième type, englobent tous ceux qui ne sont pas compris dans les trois premiers, tels que les œuvres d'art.

 Les placements qui constituent des actifs financiers

Avant d'examiner la comptabilisation des placements qui constituent des actifs financiers, il est indispensable de décrire les caractéristiques de quelques placements.

Les caractéristiques des deux familles de placements

Il est possible de distinguer deux familles de placements qui constituent des actifs financiers: les placements sous forme de titres de capitaux propres et les placements sous forme de titres d'emprunt. La présente sous-section décrit les principales caractéristiques de ces deux familles de titres, car elles peuvent influencer le traitement comptable. Examinons d'abord les caractéristiques des placements en titres de capitaux propres.

Les placements en titres de capitaux propres

Un **placement en titres de capitaux propres** donne à son détenteur un intérêt résiduel dans les actifs de la société ayant émis les titres, appelée **société émettrice**, après déduction de tous ses passifs. Les placements en actions, en options d'achat d'actions ou en bons de souscription en sont quelques exemples.

Lorsqu'une entreprise décide d'acheter des actions, elle doit négocier avec un courtier, reconnu par l'Autorité des marchés financiers, et le rémunérer. Le montant payé à ce titre correspond aux **frais de courtage**. Supposons, par exemple, que la société Troplein ltée acquière 1 000 actions de Lavin ltée au coût de 4,50 $ l'action plus des frais de courtage de 3 %. Elle paiera donc des frais de 135 $ (1 000 actions × 4,50 $ × 3 %) qui, du point de vue comptable, seront traités comme des coûts de transaction.

11

Les investisseurs ont souvent la possibilité d'acheter des actions à crédit. Dans ces opérations, appelées **achats sur marge**, l'investisseur s'engage à remettre au courtier, à une date ultérieure, un montant déterminé afin de pouvoir profiter sur-le-champ de ce qu'il croit être une bonne affaire. Sur le plan économique, l'investisseur obtient ainsi la propriété des actions et, en contrepartie, prend en charge une dette échéant à court ou à long terme. L'investisseur comptabilise un achat sur marge en débitant le compte de placement approprié et en créditant un compte de passif.

Dans les exercices suivant l'achat, le détenteur de placements en actions, appelé actionnaire, réalisera des **produits de dividendes**. Si, par exemple, une société émettrice déclare un dividende de 0,25 $ par action, le détenteur de 1 000 actions de cette société réalisera un produit financier de 250 $ (0,25 $ × 1 000 actions). Comme nous l'avons mentionné au chapitre 4, c'est souvent au moment où l'émetteur des actions déclare ces dividendes, que l'on appelle **date de déclaration**, que l'investisseur les comptabilise. À cette date, le détenteur des actions remplit les trois conditions pour comptabiliser le produit de dividendes: 1) il a le droit de recevoir les dividendes, 2) il est probable qu'il pourra bénéficier des avantages économiques liés aux dividendes et 3) il peut évaluer le montant de dividendes de façon fiable[2]. Il est inacceptable de comptabiliser plus tôt les produits de dividendes. En effet, ce n'est pas parce que la société émettrice génère un bénéfice net qu'elle est tenue de déclarer des dividendes, c'est-à-dire de retourner ce bénéfice net entre les mains des actionnaires à titre de rendement sur leur investissement en actions. C'est pourquoi, du point de vue de l'actionnaire, les produits sont comptabilisés uniquement lorsque la société émettrice s'est engagée à verser le rendement sur les actions.

Du point de vue comptable, l'évaluation du produit ne suscite pas de difficulté lorsque le dividende est encaissable en trésorerie. Il en va autrement des dividendes en actions et des fractionnements d'actions. Il arrive parfois que des sociétés émettrices déclarent des **dividendes en actions** dans le but de préserver l'attrait de leurs titres pour les investisseurs tout en conservant leur trésorerie. Ce serait le cas, par exemple, d'une entreprise qui désire financer l'agrandissement de son usine à même les flux de trésorerie générés par ses activités d'exploitation. Au lieu de verser des dividendes totalisant 15 000 $ sur ses 50 000 actions en circulation, elle pourrait plutôt remettre 1 000 actions valant chacune 15 $. Un tel dividende est déclaré en pourcentage du nombre d'actions émises, soit 2 % (1 000 actions ÷ 50 000 actions). En réponse à une question qui lui était soumise, l'International Financial Reporting Standards Interpretations Committee (IFRIC) a analysé en 2009 la question de la comptabilisation des

2. CPA Canada, *Manuel de CPA Canada – Comptabilité – Partie I*, **IFRS 9**, paragr. 5.7.1A. (*Voir la page iv des liminaires pour plus de détails à l'égard des normes publiées mais non encore entrées en vigueur.*)

dividendes reçus sous la forme d'actions de la société émettrice. Sans que son analyse ne soit publiée dans une nouvelle norme, il rappelait alors qu'un tel dividende en actions ne modifie pas la situation financière du détenteur du placement lorsque la société émettrice accorde ce dividende à tous les détenteurs, au prorata des actions que ces derniers détenaient juste avant la date de déclaration. L'IFRIC concluait que, dans une telle situation, le détenteur ne peut comptabiliser un produit de dividende. En effet, la condition selon laquelle il est probable que des avantages économiques associés à la transaction iront au détenteur n'est pas remplie. Cependant, si l'entreprise compte vendre à court terme les actions reçues, on pourrait comptabiliser un produit différé. Celui-ci serait comptabilisé en produit au moment de la vente des actions reçues en dividende puisque c'est à ce moment qu'il remplit la condition.

EXEMPLE

Dividendes en argent ou en actions

La société Hain Vest ltée détient 100 000 actions de la société Hay Metteur ltée qu'elle a classées À la juste valeur par le biais du résultat net (JVBRN). Le 10 janvier 20X1, Hay Metteur ltée déclare un dividende qu'elle versera le 31 janvier suivant et Hain Vest ltée a l'intention de revendre ces actions à très court terme. Supposons les deux scénarios suivants :

	Scénario A	**Scénario B**
Type de dividende	Numéraire	Actions
Montant du dividende	0,10 $ par action	0,5 %
Juste valeur des actions le 10 janvier	20 $	20 $
Juste valeur des actions le 31 janvier	21 $	21 $

On remarque, dans les données précédentes, que lorsque Hay Metteur ltée déclare un dividende en actions, le dividende déclaré est exprimé en pourcentage du nombre d'actions émises. Ainsi, puisque Hain Vest ltée détient 100 000 actions, elle recevra 500 actions (100 000 actions × 0,005) à titre de dividendes. Dans ses livres, elle enregistre les écritures suivantes, sachant que dans le scénario B, elle décide de revendre les 500 actions dès qu'elle les reçoit :

Scénario A			**Scénario B**		
			10 janvier 20X1		
Dividende à recevoir	*10 000*		*Dividende à recevoir en actions*	*10 000*	
Produit de dividendes		*10 000*	*Produit différé de dividendes*		*10 000*
Déclaration d'un dividende de 0,10 $ l'action par Hay Metteur ltée.			*Déclaration d'un dividende en actions par Hay Metteur ltée (500 actions × 20 $).*		
			31 janvier 20X1		
Caisse	*10 000*		*Placement en actions à la JVBRN*	*10 500*	
Dividende à recevoir		*10 000*	*Dividende à recevoir en actions*		*10 000*
Encaissement d'un dividende déclaré le 10 janvier par Hay Metteur ltée.			*Produits différés de dividendes*		*500*
			Réception des actions à titre de dividendes déclarés le 10 janvier par Hay Metteur ltée (500 actions × 21 $).		
			Caisse	*10 500*	
			Produits différés de dividendes	*10 500*	
			Placement en actions à la JVBRN		*10 500*
			Produit de dividendes		*10 500*
			Vente de 500 actions de Hay Metteur ltée (500 actions × 21 $).		

L'analyse des écritures précédentes permet de faire ressortir quelques constatations importantes. Premièrement, lorsque l'investisseur a droit à un dividende en numéraire, il comptabilise le produit à la date de déclaration du dividende, le 10 janvier 20X1. Lorsqu'il reçoit un dividende en actions, il comptabilise le produit uniquement au moment de la revente des actions reçues en dividendes, le 31 janvier dans cet exemple.

Deuxièmement, en ce qui concerne le scénario du dividende en actions, Hain Vest ltée comptabilise le dividende à recevoir le 10 janvier. Comme nous l'avons vu au chapitre 4, ce droit de recevoir des actions est un actif financier. Celui-ci doit donc être initialement comptabilisé à la juste valeur et comptabilisé lorsque l'entreprise devient partie prenante au contrat (*voir le paragr. 3.1.1 de l'IFRS 9*). C'est pour cette même raison que, le 31 janvier, lorsque Hain Vest ltée reçoit les actions, elle doit les comptabiliser à leur juste valeur à ce jour, soit 10 500 $ (500 actions × 21 $).

Les placements en titres d'emprunt

La principale caractéristique d'un **placement en titres d'emprunt** est qu'il est assorti d'un engagement de l'émetteur à verser périodiquement des sommes déterminées ou déterminables à titre d'intérêts et à remettre à l'échéance une valeur déterminée ou déterminable. Les placements en obligations en sont un exemple. Les obligations détenues à titre de placements ne confèrent pas à leur détenteur un droit de propriété sur l'entreprise émettrice. Puisque les détenteurs de tels placements sont en fait des bailleurs de fonds de l'entreprise émettrice, ces placements permettent de réaliser des produits d'intérêts[3]. Les placements s'apparentent, en substance, aux billets à recevoir dont traitait le chapitre 6. Ils s'en distinguent du fait qu'ils se négocient sur un marché actif.

Contrairement à l'acquisition d'actions, l'acquisition d'obligations n'entraîne pas de frais de courtage. Étant donné que le courtier agit pour son propre compte, il réalise des bénéfices en vendant les obligations à un coût légèrement supérieur au montant qu'il a payé. Du point de vue de l'investisseur, le coût d'acquisition des obligations correspond donc généralement au coût exigé par le courtier. L'indice du coût d'acquisition des obligations est indiqué en fonction du nombre de points de pourcentage que représente ce coût par rapport à la valeur nominale des obligations. Ainsi, une obligation d'une valeur nominale de 500 $, qui représente la valeur à l'échéance, vendue 450 $ se négocie à 90 (450 $ ÷ 500 $). L'initié sait alors que le coût d'acquisition est fixé à 90 % de la valeur nominale de 500 $.

Le coût des obligations diffère généralement de leur valeur nominale[4]. Comme nous l'avons vu au chapitre 4, le coût initial correspond généralement à la juste valeur à la date d'acquisition, par exemple à 450 $. Lorsque ce coût diffère de la valeur nominale, disons 500 $, c'est que le **taux d'intérêt contractuel**, c'est-à-dire le taux précisé dans le contrat, diffère du taux d'intérêt du marché à la date de l'acquisition. En effet, le taux contractuel ne change pas alors que le taux d'intérêt du marché varie continuellement. C'est pourquoi bien peu d'opérations relatives aux obligations sont conclues sur les marchés secondaires sans que l'on doive ajuster la valeur des obligations. En effet, quel investisseur serait prêt à acheter des obligations qui portent intérêt au taux contractuel de 10 %, alors que le taux du marché pour des obligations semblables est de 12 % ? Selon le mécanisme de l'offre et de la demande, la juste valeur des obligations doit, dans ce cas, être inférieure à leur valeur nominale. On dit alors que l'obligation se négocie à **escompte**. À l'inverse, lorsque le taux d'intérêt du marché pour des obligations semblables est moins élevé que le taux contractuel, beaucoup d'investisseurs seraient prêts à acheter les obligations en cause de préférence à d'autres. Toujours selon le mécanisme de l'offre et de la demande, le vendeur peut exiger un prix de vente supérieur à la valeur nominale. On dit alors que les obligations se négocient à **prime**. Finalement, lorsque le prix de vente correspond à la valeur nominale des obligations, celles-ci se négocient au **pair**. La figure 11.2 illustre ces trois situations.

Lorsqu'une entreprise achète des obligations, elle le fait généralement à une date différente de la date d'encaissement des intérêts. Supposons, par exemple, que la société Logistic ltée paie les intérêts sur ses emprunts obligataires deux fois par année, soit les 31 janvier et 31 juillet.

3. Nous donnerons au chapitre 13 une description complète des caractéristiques des obligations émises par une entreprise ainsi que du traitement comptable approprié du point de vue de la société émettrice.
4. Le chapitre 6 a présenté des situations semblables pour les billets à recevoir. Le lecteur est invité à relire les pages 6.27 à 6.29.

FIGURE 11.2 La juste valeur par rapport à la valeur nominale

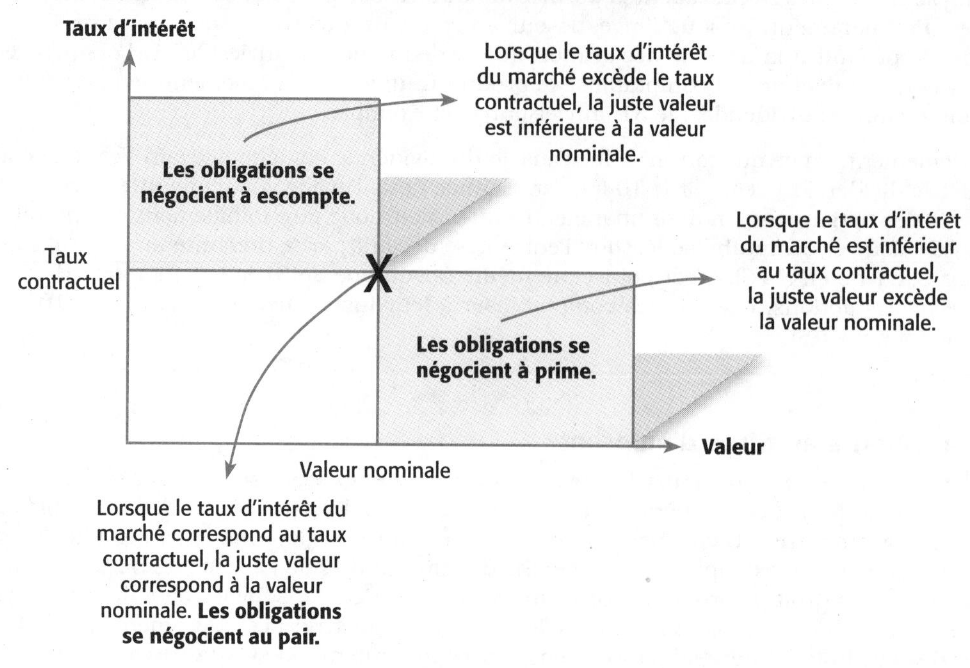

11

Puisque la société Troplein ltée achète les obligations de Logistic ltée le 15 septembre 20X1, elle doit payer, en plus du coût d'acquisition, les intérêts courus du 1er août au 15 septembre. Pourquoi ? La réponse à cette question est bien simple. Lorsque Logistic ltée paiera les intérêts sur ces obligations le 31 janvier 20X2, elle remettra le montant total des intérêts semestriels au détenteur des obligations le 31 janvier, c'est-à-dire Troplein ltée. Cette dernière encaissera donc les intérêts pour toute la période allant du 1er août 20X1 au 31 janvier 20X2, même si elle détient les obligations seulement depuis le 15 septembre 20X1. Le 15 septembre 20X1, le vendeur a alors de bonnes raisons d'exiger que l'acheteur lui remette immédiatement les intérêts qui lui reviennent, soit, dans ce cas, les intérêts gagnés du 1er août au 15 septembre 20X1. Ces propos sont illustrés dans la figure 11.3.

FIGURE 11.3 Les intérêts sur les obligations achetées entre deux dates d'encaissement des intérêts

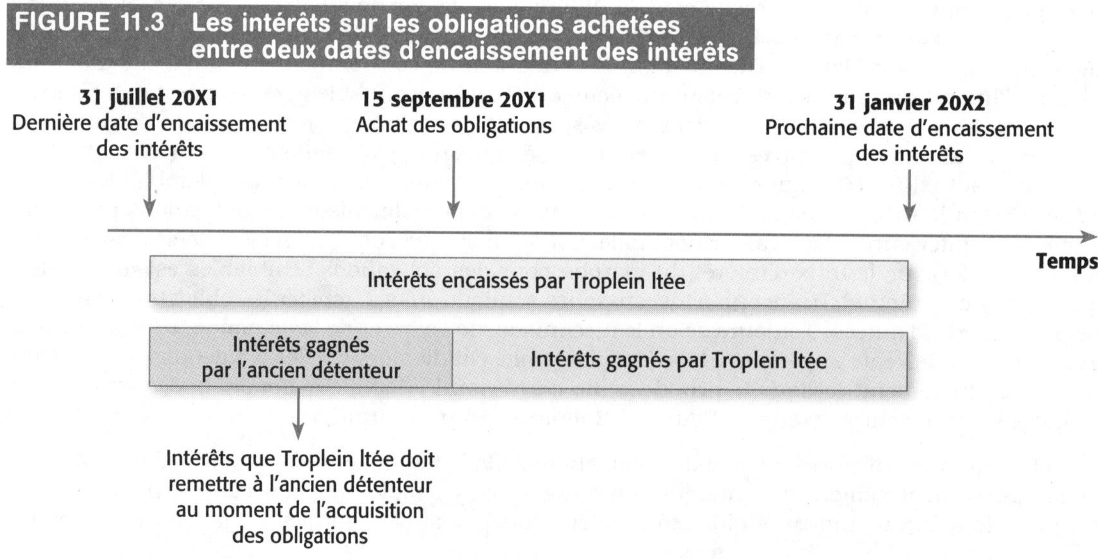

Les placements en obligations génèrent des **produits d'intérêts** qui sont comptabilisés selon les règles de la comptabilité d'engagement, soit proportionnellement au temps écoulé, en utilisant

la méthode du taux d'intérêt effectif[5]. C'est pour cette raison que, à la date de clôture de chaque exercice, le détenteur des placements doit passer une écriture de régularisation pour comptabiliser les produits d'intérêts générés depuis la dernière date d'encaissement des intérêts.

EXEMPLE

Produit d'intérêts

La société Bobonom ltée a payé 106 000 $ le 1er novembre 20X1 pour acquérir 100 obligations d'une société émettrice, d'une valeur nominale totale de 100 000 $ et portant intérêt au taux contractuel de 10 %. Les intérêts sont encaissables le 31 octobre de chaque année. Compte tenu du coût d'acquisition, il est possible de déterminer, comme expliqué au chapitre 3, que les obligations portent intérêt au taux effectif de 9 %. Au 31 décembre 20X1, date de clôture de son exercice financier, Bobonom ltée passe l'écriture suivante :

*Intérêts à recevoir*①	*1 667*	
*Produits financiers – Intérêts*②		*1 590*
Placements en obligations		*77*

Produits d'intérêts gagnés du 31 octobre au 31 décembre sur les obligations de Bobonom ltée (valeur nominale de 100 000 $ à 10 % d'intérêt).

Calculs :

① (100 000 $ × 10 % × 2 mois ÷ 12 mois)

② (106 000 $ × 9 % × 2 mois ÷ 12 mois)

On notera que les **intérêts à recevoir** sont toujours calculés en appliquant le taux d'intérêt contractuel (10 %) à la valeur nominale des obligations, soit 100 000 $ dans l'exemple précédent, alors que le **produit d'intérêts** est calculé en appliquant le taux d'intérêt effectif à la valeur comptable du placement à la date du dernier encaissement des intérêts.

Parfois, la société émettrice rachète des obligations avant leur échéance à un prix de rachat qui diffère généralement de la valeur nominale ou du coût amorti tel qu'il figure dans les livres du détenteur des obligations. Le rachat par l'émetteur avant la date d'échéance est comptabilisé selon les règles qui s'appliquent aux ventes d'obligations à un tiers. Le détenteur décomptabilise son placement et comptabilise dans son résultat net le profit ou la perte en découlant, soit la différence entre le montant reçu et la valeur comptable du placement.

Avez-vous remarqué ?

Les placements en titres de capitaux propres exposent l'entreprise à plus de risque de marché, car contrairement aux placements en titres d'emprunt, leur valeur à l'échéance n'est pas assurée. Pour cette raison, l'entreprise fournit davantage d'information dans ses états financiers afin que les investisseurs comprennent bien ces risques.

Les principales caractéristiques des deux familles de placements qui constituent des actifs financiers ayant été présentées, la sous-section suivante abordera plus en détail leur comptabilisation.

La comptabilisation des placements qui constituent des actifs financiers

Différence NCECF

Les chapitres 4 et 6 ont respectivement traité en détail des normes comptables applicables aux actifs financiers et à leur dépréciation. Il serait souhaitable de consulter ces chapitres, car nous ne présenterons ici qu'un survol de ces normes et quelques brèves explications.

Un rappel des normes comptables applicables aux actifs financiers

Le tableau 11.1 présente une synthèse des normes liées à l'évaluation ultérieure des actifs financiers (comme donnée dans le tableau 4.3) et apporte des précisions propres aux placements.

5. *Manuel de CPA Canada – Comptabilité – Partie I*, IFRS 9, paragr. 5.4.1.

TABLEAU 11.1 Un aperçu global des normes applicables aux placements qui constituent des actifs financiers

Classement des actifs financiers	Produit de placement	Dépréciation	Autres profits et pertes (variations de juste valeur ou profits et pertes sur cession)	Type de placements	Valeur présentée dans l'état de la situation financière	Pertes de crédit attendues
1. Actifs Au coût amorti	Intérêts calculés selon la méthode du taux d'intérêt effectif et comptabilisés au fil du temps	Applicable	Comptabilisés lors de la décomptabilisation de l'actif	• Placement en titres d'emprunt	Coût amorti	Comptabilisées en résultat net dès qu'elles surviennent
2. Actifs À la juste valeur par le biais des autres éléments du résultat global :						
2.1 dont les conditions contractuelles et le modèle économique conduisent à ce classement	Intérêts calculés selon la méthode du taux d'intérêt effectif et comptabilisés au fil du temps	Applicable	Comptabilisés régulièrement dans les autres éléments du résultat global puis virés en résultat net lors de la décomptabilisation de l'actif	• Placement en titres d'emprunt	Juste valeur	Comptabilisées en résultat net dès qu'elles surviennent
2.2 sous forme de titres de capitaux propres que l'entreprise choisit d'inclure dans cette classe	Dividendes en résultat net comptabilisés au moment où les normes sur les produits le permettent	Non applicable	Comptabilisés régulièrement dans les autres éléments du résultat global mais jamais virés en résultat net	• Placement en titres de capitaux propres	Juste valeur	s.o.
3. Actifs À la juste valeur par le biais du résultat net	Intérêts ou dividendes en résultat net	Non applicable	Comptabilisés régulièrement en résultat net	• Placement en titres d'emprunt • Placement en titres de capitaux propres	Juste valeur	s.o.

* s.o. : sans objet

Il ressort de ce tableau que les placements en titres d'emprunt peuvent être classés de trois façons (Au coût amorti, À la juste valeur par le biais des autres éléments du résultat global et À la juste valeur par le biais du résultat net), alors que les placements en titres de capitaux propres peuvent l'être de deux façons [À la juste valeur par le biais des autres éléments du résultat global (choix irrévocable) et À la juste valeur par le biais du résultat net].

Le lecteur est invité à revoir la figure 4.3 qui présente le processus d'analyse préalable au classement initial d'un actif financier. On y indique que les actifs classés Au coût amorti doivent remplir trois conditions :

- Ils génèrent des flux de trésorerie contractuels à des dates fixes.
- Les flux de trésorerie contractuels se limitent au recouvrement du principal et à des encaissements d'intérêts sur le principal restant à recouvrer.
- Les actifs financiers sont détenus dans le but de percevoir à la fois les flux de trésorerie contractuels et ceux de la vente.

Le tableau 11.1 montre aussi qu'une entreprise ne peut classer ses placements en actions Au coût amorti. En effet, les placements en actions ne génèrent pas de flux de trésorerie contractuels, ce qui est la première condition à respecter pour classer un actif financier Au coût amorti. De ce fait, une entreprise présente dans son état de la situation financière la juste valeur de ses **placements en actions.**

En ce qui concerne les placements classés À la juste valeur par le biais du résultat net (JVBRN), on peut y trouver des placements en actions ou des placements en obligations gérés selon un modèle économique dont le but n'est pas de percevoir les flux de trésorerie contractuels. On peut aussi y trouver tout autre actif financier que l'entreprise décide de classer ainsi afin d'éliminer une «non-concordance comptable», conformément au paragraphe 4.1.5 de l'IFRS 9. Pour tous ces placements, on ne peut ajouter au compte d'actif les coûts afférents à leur acquisition. Ces coûts doivent être comptabilisés en résultat net dès qu'une entreprise les engage. Par la suite, elle comptabilise en résultat net les variations de la juste valeur dès qu'elles surviennent. Pour ce faire, elle débite le compte d'actif et crédite un compte de résultat net intitulé, par exemple, Profit/Perte découlant de la variation de valeur sur placements à la juste valeur par le biais du résultat net. Quand il s'agit d'un placement en actions, l'entreprise comptabilise les dividendes dans son résultat net dès que l'émetteur les déclare. Lorsqu'il s'agit plutôt d'un placement en titres d'emprunt, elle comptabilise en résultat net les intérêts gagnés en fonction du temps écoulé, calculés en appliquant le taux d'intérêt contractuel à la valeur nominale des titres.

Pour les titres de capitaux propres classés, de façon irrévocable, À la juste valeur par le biais des autres éléments du résultat global, notés JVBAERG (choix irrévocable), on ajoute au compte d'actif les coûts afférents à l'acquisition des placements. Par la suite, l'entreprise qui détient un tel placement comptabilise dans les autres éléments du résultat global les variations de la juste valeur dès qu'elles surviennent. Ainsi, pour comptabiliser une augmentation de valeur, elle débite le compte d'actif et porte le crédit dans les autres éléments du résultat global, par exemple, dans un compte intitulé Profit/Perte latent découlant de la variation de valeur des placements à la JVBAERG (choix irrévocable). À l'inverse, une diminution de valeur entraîne un débit au compte Profit/Perte latent découlant de la variation de valeur des placements à la JVBAERG (choix irrévocable) et un crédit au compte d'actif. L'entreprise comptabilise les dividendes en résultat net dès que l'émetteur les déclare. Au moment où elle décomptabilise son placement, elle peut virer le solde du compte Cumul des profits/pertes latents découlant de la variation de valeur des placements à la JVBAERG (choix irrévocable) dans un autre compte des capitaux propres, par exemple, le compte Résultats non distribués. Il est toutefois interdit de virer en résultat net le solde du compte Cumul des profits/pertes latents découlant de la variation de valeur des placements à la JVBAERG (choix irrévocable).

En ce qui concerne les titres d'emprunt classés À la juste valeur par le biais des autres éléments du résultat global, notés JVBAERG, on ajoute aussi au compte d'actif les coûts d'acquisition afférents à l'acquisition des placements. Pendant leur détention, on comptabilise les produits financiers, calculés selon la méthode du taux d'intérêt effectif, en résultat net au fil du temps. On doit aussi estimer les pertes de crédit attendues et les comptabiliser en résultat net dès qu'elles surviennent. Enfin, les autres variations de la juste valeur sont comptabilisées dans les autres éléments du résultat global. Au moment où l'entreprise décomptabilise son placement, elle doit virer en résultat net le solde du compte Cumul des autres éléments du résultat global.

Enfin, une entreprise qui classe un placement Au coût amorti comptabilise à l'actif les coûts afférents à son acquisition. Par la suite, elle comptabilise les produits d'intérêts, calculés selon la méthode du taux d'intérêt effectif, en résultat net au fil du temps; elle évalue les pertes de crédit attendues et les comptabilise en résultat net dès qu'elles surviennent. Les profits ou les autres pertes découlant de la variation de la juste valeur de tels placements sont comptabilisés en résultat net uniquement au moment où l'entreprise décomptabilise le placement.

Pour chacun des classements, nous présenterons, s'il y a lieu, la comptabilisation d'un placement en titres de capitaux propres, puis celle d'un placement en titres d'emprunt. Dans les cinq prochaines divisions, nous utiliserons l'exemple qui suit.

EXEMPLE

Données de base

La société Foul Liky Ditay ltée a conclu les opérations suivantes en 20X1 et 20X2.

20X1

1er janvier	*Achat au montant de 108 425 $ de 100 obligations de Puérile ltée ayant chacune une valeur nominale de 1 000 $, portant intérêt au taux de 8 % l'an et échéant le 31 décembre 20X5. À cette date, le taux d'intérêt du marché pour des obligations semblables s'élève à 6 %.*
1er février	*Achat de 1 000 actions de Lavin ltée au coût de 4,50 $ l'action, majoré des frais de courtage de 3 %.*
10 septembre	*Déclaration par Lavin ltée d'un dividende de 1 $ l'action.*

10 octobre	*Encaissement du dividende déclaré en septembre.*
15 novembre	*Fractionnement par Lavin ltée de ses actions en circulation selon un ratio de 2 pour 1. Le seul effet de cette décision est de doubler le nombre d'actions émises et de réduire de moitié leur valeur attribuée unitaire.*
31 décembre	*Encaissement des intérêts sur les obligations de Puérile ltée. À la date de clôture de l'exercice, la juste valeur des actions de Lavin s'élève à 2,20 $. La juste valeur des obligations est de 106 930 $ et le taux d'intérêt du marché applicable aux obligations est demeuré stable à 6 %.*
20X2	
20 janvier	*Vente des 2 000 actions de Lavin ltée au coût de 2,23 $.*
31 décembre	*Encaissement des intérêts sur les obligations de Puérile ltée. La juste valeur est de 108 170 $ et le taux d'intérêt du marché applicable aux obligations s'élève à 5 %.*

Différence NCECF

Les placements À la juste valeur par le biais du résultat net

Différence NCECF

Comme il est indiqué dans le tableau 11.1, on peut classer les placements À la juste valeur par le biais du résultat net, dans la mesure où le modèle économique utilisé pour la gestion de ces placements n'a pas pour but de percevoir les flux de trésorerie contractuels ou que l'entreprise décide de classer ainsi afin d'éliminer une «non-concordance comptable».

11

EXEMPLE

Placements À la JVBRN

Voici d'abord les écritures de journal requises en ce qui concerne le placement en actions. Comme dans les précédents chapitres, les lettres «JVBRN» dans les intitulés de compte désignent des actifs financiers À la juste valeur par le biais du résultat net, les lettres «JVBAERG» désignent des actifs financiers À la juste valeur par le biais des autres éléments du résultat global et les lettres «AERG» entre parenthèses indiquent que le compte est présenté dans les autres éléments du résultat global. L'absence de lettres entre parenthèses dans l'intitulé des comptes de produits et de charges implique donc qu'il s'agit d'un élément du résultat net.

1er février 20X1

Placements – Actions à la JVBRN①	*4 500*	
Frais financiers②	*135*	
Caisse		*4 635*
Acquisition de 1 000 actions de Lavin ltée et paiement des frais de courtage.		

Calculs :

① (1 000 actions × 4,50 $)

② (4 500 $ × 3 %)

10 septembre 20X1

Dividendes à recevoir	*1 000*	
Produits financiers – Dividendes sur actions à la JVBRN		*1 000*
Dividendes de 1 $ l'action déclarés par Lavin ltée (1 000 actions × 1 $).		

10 octobre 20X1

Caisse	*1 000*	
Dividendes à recevoir		*1 000*
Encaissement des dividendes versés par Lavin ltée.		

15 novembre 20X1

Aucune écriture requise. Foul Liky Ditay ltée note seulement qu'elle détient dorénavant 2 000 actions de Lavin ltée.

31 décembre 20X1		
Profit/Perte découlant de la variation de valeur des actions à la JVBRN	*100*	
Placements – Actions à la JVBRN		*100*
Diminution de valeur des actions de Lavin ltée.		

Calcul :

Valeur comptable	4 500 $
Juste valeur (2 000 actions × 2,20 $)	(4 400)
Diminution de valeur	100 $

20 janvier 20X2		
Placements – Actions à la JVBRN	*60*	
Profit/Perte découlant de la variation de valeur des actions à la JVBRN		*60*
Augmentation de valeur des actions de Lavin ltée.		

Calcul :

Juste valeur (2 000 actions × 2,23 $)	4 460 $
Valeur comptable (4 500 $ – 100 $)	(4 400)
Augmentation de valeur	60 $

Caisse	*4 460*	
Placements – Actions à la JVBRN		*4 460*
Vente à 2,23 $ des 2 000 actions de Lavin ltée.		

On notera trois éléments des écritures précédentes. D'abord, le produit de dividendes est comptabilisé au moment où Foul Liky Ditay ltée a le droit de recevoir les dividendes, soit à la date de déclaration, le 10 septembre. Ensuite, le fractionnement des actions de Lavin ltée ne représente pas un produit financier. Après le fractionnement, Foul Liky Ditay ltée détient la même proportion de Lavin ltée, dont la richesse n'a pas changé. Enfin, on comptabilise en résultat net toutes les variations de la juste valeur des actions dès qu'elles surviennent.

Voici maintenant les écritures requises pour comptabiliser le placement en titres d'emprunt :

1er janvier 20X1		
Placements – Obligations à la JVBRN	*108 425*	
Caisse		*108 425*
Acquisition à prime de 100 obligations de Puérile ltée, d'une valeur nominale unitaire de 1 000 $, échéant le 31 décembre 20X5 et portant intérêt au taux contractuel de 8 % l'an.		
31 décembre 20X1		
Caisse (100 000 $ × 8 %)	*8 000*	
Produits financiers – Intérêts sur obligations à la JVBRN		*8 000*
Encaissement des intérêts annuels.		
Profit/Perte sur obligations à la JVBRN	*1 495*	
Placements – Obligations à la JVBRN		*1 495*
Diminution de la juste valeur des obligations (108 425 $ – 106 930 $).		
31 décembre 20X2		
Caisse (1 000 $ × 8 %)	*8 000*	
Produits financiers – Intérêts sur obligations à la JVBRN		*8 000*
Encaissement des intérêts annuels.		
Placements – Obligations à la JVBRN	*1 240*	
Profit/Perte sur obligations à la JVBRN		*1 240*
Augmentation de la valeur comptable du placement en obligations.		

Calcul :

Juste valeur des obligations	108 170 $
Valeur comptable	(106 930)
Augmentation de la valeur des obligations	1 240 $

Dans les rares cas où la cote des obligations n'est pas précisée, on peut trouver le coût des obligations en actualisant les flux de trésorerie attendus. La démarche est la même que celle expliquée au chapitre 3. Les flux de trésorerie attendus sont calculés selon les dispositions contractuelles et correspondent au recouvrement de la valeur nominale à l'échéance de même qu'aux intérêts attendus calculés selon le taux d'intérêt contractuel. Cependant, le taux d'actualisation correspond au taux d'intérêt effectif, soit 6 % l'an.

Voici maintenant les extraits pertinents des états financiers de Foul Liky Ditay ltée en ce qui touche les placements classés À la juste valeur par le biais du résultat net :

FOUL LIKY DITAY LTÉE
Situation financière partielle
au 31 décembre

	20X2	20X1
Actif		
Placements à la juste valeur par le biais du résultat net		
Placement en actions		4 400 $
Placement en obligations	108 170 $	106 930

FOUL LIKY DITAY LTÉE
Résultat global partiel
de l'exercice terminé le 31 décembre

	20X2	20X1
Produits sur placements à la juste valeur par le biais du résultat net		
Placement en actions	60 $	900 $
Placement en obligations	9 240	6 505
Frais financiers		(135)
Résultat net	9 300 $	7 270 $

Différence NCECF

Dans les extraits qui précèdent, nous avons distingué les placements en actions et les placements en obligations uniquement pour faciliter la compréhension. Foul Liky Ditay ltée pourrait très bien ne présenter que les montants totaux.

Les placements en titres de capitaux propres À la juste valeur par le biais des autres éléments du résultat global (choix irrévocable)

Différence NCECF

Comparativement à la comptabilisation des placements À la juste valeur par le biais du résultat net, dont traitait la sous-section précédente, la comptabilisation des placements en titres de capitaux propres À la juste valeur par le biais des autres éléments du résultat global (choix irrévocable) se distingue principalement par le fait que les variations de valeur sont comptabilisées dans les autres éléments du résultat global dès qu'elles surviennent et que ces variations n'ont jamais d'effet sur le résultat net.

EXEMPLE

Placements À la JVBAERG (choix irrévocable)

Reprenons l'exemple de Foul Liky Ditay ltée. Comme il est indiqué dans le tableau 11.1, Foul Liky Ditay ltée peut classer ainsi uniquement son placement en actions. Nous ne reproduisons pas ci-dessous le détail des calculs déjà donnés précédemment.

1er février 20X1		
Placements – Actions à la JVBAERG (choix irrévocable)	4 635	
Caisse		4 635
Acquisition de 1 000 actions de Lavin ltée et paiement des frais de courtage.		

10 septembre 20X1		
Dividendes à recevoir	*1 000*	
Produits financiers – Dividendes sur actions à la JVBAERG		*1 000*
Dividendes de 1 $ l'action déclarés par Lavin ltée.		
10 octobre 20X1		
Caisse	*1 000*	
Dividendes à recevoir		*1 000*
Encaissement des dividendes versés par Lavin ltée.		
15 novembre 20X1		
Aucune écriture requise. Foul Liky Ditay ltée note seulement qu'elle détient dorénavant 2 000 actions de Lavin ltée.		
31 décembre 20X1		
Profits/Pertes latents découlant de la variation de valeur des actions à la JVBAERG (choix irrévocable) (AERG)	*235*	
Placements – Actions à la JVBAERG (choix irrévocable)		*235*
Diminution de valeur des actions de Lavin ltée (4 635 $ – 4 400 $).		
20 janvier 20X2		
Placements – Actions à la JVBAERG (choix irrévocable)	*60*	
Profits/Pertes latents découlant de la variation de valeur des actions à la JVBAERG (choix irrévocable) (AERG)		*60*
Augmentation de valeur des actions de Lavin ltée.		
Caisse	*4 460*	
Placements – Actions à la JVBAERG (choix irrévocable)		*4 460*
Vente à 2,23 $ des 2 000 actions de Lavin ltée.		
31 décembre 20X2		
Résultats non distribués	*175*	
Cumul des profits/pertes latents découlant de la variation de valeur des actions à la JVBAERG (choix irrévocable)		*175*
Virement du cumul des autres éléments du résultat global liés aux actions décomptabilisées.		

Explication :

À la fin de 20X1 et de 20X2, les montants comptabilisés dans les autres éléments du résultat global ont été virés dans le compte Cumul des profits/pertes latents découlant de la variation de valeur des actions à la JVBAERG (choix irrévocable), dont le solde s'élève alors à 175 $, soit un débit de 235 $ au 31 décembre 20X1 et un crédit de 60 $ au 31 décembre 20X2.

On notera que, dans les écritures précédentes, le qualificatif « latent » montre que ces variations de valeur ne sont pas comptabilisées en résultat net. De plus, la dernière écriture est facultative, l'entreprise pouvant laisser indéfiniment les montants cumulés de profits/pertes latents dans le compte Cumul des profits/pertes latents découlant de la variation de valeur des actions à la JVBAERG (choix irrévocable).

En comparant les écritures ci-dessus à celles présentées dans la section des placements À la juste valeur par le biais du résultat net, il ressort clairement que la principale différence se rattache aux variations de valeur comptabilisées en résultat global et non en résultat net. De plus, les coûts de transaction engagés à l'achat du placement sont comptabilisés au compte de placements plutôt qu'en charges.

Les placements en titres d'emprunt À la juste valeur par le biais des autres éléments du résultat global

On peut classer les titres d'emprunt soit À la juste valeur par le biais des autres éléments du résultat global soit Au coût amorti, selon le modèle économique retenu par une entreprise. Dans la présente sous-section, nous examinerons le classement à retenir lorsque l'entreprise détient ses

Annexe 6.1W

titres d'emprunt dans le but de percevoir à la fois les flux de trésorerie contractuels et ceux de la vente. Le lecteur a tout intérêt à relire l'annexe 6.1W et plus particulièrement, sa figure A6.1W.1 disponible dans la plateforme *i+ Interactif*.

EXEMPLE

Placements À la JVBAERG

Reprenons l'exemple des obligations achetées par Foul Liky Ditay ltée, dont les écritures requises pour comptabiliser le placement en titres d'emprunt sont les suivantes :

1er janvier 20X1		
Placements – Obligations à la JVBAERG	*108 425*	
Caisse		*108 425*
Acquisition à prime de 100 obligations de Puérile ltée, d'une valeur nominale unitaire de 1 000 $, échéant le 31 décembre 20X5 et portant intérêt au taux contractuel de 8 % l'an.		
31 décembre 20X1		
Caisse (100 000 $ × 8 %)	*8 000*	
*Produits financiers – Intérêts sur obligations à la JVBAERG*①		*6 505*
*Placements – Obligations à la JVBAERG*②		*1 495*
Encaissement des intérêts annuels et comptabilisation des produits d'intérêts calculés selon la méthode du taux d'intérêt effectif.		

Calculs et explication :

① Valeur comptable des obligations au 1er janvier 20X1		108 425 $
Taux d'intérêt effectif	×	6 %
Produits financiers		6 505 $
② Intérêts encaissés		8 000 $
Produits d'intérêts		(6 505)
Ajustement du compte d'actif		1 495 $

Note : Après cette écriture, la valeur comptable brute des obligations s'élève maintenant à 106 930 $ (108 425 $ – 1 495 $). En effet, l'amortissement de tout écart entre la valeur comptable brute initiale (108 425 $) et la valeur à l'échéance (100 000 $) influe sur la valeur comptable brute des périodes subséquentes. L'entreprise n'a aucune diminution de juste valeur à comptabiliser sur son placement en obligations, car la juste valeur de 106 930 $ correspond à la valeur comptable brute. On doit aussi noter que si l'entreprise prévoyait que l'émetteur des obligations ne soit plus capable d'honorer ses engagements relatifs aux paiements des intérêts et du remboursement du principal, Foul Liky Ditay ltée devrait comptabiliser les pertes de crédit attendues en résultat net.

31 décembre 20X2		
*Caisse*①	*8 000*	
*Produits financiers – Intérêts sur obligations à la JVBAERG*②		*6 416*
*Placements – Obligations à la JVBAERG*③		*1 584*
Encaissement des intérêts annuels et comptabilisation des produits d'intérêts calculés selon la méthode du taux d'intérêt effectif.		

Calculs :

① (100 000 $ × 8 %)

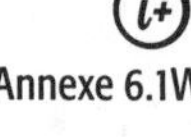
Annexe 6.1W

② (106 930 $ × 6 %). Notez que si les obligations avaient été antérieurement dépréciées, on calculerait les produits d'intérêts en appliquant le taux d'intérêt effectif initial au coût amorti. À cet égard, le lecteur est invité à consulter l'annexe 6.1W du présent ouvrage.

③ Intérêts encaissés	8 000 $
Produits d'intérêts	(6 416)
Ajustement du compte d'actif	1 584 $

Placements – Obligations à la JVBAERG	*2 824*	
Profits/Pertes latentes sur obligations à la JVBAERG (AERG)		*2 824*
Augmentation de la juste valeur du placement en obligations.		

Calcul :

Juste valeur des obligations	108 170 $
Valeur comptable brute (106 930 $ – 1 584 $)	(105 346)
Augmentation de la valeur des obligations	2 824 $

Voici maintenant les extraits pertinents des états financiers de Foul Liky Ditay ltée en ce qui touche les placements À la juste valeur par le biais des autres éléments du résultat global sachant que l'entreprise classe son placement en actions À la juste valeur par le biais des autres éléments du résultat global (choix irrévocable):

FOUL LIKY DITAY LTÉE
Situation financière partielle
au 31 décembre

	20X2	*20X1*
Actif		
Placement en actions à la juste valeur par le biais des autres éléments du résultat global (choix irrévocable)		*4 400 $*
Placement en obligations à la juste valeur par le biais des autres éléments du résultat global	*108 170 $*	*106 930*

FOUL LIKY DITAY LTÉE
Résultat global partiel
de l'exercice terminé le 31 décembre

	20X2	*20X1*
Produits financiers sur placements en actions à la juste valeur par le biais des autres éléments du résultat global (choix irrévocable)		*1 000 $*
Produits financiers sur placements en obligations à la juste valeur par le biais des autres éléments du résultat global	*6 416 $*	*6 505*
Résultat net	*6 416*	*7 505*
Autres éléments du résultat global		
Profits/Pertes latents découlant de la variation de valeur des actions à la juste valeur par le biais des autres éléments du résultat global (choix irrévocable)	*60*	*(235)*
Profits/Pertes latents découlant de la variation de valeur des obligations à la juste valeur par le biais des autres éléments du résultat global	*2 824*	
Résultat global	*9 300 $*	*7 270 $*

Différence NCECF

Les placements Au coût amorti

Différence NCECF

Les placements en actions ne peuvent pas être classés Au coût amorti, car ils ne génèrent pas des flux de trésorerie contractuels à des dates fixes. La principale caractéristique de la comptabilisation des placements Au coût amorti est que la valeur comptable correspond au coût amorti. Pour qu'une entreprise puisse classer ses placements Au coût amorti, elle doit les détenir dans le but principal de percevoir les flux de trésorerie contractuels. Puisqu'elle les détiendra donc probablement jusqu'à l'échéance, elle est assurée de récupérer à l'échéance le coût amorti, lequel correspondra à la valeur nominale du placement. Les variations à court terme de la juste valeur sont donc beaucoup moins pertinentes.

EXEMPLE

Placements Au coût amorti

Reprenons l'exemple de Foul Liky Ditay ltée. Le détail des calculs ayant déjà été donné dans la sous-section précédente, nous ne les reproduisons pas ici. Les écritures de journal requises en ce qui concerne le placement en obligations sont à la page suivante.

1er janvier 20X1		
Placements – Obligations au coût amorti	*108 425*	
Caisse		*108 425*
Acquisition à prime de 100 obligations de Puérile ltée, d'une valeur nominale unitaire de 1 000 $, échéant le 31 décembre 20X5 et portant intérêt au taux de 8 % l'an.		
31 décembre 20X1		
Caisse	*8 000*	
Produits financiers – Intérêts sur obligations au coût amorti		*6 505*
Placements – Obligations au coût amorti		*1 495*
Encaissement des intérêts annuels et comptabilisation des produits d'intérêts calculés selon la méthode du taux d'intérêt effectif.		
31 décembre 20X2		
Caisse	*8 000*	
Produits financiers – Intérêts sur obligations au coût amorti		*6 416*
Placements – Obligations au coût amorti		*1 584*
Encaissement des intérêts annuels et comptabilisation des produits d'intérêts calculés selon la méthode du taux d'intérêt effectif.		

Le lecteur a sans doute noté que l'entreprise ne comptabilise pas les variations de valeur, par exemple, celle survenue au 31 décembre 20X2.

À l'exception du point relevé au paragraphe précédent, les écritures présentées dans la présente sous-section ressemblent à celles données dans la division **Les placements en titres d'emprunt À la juste valeur par le biais des autres éléments du résultat global**. Plus particulièrement, le montant des produits d'intérêts calculés en 20X1 et en 20X2 est identique pour les deux classements. Soulignons toutefois que, comparativement au classement À la juste valeur par le biais du résultat net (*voir la page 11.15*), Foul Liky Ditay ltée calculera ses produits d'intérêts de 20X3 en utilisant le taux d'intérêt effectif initial, soit 6 %, et non le taux contractuel de 8 %.

Voici maintenant les extraits pertinents des états financiers de Foul Liky Ditay ltée en ce qui touche les placements Au coût amorti :

FOUL LIKY DITAY LTÉE
Situation financière partielle
au 31 décembre

	20X2	*20X1*
Actif		
Placements en obligations au coût amorti	*105 346 $*	*106 930 $*

FOUL LIKY DITAY LTÉE
Résultat global partiel
de l'exercice terminé le 31 décembre

	20X2	*20X1*
Produits sur placements en obligations au coût amorti	*6 416 $*	*6 505 $*
Autres éléments du résultat global	*θ*	*θ*

Différence NCECF

Les quatre précédentes séries d'écritures visaient à expliquer la comptabilisation des placements selon les classements possibles. Il serait maintenant intéressant de comparer l'effet du classement sur les états financiers.

Une analyse comparative des classements possibles

Différence NCECF

Après avoir analysé le traitement comptable des placements selon les divers classements possibles, il est essentiel de prendre un peu de recul pour bien comprendre l'impact d'un classement sur les états financiers.

EXEMPLE

Comparaison entre les placements À la JVBRN et À la JVBAERG (choix irrévocable)

Reprenons l'exemple de Foul Liky Diţay ltée. La première feuille d'analyse ci-dessous établit un parallèle entre divers montants présentés dans les états financiers selon les deux classements possibles du placement en actions.

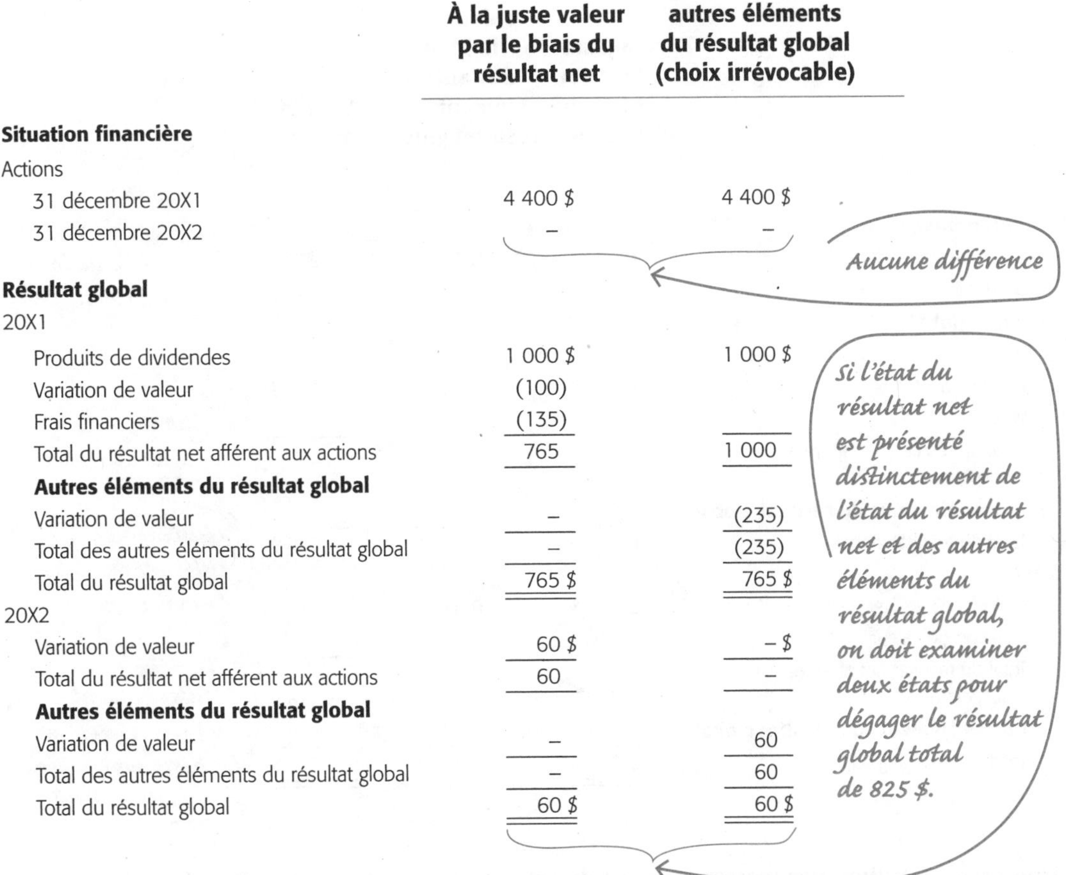

	À la juste valeur par le biais du résultat net	À la juste valeur par le biais des autres éléments du résultat global (choix irrévocable)
Situation financière		
Actions		
31 décembre 20X1	4 400 $	4 400 $
31 décembre 20X2	–	–
Résultat global		
20X1		
Produits de dividendes	1 000 $	1 000 $
Variation de valeur	(100)	
Frais financiers	(135)	
Total du résultat net afférent aux actions	765	1 000
Autres éléments du résultat global		
Variation de valeur	–	(235)
Total des autres éléments du résultat global	–	(235)
Total du résultat global	765 $	765 $
20X2		
Variation de valeur	60 $	– $
Total du résultat net afférent aux actions	60	–
Autres éléments du résultat global		
Variation de valeur	–	60
Total des autres éléments du résultat global	–	60
Total du résultat global	60 $	60 $

Aucune différence
Si l'état du résultat net est présenté distinctement de l'état du résultat net et des autres éléments du résultat global, on doit examiner deux états pour dégager le résultat global total de 825 $.

Les montants donnés dans le tableau d'analyse ci-dessus proviennent tous des extraits présentés dans les divisions précédentes; pour cette raison, le détail des calculs n'y est pas répété.

Comparons d'abord les placements en actions qui peuvent être classés À la juste valeur par le biais du résultat net ou À la juste valeur par le biais des autres éléments du résultat global (choix irrévocable). Comme nous l'avons déjà souligné, ces deux classements donnent lieu à une présentation dans l'état de la situation financière d'une valeur comptable identique basée sur la juste valeur.

Ces deux classements conduisent toutefois à des montants différents pour ce qui est de l'état du résultat global. Le total du résultat net de 20X1 varie, soit 765 $ et 1 000 $. Ce qui différencie les deux classements se limite à l'endroit où les variations de valeur et les coûts de transaction sont comptabilisés. Lorsque les actions sont classées À la juste valeur par le biais des autres éléments du résultat global (choix irrévocable), les coûts de transaction s'ajoutent à la valeur comptable et les variations de valeur ne sont jamais comprises dans le résultat net. Le total du résultat net de 20X2 varie pour sa part de 60 $, ce qui correspond à la variation de valeur comptabilisée en résultat net si le placement est classé À la juste valeur par le biais du résultat net, alors que cette même variation est comptabilisée dans les autres éléments du résultat global si le placement est classé À la juste valeur par le biais des autres éléments du résultat global (choix irrévocable).

Au cours des deux exercices 20X1 et 20X2, Foul Liky Ditay ltée a comptabilisé un résultat global total de 825 $ (765 $ + 60 $). Cependant, lorsque les actions sont classées À la juste valeur par le biais des autres éléments du résultat global (choix irrévocable), les variations de valeur de 175 $ (–235 $ + 60 $) ne figurent jamais en résultat net.

Le tableau d'analyse qui suit montre les extraits des états financiers en ce qui a trait aux obligations et permet de faire ressortir les différences entre les trois classements possibles.

	À la juste valeur par le biais du résultat net	**À la juste valeur par le biais des autres éléments du résultat global**	**Au coût amorti**
Obligations			
Situation financière			
31 décembre 20X1	106 930 $	106 930 $	106 930 $
31 décembre 20X2	108 170	108 170	105 346
Résultat global			
20X1			
Produits d'intérêts	8 000 $	6 505 $	6 505 $
Variation de valeur	(1 495)	–	–
Total du résultat net afférent aux obligations	6 505	6 505	6 505
Autres éléments du résultat global	–	–	–
Total du résultat global	6 505 $	6 505 $	6 505 $
20X2			
Produits d'intérêts	8 000 $	6 416 $	6 416 $
Variation de valeur	1 240	–	–
Total du résultat net afférent aux obligations	9 240	6 416	6 416
Autres éléments du résultat global	–	2 824	–
Total du résultat global	9 240 $	9 240 $	6 416 $

La différence correspond aux variations de valeur et aux diminutions du coût amorti.

Résultat identique en l'absence de variation de valeur

Résultat net différent en présence de variations de valeur

Résultat global identique puisque les titres sont évalués à la juste valeur

Une première différence majeure ressort de l'état de la situation financière. La valeur comptable des obligations classées Au coût amorti diminue à mesure que l'échéance approche, indépendamment des fluctuations de valeur survenues en 20X2. Selon un tel classement, il n'est pas nécessaire de présenter les variations de valeur dans l'état du résultat global[6], parce que si l'entreprise détient ses placements pour encaisser les flux de trésorerie jusqu'à l'échéance, ces variations ne seront jamais prises en compte dans le calcul de son bénéfice ou de sa perte. À l'échéance, l'entreprise encaissera la valeur nominale des obligations qui correspondra au coût amorti.

Le deuxième constat est que les classements Au coût amorti et À la juste valeur par le biais des autres éléments du résultat global conduisent au même montant de résultat net. Le classement À la juste valeur par le biais du résultat net donne au total le même résultat net que les deux autres classements lorsque la juste valeur du titre ne fluctue pas pour des raisons autres que l'effet du passage du temps, comme c'est le cas en 20X1. Lorsque la juste valeur des titres fluctue, comme en 20X2, on constate que le résultat net diffère. Cette différence s'explique par deux éléments propres au classement À la juste valeur par le biais du résultat net. D'abord, les produits d'intérêts sont calculés selon le taux d'intérêt contractuel. Ensuite, la variation de

6. Rappelons toutefois que l'entreprise doit présenter la juste valeur des actifs financiers classés Au coût amorti par voie de notes, comme nous l'avons indiqué dans le tableau 4.10.

juste valeur, occasionnée par des raisons autres que l'effet du passage du temps, est comptabilisée en résultat net. Enfin, le dernier constat important concerne le total du résultat global qui est identique pour les classements À la juste valeur par le biais du résultat net et ceux À la juste valeur par le biais des autres éléments du résultat global. Ceci s'explique du fait que l'évaluation subséquente selon ces deux classements correspond à la juste valeur et que les variations de valeur sont comptabilisées dans l'exercice où elles surviennent.

Différence NCECF

Les pertes de crédit attendues sur les actifs financiers

Différence NCECF

La comparaison des montants découlant des quatre classements possibles des placements qui constituent des actifs financiers ne serait pas complète si nous ne traitions pas des **pertes de crédit attendues sur les placements**, non illustrées dans l'exemple précédent de Foul Liky Ditay ltée. Comme l'indique le tableau 11.1, une entreprise comptabilise parfois des pertes de crédit attendues sur les placements en titres d'emprunt classés À la juste valeur par le biais des autres éléments du résultat global ou Au coût amorti. D'abord, à la fin de chaque exercice, elle doit vérifier si le risque de crédit a augmenté de façon importante depuis la comptabilisation initiale[7]. Si c'est le cas, elle doit estimer les pertes de crédit attendues pour la durée de vie du titre. Si le risque de crédit n'a pas augmenté de façon importante depuis la comptabilisation initiale ou s'il est faible à la fin de la période, elle doit estimer les pertes de crédit attendues pour les 12 mois à venir. L'évaluation des pertes de crédit consiste à évaluer ainsi l'insuffisance des flux de trésorerie:

Valeur actualisée des flux de trésorerie déterminables selon les termes du contrat – Valeur actualisée des flux de trésorerie attendus, compte tenu de tous les rehaussements de crédit

Le taux d'actualisation utilisé doit être le taux d'intérêt effectif initial de l'actif en cause. Peu importe le classement, on comptabilise les pertes de crédit attendues en résultat net. Cependant, le compte crédité diffère selon le classement. Si le placement est classé Au coût amorti, on crédite le compte Provision pour correction de valeur – Placements, qui est un compte de contrepartie du compte de placement en cause. Si le placement est classé À la juste valeur par le biais des autres éléments du résultat global, on crédite le compte Correction de valeur latente d'un placement à la JVBAERG, qui est un compte présenté dans les autres éléments du résultat global. Au cours des exercices suivants, l'entreprise continuera de calculer les produits d'intérêts en utilisant le taux d'intérêt effectif initial. Si le placement est classé Au coût amorti, on applique ce taux à la valeur comptable du placement au début de l'exercice. Si le placement est classé À la juste valeur par le biais des autres éléments du résultat global, le taux est appliqué au coût amorti. Comme il est indiqué dans la figure A6.1W.1 de l'annexe 6.1W, le coût amorti correspond au solde du compte d'actif financier à la JVBAERG, diminué du solde du compte Correction de valeur latente d'un actif financier à la JVBAERG (AERG). Enfin, dans les exercices subséquents, l'entreprise doit réviser ses estimations des pertes de crédit attendues en comparant la valeur comptable brute du placement à la valeur actualisée des flux de trésorerie attendus, au taux d'intérêt effectif initial, compte tenu de tous les rehaussements de crédit. Elle doit comptabiliser la différence entre le solde de la Provision pour correction de valeur et le montant révisé en résultat net.

Annexe 6.1W

EXEMPLE

Pertes de crédit sur un placement Au coût amorti

Le 1er janvier 20X1, la société Papier fin ltée a acheté un placement en obligations d'une valeur nominale de 10 000 $ et portant intérêt au taux contractuel de 8 % l'an. Les intérêts sont encaissables le 31 décembre, et les obligations arrivent à échéance le 31 décembre 20X3. Au moment de l'acquisition, alors que le taux du marché était à 10 %, la juste valeur se chiffrait à 9 502 $. Le 31 décembre 20X1, le taux d'intérêt du marché était de 12 % et l'entreprise a conclu que la qualité du crédit de l'émetteur s'était détériorée. Selon divers scénarios pondérés, l'analyse détaillée des flux de trésorerie révisés a alors montré que Papier fin ltée estimait la valeur actualisée des flux de trésorerie attendus à 8 826 $. Le 31 décembre 20X2, le taux du marché pour

7. Le lecteur peut consulter le chapitre 6 pour revoir les facteurs susceptibles d'indiquer une augmentation du risque de crédit ainsi que toute la mécanique concernant la comptabilisation des pertes de crédit attendues.

des obligations semblables était stable à 12 % et l'entreprise maintenait ses estimations des flux de trésorerie attendus révisés. Finalement, la situation financière de l'émetteur s'est rétablie, de sorte que Papier fin ltée a récupéré la totalité de la valeur nominale le 31 décembre 20X3. Voici les écritures de journal requises sachant que les obligations sont classées Au coût amorti :

1er janvier 20X1		
Placement – Obligations au coût amorti	*9 502*	
Caisse		*9 502*
Achat à escompte d'obligations échéant le 31 décembre 20X3, portant un taux d'intérêt contractuel de 8 % l'an, alors que le taux d'intérêt effectif est de 10 %.		
31 décembre 20X1		
Caisse	*800*	
Placement – Obligations au coût amorti	*150*	
Produits financiers – Intérêts sur obligations au coût amorti ①		*950*
Encaissement des intérêts annuels et comptabilisation des produits d'intérêts calculés selon la méthode du taux d'intérêt effectif.		

Calcul :

① (9 502 $ × 10 %)

Remarque : Cette écriture porte la valeur comptable du placement à 9 652 $ (9 502 $ + 150 $).

Pertes de crédit attendues – Obligations au coût amorti	*826*	
Provision pour correction de valeur – Obligations au coût amorti		*826*
Pertes de valeur liées au risque de crédit.		

Calcul :

Valeur comptable, égale à la valeur actualisée des flux de trésorerie déterminables selon les termes du contrat	9 652 $
Valeur actualisée des flux de trésorerie attendus	(8 826)
Pertes de crédit attendues sur les obligations	826 $

Remarque : Cette écriture porte la valeur comptable du placement à 8 826 $ (9 652 $ – 826 $).

Annexe 6.1W

À partir d'ici, et comme expliqué à l'annexe 6.1W, on doit distinguer la valeur comptable brute, qui servira à calculer les ajustements des pertes de crédit attendues*, et la valeur comptable, égale au coût amorti de l'actif, qui sera présentée dans l'état de la situation financière.

Valeur comptable brute (solde du compte Placement – Obligations au coût amorti)	9 652 $
Provision pour correction de valeur	(826)
Coût amorti	8 826 $

* Ces ajustements, s'ils n'étaient pas fournis dans l'énoncé, seraient déterminés par l'écart entre la valeur comptable brute et la valeur actualisée des flux de trésorerie attendus révisés.

31 décembre 20X2		
Caisse	*800*	
Placement – Obligations au coût amorti	*83*	
Produits financiers – Intérêts sur obligations au coût amorti ①		*883*
Encaissement des intérêts annuels et comptabilisation des produits d'intérêts calculés selon la méthode du taux d'intérêt effectif.		

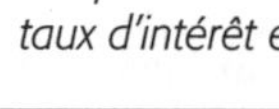

Calcul:

① (8 826 $ × 10 %)

Remarque: Voici l'effet de cette écriture:

Valeur comptable brute (9 652 $ + 83 $)	9 735 $
Provision pour correction de valeur	(826)
Valeur comptable, égale au coût amorti	8 909 $

31 décembre 20X3

Caisse	*800*	
Placement – Obligations au coût amorti	*91*	
*Produits financiers – Intérêts sur obligations au coût amorti*①		*891*

Encaissement des intérêts annuels et comptabilisation des produits d'intérêts calculés selon la méthode du taux d'intérêt effectif.

Calcul:

① (8 909 $ × 10 %)

Remarque: Voici l'effet de cette écriture:

Valeur comptable brute (9 735 $ + 91 $)	9 826 $
Provision pour correction de valeur	(826)
Valeur comptable, égale au coût amorti	9 000 $

Provision pour correction de valeur – Obligations au coût amorti	*826*	
Gain de valeur du placement – Obligations au coût amorti		*826*

Ajustement des pertes de crédit attendues sur les obligations afin de refléter l'amélioration de la situation financière du débiteur (826 $ – 0 $).

Caisse	*10 000*	
Placement – Obligations au coût amorti		*9 826*
Gain – Obligations au coût amorti		*174*

Encaissement de la pleine valeur nominale, contrairement aux estimations antérieures des pertes de crédit attendues.

Remarque: La différence entre la valeur comptable des obligations et le montant encaissé est comptabilisée en résultat net.

Soulignons que si la situation financière de l'émetteur s'était rétablie avant 20X3, Papier fin ltée aurait comptabilisé un gain de valeur avant 20X3. Le montant du gain doit être comptabilisé en résultat net.

Différence NCECF

Les contrats d'assurance vie comportant une option de rachat

Différence NCECF

Le succès de certaines entreprises, notamment les petites et moyennes entreprises, repose sur les compétences d'un ou de plusieurs dirigeants. De telles entreprises contractent parfois un **contrat d'assurance sur la vie** de leurs dirigeants. Lorsque l'un de ses administrateurs meurt, une entreprise peut alors compter sur l'indemnité d'assurance pour maintenir sa trésorerie le temps de remplacer le dirigeant décédé.

Les contrats d'assurance vie se divisent en deux catégories. La première regroupe les **contrats d'assurance vie accordant uniquement un élément de protection en cas de décès**, tels que les contrats d'assurance vie temporaire. La seconde catégorie groupe les **contrats d'assurance vie comportant à la fois un élément de protection en cas de décès et un élément de placement**, tels que les contrats d'assurance vie entière. Ces derniers ont la particularité d'offrir une valeur de rachat au bénéficiaire. Ainsi, ce dernier peut retirer un montant équivalant à la valeur de rachat du contrat d'assurance. Tant que le contrat est en vigueur, certains créanciers acceptent que ces valeurs de rachat soient utilisées à titre de nantissement pour garantir leurs prêts.

La comptabilisation des contrats d'assurance vie offrant seulement un élément de protection ne suscite aucun problème particulier. On comptabilise le montant de la prime annuelle payée par l'entreprise en résultat net de l'exercice à mesure que le temps s'écoule, de la même façon que l'on comptabilise la charge d'assurance, dont il sera question plus en détail au chapitre 12.

La comptabilisation des contrats d'assurance vie offrant simultanément une protection et une option de rachat est plus complexe car, selon le «Cadre conceptuel de l'information financière» (le Cadre), il serait justifié de comptabiliser séparément la prime payée pour la protection et celle payée pour l'**option de rachat**. Un tel contrat procure donc des avantages économiques futurs à son détenteur. Le fait que certains créanciers acceptent de considérer la valeur de rachat à titre de nantissement de leurs prêts confirme que la valeur de l'option de rachat est réellement un actif. Cette option constitue un actif dans la mesure où son coût est inférieur à la valeur de rachat, faisant en sorte que l'option générera des avantages économiques futurs par suite d'un fait passé et dont le montant peut être estimé. Le mode de comptabilisation que l'on utilisera est aussi fonction du bénéficiaire nommé dans la police d'assurance. Ainsi, lorsque les dirigeants ou leurs héritiers sont les bénéficiaires désignés au contrat d'assurance, celui-ci est considéré comme un placement effectué par les dirigeants ou leurs héritiers et non comme une opération de l'entreprise. En vertu du concept de la personnalité de l'entreprise, l'entreprise ne doit pas comptabiliser les primes payées dans ses livres. Par contre, si elle est elle-même bénéficiaire de la police, elle doit comptabiliser l'opération dans ses livres. Dans ce cas, elle comptabilise en résultat net de l'exercice le débours couvrant l'élément de protection, comme il est d'usage pour les autres types d'assurances, alors qu'elle comptabilise au compte Placement – Option de rachat des contrats d'assurance vie le débours couvrant l'élément de placement. Aux fins de présentation dans les états financiers, elle groupe ce compte avec les placements non courants, car les investissements sous forme d'option de rachat ne sont pas liés aux activités courantes et ne sont généralement pas susceptibles d'une réalisation rapide.

L'option de rachat constitue un actif financier dans la mesure où le bénéficiaire détient un droit contractuel de recevoir de la trésorerie à une date déterminée ou déterminable. L'option de rachat d'une police d'assurance vie est un dérivé incorporé dans le contrat d'assurance.

EXEMPLE

Assurance vie comprenant une option de rachat

Le 1er janvier 20X1, la société Petit Bonheur ltée contracte une police d'assurance sur la vie de son président-directeur général et paie le jour même la prime annuelle de 2 500 $. L'indemnité d'assurance versée à la société en cas de décès serait de 500 000 $. Au 31 décembre 20X1, la juste valeur de l'option de rachat de la police d'assurance est de 500 $. Voici les écritures de journal que Petit Bonheur ltée devra passer dans ses livres :

1er janvier 20X1		
Assurances payées d'avance	*2 500*	
Caisse		*2 500*
Assurance sur la vie du président-directeur général dont l'entreprise est elle-même bénéficiaire.		
31 décembre 20X1		
Assurances	*2 000*	
Placement – Options de rachat des contrats d'assurance vie	*500*	
Assurances payées d'avance		*2 500*
Charge annuelle et inscription de la valeur de l'option de rachat du contrat d'assurance vie.		

On notera que la juste valeur de l'option de rachat accumulée en 20X1 diminue d'autant la charge de l'exercice. De plus, comme nous le verrons au chapitre 19, l'entreprise doit classer l'actif financier, qui est un dérivé, à titre d'actif À la juste valeur par le biais du résultat net. Si Petit Bonheur ltée utilise l'option de rachat de ce contrat d'assurance à titre de nantissement pour garantir un emprunt, elle devra mentionner ce fait par voie de notes à ses états financiers.

Au moment du décès du dirigeant, l'entreprise bénéficiaire d'une telle assurance inscrit l'indemnité à recevoir et annule le solde du compte Placement – Options de rachat des contrats d'assurance vie. Ainsi, Petit Bonheur ltée passerait l'écriture suivante advenant la mort du président-directeur général le 31 décembre 20X1 :

Indemnité d'assurance à recevoir	*500 500*	
Placement – Options de rachat des contrats d'assurance vie		*500*
Profit sur contrat d'assurance vie		*500 000*
Indemnité d'assurance reçue à la suite du décès du président-directeur général.		

Dans cet exemple, on ne réajuste pas la charge d'assurance, car la vie du dirigeant a été assurée pendant tout l'exercice. Si son décès était survenu en cours d'exercice, par exemple le 1er décembre, que la juste valeur de l'option de rachat avait alors été de 460 $ et que la compagnie d'assurance avait accepté de rembourser la prime payée en trop de 200 $, on aurait alors dû comptabiliser le montant à recevoir et réduire d'autant la charge d'assurance de l'exercice, comme suit :

1er décembre 20X1		
Placement – Options de rachat des contrats d'assurance vie	*460*	
Remboursement sur prime d'assurance à recevoir	*200*	
Assurances	*1 840*	
Assurances payées d'avance		*2 500*
Régularisation à la suite du décès du président-directeur général.		
Indemnité d'assurance à recevoir	*500 460*	
Placement – Options de rachat des contrats d'assurance vie		*460*
Profit sur contrat d'assurance vie		*500 000*
Indemnité d'assurance à la suite du décès du président-directeur général.		

L'écriture précédente illustre qu'au moment du décès, l'écart entre le montant de l'indemnité et la juste valeur de l'option de rachat est comptabilisé à titre de profit de l'exercice[8].

Différence NCECF

Des situations susceptibles de s'appliquer à tous les placements qui constituent des actifs financiers

Peu importe le classement d'un placement en titres de capitaux propres ou en titres d'emprunt, certaines opérations comportent parfois des caractéristiques dont le comptable doit tenir compte. Il s'agit des achats en bloc, des contrats d'achat ou de vente normalisés d'actifs financiers, des fonds à usage particulier et des échanges.

Les achats en bloc

Différence NCECF

La diversification d'un portefeuille de placement est un excellent moyen de réduire le risque de marché associé aux placements. Elle requiert toutefois que l'investisseur y consacre du temps, non seulement au moment de l'achat de titres, mais aussi sur une base continue, afin de maintenir l'équilibre du portefeuille à mesure que la juste valeur des titres fluctue.

Une façon simple de diversifier un portefeuille de placement sans devoir y consacrer beaucoup de temps est d'acheter des parts d'un fonds commun de placement. L'investisseur se fie alors au gestionnaire du fonds, par exemple Fidelity ou Mackenzie, pour assurer la diversification. Certains fonds ne contiennent que des titres d'emprunt ou que des titres de capitaux propres. Du point de vue comptable, l'investisseur comptabilise ses parts dans un fonds commun de placement en titres d'emprunt comme s'il détenait directement les titres d'emprunt. De même, il comptabilise ses parts dans un fonds commun de placement en actions comme s'il détenait directement les actions.

8. Pour usage fiscal, ce profit n'est pas imposable. En contrepartie, les primes d'assurance payées annuellement par l'entreprise ne sont pas déductibles dans le calcul du bénéfice imposable, sauf s'il s'agit d'une police d'assurance vie temporaire exigée par un créancier, auquel cas les primes d'assurance sont déductibles.

D'autres fonds communs de placement englobent des titres d'emprunt et des titres de capitaux propres. En principe, l'investisseur devrait alors répartir les sommes investies dans le fonds commun de placement. Toutefois, cette répartition est pratiquement impossible à faire, car l'acheteur ne peut pas connaître la répartition des titres détenus par le fonds commun à la date de l'achat. Il est vrai que le gestionnaire du fonds commun de placement établit périodiquement la composition du fonds, notamment au moment de dresser ses états financiers. Toutefois, entre deux dates de présentation de l'information financière, la répartition du fonds est inconnue et peut s'écarter substantiellement de la répartition à la date précédente de présentation de l'information financière, compte tenu des fluctuations quotidiennes des justes valeurs. Le détenteur des parts pourrait donc comptabiliser le montant total de son placement dans un compte intitulé Placements dans des fonds communs. La gestion de ces placements ne vise habituellement pas à percevoir des flux de trésorerie contractuels. Par conséquent, ces placements ne peuvent généralement donc pas être classés Au coût amorti ni À la juste valeur par le biais des autres éléments du résultat global. Ils sont donc souvent classés À la juste valeur par le biais du résultat net.

Plutôt que d'investir dans des fonds communs de placement, un investisseur peut demander à son courtier d'acheter des titres de divers émetteurs. Lorsque de tels achats couvrent plusieurs catégories de titres, on doit répartir le coût global entre les diverses catégories de titres. En principe, la répartition repose sur les justes valeurs respectives de chaque catégorie.

EXEMPLE

Répartition du coût d'achat de plusieurs titres cotés

La société Les Trois Larons ltée paie 1 150 $ pour obtenir 100 actions de Rioux ltée et 100 actions de Lapierre ltée. Les cotes boursières des actions de Rioux ltée et de Lapierre ltée s'élèvent respectivement à 4,50 $ et à 6,25 $. Les Trois Larons ltée a accepté de payer plus que la juste valeur, car cet achat fait partie d'une stratégie à long terme visant à obtenir le contrôle des deux émetteurs. Elle comptabilise de la façon suivante l'acquisition des placements classés À la juste valeur par le biais du résultat net :

Placements en actions de Rioux ltée à la JVBRN ①	*450*	
Placements en actions de Lapierre ltée à la JVBRN ②	*625*	
Perte sur achat de placements en actions à la JVBRN ③	*75*	
Caisse		*1 150*
Acquisition de placements dans deux entreprises à un montant supérieur à la juste valeur.		

Calculs :

① (100 actions × 4,50 $)

② (100 actions × 6,25 $)

③ Coût global	1 150 $
Cote boursière des actions de Rioux ltée	(450)
Cote boursière des actions de Lapierre ltée	(625)
Perte sur acquisition de placements	75 $

Comme nous l'avons vu au chapitre 4, lorsque le prix de transaction diffère de la juste valeur de l'actif financier acquis et que la juste valeur est attestée par un cours sur un marché actif, l'actif financier est comptabilisé à la juste valeur, et l'écart entre celle-ci et le prix de transaction est comptabilisé en résultat net.

Cependant, si la juste valeur n'est pas attestée par un cours sur un marché actif ou si elle repose sur des données d'entrée non observables, l'instrument financier est comptabilisé au prix de la transaction.

EXEMPLE

Répartition du coût d'achat de plusieurs titres non cotés

Reprenons l'exemple précédent, en supposant cette fois que les actions de Lapierre ltée ne se négocient pas sur un marché actif et qu'il est impossible d'obtenir la juste valeur en se basant sur des données d'entrée observables. Une telle situation peut survenir lorsqu'il s'agit, par exemple, de titres émis par une société privée. Le comptable de Les Trois Larons ltée attribue alors aux actions de Rioux ltée leur juste valeur et assigne aux actions de Lapierre ltée le solde du coût global (soit le prix de la transaction), ce qui le conduit à enregistrer l'écriture suivante:

*Placements en actions de Rioux ltée à la JVBRN*①	*450*	
*Placements en actions de Lapierre ltée à la JVBRN*②	*700*	
Caisse		*1 150*
Acquisition de placements dans deux entreprises.		

Calculs:

① (100 actions × 4,50 $)

② Coût global	1 150 $
Juste valeur des actions de Rioux ltée (100 actions × 4,50 $)	(450)
Valeur attribuée aux actions de Lapierre ltée (par différence)	700 $

Les contrats d'achat ou de vente normalisés d'actifs financiers

Différence NCECF

Certaines opérations d'achat ou de vente d'actifs financiers prévoient un délai normalisé de livraison. En effet, sur certains marchés, les opérations sont conclues sur une base continue, mais ne donnent lieu à la livraison des titres qu'à des dates fixes, disons une fois par mois. En d'autres termes, la particularité de ces transactions découle du fait que l'entreprise conclut l'achat ou la vente au temps t, mais reporte le transfert de propriété au temps $t + x$, qui est lui-même assez proche du temps t. En principe, de tels contrats constituent des instruments financiers dérivés, que nous présenterons au chapitre 19. Toutefois, International Accounting Standards Board (IASB) propose de les comptabiliser différemment des dérivés, car le délai entre les deux dates s'avère très court. Une entreprise qui conclut de telles opérations choisit de les comptabiliser soit selon la **méthode de la comptabilisation à la date de transaction** (au temps t), soit selon la **méthode de la comptabilisation à la date de règlement** (au temps $t + x$). Notons qu'une entreprise doit adopter le même principe de comptabilisation pour tous ses achats ou toutes ses ventes d'actifs financiers regroupés dans les catégories Au coût amorti, À la juste valeur par le biais du résultat net, en considérant les titres détenus à des fins de transaction comme une catégorie distincte, et À la juste valeur par le biais des autres éléments du résultat global.

11

La **date de transaction** est celle à laquelle l'entreprise s'engage à acheter ou à vendre l'actif financier; la **date de règlement** est celle à laquelle le titre de propriété de l'actif change de mains. Prenons l'exemple d'un achat d'obligations. La méthode de la comptabilisation à la date de transaction consiste à comptabiliser, dès la date de transaction, le placement en obligations et le passif financier qui en découle, soit l'obligation de céder de la trésorerie. La méthode de la comptabilisation à la date de règlement consiste à comptabiliser le placement en obligations uniquement à la date de règlement et, au même moment, à décomptabiliser l'actif financier cédé, soit de la trésorerie. Elle conduit à comptabiliser les variations de valeur qui surviennent entre la date de transaction et la date de règlement de la même manière que l'actif financier acquis. En somme, le choix de l'une de ces méthodes n'a pas d'effet sur le résultat net périodique, sauf exception.

EXEMPLE

Contrat d'achat normalisé d'un actif Au coût amorti

Le 15 décembre 20X5, la société Solar ltée signe un contrat qui l'engage à acheter 1 000 obligations à 250 $ chacune. Elle prendra possession des obligations le 15 janvier 20X6. Le 31 décembre 20X5, date de clôture de l'exercice financier, la juste valeur d'une obligation s'élève à 260 $. La valeur de l'obligation poursuit sa montée jusqu'au 15 janvier 20X6, où elle s'établit à 265 $. Le 1er juin 20X6, l'entreprise revend les obligations à leur juste valeur de 265 $ à cette date.

La comptabilisation dépend du classement de l'actif financier acheté et du choix de la méthode de comptabilisation utilisée pour ce contrat normalisé. Nous présenterons les écritures de journal requises dans les livres de la société selon trois scénarios: 1) la société classe les obligations Au coût amorti; 2) elle classe les obligations À la juste valeur par le biais du résultat net et, 3) elle classe les obligations À la juste valeur par le biais des autres éléments du résultat global.

11

Voici les écritures requises selon le premier scénario :

Comptabilisation à la date de transaction			Comptabilisation à la date de règlement		
15 décembre 20X5					
Placement – Obligations au coût amorti	*250 000*		*Aucune écriture*		
Montant à payer		*250 000*			
Achat d'obligations qui seront reçues le 15 janvier 20X6.					
31 décembre 20X5					
Aucune écriture					
15 janvier 20X6					
Aucune écriture relative à la variation de valeur					
Montant à payer	*250 000*		*Placement – Obligations au coût amorti*	*250 000*	
Caisse		*250 000*	*Caisse*		*250 000*
Réception et paiement des obligations.			*Réception et paiement des obligations.*		
1er juin 20X6					
Caisse	*265 000*		*Caisse*	*265 000*	
Placement – Obligations au coût amorti		*250 000*	*Placement – Obligations au coût amorti*		*250 000*
Profit sur cession d'obligations au coût amorti		*15 000*	*Profit sur cession d'obligations au coût amorti*		*15 000*
Cession des obligations.			*Cession des obligations.*		

Soulignons d'abord que, du 15 décembre 20X5 au 1er juin 20X6, l'entreprise devrait comptabiliser les produits financiers liés à son placement en obligations peu importe la méthode de comptabilisation choisie. Pour déterminer le montant des produits financiers, elle utilise la méthode du taux d'intérêt effectif. L'énoncé ne donne pas les renseignements requis pour faire ce calcul, car l'exemple vise à faire ressortir les différences entre les deux méthodes de comptabilisation des achats ou des ventes normalisés d'actifs financiers. En fait, la principale différence s'observe dans l'état de la situation financière au 31 décembre 20X1. Selon la méthode de la comptabilisation à la date de transaction, l'actif et le passif augmentent du même montant, ce qui affecte négativement les ratios calculés à partir de la valeur comptable des actifs et des passifs[9]. Cependant, les deux méthodes conduisent l'entreprise à comptabiliser le profit de 15 000 $ dans le résultat net du même exercice.

Lorsqu'une entreprise classe un placement À la juste valeur par le biais du résultat net, elle doit évaluer l'actif financier à sa juste valeur et comptabiliser les variations de valeur dans le résultat net à mesure que celles-ci surviennent, peu importe que la société comptabilise l'achat à la date de transaction ou à la date de règlement.

9. Dans les cas plus rares où une entreprise présenterait des actifs dont la valeur comptable est inférieure à celle des passifs, la méthode de la comptabilisation à la date de transaction aurait un effet positif sur ces ratios.

EXEMPLE

Contrat d'achat normalisé d'un actif à la JVBRN

Reprenons l'exemple précédent en posant maintenant l'hypothèse que la société classe les obligations À la juste valeur par le biais du résultat net.

Comptabilisation à la date de transaction			**Comptabilisation à la date de règlement**		
		15 décembre 20X5			
Placement – Obligations à la JVBRN	*250 000*		*Aucune écriture*		
Montant à payer		*250 000*			
Achat d'obligations qui seront reçues le 15 janvier 20X6.					
		31 décembre 20X5			
Placement – Obligations à la JVBRN	*10 000*		*Montant à recevoir*	*10 000*	
Profit/Perte découlant de la variation de valeur des obligations à la JVBRN		*10 000*	*Profit/Perte découlant de la variation de valeur des obligations à la JVBRN*		*10 000*
Augmentation de valeur des obligations (260 000 $ – 250 000 $).			*Augmentation de valeur des obligations (260 000 $ – 250 000 $).*		
		15 janvier 20X6			
Placement – Obligations à la JVBRN	*5 000*		*Montant à recevoir*	*5 000*	
Profit/Perte découlant de la variation de valeur des obligations à la JVBRN		*5 000*	*Profit/Perte découlant de la variation de valeur des obligations à la JVBRN*		*5 000*
Augmentation de valeur des obligations (265 000 $ – 260 000 $).			*Augmentation de valeur des obligations (265 000 $ – 260 000 $).*		
Montant à payer	*250 000*		*Placement – Obligations à la JVBRN*	*265 000*	
Caisse		*250 000*	*Caisse*		*250 000*
			Montant à recevoir		*15 000*
Réception et paiement des obligations.			*Réception et paiement des obligations.*		
		1er juin 20X6			
Caisse	*265 000*		*Caisse*	*265 000*	
Placement – Obligations à la JVBRN		*265 000*	*Placement – Obligations à la JVBRN*		*265 000*
Cession des obligations au coût de 265 000 $.			*Cession des obligations au coût de 265 000 $.*		

Pour ce qui est des écritures précédentes relatives à la comptabilisation à la date de règlement, nous utilisons le compte Montant à recevoir pour enregistrer les variations de la juste valeur des obligations que Solar ltée n'a pas encore comptabilisées. Nous aurions pu choisir un autre intitulé, tel que Juste valeur d'un achat normalisé.

L'analyse de ces écritures montre bien que peu importe la méthode de comptabilisation retenue, Solar ltée affiche un résultat net de 10 000 $ en 20X5 et de 5 000 $ en 20X6.

Toutefois, les comptes d'actif et de passif diffèrent, comme en font foi les comptes en T au 31 décembre 20X5. Ainsi, le choix de l'entreprise se répercute sur certains ratios, tels que les ratios d'endettement ou de rentabilité.

Comptabilisation à la date de transaction

Placement – Obligations à la JVBRN

Débit	Crédit
250 000	
10 000	
260 000	

Montant à payer

Débit	Crédit
	250 000

Comptabilisation à la date de règlement

Montant à recevoir

Débit	Crédit
10 000	
10 000	

Montant à payer

Débit	Crédit

Lorsqu'une entreprise classe un placement À la juste valeur par le biais des autres éléments du résultat global, elle doit cumuler les variations de valeur dans les autres éléments du résultat global plutôt qu'en résultat net.

EXEMPLE

Contrat d'achat normalisé d'un actif À la JVBAERG

Reprenons l'exemple de Solar ltée en posant maintenant l'hypothèse que la société classe les obligations À la juste valeur par le biais des autres éléments du résultat global. Voici les écritures requises selon les deux méthodes possibles :

Comptabilisation à la date de transaction			Comptabilisation à la date de règlement		
15 décembre 20X5					
Placement – Obligations à la JVBAERG	*250 000*		Aucune écriture		
Montant à payer		*250 000*			
Achat d'obligations qui seront reçues le 15 janvier 20X6.					
31 décembre 20X5					
Placement – Obligations à la JVBAERG	*10 000*		*Montant à recevoir*	*10 000*	
Profit/Perte latent découlant de la variation de valeur des obligations à la JVBAERG (AERG)		*10 000*	*Profit/Perte latent découlant de la variation de valeur des obligations à la JVBAERG (AERG)*		*10 000*
Augmentation de valeur des obligations.			*Augmentation de valeur des obligations.*		

15 janvier 20X6					
Placement – Obligations à la JVBAERG	*5 000*		*Montant à recevoir*	*5 000*	
Profit/Perte latent découlant de la variation de valeur des obligations à la JVBAERG (AERG)		*5 000*	*Profit/Perte latent découlant de la variation de valeur des obligations à la JVBAERG (AERG)*		*5 000*
Augmentation de valeur des obligations.			*Augmentation de valeur des obligations.*		
Montant à payer	*250 000*		*Placement – Obligations à la JVBAERG*	*265 000*	
Caisse		*250 000*	*Caisse*		*250 000*
			Montant à recevoir		*15 000*
Réception et paiement des obligations.			*Réception et paiement des obligations.*		
1er juin 20X6					
Caisse	*265 000*		*Caisse*	*265 000*	
Placement – Obligations à la JVBAERG		*265 000*	*Placement – Obligations à la JVBAERG*		*265 000*
Cession des obligations.			*Cession des obligations.*		
Cumul des Profits/Pertes latents découlant de la variation de valeur des obligations à la JVBAERG	*15 000*		*Cumul des Profits/Pertes latents découlant de la variation de valeur des obligations à la JVBAERG*	*15 000*	
Profits/Pertes découlant de la variation de valeur des obligations à la JVBAERG		*15 000*	*Profits/Pertes découlant de la variation de valeur des obligations à la JVBAERG*		*15 000*
Virement en résultat net des profits/pertes cumulés dans les autres éléments du résultat global à la suite de la cession des obligations.			*Virement en résultat net des profits/pertes cumulés dans les autres éléments du résultat global à la suite de la cession des obligations.*		

L'analyse de ces écritures montre encore une fois que peu importe la méthode de comptabilisation retenue, Solar ltée affiche un résultat global de 10 000 $ en 20X5 et de 5 000 $ en 20X6. Toutefois, les comptes d'actif et de passif diffèrent.

Ce qui précède illustrait l'achat normalisé d'un actif financier. Qu'en est-il de la comptabilisation d'une vente normalisée d'actif financier ? L'entreprise qui conclut une telle vente suit un raisonnement semblable, mais il faut toutefois savoir que ce n'est plus elle qui assume le risque que la juste valeur de l'actif financier vendu varie après la date de transaction. Elle ne comptabilise donc pas les variations de valeur du placement qui surviennent après cette date[10].

10. Le lecteur trouvera un exemple d'application de ce principe dans l'exercice 8 du manuel *Comptabilité intermédiaire, Questions, exercices, problèmes et cas.*

Soulignons qu'une entreprise doit adopter la même méthode de comptabilisation pour tous ses contrats d'achat ou de vente normalisés d'actifs financiers d'une même catégorie. À cette fin, l'IASB précise que les instruments financiers détenus à des fins de transaction constituent une catégorie distincte de ceux classés À la juste valeur par le biais du résultat net.

Différence NCECF

En raison des conséquences que le choix d'une méthode de comptabilisation peut avoir sur leurs ratios financiers, les entreprises devraient indiquer, dans la note afférente aux méthodes comptables, la méthode retenue pour comptabiliser les contrats d'achat ou de vente normalisés d'actifs financiers.

Les fonds à usage particulier

Pour faciliter la gestion d'une entreprise, on constitue parfois des fonds distincts, c'est-à-dire de petites entités économiques au sein de l'entité juridique. Par exemple, une entreprise peut ouvrir un compte en banque servant uniquement au paiement des salaires. Les opérations rattachées aux salaires sont alors perçues comme faisant partie d'une entité distincte au sein de l'entreprise. Ce **fonds à usage particulier** possède ses propres actifs, passifs, produits et charges, soit le compte en banque, les salaires à payer, les produits d'intérêts gagnés sur les montants déposés dans le compte en banque et la charge de salaires. Chacun de ces comptes doit être intitulé de façon à refléter son appartenance au fonds à usage particulier, par exemple, Caisse – Salaires. Une entreprise peut aussi créer des fonds à usage particulier servant au paiement des intérêts sur les emprunts courants, au paiement des dividendes, etc. Puisque ces fonds sont liés à l'activité courante, on doit grouper les comptes dont ils sont composés avec les comptes relatifs aux activités courantes aux fins de présentation des états financiers. Par exemple, le compte Caisse – Salaires est regroupé avec le compte Caisse et présenté dans le seul poste Trésorerie de l'état de la situation financière.

Une entreprise peut également constituer des fonds qui ne sont pas directement liés à l'activité courante. Il en est ainsi des **fonds de la dette à long terme**, aussi appelés **fonds d'amortissement**, créés pour rembourser les dettes à long terme, des **fonds d'expansion**, créés pour accumuler la trésorerie nécessaire à des projets d'agrandissement, et des **fonds de rachat d'actions**, créés pour racheter certaines catégories d'actions émises. Tous ces fonds ont en commun de grouper certains actifs destinés exclusivement à des fins particulières. Relativement peu d'entreprises créent de tels fonds car, sur le plan financier, il n'est pas toujours approprié de geler la trésorerie pendant une longue période.

Les fonds à usage particulier se distinguent des résultats non distribués. Alors que les affectations des résultats non distribués, dont traitera le chapitre 15, visent à informer les actionnaires que le montant total des résultats non distribués ne peut être distribué sous forme de dividendes, les fonds à usage particulier représentent des actifs. En outre, puisque ces fonds sont généralement détenus pendant une longue période, les entreprises cherchent à en tirer un rendement, le plus souvent en y investissant dans des titres de placement les ressources disponibles. De ce fait, les règles de comptabilisation des acquisitions et des produits de placement abordées précédemment s'appliquent aussi aux fonds à usage particulier. On notera que des comptes distincts sont utilisés afin de distinguer les placements dont l'entreprise peut disposer à sa guise des placements destinés à un usage restreint. L'intitulé des comptes doit donc préciser le fonds auquel ceux-ci se rattachent.

EXEMPLE

Opérations liées à un fonds à usage particulier

La société Berline ltée a émis des obligations d'une valeur nominale de 10 000 000 $ échéant dans 20 ans. La société doit créer un fonds de la dette à long terme et y verser annuellement 450 000 $ pendant 20 ans. Berline ltée décide d'investir le premier versement de 450 000 $ dans des actions qu'elle classe À la juste valeur par le biais du résultat net. Au moment de la création du fonds le 15 janvier 20X2, l'écriture de journal suivante montre le transfert de 450 000 $ du compte en banque à un autre compte d'actif :

15 janvier 20X2		
Placements en actions à la JVBRN – Fonds de la dette à long terme	*450 000*	
Caisse		*450 000*
Création du fonds de la dette à long terme.		

Supposons que, quelques mois plus tard, soit le 15 juin 20X2, la société émettrice déclare un dividende. Berline ltée encaissera 40 000 $ le 15 juillet suivant et comptabilisera cette opération comme suit:

15 juin 20X2		
Dividendes à recevoir – Fonds de la dette à long terme	*40 000*	
Produits financiers – Actions à la JVBRN – Fonds de la dette à long terme		*40 000*
Déclaration d'un dividende sur les actions détenues par le fonds de la dette à long terme.		
15 juillet 20X2		
Caisse – Fonds de la dette à long terme	*40 000*	
Dividendes à recevoir – Fonds de la dette à long terme		*40 000*
Encaissement du dividende déclaré le 15 juin 20X2.		

Dans ses états financiers de l'exercice terminé le 31 décembre 20X2, Berline ltée présentera tous les actifs du fonds de la dette à long terme dans la rubrique des placements non courants, car ils ne sont pas liés à l'activité courante et ne seront réalisés qu'à l'échéance des obligations à payer de Berline ltée. Un tel mode de présentation respecte la distinction entre courant et non courant contenue dans l'**IAS 1**, intitulée «Présentation des états financiers». On notera que, dans les états financiers de l'exercice précédant l'échéance de placements en obligations, ces derniers figureront parmi les placements courants, car Berline ltée sera alors assurée de les réaliser, au cours de l'exercice subséquent, à leur valeur nominale.

En supposant que les placements du fonds de la dette à long terme s'élèvent à 10 000 000 $ à la date du remboursement des obligations à payer, le détenteur passera à cette même date l'écriture de journal suivante:

Caisse – Fonds de la dette à long terme	*10 000 000*	
Placements en actions à la JVBRN – Fonds de la dette à long terme		*10 000 000*
Vente du placement en actions dans le but de rembourser les obligations arrivées à échéance.		
Obligations à payer	*10 000 000*	
Caisse – Fonds de la dette à long terme		*10 000 000*
Remboursement des obligations à même le fonds de la dette à long terme.		

Le lecteur se demande peut-être pourquoi Berline ltée ne présente pas les placements du fonds de la dette à long terme directement en diminution de la dette à long terme. Lorsque Berline ltée verse des sommes d'argent au fiduciaire, on pourrait croire qu'elle rembourse une partie de sa dette. De la même façon, certains pourraient juger acceptable une présentation des produits de placement en diminution de la charge d'intérêts sur la dette à long terme. Un tel traitement est inacceptable. Le chapitre 4 a en effet précisé les rares situations où il est admissible d'opérer une compensation entre deux postes des états financiers.

Parfois, un fiduciaire gère les fonds à usage particulier. L'établissement d'une fiducie est souvent exigé par les acheteurs d'obligations ou d'actions rachetables. On trouve alors une clause à ce sujet dans le contrat obligataire ou le prospectus publié lors de l'émission des actions.

EXEMPLE

Fonds géré par un fiduciaire

Reprenons l'exemple de Berline ltée, en supposant cette fois qu'un fiduciaire gère le fonds de la dette à long terme. À la page suivante se trouvent les écritures de journal que Berline ltée et le fiduciaire devront passer dans leurs livres, en tenant pour acquis que Berline ltée classe sa créance À la juste valeur par le biais du résultat net.

Dans les livres de Berline ltée			Dans les livres du fiduciaire		
15 janvier 20X2					
Créance d'un fiduciaire à la JVBRN	*450 000*		*Caisse*	*450 000*	
Caisse		*450 000*	*Montant dû à Berline ltée*		*450 000*
Création du fonds de la dette à long terme géré par un fiduciaire.			*Ouverture d'un compte géré au nom de Berline ltée.*		
			*Placements – Berline ltée**	*450 000*	
			Caisse		*450 000*
			Investissement de la trésorerie.		
15 juin 20X2					
Créance d'un fiduciaire à la JVBRN	*40 000*		*Dividendes à recevoir*	*40 000*	
Produits financiers – Dividendes		*40 000*	*Montant dû à Berline ltée*		*40 000*
Déclaration d'un dividende sur les actions détenues par le fonds de la dette à long terme.			*Déclaration le 15 juin 20X2 d'un dividende au nom de Berline ltée.*		
15 juillet 20X2					
Aucune écriture			*Caisse*	*40 000*	
			Dividendes à recevoir		*40 000*
			Encaissement du dividende au nom de Berline ltée.		
Réalisation du fonds au moment de l'échéance des obligations					
Caisse	*10 000 000*		*Montant dû à Berline ltée*	*10 000 000*	
Créance d'un fiduciaire à la JVBRN		*10 000 000*	*Placements – Berline ltée**		*10 000 000*
Réalisation du fonds.			*Fermeture du compte géré au nom de Berline ltée.*		
Obligations à payer	*10 000 000*				
Caisse		*10 000 000*			
Remboursement des obligations.					

* Le fiduciaire devra classer cet actif financier dans l'une des catégories possibles et préciser le classement dans l'intitulé du compte.

Les échanges

Les entreprises acquièrent parfois des placements non monétaires, tel un placement en actions, en cédant des biens ou en rendant des services. De tels échanges d'actifs non monétaires doivent être comptabilisés en respectant les recommandations formulées à l'IFRS 9, intitulée « Instruments financiers » :

> À l'exception des créances clients qui entrent dans le champ d'application du paragraphe 5.1.3, l'entité doit, lors de la comptabilisation initiale, évaluer un actif financier [...] à sa juste valeur, majorée [...], dans le cas d'un actif financier [...] qui n'est pas à

la juste valeur par le biais du résultat net, des *coûts de transaction* directement attribuables à l'acquisition [...] de cet actif [...][11].

Les placements reçus lors d'une opération de troc sont donc évalués de la même façon que si l'achat avait été réglé en trésorerie.

EXEMPLE

Placement reçu lors d'une opération de troc

La société Marc-o-polo ltée reçoit 5 000 actions de Mario ltée, d'une juste valeur totale de 28 500 $, en cédant un terrain évalué à 28 500 $ dont la valeur comptable s'élève à 26 000 $. Le comptable de Marc-o-polo ltée passe alors l'écriture suivante, en tenant pour acquis que les actions sont classées À la juste valeur par le biais du résultat net:

	Débit	Crédit
Placements – Actions à la JVBRN	*28 500*	
Terrain		*26 000*
Profit découlant de l'aliénation du terrain		*2 500*
Réception de 5 000 actions de Mario ltée en échange d'une immobilisation.		

Un élément retient l'attention dans l'écriture précédente: l'opération d'échange permet de dégager un profit de 2 500 $ sur l'échange du terrain, même si Marc-o-polo ltée n'a encaissé aucun montant.

La décomptabilisation

Différence NCECF

11

L'IFRS 9, expliquée au chapitre 4, contient aussi des recommandations applicables à la décomptabilisation, plus particulièrement au moment de la décomptabilisation et au montant du profit ou de la perte en découlant. On se rappellera qu'un actif financier est décomptabilisé lorsque les droits qui y sont associés sont expirés ou transférés. Comme pour la décomptabilisation de tout actif, l'entreprise régularise d'abord les comptes d'actif en cause. À cet égard, elle comptabilise les produits d'intérêts à recevoir et les variations de valeur des placements comptabilisés à la juste valeur, soit ceux classés À la juste valeur par le biais du résultat net et ceux qui le sont À la juste valeur par le biais des autres éléments du résultat global.

À l'échéance d'un placement en titres d'emprunt, tel un placement en obligations comptabilisé Au coût amorti, les droits de recevoir des flux de trésorerie sont expirés. L'entreprise récupère alors la valeur nominale de l'obligation, égale à son coût amorti, et décomptabilise le placement. Si celui-ci est plutôt comptabilisé à sa juste valeur parce qu'il a été classé À la juste valeur par le biais du résultat net, l'entreprise passe une première écriture pour comptabiliser les variations de valeur survenues jusqu'à la date de décomptabilisation. Enfin, si les obligations sont classées À la juste valeur par le biais des autres éléments du résultat global, l'entreprise comptabilise d'abord les variations de valeur, elle décomptabilise ensuite le placement et vire enfin en résultat net le total des profits/pertes latents cumulés dans les autres éléments du résultat global. L'exemple de Foul Liky Ditay ltée, présenté aux pages 11.13 à 11.23, illustrait ces recommandations.

Lorsqu'une entreprise détient un placement ne comportant pas de date d'échéance, tel un placement en actions, elle décomptabilise cet actif au moment où elle transfère les droits inhérents au placement, soit au moment de la vente ou à celui où l'entreprise ayant émis les actions est dissoute. Puisque de tels placements peuvent être classés uniquement comme étant À la juste valeur par le biais du résultat net ou À la juste valeur par le biais des autres éléments du résultat global (choix irrévocable), le détenteur comptabilise d'abord la variation de valeur survenue entre le début de l'exercice et la date du transfert, puis décomptabilise le placement. De plus, dans le cas d'un placement À la juste valeur par le biais des autres éléments du résultat global (choix irrévocable), l'entreprise peut virer dans un autre compte de capitaux propres le solde du compte Cumul des profits/pertes latents découlant de la variation de valeur des placements à la JVBAERG.

Une entreprise qui a besoin de trésorerie peut décider de vendre uniquement une proportion de ses placements. Lorsqu'elle vend un placement comptabilisé à la juste valeur, elle

11. *Manuel de CPA Canada – Comptabilité – Partie I,* IFRS 9, paragr. 5.1.1.

comptabilise la proportion vendue de la façon expliquée ci-dessus, c'est-à-dire en décomptabilisant la juste valeur de cette proportion. Toutefois, lorsqu'elle vend une proportion d'un placement comptabilisé Au coût amorti, il se peut que les titres détenus n'aient pas tous le même coût initial, parce qu'ils ont été achetés à des moments différents. Se pose alors la question de déterminer la valeur comptable de la proportion vendue. En l'absence de normes comptables à cet égard, l'entreprise pourrait affirmer vendre les titres dont le coût est plus faible et ainsi comptabiliser un profit découlant de la vente des obligations. À l'inverse, si elle souhaitait retarder la comptabilisation d'un profit, elle pourrait affirmer vendre les titres dont le coût est plus élevé. Pourtant, en substance, les titres réellement vendus seraient les mêmes.

Afin d'éviter de telles manipulations des chiffres comptables, l'IASB précise que l'entreprise détermine d'abord si une telle opération entraîne la décomptabilisation d'une partie d'un groupe d'actifs financiers similaires (disons 20 % des 100 obligations détenues) ou d'un actif financier dans son intégralité (20 obligations). Il formule à cette fin la recommandation qui suit :

(a) Les paragraphes 3.2.3 à 3.2.9 s'appliquent à une partie d'un actif financier (ou à une partie d'un groupe d'actifs financiers similaires) si et seulement si la partie susceptible d'être décomptabilisée répond à l'une des trois conditions suivantes :

(i) […] ;

(ii) elle est constituée uniquement d'une part exactement proportionnelle (au prorata) des flux de trésorerie d'un actif financier (ou d'un groupe d'actifs financiers similaires). Par exemple, si l'entité contracte un accord par lequel la contrepartie a droit à 90 % du total des flux de trésorerie d'un instrument d'emprunt, les paragraphes 3.2.3 à 3.2.9 s'appliquent à 90 % de ces flux de trésorerie. S'il y a plusieurs contreparties, il n'est pas nécessaire que chacune d'elles ait une part proportionnelle des flux de trésorerie ; il suffit que l'entité cédante en ait une part exactement proportionnelle ;

(iii) […].

(b) […].

Dans les paragraphes 3.2.3 à 3.2.12, l'expression « actif financier » désigne soit une partie d'un actif financier (ou une partie d'un groupe d'actifs financiers similaires) comme il est indiqué en (a) ci-dessus, soit un actif financier (ou un groupe d'actifs financiers similaires) dans son intégralité[12].

Lorsqu'une de ces conditions est remplie, le vendeur doit déterminer la valeur comptable de la proportion du placement vendu. Pour ce faire, il répartit proportionnellement la valeur comptable de l'ensemble de ce placement entre la portion conservée et la portion aliénée en se basant sur les justes valeurs respectives.

EXEMPLE

Vente d'une partie d'un placement Au coût amorti

La société Hélé Manterre ltée possède 100 obligations de la société Lavin ltée, d'une valeur nominale de 1 000 $ chacune et dont la valeur comptable totale, égale au coût amorti, est de 99 000 $ au 1er janvier 20X5. La valeur comptable se répartit ainsi :

Date de l'achat	*Nombre d'obligations achetées*	*Coût amorti*	*Coût unitaire*
17 septembre 20X1	*70*	*74 000 $*	*1 057,14 $*
3 février 20X3	*30*	*25 000*	*833,33*
Total	*100*	*99 000 $*	

Hélé Manterre ltée a des besoins de trésorerie totalisant 20 000 $. Étant donné que la cote unitaire d'une obligation s'élève à 98, Hélé Manterre ltée doit vendre 21 obligations [20 000 $ ÷ (98 % × 1 000 $)].

Hélé Manterre ltée doit décomptabiliser une partie d'un actif financier, puisqu'elle a transféré la totalité des risques et des avantages liés à une partie de son placement en obligations.

12. *Manuel de CPA Canada – Comptabilité – Partie I*, IFRS 9, paragr. 3.2.2.

La société obtient le coût des placements vendus en ventilant la valeur comptable des 100 obligations (99 000 $) entre la partie conservée (79 obligations) et la partie aliénée (21 obligations) sur la base de la juste valeur des obligations à la date de l'aliénation. Hélé Manterre ltée passe alors les écritures de journal suivantes:

Caisse ①	*20 580*	
Perte sur aliénation de placements – Obligations au coût amorti ③	*210*	
Placement – Obligations au coût amorti ②		*20 790*
Vente à 98 de 21 obligations de Lavin ltée ayant une valeur nominale de 1 000 $.		

Calculs:

① [(1 000 $ × 98 %) × 21 obligations]

② [99 000 $ × (21 obligations ÷ 100 obligations)]

③ Prix de vente (calculé en ①)	20 580 $
Valeur comptable (calculée en ②)	(20 790)
Perte sur aliénation	210 $

Avez-vous remarqué ?

Les critères de classement permettent de refléter la substance des placements qui constituent des actifs financiers et conduisent ainsi à fournir une information financière pertinente, sans pour autant que les règles de comptabilisation soient manipulables.

Différence NCECF

11

La présentation dans les états financiers des placements qui constituent des actifs financiers

Différence NCECF

Jusqu'à maintenant, nous avons traité de la comptabilisation des placements sans égard à la distinction entre placements courants ou non courants. On pourrait croire d'emblée que cette distinction repose sur la date d'échéance des placements, lorsqu'une telle date existe, mais c'est plutôt l'intention de l'entreprise qui importe. Les **placements présentés dans l'actif courant** comprennent généralement les actifs financiers À la juste valeur par le biais du résultat net, plus précisément ceux détenus à des fins de transaction. Lorsqu'une entreprise a l'intention de réaliser un placement au cours du prochain exercice financier, elle le classe aussi parmi les actifs courants. Pour confirmer l'intention de réaliser un placement, il ne suffit pas d'interroger la direction de l'entreprise. On doit notamment examiner l'expérience passée de l'entreprise en ce domaine et prendre connaissance des budgets de trésorerie établis pour l'exercice subséquent. En effet, lorsqu'il est possible de se procurer de tels budgets, on peut confirmer que l'entreprise compte réaliser les placements au cours de l'exercice suivant en vérifiant que les encaissements attendus incluent le produit estimatif de l'aliénation des placements. Ainsi, on pourrait classer un placement en obligations qui arrivera à échéance dans 20 mois parmi les actifs courants si l'entreprise a acheté ces obligations dans le but d'investir ses surplus de trésorerie pendant une courte période.

Les **placements présentés dans l'actif non courant** comprennent tous les placements qui ne sont pas susceptibles d'être réalisés relativement rapidement et dont la direction ne prévoit pas la réalisation à court terme. Il en est ainsi des titres de capitaux propres détenus en vue de bénéficier d'un rendement à long terme, peu importe si les titres sont classés À la juste valeur par le biais des autres éléments du résultat global (choix irrévocable) ou À la juste valeur par le biais du résultat net.

Le tableau 11.2 établit une comparaison entre les placements présentés dans l'actif courant et ceux présentés dans l'actif non courant.

Les chapitres 4 et 6 présentaient en détail les recommandations de l'IASB en matière d'information à fournir au sujet des actifs financiers. Le lecteur est invité à relire les pages 4.37 à 4.70. et 6.40 à 6.46.

TABLEAU 11.2 Une comparaison entre les placements présentés dans l'actif courant et ceux présentés dans l'actif non courant

Actif courant	Actif non courant
Caractéristiques	
Les placements présentés dans l'actif courant sont ceux que l'entreprise a l'intention de réaliser rapidement, soit au cours des 12 mois suivant la date de clôture.	Tous les placements qui ne respectent pas la caractéristique énoncée ci-contre sont considérés comme des placements non courants.
Objectif poursuivi par le détenteur	
Les placements courants sont détenus en vue de tirer un rendement sur la trésorerie excédentaire.	Les placements non courants sont détenus en vue de tirer un rendement à long terme.
Exemples	
Certificats de dépôt, dépôts à terme, bons du Trésor, obligations et actions.	Certificats de dépôt, dépôts à terme, bons du Trésor, obligations et actions.

Différence NCECF

Avez-vous remarqué ?

La distinction entre les placements courants et non courants exige parfois beaucoup de jugement professionnel comparativement, disons, aux stocks, qui sont des actifs courants, et aux immobilisations, qui sont des actifs non courants.

11

Les participations dans des entreprises associées

Une entreprise qui détient des participations dans des entreprises associées, et qui est un organisme de capital-risque, de fonds commun de placement ou autre équivalent[13], peut adopter un traitement comptable différent de ceux expliqués jusqu'ici en raison de l'objectif visé, qui est d'obtenir le contrôle de la société émettrice ou une influence notable sur elle. De telles participations se présentent généralement sous forme de placements en actions, peu importe que l'émetteur classe les actions à titre de passif ou de capitaux propres.

Les pouvoirs conférés par un placement en actions

Différence NCECF

Les placements en actions donnent parfois à leur détenteur, c'est-à-dire l'investisseur, la possibilité d'exercer une influence plus ou moins grande sur la société ayant émis les actions, c'est-à-dire la **société émettrice**, lorsque les titres détenus donnent un droit de vote. Sur le plan comptable, on classe les placements en actions dans quatre catégories selon le degré d'influence du détenteur : 1) l'investisseur ne peut exercer d'influence notable ; 2) l'investisseur est en mesure d'exercer une influence notable ; 3) l'influence de l'investisseur est de type collégial ; 4) l'investisseur peut exercer un contrôle sur la société émettrice. La figure 11.4 illustre ce classement.

Lorsqu'une entreprise détient très peu d'actions d'une société émettrice, elle ne peut, en règle générale, exercer une influence sur la gestion de cette société. Puisqu'un tel placement est semblable aux placements en titres d'emprunt pour ce qui est de l'influence exercée sur la société émettrice, il est comptabilisé selon les normes afférentes aux actifs financiers. Lorsque l'investisseur est en mesure d'exercer une influence notable sur la société émettrice, alors appelée **entreprise associée**, il se rapporte plutôt à l'**IAS 28**, intitulée « Participations dans des entreprises associées et des coentreprises », pour comptabiliser le placement en actions selon la méthode de la mise en équivalence, expliquée plus loin, ou au coût, s'il est une société mère exemptée de la présentation d'états financiers consolidés. Lorsque l'investisseur exerce le contrôle conjoint sur un partenariat (société émettrice), il prépare ses états financiers, s'il s'agit d'une coentreprise, en utilisant la méthode de la mise en équivalence ou, s'il s'agit d'une entreprise commune, en incluant sa quote-part des actifs, des passifs, des produits et des charges conjoints. Une **coentreprise** est un type de partenariat dans lequel l'investisseur n'a des droits que sur l'actif net. Un partenariat peut aussi prendre la

13. Selon le paragraphe 18 de l'**IAS 28**, les entreprises de capital-risque, de fonds commun de placement ou autre équivalent peuvent comptabiliser leurs participations en appliquant les recommandations contenues dans l'IFRS 9.

FIGURE 11.4 Les placements en actions

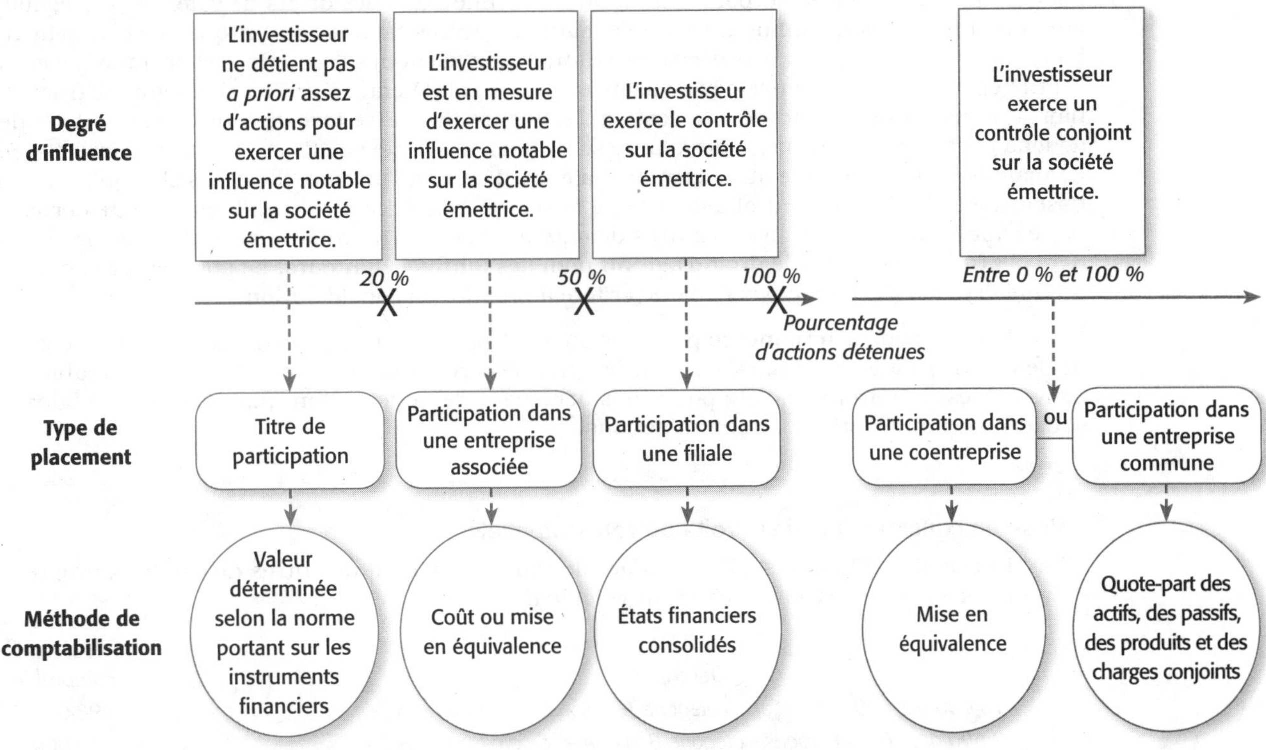

Source: Jocelyne Gosselin et Réjean Brault

forme d'une **entreprise commune**, c'est-à-dire une entreprise dans laquelle l'investisseur a des droits sur les actifs et les passifs. Enfin, lorsque l'investisseur contrôle la société émettrice, cette dernière est considérée comme une **filiale** et des états financiers consolidés sont préparés.

La figure 11.4 rappelle que la question la plus délicate est de déterminer si l'investisseur possède assez de droits de vote pour exercer une **influence notable**. L'IASB traite cette question de la façon suivante:

> L'*influence notable* est le pouvoir de participer aux décisions relatives aux politiques financières et opérationnelles de l'entité émettrice, sans toutefois exercer un contrôle ou un contrôle conjoint sur ces politiques.
>
> Si l'investisseur détient, directement ou indirectement (par exemple par le biais de filiales), 20 % ou plus des droits de vote dans l'entité émettrice, il est présumé exercer une influence notable, sauf s'il peut être démontré clairement que ce n'est pas le cas. Inversement, si l'investisseur détient, directement ou indirectement (par exemple par le biais de filiales), moins de 20 % des droits de vote dans l'entité émettrice, il est présumé ne pas exercer d'influence notable, sauf s'il peut être démontré clairement qu'il exerce une telle influence. L'existence d'une participation importante ou majoritaire d'un autre investisseur n'exclut pas nécessairement que l'investisseur puisse exercer une influence notable.
>
> L'exercice d'une influence notable par un investisseur est habituellement attesté par une ou plusieurs des situations suivantes:
>
> (a) représentation au sein du Conseil d'administration ou de l'organe de direction équivalent de l'entité émettrice;
>
> (b) participation au processus d'élaboration des politiques, et notamment participation aux décisions relatives aux dividendes et autres distributions;
>
> (c) transactions significatives entre l'investisseur et l'entité émettrice;
>
> (d) échange de personnel de direction;
>
> (e) fourniture d'informations techniques essentielles[14].

14. *Manuel de CPA Canada – Comptabilité – Partie I*, IAS 28, paragr. 3, 5 et 6.

Par conséquent, même si l'investisseur n'exerce pas le contrôle de la société émettrice, il peut en influencer la gestion pour autant qu'il détienne 20 % des droits de vote. Ce pourcentage crée une présomption d'influence notable, sauf si d'autres faits montrent que l'investisseur n'a pas le pouvoir de participer aux décisions relatives aux politiques financières et opérationnelles de l'entité émettrice. Par exemple, si la société émettrice est détenue à 75 % par un groupe d'actionnaires prenant une part active à la gestion, l'influence de l'autre investisseur détenant 25 % des actions peut être pratiquement inexistante si, de plus, la société émettrice et cet autre investisseur ne maintiennent aucune relation commerciale privilégiée. À l'inverse, il est possible qu'un investisseur détenant 15 % des droits de vote de la société émettrice puisse influencer cette dernière, par exemple, s'il a négocié avec d'autres détenteurs de droits de vote un accord lui assurant une **procuration**, c'est-à-dire le droit d'agir au nom des autres détenteurs. Le pourcentage de droits de vote détenus n'est donc pas l'unique critère à prendre en considération.

De plus, pour déterminer le pourcentage de droits de vote, l'investisseur doit tenir compte de ses **droits de vote potentiels**, soit les droits de vote qui sont actuellement exerçables ou convertibles. Les droits de vote potentiels découlent de la détention, par exemple, de bons de souscription ou d'options d'achat d'actions.

EXEMPLE

Prise en considération des droits de vote potentiels

Le 31 décembre 20X2, la société Leadership Plus ltée détient des titres de capitaux propres dans la société Améry Max ltée, dont voici le détail :

Description	*Valeur comptable*
18 000 des 100 000 actions, catégorie A, assorties de droits de vote	*98 000 $*
9 500 des 50 000 actions, catégorie B, assorties de droits de vote	*10 000*
4 200 des 8 000 options d'achat d'actions ; chaque option peut être convertie en une action de catégorie A, au coût de 2 $, à compter du 1er août 20X1	*7 000*

Sur la base des droits de vote actuels, Leadership Plus ltée détient 27 500 droits (18 000 actions, catégorie A + 9 500 actions, catégorie B) sur un total de 150 000 droits (100 000 actions, catégorie A + 50 000 actions, catégorie B), ce qui représente 18,33 % des droits de vote. L'entreprise pourrait alors présumer qu'elle ne détient pas d'influence notable, à moins de faits permettant de démontrer clairement le contraire. Cependant, lorsqu'elle tient compte des droits de vote potentiels, Leadership Plus ltée détient 31 700 droits sur un total de 158 000, ce qui représente 20,06 % des droits de vote. Elle doit donc conclure, à moins de preuve du contraire, qu'elle est en mesure d'exercer une influence notable sur Améry Max ltée. On remarquera que, dans le dernier calcul, Leadership Plus ltée tient compte non seulement des droits de vote potentiels qu'elle détient, mais aussi de ceux détenus par les autres investisseurs. En effet, comparativement au premier calcul, le numérateur augmente de 4 200 et le dénominateur augmente de 8 000.

Comme il a été mentionné précédemment, les droits de vote potentiels se limitent aux droits actuellement exerçables ou convertibles. Ainsi, dans l'exemple précédent, lorsque Leadership Plus ltée a calculé son pourcentage de détention le 31 décembre 20X2, elle a tenu compte des options qui pouvaient être exercées jusqu'à cette date. Si les options ne pouvaient être exercées que plus tard, Leadership Plus ltée ne pourrait s'en servir pour obtenir des droits de vote additionnels au 31 décembre 20X2. Enfin, on notera qu'aucun renseignement ne porte sur la probabilité que Leadership Plus ltée exerce ses options d'achat d'actions ni sur sa capacité financière de le faire. L'IASB précise en effet que ces deux éléments ne sont pas pertinents dans le calcul des droits de vote potentiels. La figure 11.5 illustre la notion d'influence notable.

Revenons à la figure 11.4. L'exercice du **contrôle** signifie que l'investisseur « [...] est exposé ou qu'il a droit à des rendements variables en raison de ses liens avec l'entité émettrice et qu'il a la capacité d'influer sur ces rendements du fait du pouvoir qu'il détient sur celle-ci[15] ». Puisque l'investisseur exerce un contrôle sur la société émettrice, on peut affirmer que ces deux entreprises, bien qu'elles soient distinctes sur le plan juridique, constituent en fait une seule entité économique. Les comptes de la filiale sont alors groupés avec ceux de la société mère afin de donner une image complète du groupe

15. *Manuel de CPA Canada – Comptabilité – Partie I*, **IFRS 10**, paragr. 6.

FIGURE 11.5 L'influence des investisseurs sur la société émettrice

Première situation

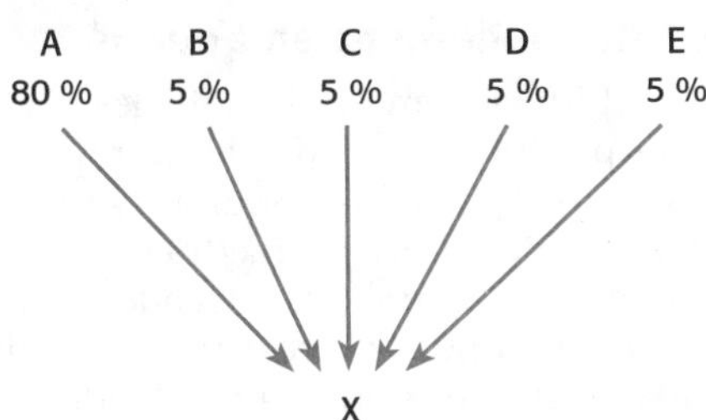

A détient le contrôle juridique de X, car elle possède plus de 50 % des droits de vote. X est donc une filiale de A. Les quatre autres investisseurs détiennent chacun un faible pourcentage des droits de vote de X. Dans les livres comptables de ces actionnaires, la participation est comptabilisée selon les normes afférentes à un actif financier.

Deuxième situation

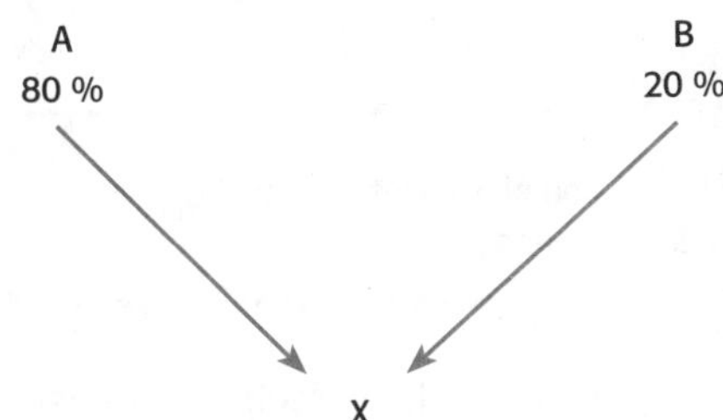

A détient le contrôle juridique de X, car elle possède plus de 50 % des droits de vote. X est donc une filiale de A. Plusieurs faits, tel le faible nombre de membres du conseil d'administration, montrent que B ne peut exercer d'influence notable sur X bien que son pourcentage de droits de vote atteigne la limite fixée par l'IASB. Dans les livres de B, la participation est comptabilisée selon les normes afférentes à un actif financier.

Troisième situation

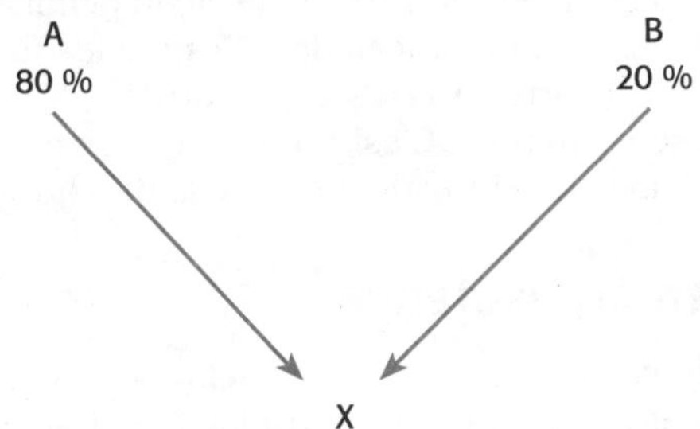

Supposons qu'il n'existe aucun fait permettant d'infirmer la présomption d'influence notable de B sur X. Même si A détient le contrôle juridique de X, B est en mesure d'exercer une influence notable et pourrait comptabiliser sa participation de l'une des façons expliquées plus loin.

Quatrième situation

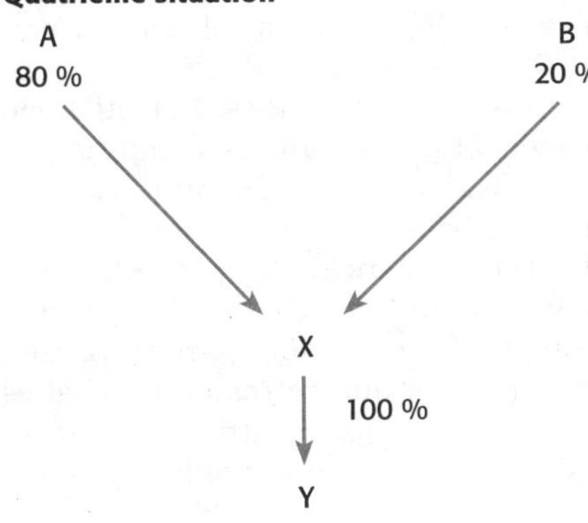

En l'absence de faits permettant d'infirmer la présomption d'influence notable, B est en mesure d'exercer non seulement une influence notable directe sur X, mais aussi une influence notable indirecte sur Y.

d'entreprises. Le mode de regroupement des états financiers aux fins de préparation des états financiers consolidés du groupe d'entreprises dépasse le cadre du présent ouvrage. La même remarque s'applique aux participations dans des partenariats indiquées dans la figure 11.4. Le lecteur désireux d'approfondir ces deux sujets devra consulter un ouvrage de comptabilité financière spécialisée.

Avez-vous remarqué ?

L'analyse de l'influence notable est davantage une question de potentialité que de fait. Ainsi, on ne cherche pas à savoir si l'entreprise a exercé ou exercera réellement une influence notable sur les activités de l'entreprise associée. L'analyse porte, en fait, sur la possibilité que l'investisseur soit en mesure d'exercer une telle influence.

Les explications qui suivent portent uniquement sur les participations dans des entreprises associées.

L'incidence de l'influence notable sur le rendement du placement en actions

En l'absence d'influence notable, une participation est comptabilisée en appliquant les règles exposées dans l'IFRS 9. Comme nous l'avons déjà expliqué, les produits de dividendes sur actions sont comptabilisés uniquement au moment où l'investisseur remplit trois conditions (*voir la page 11.7*), ce qui correspond généralement à la date de déclaration de la société émettrice. Lorsque l'investisseur est en mesure d'exercer une influence notable, on doit reconnaître qu'il a le pouvoir de déterminer le moment de la déclaration des dividendes, puisqu'il peut exercer une influence notable sur la politique financière. Ce n'est donc pas la date de déclaration des dividendes qui devrait déterminer celle de la comptabilisation du rendement sur la participation. Dans ces cas, il est acceptable de comptabiliser le rendement sur la participation à mesure que la société émettrice réalise ses résultats.

Avez-vous remarqué ?

Ici encore, on remarque que le traitement comptable diffère selon la substance du placement afin que les états financiers reflètent fidèlement la situation et la performance financières de l'entreprise.

C'est ce que permet de faire la méthode de la mise en équivalence. Le principe à la base de cette méthode comptable, utilisée par l'investisseur, est de comptabiliser sa quote-part du résultat net et des autres éléments du résultat global de la société émettrice à mesure que cette dernière réalise son résultat net et ses autres éléments du résultat global. L'IAS 28 précise de façon détaillée l'application de cette méthode. Toutefois, pour déterminer les circonstances dans lesquelles une entreprise est exemptée d'utiliser cette méthode, on doit se reporter à l'**IAS 27**, intitulée « États financiers individuels ». Cette norme dépasse l'objet du présent ouvrage. C'est pourquoi nous nous limiterons ici à expliquer sommairement la méthode de la mise en équivalence et celle du coût.

Différence NCECF

Les principes de la méthode de la mise en équivalence

Différence NCECF

Lorsqu'un investisseur détient suffisamment de droits de vote, actuels et potentiels, pour pouvoir exercer une influence notable sur la société émettrice, il comptabilise son placement selon la **méthode de la mise en équivalence**. Selon cette méthode de comptabilisation, il inscrit au moment de l'acquisition le montant payé pour acheter le placement au compte Participations dans des entreprises associées. Par la suite, il redresse la valeur comptable du placement pour tenir compte de sa quote-part dans le résultat net et dans les autres éléments du résultat global de l'entreprise associée, sans égard au moment de la déclaration des dividendes. Puisqu'il peut exercer une influence sur les décisions de politiques financières et opérationnelles, dont la politique de dividende de l'entreprise associée, la déclaration des dividendes ne constitue pas l'événement le plus critique. Dès que l'entreprise associée réalise des bénéfices globaux ou subit des pertes globales, on peut considérer qu'ils auront sur l'investisseur une incidence proportionnelle à sa participation, même si le moment où cette incidence se fera sentir et la forme qu'elle prendra ne sont pas encore connus. C'est pourquoi l'investisseur comptabilise sa quote-part du résultat global de l'entreprise associée. Celle-ci étant comptabilisée à mesure que ce résultat global est réalisé, l'investisseur ne doit pas traiter la déclaration des dividendes par l'entreprise associée comme une opération générant des produits financiers mais plutôt comme la réalisation d'une partie de sa participation.

Application de la méthode de la mise en équivalence

Le 1er janvier 20X1, la société Relance ltée achète 30 % des actions avec droit de vote de la société Les Petites Surprises ltée au montant de 100 000 $. En 20X1, Les Petites Surprises ltée a réalisé un bénéfice net de 40 000 $, n'a généré aucun profit ni perte compris dans les autres éléments du résultat global et, le 1er janvier 20X2, a déclaré un dividende de 10 000 $ aux détenteurs d'actions donnant droit de vote. Ce dividende a été versé le 1er février 20X2 et Relance ltée a vendu son placement le 2 février 20X2 au coût de 112 000 $. Voici les écritures de journal que Relance ltée doit passer dans ses livres, en tenant pour acquis que les deux sociétés clôturent leur exercice financier le 31 décembre :

Écritures de journal			Commentaires
1er janvier 20X1			Puisque Relance ltée détient 30 % des actions avec droit de vote de Les Petites Surprises ltée, on peut présumer qu'elle est en mesure d'exercer une influence notable sur Les Petites Surprises ltée. Cette participation est donc comptabilisée selon la méthode de la mise en équivalence.
Participations dans des entreprises associées	*100 000*		
Caisse		*100 000*	
Acquisition de 30 % des actions de Les Petites Surprises ltée.			
31 décembre 20X1			Selon la méthode de la mise en équivalence, on porte la quote-part de l'investisseur dans le bénéfice net de Les Petites Surprises ltée au débit du compte Participations dans des entreprises associées. Au 31 décembre 20X1, le solde de ce compte s'élève donc à 112 000 $.
Participations dans des entreprises associées	*12 000*		
Quote-part dans le résultat net des entreprises associées		*12 000*	*Note :* Deux précisions s'imposent en ce qui concerne le calcul de la quote-part du bénéfice net revenant à l'investisseur. Premièrement, bien que l'on tienne compte des droits de vote actuels et des droits de vote potentiels actuellement exerçables ou convertibles pour déterminer si l'investisseur détient le pouvoir d'exercer une influence notable, seules les parts actuelles sont prises en compte pour déterminer la proportion du bénéfice net qui revient à l'investisseur. Deuxièmement, la quote-part du bénéfice net doit correspondre au montant que l'investisseur ajouterait à son bénéfice net ou retrancherait de celui-ci s'il consolidait ses états financiers et ceux de l'entreprise associée. Dans les explications qui suivent, ainsi que dans le manuel *Comptabilité intermédiaire – Questions, exercices, problèmes, cas* qui accompagne le présent manuel, nous ne tenons pas compte des ajustements requis dans le processus de consolidation, puisque ce processus dépasse l'objet de ce chapitre.
Quote-part de Relance ltée dans le bénéfice net de Les Petites Surprises ltée (40 000 $ × 30 %).			
1er janvier 20X2			Au moment de la déclaration du dividende par Les Petites Surprises ltée, Relance ltée ne doit pas considérer sa quote-part du dividende comme un produit financier, car elle a déjà comptabilisé en résultat net de l'exercice 20X1 sa quote-part du bénéfice net de Les Petites Surprises ltée. Toutefois, la déclaration du dividende confirme que Relance ltée réalisera une partie de sa participation. C'est pourquoi le montant du dividende déclaré est reclassé dans un compte d'actif courant.
Dividendes à recevoir	*3 000*		
Participations dans des entreprises associées		*3 000*	
Quote-part du dividende déclaré par Les Petites Surprises ltée (10 000 $ × 30 %).			
1er février 20X2			L'encaissement du dividende n'a aucune incidence sur les produits. Ces derniers, constitués de la quote-part dans le résultat net de l'entreprise associée, ont été comptabilisés à la fin de l'exercice 20X1.
Caisse	*3 000*		
Dividendes à recevoir		*3 000*	
Encaissement du dividende déclaré le 1er janvier 20X2.			
Caisse	*112 000*		
Participations dans des entreprises associées		*109 000*	
Profit sur aliénation de participation dans des entreprises associées		*3 000*	
Vente des actions de Les Petites Surprises ltée.			

L'investisseur applique un raisonnement semblable concernant sa quote-part des opérations comptabilisées par l'entreprise associée dans les autres éléments du résultat global.

En effet, la quote-part de l'investisseur dans les montants comptabilisés par l'entreprise associée à titre d'autres éléments du résultat global doit être comptabilisée à titre d'élément de la valeur comptable de la participation et, en contrepartie, dans les autres éléments du résultat global de l'investisseur.

Parfois, l'investisseur et l'entreprise associée clôturent leur exercice financier à des dates différentes. L'IASB énonce les recommandations suivantes:

> Lorsqu'il applique la méthode de la mise en équivalence, l'investisseur utilise les états financiers disponibles les plus récents de l'entreprise associée [...]. Lorsque la date de clôture de l'investisseur et celle de l'entreprise associée [...] sont différentes, l'entité associée [...] établit, pour les besoins de l'investisseur, des états financiers à la même date que les états financiers de l'investisseur, sauf si cela se révèle impraticable.
>
> Quand, selon le paragraphe 33, les états financiers d'une entreprise associée [...] utilisés pour l'application de la méthode de la mise en équivalence sont établis à une date différente de celle des états financiers de l'investisseur, des ajustements doivent être effectués pour prendre en compte les effets des transactions ou événements importants qui se sont produits entre ces deux dates. En aucun cas l'écart entre la date de clôture de l'entreprise associée [...] et celle de l'investisseur ne doit être supérieur à trois mois. La durée des périodes de présentation de l'information financière et l'écart entre les dates de clôture, le cas échéant, doivent être identiques d'une période à l'autre[16].

Il se peut aussi que l'investisseur et l'entreprise associée utilisent des méthodes comptables différentes, pour calculer la charge d'amortissement du matériel roulant, par exemple. Tenons pour acquis que l'investisseur utilise le mode linéaire et que l'entreprise associée se sert du mode d'amortissement dégressif. Si l'investisseur n'apportait aucun ajustement au calcul de sa quote-part du résultat net, son propre résultat net découlerait de charges d'amortissement calculées différemment pour des biens semblables. C'est pourquoi l'IASB précise que l'investisseur doit ajuster les méthodes comptables de l'entreprise associée pour les rendre uniformes à celles qu'il utilise pour des opérations semblables.

11

EXEMPLE

Ajustement des méthodes comptables de l'entreprise associée par l'investisseur

La société Linay Hère ltée a acheté en 20X2 une participation lui donnant le droit de recevoir 30 % du résultat global de Fonk Syonnel ltée. Les deux entreprises sont des détaillants de vêtements pour femmes. Pour calculer l'amortissement des camions, Linay Hère ltée et Fonk Syonnel ltée utilisent respectivement le mode d'amortissement linéaire et le mode d'amortissement fondé sur les kilomètres parcourus. Voici quelques renseignements additionnels au sujet de la charge d'amortissement de Fonk Syonnel ltée pour l'exercice terminé le 31 décembre 20X2:

Amortissement fondé sur les kilomètres parcourus	*Amortissement linéaire*	*Écart*
121 000 $	*135 000 $*	*14 000 $*

Tenons aussi pour acquis que Fonk Syonnel ltée a réalisé un faible bénéfice net de 5 000 $ en 20X2. Sans ajustement, Linay Hère ltée comptabiliserait une quote-part dans le bénéfice net de Fonk Syonnel ltée de 1 500 $ (30 % de 5 000 $). Elle doit plutôt calculer sa quote-part de la façon suivante:

Bénéfice net calculé par Fonk Syonnel ltée	*5 000 $*
Ajustement requis pour uniformiser les méthodes comptables	*(14 000)*
Résultat net ajusté de Fonk Syonnel ltée	*(9 000) $*
Quote-part de Linay Hère ltée (30 %)	*(2 700) $*

16. *Manuel de CPA Canada – Comptabilité – Partie I*, IAS 28, paragr. 33 et 34.

Linay Hère ltée devrait aussi ajuster sa quote-part du résultat net de Fonk Syonnel ltée si cette dernière avait émis des actions assorties de dividendes cumulatifs, définis au chapitre 4. Dans de telles circonstances, Linay Hère ltée devrait tenir compte du fait qu'elle n'a droit qu'au montant du résultat net après paiement des dividendes cumulatifs, qu'ils soient déclarés ou non.

Les cas où un investisseur n'est pas tenu de comptabiliser sa quote-part des pertes d'une entreprise associée

Il arrive parfois que le résultat de l'entreprise associée ne soit pas un bénéfice, mais plutôt une perte. L'investisseur comptabilise alors sa quote-part de la perte et, en contrepartie, diminue la valeur comptable de sa participation. Si l'entreprise associée génère des pertes pendant plusieurs exercices, on peut concevoir des situations où la valeur comptable de la participation serait non seulement ramenée à zéro, mais pourrait même devenir négative. L'IASB s'est demandé s'il existait des situations dans lesquelles l'investisseur pouvait ne pas comptabiliser sa quote-part dans les pertes de la société émettrice et a conclu ce qui suit :

> Lorsque la quote-part de l'investisseur est ramenée à zéro, les pertes supplémentaires font l'objet d'une provision, et un passif est comptabilisé, mais seulement dans la mesure où l'investisseur a contracté une obligation légale ou implicite ou effectué des paiements au nom de l'entreprise associée [...][17].

La citation précédente implique que l'investisseur doit continuer à comptabiliser sa quote-part dans les pertes de la société émettrice s'il a pris l'engagement de partager les pertes en cause. Le tableau 11.3 contient quelques exemples commentés de situations où l'investisseur n'a pas à comptabiliser sa quote-part des pertes de l'entreprise associée lorsque la valeur comptable de la participation est déjà nulle.

TABLEAU 11.3 Quelques exemples de situations où l'investisseur n'a pas à comptabiliser sa quote-part des pertes de l'entreprise associée

Cas où un investisseur ne doit pas continuer à comptabiliser sa quote-part des pertes de l'entreprise associée	Commentaires
L'investisseur n'a pas garanti les obligations de l'entreprise associée.	Dans une telle situation, même si l'entreprise associée fait faillite, le risque de l'investisseur se limite à la valeur de sa participation. De ce fait, lorsque la valeur comptable de la participation a été réduite à zéro dans les livres de ce dernier, il ne convient pas de continuer à inscrire la quote-part d'une perte que l'investisseur n'assumera jamais.
L'investisseur ne s'est pas engagé à fournir de quelque autre façon un soutien financier supplémentaire à l'entreprise associée.	On parle ici de soutien financier qui pourrait prendre, notamment, la forme d'un prêt, d'une avance ou d'une garantie.

Ne pas comptabiliser la quote-part des pertes de l'entreprise associée ne semble pas, *a priori*, fournir des chiffres comptables qui reflètent fidèlement la situation financière. C'est pourquoi ce traitement comptable est permis uniquement lorsque l'investisseur a ramené le solde du compte Participation dans une entreprise associée à zéro et qu'il n'a aucune obligation contractuelle de payer des sommes additionnelles, ce qui l'amènerait à sacrifier d'autres actifs. L'IASB a poussé son analyse un peu plus loin en prévoyant les situations où l'investisseur détiendrait, en plus de sa participation, une créance à long terme à recevoir de l'entreprise associée qui s'apparente en substance à une participation et qui ne résulte pas d'opérations commerciales. Citons en exemple un billet à long terme dont l'encaissement n'est ni planifié ni probable et dont la créance n'est pas adossée à des sûretés adéquates. Lorsque l'investisseur possède une telle créance à recevoir de l'entreprise associée, l'IASB précise que la créance fait partie de la participation. De ce fait, si la valeur comptable du compte Participation dans une entreprise associée a été ramenée à zéro, l'investisseur continue de comptabiliser sa quote-part des pertes de l'entreprise associée en créditant le compte de créance à long terme, jusqu'à ce que la valeur de cette créance soit aussi ramenée à zéro.

17. *Manuel de CPA Canada – Comptabilité – Partie I*, IAS 28, paragr. 39.

Enfin, l'IASB recommande le traitement comptable de la quote-part des bénéfices qu'une entreprise associée pourrait générer au cours des exercices subséquents : « [...] Si l'entreprise associée [...] enregistre ultérieurement des bénéfices, l'investisseur ne recommence à comptabiliser sa quote-part dans les bénéfices qu'à compter du moment où cette quote-part est égale à sa quote-part de pertes nettes non comptabilisées[18]. »

Lorsque l'investisseur n'a pas comptabilisé sa quote-part des pertes d'une entreprise associée qui redevient rentable par la suite, il doit comptabiliser uniquement sa quote-part des bénéfices qui excède sa quote-part des pertes. L'investisseur doit donc noter sa quote-part des pertes non comptabilisées.

EXEMPLE

Participation dans une entreprise associée qui redevient rentable

Depuis de nombreuses années, la société Renard ltée possède 40 % des actions de la société Lièvre ltée. Celle-ci a longtemps été rentable, mais elle accumule maintenant des pertes d'année en année. Lièvre ltée produit et distribue au détail un seul type de biens, des téléphones fixes. L'évolution de la technologie explique la baisse du volume des ventes. La direction de Lièvre ltée songe à fermer l'entreprise, car il est trop tard pour se lancer sur le marché de la téléphonie sans fil ; elle ne serait pas de taille avec les grandes entreprises implantées dans ce secteur. Voici quelques renseignements supplémentaires :

Date d'acquisition des actions de Lièvre ltée	*1er janvier 20X0*
Coût d'acquisition	*500 000 $*
Valeur comptable du placement au 1er janvier 20Y4 dans les livres de Renard ltée	*0*
Résultat net de Lièvre ltée entre le 1er janvier 20X0 et le 1er janvier 20X7	*5 000 000*
Résultat net de Lièvre ltée entre le 1er janvier 20X7 et le 1er janvier 20Y4	*(7 000 000)*

11

Contre toute attente, Lièvre ltée a décidé en 20Y4 de distribuer un nouveau bien, des chaînes stéréo. Cet exercice s'est soldé par un bénéfice net de 2 500 000 $. Voici l'écriture requise dans les livres de Renard ltée pour l'exercice terminé le 31 décembre 20Y4 :

Participations dans des entreprises associées	*700 000*	
Quote-part dans le résultat net des entreprises associées		*700 000*
Quote-part du bénéfice net de Lièvre ltée.		

Calcul :

	(en milliers)
Coût d'acquisition	500 $
Quote-part des bénéfices nets comptabilisés (5 000 000 $ × 40 %)	2 000
Valeur comptable du placement	2 500
Quote-part des pertes nettes comptabilisées (Montant limité à la valeur comptable du placement)	(2 500)
Total partiel	0
Quote-part du résultat net de 20Y4 (2 500 000 $ × 40 %)	1 000
Quote-part des pertes nettes non comptabilisées (Note 1)	(300)
Excédent à comptabiliser en 20Y4	700
Valeur comptable de la participation au 31 décembre 20Y4	700 $

Note 1

Quote-part des pertes nettes réalisées par Lièvre ltée (7 000 000 $ × 40 %)	2 800 $
Quote-part des pertes nettes comptabilisées	(2 500)
Quote-part des pertes non comptabilisées	300 $

Différence NCECF

18. *Manuel de CPA Canada – Comptabilité – Partie I*, IAS 28, paragr. 39.

Les opérations modifiant l'influence notable

Différence NCECF

Jusqu'à présent, nous avons étudié le traitement comptable des placements en actions qui ne donnent pas une influence notable, comptabilisés selon l'IFRS 9, et celui des participations dans des entreprises associées, comptabilisées selon la méthode de la mise en équivalence. Après une acquisition initiale, un investisseur peut décider d'acheter d'autres titres de la même société émettrice ou de vendre une partie des titres, augmentant ou diminuant ainsi le nombre de titres détenus. La comptabilisation de ces opérations ne se résume pas toujours à porter le coût d'acquisition des nouveaux titres acquis au débit du compte d'actif ou à porter la valeur comptable des titres cédés au crédit de ce compte. En effet, le comptable doit d'abord s'assurer que l'acquisition ou l'aliénation ne modifie pas l'influence notable.

Lorsque l'acquisition permet d'obtenir, pour la première fois, une influence notable, l'investisseur s'assure d'abord de régulariser la valeur comptable du placement jusqu'à la date d'acquisition. Il comptabilise ensuite l'achat du second bloc d'actions dans un compte dont l'intitulé précise qu'il s'agit d'un placement dans une entreprise associée. Enfin, il transfère la valeur comptable du premier bloc d'actions dans ce compte.

EXEMPLE

Acquisition d'actions additionnelles permettant d'obtenir une influence notable sur l'émetteur

Au 31 janvier 20X1, la société Mongrain Deselle ltée possédait un placement composé de 5 000 actions dont la valeur comptable s'élevait à 25 000 $. Comme ce placement ne permettait pas d'exercer une influence notable sur l'entreprise associée, il a été classé À la juste valeur par le biais du résultat net selon l'IFRS 9 et comptabilisé à la juste valeur. Du 31 janvier 20X1 au 28 février 20X2, la quote-part de Mongrain Deselle ltée dans le bénéfice net réalisé par l'entreprise associée s'élève à 300 $. Le 28 février 20X2, la juste valeur est de 6,30 $ l'action. À cette date, Mongrain Deselle ltée achète 8 000 nouvelles actions. Les 13 000 actions détenues au 28 février lui permettent d'exercer à compter de cette date une influence notable sur l'entreprise associée. Le placement doit donc dorénavant être comptabilisé selon la méthode de la mise en équivalence. En fait, ce n'est pas seulement la seconde acquisition d'actions qui doit être comptabilisée selon la méthode de la mise en équivalence, mais bien les deux lots d'actions.

Juste avant l'achat du 28 février, Mongrain Deselle ltée comptabilise l'augmentation de la valeur de ses 5 000 actions détenues. Il enregistre aussi l'achat du second bloc d'actions. Voici les écritures de journal suivantes :

	Débit	Crédit
Placements – Actions à la JVBRN	*6 500*	
Profit/Perte découlant de la variation de valeur des actions à la JVBRN		*6 500*
Augmentation de la valeur des actions de la société émettrice.		

Calcul :

Nombre d'actions détenues	5 000
Juste valeur unitaire	× 6,30 $
Juste valeur du placement	31 500
Valeur comptable	(25 000)
Profit à comptabiliser	6 500 $

	Débit	Crédit
Participations dans des entreprises associées	*81 900*	
Placements – Actions à la JVBRN		*31 500*
Caisse		*50 400*
Acquisition d'actions permettant d'exercer une influence notable sur l'entreprise associée.		

Calcul :

Valeur comptable du placement à la date du transfert (25 000 $ + 6 500 $)	31 500 $
Acquisition de 8 000 actions supplémentaires (8 000 actions × 6,30 $)	50 400
Solde du compte Participations dans des entreprises associées	81 900 $

Un raisonnement semblable, mais inverse, s'applique aux aliénations d'actions entraînant la perte d'une influence notable sur la société émettrice. L'investisseur doit reclasser sa participation dans une entreprise associée à titre de placement en actif financier. Il doit comptabiliser sa quote-part dans le résultat global de la société émettrice réalisé jusqu'à la date de la perte de l'influence notable ainsi que le profit ou la perte découlant de l'aliénation. Il doit ensuite ramener la valeur comptable du placement à sa juste valeur et comptabiliser la différence en résultat net. Lorsqu'un investisseur cesse d'exercer une influence notable sur une entreprise associée et qu'il a comptabilisé dans ses autres éléments du résultat global sa quote-part de tels éléments de l'entreprise associée, l'IASB précise qu'il doit traiter ces éléments « sur la même base que celle qui aurait été exigée si la société émettrice avait directement sorti les actifs ou passifs correspondants[19] ». Cela signifie que si l'émetteur doit virer le cumul des autres éléments du résultat global directement dans les Résultats non distribués, l'investisseur fera de même. Au contraire, si l'émetteur des actions doit virer le cumul des autres éléments du résultat global en résultat net, l'investisseur le fera lui aussi.

EXEMPLE

Vente d'actions entraînant la perte de l'influence notable sur l'émetteur

La société Ray Gim ltée détient une participation dans Pairdu inc. La valeur comptable des 13 000 actions détenues est de 81 900 $ au 1er janvier 20X5. La quote-part de Ray Gim ltée dans le bénéfice net de Pairdu inc. pour l'exercice 20X5 est de 7 800 $. Le 31 décembre 20X5, la société vend 10 000 actions au coût net de 65 000 $. Ce faisant, elle perd la possibilité d'exercer une influence notable sur l'entreprise associée. Voici les écritures que Ray Gim ltée doit passer pour comptabiliser les opérations de 20X5, en tenant pour acquis qu'elle classe les actions restantes comme étant À la juste valeur par le biais du résultat net :

Participations dans des entreprises associées	*7 800*	
Quote-part dans le résultat net des entreprises associées		*7 800*
Quote-part du résultat net de 20X5 réalisé par l'entreprise associée.		
Caisse	*65 000*	
Placements – Actions à la JVBRN ①	*19 500*	
Perte sur aliénation de participation dans des entreprises associées ②	*5 200*	
Participations dans des entreprises associées		*89 700*
Aliénation d'actions entraînant la perte d'influence notable sur l'entreprise associée.		

Calculs :

① (3 000 actions × 6,50 $)

② Juste valeur des actions conservées (3 000 actions × 6,50 $)	19 500 $
Produit de la vente de 10 000 actions	65 000
Total	84 500
Solde du compte Participations dans des entreprises associées (81 900 $ + 7 800 $)	(89 700)
Perte sur aliénation de participation dans des entreprises associées	5 200 $

Supposons maintenant que pour l'exercice 20X5, en plus de la quote-part dans le résultat net de Pairdu inc. au montant de 7 800 $, la quote-part de Ray Gim ltée dans les autres éléments du résultat global de Pairdu inc. s'élève à 9 750 $ et découle d'une augmentation de valeur d'immobilisations comptabilisées selon le modèle de la réévaluation. Ray Gim ltée aurait alors comptabilisé cette quote-part en enregistrant l'écriture de la page suivante.

19. *Manuel de CPA Canada – Comptabilité – Partie I*, IAS 28, paragr. 22(c).

Participations dans des entreprises associées	*9 750*	
Quote-part de l'écart de réévaluation d'une entreprise associée – Immobilisations (AERG)		*9 750*
Quote-part des autres éléments du résultat global de l'entreprise associée.		

Le 31 décembre 20X5, au moment où elle cesse de pouvoir exercer une influence notable sur l'entreprise associée, sa quote-part du Cumul de l'écart de réévaluation ne doit pas être virée en résultat net, comme nous l'avons vu au chapitre 9. Le solde de ce compte est simplement viré dans le compte Résultats non distribués. La cessation de l'influence notable et la fermeture des comptes seraient ainsi comptabilisées :

Caisse	*65 000*	
Placements en actions à la JVBRN ①	*19 500*	
Perte sur aliénation de participation dans des entreprises associées ②	*14 950*	
Participations dans des entreprises associées		*99 450*
Aliénation d'actions entraînant la perte d'influence notable sur l'entreprise associée.		

Calculs :

① (10 000 actions × 6,50 $)

② Juste valeur des actions conservées

(3 000 actions × 6,50 $)	19 500 $
Produit de la vente de 10 000 actions	65 000
Total	84 500
Solde du compte Participations dans des entreprises associées (81 900 $ + 7 800 $ + 9 750 $)	(99 450)
Perte sur aliénation de participation dans des entreprises associées	(14 950) $

Quote-part dans le résultat net des entreprises associées	*7 800*	
Quote-part de l'écart de réévaluation d'une entreprise associée – Immobilisations (AERG)	*9 750*	
Perte sur aliénation de participation dans des entreprises associées		*14 950*
Résultats non distribués		*2 600*
Fermeture des comptes de résultats de Ray Gim ltée.		

Supposons maintenant que la quote-part de Ray Gim ltée dans les autres éléments du résultat global concerne plutôt des profits sur opération de couverture. Comme nous le verrons au chapitre 19, de tels écarts doivent être virés en résultat net au moment de la décomptabilisation des actifs en cause. Dans ce cas, les écritures précédentes, datées du 31 décembre 20X5, seraient remplacées par celle-ci :

Participations dans des entreprises associées	*9 750*	
Quote-part des profits sur les opérations de couverture d'une entreprise associée (AERG)		*9 750*
Quote-part des autres éléments du résultat global de l'entreprise associée.		

Caisse	*65 000*	
Placements en actions à la JVBRN	*19 500*	
Perte sur aliénation de participation dans des entreprises associées	*14 950*	
Participations dans des entreprises associées		*99 450*
Aliénation d'actions entraînant la perte d'influence notable sur l'entreprise associée.		

Quote-part des profits/pertes latents sur opération de couverture d'une entreprise associée (AERG)	*9 750*	
Quote-part dans le résultat net des entreprises associées		*9 750*
Virement du cumul des AERG en résultat net.		

Quote-part dans le résultat net des entreprises associées (7 800 $ + 9 750 $)	*17 550*	
Perte sur aliénation de participation dans des entreprises associées		*14 950*
Résultats non distribués		*2 600*
Fermeture des comptes de résultats de Ray Gim ltée.		

Différence NCECF

Par la suite, Ray Gim ltée devrait comptabiliser les actions qu'il lui reste selon les normes relatives aux actifs financiers.

Les pertes de valeur

Différence NCECF

Les utilisateurs des états financiers ne désirent pas nécessairement connaître la juste valeur des participations dans des entreprises associées. En effet, le résultat (net ou global) de l'investisseur n'est pas touché par les variations quotidiennes des justes valeurs des titres de capitaux propres de la société émettrice. Autrement dit, les variations à court terme de la juste valeur des titres de capitaux propres d'une entreprise associée ne constituent pas forcément une bonne indication de la valeur que l'investisseur obtiendra au moment de leur vente.

L'investisseur doit tout de même s'assurer qu'il n'existe pas d'**indications de dépréciation** justifiant de comptabiliser une dépréciation.

> [...] Est considérée comme une indication objective de dépréciation d'une participation nette toute donnée observable portée à l'attention de l'entité sur les événements générateurs de pertes suivants :
>
> (a) des difficultés financières importantes de l'entreprise associée [...] ;
>
> (b) un manquement à un contrat tel qu'un défaut de paiement de l'entreprise associée [...] ;
>
> (c) l'octroi par l'entité à l'entreprise associée [...], pour des raisons économiques ou juridiques liées aux difficultés financières de l'entreprise associée [...], d'une facilité que l'entité n'aurait pas envisagée dans d'autres circonstances ;
>
> (d) la probabilité croissante de faillite ou autre restructuration financière de l'entreprise associée [...] ;
>
> (e) la disparition d'un marché actif pour la participation nette en raison de difficultés financières de l'entreprise associée [...][20].

S'il conclut qu'une dépréciation est survenue, il applique ensuite à la participation, considérée comme un tout, le test de dépréciation décrit dans l'**IAS 36**, intitulée « Dépréciation d'actifs », et expliqué au chapitre 9. Il compare alors la valeur comptable d'une participation à sa **valeur recouvrable**, laquelle correspond à la valeur la plus élevée de la valeur d'utilité et de la juste valeur diminuée des coûts de sortie. Pour déterminer la **valeur d'utilité** d'une participation, l'investisseur calcule sa quote-part dans la valeur actualisée des flux de trésorerie que devrait générer l'entreprise associée ou celle des dividendes futurs attendus. En principe, si l'investisseur utilise des hypothèses appropriées, les deux modes de calcul conduisent au même montant.

Lorsque l'investisseur détient des participations dans diverses entreprises associées, il détermine généralement la valeur recouvrable de chaque participation prise isolément. Précisons que s'il doit comptabiliser une dépréciation, il ne doit pas la ventiler entre sa quote-part des actifs et des passifs de l'entreprise associée. Enfin, l'investisseur comptabilise une reprise de valeur selon l'IAS 36, dans la mesure où la valeur recouvrable de la participation augmente par la suite.

EXEMPLE

Dépréciation d'une participation dans une entreprise associée

Le 31 décembre 20X5, Verdure ltée possède 1 500 actions de Vermeille ltée dont la valeur comptable s'élève à 11 625 $. Ces actions confèrent à Verdure ltée une influence notable sur

20. *Manuel de CPA Canada – Comptabilité – Partie I*, IAS 28, paragr. 41A.

Vermeille ltée. Le 31 décembre 20X5, Verdure ltée applique les règles consignées à l'IAS 39 et constate qu'il existe des indications objectives de dépréciation des actions. Elle conclut alors à une dépréciation probable de la participation. Pour déterminer le montant de la dépréciation, soit la différence entre la valeur recouvrable et la valeur comptable, elle estime que la valeur d'utilité est de 10 300 $ et la juste valeur nette des coûts de sortie de 10 000 $. La valeur recouvrable est donc estimée à 10 300 $, soit le plus élevé des deux montants. Verdure ltée doit comptabiliser la dépréciation des actions de la façon suivante :

Dépréciation d'une participation dans des entreprises associées	*1 325*	
Participations dans des entreprises associées		*1 325*
Dépréciation des actions de Vermeille ltée (11 625 $ – 10 300 $).		

Voici comment la dépréciation sera présentée dans les états financiers de la société :

VERDURE LTÉE
Situation financière partielle
au 31 décembre 20X5

Participations dans des entreprises associées	*10 300 $*

VERDURE LTÉE
Résultat net partiel
de l'exercice terminé le 31 décembre 20X5

Dépréciation d'une participation dans des entreprises associées	*1 325 $*

Avez-vous remarqué ?

Selon la méthode de la mise en équivalence, l'investisseur comptabilise sa quote-part du résultat net de l'entreprise associée au même moment que s'il réalisait lui-même les activités. Cependant, il comptabilise ce résultat dans un seul compte de produit plutôt que de comptabiliser les montants bruts de produits et de charges.

Différence NCECF

11

Les participations dans des entreprises associées comptabilisées au coût

Une société mère qui est elle-même une filiale prépare parfois des états financiers individuels en plus des états financiers consolidés. Des **états financiers individuels** sont des états financiers présentés en supplément des états financiers consolidés ou des états financiers d'un investisseur qui ne détient pas de participations dans des filiales mais qui détient des participations dans des entreprises associées ou des coentreprises. Lorsque l'entreprise a utilisé, aux fins de présentation de ses états financiers consolidés, la méthode de la mise en équivalence pour déterminer la valeur comptable de ses participations dans des entreprises associées, elle doit présenter ces participations dans ses états financiers individuels de l'une des trois façons suivantes : au coût, selon les normes applicables aux actifs financiers, ou en appliquant la méthode de la mise en équivalence décrite dans l'IAS 28[21]. Lorsqu'elle a fait son choix, elle applique la même méthode à chaque catégorie de participations. Puisque la comptabilisation des placements selon les normes applicables aux actifs financiers ou selon la méthode de la mise en équivalence a été expliquée dans les pages précédentes, nous nous limiterons à expliquer la comptabilisation selon la méthode du coût dans les paragraphes qui suivent.

Appliquée aux placements, la **méthode du coût** consiste, dans les livres de l'investisseur, à inscrire dans un compte d'actif le coût d'acquisition des actions. Puisque les placements en actions n'exposent pas leur détenteur au risque de crédit, le détenteur n'a aucune perte de crédit attendue à comptabiliser. Le coût d'acquisition demeure inchangé jusqu'au moment de l'aliénation des actions ; on comptabilise alors le profit ou la perte découlant de l'aliénation. Pendant la détention du placement, l'investisseur comptabilise les produits de placement, composés de dividendes sur actions, chaque fois que la société émettrice déclare des dividendes.

21. *Manuel de CPA Canada – Comptabilité – Partie I*, IAS 27, paragr. 10.

11

EXEMPLE

Participation dans une entreprise associée comptabilisée au coût

Reprenons l'exemple de la société Relance ltée, se trouvant aux pages 11.44 et 11.45. Nous présentons, sous forme de comptes en T, une comparaison des deux méthodes de comptabilisation des participations dans des entreprises associées.

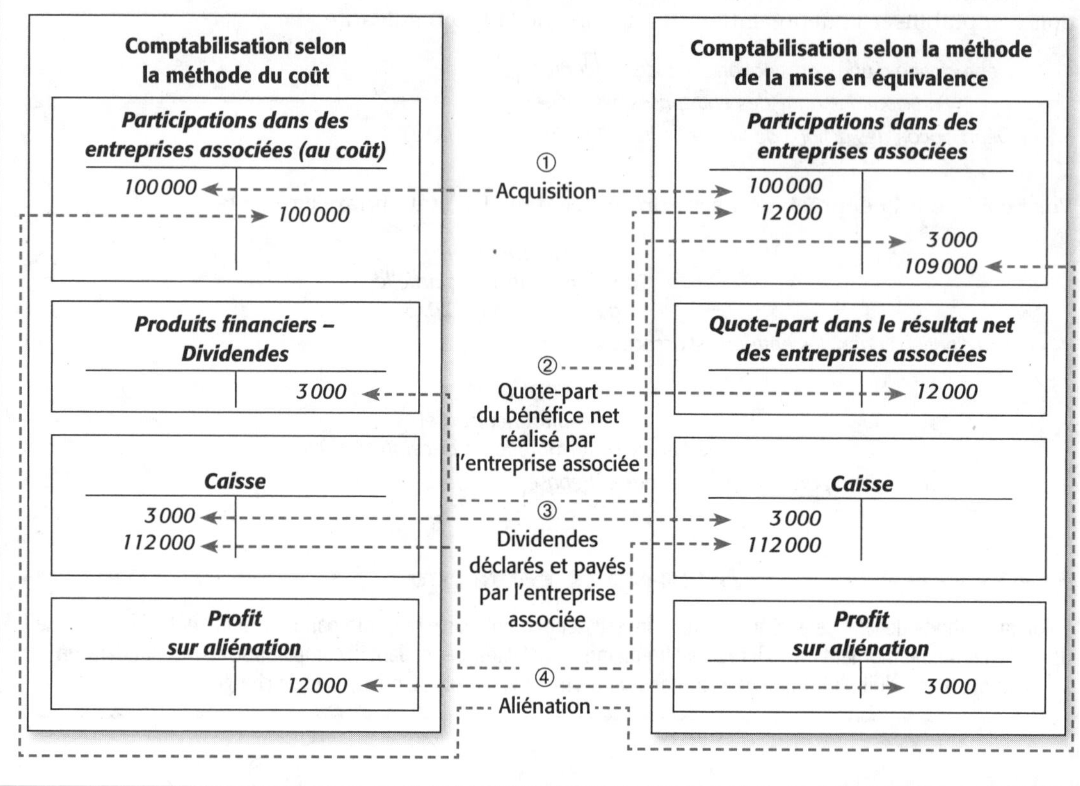

La principale différence entre ces deux méthodes a trait à la valeur comptable du compte d'actif. Le solde du compte Participations dans des entreprises associées (au coût) ne varie généralement pas en fonction du résultat global de la société émettrice. Ce n'est pas le cas du solde du compte Participations dans des entreprises associées comptabilisé selon la méthode de la mise en équivalence. En effet, le solde de ce compte est ajusté pour tenir compte de la quote-part du résultat global et des dividendes déclarés de la société émettrice qui revient à l'investisseur. La quote-part de l'investisseur dans les dividendes constitue en fait la réalisation d'une partie du placement et doit être créditée au compte d'actif. Le lecteur notera aussi que, peu importe la méthode utilisée, les produits de placement et le profit sur aliénation sont identiques (ils totalisent 15 000 $ dans l'exemple précédent). Rappelons que le choix d'une méthode comptable n'a d'incidence que sur le moment de la comptabilisation des produits et des profits.

5 La présentation dans les états financiers des participations dans des entreprises associées

Différence NCECF

Au moment de préparer ses états financiers, un investisseur détenant une participation dans une entreprise associée doit appliquer les recommandations de l'**IFRS 12**, intitulée « Informations à fournir sur les intérêts détenus dans d'autres entités ». Bien que cette norme s'applique aussi aux intérêts détenus dans des filiales et des partenariats, nous présenterons ici uniquement les exigences propres aux intérêts détenus dans des entreprises associées.

L'objectif de cette norme est double. D'abord, les états financiers doivent contenir toute l'information utile aux investisseurs pour leur permettre de comprendre la nature des intérêts détenus dans d'autres entités et les risques qui y sont associés. Ensuite, ils doivent permettre de comprendre les incidences de ces intérêts sur la situation financière, la performance financière et les flux de trésorerie de l'investisseur[22].

Pour satisfaire ce double objectif, l'investisseur doit d'abord expliquer les hypothèses et les jugements importants qu'il a faits pour déterminer la nature de ses intérêts, soit l'exercice d'une influence notable sur une entreprise associée[23]. Par exemple, l'investisseur expliquera la raison pour laquelle il a conclu qu'il est en mesure d'exercer une influence notable sur une entreprise dont il détient moins de 20 % des droits de vote (actuels et potentiels). Le rejet de la présomption d'absence d'influence notable implique que l'investisseur a comptabilisé sa participation selon la méthode de la mise en équivalence même s'il détient moins de 20 % des droits de vote potentiels. Il pourrait donc s'agir d'une façon de manipuler les montants présentés dans les états financiers, par exemple, si l'entreprise émettrice réalise des bénéfices, nets ou globaux, importants. De même, l'investisseur expliquera ce qui l'a amené à conclure qu'il n'est pas en mesure d'exercer une influence notable sur une entreprise même s'il détient 20 % ou plus des droits de vote potentiels. Le rejet de la présomption d'influence notable implique que l'investisseur a comptabilisé sa participation selon les règles de l'IFRS 9 même s'il détient plus de 20 % des droits de vote potentiels. Il pourrait donc s'agir d'une façon de manipuler les montants présentés dans les états financiers, par exemple, si l'entreprise émettrice a réalisé une perte, nette ou globale, importante. Le choix de l'une de ces deux méthodes de comptabilisation peut avoir des répercussions considérables sur le résultat net et les autres éléments du résultat global de l'investisseur, d'où l'importance pour les utilisateurs des états financiers d'apprécier eux-mêmes le bien-fondé de l'interprétation faite par l'investisseur.

Dans les pages qui précèdent, nous avons vu qu'une participation pouvait être comptabilisée selon la méthode de la mise en équivalence ou, sinon, soit au coût, soit à la juste valeur. Devant un tel choix comptable et, comme toujours, l'investisseur doit indiquer la méthode comptable qu'il a retenue.

Pour que les utilisateurs des états financiers comprennent la nature, l'étendue et les incidences financières des intérêts de l'investisseur dans l'entreprise associée, ce dernier doit indiquer, pour chaque participation dans une entreprise associée jugée importante, les informations listées dans le tableau 11.4.

TABLEAU 11.4 Les informations à fournir en matière de participation dans une entreprise associée

***Normes internationales d'information financière*, IFRS 12**	**Commentaires**
Paragr. 21 *L'entité doit indiquer:* *(a) pour chaque [...] entreprise associée qui est significative pour l'entité présentant l'information financière:* *(i) le nom [...] de l'entreprise associée,* *(ii) la nature de la relation entre l'entité et [...] l'entreprise associée (par exemple, en décrivant la nature des activités [...] de l'entreprise associée et en précisant si ces activités revêtent une importance stratégique pour les activités de l'entité),* *(iii) l'établissement principal [...] de l'entreprise associée (et le pays dans lequel elle a été constituée, le cas échéant, s'il est différent),* *(iv) le pourcentage des titres de participation ou des actions préférentielles avec droit de participation détenu par l'entité et, s'il est différent, le pourcentage des droits de vote détenu (le cas échéant);*	L'information exigée en (iv) permet de calculer par différence l'importance des droits de vote potentiels pris en compte pour déterminer si l'investisseur est en mesure d'exercer une influence notable sur l'entreprise associée.

22. *Manuel de CPA Canada – Comptabilité – Partie I*, IFRS 12, paragr. 1.
23. *Manuel de CPA Canada – Comptabilité – Partie I*, IFRS 12, paragr. 7 à 9.

TABLEAU 11.4 *(suite)*

(b) pour chaque [...] entreprise associée qui est significative pour l'entité présentant l'information financière :

(i) si la participation dans [...] l'entreprise associée est évaluée selon la méthode de la mise en équivalence ou à la juste valeur,

(ii) les informations financières résumées concernant [...] l'entreprise associée, selon les dispositions du paragraphe B12 [...],

(iii) la juste valeur de la participation dans [...] l'entreprise associée lorsque cette participation est comptabilisée selon la méthode de la mise en équivalence, dans la mesure où il existe un prix coté sur un marché pour cette participation ;

(c) [...].

Même si l'investisseur n'a pas l'intention de vendre sa participation, la comparaison entre la valeur comptable, selon la méthode de la mise en équivalence et le cours des actions est une information pertinente. Les dispositions du paragraphe B12, auquel renvoie la citation ci-contre, sont reproduites ci-dessous.

Paragr. B12

Pour chaque [...] entreprise associée qui est significative pour l'entité présentant l'information financière, cette dernière doit :

(a) indiquer les dividendes reçus de [...] l'entreprise associée ;

(b) fournir des informations financières résumées concernant [...] l'entreprise associée [...] comprenant, entre autres, les éléments suivants :

(i) actifs courants,

(ii) actifs non courants,

(iii) passifs courants,

(iv) passifs non courants,

(v) produits,

(vi) résultat net des activités poursuivies,

(vii) résultat net après impôt des activités abandonnées,

(viii) autres éléments du résultat global,

(ix) résultat global total.

Ces informations permettent d'évaluer l'importance de la participation par rapport aux autres actifs, passifs, produits, charges et autres éléments du résultat global de l'investisseur.

En effet, selon la méthode de la mise en équivalence, l'investisseur présente uniquement des postes agrégés, par exemple, sa participation dans l'état de la situation financière et sa quote-part du résultat net de l'entreprise associée dans l'état du résultat net. Les renseignements additionnels exigés permettent aux utilisateurs des états financiers de mieux apprécier la solvabilité et la rentabilité de l'entreprise associée ainsi que leur incidence sur la solvabilité et la rentabilité de l'investisseur.

Paragr. 22

L'entité doit aussi indiquer :

(a) la nature et l'étendue de toute restriction importante (résultant, par exemple, d'accords d'emprunt, de dispositions réglementaires ou d'accords contractuels conclus entre les investisseurs qui exercent [...] une influence notable sur [...] une entreprise associée) qui limite la capacité [...] des entreprises associées de transférer des fonds à l'entité sous forme de dividendes en trésorerie ou encore de rembourser des prêts ou avances consentis par l'entité ;

La présence d'influence notable permet à l'investisseur de comptabiliser à titre de produits le rendement sur la participation avant même qu'il encaisse ces produits, car on présume que son influence notable sur les politiques financières et opérationnelles, plus précisément sur la politique de dividendes, fait en sorte que l'événement le plus important du processus de réalisation des produits n'est ni la déclaration ni le paiement de dividendes. Cependant, si l'entreprise associée est assujettie, par exemple, à des clauses contractuelles d'emprunt ou à des dispositions légales limitant le montant de dividendes qu'elle peut payer à des actionnaires étrangers, il importe que les utilisateurs des états financiers de l'investisseur en soient informés.

(b) lorsque les états financiers [...] d'une entreprise associée utilisés pour l'application de la méthode de la mise en équivalence sont établis pour une date ou pour une période différente de celle de l'entité :

(i) la date de clôture de [... l'exercice financier] *de l'entreprise associée, et*

(ii) la raison de l'utilisation d'une date ou d'une période différente ;

Dans un monde idéal, la date de clôture de l'exercice financier de l'investisseur coïncide avec celle de l'entreprise associée. L'IASB recommande donc que l'entreprise associée établisse des états financiers à la même date que ceux de l'investisseur, sauf si cela s'avère impraticable. Un investisseur pourrait donc vouloir invoquer cette exception pour manipuler les montants présentés dans ses états financiers. Comme il devra expliquer son choix aux utilisateurs des états financiers, ceux-ci pourront apprécier la décision de l'investisseur.

(c) la quote-part non comptabilisée des pertes [...] d'une entreprise associée, pour la période de présentation de l'information financière et en cumulé, si l'entité a cessé de comptabiliser sa quote-part des pertes [...] de l'entreprise associée lors de l'application de la méthode de la mise en équivalence.

Comme indiqué précédemment, l'investisseur qui a ramené la valeur comptable de ses participations à zéro ne comptabilise pas la quote-part des pertes subséquentes subies par l'entreprise associée, à moins qu'il ait contracté une obligation d'effectuer des paiements au nom de l'entreprise associée. Si celle-ci redevient rentable, les premiers bénéfices réalisés devront d'abord servir à rembourser les créanciers. L'investisseur ne recommencera à comptabiliser sa quote-part des bénéfices que lorsque sa quote-part des bénéfices subséquents aura compensé sa quote-part des pertes antérieures non comptabilisées, d'où la pertinence pour les utilisateurs des états financiers de connaître la quote-part de ces pertes pour l'exercice et en cumulé.

TABLEAU 11.4 *(suite)*

Paragr. 23 *L'entité doit indiquer:* *(a)* [...]; *(b) conformément à IAS 37* Provisions, passifs éventuels et actifs éventuels, *sauf si la probabilité de perte est faible, les passifs éventuels contractés en ce qui concerne ses intérêts dans* [...] *des entreprises associées (y compris sa quote-part des passifs éventuels contractés conjointement avec les autres investisseurs exerçant* [...] *une influence notable sur* [...] *les entreprises associées), séparément du montant des autres passifs éventuels.*	Cette information permet aux utilisateurs des états financiers préparés par l'investisseur de comprendre la nature, l'étendue et les incidences financières des participations dans des entreprises associées sur la situation financière, la performance financière et les flux de trésorerie de l'investisseur. Ce dernier doit de plus fournir d'autres informations relatives aux risques liés à ses participations dans des entreprises associées. Comme nous le verrons au chapitre 12, les passifs éventuels ne sont pas comptabilisés. Il importe donc de donner des renseignements additionnels à l'égard des passifs éventuels que la détention des participations pourrait susciter.
Paragr. B16 *L'entité doit indiquer la valeur comptable globale de ses intérêts dans toutes les* [...] *entreprises associées qui sont non significatives prises isolément et qui sont comptabilisées selon la méthode de la mise en équivalence. L'entité doit également indiquer séparément le montant global de ses quotes-parts des éléments suivants dans ces* [...] *entreprises associées:* *(a) résultat net des activités poursuivies;* *(b) résultat net après impôt des activités abandonnées;* *(c) autres éléments du résultat global;* *(d) résultat global total.*	Lorsqu'un investisseur possède des participations dans plusieurs entreprises associées qui, isolément, ne sont pas jugées significatives, il n'a pas à fournir les informations listées dans les cellules précédentes du présent tableau. Il regroupe alors ces participations et présente de façon globale les renseignements listés ci-contre.

L'entreprise doit bien sûr donner les informations additionnelles sur les dépréciations selon l'IAS 36 (*voir le chapitre 9*) et les justes valeurs selon l'IFRS 13 (*voir le chapitre 3*).

Nous reproduisons ci-après quelques extraits pertinents des états financiers d'Investissement Québec, dont le siège social se situe à Québec. Cette société a pour mission de contribuer au développement économique du Québec en stimulant la croissance de l'investissement et en soutenant l'emploi.

PERFORMANCE FINANCIÈRE

ÉTAT CONSOLIDÉ DES RÉSULTATS
Pour l'exercice terminé le 31 mars 2016
(les chiffres sont en milliers de dollars canadiens)

	2016	2015
Chiffre d'affaires	**561 979**	536 160
[...]		
Quote-part du résultat net des entreprises mises en équivalence (note 20)	**(9 776)**	(21 160)
Résultat des activités poursuivies	**(58 029)**	(16 298)
[...]		

ÉTAT CONSOLIDÉ DE LA SITUATION FINANCIÈRE
Au 31 mars 2016
(les chiffres sont en milliers de dollars canadiens)

	2016	2015
ACTIF		
[...]		
Actif non courant		
[...]		
Participations dans des entreprises mises en équivalence (note 20)	**308 097**	255 288
[...]		
TOTAL DE L'ACTIF	**8 466 780**	8 414 257

ÉTAT CONSOLIDÉ DES FLUX DE TRÉSORERIE
Pour l'exercice terminé le 31 mars 2016
(les chiffres sont en milliers de dollars canadiens)

	2016	2015
Flux de trésorerie liés aux activités opérationnelles		
Résultat des activités poursuivies	**70 043**	93 410
Ajustements pour :		
Quote-part du résultat net des entreprises mises en équivalence (note 20)	**9 776**	21 160
[...]		
Flux de trésorerie liés aux activités d'investissement		
[...]		
Acquisition de placements et de participations dans des entreprises mises en équivalence	**(336 100)**	(345 460)
Disposition de placements et de participations dans des entreprises mises en équivalence	**388 724**	326 212

NOTES COMPLÉMENTAIRES AUX ÉTATS FINANCIERS CONSOLIDÉS

Exercice terminé le 31 mars 2016
(les chiffres des tableaux sont en milliers de dollars canadiens, sauf indication contraire)

[...]

4. PRINCIPALES MÉTHODES COMPTABLES

[...]

ii) Participation dans des entreprises associées

[...]

IFRS 12, paragr. 9(d)

Bien que la Société détienne moins de 20 % des droits de vote de certaines de ses entreprises associées, elle a conclu qu'elle exerçait une influence notable sur les politiques financières et opérationnelles de ces entreprises en raison des droits de veto qu'elle détient sur les décisions importantes à l'égard des activités pertinentes de celles-ci, de la représentation qu'elle a sur les conseils d'administration et autres comités ou du pouvoir légal accordé en vertu d'ententes contractuelles avec d'autres organisations.

[...]

20. PARTICIPATIONS DANS DES ENTREPRISES MISES EN ÉQUIVALENCE

Le tableau suivant présente le détail de la quote-part de la participation de la Société dans des entreprises mises en équivalence comptabilisée au résultat net, au résultat global et à l'état consolidé de la situation financière :

IFRS 12, paragr. B16

	2016	2015
Quote-part du résultat net des entreprises mises en équivalence		
[...]		
Autres coentreprises et entreprises associées	**(11 179)**	(927)
[...]		
Quote-part des autres éléments du résultat global		
Quote-part de l'écart de conversion d'entreprises mises en équivalence		
[...]		
Autres coentreprises et entreprises associées	**3 340**	3 668
[...]		
Participation dans des entreprises mises en équivalence		
[...]		
Autres coentreprises et entreprises associées	**308 097**	131 271
[...]		

[...]

IFRS 12, paragr. B16

La Société détient également des participations dans des coentreprises et des entreprises associées qui ne sont pas significatives prises individuellement.

La valeur comptable et la quote-part des informations financières résumées des intérêts dans des coentreprises et entreprises associées revenant à la Société qui ne sont pas considérées comme étant significatives sont comme suit:

	2016	**2015**
Valeur comptable des participations détenues dans des coentreprises et entreprises associées	**308 097**	131 271
Quote-part:		
du résultat net des activités poursuivies	**(11 867)**	(3 594)
du résultat net après impôt des activités abandonnées	**324**	5 669
des autres éléments du résultat global	**3 810**	3 668
Quote-part du résultat global	**(7 733)**	5 743

IFRS 12, paragr. 22(c)

La Société n'a pas comptabilisé des pertes totalisant 3 152 000 $ au 31 mars 2016 (25 983 000 $ au 31 mars 2015), car elle n'a aucune obligation à l'égard de celles-ci. Le total des pertes cumulées non comptabilisées au 31 mars 2016 est de 65 844 000 $ (70 107 000 $ au 31 mars 2015).

IFRS 12, paragr. 23(b)

Ces coentreprises et entreprises associées ne sont assujetties à aucune restriction limitant leur capacité à rembourser les prêts et avances que leur a consentis la Société. La Société a pris des engagements en capital envers ses participations dans des coentreprises et entreprises associées de 171 621 000 $ au 31 mars 2016 (235 392 000 $ au 31 mars 2015). La Société n'a contracté aucun engagement conjointement avec d'autres coentrepreneurs ou partenaires. Au 31 mars 2016, la Société ne cautionne aucun engagement de contrat de location pris par ses coentreprises et entreprises associées (12 568 000 $ au 31 mars 2015) ni aucune marge de crédit non utilisée accordée par une banque (6 206 000 $ au 31 mars 2015). La Société n'a contracté aucun autre passif éventuel en ce qui concerne ses coentreprises et entreprises associées.

IAS 36, paragr. 126 et 130

Au cours de l'exercice terminé le 31 mars 2016, la Société a évalué la valeur recouvrable de certaines de ses participations qui présentaient des indications objectives de dépréciation, en raison de la conjoncture économique des secteurs dans lesquels ces participations opèrent. La Société a estimé la valeur recouvrable de chacune de ces participations sur la base de la juste valeur diminuée des coûts de sortie. Au 31 mars 2016, la juste valeur a été estimée en utilisant des méthodes d'évaluation fondées sur les comparables (niveau 3). Des pertes de valeur totalisant 2 644 000 $ au 31 mars 2016 ont été comptabilisées au résultat net sous la rubrique «Perte nette de valeur sur les placements» relativement à ces participations dans des coentreprises et entreprises associées.

Au cours de l'exercice terminé le 31 mars 2016, la Société a évalué la valeur recouvrable de certaines de ses participations qui présentaient des indications objectives de reprise de valeur en raison d'indicateurs économiques ayant un impact positif sur la performance économique et le mode d'utilisation de certaines des participations. La Société a estimé la valeur recouvrable de chacune de ces participations sur la base de la valeur d'utilité. Au 31 mars 2016, la valeur d'utilité a été estimée par l'actualisation des flux monétaires futurs (niveau 3). Des reprises de valeur totalisant 32 050 000 $ au 31 mars 2016 ont été comptabilisées au résultat net sous la rubrique «Perte nette de valeur sur les placements» relativement à ces participations dans des coentreprises et entreprises associées.

[...]

Source: Rapport annuel 2015-2016 d'Investissement Québec.
Investissement Québec, *Rapport annuel d'activités et de développement durable 2015-2016*, [En ligne], <www.investquebec.com> (page consultée le 25 novembre 2016).

La figure 11.6 présente une synthèse des opérations relatives aux participations dans des entreprises associées.

FIGURE 11.6 Une synthèse des opérations relatives aux participations dans des entreprises associées

État de la situation financière

Participations dans des entreprises associées	dt	ct
Acquisition	X	
Quote-part dans le bénéfice global des entreprises associées	X	
Quote-part dans la perte globale des entreprises associées		X
Dividendes		X
Dépréciation		X
Aliénation		X
Reprise de valeur	X	

État du résultat global

Produits de placement	dt	ct
Dépréciation	X	
Reprise de valeur		X
Quote-part dans le bénéfice net des entreprises associées		X
Quote-part dans la perte nette des entreprises associées	X	

Profit ou perte sur aliénation	dt	ct
Profit		X
Perte	X	

AERG	dt	ct
Quote-part dans les autres éléments du résultat global	X	X

Tableau des flux de trésorerie*

Investissement	
Acquisition de placements	(X)
Aliénation de placements	X
Encaissement de dividendes	X

* Notons qu'une entreprise qui présenterait un tableau des flux de trésorerie selon la méthode indirecte inclurait les postes suivants dans la section Activités d'exploitation :

Résultat net	X $
Dépréciation	X
Reprise de valeur	(X)
Perte sur aliénation	X
Profit sur aliénation	(X)
Augmentation des dividendes à recevoir	(X)
Diminution des dividendes à recevoir	X
Quote-part dans le bénéfice net des entreprises associées	(X)
Quote-part dans la perte nette des entreprises associées	X

Différence NCECF

6 Les opérations entre parties liées

Habituellement, une entreprise conclut la majeure partie de ses transactions avec d'autres entreprises ou avec des individus n'ayant aucun lien de dépendance avec elle. Il est fréquent, toutefois, que des transactions soient conclues entre des personnes morales ou physiques qui, de par la nature de leurs relations, ne sont pas indépendantes les unes des autres. Ce peut être le cas d'opérations conclues avec une entreprise associée.

Il est loisible de présumer que des transactions entre des parties non liées ont été conclues à la juste valeur, cette juste valeur étant utilisée pour évaluer les éléments échangés lors de leur comptabilisation initiale. Cependant, puisque des parties liées ne traitent pas nécessairement dans des conditions de pleine concurrence, on ne peut présumer qu'elles concluent des transactions à leur juste valeur. En effet, les **parties liées** peuvent bénéficier de plus de souplesse dans le processus d'établissement des prix; il est même possible qu'elles effectuent des transactions que n'auraient pas conclues des parties non liées. Il est donc nécessaire, dans un souci de transparence, de fournir de l'information relative aux parties liées par voie de notes aux états financiers.

Selon l'**IAS 24**, intitulée «Information relative aux parties liées», deux parties sont liées lorsque l'une a la capacité d'exercer un contrôle, un contrôle conjoint ou une influence notable sur l'autre. Deux parties ou plus sont liées lorsqu'elles sont soumises à un contrôle commun, à un contrôle conjoint ou à une influence notable commune. D'autres parties liées sont, par exemple, une coentreprise et un coentrepreneur, les principaux dirigeants d'une entreprise ou de sa société mère, les membres proches de la famille des personnes visées, une entreprise sur laquelle les dirigeants ou les membres proches de sa famille ont un contrôle, un contrôle conjoint ou une influence notable, une entité de gestion qui fournit les services de personnes agissant à titre de principaux dirigeants et un régime d'avantages postérieurs à l'emploi au profit des employés de l'entreprise ou de toute partie liée à celle-ci.

Une **transaction entre parties liées** est un transfert de ressources, de services ou d'obligations entre l'entreprise présentant l'information financière et une partie liée, sans tenir compte du fait qu'un prix soit facturé ou non[24]. La figure 11.7 illustre quelques-unes des relations entre parties liées décrites par l'IASB.

FIGURE 11.7 Des exemples de relations entre les parties liées

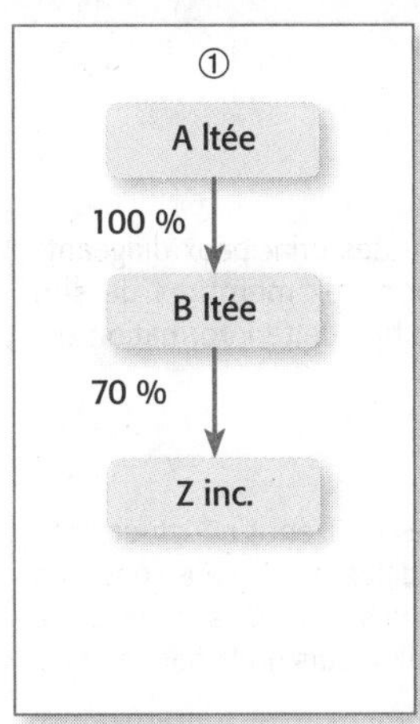

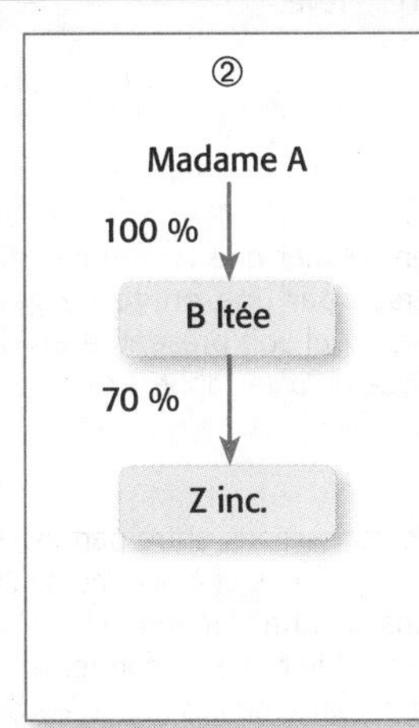

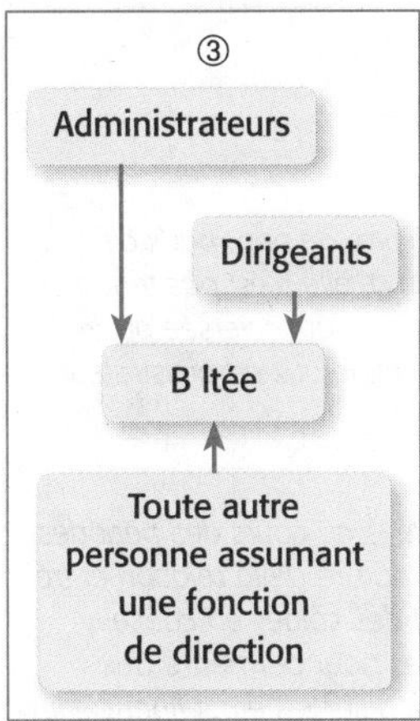

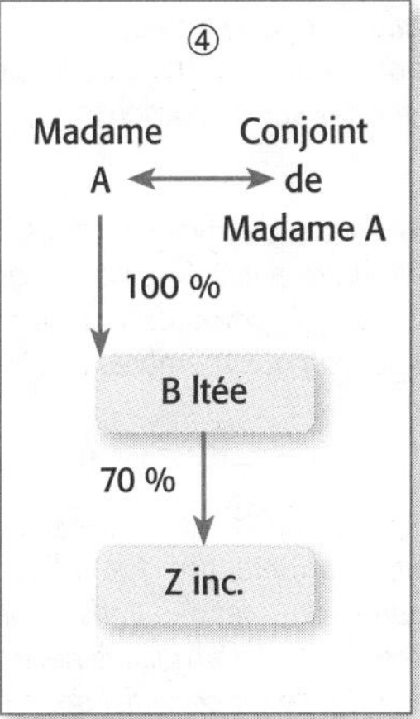

Situations

① Toutes ces sociétés sont liées. A ltée contrôle directement B ltée, qui contrôle à son tour Z inc. A ltée contrôle donc indirectement Z inc.

② Madame A est liée aux sociétés B ltée et Z inc. En effet, Madame A contrôle directement B ltée et, par l'intermédiaire de B ltée, elle contrôle indirectement Z inc.

③ Qu'elle soit administrateur ou dirigeant, toute personne responsable de la planification, de la direction et du contrôle des activités de l'entreprise qui présente les états financiers lui est liée.

④ Le conjoint de Madame A est lié aux sociétés B ltée et Z inc.

Source: Daniel McMahon

Différence NCECF

Les recommandations formulées par l'IASB ont trait uniquement à l'information à fournir dans les états financiers sur les transactions et les soldes entre parties liées. Le tableau 11.5 présente ces recommandations, accompagnées de commentaires.

Les notes 30 et 31 des états financiers consolidés de Sears Canada Inc. (*voir les pages 11.63 et 11.64*) donne un exemple qui illustre la présentation des transactions avec des parties liées.

24. *Manuel de CPA Canada – Comptabilité – Partie I*, IAS 24, paragr. 9.

TABLEAU 11.5 Les informations à fournir relativement aux transactions entre parties liées

Normes internationales d'information financière, IAS 24	Commentaires
Toutes les entités	
Paragr. 13	
Les relations entre une société mère et ses filiales doivent être indiquées, qu'il y ait eu ou non des transactions entre elles.	La seule existence de relations entre parties liées, sans qu'il n'y ait de transactions entre ces parties, est susceptible d'influencer la performance et la situation financière de l'entreprise.
Une entité doit dévoiler le nom de sa société mère et celui de la partie exerçant le contrôle ultime, s'il est différent.	La dénomination de la société mère et celle de la société tête de groupe indiquent aux utilisateurs où obtenir de l'information supplémentaire, si nécessaire.
Si ni la société mère de l'entité, ni la partie exerçant le contrôle ultime ne publie d'états financiers consolidés, il faut mentionner le nom de la société mère la plus proche de la mère immédiate qui publie de tels états financiers.	La société mère la plus proche de la société mère immédiate est la première société mère du groupe, située au-dessus de la société mère immédiate, qui produit des états financiers consolidés mis à la disposition du public.
Paragr. 17	
Une entité doit indiquer la rémunération des principaux dirigeants, en cumul, et pour chacune des catégories suivantes : *(a) les avantages à court terme ;* *(b) les avantages postérieurs à l'emploi ;* *(c) les autres avantages à long terme ;* *(d) les indemnités de fin de contrat de travail ; et* *(e) les paiements fondés sur des actions.*	Cette recommandation permet aux utilisateurs des états financiers de se faire une opinion par rapport à l'importance de la rémunération des principaux dirigeants et la forme qu'elle revêt.
Paragr. 17A	
Si l'entité obtient des serivces de personnes agissant à titre de principaux dirigeants fournis par une autre entité (l'«entité de gestion»), elle n'est pas tenue d'appliquer les dispositions du paragraphe 17 à la rémunération versée ou à verser par l'entité de gestion aux membres de personnel ou aux administrateurs de cette dernière.	Afin d'éviter que la rémunération des principaux dirigeants versée par une entité de gestion aux membres de son personnel soit présentée en double, cette information est exclue du paragraphe 17.
Paragr. 18	
Si une entité a conclu des transactions entre parties liées au cours des périodes couvertes par les états financiers, elle doit indiquer la nature de la relation entre les parties liées et fournir, au sujet des transactions et des soldes en cause, y compris les engagements, les informations nécessaires pour permettre aux utilisateurs de comprendre l'effet potentiel de la relation sur les états financiers. [...] *Les informations fournies doivent comprendre, au minimum :* *(a) le montant des transactions ;* *(b) le montant des soldes, y compris des engagements, et :* *(i) leurs termes et conditions, y compris l'existence éventuelle de garanties et la nature de la contrepartie attendue lors du règlement, et* *(ii) les garanties données ou reçues ;* *(c) les provisions pour créances douteuses liées au montant des soldes ; et* *(d) les charges comptabilisées pendant la période au titre des créances douteuses sur parties liées.*	Les transactions entre parties liées peuvent s'effectuer dans des conditions et à des montants différents de ceux convenus dans des transactions entre parties non liées. Pour cette raison, il importe d'informer les utilisateurs de la nature et de l'importance de ces transactions. Voici quelques exemples de transactions avec une partie liée, indiquées en note aux états financiers : • Achats ou ventes de biens ; • Prestations de services données ou reçues ; • Transferts de recherche et de développement ; • Transferts dans le cadre d'accords de financement ; • Règlements de passifs pour le compte de l'entreprise ou par l'entreprise pour le compte d'une autre partie.
Paragr. 18A	
Les montants engagés par l'entité au titre de la prestation de services de personnes agissant à titre de principaux dirigeants fournis par une entité de gestion distincte doivent être indiqués.	En plus des informations demandées au paragraphe 18, il est précisé que les transactions visant la prestation des services de personnes agissant à titre de princiaux dirigeants doivent être présentées séparément.
Paragr. 19	
Les informations à fournir selon le paragraphe 18 doivent être communiquées séparément pour chacune des catégories suivantes : *(a) la société mère ;* *(b) les entités qui exercent un contrôle conjoint ou une influence notable sur l'entité ;* *(c) les filiales ;* *(d) les entreprises associées ;* *(e) les coentreprises dans lesquelles l'entité est un coentrepreneur ;* *(f) les principaux dirigeants de l'entité ou de sa société mère ; et* *(g) les autres parties liées.*	On demande de répartir les informations du paragraphe 18 dans différentes catégories afin de permettre une analyse plus approfondie des soldes entre parties liées.

TABLEAU 11.5 *(suite)*

Paragr. 24

Des éléments de nature similaire peuvent faire l'objet d'une information globale sauf si une information distincte est nécessaire pour comprendre les effets des transactions entre parties liées sur les états financiers de l'entité présentant l'information financière.

En vertu de la notion d'importance relative, il est parfois inutile de fournir des informations détaillées qui ne feraient que surcharger les états financiers.

Entités liées à une autorité publique

Paragr. 25

L'entité présentant l'information financière est exemptée des obligations en matière d'informations à fournir du paragraphe 18 en ce qui a trait aux transactions et soldes, y compris les engagements, avec les parties liées suivantes:

(a) une autorité publique dont elle est sous le contrôle, le contrôle conjoint ou l'influence notable;

(b) une autre entité qui est une partie liée du fait que les deux entités sont sous le contrôle, le contrôle conjoint ou l'influence notable d'une même autorité publique.

Cette exemption est due au fait qu'il peut être difficile de reconnaître toutes les entreprises qui sont liées à un gouvernement. De plus, le coût lié à l'obtention de ces informations pourrait excéder les avantages.

Paragr. 26

Si l'entité présentant l'information financière se prévaut de l'exemption prévue au paragraphe 25, elle doit indiquer ce qui suit, en ce qui a trait aux transactions et aux soldes auxquels l'exemption s'applique:

(a) le nom de l'autorité publique et la nature de sa relation avec elle (c'est-à-dire contrôle, contrôle conjoint ou influence notable);

(b) les informations suivantes, de manière suffisamment détaillée pour permettre aux utilisateurs des états financiers de l'entité de comprendre l'effet des transactions entre parties liées sur les états financiers:

(i) la nature et le montant de chaque transaction individuellement significative;

(ii) une indication qualitative ou quantitative de l'ampleur des transactions collectivement mais non individuellement significatives. Les types de transactions visés comprennent ceux énumérés au paragraphe 21.

Malgré l'exemption du paragraphe 25, les dirigeants devraient pouvoir repérer les transactions importantes avec un gouvernement ou ses entreprises liées. Ces informations s'avèrent utiles aux utilisateurs des états financiers.

Au paragraphe 21, l'IASB indique des exemples de transactions qui doivent être communiquées. Pensons, par exemple, aux achats ou aux ventes de produits, de biens immobiliers et d'autres actifs, et aux prestations de services données ou reçues.

11

NOTES ANNEXES

30. Transactions entre parties liées

IAS 24, paragr. 13

La partie exerçant le contrôle ultime de la Société est ESL Investments, Inc. (constituée en société aux États-Unis, dans l'État de la Floride). La Société détenait par ailleurs des participations dans des partenariats, comme il est décrit à la note 11.

Les soldes et les transactions entre la Société et ses filiales, qui sont des parties liées à la Société, ont été éliminés à la consolidation et ne sont pas présentés dans cette note. Des informations détaillées sur les transactions entre la Société et les autres parties liées sont fournies ci-après.

30.1 Transactions commerciales

Au cours de l'exercice considéré et de l'exercice précédent, la Société a effectué les transactions commerciales suivantes avec des parties liées:

IAS 24, paragr. 18(a)

IAS 24, paragr. 19

	2015				2014			
(en millions de dollars canadiens)	**Achat de biens**	**Services reçus**	**Autres**	**Total**	Achat de biens	Services reçus	Autres	Total
Sears Holdings Corporation	**– $**	**3,8 $**	**0,2 $**	**4,0 $**	– $	3,6 $	0,4 $	4,0 $
Partenariats immobiliers	**–**	**–**	**–**	**–**	–	1,0	–	1,0
Total des transactions entre parties liées	**– $**	**3,8 $**	**0,2 $**	**4,0 $**	– $	4,6 $	0,4 $	5,0 $

IAS 24, paragr. 18(b)

Les soldes suivants étaient impayés à la fin de l'exercice:

	Sommes à recevoir de parties liées	
(en millions de dollars canadiens)	**Au 30 janvier 2016**	Au 31 janvier 2015
Sears Holdings Corporation	**0,2 $**	– $

IAS 24, paragr. 18(b)		Sommes à verser à des parties liées	
	(en millions de dollars canadiens)	**Au 30 janvier 2016**	Au 31 janvier 2015
	Sears Holdings Corporation	**0,5 $**	0,4 $

IAS 24, paragr. 21 (a) Les transactions entre parties liées effectuées avec Sears Holdings ont lieu dans le cours normal des activités et concernent des services partagés d'achat de marchandises. Ces transactions ont été comptabilisées soit à la juste valeur de marché, soit à la valeur d'échange, laquelle a été déterminée et convenue par les parties liées. Ces soldes sont compris dans les postes Créditeurs et charges à payer et Débiteurs, montant net dans les états consolidés de la situation financière.

IAS 24, paragr. 21 (d) Les transactions entre parties liées effectuées avec divers partenariats immobiliers représentent les paiements en vertu de contrats de location liés à la location de magasins de la Société. Ces transactions ont été comptabilisées soit à la juste valeur de marché, soit à la valeur d'échange, laquelle a été déterminée et convenue par les parties liées.

IAS 24, paragr. 18(d) Les sommes impayées ne sont pas garanties et seront réglées en trésorerie. Aucune garantie n'a été donnée ni
IAS 24, paragr. 18(c) reçue. Aucune charge n'a été comptabilisée au cours de la période considérée ou des périodes antérieures au titre des créances irrécouvrables ou des créances douteuses liées aux sommes à recevoir de parties liées.

Le comité d'audit de la Société doit approuver au préalable toutes les transactions entre parties liées dont la valeur excède 1,0 M$.

31. Rémunération des principaux dirigeants

IAS 24, paragr. 19 Les principaux dirigeants sont les personnes ayant l'autorité et la responsabilité liées à la planification, la direction et le contrôle des activités de la Société. Cette dernière considère que le conseil d'administration et les membres actuels et anciens de la haute direction suivants sont les principaux dirigeants :

Président exécutif
Présidente et marchande en chef ;
Ancien président et chef de la direction ;
Vice-président directeur et chef des finances ;
Ancien vice-président directeur et chef de l'exploitation ;
Ancien chef intérimaire du marketing ;
Ancien vice-président principal, opérations des commerçants ;
Ancienne vice-présidente principale, vêtements et accessoires ;
Vice-présidente principale, biens pour la maison et biens durables ;
Vice-président principal, immobilier ;
Vice-présidente principale, ressources humaines et technologies de l'information ;
Vice-président principal, magasins ;
Vice-président principal, marketing dans les magasins ;
Vice-président principal, planification des stocks ;
Vice-présidente et dirigeante principale de l'information ;
Vice-président, conseiller juridique et secrétaire général ;
Ancien vice-président principal et chef du marketing ;
Ancien conseiller, médias numériques et omnicircuit.

La rémunération des principaux dirigeants s'est établie comme suit :

	(en millions de dollars canadiens)	**2015**	2014
IAS 24, paragr. 17(a)	Salaires et avantages indirects	**11,4 $**	7,7 $
	Rémunération incitative annuelle et autres primes	**3,7**	0,3
IAS 24, paragr. 17(c)	Régimes de retraite	**0,1**	–
IAS 24, paragr. 17(d)	Indemnités de départ	**4,9**	0,5
	Total de la rémunération des principaux dirigeants	**20,1 $**	8,5 $

Source : Rapport annuel 2015 de Sears Canada Inc.
Sears Canada Inc., *Rapport annuel 2015,* [En ligne], <http://sears.fr.ca.investorroom.com/rapports> (page consultée le 20 janvier 2016).

Avez-vous remarqué ?

Pour attirer l'attention des utilisateurs des états financiers sur les transactions effectuées entre parties liées et leur permettre de prendre des décisions économiques éclairées, de nombreuses informations doivent être fournies sur les parties liées.

 Les immeubles de placement

Différence NCECF

Les chapitres 8 et 9 présentaient les normes comptables relatives aux immobilisations corporelles, notamment les terrains et les bâtiments. Comme nous l'avons mentionné en ouverture du chapitre 8, ce n'est pas la nature du bien qui en détermine le classement à titre d'immobilisation, mais plutôt l'utilisation qu'en fait une entreprise. Par exemple, les normes comptables relatives aux immobilisations corporelles ne s'appliquent pas à un terrain détenu à titre de placement. Un tel actif est plutôt comptabilisé en appliquant les recommandations contenues dans l'**IAS 40**, intitulée «Immeubles de placement», qui aborde les thèmes illustrés dans la figure 11.8. Soulignons que, dans la présente section, le terme «immeuble» est utilisé au sens large et comprend les terrains et les bâtiments détenus à des fins de placement.

FIGURE 11.8 Les thèmes abordés dans l'IAS 40

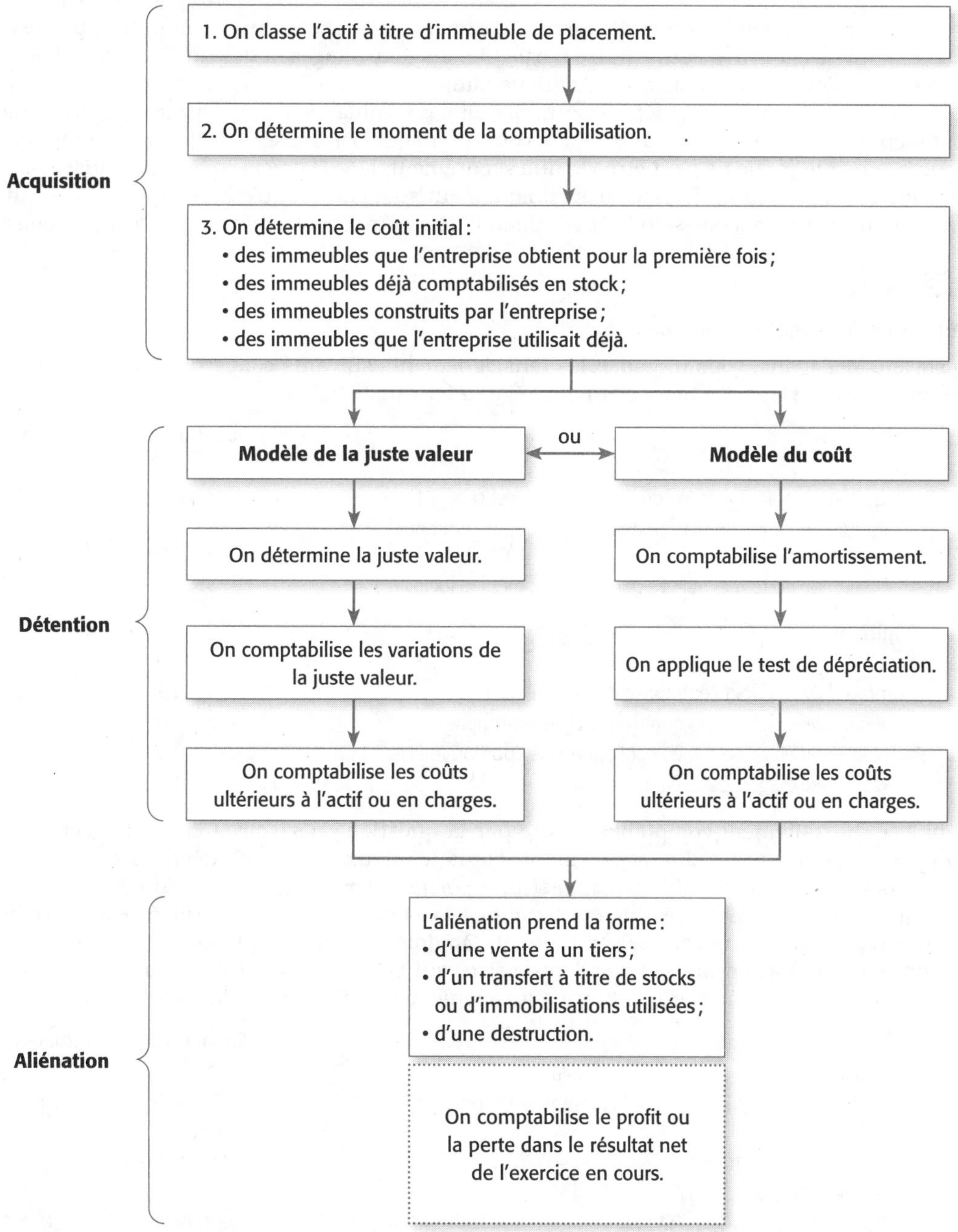

Acquisition

1. On classe l'actif à titre d'immeuble de placement.
2. On détermine le moment de la comptabilisation.
3. On détermine le coût initial:
   - des immeubles que l'entreprise obtient pour la première fois;
   - des immeubles déjà comptabilisés en stock;
   - des immeubles construits par l'entreprise;
   - des immeubles que l'entreprise utilisait déjà.

Détention

Modèle de la juste valeur	ou	**Modèle du coût**
On détermine la juste valeur.		On comptabilise l'amortissement.
On comptabilise les variations de la juste valeur.		On applique le test de dépréciation.
On comptabilise les coûts ultérieurs à l'actif ou en charges.		On comptabilise les coûts ultérieurs à l'actif ou en charges.

Aliénation

L'aliénation prend la forme:
- d'une vente à un tiers;
- d'un transfert à titre de stocks ou d'immobilisations utilisées;
- d'une destruction.

On comptabilise le profit ou la perte dans le résultat net de l'exercice en cours.

Différence NCECF

Mentionnons d'emblée que l'IAS 40 ne s'applique ni aux actifs biologiques, ni aux droits miniers, ni aux réserves minérales.

L'acquisition

Différence NCECF

Au moment de l'acquisition d'un immeuble, l'entreprise détermine d'abord si l'actif correspond bien à un **immeuble de placement**, soit un terrain, soit un bâtiment qu'elle détiendra pour valoriser le capital, c'est-à-dire profiter de son éventuelle plus-value ou en tirer des revenus de loyers, plutôt que pour l'occuper. À l'inverse, si l'entreprise a acheté l'actif pour sa propre utilisation dans ses activités de production ou d'administration, l'actif constitue une immobilisation ; si elle a acheté l'actif dans le but de le revendre dans le cadre de l'activité ordinaire, l'actif constitue un stock.

Parfois, il est très simple de déterminer si un immeuble est acquis à des fins de placement. Il est clair qu'un terrain acquis dans le but de profiter de sa plus-value ou un bâtiment acquis dans le but d'être loué est un immeuble de placement, alors que des bâtiments détenus par un entrepreneur en construction dans le but de les vendre dans le cadre de son activité ordinaire et un bâtiment en construction n'en sont pas. Dans d'autres contextes, la réponse n'est pas simple. Examinons-en deux.

Une entreprise peut parfois détenir un bâtiment dont elle occupe une partie, par exemple un étage, pour ses activités et une autre partie, disons deux étages, à des fins locatives. Lorsqu'un terrain ou un bâtiment a plusieurs utilisations simultanées, l'IASB suggère d'examiner d'abord si chaque partie peut être vendue séparément. Si oui, il recommande de répartir le coût du terrain ou du bâtiment entre les portions et de traiter le coût de chaque portion selon les normes comptables en vigueur. Si chaque partie ne peut être vendue séparément, l'IASB précise que l'entreprise considère l'actif comme un immeuble de placement uniquement si la portion qu'elle occupe dans le cadre de son activité normale n'est pas significative, sinon il devra être considéré comme une immobilisation.

EXEMPLE

Immeuble à utilisation multiple

La société Mellay inc. vous transmet les renseignements suivants concernant un terrain et un bâtiment qu'elle vient d'acheter à un coût égal à leur juste valeur :

	Situation A	Situation B
Terrain		
Juste valeur initiale du terrain dont l'entreprise est propriétaire	100 000 $	100 000 $
Portion de ce terrain utilisée exclusivement par l'entreprise (portion divise)	10 %	20 %
Portion de ce terrain utilisée par l'entreprise et les locataires	90 %	80 %
Bâtiment		
Nombre total d'étages	30	30
Nombre d'étages dont l'entreprise est propriétaire	25	25
Juste valeur des étages dont l'entreprise est propriétaire	30 000 000 $	30 000 000 $
Nombre d'étages occupés par l'entreprise (portion indivise)	0,5	5
Nombre d'étages loués par l'entreprise	24,5	20

L'analyse du traitement comptable débute par la question de savoir si la partie occupée par l'entreprise peut être vendue séparément. Dans les deux situations décrites ci-dessus, on doit d'abord se demander si le terrain est une portion divise, c'est-à-dire s'il peut être vendu séparément du bâtiment. L'énoncé indique que la portion du terrain utilisée exclusivement par l'entreprise peut être vendue séparément. On doit alors répartir la juste valeur initiale du terrain entre la portion utilisée par l'entreprise, qui sera comptabilisée à titre d'immobilisation, et la portion liée au bâtiment, qui a lui-même deux utilisations. Voici les calculs requis :

	Situation A	Situation B
Terrain		
Juste valeur initiale du terrain dont l'entreprise est propriétaire	100 000 $	100 000 $
Terrain – Immobilisation		
(100 000 $ × 10 %)	(10 000)	
(100 000 $ × 20 %)		(20 000)
Portion de ce terrain utilisée par l'entreprise et les locataires	90 000	80 000
Juste valeur des étages dont l'entreprise est propriétaire	30 000 000	30 000 000
Juste valeur des actifs à utilisation multiple	30 090 000 $	30 080 000 $

La juste valeur des actifs à utilisation multiple se rapporte aux actifs qui ne peuvent être vendus séparément. On doit alors se poser une seconde question, à savoir si la portion qu'occupe Mellay inc. dans le cadre de ses activités courantes est non significative. Dans la situation A, la société occupe la moitié de un des 25 étages, soit 2 %, ce qui pourrait être considéré comme négligeable. C'est pourquoi elle traite à titre d'immeubles de placement le terrain (90 000 $) et le bâtiment (30 000 000 $). Dans la situation B, la société occupe 5 des 25 étages, soit 20 %, ce qui ne peut être considéré comme négligeable. C'est pourquoi elle doit traiter à titre d'immobilisations le terrain (80 000 $) et le bâtiment (30 000 000 $) qu'elle utilise conjointement avec les locataires.

Cette analyse est très importante, car elle détermine le modèle d'évaluation des actifs. Les modèles du coût et de la réévaluation s'appliquent aux immobilisations, alors que les modèles du coût et de la juste valeur s'appliquent aux immeubles de placement. Nous expliquerons plus loin le modèle de la juste valeur et le lecteur pourra alors constater que ce modèle donne des montants fort différents de ceux que l'on détermine en utilisant le modèle de la réévaluation.

Une entreprise fournit parfois des services aux occupants d'un bâtiment, soit directement, soit au moyen de la sous-traitance. Si les services fournis ne sont qu'accessoires, par exemple, si l'entreprise offre des services d'entretien ménager des aires communes du bâtiment loué, elle traite le bâtiment à titre d'immeuble de placement. Les services d'entretien sont alors une composante mineure du contrat de location. À l'opposé, si une entreprise loue le bâtiment sur une base quotidienne, offre les services d'entretien, d'accueil, etc., ces services représentent une composante importante de l'activité, laquelle s'apparente alors à l'exploitation d'un hôtel. Le bâtiment est alors considéré comme une immobilisation corporelle, car il est utilisé dans le cadre de l'exploitation courante.

Lorsque l'utilisation de l'actif rend difficile son classement comptable, l'entreprise doit établir les critères lui permettant de faire ce classement. L'IASB recommande alors d'expliquer, dans les états financiers, les critères qui ont été retenus. Il précise aussi que les mêmes critères doivent être utilisés de façon constante d'un exercice à l'autre. C'est ce que fait la société Canadian Tire dans sa note 3, présentée à la page 11.80.

La figure 11.9 schématise le classement, du point de vue comptable, des terrains et bâtiments qu'une entreprise peut posséder.

FIGURE 11.9 La classification des immeubles (terrains et bâtiments)

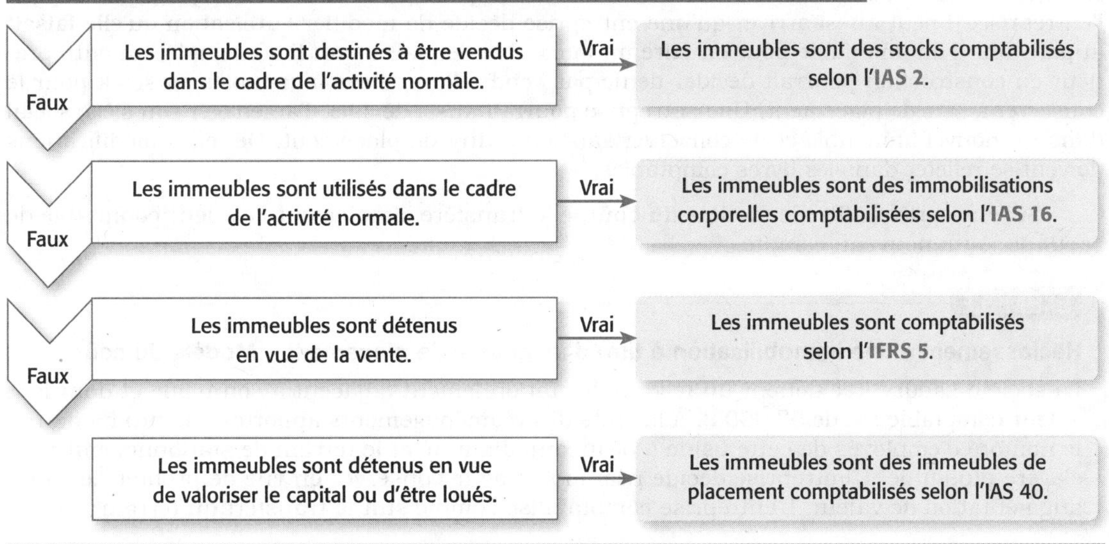

L'acquisition d'un nouvel immeuble

Revenons à la figure 11.8. Après avoir classé un immeuble à titre d'immeuble de placement, l'entreprise détermine le moment où elle le comptabilise. Cette décision n'est pas complexe, car l'entreprise applique les mêmes critères de comptabilisation que ceux applicables aux immobilisations corporelles. Elle comptabilise l'actif au moment où, pour la première fois, il devient probable qu'elle bénéficiera des avantages économiques futurs liés à l'immeuble et où elle peut en estimer le coût initial de façon fiable[25].

Au moment de l'acquisition d'un immeuble de placement, l'entreprise en comptabilise évidemment le coût. La recommandation précédente est inéluctablement plus utile lorsque l'entreprise engage des coûts après la date d'acquisition. Elle comptabilise à l'actif ces coûts ultérieurs uniquement s'ils généreront des avantages économiques. Ainsi, elle comptabilise en charges des dépenses d'entretien régulier, mais comptabilise à l'actif les coûts engagés pour remplacer une toiture, après avoir décomptabilisé le coût de la toiture remplacée. Le lecteur trouvera peut-être utile de relire les explications données au sujet des coûts ultérieurs liés à des immobilisations corporelles au chapitre 8.

Au moment de comptabiliser à l'actif un immeuble de placement, l'entreprise doit en déterminer le coût. Les explications données au chapitre 8 s'appliquent aussi aux immeubles de placement. Rappelons que le coût à la date d'acquisition est le prix comptant équivalent et comprend tous les coûts directement attribuables à l'acquisition. Le tableau 11.6 classe plusieurs éléments de coût, selon qu'ils sont comptabilisés à l'actif ou en charges de l'exercice en cours.

TABLEAU 11.6 Le mode de comptabilisation d'éléments de coût

Des éléments de coût comptabilisés à l'actif	Des éléments de coût comptabilisés en charges de l'exercice en cours
• Les coûts de transaction, tels les commissions payées à un agent immobilier ou les honoraires juridiques • Les droits de mutation • Les coûts de construction ou d'aménagement, si l'entreprise a construit l'immeuble de placement pour son propre compte	• Les coûts d'entretien régulier • Les coûts de démarrage • Les pertes d'exploitation initiales • Le montant anormalement élevé des coûts de main-d'œuvre des employés ayant travaillé à la préparation de l'immeuble de placement • Les charges financières assumées après l'acquisition

L'acquisition par transfert

Les paragraphes précédents traitaient de la détermination du coût d'un immeuble de placement qu'une entreprise obtient pour la première fois et s'appliquaient tant aux entreprises qui décident d'utiliser le modèle du coût qu'à celles qui décident d'utiliser le modèle de la juste valeur. En effet, à la date d'acquisition d'un actif, le coût correspond généralement à sa juste valeur pour l'entreprise. Il peut aussi arriver qu'une entreprise décide de modifier l'utilisation qu'elle faisait auparavant d'un immeuble pour en faire un immeuble de placement. Par exemple, un entrepreneur en construction pourrait décider de ne pas vendre l'un de ses immeubles en stock pour le conserver à titre de placement. Une entreprise pourrait aussi décider d'aménager son siège social dans un nouvel immeuble et de conserver l'ancien à titre de placement. De telles modifications doivent se refléter dans les livres comptables.

Si l'entreprise utilise le **modèle du coût**, elle transfère simplement la valeur comptable de l'actif dans un nouveau compte.

EXEMPLE

Reclassement d'une immobilisation à titre d'immeuble de placement – Modèle du coût

La société Landry ltée détient un terrain de stationnement adjacent à son usine et dont la valeur comptable est de 53 000 $. À la suite des réaménagements apportés à la production, le nombre d'employés de cette usine a beaucoup diminué et le terrain de stationnement ne s'avère plus utile. L'entreprise décide néanmoins de le conserver en vue de profiter de son augmentation de valeur. L'entreprise comptabilise comme suit le transfert du terrain :

Immeuble de placement – Terrain	*53 000*	
Terrain		*53 000*
Transfert d'une immobilisation à titre d'immeuble de placement.		

25. *Manuel de CPA Canada – Comptabilité – Partie I*, IAS 40, paragr. 16.

Le montant transféré à titre d'immeuble de placement correspond à la valeur comptable de l'actif en cause, c'est-à-dire à son coût initial, augmenté de tous les coûts ultérieurs comptabilisés à l'actif et diminué, s'il y a lieu, de l'amortissement cumulé. Cette règle comporte toutefois une exception. Lorsque la juste valeur de l'immeuble de placement est inférieure à la valeur comptable de l'actif transféré, on comptabilise la dépréciation en charges de l'exercice en cours.

Si l'entreprise utilise le **modèle de la juste valeur** pour évaluer ses immeubles de placement, la comptabilisation des transferts d'actif est un peu plus complexe. On doit enregistrer l'immeuble de placement à la juste valeur à la date du transfert alors que la valeur comptable de l'actif enregistrée aux livres est un coût ou un coût amorti. En plus de transférer la valeur comptable de l'actif, l'entreprise comptabilise l'écart entre cette valeur et la juste valeur et, de plus, détermine si elle doit le comptabiliser dans le résultat net de l'exercice en question ou dans le compte Écart de réévaluation (AERG) de l'immeuble en cause. Le traitement comptable retenu est fondé sur les normes comptables que l'entreprise appliquait avant le transfert. Par exemple, si l'entreprise considérait jusque-là le terrain comme un stock, elle comptabilisera l'écart entre la juste valeur du terrain et sa valeur comptable à titre de produit, comme si elle avait vendu le stock. Si elle considérait plutôt le terrain à titre d'immobilisation corporelle, elle comptabilisera l'écart entre la juste valeur du terrain et sa valeur comptable dans les autres éléments du résultat global, au compte Écart de réévaluation. En effet, les variations de valeur d'une immobilisation qui était comptabilisée au coût ne sont pas comptabilisées dans le résultat net tant qu'il n'est pas cédé.

EXEMPLE

Reclassement d'un actif à titre d'immeuble de placement – Modèle de la juste valeur

Reprenons l'exemple de Landry ltée, en tenant pour acquis que la juste valeur à la date du transfert s'élève à 60 000 $ et que l'entreprise détenait auparavant le terrain à 2 titres différents. Elle comptabilise comme suit le transfert du terrain:

Scénario A: Le terrain était détenu en stock

Immeuble de placement – Terrain	*60 000*	
Stocks		*53 000*
Profit découlant du transfert d'un immeuble de placement		*7 000*
Transfert d'un stock à titre d'immeuble de placement.		

Scénario B: Le terrain était détenu en immobilisation (Il était auparavant utilisé par l'entreprise dans le cadre de son activité principale)

Immeuble de placement – Terrain	*60 000*	
Terrain		*53 000*
Écart de réévaluation – Terrain (AERG)		*7 000*
Transfert d'une immobilisation à titre d'immeuble de placement.		

Le scénario A ne nécessite pas d'explication additionnelle. Dans le scénario B, l'écart de réévaluation est une composante des autres éléments du résultat global. L'écriture présentée ci-dessus repose sur l'hypothèse implicite que l'entreprise comptabilisait le terrain selon le modèle du coût.

Lorsqu'une entreprise utilise plutôt le modèle de la réévaluation, expliqué au chapitre 9, elle devrait comptabiliser une augmentation de valeur à titre d'écart de réévaluation (AERG), à moins que l'entreprise n'ait comptabilisé une diminution de valeur dans son résultat net des exercices précédents. Dans ce cas, l'augmentation de valeur serait perçue comme une révision d'estimation des diminutions de valeur déjà comptabilisées et serait créditée dans le résultat net de l'exercice en cours. L'utilisation du modèle de la réévaluation pour déterminer la valeur comptable de l'immobilisation corporelle soulève aussi une question additionnelle. Comment l'entreprise traite-t-elle le solde du compte Écart de réévaluation – Terrain (AERG) tel qu'il existe alors juste avant le transfert ? L'IASB ne traite pas très clairement de cette question. On peut toutefois avancer que si l'augmentation de valeur à la date du transfert n'est pas comptabilisée dans le résultat net, les augmentations de valeur déjà comptabilisées ne peuvent être virées en résultat net. Ce n'est

Différence NCECF

que lorsque l'entreprise vendra l'immeuble de placement qu'elle pourra virer le solde créditeur du compte Cumul de l'écart de réévaluation dans ses résultats non distribués, même si elle n'est pas tenue de le faire. Par contre, lorsqu'elle choisit de virer le solde créditeur de ce compte, l'IASB précise clairement que le virement ne s'effectue pas en passant par un compte de résultat net. Des exemples illustrant ces normes sont présentés dans le chapitre 9.

La détention

Différence NCECF

Pendant toute la durée de détention d'un immeuble de placement, et comme l'indique la figure 11.8, l'entreprise comptabilise les opérations conformément au modèle qu'elle a choisi initialement, soit le modèle de la juste valeur ou le modèle du coût. Lorsque l'entreprise fait le choix du modèle d'évaluation, elle doit ensuite l'appliquer à tous les immeubles de placement qu'elle détient ou qu'elle acquerra plus tard. Elle ne peut modifier ce choix à chaque exercice financier, car une entreprise peut décider d'un changement de méthode uniquement si le changement envisagé permet de présenter des montants fiables et plus pertinents. L'IASB précise même ceci : « [...] Il est hautement improbable que l'abandon du modèle de la juste valeur pour le modèle du coût permette une présentation plus appropriée[26]. »

Le modèle de la juste valeur

Nous avons déjà mentionné qu'une entreprise qui utilise le **modèle de la juste valeur** comptabilise la juste valeur dans le compte d'actif en cause, et ce, chaque fois qu'elle présente ses états financiers. De plus, dès que la juste valeur à la date de clôture d'un exercice diffère de la valeur comptable, l'entreprise comptabilise cette variation de valeur dans le résultat net de l'exercice en cours. Le modèle de la juste valeur applicable aux immeubles de placement diffère donc du modèle de la réévaluation des immobilisations corporelles par au moins trois aspects. Premièrement, selon le modèle de la réévaluation des immobilisations, l'entreprise procède à une réévaluation uniquement lorsque la juste valeur diffère de façon significative de la valeur comptable. Deuxièmement, toujours selon le modèle de la réévaluation, on comptabilise les augmentations de valeur dans les autres éléments du résultat global, soit au compte Écart de réévaluation, et non en résultat net. De même, les diminutions de valeur sont débitées dans les autres éléments du résultat global s'il existe un solde créditeur au compte Cumul des écarts de réévaluation de l'actif en cause. Troisièmement, on amortit une immobilisation évaluée selon le modèle de la réévaluation durant son utilisation, alors qu'un immeuble de placement évalué selon le modèle de la juste valeur ne l'est pas.

EXEMPLE

Comparaison entre le modèle de la juste valeur et celui de la réévaluation

La société Lévesque ltée détient un terrain et un bâtiment, pour lesquels vous obtenez les renseignements suivants :

Terrain	
Coût initial, payé comptant le 5 janvier 20X1	50 000 $
Juste valeur le 31 décembre 20X1	50 500
Juste valeur le 31 décembre 20X2 (Le marché immobilier est en crise.)	45 000
Juste valeur le 31 décembre 20X3 (La crise du marché immobilier s'est résorbée.)	60 000
Bâtiment	
Coût initial, payé comptant le 5 janvier 20X1	500 000
Juste valeur le 31 décembre 20X1	470 000
Juste valeur le 31 décembre 20X2 (Le marché immobilier est en crise. La valeur d'utilité du bâtiment correspond à la juste valeur.)	400 000
Juste valeur le 31 décembre 20X3 (La crise du marché immobilier s'est résorbée. La valeur d'utilité du bâtiment correspond à la juste valeur.)	600 000
Valeur résiduelle	0
Durée d'utilité (Mode d'amortissement linéaire)	20 ans

26. *Manuel de CPA Canada – Comptabilité – Partie I*, IAS 40, paragr. 31.

Voici les écritures que Lévesque ltée doit enregistrer selon deux scénarios :

Scénario A — Immeubles de placement comptabilisés selon le modèle de la juste valeur

Scénario B — Immobilisations comptabilisées selon le modèle de la réévaluation (méthode de l'ajustement net)

5 janvier 20X1

Scénario A

Immeubles de placement – Terrain	*50 000*	
Immeubles de placement – Bâtiment	*500 000*	
Caisse		*550 000*

Acquisition d'un terrain et d'un bâtiment qui seront détenus à des fins de placement.

Note : Il serait acceptable de comptabiliser le terrain et le bâtiment dans un seul compte libellé Immeubles de placement. Nous avons choisi d'utiliser deux comptes distincts afin de visualiser plus clairement les différences avec le modèle de la réévaluation.

Scénario B

Terrain	*50 000*	
Bâtiment	*500 000*	
Caisse		*550 000*

Acquisition d'un terrain et d'un bâtiment qui seront utilisés dans les activités courantes.

31 décembre 20X1

Scénario A

Immeubles de placement – Terrain ①	*500*	
Perte découlant de la réévaluation d'immeubles de placement	*29 500*	
Immeubles de placement – Bâtiment ②		*30 000*

Variations de valeur des immeubles de placement.

Calculs :

① (50 500 $ – 50 000 $)

② (470 000 $ – 500 000 $)

Scénario B

Amortissement des immobilisations corporelles	*25 000*	
Amortissement cumulé – Bâtiment		*25 000*

Amortissement annuel (500 000 $ ÷ 20 ans).

Note : Les justes valeurs fournies dans l'énoncé ne diffèrent pas de façon importante de leur valeur comptable (terrain : 50 500 $ ÷ 50 000 $ = 101 % et bâtiment : 470 000 $ ÷ 475 000 $ = 99 %). Cela porte à croire que Lévesque ltée n'a pas procédé à la réévaluation de ses immobilisations.

31 décembre 20X2

Scénario A

Perte découlant de la réévaluation d'immeubles de placement	*75 500*	
Immeubles de placement – Terrain ①		*5 500*
Immeubles de placement – Bâtiment ②		*70 000*

Variations de valeur des immeubles de placement.

Calculs :

① (45 000 $ – 50 500 $)

② (400 000 $ – 470 000 $)

Scénario B

Amortissement des immobilisations corporelles	*25 000*	
Amortissement cumulé – Bâtiment		*25 000*

Amortissement annuel (500 000 $ ÷ 20 ans).

Note : La baisse de valeur importante amène Lévesque ltée à réévaluer ses deux immobilisations :

	Terrain	Bâtiment
Valeur comptable	50 000 $	450 000 $
Juste valeur	(45 000)	(400 000)
Perte à enregistrer	5 000 $	50 000 $

Amortissement cumulé – Bâtiment	*50 000*	
Bâtiment		*50 000*

Virement de l'amortissement cumulé conformément à la méthode de l'ajustement net.

			Perte découlant de la réévaluation – Terrain	*5 000*	
			Perte découlant de la réévaluation – Bâtiment	*50 000*	
			Provision pour perte de valeur – Terrain		*5 000*
			Provision pour perte de valeur – Bâtiment		*50 000*
			Diminution de valeur des immobilisations.		

31 décembre 20X3

Immeubles de placement – Terrain ①	*15 000*		*Amortissement des immobilisations corporelles*	*22 222*	
Immeubles de placement – Bâtiment ②	*200 000*		*Amortissement cumulé – Bâtiment*		*22 222*
Profit découlant de la réévaluation d'immeubles de placement		*215 000*	*Amortissement annuel (400 000 $ ÷ 18 ans).*		
Variations de valeur des immeubles de placement.					

Calculs :

① (60 000 $ – 45 000 $)

② (600 000 $ – 400 000 $)

Notes :

1. La comptabilisation des diminutions de valeur en 20X2 amène à réviser le montant amortissable à 400 000 $ (égal à la valeur comptable au début de l'exercice) et à le répartir sur la durée de vie restante.
2. La reprise du marché immobilier amène Lévesque ltée à réévaluer ses deux immobilisations :

	Terrain	Bâtiment
Valeur comptable	45 000 $	
(400 000 $ – 22 222 $)		377 778 $
Juste valeur	(60 000)	(600 000)
Augmentation à enregistrer	15 000 $	222 222 $

Amortissement cumulé – Immeuble	*22 222*	
Immeuble		*22 222*
Virement de l'amortissement cumulé conforme à la méthode de l'ajustement net.		

Provision pour perte de valeur – Terrain	*5 000*	
Terrain	*10 000*	
Provision pour perte de valeur – Bâtiment	*50 000*	
Bâtiment	*172 222*	
Profit découlant de la réévaluation – Terrain		*5 000*
Écart de réévaluation – Terrain (AERG)		*10 000*
Profit découlant de la réévaluation – Bâtiment		*50 000*
Écart de réévaluation – Bâtiment (AERG)		*172 222*
Augmentation de valeur des immobilisations, dont une partie compense les pertes de valeur comptabilisées en résultat net en 20X2.		

11

Avant de clore cet exemple, il est utile de prendre du recul et d'examiner les montants comptabilisés en résultat, net et global, de 20X1 à 20X3.

Scénario A **Immeubles de placement comptabilisés selon le modèle de la juste valeur**		**Scénario B** **Immobilisations comptabilisées selon le modèle de la réévaluation (méthode de l'ajustement net)**	
		Exercice clos le 31 décembre 20X1	
Profit (Perte) découlant de la réévaluation d'immeubles de placement	*(29 500) $*	*Amortissement des immobilisations corporelles*	*(25 000) $*
		Exercice clos le 31 décembre 20X2	
		Amortissement des immobilisations corporelles	*(25 000) $*
		Profit (Perte) découlant de la réévaluation – Terrain	*(5 000)*
		Profit (Perte) découlant de la réévaluation – Bâtiment	*(50 000)*
Profit (Perte) découlant de la réévaluation d'immeubles de placement	*(75 500) $*	*Résultat net*	*(80 000) $*
		Exercice clos le 31 décembre 20X3	
		Amortissement des immobilisations corporelles	*(22 222) $*
		Profit (Perte) découlant de la réévaluation – Terrain	*5 000*
		Profit (Perte) découlant de la réévaluation – Bâtiment	*50 000*
		Résultat net	*32 778*
		Écart de réévaluation – Terrain	*10 000*
		Écart de réévaluation – Bâtiment	*172 222*
Profit (Perte) découlant de la réévaluation d'immeubles de placement	*215 000 $*	*Résultat global*	*215 000 $*
		Total sur 3 ans	
Total du résultat net	*110 000 $*	*Total du résultat net*	*(72 222) $*
		Autres éléments du résultat global	*182 222 $*

Cet exemple illustre très bien que le modèle de la juste valeur conduit à des résultats fort différents de ceux obtenus lorsque l'on utilise le modèle de la réévaluation.

Pourquoi les immeubles de placement peuvent-ils être comptabilisés selon le modèle de la juste valeur ? La raison est plutôt simple et repose sur l'objectif que vise une entreprise en détenant de tels immeubles. Cet objectif est de profiter des revenus de location ou de la plus-value des sommes investies sous forme d'immeubles. Par analogie, on pourrait comparer un immeuble de placement à un placement en titres de capitaux propres. L'augmentation de valeur génère un gain en capital, alors que les revenus de location s'apparentent à des produits de dividendes. Tout comme pour les actifs financiers classés À la juste valeur par le biais du résultat net, il est cohérent de comptabiliser en résultat net les variations de valeur des immeubles de placement. Enfin, puisque toutes les variations de valeur, tant positives que négatives, sont comptabilisées en résultat net, il n'est pas nécessaire de comptabiliser une charge d'amortissement. Pour toutes ces raisons, le modèle de la juste valeur devrait être privilégié lorsque la juste valeur peut être estimée de façon raisonnablement fiable. L'IASB reconnaît aussi la pertinence de la juste valeur en recommandant aux entreprises qui utilisent le modèle du coût de présenter la juste valeur par voie de notes aux états financiers.

Le modèle de la juste valeur n'entraîne aucune difficulté de comptabilisation. Ce qui est parfois délicat est de déterminer la juste valeur. Examinons les directives que donne l'IASB à ce sujet, sachant qu'elles devront aussi être appliquées par les entreprises qui utilisent le modèle du coût et qui doivent présenter la juste valeur par voie de notes.

Comme la définit l'**IFRS 13**, intitulée «Évaluation de la juste valeur», la juste valeur est le prix «qui serait reçu pour la vente d'un actif ou payé pour le transfert d'un passif lors d'une transaction normale entre des intervenants du marché à la date d'évaluation[27]».

La juste valeur reflète les conditions du marché à la date de clôture de l'exercice financier. Par exemple, lorsque la crise du papier commercial adossé à des actifs a entraîné la chute des prix de l'immobilier, les entreprises qui devaient présenter leurs immeubles de placement à leur juste valeur ont dû comptabiliser des diminutions de valeur. Elles ne pouvaient s'y objecter en invoquant le fait qu'elle n'avait pas l'intention de vendre leurs immeubles de placement avant que le marché immobilier ne soit en hausse. Cette précision permet de comprendre que la juste valeur est une valeur de marché et non une valeur d'utilité pour l'entreprise. Soulignons aussi que la juste valeur reflète notamment les revenus locatifs attendus selon des hypothèses que les intervenants du marché utiliseraient dans les conditions actuelles du marché. La juste valeur ne reflète pas les éventuels effets de synergie découlant de l'utilisation conjointe de l'immeuble de placement et d'autres actifs, ni les avantages fiscaux dont seul son propriétaire actuel pourrait se prévaloir.

Si l'entreprise a décidé d'utiliser le modèle de la juste valeur et a été capable d'évaluer antérieurement la juste valeur d'un immeuble de placement, elle doit continuer à évaluer cet immeuble ainsi, même si les justes valeurs deviennent plus difficiles à déterminer. Il se peut aussi qu'elle ait décidé d'évaluer ses immeubles de placement à la juste valeur et que, lors de l'acquisition ou du transfert d'un nouvel immeuble, elle soit incapable d'en déterminer la juste valeur de façon fiable. Prenons l'exemple d'une entreprise qui occupait un immeuble qu'elle a décidé ultérieurement de conserver à titre de placement. Il se peut qu'à la date du transfert, elle soit incapable de déterminer de façon fiable la juste valeur. Une juste valeur ne peut être évaluée de façon fiable :

> [...] si, et seulement si, le marché pour des immeubles comparables est inactif (par exemple, il y a peu de transactions récentes, les cours ne sont pas actuels, ou les prix de transaction observés indiquent que le vendeur a été forcé de vendre) et que l'on ne dispose pas d'autres évaluations fiables de la juste valeur (par exemple sur la base de projections actualisées des flux de trésorerie) [...][28].

11

Dans ces contextes, l'entreprise n'a d'autres choix que de comptabiliser l'immeuble de placement selon le modèle du coût et d'appliquer les normes afférentes aux immobilisations indiquées dans l'IAS 16. Puisque, selon le modèle du coût, l'entreprise doit amortir son immeuble de placement, elle présumera alors que la valeur résiduelle de l'actif est nulle. À moins qu'il s'agisse d'un immeuble en construction, elle devra continuer à utiliser le modèle du coût jusqu'à la sortie de l'actif. Entretemps, elle pourra continuer d'utiliser le modèle de la juste valeur pour ses autres immeubles de placement de même catégorie. Il s'agit d'une exception à la règle selon laquelle tous les immeubles de placement doivent être évalués selon le même modèle.

Un traitement semblable peut être appliqué à un immeuble de placement qui est en construction. Il est fort possible que la juste valeur d'un tel immeuble soit difficile à déterminer pendant les premières étapes de la construction. Lorsque l'entreprise prévoit que cette difficulté s'estompera et qu'elle pourra déterminer ultérieurement une juste valeur fiable, elle peut comptabiliser temporairement l'immeuble en construction au coût. S'il devient possible d'évaluer de façon fiable la juste valeur à la fin de la construction, le modèle de la juste valeur est alors utilisé à compter de ce moment. Cependant, si elle demeure incapable d'évaluer ultérieurement la juste valeur de l'immeuble terminé de façon fiable, elle doit alors adopter définitivement le modèle du coût[29].

Le modèle du coût

Différence NCECF

Le **modèle du coût** est simple, car il correspond aux normes comptables applicables aux immobilisations corporelles, expliquées aux chapitres 8 et 9. Tout comme pour les immobilisations corporelles, l'entreprise comptabilise périodiquement un amortissement, dans la mesure où la valeur résiduelle de l'immeuble de placement demeure inférieure à la valeur comptable. Lorsque des indices objectifs laissent croire à une dépréciation ou à une reprise de valeur, elle applique un test de dépréciation.

27. *Manuel de CPA Canada – Comptabilité – Partie I*, IFRS 13, Annexe A.
28. *Manuel de CPA Canada – Comptabilité – Partie I*, IAS 40, paragr. 53.
29. *Manuel de CPA Canada – Comptabilité – Partie I*, IAS 40, paragr. 53A.

L'aliénation

Différence NCECF

Il arrive un moment où l'entreprise se départit de son immeuble de placement. Comme indiqué dans la figure 11.8, plusieurs scénarios sont envisageables et seront présentés dans les prochains paragraphes: l'entreprise vend l'immeuble à un tiers, elle décide de l'occuper, elle choisit d'entreprendre des travaux d'aménagement dans le but de le vendre dans le cadre de son activité principale, ou elle est obligée de s'en départir parce que l'immeuble a été endommagé ou détruit.

Lorsqu'une entreprise vend un immeuble de placement, et à la date où l'acheteur en obtient le contrôle, elle décomptabilise la valeur comptable. Elle inscrit l'écart entre cette valeur et le produit net de la vente, déterminé selon l'IFRS 15 que nous expliquerons au chapitre 20, dans un compte de profit ou de perte découlant de la vente d'un immeuble de placement, présenté en résultat net. On notera que si l'entreprise utilisait le modèle de la juste valeur, cet écart serait probablement plus petit que si elle se servait du modèle du coût. Le **produit net de la vente** correspond au prix de vente, diminué des coûts de sortie. Si le prix de vente était encaissable ultérieurement et ne portait pas intérêt, ou portait intérêt à un taux différent de celui du marché, c'est alors le prix comptant équivalent qui correspondrait au produit net de la vente. L'écart entre ce produit et les montants encaissés constitue des produits financiers calculés selon la méthode du taux d'intérêt effectif.

EXEMPLE

Vente d'immeubles de placement

Reprenons l'exemple précédent de la société Lévesque ltée, sachant qu'elle a vendu à leur juste valeur le terrain et le bâtiment le 2 juin 20X4. La juste valeur du terrain et du bâtiment s'élevait respectivement à 61 000 $ et à 600 000 $. Lévesque ltée a accepté de financer gratuitement Faucher inc, l'acheteur, jusqu'au 2 juin 20X6, alors que le taux du marché est de 5 %.

Immeubles de placement – Terrain ①	*1 000*	
Profit découlant de la réévaluation d'immeubles de placement		*1 000*
Variations de valeur des immeubles de placement.		

Calculs:

① (61 000 $ – 60 000 $)

Somme à recevoir de Faucher inc. ①	*599 546*	
Perte sur cession d'immeubles de placement ②	*61 454*	
Immeubles de placement – Terrain		*61 000*
Immeubles de placement – Bâtiment		*600 000*
Vente d'un terrain et d'un bâtiment et financement gratuit offert à l'acheteur.		

Calculs:

① (N = 2, I = 5 %, PMT = 0 $, FV = 661 000 $, CPT PV ?)

② (61 000 $ + 600 000 $ – 599 546 $)

Lorsqu'une entreprise décide que, dorénavant, elle occupera un immeuble de placement, elle procède d'abord à une évaluation de la juste valeur de l'immeuble. Toute variation de valeur par rapport à la valeur comptable avant évaluation est comptabilisée en résultat net. Par la suite, l'entreprise transfère la juste valeur dans un nouveau compte d'immobilisation corporelle. Elle doit faire le même travail lorsqu'elle décide de transférer l'immeuble de placement dans ses stocks en sachant qu'elle devra entreprendre des travaux d'aménagement dans le but de vendre l'immeuble de placement dans le cadre de son activité principale. Si elle décide simplement de vendre l'immeuble de placement sans effectuer de tels travaux, elle ne doit pas le transférer.

EXEMPLE

Changement de vocation d'immeubles de placement transférés en immobilisations

La société Tricot Machine ltée a décidé d'utiliser un terrain et un bâtiment, qu'elle détenait auparavant à titre de placement, comme entrepôt de marchandises. Tricot Machine ltée utilise le modèle de la juste valeur, et le changement survenu dans l'utilisation des biens se concrétise le 16 juin 20X1.

Valeur comptable du terrain	*35 000 $*
Valeur comptable du bâtiment	*258 000*
Juste valeur du terrain	*35 000*
Juste valeur du bâtiment	*261 000*

Tricot Machine ltée ne peut se contenter d'évaluer la juste valeur totale de ses deux biens. Elle doit faire cette distinction à des fins comptables, car dorénavant elle amortira le bâtiment, mais non le terrain. Voici les écritures qu'elle passera dans ses livres le 16 juin 20X1 :

Immeubles de placement – Bâtiment	*3 000*	
Profit découlant de la réévaluation d'un immeuble de placement		*3 000*
Augmentation de la valeur d'un bâtiment détenu à des fins de placement.		
Terrain	*35 000*	
Bâtiment	*261 000*	
Immeubles de placement – Terrain		*35 000*
Immeubles de placement – Bâtiment		*261 000*
Changement d'utilisation d'un immeuble de placement.		

11

Il arrive parfois qu'une entreprise soit obligée de se départir d'un immeuble de placement parce que le bien a été déprécié, endommagé, perdu ou abandonné. On parle alors de cession involontaire. Si l'entreprise détenait une assurance sur l'immeuble de placement, elle recevra une indemnité d'un tiers. L'IASB recommande de décortiquer ces événements et de les comptabiliser séparément, tout comme il le fait pour les dépréciations ou pertes liées à des immobilisations corporelles. Le tableau 11.7 montre les recommandations de l'IASB à ce titre, accompagnées de commentaires.

TABLEAU 11.7 La comptabilisation des cessions involontaires

***Normes internationales d'information financière,* IAS 40**	**Commentaires**
Paragr. 73 *Les dépréciations ou pertes sur immeubles de placement, les demandes de règlement ou le paiement d'indemnités liés provenant de tiers, et tout achat ou construction ultérieurs d'actifs de remplacement sont des événements économiques indépendants et doivent être comptabilisés comme suit :*	L'IASB recommande de décortiquer ces événements et de les comptabiliser séparément.
(a) *les dépréciations d'immeubles de placement sont comptabilisées selon IAS 36 ;*	Le chapitre 9 explique la façon d'appliquer les tests de dépréciation.
(b) *les mises hors service ou les sorties d'immeubles de placement sont comptabilisées selon les paragraphes 66 à 71 de la présente norme ;*	L'IASB fait ici référence à la comptabilisation de la perte découlant de la décomptabilisation de l'actif.
(c) *les indemnisations provenant de tiers pour un immeuble de placement qui a été déprécié, perdu ou détruit sont comptabilisées en résultat net lorsqu'elles deviennent exigibles ; et*	Le montant de l'indemnité étant comptabilisé à titre de produit, les utilisateurs des états financiers peuvent voir que la perte comptabilisée en (b) est partiellement ou totalement compensée. La comptabilisation en produit est cohérente par rapport au fait que l'entreprise comptabilise en charges les primes d'assurance. L'indemnité est comptabilisée au moment où elle devient exigible.
(d) *le coût des actifs réparés, achetés ou construits en remplacement est déterminé conformément aux paragraphes 20 à 29 de la présente norme.*	Si l'entreprise a remplacé le bien, elle suivra les explications données à la sous-section **L'acquisition** pour déterminer les éléments de coûts qu'elle peut comptabiliser à l'actif.

Différence NCECF

La présentation dans les états financiers des immeubles de placement

Les immeubles de placement étant fort différents des immobilisations corporelles, l'IASB exige que les entreprises donnent un grand nombre d'informations à leur sujet, comme le montre le tableau 11.8.

Différence NCECF

TABLEAU 11.8 Les normes de présentation des immeubles de placement

Normes internationales d'information financière, IAS 40	Commentaires
Modèle de la juste valeur et modèle du coût	
Paragr. 75	
Une entité doit fournir les informations suivantes:	
(a) si elle applique le modèle de la juste valeur ou le modèle du coût; *(b)* [...];	Puisque l'entreprise a le choix entre deux modèles d'évaluation, elle doit indiquer aux utilisateurs des états financiers le choix qu'elle a fait. Ce n'est qu'à cette condition que les utilisateurs pourront correctement analyser l'information comptable.
(c) lorsque le classement est difficile (voir paragraphe 14), les critères qu'elle utilise pour distinguer un immeuble de placement d'un bien immobilier occupé par son propriétaire et d'un bien immobilier détenu en vue de sa vente dans le cadre de l'activité ordinaire; *(d)* [supprimé]	Cette recommandation permet aux utilisateurs des états financiers de s'assurer que les actifs comptabilisés à titre d'immeubles de placement ne sont pas requis dans le cadre de l'activité ordinaire de l'entreprise.
(e) dans quelle mesure la juste valeur des immeubles de placement (telle qu'évaluée ou telle qu'indiquée dans les états financiers) repose sur une évaluation par un évaluateur indépendant ayant une qualification professionnelle pertinente et reconnue et ayant une expérience récente quant à la situation géographique et la catégorie de l'immeuble de placement objet de l'évaluation. S'il n'y a pas eu de telle évaluation, ce fait doit être indiqué;	La présence d'un évaluateur externe indépendant augmente la fiabilité de la juste valeur des immeubles de placement retenue par l'entreprise. Il est donc pertinent que les utilisateurs des états financiers en soient informés.
(f) les montants comptabilisés en résultat net au titre: *(i) des produits locatifs des immeubles de placement,* *(ii) des charges d'exploitation directes (y compris les réparations et la maintenance) occasionnées par les immeubles de placement qui ont généré des produits locatifs au cours de la période,* *(iii) des charges d'exploitation directes (y compris les réparations et la maintenance) occasionnées par les immeubles de placement qui n'ont pas généré de produits locatifs au cours de la période, et* *(iv)* [...];	Cette recommandation vise à présenter distinctement les produits et les charges liés aux immeubles de placement et ceux liés à l'activité principale. Cette distinction permet aux utilisateurs des états financiers d'évaluer distinctement la performance de ces deux types d'activités. L'IASB exige aussi que les entreprises distinguent les charges directes liées aux immeubles qui ne rapportent pas de produits locatifs, c'est-à-dire les immeubles qu'une entreprise détient dans le but unique de profiter de leur augmentation de valeur. Cela s'explique du fait que les plus-values génèrent des flux de trésorerie plus irréguliers que les produits locatifs.
(g) l'existence de restrictions (et le montant de ces restrictions) relativement à la possibilité de réaliser les immeubles de placement ou de récupérer les produits de leur location et le produit de leur cession;	Cette recommandation est identique à celle qui est applicable aux immobilisations corporelles. Les utilisateurs des états financiers doivent connaître les actifs que l'entreprise ne peut utiliser à sa guise, car ce fait est susceptible de se répercuter sur sa performance ou sa situation financière future.
(h) les obligations contractuelles d'achat, de construction et d'aménagement des immeubles de placement ou de réparation, de maintenance ou d'améliorations.	Les utilisateurs des états financiers doivent connaître de tels engagements, qui fixent les sorties de trésorerie futures.
Modèle de la juste valeur	
Paragr. 76	
[...] *une entité qui applique le modèle de la juste valeur* [...] *doit également fournir un rapprochement entre la valeur comptable des immeubles de placement à l'ouverture et à la clôture de la période montrant les informations suivantes:*	La juste valeur étant une mesure parfois teintée de subjectivité, il importe que les utilisateurs des états financiers connaissent tous les éléments qui l'ont influencée pendant un exercice. Une entreprise pourrait présenter ainsi les informations montrant l'évolution de la valeur comptable:

11

TABLEAU 11.8 *(suite)*

(a) les entrées, en indiquant séparément celles qui résultent d'acquisitions et celles qui résultent de dépenses ultérieures comptabilisées dans la valeur comptable d'un actif ; *(b) [...]* *(c) les actifs classés comme détenus en vue de la vente ou inclus dans un groupe destiné à être cédé classé comme détenu en vue de la vente selon IFRS 5 et autres sorties ;* *(d) les profits ou pertes nets résultant d'ajustements de la juste valeur ;* *(e) [...] ;* *(f) les transferts vers et depuis les catégories stocks et biens immobiliers occupés par leur propriétaire ; et* *(g) autres variations.*	*Solde d'ouverture des immeubles de placement* XX $ *Achat d'immeubles de placement* XX *Amélioration ou ajouts apportés* XX *Immeubles détenus en vue de leur vente* (XX) *Augmentation de la juste valeur* XX *Immeubles de placement transférés à titre d'immobilisations que l'entreprise occupera* (XX) *Solde de clôture des immeubles de placement* XX $
Paragr. 77 *Lorsqu'une évaluation obtenue pour un immeuble de placement fait l'objet d'ajustements significatifs en vue des états financiers, par exemple pour éviter de compter deux fois des actifs ou passifs qui sont comptabilisés en tant qu'actifs et passifs séparés comme décrit au paragraphe 50, l'entité doit fournir un rapprochement entre l'évaluation obtenue et l'évaluation après ajustement intégrée aux états financiers, [...].*	Par exemple, si une entreprise loue des espaces de bureaux qui sont meublés, la juste valeur de l'immeuble couvre à la fois la juste valeur du bâtiment et celle du mobilier. Si l'entreprise comptabilise le mobilier dans un compte distinct, notamment parce qu'il doit être remplacé plus souvent que les espaces de bureaux, elle présente la juste valeur totale de l'immeuble ainsi que le montant obtenu après ajustement lié au mobilier.
Paragr. 78 *Dans les cas exceptionnels visés au paragraphe 53, lorsqu'une entité évalue un immeuble de placement en utilisant le modèle du coût décrit dans IAS 16, le rapprochement imposé par le paragraphe 76 doit indiquer les montants relatifs à cet immeuble de placement séparément des montants relatifs aux autres immeubles de placement. L'entité doit en outre fournir les informations suivantes :* *(a) une description de l'immeuble de placement ;* *(b) une explication des raisons pour lesquelles la juste valeur ne peut être évaluée de façon fiable ;* *(c) si possible, l'intervalle d'estimation à l'intérieur duquel il est hautement probable que la juste valeur se situe ; et* *(d) lors de la sortie d'un immeuble de placement non comptabilisé à la juste valeur :* *(i) le fait que l'entité s'est séparée d'un immeuble de placement non comptabilisé à la juste valeur,* *(ii) la valeur comptable de l'immeuble de placement au moment de sa vente, et* *(iii) le montant du profit ou de la perte comptabilisé.*	Le paragraphe 53 traite des contextes où il est impossible de déterminer la juste valeur de manière fiable et où, même si l'entreprise utilise le modèle de la juste valeur, elle évalue l'un de ses immeubles de placement selon le modèle du coût. Parmi les informations montrant l'évolution de la valeur comptable (*voir l'exemple ci-dessus*) des immeubles de placement, elle présentera sur une ligne distincte la valeur comptable de l'immeuble de placement comptabilisé au coût. Elle donnera de plus les renseignements ci-contre. Les renseignements liés à l'immeuble comptabilisé au coût sont très importants pour les utilisateurs des états financiers, qui doivent savoir que la valeur comptable totale des immeubles de placement ne correspond ni à un total des justes valeurs ni à un total des coûts historiques.
Modèle du coût Paragr. 79 *[...] une entité appliquant le modèle du coût [...] doit indiquer :* *(a) les modes d'amortissement utilisés ;* *(b) les durées d'utilité ou les taux d'amortissement utilisés ;* *(c) la valeur comptable brute et le cumul des amortissements (ajouté aux cumuls des pertes de valeur) en début et en fin de période ;* *(d) un rapprochement entre la valeur comptable des immeubles de placement à l'ouverture et à la clôture de la période, montrant :* *(i) les entrées, en indiquant séparément celles qui résultent d'acquisitions et celles qui résultent de dépenses ultérieures comptabilisées en tant qu'actif,*	Les renseignements exigés selon les paragraphes (a) à (d) ci-contre sont semblables à ceux que les entreprises doivent donner sur leurs immobilisations corporelles comptabilisées selon le modèle du coût. Ils permettent aux utilisateurs des états financiers de comprendre la gestion que fait l'entreprise de ses immeubles de placement.

TABLEAU 11.8 *(suite)*

(ii) [...]

(iii) *les actifs classés comme détenus en vue de la vente ou inclus dans un groupe destiné à être cédé classé comme détenu en vue de la vente selon IFRS 5 et autres sorties,*

(iv) *les amortissements,*

(v) *le montant des pertes de valeur comptabilisées et le montant des pertes de valeur reprises au cours de la période selon IAS 36,*

(vi) [...];

(vii) *les transferts vers et depuis les catégories stocks et biens immobiliers occupés par leur propriétaire, et*

(viii) *les autres changements;*

(e) *la juste valeur des immeubles de placement. Dans les cas exceptionnels décrits au paragraphe 53, où une entité ne peut évaluer de façon fiable la juste valeur de l'immeuble de placement, elle doit fournir:*

(i) *une description de l'immeuble de placement,*

(ii) *une explication des raisons pour lesquelles la juste valeur ne peut être évaluée de façon fiable, et*

(iii) *si possible, l'intervalle d'estimations à l'intérieur duquel il est hautement probable que la juste valeur se situe.*

Même si une entreprise utilise le modèle du coût, elle doit indiquer la juste valeur de ses immeubles de placement. S'il lui est impossible de déterminer la juste valeur de façon fiable, elle doit donner des renseignements sur ce contexte.

Nous reproduisons ci-dessous quelques extraits pertinents des états financiers de la Société Canadian Tire Limitée, qui a choisi d'évaluer ses immeubles de placement selon le modèle du coût.

Bilans consolidés

(en millions de dollars canadiens)	**Au 2 janvier 2016**	Au 3 janvier 2015
ACTIF		
[...]		
Immeubles de placement (note 15)	**137,8**	148,6

Tableaux consolidés des flux de trésorerie

Pour les exercices clos (en millions de dollars canadiens)	**le 2 janvier 2016**	le 3 janvier 2015
		(note 39)
Flux de trésorerie liés aux activités suivantes:		
Activités d'exploitation		
Bénéfice net	**735,9 $**	639,3 $
Ajustements pour tenir compte des éléments suivants:		
[...]		
(Profit) à la cession d'immobilisations corporelles, d'immeubles de placement, d'actifs détenus en vue de la vente, d'actifs incorporels et de résiliations de contrats de location	**(43,9)**	(9,0)
[...]		
Activités d'investissement		
Ajouts aux immobilisations corporelles et aux immeubles de placement	**(515,9)**	(538,6)
[...]		
Produit de la cession d'immobilisations corporelles, d'immeubles de placement et d'actifs détenus en vue de la vente	**101,5**	21,3

NOTES ANNEXES

3. Principales méthodes comptables

[...]

IAS 40, paragr. 75(a) et 75(c)

Immeubles de placement

Les immeubles de placement sont des biens immobiliers détenus en vue d'en retirer des produits locatifs ou de valoriser le capital, ou les deux. La Société a établi que les biens immobiliers qu'elle fournit à ses marchands, à ses franchisés et à ses agents ne constituent pas des immeubles de placement, car ils sont liés à ses activités d'exploitation. Pour en arriver à cette conclusion, la Société s'est fondée sur certains critères, notamment si la Société fournit d'importants services accessoires aux preneurs des biens immobiliers. La Société a inclus les biens immobiliers qu'elle loue à des tiers (autres que les marchands, les franchisés et les agents) dans les immeubles de placement. Les immeubles de placement sont évalués et amortis de la même manière que les immobilisations corporelles.

Immobilisations corporelles

[...]

IAS 40, paragr. 79(a)

Les bâtiments, les agencements et le matériel sont amortis selon le mode d'amortissement dégressif jusqu'à leur valeur résiduelle estimative sur leur durée d'utilité estimative.

[...]

IAS 40, paragr. 79(b)

Les taux d'amortissements sont les suivants :

Catégorie d'actifs	Taux/durée d'amortissement
Bâtiments	4 % à 20 %
Agencements et matériel	5 % à 40 %
Améliorations locatives	La plus courte de la durée du contrat ou de la durée d'utilité
Actifs loués en vertu de contrats de location-financement	La plus courte de la durée du contrat ou de la durée d'utilité

15. Immeubles de placement

IAS 40, paragr. 79(c) et 79(d)

Le tableau suivant présente les variations du coût, ainsi que de l'amortissement et de la perte de valeur cumulés des immeubles de placement de la Société.

(en millions de dollars canadiens)	**2015**	2014
Coût		
Solde au début	**178,8 $**	123,9 $
Entrées	**11,0**	32,9
Sorties/mises hors service	**(3,8)**	(3,7)
Reclassement vers/depuis la catégorie « Détenu en vue de la vente »	**(6,1)**	(3,3)
Reclassement vers/depuis la catégorie « Immobilisations corporelles »	**(10,1)**	–
Autres fluctuations et transferts	**2,6**	29,0
Solde à la fin	**172,4 $**	178,8 $
Amortissement et perte de valeur cumulés		
Solde au début	**(30,2)$**	(30,4)$
Amortissement au cours de l'exercice	**(4,0)**	(3,5)
Perte de valeur	**–**	(1,6)
Sorties/mises hors service	**1,1**	2,3
Reclassement vers/depuis la catégorie « Détenu en vue de la vente »	**2,8**	5,1
Reclassement vers/depuis la catégorie « Immobilisations corporelles »	**(4,1)**	–
Autres fluctuations et transferts	**(0,2)**	(2,1)
Solde à la fin	**(34,6)$**	(30,2)$
Valeur comptable nette à la fin	**137,8 $**	148,6 $

IAS 40, paragr. 75(f)

Les immeubles de placement ont généré des produits locatifs de 19,2 millions de dollars (16,9 millions en 2014).

Les charges d'exploitation directes (y compris les réparations et l'entretien) découlant des immeubles de placement, qui sont comptabilisées en résultat net, se sont chiffrées à 9,7 millions de dollars (8,8 millions en 2014).

IAS 40, paragr. 75(e)

La juste valeur estimée des immeubles de placement s'est chiffrée à 228,2 millions de dollars (230,7 millions en 2014). Cette évaluation à la juste valeur récurrente est classée dans le niveau 3 de la hiérarchie des justes valeurs (veuillez vous reporter à la note 35.4 pour la définition des niveaux). La Société détermine la juste valeur des immeubles de placement en appliquant un taux de capitalisation avant impôt aux produits locatifs annuels tirés des contrats de location en vigueur. Le taux de capitalisation variait de 5,3 pour cent à 11,0 pour cent (5,8 pour cent à 11,0 pour cent en 2014). Les flux de trésorerie sont d'une durée de cinq ans et comprennent une valeur finale. La Société possède une expertise en gestion immobilière qui est mise à profit pour l'évaluation des immeubles de placement, et elle a effectué des évaluations indépendantes sur certains immeubles de placement détenus par CT REIT.

IAS 36, paragr. 126(a) et 126(b)

Perte de valeur d'immeubles de placement et reprise subséquente
Toute perte de valeur ou reprise de perte de valeur subséquente sont présentées au poste Autres produits des comptes consolidés de résultat.

Source : Rapport annuel 2015 de Canadian Tire.
Société Canadian Tire Ltée, *Rapport 2015 aux actionnaires de la Société Canadian Tire,* [En ligne], <http://investors.canadiantire.ca/French/investisseurs/rapports-financiers/divulgations-annuelles/default.aspx> (page consultée le 21 novembre 2016).

Avez-vous remarqué ?

Les écritures de comptabilisation des immeubles de placement et leur présentation dans les états financiers sont plutôt simples. On pourrait croire que le plus difficile est d'évaluer la juste valeur. On doit toutefois se rappeler que de nombreux immeubles de placement se négocient régulièrement sur les marchés et que les courtiers immobiliers au fait des caractéristiques particulières du marché en cause peuvent avoir l'expertise nécessaire pour procéder facilement à cette évaluation.

Différence NCECF

11

D'autres types de placements

Différence NCECF

Le dernier type de placement dont nous traiterons, soit les autres types de placements, comprend les placements qui ne constituent ni des actifs financiers, ni des titres émis par une entreprise associée, ni des immeubles de placement. De tels placements englobent, par exemple, les œuvres d'art.

Différence NCECF

L'IASB ne formule aucune recommandation à cet effet. Les entreprises sont libres de choisir le traitement comptable qu'elles jugent approprié pour satisfaire les besoins des utilisateurs des états financiers. À cette fin, elles s'appuient sur le Cadre et pourraient, en toute logique de l'avis des auteurs, s'inspirer de l'IAS 40. Elle comptabiliserait alors les œuvres d'art selon le modèle de la juste valeur expliqué dans la section précédente.

PARTIE II – LES NCECF

Équivalents terminologiques *Manuel de CPA Canada* – Partie II et Partie I.

À la lecture du présent chapitre, vous avez déjà pu relever les sujets qui diffèrent selon le référentiel, en observant les pictogrammes « Différence NCECF » indiqués dans les marges de la partie I – Les IFRS. Vous avez sans doute remarqué que les référentiels IFRS et NCECF présentent plusieurs différences relatives à la comptabilisation des placements. Nous expliquerons ici plus en détail ces différences, qui sont groupées dans la figure 11.10.

Les placements qui constituent des actifs financiers

Peu importe le référentiel comptable utilisé, une entreprise peut détenir des placements de l'une ou l'autre des deux familles de placements présentés dans la partie I – Les IFRS du présent chapitre, soit des placements sous forme de titres de capitaux propres ou de titres d'emprunt.

FIGURE 11.10 Les particularités des NCECF au sujet des placements

Placements qui constituent des actifs financiers	• Évaluation initiale à la juste valeur, sauf ceux acquis d'un apparenté • Évaluation subséquente au coût ou au coût amorti, sauf les placements : - en titres de capitaux propres qui sont cotés sur un marché actif, lesquels sont évalués à la juste valeur - qu'une entité choisit, par choix irrévocable, d'évaluer à la juste valeur • Comptabilisation en résultat net de toutes les variations de valeur des placements évalués à la juste valeur • Coût amorti calculé avec la méthode du taux d'intérêt effectif ou la méthode de l'amortissement linéaire • Dépréciation, en présence d'indices, pour ramener la valeur comptable à la plus élevée de trois valeurs • Aucune norme sur les contrats d'assurance avec option de rachat, les achats en bloc, les contrats d'achats et de ventes normalisés et la décomptabilisation
Participations dans des entreprises associées	• Titres non cotés sur un marché actif : - méthode de la valeur de consolidation, ou - méthode de la valeur d'acquisition • Titres cotés sur un marché actif : - méthode à la valeur de consolidation, ou - méthode de la juste valeur • Absence de comptabilisation de la quote-part des autres éléments du résultat global • Comptabilisation en résultat du gain ou de la perte sur dilution • Dépréciation, en présence d'indices, pour ramener la valeur comptable à la plus élevée de trois valeurs
Apparentés	• Opération entre apparentés généralement évaluée à la valeur comptable • Évaluation à la valeur d'échange si l'opération : - est conclue dans le cours normal des affaires et porte sur un élément qui n'est pas destiné à être vendu dans le cours normal des affaires - n'est pas conclue dans le cours normal des affaires, modifie les droits de propriété de façon réelle, et si la valeur d'échange est étayée par une preuve indépendante
Immeubles de placement et autres placements	• Comptabilisation d'un immeuble destiné à la location comme une immobilisation corporelle • Comptabilisation des autres immeubles de placement à la valeur d'acquisition • Comptabilisation des autres placements à la valeur d'acquisition

La comptabilisation des placements qui constituent des actifs financiers

D'abord, la comptabilisation des placements qui constituent des actifs financiers doit respecter les recommandations concernant les instruments financiers contenues dans le **chapitre 3856** du *Manuel – Partie II*, expliquées au chapitre 4. Le lecteur est invité à revoir la partie portant sur les NCECF afin de compléter les grandes lignes simplement énoncées ci-dessous.

L'**évaluation initiale** d'un placement sous forme d'actif financier correspond à sa juste valeur. Dans le cas des actifs financiers subséquemment évalués au coût ou au coût amorti, cette juste valeur est majorée des commissions et des coûts de transaction. Ces derniers sont comptabilisés en charges si les actifs financiers sont subséquemment évalués à leur juste valeur. Comparativement aux IFRS, les NCECF contiennent des précisions additionnelles sur l'évaluation des actifs financiers acquis dans le cadre d'une opération entre **apparentés**. Une telle opération est comptabilisée à la valeur comptable de l'élément cédé. Dans certaines circonstances indiquées plus loin, un actif financier acquis auprès d'un apparenté peut être évalué à sa **valeur d'échange**, c'est-à-dire à la valeur établie et acceptée par les apparentés.

IFRS
Parties liées

L'**évaluation subséquente** des placements dans des titres de capitaux propres repose sur le coût, alors que les autres placements sous forme d'actifs financiers sont évalués au coût amorti. Ce dernier peut être établi en utilisant la méthode du taux d'intérêt effectif ou celle de l'amortissement linéaire, que nous avons vue au chapitre 4. L'évaluation subséquente au coût ou au coût amorti souffre deux exceptions. Premièrement, on doit évaluer à la juste valeur les placements en titres de capitaux propres qui sont cotés sur un marché actif. Il en est ainsi des placements en actions dont l'émetteur est une entreprise cotée en Bourse. Deuxièmement, une entreprise a aussi le choix d'évaluer à la juste valeur tout actif financier, à la condition de faire ce choix de façon irrévocable lors de la comptabilisation initiale ou lorsqu'un placement en actions cesse d'être coté sur un marché actif.

Les NCECF diffèrent des IFRS par un autre aspect. Lorsqu'un actif financier est évalué à la juste valeur, les IFRS permettent, sous certaines conditions, de comptabiliser les variations de valeur dans les autres éléments du résultat global. La notion de résultat global étant totalement absente des NCECF, toutes les variations de la juste valeur sont comptabilisées en résultat net au cours de l'exercice où elles se produisent.

Lorsqu'un placement classé Au coût amorti ou À la juste valeur par le biais des autres éléments du résultat global doit être déprécié, les IFRS exigent de comptabiliser en résultat net l'excédent de la valeur actualisée des flux de trésorerie déterminables selon les termes du contrat sur la valeur actualisée des flux de trésorerie attendus, compte tenu de tous les rehaussements de crédit. Les deux valeurs sont actualisées au taux d'intérêt effectif calculé lors de la comptabilisation initiale. Les NCECF exigent plutôt de vérifier d'abord s'il existe des indications objectives de dépréciation qui ont un effet négatif important sur le calendrier ou le montant des flux de trésorerie. Si c'est le cas, le détenteur du placement doit réduire la valeur comptable au plus élevé des trois montants suivants:

a) la valeur actualisée des flux de trésorerie attendus de l'actif ou du groupe d'actifs, calculée au moyen d'un taux d'intérêt actuel du marché, approprié à cet actif ou à ce groupe d'actifs;
b) le prix qu'elle pourrait obtenir de la vente de l'actif ou du groupe d'actifs à la date de clôture;
c) la valeur de réalisation de tout bien affecté en garantie du remboursement de l'actif ou du groupe d'actifs, nette de l'ensemble des coûts nécessaires à l'exercice de la garantie[30].

EXEMPLE

Placements sous forme d'actifs financiers

Reprenons les données de Foul Liky Ditay ltée, présentées aux pages 11.13 et 11.14, en tenant maintenant pour acquis que l'entreprise applique les NCECF. Voici les écritures que l'entreprise doit enregistrer selon deux scénarios à l'égard de son placement en obligations. Dans le premier, le placement est évalué ultérieurement au coût ou au coût amorti. Dans le second, la société a décidé d'évaluer son placement à la juste valeur. Nous ne reproduisons pas le détail des calculs, car ils ont été donnés dans la partie I – Les IFRS de ce chapitre.

Scénario A **Placement évalué ultérieurement au coût ou au coût amorti**			**Scénario B** **Placement évalué à la juste valeur**		
1er janvier 20X1					
Placements – Obligations au coût amorti	*108 425*		*Placements – Obligations à la juste valeur*	*108 425*	
Caisse		*108 425*	*Caisse*		*108 425*
Acquisition à prime de 100 obligations de Puérile ltée, d'une valeur nominale unitaire de 1 000 $, échéant le 31 décembre 20X5 et portant intérêt au taux contractuel de 8 % l'an.			*Acquisition à prime de 100 obligations de Puérile ltée, d'une valeur nominale unitaire de 1 000 $, échéant le 31 décembre 20X5 et portant intérêt au taux contractuel de 8 % l'an.*		

30. *Manuel de CPA Canada – Comptabilité – Partie II*, paragr. 3856.17.

11

31 décembre 20X1

Caisse	*8 000*	
Produits financiers – Intérêts sur obligations au coût amorti		*6 505*
Placements – Obligations au coût amorti		*1 495*
Encaissement des intérêts annuels et comptabilisation des produits d'intérêts calculés selon la méthode du taux d'intérêt effectif.		

Ou

Caisse	*8 000*	
Produits financiers – Intérêts sur obligations au coût amorti		*6 315*
Placements – Obligations au coût amorti (8 425 $ ÷ 5 ans)		*1 685*
Encaissement des intérêts annuels et comptabilisation des produits d'intérêts calculés selon la méthode de l'amortissement linéaire.		

Caisse	*8 000*	
Produits financiers – Intérêts sur obligations à la juste valeur		*8 000*
Encaissement des intérêts annuels.		
Profit/Perte sur obligations à la juste valeur	*1 495*	
Placements – Obligations à la juste valeur		*1 495*
Diminution de la juste valeur du placement en obligations.		

31 décembre 20X2

Caisse	*8 000*	
Produits financiers – Intérêts sur obligations au coût amorti		*6 416*
Placements – Obligations au coût amorti		*1 584*
Encaissement des intérêts annuels et comptabilisation des produits d'intérêts calculés selon la méthode du taux d'intérêt effectif.		

Ou

Caisse	*8 000*	
Produits financiers – Intérêts sur obligations au coût amorti		*6 315*
Placements – Obligations au coût amorti (8 425 $ ÷ 5 ans)		*1 685*
Encaissement des intérêts annuels et comptabilisation des produits d'intérêts calculés selon la méthode de l'amortissement linéaire.		

Caisse	*8 000*	
Produits financiers – Intérêts sur obligations à la JVBRN		*8 000*
Encaissement des intérêts annuels.		
Placements – Obligations à la juste valeur	*1 240*	
Profit/Perte sur obligations à la juste valeur		*1 240*
Augmentation de la juste valeur du placement en obligations.		

Les écritures requises dans le scénario A correspondent à celles requises selon les IFRS lorsque l'actif financier est classé Au coût amorti (*voir la page 11.20*), à une exception près. Les produits financiers peuvent être calculés selon la méthode de l'intérêt effectif ou la méthode de l'amortissement linéaire. C'est pourquoi, dans la colonne de gauche ci-dessus, on trouve une seconde écriture aux 31 décembre 20X1 et 20X2.

En ce qui concerne le scénario B, les écritures sont identiques à celles requises selon les IFRS lorsque le placement est classé À la juste valeur par le biais du résultat net (*voir la page 11.15*). Rappelons que selon les NCECF, il n'est pas possible de classer ce placement À la juste valeur par le biais des autres éléments du résultat global, puisque la notion de résultat global n'existe pas.

En somme, la principale différence entre les NCECF et les IFRS ne porte pas principalement sur l'application d'un mode d'évaluation, mais sur le fait que la société n'a pas à choisir un classement initial selon des critères stricts pour déterminer le modèle d'évaluation subséquente.

Poursuivons notre exemple en tenant maintenant pour acquis que la diminution de la juste valeur des obligations, au 31 décembre 20X1, ne découle pas d'un changement sur les marchés financiers, mais résulte de difficultés financières importantes de l'émetteur. Dans le scénario A où le placement est évalué au coût amorti, Foul Liky Ditay ltée a rassemblé les renseignements suivants:

Valeur des flux de trésorerie attendus du placement, actualisée au taux qui tient compte du risque accru en raison des difficultés financières de l'émetteur	106 000 $
Prix de la vente qui pourrait être obtenu le 31 décembre 20X1	107 000
Valeur de réalisation des actifs du fonds de l'émetteur, dédié au remboursement des obligations	108 000
Valeur des flux de trésorerie attendus, actualisée au taux d'intérêt effectif initial	105 500

Les difficultés financières de l'émetteur sont un indice de dépréciation qui implique que Foul Liky Ditay ltée doit comparer la valeur comptable des obligations à la plus élevée des trois premières valeurs précédentes. Sachant que la société utilise la méthode de l'amortissement linéaire, voici l'analyse qu'elle doit faire:

Valeur comptable (108 425 $ – 1 685 $)	106 740 $
Valeur la plus élevée parmi les 3 valeurs rassemblées par la société	(108 000)
Dépréciation requise	0 $

Si la société utilisait les IFRS, elle devrait comptabiliser des pertes de crédit égales à l'insuffisance des flux de trésorerie (*voir la division* **Les pertes de crédit attendues sur les actifs financiers**). Sachant que la valeur des flux de trésorerie déterminables selon les termes du contrat, actualisée au taux d'intérêt effectif initial, s'élève à 106 930 $ (valeur comptable au 31 décembre 20X1), alors que la valeur des flux de trésorerie attendus, actualisée au taux d'intérêt effectif initial, est de 105 500 $, la société aurait comptabilisé des pertes de crédit de 1 430 $.

Outre les différences ci-dessus, qui découlent du classement initial des actifs financiers, les deux référentiels présentent une autre différence relative à certains contrats d'assurance vie.

Les contrats d'assurance vie comportant une option de rachat

Selon les IFRS, une option de rachat comprise dans un contrat d'assurance vie est traitée comme un dérivé incorporé au contrat d'assurance. Une entreprise qui applique les NCECF a beaucoup plus de latitude concernant la comptabilisation des contrats d'assurance vie comportant une option de rachat. En effet, le Conseil des normes comptables (CNC) précise explicitement que le chapitre 3856 ne s'applique pas à de tels contrats[31].

31. *Manuel de CPA Canada – Comptabilité – Partie II*, paragr. 3856.03d).

EXEMPLE

Option de rachat incluse dans une police d'assurance

Reprenons l'exemple de la société Petit Bonheur ltée (*voir les pages 11.26 et 11.27*). L'entreprise peut décider de comptabiliser le contrat d'assurance de la même façon que si elle appliquait les IFRS, car elle est probablement en mesure de justifier que l'option de rachat possède les trois caractéristiques d'un actif énoncées dans le **chapitre 1000** du *Manuel – Partie II*, portant sur les fondements conceptuels des états financiers. Elle peut aussi opter pour la comptabilisation en charges du débours de 2 500 $, car il est fort probable que l'option de rachat n'est pas très importante comparativement au total de son actif. Ce faisant, l'entreprise simplifie le travail comptable, car elle inscrit les trois écritures suivantes, dans l'hypothèse du décès du dirigeant le 31 décembre 20X1 :

1er janvier 20X1		
Assurances payées d'avance	*2 500*	
Caisse		*2 500*
Assurance sur la vie du président-directeur général dont l'entreprise est elle-même bénéficiaire.		
31 décembre 20X1		
Assurances	*2 500*	
Assurances payées d'avance		*2 500*
Charge annuelle et inscription de la valeur de l'option de rachat du contrat d'assurance vie.		
Indemnité d'assurance à recevoir	*500 500*	
Profit sur contrat d'assurance vie		*500 500*
Indemnité d'assurance à la suite du décès du président-directeur général.		

Comparativement au traitement comptable requis selon les IFRS, les écritures précédentes ont pour effet de ne pas montrer la valeur de l'option à titre d'actif et d'augmenter le montant de profit comptabilisé lors du décès du dirigeant.

11

Des situations susceptibles de s'appliquer à tous les placements qui constituent des actifs financiers

À l'égard des placements qui constituent des actifs financiers, les NCECF diffèrent des IFRS par les achats en bloc et les contrats d'achat ou de vente normalisés.

Les achats en bloc

Les NCECF ne traitent pas explicitement de la façon de répartir le coût d'acquisition des **achats en bloc**. L'entreprise qui utilise les NCECF est donc tout à fait libre d'appliquer le traitement prescrit par les IFRS (*voir les pages 11.27 à 11.29*) ou tout autre traitement qui respecte les principes énoncés dans le chapitre 1000 du *Manuel – Partie II* traitant des fondements conceptuels des états financiers.

Les contrats d'achat ou de vente normalisés d'actifs financiers

Les NCECF ne traitent pas explicitement du moment de la comptabilisation des **contrats d'achat ou de vente normalisés d'actifs financiers**. Encore une fois, l'entreprise est libre de les comptabiliser à la date de la transaction ou à celle du règlement, dans la mesure où ces deux moments de comptabilisation ne contreviennent à aucun des principes énoncés dans le chapitre 1000 du *Manuel – Partie II*.

La décomptabilisation

IFRS Profit

Le chapitre 3856 ne contient aucune précision concernant la décomptabilisation d'instruments financiers autres que des créances et des passifs financiers. Le moment de la décomptabilisation ainsi que le calcul du **gain** ou de la perte découlant de la sortie d'un placement sous forme d'actifs financiers sont donc laissés au jugement professionnel des dirigeants de l'entreprise.

La présentation dans les états financiers des placements qui constituent des actifs financiers

Comme c'est habituellement le cas, les obligations relatives aux informations à fournir que contiennent les NCECF sont beaucoup moins exigeantes que celles contenues dans les IFRS. Rappelons simplement qu'une entreprise qui applique les IFRS doit non seulement fournir beaucoup d'information en ce qui concerne ses actifs financiers, mais aussi fournir moult informations sur tous ses actifs, qu'elle a évalués de façon récurrente ou non à la juste valeur ou dont elle donne la juste valeur dans les notes aux états financiers. Le lecteur est invité à revoir les passages des chapitres 3 et 4 du présent ouvrage, traitant des différences à ce titre entre les NCECF et les IFRS.

Les participations dans des satellites

De façon générale, les NCECF laissent plusieurs choix à l'investisseur qui détient une participation dans un **satellite**.

IFRS
Entreprise associée

Les pouvoirs conférés par un placement en actions

Afin de refléter la substance des placements et des produits que ceux-ci génèrent, on doit d'abord analyser les pouvoirs conférés par un placement en actions. De cette analyse découle le traitement comptable.

Tout comme les IFRS, les NCECF distinguent quatre types de placements :

1. L'investisseur ne peut exercer une influence notable sur la société émettrice ;
2. Il peut exercer une telle influence notable ;
3. Il contrôle les activités de la société émettrice ;
4. Il exerce un contrôle conjoint sur la société émettrice.

Le premier cas a fait l'objet d'une analyse dans la section qui précède, alors que les deux derniers cas dépassent l'objet du présent chapitre. Nous analyserons plus en détail les cas où l'investisseur peut exercer une influence notable sur la société émettrice.

11

Les principes de la méthode de comptabilisation à la valeur de consolidation

Dans le **chapitre 3051** du *Manuel – Partie II*, intitulé « Placements », le CNC recommande d'appliquer la **méthode à la valeur de consolidation** aux placements qui permettent à l'investisseur d'exercer une influence notable sur la société émettrice. Il définit la notion d'influence notable de façon similaire à l'IASB. Cependant, le CNC ne traite pas des droits de vote potentiels. Une entreprise qui utilise les NCECF pourrait donc analyser sa capacité à exercer une influence notable sur un satellite en prenant en compte, ou non, les droits de vote potentiels. Cependant, pour assurer la comparabilité de ses placements présentés dans les états financiers, elle devrait toujours procéder de la même façon et, si l'importance relative le justifie, décrire en note la façon dont elle procède à cette analyse.

Méthode de la mise en équivalence

Après avoir conclu à sa capacité d'exercer une influence notable, l'entreprise doit ensuite choisir parmi l'une des trois méthodes indiquées dans la figure 11.11. Ce choix n'est pas tout à fait libre, comme le montre cette figure, car il repose d'abord sur le fait que les titres de capitaux propres de la société émettrice sont cotés sur un marché actif.

Lorsque les titres de capitaux propres de la société émettrice ne sont pas cotés sur un marché actif, l'entreprise peut comptabiliser sa participation en utilisant la méthode de la valeur de consolidation ou la **méthode de la valeur d'acquisition**. Bien que leurs noms diffèrent de ceux retenus dans les IFRS, ces deux méthodes correspondent pratiquement à celles expliquées dans la partie I – Les IFRS du présent chapitre. La seule exception découle du fait que si une entreprise utilise la méthode de la valeur de consolidation, elle n'a pas à comptabiliser sa quote-part des autres éléments du résultat global, puisque la notion de résultat global n'existe pas dans les NCECF. Les entreprises qui retiennent la méthode du coût s'évitent beaucoup de travail et, par conséquent, des frais au moment de préparer leurs états financiers.

Méthode du coût

FIGURE 11.11 Les méthodes d'évaluation des participations dans des satellites

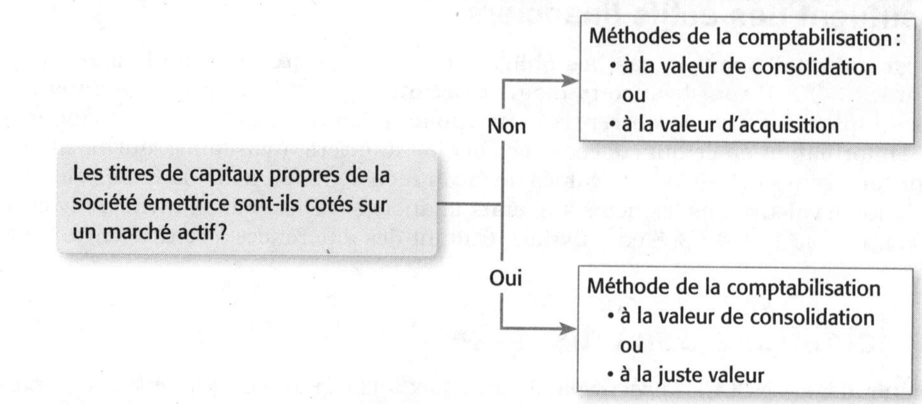
Les titres de capitaux propres de la société émettrice sont-ils cotés sur un marché actif ?
Non
Méthodes de la comptabilisation :
• à la valeur de consolidation
ou
• à la valeur d'acquisition
Oui
Méthode de la comptabilisation
• à la valeur de consolidation
ou
• à la juste valeur

Lorsque les titres de capitaux propres de la société émettrice sont cotés sur un marché actif, la méthode de la valeur d'acquisition est inacceptable. L'entreprise peut comptabiliser sa participation dans le satellite en utilisant soit la méthode de la valeur de consolidation, soit la juste valeur. Dans ce dernier cas, la participation est évaluée à la juste valeur et toutes les variations de valeur sont comptabilisées en résultats dès qu'elles se produisent. Lorsqu'une entreprise a choisi l'une de ces méthodes, elle doit l'appliquer à tous les placements qui entrent dans le champ d'application du chapitre 3051.

Les cas où un investisseur n'est pas tenu de comptabiliser sa quote-part des pertes d'un satellite

11

Tout comme l'IASB, le CNC est d'avis que l'entreprise ne doit pas, après avoir ramené la valeur comptable à zéro, comptabiliser sa quote-part dans les pertes du satellite si elle n'a pas garanti les obligations de l'émetteur ou si elle n'a pas pris tout autre engagement de même nature. Cependant, le CNC recommande aussi à l'investisseur de ne pas comptabiliser sa quote-part des pertes de l'émetteur dans une situation additionnelle, à savoir s'il semble assuré que la société émettrice redeviendra rentable sous peu[32]. En somme, si l'investisseur a garanti les obligations de la société émettrice mais qu'il semble assuré que cette dernière redeviendra rentable sous peu, il n'a pas à comptabiliser sa quote-part des pertes selon les NCECF, alors qu'il devrait le faire selon les IFRS. Par conséquent, la valeur comptable de la participation, calculée selon les NCECF, excéderait celle calculée selon les IFRS.

Les opérations modifiant l'influence notable

Le CNC traite explicitement des cas où l'investisseur utilise la méthode de la valeur de consolidation et voit son pourcentage de participation diminuer par suite de dilution. Une dilution survient lorsque la société émettrice émet de nouveaux titres de capitaux propres sans que l'investisseur n'en achète. Le CNC recommande de comptabiliser en résultats les gains et les pertes qui en découlent. En substance, une dilution s'apparente à la cession d'une partie de la participation et doit être comptabilisée en conséquence.

EXEMPLE

Dilution d'une participation

Avant l'émission récente de 1 000 actions pour une contrepartie de 38,33 $ par action par la société émettrice Graussy inc., May Gry inc. détenait 3 000 des 10 000 actions, soit 30 %, et sa participation dans un satellite était comptabilisée à 100 000 $. Après l'émission, May Gry inc. ne détient plus que 27,273 % des actions (3 000 des 11 000 actions).

32. *Manuel de CPA Canada – Comptabilité – Partie II*, paragr. 3051.18.

Afin de déterminer le gain ou la perte découlant de la disposition d'une partie de sa participation, May Gry inc. doit faire les calculs suivants:

Effet de dilution exprimé en nombre d'actions (1 000 actions émises × 27,273 %)	273
Excédent du prix d'émission unitaire (38,33 $) sur la valeur comptable unitaire de 33,33 $)	5 $
Gain sur dilution	1 365 $
Ou	
Valeur comptable avant l'émission	100 000 $
Valeur comptable après dilution [(100 000 $/3 000 actions × 10 000 actions) + (1 000 actions × 38,33 $)] × 27,273 %	(101 364)
Gain sur dilution	1 364 $

Les pertes de valeur

Ici encore, les deux référentiels diffèrent à propos des modalités du **test de dépréciation**. Lorsqu'il existe des indications de dépréciation et que l'entreprise observe un changement défavorable important dans le calendrier ou le montant prévu des flux de trésorerie futurs, elle doit ramener la valeur comptable de la participation au plus élevé des montants suivants:

a) la valeur actualisée des flux de trésorerie attendus du placement, calculée au moyen d'un taux d'intérêt courant du marché, approprié à cet actif;

b) le prix qu'elle pourrait obtenir de la vente de l'actif à la date de clôture[33].

La réduction de valeur est portée au débit d'un compte de charges, à titre de dépréciation, et au crédit du compte de participation en cause. Les reprises de valeur sont comptabilisées de la même façon, peu importe le référentiel utilisé.

La présentation dans les états financiers des participations dans des satellites

Les exigences imposées par les NCECF en matière de participation dans des satellites sont moins nombreuses que celles imposées par les IFRS (*voir le tableau 11.4*). Elles se résument aux renseignements suivants, énoncés dans les paragraphes 34 à 38 du chapitre 3051:

- La méthode de comptabilisation utilisée.
- La liste et la description de tous les placements importants.
- La valeur comptable des actifs dépréciés ainsi que le montant de toute perte ou reprise de valeur comptabilisée en résultat de l'exercice. Ces renseignements sont fournis par type d'actifs.
- Pour les placements comptabilisés à la valeur de consolidation:
  - lorsque les exercices financiers des deux sociétés ne coïncident pas, les événements et opérations importants de la société émettrice survenus pendant la période de décalage;
  - lorsque le placement se négocie sur un marché actif, la juste valeur de celui-ci.

Les opérations entre apparentés

En ce qui concerne les opérations entre **apparentés**, le CNC énonce, au **chapitre 3840**, intitulé «Opérations entre apparentés», des recommandations portant sur l'évaluation des opérations entre apparentés et sur l'information à fournir à leur égard dans les états financiers.

L'IASB ne donne aucune directive concernant l'évaluation de ces opérations. Des normes précisant l'évaluation des opérations entre apparentés sont nécessaires, car ces derniers peuvent conclure des opérations à des conditions que des parties non apparentées n'auraient pas conclues.

33. *Manuel de CPA Canada – Comptabilité – Partie II*, paragr. 3051.25.

La figure 11.12 résume les normes du CNC relatives à l'évaluation des opérations entre apparentés. Une opération de ce genre doit être évaluée à la valeur comptable, sauf dans les cas suivants[34] :

1. Une opération entre apparentés conclue dans le cours normal des activités doit être évaluée à la valeur d'échange :
   a) si elle est une opération monétaire ;
   b) si elle est une opération non monétaire et qu'elle présente une substance commerciale, sans être un échange d'un bien destiné à être vendu dans le cours normal des affaires afin de faciliter les ventes[35].

FIGURE 11.12 Le schéma décisionnel en matière de comptabilisation des opérations entre apparentés

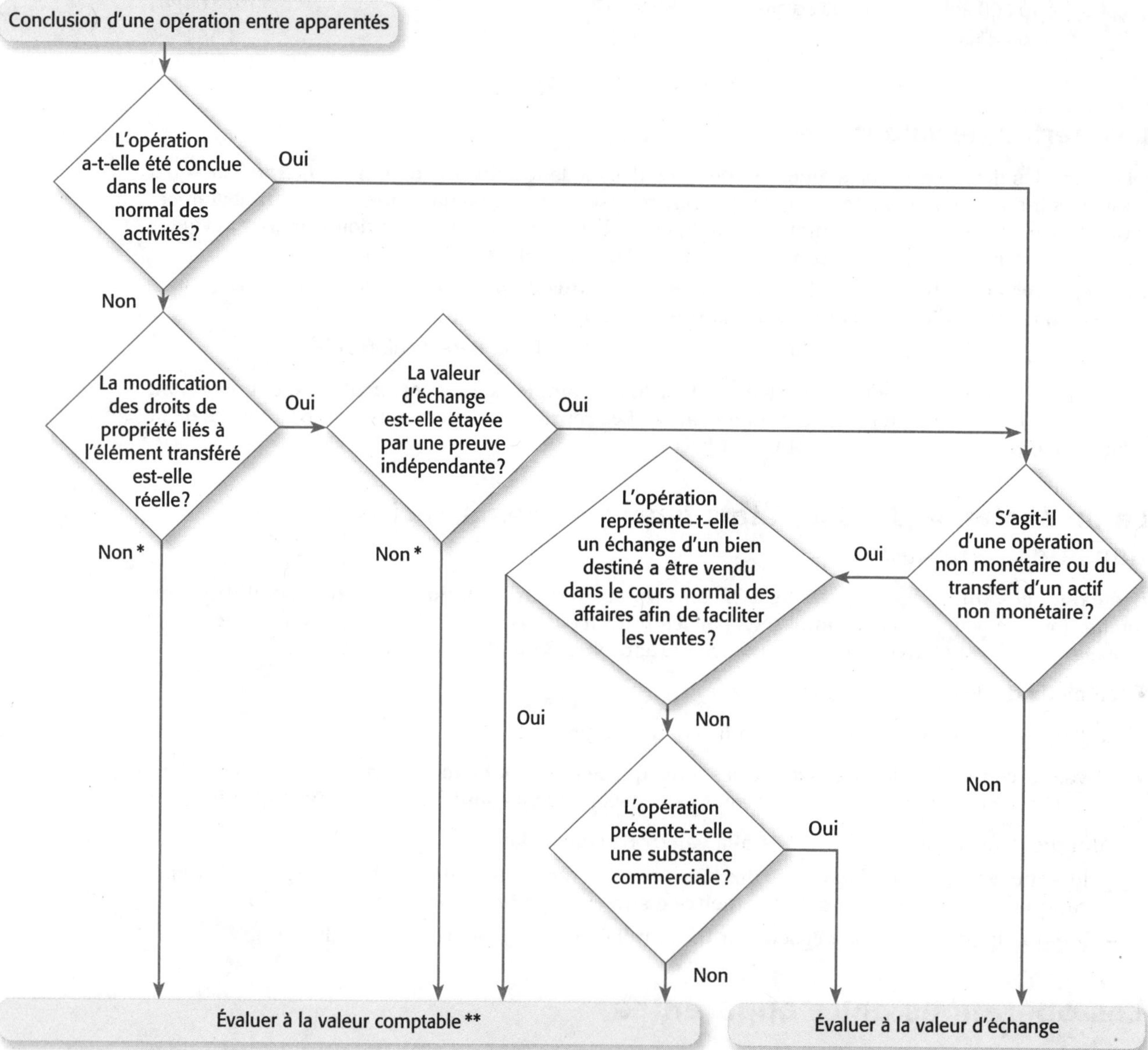

* En pareils cas, la valeur comptable est utilisée pour les opérations monétaires et les opérations non monétaires.

** Dans de rares cas, lorsque l'on ne connaît pas la valeur comptable de l'élément reçu, on peut recourir à une estimation raisonnable de la valeur comptable fondée sur le coût d'origine pour l'entreprise cédante afin de mesurer l'échange.

Source : *Manuel de CPA Canada – Comptabilité – Partie II*, paragr. 3840, Arbre de décision.

34. *Manuel de CPA Canada – Comptabilité – Partie II*, paragr. 3840.08.
35. *Manuel de CPA Canada – Comptabilité – Partie II*, paragr. 3840.18.

2. Une opération monétaire entre apparentés, ou une opération non monétaire entre apparentés présentant une substance commerciale, qui n'est pas conclue dans le cours normal des activités doit être évaluée à la valeur d'échange lorsque les deux critères suivants sont atteints:
   a) La modification des droits de propriété liés à l'élément transféré ou à l'avantage retiré d'un service fourni est réelle, c'est-à-dire que, à la suite de l'opération, des apparentés ont acquis ou cédé au moins 20 % du total de la participation en cause;
   b) La valeur d'échange est étayée par une preuve indépendante[36].

Pour déterminer si une opération est conclue dans le cours normal des activités, et ainsi obtenir l'assurance que la valeur d'échange est évaluée de façon fiable, il convient d'examiner la nature des activités de l'entreprise, ses politiques en matière opérationnelle, la nature de ses biens et de ses services ainsi que le cadre dans lequel elle exerce ses activités. La vente ou l'achat d'éléments de stock ainsi que la prestation ou la réception d'un service courant sont des exemples d'opérations conclues dans le cours normal des activités. La vente ou l'achat d'un immeuble serait conclu dans le cours normal des activités par une entreprise du secteur immobilier, mais ne serait pas conclu dans le cours normal des activités par une entreprise qui n'évolue pas dans ce secteur. En fait, les ventes et les achats d'immobilisations, le règlement de dettes à long terme, l'émission ou le rachat d'actions sont des exemples d'opérations non conclues dans le cours normal des activités. De plus, si une entreprise qui vend normalement ses stocks à un certain nombre d'entreprises différentes vend la totalité de ses stocks à une entreprise apparentée, cette opération ne peut être considérée comme étant conclue dans le cours normal des activités, étant donné son ampleur comparativement à celle des opérations habituelles.

Lorsqu'une opération entre apparentés est évaluée à la valeur comptable, le CNC stipule que tout écart entre les valeurs comptables des éléments échangés et tout impôt afférent aux éléments transférés doivent être portés au débit ou au crédit des capitaux propres[37].

EXEMPLE

Opération entre apparentés à la valeur comptable

La société Appa ltée possède 100 % des actions de la société Rantay inc. Le 31 mars 20X6, Appa ltée a acheté un équipement de Rantay inc. au coût de 1 500 $. Au 31 décembre 20X5, les soldes des comptes Équipement et Amortissement cumulé – Équipement figurant au grand livre de Rantay inc. étaient respectivement de 4 000 $ et de 1 600 $ (4 000 $ ÷ 5 ans × 2 ans). En tenant pour acquis qu'une analyse de l'opération révèle qu'il s'agit d'une opération monétaire non conclue dans le cadre normal des activités d'Appa ltée et que la modification des droits de propriété de l'équipement transféré n'est pas réelle[38], les écritures suivantes sont requises dans les livres des deux sociétés:

Livres comptables d'Appa ltée			**Livres comptables de Rantay inc.**		
Équipement	2 200		*Amortissement – Équipement*	200	
Caisse		1 500	*Amortissement cumulé – Équipement*		200
Surplus d'apport – Opérations entre apparentés		700	*Mise à jour de l'amortissement jusqu'à la date de cession à Appa ltée.*		
Acquisition d'un équipement de Rantay inc., société apparentée, comptabilisée à la valeur comptable.			*Caisse*	1 500	
			Amortissement cumulé – Équipement	1 800	
			Bénéfices non répartis[39]	700	
			Équipement		4 000
			Cession d'un équipement à Appa ltée, société apparentée, comptabilisée à la valeur comptable.		

36. *Manuel de CPA Canada – Comptabilité – Partie II*, paragr. 3840.29.
37. *Manuel de CPA Canada – Comptabilité – Partie II*, paragr. 3840.09.
38. Appa ltée avait un contrôle indirect (par la détention de 100 % des actions de Rantay inc.) sur l'équipement avant l'opération, contrôle qui devient direct (Appa ltée devient le propriétaire légal de l'équipement) après celle-ci. En conséquence, la modification du droit de propriété n'est pas réelle.
39. Si la société Rantay inc. avait un surplus d'apport créditeur découlant d'opérations antérieures entre apparentés, le solde de ce compte serait d'abord ramené à zéro avant d'affecter les bénéfices non répartis.

Pour comptabiliser les opérations entre apparentés, nous devons savoir si les sociétés qui participent à l'opération effectuent ou non un choix fiscal, par exemple, un transfert libre d'impôt conformément à l'article 85 de la *Loi de l'impôt sur le revenu*. Puisque la prise en considération des facteurs fiscaux particuliers déborde le cadre du présent ouvrage, nous suggérons au lecteur, une fois qu'il aura étudié les notions fiscales sous-jacentes, de passer en revue les exemples fournis par le CNC en annexe au chapitre 3840.

Lorsqu'une opération entre apparentés est évaluée à la valeur d'échange, tout profit ou toute perte découlant de l'opération doit être porté en résultat de l'exercice, à moins qu'une autre NCECF n'exige un traitement différent[40].

EXEMPLE

Opération entre apparentés à la valeur d'échange

La société Immobilière ltée possède 75 % des actions de la société Ottoneuve inc., concessionnaire automobile. Le 1er juillet 20X3, Immobilière ltée vend un immeuble ayant coûté 850 000 $ à Ottoneuve inc. pour la somme de 900 000 $. En tenant pour acquis qu'une analyse de l'opération révèle qu'il s'agit d'une opération monétaire conclue dans le cours normal des activités d'Immobilière ltée, les écritures suivantes sont requises dans les livres des deux sociétés :

Livres comptables d'Immobilière ltée			Livres comptables d'Ottoneuve inc.		
Caisse	*900 000*		*Immeuble*	*900 000*	
Coût des ventes	*850 000*		*Caisse*		*900 000*
Stock d'immeubles		*850 000*	*Achat d'un immeuble à Immobilière ltée, société apparentée, comptabilisé à la valeur d'échange.*		
Chiffre d'affaires		*900 000*			
Vente d'un immeuble à une société apparentée, Ottoneuve inc., comptabilisée à la valeur d'échange.					

Lorsqu'une opération entre apparentés inclut un instrument financier, comme nous l'avons défini au chapitre 4, des règles d'évaluation supplémentaires s'imposent pour l'évaluation initiale des instruments financiers en cause. D'abord, l'instrument financier est évalué à la valeur d'échange ou à la valeur comptable, selon les indications du présent chapitre[41]. Une exception à cette règle existe si l'opération est conclue entre un membre de la direction et l'entreprise. Dans ce cas, l'instrument financier est comptabilisé à la juste valeur, comme le prescrit le chapitre 3856[42]. Toutefois, dans tous les cas, l'évaluation subséquente de cet actif ou de ce passif financier se fait selon les règles d'évaluation des instruments financiers présentées au chapitre 4.

Les états financiers de Josy Dida inc.

Les obligations d'information concernant les opérations entre apparentés contenues dans les NCECF sont moins exhaustives que celles comprises dans les IFRS. Le CNC demande de fournir des informations seulement lorsque des opérations entre apparentés sont conclues. Le lecteur peut voir un exemple concret des informations qui doivent être fournies selon les NCECF dans les états financiers de Josy Dida inc. (*voir la note 27 des états financiers*) disponibles dans la plateforme *i+ Interactif*. Ces informations incluent une description de la relation qui existe entre les parties contractantes, une description de l'opération, même si aucun montant n'a été comptabilisé, le montant de l'opération et la base d'évaluation utilisée. L'entreprise doit mentionner, s'il y a lieu, les montants dus aux apparentés ou dus par eux et les conditions qui s'y rapportent, les engagements contractuels entre apparentés et des renseignements sur les éventualités mettant en cause des apparentés[43]. Il est important pour les utilisateurs de connaître ces informations afin de pouvoir mieux évaluer la performance et la situation financière de l'entreprise et de comparer celles-ci à d'autres entreprises.

40. *Manuel de CPA Canada – Comptabilité – Partie II*, paragr. 3840.45.
41. *Manuel de CPA Canada – Comptabilité – Partie II*, paragr. 3840.49.
42. *Manuel de CPA Canada – Comptabilité – Partie II*, paragr. 3840.50.
43. *Manuel de CPA Canada – Comptabilité – Partie II*, paragr. 3840.51.

Avez-vous remarqué ?

Une opération entre apparentés doit être évaluée à la **valeur comptable,** sauf dans certaines circonstances précises. Dans ces cas, elle l'est à la **valeur d'échange,** comme le prescrit le modèle comptable des NCECF fondé sur le coût historique, puisque les conditions s'apparentent alors à une opération qui aurait été conclue avec des parties non apparentées.

Les immeubles de placement

Les NCECF ne comprennent aucune norme distincte à l'égard des **immeubles de placement**. Le **chapitre 3061** du *Manuel – Partie II,* portant sur les immobilisations corporelles, englobe dans la définition des immobilisations corporelles les immeubles destinés à la location, incluant les terrains réservés à ce titre à des fins de mise en valeur qui ne sont pas destinés à être vendus dans le cours normal des affaires. Cette précision laisse sous-entendre que ces immeubles sont comptabilisés de la même manière que les immobilisations corporelles, soit selon le modèle du coût, avec amortissement subséquent et, s'il y a lieu, dépréciation.

De toute façon, même si une entreprise démontrait que son immeuble est en fait un placement, elle ne pourrait évidemment pas le considérer comme un placement qui constitue un actif financier. Elle devrait donc le comptabiliser à la valeur d'acquisition[44]. Comparativement à ce qui s'applique dans le modèle du coût décrit au chapitre 3061, les placements comptabilisés à la valeur d'acquisition ne font pas l'objet d'amortissement.

EXEMPLE

Immeubles détenus pour la location ou la plus-value

Reprenons les données de la société Lévesque ltée (*voir la page 11.70*) qui détient un terrain et un bâtiment, sachant qu'au 31 décembre 20X2:

- la valeur comptable des immobilisations détenues pour la location est jugée non recouvrable;
- le prix que l'entreprise pourrait obtenir de la vente des actifs détenus pour la plus-value et la valeur actualisée des flux de trésorerie attendus du placement, calculée au moyen d'un taux d'intérêt courant du marché, correspondent tous deux à la juste valeur.

Voici les écritures que Lévesque ltée doit enregistrer selon deux scénarios:

Scénario A **Immeubles détenus pour la location** **(Modèle du coût)**			**Scénario B** **Immeubles détenus pour la plus-value** **(Méthode de la valeur d'acquisition)**		
5 janvier 20X1					
Terrain	*50 000*		*Placements immobiliers*	*550 000*	
Bâtiment	*500 000*		*Caisse*		*550 000*
Caisse		*550 000*	*Acquisition d'un terrain et d'un bâtiment qui seront détenus pour la plus-value.*		
Acquisition d'un terrain et d'un bâtiment qui seront détenus pour la location.			Notes: 1. Lorsque l'on utilise la méthode de la valeur d'acquisition, les actifs ne sont pas amortis. C'est pourquoi il n'est pas nécessaire de comptabiliser le terrain et le bâtiment dans des comptes distincts. 2. Il importe de ne pas débiter les comptes Terrain ni Bâtiment qui sont réservés aux actifs que l'entreprise loue ou qu'elle utilise dans ses activités ordinaires.		

44. *Manuel de CPA Canada – Comptabilité – Partie II,* paragr. 3051.21.

31 décembre 20X1

Amortissement des immobilisations corporelles	*25 000*	
Amortissement cumulé – Bâtiment		*25 000*

Amortissement annuel (500 000 $ ÷ 20 ans).

Aucune écriture requise.

31 décembre 20X2

Amortissement des immobilisations corporelles	*25 000*	
Amortissement cumulé – Bâtiment		*25 000*

Amortissement annuel (500 000 $ ÷ 20 ans).

Note : La présence d'une indication de dépréciation amène Lévesque ltée à réévaluer ses deux immobilisations :

	Terrain	Bâtiment
Valeur comptable	50 000 $	450 000 $
Juste valeur	(45 000)	(400 000)
Perte à enregistrer	5 000 $	50 000 $

Dépréciation – Terrain	*5 000*	
Dépréciation – Bâtiment	*50 000*	
Terrain		*5 000*
Bâtiment		*50 000*

Diminution de valeur de l'exercice.

Note : Contrairement aux écritures requises selon les IFRS (*voir les pages 11.71 et 11.72*), il n'est pas nécessaire de créditer un compte de provision qui est utile pour calculer les montants des éventuelles reprises de valeur. En effet, les NCECF interdisent de comptabiliser ces reprises de valeur.

Dépréciation des placements immobiliers	*105 000*	
Provision pour dépréciation – Placements immobiliers		*105 000*

Diminution de valeur de l'exercice.

Calcul :

Valeur comptable	550 000 $
Juste valeur	(445 000)
Dépréciation à enregistrer	105 000 $

Notes

1. La présence d'une indication de dépréciation a amené Lévesque ltée à conclure que cela entraîne un changement défavorable important dans le calendrier et le montant prévu des flux de trésorerie (*voir le paragraphe 3051.23*). Elle a alors déterminé le prix qu'elle pourrait obtenir de la vente des placements immobiliers et la valeur actualisée des flux de trésorerie attendus des placements, calculée au moyen d'un taux d'intérêt courant du marché (*voir le paragraphe 3051.25*). Les montants obtenus correspondent aux justes valeurs.
2. Nous créditons un compte de provision en vue de faciliter les éventuelles reprises de valeur des placements qui peuvent être comptabilisées selon le modèle de la valeur d'acquisition.

31 décembre 20X3

Amortissement des immobilisations corporelles	*22 222*	
Amortissement cumulé – Bâtiment		*22 222*

Amortissement annuel (400 000 $ ÷ 18 ans).

Notes :

1. La comptabilisation des diminutions de valeur en 20X2 amène à réviser le montant amortissable à 400 000 $ (égale à la valeur comptable au début de l'exercice) et à le répartir sur la durée de vie restante.
2. Malgré le fait que la reprise du marché immobilier est un indice de reprise de valeur, les NCECF interdisent de comptabiliser de telles reprises à l'égard des immobilisations.

Provision pour dépréciation – Placements immobiliers	*105 000*	
Profit découlant de la réévaluation de placements immobiliers		*105 000*

Portion de l'augmentation de valeur des placements immobiliers qui compense les pertes de valeur comptabilisées en résultat net en 20X2.

Note : La valeur comptable ajustée du placement ne doit pas être supérieure à ce qu'elle aurait été à la date de la reprise si la moins-value n'avait jamais été comptabilisée.

Avant de clore cet exemple, il est utile de prendre du recul et d'examiner les montants comptabilisés en résultat, de 20X1 à 20X3.

Scénario A **Immeubles détenus pour la location** **(Modèle du coût)**		**Scénario B** **Immeubles détenus pour la plus-value** **(Méthode de la valeur d'acquisition)**	
	Exercice clos le 31 décembre 20X1		
Amortissement des immobilisations corporelles	*(25 000) $*		
Résultat net	*(25 000) $*	*Résultat net*	*0 $*
	Exercice clos le 31 décembre 20X2		
Amortissement des immobilisations corporelles	*(25 000) $*		
Profit (Perte) découlant de la dépréciation des immobilisations corporelles	*(55 000)*	*Profit (Perte) découlant de la dépréciation des placements immobiliers*	*(105 000) $*
Résultat net	*(80 000) $*	*Résultat net*	*(105 000) $*
	Exercice clos le 31 décembre 20X3		
Amortissement des immobilisations corporelles	*(22 222) $*	*Profit (Perte) découlant de la reprise de valeur des placements immobiliers*	*105 000 $*
Résultat net	*(22 222) $*	*Résultat net*	*105 000 $*
	Total sur trois ans		
Résultat net	*(127 222) $*	*Résultat net*	*0 $*

Les écritures de journal et les montants extraits de l'**état des résultats** peuvent être comparés avec les montants comptabilisés selon les IFRS (*voir la page 11.73*). Il ressort que les deux référentiels comptables produisent des montants fort différents.

IFRS
État du résultat global

Si l'on compare maintenant les montants obtenus selon les deux méthodes permises par les NCECF, il appert aussi que le modèle du coût applicable aux immobilisations corporelles conduit à des montants autres que ceux obtenus avec la méthode de la valeur d'acquisition applicable aux placements. Cet exemple permet de comprendre avec précision l'importance de lire attentivement les notes aux états financiers, qui indiquent les méthodes comptables retenues par une entreprise, pour être en mesure de bien interpréter les montants qui figurent dans le corps même des états financiers.

D'autres types de placements

En ce qui concerne les autres types de placements, une entreprise qui applique les NCECF les comptabilise avec la méthode de la valeur d'acquisition. L'application de cette méthode a été illustrée dans l'exemple précédent, plus précisément dans le scénario B.

Avez-vous remarqué ?

Tout comme pour la comptabilisation des immobilisations, la comptabilisation des placements diffère de façon importante selon qu'une entreprise applique les NCECF ou les IFRS. Les NCECF sont en général plus simples à appliquer. Mêmes si elles ne conduisent pas nécessairement à présenter l'information la plus pertinente, elles tiennent compte du fait que les utilisateurs des états financiers ainsi préparés peuvent obtenir directement de l'entreprise l'information additionnelle qu'ils souhaitent obtenir.

i+ Consultez le tableau synthèse des particularités des NCECF.

SYNTHÈSE DU CHAPITRE 11

La figure 11.13 illustre en un coup d'œil les principaux thèmes abordés dans le présent chapitre. Le texte qui suit la figure vous permettra de vérifier l'acquisition des objectifs d'apprentissage.

FIGURE 11.13 Les principaux thèmes abordés dans le présent chapitre

La gestion des placements	IFRS	NCECF
Les placements sous forme d'actif financier : pour profiter de la plus-value ou encaisser les flux de trésorerie contractuels	**Comptabilisation initiale** Juste valeur* **Comptabilisation subséquente** Selon le classement 1. À la JVBRN : variations de valeur et produits financiers en résultat net 2. À la JVBAERG (choix irrévocable) : variations de valeur en AERG et produits de dividendes en résultat net 3. À la JVBAERG : variations de valeur en AERG, produits d'intérêts selon la méthode du taux d'intérêt effectif, évaluation des pertes de crédit attendues, s'il y a lieu 4. Au coût amorti : amortissement et produits d'intérêts, au fil du temps, selon la méthode du taux d'intérêt effectif, avec évaluation des pertes de crédit attendues, s'il y a lieu	**Comptabilisation initiale** Juste valeur**, sauf si opération entre apparentés **Comptabilisation subséquente** • Au coût ou au coût amorti, sauf exception*** • Amortissement du coût selon la méthode du taux d'intérêt effectif ou amortissement linéaire • Test de dépréciation, s'il y a lieu, pour ramener la valeur comptable à la plus élevée de trois valeurs • Produits d'intérêts au fil du temps
Les participations dans des entreprises associées : pour exercer une influence notable	**Comptabilisation initiale** Coût **Comptabilisation subséquente** 1. Selon la méthode de la mise en équivalence, qui tient compte de la quote-part du résultat global 2. Selon la méthode du coût dans les états financiers individuels 3. Test de dépréciation en présence d'indices (selon l'IAS 28) et dépréciation égale à l'excédent de la valeur comptable sur la valeur recouvrable	**Comptabilisation initiale** Coût **Comptabilisation subséquente** • Selon la méthode de la valeur de consolidation ou de la valeur d'acquisition ; si les actions du satellite se négocient sur un marché actif, choix de comptabiliser à la juste valeur plutôt qu'à la valeur d'acquisition • Test de dépréciation en présence d'indices et dépréciation égale à l'excédent de la valeur comptable sur la plus élevée : 1) des flux de trésorerie révisés actualisés au taux du marché ou 2) du prix de vente estimé
Les immeubles de placement : pour profiter de la plus-value et, parfois, des produits périodiques	**Comptabilisation initiale** Coût, incluant les coûts de transaction **Comptabilisation subséquente** Deux modèles au choix : 1. Modèle du coût, avec amortissement et dépréciation, s'il y a lieu 2. Modèle de la juste valeur, sans amortissement et toutes les variations de valeur en résultat net à chaque exercice	**Pas de norme précise** • Modèle du coût, si l'actif est traité comme une immobilisation corporelle • Sinon, méthode de la valeur d'acquisition selon le chapitre 3051, soit sans amortissement et dépréciation égale à l'excédent de la valeur comptable sur la plus élevée : 1) des flux de trésorerie révisés actualisés au taux du marché ou 2) du prix de vente estimé
La présentation dans les états financiers	Détaillée	Moins exigeante

* Majoré des coûts de transaction si l'actif financier n'est pas classé À la juste valeur par le biais du résultat net

** Majoré des coûts de transaction si l'actif financier n'est pas subséquemment évalué à la juste valeur

*** Les titres de capitaux propres qui se négocient sur un marché actif doivent être évalués à la juste valeur. Une entreprise peut choisir de façon irrévocable d'évaluer les actifs financiers à leur juste valeur.

 **Expliquer les principes directeurs de la gestion des placements.** La gestion des placements vise à obtenir le meilleur rendement possible, compte tenu d'un niveau de risque jugé acceptable.

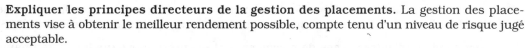

 **Distinguer les placements qui constituent des actifs financiers, les comptabiliser et les présenter dans les états financiers.** La comptabilisation des placements distingue quatre types d'actifs, qui diffèrent relativement à l'objectif poursuivi par leur détention: les placements qui constituent des actifs financiers, les participations dans des entreprises associées, les immeubles de placement et les autres types de placements.

L'entreprise doit d'abord classer tous ses placements qui constituent des actifs financiers, puisque le classement dicte l'évaluation. À la date de l'achat, les coûts de transaction liés aux placements À la juste valeur par le biais du résultat net sont comptabilisés en charges, alors qu'ils sont compris dans la valeur comptable des placements autrement classés. Pendant la période de détention, les placements en titres d'emprunt peuvent être classés Au coût amorti, ou À la juste valeur par le biais des autres éléments du résultat global, selon les critères énoncés par l'IASB. À chaque date de clôture, on doit évaluer les pertes de crédit attendues sur la durée de vie de l'actif si le risque de crédit que comporte l'instrument financier en question a augmenté de manière importante depuis la comptabilisation initiale. Sinon, on doit évaluer les pertes de crédit attendues sur les 12 mois à venir. L'entreprise évalue à la juste valeur ses autres placements classés comme étant À la juste valeur par le biais du résultat net et comptabilise les variations de valeur en résultat net dès que celles-ci surviennent. En ce qui concerne les placements sous forme de titres de capitaux propres, elle peut aussi les classer À la juste valeur par le biais des autres éléments du résultat global (choix irrévocable). L'entreprise comptabilise alors l'actif à la juste valeur, mais comptabilise les variations de valeur en autres éléments du résultat global. Au moment de présenter ses états financiers, elle suit les recommandations de l'**IAS 32** et de l'IFRS 7, expliquées aux chapitres 4 et 6.

 **Lorsqu'elle est appropriée, appliquer la méthode de la mise en équivalence.** La détention de placements en titres de capitaux propres confère parfois à l'investisseur la possibilité d'exercer une influence notable ou un contrôle sur la société émettrice. Si l'investisseur détient moins de 20 % des droits de vote potentiels de la société émettrice, on considère généralement qu'il ne peut exercer une influence notable. Le placement est alors comptabilisé comme un actif financier. Lorsque l'investisseur détient de 20 % à 50 % des droits de vote potentiels de la société émettrice, il peut généralement exercer une influence notable sur celle-ci, même s'il n'en a pas le contrôle. Une telle participation dans une entreprise associée est généralement comptabilisée selon la méthode de la mise en équivalence, dont la principale caractéristique est de comptabiliser la quote-part du résultat net et des autres éléments du résultat global dès que l'entreprise associée réalise son résultat global. En présence d'indications objectives de dépréciation, l'investisseur doit aussi comptabiliser la dépréciation dans son résultat net, soit l'excédent de la valeur comptable sur la valeur recouvrable. En règle générale, l'investisseur qui a ramené la valeur comptable de sa participation à zéro cesse de comptabiliser sa quote-part des pertes de l'entreprise associée.

 **Lorsque cela est approprié, comptabiliser au coût les participations dans des entreprises associées.** Si l'investisseur prépare des états financiers individuels, il comptabilise ses participations dans des entreprises associées selon la méthode du coût, dont la principale caractéristique est de comptabiliser les produits de dividendes seulement lorsque l'entreprise associée les déclare.

 **Présenter dans les états financiers les participations dans des entreprises associées.** Au moment de préparer ses états financiers, l'entreprise présente tous les renseignements requis en vertu de l'IFRS 12.

 **Décrire l'information relative aux parties liées à fournir dans les états financiers.** Pour aider les utilisateurs à comprendre les états financiers, certaines informations financières et non financières doivent être fournies dans les notes aux états financiers. Parmi elles figure l'information relative aux parties liées, car, de par la nature de leurs relations, les parties liées peuvent effectuer des transactions qui n'auraient pas été conclues par des parties non liées.

 **Comptabiliser les immeubles de placement et les présenter dans les états financiers.** On comptabilise les immeubles de placement soit selon le modèle du coût, qui correspond à celui applicable aux immobilisations, soit selon le modèle de la juste valeur. Dans ce dernier cas, l'immeuble de placement n'est pas amorti, mais réévalué à la fin de chaque exercice financier,

et toutes les variations de valeur sont comptabilisées en résultat net. Aux fins de présentation dans les états financiers, on indique plusieurs renseignements précisés dans l'IAS 40.

 **Comptabiliser d'autres types de placements et les présenter dans les états financiers.** Certaines entreprises possèdent parfois d'autres types de placements, tels les œuvres d'art. L'IASB leur laisse le soin de choisir la méthode comptable appropriée pour comptabiliser les placements détenus sous forme d'œuvres d'art.

 **Comprendre et appliquer les NCECF liées aux placements.** Les deux référentiels affichent de nombreuses différences en matière de traitement comptable des placements. Outre celles qui se rapportent aux actifs financiers et à la juste valeur, lesquelles ont été détaillées aux chapitres 3 et 4, mentionnons que les NCECF permettent de comptabiliser les participations dans des satellites à la valeur de consolidation, à la valeur d'acquisition si les titres de capitaux propres du satellite ne sont pas cotés sur un marché actif ou à la juste valeur si les titres de capitaux propres du satellite sont cotés sur un tel marché. De plus, les NCECF précisent la façon d'évaluer une opération entre apparentés. Enfin, les immeubles détenus en vue de la location doivent être comptabilisés selon les règles applicables aux immobilisations, alors que les immeubles détenus en vue de profiter de leur plus-value sont comptabilisés selon la méthode de la valeur d'acquisition applicable aux placements.

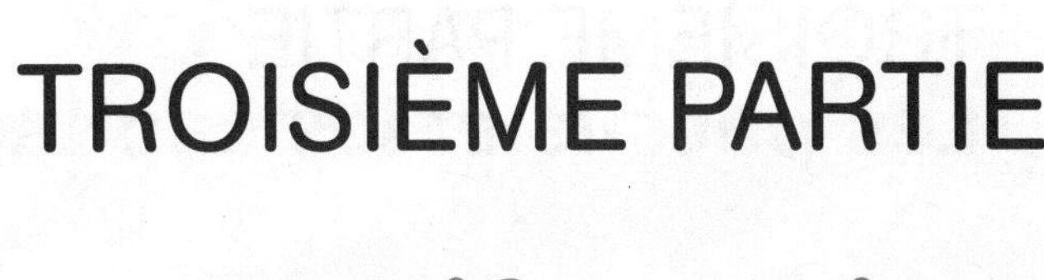

TROISIÈME PARTIE

Les passifs et les capitaux propres

TROISIÈME PARTIE
Les passifs et les capitaux propres

Si l'actif est constitué des ressources à la disposition de l'entreprise, le passif et les capitaux propres reflètent le mode de financement de ces ressources. Dans les quatre chapitres de cette troisième partie, nous procéderons à la description et à l'analyse des normes de comptabilisation et de présentation des éléments du passif et des capitaux propres. Nous traiterons non seulement des dettes à court terme, des dettes à long terme, du capital d'apport et des réserves, mais aussi des éventualités et des événements postérieurs à la date de clôture.

Le passif courant, les actifs et les passifs éventuels, et les événements postérieurs à la date de clôture

12

Des ressources pédagogiques sont disponibles en ligne.

12

Objectifs d'apprentissage

À la fin de ce chapitre, vous pourrez :

1. comprendre quelques éléments qui influent sur les décisions de financement à court terme et la nature du passif courant ;
2. comptabiliser et présenter les passifs courants qui constituent des passifs financiers ;
3. comptabiliser les passifs non financiers autres que les provisions ;
4. appliquer les règles de base aux provisions ;
5. comptabiliser et présenter certaines provisions particulières ;
6. appliquer le traitement comptable approprié aux passifs éventuels et aux actifs éventuels ;
7. présenter les engagements contractuels et les événements postérieurs à la date de clôture dans les états financiers ;
8. comprendre et appliquer les NCECF liées au passif courant, aux actifs et aux passifs éventuels, aux engagements contractuels et aux événements postérieurs à la date de clôture.

Aperçu du chapitre

La crise du crédit déclenchée en 2007 aux États-Unis dans le secteur hypothécaire a fait couler beaucoup d'encre, et pour cause, puisqu'elle a entraîné un ralentissement de l'économie dans plusieurs pays. Malgré les conséquences négatives de cette crise, aucun économiste ni expert financier n'a proposé d'éliminer le crédit. Si les individus ou les entreprises devaient vivre sans crédit, un grand nombre de leurs projets rentables et fort pertinents seraient abandonnés. Par exemple, si vous aviez attendu d'avoir suffisamment de trésorerie avant de commencer votre formation universitaire, vous ne l'auriez peut-être jamais amorcée, vous privant ainsi d'un revenu d'emploi supérieur au cours des prochaines années. Il en est de même pour les entreprises.

Le crédit est donc un outil efficace de prospérité économique. C'est son utilisation qui doit faire l'objet d'une grande attention. À l'instar d'un individu qui utilise chaque jour sa carte de crédit pour effectuer ses dépenses courantes et qui règle le solde de sa carte à la fin de chaque mois, les entreprises contractent quotidiennement des dettes liées à leurs activités d'exploitation, qu'elles remboursent à brève échéance et que l'on peut diviser en trois groupes.

Le premier renferme les **passifs financiers** tels les fournisseurs et les salaires à payer. Le deuxième groupe renferme les **passifs non financiers autres que les provisions** comme les impôts qui doivent être payés annuellement et les montants reçus des clients dont une partie doit être comptabilisée à titre de produits différés. Le troisième groupe se compose d'autres dettes, que l'on appelle les **provisions.** Ces dernières requièrent beaucoup de jugement lorsque vient le temps d'en déterminer le moment de comptabilisation. Pensons, par exemple, à l'engagement que prend une entreprise de réparer les marchandises vendues couvertes par une garantie de base. Les provisions seront analysées en détail dans le présent chapitre.

Toute dette entraînera une sortie future de ressources à la suite d'événements passés. Par exemple, une entreprise qui contracte un emprunt bancaire reçoit de la trésorerie au temps *t*, en échange d'une promesse de remettre ce montant, majoré des intérêts, au temps *t* + 1. Parfois, il est difficile d'établir ce qui donne naissance à un passif.

12

Par exemple, lorsqu'une entreprise fait l'objet d'une poursuite engagée par un client, disons pour blessures découlant d'une défectuosité des marchandises vendues, on peut se demander quel est l'événement à l'origine de cette dette : la vente des marchandises ? Le fait que le client ait intenté une poursuite ? La décision que rendra la cour ? Nous verrons dans le présent chapitre les critères permettant de répondre à cette question et de déterminer le moment de la comptabilisation des **passifs éventuels.**

Le découpage de la durée de vie d'une entreprise en plusieurs périodes financières, en plus d'entraîner la notion d'indépendance des périodes, doit s'accommoder du fait que beaucoup d'opérations ou d'événements surviennent entre la date de clôture d'un exercice et la date de publication des états financiers. D'autres événements ont pris naissance durant l'exercice mais, bien qu'ils puissent avoir des conséquences importantes, n'ont pas été comptabilisés parce qu'ils ne respectaient pas les critères de comptabilisation. Pensons ici aux **engagements contractuels.** Compte tenu des conséquences importantes de tels événements, les utilisateurs des états financiers doivent en être informés. Nous expliquerons comment le faire tant pour les engagements contractuels que pour les **événements postérieurs à la date de clôture.**

Enfin, dans la partie II – Les NCECF, nous présenterons des recommandations contenues dans les **NCECF** qui diffèrent de celles incluses dans les IFRS.

Lorsque des notions de mathématiques financières sont utilisées, les variables nécessaires aux calculs sont indiquées avec les abréviations suivantes :

N : nombre de périodes
I : taux d'intérêt
PMT : paiements périodiques
PV : valeur actualisée
FV : valeur future
BGN : paiements en début de période

12

PARTIE I – LES IFRS

Équivalents terminologiques *Manuel de CPA Canada* – Partie I et Partie II.

Les décisions de financement

Il est possible d'associer un type d'activités à chaque côté de l'état de la situation financière présenté dans la figure 12.1. Ainsi, le côté gauche indique les ressources d'une entreprise qui servent principalement à créer sa richesse. En parallèle, le côté droit représente le mode de financement de ces ressources. La gestion des modes de financement est vitale pour toute entreprise. En effet, les entreprises contraintes à déclarer faillite ne réussissent plus à faire face aux paiements des intérêts ou au remboursement du principal de leurs dettes. Une gestion soutenue des modes de financement s'avère donc des plus importantes.

FIGURE 12.1 Le financement des ressources, tel qu'il figure dans l'état de la situation financière

Actif	Passif
• Actif courant • Actif non courant	• Passif courant • Passif non courant **Capitaux propres** • Capital social • Réserves

La relation entre les actifs et les passifs d'une entreprise nous renseigne sur la situation financière de cette société et sur la gestion et la reddition de comptes par la direction.

Les passifs se divisent en deux catégories : le passif courant et le passif non courant. Cette distinction est très importante sur le plan de l'analyse financière. En effet, l'une des règles fondamentales régissant la prise de décisions de financement consiste à faire en sorte que les actifs courants soient financés à court terme et que les actifs non courants soient financés à long terme.

La différence entre les actifs courants et les passifs courants constitue le **fonds de roulement**. Les gestionnaires et les utilisateurs des états financiers accordent une grande importance au fonds de roulement puisqu'il donne une indication des flux de trésorerie attendus à court terme. Pour qu'une entreprise soit en mesure de poursuivre ses activités courantes, elle doit bien sûr être rentable, mais elle doit aussi veiller à ce que ses ressources susceptibles d'être transformées à court terme en trésorerie soient suffisantes pour respecter ses engagements dont l'échéance arrive à court terme.

Lorsque les utilisateurs des états financiers comparent le fonds de roulement de diverses entreprises, ils doivent tenir compte de la taille de chacune d'elles. Ainsi, ils ne doivent pas analyser le fonds de roulement de 100 000 $ d'une entreprise possédant un actif total de 500 000 $ de la même façon que le fonds de roulement de 100 000 $ d'une entreprise dont l'actif total s'élève à 1 000 000 $. Pour tenir compte de telles différences, les gestionnaires et les utilisateurs des états financiers ont mis au point une évaluation standardisée du fonds de roulement, c'est-à-dire une évaluation qui exprime le rapport entre les actifs courants et les passifs courants plutôt qu'un simple montant en dollars. La valeur de ce rapport, appelée **ratio de liquidité à court terme** ou **ratio du fonds de roulement**, s'obtient ainsi :

$$\text{Ratio de liquidité à court terme} = \frac{\text{Actif courant}}{\text{Passif courant}}$$

Un ratio du fonds de roulement supérieur à 1 indique habituellement que l'entreprise disposera de trésorerie suffisante pour faire face à ses dettes courantes, dans l'hypothèse où elle peut liquider ses actifs courants au moment voulu et à un prix au moins égal à leur valeur comptable. Les gestionnaires et les utilisateurs des états financiers peuvent comparer le ratio de l'exercice en cours avec ceux des exercices précédents ou avec ceux d'autres entreprises du même secteur d'activité. Une norme générale fixe à 2 la valeur du fonds de roulement des entreprises dont la santé financière est bonne.

La gestion du passif courant ne peut se faire sans la préparation de budgets de trésorerie (ou budgets de caisse). Par exemple, toute entreprise devrait dresser des budgets de trésorerie mensuels, au moins 12 mois à l'avance, montrant les prévisions d'encaissements et de décaissements. Si une entreprise réalise qu'elle manquera de trésorerie à un certain moment au cours des prochains mois, elle pourra dès lors entreprendre les démarches qui lui permettront de combler ce déficit de trésorerie.

Enfin, le tableau des flux de trésorerie fournit des renseignements importants aux investisseurs et aux gestionnaires, leur permettant notamment de vérifier si les flux de trésorerie générés par les activités d'exploitation suffisent à financer les opérations courantes. Dans le cas contraire, les gestionnaires devront prévoir des redressements financiers importants pour éviter un endettement trop élevé qui forcerait l'entreprise à fermer ses portes.

Puisque les états financiers constituent un outil dont le but premier est d'aider les investisseurs et les gestionnaires dans leurs prises de décisions, ils doivent faire l'importante distinction entre le passif courant et le passif non courant. Tandis que les décisions de financement à long terme sont prises de façon sporadique, les décisions de financement à court terme sont prises de façon régulière et continue, comme le montre la figure 12.2. En effet, une entreprise rembourse ses dettes à court terme et en assume de nouvelles presque quotidiennement. Pensons notamment aux achats de stocks financés par les fournisseurs. Puisque ces décisions sont très fréquentes, le montant de chacune des dettes à court terme est généralement plus faible que celui des dettes à long terme. De plus, le caractère répétitif des dettes à court terme explique pourquoi elles ne font pas toujours l'objet d'un contrat écrit.

Les paragraphes précédents soulignaient l'importante distinction entre le financement à court terme et celui à long terme. Il est maintenant à propos de préciser ce qui, du point de vue comptable, est comptabilisé à titre de passif.

FIGURE 12.2 Le financement à court terme et le financement à long terme

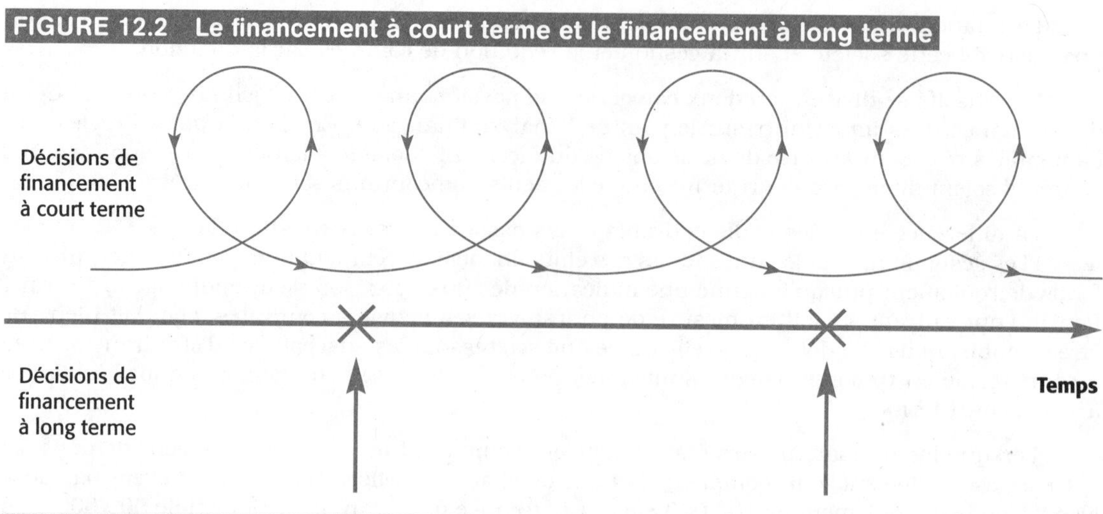

Source : Nicole Lacombe

Qu'est-ce qu'un passif courant ?

Différence NCECF

Avant de définir un passif courant, examinons ce qu'est un passif. Chacun sait bien qu'une dette est un engagement à verser plus tard une certaine somme d'argent. Cette définition, quoique vraie, n'est toutefois pas assez nuancée pour rendre compte de toutes les formes de financement par emprunt que les entreprises peuvent conclure. Le comptable préfère une définition plus nuancée qu'il trouve dans le « Cadre conceptuel de l'information financière[1] » (le Cadre), selon lequel un **passif** possède trois caractéristiques essentielles :

1. Il représente une obligation actuelle qui correspond à un devoir ou à une responsabilité d'agir ou de faire quelque chose d'une certaine façon.
2. L'obligation résulte de transactions ou d'événements passés.
3. L'extinction de l'obligation a comme conséquence qu'une entreprise abandonnera des ressources représentatives d'avantages économiques.

La première caractéristique d'un passif porte sur sa nature même, qui représente une **obligation actuelle** pour une entreprise d'avoir, par exemple, à se départir de certains biens ou de rendre certains services dans l'avenir. L'International Accounting Standards Board (IASB) précise que l'obligation actuelle découle soit d'une **obligation juridique**, soit d'une **obligation implicite** :

Une *obligation juridique* est une obligation qui découle :

(a) d'un contrat (sur la base de ses clauses explicites ou implicites) ;

(b) de dispositions légales ou réglementaires ; ou

(c) de toute autre source juridique.

Une *obligation implicite* est une obligation qui découle des actions d'une entité lorsque :

(a) elle a indiqué aux tiers, par ses pratiques passées, par sa politique affichée ou par une déclaration récente suffisamment explicite, qu'elle assumera certaines responsabilités ; et

(b) en conséquence, l'entité a créé chez ces tiers une attente fondée qu'elle assumera ces responsabilités[2].

Par exemple, il est clair qu'une entreprise qui signe un contrat d'emprunt et encaisse les sommes empruntées assume une obligation juridique. Il arrive aussi qu'une entreprise assume une obligation même si elle n'a signé aucun contrat. Il en est ainsi d'une entreprise dont les

1. CPA Canada, *Manuel de CPA Canada – Comptabilité – Partie I*, Cadre conceptuel de l'information financière, paragr. 4.15 à 4.19. (*Voir la page iv des liminaires pour plus de détails à l'égard des normes publiées mais non encore entrées en vigueur.*)
2. *Manuel de CPA Canada – Comptabilité – Partie I*, **IAS 37**, paragr. 10.

membres du personnel[3] et la direction ne signent aucun contrat de travail mais dont les usages confirment que l'entreprise accorde annuellement aux membres du personnel un minimum de 10 journées de congé rémunérées. Chaque année, cette entreprise assume une obligation de payer les salaires aux membres du personnel absents pour cause de maladie. Par ailleurs, lorsque l'entreprise a une obligation implicite envers des tiers, cela constitue véritablement un engagement car, pour préserver sa réputation et ses relations d'affaires, elle devra effectivement consentir des sacrifices futurs reliés à cet engagement. Par exemple, le comptable devra traiter un engagement ferme, communiqué aux parties intéressées, de parrainer un événement sportif comme un passif même si aucune convention écrite ne régit la politique de l'entreprise.

Une obligation actuelle ne se restreint pas à un décaissement futur sous forme de trésorerie. Ainsi, supposons qu'un cabinet de comptables acquiert un mobilier de bureau et s'engage en contrepartie à procéder à la planification fiscale du détaillant de meubles. Si le cabinet a pris cet engagement, il assume dès lors un passif, peu importe que l'entente soit consignée dans un contrat écrit. Tel est le cas, par exemple, si les représentants autorisés du cabinet et du détaillant de meubles se sont entendus sur la nature de ces services et le moment où ceux-ci devront être rendus. Voici quelques-unes des formes qu'une telle entente peut prendre :

- Le cabinet rendra les services professionnels au cours des six prochains mois.
- Le cabinet rendra les services professionnels avant la fin de l'exercice financier terminé le 31 décembre 20X1.
- Le cabinet rendra les services professionnels au moment où le détaillant de meubles en fera la demande.
- Le cabinet rendra les services professionnels lorsque la charge annuelle estimative d'impôts du détaillant dépassera 100 000 $.

Ce n'est pas tant le moment de l'échéance qui importe, mais plutôt le fait qu'une entente ait été conclue au sujet de l'échéance. L'entente peut être imposée par une loi, soit une obligation juridique légale, ou elle peut découler d'une décision de la direction de l'entreprise, soit une obligation implicite. Prendre un engagement suppose ensuite obligatoirement la présence d'un **bénéficiaire**. Ce dernier peut être un individu, une entreprise, ou un groupe d'individus ou d'entreprises. Il n'est pas nécessaire que le bénéficiaire soit conscient du montant exact de l'engagement pris par l'entreprise ni que l'identité exacte de ce bénéficiaire soit connue. Par exemple, même si les membres du personnel d'une entreprise ne connaissent pas exactement le montant des prestations de retraite qu'ils encaisseront, l'entreprise assume une obligation. De même, si une entreprise offre une garantie de base[4] de un an sur les marchandises qu'elle vend à ses clients, elle assume une obligation bien qu'elle ne sache pas exactement quels clients réclameront un dédommagement pour un bien défectueux. À l'inverse, si la direction adopte une politique d'achat auprès de fournisseurs locaux, elle ne conclut aucune entente avec un tiers. C'est pourquoi l'adoption d'une telle politique ne crée pas un passif.

La deuxième caractéristique d'un passif stipule que l'obligation découle de transactions ou d'événements passés, ce que l'on appelle le **fait générateur d'obligation**. Il peut s'agir notamment de l'acquisition de marchandises ou d'immobilisations ou d'une perte déjà subie par une entreprise. Cette deuxième caractéristique d'un passif se comprend aisément lorsque l'on considère que les états financiers doivent rendre compte uniquement des faits et des opérations passés et, plus précisément, que l'état de la situation financière doit renseigner les utilisateurs sur la situation réelle prévalant à une date précise et non sur la situation financière future potentielle. Ainsi, lorsqu'une entreprise prévoit que ses opérations futures se solderont par des pertes d'exploitation, ces dernières ne constituent pas un passif puisque ce sont les opérations des exercices subséquents qui les entraîneront. De même, si une entreprise dispose d'une marge de crédit autorisée

3. Dans le présent chapitre, nous utiliserons l'expression «membres du personnel» au sens donné par l'IASB dans l'**IAS 19**, au paragraphe 7, soit toute personne :
   i. qui travaille pour une entreprise, que ce soit à temps complet, à temps partiel, à titre permanent, occasionnel ou temporaire ; ou
   ii. qui agit à titre d'administrateur ou de dirigeant.
4. Nous expliquerons plus en détail au chapitre 20 ces garanties de base qui nécessitent la comptabilisation d'un passif lors de la vente des biens couverts par une telle garantie.

de 500 000 $, seules les sommes avancées par l'institution financière représentent un passif, la portion non utilisée de la marge de crédit ne créant aucune obligation. En effet, le fait générateur d'obligation est l'avancement des sommes par l'institution financière.

Finalement, la troisième caractéristique d'un passif souligne qu'une entreprise abandonnera des ressources représentatives d'avantages économiques. Pour conclure à la présence d'une obligation[5], il n'est pas nécessaire que l'entreprise connaisse le montant exact qu'elle devra sacrifier pour éteindre l'obligation. En effet, même si le fait ou l'opération à l'origine du passif doit déjà avoir eu lieu, le montant du passif ne doit pas nécessairement être fixé au moment où ce fait ou cette opération survient. Le montant exact du sacrifice futur peut dépendre de faits ou d'opérations futurs. Par exemple, il est très rare que l'on puisse établir le montant exact du total des prestations de retraite qui seront versées à un membre du personnel avant que cet individu ne soit arrivé aux termes de sa retraite. Bien qu'il soit impossible de déterminer le montant exact du total des prestations, celles-ci constituent une forme de rémunération à paiement différé aux membres du personnel qui rendent en ce moment des services à l'entreprise.

Le comptable doit s'en remettre à la définition de passif donnée par l'IASB chaque fois qu'il détermine si une opération engendre un passif au sens donné précédemment. Par exemple, le solde créditeur de la provision pour correction de valeur des comptes clients doit-il être considéré comme un passif ou comme un élément présenté en contrepartie du compte Clients ? La provision pour correction de valeur des comptes clients représente une estimation des pertes de crédits attendues. Nous avons déjà expliqué au chapitre 6 que cette estimation est essentielle pour déterminer la valeur actualisée des flux de trésorerie attendus des comptes clients. La provision pour correction de valeur des comptes clients ne représente donc pas un sacrifice futur, sous forme de cession de biens ou de prestations de services, qu'une entreprise devra consentir à la suite d'une opération conclue avec un tiers. Elle représente plutôt une perte d'avantages futurs qui doit être considérée comme un ajustement de la valeur de l'actif correspondant et non comme un passif. Un raisonnement semblable, mais inverse, s'applique aux soldes débiteurs des comptes fournisseurs. Lorsqu'un compte fournisseur affiche un solde débiteur, cela signifie que l'entreprise a payé d'avance certains achats et qu'elle pourra bénéficier des avantages futurs qui en découlent, ce qui suggère de classer ce compte dans la section de l'actif courant. Les montants payés d'avance par l'entreprise ne peuvent pas être présentés en diminution du passif courant, car ils ne respectent pas les trois critères d'un passif, notamment que l'extinction entraînera une sortie de ressources représentatives d'avantages économiques.

Ayant défini la notion de passif du point de vue comptable, nous pouvons passer à l'étape suivante, qui consiste à établir ce qui distingue les passifs courants des passifs non courants. De façon générale, on peut définir les **passifs courants** comme des passifs qui seront réglés à même les actifs courants. Pour mieux comprendre cette règle, rappelons que les actifs courants sont les actifs qui sont normalement réalisables dans l'année qui suit la date de clôture de l'exercice financier ou qui seront vendus ou consommés au cours du cycle normal d'exploitation s'il excède un an[6]. L'IASB donne une définition plus précise des passifs courants :

> L'entité doit classer un passif en tant que passif courant lorsque :
>
> (a) elle s'attend à régler le passif au cours de son cycle d'exploitation normal ;
>
> (b) elle détient le passif principalement à des fins de transaction ;
>
> (c) le passif doit être réglé dans les douze mois qui suivent la date de clôture ; ou
>
> (d) l'entité ne dispose pas d'un droit inconditionnel de différer le règlement du passif pour au moins douze mois après la date de clôture (voir paragraphe 73). Les termes d'un passif qui pourraient, au gré de la contrepartie, résulter en son règlement par l'émission d'instruments de capitaux propres n'affectent pas son classement.
>
> L'entité doit classer tous les autres passifs en passifs non courants[7].

En règle générale, les passifs courants sont ceux qui seront réglés en moins de un an. Mais ce n'est pas toujours ainsi. Par exemple, une entreprise qui construit des biens dans le secteur de l'aéronautique pourrait avoir un cycle d'exploitation de 18 mois à partir de la commande jusqu'à la livraison du bien au client et à l'encaissement du prix de vente convenu. Cette entreprise pourrait donc inclure dans son passif courant les dettes d'exploitation qu'elle paiera dans un délai de 18 mois.

---

5. Nous traiterons plus loin des critères de comptabilisation des passifs.
6. *Manuel de CPA Canada – Comptabilité – Partie I*, **IAS 1**, paragr. 70.
7. *Manuel de CPA Canada – Comptabilité – Partie I*, IAS 1, paragr. 69.

Nous avons déjà fait la distinction entre les passifs courants et les passifs non courants au chapitre 2. Notons que, dans certaines situations, par exemple pour les entreprises de certains secteurs d'activité comme les institutions financières, il peut être superflu de faire la distinction entre les éléments courants et non courants. D'autres entreprises, estimant qu'une présentation par ordre de liquidité apporte des informations plus fiables et plus pertinentes, sont autorisées à ne pas distinguer les éléments courants et non courants dans leur état de la situation financière. Dans ce cas, pour chaque poste d'actif et de passif regroupant des montants qu'elles s'attendent à recouvrer ou à régler, elles doivent tout de même présenter les montants qu'elles s'attendent à régler au plus tard dans les 12 mois suivant la date de clôture[8].

Il arrive aussi qu'une entreprise ait toute latitude de refinancer ou de renouveler une dette échéant à court terme, par exemple parce qu'elle a déjà négocié des **facilités de crédit**[9]. Elle classe alors la dette échéant à court terme dans le passif non courant. À l'inverse, une entreprise qui est en situation de manquement concernant une dette à long terme, par exemple parce qu'elle ne respecte pas une clause contractuelle et que ce manquement permet au créancier d'exiger le remboursement à vue, doit présenter cette dette dans la section du passif courant. Le fait que le créancier ait accepté, après la date de clôture, de ne pas exiger le remboursement ne change en rien la règle précédente puisque, à la date de clôture, l'entreprise ne disposait pas d'un droit inconditionnel de différer le remboursement[10].

Dans le présent chapitre, nous aborderons plusieurs types de passifs, dont les principales caractéristiques sont résumées dans le tableau 12.1.

TABLEAU 12.1 Les caractéristiques distinctives de certaines obligations assumées par une entreprise

Catégorie	Obligation	Montant	Échéance	Exemples
Passifs financiers	Actuelle et souvent juridique	Connu ou facilement estimable	Connue	• Emprunt bancaire • Effets à payer • Fournisseurs
Passifs non financiers autres que les provisions	Actuelle	Facilement estimable	Connue	• Produits différés découlant de l'encaissement des sommes payées par les clients pour des marchandises non livrées ou des services non rendus • Produits différés pour contrats d'entretien ou autres • Sommes à remettre à l'État en vertu des lois
Provisions	Actuelle	Incertain	Incertaine	• Provisions pour garanties de base, contrat déficitaire, restructuration
Passifs éventuels	1. Potentielle	1. Souvent incertain	1. Incertaine	• Poursuite engagée contre l'entreprise ayant comme conséquence une perte improbable ou dont l'issue est indéterminable
	2. Actuelle	2. Estimable (mais non probable) ou non estimable	2. Connue ou imprécise	• Poursuite engagée contre l'entreprise ayant comme conséquence une perte probable

Plusieurs éléments du passif courant, tels les emprunts bancaires à court terme, les comptes fournisseurs ou les salaires à payer, sont des passifs financiers pour lesquels le traitement comptable a été expliqué au chapitre 4. La prochaine section s'ouvrira sur un bref rappel des normes comptables applicables aux passifs financiers et se poursuivra avec une analyse plus précise de certains passifs financiers.

8. *Manuel de CPA Canada – Comptabilité – Partie I*, IAS 1, paragr. 60 et 61.
9. Des facilités de crédit peuvent notamment prendre la forme d'un prêt préautorisé ou d'une marge de crédit.
10. *Manuel de CPA Canada – Comptabilité – Partie I*, IAS 1, paragr. 73 et 74.

Différence NCECF

Avez-vous remarqué ?

Les bailleurs de fonds, qu'ils soient créanciers ou actionnaires, accordent une certaine importance au ratio du fonds de roulement. En l'absence de normes comptables claires, certains dirigeants d'entreprise pourraient vouloir présenter les dettes de l'entreprise dans la section du passif non courant de l'état de la situation financière. C'est pourquoi le comptable doit s'assurer non seulement que tous les passifs sont comptabilisés, mais aussi qu'ils sont présentés au bon endroit dans l'état de la situation financière.

2 Les passifs courants qui constituent des passifs financiers

Comme l'indique le tableau 12.1, les **passifs financiers** représentent des obligations actuelles qu'une entreprise assume, dont le montant est connu ou facilement estimable et dont l'échéance est généralement connue. Le tableau 12.2 présente quant à lui la définition précise d'un passif financier donnée par l'IASB, ainsi que quelques commentaires faisant référence à des exemples de passifs courants.

TABLEAU 12.2 La définition d'un passif financier

Normes internationales d'information financière, IAS 32	**Commentaires**
Paragr. 11	
Est un passif financier *tout passif qui est :*	
(a) *une obligation contractuelle :* (i) *de remettre à une autre entité de la trésorerie ou un autre actif financier, ou*	Les comptes fournisseurs, les salaires à payer, les emprunts bancaires représentent tous des obligations contractuelles de céder de la trésorerie. Dans certains cas, il est concevable qu'une entreprise négocie un remboursement sous forme de cession d'un actif financier. Par exemple, Alpha ltée aurait pu s'entendre avec un de ses créanciers, Gamma ltée, pour rembourser sa dette à court terme en cédant un placement en actions plutôt que de la trésorerie. Un tel engagement est aussi un passif financier.
(ii) *d'échanger des actifs financiers ou des passifs financiers avec une autre entité à des conditions potentiellement défavorables à l'entité ; ou*	Pensons par exemple à la société Alpha ltée, qui s'est engagée à céder un placement en actions d'une juste valeur de 100 000 $ en échange de services d'ingénierie d'une juste valeur de 98 000 $. Quoique rare, une telle situation pourrait se justifier si Alpha ltée estime qu'elle peut ainsi se départir d'un actif pour lequel les coûts de vente estimatifs s'élèveraient au moins à 2 000 $. Ces situations portent souvent sur des dérivés, dont traitera le chapitre 19.
(b) *un contrat qui sera ou qui peut être réglé en instruments de capitaux propres de l'entité elle-même et qui est :* (i) *un instrument non dérivé pour lequel l'entité est ou peut être tenue de livrer un nombre variable de ses instruments de capitaux propres, ou*	Un exemple d'une telle obligation est une dette convertible en actions dont le ratio de conversion est établi en fonction de la juste valeur des actions.
(ii) *un instrument dérivé* [...].	Ces passifs financiers feront l'objet du chapitre 19.

Il ressort de cette définition que les passifs financiers obligent l'entreprise à céder un actif financier ou un nombre déterminé de ses actions propres, contrairement aux passifs non financiers dont nous traiterons plus loin dans le présent chapitre.

Un rappel des normes comptables applicables aux passifs financiers

Différence NCECF

Lorsqu'une entreprise assume un passif financier, elle le comptabilise dès qu'elle devient partie prenante aux dispositions contractuelles du passif, par exemple, dès qu'elle achète à crédit des marchandises d'un fournisseur. À cette date, l'entreprise évalue ses passifs financiers à leur juste valeur, qui correspond au prix qui serait payé pour transférer le passif lors d'une transaction normale entre des intervenants du marché à la date d'évaluation. L'évaluation subséquente repose habituellement

sur le coût amorti. Cette règle souffre cependant d'exceptions, dont l'une a trait aux passifs financiers classés À la juste valeur par le biais du résultat net[11]. En ce qui concerne ces derniers, une entreprise peut choisir lors de la comptabilisation initiale un tel classement, de façon irrévocable, si cela réduit ou élimine une non-concordance comptable ou si la gestion des passifs financiers repose sur les justes valeurs. Par exemple, un engagement de **vendre à découvert** un actif, c'est-à-dire de vendre à un prix déterminé un actif que l'entreprise ne possède pas encore, constitue un passif financier. Lorsqu'une entreprise s'engage à vendre un actif qu'elle ne possède pas, c'est généralement dans le but de tirer parti des variations futures de la juste valeur de cet actif, plus précisément des baisses de valeur qu'elle prévoit. Pour assurer la cohérence entre l'objectif visé par la vente à découvert et l'évaluation comptable de l'opération, il est souhaitable que cette entreprise classe son engagement à titre de passif À la juste valeur par le biais du résultat net.

Lorsqu'une entreprise assume des passifs financiers qu'elle a classés À la juste valeur par le biais du résultat net, elle les comptabilise à la juste valeur entre leur comptabilisation initiale et leur décomptabilisation. En contrepartie, elle comptabilise les variations de la juste valeur dans son résultat net, et ce, dès que les variations de valeur surviennent. Cependant, comme nous l'expliquerons plus en détail au chapitre 13, on comptabilise dans les autres éléments du résultat global les variations de la juste valeur liées à la détérioration de la qualité de crédit de l'entreprise. Bien qu'une entreprise puisse, en principe, classer des passifs À la juste valeur par le biais du résultat net, un tel classement sera peu fréquent en pratique, car les passifs échéant à court terme découlent habituellement des activités d'exploitation d'une entreprise plutôt que de ses activités d'investissement. Dans les pages qui suivent, nous ne traiterons pas des passifs classés À la juste valeur par le biais du résultat net. Ils seront plutôt traités au chapitre 19, dans la section étudiant les instruments financiers dérivés.

Revenons maintenant aux cas les plus répandus, soit les passifs courants classés Au coût amorti. L'entreprise doit comptabiliser la charge d'intérêts en utilisant la **méthode du taux d'intérêt effectif**, selon laquelle elle détermine la charge d'un exercice en appliquant le taux d'intérêt effectif à la valeur comptable du passif au début de l'exercice. Cela signifie que l'entreprise retarde la comptabilisation des profits ou des pertes jusqu'au moment de la décomptabilisation, où elle comptabilise dans son résultat net l'écart entre le montant du règlement et la valeur comptable. Enfin, pour tous ses passifs financiers, l'entreprise doit présenter des renseignements additionnels, dont traitait le chapitre 4.

La plupart des passifs financiers ne posent pas de problèmes particuliers en ce qui concerne le **moment** de leur comptabilisation et le **montant** des obligations en cause. Il est relativement facile de repérer le fait ou l'opération ayant entraîné chacune de ces dettes et de déterminer la valeur des sacrifices futurs que l'entreprise devra consentir pour honorer son engagement. Ces dettes comprennent notamment les montants à payer aux fournisseurs ainsi que ceux à payer pour les assurances, les comptes de téléphone et d'électricité, les salaires à payer, etc. Le comptable doit plutôt se concentrer sur le repérage exhaustif de ces dettes à la date où il dresse des états financiers. Examinons plus en détail les dettes incluses dans cette catégorie. L'ordre de présentation adopté ici correspond à celui que l'on trouve généralement dans les états financiers, soit par ordre d'exigibilité décroissante.

Différence NCECF

Les découverts de banque et les autres emprunts

Le chapitre 5 traitait en détail des questions comptables entourant la trésorerie. Nous y faisions mention que, lorsque le solde du compte Caisse devient créditeur dans les livres de l'entreprise, le comptable doit présenter ce compte dans la section du passif courant. Il s'agit bien d'un passif au sens donné aux paragraphes 4.15 à 4.19 du Cadre (*voir la page 12.8*) car, pour combler un besoin temporaire de trésorerie, l'entreprise emprunte ce montant à son institution financière et s'engage à remettre à une date ultérieure le montant correspondant à ces facilités de trésorerie bancaire. De telles opérations sont assez fréquentes. En effet, la plupart des entreprises ont des ententes avec leur institution financière leur accordant une **marge de crédit** ou autorisant un **découvert bancaire** afin de combler momentanément leurs besoins de trésorerie à court terme. Ces ententes, aussi appelées **lignes de crédit**, découlent généralement d'un contrat avec un créancier selon lequel l'emprunteur peut contracter plusieurs emprunts jusqu'à concurrence d'un montant maximal, rembourser certaines tranches de l'emprunt et réemprunter dans le cadre du même contrat.

L'état de la situation financière ne montre pas le montant maximal que l'entreprise peut emprunter mais uniquement les **montants effectivement utilisés** de la marge de crédit, car ce sont

11. *Manuel de CPA Canada – Comptabilité – Partie I*, **IFRS 9**, paragr. 4.2.2.

les seuls engagements qui découlent d'un événement ou d'un fait passé. Une entreprise peut donner par voie de notes de l'information complémentaire, notamment en indiquant les montants des facilités de crédit qui pourraient être disponibles pour combler les besoins futurs de trésorerie[12].

Parfois, une entreprise négocie des modifications à ses emprunts bancaires existants. La question qui se pose alors est de déterminer si les modifications constituent en substance la fin du contrat précédent. Comme nous l'expliquerons au chapitre 13, une modification comporte des termes substantiellement différents si la valeur actualisée des flux de trésorerie selon la nouvelle entente diffère d'au moins 10 % de la valeur actualisée des flux de trésorerie selon l'entente initiale.

Les effets à payer

Le poste **Effets à payer** présenté dans la section du passif courant inclut les billets et les traites à payer. Un **effet de commerce** est un titre négociable qui peut prendre la forme d'une traite ou d'un billet et qui découle d'une opération entre commerçants. Au chapitre 6, nous avons étudié en profondeur les billets et les traites à recevoir.

EXEMPLE

Comptabilisation initiale et subséquente d'un billet à payer

Reprenons rapidement l'exemple donné à la page 6.24, en supposant que nous désirions dresser les états financiers d'Étienne Beaulieu.

Montréal, le 15 février 20X0

Je *Étienne Beaulieu* promets de payer la somme de *mille* dollars *(1 000 $)*
à FX ltée
le *15 mai 20X0* ainsi que les intérêts courus à cette date calculés au taux annuel de *12 %*.

Étienne Beaulieu

Comme pour tous les instruments financiers, l'entreprise doit initialement comptabiliser la juste valeur du billet à payer. Par la suite, elle comptabilisera périodiquement les charges d'intérêts en appliquant la méthode du taux d'intérêt effectif.

15 février 20X0 (date de la signature)		
Caisse	*1 000*	
Billets à payer		*1 000*
Signature d'un billet à payer portant intérêt au taux annuel de 12 %.		
15 mai 20X0 (date du remboursement du principal et des intérêts)		
Billets à payer	*1 000*	
Intérêts sur passifs financiers ①	*29*	
Caisse		*1 029*
Remboursement à l'échéance d'un billet à payer.		

Calcul :
① (1 000 $ × 12 % × 89 jours ÷ 365 jours)

À des fins de concision, nous ne précisons pas le classement des passifs financiers, ici Au coût amorti, dans les intitulés des comptes de passifs financiers, car contrairement aux actifs financiers, la pratique la plus répandue concernant les passifs financiers à court terme est de les évaluer au coût amorti.

12. Manuel *de CPA Canada – Comptabilité – Partie I*, **IAS 7**, paragr. 50(a).

Un billet à payer peut être émis au pair, à prime ou à escompte selon que le taux dont il est fait mention sur le billet, appelé **taux contractuel**, est respectivement égal, supérieur ou inférieur au **taux d'intérêt effectif**, c'est-à-dire au taux qui actualise exactement les sorties et les rentrées de trésorerie futures estimatives sur la durée de vie prévue du billet à payer. Le taux d'intérêt effectif équivaut généralement au taux du marché du billet à sa date d'émission, lequel tient compte de la qualité du crédit de l'émetteur. Comme nous l'avons expliqué au chapitre 6 en contexte de billet à recevoir, la valeur contractuelle et la juste valeur diffèrent parfois. L'émission d'un billet se fait **au pair** (ou à la valeur nominale) lorsque le taux contractuel correspond au taux d'intérêt effectif. Elle se fait à **prime** lorsque le taux contractuel, par exemple 14 %, est supérieur au taux d'intérêt effectif, par exemple 13 %. Puisque les intérêts payés au cours de la durée du billet sont plus élevés que ceux calculés avec le taux d'intérêt effectif, la juste valeur du billet est alors supérieure à sa valeur nominale. Finalement, l'émission du billet se fait à **escompte** lorsque le taux contractuel est inférieur au taux d'intérêt effectif. Dans ce cas, le souscripteur paie un montant d'intérêt plus faible que celui qu'exige le créancier ; la valeur véritable du billet est alors en deçà de sa valeur nominale.

EXEMPLE

Détermination du montant d'un billet à payer à l'émission

Le 1er janvier 20X1, à la suite d'un achat de marchandises, la société Bidon ltée signe un billet à payer d'un montant de 1 000 $ ne portant aucune mention d'intérêt. Le taux d'intérêt effectif du billet est de 12 % et correspond au taux du marché au 1er janvier 20X1. Supposons aussi que le principal soit remboursable le 31 décembre 20X1. La valeur actualisée du billet doit être calculée de la façon suivante :

Les paiements d'intérêts futurs sont évalués en tenant compte du taux contractuel.

Le taux d'actualisation correspond au taux d'intérêt effectif.

Valeur actualisée du billet (N = 1, I = 12 %, PMT = 0 $, FV = 1 000 $, CPT PV ?) — *893 $*

Le taux d'actualisation (12 %) excède le taux contractuel (0 %). La valeur initiale du billet est alors inférieure au montant indiqué dans l'entente (1 000 $).

Ce billet est émis à escompte, car le taux contractuel (0 %) est inférieur au taux effectif (12 %). Puisque l'emprunteur doit initialement comptabiliser le billet à sa juste valeur, le comptable de Bidon ltée ne peut attribuer à celui-ci une valeur supérieure à 893 $. Le comptable enregistre donc l'écriture suivante :

Stock de marchandises[13]	*893*	
Billets à payer		*893*
Achat à crédit de marchandises en échange d'un billet ne portant aucune mention d'intérêt.		

Au moment du remboursement du billet, Bidon ltée comptabilise la charge d'intérêts de la façon suivante :

Billets à payer	*893*	
Intérêts sur passifs financiers (893 $ × 12 %)	*107*	
Caisse		*1 000*
Remboursement d'un billet à l'échéance.		

En pratique, le comptable comptabilise la charge d'intérêts en résultat net à mesure que le temps s'écoule et non à un seul moment comme nous l'avons fait dans l'écriture précédente. Lorsque la fin d'un exercice survient entre la date d'émission et la date du remboursement du billet, le comptable régularise le coût amorti des billets à payer selon la méthode du taux d'intérêt effectif. Cette méthode a été expliquée aux pages 4.22 et 4.23.

13. Si Bidon ltée utilisait un système d'inventaire périodique, le comptable débiterait plutôt le compte Achats.

Notons finalement que les effets à payer remboursables sous forme de biens ou de services ne sont pas des passifs financiers. Ces effets sont initialement comptabilisés à la juste valeur des biens ou des services reçus.

Les fournisseurs

Nous pouvons considérer le compte **Fournisseurs** comme l'équivalent au passif du compte Clients à l'actif[14]. Lorsque, par exemple, une entreprise achète pour 100 $ de marchandises à crédit, le comptable enregistrera l'écriture suivante :

Stock de marchandises (ou Achats[15])	*100*	
Fournisseurs		*100*
Achat de marchandises à crédit.		

Notons que l'évaluation des comptes fournisseurs est relativement plus facile que celle des comptes clients, car le comptable peut se référer aux factures préparées par les fournisseurs pour obtenir une preuve de la juste valeur de ces comptes. En fait, ce sont les estimations relatives au montant des escomptes de caisse dont l'entreprise profitera qui font le plus appel au jugement professionnel.

Bien que le montant à payer soit généralement facile à déterminer, certaines situations peuvent compliquer l'estimation du coût d'acquisition des marchandises destinées à la vente et du passif à comptabiliser au compte Fournisseurs. Il arrive que certains fournisseurs consentent des **réductions conditionnelles**, c'est-à-dire qu'ils accordent une diminution du coût d'acquisition si l'acheteur respecte certaines conditions. À titre d'exemples, mentionnons l'atteinte d'un volume prédéterminé d'achats ou le fait de s'approvisionner auprès du fournisseur pendant une période définie. Pour établir le mode de comptabilisation des comptes fournisseurs en tenant compte de ces remboursements possibles, l'entreprise applique les règles présentées dans l'IFRS 9.

Le comptable doit également prêter une attention particulière à l'identification de tous les comptes fournisseurs. Lorsqu'il envisage de dresser des états financiers, il doit être très attentif dans son travail de démarcation des achats de marchandises[16].

Chaque entreprise établit un **système des achats de marchandises à crédit** lui permettant d'atteindre ses objectifs de contrôle. La comptabilisation des comptes fournisseurs fait partie intégrante d'un tel système, comme l'illustre la figure 12.3.

Le contrôle interne relatif aux éléments de passif, et plus particulièrement aux comptes fournisseurs, est intimement lié à la gestion des stocks et des approvisionnements, ainsi qu'à la gestion de la trésorerie[17]. Le contrôle interne des achats à crédit devrait notamment permettre de s'assurer, dans la mesure du possible :

- que les marchandises ou les services reçus ont effectivement été commandés par les personnes autorisées ;
- que les marchandises ou les services reçus sont effectivement enregistrés dans les livres comptables ;
- que les marchandises ou les services facturés ont effectivement été reçus par l'entreprise.

Les principales mesures à prendre pour atteindre ces objectifs sont :

- de vérifier le bon de commande, le bon de livraison et la facture du fournisseur avant de faire le paiement ;
- de grouper le bon de commande, le bon de livraison, la facture du fournisseur et le chèque retourné de la banque ;
- de prénuméroter les chèques ;

14. Le lecteur pourrait juger utile de relire la section du chapitre 6 traitant des comptes clients.
15. Si l'entreprise utilisait un système d'inventaire périodique, le débit serait plutôt porté au compte Achats.
16. Nous avons traité de ce sujet au chapitre 7.
17. Nous avons traité respectivement de ces sujets aux chapitres 7 et 5.

FIGURE 12.3 Le système des achats de marchandises à crédit (inventaire permanent)

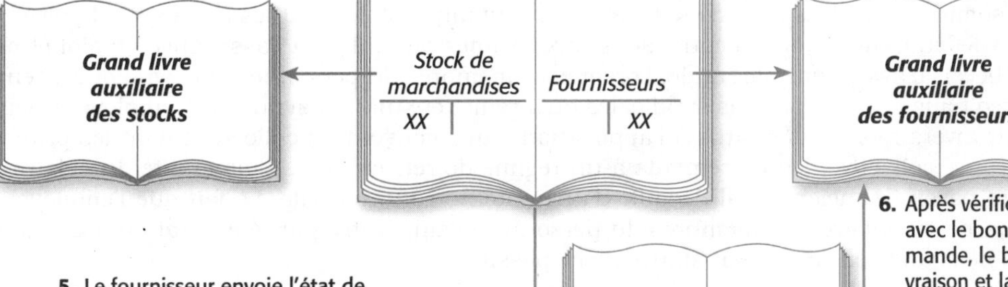
1. Le Service des achats envoie un bon de commande à un fournisseur.
2. Le Service de réception reçoit la marchandise ainsi que le bon de livraison.
Bon de livraison
3. Le fournisseur envoie la facture.
Facture du fournisseur
4. L'opération d'achat est enregistrée dans les livres comptables.
Journal des achats
Grand livre auxiliaire des stocks
Stock de marchandises
XX
Fournisseurs
XX
Grand livre auxiliaire des fournisseurs
6. Après vérification avec le bon de commande, le bon de livraison et la facture d'achat, l'entreprise prépare un chèque en règlement des sommes dues au fournisseur (signé par les personnes autorisées).
5. Le fournisseur envoie l'état de compte. L'entreprise acheteuse concilie l'information avec le grand livre auxiliaire des fournisseurs.
Journal des décaissements
7. Les reports mensuels sont effectués et les états financiers sont dressés.
Grand livre général
Résultat, net ou global
Situation financière
Flux de trésorerie
Variations des capitaux propres

- d'affecter deux personnes à la signature des chèques ;
- d'utiliser un grand livre auxiliaire des comptes fournisseurs, dont le solde est rapproché périodiquement du solde du compte Fournisseurs dans le grand livre général ;
- d'affecter des personnes différentes à la réception des marchandises et à la comptabilisation des achats, de même qu'au paiement des comptes fournisseurs et à la comptabilisation de ces paiements.

Avez-vous remarqué ?

Les comptes fournisseurs sont, pour plusieurs entreprises, les passifs courants qui génèrent le plus grand nombre d'écritures de journal pendant l'exercice. C'est pourquoi il importe que l'entreprise mette sur pied un bon système de contrôle même si leur montant en fin d'exercice n'est pas nécessairement le montant le plus important des passifs courants.

Les autres créditeurs

Dans le contexte de ses activités courantes, l'entreprise contracte plusieurs **charges à payer**. Ces charges résultent toutes d'engagements contractés antérieurement et sont légalement exigibles. Citons, à titre d'exemples, les factures d'électricité, de téléphone et autres que l'entreprise a déjà reçues ainsi que les salaires devant être payés aux membres du personnel pour les services rendus jusqu'à ce jour. Bien qu'en règle générale, le comptable groupe tous ces éléments sous le poste Autres créditeurs dans l'état de la situation financière, il les comptabilise dans des comptes distincts au grand livre. Nous aborderons ci-après les salaires réguliers, les assurances et autres services, et les dividendes à payer, même si la contrepartie, les dividendes, n'est habituellement pas une charge mais une diminution des résultats non distribués.

Les salaires réguliers

Notre but, ici, n'est pas d'expliquer en détail la comptabilisation et les politiques de gestion relatives à la charge de salaires. Ce sujet est abondamment traité dans les ouvrages d'introduction à la comptabilité. Il s'agit plutôt de rappeler les principaux éléments qui sous-tendent la comptabilisation des salaires à payer. Mentionnons d'entrée de jeu que les salaires à payer sont comptabilisés à mesure que les membres du personnel rendent des services à l'entreprise.

En effet, en contrepartie des services que les membres du personnel rendent à l'employeur, celui-ci leur paie un salaire. L'employeur ne leur verse pas le montant total de ce salaire, car il agit comme agent de perception au nom de divers organismes. Il retient de la paie des membres du personnel des sommes, appelées **retenues salariales**, couvrant notamment les impôts sur le revenu provincial et fédéral, ainsi que les cotisations aux régimes de rentes, à l'assurance-emploi et au Régime québécois d'assurance parentale. Lorsque les membres du personnel sont syndiqués, l'employeur perçoit aussi les cotisations syndicales qu'il remet ensuite au syndicat. L'employeur peut aussi retenir divers montants relatifs à l'application d'une convention collective, dont les primes d'une assurance collective, les versements à un régime de retraite, etc. L'intégralité du salaire à payer est un passif financier, car il découle d'une entente contractuelle. Le fait que l'employeur verse une partie du salaire aux membres du personnel et une autre partie à l'État ou à d'autres organismes ne change en rien la substance de ce passif.

En plus d'agir à titre d'agent de perception, l'employeur paie des sommes pour le bénéfice des membres du personnel. Les sommes ainsi versées, souvent appelées **cotisations patronales**, représentent une charge additionnelle comptabilisée dans le compte Charges sociales ou Avantages du personnel. Le comptable utilise le compte Charges sociales pour comptabiliser les cotisations que verse l'employeur au Régime de rentes du Québec (RRQ), à l'assurance-emploi, au Régime québécois d'assurance parentale (RQAP), au Fonds des services de santé (FSS), à la Commission de la santé et de la sécurité du travail (CSST) et à la Commission des normes du travail (CNT). Ces charges sont comptabilisées à mesure que l'entreprise bénéficie des services rendus par les membres du personnel. L'entreprise comptabilise en contrepartie un passif. Comme nous le verrons plus loin, ce traitement comptable est conforme à la norme **IFRIC 21**, intitulée « Droits ou taxes ».

Les cotisations requises du membre du personnel et de l'employeur par les différents régimes gouvernementaux changent périodiquement, et certaines varient selon le salaire imposable. Puisque l'objectif du présent chapitre n'est pas de procéder au calcul exact de la paie, nous utiliserons les taux hypothétiques suivants dans les prochaines pages, tout comme dans la composante *Comptabilité intermédiaire – Questions, exercices, problèmes, cas* qui accompagne le présent manuel :

Régimes	*Part du membre du personnel*	*Part de l'employeur*
Régime de rentes du Québec	*5,325 %*	*5,325 %*
Assurance-emploi	*1,880 %*	*1,4 fois la part du membre du personnel*
Régime québécois d'assurance parentale	*0,550 %*	*0,770 %*
Fonds des services de santé		*2,700 %*

EXEMPLE

Comptabilisation des charges liées aux salaires

La société Melon ltée clôture son exercice financier le 31 mars et a fixé sa période de paie à 14 jours. La société a payé les salaires le 24 mars 20X9. Entre le 25 et le 31 mars 20X9, les salaires bruts s'élèvent à 80 000 $. Pour comptabiliser les éléments de passif rattachés aux salaires, nous devons savoir comment ils ont été ventilés entre les services, et nous devons connaître le montant des retenues d'impôts sur le revenu provincial et fédéral ainsi que celui des cotisations syndicales prélevées par Melon ltée, comme indiqué ci-après à la page suivante.

	Main-d'œuvre directe	*Main-d'œuvre indirecte*	*Vente*	*Administration*
Salaires bruts	*46 000 $*	*10 000 $*	*16 000 $*	*8 000 $*
Impôt fédéral	*7 300*	*1 600*	*2 500*	*1 300*
Impôt provincial	*8 200*	*1 800*	*2 900*	*1.500*
Cotisations syndicales	*460*	*100*	*160*	*40*

À partir de ces données, nous pouvons calculer le montant du salaire à payer aux membres du personnel ainsi que le montant des cotisations à verser aux différents régimes. Voici les calculs requis :

	Main-d'œuvre directe	Main-d'œuvre indirecte	Vente	Administration	Total
Salaires bruts	46 000 $	10 000 $	16 000 $	8 000 $	80 000 $
Retenues à la source					
Impôt fédéral	7 300	1 600	2 500	1 300	12 700
Impôt provincial	8 200	1 800	2 900	1 500	14 400
Régime de rentes du Québec (5,325 %)	2 450	533	852	426	4 261
Régime de l'assurance-emploi (1,88 %)	865	188	301	150	1 504
Régime québécois d'assurance parentale (0,55 %)	253	55	88	44	440
Cotisations syndicales	460	100	160	40	760
Total des retenues à la source	19 528	4 276	6 801	3 460	34 065
Salaire net à payer	26 472 $	5 724 $	9 199 $	4 540 $	45 935 $
Cotisations de l'employeur (charges sociales)					
Régime de rentes du Québec (5,325 %)	2 450 $	533 $	852 $	426 $	4 261 $
Régime de l'assurance-emploi (1,4 fois la cotisation des membres du personnel)	1 211	263	421	211	2 106
Régime québécois d'assurance parentale (0,77 %)	354	77	123	62	616
Fonds des services de santé (2,7 %)	1 242	270	432	216	2 160
Total de la cotisation de l'employeur	5 257 $	1 143 $	1 828 $	915 $	9 143 $

Ces calculs nous permettent de déterminer les montants à comptabiliser au 31 mars 20X9.

Le lecteur remarquera que, dans l'écriture suivante, le montant à payer, que ce soit à l'égard du RRQ, du RQAP ou de l'assurance-emploi, groupe à la fois la cotisation du membre du personnel, c'est-à-dire le montant retenu à la source, et la cotisation de l'employeur [18]. Cependant, lorsqu'il s'agit de comptabiliser les charges, seules les cotisations de l'employeur sont incluses dans le compte Charges sociales. En effet, les cotisations des membres du personnel ne sont pas une charge additionnelle pour l'employeur, elles ne représentent qu'une retenue salariale.

18. Ces montants devront être payés le 15 du mois suivant, c'est-à-dire le 15 avril s'il s'agit d'une petite entreprise, les grandes entreprises effectuant des versements bimensuels ou hebdomadaires.

Salaires – Main-d'œuvre directe	*46 000*	
Charges sociales – Main-d'œuvre directe	*5 257*	
Salaires – Main-d'œuvre indirecte	*10 000*	
Charges sociales – Main-d'œuvre indirecte	*1 143*	
Salaires – Ventes	*16 000*	
Charges sociales – Ventes	*1 828*	
Salaires – Administration	*8 000*	
Charges sociales – Administration	*915*	
Salaires nets à payer		*45 935*
Impôt fédéral à payer		*12 700*
Impôt provincial à payer		*14 400*
Cotisations syndicales à payer		*760*
Régime de rentes du Québec à payer ①		*8 522*
Régime de l'assurance-emploi à payer ②		*3 610*
Régime québécois d'assurance parentale à payer ③		*1 056*
Fonds des services de santé à payer		*2 160*

Salaires et charges sociales courus entre le 25 et le 31 mars.

Calculs :

① Cotisation des membres du personnel	4 261 $
Cotisation de l'employeur	4 261
Total	8 522 $
② Cotisation des membres du personnel	1 504 $
Cotisation de l'employeur	2 106
Total	3 610 $
③ Cotisation des membres du personnel	440 $
Cotisation de l'employeur	616
Total	1 056 $

Les employeurs doivent aussi contribuer au programme de la CSST. Les entreprises doivent fournir à la CSST une estimation aussi juste que possible des salaires prévus pour l'année suivante. En examinant la nature des activités, le nombre d'accidents et leurs coûts, la CSST établit le taux de cotisation de l'entreprise. Dans le présent ouvrage, nous tenons pour acquis que la charge n'est pas comptabilisée à chaque période de paie, mais plutôt au moment de la réception de l'avis de cotisation. Ce coût peut faire l'objet d'une répartition mensuelle en résultat net.

Finalement, les employeurs sont tenus de respecter les règles établies par la CNT. La CNT a notamment pour mandat de fixer la durée de la semaine normale de travail et les jours fériés, de contrôler le paiement des congés annuels, d'établir des règlements portant sur les périodes de préavis lors des cessations d'emploi, etc. Les employeurs peuvent être tenus de verser à la CNT une somme légèrement inférieure à 1 % des salaires payés à leurs membres du personnel. Les montants versés à la CNT doivent être comptabilisés selon les principes de la comptabilité d'engagement.

Tous les membres du personnel ont droit à des vacances annuelles dont la durée est généralement fonction du nombre d'années de service au sein de l'entreprise[19]. Certains employeurs offrent aussi d'autres congés, dont les congés de maladie. Le chapitre 17 traitera de la comptabilisation de ces avantages offerts aux membres du personnel.

Les divers services reçus de tiers

Les assurances, les services d'électricité, les services de communication, les honoraires professionnels du comptable ou de l'avocat externe entraînent des charges que les entreprises assument de façon continue ou ponctuelle. Selon les règles de la comptabilité d'engagement, on doit comptabiliser la charge et le passif au moment où l'entreprise bénéficie des services, sans égard au moment où le fournisseur de services facture l'entreprise ou au moment où celle-ci paie son compte.

19. La Loi sur les normes du travail fixe une durée minimale des vacances annuelles.

EXEMPLE

Comptabilisation de services à payer

La société Legrand ltée clôture son exercice financier le 28 février. En février, elle a eu recours aux services d'un comptable externe afin de proposer des améliorations à apporter à ses contrôles internes. Le comptable n'a pas encore facturé Legrand ltée. Au moment de dresser ses états financiers de l'exercice, Legrand ltée doit demander à son comptable une estimation des honoraires couvrant les services reçus en février. Voici les écritures de journal que l'entreprise devra enregistrer, sachant que ces honoraires sont estimés à 10 000 $:

Charges administratives	*10 000*	
Honoraires professionnels à payer		*10 000*
Honoraires du comptable externe chargé d'améliorer les contrôles internes de la société.		

Avez-vous remarqué ?

L'exemple précédent permet de faire ressortir que la comptabilisation des autres créditeurs ne pose pas de réel défi, la tâche délicate étant plutôt d'inventorier tous les comptes non payés, même si les fournisseurs n'ont pas encore procédé à la facturation de leurs services.

Dans le cours normal des affaires, les entreprises engagent d'autres charges dont le montant est conditionnel aux résultats. Citons, à titre d'exemples, les loyers ou les redevances dont le montant est fonction du chiffre d'affaires. La comptabilisation de ces charges et des passifs qui en découlent ne pose aucun problème particulier aux fins de la préparation des états financiers annuels, car l'on dispose alors du montant de résultat en cause. Il suffit simplement de bien appliquer la formule convenue pour calculer les passifs correspondants.

12

EXEMPLE

Charge d'un montant conditionnel

La société Jean Viens ltée doit payer un loyer annuel de 3 % calculé sur le bénéfice après impôts et loyer. Sachant que le bénéfice avant impôts et loyer s'élève à 500 000 $ et que le taux d'imposition est de 40 %, elle détermine alors le montant du loyer en trouvant la valeur de l'inconnue dans l'équation suivante :

$$L = 0{,}03\ [(500\ 000\ \$ - L) \times (1 - 40\ \%)]$$

Le taux d'imposition étant de 40 %, le bénéfice après impôts correspond à 60 % du bénéfice avant impôts. Pour calculer le bénéfice avant impôts, on doit déduire le loyer du montant de 500 000 $, car les loyers sont des dépenses admissibles aux fins du calcul des impôts. L'équation précédente peut ensuite être résolue comme suit :

$$L = 0{,}03\ (300\ 000\ \$ - 0{,}6\ L)$$

$$L = 9\ 000\ \$ - 0{,}018\ L$$

$$1{,}018\ L = 9\ 000\ \$$$

$$L = 8\ 841\ \$$$

On peut encore ici vérifier l'exactitude du calcul en remplaçant la valeur de L dans l'équation :

$$8\ 841\ \$ = 0{,}03\ [(500\ 000\ \$ - 8\ 841\ \$) \times 60\ \%]$$

$$8\ 841\ \$ = 0{,}03\ (294\ 695\ \$)$$

Les dividendes à payer

Les entreprises constituées en sociétés par actions redistribuent à leurs actionnaires une partie des bénéfices sous forme de dividendes. L'IASB utilise une forme modifiée de la **théorie de l'intérêt**

du propriétaire selon laquelle le résultat net (et le résultat global) est ce qui revient aux propriétaires légaux de l'entreprise, c'est-à-dire les actionnaires. Les dividendes sont donc généralement exclus du calcul du résultat net. Les dividendes sur actions préférentielles évaluées au coût amorti qui figurent dans le passif sont cependant considérés comme des charges et figurent dans l'état du résultat global. Puisque l'entreprise n'a aucune obligation concernant le versement de dividendes, le comptable doit attendre la date de déclaration du dividende avant de comptabiliser le passif qui en découle. Les dividendes déclarés sur des actions figurant dans les capitaux propres sont portés au débit du compte Dividendes ou Résultats non distribués. Si le compte Dividendes est utilisé, il sera viré aux Résultats non distribués lors de la préparation des écritures de clôture. Les dividendes déclarés sur des actions figurant dans le passif sont portés au débit du compte Charges de dividendes, qui représente une charge financière.

Certaines catégories d'actions comportent un privilège de dividende cumulatif. Ce privilège ne signifie pas que l'entreprise est obligatoirement tenue de verser des dividendes annuels, mais plutôt que les détenteurs de ces actions conservent un droit éventuel sur leur dividende même si aucun dividende n'est déclaré. Cependant, dès que l'entreprise déclarera un dividende pendant un exercice subséquent, ce dividende devra d'abord être accordé aux détenteurs des actions comportant un privilège de dividende cumulatif, à hauteur des **dividendes arriérés**. Ces arriérés ne constituent pas une dette tant que l'entreprise n'a pas déclaré de dividendes, mais cette dernière doit signaler dans une note aux états financiers le fait que des dividendes cumulatifs n'ont pas été déclarés et indiquer le montant des dividendes arriérés[20]. Cependant, si le dividende en arrérage se rapporte à des actions préférentielles figurant dans le passif, il peut être justifié de comptabiliser le dividende à titre de dividendes à payer même s'il n'est pas déclaré. En effet, le rachat de ces actions échappe au contrôle de l'entreprise puisque celles-ci figurent dans le passif. Par le fait même, le paiement du dividende en arrérage sur ces actions échappe également au contrôle de l'entreprise, justifiant leur comptabilisation au passif.

Si le conseil d'administration d'une société par actions déclare un dividende de 100 000 $ sur ses actions ordinaires, le comptable doit enregistrer l'écriture de journal suivante :

Dividendes (ou Résultats non distribués)	*100 000*	
Dividendes à payer		*100 000*
Déclaration d'un dividende.		

Certaines sociétés déclarent des **dividendes payables sous forme d'actions** de façon à offrir un rendement aux actionnaires tout en conservant leur trésorerie. Un dividende en actions à émettre ne constitue pas un élément de passif courant ou non courant, car il n'entraînera pas une sortie de ressources représentatives d'avantages économiques. Cet engagement n'est pas non plus un passif financier puisque le nombre d'actions à remettre est fixe, l'entreprise ne s'étant pas engagée à remettre un élément dont la valeur est fixée. L'entreprise comptabilise les dividendes en actions à émettre en reclassant les éléments des capitaux propres. À la suite de la déclaration d'un dividende en actions, l'entreprise débite soit le compte Dividendes en actions, soit le compte Résultats non distribués, et crédite le compte Dividendes en actions à émettre. Lorsqu'elle dresse des états financiers entre la date de déclaration du dividende et la date d'émission des actions, elle présente le compte Dividendes en actions à émettre après le poste Capital social dans l'état de la situation financière.

Certaines entreprises paient aussi des **dividendes en nature**. Par exemple, un actionnaire majoritaire pourrait demander, après avoir effectué sa planification financière et fiscale, de recevoir des dividendes sous forme de titres de placement, d'immobilisations ou de services.

Au moment de leur déclaration, ces dividendes sont inscrits à titre de passifs. Pour déterminer la valeur comptable des dividendes, on utilise généralement la juste valeur des biens cédés ou des services rendus aux actionnaires. Nous analyserons plus en détail les diverses formes de dividendes au chapitre 15.

Il importe aussi de noter qu'aux fins de la présentation des états financiers, dont nous traiterons plus loin, certains dividendes en nature peuvent être des passifs financiers et d'autres, des passifs non financiers. Si l'entreprise a promis de remettre à ses actionnaires des actifs non financiers, il est clair que cet engagement n'est pas un passif financier.

20. *Manuel de CPA Canada – Comptabilité – Partie I*, IAS 1, paragr. 137(b).

La présentation des passifs financiers dans les états financiers

Différence NCECF

L'**IFRS 7**, intitulée « Instruments financiers : Informations à fournir », prescrit les informations concernant les instruments financiers qu'une entreprise doit présenter aux utilisateurs de ses états financiers pour leur permettre d'évaluer l'importance de ces instruments au regard de sa situation et de sa performance financière ainsi que la nature et l'ampleur des risques découlant des instruments financiers auxquels l'entreprise est exposée à la date de clôture. Le lecteur tirera avantage de relire les sections du chapitre 4 traitant de la présentation des instruments financiers dans le corps même des états financiers et des informations à fournir dans les notes. Le tableau 12.3 rappelle les principales recommandations directement liées au passif financier.

TABLEAU 12.3 Les principales recommandations relatives à la présentation des passifs financiers

***Normes internationales d'information financière*, IFRS 7**	**Commentaires**
Importance des instruments financiers au regard de la situation et de la performance financières Classes [...] de passifs financiers	
Paragr. 8	
La valeur comptable de chacune des classes suivantes, telles qu'établies dans l'IFRS 9, doit être indiquée soit dans l'état de la situation financière, soit dans les notes : [...] (e) *les passifs financiers à la juste valeur par le biais du résultat net, en indiquant séparément (i) les éléments désignés comme tels lors de leur comptabilisation initiale ou ultérieurement selon le paragraphe 6.7.1 d'IFRS 9, et (ii) les éléments qui répondent à la définition de « détenu à des fins de transaction » selon IFRS 9 ;* [...]	La plupart des passifs financiers courants sont évalués au coût amorti. Les passifs financiers « détenus à des fins de transaction » sont généralement des dérivés, dont traitera le chapitre 19. Dans la suite de ce tableau, nous nous limiterons aux recommandations afférentes aux passifs financiers classés Au coût amorti.
(g) *les passifs financiers évalués au coût amorti ;* [...]	L'entreprise peut présenter la valeur comptable de l'ensemble de ses passifs financiers courants sans nécessairement fournir le détail des postes qui y sont inclus.
Actifs affectés en garantie	
Paragr. 14	
L'entité doit fournir les informations suivantes : (a) *la valeur comptable des actifs financiers qu'elle a affectés en garantie de passifs ou de passifs éventuels [...] ; et* (b) *les termes et conditions de l'affectation en garantie.*	Par exemple, une entreprise pourrait indiquer que l'universalité des comptes clients est donnée en garantie de la marge de crédit.
Défaillances et manquements	
Paragr. 18	
Pour les emprunts comptabilisés à la date de clôture, l'entité doit fournir les informations suivantes : (a) *des informations détaillées sur toute défaillance, au cours de la période, touchant le principal, les intérêts, le fonds d'amortissement ou les dispositions de remboursement desdits emprunts ;* (b) *la valeur comptable des emprunts en souffrance à la date de clôture ;* (c) *si l'entité a remédié à la défaillance ou si les conditions de l'emprunt ont été renégociées avant la date d'autorisation de publication des états financiers.*	Il s'agirait, par exemple, de mentionner que l'entreprise n'a pas versé, au cours des six derniers mois, les mensualités sur un emprunt non courant qui a par le fait même été reclassé au passif courant. L'entreprise préciserait la valeur comptable, disons 880 000 $, de l'emprunt dont il est question ci-dessus. L'entreprise préciserait si elle a fait ses versements en retard ou renégocié les conditions de son emprunt entre la date de clôture de l'exercice financier, disons le 31 décembre 20X7, et la date d'autorisation de publication des états financiers, disons le 15 mars 20X8.
Paragr. 19	
Lorsque des manquements aux conditions des contrats d'emprunt sont survenus au cours de la période, autres que les manquements décrits au paragraphe 18, l'entité doit fournir les informations exigées au paragraphe 18	Cette recommandation s'applique par exemple aux emprunts rappelés mais non encore remboursés.

12

TABLEAU 12.3 *(suite)*

si les manquements ont permis au prêteur d'exiger un remboursement accéléré (à moins que l'entité ait remédié aux manquements ou que les conditions de l'emprunt aient été renégociées à la date de clôture ou avant celle-ci).

État du résultat global
Éléments de produits, de charges, de profits ou de pertes

Paragr. 20

L'entité doit mentionner les éléments suivants de produits, de charges, de profits ou de pertes dans l'état du résultat global ou dans les notes :

(a) les profits nets ou pertes nettes sur :

[...]

(v) les passifs financiers évalués au coût amorti,

[...]

L'entreprise présente distinctement les charges, les profits ou les pertes sur ses passifs financiers classés Au coût amorti.

(b) le total [...] des charges d'intérêt (calculés selon la méthode du taux d'intérêt effectif) pour les [...] passifs financiers qui ne sont pas évalués à la juste valeur par le biais du résultat net ;

En ce qui concerne ses passifs financiers classés Au coût amorti, l'entreprise présente distinctement, d'une part, les profits nets ou pertes nettes et, d'autre part, la charge d'intérêts.

(c) les produits et charges de commissions (à l'exclusion des montants pris en compte pour déterminer le taux d'intérêt effectif) liés :

(i) [...] aux passifs financiers qui ne sont pas comptabilisés à la juste valeur par le biais du résultat net ;

[...]

Autres informations à fournir
Méthodes comptables

Paragr. 21

Conformément au paragraphe 117 d'IAS 1 Présentation des états financiers *(révisée en 2007), l'entité fournit des informations sur ses principales méthodes comptables, y compris sur la ou les bases d'évaluation utilisées pour l'établissement des états financiers ainsi que sur les autres méthodes comptables utilisées qui sont utiles à la compréhension des états financiers.*

Il s'agit ici d'une recommandation générale dont l'application a été expliquée au chapitre 2. Selon cette exigence, l'entreprise indique quels passifs financiers sont évalués au coût amorti et lesquels sont évalués à la juste valeur.

Juste valeur

Paragr. 25

À l'exception de ce qui est prévu au paragraphe 29, pour chaque catégorie [...] de passifs financiers [...], l'entité doit indiquer la juste valeur de cette catégorie [...] de passifs de manière à en permettre la comparaison avec sa valeur comptable.

Le paragraphe 29 traite des cas d'exception où une entreprise n'a pas à présenter la juste valeur. Dans tous les autres cas, l'IASB recommande de présenter, généralement par voie de notes, la juste valeur des passifs financiers classés Au coût amorti de façon à ce que les utilisateurs des états financiers puissent la comparer avec la valeur comptable. Par exemple, lorsqu'une entreprise a présenté deux passifs financiers dans des postes distincts de l'état de la situation financière, elle doit présenter distinctement la juste valeur de chacun d'eux.

Paragr. 28

Dans certains cas, l'entité ne comptabilise pas de profit ou de perte lors de la comptabilisation initiale [...] d'un passif financier parce que la juste valeur n'est ni attestée par un cours sur un marché actif pour [...] un passif identique (c'est-à-dire une donnée d'entrée de niveau 1) ni basée sur une technique d'évaluation qui utilise uniquement des données provenant de marchés observables (voir paragraphe B5.1.2A d'IFRS 9). Dans de tels cas, l'entité doit fournir, par catégorie [...] de passifs financiers, les informations suivantes :

(a) la méthode qu'elle applique pour comptabiliser en résultat net la différence entre la juste valeur lors de la comptabilisation initiale et le prix de transaction

Par exemple, le prix de transaction d'un passif financier pourrait différer de sa juste valeur lors de la comptabilisation initiale si l'emprunt a été contracté auprès d'une partie liée.

L'écart entre le prix de transaction et la juste valeur pourrait être amorti selon la méthode du taux d'intérêt effectif.

TABLEAU 12.3 *(suite)*

afin de refléter un changement dans les facteurs (y compris le temps) que les intervenants du marché prendraient en compte pour fixer le prix de l'actif ou du passif (voir paragraphe B5.1.2A(b) d'IFRS 9) ; *(b) la différence totale restant à comptabiliser en résultat net au commencement et à la fin de la période et un rapprochement des variations du solde de cette différence ;* *(c) ce qui a amené l'entité à conclure que le prix de transaction ne constituait pas la meilleure indication de la juste valeur, avec description des indications étayant la juste valeur.*	
Paragr. 29 *Aucune obligation d'information sur la juste valeur n'est imposée dans les cas suivants :* *(a) lorsque la valeur comptable correspond à une approximation raisonnable de la juste valeur, par exemple dans le cas d'instruments financiers tels que les […] dettes fournisseurs à court terme ;* […]	Il est inutile de présenter deux valeurs semblables, car cela ne ferait que contribuer à surcharger les états financiers.
Informations qualitatives Paragr. 33 *Pour chaque type de risque découlant d'instruments financiers, l'entité doit indiquer :* *(a) les expositions au risque et comment celles-ci surviennent ;* *(b) ses objectifs, politiques et procédures de gestion du risque, ainsi que les méthodes utilisées pour mesurer celui-ci ;* *(c) toute variation de (a) ou de (b) par rapport à la période précédente.*	Les risques de liquidité et de marché sont les principaux risques auxquels s'expose une entreprise en assumant des passifs financiers. Elle doit donc présenter des renseignements précis, détaillés ci-dessous, pour permettre aux utilisateurs des états financiers d'en apprécier l'ampleur.
Informations quantitatives Paragr. 34 *Pour chaque type de risque découlant d'instruments financiers, l'entité doit fournir :* *(a) des données quantitatives sur son exposition à ce risque à la date de clôture, sous une forme abrégée. Ces données doivent être basées sur les informations fournies, en interne, aux principaux dirigeants de l'entité (au sens d'IAS 24* Information relative aux parties liées*), par exemple le conseil d'administration et le président-directeur général de l'entité ;* […]	Les informations utilisées, en interne, par les principaux dirigeants s'avèrent souvent les plus pertinentes pour évaluer la gestion passée et les perspectives futures. Elles peuvent donc aussi s'avérer utiles aux utilisateurs externes des états financiers.
Risque de liquidité Paragr. 39 *L'entité doit fournir les informations suivantes :* *(a) une analyse des échéances des passifs financiers non dérivés (y compris les contrats de garantie financière émis) indiquant les durées restant à courir jusqu'aux échéances contractuelles ;* *(b)* […] *(c) une description de la façon dont elle gère le risque de liquidité inhérent aux éléments visés en (a) et en (b).*	Ces informations permettent d'évaluer le risque de liquidité de l'entreprise. Forcément, dans l'analyse de l'échéance des passifs financiers, le total des passifs financiers courants figure dans le montant dû l'année subséquente, en plus de la portion à court terme de la dette non courante.

12

TABLEAU 12.3 *(suite)*

Risque de marché	
Analyse de sensibilité	
Paragr. 40	
À moins qu'elle ne se conforme au paragraphe 41, l'entité doit fournir les informations suivantes : *(a) une analyse de sensibilité pour chaque type de risque de marché auquel l'entité est exposée à la date de clôture, montrant comment le résultat net et les capitaux propres auraient été influencés par les changements de la variable de risque pertinente qui étaient raisonnablement possibles à cette date ;* *(b) les méthodes et hypothèses utilisées dans l'élaboration de l'analyse de sensibilité ;* *(c) les changements des méthodes et hypothèses utilisées par rapport à la période précédente, ainsi que les raisons motivant ces changements.*	Le paragraphe 41 prévoit les cas où une entreprise prépare une analyse de sensibilité qui tient compte des interdépendances entre les variables de risque. Comme expliqué au chapitre 4, le risque de change, le risque de taux d'intérêt et l'autre risque de prix forment le risque de marché. L'entreprise explique aux utilisateurs des états financiers comment chaque type de risque de marché se répercute sur la situation financière et la performance de l'entreprise. Elle pourrait, par exemple, présenter l'effet qu'une hausse de 1 % du taux d'intérêt sur ses emprunts aurait sur sa charge d'intérêts et sur la juste valeur du passif financier.
Autres informations sur le risque de marché	
Paragr. 42	
Lorsque les analyses de sensibilité fournies conformément au paragraphe 40 ou au paragraphe 41 ne sont pas représentatives d'un risque inhérent à un instrument financier (par exemple parce que l'exposition à la date de clôture ne reflète pas l'exposition en cours d'exercice), l'entité indique ce fait et les raisons pour lesquelles elle juge que les analyses de sensibilité ne sont pas représentatives.	Puisque les utilisateurs des états financiers s'attendent à retrouver les analyses de sensibilité mentionnées ci-dessus dans les notes aux états financiers, il importe d'expliquer les raisons qui motivent leur absence, le cas échéant.

12

Comme nous l'avons indiqué au chapitre 2, on doit présenter dans la section des passifs courants de l'état de la situation financière la portion des passifs financiers non courants qui arrive à échéance au cours de l'exercice financier subséquent. Cette exigence n'entraîne aucune écriture de journal, car elle constitue uniquement une question de présentation.

Différence NCECF

Au moment de rédiger le présent chapitre, l'application de l'IFRS 9 est permise mais non obligatoire, l'entrée en vigueur de cette norme étant prévue pour 2018. Il n'est donc pas possible de présenter des extraits d'états financiers d'une entreprise réelle pour illustrer chacune des exigences dont fait état le tableau 12.3.

3 Les passifs non financiers autres que les provisions

Un **passif non financier** est une obligation qui ne sera pas réglée à même des actifs financiers, mais plutôt par la prestation de services ou la remise d'un actif non financier. Il désigne également un passif nommément exclu du champ d'application des normes portant sur les instruments financiers. Les passifs non financiers peuvent être répartis en deux catégories : les produits différés et les dettes qui découlent d'une exigence légale.

Les produits différés

Dans le cycle normal d'exploitation, certaines activités telles que la production ou l'achat précèdent l'activité de la vente, laquelle précède à son tour celle de l'encaissement. Bien que ce déroulement soit le plus répandu, l'encaissement précède parfois les autres activités. Par exemple, l'entreprise peut exiger un dépôt de ses clients avant de commencer la production ou avant de commander un bien conçu uniquement pour répondre aux besoins du client. De même, une entreprise peut recevoir à l'avance des encaissements dans le cas d'abonnements à des périodiques ou à des centres sportifs. Puisque les produits sont généralement comptabilisés au moment du transfert de contrôle du bien ou au moment où les services sont effectivement rendus, la comptabilisation de tels encaissements ne se fait pas en créditant un compte de produits : on crédite plutôt le compte Produits différés, qui est ensuite présenté dans la section du passif courant. Dans le tableau des flux de trésorerie, ces encaissements figurent dans la section des activités d'exploitation.

Pourquoi un montant reçu d'avance figure-t-il dans le passif courant ? Notons que la somme d'argent reçue du client est elle-même présentée dans la section de l'actif courant à titre de trésorerie.

C'est la contrepartie de cette somme qui est présentée dans la section du passif. Le compte **Produits différés** reflète l'engagement pris par l'entreprise de rendre des services au client ou de lui céder un actif dont la valeur correspond au moins à la somme reçue d'avance. L'entreprise agit essentiellement comme un fiduciaire envers le client qui lui a remis de l'argent à l'avance. Lorsqu'elle rend les services ou cède les biens convenus, l'entreprise vire le solde du compte Produits différés à un compte de produits.

Avez-vous remarqué ?

Ce traitement comptable permet de bien refléter les activités économiques de l'entreprise, car on comptabilise les produits pendant l'exercice au cours duquel les services sont rendus ou les biens sont cédés, qui n'est pas nécessairement l'exercice au cours duquel l'entreprise encaisse la trésorerie. De plus, l'entreprise comptabilise toutes les charges nécessaires à la réalisation de ces produits en résultat net du même exercice que celui où elle comptabilise les produits.

EXEMPLE

Comptabilisation de produits différés

La société Éditions scientifiques inc. (ESI) se spécialise dans la production et la distribution de revues scientifiques. Le 1er mars 20X5, ESI a reçu 1 200 $ pour des abonnements annuels couvrant la période du 1er mars 20X5 au 28 février 20X6. En supposant que cette société dresse des états financiers mensuels, voici les écritures de journal qui doivent être enregistrées pour le mois de mars 20X5 :

	Débit	Crédit
1er mars 20X5		
Caisse	*1 200*	
Produits différés		*1 200*
Encaissement relatif à des abonnements.		
31 mars 20X5		
Produits différés	*100*	
Produits relatifs à des abonnements		*100*
Produits gagnés en mars 20X5.		

Ces écritures de journal sont conformes à la recommandation de l'IASB selon laquelle l'entreprise doit présenter dans la section du passif courant les sommes versées par des clients ou qui auraient dû être versées pour des marchandises à livrer ou des services à fournir durant le cycle d'exploitation qui suit la date de clôture de l'exercice en cours. Bien entendu, si l'entreprise ne livre les marchandises ou ne rend les services qu'à long terme, elle doit faire figurer le compte Produits différés dans les éléments de passif non courant.

Peu importe que le passif apparaisse dans la section courante ou non courante, il constitue un passif non financier puisque l'entreprise le réglera en fournissant des biens ou des services qui ne sont pas eux-mêmes des actifs financiers.

Les dettes qui découlent d'une exigence légale

Les montants de TPS et de TVQ à retourner aux gouvernements et les taxes municipales à payer ne sont pas des passifs financiers, car ils ne découlent pas d'une entente contractuelle. Cette distinction est pertinente, car elle implique que l'entreprise n'est pas tenue de fournir à leur égard tous les renseignements exigés par l'IFRS 7.

Les impôts exigibles

Les impôts à payer, appelés **impôts exigibles**, diffèrent des dettes qui découlent d'une exigence légale énoncées au paragraphe précédent, car ce ne sont pas toutes les entreprises à but lucratif qui sont assujetties aux lois fédérale et provinciale relatives à l'impôt sur le revenu. Ainsi, les entreprises personnelles et les sociétés en nom collectif ne paient aucun impôt sur le résultat, car elles ne sont pas considérées comme des entités distinctes au sens de la loi. Les propriétaires de ces entreprises incluent leur quote-part du résultat net de l'entreprise dans leur déclaration personnelle d'impôts. Les états financiers de ces entreprises ne présentent donc aucune charge d'impôts ni dette d'impôts exigibles. Seule une note aux états financiers peut rappeler cette caractéristique de l'entreprise aux utilisateurs afin qu'ils interprètent le résultat global de l'exercice et la situation financière de l'entreprise à la lumière de ce fait.

Par contre, les entreprises considérées comme des entités distinctes au sens de la loi, telles que les sociétés par actions et les fiducies, sont assujetties aux lois de l'impôt sur le revenu. En fin d'exercice, on calcule la charge d'impôts et les impôts exigibles qui en découlent après avoir déterminé le revenu imposable. Ce sujet sera approfondi au chapitre 18.

En plus d'assujettir certaines entreprises à un impôt sur le revenu, les gouvernements fédéral et provincial exigent qu'elles paient mensuellement leurs impôts en versant des acomptes provisionnels. Au moment du décaissement, l'entreprise peut débiter la contrepartie soit au compte Impôts recouvrables, soit au compte Impôts exigibles, selon ses préférences. Elle groupe ces deux comptes dans l'état de la situation financière sous la rubrique des Impôts exigibles ou sous celle des Impôts recouvrables selon que le solde découlant de la sommation algébrique des deux comptes est créditeur ou débiteur.

Avez-vous remarqué ?

Le fait que certains passifs ne soient pas des passifs financiers influe principalement sur l'information à fournir à leur égard dans les états financiers.

Les provisions

Certaines dettes dont l'existence et le groupe de créanciers sont connus comportent un certain degré d'incertitude quant à la valeur des ressources représentatives d'avantages économiques qu'une entreprise devra sacrifier au moment du règlement, qui peut lui-même être inconnu. Comme l'indique le tableau 12.1, les **provisions** représentent des obligations actuelles, dont le montant ou la date d'échéance est incertain. Ainsi, lorsqu'une entreprise offre des garanties de base sur ses biens destinés à la vente, elle doit inévitablement supporter les coûts occasionnés par ces garanties. Lorsque les clients retournent des marchandises défectueuses, elle doit assumer le coût des pièces à remplacer ainsi que le coût de la main-d'œuvre affectée à ces réparations. Faisons une analogie entre les coûts de garantie et la charge au titre des pertes de crédit attendues sur les comptes clients. Dans le dernier cas, l'entreprise est certaine d'assumer une charge, mais elle en ignore le montant exact ainsi que le moment où les débiteurs deviendront insolvables. De la même façon, pour ce qui est des coûts de garantie, l'expérience passée confirme que l'entreprise devra assumer une charge, mais le moment et le montant exacts de cette charge sont incertains.

Pour montrer la véritable situation financière à la date de clôture de l'exercice financier, l'entreprise doit comptabiliser à titre de passif ces obligations actuelles, car elles découlent de faits ou d'événements passés. Dans le cas des garanties offertes sur les biens vendus, la présentation fidèle des opérations exige de comptabiliser les coûts de garantie en résultat net du même exercice que celui de la vente. Alors que le crédit correspondant à la charge au titre des pertes de crédit attendues sur les comptes clients classés Au coût amorti est porté dans un compte de contrepartie d'un actif, soit dans le compte Provision pour correction de valeur – Clients, le crédit correspondant à la charge Coûts de garantie est porté dans le compte de passif non financier **Provision pour garanties**[21]. Cet intitulé reflète bien l'incertitude rattachée au montant de la dette (provision) et en précise la nature (pour garanties).

Le moment de la comptabilisation des provisions

Les règles de comptabilisation des provisions sont formulées dans l'IAS 37, intitulée « Provisions, passifs éventuels et actifs éventuels ». L'IASB précise d'abord qu'une entreprise doit comptabiliser une provision lorsqu'elle respecte trois critères :

Une provision doit être comptabilisée lorsque :

(a) une entité a une obligation actuelle (juridique ou implicite) résultant d'un événement passé ;

(b) il est probable qu'une sortie de ressources représentatives d'avantages économiques sera nécessaire pour éteindre l'obligation ; et

(c) le montant de l'obligation peut être estimé de manière fiable.

21. Le compte pourrait également s'intituler Dette estimative pour garanties.

Si ces conditions ne sont pas réunies, aucune provision ne doit être comptabilisée[22].

Examinons ces trois critères de comptabilisation. D'entrée de jeu, précisons que les deux premiers critères ne sont pas propres aux provisions. En effet, l'IASB définit tout passif comme une obligation actuelle de l'entreprise découlant d'événements passés et dont l'extinction devrait se traduire pour l'entreprise par une sortie de ressources représentatives d'avantages économiques.

Dans le cas des provisions, c'est souvent l'analyse du premier critère qui requiert beaucoup de jugement et qui comporte donc une bonne part de subjectivité. Pour analyser ce critère, l'entreprise prend en compte toutes les indications disponibles, telles que les évaluations des experts et son expérience passée en la matière.

Telle que définie à la page 12.8, une **obligation actuelle** résulte d'un événement passé si l'entreprise n'a pas d'autre solution réaliste que d'éteindre l'obligation actuelle, indépendamment de ses décisions ou de ses activités futures. Il est clair qu'une entreprise n'a pas d'autre solution lorsqu'elle est contrainte par une loi ou un contrat d'éteindre une obligation juridique. Mais elle peut aussi être contrainte d'éteindre une obligation implicite lorsqu'elle a posé des gestes antérieurs qui ont créé des attendes fondées chez des tiers. Pensons, par exemple, à une entreprise qui base sa promotion sur le fait de rembourser, jusqu'à un mois après la date de l'achat, tous ses clients insatisfaits du bien qu'ils ont acheté. Dès la date de la vente, l'entreprise a une obligation actuelle de reprendre le bien. À l'opposé, des pertes d'exploitation futures ne respectent pas ce premier critère et ne peuvent faire l'objet d'une comptabilisation à titre de charges et de passifs, puisque ce sont des opérations futures qui en sont le fait générateur. Par le passé, certaines entreprises soucieuses de niveler leur résultat net au fil des ans comptabilisaient à l'avance de telles pertes dans les exercices qui se soldaient par de forts bénéfices nets, ce qui n'est évidemment pas une bonne pratique. La prévision de pertes d'exploitation doit plutôt amener le comptable à appliquer un test de dépréciation sur les actifs en cause.

En général, il est facile de déterminer si le fait générateur de l'obligation est un événement qui a eu lieu. Pensons notamment à une entreprise qui, en signant un billet à payer (le fait générateur de l'obligation), a pris l'engagement de rembourser ce billet (l'obligation actuelle). Dans d'autres situations plus rares, il est difficile de juger du caractère actuel d'une obligation. Le comptable doit alors déterminer si, « [...] compte tenu de toutes les indications disponibles, il est plus probable qu'improbable qu'une obligation actuelle existe à la fin de la période de présentation de l'information financière[23] ». Soulignons que dans ces cas d'exception, l'analyse de la probabilité de l'existence de l'obligation est très semblable à l'analyse du deuxième critère de comptabilisation des provisions.

12

Ce deuxième critère porte en effet sur la probabilité de la sortie de ressources représentatives d'avantages économiques. L'IASB précise qu'une obligation est **probable** lorsqu'une entreprise estime plus probable qu'improbable de devoir se départir de ressources représentatives d'avantages économiques. Il est souvent plus facile d'analyser ce critère lorsque l'entreprise a conclu un grand nombre d'opérations qui constituent le fait générateur. Par exemple, en se basant sur son expérience passée, une entreprise peut conclure que 10 % des biens vendus assortis d'une garantie de base devront être réparés ou échangés après la vente. Même si elle est incapable de dire quels clients retourneront les biens défectueux, elle sait qu'elle devra se départir de ressources représentatives d'avantages économiques.

Enfin, le troisième critère n'est pas non plus propre aux provisions. En effet, selon le Cadre, une opération ne peut être comptabilisée que s'il est possible d'en faire une estimation fiable. En ce qui concerne les provisions, l'IASB précise toutefois qu'il est extrêmement rare de ne pas pouvoir faire une évaluation fiable. Nous pouvons déduire que cette précision vise à empêcher les entreprises d'invoquer la subjectivité d'une estimation pour ne pas comptabiliser un passif.

Le tableau 12.4, préparé à partir de l'annexe C de l'IAS 37[24], a trait au respect des trois critères de comptabilisation des provisions dans diverses situations. Rappelons qu'aux fins de l'analyse du moment de comptabilisation, on doit aussi viser, comme toujours, à ce que l'information comptable reflète fidèlement la situation existant à la date de clôture de l'exercice financier.

---

22. *Manuel de CPA Canada – Comptabilité – Partie I*, IAS 37, paragr. 14.

23. *Manuel de CPA Canada – Comptabilité – Partie I*, IAS 37, paragr. 15.

24. L'annexe C est disponible dans International Accounting Standards Board, *Normes internationales d'information financière (IFRS) y compris les Normes comptables internationales (IAS) et les Interprétations au 1er janvier 2006*, IAS 37, Londres, 2006.

TABLEAU 12.4 Le moment de la comptabilisation d'une provision

Contexte	Analyse des trois critères
1. Un magasin de vente au détail a pour politique de rembourser les achats des clients non satisfaits même s'il n'a aucune obligation juridique de le faire. Cette politique est largement connue.	Le fait générateur d'obligation est la vente des marchandises, qui crée une obligation implicite, car la pratique du magasin a créé chez ses clients une attente fondée qu'il procédera au remboursement des achats. De plus, la sortie de ressources représentatives d'avantages économiques est probable, car l'expérience passée montre qu'une certaine proportion de marchandises est retournée pour remboursement. **Conclusion :** Une provision est comptabilisée, correspondant à la meilleure estimation des coûts de remboursement.
2. Le 12 décembre 20X0, le conseil d'administration d'une entreprise a décidé de fermer une division. Avant la date de clôture de l'exercice financier (31 décembre 20X0), la décision n'a pas été communiquée aux personnes en cause et aucune autre mesure n'a été prise en vue de sa mise en œuvre.	Il n'y a pas eu de fait générateur d'obligation et il n'y a donc pas d'obligation. **Conclusion :** Aucune provision pour fermeture n'est comptabilisée. Comparativement à la situation décrite au point 1, il n'existe aucune obligation implicite parce que des tiers n'ont à ce jour aucune attente fondée. En effet, la décision n'a pas été communiquée.
3. Le 12 décembre 20X0, le conseil d'administration d'une entreprise a décidé de fermer une division produisant une marchandise particulière. Le 20 décembre 20X0, un plan détaillé de fermeture de la division a été accepté par le conseil ; des lettres ont été envoyées aux clients pour les avertir de chercher une autre source d'approvisionnement et des avis de cessation d'emploi ont été adressés aux membres du personnel de la division.	Le fait générateur d'obligation est la communication de la décision aux clients et aux membres du personnel, qui crée une obligation implicite à compter de cette date, car elle entraîne une attente fondée de la fermeture de la division. De plus, la sortie de ressources représentatives d'avantages économiques est probable. **Conclusion :** Une provision est comptabilisée au 31 décembre 20X0. Nous traiterons au chapitre 17 de la comptabilisation des indemnités de cessation d'emploi.
4. Le gouvernement introduit un certain nombre de changements dans le système d'imposition des revenus. En conséquence de ces changements, une entreprise du secteur des services financiers doit reconvertir une proportion importante de son personnel administratif et de vente pour être à même de continuer à se conformer à la réglementation des services financiers. À la date de clôture de l'exercice financier, aucune reconversion du personnel n'a eu lieu.	Il n'y a pas d'obligation puisque aucun fait générateur d'obligation (reconversion) n'a eu lieu. **Conclusion :** Aucune provision n'est comptabilisée. Cet exemple fait ressortir que le fait générateur de l'obligation actuelle n'est pas limité à l'existence d'une loi. L'entreprise doit de plus, par ses décisions antérieures, avoir commencé la reconversion du personnel. Puisque la reconversion dépend du maintien des opérations futures, on doit conclure que l'entreprise n'assume pas une obligation actuelle à la date de clôture.
5. Une entreprise du secteur pétrolier est source de pollution, mais il est bien connu qu'elle ne procède à la dépollution que si les lois du pays dans lequel elle effectue ses opérations l'y obligent. L'un d'eux n'avait jusqu'ici aucune législation imposant la dépollution, et l'entreprise pollue des terrains dans ce pays depuis de nombreuses années. Au 31 décembre 20X0, il est pratiquement certain qu'un projet de loi imposant la dépollution des terrains pollués sera promulgué peu de temps après la clôture de l'exercice.	Le fait générateur de l'obligation est la contamination des terrains liée à la quasi-certitude de l'adoption d'une législation imposant la dépollution. De plus, la sortie de ressources représentatives d'avantages économiques est probable. **Conclusion :** Une provision est comptabilisée correspondant à la meilleure estimation des coûts de dépollution. Contrairement à la situation décrite au point 4, celle-ci fait ressortir le fait que si une loi existe (ou si l'adoption d'une nouvelle loi est pratiquement certaine) et que, de plus, l'entreprise assume une obligation implicite découlant d'une de ses politiques, elle doit comptabiliser une provision. Cet exemple montre aussi que même si une loi n'est pas encore promulguée, la présentation fidèle de la situation financière exige d'en tenir compte si son adoption est quasi certaine. Dans un tel contexte, l'adoption est une question de forme plutôt que de substance.
6. Une entreprise du secteur pétrolier est source de pollution, et elle effectue ses opérations dans un pays où il n'existe aucune législation de protection de l'environnement. Toutefois, l'entreprise affiche très largement une politique de préservation de l'environnement selon laquelle elle s'engage à nettoyer tout ce qu'elle a pollué. L'entreprise a de tout temps honoré cette politique affichée.	Le fait générateur d'obligation est la pollution des terrains, qui crée une obligation implicite, car la pratique de l'entreprise a créé chez les tiers touchés une attente fondée qu'elle procédera à une dépollution. De plus, la sortie de ressources représentatives d'avantages économiques est probable.

TABLEAU 12.4 *(suite)*

	Conclusion : Une provision est comptabilisée correspondant à la meilleure estimation des coûts de dépollution. Cette situation s'apparente à celle décrite au point 1. L'entreprise comptabilise son obligation pour remise en état d'un site dans un compte de passif et la contrepartie dans le compte d'immobilisation touché, comme nous l'avons vu au chapitre 8.
7. En vertu d'une nouvelle législation adoptée en 20X0, une entreprise est tenue d'équiper ses usines de filtres à fumée d'ici le 30 juin 20X1. Le 31 décembre 20X1, date de clôture de l'exercice financier, l'entreprise n'a pas équipé ses usines de filtres à fumée.	a) Au 31 décembre 20X0 Il n'y a pas d'obligation, car il n'y a pas de fait générateur d'obligation ni au titre des coûts de montage des filtres à fumée ni au titre des amendes prévues par la législation. **Conclusion :** Aucune provision n'est comptabilisée pour le coût de montage des filtres à fumée. Cette situation s'apparente à celle décrite au point 4. Bien qu'une nouvelle loi ait été adoptée, peu importe que son application soit reportée à l'année subséquente, l'entreprise n'a encore posé aucun geste qui montre qu'elle prend des mesures pour la respecter. On en conclut que l'obligation dépend de ses opérations futures. b) Au 31 décembre 20X1 Il n'y a toujours pas d'obligation au titre des coûts de montage des filtres à fumée, car il n'y a pas eu de fait générateur d'obligation (montage des filtres ou attentes fondées des tiers reposant sur des gestes posés par la direction de l'entreprise). Cependant, il pourrait y avoir une obligation de payer des amendes ou des pénalités en vertu de la législation, car le fait générateur d'obligation (soit le non-respect de la législation par l'usine) s'est réalisé.
8. Un four a un revêtement intérieur qui doit être remplacé tous les cinq ans pour des raisons techniques. À la date de clôture de l'exercice financier, le revêtement est utilisé depuis trois ans.	Il n'existe aucune obligation actuelle liée au remplacement du revêtement. **Conclusion :** Aucune provision n'est comptabilisée. Le coût de remplacement du revêtement intérieur n'est pas comptabilisé à la date de clôture, car il n'existe aucune obligation de remplacer le revêtement indépendamment des opérations futures de l'entreprise. Même l'intention d'engager la dépense dépend de la décision de l'entreprise de continuer à utiliser le four ou de remplacer son revêtement intérieur. Plutôt que de comptabiliser une provision, c'est l'amortissement du revêtement intérieur qui prend en compte l'effet de sa consommation, c'est-à-dire que l'amortissement du coût initial du revêtement est réparti sur cinq ans, même si le coût des autres composantes du four est amorti sur une plus longue période. À la fin de la cinquième année, l'entreprise comptabilisera les coûts du nouveau revêtement en tant qu'actif, après avoir décomptabilisé le coût du revêtement initial. Nous avons expliqué au chapitre 9 comment procéder à l'amortissement des composantes importantes d'une immobilisation.

La figure 12.4 résume les critères de comptabilisation d'une provision ainsi que les informations à fournir dans les états financiers selon qu'ils sont respectés ou non.

L'évaluation initiale des provisions

Comme l'indique la figure 12.4, le dernier critère de comptabilisation a trait à la capacité de faire une estimation fiable de la provision. Notons qu'il s'agit bien de faire une estimation et non de chercher à obtenir le montant qui sera effectivement payé. Rappelons que l'IASB est d'avis qu'il est extrêmement rare qu'une entreprise se trouve dans une situation où elle ne peut faire une estimation fiable d'une provision.

La meilleure appréciation d'une provision serait le montant qu'une entreprise devrait payer si elle devait éteindre son obligation actuelle à la date de clôture. Il est possible que ce montant excède largement la valeur actualisée des montants qu'elle paiera à l'échéance, car des pénalités

FIGURE 12.4 Les critères de comptabilisation d'une provision

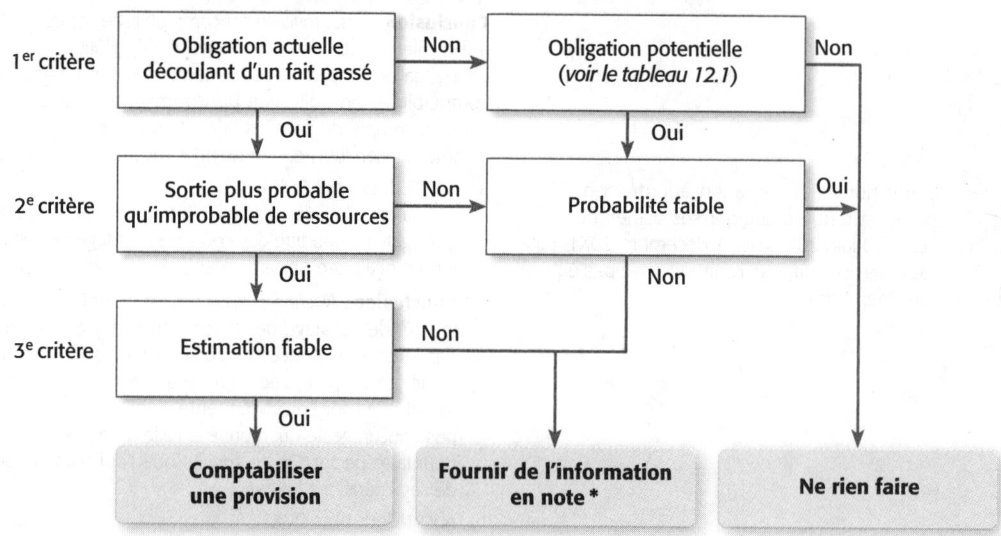

* La présentation en note sera expliquée dans une sous-section subséquente.

sont souvent imposées lors de remboursement d'une dette avant échéance. L'IASB considère toutefois que le montant qui serait payé à la date de clôture est celui qui traduit le mieux la situation financière de l'entreprise à cette date.

La nature même des provisions entraîne des incertitudes en ce qui concerne leur évaluation. L'expérience passée aide parfois à réduire ces incertitudes. Ainsi, lorsqu'une provision découle d'un grand nombre d'opérations, comme c'est le cas d'une provision pour garanties, l'entreprise peut estimer le montant de la provision en utilisant la **technique de la valeur actualisée attendue**, expliquée au chapitre 3. Rappelons brièvement que lorsqu'une entreprise utilise cette technique pour estimer la valeur d'une provision, elle établit d'abord les divers scénarios possibles et leur attribue une probabilité. Puis, pour chaque scénario, elle estime toutes les sorties de trésorerie nécessaires pour éteindre l'obligation actuelle.

12

EXEMPLE

Garantie de base

La société Époux Moné inc. est un producteur de systèmes d'aération dont la date de clôture de l'exercice financier est le 31 décembre. Au cours du mois de janvier 20X1, la société a vendu 10 systèmes d'aération au prix unitaire de 50 000 $. Époux Moné inc. offre une garantie de base de 2 ans sur ses systèmes et estime que 30 % des clients s'en prévaudront. Voici les renseignements relatifs à la garantie offerte :

		Coûts pour honorer une garantie	
Calendrier	*Pourcentage des clients demandant des réparations*	*Scénario optimiste*	*Scénario pessimiste*
Année de la vente	*20 %*	*2 500 $*	*5 500 $*
Année suivant la vente	*10*	*500*	*1 000*

Précisons que la durée de la garantie est fonction de la nature du bien, et elle est généralement déterminée par les ingénieurs responsables de la conception des biens et de la supervision de la production. Les garanties sont offertes pour attirer les clients et pour assurer leur satisfaction. En effet, une entreprise offrant une garantie bien cotée par rapport aux normes du secteur peut espérer attirer plusieurs nouveaux clients et conserver ses clients actuels. Les garanties sont choses courantes, notamment pour les biens d'une valeur unitaire importante.

Pour estimer les montants en cause, Époux Moné inc. a consulté les services de conception et de production des biens et a considéré les coûts de garantie engagés dans le passé pour des biens semblables. Elle a ajusté les coûts passés pour tenir compte, notamment, des augmentations de prix survenues depuis qu'elle les a engagés.

En prenant en considération ces renseignements et en sachant que les probabilités respectives des deux scénarios sont de 60 % (scénario optimiste) et de 40 % (scénario pessimiste), le comptable de la société Époux Moné inc. calcule la provision pour garanties comme suit :

Nombre de réparations demandées au cours		
De l'année de la vente		
Nombre de systèmes vendus en janvier 20X1	*10*	
Pourcentage des clients demandant des réparations	× *20 %*	
Nombre de clients qui demanderont une réparation		*2*
De l'année suivant la vente		
Nombre de systèmes vendus en janvier 20X1	*10*	
Pourcentage des clients demandant des réparations	× *10 %*	
Nombre de clients qui demanderont une réparation		*1*
Coûts pour honorer une garantie		
Scénario optimiste		
Année de la vente (2 réparations × 2 500 $)	*5 000 $*	
Année suivant la vente (1 réparation × 500 $)	*500*	
Total partiel	*5 500*	
Probabilité de réalisation	× *60 %*	
Valeur attendue – Scénario optimiste		*3 300 $*
Scénario pessimiste		
Année de la vente (2 réparations × 5 500 $)	*11 000*	
Année suivant la vente (1 réparation × 1 000 $)	*1 000*	
Total partiel	*12 000*	
Probabilité de réalisation	× *40 %*	
Valeur attendue – Scénario pessimiste		*4 800*
Valeur attendue totale		*8 100 $*

À partir de cet exemple, il est facile de concevoir qu'une entreprise puisse raffiner ses estimations lorsque cela permet d'obtenir des chiffres plus pertinents. Par exemple, Époux Moné inc. aurait pu envisager divers scénarios au sujet du pourcentage de clients qui demanderont des réparations. Les logiciels de prévision peuvent s'avérer fort utiles à cet égard. Selon les calculs précédents, Époux Moné inc. enregistre l'écriture suivante au moment de la vente des systèmes d'aération :

Caisse	*500 000*	
Coûts de garantie	*8 100*	
Ventes		*500 000*
Provision pour garanties		*8 100*
Vente de 10 systèmes d'aération en janvier 20X1, couverts par une garantie de base 2 ans.		

Puisque l'entreprise s'engage à offrir un service, c'est-à-dire à réparer ou à remplacer le bien, les provisions pour garanties ne sont pas des passifs financiers, car elles sont réglées en cédant des ressources qui ne sont pas des actifs financiers.

En supposant qu'aucune autre opération ne soit survenue en janvier, que le coût total des systèmes vendus soit de 300 000 $ et qu'Époux Moné inc. dresse des états financiers mensuels au 31 janvier 20X1, l'état du résultat global montrerait des produits de 500 000 $ et des charges totales de 308 100 $. L'état de la situation financière ferait état d'une Provision pour garanties de 8 100 $ dans le passif courant. Le tableau des flux de trésorerie indiquerait que les activités d'exploitation ont généré 500 000 $ de trésorerie, en tenant pour acquis que la société ne renouvelle pas son stock acquis au comptant dans le passé.

12

L'exemple précédent était relativement simple puisqu'il visait à présenter une situation de base. Examinons maintenant certaines circonstances susceptibles d'influer sur l'évaluation des provisions, soit la prise en compte d'événements futurs et l'actualisation des sorties futures de trésorerie.

La prise en compte d'événements futurs

Rappelons tout d'abord que l'objectif est d'estimer la valeur d'une obligation actuelle à la date de clôture. Pour ce faire, l'entreprise devra probablement tenir compte d'événements futurs, tout comme elle tient compte par exemple, des effets attendus d'une récession actuelle lors de l'évaluation des pertes de crédit attendues sur ses comptes clients. L'IASB précise que les événements futurs sont pris en compte lorsqu'il existe des indications objectives que ces événements se produiront[25]. Ainsi, lorsqu'une entreprise estime la provision pour démantèlement, enlèvement ou remise en état, elle tient parfois compte de l'effet de la vaste expertise qu'elle aura acquise à cet égard au moment de procéder à la décontamination. De même, s'il est quasi certain qu'une nouvelle loi sera promulguée, comme le montrent des indications objectives, l'entreprise prendra en considération les effets de cette nouvelle loi lors de l'évaluation de sa provision. Toutefois, elle ne tient pas compte d'éventuelles améliorations ou procédés technologiques qui ne sont pas encore mis en œuvre, ni des profits ou des pertes qu'elle prévoit faire au moment d'aliéner un actif étroitement lié à la provision. Ce traitement se justifie par le fait que la vente n'a pas encore eu lieu et que l'état de la situation financière doit montrer la situation à la date de clôture de l'exercice.

Parfois, une entreprise pourra bénéficier du remboursement de certaines sorties de trésorerie liées à une provision. Prenons l'exemple de la société Sans Roule ltée qui vend des véhicules d'occasion. Elle offre à ses clients une garantie « Rouler sans tracas » qui couvre les 5 000 premiers kilomètres parcourus. En cas de bris d'une auto, Sans Roule ltée prête une voiture de remplacement au client et confie les travaux de réparation à un tiers, le tout sans frais pour le client. Supposons que la société contracte une assurance pour couvrir son programme de garantie en vertu duquel elle assume les coûts de remplacement temporaire des véhicules, estimés à 2 000 $, mais récupère le plein montant des coûts de réparation estimés à 25 000 $. Doit-elle alors comptabiliser une dette de 27 000 $ ou une dette de 2 000 $, sachant que le fait générateur de l'obligation est la vente des autos ? La figure 12.5 présente l'analyse qu'elle doit faire afin de répondre à cette question liée à un **remboursement attendu**.

12

FIGURE 12.5 L'analyse des circonstances entourant un remboursement attendu et ses effets sur l'évaluation d'une provision

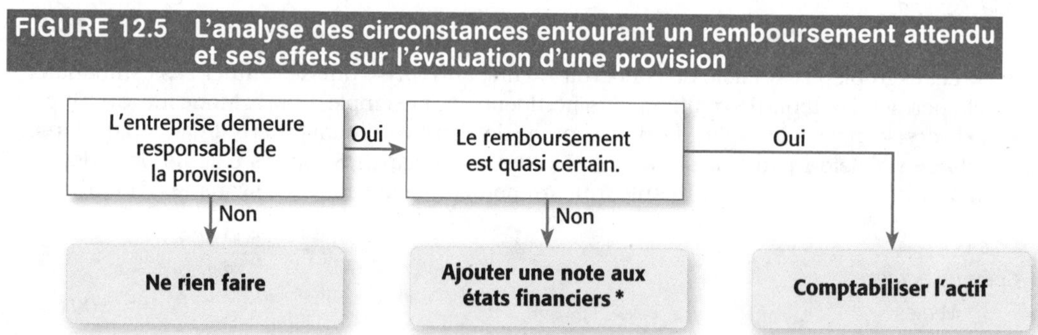

* La présentation en note sera expliquée dans la sous-section **Les informations à fournir à l'égard des provisions**.

Le premier facteur à prendre en considération est de savoir si l'entreprise demeure responsable de la provision. Dans l'exemple précédent, si l'assureur refuse d'indemniser Sans Roule ltée, cette dernière doit-elle tout de même faire réparer les autos à la satisfaction des clients ? Une réponse négative à cette question implique que ce n'est pas Sans Roule ltée qui assume l'obligation mais l'assureur. Dans ce cas, Sans Roule ltée ne comptabilisera aucune provision pour les coûts attendus de 25 000 $. Si Sans Roule ltée demeure responsable de l'obligation actuelle, elle doit alors examiner le second facteur, énoncé dans le rectangle clair de droite de la figure 12.5, qui consiste à évaluer la probabilité du remboursement. Si le remboursement est quasi certain, l'entreprise comptabilise le plein montant de la provision, soit 27 000 $, et le remboursement attendu

25. *Manuel de CPA Canada – Comptabilité – Partie I*, IAS 37, paragr. 48.

de 25 000 $ à titre d'actif distinct. Enfin, si le remboursement n'est pas quasi certain, même s'il peut être plus probable qu'improbable, Sans Roule ltée présente dans son état de la situation financière le plein montant de la dette (27 000 $), et elle fournit des renseignements par voie de notes au sujet du remboursement possible.

EXEMPLE

Effet d'un remboursement possible sur les états financiers

Les trois traitements comptables ont évidemment des répercussions importantes sur les états financiers de Sans Roule ltée, comme le montrent les extraits suivants, pour lesquels on a présumé que le total de l'actif, du passif, des produits et des charges commerciales, administratives et financières de Sans Roule ltée s'élève respectivement à 400 000 $, à 150 000 $, à 800 000 $ et à 600 000 $ avant la prise en compte de l'effet de la garantie.

SANS ROULE LTÉE
Ratio passif/actif
au 31 décembre 20X1

		L'entreprise demeure responsable et	
	L'entreprise n'est pas responsable	*le remboursement est quasi certain*	*le remboursement n'est pas quasi certain*
Total de l'actif, avant remboursement possible	400 000 $	400 000 $	400 000 $
Remboursement attendu		25 000	
Total de l'actif	400 000 $	425 000 $	400 000 $
Total du passif, avant provision	150 000 $	150 000 $	150 000 $
Provision	2 000	27 000	27 000
Total du passif	152 000 $	177 000 $	177 000 $
Ratio passif/actif	0,38	0,42	0,44

SANS ROULE LTÉE
Ratios de rentabilité
de l'exercice terminé le 31 décembre 20X1

		L'entreprise demeure responsable et	
	L'entreprise n'est pas responsable	*le remboursement est quasi certain*	*le remboursement n'est pas quasi certain*
Ventes	800 000 $	800 000 $	800 000 $
Produits attendus du remboursement		25 000	
Charges commerciales, administratives et financières, avant coûts de garantie	600 000	600 000	600 000
Coûts de garantie	2 000	27 000	27 000
Résultat avant impôts	198 000 $	198 000 $	173 000 $
Ratios de rentabilité			
Résultat/Produits	0,25	0,24	0,22
Résultat/Total de l'actif	0,50	0,47	0,43

Avant de clore cet exemple, deux précisions s'imposent en ce qui concerne le scénario où le remboursement est quasi certain. Soulignons premièrement que nous avons présenté la charge totale de 27 000 $ et un produit attendu de 25 000 $. L'entreprise aurait aussi eu la possibilité de présenter uniquement le montant net de 2 000 $. Le ratio résultat/produits s'élèverait alors à 0,25 (198 000 $/800 000 $), et le ratio résultat/total de l'actif resterait stable à 0,47. Deuxièmement, le montant comptabilisé à l'actif ne peut excéder le montant de la provision.

Une entreprise peut s'attendre à un remboursement dans des circonstances très diverses. Ainsi, il arrive que certains fournisseurs consentent des réductions conditionnelles, c'est-à-dire qu'ils accordent une diminution du coût d'acquisition si l'acheteur respecte certaines conditions. À titre d'exemples, mentionnons l'atteinte d'un volume prédéterminé d'achats ou le fait de s'approvisionner auprès du fournisseur pendant une période définie.

Nous entendons par **réduction discrétionnaire** une réduction, disons de 10 %, qu'un fournisseur ferait miroiter à ses clients sans toutefois prendre l'engagement de la concéder. Il est évident que l'acheteur ne peut pas comptabiliser cette réduction conditionnelle au moment où il achète les marchandises, disons au montant de 100 $. Il devra plutôt attendre que le fournisseur en confirme le versement. L'acheteur enregistrera les écritures de journal suivantes, sachant qu'il a acheté les marchandises le 13 février et que le fournisseur a confirmé la réduction uniquement le 15 juin suivant :

13 février		
Stock de marchandises (ou Achats)	*100*	
Fournisseurs		*100*
Achat de marchandises destinées à la vente.		
15 juin		
Fournisseurs	*10*	
Stock de marchandises (ou Achats)		*10*
Confirmation par le fournisseur d'une réduction sur achats.		

Toutefois, il arrive qu'un fournisseur prenne un engagement, juridiquement exécutoire, d'accorder une réduction (un remboursement) si certaines conditions se matérialisent. Dans un tel scénario, l'acheteur est assuré de recevoir la réduction s'il satisfait à la condition imposée par le fournisseur. Il détermine le moment de la comptabilisation d'une telle réduction en fonction de la probabilité qu'il remplisse la condition.

EXEMPLE

Moment de comptabilisation d'une réduction du coût

La société Les Beaux Jours ltée exploite des magasins de vente au détail. Elle offre des vêtements et des équipements pour la pratique de divers sports. Depuis plusieurs années, elle achète une large gamme de vêtements du producteur Daniel Courapied ltée. Ce dernier offre une « remise de fidélité » de 3 % à tous ses clients qui augmentent de 10 % leurs achats de l'année civile en cours comparativement aux achats de l'année précédente. Voici des renseignements additionnels au sujet des opérations de la société Les Beaux Jours ltée, soit ses ventes mensuelles comparatives, ainsi que ses achats courants, cumulatifs et comparatifs effectués auprès de Daniel Courapied ltée.

	20X7			20X6			
Mois	Ventes de la période en cours (en milliers)	Achats de la période en cours (en milliers)	Achats cumulatifs (en milliers)	Ventes de la période en cours (en milliers)	Achats de la période en cours (en milliers)	Achats cumulatifs (en milliers)	Achats cumulatifs 20X7/Achats cumulatifs 20X6
Janvier	23 $	18 $	18 $	30 $	18 $	18 $	1,00
Février	32	20	38	29	18	36	1,05
Mars	41	25	63	38	23	59	1,07
Avril	50	30	93	43	26	85	1,09
Mai	41	25	118	50	30	115	1,03
Juin	33	30	148	30	18	133	1,11

En janvier 20X7, la valeur des achats est identique à celle de janvier 20X6, et rien ne laisse croire que Les Beaux Jours ltée respectera la condition relative à une augmentation de 10 % des achats annuels. La société comptabilise donc le montant brut des achats, soit 18 000 $. Il faut attendre le mois de juin avant que les achats cumulatifs de 20X7 excèdent de plus de 10 % ceux de la période correspondante de 20X6. Ainsi, la société comptabilise, à chacun des mois de février à mai, le montant brut des achats. En juin 20X7, les achats cumulatifs excèdent de 11 % ceux de la période correspondante de 20X6. Pour la première fois en 20X7, la société respecte la condition du fournisseur pour bénéficier de la remise de 3 % des achats totaux. Elle peut alors être tentée de comptabiliser cette remise. Toutefois, en examinant les ventes des six premiers mois de 20X7, qui totalisent 220 000 $, et celles de la période correspondante de 20X6, soit 220 000 $, on constate que l'augmentation des achats ne découle pas d'une augmentation des ventes mais plutôt d'un changement dans la politique d'approvisionnement. Cela laisse présager que la société n'est pas du tout assurée de maintenir une croissance de 10 % dans ses achats. Elle ne devrait donc pas comptabiliser la remise en juin 20X7.

Poursuivons notre exemple jusqu'au 31 décembre 20X7. Contrairement à ce que la société pouvait prévoir, les achats de 20X7 excèdent de 15 % ceux de 20X6 et s'établissent à 250 000 $. Ce n'est qu'à ce moment que la société peut comptabiliser la remise de 3 %, en enregistrant l'écriture de journal suivante :

Fournisseurs	*7 500*	
Stock de marchandises (ou Achats)		*7 500*
Remise de 3 % offerte par le fournisseur sur les achats de l'année (250 000 $ × 3 %).		

Notons en terminant que cette sous-section traitait de remboursements attendus d'un tiers. Ces opérations ne doivent pas être confondues avec des profits attendus de la sortie future d'actifs. L'IASB précise en effet que de tels profits ne doivent pas être pris en compte dans l'évaluation des provisions[26].

L'actualisation des sorties futures de trésorerie

Lorsque l'on prévoit que la provision sera éteinte peu de temps après la date de clôture, il n'est pas nécessaire d'actualiser les sorties futures de trésorerie à la date de clôture, car l'incidence de l'actualisation serait non significative. Toutefois, si l'extinction est prévue beaucoup plus tard, l'évaluation doit tenir compte du passage du temps ; une dette de 1 000 $ remboursable dans 10 ans vaut beaucoup moins qu'une autre du même montant remboursable dans un mois, en raison de ce que l'on appelle parfois la **désactualisation**, comme nous l'avons expliqué dans la section du chapitre 3 traitant de la valeur temporelle de l'argent. C'est pourquoi l'IASB recommande de comptabiliser la valeur actualisée des provisions lorsque la valeur temps de l'argent est significative[27]. Cette recommandation fait aussi ressortir que, bien que plusieurs provisions soient présentées dans la section du passif courant de l'état de la situation financière, certaines peuvent être présentées dans le passif non courant, telle une provision pour démantèlement, enlèvement ou remise en état, dont nous traiterons plus loin.

12

Les sorties de trésorerie sont actualisées au taux qui reflète les appréciations du marché pour une échéance similaire ainsi que les risques propres à la provision. Comme nous l'avons expliqué au chapitre 3, si une entreprise a tenu compte d'un risque dans l'estimation des sorties attendues de trésorerie, elle ne doit pas le faire une seconde fois dans le taux d'actualisation.

La comptabilisation subséquente des provisions

Après avoir comptabilisé une provision, arrivera le moment où l'entreprise engagera les dépenses inhérentes. Pour illustrer le traitement comptable subséquent, reprenons l'exemple de la société Époux Moné inc. (*voir les pages 12.32 et 12.33*). Lorsque les clients demanderont que soient effectuées des réparations sous garantie, Époux Moné inc. débitera le compte Provision pour garanties et créditera le compte Caisse, le compte Fournisseurs ou le compte Salaires à payer, selon le cas. Si les coûts réels diffèrent des coûts attendus, l'entreprise comptabilisera l'écart à titre de charge pendant l'exercice où elle effectue les réparations. Elle ne retraitera pas le résultat net des exercices précédents, car il s'agit d'une révision d'estimation comptable, comme nous l'expliquerons au chapitre 15.

---

26. *Manuel de CPA Canada – Comptabilité – Partie I*, IAS 37, paragr. 51.
27. *Manuel de CPA Canada – Comptabilité – Partie I*, IAS 37, paragr. 45.

EXEMPLE

Comptabilisation des coûts de garanties subséquents

Poursuivons l'exemple d'Époux Moné inc. En 20X1 et 20X2, les coûts réels de garantie, tous engagés au comptant, se sont élevés respectivement à 7 000 $ et à 1 500 $. Le comptable a donc enregistré les écritures suivantes :

20X1		
Provision pour garanties	*7 000*	
Caisse		*7 000*
Réparations effectuées en 20X1 sur les biens vendus avec une garantie.		
20X2		
Provision pour garanties	*1 100*	
Coûts de garantie	*400*	
Caisse		*1 500*
Réparations effectuées en 20X2 sur les biens vendus avec une garantie.		

Si les coûts réels de garantie s'étaient élevés à 800 $ en 20X2, le comptable aurait porté l'écart entre les coûts attendus et les coûts réels, soit 300 $, au crédit du compte Coûts de garantie.

Ces écritures montrent que les coûts réels de garantie sont portés au débit du compte de passif jusqu'à ce que le solde soit ramené à zéro. Notons aussi que l'entreprise ne peut pas porter au débit de ce compte des coûts d'une autre nature, comme le précise l'IAS 37 : « Une provision ne doit être utilisée que pour les dépenses pour lesquelles elle a été comptabilisée à l'origine[28]. » Cette recommandation vise notamment à éviter que les entreprises n'utilisent les comptes de provisions pour niveler les résultats. L'IASB exige aussi que les entreprises révisent périodiquement l'évaluation des provisions : « Les provisions doivent être revues à chaque date de clôture et ajustées pour refléter la meilleure estimation à cette date. Si une sortie de ressources représentatives d'avantages économiques nécessaires à l'extinction d'une obligation n'est plus probable, la provision doit être reprise[29]. »

Lorsque les coûts de garantie sont évaluables, mais qu'ils ont une très faible valeur, la notion d'importance relative permet de comptabiliser la charge uniquement au moment où les réparations sont effectuées. La **méthode de la comptabilisation directe**, qui consiste à comptabiliser les coûts relatifs aux garanties à mesure qu'ils sont engagés, est très simple d'application. Elle peut aussi être acceptable quand la durée de la garantie est courte ou que le volume des ventes de biens garantis est constant d'un exercice à l'autre[30].

Jusqu'à présent, nous avons traité des situations où le vendeur assume lui-même les coûts afférents aux garanties. Les clients profitent alors d'un avantage pour lequel ils n'ont payé aucun montant déterminé, et l'entreprise ne réalise aucune marge bénéficiaire distincte sur les travaux de réparation. Certains vendeurs proposent plutôt à leurs clients des contrats d'entretien que ceux-ci paient au moment de l'acquisition du bien. Les contrats d'entretien sont très courants dans les secteurs de la vente d'appareils ménagers, d'appareils électroniques et d'automobiles, et ils diffèrent des garanties en ce que le vendeur reçoit un montant supplémentaire servant à garantir l'entretien du bien vendu. Lorsque l'entreprise effectuera un travail d'entretien ou de réparation, elle réalisera une marge bénéficiaire. Comme nous le verrons en détail au chapitre 20, au moment où elle vend le contrat d'entretien, elle ne peut donc pas se contenter de comptabiliser les coûts d'entretien prévus à titre de provision ; elle doit plutôt différer la comptabilisation des produits jusqu'au moment où elle rendra les services d'entretien. Tant qu'elle n'a pas rendu les services, elle comptabilise un passif.

28. *Manuel de CPA Canada – Comptabilité – Partie I*, IAS 37, paragr. 61.

29. *Manuel de CPA Canada – Comptabilité – Partie I*, IAS 37, paragr. 59.

30. Notons que la méthode de la comptabilisation directe est la seule méthode acceptée par le fisc. Lorsque, sur le plan comptable, il est justifié de recourir à une estimation de la charge, cela donne naissance à un impôt différé. Nous y reviendrons au chapitre 18.

EXEMPLE

Comptabilisation des contrats d'entretien vendus séparément

La société Cristal ltée vend, le 1er janvier 20X1, 10 contrats d'entretien de 2 ans au prix unitaire de 6 500 $. Cristal ltée a fixé ce prix en estimant que les coûts qu'elle engagera pour honorer un contrat d'entretien seront de 6 000 $ et répartis de la façon suivante :

Calendrier	*Pourcentage des services rendus*	*Coûts pour honorer une garantie*
1re année	*80*	*4 800 $*
2e année	*20*	*1 200*

Le comptable enregistrera alors l'écriture suivante au moment de la vente :

Caisse	*65 000*	
Produits différés découlant des contrats d'entretien		*65 000*
Vente de 10 contrats d'entretien.		

En supposant qu'aucune autre opération ne soit survenue en janvier et que Cristal ltée dresse des états financiers mensuels au 31 janvier 20X1, l'état de la situation financière fera mention d'un passif intitulé Produits différés découlant des contrats d'entretien, d'un montant de 65 000 $.

Plus tard, lorsque la société effectuera les réparations comme il a été convenu dans les contrats d'entretien, elle comptabilisera les coûts engendrés en résultat net de l'exercice en cours et comptabilisera les produits en fonction du pourcentage des services rendus, comme nous l'expliquerons plus en détail dans le chapitre 20. Supposons que les coûts réels des réparations s'élèvent à 48 000 $ en 20X1 et à 14 000 $ en 20X2. Voici les écritures de journal que devra enregistrer le comptable de l'entreprise :

20X1		
Coûts relatifs aux contrats d'entretien	*48 000*	
Caisse (ou Fournisseurs)		*48 000*
Réparations effectuées en 20X1 selon les contrats d'entretien vendus.		
Produits différés découlant des contrats d'entretien	*52 000*	
Produits découlant des contrats d'entretien		*52 000*
Produits gagnés en 20X1 (65 000 $ × 80 %).		
20X2		
Coûts relatifs aux contrats d'entretien	*14 000*	
Caisse (ou Fournisseurs)		*14 000*
Réparations effectuées en 20X2 selon les contrats d'entretien vendus.		
Produits différés découlant des contrats d'entretien	*13 000*	
Produits découlant des contrats d'entretien		*13 000*
Produits gagnés en 20X2 (65 000 $ – 52 000 $ ou 65 000 $ × 20 %).		

Puisque 80 % des services sont rendus en 20X1, on comptabilise la même proportion de produits. De ce fait, les coûts réels de 48 000 $ relatifs aux contrats d'entretien sont rattachés aux produits de 52 000 $, laissant un pourcentage de marge brute de 7,7 % [(52 000 $ – 48 000 $) ÷ 52 000 $]. En 20X2, la marge brute est négative, car les coûts réels excèdent les produits réels. Notons cependant que l'écart entre les coûts réels et les coûts attendus ne modifie pas le calcul des produits découlant des contrats d'entretien et qu'en pratique, il est plutôt inhabituel de subir une perte de la sorte.

La figure 12.6 établit un parallèle entre la comptabilisation des provisions pour garanties et celle des produits différés sur contrats d'entretien.

FIGURE 12.6 Un parallèle entre la comptabilisation des provisions pour garanties et celle des produits différés sur contrats d'entretien

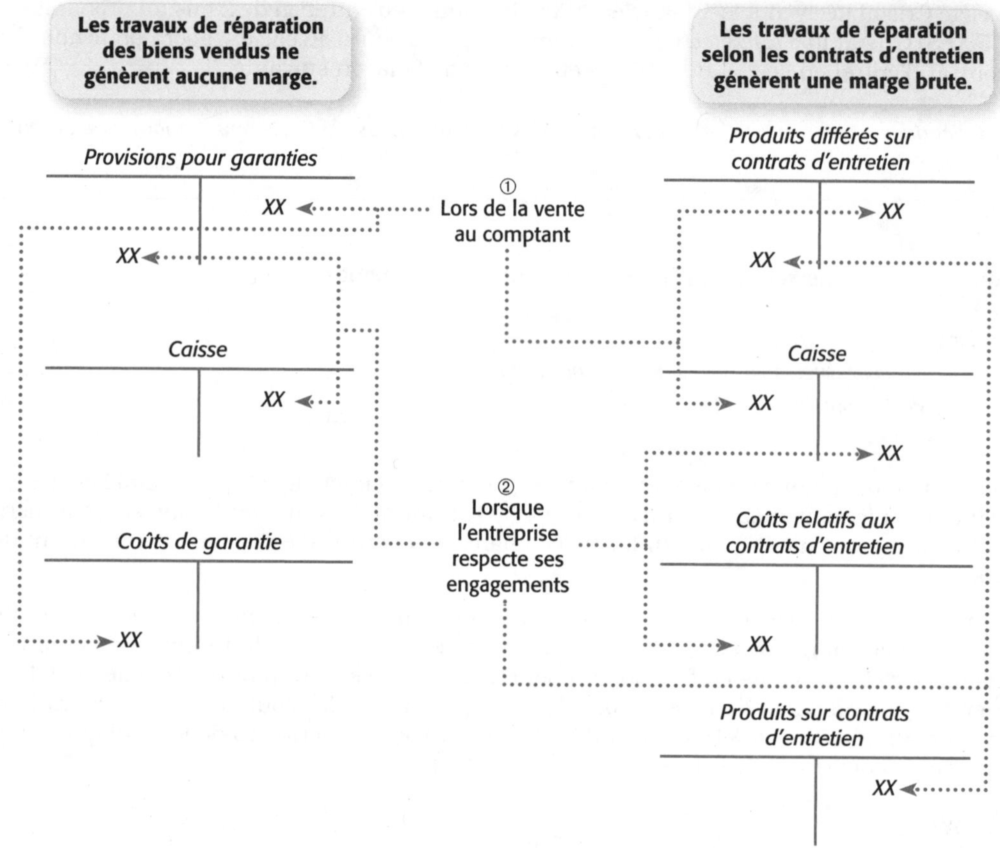

Avez-vous remarqué ?

Étant donné que les provisions sont des dettes dont l'existence même est incertaine, leur évaluation requiert beaucoup de jugement professionnel. Leur comptabilisation est malgré tout nécessaire afin de présenter des états financiers qui reflètent fidèlement tous les passifs qu'une entreprise assume à une date donnée.

Les droits et autres taxes

Différence NCECF

Il arrive qu'une autorité publique impose aux entreprises des droits ou des taxes autres que celles traitées précédemment. Une autorité publique peut être un État, une autorité ou un organisme public local, national ou international. La présente sous-section abordera la comptabilisation de ces droits ou de ces taxes dont traite l'**IFRIC 21**, intitulée « Droits ou taxes ». Cette norme s'applique aux droits ou aux taxes qui découlent d'une exigence légale ou réglementaire, mais ne s'applique pas à ceux qui résultent d'un accord contractuel. En effet, si une entreprise conclut un accord avec un État, par exemple un contrat de vente d'avions, et que cet accord se traduit, du point de vue de l'entreprise, par l'obligation de remettre à l'État une partie du prix convenu afin de dédommager la communauté locale qui pourrait subir les contrecoups de ce contrat, l'IFRIC 21 ne s'applique pas au montant en cause puisqu'il s'agit d'un accord contractuel. De plus, la norme IFRIC 21 ne s'applique pas aux dispositions légales ou réglementaires qui sont :

(a) des sorties de ressources qui entrent dans le champ d'application d'autres normes (comme les impôts sur le résultat qui entrent dans le champ d'application d'IAS 12 *Impôts sur le résultat*) ;

(b) des amendes et autres pénalités imposées pour violation de dispositions légales ou réglementaires[31].

31. *Manuel de CPA Canada – Comptabilité – Partie I*, IFRIC 21, paragr. 4.

Lorsqu'une entreprise doit payer un droit ou une taxe couvert par l'IFRIC 21, le comptable cherche tout d'abord à déterminer à quel moment il doit comptabiliser le passif ou l'obligation qui en découle. Conformément au cadre conceptuel, l'IASB réitère l'importance de comptabiliser le passif au moment où survient le fait générateur de cette obligation, c'est-à-dire l'activité qui rend le droit ou la taxe exigible selon les termes de la loi ou du règlement. Par exemple, si un gouvernement impose un droit annuel fixe à toutes les entreprises qui exploitent des usines près d'un cours d'eau, une entreprise doit comptabiliser le passif lié à ce droit à mesure qu'elle poursuit l'exploitation puisque c'est l'exploitation qui fait en sorte que le montant devient exigible par l'État.

Il est évident, en vertu du principe d'indépendance des périodes, que les droits liés aux périodes subséquentes ne seront comptabilisés que dans les périodes futures. Dans l'IFRC 21, l'IASB précise que le comptable ne peut invoquer la **nécessité économique**, c'est-à-dire la nécessité d'une entreprise de poursuivre à l'avenir son exploitation pour appuyer sa décision de comptabiliser immédiatement l'obligation liée aux droits ou aux taxes qui deviendront exigibles en raison des activités futures. On comprend que l'hypothèse de la continuité d'exploitation, qui est à la base de la préparation des états financiers, permet d'évaluer correctement les actifs et les passifs d'une entreprise, mais elle ne sert pas à déterminer si une entreprise a une obligation actuelle à la date de clôture d'une période financière. Ainsi, une entreprise qui prévoit devoir payer un permis d'exploitation dans cinq mois afin de pouvoir poursuivre ses activités ne doit pas comptabiliser l'obligation liée à ce permis dès maintenant.

Il se peut qu'une obligation pour droits ou taxes découle d'un fait qui survient de façon progressive, au fil du temps. Pensons par exemple à un droit à payer en fonction des produits réalisés par l'entreprise. Au Québec, on peut penser à la taxe d'hébergement imposée aux consommateurs par les hôteliers ou aux écofrais applicables notamment aux cellulaires ou aux écrans de 30 pouces et plus. Dans ce contexte, l'entreprise comptabilise le droit à payer à mesure qu'elle réalise les produits en cause. Complexifions un peu l'analyse. À quel moment devrait-on comptabiliser un droit à payer sur les produits annuels supérieurs à 200 000 $? Tant que l'entreprise n'a pas généré de produits supérieurs à ce seuil, elle ne comptabilise pas de droit à payer. Cependant, dès que ses produits annuels atteignent 200 000 $, elle commence à comptabiliser de façon progressive les droits à payer sur les produits qu'elle gagne.

12

Des provisions particulières

Dans cette section, nous aborderons trois types de provisions : celles pour contrat déficitaire, celles pour restructuration et celles liées au démantèlement, à l'enlèvement ou à la remise en état d'un actif à long terme.

Les provisions pour contrat déficitaire

Différence NCECF

Certains contrats ne sont pas totalement exécutés à la date de clôture d'un exercice financier. Pensons notamment aux engagements d'achat de marchandises, dont traitait le chapitre 7. En présence d'un tel contrat, nous avons vu que l'on doit vérifier s'il s'agit d'un contrat déficitaire, soit un contrat pour lequel les coûts inévitables pour satisfaire aux obligations contractuelles sont supérieurs aux avantages économiques à recevoir attendus du contrat. La figure 12.7 illustre le traitement comptable d'un **contrat déficitaire**, que nous expliquerons à l'aide d'un exemple.

Supposons que l'entreprise Continentale ltée ait signé, le 30 novembre 20X1, un contrat en vertu duquel elle s'engage à acheter, au cours des 12 prochains mois, 100 000 articles AA au coût unitaire de 1,00 $. Le 31 décembre, date de fin d'exercice, la valeur nette de réalisation des articles AA n'est que de 0,98 $ l'unité. La baisse de valeur de 0,02 $ doit-elle être comptabilisée dans le résultat net de l'exercice 20X1 même si les articles n'ont pas encore été achetés à la fin de cet exercice ?

À la date de clôture de l'exercice financier, l'entreprise sait qu'elle devra débourser une somme de 0,02 $ par article sans recevoir en échange un avantage économique futur.

Comme l'indique la figure 12.7, on doit d'abord déterminer si le contrat est déficitaire en analysant si les coûts inévitables pour satisfaire aux obligations contractuelles excèdent les avantages économiques à recevoir attendus du contrat. « [...] Les **coûts inévitables** d'un contrat reflètent le **coût net de sortie** du contrat, c'est-à-dire le plus faible du coût d'exécution du contrat ou de toute indemnisation ou pénalité découlant du défaut d'exécution[32]. »

32. *Manuel de CPA Canada – Comptabilité – Partie I*, IAS 37, paragr. 68.

FIGURE 12.7 Le traitement comptable des contrats non entièrement exécutés

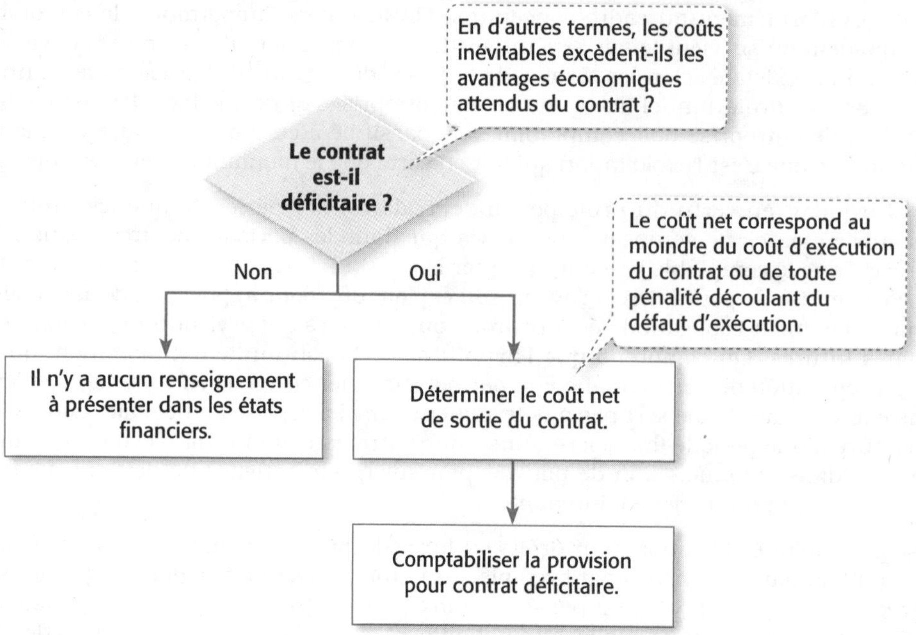

12

Si Continentale ltée a la possibilité et l'intention de résilier son contrat sans pénalité, ce dernier n'est pas un contrat déficitaire puisque les coûts inévitables sont nuls. L'entreprise n'aurait donc aucun renseignement à fournir dans ses états financiers concernant le contrat d'engagement d'achat de marchandises.

Toutefois, si le contrat n'est pas résiliable, ou si le contrat est résiliable en entraînant une pénalité de 5 000 \$, Continentale ltée traite alors ce contrat comme un contrat déficitaire, car elle devrait soit débourser 100 000 \$ pour obtenir des articles valant 98 000 \$, soit payer la pénalité de 5 000 \$ sans recevoir d'actif en contrepartie. Selon l'IAS 37, un contrat déficitaire entraîne la comptabilisation d'un passif, plus précisément une provision, pour un montant correspondant au coût net de sortie du contrat. Ce coût correspond au plus faible du coût d'exécution du contrat ou de toute indemnisation ou pénalité découlant du défaut d'exécution. Cette recommandation vise à refléter fidèlement la réalité économique, à savoir que l'entreprise choisira sans doute l'option la moins coûteuse. L'IASB ne définit pas précisément la notion de coût d'exécution. Est-ce le débours total de 100 000 \$ ou la diminution de valeur de 2 000 \$? À notre avis, le coût d'exécution du contrat doit correspondre uniquement au montant que Continentale ltée devra débourser, net des avantages économiques futurs, pour respecter son engagement d'achat, soit 2 000 \$. Il semble en effet difficile de soutenir que Continentale ltée devrait comptabiliser le passif de 100 000 \$ pendant l'exercice en cours et le stock de marchandises de 98 000 \$ uniquement pendant l'exercice subséquent.

EXEMPLE

Comptabilisation d'un contrat déficitaire

Le 31 décembre, Continentale ltée doit comptabiliser un passif dont elle détermine ainsi la valeur comptable :

Débours net prévu pour acheter les marchandises [100 000 articles × (1,00 \$ – 0,98 \$)]	*2 000 \$*
Pénalité découlant du défaut d'exécution	*5 000 \$*
Valeur retenue (la plus faible des deux valeurs ci-dessus)	*2 000 \$*

L'entreprise doit comptabiliser ce passif de 2 000 \$, même si elle n'a pas encore acheté les marchandises, car l'événement à l'origine de ce passif n'est pas l'achat des marchandises, mais bien la signature d'un contrat d'achat portant sur des marchandises dont la valeur a diminué. Plus précisément, Continentale ltée passera les deux écritures suivantes, en tenant compte qu'elle achète les marchandises le 15 janvier suivant et que la valeur nette de réalisation est restée stable :

31 décembre 20X1		
Perte sur contrat déficitaire d'achat de marchandises	*2 000*	
Provision pour contrat déficitaire d'achat de marchandises		*2 000*
Coûts nets de sortie d'un contrat déficitaire.		
15 janvier 20X2		
Provision pour contrat déficitaire d'achat de marchandises	*2 000*	
Stock de marchandises (ou Achats)	*98 000*	
Caisse		*100 000*
Achat de marchandises visées par un contrat déficitaire.		

Au moment de l'achat des marchandises, l'entreprise doit décomptabiliser le passif de 2 000 $, ce qui a pour effet de diminuer la valeur comptable du stock de marchandises. Continentale ltée comptabilise le stock à une valeur de 98 000 $, soit un montant correspondant au moindre du coût (100 000 $) et de la valeur nette de réalisation (98 000 $).

Rappelons que, par définition, un contrat est déficitaire lorsque les obligations contractuelles excèdent les avantages économiques à recevoir. À cet effet, on doit estimer les avantages économiques à recevoir, même si l'IASB ne donne pas de directives claires à cet égard. On peut croire que dans l'exemple de Continentale ltée, puisque les stocks ne peuvent jamais être évalués à une valeur supérieure à leur valeur nette de réalisation, c'est cette valeur qui devrait être utilisée pour déterminer si un contrat est déficitaire ou non, comme nous l'avons fait dans l'exemple. Si le coût de remplacement des stocks était tombé à 0,98 $ sans pour autant que leur prix de vente diminue, et automatiquement sans que leur valeur nette de réalisation diminue, le contrat n'aurait pas été traité comme un contrat déficitaire et l'entreprise n'aurait pas été tenue de comptabiliser une provision sur le contrat.

Différence NCECF

12

Les provisions pour restructuration

Différence NCECF

Une **restructuration** a des effets financiers majeurs. En effet, l'IASB détermine les événements suivants qui peuvent satisfaire à la définition d'une restructuration :

(a) la vente ou l'arrêt d'une branche d'activité ;

(b) la fermeture de sites d'activité dans un pays ou une région ou la délocalisation d'activités d'un pays dans un autre ou d'une région dans une autre ;

(c) les changements apportés à la structure de direction, par exemple la suppression d'un niveau de direction ; et

(d) les réorganisations fondamentales ayant un effet significatif sur la nature et le centrage d'une activité de l'entité[33].

Les restructurations créent souvent de nouvelles obligations. Par exemple, une entreprise qui décide d'abolir un niveau de direction pourrait offrir aux membres du personnel touchés des primes de séparation.

Les restructurations s'échelonnent souvent sur un laps de temps assez long. Il arrive donc qu'une entreprise doive, entre le moment où une elle décide de procéder à une restructuration et celui où elle la complète, préparer des états financiers. La question consiste alors à savoir comment refléter cette restructuration, soit en comptabilisant les passifs qui en découlent, soit en donnant de l'information par voie de notes.

Pour favoriser la comparaison entre les états financiers des entreprises, l'IASB traite particulièrement de ces opérations dans l'IAS 37. Il souligne d'abord qu'une entreprise comptabilise une provision pour restructuration uniquement si cette obligation respecte les trois critères de comptabilisation énoncés précédemment, soit : 1) que l'entreprise assume une obligation

33. *Manuel de CPA Canada – Comptabilité – Partie I,* IAS 37, paragr. 70.

actuelle découlant d'un événement passé ; 2) qu'il est probable qu'une sortie de ressources représentatives d'avantages futurs sera nécessaire pour éteindre l'obligation ; et 3) que le montant de l'obligation peut être estimé de manière fiable. Conscient que l'analyse de ces critères en contexte de restructuration s'avère subjective, l'IASB ajoute des précisions additionnelles. Le tableau 12.5 présente ces indications ainsi que des commentaires qui les expliquent.

TABLEAU 12.5 L'analyse des provisions pour restructuration

***Normes internationales d'information financière,* IAS 37**	**Commentaires**
Paragr. 72 *Une obligation implicite de restructurer est générée uniquement lorsqu'une entité :* *(a) a un plan de restructuration établi et détaillé précisant au moins :* *(i) l'activité ou la partie de l'activité concernée,* *(ii) les principaux sites affectés,* *(iii) la localisation, la fonction et le nombre approximatif de membres du personnel qui seront indemnisés au titre de la fin de leur contrat de travail,* *(iv) les dépenses qui seront engagées, et* *(v) la date à laquelle le plan sera mis en œuvre ; et* *(b) a créé, chez les personnes concernées, une attente fondée qu'elle mettra en œuvre la restructuration, soit en commençant à exécuter le plan, soit en leur annonçant ses principales caractéristiques.*	La seule décision de la direction ou du conseil d'administration de procéder à une restructuration ne crée pas automatiquement une obligation actuelle implicite. La présence d'un **plan de restructuration établi et détaillé** précisant les renseignements énoncés ci-contre confirme que la restructuration n'est pas seulement un vague projet mais une opération probable. Cela est d'autant plus vrai lorsque l'entreprise prévoit mettre en œuvre ce plan à une date proche et l'achever suffisamment tôt pour éviter de devoir le modifier. En effet, plus la durée prévue du plan est longue, plus il s'avère difficile de vérifier qu'il sera réalisé. De plus, lorsque ce plan a été communiqué ou lorsque la mise en œuvre a débuté, le fait générateur de l'obligation implicite est passé.
Paragr. 78 *Il n'existe aucune obligation pour la vente d'une activité tant que l'entité ne s'est pas engagée à vendre, c'est-à-dire par un accord de vente irrévocable.*	Nous ne devons pas confondre plan de restructuration et plan de vente de certains actifs (*voir le chapitre 8*). La vente d'actifs n'est souvent qu'une étape du processus de restructuration. Aussi, une obligation implicite peut exister même si l'entreprise ne s'est pas encore engagée auprès d'un acheteur.
Paragr. 80 *Une provision pour restructuration ne doit inclure que les dépenses directement liées à la restructuration, c'est-à-dire les dépenses qui sont à la fois :* *(a) nécessairement entraînées par la restructuration ; et* *(b) non liées aux activités poursuivies par l'entité.*	Les **dépenses directement liées à la restructuration** sont des coûts marginaux que l'entreprise ne supporterait pas si elle n'avait pas décidé de restructurer ses activités. Elles ne sont pas liées aux activités subséquentes. Cette dernière caractéristique suppose, par exemple, que les coûts de relocalisation du personnel ne sont pas des coûts attendus de restructuration et inclus dans la provision, mais bien des coûts liés aux activités futures qui seront comptabilisés uniquement au cours des prochains exercices. Il en est de même des coûts de marketing, des coûts d'investissement dans de nouveaux systèmes de distribution, des pertes d'exploitation futures et des profits attendus de la vente future d'actifs.

EXEMPLE

Plan de restructuration

La société Textile Desoie ltée clôture son exercice financier le 31 décembre et prépare aussi des états financiers trimestriels. Le 30 septembre 20X1, le conseil d'administration a adopté un plan de restructuration pour tenter de mettre fin aux pertes générées par certaines activités d'exploitation. Le plan précise notamment les éléments suivants :

1. Une usine sera démantelée en raison de la vétusté des installations, et une autre sera vendue. La valeur comptable des actifs que l'entreprise prévoit vendre est inférieure d'environ 200 000 $ à leur juste valeur.
2. Cent membres du personnel seront licenciés avec prime de séparation, estimée à 5 000 $ par membre, et 10 seront relocalisés au coût total de 60 000 $.

3. Le plan sera complété le 31 mars 20X2, et aucune activité de production ne sera faite dans les deux usines jusqu'à cette date. Il faudra toutefois supporter des coûts de chauffage et de surveillance des usines estimés à 15 000 $.
4. La mise en œuvre du plan se fera sous la responsabilité d'un consultant qui exige des honoraires de 40 000 $.

Les négociations avec les membres du personnel à relocaliser et la recherche d'acheteurs pour les actifs des deux usines ont commencé le 1er novembre 20X1. Au 31 mars suivant, la restructuration était terminée.

Entre la date d'adoption et la date de complétion du plan de restructuration, Textile Desoie ltée prépare deux jeux d'états financiers trimestriels et un jeu d'états financiers annuels. Du point de vue comptable, l'entreprise devra d'abord déterminer si elle doit comptabiliser une provision pour restructuration et, si oui, évaluer cette provision.

Examinons le moment de la comptabilisation de la provision. Pour la période trimestrielle terminée le 30 septembre 20X1, l'entreprise ne comptabilise aucune dette. Bien qu'un plan détaillé contenant toutes les précisions énoncées dans le tableau 12.5 ait été adopté, ce plan n'a pas été communiqué de façon à créer des attentes fondées auprès des membres du personnel ou des clients. L'énoncé précise de plus que la mise en œuvre a commencé seulement le 1er novembre 20X1. Ce n'est donc que dans ses états financiers de l'exercice terminé le 31 décembre 20X1 que Textile Desoie ltée comptabilise la provision pour restructuration. En présumant que les coûts se répartissent de façon linéaire entre les mois de novembre 20X1 et de mars 20X2, voici les calculs nécessaires à la préparation des états financiers de l'exercice terminé le 31 décembre 20X1 :

	Débours (2/5)	Coûts attendus (3/5)	Coûts totaux
Coûts de restructuration			
Prime de séparation (100 personnes × 5 000 $)	200 000 $	300 000 $	500 000 $
Honoraires pour mise en œuvre du plan	16 000	24 000	40 000
Total	216 000 $	324 000 $	540 000 $
Autres coûts			
Coûts de relocalisation	24 000 $	36 000 $	60 000 $
Chauffage et surveillance	6 000	9 000	15 000
Total	30 000 $	45 000 $	75 000 $

Notons d'abord que tous les coûts attendus par Textile Desoie ltée dans son plan de restructuration ne peuvent être traités à ce titre du point de vue comptable. Les coûts de relocalisation sont clairement liés aux activités poursuivies et doivent donc être exclus. Les coûts de chauffage et de surveillance doivent aussi être exclus, car ils ne sont pas nécessairement entraînés par la restructuration. L'entreprise les aurait en effet supportés même si elle n'avait pas adopté un plan de restructuration. Enfin, le profit de 200 000 $ attendu de la vente des actifs n'est pas pris en compte, comme le précise l'IASB. Il reste donc des coûts totaux de restructuration de 540 000 $, répartis sur 5 mois, soit de novembre 20X1 à mars 20X2. Voici les écritures de journal qui reflètent ces opérations dans les livres de Textile Desoie ltée :

1er novembre 20X1		
Coûts de restructuration	540 000	
Provision pour restructuration		540 000
Coûts attendus de la restructuration touchant deux usines.		
Du 1er novembre au 31 décembre 20X1		
Provision pour restructuration	216 000	
Caisse		216 000
Coûts engagés au cours de l'exercice.		
Coûts de relocalisation	24 000	
Entretien	6 000	
Caisse		30 000
Coûts de relocalisation du personnel et coûts rattachés à deux usines.		

Les écritures précédentes montrent que les charges de l'exercice terminé le 31 décembre 20X1 incluent tous les coûts de la restructuration, qu'ils soient réglés ou non, mais uniquement les coûts engagés en ce qui concerne les dépenses qui ne sont pas nécessairement entraînées par la restructuration ou qui sont liées aux activités poursuivies. Soulignons que l'entreprise devra déterminer si les actifs des deux usines peuvent être considérés comme des actifs détenus en vue de la vente. Elle devra ensuite les comptabiliser en conséquence, comme nous l'avons expliqué au chapitre 8. Soulignons enfin que l'entreprise devra établir si les deux usines respectent la définition d'une composante, auquel cas les dispositions touchant la comptabilisation des activités abandonnées que nous expliquerons au chapitre 20 devront être appliquées.

Au cours de la période trimestrielle subséquente terminée le 31 mars 20X2, Textile Desoie ltée n'aura aucun coût de restructuration à comptabiliser en charges, dans la mesure où les coûts réels correspondront aux coûts attendus. Seul l'effet des révisions d'estimations aura à ce titre une incidence sur le résultat net de cette période trimestrielle. Enfin, au moment de la vente des actifs, l'entreprise décomptabilisera les actifs et comptabilisera le profit réel correspondant à l'écart entre le prix de vente net réel et la valeur comptable des actifs. Précisons enfin que la décomptabilisation des actifs ne devrait pas donner lieu à une perte, car dès que la vente des actifs est envisagée dans le cadre d'une restructuration, l'entreprise comptabilise immédiatement toute dépréciation sur les actifs, conformément à l'**IAS 36**, intitulée « Dépréciation d'actifs ».

Différence NCECF

Les provisions pour démantèlement, enlèvement ou remise en état

La sensibilisation croissante de notre société aux problèmes environnementaux se reflète dans les normes comptables portant sur les provisions ainsi que sur les méthodes comptables utilisées par les entreprises. Selon l'édition 2007 du *Financial Reporting in Canada*, 183 des 200 entreprises recensées divulguaient déjà des renseignements liés à leur provision dans leurs états financiers[34].

12

Au chapitre 8, nous avons mentionné que le coût d'une immobilisation corporelle comprend l'estimation initiale des coûts de démantèlement ou d'enlèvement de l'immobilisation en cause ainsi que des coûts de remise en état d'un site, dans la mesure où ces coûts découlent de l'acquisition de l'immobilisation ou de son utilisation à des fins autres que la production de stocks[35]. À l'inverse, lorsque les coûts se rapportent à la production de stocks, ils sont débités dans le compte Stock de marchandises. En contrepartie du débit dans un compte d'immobilisation ou de stock, on doit créditer un compte de passif, comme le recommande l'IASB dans l'IAS 37. Nous pouvons maintenant approfondir notre étude de la comptabilisation de ce passif.

La comptabilisation d'une provision pour démantèlement, enlèvement ou remise en état

Différence NCECF

Qu'est-ce qu'une **provision pour démantèlement, enlèvement ou remise en état** ? Comme toutes les provisions, elle représente un passif dont l'échéance ou le montant est incertain. Voici des exemples de provisions pour démantèlement, enlèvement ou remise en état :

- L'obligation d'effectuer des travaux de décontamination au terme de l'exploitation d'une centrale nucléaire ;
- L'obligation d'effectuer le recouvrement final d'une décharge contrôlée ;
- L'obligation de démanteler une plate-forme marine de production pétrolière, au terme de son exploitation ;
- L'obligation d'enlever une immobilisation de production sur un terrain loué au moment de la résiliation ou de l'échéance du bail.

34. Repris de *Financial Reporting in Canada – 2007*, utilisé avec la permission des Comptables professionnels agréés du Canada, Toronto (Canada). L'éditeur assume l'entière responsabilité des modifications apportées aux documents originaux, celles-ci n'ayant été ni révisées ni cautionnées par les Comptables professionnels agréés du Canada. Même si ces statistiques reflètent les pratiques comptables des entreprises qui utilisaient les normes du *Manuel de CPA Canada – Comptabilité – Partie V*, qui ne sont plus en vigueur aujourd'hui, elles demeurent d'intérêt puisque ces normes comportaient plusieurs ressemblances avec l'IAS 37 à l'égard de la comptabilisation des passifs pour démantèlement, enlèvement ou remise en état.

35. *Manuel de CPA Canada – Comptabilité – Partie I*, **IAS 16**, paragr. 16.

Une provision pour démantèlement, enlèvement ou remise en état peut découler d'opérations futures. Elle sera alors comptabilisée uniquement lorsque ces opérations seront réalisées. Il en est ainsi, par exemple, de l'obligation de reboiser au terme de l'exploitation d'une concession forestière, qui dépend de la quantité d'arbres qui seront abattus, ou de l'obligation de remédier à un problème environnemental sur le site d'une mine ou d'un puits de pétrole ou de gaz, notamment en nettoyant les déversements inhérents à l'exploitation normale d'installations de stockage de carburant. Dans ces deux exemples, les coûts futurs dépendent du niveau d'opérations que l'entreprise réalisera.

La comptabilisation des provisions pour démantèlement, enlèvement ou remise en état vise essentiellement deux objectifs. Premièrement, pour refléter fidèlement sa situation financière, l'entreprise doit s'assurer de comptabiliser de telles dettes dès que l'obligation prend naissance. Deuxièmement, l'entreprise doit comptabiliser tous les coûts liés à l'exploitation des actifs, incluant les coûts de démantèlement, d'enlèvement ou de remise en état, pendant les mêmes exercices où elle comptabilise les avantages économiques que génère ces actifs.

Une entreprise doit comptabiliser la provision pour démantèlement, enlèvement ou remise en état dès qu'elle remplit pour la première fois les trois conditions énoncées précédemment et prérequises à la comptabilisation de toute provision (*voir la page 12.28*). Ainsi, lorsqu'une entreprise achète une immobilisation, elle doit se demander si elle prend en charge, au même moment, une provision pour démantèlement, enlèvement ou remise en état.

EXEMPLE

Comptabilisation initiale d'une provision pour démantèlement, enlèvement ou remise en état

La société Tout propre ltée paie comptant 900 000 $ pour acquérir une décharge contrôlée (un lieu d'enfouissement sanitaire) qui était déjà exploitée. Tout propre ltée sait qu'elle devra effectuer des travaux de remise en état du site qui découlent de l'exploitation de la décharge par le propriétaire antérieur. Elle estime que la valeur de ces travaux, déterminée en actualisant les flux de trésorerie futurs, s'élève à 200 000 $. Tout propre ltée passera alors les deux écritures suivantes :

	Débit	Crédit
Décharge contrôlée	*900 000*	
Caisse		*900 000*
Acquisition d'une décharge contrôlée.		
Décharge contrôlée	*200 000*	
Provision pour démantèlement, enlèvement ou remise en état		*200 000*
Prise en charge d'une provision pour démantèlement, enlèvement ou remise en état au moment de l'acquisition d'une décharge contrôlée.		

Notons que si Tout propre ltée avait loué la décharge contrôlée en vertu d'un contrat de location simple (*voir le chapitre 16*), cela n'altérerait en rien l'obligation prise en charge. De ce fait, Tout propre ltée ne passerait pas la première écriture de journal puisqu'elle ne doit pas comptabiliser l'actif loué dans ses livres. Elle passerait cependant la deuxième écriture de journal, où elle débiterait le compte Améliorations locatives plutôt que le compte Décharge contrôlée. Notons aussi que Tout propre ltée aurait pu acheter une immobilisation qui donnerait naissance à une provision pour démantèlement, enlèvement ou remise en état seulement à une date ultérieure. Nous traiterons de ces situations plus loin dans le présent chapitre.

Si Tout propre ltée prépare des états financiers à cette date, son état de la situation financière montre une immobilisation corporelle d'une valeur comptable de 1 100 000 $ et un passif d'une valeur de 200 000 $. Cet état de la situation financière montre la valeur de la provision à laquelle Tout propre ltée n'a guère la possibilité de se soustraire puisqu'en achetant la décharge, elle s'est engagée en vertu des lois environnementales à effectuer les travaux de remise en état du site. De plus, l'obligation respecte les caractéristiques d'une provision, à savoir :

1. Tout propre ltée a une obligation juridique qui découle d'un fait passé, soit l'acquisition, l'exploitation, la construction, le développement ou la mise en valeur de l'immobilisation.
2. Une sortie de ressources représentatives d'avantages économiques est probable pour éteindre l'obligation.
3. Le montant de l'obligation peut être estimé de manière fiable.

Enfin, soulignons que la comptabilisation de la provision a pour effet de montrer clairement les obligations de l'entreprise et d'augmenter le ratio d'endettement[36].

Il peut sembler étonnant que la valeur comptable de l'immobilisation (1 100 000 $) excède son coût d'acquisition de base (900 000 $). Aux fins de la présentation, rien n'empêche Tout propre ltée de fournir en note le montant des coûts cumulés de remise en état du site inclus dans la valeur comptable de l'immobilisation. Rien ne l'empêche non plus de préciser aux utilisateurs de ses états financiers que si elle vendait la décharge contrôlée, elle sortirait de ses livres non seulement sa valeur comptable mais aussi la valeur comptable de la provision pour démantèlement, enlèvement ou remise en état. L'écart net entre ces deux valeurs, à la date d'acquisition, correspond au coût initial de l'immobilisation. Si Tout propre ltée ne comptabilisait pas la provision, c'est un peu comme si elle avait opéré une compensation entre la valeur comptable actuelle de l'immobilisation et la valeur comptable du passif. Or, selon les IFRS, il n'est pas permis d'opérer une compensation entre ces deux éléments.

Le montant de la provision comptabilisé, soit 200 000 $ dans l'exemple précédent, doit correspondre à la meilleure estimation de la dépense nécessaire à l'extinction de l'obligation actuelle. Cette meilleure estimation est souvent obtenue en actualisant les sorties de fonds futures, et c'est l'hypothèse que nous posons dans les pages qui suivent. Le montant que Tout propre ltée paiera dans 10 ans pour effectuer les travaux de remise en état du site est beaucoup plus important que la valeur actualisée ainsi obtenue. C'est pourquoi, entre la comptabilisation initiale et le moment où l'entreprise réglera son obligation, elle doit augmenter la valeur comptable de la provision pour démantèlement, enlèvement ou remise en état afin de refléter le passage du temps. En contrepartie de cette augmentation de valeur, elle comptabilise une charge financière en résultat net de l'exercice en cours. Pour déterminer le montant de la charge annuelle, l'entreprise utilise la **méthode du taux d'intérêt effectif**. Ainsi, elle applique le taux d'actualisation à la valeur comptable de la provision au début de l'exercice.

12

EXEMPLE

Comptabilisation d'une provision liée à l'exploitation passée

Reprenons l'exemple de Tout propre ltée, sachant que le taux d'actualisation est de 10 %. À chaque fin d'exercice financier, Tout propre ltée comptabilise les charges calculées ci-dessous.

An	Solde d'ouverture de la provision pour démantèlement, enlèvement ou remise en état	Augmentation attribuable au passage du temps	Solde de clôture de la provision pour démantèlement, enlèvement ou remise en état
1	200 000 $	20 000 $	220 000 $
2	220 000	22 000	242 000
3	242 000	24 200	266 200
4	266 200	26 620	292 820
5	292 820	29 282	322 102
6	322 102	32 210	354 312
7	354 312	35 431	389 743
8	389 743	38 974	428 717
9	428 717	42 872	471 589
10	471 589	47 159	518 748

À la fin de son premier exercice financier, Tout propre ltée passera l'écriture de journal suivante :

Charge financière	*20 000*	
Provision pour démantèlement, enlèvement ou remise en état		*20 000*
Charge reflétant l'effet du passage du temps.		

36. Par exemple, si Tout propre ltée montrait, avant l'achat de la décharge contrôlée, un actif total de 1 000 000 $ et un passif total de 400 000 $, son ratio d'endettement serait de 40 % (400 000 $ ÷ 1 000 000 $). Après l'achat de la décharge, elle montrerait alors un actif total de 1 200 000 $ (1 000 000 $ + 1 100 000 $ – 900 000 $) et un passif total de 600 000 $ (400 000 $ + 200 000 $), pour un ratio d'endettement de 50 % (600 000 $ ÷ 1 200 000 $).

L'entreprise comptabilise la charge financière en résultat net à chacun des exercices au cours desquels elle assume l'obligation.

Les explications précédentes tenaient pour acquis que la provision pour démantèlement, enlèvement ou remise en état naît au moment de l'acquisition de l'actif en question. Il est aussi possible que cette provision naisse pendant l'utilisation de l'actif dans le cadre de la production de stock. Par exemple, une entreprise qui exploite une centrale nucléaire sait qu'il y aura nécessairement une contamination du sol découlant de l'exploitation courante. Cependant, tant qu'elle n'exploite pas la centrale nucléaire, il n'y a pas de contamination. Dans ce cas, la provision pour démantèlement, enlèvement ou remise en état naît seulement au cours des exercices pendant lesquels l'entreprise exploite la centrale. De ce fait, l'entreprise comptabilisera la provision pour démantèlement, enlèvement ou remise en état seulement pendant les exercices où elle utilise la centrale. À chaque exercice financier, elle traite la nouvelle provision pour démantèlement, enlèvement ou remise en état comme une tranche additionnelle de la provision comptabilisée antérieurement.

EXEMPLE

Comptabilisation d'une provision liée à l'exploitation future

Le 31 décembre 20X3, la société Pétrolin ltée achète à crédit des équipements de production pétrolière au coût de 2 000 000 $. Les équipements ont une durée d'utilité de 10 ans, et la société utilisera le mode d'amortissement linéaire pour en amortir le coût. Elle estime qu'à chaque exercice financier, elle assumera une provision additionnelle pour démantèlement, enlèvement ou remise en état de 150 000 $, en dollars d'aujourd'hui, découlant de l'exploitation annuelle pour la production de pétrole. Pétrolin ltée estime aussi que le taux d'actualisation permettant de refléter le passage du temps s'élève à 7 %. Du 31 décembre 20X3 au 31 décembre 20X5, la société passera les écritures de journal suivantes dans ses livres :

	Débit	Crédit
31 décembre 20X3		
Équipement	*2 000 000*	
Dette à long terme		*2 000 000*
Achat d'équipements de production pétrolière d'une durée d'utilité de 10 ans.		
31 décembre 20X4		
Stock de marchandises	*150 000*	
Provision pour démantèlement, enlèvement ou remise en état		*150 000*
Prise en charge d'une provision pour démantèlement, enlèvement ou remise en état au moment de la production pétrolière.		
Amortissement – Équipement	*200 000*	
Amortissement cumulé – Équipement		*200 000*
Amortissement annuel de l'équipement de production pétrolière (2 000 000 $ ÷ 10 ans).		
31 décembre 20X5		
Charge financière	*10 500*	
Provision pour démantèlement, enlèvement ou remise en état		*10 500*
Charge reflétant le passage du temps.		

Calcul :

Valeur comptable de l'obligation le 1er janvier 20X5	150 000 $
Taux d'intérêt	× 7 %
Charge financière	10 500 $

Stock de marchandises	*150 000*	
Provision pour démantèlement, enlèvement ou remise en état		*150 000*
Prise en charge d'une provision additionnelle pour démantèlement, enlèvement ou remise en état au moment de la production pétrolière.		
Amortissement – Équipement	*200 000*	
Amortissement cumulé – Équipement		*200 000*
Amortissement annuel de l'équipement de production pétrolière.		

Les écritures de journal requises le 31 décembre 20X3 et le 31 décembre 20X4 sont presque identiques à celles de l'exemple précédent portant sur la société Tout propre ltée. Les seules différences résident en ce que la première tranche de la provision pour démantèlement, enlèvement ou remise en état est comptabilisée au débit du compte Stock de marchandises, et ce, uniquement le 31 décembre 20X4, soit au terme de la première année d'exploitation, plutôt que lors de l'acquisition de l'équipement. Soulignons que le montant porté au débit du compte Stock de marchandises sera viré en charges au moment où Pétrolin ltée vendra ses marchandises. Dans la seconde écriture du 31 décembre 20X4, l'entreprise comptabilise la charge d'amortissement des équipements.

Examinons de plus près les écritures de journal passées le 31 décembre 20X5. Pétrolin ltée comptabilise d'abord la charge financière (10 500 $) afférente à la provision pour démantèlement, enlèvement ou remise en état comptabilisée au cours de l'exercice précédent. Elle doit aussi comptabiliser la nouvelle tranche découlant de l'exploitation pétrolière de 20X5, au montant de 150 000 $.

Voici l'évolution de la valeur comptable de la provision :

Année	Solde d'ouverture de la provision pour démantèlement, enlèvement ou remise en état	Augmentation attribuable au passage du temps	Nouvelle tranche de la provision pour démantèlement, enlèvement ou remise en état	Solde de clôture de la provision pour démantèlement, enlèvement ou remise en état
20X4	θ	θ	150 000 $	150 000 $
20X5	150 000 $	10 500 $	150 000	310 500
20X6	310 500	21 735	150 000	482 235
20X7	482 235	33 756	150 000	665 991
20X8	665 991	46 619	150 000	862 610
20X9	862 610	60 383	150 000	1 072 993
20Y0	1 072 993	75 109	150 000	1 298 102
20Y1	1 298 102	90 867	150 000	1 538 969
20Y2	1 538 969	107 728	150 000	1 796 697
20Y3	1 796 697	125 769	150 000	2 072 466

Ces calculs ressemblent à ceux de la page 12.48, auxquels nous avons ajouté une colonne pour inscrire la tranche annuelle de la provision pour démantèlement, enlèvement ou remise en état.

Dans les exemples précédents, il était clair que l'entreprise devait comptabiliser une provision pour démantèlement, enlèvement ou remise en état. Ce n'est pas toujours aussi simple. Prenons l'exemple de la société Pari pris ltée, qui exploite une concession forestière accordée par le gouvernement. Le contrat entre les deux parties prévoit que si le gouvernement le lui demande, Pari pris ltée devra reboiser les secteurs exploités. Une telle clause ressemble à une option que détiendrait le gouvernement. Si ce dernier exerce l'option, Pari pris ltée est obligée de reboiser, mais s'il ne l'exerce pas, Pari pris ltée n'assume aucune obligation. Pari pris ltée doit-elle comptabiliser une telle provision pour démantèlement, enlèvement ou remise en état de la concession avant de savoir si le gouvernement exercera son option ? Comme nous l'avons mentionné plus tôt, il est important de tenir compte de toute l'information disponible afin d'évaluer s'il est plus probable qu'improbable que l'obligation actuelle existe à la date de clôture.

Par exemple, si Pari pris ltée estime que la probabilité que le gouvernement impose le reboisement excède 50 %, elle doit comptabiliser la provision pour démantèlement, enlèvement ou remise en état à mesure qu'elle exploite la concession. À l'inverse, si elle estime que la probabilité que le gouvernement impose le reboisement est inférieure à 50 %, elle ne comptabilise aucune provision.

Différence NCECF

L'évaluation initiale de la provision pour démantèlement, enlèvement ou remise en état

Lorsqu'une entreprise conclut qu'elle doit comptabiliser une provision pour démantèlement, enlèvement ou remise en état, comment doit-elle déterminer le montant initial de la dette ? L'IASB précise que l'entreprise doit faire la meilleure estimation des sommes qu'elle devra engager pour éteindre ou transférer la dette. À cette fin, le jugement de la direction est nécessaire. L'entreprise peut aussi se baser sur son expérience passée ou recourir à des experts indépendants. Elle tient compte de toute indication fournie par des événements ultérieurs à la date de clôture.

Si l'entreprise a la possibilité de recouvrer certains montants d'une tierce partie au moment du règlement de la provision, par exemple auprès de son assureur ou d'un fournisseur d'équipements, elle en tient compte dans ses estimations uniquement lorsqu'elle est quasi certaine de recevoir le remboursement des frais. De plus, l'entreprise doit comptabiliser dans un compte d'actif distinct le montant de remboursement attendu, qui ne peut excéder le montant de la provision comptabilisée. En d'autres termes, il n'est pas permis de porter le remboursement en diminution de la provision. Par contre, aux fins de la présentation de l'état du résultat global, il est permis de compenser les frais de démantèlement, d'enlèvement ou de remise en état et les montants reçus à titre de remboursement[37].

Avez-vous remarqué ?

Puisque l'échéance des provisions pour démantèlement, enlèvement ou remise en état d'un site est souvent éloignée, il est souvent plus difficile d'estimer le montant de ces provisions que celui des autres provisions traitées précédemment.

Lorsque la valeur de la provision est obtenue en actualisant les sorties de fonds futures, on doit utiliser un taux avant impôts cohérent avec l'estimation des flux de trésorerie. Par exemple, si les flux de trésorerie estimatifs tiennent compte des risques et des incertitudes, le taux d'actualisation sera un taux sans risque, qui permet d'éviter de compter deux fois ces risques et incertitudes.

Prenons l'exemple de la société Parici ltée, qui exploite une décharge contrôlée. L'entreprise prévoit exploiter la décharge pendant 10 ans et payer le tiers des coûts de remise en état du site, soit 200 000 $, dans 8 ans et le solde, soit 400 000 $, dans 11 ans. Elle estime aussi que le taux d'actualisation approprié s'élève à 10 %. Parici ltée doit distinguer les flux de trésorerie attendus à chaque échéance et appliquer à chaque groupe de flux de trésorerie un facteur d'actualisation tenant compte de la période restante avant le règlement, comme le montrent les calculs suivants :

Coûts payables dans 8 ans (N = 8, I = 10 %, PMT = 0 $, FV = 200 000 $, CPT PV ?)	93 301 $
Coûts payables dans 11 ans (N = 11, I = 10 %, PMT = 0 $, FV = 400 000 $, CPT PV ?)	140 198 $

En somme, le moment du règlement de la provision ne change rien à la nécessité de comptabiliser la provision pour démantèlement, enlèvement ou remise en état. Il peut se répercuter seulement sur le calcul de la valeur de cette provision (93 301 $ + 140 198 $).

37. Il arrive parfois qu'une entreprise ne soit pas responsable des coûts futurs de démantèlement, d'enlèvement ou de remise en état en cas de défaut de remboursement d'un tiers. Dans ces circonstances, l'entreprise ne comptabilise pas la provision, car ce n'est pas elle qui aura à sacrifier des ressources pour éteindre cette dette.

EXEMPLE

De la comptabilisation initiale jusqu'au règlement de la provision

La société Lafeuille ltée vous remet les renseignements suivants :

1. La société exploite une concession forestière en vertu d'un contrat négocié avec le gouvernement. Le contrat, d'une durée de 2 ans, signé le 30 avril 20X2 au coût de 1 000 000 $, accorde le droit à Lafeuille ltée de couper et de prendre possession des arbres situés sur le territoire couvert par la concession. En retour, le contrat accorde au gouvernement le droit d'exiger le reboisement des secteurs exploités. Lafeuille ltée estime à 60 % la probabilité que le gouvernement impose le reboisement.
2. Lafeuille ltée prévoit exploiter chaque année la moitié de la superficie de la concession forestière. Le 30 avril 20X3, date de clôture de l'exercice financier, elle estime que les coûts futurs annuels de reboisement liés à l'exploitation annuelle s'élèveront à 66 000 $.
3. Le taux d'actualisation approprié s'élève à 7 % le 30 avril 20X3 et à 8 % le 30 avril 20X4.
4. Le 30 avril 20X4, le gouvernement informe Lafeuille ltée qu'elle devra effectuer des travaux de reboisement. Le 30 juin 20X4, la société a terminé les travaux, qui ont coûté 132 000 $.

Compte tenu des renseignements précédents, Lafeuille ltée doit comptabiliser périodiquement sa provision pour démantèlement, enlèvement ou remise en état de la concession forestière, car la provision naît des activités de coupe. Au moment de l'acquisition de la concession forestière, Lafeuille ltée doit passer uniquement l'écriture de journal suivante dans ses livres :

30 avril 20X2		
Concession forestière	*1 000 000*	
Caisse		*1 000 000*
Acquisition d'une concession forestière d'une durée d'utilité de deux ans.		

12

L'état de la situation financière, que Lafeuille ltée a préparé à cette date, ne montre aucune provision pour démantèlement, enlèvement ou remise en état de la concession forestière puisque la société n'a pas commencé à l'exploiter.

À la fin du premier exercice financier, soit le 30 avril 20X3, Lafeuille ltée comptabilise la provision pour démantèlement, enlèvement ou remise en état. Les écritures suivantes sont requises :

30 avril 20X3		
Stock de marchandises	*61 682*	
Provision pour démantèlement, enlèvement ou remise en état		*61 682*
Provision pour démantèlement, enlèvement ou remise en état inhérente à l'exploitation de la moitié de la concession forestière (N = 1, I = 7%, PMT = 0 $, FV = 66 000 $, CPT PV ?).		

Au cours du premier exercice financier, Lafeuille ltée n'assume aucune charge financière liée au passage du temps puisque la valeur comptable de la provision au 30 avril 20X3 correspond déjà à la valeur actualisée. À la fin du deuxième exercice d'exploitation de la concession forestière, Lafeuille ltée doit comptabiliser, dans l'ordre, la charge financière et la nouvelle tranche de la provision pour démantèlement, enlèvement ou remise en état. Elle passe les écritures de journal suivantes dans ses livres :

30 avril 20X4		
Charge financière	*4 318*	
Provision pour démantèlement, enlèvement ou remise en état		*4 318*
Effet du passage du temps sur la première tranche de la provision pour démantèlement, enlèvement ou remise en état (61 682 $ × 7 %).		

Stock de marchandises	*66 000*	
Provision pour démantèlement, enlèvement ou remise en état		*66 000*

Provision inhérente à l'exploitation de la deuxième moitié de la concession forestière.

Calcul :

(N = 0, I = 8 %, PMT = 0 $, FV = 66 000 $, CPT PV ?)

ou

(132 000 $ – 61 682 $ – 4 318 $)

Les comptes en T ci-dessous résument les opérations comptabilisées par Lafeuille ltée concernant la provision.

Provision pour démantèlement, enlèvement ou remise en état

	Débit	Crédit
20X3-04-30		*61 682*
20X4-04-30		*4 318*
20X4-04-30		*66 000*
		132 000

Stock de marchandises

	Débit	Crédit
20X3-04-30	*61 682*	
20X4-04-30	*66 000*	
	127 682	

Charge financière

	Débit	Crédit
20X4-04-30	*4 318*	
	4 318	

Ces comptes en T montrent bien que, au cours de l'exercice terminé le 30 avril 20X4, la société a comptabilisé une charge due au passage du temps au montant de 4 318 $. En tenant pour acquis que Lafeuille ltée a vendu tous ses stocks, elle a comptabilisé en résultat net des charges additionnelles de 127 682 $. Au cours des deux années d'exploitation, la société a donc comptabilisé dans son résultat net toutes les charges (132 000 $) liées au reboisement, et ce, même si elle a payé ces charges pendant l'exercice se terminant le 30 avril 20X5. Lors du paiement des coûts liés au reboisement, elle passera l'écriture de journal suivante :

Provision pour démantèlement, enlèvement ou remise en état	*132 000*	
Caisse		*132 000*

Paiement des coûts liés au reboisement de la concession forestière.

Il pourrait arriver qu'une entreprise détienne un actif dont le moment du démantèlement, de l'enlèvement ou de la remise en état est indéterminé. Dans l'éventualité où cette situation se produirait, l'entreprise essaierait de déterminer une fourchette de dates de règlement potentielles de la provision et associerait à chacune de ces dates un niveau de probabilité. Cela lui permettrait ensuite d'actualiser les flux de trésorerie estimés. Si l'entreprise était incapable de déterminer une fourchette de dates possibles, la provision existerait tout de même, mais l'entreprise serait incapable d'en déterminer le montant de manière fiable. L'entreprise retarderait alors la comptabilisation de la provision jusqu'au moment où elle serait en mesure d'estimer le montant de manière fiable. Elle devrait tout de même présenter des informations par voie de notes.

Examinons l'exemple de la société Émontage ltée. Pendant le cinquième exercice financier au cours duquel elle utilise l'immobilisation qui devra être démantelée, Émontage ltée est pour la première fois en mesure de faire une estimation fiable de la valeur de la provision pour démantèlement, enlèvement ou remise en état qui devra être réglée dans 15 ans. Au cours de ses quatre premiers exercices financiers, la société a mentionné dans ses états financiers qu'elle était incapable de déterminer la valeur de la provision, et elle en a expliqué les raisons. Au cours du cinquième exercice de l'utilisation de l'immobilisation, elle estime que la durée d'utilité de celle-ci sera de 20 ans. Émontage ltée doit alors comptabiliser la provision qu'elle règlera dans 15 ans.

12

L'effet de la comptabilisation d'une provision pour démantèlement, enlèvement ou remise en état sur le test de dépréciation de l'actif non courant en cause

Lorsqu'une entreprise a inclus dans le coût d'un actif non courant la valeur de la provision pour démantèlement, enlèvement ou remise en état, comment cela se répercute-t-il sur le **test de dépréciation** qui doit être fait en vertu de l'**IAS 36** ? L'IASB fournit des directives à cet égard. L'entreprise détermine, dans l'hypothèse où elle vendrait l'actif non courant, si l'acheteur serait obligé de prendre en charge la provision. Ce serait le cas, par exemple, si une loi obligeait le propriétaire d'une immobilisation à dépolluer le site sur lequel se trouve cette immobilisation. Dans ces circonstances, la juste valeur de l'immobilisation estimée dans le cadre du test de dépréciation, représente la juste valeur de l'immobilisation diminuée des coûts de la vente et de la provision. Pour assurer la cohérence, le test de dépréciation sera alors appliqué à une unité génératrice de trésorerie composée de l'immobilisation et de la provision pour démantèlement, enlèvement ou remise en état.

EXEMPLE

Dépréciation d'un actif dont la valeur comptable comprend un montant pour remise en état[38]

Une société exploite une mine dans un pays dont la législation impose au propriétaire la remise en état du site à l'achèvement de ses activités d'exploitation minière. Le coût de remise en état inclut la remise en place du terrain de couverture, qui doit être retiré avant le début des activités d'exploitation minière. Une provision pour le coût de remise en place du terrain de couverture a été comptabilisée dès l'enlèvement du terrain de couverture. Le montant provisionné a été comptabilisé comme élément du coût de la mine et est amorti sur la durée d'utilité de la mine. La valeur comptable de la provision pour les coûts de remise en état est de 500 M$; elle est égale à la valeur actualisée des coûts de remise en état.

L'entité teste la dépréciation de la mine. L'unité génératrice de trésorerie de la mine est la mine prise dans son ensemble. L'entité a reçu diverses offres d'achat pour la mine à un prix avoisinant 800 M$. Ce prix reflète le fait que l'acheteur assumera l'obligation de remettre en état le terrain de couverture. Les coûts de sortie de la mine sont négligeables. La valeur d'utilité de la mine est d'environ 1 200 M$, hors coûts de remise en état. La valeur comptable de la mine est de 1 000 M$. La société pourrait fournir la note suivante dans ses états financiers :

La juste valeur de l'unité génératrice de trésorerie, diminuée des coûts de sortie est de 800 M$. Ce montant prend en compte des coûts de remise en état qui ont déjà été prévus. En conséquence, la valeur d'utilité de l'unité génératrice de trésorerie est déterminée après prise en compte des coûts de remise en état et est estimée à 700 M$ (1 200 moins 500). La valeur comptable de l'unité génératrice de trésorerie est de 500 M$, ce qui correspond à la valeur comptable de la mine (1 000 M$), diminuée de la valeur comptable de la provision pour coûts de remise en état (500 M$). Par conséquent, la valeur recouvrable de l'unité génératrice de trésorerie excède sa valeur comptable.

L'évaluation subséquente de la provision pour démantèlement, enlèvement ou remise en état

À la fin de chaque exercice financier, on doit refaire une estimation de la valeur de la provision pour démantèlement, enlèvement ou remise en état afin de tenir compte de la meilleure estimation à ce jour. À chaque date de clôture, la valeur comptable de la provision augmente en raison du passage du temps. Comme nous l'avons vu précédemment, on comptabilise cette augmentation en débitant le compte Charge financière et en créditant le compte Provision pour démantèlement, enlèvement ou remise en état.

Il est aussi probable que la valeur comptable de l'obligation actuelle fluctue en raison d'une nouvelle estimation des flux de trésorerie. Si cette obligation est liée à une immobilisation comptabilisée selon le **modèle du coût**, on comptabilise une augmentation de la valeur comptable de la provision en débitant le compte de l'immobilisation en cause et en créditant le compte Provision

38. Adapté de *Manuel de CPA Canada – Comptabilité – Partie I*, IAS 36, paragr. 78.

pour démantèlement, enlèvement ou remise en état. On comptabilise une diminution de la provision en inversant l'écriture précédente.

Si l'entreprise utilise plutôt le **modèle de la réévaluation** pour comptabiliser l'immobilisation en cause, elle comptabilise une augmentation de l'obligation en débitant soit un compte de charges, soit le compte Écart de réévaluation (Autres éléments du résultat global [AERG]) de l'immobilisation en cause, selon la logique expliquée au chapitre 9.

EXEMPLE

Révision de l'évaluation de la provision

La société Pétrole Launier ltée exploite une station d'essence. Voici quelques renseignements additionnels :

1. Le 31 décembre 20X5, Pétrole Launier ltée a acheté, au coût de 800 000 $, un réservoir souterrain servant à l'entreposage de l'essence. Le réservoir a une durée d'utilité de 20 ans, et la société a décidé d'en amortir le coût de façon linéaire. L'entreprise utilise le modèle du coût pour déterminer la valeur comptable de ses réservoirs d'essence.
2. Le 31 décembre 20X5, Pétrole Launier ltée estime que l'enlèvement du réservoir à la fin de sa durée d'utilité coûtera 80 000 $. Compte tenu de la façon dont cette sortie de trésorerie a été estimée, le taux d'actualisation approprié est de 10 %.
3. Le 31 décembre 20X8, Pétrole Launier ltée procède à une révision d'estimation des flux de trésorerie. Elle estime alors que les coûts d'enlèvement du réservoir à la fin de sa durée d'utilité s'élèveront à 92 000 $. De plus, le taux d'actualisation approprié est maintenant de 12 %.
4. Le 31 décembre 20X9, la société procède à une nouvelle révision des flux de trésorerie. Elle estime maintenant que les flux de trésorerie attendus non actualisés s'élèveront à 94 000 $ à la fin de la durée d'utilité du réservoir et que le taux d'actualisation approprié est demeuré stable à 12 %.

Voici les écritures de journal que Pétrole Launier ltée doit passer dans ses livres comptables :

31 décembre 20X5		
Réservoir d'essence	*800 000*	
Caisse		*800 000*
Acquisition d'un réservoir d'essence ayant une durée d'utilité de 20 ans.		
Réservoir d'essence	*11 892*	
Provision pour enlèvement – Réservoir d'essence		*11 892*
Valeur actualisée des coûts attendus pour enlever le réservoir d'essence à la fin de sa durée d'utilité (N = 20, I = 10 %, PMT = 0 $, FV = 80 000 $, CPT PV ?).		
31 décembre 20X6		
Charge financière	*1 189*	
Provision pour enlèvement – Réservoir d'essence		*1 189*
Charge reflétant le passage du temps sur l'évaluation de la provision (11 892 $ × 10 %).		
Note : Cette écriture a pour effet de porter la valeur comptable de la Provision pour enlèvement – Réservoir d'essence à 13 081 $.		
Amortissement – Réservoir d'essence	*40 595*	
Amortissement cumulé – Réservoir d'essence		*40 595*
Amortissement annuel du réservoir d'essence (811 892 $ ÷ 20 ans).		

31 décembre 20X7		
Charge financière	*1 308*	
Provision pour enlèvement – Réservoir d'essence		*1 308*
Charge reflétant le passage du temps sur l'évaluation de la provision (13 081 $ × 10 %).		
Note : Cette écriture a pour effet de porter la valeur comptable de la Provision pour enlèvement – Réservoir d'essence à 14 389 $.		
Amortissement – Réservoir d'essence	*40 595*	
Amortissement cumulé – Réservoir d'essence		*40 595*
Amortissement annuel du réservoir d'essence (811 892 $ ÷ 20 ans).		
31 décembre 20X8		
Charge financière	*1 439*	
Provision pour enlèvement – Réservoir d'essence		*1 439*
Charge reflétant le passage du temps sur l'évaluation de la provision (14 389 $ × 10 %).		
Note : Cette écriture a pour effet de porter la valeur comptable de la Provision pour enlèvement – Réservoir d'essence à 15 828 $.		
Amortissement – Réservoir d'essence	*40 595*	
Amortissement cumulé – Réservoir d'essence		*40 595*
Amortissement annuel du réservoir d'essence (811 892 $ ÷ 20 ans).		
Provision pour enlèvement – Réservoir d'essence	*2 429*	
Réservoir d'essence		*2 429*
Révision de l'estimation des coûts attendus (92 000 $) pour enlever le réservoir d'essence à la fin de sa durée d'utilité (dans 17 ans), actualisés à 12 %.		

Calcul :

Valeur comptable de la provision	15 828 $
Valeur révisée (N = 17, I = 12 %, PMT = 0 $, FV = 92 000 $, CPT PV ?)	(13 399)
Ajustement requis	2 429 $

Après ces écritures de régularisation, on constate que la valeur comptable du réservoir d'essence a baissé, et c'est cette nouvelle valeur qui sera amortie sur les 17 années de durée d'utilité restante. De plus, au cours des exercices subséquents, on calculera la charge financière attribuable au passage du temps en utilisant le taux de 12 %, car c'est ce taux qui a été utilisé pour calculer la valeur révisée de la provision. Poursuivons notre exemple.

31 décembre 20X9		
Charge financière	*1 608*	
Provision pour enlèvement – Réservoir d'essence		*1 608*
Charge reflétant le passage du temps sur l'évaluation de la provision (13 399 $ × 12 %).		
Note : Cette écriture a pour effet de porter la valeur comptable de la Provision pour enlèvement – Réservoir d'essence à 15 007 $.		
Amortissement – Réservoir d'essence	*40 452*	
Amortissement cumulé – Réservoir d'essence		*40 452*
Amortissement annuel du réservoir d'essence, compte tenu des révisions d'estimation.		

On ne doit pas oublier d'utiliser le taux approprié, soit celui retenu à la fin de l'exercice précédent.

Calcul :

Coût au 31 décembre 20X5	811 892 $
Amortissement de 20X6 à 20X8 (40 595 $ × 3 ans)	(121 785)
Révision d'estimation au 31 décembre 20X8 des coûts d'enlèvement du réservoir	(2 429)
Solde amortissable	687 678
Durée de vie restante	÷ 17 ans
Amortissement annuel	40 452 $

Réservoir d'essence	*326*	
Provision pour enlèvement – Réservoir d'essence		*326*

Révision de l'estimation des coûts attendus (94 000 $) pour enlever le réservoir d'essence à la fin de sa durée d'utilité (dans 16 ans).

Calcul :

Valeur comptable de la provision	15 007 $
Valeur révisée (N = 16, I = 12 %, PMT = 0 $, FV = 94 000 $, CPT PV ?)	(15 333)
Ajustement requis	326 $

Il s'agit du taux approprié à la date de l'évaluation.

Tout comme la révision d'estimation comptabilisée le 31 décembre 20X8, celle comptabilisée le 31 décembre 20X9 se répercutera sur les charges d'amortissement des exercices subséquents.

Dans l'exemple précédent, la société Pétrole Launier ltée évaluait son réservoir selon le modèle du coût. En quoi la comptabilisation des opérations serait-elle différente si l'entreprise évaluait ses réservoirs d'essence selon le modèle de la réévaluation expliqué au chapitre 9 ? En principe, la contrepartie des variations de la valeur comptable de la provision se reflétera soit dans un compte de charges, soit dans le compte Écart de réévaluation (AERG) de l'immobilisation en cause, comme le préconise le Comité responsable d'élaborer les IFRIC. Par exemple, si l'on doit augmenter de 1 000 $ la valeur comptable de la provision, on comptabilisera le débit correspondant dans un compte de charges. Rappelons que lorsque l'entreprise utilise le modèle du coût, elle doit comptabiliser le débit dans le compte de l'immobilisation en question. Le traitement préconisé dans l'**IFRIC 1**, intitulée « Variation des passifs existants relatifs au démantèlement ou à la remise en état et des autres passifs similaires », s'explique probablement par le fait que, selon le modèle de la réévaluation, l'immobilisation en cause doit être comptabilisée à sa juste valeur. Or, la juste valeur d'une immobilisation n'est pas augmentée du fait que son propriétaire actuel prévoit engager des coûts pour la démanteler ou pour remettre en état le site sur lequel elle se trouve. Précisons que lorsqu'il existe un solde créditeur au compte Cumul des écarts de réévaluation propre à l'immobilisation en cause, on comptabilise la variation de 1 000 $ dans les autres éléments du résultat global. Ce traitement est logique puisque les autres éléments du résultat global sont virés, en fin d'exercice, au compte Cumul des écarts de réévaluation.

À l'inverse, si l'on doit diminuer la valeur comptable de la provision de 1 000 $, on comptabilisera le crédit correspondant au compte Écart de réévaluation (AERG) propre à l'immobilisation en cause, à moins que l'entreprise ait déjà comptabilisé dans ses charges des exercices antérieurs une diminution de valeur. Dans ce cas, elle pourrait comptabiliser le crédit directement en résultat net jusqu'à concurrence des pertes antérieurement comptabilisées.

Compte tenu de la faible utilisation du modèle de la réévaluation par les entreprises, bien peu de comptables devront comptabiliser des provisions pour démantèlement, enlèvement ou remise en état d'une immobilisation réévaluée. C'est pourquoi nous ne présentons pas d'exemples plus détaillés de ces situations.

Nous ne pouvons clore cette section portant sur les provisions sans insister sur l'**incertitude relative aux estimations** entourant les montants comptabilisés dans les états financiers. Le lecteur se rappellera que, dans tous les cas où cette incertitude est importante, les recommandations présentées à l'**IAS 1** exigent qu'une entreprise fournisse en note des informations sur les principales incertitudes relatives aux estimations, à la date de clôture, qui présentent un risque important d'entraîner un ajustement significatif des montants des actifs et des passifs au cours de l'exercice subséquent. Pour ces actifs et ces passifs, les notes doivent comprendre les détails relatifs à leur nature et à leur valeur comptable à la date de clôture de l'exercice financier[39].

Avez-vous remarqué ?

Les provisions pour démantèlement, enlèvement ou remise en état ont une date d'échéance qui excède souvent le prochain exercice. C'est pourquoi on doit comptabiliser une charge financière due à la désactualisation et réviser périodiquement le montant comptabilisé.

Les informations à fournir à l'égard des provisions

Différence NCECF

Comme nous l'avons mentionné à plusieurs reprises dans les paragraphes précédents, l'estimation de la valeur comptable des provisions comporte beaucoup d'incertitude. Les entreprises doivent donc s'assurer de donner toutes les informations utiles du point de vue des utilisateurs des états financiers. L'IASB donne des directives précises à ce sujet, qui sont indiquées dans le tableau 12.6. Rappelons que ces recommandations s'appliquent aux provisions de tous genres.

TABLEAU 12.6 Les principales recommandations relatives à la présentation des provisions

***Normes internationales d'information financière,* IAS 37**	**Commentaires**
Paragr. 84 *Pour chaque catégorie de provisions, l'entité doit indiquer :* *(a) la valeur comptable à l'ouverture et à la clôture de la période ;* *(b) les provisions supplémentaires constituées au cours de la période, y compris l'augmentation des provisions existantes ;* *(c) les montants utilisés (c'est-à-dire engagés et imputés à la provision) au cours de la période ;* *(d) les montants non utilisés repris au cours de la période ; et* *(e) l'augmentation au cours de la période du montant actualisé résultant de l'écoulement du temps et de l'effet de toute modification du taux d'actualisation.* *L'information comparative n'est pas imposée.*	Pour respecter ces exigences, l'entreprise pourrait par exemple donner les renseignements suivants : Solde d'ouverture — XX $ Nouvelle obligation assumée au cours de l'exercice — XX Remboursement d'une portion de l'obligation — (XX) Charge financière attribuable au passage du temps — XX Révision de la valeur actualisée attribuable à une réduction du taux d'actualisation — XX Solde de clôture — XX $ Ces informations sont très pertinentes pour les utilisateurs des états financiers, car certains dirigeants pourraient être tentés de manipuler l'évaluation des provisions (*voir les pages 1.24 et 1.25, où il est question de la théorie comptable positive*). À cet égard, le montant des révisions d'estimations est particulièrement utile.
Paragr. 85 *Pour chaque catégorie de provisions, l'entité doit fournir :* *(a) une brève description de la nature de l'obligation et de l'échéance attendue des sorties d'avantages économiques en résultant ;* *(b) une indication des incertitudes relatives au montant ou à l'échéance de ces sorties. Si cela est nécessaire à la fourniture d'une information adéquate, l'entité doit fournir une information sur les principales hypothèses retenues concernant des événements futurs, comme indiqué au paragraphe 48 ; et* *(c) le montant de tout remboursement attendu, en indiquant le montant de tout actif qui a été comptabilisé pour ce remboursement attendu.*	Par exemple, pour se conformer à l'exigence énoncée en (a) ci-contre, une entreprise exploitant une décharge contrôlée pourrait décrire la provision pour démantèlement, enlèvement ou remise en état en précisant qu'elle devra effectuer des travaux de recouvrement, de fermeture, c'est-à-dire le drainage et la démolition ainsi que des travaux d'après-fermeture, c'est-à-dire l'entretien de la décharge une fois que l'entreprise aura obtenu le certificat de fermeture. Elle pourrait également fournir les dates approximatives où elle compte effectuer ces travaux. L'exigence énoncée en (b) s'explique par le fait que toute incertitude relative aux estimations peut nuire à la fiabilité des renseignements présentés dans les états financiers. C'est pourquoi il importe que les utilisateurs des états financiers connaissent les hypothèses que l'entreprise a utilisées afin

39. *Manuel de CPA Canada – Comptabilité – Partie I*, IAS 1, paragr. 125.

TABLEAU 12.6 *(suite)*

de juger de la fiabilité de la valeur comptable de la provision présentée dans l'état de la situation financière et du montant comptabilisé en résultat net de l'exercice. La connaissance des hypothèses-clés aidera aussi les utilisateurs des états financiers à comparer les entreprises entre elles.

Le paragraphe 48, dont il est question à l'alinéa 85(b) cité à la page précédente, précise que l'évaluation des provisions doit tenir compte des événements futurs pour lesquels des indications objectives suffisantes montrent que ces événements se produiront.

Il est possible de grouper les provisions dont la nature est suffisamment semblable. Par exemple, une entreprise pourrait grouper les provisions pour garanties liées à diverses marchandises, mais elle ne pourrait les grouper avec les provisions pour démantèlement.

Différence NCECF

6 Les passifs éventuels et les actifs éventuels

Différence NCECF

Jusqu'à présent, nous avons traité des passifs dont le fait générateur d'obligation était clairement un événement passé (*voir le tableau 12.1*). Ce n'est pas toujours aussi clair ; la présente section traitera notamment des **passifs éventuels**. Ces derniers peuvent être classés en deux catégories : ceux qui se rapportent à des obligations actuelles ne respectant pas les critères de comptabilisation et ceux qui se rapportent à une **obligation potentielle**, c'est-à-dire à une obligation dont le fait générateur d'obligation n'est pas un événement passé.

Les passifs éventuels se rapportant à des obligations actuelles

Nous savons maintenant qu'une obligation actuelle découle d'un événement passé (le fait générateur d'obligation) qui est habituellement facile à reconnaître. Rappelons toutefois qu'en certaines circonstances, l'entreprise est incapable d'évaluer une obligation actuelle de manière raisonnable. Il peut en être ainsi d'une obligation pour démantèlement qui découle d'un fait passé mais dont le montant ne peut être estimé. Dans d'autres circonstances, l'entreprise doit tenir compte de toutes les indications disponibles pour déterminer si elle devra abandonner des ressources représentatives d'avantages économiques pour éteindre son obligation. Elle peut alors être amenée à analyser s'il est plus probable qu'improbable qu'une obligation actuelle existe. Par exemple, lorsque l'entreprise fait l'objet d'une poursuite judiciaire, il est souvent difficile de déterminer le fait générateur de l'obligation. Dans ce cas, elle devra établir, en recourant par exemple à l'avis d'experts, si une obligation actuelle existe effectivement à la fin de l'exercice.

Lorsque l'existence de l'obligation est plus probable qu'improbable, la poursuite sera traitée comme une obligation actuelle, et l'entreprise s'assurera que les deux autres critères de comptabilisation sont respectés, à savoir : 1) qu'il est probable qu'une sortie de ressources représentatives d'avantages économiques résultera de l'extinction de l'obligation actuelle ; et 2) que le montant de cette extinction peut être évalué de façon fiable. Peu d'obligations découlant d'une poursuite respectent ces critères de comptabilisation. Les obligations actuelles qui ne respectent pas ces critères de comptabilisation seront traitées comme des passifs éventuels.

Les passifs éventuels se rapportant à des obligations potentielles

Les passifs éventuels incluent aussi les obligations potentielles. Ainsi, lorsqu'il n'y a pas d'obligation actuelle, par exemple parce que l'existence de l'obligation n'est pas plus probable qu'improbable, la poursuite sera automatiquement traitée comme une obligation potentielle. L'**autoassurance** est un autre exemple d'obligation potentielle. Les entreprises qui s'autoassurent sont généralement celles qui possèdent un très grand nombre d'immobilisations situées à différents endroits et dont la valeur unitaire est jugée relativement faible. Ces entreprises assument souvent elles-mêmes les pertes dues aux incendies, aux inondations, aux vols, etc., car elles estiment que le coût de ces pertes sera en toute probabilité moindre que le coût des primes annuelles qu'elles paieraient aux compagnies d'assurances. Au moment de prendre une telle décision, une entreprise doit être convaincue que sa situation financière est suffisamment solide pour pouvoir supporter les pertes non assurées sans remettre en cause sa viabilité financière.

Dans une telle situation, un comptable pourrait envisager deux traitements. Le premier consiste à inscrire périodiquement la charge Autoassurance et le passif correspondant, soit la Provision pour autoassurance. Ce mode de comptabilisation repose sur le raisonnement que, même si l'entreprise n'a pas encore subi les pertes, elle est capable d'en déterminer la probabilité en appliquant la loi des grands nombres, comme le font les compagnies d'assurances pour établir le montant des primes exigées. La loi des grands nombres permet en effet d'estimer ces probabilités avec une assurance raisonnable. Ainsi, lorsqu'une entreprise s'autoassure, les pertes futures possibles seraient considérées comme des obligations actuelles, dont le fait générateur est l'absence d'assurance. Ce raisonnement ne respecte toutefois pas les recommandations contenues dans l'IAS 37, car la charge n'existe pas indépendamment d'événements futurs qui auront une incidence sur l'entreprise.

Le second traitement consiste à inscrire la charge au moment où le sinistre survient. Les tenants de cette méthode soutiennent qu'elle reflète mieux la situation des entreprises qui s'autoassurent, car elle met en évidence le fait que ces entreprises assument des charges importantes au cours de certains exercices et qu'elles n'assument aucune charge lorsqu'il n'y a pas de perte. Selon eux, le manque de comparabilité entre les résultats nets périodiques n'est pas une faiblesse de cette méthode ; il reflète plutôt le risque plus élevé assumé par ces entreprises. En effet, ils estiment que le fait générateur de l'obligation est le sinistre. Ces mêmes défenseurs considèrent aussi les pertes futures susceptibles de se produire comme des obligations potentielles donnant lieu à des passifs éventuels. Il reste ensuite à savoir si l'entreprise doit fournir des renseignements par voie de notes au sujet de ces passifs. En se basant sur son expérience passée, et compte tenu du grand nombre d'actifs non assurés, l'entreprise est sans doute en mesure d'affirmer que les sorties futures de ressources économiques sont probables. C'est pourquoi nous estimons qu'il peut être pertinent de donner des renseignements par voie de notes lorsque les probabilités de sortie de ressources représentatives d'avantages économiques sont plus élevées que faibles.

L'exemple précédent portant sur l'autoassurance illustrait le fait qu'une entreprise peut assumer une obligation potentielle. De même, elle peut détenir un **actif potentiel** découlant d'un fait passé et dont l'existence sera confirmée par la survenance ou non d'un événement futur. Pensons, par exemple, aux poursuites engagées par l'entreprise contre un tiers. Puisque les questions comptables sont de même nature, nous traiterons simultanément les passifs éventuels et les actifs éventuels.

Il ressort de la figure 12.8 que les passifs éventuels, qui sont soit des obligations actuelles qui ne respectent pas les critères de comptabilisation soit des obligations potentielles, ne sont jamais comptabilisés. Ils sont simplement mentionnés en note, comme nous l'expliquerons plus loin, sauf si les sorties prévues de ressources économiques nécessaires pour éteindre une obligation potentielle sont faibles, auquel cas l'entreprise n'est pas tenue de donner une information complémentaire par voie de notes. L'IASB apporte d'ailleurs cette précision concernant la nature

FIGURE 12.8 Le traitement comptable des passifs éventuels et des actifs éventuels

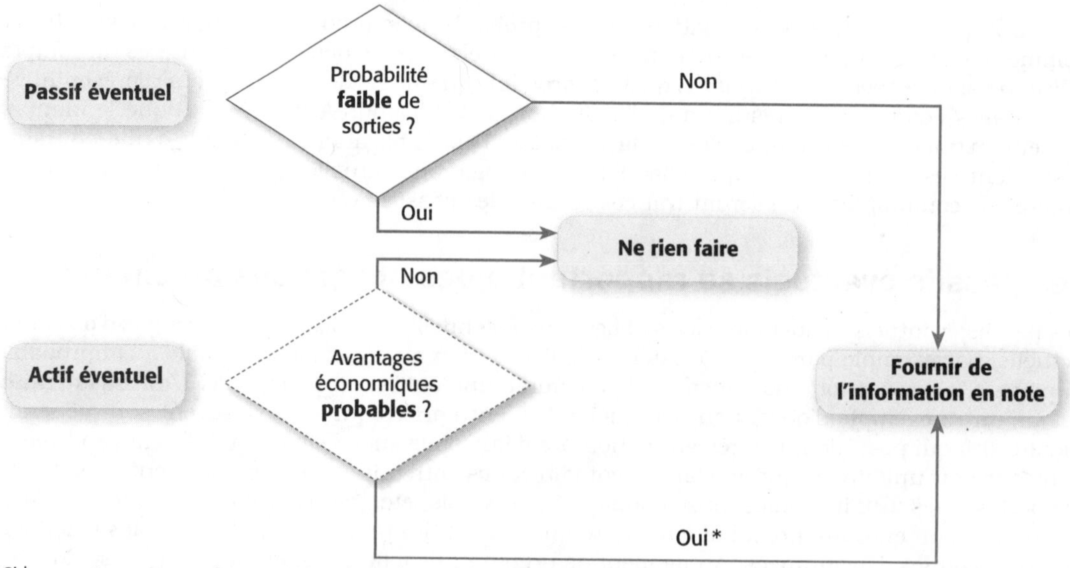

* Si les avantages économiques sont quasi certains, ce n'est pas un actif éventuel, mais un actif.

de certaines obligations : « Lorsqu'une entité est conjointement et solidairement responsable d'une obligation, la partie de l'obligation devant être exécutée par d'autres parties est traitée comme un passif éventuel[40]. »

Qu'en est-il des **actifs éventuels** ? Précisons que ces actifs représentent des actifs potentiels résultant d'événements passés et dont l'existence ne sera confirmée que par la survenance (ou non) d'un ou de plusieurs événements futurs incertains qui ne sont pas totalement contrôlés par l'entreprise. Puisque les passifs éventuels ne sont jamais comptabilisés, on comprend facilement, par souci de cohérence, la recommandation de l'IASB de ne pas comptabiliser les actifs éventuels. L'IASB précise que la comptabilisation d'un actif éventuel aurait pour conséquence de comptabiliser, en contrepartie de l'actif, des produits susceptibles de ne pas se matérialiser, ce qui pourrait induire les investisseurs en erreur. L'IASB ajoute que lorsqu'une entreprise prévoit que la réalisation de certains produits est quasi certaine, l'entreprise détient un actif, et non un actif éventuel, qu'il convient de comptabiliser.

Les raisons évoquées au paragraphe précédent pour la non-comptabilisation des actifs éventuels expliquent aussi que l'existence d'actifs éventuels est mentionnée en note uniquement lorsqu'une entrée d'avantages économiques est probable, c'est-à-dire lorsque l'entrée est plus probable qu'improbable.

Les informations nécessaires pour déterminer la probabilité qu'un événement futur se matérialise peuvent provenir de l'expérience passée, de l'expérience d'autres entreprises dans des cas semblables, de l'opinion d'un expert indépendant, etc. Les informations recueillies ne portent pas uniquement sur l'exercice financier pour lequel sont dressés les états financiers ; elles portent aussi sur des faits ou des opérations survenus entre la fin de l'exercice financier et la date d'autorisation de publication des états financiers, c'est-à-dire les événements postérieurs à la date de clôture, dont nous traiterons un peu plus loin dans le présent chapitre.

Enfin, tant pour les passifs éventuels que pour les actifs éventuels, l'entreprise réévalue de façon continue les informations qu'elle détient à l'égard de ces actifs et passifs. Le tableau 12.7 présente les situations qui peuvent survenir.

12

TABLEAU 12.7 La réévaluation continue des passifs éventuels et des actifs éventuels

Situation à la fin de l'exercice précédent (temps t_0)	**Situation existant au cours d'un exercice subséquent** (temps t_1)	**Traitement comptable** (temps t_1)
Une obligation actuelle ne respectait pas les critères de comptabilisation. Elle était donc présentée en note.	L'obligation actuelle respecte pour la première fois les critères de comptabilisation.	L'entreprise comptabilise l'obligation conformément à l'IFRS 9 s'il s'agit d'un passif financier et à l'IAS 37 s'il s'agit d'une provision.
Une obligation actuelle respectant les critères de comptabilisation figurait à titre de provision.	L'obligation actuelle ne respecte plus les critères de comptabilisation.	L'entreprise comptabilise une reprise de la provision (annulation du solde de la provision).
Une obligation potentielle existait, dont la probabilité de sortie était faible. Elle n'était donc ni comptabilisée ni décrite en note.	La sortie de ressources économiques pour éteindre l'obligation potentielle devient probable.	L'entreprise donne des informations par voie de notes.
Une obligation potentielle probable existait et était décrite en note.	L'obligation potentielle devient une obligation actuelle qui peut être évaluée.	L'entreprise comptabilise l'obligation conformément à l'IFRS 9 s'il s'agit d'un passif financier et à l'IAS 37 s'il s'agit d'une provision.
Un actif éventuel, dont l'entrée d'avantages économiques n'était pas probable, n'était donc pas mentionné en note.	L'entrée d'avantages économiques devient probable.	L'entreprise donne des informations par voie de notes.
Un actif éventuel, dont l'entrée d'avantages économiques était probable, était expliqué en note.	L'actif éventuel devient quasi certain.	L'entreprise comptabilise l'actif.

40. *Manuel de CPA Canada – Comptabilité – Partie I*, IAS 37, paragr. 29.

EXEMPLE

Passif éventuel

La société Chagnon ltée est visée par une poursuite de 2 400 000 $. À la suite d'une chute dans un escalier mobile de l'un des magasins de la société, un enfant s'est grièvement blessé et restera paraplégique. Mme Day Molly, la mère de l'enfant, a engagé des poursuites couvrant notamment les frais pour les soins de garde dont ce dernier aura besoin pendant toute sa vie. Les avocats de l'entreprise estiment qu'il est plus improbable que probable que la société subisse une perte, laquelle pourrait se situer entre 1 900 000 $ et 2 000 000 $. Chagnon ltée possède cependant une assurance responsabilité couvrant 90 % des frais, avec un plafond de 10 000 000 $. Chagnon ltée a informé son assureur qui, selon toute vraisemblance, la dédommagerait de façon quasi certaine si elle était éventuellement reconnue coupable.

Le comptable doit conclure que, compte tenu de toutes les indications disponibles, et plus précisément du fait que les avocats estiment qu'une perte est plus improbable que probable, Chagnon ltée n'assume pas une obligation actuelle. L'entreprise assume par contre une obligation potentielle et, de ce fait, un passif éventuel. Puisque la probabilité de sorties de ressources économiques ne peut pas être qualifiée de faible, l'entreprise devra fournir, par voie de notes aux états financiers, des renseignements au sujet de la poursuite. Le montant indiqué correspond au montant moyen de l'intervalle des montants équiprobables, soit 1 950 000 $.

L'entreprise a aussi un actif éventuel, sous la forme d'un probable remboursement de son assureur. Elle donne aussi des renseignements par voie de notes au sujet de cet actif éventuel. Cette conclusion est-elle incohérente avec le traitement comptable des remboursements attendus dont nous avons traité aux pages 12.34 et 12.35 ? Rappelons que nous expliquions alors que les remboursements attendus pouvaient être comptabilisés. Ce qu'il ne faut pas oublier, c'est qu'ils peuvent être comptabilisés à hauteur de la provision correspondante. Puisque Chagnon ltée n'a comptabilisé aucune dette liée à la poursuite, elle ne peut donc pas comptabiliser l'actif lié au remboursement.

12

Poursuivons notre exemple. Le dernier jour de l'exercice subséquent, l'entreprise a été condamnée à payer 2 000 000 $ à la plaignante. Cette décision implique que la sortie de ressources, dont le montant est maintenant connu, est devenue probable. L'entreprise assume dès lors une obligation actuelle. Voici les écritures de journal requises dans les livres de Chagnon ltée :

Perte découlant d'une poursuite	*2 000 000*	
Montant à payer à Day Molly		*2 000 000*
Indemnité imposée par la cour dans une poursuite engagée contre l'entreprise.		
Indemnité à recevoir de l'assureur	*1 800 000*	
Produit d'une indemnité d'assurance		*1 800 000*
Indemnité d'assurance à recevoir, inhérente à une poursuite engagée contre l'entreprise.		

En consultant les états financiers des entreprises réelles, on constate que la note sur les passifs éventuels traite souvent des **garanties financières**. Celles-ci représentent, par exemple, un engagement qu'une société mère prend de rembourser un créancier de sa filiale si cette dernière ne respecte pas ses propres engagements envers le créancier. L'analyse détaillée des contrats de garantie financière, comptabilisés selon l'**IFRS 4** (Contrats d'assurance), l'**IAS 32** (Instruments financiers : Présentation) ou l'**IFRS 7** (Instruments financiers : Informations à fournir) dépasse toutefois le cadre du présent manuel.

Avez-vous remarqué ?

Les passifs éventuels ne sont jamais comptabilisés soit parce qu'ils représentent une obligation potentielle, soit parce qu'ils représentent une obligation actuelle qui ne respecte pas les critères de comptabilisation d'un passif.

La présentation des passifs éventuels et des actifs éventuels dans les états financiers

Le tableau 12.8 énumère les recommandations contenues dans l'IAS 37 à propos des informations à fournir dans les états financiers sur les actifs et les passifs éventuels, ainsi que des commentaires.

TABLEAU 12.8 Les informations à fournir dans les états financiers sur les passifs et les actifs éventuels

***Normes internationales d'information financière,* IAS 37**	**Commentaires**
Paragr. 86 *À moins que la probabilité d'une sortie pour règlement ne soit faible, l'entité doit fournir, pour chaque catégorie de passif éventuel à la fin de la période de présentation de l'information financière, une brève description de la nature de ce passif éventuel et, dans la mesure du possible :* *(a) une estimation de son effet financier, évalué selon les paragraphes 36 à 52 ;* *(b) une indication des incertitudes relatives au montant ou à l'échéance de toute sortie ; et* *(c) la possibilité de tout remboursement.*	L'entreprise donne des renseignements complémentaires à l'égard de tous ses passifs éventuels, sauf ceux dont la probabilité de sortie de ressources représentatives d'avantages économiques est faible. Pour estimer l'effet financier d'un passif éventuel, une entreprise applique les recommandations contenues aux paragraphes 36 à 52, portant sur la prise en compte de la meilleure estimation à la date de clôture, des risques et des incertitudes, de l'actualisation et des événements futurs. Ces directives sont expliquées dans la division du présent chapitre traitant de l'évaluation initiale des provisions. Toutes ces informations fournies en note sont pertinentes pour les utilisateurs des états financiers, car les passifs éventuels peuvent annoncer des débours importants pendant les exercices subséquents.
Paragr. 89 *Lorsqu'une entrée d'avantages économiques est probable, l'entité doit fournir une brève description de la nature des actifs éventuels à la fin de la période de présentation de l'information financière et, dans la mesure du possible, une estimation de leur effet financier évalué selon les principes énoncés pour les provisions aux paragraphes 36 à 52.*	L'entreprise donne des renseignements complémentaires à l'égard de ses seuls actifs éventuels dont l'entrée de ressources économiques est plus probable qu'improbable. Pour estimer l'effet financier, elle procède de la même façon que pour ses passifs éventuels.
Paragr. 91 *Lorsqu'il n'est pas possible de fournir l'une quelconque des informations imposées par les paragraphes 86 et 89, ce fait doit être signalé.*	Lorsqu'il n'est pas possible d'estimer l'effet financier des actifs éventuels et des passifs éventuels, il importe d'en informer les utilisateurs des états financiers. Ces derniers seront alors conscients de la grande incertitude qui entoure les effets de ces éventualités.
Paragr. 92 *Dans des cas extrêmement rares, la fourniture des informations en tout ou partie imposées par les paragraphes 84 à 89 peut causer un préjudice sérieux à l'entité dans un litige l'opposant à des tiers sur le sujet faisant l'objet de la provision, du passif éventuel ou de l'actif éventuel. En de tels cas, l'entité n'a pas à fournir ces informations mais elle doit indiquer la nature générale du litige, le fait que ces informations n'ont pas été fournies, ainsi que la raison pour laquelle elles ne l'ont pas été.*	En général, les informations présentées par voie de notes sont très succinctes. On peut facilement concevoir que ceci découle du fait que plusieurs dirigeants considèrent que la probabilité de matérialisation d'un passif éventuel s'accroît lorsque ce dernier est présenté dans les états financiers. L'autre partie pourrait, à juste titre, conclure que sa cause est solide puisque l'entreprise estime que sa perte éventuelle est probable.

Différence NCECF

 Les engagements contractuels

Différence NCECF

Plusieurs entreprises prennent des engagements qu'elles confirment par des contrats rédigés en bonne et due forme. Ainsi, une entreprise peut s'engager par contrat à terminer une prestation de services, telle la construction de ponts ou de viaducs, à acheter un concurrent, à louer un immeuble à long terme ou à signer un contrat d'approvisionnement afin de s'assurer, le moment venu, de la disponibilité de matières premières de telle qualité à tel coût. Les pages 12.41 à 12.43

traitaient des cas particuliers où de tels contrats deviennent déficitaires, et nous avons vu qu'une provision doit alors être comptabilisée. Nous traiterons maintenant des contrats non entièrement exécutés qui ne sont pas des contrats déficitaires. Ces **engagements contractuels**, bien qu'ils aient été pris pendant l'exercice en question ou durant des exercices antérieurs, ne seront remplis qu'au cours des exercices subséquents. Par définition, ils ne représentent pas une obligation actuelle, car ils sont liés à des activités futures et, en conséquence, ne sont pas comptabilisés à titre de passifs. Cependant, parce qu'ils peuvent avoir des conséquences financières importantes sur la performance et la situation financière future d'une entreprise, ils doivent être décrits par voie de notes dans les états financiers.

Même si les engagements contractuels et les passifs éventuels sont deux types d'opérations décrits dans les notes, les passifs éventuels se distinguent par le fait que la survenance ou non de l'opération future n'est pas totalement sous le contrôle de l'entreprise, que le montant d'une obligation actuelle ne peut pas être déterminé de façon fiable ou qu'il n'est pas probable qu'une sortie de ressources représentatives d'avantages économiques sera nécessaire.

Les recommandations de l'IASB au sujet de la pertinence de décrire les engagements contractuels par voie de notes se trouvent dans diverses normes. Par exemple, et conformément aux explications fournies dans les chapitres 9, 10 et 16, une entreprise doit indiquer le montant des engagements contractuels pour l'acquisition d'immobilisations corporelles[41], pour l'acquisition d'immobilisations incorporelles[42], et pour les contrats de location simple[43]. Non seulement l'acquisition ou la location d'immobilisations corporelles ou incorporelles entraînera un débours important lors de l'acquisition ou pendant la location, mais l'immobilisation acquise ou louée modifiera aussi les produits futurs. C'est pourquoi les utilisateurs des états financiers jugent pertinentes les informations concernant de tels engagements. Les notes liées aux engagements contractuels présentent la nature de l'engagement et une brève description de son effet financier.

La note suivante est extraite des états financiers de Bombardier de l'exercice terminé le 31 décembre 2015. L'extrait est intéressant notamment du fait que la société présente les engagements en fonction de leur échéance. En ce qui concerne les autres engagements donnés, outre le tableau montrant l'incidence financière, l'entreprise décrit la nature de chaque catégorie d'engagements.

12

BOMBARDIER INC.

NOTES AUX ÉTATS FINANCIERS CONSOLIDÉS
POUR L'EXERCICE CLOS LE 31 DÉCEMBRE 2015 ET 2014

(Les montants des tableaux sont en millions de dollars américains, à moins d'indication contraire.)

38. ENGAGEMENTS ET ÉVENTUALITÉS

[...]

IAS 16, paragr. 74(c) et IAS 38, paragr. 122(e)

Autres engagements

La Société a aussi des obligations d'achat, en vertu de divers contrats, effectuées dans le cours normal des affaires. Les obligations d'achat se présentent comme suit aux :

	31 décembre 2015	31 décembre 2014	1er janvier 2014
À moins de un an	**6 485 $**	7 061 $	8 026 $
Entre un an et cinq ans	**3 925**	4 141	3 667
Plus de cinq ans	**56**	233	207
	10 466 $	11 435 $	11 900 $

Les obligations d'achat de la Société comprennent les engagements de capitaux pour l'achat d'immobilisations corporelles et incorporelles totalisant respectivement 176 millions $ et 489 millions $ au 31 décembre 2015 (196 millions $ et 432 millions $ au 31 décembre 2014 et 331 millions $ et 435 millions $ au 1er janvier 2014).

Différence NCECF

Source : Rapport annuel 2015 de Bombardier Inc.
Bombardier Inc., *Rapport annuel 2015 : Exercice clos le 31 décembre 2015,* [En ligne], <http://ir.bombardier.com/fr/rapports-financiers> (page consultée le 4 août 2016).
© 2016 Bombardier Inc. ou ses filiales

41. *Manuel de CPA Canada – Comptabilité – Partie I*, **IAS 16**, paragr. 74(c).
42. *Manuel de CPA Canada – Comptabilité – Partie I*, **IAS 38**, paragr. 122(e).
43. *Manuel de CPA Canada – Comptabilité – Partie I*, **IAS 17**, paragr. 35.

Les événements postérieurs à la date de clôture

Différence NCECF

Les états financiers couvrent une période déterminée et reflètent toutes les opérations survenues au cours d'un exercice financier donné. Cependant, lorsque, par exemple, une entreprise clôture son exercice financier le 31 décembre 20X1, ses états financiers ne seront définitivement approuvés qu'aux environs du 1er mars suivant. Nous avons examiné dans le présent chapitre certains passifs dont le montant doit être estimé. À cette fin, les entreprises doivent tenir compte de toutes les informations disponibles jusqu'à la date d'approbation des états financiers, soit jusqu'au 1er mars dans l'exemple précédent. La figure 12.9 illustre la situation dans le temps de ces événements.

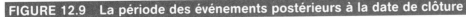

FIGURE 12.9 La période des événements postérieurs à la date de clôture

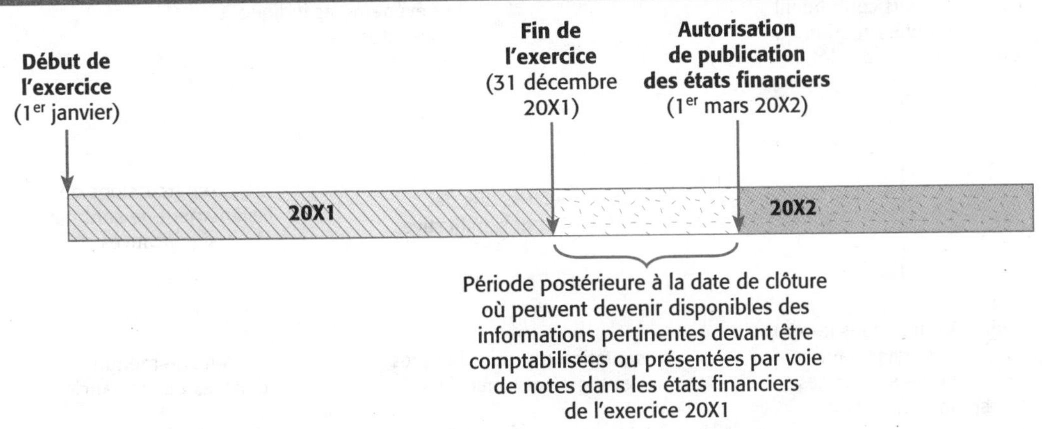

La **date de l'autorisation de publication des états financiers** dépend notamment de la structure décisionnelle de l'entreprise ainsi que des exigences légales et réglementaires. Les précisions données par l'IASB nous amènent à conclure que la date d'autorisation de publication est la date à laquelle le niveau de direction approprié au sein de l'entreprise, souvent le conseil d'administration, donne le feu vert concernant la communication des états financiers. Ainsi, même si les règles de gouvernance d'une entreprise prévoient l'adoption définitive des états financiers lors de l'assemblée annuelle des actionnaires, la date d'autorisation de publication est celle où le conseil d'administration approuve les états financiers. En effet, il est extrêmement rare que l'assemblée des actionnaires aille à l'encontre de la décision prise par le conseil d'administration à cet égard.

Certaines estimations doivent tenir compte de faits ou d'opérations survenus après la fin de l'exercice. Il y a donc lieu de se demander jusqu'à quel point les états financiers doivent refléter de tels faits et opérations, étant donné que le Cadre définit les actifs et les passifs comme la conséquence d'événements qui ont déjà eu lieu. Y a-t-il contradiction entre le Cadre et les traitements comptables des événements postérieurs à la date de clôture ? La réponse est non. La **comptabilisation** d'un élément dans les livres comptables ne peut se faire que si l'opération ou le fait à l'origine est déjà survenu. Cependant, l'**évaluation** de ces opérations passées doit prendre en considération l'information d'appoint véhiculée par des événements postérieurs à la date de clôture. L'**IAS 10**, intitulée « Événements postérieurs à la date de clôture », a pour sujet la nature, le traitement comptable et la présentation des événements postérieurs à la date de clôture.

Différence NCECF

La nature des événements postérieurs à la date de clôture

Il existe deux catégories d'**événements postérieurs à la date de clôture**. La première catégorie englobe tous les événements qui contribuent à confirmer des situations qui existaient à la date de clôture. Ces événements peuvent notamment aider les entreprises à déterminer le montant des opérations survenues avant la clôture de l'exercice. Ainsi, le recouvrement de certains comptes clients considérés comme incertain à la date de clôture de l'exercice fournit une information de premier ordre pour l'entreprise qui doit estimer la provision pour correction de valeur des comptes clients en fin d'exercice.

La seconde catégorie d'événements postérieurs à la date de clôture englobe pour sa part les événements qui indiquent des situations apparues après la date de clôture. Pensons notamment aux ventes, aux achats de marchandises destinées à la vente, aux acquisitions d'immobilisations, aux poursuites engagées contre l'entreprise, etc.

Le traitement comptable

L'IASB recommande de traiter les événements postérieurs à la date de clôture de trois manières différentes : 1) la comptabilisation dans le corps même des états financiers ; 2) la divulgation par voie de notes ; et 3) l'absence de divulgation. Le choix du traitement comptable dépend de la nature de l'événement postérieur et des répercussions de cet événement sur les activités ou la situation financière de l'entreprise. La figure 12.10 illustre ces trois traitements.

FIGURE 12.10 Le traitement comptable des événements postérieurs à la date de clôture

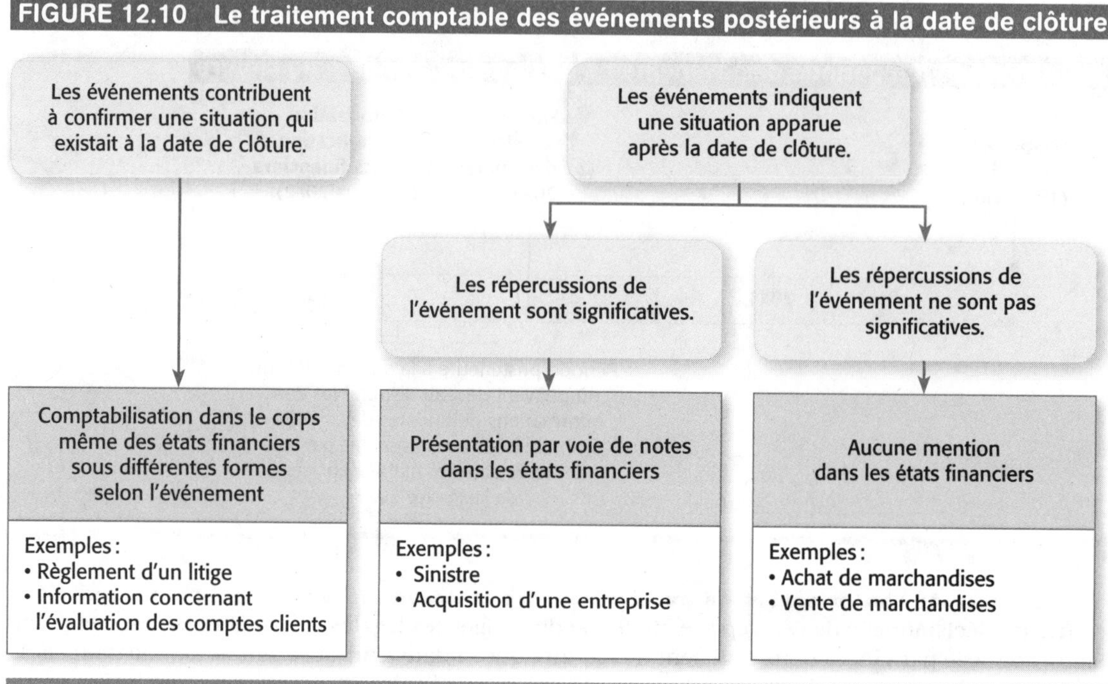

12

Comme nous l'avons déjà mentionné, les événements postérieurs à la date de clôture qui contribuent à confirmer une situation qui existait à la date de clôture de l'exercice doivent être pris en considération lors de l'évaluation de cette situation. Ces événements sont désignés par l'expression **événements postérieurs à la date de clôture donnant lieu à des ajustements**. Par exemple, la faillite d'un client le 15 février 20X2 est prise en considération pour justifier la décomptabilisation pour non-paiement du compte de ce dernier lors de la préparation des états financiers de l'exercice terminé le 31 décembre 20X1, et ce, en tenant pour acquis que le client était déjà insolvable à cette date. De même, si un nombre anormalement élevé de clients retournent des marchandises dans les deux premiers mois de l'exercice 20X2, le comptable doit tenir compte de cette information lorsqu'il évalue la provision pour garanties à présenter dans les états financiers au 31 décembre 20X1.

EXEMPLE

Événement donnant lieu à un ajustement

La société Les Grands Frères ltée clôture son exercice financier le 31 décembre 20X1. Au moment de dresser les états financiers de cet exercice, la société estime que les pertes de crédit attendues se rattachent à un seul client et s'élèvent à 1 500 $. Elle décide alors d'inscrire la totalité du solde à recevoir dans la provision pour correction de valeur des comptes clients. Quelques jours plus tard, mais avant la date de l'autorisation de publication des états financiers, ce client rembourse 800 $ de sa dette. Si l'écriture de régularisation visant à ajuster le solde de la provision pour correction de valeur des comptes clients a déjà été enregistrée dans les livres, on devra enregistrer une seconde écriture de régularisation pour réduire la provision de 800 $.

Lorsque les événements postérieurs à la date de clôture sont l'indication de situations apparues après la date de clôture, ils sont alors classés comme des **événements postérieurs à la date de clôture ne donnant pas lieu à des ajustements**. Puisque ces événements n'ont pas trait à une situation qui existait à la date de clôture, on ne doit pas, selon les concepts énoncés dans le Cadre, les comptabiliser dans les états financiers. Leur divulgation dans les états financiers dépend de l'importance de leurs répercussions sur l'entreprise. Quand les répercussions sont significatives en ce sens que l'événement postérieur modifie les activités ou la situation financière de l'entreprise, cet événement est divulgué par voie de notes. En effet, il importe d'en informer les utilisateurs des états financiers pour qu'ils puissent mieux évaluer les perspectives d'avenir de l'entreprise. L'IASB donne quelques exemples d'événements postérieurs à la date de clôture qui peuvent avoir des répercussions importantes :

(a) un regroupement d'entreprises important postérieur à la date de clôture (IFRS 3 *Regroupement d'entreprises* impose dans ce cas de fournir des informations spécifiques) ou la sortie d'une filiale importante ;

(b) l'annonce d'un plan pour abandonner une activité ;

(c) des acquisitions importantes d'actifs, le classement d'actifs comme détenus en vue de la vente selon IFRS 5 *Actifs non courants détenus en vue de la vente et activités abandonnées*, d'autres sorties d'actifs ou l'expropriation par les pouvoirs publics d'actifs importants ;

(d) la destruction d'une unité de production importante par un incendie après la date de clôture ;

(e) l'annonce, ou le début de la mise en œuvre, d'une restructuration importante (voir l'IAS 37) ;

(f) des transactions importantes postérieures à la date de clôture portant sur des actions ordinaires ou des actions ordinaires potentielles (IAS 33 *Résultat par action* impose aux entités de décrire ces opérations, sauf si elles portent sur des émissions par capitalisation des bénéfices ou émission d'actions gratuites, des fractionnements d'actions ou des fractionnements inversés d'actions, qui doivent toutes faire l'objet d'un ajustement selon l'IAS 33) ;

(g) des modifications anormalement importantes du prix des actifs ou des taux de change après la date de clôture ;

(h) des modifications des taux d'impôt ou des lois fiscales votées ou annoncées après la date de clôture, qui ont un impact important sur les actifs et passifs d'impôt exigible et d'impôt différé (voir l'IAS 12 *Impôts sur le résultat*) ;

(i) le fait de prendre des engagements importants ou d'être soumis à des passifs éventuels, par exemple par l'émission de garanties importantes ; et

(j) le début d'un litige important résultant uniquement d'événements survenus après la date de clôture[44].

De même, des dividendes déclarés entre la date de clôture et la date de l'autorisation de publication sont décrits par voie de notes[45]. Ils ne sont pas comptabilisés à la date de clôture parce que l'entreprise n'a alors aucune obligation actuelle, et ce, même si elle a comme politique de payer périodiquement des dividendes.

Lorsque les répercussions de l'événement postérieur à la date de clôture ne sont pas significatives, on ne présente aucune information à son sujet dans les états financiers. Il en est ainsi des ventes, des achats de marchandises destinées à la vente, des charges d'exploitation, etc.

Finalement, il peut exister des événements postérieurs à la date de clôture qui ont des conséquences si importantes qu'ils nécessitent un traitement exceptionnel. Il en est ainsi des événements qui remettent en doute la **continuité d'exploitation**. Pensons, par exemple, à la découverte de la haute toxicité des marchandises produites par l'entreprise qui entraînera des poursuites d'une valeur si élevée que l'entreprise n'y survivra pas. Supposons que cette découverte amène la direction à déterminer, après la date de clôture, qu'elle a l'intention, ou qu'elle n'a pas d'autre solution réaliste que de liquider l'entreprise ou de cesser son activité. Cette information ne peut évidemment pas être passée sous silence. Lorsque la direction prend connaissance, à l'occasion de son appréciation de la capacité de l'entreprise à poursuivre ses activités, d'incertitudes significatives liées à des événements ou à des conditions susceptibles de jeter un doute important sur la capacité de l'entreprise à poursuivre son activité, elle doit alors indiquer ces incertitudes dans ses états financiers, par voie de

44. *Manuel de CPA Canada – Comptabilité – Partie I*, IAS 10, paragr. 22.

45. *Manuel de CPA Canada – Comptabilité – Partie I*, **IAS 1**, paragr. 137.

notes. Lorsque l'entreprise ne prépare pas les états financiers sur une base de continuité d'exploitation, elle doit indiquer ce fait, la base sur laquelle les états financiers sont établis et la raison pour laquelle l'entreprise juge qu'elle ne se trouve pas en situation de continuité d'exploitation[46].

Les informations à fournir sur les événements postérieurs à la date de clôture

La connaissance des événements postérieurs à la date de clôture est indispensable aux utilisateurs des états financiers qui cherchent à prévoir les flux de trésorerie. Le tableau 12.9 montre les exigences de l'IASB en la matière, accompagnées de commentaires.

TABLEAU 12.9 Les informations à fournir concernant les événements postérieurs à la date de clôture

Normes internationales d'information financière, IAS 10	Commentaires
Date de l'autorisation de publication	
Paragr. 17	
Une entité doit indiquer la date de l'autorisation de publication des états financiers et mentionner qui a donné cette autorisation. Si les propriétaires de l'entité ou d'autres ont le pouvoir de modifier les états financiers après leur publication, l'entité doit l'indiquer.	La date de l'autorisation de publication des états financiers est importante du point de vue des utilisateurs des états financiers, car elle indique jusqu'à quand les événements postérieurs à la date de clôture ont été analysés par l'entreprise.
Mise à jour des informations à fournir sur des situations qui existaient à la fin de la période de présentation de l'information financière	
Paragr. 19	
Si une entité reçoit, après la date de clôture, des informations sur des situations qui existaient à la fin de la période de présentation de l'information financière, elle doit mettre à jour les informations fournies relativement à ces situations au vu de ces nouvelles informations.	Nous avons mentionné précédemment que si ces événements renseignent sur l'évaluation des montants déjà comptabilisés, l'entreprise doit régulariser ses livres comptables en conséquence. D'autres événements postérieurs contribuent à confirmer une situation qui existait à la date de clôture, sans toutefois se répercuter sur les montants déjà comptabilisés. Pensons, par exemple, à un événement qui se répercute sur l'effet financier d'un passif éventuel mentionné en note. L'information fournie par voie de notes doit tenir compte de tous les renseignements disponibles jusqu'à la date de l'autorisation de publication des états financiers.
Événements postérieurs à la date de clôture ne donnant pas lieu à des ajustements	
Paragr. 21	
Si des événements postérieurs à la date de clôture ne donnant pas lieu à des ajustements sont significatifs, le fait de ne pas les indiquer pourrait avoir une incidence sur les décisions économiques prises par les utilisateurs sur la base des états financiers. Dès lors, l'entité fournira les informations suivantes pour chaque catégorie significative d'événements postérieurs à la date de clôture ne donnant pas lieu à des ajustements : *(a) la nature de l'événement ; et* *(b) une estimation de son effet financier, ou l'indication que cette estimation ne peut être faite.*	Voici à titre d'exemple, la note préparée par la société Gros Louis ltée, dont la fin d'exercice financier est le 31 décembre 20X1 : ***GROS LOUIS LTÉE*** ***Extrait des notes*** ***de l'exercice terminé le 31 décembre 20X1*** *Le 15 janvier 20X2, l'entreprise a subi un incendie dans l'un de ses entrepôts. La perte est évaluée à 250 000 $, mais elle est couverte par une assurance à hauteur de 80 %. L'entreprise prévoit reconstruire cette installation et, entre-temps, elle loue les espaces nécessaires à l'entreposage de ses marchandises.*

Voici la note relative aux événements postérieurs à la date de clôture de Sears Canada tirée des états financiers de l'exercice terminé le 28 janvier 2016. L'événement décrit aura des répercussions sur la structure de financement de l'entreprise et, par ricochet, sur les charges financières.

46. *Manuel de CPA Canada – Comptabilité – Partie I*, IAS 1, paragr. 25.

SEARS CANADA INC.

Notes annexes de l'exercice terminé le 28 janvier 2016

IAS 10, paragr. 21

35. Événements postérieurs à la date de clôture

Le 23 février 2016, la Société a annoncé qu'elle avait cédé les baux de huit magasins Sears décor à Meubles Léon Ltée, situés en Colombie-Britannique, en Ontario et au Nouveau-Brunswick dont les dates d'entrée en vigueur s'échelonneront du 1er juin 2016 au 1er juillet 2016. La Société demeure responsable des obligations en vertu de contrats de location simple aux dates d'entrée en vigueur des cessions jusqu'à la prochaine période de renouvellement de chacun des baux et continuera d'inclure ces montants au titre des obligations en vertu de contrats de location simple de la Société, tel qu'il est indiqué à la note 14.2. Les obligations en vertu de contrats de location simple relatives à ces magasins, aux dates d'entrée en vigueur des cessions, sont estimées à environ 20,9 M $.

Source : Rapport annuel 2015 de Sears Canada inc.
Sears Canada inc., *Rapport annuel 2015*, [En ligne],
< http://sears.fr.ca.investorroom.com/rapports > (page consultée le 4 août 2016).

Avez-vous remarqué ?

On ne doit pas perdre de vue que l'état de la situation financière fournit une photo de la situation financière d'une entreprise à une date donnée. C'est pourquoi les événements survenus après cette date ne sont comptabilisés que s'ils permettent de présenter une estimation plus précise d'une situation qui existait à la date de clotûre.

Un exemple de présentation des différents types de passifs

La partie I – Les IFRS du présent chapitre porte sur plusieurs types d'obligations, tant actuelles que potentielles ou dont l'existence est incertaine. Afin de faciliter l'intégration de toutes les dettes dont nous avons traité jusqu'à maintenant, nous présentons ci-après les extraits pertinents des états financiers de Bombardier de l'exercice terminé le 31 décembre 2015.

BOMBARDIER INC.

ÉTATS DE LA SITUATION FINANCIÈRE CONSOLIDÉS

Aux
(en millions de dollars américains)
[...]

		Notes	**31 décembre 2015**	31 décembre 2014	1er janvier 2014
	Passifs				
IFRS 7, paragr. 8(g)	Fournisseurs et autres créditeurs	23	**4 040 $**	4 216 $	4 089 $
IAS 1, paragr. 54(l)	Provisions	24	**1 108**	990	881
	[...]				
IAS 1, paragr. 54 (m)	Avances sur programmes aéronautiques		**2 002**	3 339	3 228
	Autres passifs financiers	25	**991**	1 010	1 009
	Autres passifs	26	**2 274**	2 182	2 227
	[...]				

NOTES AUX ÉTATS FINANCIERS CONSOLIDÉS

Pour les exercices clos les 31 décembre 2015 et 2014

(Les montants des tableaux sont en millions de dollars américains, à moins d'indication contraire)

IFRS 7, paragr. 8

23. FOURNISSEURS ET AUTRES CRÉDITEURS

Les fournisseurs et autres créditeurs étaient comme suit aux :

	31 décembre 2015	31 décembre 2014	1er janvier 2014
Fournisseurs	**2 812 $**	3 037 $	2 959 $
Frais courus	**613**	566	623
Intérêts	**154**	124	116
Autres	**461**	489	391
	4 040 $	4 216 $	4 089 $

24. PROVISIONS

Les variations des provisions ont été comme suit pour les exercices 2015 et 2014 :

IAS 37, paragr. 85

IAS 37, paragr. 84

	Garanties de produits	Garanties de crédit et de valeur résiduelle	Restructuration, indemnités de départ et autres prestations de cessation d'emploi	Autres(1)	Total
Solde au 31 décembre 2014	**773 $**	**456 $**	**117 $**	**206 $**	**1 552 $**
Additions	**360**	**265** (2)	**47** (3)	**394** (4)	**1 066**
Utilisation	**(244)**	**(36)**	**(67)**	**(8)**	**(355)**
Reprises	**(118)**	**(15)**	**(25)**(3)	**(22)**	**(180)**
Charge de désactualisation	**1**	**6**	**–**	**–**	**7**
Incidence des variations des taux d'actualisation	**(1)**	**(6)**	**–**	**–**	**(7)**
Incidence des fluctuations de taux de change	**(46)**	**–**	**(6)**	**(5)**	**(57)**
Solde au 31 décembre 2015	**725 $**	**670 $**	**66 $**	**565 $**	**2 026 $**
Dont la tranche courante	**562 $**	**77 $**	**65 $**	**404 $**	**1 108 $**
Dont la tranche non courante	**163**	**593**	**1**	**161**	**918**
	725 $	**670 $**	**66 $**	**565 $**	**2 026 $**
[…]					

(1) Comprennent surtout les réclamations, les provisions pour contrats déficitaires et les litiges.

(2) Voir la Note 9 – Éléments spéciaux, pour plus de détails sur les modifications des estimations et de la juste valeur liées aux garanties de crédit et de valeur résiduelle.

(3) Voir la Note 9 – Éléments spéciaux, pour plus de détails sur l'addition et la reprise liées aux charges de restructuration.

(4) Comprend les autres provisions constituées au titre du programme d'avions *C Series* et au titre de l'annulation du programme d'avion *Learjet 85*, qui sont comprises dans les éléments spéciaux pour l'exercice 2015 (comprend d'autres provisions liées à la pause du programme d'avion *Learjet 85*, qui est inclus dans les éléments spéciaux pour l'exercice 2014). Voir la Note 9 – Éléments spéciaux, pour plus de détails.

IFRS 7, paragr. 8

25. AUTRES PASSIFS FINANCIERS

Les autres passifs financiers étaient comme suit aux :

	31 décembre 2015	31 décembre 2014	1er janvier 2014
Instruments financiers dérivés(1)	**702 $**	665 $	411 $
Avances gouvernementales remboursables	**411**	363	481
Incitatifs à la location(2)	**135**	172	142
Obligations au titre des transactions de cession-bail	**133**	260	138
Partie courante de la dette à long terme(3)	**71**	56	215
Coûts non récurrents des fournisseurs	**20**	36	38
Autres	**138**	60	301
	1 610 $	1 612 $	1 726 $
Dont la tranche courante	**991 $**	1 010 $	1 009 $
Dont la tranche non courante	**619**	602	717
	1 610 $	1 612 $	1 726 $

(1) Voir la Note 14 – Instruments financiers.

(2) L'obligation contractuelle exigible était de 182 millions $ au 31 décembre 2015 (206 millions $ au 31 décembre 2014 et 172 millions $ au 1er janvier 2014).

(3) Voir la Note 27 – Dette à long terme.

[…]

Source : Rapport annuel 2015 de Bombardier Inc.
Bombardier Inc., *Rapport annuel 2015 : Exercice clos le 31 décembre 2015*, [En ligne], <http://ir.bombardier.com/fr/rapports-financiers> (page consultée le 4 août 2016).
© 2016 Bombardier Inc. ou ses filiales

PARTIE II – LES NCECF

Équivalents terminologiques *Manuel de CPA Canada* – Partie II et Partie I.

À la lecture du présent chapitre, vous avez déjà pu relever les sujets dont le traitement comptable diffère selon le référentiel, à partir des pictogrammes «Différence NCECF» indiqués dans les marges de la partie I – Les IFRS. Vous avez sans doute remarqué que les NCECF et les IFRS comportent plusieurs différences en ce qui a trait aux éléments du passif courant. La figure 12.11 résume ces différences, dont nous traiterons en détail dans les sections qui suivent.

FIGURE 12.11 Les particularités des NCECF au sujet du passif courant

- Présenté par catégorie
- Dans certaines conditions, une dette dont le créancier a un droit unilatéral d'exiger le remboursement peut demeurer dans le passif à court terme

Passif courant

Passifs financiers	Provisions
Comptabilisation initiale • À la juste valeur, sauf un passif envers un apparenté qui doit être comptabilisé à la valeur comptable ou à la valeur d'échange • Évaluation à la juste valeur possible pour tout passif financier *Comptabilisation subséquente* • Valeur comptable des passifs financiers indexés obligatoirement révisée chaque année • Toutes variations de valeur sur un passif évalué à la juste valeur comptabilisées en résultat *Présentation dans les états financiers* • Informations à présenter beaucoup moins exhaustives	• Aucune norme précise à ce sujet • Aucune mention concernant l'obligation de comptabiliser une provision pour contrat déficitaire • Aucune norme précise sur les provisions pour restructuration, autre que les transferts non monétaires et non réciproques • Définition différente de la provision pour la mise hors service d'immobilisations • Informations à présenter dans les états financiers beaucoup moins exhaustives

Éventualités

- Traitement comptable des pertes éventuelles basé sur leur probabilité :
  1. Comptabilisation des pertes probables dont le montant peut être estimé
  2. Présentation en note des pertes éventuelles probables dont le montant ne peut être estimé ainsi que des pertes éventuelles dont la probabilité est indéterminable
- Gain éventuel jamais comptabilisé, mais décrit dans une note s'il est probable

Engagements contractuels

Description des engagements qui :
- Comportent un risque spéculatif considérable, qui n'est pas inhérent à la nature de l'entreprise, ou
- Entraînent des débours exceptionnellement élevés

Événements postérieurs à la date de clôture

- Événements pris en compte jusqu'à la date de mise au point définitive des états financiers
- Pas d'obligation d'indiquer tous les dividendes déclarés mais non payés dans une note aux états financiers

Qu'est-ce qu'un passif courant ?

IFRS Courant

Outre la comptabilisation des passifs financiers, les principales différences entre les deux référentiels comptables touchent la définition du passif **à court terme**, les provisions, les éventualités, les engagements contractuels et les événements postérieurs à la date de clôture.

Produits différés

Dette non courante

Impôts sur le résultat

Le Conseil des normes comptables (CNC) précise, dans le **chapitre 1510** du *Manuel – Partie II*, intitulé «Actif et passif à court terme», que le **passif à court terme** comprend les sommes à payer au cours de l'année qui suit la date de clôture ou au cours du cycle normal d'exploitation s'il excède un an. Ce cycle doit être celui qui sert à déterminer l'actif courant. Le CNC exige aussi que le passif à court terme soit subdivisé en grandes catégories, telles que les emprunts bancaires, les fournisseurs et charges à payer, les impôts à payer, les dividendes à payer, les **produits reportés** et la tranche de la **dette à long terme** échéant à court terme. Pour plus de transparence, les états financiers doivent aussi indiquer les montants à payer aux administrateurs, aux dirigeants, aux actionnaires, à la compagnie mère et aux sociétés affiliées. Il en est de même des sommes à remettre à l'État, autres que les **impôts sur les bénéfices**, qui sont présentés distinctement en conformité avec le **chapitre 3465**. Les sommes à remettre à l'État comprennent par exemple les taxes de vente fédérale et provinciales, les cotisations sociales, les cotisations pour les soins de santé et les primes d'assurance pour les accidents du travail.

On doit, selon les NCECF et les IFRS, reclasser dans la section à court terme les dettes sur lesquelles le créancier a un droit unilatéral d'exiger le remboursement. Cependant, trois exceptions sont prévues dans les NCECF :

a) le créancier a renoncé par écrit à son droit d'exiger le remboursement, ou a subséquemment perdu ce droit, pour une durée supérieure à un an (ou au cycle d'exploitation, s'il excède un an) à compter de la date du bilan ;

b) la dette a été refinancée sur une base à long terme avant l'achèvement du bilan ; ou

c) le débiteur a conclu un accord non annulable pour refinancer la dette à court terme sur une base à long terme préalablement à l'achèvement du bilan, et il n'y a aucun obstacle à ce que le refinancement soit obtenu[47].

12

Les passifs courants qui constituent des passifs financiers

Le **chapitre 3856** du *Manuel – Partie II* comprend les normes applicables aux instruments financiers, dont les règles de base ont été présentées au chapitre 4 du présent manuel.

Un rappel des normes comptables applicables aux passifs financiers

Parties liées

En ce qui concerne plus précisément les passifs financiers, on doit les évaluer, lors de la comptabilisation initiale, à la juste valeur, sauf s'ils découlent d'une opération entre **apparentés**, auquel cas ils sont évalués à la valeur comptable ou à la valeur d'échange, comme expliqué au chapitre 11.

Par la suite, on évalue les passifs financiers au coût amorti, sauf si l'entreprise choisit de les évaluer à la juste valeur. On se rappellera que ce choix n'est pas assorti des conditions énoncées dans les IFRS. Une entreprise qui applique les NCECF peut en effet évaluer ainsi tout passif financier, même si cela n'a pas pour but de réduire un risque de non-concordance comptable. De plus, lorsqu'un passif financier est évalué à la juste valeur, toutes les variations de valeur sont comptabilisées en résultat net puisque la notion de résultat global n'est pas reprise dans les NCECF. Bien qu'il s'agit là d'une réelle différence entre les deux référentiels, il est raisonnable de croire que peu d'entreprises qui appliquent les NCECF évaluent leurs passifs financiers à la juste valeur.

Les NCECF prévoient des règles d'évaluation des passifs financiers indexés. Le CNC recommande d'évaluer ces passifs financiers indexés au coût amorti, comme on le fait pour les autres passifs financiers, mais de procéder à un ajustement afin de tenir compte du montant qui serait remboursable à la date de clôture et calculé selon le facteur d'indexation. À chaque date de clôture, l'entreprise ajuste la valeur comptable du passif de façon à ce qu'elle corresponde à la plus élevée des valeurs suivantes : 1) le coût après amortissement du passif ou 2) la somme qui serait payable à la date de clôture si l'on calculait à cette date le supplément résultant de l'indexation.

47. *Manuel de CPA Canada – Comptabilité – Partie II*, paragr. 1510.13.

EXEMPLE

Passif indexé

La société Francou ltée a encaissé 500 000 $ au moment où elle a contracté une dette dont le montant remboursable au titre du principal correspondra à 400 000 $, majoré de 10 % du bénéfice du dernier exercice. Elle paiera aussi des intérêts sur le solde initial calculés au taux de 5 %. À la date de clôture de l'exercice en cours, le bénéfice est de 1 200 000 $. À des fins de présentation de son **bilan**, la société doit présenter une dette de 520 000 $ [400 000 $ + (1 200 000 $ × 10 %)]. Dans son **état des résultats**, l'augmentation de 20 000 $ est présentée comme une composante distincte de la charge d'intérêts. Francou ltée doit aussi présenter une charge d'intérêts additionnelle de 25 000 $, soit le montant calculé selon le taux d'intérêt spécifié, appliqué sur la valeur comptable de la dette au début de l'exercice. Elle présentera également dans le bilan ce montant de 25 000 $ à titre d'intérêts à payer.

IFRS
État de la situation financière
État du résultat global

En vertu de la notion de prudence, que l'on retrouve dans le cadre conceptuel des NCECF et non dans celui des IFRS, le CNC précise qu'un **passif financier remboursable à vue** est au moins égal « à la somme payable à vue, actualisée à partir de la première date à laquelle le paiement pourrait être exigé[48] ». La caractéristique de remboursement à vue implique que le créancier peut exiger le remboursement de la dette au moment qui lui convient, et ce, dès le moment où la dette est contractée ou à partir d'une date subséquente. Par exemple, une dette de 100 000 $, portant intérêt au taux de 5 % et remboursable à vue dès maintenant sera évaluée à 100 000 $. Cependant, si elle devient remboursable à vue dans cinq ans, on doit calculer la valeur actualisée en prenant comme taux d'actualisation le taux que l'entreprise obtiendrait aujourd'hui pour une dette échéant dans cinq ans. Dans l'hypothèse où ce taux serait de 4 %, le bilan montrerait le passif remboursable à vue à une valeur de 104 452 $ (N = 5, I = 4 %, PMT = 5 000 $, FV = 100 000 $, CPT PV ?).

La présentation des passifs financiers dans les états financiers

Les informations sur les passifs financiers à fournir dans les états financiers sont beaucoup moins exhaustives que celles requises en vertu des IFRS, comme le montre la liste qui suit, tirée des paragraphes 43, 44, 46, 47b), 52 et 53 du chapitre 3856 :

- La description du passif ;
- Le taux d'intérêt ;
- La date d'échéance ;
- Le montant, ventilé entre le principal et les intérêts courus ;
- La monnaie dans laquelle la dette doit être remboursée ;
- Les modalités de remboursement ;
- La valeur comptable des passifs garantis, en indiquant la valeur comptable des actifs donnés en garantie et les conditions de cette garantie ;
- Pour les passifs présentés à la date de clôture, ceux qui ont été en défaut, de sorte que le prêteur aurait pu en exiger le remboursement et si le manquement a été corrigé avant la date d'achèvement des états financiers ;
- Pour les passifs financiers indexés, tous les renseignements pertinents pour que les utilisateurs des états financiers comprennent la nature, les modalités et les effets de la clause d'indexation ;
- Les **gains** nets ou pertes nettes attribuables à des passifs financiers ;
- La charge d'intérêts sur les passifs financiers à court terme ;
- Pour chaque type de risque important découlant de passifs financiers, les expositions au risque et leur cause ainsi que toute modification des expositions au risque par rapport à l'exercice précédent.

Profits

48. *Manuel de CPA Canada – Comptabilité – Partie II*, paragr. 3856.A12.

Les états financiers de Josy Dida inc.

En comparant ces informations avec celles exigées selon les IFRS et listées dans le tableau 12.3, il est évident que les états financiers préparés selon les NCECF sont beaucoup plus sommaires. On peut prendre toute la mesure de cette affirmation en examinant les notes 15 et 22 des états financiers de Josy Dida inc., disponibles dans la plateforme *i+ Interactif*. Enfin, le chapitre 13 traitera des autres renseignements à fournir sur les passifs financiers à long terme.

Les provisions

Rappelons que les **provisions** sont des passifs dont l'échéance et le montant sont incertains. Le *Manuel – Partie II* ne contient pas de directives détaillées portant sur l'estimation de telles dettes. On peut toutefois trouver quelques directives dans divers chapitres du *Manuel – Partie II*. Par exemple, le CNC explique, dans le paragraphe 11 du **chapitre 3400** traitant des produits, que lorsqu'une entente avec un client couvre, par exemple, la vente d'un bien et un service après-vente, disons un service de garantie, on doit répartir le montant total convenu avec le client entre la vente du bien et la prestation subséquente des services. Au moment de la vente, la portion de la contrepartie couvrant le service de garantie est comptabilisée à titre de produits reportés. Un tel traitement comptable correspond à celui expliqué dans la partie I – Les IFRS du présent chapitre.

Les provisions pour contrat déficitaire

IFRS Caractéristique qualitative

Aucune NCECF ne traite des **contrats déficitaires**. Cependant, la **qualité** de prudence, présente dans les fondements conceptuels, rend approprié le traitement prescrit dans les IFRS, bien que ce dernier n'ait pas à être appliqué dans les états financiers conformes aux NCECF. Les entreprises qui décident de comptabiliser une telle provision disposent d'une grande latitude en ce qui concerne l'évaluation, ce qui diminue la comparabilité des états financiers entre les entreprises qui appliquent les NCECF.

Les provisions pour restructuration

12

Les NCECF ne traitent pas des provisions pour restructuration comme ce que l'on trouve dans les IFRS. Lorsqu'une entreprise projette de modifier de façon importante son champ d'activité, par exemple en fermant l'une de ses trois succursales, les IFRS l'obligent à comptabiliser une provision pour restructuration évaluée au montant que l'entreprise prévoit devoir débourser, comme nous l'avons expliqué dans la partie I – Les IFRS de ce chapitre. Il pourrait s'agir, par exemple, d'une prime de séparation accordée à certains membres du personnel travaillant dans la succursale que l'entreprise prévoit fermer. La colonne de gauche du tableau 12.10 rappelle les règles visant le moment de comptabilisation et le montant à comptabiliser à l'égard d'une provision pour restructuration selon les IFRS. Dans une telle situation, une entreprise qui applique les NCECF ne peut se reporter qu'aux fondements conceptuels qui définissent les passifs devant être comptabilisés, résumés dans la colonne de droite du tableau 12.10. Ces critères étant forcément d'ordre plus général, l'entreprise dispose d'une plus grande latitude au sujet du moment de comptabilisation et du montant comptabilisé à titre de provision pour restructuration.

TABLEAU 12.10 Les normes de comptabilisation d'une provision pour restructuration

Critères selon les IFRS (Paragr. 78, 80 et 82 de l'IAS 37)	**Critères selon les NCECF** (Paragr. 1000.28 et 1000.29)
• L'entreprise a un plan de restructuration établi et détaillé qui précise certains éléments et qui crée, chez les personnes en cause, une attente fondée qu'elle mettra en œuvre la restructuration. • Il n'existe aucune obligation pour la vente d'une activité tant que l'entité ne s'est pas engagée à vendre, c'est-à-dire par un accord de vente irrévocable. • Une provision pour restructuration ne doit inclure que les dépenses directement liées à la restructuration.	• Les passifs représentent un engagement qui entraînera un transfert ou une utilisation d'actifs, une prestation de services ou toute autre cession d'avantages économiques, à une date certaine ou déterminable. • L'engagement représente une obligation à laquelle l'entreprise ne peut se soustraire. • L'opération ou le fait à l'origine de l'obligation s'est déjà produit.

EXEMPLE

Plan de restructuration

Reprenons l'exemple de la société Textile Desoie ltée, dont l'énoncé se trouve aux pages 12.44 à 12.46, en tenant pour acquis qu'elle applique les NCECF. Tenons aussi pour acquis que la société continuera à exploiter d'autres usines du même type et qu'elle ne peut pas considérer la vente prévue à titre d'activité abandonnée. Les NCECF ne comportent pas de précision voulant qu'une décision de restructuration qui a créé des attentes raisonnables chez les tiers entraîne une obligation actuelle de respecter le plan de restructuration. C'est pourquoi, dans ses états financiers de 20X1, la société n'est pas tenue de comptabiliser une provision pour restructuration de 540 000 $. De plus, les NCECF ne contiennent aucune précision qui indique la façon de calculer les charges de restructuration. Textile Desoie ltée peut donc comptabiliser les charges engagées de 246 000 $ à titre de charges de restructuration, comme le montrent les calculs suivants :

		IFRS		NCECF	
		Charges	**Passif**	**Charges**	**Passif**
20X1	Restructuration	540 000 $		246 000 $	
	Autres	30 000			
			324 000 $		θ
	Total des charges annuelles	570 000 $		246 000 $	
20X2	Restructuration	θ		369 000 $	
	Autres	45 000 $			
	Total des charges annuelles	45 000 $	θ	369 000 $	θ
Total		615 000 $		615 000 $	

En 20X2, la société comptabilise les charges engagées dans cet exercice, soit 369 000 $. Un tel traitement est beaucoup plus simple, une qualité très recherchée par les entreprises qui utilisent les NCECF, car il ne nécessite aucune estimation. Soulignons que Textile Desoie ltée n'est pas tenue de présenter ces charges en les qualifiant de charges de restructuration. Toutefois, la plupart des sociétés les présenteront ainsi afin de faire savoir aux utilisateurs des états financiers que ces charges ne sont pas récurrentes.

Les calculs précédents permettent de saisir l'impact des différences entre les deux référentiels. Par rapport aux IFRS, les NCECF conduisent en 20X1 à des charges moindres et à l'absence de passif. De ce fait, les ratios de rentabilité et de solidité financière donneront une image plus reluisante que si la société avait appliqué les IFRS. Dans l'exercice 20X2, les charges seront toutefois plus importantes, soit 369 000 $ au lieu des 45 000 $ comptabilisés selon les IFRS. Bien sûr, lorsque l'on considère les deux exercices financiers, les charges comptabilisées (615 000 $) selon les deux référentiels sont identiques. Enfin, le traitement conforme aux NCECF est moins prudent, dans la mesure où il retarde la comptabilisation des charges de restructuration.

Avez-vous remarqué ?

Comme nous l'avons déjà mentionné à maintes reprises dans les chapitres précédents, des normes comptables qui laissent davantage de souplesse aux entreprises nuisent à la comparabilité des états financiers. Cependant, on doit se rappeler que les états financiers préparés selon les NCECF sont destinés à des utilisateurs qui maintiennent des liens étroits avec l'entreprise et qui peuvent obtenir de celle-ci toute l'information financière qu'ils jugent pertinente.

On ne saurait passer sous silence que le CNC aborde la question des restructurations dans le **chapitre 3831** intitulé « Opérations non monétaires ». Cependant, il traite uniquement des actifs qui seront remis aux propriétaires de l'entreprise. Ce transfert aux actionnaires représente un **transfert non monétaire et non réciproque**, soit un transfert d'actifs, de passifs ou de services non monétaires sans contrepartie. Le transfert aux actionnaires doit être comptabilisé à la valeur comptable. En d'autres termes, il ne peut pas entraîner la comptabilisation de gain ou de perte. Cependant, si la portion de l'entreprise qui sera abandonnée est qualifiée d'activité abandonnée, au sens donné dans le **chapitre 3475** et qui sera expliqué au chapitre 20, l'entreprise pourrait devoir comptabiliser une perte de valeur.

Les mises hors service d'immobilisations

IFRS
Démantèlement, enlèvement ou remise en état

Le **chapitre 3110**, intitulé « Obligations liées à la mise hors service d'immobilisations » traite des provisions pour la **mise hors service d'immobilisations**. Le titre de ce chapitre souligne une différence importante comparativement à l'IAS 37. Ce chapitre s'applique uniquement aux coûts liés à la mise hors service, alors que l'IAS 37 s'applique à toutes les provisions, telles les provisions pour garantie. Si l'on s'en tient uniquement à la provision pour la mise hors service d'immobilisations, il existe une différence importante à propos du moment de la comptabilisation du passif, c'est-à-dire le moment où l'on doit conclure que l'entreprise assume une obligation qualifiée d'actuelle dans les IFRS. Voici la définition donnée par le CNC de l'**obligation liée à la mise hors service d'une immobilisation** : « Obligation juridique afférente à la mise hors service d'une immobilisation corporelle qu'une entité est obligée de régler par suite d'une loi ou d'un règlement, d'un contrat écrit ou verbal ou par interprétation juridique d'un contrat selon la théorie de l'irrecevabilité fondée sur une promesse[49]. » Cette théorie, expliquée par la Cour suprême du Canada, indique qu'un tiers peut invoquer le fait que l'entreprise a, par ses paroles ou sa conduite, fait une promesse qui modifie leurs rapports juridiques et l'a incité à poser certains actes. L'irrecevabilité fondée sur une promesse s'apparente donc à la notion d'obligation implicite, que l'on trouve dans les IFRS et qui indique que les gestes et pratiques de l'entreprise ont créé des attentes raisonnables chez les tiers.

L'analyse plus détaillée de la définition d'obligation liée à la mise hors service à la lumière des précisions apportées par l'annexe du chapitre 3110 nous amène à conclure que les deux référentiels comptables conduisent à comptabiliser certaines obligations liées à la mise hors service d'une immobilisation à des moments différents. C'est le cas pour les obligations conditionnelles, par exemple des obligations dont le gouvernement se réserve le droit de décider s'il obligera l'entreprise à effectuer des travaux de mise hors service, évalués disons à 2 000 000 $. Rappelons d'abord que, selon les IFRS, une provision est comptabilisée s'il est plus probable qu'improbable que le gouvernement obligera l'entreprise à effectuer des travaux (probabilité supérieure à 50 %). Dans les NCECF, le CNC précise plutôt que l'entreprise a une obligation de se tenir prête à exécuter ses travaux et qu'elle doit, en conséquence, comptabiliser une obligation liée à la mise hors service. Cependant, le montant de cette obligation tiendra compte de la probabilité que le gouvernement impose les travaux. Ainsi, avec une probabilité de 10 % de devoir faire des travaux dont la valeur s'élève aujourd'hui à 2 000 000 $, l'entreprise comptabiliserait une obligation de 200 000 $, comparativement à zéro selon les IFRS.

12

Les NCECF précisent de plus que, pour analyser si une obligation juridique existe, il n'est pas permis « [...] de prédire des modifications de la loi ou des changements dans l'interprétation des lois et règlements actuels[50] ». C'est donc dire que seules les lois actuelles sont prises en compte. Le CNC précise aussi qu'en présence d'une nouvelle loi, « [...] le passif et le coût de mise hors service correspondant sont constatés au moment où l'obligation est imposée[51] ». Revenons au point 5 du tableau 12.4. Dans cette situation, le gouvernement a un projet de loi qui obligerait les entreprises à dépolluer des terrains. Selon l'analyse basée sur les IFRS, on conclut que l'entreprise assume une obligation actuelle de décontaminer au 31 décembre 20X0. Avec l'analyse basée sur les NCECF, on conclut à l'absence d'obligation juridique actuelle à cette date puisqu'on ne peut prédire des modifications de la loi. Il est intéressant d'analyser aussi le point 7 de ce même tableau. La situation décrite est celle où une nouvelle loi, entrée en vigueur le 30 juin 20X1, impose aux entreprises d'équiper leurs usines de filtres à fumée. Au 31 décembre suivant, une entreprise n'a pas encore équipé ses usines. D'après l'analyse basée sur les IFRS, l'entreprise n'a pas d'obligation au titre des coûts du montage des filtres, car elle n'a pas encore modifié ses installations. Selon l'analyse basée sur les NCECF, l'entreprise devrait conclure qu'elle assume une obligation actuelle, car la nouvelle loi a déjà imposé une obligation.

Les obligations de remettre en état un site à la suite d'une utilisation inappropriée ne font pas l'objet de précision dans l'IAS 37. Cependant, le paragraphe 3110.A14 établit clairement que les obligations qui découlent d'une utilisation inadéquate d'une immobilisation n'entrent pas dans le champ d'application du chapitre 3110.

49. *Manuel de CPA Canada – Comptabilité – Partie II*, paragr. 3110.03.
50. *Manuel de CPA Canada – Comptabilité – Partie II*, paragr. 3110.A3.
51. *Manuel de CPA Canada – Comptabilité – Partie II*, paragr. 3110.A21.

Avez-vous remarqué ?

Aucune norme ne remplacera jamais le jugement professionnel. Il existera toujours des cas très particuliers où plus d'un traitement comptable est justifiable.

Enfin, le CNC précise les informations à fournir dans les états financiers.

a) une description générale des obligations liées à la mise hors service et des immobilisations auxquelles elles se rattachent ;
b) le montant de l'obligation liée à la mise hors service à la fin de l'exercice ;
c) le total des paiements effectués au titre du passif au cours de l'exercice ;
d) si elle peut être déterminée facilement, la juste valeur des actifs qui font l'objet de restrictions juridiques en vue du règlement des obligations liées à la mise hors service ou, si la juste valeur ne peut être déterminée facilement, la valeur comptable des actifs qui font l'objet de restrictions juridiques en vue du règlement des obligations liées à la mise hors service.

Lorsqu'il n'est pas possible de faire une estimation raisonnable du montant d'une obligation liée à la mise hors service d'une immobilisation, ce fait et les raisons qui l'expliquent doivent être mentionnés[52].

Encore une fois, ces informations sont moins exhaustives que celles requises en vertu des IFRS et listées dans le tableau 12.6. La note 21 des états financiers de Josy Dida inc., disponibles dans la plateforme *i+ Interactif*, donne quelques renseignements sur une obligation liée à la mise hors service de sites.

i+ Les états financiers de Josy Dida inc.

Les passifs éventuels et les actifs éventuels

Les NCECF relatives aux **éventualités**, contenues dans le **chapitre 3290**, intitulé « Éventualités », s'écartent des IFRS. D'ailleurs, même la terminologie retenue dans les deux référentiels est révélatrice. Dans les IFRS, qui mettent généralement l'accent sur l'état de la situation financière, le titre des sections traitant des éventualités est « Passifs éventuels » et « Actifs éventuels ». Dans les NCECF, qui accordent plus d'importance au rattachement des charges aux produits, les titres des sections du chapitre 3290 sont « Pertes éventuelles » et « Gains éventuels ». De plus, les recommandations du CNC mettent davantage l'accent sur la nécessité, parfois, de comptabiliser les pertes éventuelles par prudence.

La logique sous-jacente à l'IAS 37 à l'égard des actifs et des passifs éventuels diffère de celle à la base du chapitre 3290. Rappelons simplement que, selon les IFRS, un passif éventuel n'est jamais comptabilisé, car il représente soit une obligation actuelle qui ne respecte pas les critères de comptabilisation, soit une obligation potentielle. Selon les NCECF, un **passif éventuel** est simplement défini comme une dette créée avant la date de clôture, mais dont l'issue ultime dépend d'un événement futur.

La figure 12.12 schématise les éléments à prendre en considération à propos de la présentation des éventualités dans les états financiers dressés selon les NCECF. Le lecteur peut comparer cette figure avec la figure 12.8 pour avoir une meilleure vue d'ensemble des différences par rapport aux IFRS.

En vertu des NCECF, la comptabilisation des gains et des pertes éventuels repose sur la probabilité qu'un événement futur confirmera ou infirmera le gain ou la perte éventuelle. Examinons plus en détail la comptabilisation des pertes éventuelles. Dans le *Manuel – Partie II*, le CNC reconnaît que les entreprises peuvent être incapables de déterminer la probabilité de la perte éventuelle, même en consultant des experts. Ce peut être le cas si une entreprise fait l'objet d'une poursuite sans précédent. Dans cette situation, l'entreprise doit simplement fournir de l'information en note, car la comptabilisation d'un montant peu fiable nuirait à la qualité des états financiers.

Lorsque la probabilité de la perte éventuelle n'est pas indéterminable, elle peut donc être probable ou improbable.

Un événement futur est jugé **probable** si les chances qu'il se produise effectivement sont « élevées ». Cette définition est plutôt floue. Une entreprise qui estime à 55 % les chances de

52. *Manuel de CPA Canada – Comptabilité – Partie II*, paragr. 3110.23.

FIGURE 12.12 Les éléments à prendre en considération pour la présentation des éventualités

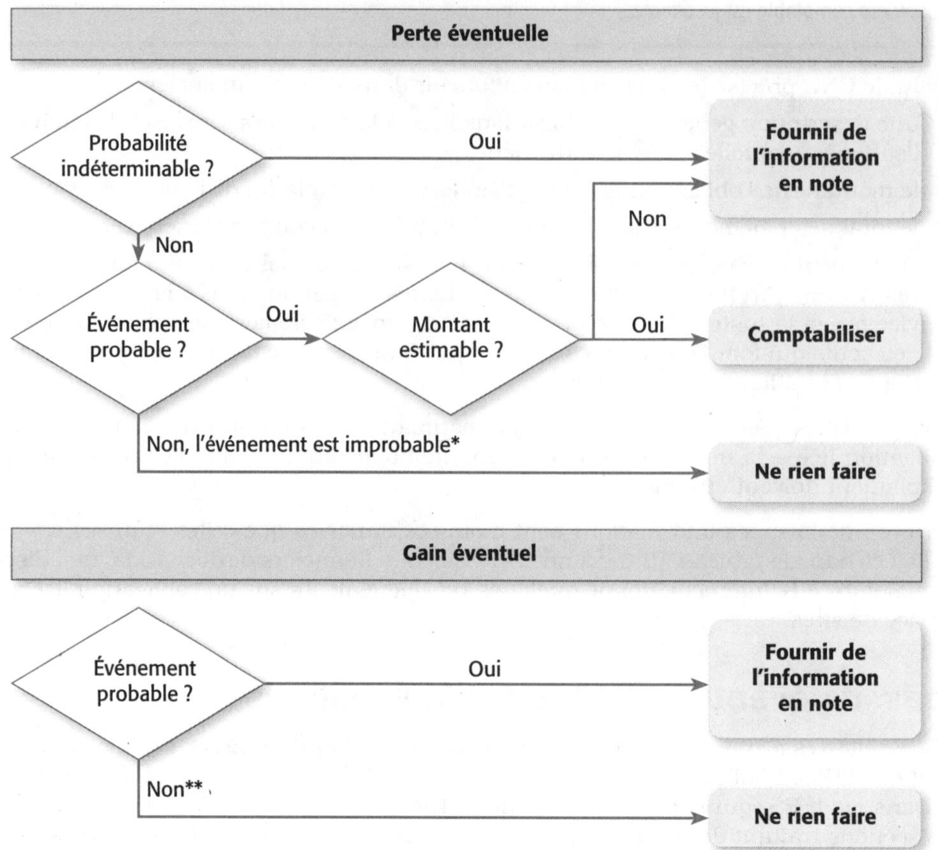

* Une perte éventuelle improbable n'est pas présentée dans les états financiers. Cependant, si elle peut avoir des effets négatifs importants sur la situation financière de l'entreprise, il peut être souhaitable d'en révéler l'existence dans une note aux états financiers.

** Si la probabilité du gain est indéterminable, il revient à l'entreprise de décider si elle doit donner des renseignements par voie de notes.

matérialisation de l'événement futur aurait ainsi tout le loisir de conclure que l'événement est probable (parce que plus probable qu'improbable) ou encore indéterminable (parce que la probabilité prévue s'approche de 50 %, soit la probabilité correspondant à un événement purement aléatoire). On comptabilise une perte probable uniquement si une seconde condition est remplie, à savoir que le montant de la perte peut être estimé. Ici encore, le comptable doit faire preuve de jugement professionnel pour apprécier si le montant estimatif de la perte est suffisamment fiable pour justifier sa comptabilisation.

Enfin, lorsque la perte est improbable, il n'est pas obligatoire de la présenter dans les états financiers. Cependant, si elle peut avoir des effets négatifs importants sur la situation financière de l'entreprise, il peut être souhaitable d'en révéler l'existence par voie de notes.

Il arrive souvent que l'estimation d'une perte et d'un passif éventuel conduise à une fourchette de valeurs. Si, à l'intérieur de cette fourchette, un montant est plus probable que les autres, c'est celui-ci que l'on comptabilise. Cependant, si tous les montants à l'intérieur de la fourchette sont équiprobables, le CNC précise que l'on doit comptabiliser le montant minimal de la fourchette.

Avez-vous remarqué ?

La recommandation du CNC de comptabiliser le montant minimal de la fourchette n'est pas, à proprement parler, une recommandation prudente. Si l'on se basait uniquement sur la prudence, c'est plutôt le montant maximal que l'on retiendrait. On peut croire que le CNC a accordé plus de poids à l'incertitude entourant l'existence du passif qu'à la qualité de prudence.

Peu importe le référentiel comptable, les profits éventuels et les **actifs éventuels** ne sont jamais comptabilisés. Lorsque le profit est improbable, le CNC précise toutefois qu'aucune information ne doit être présentée dans les états financiers. Quand la probabilité du profit est indéterminable, il revient à l'entreprise de décider si elle présente cette information par voie de notes.

Les états financiers de Josy Dida inc.

La note 24 des états financiers de Josy Dida inc., disponibles dans la plateforme *i+ Interactif*, fournit quelques renseignements sur une éventualité.

Les engagements contractuels

Les IFRS relatives aux **engagements contractuels**, intégrées dans diverses normes, ressemblent beaucoup à la norme contenue au **chapitre 3280** du *Manuel – Partie II*, qui s'avère toutefois plus précise. Une entreprise doit fournir, dans les notes à ses états financiers, un exposé sommaire de tout engagement contractuel important eu égard à sa situation financière actuelle ou à son exploitation future. Elle décrit notamment ses engagements : 1) qui comportent un risque spéculatif considérable, qui n'est pas inhérent à la nature de l'entreprise ; ou 2) qui entraîneront des débours exceptionnellement élevés eu égard à la situation financière ou à la nature de l'entreprise (par exemple, des dépenses considérables en immobilisations). L'entreprise décrit, par exemple, des engagements d'achat importants de marchandises dont elle aura besoin au cours de l'exercice subséquent (paragraphe 3280.02).

Les états financiers de Josy Dida inc.

La note 23 des états financiers de Josy Dida inc. donne un exemple d'une telle description. En consultant cette note, le lecteur verra une façon concise de donner cette information dans les états financiers. Il pourra ainsi visualiser une façon concrète de trouver un équilibre entre la nécessité d'informer les utilisateurs des états financiers sans nuire à l'entreprise.

12

Les événements postérieurs à la date de clôture

Le traitement comptable des **événements postérieurs à la date de clôture** est analogue selon les deux référentiels, si ce n'est que le **chapitre 3820** du *Manuel – Partie II* définit ces événements comme ceux compris entre la date de clôture et la **date de mise au point définitive des états financiers**. Cette date ne peut être antérieure à la date d'approbation des états financiers «selon le processus de finalisation des états financiers de l'entité[53]». Cette date risque tout de même de survenir plus tôt que celle retenue dans les grandes entreprises du fait que celles-ci ont une structure de gouvernance plus élaborée. Si c'est le cas, les entreprises qui appliquent les NCECF analysent ces événements pendant une moins longue période que celle exigée dans les IFRS. Elles assument donc des coûts plus faibles de préparation de leurs états financiers. La façon de définir ces événements et de les traiter dans les états financiers ne diffère pas selon le référentiel comptable. Le lecteur peut donc se référer à la figure 12.10 pour voir des exemples et leur analyse comptable. Enfin, le chapitre 3820 n'oblige pas les entreprises à divulguer en note les dividendes déclarés et non payés entre la date de clôture et la date de mise au point définitive des états financiers.

IFRS
Date de l'autorisation de publication des états financies

Consultez le tableau synthèse des particularités des NCECF.

53. *Manuel de CPA Canada – Comptabilité – Partie II*, paragr. 3820.07A.

SYNTHÈSE DU CHAPITRE 12

La figure 12.13 illustre en un coup d'œil les principaux thèmes abordés dans le présent chapitre. Le texte qui suit la figure vous permettra de vérifier l'acquisition des objectifs d'apprentissage.

FIGURE 12.13 Les principaux thèmes abordés dans le présent chapitre

			NCECF
Obligations actuelles	Passifs financiers	Souvent Au coût amorti	• Quelques différences pour les dettes envers des apparentés et les dettes indexées
	Passifs non financiers autres que les provisions	• Produits différés remboursables en cédant des éléments non financiers • Dettes qui ne découlent pas d'une entente contractuelle	• Aucune norme précise pour les contrats déficitaires ni pour les dettes envers des nonactionnaires par suite de restructuration • Différence concernant le moment de la comptabilisation initiale des obligations liées à la mise hors service
	Provisions	Incertitude concernant les montants ou l'échéance	
Obligations potentielles	Passifs éventuels	Jamais de comptabilisation	Comptabilisés si probabilité élevée d'une obligation découlant d'un fait passé
Engagements contractuels	Information en note selon le jugement professionnel		Le traitement est le même pour les engagements qui respectent un des deux critères de présentation
Événements postérieurs à la date de clôture	Renseignent sur ce qui existait à la date de clôture	Comptabilisation	En pratique, la période sous analyse peut être relativement courte
	Renseignent sur un élément apparu après la date de clôture	Information en note si répercussions importantes	
			Informations à fournir moins exhaustives

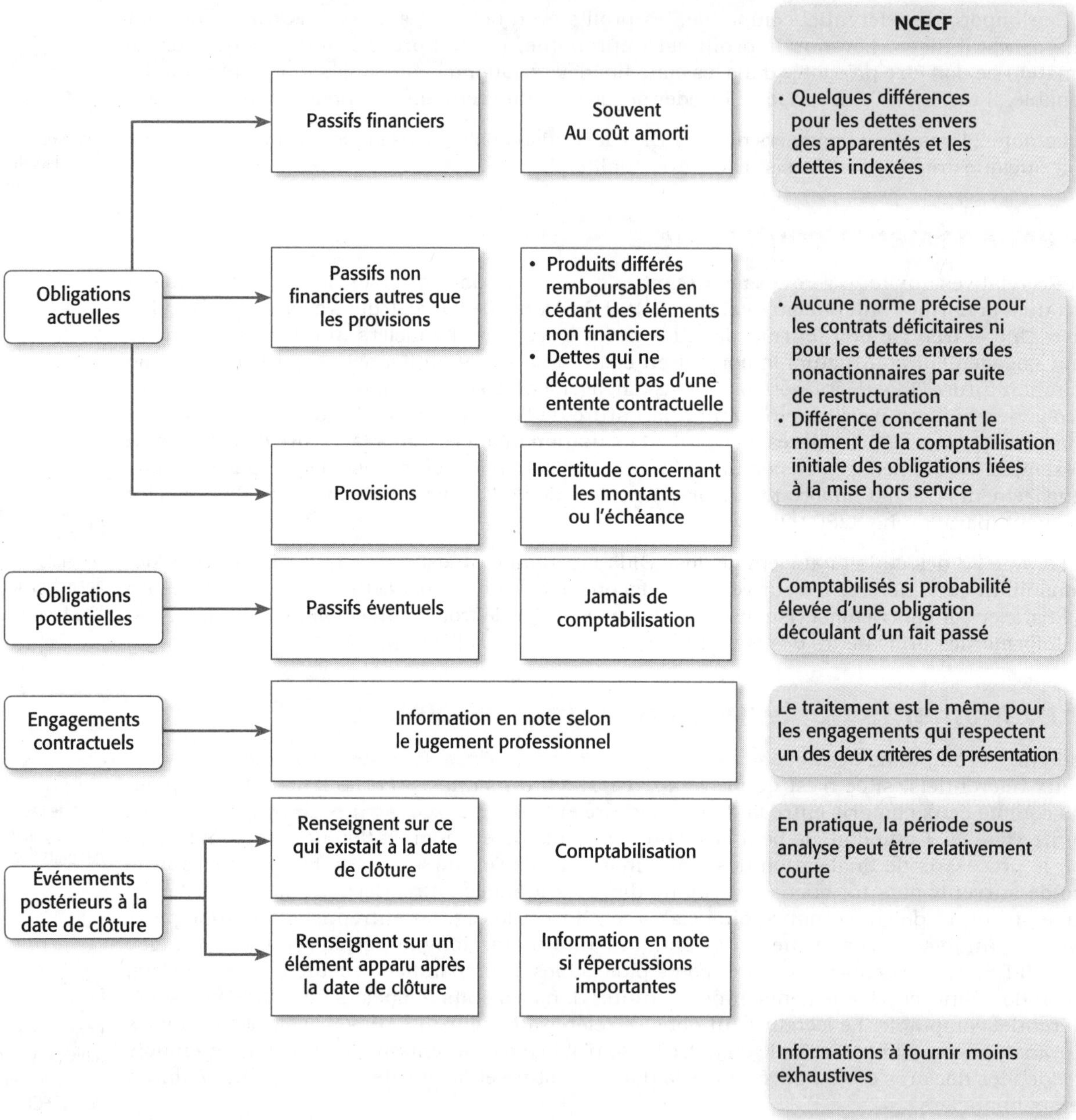

Comprendre quelques éléments qui influent sur les décisions de financement à court terme et la nature du passif courant. De façon générale, si l'entreprise a besoin de financer par emprunt certains actifs courants, elle doit le faire au moyen de passifs courants afin de maintenir un ratio adéquat du fonds de roulement. Parmi les obligations actuelles, qu'elles soient juridiques ou implicites, celles qui figurent dans le passif courant seront réglées au cours de l'exercice subséquent ou au cours du prochain cycle d'exploitation si celui-ci excède un an. Il en est de même de toutes les obligations pour lesquelles l'entreprise ne dispose pas d'un droit contractuel inconditionnel de différer le règlement pour au moins 12 mois suivant

la date de clôture. Toutes les autres dettes sont présentées dans la section du passif non courant. On doit prêter une grande attention à cette distinction, car les utilisateurs des états financiers analysent la situation financière de l'entreprise à court et à long terme en comparant les éléments d'actif et de passif appropriés.

Comptabiliser et présenter les passifs courants qui constituent des passifs financiers. On entend par passifs financiers toute obligation contractuelle soit de remettre à une autre partie de la trésorerie ou un autre actif financier, soit d'échanger des instruments financiers avec une autre partie à des conditions potentiellement défavorables pour l'entreprise. Pensons par exemple aux emprunts bancaires ou aux comptes fournisseurs. Les passifs financiers se divisent eux-mêmes en deux groupes, soit les passifs financiers classés Au coût amorti et ceux classés À la juste valeur par le biais du résultat net. Le présent chapitre traitait des passifs financiers à court terme classés Au coût amorti puisqu'il s'agit du classement le plus répandu. Le coût amorti est évalué selon la méthode du taux d'intérêt effectif.

Comptabiliser les passifs non financiers autres que les provisions. Les passifs non financiers autres que les provisions englobent les produits différés qui ne seront pas réglés à même des actifs financiers, mais en remettant un bien ou en rendant un service. Les passifs non financiers incluent aussi tous les passifs qu'une entreprise assume en vertu d'une obligation légale plutôt que selon une entente contractuelle. Il en est ainsi de la TPS à payer, de la TVQ à payer ou des impôts exigibles. Ils ne posent aucun problème au moment de dresser les états financiers annuels. Le fait qu'ils ne soient pas des passifs financiers se répercute sur la quantité d'information à fournir dans les états financiers.

Appliquer les règles de base aux provisions. L'existence des provisions, telles que celles relatives aux garanties, est certaine, mais leur échéance et leur montant sont incertains. Le comptable s'assure d'abord que le fait générateur de l'obligation est passé. Si oui, il évalue la provision selon les meilleures estimations possibles. À la fin de chaque exercice, il révise l'évaluation de la provision.

Comptabiliser et présenter certaines provisions particulières. Les IFRS exigent la comptabilisation de trois types de provisions particulières. Premièrement, une entreprise doit comptabiliser une provision pour contrat déficitaire lorsqu'elle a signé un contrat non résiliable, dont les coûts de sortie inévitables excèdent les avantages économiques attendus du contrat. Deuxièmement, les passifs comptabilisés comprennent aussi les provisions pour restructuration lorsqu'une entreprise assume une obligation actuelle découlant d'un fait passé et qu'il est probable qu'elle devra sacrifier des avantages économiques futurs pour éteindre cette obligation. En ce qui concerne plus précisément les provisions pour démantèlement, enlèvement ou remise en état, l'entreprise comptabilise à chaque exercice une charge financière de désactualisation qui reflète le passage du temps sur l'évaluation de la provision. Elle comptabilise la contrepartie au compte de la provision en cause. L'entreprise doit aussi réviser annuellement ses estimations de la valeur de la provision. Si la provision est rattachée à une immobilisation, on comptabilise la révision d'une manière cohérente avec le modèle d'évaluation retenu pour comptabiliser l'immobilisation en cause.

Appliquer le traitement comptable approprié aux passifs éventuels et aux actifs éventuels. À la fin d'un exercice, une entreprise assume souvent des obligations potentielles. Ces dernières se distinguent des obligations actuelles du fait qu'elles reposent partiellement sur des événements futurs. Les obligations potentielles, comme tout autre passif éventuel, ne sont pas comptabilisées mais décrites par voie de notes, sauf si la probabilité de sortie de ressources représentatives d'avantages économiques est faible. Les passifs éventuels peuvent également découler d'obligations actuelles, mais qui ne respectent pas les critères de comptabilisation. Quant aux actifs éventuels, on les présente en note uniquement s'ils sont plus probables qu'improbables.

Présenter les engagements contractuels et les événements postérieurs à la date de clôture dans les états financiers. Les engagements contractuels qui auront une incidence financière significative sont simplement décrits en note. Pour déterminer le traitement comptable des événements postérieurs à la date de clôture, on distingue deux types d'événements. Les éléments des états financiers, dont les passifs abordés dans le présent chapitre, sont ajustés pour tenir compte des évènements qui contribuent à confirmer des situations qui existaient déjà à la date de clôture. Ne sont toutefois pas comptabilisés dans les états financiers les événements qui indiquent des situations apparues postérieurement à la date de clôture. Lorsque ces événements ont des répercussions significatives sur la situation financière de l'entreprise ou sur ses résultats d'exploitation, il convient d'en informer les utilisateurs par voie de notes aux états financiers.

Comprendre et appliquer les NCECF liées au passif courant, aux actifs et aux passifs éventuels, aux engagements contractuels et aux événements postérieurs à la date de clôture. Il existe plusieurs différences entre les IFRS et les NCECF et, dans ce chapitre, nous avons analysé ces différences à propos des 10 aspects suivants : 1) la définition d'un passif courant ; 2) l'évaluation des passifs financiers ; 3) la présentation des passifs financiers dans les états financiers ; 4) la comptabilisation des contrats déficitaires ; 5) la comptabilisation des provisions pour restructuration ; 6) la comptabilisation des provisions pour démantèlement, enlèvement ou remise en état ; 7) les informations à fournir à l'égard des provisions ; 8) le traitement des passifs éventuels et des actifs éventuels ; 9) les engagements contractuels ; et 10) la période couverte par l'analyse des événements postérieurs à la date de clôture.

Les emprunts obligataires et les autres formes de dettes non courantes

13

Des ressources pédagogiques sont disponibles en ligne.

Objectifs d'apprentissage

À la fin de ce chapitre, vous pourrez :

1. décrire la nature des dettes non courantes et des emprunts obligataires ;
2. déterminer l'évaluation initiale des emprunts obligataires ;
3. appliquer le traitement comptable approprié aux emprunts obligataires ;
4. appliquer les règles de décomptabilisation des emprunts obligataires ;
5. appliquer le traitement comptable des obligations assorties d'un privilège d'accession à l'actionnariat ;
6. comprendre les autres formes de dettes non courantes et appliquer le traitement comptable qui s'y rapporte ;
7. appliquer les normes comptables appropriées lors d'une restructuration ;
8. présenter la dette non courante dans les états financiers ;
9. comprendre et appliquer les NCECF liées aux emprunts obligataires et aux autres formes de dettes non courantes.

Aperçu du chapitre

Quand vient le temps d'acheter une automobile ou un immeuble en copropriété, le consommateur doit souvent trouver le financement nécessaire, que ce soit auprès du vendeur ou d'une institution financière. Puisque ces biens ont une longue durée de vie, il trouve normal de financer ces achats par des emprunts à long terme. Il en va de même des entreprises qui ont besoin d'obtenir du financement pour l'acquisition d'actifs non courants comme les immobilisations. Pour une saine gestion, les actifs non courants doivent être financés par un financement à long terme.

La plupart des dettes non courantes sont des passifs financiers. Après la comptabilisation initiale à la juste valeur, les entreprises évaluent ces passifs à leur coût amorti selon la méthode du taux d'intérêt effectif. Si une entreprise classe certaines de ses dettes À la juste valeur par le biais du résultat net, elle les évalue à la juste valeur et présente les variations de la juste valeur qui sont attribuables aux variations du risque de crédit associé à ce passif dans les autres éléments du résultat global. Elle comptabilise de plus les autres variations de la juste valeur en résultat net dès qu'elles surviennent. Dans le présent chapitre, nous verrons comment appliquer ces règles générales à plusieurs situations vécues en entreprise.

Plusieurs types de financement par emprunt s'offrent à l'entreprise. Les grandes entreprises peuvent opter pour l'émission d'**emprunts obligataires** assortis de caractéristiques qui répondent à leurs besoins. Le prix d'émission des obligations est rarement égal à leur valeur nominale. Il est influencé, entre autres, par le taux d'intérêt du marché. Ainsi, une obligation peut être émise à prime ou à escompte. Afin de présenter les coûts réels de financement, la charge d'intérêts est calculée en utilisant le taux d'intérêt effectif.

Les entreprises décident parfois d'effectuer un **remboursement** avant la date d'échéance des obligations. Qu'est-ce qui les incite à agir ainsi ? Plusieurs raisons peuvent mener une entreprise à rembourser ses obligations avant échéance tel le refinancement à un taux moindre. Le fait que le prix de remboursement soit rarement égal à la valeur comptable de l'obligation au moment du rachat génère un profit ou une perte.

Sur le marché financier, on essaie de faire preuve d'imagination pour trouver des instruments financiers qui répondent aux divers besoins des emprunteurs et qui attirent les investisseurs. Les **obligations convertibles** sont un bon exemple de ce type d'instruments financiers. Pour que les obligations soient plus alléchantes, elles sont assorties d'un privilège d'accession à l'actionnariat, un peu comme un cadeau remis en prime aux consommateurs lorsqu'ils achètent un bien. Cet instrument financier hybride comporte une composante de passif (obligation) et une composante de capitaux propres (privilège de conversion). Les règles de comptabilisation d'un tel instrument financier doivent permettre d'en présenter fidèlement la nature. Son avantage est que la conversion en actions permet l'extinction du titre sans sortie de trésorerie.

Il existe d'**autres instruments financiers** qui peuvent être utilisés comme financement à long terme. Les plus courants sont les effets à payer et les emprunts hypothécaires.

La conjoncture économique peut nuire à la santé financière des entreprises et les amener à **restructurer** leurs dettes. Les créanciers, désireux de recouvrer leur prêt, acceptent souvent de modifier les modalités de paiement afin d'aider le débiteur à surmonter ses difficultés financières.

Comment les utilisateurs des états financiers vont-ils se retrouver dans ce dédale de modes de financement ? La **présentation d'informations financières** au sujet des passifs financiers non courants est essentielle à la bonne compréhension des utilisateurs.

Enfin, dans la partie II – Les NCECF, nous présenterons des recommandations contenues dans les **NCECF** qui diffèrent de celles incluses dans les IFRS. En somme, nous présenterons la comptabilisation, l'évaluation et la présentation des informations financières liées aux passifs financiers non courants.

Lorsque des notions de mathématiques financières sont utilisées, les variables nécessaires aux calculs sont indiquées avec les abréviations suivantes :

N : nombre de périodes
I : taux d'intérêt
PMT : paiements périodiques
PV : valeur actualisée
FV : valeur future
BGN : paiements en début de période

PARTIE I – LES IFRS

Équivalents terminologiques *Manuel de CPA Canada* – Partie I et Partie II.

La nature des dettes non courantes

Le recours à du financement à long terme implique souvent des sommes considérables. Il n'est donc pas surprenant que l'emprunteur et le créancier y prêtent une attention particulière.

Les caractéristiques distinctives du passif courant et du passif non courant

Dans le chapitre 12, nous avons traité du passif courant, c'est-à-dire des dettes dont le règlement s'effectue normalement au cours des 12 mois suivants. Le financement des ressources d'une entreprise ne peut se faire exclusivement au moyen de dettes courantes. En effet, les entreprises ont occasionnellement recours à du financement à long terme, en particulier lorsque vient le temps de financer l'acquisition de ressources qui serviront à l'entreprise au cours de plusieurs exercices. C'est notamment au moyen du financement à long terme que les entreprises acquièrent plusieurs immobilisations telles que les immeubles, les équipements, etc. Nous comparons, dans le tableau 13.1, les principales caractéristiques de ces deux modes de financement par emprunt.

Les **dettes non courantes** comprennent notamment les emprunts obligataires et hypothécaires, les effets à payer à long terme, les avances reçues des clients et non remboursables à brève échéance, les produits différés dont la réalisation ne surviendra que beaucoup plus tard, et les obligations découlant des contrats de location et des avantages postérieurs à l'emploi.

TABLEAU 13.1 Les caractéristiques distinctives du passif courant et du passif non courant

Passif courant	Passif non courant
Le passif courant découle des activités d'exploitation courantes et régulières.	Le passif non courant découle du financement de certaines activités d'investissement. Il découle donc d'événements ponctuels.
Les créanciers sont nombreux et de provenance diversifiée : • Les fournisseurs de marchandises • Les pourvoyeurs de services (électricité, téléphone, assurances, etc.) • Les paliers gouvernementaux (retenues salariales, impôts, taxes, etc.) • Les employés (salaires et vacances) • Les actionnaires (dividendes) • Les bailleurs de fonds (emprunts bancaires, effets à payer et intérêts) • Les créanciers à long terme (portion à court terme) • Les clients (produits différés et provisions pour garanties)	Les créanciers peuvent être nombreux, mais leur provenance est peu diversifiée : • Les créanciers hypothécaires • Les obligataires • Les créanciers sur effets à payer • Les créanciers sur contrats de location • Les clubs de placement et les pourvoyeurs de capital de risque • Les créanciers relatifs aux avantages postérieurs à l'emploi
Le montant de chaque dette est en général peu élevé.	Le montant de chaque dette est habituellement assez élevé.
L'échéance est souvent relativement souple (par exemple, avec les fournisseurs). Le remboursement est toutefois exigible au cours du prochain cycle d'exploitation, soit le plus souvent au cours des 12 mois suivants.	L'échéance est fixée à des dates très précises, souvent sous peine de sanctions importantes. Le remboursement s'échelonne sur plus d'un cycle d'exploitation, soit plus de 12 mois.
Le plus souvent, la dette ne nécessite aucune garantie fixe, sauf les emprunts bancaires.	La dette est généralement garantie par un ou plusieurs actifs spécifiques.
La dette ne comporte généralement pas d'intérêts formels, sauf les emprunts bancaires et les effets à payer.	La dette comporte des intérêts formels ou implicites.
Ce genre de dette ne nécessite généralement pas de contrat. En règle générale, les formalités d'obtention sont minimales.	Il s'agit habituellement de dettes contractuelles aux formalités strictes et très souvent exigeantes.
La dette courante ne donne habituellement pas naissance à une dette non courante, à moins que l'on refinance une dette courante au moyen d'une dette non courante.	La dette non courante peut engendrer des dettes courantes, telles que : • les intérêts à payer ; • la portion à court terme de la dette non courante.

Source : Nicole Lacombe

Avez-vous remarqué ?

Les passifs courants découlent des activités d'exploitation courantes et régulières, alors que les passifs non courants résultent généralement du financement de certaines activités d'investissement ponctuelles. La distinction entre ce qui est courant et non courant fournit une information utile, car elle indique les passifs à régler au cours de l'exercice qui suit.

13

Pourquoi opter pour un financement par emprunt ?

Lorsqu'une entreprise procède à l'analyse de ses projets d'investissement, plusieurs sources de financement à long terme s'offrent à elle. Ces sources peuvent être divisées en deux catégories : le financement par l'émission de capital social et le financement au moyen de dettes non courantes.

Pour l'entreprise à la recherche de trésorerie, le financement par emprunt comporte certains avantages :

1. **Le niveau de contrôle exercé par les actionnaires actuels demeure inchangé.** Les créanciers à long terme n'ont aucun droit de vote (sauf quelques rares exceptions) et ne participent donc pas à la gestion quotidienne de l'entreprise. En revanche, une nouvelle émission d'actions peut modifier la répartition, entre les actionnaires, des actions donnant droit de vote, ce qui peut avoir pour effet de réduire le contrôle exercé par les anciens actionnaires.

2. **Le rendement de l'entreprise peut s'en trouver accru.** Comme pour tout mode de financement, lorsque l'entreprise dégage un rendement sur les fonds obtenus qui excède le coût du financement, son résultat s'en trouve accru. Il s'agit là d'un effet de levier financier favorable. Nous reviendrons sur cette notion dans la prochaine sous-section.
3. **Le fisc partage les coûts du financement.** La charge d'intérêts est déductible du bénéfice imposable dans le calcul des impôts sur le résultat, tandis que les dividendes ne le sont pas. Lorsque, par exemple, une entreprise doit verser des intérêts annuels au taux de 10 % sur un emprunt hypothécaire et que son taux d'imposition est de 40 %, le coût réel du financement n'est que de 6 %, soit le taux de l'emprunt fois 1 moins le taux d'imposition [10 % × (1 – 40 %)]. En revanche, lorsque l'entreprise opte pour un financement au moyen d'une émission d'actions, pour offrir un rendement équivalent de 10 % à ses actionnaires par la remise d'un dividende, il lui en coûte effectivement 10 %.

Bien sûr, le financement par emprunt ne comporte pas seulement des avantages. Son principal inconvénient réside dans l'obligation de rembourser la dette, contrairement à une émission d'actions qui, à moins d'indication contraire, ne doit pas être remboursée. De plus, l'entreprise doit verser périodiquement des intérêts sur le financement obtenu, tandis qu'elle n'est pas tenue de déclarer des dividendes sur les actions émises. Cette contrainte est importante, car l'entreprise doit verser des intérêts périodiques quel que soit le niveau de son résultat net ; une entreprise dont le bénéfice net est relativement faible ou inexistant au cours d'une période donnée pourrait alors avoir des difficultés à rembourser ses dettes.

Dans le tableau 13.2, nous comparons les principales caractéristiques du financement à long terme par emprunt (créanciers) et par équité (actionnaires).

TABLEAU 13.2 Les caractéristiques du financement par emprunt à long terme et par équité

Financement par emprunt à long terme	Financement par équité
Les créanciers ne participent pas à la gestion car, sauf de rares exceptions, ils n'ont pas le droit de vote.	Les actionnaires, lorsqu'ils ont droit de vote, participent à la gestion et exercent ainsi un certain contrôle sur l'entreprise.
La dette non courante est en général garantie par des actifs précis.	Les actionnaires ne reçoivent aucune garantie.
Un titre d'emprunt à long terme comporte une échéance fixe, sauf exception.	Les titres de capitaux propres n'ont pas d'échéance, sauf exception.
Le versement des intérêts est obligatoire. Les dates de versement des intérêts sont établies d'avance.	Le conseil d'administration n'est jamais tenu de déclarer un dividende. Il peut le faire quand et comme bon lui semble.
En plus de constituer une dette s'ils sont impayés, les intérêts sont déductibles au fisc, qu'ils soient payés ou payables.	La société ne doit rien à ses actionnaires tant et aussi longtemps qu'il n'y a pas eu déclaration d'un dividende. Les dividendes ne sont pas déductibles au fisc.
Les créanciers ont un droit prioritaire lors de la liquidation de l'entreprise.	Le droit qu'ont les actionnaires à l'actif en cas de liquidation est subalterne à celui des créanciers.
Les titres d'emprunt comportent un certain risque pour l'entreprise, qui devra verser les intérêts et rembourser la dette quelles que soient les perspectives économiques.	Les titres de capitaux propres comportent peu de risques pour la société.

Source : Nicole Lacombe

Que l'entreprise opte pour le financement par emprunt ou par équité, la décision découle d'un important processus d'analyse qui tient compte, entre autres, de l'ampleur du financement désiré, des risques associés à chaque type de financement, des droits et privilèges que l'entreprise est disposée à accorder, de sa capacité d'emprunt, de sa cote de solvabilité et de l'image qu'elle projette sur les marchés financiers. L'approbation finale de cette demande de capitaux est habituellement donnée par le conseil d'administration et, dans certains cas où les statuts constitutifs l'exigent, par l'assemblée des actionnaires.

L'importance de l'effet de levier ou du levier financier

Les intérêts versés aux créanciers sont déductibles du bénéfice imposable aux fins du calcul des impôts sur le résultat, tandis que les dividendes ne le sont pas. Il semblerait dès lors qu'il soit avantageux de recourir au financement par émission d'emprunt à long terme de préférence à l'émission d'actions ordinaires, car le coût du financement réduit le bénéfice imposable et, par le fait même, la charge fiscale.

EXEMPLE

Effet de levier

La société Prospère, dont le capital social en circulation comprend un million d'actions ordinaires, a besoin de 10 000 000 $ pour financer la construction d'une nouvelle usine. Les prévisions de la direction de l'entreprise indiquent que la nouvelle usine amènera un accroissement du bénéfice avant impôts de l'ordre de 4 000 000 $. La direction peut faire un choix entre les trois sources de financement suivantes : 1) Émettre des actions préférentielles à dividende cumulatif de 10 % ; 2) Émettre un million de nouvelles actions ordinaires à 10 $ l'action ; ou 3) Émettre un emprunt à long terme portant intérêt au taux contractuel de 10 %. Quelle est la meilleure solution du côté des détenteurs actuels des actions ordinaires ? Voici le montant du résultat par action résultant de chacun des trois modes de financement.

	Émission d'actions préférentielles	Émission d'actions ordinaires	Émission d'emprunt
Accroissement du bénéfice annuel sans tenir compte des coûts de financement et des impôts sur le résultat	4 000 000 $	4 000 000 $	4 000 000 $
Moins : Intérêts sur l'emprunt			(1 000 000)
Accroissement du bénéfice annuel avant impôts sur le résultat	4 000 000	4 000 000	3 000 000
Moins : Impôts sur le résultat (par hypothèse, 40 %)	(1 600 000)	(1 600 000)	(1 200 000)
Accroissement net du bénéfice net annuel	2 400 000	2 400 000	1 800 000
Moins : Dividendes sur actions préférentielles	(1 000 000)		
Accroissement du bénéfice net revenant aux actionnaires ordinaires	1 400 000 $	2 400 000 $	1 800 000 $
Nombre d'actions ordinaires en circulation	1 000 000	2 000 000	1 000 000
Accroissement du résultat par action [1]	1,40 $	1,20 $	1,80 $

Lorsque l'entreprise se finance par emprunt plutôt que par émission des actions préférentielles, le bénéfice par action ordinaire s'accroît de 1,80 $ plutôt que de 1,40 $. Cette différence est principalement attribuable au fait que les frais d'intérêts sont déductibles lors du calcul du bénéfice imposable. Le financement par l'émission d'actions ordinaires a pour effet d'accroître le bénéfice, mais l'accroissement du bénéfice par action n'est alors que de 1,20 $.

Dans l'exemple précédent, pour obtenir un accroissement de bénéfice annuel de 4 000 000 $ avant coûts de financement et impôts sur le résultat, l'entreprise aurait avantage à se financer par emprunt. Toutefois, si les bénéfices devaient baisser considérablement, il se pourrait que l'entreprise éprouve des difficultés à verser les intérêts convenus. L'utilisation de la trésorerie empruntée en vue de tirer un rendement supérieur au taux d'intérêt que l'entreprise s'est engagée à payer aux créanciers donne lieu à ce que l'on appelle **effet de levier** ou **levier financier**.

L'effet de levier n'est favorable que lorsque la rentabilité des activités est supérieure au coût des capitaux empruntés. Les limites du libre jeu de l'effet de levier sont les risques de difficultés financières auxquels donnent lieu une situation trop spéculative et la volatilité des résultats qui, étant inférieurs, peuvent entraîner une baisse plus que proportionnelle de la rentabilité des capitaux propres, ce qui ne manque pas d'avoir des répercussions défavorables sur le cours des actions de l'entreprise.

1. Nous expliquerons en détail le calcul du résultat par action dans le chapitre 22.

EXEMPLE

Effet de levier – Situation spéculative

Le financement de la société Spécule ltée provient des trois éléments suivants : 1) Emprunt de 10 000 000 $ portant intérêt au taux contractuel de 9 % par année ; 2) 100 000 actions préférentielles à dividende cumulatif de 7 $ l'action ; et 3) 250 000 actions ordinaires sans valeur nominale. Voici trois séries de chiffres hypothétiques selon que le bénéfice d'exploitation est normal, excellent ou médiocre.

	Bénéfice d'exploitation normal	Bénéfice d'exploitation excellent	Bénéfice d'exploitation médiocre
Bénéfice d'exploitation avant coûts de financement et impôts sur le résultat	4 000 000 $	5 500 000 $	2 500 000 $
Moins : Intérêts sur l'emprunt	(900 000)	(900 000)	(900 000)
Bénéfice d'exploitation avant impôts	3 100 000	4 600 000	1 600 000
Moins : Impôts sur le résultat (par hypothèse, 40 %)	(1 240 000)	(1 840 000)	(640 000)
Bénéfice net	1 860 000	2 760 000	960 000
Moins : Dividendes sur actions préférentielles	(700 000)	(700 000)	(700 000)
Bénéfice net revenant aux actionnaires ordinaires	1 160 000 $	2 060 000 $	260 000 $
Nombre d'actions ordinaires en circulation	250 000	250 000	250 000
Bénéfice net par action	4,64 $	8,24 $	1,04 $
Cours de l'action dans l'hypothèse où le ratio cours/bénéfice net est de 20	92,80 $	164,80 $	20,80 $

Comme on peut le constater, le fait que la société Spécule ltée se finance largement au moyen de capitaux empruntés et d'actions préférentielles à dividende cumulatif donne lieu à un risque plus élevé – particulièrement pour les actionnaires – lorsque les résultats risquent d'être volatils.

L'importance de l'acte de fiducie ou du contrat d'emprunt

Lorsqu'une entreprise achète des marchandises à crédit auprès d'un fournisseur, les modalités de crédit sont habituellement limitées aux conditions de crédit inscrites sur la facture de vente et sont souvent propres à un secteur d'activité donné. Toutefois, dans le cas d'une dette non courante, puisque la somme en jeu est importante et que le délai de recouvrement s'échelonne sur plusieurs années, il importe que le créancier obtienne toutes les garanties possibles.

C'est pourquoi une dette non courante fait généralement l'objet d'un **contrat d'emprunt** ou d'un **acte de fiducie** qui décrit toutes les clauses relatives à l'accord de crédit. Ce document est important à la fois pour l'emprunteur et pour le créancier, car il renferme les renseignements suivants : le montant de l'emprunt, le taux d'intérêt contractuel annuel, la date de paiement des intérêts, la date de remboursement de la dette (qui ne coïncide pas forcément avec la date de paiement des intérêts) et les actifs affectés en garantie de l'emprunt. Ce document peut même contenir des **clauses restrictives** ou **protectrices** visant à mieux protéger le créancier. De telles clauses peuvent notamment obliger l'emprunteur à maintenir son fonds de roulement à un niveau déterminé et à constituer un fonds d'amortissement pour le remboursement de la dette à l'échéance. Elles peuvent également imposer des restrictions sur les versements de dividendes et des contraintes sur tout emprunt supplémentaire.

Ces diverses clauses de l'acte de fiducie ou du contrat d'emprunt sont d'une telle importance pour l'analyse des états financiers que l'International Accounting Standards Board (IASB) exige que les états financiers ou les notes complémentaires en indiquent les détails essentiels.

Avez-vous remarqué ?

Le financement à long terme par emprunt permet de garder intact le niveau de contrôle exercé par les actionnaires actuels et fournit aux créanciers un droit prioritaire en cas de liquidation de l'entreprise. Par contre, il implique habituellement le versement périodique des intérêts et le remboursement du principal à l'échéance. Le choix pour l'entreprise de se financer au moyen de dettes non courantes doit prendre en compte l'équilibre entre le risque de liquidité et l'effet de levier dans le respect de l'hypothèse de continuité d'exploitation.

Les emprunts obligataires

Les emprunts obligataires représentent une source de financement répandue. C'est pourquoi nous commençons notre analyse des dettes non courantes par ce sujet.

La nature et les caractéristiques des emprunts obligataires

Dans cette sous-section, nous examinerons la nature des obligations, leurs principales caractéristiques ainsi que le cheminement d'une émission.

La nature des emprunts obligataires

Un emprunt obligataire groupe plusieurs obligations que l'on appelle aussi **coupures**. Chaque **obligation** est un titre d'emprunt négociable émis par une société par actions ou toute autre entité juridique à plusieurs prêteurs pour répondre à un besoin de financement à long terme.

Sur l'obligation est indiquée la **valeur nominale** ou le **principal** qui représente le montant du remboursement à l'échéance. Ce montant peut varier d'une obligation à une autre. Ainsi, on peut trouver des coupures de 1 000 $, de 5 000 $ et de 10 000 $, mais les coupures qui se négocient le plus couramment sur le marché sont celles de 1 000 $ et de 10 000 $. C'est donc dire qu'un emprunt obligataire de 1 000 000 $ prendra en général la forme d'une émission de 1 000 obligations de 1 000 $ chacune.

Ce découpage d'un emprunt obligataire en de multiples coupures est une caractéristique importante, car il permet de fractionner un emprunt global de 1 000 000 $, par exemple, en de multiples petits emprunts (1 000 obligations de 1 000 $) qui peuvent être offerts à plusieurs prêteurs. Le risque assumé par ces derniers (1 000 $ chacun) est ainsi nettement moindre que celui qu'assumerait un seul créancier hypothécaire (1 000 000 $). En règle générale, cette caractéristique permet à l'entreprise émettrice d'obtenir des sommes plus considérables de financement, mais elle requiert davantage de formalités (nous y reviendrons un peu plus loin).

Pendant la durée de l'obligation, l'entreprise émettrice doit verser à l'**obligataire** (la personne physique ou morale qui détient l'obligation, c'est-à-dire le bailleur de fonds) des intérêts périodiques sur le principal. Les versements d'intérêts sont effectués périodiquement, le plus souvent chaque semestre, selon un **taux d'intérêt nominal** (ou **contractuel**) qui peut être fixe ou variable, par exemple en fonction du taux préférentiel. Un obligataire est un créancier et non un actionnaire. C'est pourquoi il ne reçoit généralement pas de quote-part des résultats de l'entreprise financée à l'aide de l'obligation. Enfin, l'obligation est remboursable à l'échéance suivant les modalités de l'emprunt obligataire.

Les considérations financières d'une émission d'obligations

Lorsqu'une entreprise a besoin d'argent frais[2] et qu'elle envisage d'en obtenir au moyen d'une émission d'obligations, les dirigeants doivent résoudre un certain nombre de problèmes avant de prendre une telle décision. Une entreprise qui désire émettre des obligations doit d'abord étudier ses besoins de trésorerie et déterminer le montant de la dette qu'elle peut contracter sans prendre des risques trop élevés. Elle doit tenir compte en particulier de sa situation financière et du juste équilibre à maintenir entre les capitaux empruntés et les capitaux propres. Elle doit aussi déterminer les caractéristiques des obligations.

Les caractéristiques des diverses sortes d'obligations

On peut classer les obligations de différentes façons. On utilise diverses expressions pour décrire les caractéristiques propres à chaque émission de titres obligataires. Il importe de signaler

2. Au moins une fois l'an, la majorité des entreprises se prête à un exercice de planification stratégique visant à faire le point sur les projets et, par conséquent, sur les besoins de financement à long terme.

l'immense créativité dont font preuve actuellement les entreprises en matière de détermination des caractéristiques de chaque emprunt obligataire. En effet, les caractéristiques énoncées ci-après peuvent être agencées de multiples façons pour créer des obligations spécialement adaptées aux besoins de chaque entreprise.

Les obligations immatriculées et les obligations au porteur

Les **obligations immatriculées** (ou **nominatives**) sont des obligations individualisées par la mention du nom de leur propriétaire (nom inscrit dans le livre des obligataires de l'entreprise émettrice). Celui-ci reçoit par la poste un chèque au montant des intérêts sur son placement. Lorsqu'une obligation immatriculée change de propriétaire, un nouveau certificat d'obligation doit remplacer celui qui était en circulation, et le livre des obligataires doit être mis à jour. Cette mise à jour se fait maintenant beaucoup plus facilement, puisque la majorité des obligations sont des **titres scripturaux**, c'est-à-dire qu'il n'y a plus d'émission de certificats, les obligations faisant simplement l'objet d'une inscription électronique.

Afin d'éviter les tracas de mises à jour des registres, de nombreuses obligations sont au porteur. Les **obligations au porteur** ne font pas mention du nom du propriétaire. Les émetteurs déposent un document officiel à la Caisse canadienne de dépôt de valeurs limitée (CDS), qui agit à titre de carrefour de dépôt, de compensation et de règlement des valeurs pour l'ensemble des institutions financières au Canada. Cette dernière redistribuera les sommes aux chambres de compensation de chaque institution financière, qui verseront à leur tour l'argent dans les comptes des obligataires. Toutes les opérations se font sous forme électronique entre la CDS, les chambres de compensation et les institutions financières. Le nom des obligataires n'est pas inscrit dans un livre de l'entreprise émettrice. Il est donc plus facile de transférer une obligation d'un détenteur à un autre, ce qui en fait un titre très négociable sur les marchés financiers.

Les obligations garanties et les obligations non garanties

En règle générale, une entreprise qui émet des obligations offre des biens pour garantir le remboursement des capitaux empruntés. Les **obligations garanties** comprennent le **nantissement de titres**, pour lequel des placements dans des titres d'autres entreprises sont donnés en garantie à un fiduciaire, et les **garanties par hypothèque**, qui confèrent un droit sur des biens immobiliers de l'entreprise émettrice.

Il arrive aussi qu'une entreprise émette des **obligations non garanties**, communément appelées **débentures**. Bien qu'elles ne comportent aucune garantie tangible, en pratique, la « garantie » de ce type d'obligations réside dans la réputation de crédit de l'entreprise émettrice. Ainsi, les grandes sociétés comme Power Corporation, dont la réputation de crédit est excellente, peuvent se permettre d'émettre des débentures auxquelles les investisseurs attribuent une plus grande valeur qu'à des obligations garanties émises par des entreprises dont la situation financière est plus incertaine ou moins connue.

Les **obligations de pacotille** (*junk bonds*) entrent aussi dans la catégorie des obligations non garanties. Ce type d'obligations, que l'on utilise souvent dans le financement de prises de contrôle par emprunt (*leveraged buyouts*), offre un taux de rendement élevé en raison du risque important qu'il comporte. En effet, lorsqu'une entreprise émet des obligations de pacotille, c'est généralement dans le but d'amasser suffisamment d'argent pour acheter un nombre important d'actions d'une autre société de façon à s'en assurer le contrôle. Ces obligations n'offrent aucune garantie ; le risque est donc élevé du fait que la somme requise pour prendre le contrôle de la société visée peut largement excéder la cote boursière d'une action multipliée par le nombre d'actions acquises de cette façon.

Les obligations à échéance unique et les obligations échéant en série

Les obligations ayant une seule date d'échéance portent le nom d'**obligations à échéance unique**, ou encore d'**obligations à terme**. D'autres, appelées **obligations échéant en série** ou **obligations échéant par tranches**, sont remboursables par versements périodiques, déterminés dès la date d'émission, qui s'échelonnent sur une certaine période de façon uniforme. Cette caractéristique diminue le nombre de problèmes associés au besoin de disposer d'une somme importante à l'échéance des obligations.

Les obligations remboursables par anticipation et les obligations encaissables par anticipation

La plupart des obligations peuvent être remboursées par l'entreprise émettrice avant la date d'échéance prévue. On parle alors d'**obligations remboursables par anticipation**. Afin de dédommager les obligataires que l'on prive ainsi de produits d'intérêts futurs, ces obligations sont généralement remboursées à un prix supérieur à leur valeur nominale. Il existe également des **obligations encaissables par anticipation** qui permettent à l'obligataire de recouvrer son investissement quand bon lui semble.

Les obligations convertibles
Pour que les obligations présentent un attrait de plus pour les investisseurs, l'entreprise émettrice accorde parfois aux obligataires un **privilège de conversion** leur permettant de convertir, à leur gré, leurs obligations en d'autres titres de l'entreprise (habituellement en actions). La date de conversion peut être déterminée à l'avance ou laissée à la discrétion de l'obligataire. Ces titres seront traités en profondeur un peu plus loin dans le présent chapitre.

Les autres caractéristiques des obligations
Exceptionnellement, une entreprise peut émettre des **obligations participantes**, c'est-à-dire des obligations donnant à leur détenteur le droit à une participation dans les résultats de cette entreprise émettrice en plus des avantages que confèrent les obligations ordinaires.

Les **obligations à intérêts conditionnels** (ou **à intérêts variables**) rapportent à leurs détenteurs un taux de rendement qui varie en fonction d'une base quelconque, le bénéfice, par exemple. Si les intérêts ne sont pas versés au taux prévu initialement, ils sont cumulatifs.

Les **obligations à rendement réel** permettent d'ajuster les intérêts en fonction des variations de l'indice des prix à la consommation.

Les courtiers en valeurs mobilières ont créé de nouveaux instruments financiers en vendant séparément les coupons d'intérêts et les obligations. Ces titres d'emprunt sont connus sous le nom d'**obligations à coupons détachés** ou d'**obligations à coupon zéro**. Les deux composantes, soit les coupons détachés et l'obligation, sont négociées à des prix très inférieurs (à escompte) à la valeur nominale des obligations. Le détenteur d'une obligation à coupons détachés ne reçoit aucun intérêt. Le rendement de cette obligation correspond à la différence entre la valeur nominale encaissée à l'échéance et le coût payé. Notons que du point de vue du fisc, le profit réalisé est considéré comme un revenu d'intérêts.

Enfin, lorsqu'une entreprise a plusieurs obligations en circulation, l'ordre prioritaire de recouvrement en cas de défaut de paiement est souvent désigné par les termes **senior** (obligataire de premier rang) et **junior** (obligataire de second rang ou subordonné à d'autres créanciers).

Comme nous avons pu le constater, les obligations peuvent posséder diverses caractéristiques. Cependant, toutes les obligations sont émises dans le même but : permettre à l'entreprise émettrice d'amasser la trésorerie requise auprès du plus grand nombre de prêteurs possible.

Le cheminement d'une émission d'obligations

Différence NCECF

Avant qu'une entreprise ne puisse émettre des obligations, le conseil d'administration et les actionnaires, le cas échéant, doivent approuver officiellement un tel projet. De plus, cette entreprise doit respecter un certain nombre de formalités prescrites par l'**Autorité des marchés financiers** (AMF), dont le rôle est d'approuver tout appel public à l'épargne, qu'il s'agisse d'obligations ou d'actions.

Les services d'un conseiller juridique et d'un comptable professionnel sont nécessaires pour établir tous les documents requis par l'AMF. Ainsi, le conseiller juridique rédige l'acte de fiducie, et le comptable audite les données financières qui doivent figurer dans le **prospectus d'information**, lequel, selon les exigences de l'AMF, doit être publié préalablement à toute émission d'obligations faisant un appel public à l'épargne. Ce document doit informer les investisseurs éventuels sur l'organisation de l'entreprise émettrice, sa situation financière et l'évolution de ses activités, ainsi que sur l'utilisation qui sera faite des capitaux empruntés. Il est d'ailleurs mis à la disposition de tout investisseur éventuel intéressé à l'émission en question et est souvent accessible sur le site Web de l'entreprise.

Une fois obtenue l'autorisation de l'AMF, l'entreprise doit procéder à la mise en vente des obligations. On entend par **mise en vente des obligations** l'action d'offrir au public les obligations conformément aux exigences de la Loi sur les valeurs mobilières. Habituellement, l'entreprise émettrice retient les services d'un **preneur ferme** (aussi appelé au Québec **souscripteur à forfait**) qui se porte acquéreur de l'émission entière d'obligations moyennant une commission. Toutefois, lorsque l'émission d'obligations est considérable, plusieurs établissements financiers constituent un **syndicat financier** pour mener à bien l'opération. Quel que soit l'acheteur initial de l'émission entière d'obligations, il revend ensuite sur le marché, moyennant un léger bénéfice, le nombre désiré d'obligations aux investisseurs intéressés. L'entreprise émettrice procède ainsi à la vente de l'émission entière afin de recevoir tout le prix d'émission à une date donnée sans avoir à trouver les investisseurs intéressés.

Soulignons que l'entreprise émettrice dispose de deux façons de vendre une émission d'obligations. La première, que nous décrivons ci-dessus, consiste à faire appel à un souscripteur à forfait qui se porte acquéreur de la totalité de l'émission et assume à lui seul le risque de trouver des investisseurs pour écouler les obligations sur le marché. Par contre, il se peut que, pour diverses raisons, l'entreprise ne puisse trouver un tel preneur ferme. Dans ce cas, elle confie la vente des obligations à un ou à plusieurs souscripteurs à commission. Ces derniers n'assument aucun risque. Ils prennent, en quelque sorte, les obligations en consignation, tentent ensuite de trouver des acheteurs et reçoivent une commission pour chaque obligation vendue.

La différence entre les deux façons de procéder est appréciable pour l'entreprise émettrice. Dans le premier cas, le financement est complet et immédiat, ce qui justifie la comptabilisation de l'ensemble des obligations dès le transfert au preneur ferme. Par contre, dans le second cas, les obligations sont comptabilisées à mesure que les souscripteurs à commission vendent les titres aux investisseurs. L'entreprise émettrice n'a donc aucune garantie d'obtenir tout le financement requis ni aucun contrôle sur le moment où elle l'obtiendra. Force est d'admettre toutefois que la majorité des émissions d'obligations sont prises en charge par un preneur ferme.

L'entreprise émettrice doit également choisir un **fiduciaire** dont le rôle est de représenter et de protéger les obligataires et de s'assurer que l'entreprise émettrice respecte intégralement toutes les clauses de l'acte de fiducie. Il est, en fait, l'intermédiaire entre l'entreprise et les obligataires.

Comme l'illustre la figure 13.1, plusieurs intervenants sont touchés lors d'une émission d'obligations. Ainsi, tour à tour, l'entreprise émettrice, le conseil d'administration, l'AMF, le preneur ferme, la CDS, le fiduciaire et les obligataires ont un rôle important à jouer. On ne peut passer sous silence le rôle que jouent les institutions financières lors du versement des intérêts périodiques et du remboursement final des obligations à l'échéance. En effet, ces établissements agissent à titre d'intermédiaires entre les obligataires et la CDS (et parfois avec l'entreprise émettrice elle-même).

13

Différence NCECF

À la date convenue, l'obligataire qui détient des obligations au porteur se présente dans une institution financière pour échanger les coupons d'intérêts contre de l'argent comptant. L'établissement récupère les sommes versées aux obligataires en s'adressant à la CDS, qui dispose d'un montant global mis à sa disposition par l'entreprise émettrice. Cette façon de procéder assure un paiement rapide aux obligataires et diminue l'imposant travail de bureau que nécessiterait, à chaque date de versement d'intérêts, l'émission de chèques à tous ces obligataires.

Avez-vous remarqué ?

Une obligation est un titre d'emprunt à long terme négociable émis au bénéfice de plusieurs prêteurs. Elle peut être immatriculée ou au porteur, garantie ou non garantie, à échéance unique ou échéant en série, remboursable par anticipation, convertible, etc. Toutes ces caractéristiques ont pour but de créer une obligation adaptée aux besoins de l'émetteur et des prêteurs.

L'évaluation initiale des emprunts obligataires

Les emprunts obligataires sont des passifs financiers. À ce titre, et comme nous l'avons expliqué au chapitre 4, ils sont initialement comptabilisés à la juste valeur. Dans les rares cas où la juste valeur des emprunts obligataires lors de la comptabilisation initiale diffère du prix de transaction, il convient de l'estimer au moyen d'une technique d'évaluation[3].

La détermination du prix d'émission d'obligations

Le **prix d'émission d'obligations** est égal à la valeur actualisée de l'ensemble des versements que l'entreprise est tenue d'effectuer, c'est-à-dire la valeur actualisée des intérêts périodiques, le plus souvent semestriels, versés au cours de la durée des obligations, plus la valeur actualisée du principal que l'entreprise émettrice remboursera à l'échéance. Reste à savoir à l'aide de quel taux d'intérêt on doit actualiser le principal et les intérêts périodiques.

3. CPA Canada, *Manuel de CPA Canada – Comptabilité – Partie I*, **IFRS 9**, paragr. B5.1.1. (*Voir la page iv des liminaires pour plus de détails à l'égard des normes publiées mais non encore entrées en vigueur.*)

FIGURE 13.1 Le cheminement d'une émission d'obligations

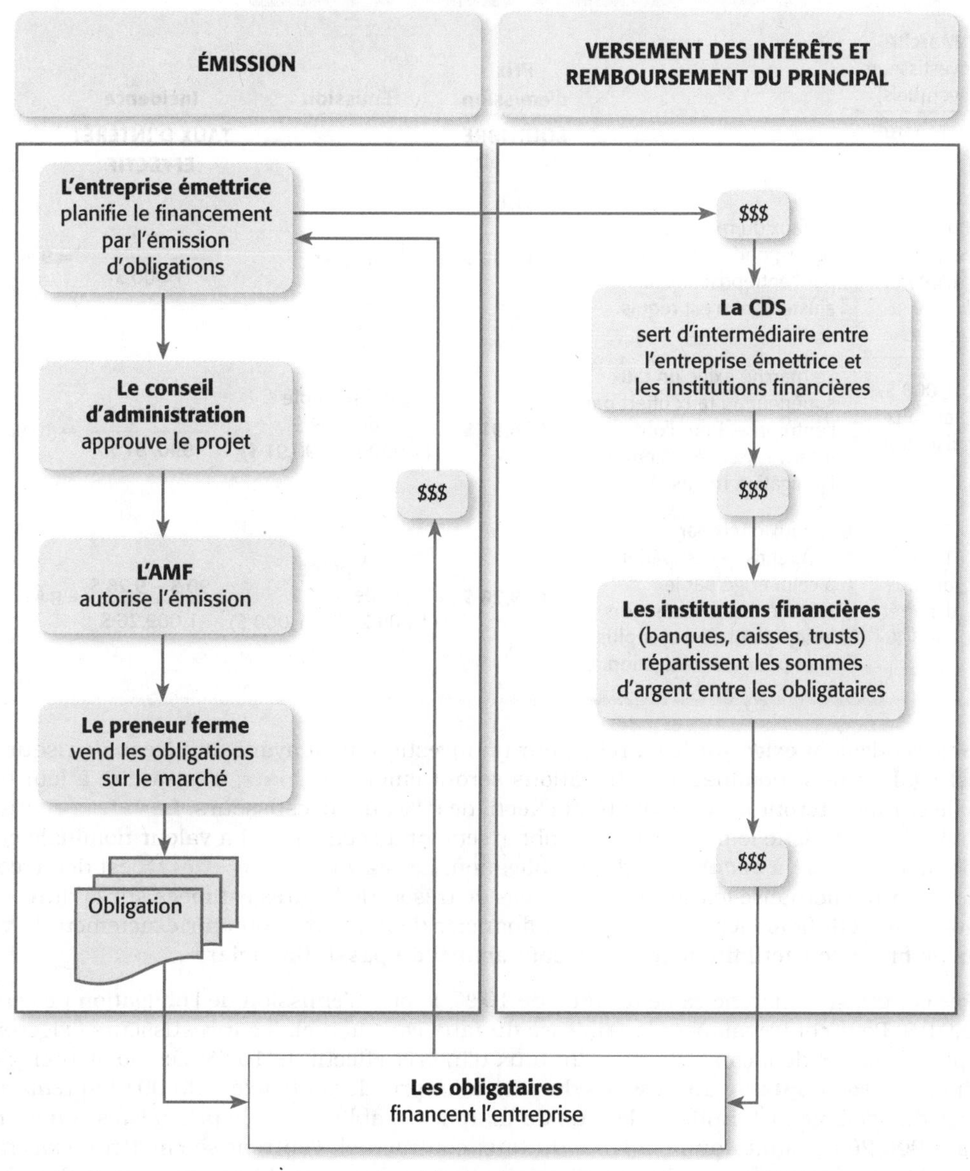

En théorie, le recours au taux d'intérêt nominal permettrait à l'entreprise émettrice d'encaisser un montant équivalant à la valeur nominale d'une obligation. Le **taux d'intérêt nominal**, appelé aussi **taux d'intérêt contractuel**, est le taux inscrit sur l'obligation. Il détermine le montant des intérêts qui seront versés périodiquement aux obligataires. En pratique, toutefois, le prix d'émission est déterminé par le jeu de l'offre (prix exigé par l'entreprise émettrice) et de la demande (prix offert par l'investisseur) sur le marché des capitaux. Cet équilibre entre l'offre et la demande est fonction de la conjoncture économique du moment, associée au niveau de risque des obligations. Aussi, pour déterminer la valeur actualisée d'une émission d'obligations, les investisseurs utilisent plutôt le **taux du marché**, c'est-à-dire le taux qui prévaut compte tenu des conditions du marché et du risque de liquidité que représente l'entreprise émettrice. La valeur actualisée d'une obligation calculée en fonction du taux du marché correspond généralement à sa **juste valeur** sur le marché.

Le prix d'émission des obligations dépend du taux du marché. Puisqu'il s'écoule fréquemment plusieurs semaines entre le moment où le conseil d'administration d'une entreprise émettrice approuve le recours à un financement par obligations et celui où les obligations sont imprimées et mises en vente, il se peut que le taux du marché des capitaux diffère du taux d'intérêt contractuel inscrit sur chaque obligation. La figure 13.2 illustre, d'une façon très simplifiée, ce qui se passe lorsque les taux susmentionnés diffèrent.

FIGURE 13.2 La détermination du prix d'émission (exemple simplifié fondé sur une obligation de 1 000 $ échéant dans un an)

Entreprise émettrice — OFFRE (O)	Marché (investisseurs éventuels) — DEMANDE (D)		Prix d'émission — ÉQUILIBRE O D	Émission	Incidence — TAUX D'INTÉRÊT EFFECTIF
1 000 $ au taux d'intérêt de 9 %	1 000 $ au taux d'intérêt de 9 %	Le taux du marché correspond au taux offert par l'entreprise. Aucun ajustement n'est requis.	**1 000 $**	Au pair	$\frac{90\ \$}{1\,000\ \$} = 9\ \%$
	1 000 $ au taux d'intérêt de 10 %	Le marché exige un taux supérieur au taux offert par l'entreprise. Pour l'obtenir, les investisseurs paieront l'obligation moins cher.	**990,91 $**	À escompte de 9,09 $ (1 000 $ – 990,91 $)	$\frac{90\ \$ + 9{,}09\ \$}{990{,}91\ \$} = 10\ \%$
	1 000 $ au taux d'intérêt de 8 %	Le taux offert par l'entreprise est supérieur à celui exigé par le marché. Les investisseurs accepteront de payer plus cher pour une obligation.	**1 009,26 $**	À prime de 9,26 $ (1 009,26 $ – 1 000 $)	$\frac{90\ \$ - 9{,}26\ \$}{1\,009{,}26\ \$} = 8\ \%$

Si le rendement exigé sur le marché pour un investissement ayant un niveau de risque similaire est égal au taux nominal, les obligations seront émises **au pair**, c'est-à-dire à leur valeur nominale et rapporteront un taux d'intérêt effectif de 9 % aux investisseurs. La **valeur nominale**, ou le **principal**, désigne le montant du remboursement à l'échéance. La valeur nominale correspond donc à la **valeur à l'échéance** d'une obligation. Le **taux d'intérêt effectif** est défini comme étant le « taux qui actualise les sorties ou entrées de trésorerie futures estimées sur la durée de vie attendue d'un actif financier ou d'un passif financier de manière à obtenir exactement la **valeur comptable brute de l'actif financier** ou le **coût amorti du passif financier**[4] ».

13

Par contre, si le marché exige un taux de 10 %, le prix d'émission de l'obligation ne sera que de 990,91 $. Pour contrebalancer la faiblesse du taux contractuel, les investisseurs exigeront un escompte de 9,09 $ de façon à dégager un taux d'intérêt effectif de 10 %. Les obligations seront alors émises à **escompte** ou au-dessous du pair, à un prix de vente fixé à 99,091 (on remarquera l'absence du symbole %[5]). Enfin, si le taux du marché s'établit à 8 %, le prix d'émission grimpera jusqu'à 1 009,26 $. Étant donné la force du taux contractuel, l'entreprise émettrice exigera une prime de 9,26 $ afin de ramener le taux d'intérêt effectif à 8 %. Les obligations seront alors émises à **prime** ou au-dessus du pair à un prix de vente fixé à 100,926. La **valeur comptable** à la date d'émission d'une obligation qui n'est pas classée À la juste valeur par le biais du résultat net correspond à la juste valeur minorée des coûts de transaction.

EXEMPLE

Détermination du prix d'émission

Le 2 janvier 20X0, Obligatech ltée a émis des obligations ayant une valeur nominale de 1 000 000 $. Le taux d'intérêt contractuel inscrit sur chaque obligation est de 9 %, et les intérêts sont payables le 31 décembre de chaque année. Pour éviter de compliquer notre exemple, supposons pour le moment que ces obligations viennent à échéance dans cinq ans[6]. Voici les

4. *Manuel de CPA Canada – Comptabilité – Partie I*, IFRS 9, Annexe A.
5. Les cours des obligations sont exprimés en fonction d'un indice dont la base est égale à 100.
6. En pratique, il est plutôt inhabituel d'émettre des obligations dont l'échéance est de cinq ans seulement. Il est beaucoup plus fréquent d'émettre des obligations pour une durée de 10, 15 ou 20 ans, cette dernière échéance étant la plus populaire auprès des entreprises émettrices. De plus, les intérêts sont habituellement payables semestriellement ; nous y reviendrons plus loin.

calculs requis pour déterminer le prix d'émission des obligations d'Obligatech ltée selon que le taux d'intérêt exigé par le marché des capitaux est égal, supérieur ou inférieur au taux d'intérêt nominal de 9 % inscrit sur les obligations.

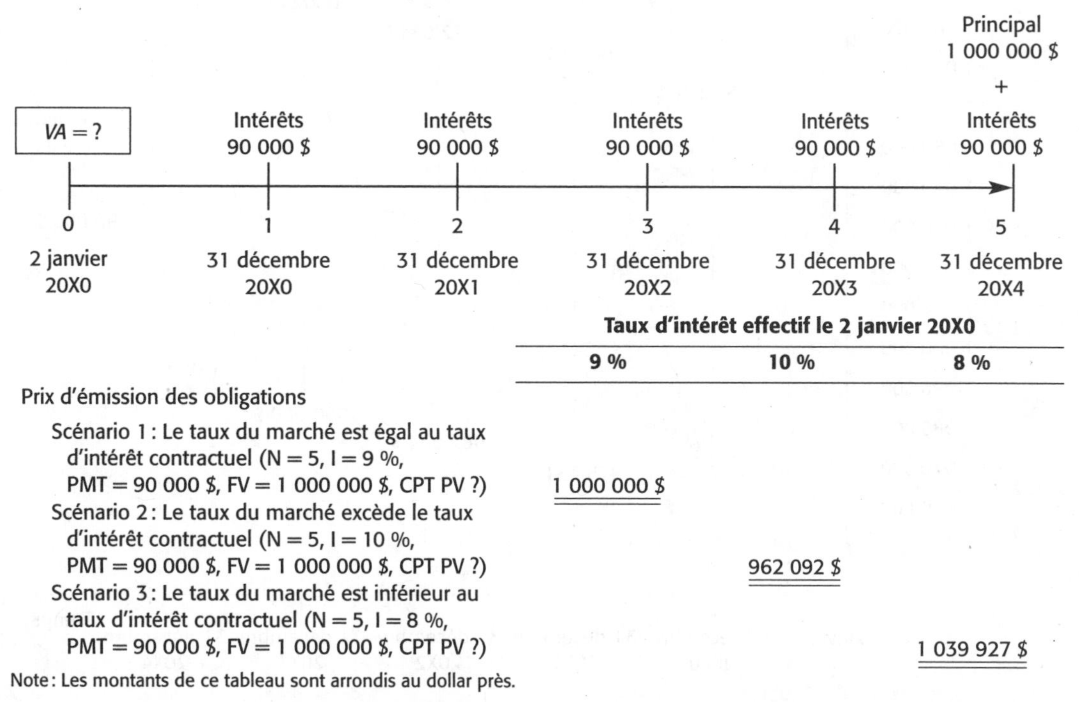

	Taux d'intérêt effectif le 2 janvier 20X0		
	9 %	**10 %**	**8 %**
Prix d'émission des obligations			
Scénario 1 : Le taux du marché est égal au taux d'intérêt contractuel (N = 5, I = 9 %, PMT = 90 000 $, FV = 1 000 000 $, CPT PV ?)	1 000 000 $		
Scénario 2 : Le taux du marché excède le taux d'intérêt contractuel (N = 5, I = 10 %, PMT = 90 000 $, FV = 1 000 000 $, CPT PV ?)		962 092 $	
Scénario 3 : Le taux du marché est inférieur au taux d'intérêt contractuel (N = 5, I = 8 %, PMT = 90 000 $, FV = 1 000 000 $, CPT PV ?)			1 039 927 $

Note : Les montants de ce tableau sont arrondis au dollar près.

Nous constatons que le prix d'émission des obligations d'Obligatech ltée varie selon le taux d'intérêt sur le marché à la date de l'émission. Ainsi, le prix d'émission correspond à la juste valeur sur le marché.

13

Les obligations émises entre deux dates de paiement des intérêts

Dans l'exemple qui précède, le versement des intérêts annuels est prévu pour le 31 décembre de chaque année. Qu'advient-il lorsque l'émission des obligations survient entre deux dates de paiement des intérêts ? Dans ce cas, on doit ajouter au prix des obligations émises les intérêts courus depuis la dernière date de paiement des intérêts. Puisque les obligataires toucheront le plein montant des intérêts à la date de paiement des intérêts, il est logique qu'ils déboursent une somme équivalant aux intérêts courus entre la dernière date de paiement des intérêts et la date de l'acquisition des obligations, intérêts qu'ils n'ont d'ailleurs pas gagnés. Ainsi, le prix d'émission des obligations correspond à la valeur actualisée des obligations à la date de leur émission.

EXEMPLE

Émission entre deux dates de paiement des intérêts

Supposons que les obligations d'Obligatech ltée, datées du 2 janvier 20X0, ne sont effectivement émises que le 2 juin 20X0 alors que le taux du marché est de 10 %. Le prix d'émission des obligations s'établit donc de la façon suivante :

Prix d'émission des obligations en date du 2 janvier 20X0 (établi dans l'exemple précédent)	*962 092 $*
Augmentation de la valeur des obligations survenue au cours du premier semestre de 20X0 compte tenu d'un taux effectif de 10 % (962 092 $ × 10 % × 5 mois ÷ 12 mois)	*40 087*
Prix d'émission des obligations en date du 2 juin 20X0	*1 002 179 $*

Il est possible de déterminer le prix d'émission des obligations à n'importe quel moment entre deux dates de paiement des intérêts. Le graphique suivant illustre l'évolution de la valeur économique des obligations jusqu'à leur échéance.

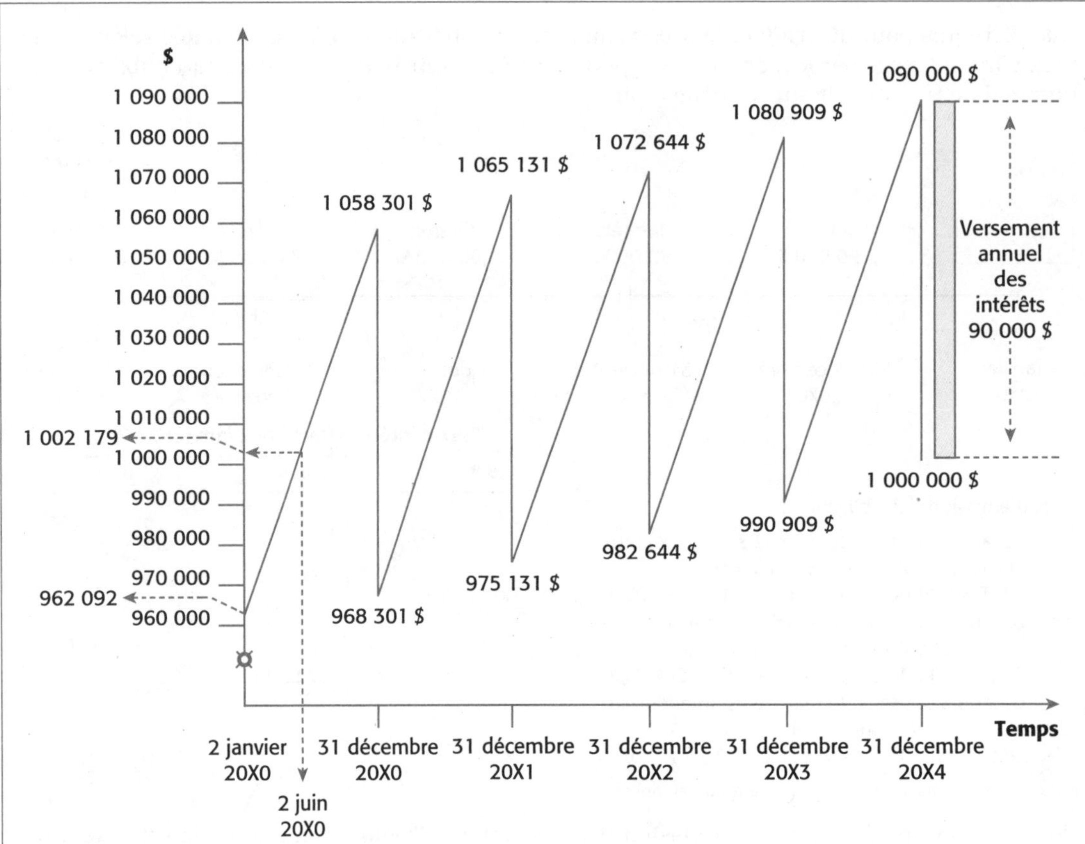

Le 2 janvier 20X0, le prix d'émission initial des obligations devrait être de 962 092 $, compte tenu d'un taux d'intérêt effectif de 10 %. La valeur économique des obligations s'accroît annuellement au rythme de 10 %. Ainsi, au 31 décembre 20X0, immédiatement avant le versement des intérêts annuels de 90 000 $, elle atteindra 1 058 301 $ (962 092 $ × 1,1) pour redescendre à 968 301 $ après le versement des intérêts. Au 31 décembre 20X4, la valeur économique des obligations sera de 1 000 000 $, soit leur valeur à l'échéance correspondant au montant à rembourser aux obligataires.

En pratique, lors de la détermination du prix d'émission d'obligations entre deux dates de paiement des intérêts, il est d'usage de séparer la portion des intérêts courus de la valeur des obligations à la date de l'émission. Afin de faciliter les calculs, le prix d'émission des obligations est établi par différence[7] de la façon suivante :

Prix d'émission des obligations en date du 2 juin 20X0 (établi précédemment et comprenant les intérêts)	*1 002 179 $*
Moins : Intérêts courus, au taux nominal de 9 %, du 2 janvier au 2 juin 20X0 (1 000 000 $ × 9 % × 5 mois ÷ 12 mois)	*(37 500)*
Prix d'émission des obligations en date du 2 juin 20X0 (intérêts non compris)	*964 679 $*

Un investisseur désireux d'acquérir la totalité des obligations en date du 2 juin doit donc débourser 964 679 $ pour ces obligations, plus 37 500 $ pour les intérêts courus du 2 janvier au 2 juin 20X0, soit un total de 1 002 179 $.

Nous connaissons maintenant la façon de déterminer le prix d'émission des obligations. Avant de passer à l'étape de la comptabilisation, nous reproduisons ci-après la première page

7. Le calcul par différence peut sembler une solution facile ne reposant sur rien de concret. Tel n'est cependant pas le cas, car ce calcul conduit exactement au montant du calcul détaillé qui serait effectué à l'aide d'un tableau montrant la charge d'intérêts et la valeur comptable des obligations. Le lecteur pourra confirmer le bien-fondé de cette affirmation lorsque nous expliquerons le fonctionnement d'un tel tableau, un peu plus loin dans le présent chapitre.

du supplément de fixation du prix se rapportant au prospectus de CU Inc., une société d'Atco, relativement à l'émission de 500 000 000 $ de débentures portant intérêt au taux contractuel de 3,805 %, émises à un prix de 1 00 $ chacune.

Supplément de fixation du prix n° 1 daté du 5 septembre 2012
(au prospectus préalable de base daté du 11 juin 2012)

Une société d'**ATCO**

Débentures (non garanties)

Montant de l'émission :	500 000 000 $	**Commission des placeurs (%) :**	0,50 %
Date d'émission et de livraison :	Le 10 septembre 2012	**Produit net ($ CA) :**	497 500 000 $
Date d'échéance :	Le 10 septembre 2042	**Dates de paiement des intérêts :**	Le 10 mars et le 10 septembre
Taux d'intérêt :	3,805 %	**Date initiale de paiement des intérêts :**	Le 10 mars 2013
Prix :	100,00 $	**Placeurs :**	RBC Dominion valeurs mobilières Inc.
Rendement à l'échéance :	3,805 %		BMO Nesbitt Burns Inc. Valeurs Mobilières TD Inc. Scotia Capitaux Inc.
		N° d'ISIN :	CA12657ZAY93

<u>Clause de remboursement</u>

CU Inc. (la « société ») a le droit de rembourser la totalité des débentures en tout temps, ou une partie de celles-ci de temps à autre, après en avoir donné un préavis d'au plus 60 jours et d'au moins 10 jours avant la date de remboursement établie (la « date de remboursement ») au prix le plus élevé entre le taux de rendement d'obligations du Canada (selon la définition ci-après) et la valeur nominale, plus l'intérêt couru et impayé à la date de remboursement.

« Taux de rendement d'obligations du Canada » désigne le prix des débentures établi le troisième jour ouvrable avant la date de remboursement (la « date de calcul du prix de remboursement ») et calculé de sorte à donner un rendement à l'échéance équivalant au rendement des obligations du gouvernement du Canada (selon la définition ci-après), majoré de 0,365 %.

« Rendement des obligations du gouvernement du Canada » désigne le rendement à l'échéance que produirait une obligation du gouvernement du Canada non remboursable (émise au Canada, en dollars canadiens, portant un intérêt composé semestriellement versé à terme échu et dont la durée coïncide avec la période qui reste avant l'échéance des débentures) si elle était émise à 100 % de son montant en capital à la date de calcul du prix de remboursement. Le rendement des obligations du gouvernement du Canada correspondra à la moyenne des rendements établis par deux grandes maisons de courtage en valeurs mobilières canadiennes, choisies par la société.

<u>Documents intégrés par renvoi</u>

Outre le présent supplément de fixation du prix, les documents suivants de la société qui ont été déposés auprès des organismes de réglementation des valeurs mobilières dans chacune des provinces du Canada sont intégrés par renvoi dans le prospectus préalable de base de la société daté du 11 juin 2012 (le « prospectus préalable de base »), en date du présent supplément de fixation du prix :

a) [la] notice annuelle datée du 21 février 2012 ;
b) [les] états financiers comparatifs consolidés audités, ainsi que le rapport de l'auditeur connexe, pour les exercices clos les 31 décembre 2011 et 31 décembre 2010 ;
c) [le] rapport de gestion pour l'exercice clos le 31 décembre 2011 ;
d) les états financiers intermédiaires comparatifs consolidés non audités pour le semestre clos le 30 juin 2012 et le ratio de couverture par le résultat déposé à titre d'annexe à ceux-ci; et
e) le rapport de gestion pour le semestre clos le 30 juin 2012.

Évaluation de crédit
Les débentures de la société sont notées A (haut) avec une tendance stable par DBRS Limited et A par Standard & Poor's Rating Services, division de The McGraw-Hill Companies (Canada) Corporation. Veuillez vous reporter à la rubrique « Évaluation de crédit » du prospectus préalable de base.

Source : Supplément de fixation du prix nº 1 daté du 5 septembre 2012 de CU Inc.
CU Inc., Supplément de fixation du prix nº 1 daté du 5 septembre 2012.
© CU Inc., une société d'ATCO.

Avez-vous remarqué ?

Le prix d'émission d'obligations est égal à la valeur actualisée des intérêts périodiques versés, plus la valeur actualisée du principal remboursé à l'échéance. Le taux d'actualisation utilisé correspond au taux du marché à cette date, de sorte que le prix d'émission correspond à la juste valeur des obligations sur le marché. Les obligations doivent être évaluées à la juste valeur lors de leur comptabilisation initiale.

Le traitement comptable des emprunts obligataires évalués au coût amorti

Puisque nous sommes maintenant en mesure d'évaluer le coût initial d'obligations[8], il est temps de passer en revue la comptabilisation proprement dite d'une telle émission. Les obligations doivent être comptabilisées lorsque l'entreprise devient partie prenante aux dispositions contractuelles de l'instrument[9]. En pratique, la comptabilisation se fait quand l'émetteur procède à la mise en vente des obligations. Au moment de leur comptabilisation initiale, l'entreprise doit classer ses passifs financiers comme étant ultérieurement évalués au coût amorti selon la méthode du taux d'intérêt effectif ou À la juste valeur par le biais du résultat net[10].

Nous présenterons d'abord le traitement comptable des obligations évaluées au coût amorti selon la méthode du taux d'intérêt effectif. Plus loin dans ce chapitre, nous expliquerons le traitement comptable lorsqu'une entreprise choisit d'évaluer ses obligations à leur juste valeur en les classant À la juste valeur par le biais du résultat net.

13

L'émission à la valeur nominale

En supposant qu'Obligatech ltée émette les obligations à leur valeur nominale, voici l'écriture que l'on devra passer le 2 janvier 20X0, date où l'entreprise devient partie prenante aux dispositions contractuelles :

Caisse	*1 000 000*	
Emprunt obligataire		*1 000 000*
Émission d'obligations à leur valeur nominale, échéant dans 5 ans et portant un taux d'intérêt effectif de 9 %.		

Les obligations sont évaluées à leur juste valeur à la date d'émission. La juste valeur correspond ici à la valeur nominale des obligations, puisque le taux nominal est égal au taux du marché.

Le 31 décembre 20X0, lors du versement des intérêts annuels, l'écriture suivante doit être enregistrée :

Intérêts sur emprunt obligataire	*90 000*	
Caisse		*90 000*
Paiement des intérêts annuels (1 000 000 $ × 9 %).		

Dans l'écriture précédente, on présume qu'Obligatech ltée clôture ses livres le 31 décembre. Quelle serait l'incidence d'une date de clôture différente de la date de versement des intérêts ?

8. Nous ne traitons ici que des obligations à échéance unique.
9. *Manuel de CPA Canada – Comptabilité – Partie I*, IFRS 9, paragr. 3.1.1.
10. *Manuel de CPA Canada – Comptabilité – Partie I*, IFRS 9, paragr. 4.2.

EXEMPLE

Versement des intérêts à une date autre que la date de clôture

La société Obligatech ltée clôture ses livres le 31 août. Les écritures suivantes doivent être enregistrées en fin d'exercice et lors du premier versement des intérêts annuels :

31 août 20X0 *(date de clôture)*		
Intérêts sur emprunt obligataire	*60 000*	
Intérêts à payer		*60 000*
Intérêts courus sur l'emprunt obligataire à la fin de l'exercice (1 000 000 $ × 9 % × 8 mois ÷ 12 mois).		
31 décembre 20X0 *(date de versement des intérêts)*		
Intérêts sur emprunt obligataire	*30 000*	
Intérêts à payer	*60 000*	
Caisse		*90 000*
Premier versement d'intérêts (1 000 000 $ × 9 %).		

On peut conclure, à partir de l'écriture qui précède, qu'Obligatech ltée n'a pas recours à des écritures de contrepassation. Cette écriture met clairement en évidence le fait que la charge d'intérêts de la période allant du 1er septembre au 31 décembre 20X0 n'est que de 30 000 $, soit le montant des intérêts courus pendant les 4 mois écoulés depuis la fin de l'exercice terminé le 31 août 20X0 (1 000 000 $ × 9 % × 4 mois ÷ 12 mois).

L'émission à escompte ou à prime

Lors de la comptabilisation initiale, l'emprunt obligataire est évalué à sa juste valeur, laquelle correspond au prix d'émission.

EXEMPLE

Émission à escompte ou à prime

Supposons cette fois qu'Obligatech ltée a émis les obligations à une valeur différente de leur valeur nominale. Voici les écritures qui doivent être enregistrées le 2 janvier 20X0 selon que les obligations sont émises à escompte ou à prime, compte tenu des calculs effectués :

Caisse	*962 092*	
Emprunt obligataire		*962 092*
Émission à escompte d'obligations échéant dans 5 ans, portant intérêt au taux nominal de 9 % et portant un taux d'intérêt effectif de 10 %.		

Date	(1) **Intérêts versés** (9 % de la valeur nominale)	(2) **Charges d'intérêts** (10 % de la valeur comptable)	(3) **Différence** [(2) − (1)]	(4) **Valeur comptable des obligations** [montant de la ligne précédente + (3)]
20X0-01-02				962 092 $
20X0-12-31	90 000 $	96 209 $	6 209 $	968 301
20X1-12-31	90 000	96 830	6 830	975 131
20X2-12-31	90 000	97 513	7 513	982 644
20X3-12-31	90 000	98 265	8 265	990 909
20X4-12-31	90 000	99 091	9 091	1 000 000
	450 000 $	487 908 $	37 908 $	

Note : Les montants sont arrondis au dollar près.

Caisse	*1 039 927*	
Emprunt obligataire		*1 039 927*

Émission à prime d'obligations échéant dans 5 ans, portant intérêt au taux nominal de 9 % et portant un taux d'intérêt effectif de 8 %.

Date	(1) Intérêts versés (9 % de la valeur nominale)	(2) Charges d'intérêts (8 % de la valeur comptable)	(3) Différence [(1) – (2)]	(4) Valeur comptable des obligations [montant de la ligne précédente – (3)]
20X0-01-02				1 039 927 $
20X0-12-31	90 000 $	83 194 $	6 806 $	1 033 121
20X1-12-31	90 000	82 650	7 350	1 025 771
20X2-12-31	90 000	82 062	7 938	1 017 833
20X3-12-31	90 000	81 427	8 573	1 009 260
20X4-12-31	90 000	80 740	9 260	1 000 000
	450 000 $	410 073 $	39 927 $	

Note : Les montants sont arrondis au dollar près.

La détermination de la charge d'intérêts

Différence NCECF

13

Lorsqu'une entreprise évalue ses obligations au coût amorti, la charge d'intérêts comptabilisée pendant une période donnée est déterminée selon la méthode du taux d'intérêt effectif. Cette méthode consiste à multiplier la valeur comptable des obligations au début de la période par le taux d'intérêt effectif **en vigueur lors de l'émission** des obligations. La différence entre la charge d'intérêts ainsi déterminée et le montant des intérêts effectivement dus aux obligataires pour la même période (soit la valeur nominale multipliée par le taux d'intérêt nominal) est portée en augmentation de la valeur comptable de l'obligation dans le cas d'une émission à escompte et en diminution de la valeur comptable de l'obligation dans le cas d'une émission à prime. Ainsi, la valeur comptable de l'obligation à l'échéance sera égale à la valeur nominale. La figure 13.3 illustre cette méthode.

Lorsque les obligations sont émises à **escompte**, la valeur comptable des obligations, **établie** selon la méthode du taux d'intérêt effectif, **augmente** d'un exercice à l'autre à mesure que l'on se rapproche de l'échéance. De cette façon, la charge d'intérêts s'accroît, comme il se doit, d'un exercice à l'autre.

EXEMPLE

Charge d'intérêts – Émission à escompte

Le détail des calculs présentés sous la première écriture dans l'exemple précédent illustre la valeur comptable des obligations au début de chaque exercice, ainsi que la charge d'intérêts de chacune des années au cours desquelles les obligations émises à escompte sont en circulation. On remarquera que les montants de la colonne (4) du détail des calculs donnés sous la première écriture dans l'exemple précédent (*voir la page 13.19*) correspondent à ceux présentés dans le graphique (*voir la page 13.16*), c'est-à-dire à la valeur comptable des obligations après le versement des intérêts. Voici les écritures que l'on doit passer pour enregistrer la charge annuelle d'intérêts des deux premières années en supposant qu'Obligatech ltée clôture ses livres le 31 décembre.

	20X0-12-31		***20X1-12-31***	
Intérêts sur emprunt obligataire	*96 209*		*96 830*	
Emprunt obligataire		*6 209*		*6 830*
Caisse		*90 000*		*90 000*
Intérêts versés et charge annuelle d'intérêts.				

FIGURE 13.3 La méthode du taux d'intérêt effectif

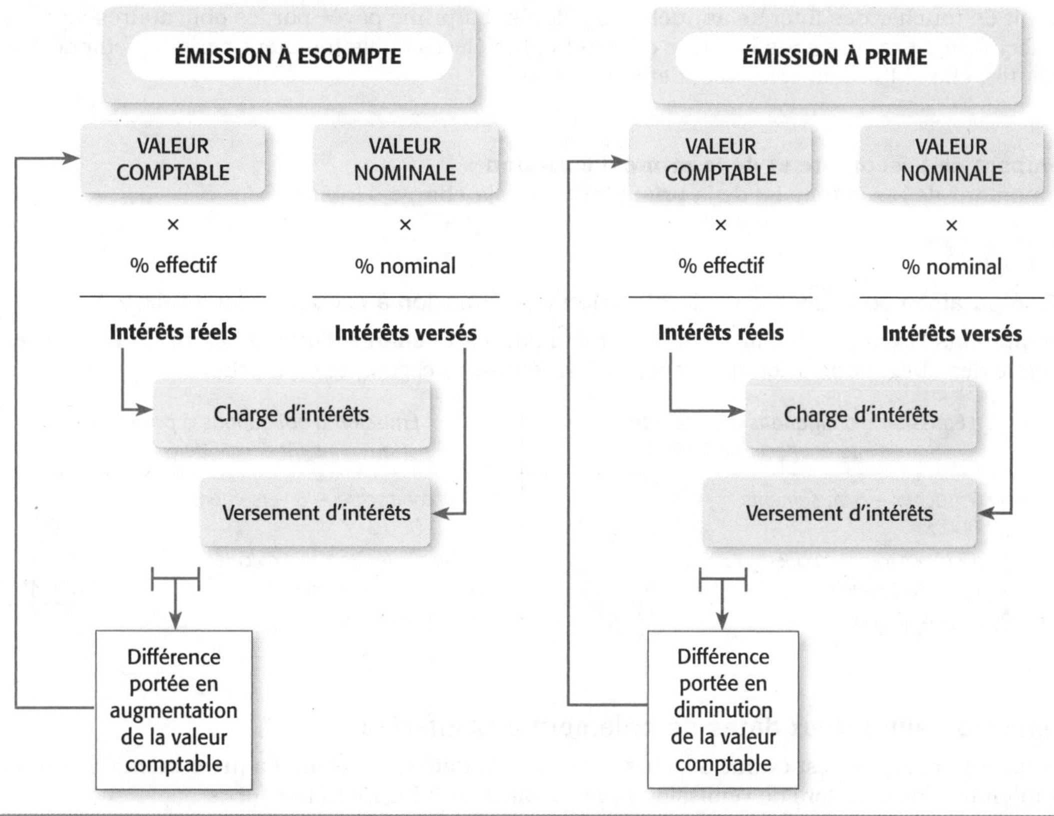

Source : Nicole Lacombe

13

Selon la méthode du taux d'intérêt effectif, lorsque les obligations sont émises **à prime**, leur valeur comptable **décroît.** La charge d'intérêts est plus faible d'un exercice à l'autre.

EXEMPLE

Charge d'intérêts – Émission à prime

Le détail des calculs présentés sous la seconde écriture de l'exemple intitulé « Émission à escompte ou à prime » indique la valeur comptable des obligations au début de chaque exercice, ainsi que la charge d'intérêts de chacun des exercices au cours desquels les obligations émises à prime sont en circulation. Voici les écritures que l'on doit passer pour enregistrer la charge annuelle d'intérêts des deux premières années en supposant qu'Obligatech ltée clôture ses livres le 31 décembre.

	20X0-12-31		*20X1-12-31*	
Intérêts sur emprunt obligataire	*83 194*		*82 650*	
Emprunt obligataire	*6 806*		*7 350*	
Caisse		*90 000*		*90 000*
Intérêts versés et charge annuelle d'intérêts.				

Lorsque les obligations sont émises à escompte, le montant de l'escompte d'émission représente une charge d'intérêts supplémentaire que l'émetteur doit supporter pour compenser la faiblesse du taux d'intérêt nominal de 9 %. Cet escompte de 37 908 $, qui permet à l'investisseur de gagner un rendement effectif de 10 %, représente en quelque sorte des intérêts qui lui seront payés en bloc à l'échéance. Lorsque les obligations sont émises à prime, le montant de la prime d'émission représente pour l'émetteur une économie de la charge d'intérêts réalisable grâce à la force du taux d'intérêt nominal de 9 %. Cette prime de 39 927 $ représente

Différence NCECF

en quelque sorte la somme que les obligataires ont accepté de payer d'avance pour obtenir le droit de toucher des intérêts annuels plus élevés. La prime payée par les obligataires leur est effectivement remise sous la forme d'intérêts plus élevés qu'ils touchent périodiquement. Par contre, elle réduit leur rendement effectif à 8 %.

L'impact de l'escompte et de la prime d'émission

Le montant de l'escompte ou de la prime influe sur la charge d'intérêts.

EXEMPLE

Comparaison de la charge d'intérêts selon une émission à escompte ou à prime

Reprenons l'exemple d'Obligatech ltée et comparons la charge d'intérêts établie sur la durée totale des obligations selon que celles-ci sont émises à escompte ou à prime.

Émission d'obligations à escompte (taux d'intérêt effectif de 10 %)		*Émission d'obligations à prime (taux d'intérêt effectif de 8 %)*	
Intérêt contractuel – 5 versements de 90 000 $	*450 000 $*	*Intérêt contractuel – 5 versements de 90 000 $*	*450 000 $*
Charge d'intérêts totale calculée au taux d'intérêt effectif	*487 908*	*Charge d'intérêts totale calculée au taux d'intérêt effectif*	*410 073*
Escompte à l'émission	*(37 908) $*	*Prime à l'émission*	*39 927 $*

L'émission entre deux dates de paiement des intérêts

L'emprunt obligataire est évalué à sa juste valeur à la date d'émission. La juste valeur correspond au montant encaissé lors de l'émission après avoir déduit les intérêts courus.

EXEMPLE

Émission entre deux dates de paiement des intérêts

Aux pages 13.15 et 13.16, nous avons supposé que les obligations d'Obligatech ltée, datées du 2 janvier 20X0, ne sont effectivement émises que le 2 juin 20X0, alors que le taux du marché est de 10 %. Le prix d'émission des obligations est alors de 1 002 179 $, soit 964 679 $ pour les obligations plus des intérêts courus de 37 500 $. L'écriture suivante, reflète donc les diverses composantes du prix d'émission des obligations effectuée le 2 juin 20X0 :

	Débit	Crédit
Caisse	*1 002 179*	
Emprunt obligataire		*964 679*
Intérêts à payer		*37 500*

Émission d'obligations à escompte échéant dans 5 ans, portant intérêt au taux nominal de 9 % et portant un taux d'intérêt effectif de 10 %.

Le 31 décembre 20X0, lors du versement des intérêts annuels, on enregistre l'écriture suivante :

	Débit	Crédit
Intérêts à payer	*37 500*	
Intérêts sur emprunt obligataire	*56 122*	
Emprunt obligataire		*3 622*
Caisse (1 000 000 $ × 9 %)		*90 000*

Intérêts versés et charge annuelle d'intérêts.

Les montants inscrits dans cette écriture ont été calculés à partir des montants présentés à la ligne datée du 31 décembre 20X0 dans les calculs présentés ci-après. En effet, bien que les obligations aient été émises le 2 juin 20X0, le tableau montrant la charge d'intérêts et le coût amorti des obligations émises à escompte doit être établi comme si l'émission avait eu lieu le 2 janvier 20X0. Toutefois, pour calculer la charge d'intérêts, on doit appliquer

13

une fraction correspondant à la période pendant laquelle les obligations ont réellement été en circulation aux montants des colonnes (2) et (3). Voici un extrait des modifications (en caractères gras) apportées aux calculs présentés au bas de la page 13.19 pour tenir compte de ce qui précède :

Date	(1) Intérêts versés (9 % de la valeur nominale)		(2) Charges d'intérêts (10 % de la valeur comptable)		(3) Différence [(2) − (1)]	(4) Valeur comptable des obligations [montant de la ligne précédente + (3)]
20X0-01-02						962 092 $
20X0-06-02	5/12	**37 500 $**	5/12	**40 087 $**	**2 587 $**	**964 679**
20X0-12-31	7/12	**52 500**	7/12	**56 122**	**3 622**	**968 301**
20X0-12-31	12/12	90 000		96 209	6 209	968 301
20X1-12-31		90 000		96 830	6 830	975 131

Notons que la ligne du 2 juin renferme les montants qui ont servi à comptabiliser l'émission des obligations à cette date (*voir la première écriture au début de cet exemple*). Puisque l'émission n'a eu lieu que le 2 juin, la charge d'intérêts de l'exercice 20X0 est seulement de 56 122 $ (962 092 $ × 10 % × 7 mois ÷ 12 mois).

Pour calculer la charge d'intérêts des exercices 20X1 à 20X4, les calculs présentés à la page 13.19 peuvent être utilisés sans aucune modification.

Notons que la comptabilisation de la charge d'intérêts au taux d'intérêt effectif donne lieu à des impôts différés car, selon le fisc, le bénéfice imposable doit être déterminé en tenant compte uniquement des intérêts versés ou à payer.

Avez-vous remarqué ?

Peu importe ce qui est consigné sur le certificat d'obligation, la caractéristique qualitative de présentation fidèle des opérations justifie de tenir compte des conditions du marché à la date où les obligations sont vendues. Ainsi, le calcul de la charge d'intérêts doit être fait au taux d'intérêt effectif plutôt qu'au taux d'intérêt nominal afin de donner aux utilisateurs une image fidèle des coûts de financement.

13

Les coûts d'émission d'obligations

Les coûts d'émission d'obligations font partie des **coûts de transaction** que l'IASB définit comme étant les coûts marginaux directement imputables à l'émission d'un passif financier[11]. Ils comprennent les honoraires et commissions versés à des agents (y compris les employés agissant comme agents de vente), à des conseillers et à des courtiers et arbitragistes, ainsi que les montants prélevés par les organismes réglementaires et les Bourses de valeurs, en plus des taxes et droits de transfert[12]. Tous ces coûts sont engagés dans le but de permettre à l'entreprise émettrice d'obtenir les capitaux recherchés et n'auraient pas été engagés si celle-ci n'avait pas émis les obligations.

Le traitement comptable des coûts de transaction

Le traitement comptable des coûts de transaction dépend du classement des passifs financiers. Lorsqu'une entreprise évalue ses obligations au coût amorti, elle doit prendre en compte les coûts de transaction dans le prix total découlant de l'émission. Ils se trouvent donc à être comptabilisés en diminution du compte Emprunt obligataire, ce qui a pour effet d'augmenter le taux d'intérêt effectif. Ainsi la charge d'intérêts calculée selon la méthode du taux d'intérêt effectif est plus élevée puisqu'elle inclut une partie des coûts de transaction à comptabiliser en résultat net à chaque exercice. Nous expliquerons plus loin le traitement comptable à adopter si les obligations sont classées À la juste valeur par le biais du résultat net.

11. *Manuel de CPA Canada – Comptabilité – Partie I*, IFRS 9, Annexe A.
12. *Manuel de CPA Canada – Comptabilité – Partie I*, IFRS 9, paragr. B5.4.8.

EXEMPLE

Comptabilisation des coûts de transaction

Le 2 janvier 20X0, la société Freddy Mission ltée, dont l'exercice financier coïncide avec l'année civile, émet à 98 des obligations d'une valeur nominale de 10 000 000 $ alors que le taux du marché est à 10,24 %. Elle a engagé des coûts de 150 000 $ pour émettre ces obligations, qui viendront à échéance dans 20 ans. Supposons que les intérêts, au taux nominal de 10 %, soient payables annuellement le 31 décembre. Voici les écritures qui doivent être enregistrées au cours de 20X0 :

	Débit	Crédit
2 janvier 20X0		
Caisse (10 000 000 $ × 0,98)	*9 800 000*	
Emprunt obligataire		*9 800 000*
Émission d'obligations à escompte, échéant dans 20 ans et portant intérêt à un taux nominal de 10 %.		
Emprunt obligataire [13]	*150 000*	
Caisse		*150 000*
Paiement des coûts d'émission.		
31 décembre 20X0		
Intérêts sur emprunt obligataire	*1 005 530*	
Emprunt obligataire		*5 530*
Caisse		*1 000 000*
Intérêts annuels versés (10 000 000 $ × 10 %) et charge d'intérêts au taux d'intérêt effectif (9 650 000 $ × 10,42 %).		

L'écriture précédente tient compte d'un taux d'intérêt effectif de 10,42 %, c'est-à-dire le taux qui actualise exactement les décaissements attendus sur la durée de 20 ans des obligations, de manière à obtenir la valeur comptable de 9 650 000 $ (9 800 000 $ − 150 000 $) à l'émission. Ce taux est déterminé à l'aide d'une calculatrice financière[14]. Le taux d'intérêt effectif est supérieur au taux du marché de 10,24 % à cause des coûts d'émission que l'entreprise doit supporter. Une partie de ces coûts sera incluse dans la charge d'intérêts et ainsi comptabilisée en résultat net à chaque exercice.

La valeur comptable de l'emprunt obligataire au 31 décembre 20X0 est de 9 655 530 $ (9 650 000 $ + 5 530 $).

Avez-vous remarqué ?

Lorsque l'emprunt obligataire est évalué au coût amorti, les coûts d'émission sont débités au compte Emprunt obligataire. Cela a pour effet d'augmenter le taux d'intérêt effectif. La charge d'intérêts, calculée selon la méthode du taux d'intérêt effectif, inclut donc une partie des coûts d'émission, ce qui est conforme à la comptabilité d'engagement.

Les obligations assorties d'un fonds d'amortissement

Pour donner confiance aux investisseurs, ou pour se conformer à une clause de l'acte de fiducie, l'entreprise émettrice peut s'engager à créer un **fonds d'amortissement**, c'est-à-dire un fonds constitué d'argent et de titres investis de façon systématique en vue de lui procurer les ressources dont elle aura besoin pour rembourser ses obligations à l'échéance. La gestion d'un tel fonds est habituellement confiée à un fiduciaire. À l'échéance, le montant du fonds est approximativement

13. Le lecteur notera qu'ici, nous comptabilisons les coûts d'émission au même moment que l'émission elle-même. En réalité, la plupart de ces coûts ont été engagés avant cette date, plus précisément durant le processus de la vente des obligations. Les coûts d'émission auraient donc pu faire l'objet de plusieurs écritures avant la date de l'émission. À chaque occasion, on aurait dû débiter le compte Coûts d'émission d'obligations payés d'avance et créditer le compte Caisse (ou Frais d'émission à payer). À l'émission de l'emprunt obligataire, le solde du compte Coûts d'émission d'obligations payés d'avance est viré au débit du compte Emprunt obligataire.

14. (N = 20, PMT = 1 000 000 $, PV = −9 650 000 $, FV = 10 000 000 $, CPT I ?)

égal à la somme requise pour rembourser les obligations. Les obligations assorties d'un fonds d'amortissement ont l'inconvénient de ne pas permettre à l'entreprise émettrice d'utiliser pour ses activités la trésorerie qu'elle dépose périodiquement dans le fonds d'amortissement.

Il ne faut pas inclure le fonds d'amortissement parmi les actifs courants, puisque cet argent ne peut servir à régler les dettes incluses dans le passif courant. Le fonds d'amortissement doit plutôt figurer dans l'état de la situation financière, dans la section Placements non courants. Les intérêts tirés des sommes investies dans un fonds d'amortissement constituent un produit financier et doivent figurer dans le résultat net de l'entreprise émettrice [15].

EXEMPLE

Illustration détaillée du traitement comptable des obligations

Le 1er novembre 20X0, Obliaprim inc. a émis 600 obligations d'une valeur nominale de 1 000 $ chacune. Ces obligations portent intérêt au taux semestriel de 5 % payable les 1er mai et 1er novembre et arriveront à échéance le 1er novembre 20Y0. La société a engagé des coûts d'émission de 5 800 $. Son exercice financier se termine le 31 octobre. Le taux d'intérêt semestriel du marché au moment de l'émission était de 4,5 %. Voici les écritures qui doivent être enregistrées au moment d'émettre ces obligations :

Avant le 1er novembre 20X0		
Coûts d'émission d'obligations payés d'avance	*5 800*	
Caisse (ou Frais d'émission à payer)		*5 800*
Coûts de transaction relatifs à l'émission de 600 nouvelles obligations.		
1er novembre 20X0		
Caisse ①	*639 024*	
Emprunt obligataire		*633 224*
Coûts d'émission d'obligations payés d'avance		*5 800*
Émission de 600 obligations d'une valeur nominale de 1 000 $, échéant dans 10 ans et portant intérêt au taux nominal semestriel de 5 %. Les obligations ont été émises à prime, puisque le taux du marché au moment de l'émission est inférieur au taux nominal.		

Calcul :

① (N = 20, I = 4,5 %, PMT = 30 000 $, FV = 600 000 $, CPT PV ?)

Au moment de l'émission des obligations, leur valeur comptable s'élève à 633 224 $, soit leur valeur nominale de 600 000 $ plus la prime de 39 024 $ (639 024 $ – 600 000 $), diminuée des coûts d'émission de 5 800 $. La comptabilisation des coûts d'émission en diminution de l'emprunt obligataire a pour conséquence d'augmenter le taux d'intérêt effectif. En utilisant la calculatrice financière, on obtient un taux d'intérêt effectif semestriel de 4,57 % [16]. Rappelons également que la différence entre les intérêts calculés au taux nominal et ceux calculés au taux effectif, dans le cas d'une émission à prime, diminue la valeur comptable de l'emprunt obligataire.

Voici maintenant les écritures que doit passer Obliaprim inc. jusqu'au 31 octobre 20X2 :

1er mai 20X1		
Intérêts sur emprunt obligataire ①	*28 938*	
Emprunt obligataire ②	*1 062*	
Caisse ③		*30 000*
Intérêts versés et charge d'intérêts.		

Calculs :

① (633 224 $ × 4,57 %)

② [(600 000 $ × 5 %) – 28 938 $]

③ (600 000 $ × 5 %)

15. Au chapitre 11, portant sur les placements, nous avons présenté une explication détaillée de la comptabilisation des opérations relatives aux fonds d'amortissement contractuels. Au besoin, le lecteur peut relire la sous-division traitant des fonds à usage particulier.

16. (N = 20, PMT = 30 000 $, PV = –633 224 $, FV = 600 000 $, CPT I ?)

31 octobre 20X1		
Intérêts sur emprunt obligataire ①	*28 890*	
Emprunt obligataire ②	*1 110*	
Intérêts à payer ③		*30 000*
Intérêts à payer et charge d'intérêts.		

Calculs :
① [(633 224 $ – 1 062 $) × 4,57 %]
② [(600 000 $ × 5 %) – 28 890 $]
③ (600 000 $ × 5 %)

1er novembre 20X1		
Intérêts à payer	*30 000*	
Caisse		*30 000*
Paiement des intérêts.		
1er mai 20X2		
Intérêts sur emprunt obligataire ①	*28 839*	
Emprunt obligataire ②	*1 161*	
Caisse ③		*30 000*
Intérêts versés et charge d'intérêts.		

Calculs :
① [(632 162 $ – 1 110 $) × 4,57 %]
② [(600 000 $ × 5 %) – 28 839 $]
③ (600 000 $ × 5 %)

31 octobre 20X2		
Intérêts sur emprunt obligataire ①	*28 786*	
Emprunt obligataire ②	*1 214*	
Intérêts à payer ③		*30 000*
Intérêts à payer et charge d'intérêts.		

Calculs :
① [(631 052 $ – 1 161 $) × 4,57 %]
② [(600 000 $ × 5 %) – 28 786 $]
③ (600 000 $ × 5 %)

Comme l'illustrent les comptes en T ci-après, la valeur comptable de l'emprunt obligataire diminue de l'excédent des intérêts calculés au taux d'intérêt nominal et des intérêts calculés au taux d'intérêt effectif. À la date d'échéance, la valeur comptable de l'emprunt obligataire correspondra à sa valeur nominale. Quant à la charge d'intérêts, elle diminue également, puisqu'elle est calculée sur la valeur comptable de l'emprunt obligataire au taux d'intérêt effectif. En ce qui a trait aux intérêts à payer, ils reflètent le taux d'intérêt contractuel sur la valeur nominale.

Emprunt obligataire

20X0			
		633 224	*1er nov.*
20X1			
1er mai	*1 062*		
31 oct.	*1 110*		
		631 052	
20X2			
1er mai	*1 161*		
31 oct.	*1 214*		
		628 677	

Intérêts à payer

20X1			
		30 000	*31 oct.*
		30 000	
1er nov.	*30 000*		
20X2		*0*	
		30 000	*31 oct.*
		30 000	

Intérêts sur emprunt obligataire

	Débit	Crédit	
20X1			
1er mai	*28 938*		
31 oct.	*28 890*		
	57 828		
		57 828	*31 oct.*
	0		
20X2			
1er mai	*28 839*		
31 oct.	*28 786*		
	57 625		

Avez-vous remarqué ?

Les obligations sont **initialement évaluées** à la juste valeur minorée des coûts d'émission. Elles sont comptabilisées lorsque l'émetteur devient partie prenante aux dispositions contractuelles des obligations.

L'**évaluation subséquente** repose sur le coût amorti selon la méthode du taux d'intérêt effectif, sauf si les obligations ont été classées À la juste valeur par le biais du résultat net. Cette méthode d'évaluation correspond à la valeur des sorties de trésorerie futures actualisée au taux d'intérêt effectif à la date d'émission.

L'incidence du traitement comptable des obligations sur les états financiers

Voici les extraits des états financiers d'Obliaprim inc. pour l'exercice terminé le 31 octobre 20X2.

OBLIAPRIM INC.
Situation financière partielle
au 31 octobre

	20X2	*20X1*
Passif courant		
Intérêts à payer	*30 000 $*	*30 000 $*
Passif non courant		
Emprunt obligataire, 5 % semestriellement, échéant en 20Y0	*628 677*	*631 052*

OBLIAPRIM INC.
Flux de trésorerie
de l'exercice terminé le 31 octobre

	20X2	*20X1*
Activités d'exploitation		
Bénéfice net	*XX $*	*XX $*
Intérêts sur emprunt obligataire	*57 625*	*57 828*
Intérêts sur emprunt obligataire payés ①	*(60 000)*	*(30 000)*
Activités de financement		
Émission d'obligations ②		*633 224*

Remarques :

① Rappelons qu'il est aussi acceptable de présenter les intérêts payés parmi les activités de financement.

② Il s'agit du prix d'émission de 639 024 $ moins les coûts d'émission de 5 800 $.

La figure 13.4 illustre l'incidence du traitement comptable des obligations sur les états financiers.

13

FIGURE 13.4 L'incidence du traitement comptable des obligations sur les états financiers

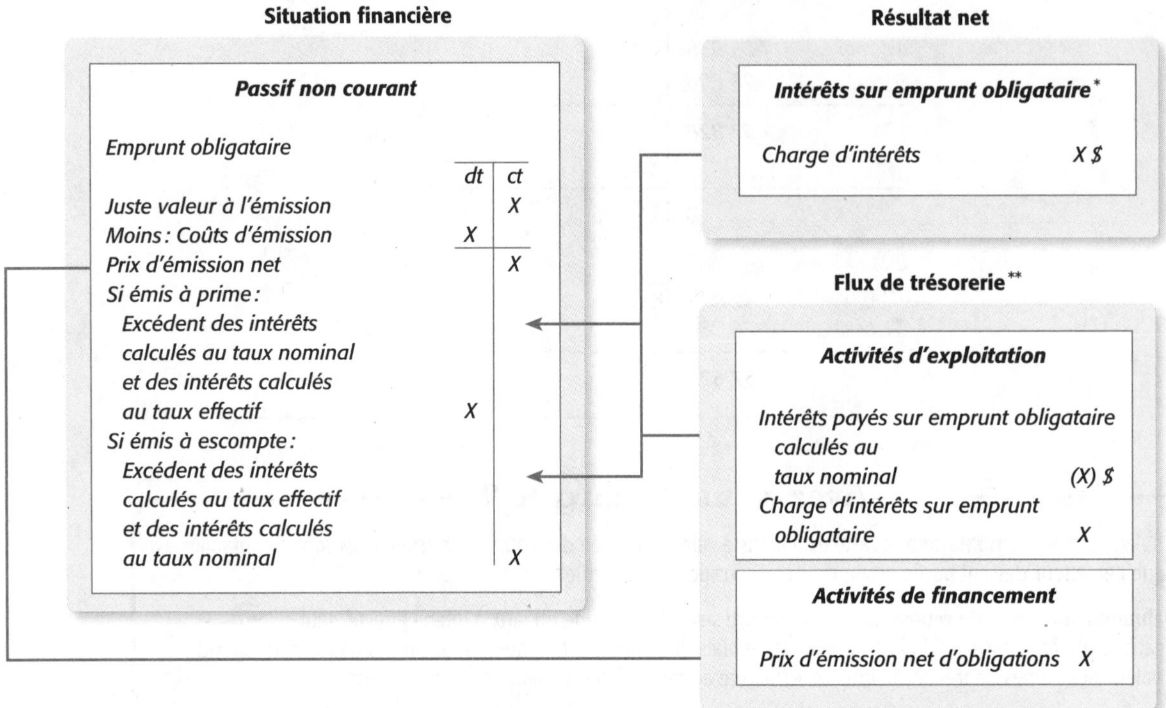

* L'IASB recommande d'indiquer la charge d'intérêts totale calculée selon la méthode du taux d'intérêt effectif [*Manuel de CPA Canada – Comptabilité – Partie I*, IFRS 7, paragr. 20(b)].

** Nous utilisons la méthode indirecte pour la présentation du tableau des flux de trésorerie. Au chapitre 2 (*voir page 2.48*), nous avons vu que les entreprises peuvent aussi opter pour une présentation selon la méthode directe, ce qui aurait pour effet de modifier le contenu de la section Activités d'exploitation.

13

Source : Nicole Lacombe et Daniel McMahon

Le traitement comptable des emprunts obligataires À la juste valeur par le biais du résultat net

Différence NCECF

Au moment de la comptabilisation initiale, une entreprise peut, si cela lui permet de présenter des informations d'une pertinence accrue, classer ses obligations comme étant des **passifs financiers À la juste valeur par le biais du résultat net**. Leur évaluation initiale se fait à la juste valeur non minorée des coûts de transaction[17]. Ceux-ci sont comptabilisés en résultat net dès qu'ils sont engagés, contrairement aux passifs évalués au coût amorti dont les coûts de transaction sont comptabilisés en diminution de la valeur comptable de l'emprunt obligataire. Rappelons que si la juste valeur des obligations lors de la comptabilisation initiale diffère du prix de transaction, elle doit être évaluée au moyen d'une technique d'évaluation[18]. La charge d'intérêts pourra être déterminée selon le taux d'intérêt nominal. L'obligation d'utiliser la méthode du taux d'intérêt effectif est réservée aux passifs évalués au coût amorti.

Par la suite, à chaque date d'établissement des états financiers, les obligations sont évaluées à leur juste valeur. Pour calculer la juste valeur, il faut se reporter à l'**IFRS 13**, intitulée « Évaluation de la juste valeur ». Dans le cas des obligations qui se négocient sur un marché actif, on peut se servir du cours acheteur (prix payé par l'investisseur) pour évaluer la juste valeur. Par contre, si aucun cours n'est disponible sur un marché actif, l'entreprise doit évaluer la juste valeur. Elle peut utiliser une technique d'actualisation traditionnelle consistant à actualiser les flux de trésorerie attendus au taux du marché à la date d'établissement des états financiers. Ce taux doit notamment tenir compte de la durée restante jusqu'au remboursement du principal

17. *Manuel de CPA Canada – Comptabilité – Partie I*, IFRS 9, paragr. 5.1.1.
18. *Manuel de CPA Canada – Comptabilité – Partie I*, IFRS 9, paragr. B5.1.1.

à l'échéance et de la qualité du crédit de l'émetteur. Nous avons traité en profondeur de l'évaluation de la juste valeur au chapitre 3.

Les variations de la juste valeur qui sont attribuables aux variations du risque de crédit associé à ce passif sont présentées parmi les autres éléments du résultat global et les autres variations de la juste valeur le sont en résultat net de l'exercice au cours duquel elles surviennent[19]. L'objectif de cette recommandation est de montrer aux utilisateurs des états financiers l'effet sur la juste valeur de la variation du taux interne de rendement propre à l'instrument. En excluant l'effet de la variation du taux d'intérêt de référence, et dans la mesure où le taux de référence tient compte de la situation économique générale et de celle du secteur d'activité, il est possible de voir la portion de la juste valeur qui ressort du risque lié à l'entreprise elle-même, permettant ainsi de mieux évaluer la responsabilité de gérance. L'IASB stipule que : « Les montants présentés dans les autres éléments du résultat global ne doivent pas être ultérieurement virés au résultat net. L'entité peut cependant virer le cumul des profits et des pertes à une autre composante des capitaux propres[20]. »

Comme indiqué au paragraphe B5.7.18 de l'IFRS 9, intitulée « Instruments financiers », si les seuls changements pertinents et importants dans les conditions de marché sont les variations d'un taux d'intérêt (de référence) observé, le montant de la variation de la juste valeur qui est attribuable aux variations du risque de crédit peut être estimé comme suit :

1. Déterminer le taux de rendement interne (TRI) spécifique au passif. Pour ce faire :
   a) calculer le TRI du passif en début d'exercice en utilisant la juste valeur de ce passif et ses flux de trésorerie contractuels ;
   b) déduire du montant obtenu en a) le taux d'intérêt (de référence) observé en début d'exercice. Par exemple, le taux d'intérêt sans risque publié par la Banque du Canada.
2. Calculer la valeur actualisée des flux de trésorerie contractuels du passif en utilisant un taux d'actualisation égal à la somme :
   a) du taux d'intérêt (de référence) observé à la fin de l'exercice ; et
   b) du TRI propre au passif, tel que déterminé en 1.
3. La différence entre la juste valeur du passif à la fin de l'exercice et le montant déterminé en 2. correspond à la variation de la juste valeur qui est attribuable aux variations des risques de crédit du passif.

Toutefois, le paragraphe B5.7.16(b) précise que si les changements importants dans les conditions de marché sont dus à d'autres facteurs que les variations du taux de référence, l'entreprise doit utiliser une méthode qui lui permet d'évaluer plus fidèlement les effets des variations du risque de crédit du passif.

EXEMPLE

Obligations classées À la juste valeur par le biais du résultat net

La société Nupar inc., émet au début de 20X0 des obligations d'une valeur nominale de 4 000 000 $, échéant dans 4 ans et prévoyant des intérêts payables annuellement au taux d'intérêt nominal de 7,5 %. Ces obligations sont émises au coût de 4 067 744 $, car le taux du marché se situe à ce moment à 7 %[21]. Le taux d'intérêt sans risque est de 6 % au début de l'exercice. Le premier versement d'intérêts a lieu à la fin de 20X0, date à laquelle le taux du marché s'élève à 9 % et le taux d'intérêt sans risque, à 7 %. À la fin de 20X0, la juste valeur des obligations s'élève à 3 848 122 $[22]. Les écritures suivantes sont requises pour comptabiliser ces transactions :

Début 20X0		
Caisse	*4 067 744*	
Emprunt obligataire		*4 067 744*
Émission à prime d'obligations d'une valeur nominale de 4 000 000 $ échéant dans 4 ans.		

19. *Manuel de CPA Canada – Comptabilité – Partie I*, IFRS 9, paragr. 5.7.7(a).
20. *Manuel de CPA Canada – Comptabilité – Partie I*, IFRS 9, paragr. B5.7.9.
21. (N = 4, I = 7 %, PMT = 300 000 $, FV = 4 000 000 $, CPT PV?)
22. (N = 3, I = 9 %, PMT = 300 000 $, FV = 4 000 000 $, CPT PV?)

Fin 20X0

Intérêts sur la dette non courante	*300 000*	
Caisse (4 000 000 $ × 7,5 %)		*300 000*
Intérêts versés et charge d'intérêts.		
*Emprunt obligataire*①	*219 622*	
*Profit latent sur variation de la juste valeur de l'emprunt obligataire (AERG)*②		*100 336*
*Profit sur variation de la juste valeur de l'emprunt obligataire*③		*119 286*
Variation de la juste valeur de l'emprunt obligataire.		

Calculs :

① (4 067 744 $ – 3 848 122 $)

② Variation de la juste valeur attribuable aux variations du risque de crédit

Juste valeur de l'emprunt obligataire à la fin de l'exercice	3 848 122 $
Valeur actualisée totale de la dette*	3 948 458
Différence attribuable aux variations du risque de crédit	100 336 $

* (N = 3, I = 8 %**, PMT = 300 000 $, FV = 4 000 000 $, CPT PV ?)

** Taux d'actualisation à utiliser

TRI propre à l'emprunt obligataire	
TRI de l'emprunt obligataire en début d'exercice (taux du marché)	7 %
Taux d'intérêt sans risque en début d'exercice	6 %
TRI propre à l'emprunt obligataire	1 %
Taux d'actualisation à utiliser	
Taux d'intérêt sans risque à la fin de l'exercice	7 %
TRI propre à l'emprunt obligataire (calculé précédemment)	1 %
Taux d'actualisation à utiliser	8 %

③ (4 067 744 $ – 3 948 458 $)

Le profit de 100 336 $ correspond au changement de la juste valeur imputable aux changements du risque de crédit propre à l'emprunt obligataire. Il est présenté dans les autres éléments du résultat global. Le profit de 119 286 $ représente quant à lui les variations dues au taux d'intérêt (de référence) observé et est présenté en résultat net de l'exercice. Le profit total de 219 622 $ témoigne de l'avantage que réalise l'entreprise de ne devoir payer que 7,5 % d'intérêts, alors que le taux du marché est supérieur, se situant à 9 %.

Avez-vous remarqué ?

Les coûts de transaction liés à l'émission d'un emprunt obligataire classé À la juste valeur par le biais du résultat net sont comptabilisés en résultat net. La charge d'intérêts peut être déterminée selon le taux d'intérêt nominal appliqué à la valeur nominale. L'évaluation subséquente se fait à la juste valeur. La variation de la juste valeur de l'emprunt obligataire qui est attribuable aux variations du risque de crédit doit être présentée dans les autres éléments du résultat global, alors que les autres variations sont présentées en résultat net. Les utilisateurs des états financiers peuvent ainsi mieux interpréter les variations de la juste valeur découlant du risque de crédit que représente l'entreprise.

Différence NCECF

Jusqu'à présent, nous avons traité de la détermination du prix d'une émission d'obligations et de sa comptabilisation en tenant pour acquis que les obligations demeuraient en circulation jusqu'à leur échéance. Voyons maintenant ce qui se passe lors du remboursement des obligations, que ce soit à la date d'échéance ou à tout autre moment.

 Le remboursement des emprunts obligataires

Lorsque les obligations demeurent en circulation jusqu'à leur date d'échéance, la comptabilisation de leur remboursement[23] ne pose aucun problème particulier, car la somme remboursée aux obligataires correspond à la valeur nominale qui, à cette date, est égale à la valeur comptable des obligations. L'écriture requise lors du remboursement consiste essentiellement à débiter le compte Emprunt obligataire et à créditer le compte Caisse.

Au cours des dernières années, de nombreuses entreprises ont décidé ou ont été contraintes de rembourser par anticipation un emprunt obligataire. Le **remboursement anticipé** peut prendre diverses formes, que l'on groupe comme suit :

1. **L'émetteur rembourse les obligataires actuels et est ainsi relevé de toute obligation présente ou future à leur égard.** Le remboursement d'un emprunt obligataire peut s'effectuer de plusieurs façons :
   a) L'émetteur peut procéder par **rachat** pur et simple en offrant aux obligataires un montant correspondant à la valeur des obligations sur le marché libre.
   b) Lorsque les obligations sont **remboursables par anticipation**, l'émetteur peut exercer son privilège de rachat et verser le montant qui avait été prévu à cette fin lors de l'émission.
2. **L'émetteur peut être libéré légalement ou de fait de sa dette obligataire.** Lorsque le remboursement d'un emprunt obligataire est pris en charge par une autre entreprise, on est en présence d'un **désendettement légal** en vertu duquel l'emprunt obligataire ne figure plus dans l'état de la situation financière de l'émetteur. Par contre, lorsque certains actifs sont confiés à un fiduciaire à des fins précises de remboursement d'un emprunt obligataire, il s'agit d'un **désendettement de fait.** Nous verrons plus loin que le fait de transférer des actifs à un mandataire ne répond pas aux conditions de décomptabilisation énoncées par l'IASB.

Notons que la conversion des obligations ne constitue pas un remboursement anticipé, car la décision de les convertir appartient à l'obligataire et non à l'entreprise émettrice.

L'IASB énonce une règle générale en ce qui concerne la **décomptabilisation d'un passif financier** : « L'entité doit sortir un passif financier (ou une partie de passif financier) de son état de la situation financière uniquement lorsque ce passif est éteint, c'est-à-dire lorsque l'obligation précisée au contrat est exécutée, qu'elle est annulée ou qu'elle expire[24]. »

Avant d'analyser chacune des formes possibles de remboursement anticipé, il y a lieu de s'interroger sur les facteurs qui peuvent motiver une entreprise à rembourser par anticipation un emprunt obligataire.

13

Les éléments déclencheurs d'un remboursement anticipé

Plusieurs facteurs peuvent motiver une entreprise à rembourser par anticipation un emprunt obligataire. Premièrement, lorsque le taux d'intérêt sur le marché au temps $t + i$ excède le taux d'intérêt effectif des obligations déterminé au temps t (soit lors de la vente des obligations), la juste valeur des obligations est inférieure au coût amorti calculé au taux d'intérêt effectif initial. En effet, l'actualisation à un taux plus élevé conduit à une valeur actualisée plus faible. L'entreprise émettrice peut alors réaliser un profit comptable en effectuant un remboursement anticipé sur le marché libre.

À l'opposé, si le taux d'intérêt courant du marché au temps $t + i$ est inférieur au taux d'intérêt effectif des obligations déterminé au temps t, la juste valeur des obligations excède le coût amorti calculé au taux d'intérêt effectif initial. Il peut alors être avantageux pour une entreprise de procéder à un refinancement même si elle devra alors comptabiliser une perte comptable en résultat net. Le taux d'intérêt contractuel des nouvelles obligations étant inférieur au taux d'intérêt des obligations remboursées, l'entreprise pourra ainsi réaliser des économies futures substantielles jusqu'à l'échéance des obligations.

De plus, une entreprise qui désire améliorer sa capacité d'emprunt peut modifier favorablement son ratio d'endettement en exerçant son privilège de rachat des obligations.

23. Dans la présente section, nous prenons l'exemple des emprunts obligataires pour illustrer le remboursement des dettes non courantes, mais nos propos peuvent s'appliquer à toutes les formes de dettes non courantes.
24. *Manuel de CPA Canada – Comptabilité – Partie I*, IFRS 9, paragr. 3.3.1.

Le remboursement d'une dette obligataire

Quelle que soit la forme du remboursement, à la date du remboursement des obligations, on doit comptabiliser un profit ou une perte égal à la différence entre le prix de remboursement et la valeur comptable des obligations remboursées.

Le **prix de remboursement** correspond à la somme versée aux obligataires en remboursement des obligations ainsi qu'aux coûts de remboursement. Comme nous l'avons mentionné, la somme versée aux obligataires excède généralement la valeur nominale des obligations, car ceux-ci doivent être dédommagés des inconvénients liés au remboursement avant échéance.

Lorsque la date du remboursement ne correspond pas à une date de paiement d'intérêt, on doit, avant de comptabiliser le remboursement, comptabiliser la charge d'intérêts jusqu'à la date de remboursement et, s'il y a lieu, ajuster la valeur comptable des obligations.

Le **profit ou la perte sur remboursement anticipé d'obligations** correspond à la différence entre le prix du remboursement et la valeur comptable des obligations remboursées. Comme l'illustre la figure 13.5, lorsque l'entreprise débourse un montant plus élevé que la valeur comptable inscrite à ses livres, elle comptabilise une perte ; dans le cas contraire, elle comptabilise un profit.

FIGURE 13.5 Le profit ou la perte sur remboursement anticipé

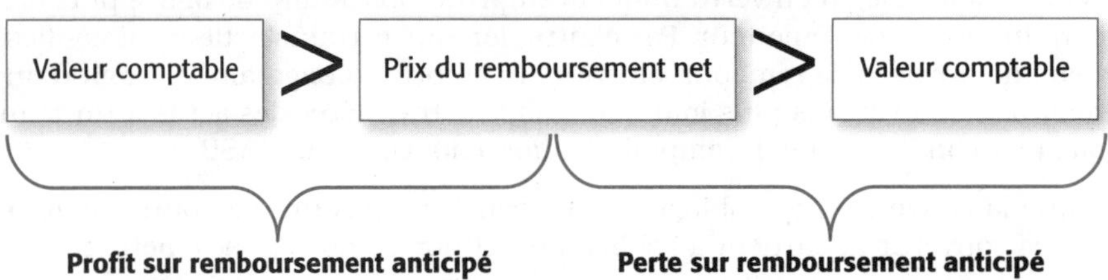

Examinons maintenant plus en détail les diverses formes d'un remboursement de la dette obligataire qui libère définitivement l'entreprise émettrice de toute obligation envers les obligataires.

13

Le remboursement au moyen d'un rachat sur le marché libre

Nous avons déjà mentionné que lorsque le taux d'intérêt courant du marché est à la hausse et que, de ce fait, la juste valeur des obligations est à la baisse, l'entreprise émettrice peut réaliser un profit en offrant aux obligataires de racheter leurs obligations à leur juste valeur.

EXEMPLE

Remboursement au moyen d'un rachat libre sur le marché

Reprenons les données de la société Obliaprim inc., à la page 13.25, en supposant que le taux d'intérêt semestriel du marché a connu une forte hausse au début de 20X2 pour se stabiliser à 7 % au 1er novembre 20X2. La juste valeur des obligations a dès lors subi une baisse considérable. Théoriquement, elle s'établirait à 486 640 $[25] au 1er novembre.

En pratique, nous n'avons pas à faire ce calcul, car les obligations sont généralement cotées sur le marché, ce qui signifie que leur cote officielle est disponible le 1er novembre 20X2. Elle devrait être approximativement de 81,11, soit la valeur théorique de 486 640 $ divisée par la valeur nominale de 600 000 $.

Compte tenu de la faible valeur des obligations sur le marché et afin d'inciter les obligataires à se départir de leur investissement, la direction d'Obliaprim inc. a décidé d'offrir à l'ensemble de ces derniers de racheter leurs obligations à 82, plus les intérêts courus, prix qui excède légèrement leur juste valeur. L'offre de la société est valable jusqu'au 30 novembre 20X2, date

25. (N = 16, I = 7 %, PMT = 30 000 $, FV = 600 000 $, CPT PV?)

à laquelle le rachat sera fait. Quand arrive cette date, 90 % des obligataires ont accepté l'offre de la société, et celle-ci enregistre les écritures de journal suivantes :

1**er* ***novembre 20X2		
Intérêts à payer	*30 000*	
Caisse		*30 000*
Paiement des intérêts.		
30 novembre 20X2		
Intérêts sur emprunt obligataire ①	*4 310*	
Emprunt obligataire ②	*190*	
Intérêts à payer ③		*4 500*
Intérêts à payer et charge d'intérêts sur 90 % des obligations rachetées.		

Calculs :

① (628 677 $ × 90 % × 4,57 % × 1 mois ÷ 6 mois) (*voir la page 13.25 pour le taux de 4,57 % et la page 13.26 pour la valeur comptable*)

② [(600 000 $ × 90 % × 5 % × 1 mois ÷ 6 mois) – 4 310 $]

③ (600 000 $ × 90 % × 5 % × 1 mois ÷ 6 mois)

Emprunt obligataire ①	*565 619*	
Intérêts à payer ②	*4 500*	
Caisse ③		*447 300*
Profit sur remboursement anticipé d'obligations ①		*122 819*
Rachat à 82 de 90 % des obligations en circulation.		

Calculs et explications :

① Valeur comptable des obligations au 31 octobre 20X2	628 677 $
Portion remboursée	× 90 %
Valeur comptable au 31 octobre 20X2 des obligations remboursées	565 809
Excédent des intérêts calculés au taux nominal et des intérêts calculés au taux effectif au 30 novembre 20X2	(190)
Valeur comptable au 30 novembre des obligations remboursées	565 619
Moins : Coût du remboursement (600 000 $ × 0,82 × 90 %)	(442 800)
Profit sur remboursement anticipé d'obligations	122 819 $
② Intérêts courus du 1er au 30 novembre (*voir l'écriture du 30 novembre ci-dessus*)	
③ Coût du remboursement (600 000 $ × 0,82 × 90 %)	442 800 $
Plus : Intérêts courus au 30 novembre*	4 500
Débours	447 300 $

* Puisque le 30 novembre n'est pas une date de paiement des intérêts, seuls 90 % des obligataires qui ont accepté l'offre de rachat ont reçu les intérêts.

Le remboursement d'obligations rachetables

Le traitement comptable du remboursement d'obligations rachetables est semblable à celui d'un remboursement au moyen d'un rachat sur le marché libre. La seule différence réside dans le fait que, dans ce cas, l'entreprise peut exercer son privilège de rachat sans tenir compte de la volonté des obligataires. Autrement dit, si l'entreprise émettrice décide de rembourser les obligations rachetables, l'obligataire est tenu d'accepter l'offre de rachat de l'entreprise. Le plus souvent, le prix du rachat est fixé d'avance au contrat obligataire.

Des obligations assorties d'un droit de rachat sont des instruments financiers composés dont l'une des composantes est un dérivé incorporé. Comme nous l'expliquerons au chapitre 19, l'émetteur de telles obligations doit parfois comptabiliser distinctement le dérivé incorporé. Dans les paragraphes subséquents, nous tiendrons pour acquis que l'émetteur était justifié de ne pas comptabiliser distinctement la valeur du dérivé incorporé.

EXEMPLE

Remboursement d'obligations rachetables

La société G. Racheté inc. a émis à 110 des obligations d'une valeur nominale de 500 000 $. La société a engagé des coûts d'émission de 10 000 $, et les obligations portent intérêt au taux annuel de 10 %, payable le 2 janvier de chaque année. De plus, la société peut racheter les obligations à 102 à chaque date de versement des intérêts. Cinq ans après l'émission des obligations et immédiatement après avoir versé les intérêts annuels, la conjoncture économique est telle que la société décide de racheter et d'annuler le jour même la totalité des obligations en circulation. Elle comptabilise ce passif financier au coût amorti. À cette date, la valeur comptable des obligations est de 520 000 $. Le profit sur remboursement des obligations est établi de la façon suivante :

Valeur comptable des obligations remboursées	*520 000 $*
Prix de remboursement (500 000 $ × 1,02)	*(510 000)*
Profit sur remboursement anticipé	*10 000 $*

Le 2 janvier 20X6, l'écriture suivante permet de comptabiliser le rachat et l'annulation des obligations rachetables :

Emprunt obligataire	*520 000*	
Caisse		*510 000*
Profit sur remboursement anticipé d'obligations		*10 000*
Rachat à 102 de la totalité des obligations en circulation.		

13

Le désendettement

Nous avons dit précédemment que le remboursement anticipé d'un emprunt obligataire peut se faire au moyen d'une opération de désendettement. Il importe de bien distinguer les deux types d'opérations de désendettement que sont le désendettement légal et le désendettement de fait, car ils aboutissent à un traitement comptable fort différent.

Le désendettement légal

Lors d'un **désendettement légal** (*defeasance*), l'entreprise émettrice est libérée de son obligation légale vis-à-vis du remboursement des obligations en circulation, car une autre partie accepte d'assumer cette responsabilité. Ainsi, lorsqu'une filiale a de sérieuses difficultés financières, une société mère peut accepter de prendre en charge le remboursement d'obligations émises par la filiale, laquelle est alors légalement relevée de l'obligation de rembourser la dette obligataire à l'échéance. Lorsque l'entreprise émettrice a recours au désendettement légal, la filiale, dans notre exemple, doit donc débiter le compte Emprunt obligataire et créditer le compte Profit sur désendettement légal. Pour sa part, la partie qui prend la dette en charge doit débiter le compte Perte sur désendettement légal.

Le désendettement de fait

Le **désendettement de fait** (*in-substance defeasance*) est une opération selon laquelle l'entreprise émettrice, plutôt que de se libérer légalement de sa responsabilité vis-à-vis des obligataires, dépose en fiducie irrévocable une certaine somme d'argent ou des valeurs sûres destinées à couvrir le paiement des intérêts périodiques et le remboursement du principal de l'une ou de plusieurs émissions d'obligations[26].

26. Cette caractéristique différencie le désendettement de fait des obligations assorties d'un fonds d'amortissement expliquées plus tôt. En effet, dans le dernier cas, l'entreprise doit continuer à faire des versements périodiques au fonds, tandis que dans le cas d'un désendettement de fait, elle n'a plus à effectuer de tels versements.

Bien que l'entreprise émettrice ne soit pas libérée de sa responsabilité légale vis-à-vis de l'emprunt obligataire, le désendettement de fait est une solution attrayante lorsque l'entreprise émettrice dispose d'une trésorerie suffisante pour rembourser un emprunt obligataire, mais ne peut le faire pour des raisons légales ou autres.

La question qui se pose consiste à savoir si l'émetteur peut décomptabiliser le placement acquis et l'emprunt obligataire pour comptabiliser un profit ou une perte égal à la différence entre leurs valeurs comptables respectives. Une telle pratique est inadmissible selon l'IASB. En effet, la décomptabilisation d'un passif financier nécessite que le débiteur soit juridiquement dégagé de sa responsabilité, et un désendettement de fait ne suffit pas à lui seul à relever le débiteur de son obligation première vis-à-vis le créancier[27].

EXEMPLE

Désendettement de fait

Le 2 janvier 20X0, la valeur comptable des obligations en circulation de la société Ingénieuse ltée est de 900 000 $.

Ingénieuse ltée dispose d'une trésorerie suffisante pour rembourser les obligations ; toutefois, comme l'investisseur qui détient la quasi-totalité des obligations est satisfait du rendement obtenu, il ne désire pas se départir de son investissement. Ne reculant devant aucune dépense d'énergie, Ingénieuse ltée scrute les pages financières des journaux et découvre qu'elle pourrait acquérir des obligations d'une autre entreprise d'une valeur nominale de 1 000 000 $ venant à échéance dans 5 ans, soit au même moment que son emprunt obligataire. Les obligations de cette autre entreprise comportent un taux contractuel de 9 %, tandis que le taux du marché est de 12 %. Ingénieuse ltée peut donc acquérir ce placement à sa juste valeur de 891 857 $[28].

Encore là, en pratique, il n'est pas nécessaire d'effectuer ce calcul, car les obligations sont cotées sur le marché, ce qui signifie que leur cote officielle est disponible le 2 janvier 20X0. La cote devrait être approximativement de 89,19, soit la valeur théorique de 891 857 $ divisée par la valeur nominale de 1 000 000 $.

Flairant la bonne affaire, Ingénieuse ltée achète les obligations et les dépose dans une fiducie irrévocable afin de pourvoir au remboursement des intérêts et de la dette obligataire. Ainsi, le fiduciaire pourra utiliser les intérêts de 90 000 $ (1 000 000 $ × 9 %) gagnés sur le placement en obligations pour payer les intérêts de 80 000 $ (1 000 000 $ × 8 %) sur les obligations émises par Ingénieuse ltée. À l'échéance du placement, le fiduciaire obtiendra 1 000 000 $, ce qui permettra de rembourser les obligations émises par Ingénieuse ltée. La société pourrait être tentée de décomptabiliser son placement en obligations et son emprunt obligataire et présenter un profit de 8 143 $ (900 000 $ – 891 857 $) dans l'état du résultat global. Ceci n'est pas permis selon les IFRS puisque Ingénieuse ltée demeure responsable des obligations à payer.

Dans une telle situation, certains préparateurs d'états financiers, s'inspirant de la recommandation de l'IASB en matière de compensation d'un actif financier et d'un passif financier, voudront présenter le **solde net après compensation** pour autant que les actifs transférés au fiduciaire aient été acceptés par les créanciers en vue du règlement éventuel de l'emprunt obligataire et que le fiduciaire, quant à lui, n'assume aucun risque étant donné le fait que l'entreprise émettrice n'est pas libérée de sa responsabilité légale. Si tel est le cas d'Ingénieuse ltée, le solde net après compensation est établi de la façon suivante :

Emprunt obligataire	*900 000 $*
Moins : Placements – Obligations	*(891 857)*
Solde net après compensation	*8 143 $*

Nous avons expliqué en détail les critères de compensation des instruments financiers au chapitre 4.

27. *Manuel de CPA Canada – Comptabilité – Partie 1*, IFRS 9, paragr. B3.3.3.

28. (N = 5, I = 12 %, PMT = 90 000 $, FV = 1 000 000 $, CPT PV?)

Les obligations remboursées et non annulées

Jusqu'à présent, dans notre étude des diverses formes que peut prendre le remboursement d'un emprunt obligataire, nous avons toujours émis l'hypothèse que les obligations étaient annulées en débitant le compte Emprunt obligataire. Lorsque l'entreprise émettrice n'annule pas immédiatement les obligations remboursées, elle doit débiter le compte Obligations remboursées et non annulées et comptabiliser le profit ou la perte découlant du remboursement. Le compte **Obligations remboursées et non annulées** n'est pas un compte d'actif ; il doit être présenté en contrepartie du compte Emprunt obligataire afin de dégager la valeur comptable des obligations réellement en circulation. Lorsque les obligations sont remises en circulation ou lorsqu'elles sont effectivement annulées, l'entreprise doit créditer le compte Obligations remboursées et non annulées.

Avez-vous remarqué ?

La décomptabilisation d'un emprunt obligataire est permise lorsque l'émetteur est libéré de ses obligations envers les investisseurs. Lors d'un remboursement anticipé des emprunts obligataires, puisque le prix de remboursement diffère généralement de la valeur comptable des obligations, il en découle un profit ou une perte sur remboursement. Cet écart permet aux utilisateurs des états financiers d'évaluer le coût de cette décision financière.

Les obligations assorties d'un privilège d'accession à l'actionnariat

Le prix d'émission de tous les types d'obligations dont il a été question jusqu'à présent est largement tributaire du taux de rendement exigé par les investisseurs sur le marché. Cependant, plutôt que de laisser le marché fixer le prix d'émission des obligations, une entreprise émettrice peut poser certains gestes ayant pour effet de rendre les obligations plus attrayantes. Ainsi, elle peut émettre des obligations convertibles ou attacher à l'obligation un bon de souscription à des actions.

13

Les obligations convertibles

Une **obligation convertible** peut être échangée, au gré de l'obligataire, contre un certain nombre d'actions ordinaires déterminé d'avance. L'investisseur et l'entreprise émettrice peuvent tous deux tirer avantage de ce genre de titre.

Le point de vue de l'investisseur

Le détenteur d'obligations convertibles a l'avantage de pouvoir à la fois tirer un rendement certain au cours de la période de détention des titres et de profiter de l'augmentation du cours des actions ordinaires en convertissant ses obligations en actions. Ainsi, au cours de la période de détention des obligations, il reçoit périodiquement des intérêts sur son placement. Lorsque la valeur des actions ordinaires de l'entreprise émettrice augmente sur le marché au cours de cette même période, l'obligataire peut améliorer sa situation financière sans avoir à investir de trésorerie supplémentaire en exerçant son **privilège de conversion**. Par contre, lorsque la valeur des actions ordinaires n'atteint pas un niveau suffisamment élevé pour inciter l'investisseur à exercer son privilège de conversion, il a, sans avoir pris trop de risques, encaissé les intérêts périodiques et obtenu le remboursement, à la date d'échéance, de son placement en obligations.

Prenons l'exemple de la société Convertible ltée, qui a émis 1 000 obligations convertibles d'une valeur nominale de 1 000 $ chacune, portant intérêt au taux contractuel annuel de 9 %, payable annuellement et échéant dans 10 ans. Chaque obligation est convertible en 50 actions ordinaires sans valeur nominale de Convertible ltée. Au moment de l'émission des obligations, les actions ordinaires de la société se négocient à 18 $ chacune sur le marché.

Si le cours des actions ordinaires se maintenait entre 18 $ et 20 $, il serait peu probable qu'un obligataire exerce son privilège de conversion. Toutefois, si le cours des actions atteint, par exemple 25 $, il y a fort à parier qu'un obligataire exercera son privilège car, ce faisant, il pourra réaliser rapidement un profit de 250 $ [(50 actions × 25 $) – 1 000 $], soit presque 3 fois le rendement annuel sur l'obligation (1 000 $ × 9 % = 90 $). La décision de l'investisseur reposera aussi sur la croissance attendue de la juste valeur des actions.

Le point de vue de l'entreprise émettrice

L'émission d'obligations convertibles procure également des avantages à l'entreprise émettrice. En effet, l'émission d'obligations assorties d'un privilège de conversion a pour effet de rendre ces obligations plus attrayantes et de permettre à l'entreprise émettrice d'obtenir de la trésorerie à un taux d'intérêt moindre que celui qu'elle paierait si elle émettait un titre d'emprunt ordinaire. Ainsi, en supposant que le rendement exigé sur le marché est de 12 %, une entreprise peut émettre des obligations convertibles offrant un taux d'intérêt contractuel de 9 %, par exemple. Si l'entreprise est très prospère, un investisseur peut fort bien se contenter de ce taux d'intérêt moins élevé en vue de profiter d'une croissance appréciable de la valeur des actions ordinaires sur le marché.

Le privilège de conversion offre aussi à l'entreprise émettrice l'avantage d'assurer une extinction automatique de la dette à mesure que les obligataires convertissent leurs obligations en actions ordinaires. Non seulement la dette est-elle éteinte automatiquement, mais l'entreprise réussit alors à augmenter ses capitaux propres à un coût moindre. On peut même dire que, à la date d'émission des obligations convertibles, l'entreprise vend des actions ordinaires à un prix sensiblement supérieur à leur cours.

Pour illustrer ce qui précède, reprenons l'exemple de la société Convertible ltée. Pour obtenir un financement de 1 000 000 $, la société aurait dû émettre 55 556 actions ordinaires à 18 $ chacune. Ayant plutôt opté pour une émission d'obligations convertibles, elle a obtenu 1 000 000 $ en s'engageant à émettre plus tard 50 000 actions ordinaires. Lors de la conversion, la société aura donc émis 5 556 actions de moins pour obtenir le financement désiré. On peut donc dire que cette émission d'obligations équivaut à une vente d'actions ordinaires à 20 $ chacune, soit à 2 $ de plus que le cours du marché à cette date.

Force est d'admettre que chacun y trouve son compte. Il nous reste maintenant à examiner les problèmes liés à la comptabilisation des obligations convertibles, notamment en ce qui a trait à la date de l'émission, à la date de la conversion, lors du remboursement ou de l'annulation des obligations convertibles.

Le traitement comptable des obligations convertibles à la date de l'émission

Différence NCECF

13

Une obligation convertible portant intérêt au taux contractuel de 9 % doit normalement se vendre à un prix plus élevé qu'une obligation portant intérêt au même taux, mais ne comportant aucun privilège de conversion. Évidemment, cela n'est possible que si l'investisseur considère que le privilège de conversion est attrayant. Si tel est le cas, doit-on accorder au privilège de conversion une valeur comptable distincte de l'obligation ?

De l'avis de l'IASB, une obligation convertible est un instrument financier qui comporte deux composantes, soit un passif financier en vertu de l'engagement de rembourser l'obligation si elle est conservée jusqu'à l'échéance et un titre de capitaux propres en ce qui a trait à l'option en vertu de laquelle le détenteur a la faculté, pendant une période déterminée, de convertir l'obligation en actions ordinaires de l'entreprise émettrice[29]. En conséquence, l'IASB nous oblige à attribuer une partie du prix de l'émission d'obligations convertibles au privilège de conversion, car la substance de ces deux titres est fort différente et il importe que les utilisateurs des états financiers aient cette information.

EXEMPLE

Émission d'obligations convertibles

Reprenons l'exemple de Convertible ltée. Cette société a émis 1 000 obligations d'une valeur nominale de 1 000 $ chacune, portant intérêt au taux contractuel annuel de 9 %, payable annuellement et échéant dans 10 ans. Chaque obligation est convertible en 50 actions ordinaires de la société. Convertible ltée a obtenu 950 000 $ de financement grâce à l'émission de ces obligations convertibles. Le taux du marché était de 12 % pour une émission d'obligations similaires sans privilège de conversion, et Convertible ltée n'aurait obtenu que 830 493 $[30] si elle avait émis de telles obligations. On peut donc conclure que le privilège de conversion a une juste valeur de 119 507 $ (950 000 $ – 830 493 $), tandis que l'escompte d'émission est de 169 507 $, soit la valeur nominale de 1 000 000 $ moins la juste valeur d'une émission sans privilège de conversion de 830 493 $.

29. *Manuel de CPA Canada – Comptabilité – Partie I*, **IAS 32**, paragr. 29.

30. (N = 10, I = 12 %, PMT = 90 000 $, FV = 1 000 000 $, CPT PV?)

Le prix de l'émission des obligations convertibles est réparti entre la dette et les capitaux propres, le montant attribué à la dette devant correspondre au prix d'émission sans privilège de conversion, soit à 830 493 $. La différence entre le prix réel de l'émission et la dette ainsi comptabilisée est alors inscrite dans un compte de capitaux propres. Convertible ltée doit passer l'écriture suivante à la date de l'émission :

Caisse	*950 000*	
Emprunt obligataire		*830 493*
Capitaux propres – Privilège de conversion		*119 507*

Émission à 95 d'obligations échéant dans 10 ans, ayant une valeur nominale de 1 000 000 $ et un taux contractuel de 9 % et portant un taux d'intérêt effectif de 12 %. Chaque obligation est convertible en 50 actions ordinaires.

La méthode utilisée dans l'exemple précédent pour répartir le prix d'émission entre le passif financier que sont les obligations et le privilège de conversion est la **méthode marginale**. Cette dernière consiste à déterminer d'abord la valeur comptable de la composante de passif en évaluant la juste valeur d'un passif analogue non assorti d'une composante de capitaux propres, puis à attribuer la différence entre la juste valeur de l'instrument financier composé et la juste valeur de la composante de passif à la composante de capitaux propres[31].

Différence NCECF

Avez-vous remarqué ?

C'est la nécessité de refléter fidèlement les opérations qui justifie de comptabiliser distinctement la composante de passif (engagement de rembourser l'obligation) et la composante de capitaux propres (privilège de conversion ou bons de souscription) des obligations assorties d'un privilège d'accession à l'actionnariat. La méthode marginale est utilisée pour répartir le prix d'émission entre les deux composantes.

13

Le traitement comptable des obligations convertibles à la date de la conversion

La conversion d'obligations en actions ordinaires survient généralement à une date de paiement des intérêts ou immédiatement après. L'obligataire reçoit alors les intérêts courus au cours de la dernière période d'intérêt. Lorsque des obligations sont converties en actions ordinaires, on doit éliminer la valeur comptable de ces obligations et déterminer le montant auquel doivent être inscrites les actions données en échange.

La méthode recommandée par l'IASB pour comptabiliser la conversion d'obligations est la **méthode de la valeur comptable**[32].

> Lors de la conversion d'un instrument convertible à l'échéance, l'entité décomptabilise la composante passif et la comptabilise en capitaux propres. La composante capitaux propres initiale reste comptabilisée en capitaux propres (bien qu'elle puisse être transférée d'un poste de capitaux propres à un autre). Aucun profit ni perte n'est généré lors de la conversion à l'échéance[33].

EXEMPLE

Conversion d'obligations convertibles à la date de conversion

Poursuivons avec la société Convertible ltée en supposant que, six années après l'émission, la direction de la société a décidé de procéder au rachat de la totalité des obligations. Plutôt que d'accepter l'offre de rachat de Convertible ltée, les obligataires préfèrent exercer leur privilège de conversion, car le cours des actions ordinaires est alors de 24 $. À cette date, la valeur comptable de la dette obligataire est de 908 880 $ et celle du compte Capitaux propres – Privilège de conversion est toujours de 119 507 $.

31. *Manuel de CPA Canada – Comptabilité – Partie I*, IAS 32, paragr. 32.
32. Il serait aussi possible de comptabiliser les actions à leur juste valeur et de comptabiliser la différence dans le compte Résultats non distribués.
33. *Manuel de CPA Canada – Comptabilité – Partie I*, IAS 32, paragr. AG32.

La société échange donc des actions ayant une valeur de marché totale de 1 200 000 $ (1 000 000 $ ÷ 1 000 $ × 50 actions × 24 $) contre des obligations ayant une valeur comptable de 908 880 $ à laquelle s'ajoute la valeur attribuée initialement au privilège de conversion de 119 507 $. Doit-on tenir compte de la valeur de marché des actions données en échange ou tout simplement transférer la valeur comptable des obligations, plus la valeur attribuée au privilège de conversion aux comptes Actions ordinaires (pour la valeur nominale) et Prime d'émission d'actions ordinaires (pour l'excédent de la valeur nominale) ?

Selon la méthode de la valeur comptable, on ne doit pas tenir compte de la valeur de marché des actions et des obligations à la date de la conversion. Ainsi, il convient de comptabiliser les actions ordinaires émises à la valeur comptable des obligations converties de la façon suivante :

Emprunt obligataire	*908 880*	
Capitaux propres – Privilège de conversion	*119 507*	
Actions ordinaires		*1 028 387*
Conversion de la totalité des obligations convertibles en circulation moyennant l'émission de 50 000 actions ordinaires sans valeur nominale.		

Aucun profit (ni aucune perte) n'est comptabilisé lors de la conversion des obligations, puisque au moment de fixer le prix d'émission, la société a tenu compte de la possibilité que les obligations soient un jour échangées contre des actions ordinaires. Ce prix d'émission comprend donc à la fois la juste valeur des obligations et celle du privilège de conversion. Par conséquent, puisque la conversion des obligations découle d'une entente préétablie, aucun profit ni aucune perte ne doit être comptabilisé. Somme toute, les actions ordinaires émises à la suite de la conversion ne font que remplacer les obligations. Le montant du financement reçu ne s'accroît pas du simple fait de la conversion.

Selon la recommandation de l'IASB, il aurait également été possible de laisser le privilège de conversion dans un compte distinct aux capitaux propres plutôt que de le transférer dans le compte Actions ordinaires.

Tout l'exposé qui précède porte sur une conversion d'obligations en actions ordinaires survenue à une date de paiement des intérêts. Que se passe-t-il lorsque la conversion survient entre deux dates de paiement des intérêts ? Quand le paiement des intérêts courus n'est pas expressément stipulé dans l'acte de fiducie, l'entreprise émettrice n'a aucune dette à cet égard envers les obligataires. Ceux-ci renoncent donc aux intérêts courus, mais impayés à la date de la conversion. Cette renonciation aux intérêts courus est pleinement justifiée lorsque le cours des actions ordinaires connaît une forte hausse. Ainsi, les obligataires sacrifient les intérêts courus en échange d'une possibilité de rendement accru sur la valeur des actions ordinaires obtenues lors de la conversion.

L'entreprise émettrice devrait tout de même comptabiliser les intérêts courus auxquels les obligataires ont renoncé lors de la conversion. En vertu de l'IASB, « l'obligation de l'émetteur de procéder à des paiements planifiés du principal et des intérêts constitue un passif financier qui existe aussi longtemps que l'instrument n'est pas converti[34] ».

Comme nous l'avons fait ressortir dans la présente section, c'est la volonté de refléter fidèlement les opérations qui doit guider la comptabilisation des obligations convertibles. Certains titres de dettes peuvent être désignés comme étant convertibles alors que, dans les faits, ils seront nécessairement réglés en trésorerie et non par l'émission d'actions. En effet, les expressions **valeur de conversion** ou **ratio de conversion** sont parfois utilisées pour désigner non pas le nombre d'actions que recevra le détenteur de l'obligation, mais bien le montant qui sera versé à ce dernier lorsqu'il exercera son privilège de « conversion ». Il est donc nécessaire d'examiner les conditions de l'entente pour en établir la substance. À titre d'exemple, considérons la société Gibraltar inc., qui procède à l'émission de 100 obligations à leur valeur nominale de 500 $ en 20X5, pour un produit total d'émission de 50 000 $. Ces obligations comportent un privilège conférant aux détenteurs le droit d'en exiger le remboursement à partir du 31 décembre 20X8, selon un ratio de « conversion » de 15 actions pour une obligation. Au moment de l'émission, la juste valeur de l'action est de 30 $. Si le 31 décembre 20X8, les détenteurs exercent leur privilège alors que le cours de l'action est de

34. *Manuel de CPA Canada – Comptabilité – Partie I*, IAS 32, paragr. AG31(a).

40 $, le montant de 600 $ (40 $ × 15 actions) sera payé pour chacune des obligations. Pour un tel type d'obligation, il n'y a pas lieu de comptabiliser une composante de capitaux propres au moment de l'émission, puisque aucune action ordinaire ne sera émise par Gibraltar inc. Le ratio de « conversion » ne sert qu'à calculer le montant du remboursement. Comme nous l'avons déjà mentionné, l'option d'exiger un remboursement anticipé est un dérivé incorporé, ce dont traitera le chapitre 19.

Le remboursement d'obligations convertibles

Le remboursement d'obligations convertibles à l'échéance ne pose aucun problème particulier, car la valeur comptable des obligations est alors égale au montant du remboursement, c'est-à-dire à leur valeur nominale.

EXEMPLE

Remboursement d'obligations convertibles à la date d'échéance

Reprenons l'exemple de la société Convertible ltée, aux pages 13.37 et 13.38, en supposant cette fois que les obligations sont remboursées à la date d'échéance. Voici l'écriture que doit enregistrer la société pour tenir compte du remboursement :

	Débit	Crédit
Emprunt obligataire	*1 000 000*	
Capitaux propres – Privilège de conversion	*119 507*	
Caisse		*1 000 000*
Résultats non distribués		*119 507*
Remboursement à l'échéance de l'emprunt obligataire.		

Dans l'exemple précédent, vous remarquerez le simple transfert effectué à l'intérieur des comptes de capitaux propres pour signifier que le privilège de conversion est échu[35]. Il aurait également été possible de laisser le privilège de conversion dans un compte distinct aux capitaux propres plutôt que de le transférer dans le compte Résultats non distribués.

13

L'annulation d'obligations convertibles avant leur échéance

L'IASB s'est penché sur la question du traitement comptable à appliquer lors de l'annulation d'obligations convertibles à la suite d'un remboursement ou d'un rachat anticipé et d'une conversion anticipée provoquée. Essentiellement, voici ses recommandations :

> Lorsqu'une entité éteint un instrument convertible avant l'échéance par remboursement ou rachat anticipé sans modification des privilèges de conversion initiaux, l'entité affecte la contrepartie payée et tous les coûts de transaction du rachat ou du remboursement aux composantes passif et capitaux propres de l'instrument à la date de la transaction. La méthode utilisée pour affecter la contrepartie payée et les coûts de transaction aux différentes composantes est conforme à celle qui est utilisée pour l'affectation initiale aux différentes composantes des produits reçus par l'entité lors de l'émission de l'instrument convertible [...][36].
>
> Une fois l'affectation de la contrepartie effectuée, tout profit ou perte qui en résulte est traité selon les principes comptables applicables à la composante en question, comme suit :
>
> (a) le montant du profit ou de la perte correspondant à la composante passif est comptabilisé au résultat net ; et
>
> (b) le montant de la contrepartie relative à la composante capitaux propres est comptabilisé en capitaux propres[37].

35. Compte tenu de la notion de capital légal, que nous verrons au chapitre 14 (*voir les pages 14.9 et 14.10*), ce reclassement est intéressant, car Convertible ltée pourrait plus tard en utiliser le solde aux fins de déclaration de dividendes ou de résorption d'un déficit.

36. *Manuel de CPA Canada – Comptabilité – Partie I*, IAS 32, paragr. AG33.

37. *Manuel de CPA Canada – Comptabilité – Partie I*, IAS 32, paragr. AG34.

EXEMPLE

Annulation d'obligations convertibles avant leur échéance au moyen d'un rachat anticipé

Poursuivons notre exemple de Convertible ltée en supposant cette fois que la société présente aux obligataires une offre de rachat pour la somme totale de 1 200 000 $, offre qu'ils acceptent immédiatement. À la date du rachat, la valeur comptable des obligations est de 908 880 $. À ce moment, Convertible ltée aurait pu émettre au pair des obligations non convertibles échéant dans 4 ans et portant intérêt au taux contractuel annuel de 8 %, payable annuellement. Le problème comptable consiste à répartir convenablement l'écart de 171 613 $, soit le prix de rachat de 1 200 000 $ moins : 1) la valeur comptable de la dette obligataire de 908 880 $; et 2) la valeur attribuée au privilège de conversion de 119 507 $ (*voir les montants de la colonne de gauche des explications ci-après*) entre les composantes de passif et de capitaux propres du titre convertible.

Afin d'être en mesure de passer l'écriture de journal requise lors du rachat, on doit d'abord établir la juste valeur de la composante de passif en actualisant les flux de trésorerie futurs au taux du marché à la date de remboursement. La juste valeur s'élève à 1 033 121 $ (*voir les montants de la colonne du centre des explications ci-dessous*). Il faut ensuite répartir le coût de rachat de la façon suivante :

	Valeur comptable	*Juste valeur*	*Perte*
Composante Passif	*908 880 $*	*1 033 121 $②*	*(124 241) $*
Composante Privilège de conversion	*119 507①*	*166 879③*	*(47 372)*
Total	*1 028 387 $*	*1 200 000 $*	*(171 613) $*

Calculs et explications :

① Valeur établie à la date d'émission (*voir la page 13.38*).

② (N = 4, I = 8 %, PMT = 90 000 $, FV = 1 000 000 $, CPT PV?)

③ Ce montant correspond à la différence entre la fraction de la juste valeur attribuée à la composante passif (1 033 121 $②) et le prix de rachat (1 200 000 $).

Une fois établie la répartition du prix d'achat, Convertible ltée doit passer l'écriture suivante à la date du rachat :

Emprunt obligataire	*908 880*	
Capitaux propres – Privilège de conversion	*119 507*	
Perte sur règlement de l'emprunt obligataire	*124 241*	
Résultats non distribués	*47 372*	
Caisse		*1 200 000*
Rachat de la totalité des obligations convertibles en circulation compte tenu de la répartition des effets des modifications subies au fil des ans de la valeur des obligations et du privilège de conversion.		

Comme on peut le constater, la fraction relative à la modification de la valeur du privilège de conversion de 47 372 $ a été débitée au compte Résultats non distribués, car il s'agit d'une opération portant sur les capitaux propres. Ainsi, seul le solde de 124 241 $ a été comptabilisé en résultat net au débit du compte Perte sur règlement de l'emprunt obligataire.

Avez-vous remarqué ?

S'il y a conversion, la valeur comptable des actions émises correspond à la valeur comptable de la composante de passif et de la composante de capitaux propres. La méthode marginale est aussi utilisée pour répartir le prix de remboursement entre la composante de passif et la composante de capitaux propres lors de l'annulation d'obligations convertibles avant leur échéance. Le montant du profit ou de la perte lié à la composante de passif est comptabilisé en résultat net, alors que le montant de la contrepartie lié à la composante de capitaux propres est comptabilisé dans les capitaux propres.

13

Différence NCECF

L'IASB apporte des précisions lorsqu'il y a modification des privilèges de conversion initiaux.

Une entité peut modifier les termes d'un instrument convertible pour induire une conversion anticipée, par exemple en offrant un rapport de conversion plus favorable ou en payant une contrepartie supplémentaire en cas de conversion avant une date déterminée. La différence, à la date de modification des termes, entre la juste valeur de la contrepartie reçue par le porteur lors de la conversion de l'instrument selon les termes modifiés et la juste valeur de la contrepartie que le porteur aurait reçue selon les termes initiaux est comptabilisée à titre de perte en résultat net[38].

EXEMPLE

Annulation d'obligations convertibles au moyen d'une conversion anticipée provoquée

Reprenons encore une fois notre exemple de Convertible ltée en supposant cette fois que la société offre, pendant une semaine, un ratio de conversion plus intéressant de 55 actions ordinaires pour chaque obligation plutôt que les 50 actions initialement prévues au contrat obligataire. Au cours de la période d'incitation à la conversion, toutes les obligations ont été converties alors que le cours de l'action ordinaire était à 30 $.

Pour tenir compte des modifications des privilèges de conversion, on doit d'abord calculer ainsi le montant de la perte :

Cours de l'action ordinaire au moment de la conversion provoquée			30 $
Ratio de conversion			
Proposé pour provoquer la conversion	55		
Initial	50	×	5
			150
Nombre d'obligations converties		×	1 000
Juste valeur des actions supplémentaires			150 000 $

Cette contrepartie supplémentaire de 150 000 $ est comptabilisée à titre de perte en résultat net. Une fois la contrepartie supplémentaire évaluée, Convertible ltée doit passer l'écriture suivante à la date de la conversion provoquée :

Emprunt obligataire	*908 880*	
Capitaux propres – Privilège de conversion	*119 507*	
Perte sur règlement de l'emprunt obligataire	*150 000*	
Actions ordinaires		*1 178 387*
Conversion provoquée de la totalité des obligations convertibles en circulation.		

Le montant porté au crédit du compte Actions ordinaires est constitué comme suit :

Valeur comptable des éléments de l'emprunt obligataire faisant l'objet de la conversion	
Composante Emprunt obligataire	908 880 $
Composante Privilège de conversion	119 507
	1 028 387
Juste valeur de la contrepartie supplémentaire	150 000
Montant total crédité au compte Actions ordinaires	1 178 387 $

Avez-vous remarqué ?

Si l'entreprise provoque une conversion anticipée en modifiant les conditions des obligations convertibles, la différence entre la juste valeur de la contrepartie supplémentaire reçue par le porteur de l'obligation et la juste valeur que le porteur aurait reçue selon les conditions initiales est comptabilisée à titre de perte en résultat net.

Différence NCECF

38. *Manuel de CPA Canada – Comptabilité – Partie I*, IAS 32, paragr. AG35.

L'incidence de la conversion des obligations sur les états financiers

La figure 13.6, illustre l'incidence de la conversion des obligations sur les états financiers.

FIGURE 13.6 L'incidence de la conversion d'obligations sur les états financiers

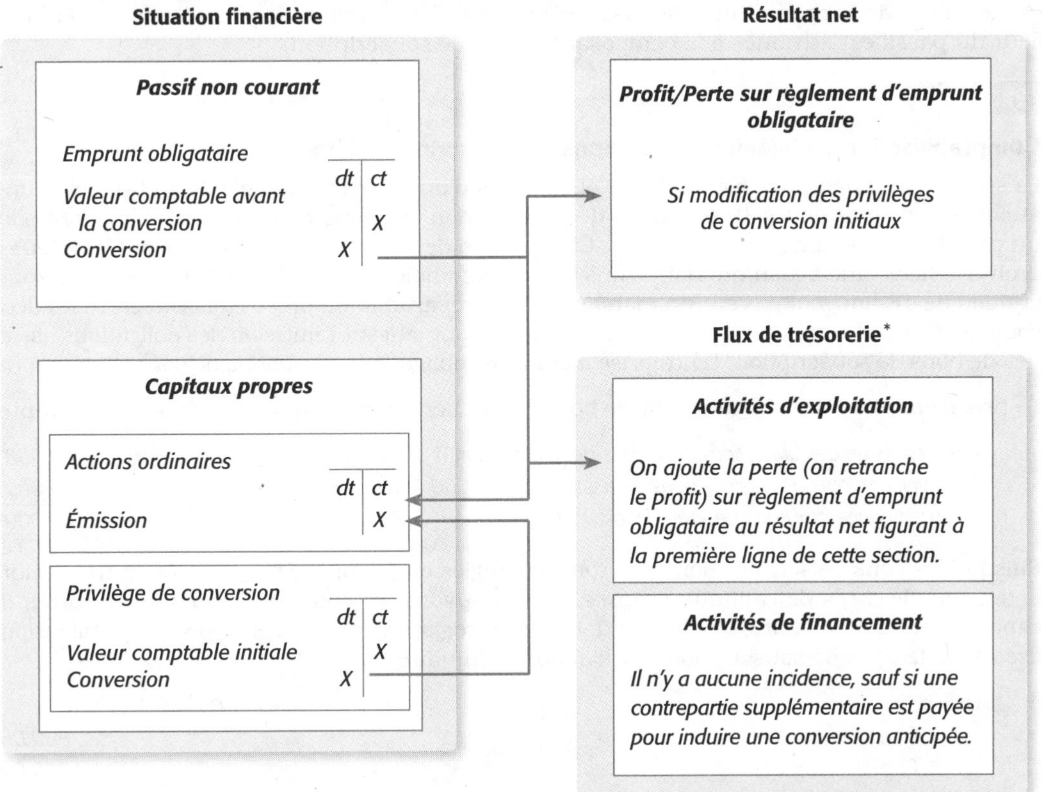

* Nous tenons pour acquis que l'entreprise utilise la méthode indirecte pour la présentation de ses flux de trésorerie.

Source : Nicole Lacombe et Daniel McMahon

13

Les obligations avec bons de souscription

Différence NCECF

Toujours dans le but de rendre l'émission d'obligations plus attrayante, plusieurs entreprises joignent un ou plusieurs **bons de souscription** à des actions à chacune des obligations qu'elles émettent. En plus de l'obligation, l'investisseur reçoit ainsi un ou plusieurs titres lui conférant le droit d'acheter un certain nombre d'actions ordinaires à un prix stipulé à l'avance durant une période donnée. Comme dans le cas des obligations convertibles, nous avons affaire à deux composantes, soit une obligation et un ou plusieurs bons de souscription. Comme nous l'avons vu précédemment, la composante Emprunt obligataire est évaluée à sa juste valeur. La question plus délicate est de déterminer le traitement comptable approprié pour la composante Bons de souscription. Si les bons de souscription ne sont pas détachables, ils sont considérés comme des dérivés incorporés. Le lecteur est invité à consulter le chapitre 19 pour la comptabilisation des dérivés incorporés. Selon l'IFRS 9, « [...] Un dérivé qui est attaché à un *instrument financier*, mais qui est contractuellement transférable indépendamment de cet instrument ou qui n'est pas conclu avec la même contrepartie n'est pas un dérivé incorporé, mais un instrument financier distinct[39]. » Dans le cas où les bons de souscription sont détachables des obligations, ils doivent être comptabilisés comme un instrument financier distinct. L'entreprise doit déterminer si les bons de souscription possèdent les caractéristiques d'un passif financier ou d'un titre de capitaux propres. Généralement, pour qu'un bon de souscription soit considéré comme un titre de capitaux propres, il ne doit pas prévoir de règlement en trésorerie et il doit être échangeable contre un nombre déterminé d'actions.

Selon l'IFRS 9, l'évaluation initiale d'un passif financier doit être faite à la juste valeur. Dans le cas où la juste valeur est attestée par un cours ou par des données d'entrée observables, les

39. *Manuel de CPA Canada – Comptabilité – Partie I*, IFRS 9, paragr. 4.3.1.

bons de souscription sont comptabilisés à la juste valeur. Si le prix de transaction diffère des justes valeurs de la composante Emprunt obligataire et de la composante Bons de souscription, la différence est comptabilisée en résultat net[40]. Dans le cas où la juste valeur du bon de souscription n'est pas attestée par un cours ou par des données d'entrée observables, la répartition du prix est effectuée selon la **méthode marginale**. Rappelons que selon cette méthode, on détermine d'abord la juste valeur de la composante de passif et que la différence entre le prix d'émission et la juste valeur du passif est attribuée à la composante Bons de souscription.

EXEMPLE

Comptabilisation d'obligations avec bons de souscription détachables

La société Détachable ltée a émis 1 000 obligations d'une valeur nominale de 1 000 $ chacune, auxquelles sont attachés 10 000 bons de souscription (10 bons pour chaque obligation) pour un prix d'émission total de 1 030 000 $. Chaque bon de souscription confère à son détenteur le droit d'acheter une action ordinaire sans valeur nominale au coût de 30 $. Les bons de souscription ne s'échangent pas sur un marché actif. La répartition du prix d'émission entre les deux composantes se fera selon la méthode marginale. Le jour suivant l'émission des obligations assorties de bons de souscription, l'entreprise a émis des obligations sans bons de souscription à 86.

Le prix d'émission des obligations avec bons de souscription est réparti de la façon suivante :

Prix d'émission des obligations avec bons de souscription	*1 030 000 $*
Juste valeur d'obligations sans bons de souscription (1 000 000 $ × 86 %)	*(860 000)*
Valeur attribuée aux bons de souscription	*170 000 $*

Puisque les bons de souscription ne seront pas réglés en trésorerie mais plutôt en un nombre déterminé de titres de capitaux propres, nous pouvons les considérer comme des titres de capitaux propres. L'écriture suivante doit être enregistrée lors de l'émission des obligations assorties de bons de souscription à des actions ordinaires :

Caisse	*1 030 000*	
Emprunt obligataire		*860 000*
Capitaux propres – Bons de souscription		*170 000*
Émission de 1 000 obligations d'une valeur nominale de 1 000 $, chacune étant assortie de 10 bons de souscription.		

13

Différence NCECF

Si l'on suppose, quelques mois plus tard, alors que les actions ordinaires se négocient à 50 $, que les détenteurs des bons de souscription ont tous exercé leur droit d'acheter des actions ordinaires, à quel montant devra-t-on comptabiliser l'émission d'actions ?

Puisque l'IASB ne semble faire aucune recommandation à cet effet, l'entreprise a deux choix. Elle peut utiliser la méthode de la valeur comptable ou celle de la juste valeur. Si elle choisit la **méthode de la valeur comptable**, la valeur comptable du bon exercé est ajoutée à la contrepartie reçue à l'émission des actions. Si elle opte plutôt pour la **méthode de la juste valeur**, les actions émises sont comptabilisées à leur juste valeur. La différence entre, d'une part, la juste valeur des actions émises et, d'autre part, le total de la contrepartie reçue à l'émission des actions et de la valeur comptable du bon est comptabilisée dans les capitaux propres.

EXEMPLE

Exercice des bons de souscription

Voici l'écriture qui doit être inscrite dans les livres de Détachable ltée si elle opte pour la méthode de la valeur comptable :

Caisse	*300 000*	
Capitaux propres – Bons de souscription	*170 000*	
Actions ordinaires		*470 000*
Émission de 10 000 actions ordinaires à la suite de l'exercice des bons de souscription.		

40. *Manuel de CPA Canada – Comptabilité – Partie I*, **IFRS 13**, paragr. 60.

Supposons maintenant que Détachable ltée utilise la méthode de la juste valeur pour comptabiliser l'émission d'actions à la suite de l'exercice des bons de souscription. L'écriture de journal enregistrée à la date d'émission est présentée ci-dessous :

Caisse	*300 000*	
Capitaux propres – Bons de souscription	*170 000*	
Résultats non distribués – Perte à la suite de l'exercice des bons de souscription	*30 000*	
Actions ordinaires (10 000 actions × 50 $)		*500 000*
Émission de 10 000 actions ordinaires à la juste valeur de 50 $ chacune à la suite de l'exercice des bons de souscription.		

On peut constater que peu importe la méthode choisie, le total des capitaux propres demeure le même. Seule la composition des capitaux propres change selon la méthode utilisée. La méthode de la valeur comptable n'engendre aucune perte, mais le montant crédité au compte Actions ordinaires ne correspond pas à la juste valeur des actions à la date d'émission. Selon la méthode de la juste valeur, le compte Actions ordinaires correspond à la juste valeur des actions ordinaires à la date d'émission (100 000 actions × 50 $) et le montant (30 000 $) comptabilisé dans le compte Résultats non distribués correspond à la différence entre la juste valeur des actions émises (500 000 $) et le total du montant encaissé à l'émission des actions et de la valeur comptable des bons de souscription (300 000 $ + 170 000 $).

Nous avons expliqué, dans cette section, que pour rendre une émission d'obligations plus attrayante, une entreprise peut émettre soit des obligations convertibles, soit des obligations auxquelles sont attachés des bons de souscription. L'objectif des entreprises qui émettent ces deux types d'obligations est essentiellement le même. Au moment de l'émission, nous avons appliqué un traitement similaire, car nous avons attribué une valeur tant au privilège de conversion qu'aux bons de souscription.

Ainsi, supposons que la société Pluritítres ltée ait émis des obligations convertibles et des obligations avec bons de souscription. M. Jainvesty est détenteur d'une obligation à laquelle est attaché un bon de souscription et Mme Prévoyante possède une obligation convertible. Il est clair que ces deux obligataires peuvent devenir actionnaires à certaines conditions. D'une part, pour devenir actionnaire, M. Jainvesty doit investir une somme supplémentaire lors de l'exercice du droit que lui confère son bon de souscription. Il conserve toutefois son obligation, laquelle lui sera remboursée à l'échéance, et il continue à recevoir les intérêts périodiques sur cette obligation. D'autre part, pour devenir actionnaire, Mme Prévoyante doit exercer son privilège de conversion et renoncer au remboursement de la valeur à l'échéance de son obligation, sur laquelle elle ne percevra plus d'intérêt. Ces propos sont illustrés dans la figure 13.7.

Avez-vous remarqué ?

Les actions émises lors de l'exercice des bons peuvent être évaluées selon la méthode de la valeur comptable ou celle de la juste valeur.

D'autres formes de dettes non courantes

La présente section traitera des effets à payer et des emprunts hypothécaires.

Les effets à payer à long terme

Les entreprises ont souvent recours aux effets à payer pour obtenir un financement à long terme. Les **effets à payer à long terme** et les obligations se ressemblent en ce que tous deux portent intérêt à un taux établi (parfois implicite) et ont une date d'échéance déterminée. Là s'arrête cependant la ressemblance, car ces instruments financiers ont leurs caractéristiques propres. Ainsi, les effets à payer viennent généralement à échéance plus rapidement que les obligations. En outre, ils ne se négocient pas aussi facilement que les obligations sur le marché public, bien qu'il puisse quand même y avoir transfert d'un créancier à un autre. Les entreprises à capital fermé obtiennent normalement leur financement à long terme en émettant des effets à payer

FIGURE 13.7 Une comparaison des effets de l'exercice d'un bon de souscription attaché à une obligation et de la conversion d'une obligation

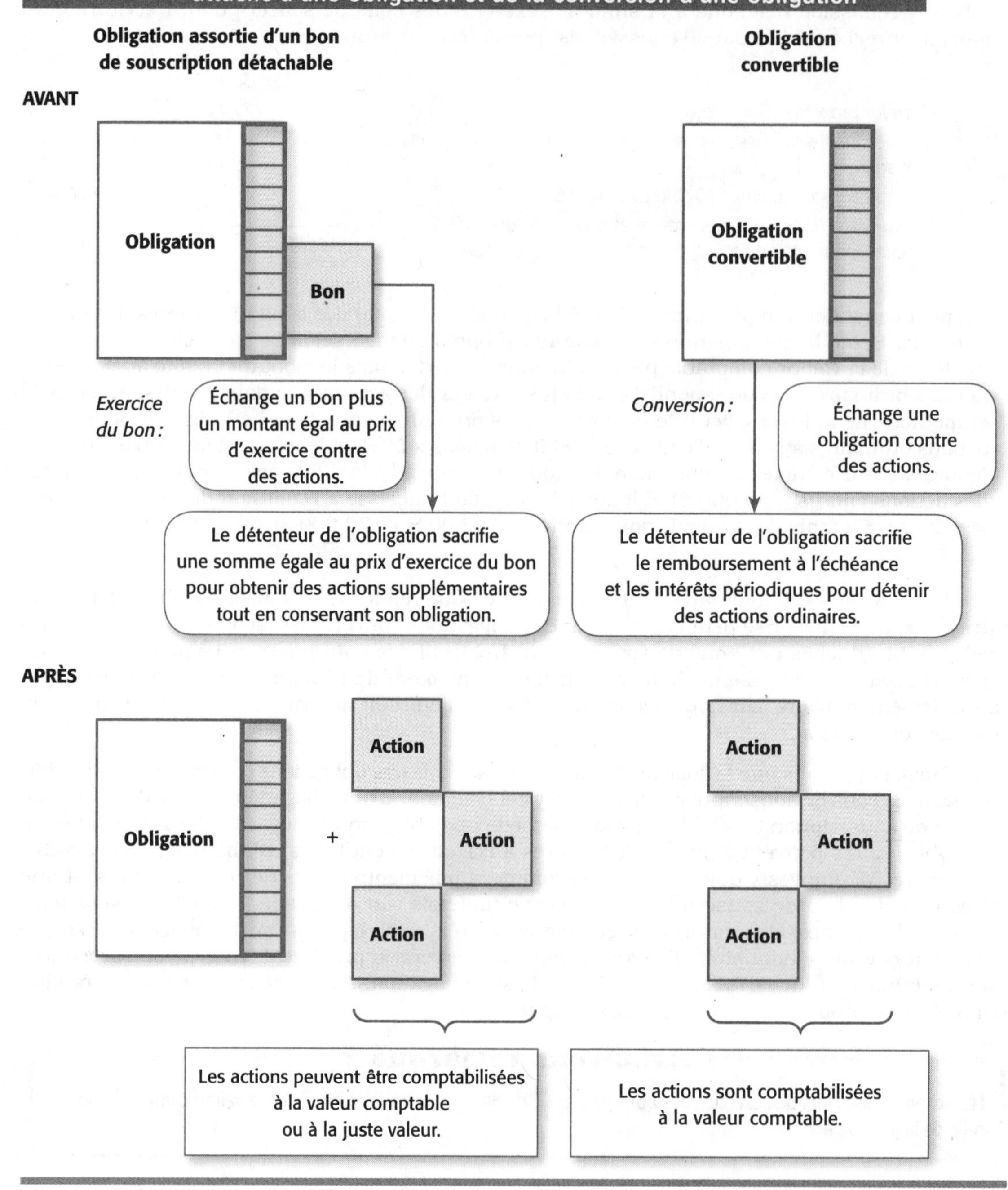
Obligation assortie d'un bon de souscription détachable
Obligation convertible
AVANT
Obligation
Bon
Obligation convertible
Exercice du bon :
Échange un bon plus un montant égal au prix d'exercice contre des actions.
Conversion :
Échange une obligation contre des actions.
Le détenteur de l'obligation sacrifie une somme égale au prix d'exercice du bon pour obtenir des actions supplémentaires tout en conservant son obligation.
Le détenteur de l'obligation sacrifie le remboursement à l'échéance et les intérêts périodiques pour détenir des actions ordinaires.
APRÈS
Obligation
+
Action
Action
Action
Action
Action
Action
Les actions peuvent être comptabilisées à la valeur comptable ou à la juste valeur.
Les actions sont comptabilisées à la valeur comptable.

Source : Nicole Lacombe

et en contractant des emprunts hypothécaires, tandis que les entreprises ayant une obligation d'information du public (OIP) se financent plus souvent au moyen d'effets à payer, d'emprunts hypothécaires et d'obligations.

Les concepts comptables qui sous-tendent la comptabilisation des effets à payer et des obligations sont essentiellement les mêmes. Ainsi, au moment de la comptabilisation initiale, l'effet à payer doit être évalué à sa juste valeur. Toutefois, si la juste valeur de l'effet à payer lors de la comptabilisation initiale diffère du prix de transaction, l'entreprise doit se reporter à l'IFRS 13. Dans le cas d'un effet à payer, comme il ne se négocie pas habituellement sur un marché actif, l'entreprise peut utiliser une technique d'actualisation traditionnelle qui consiste à actualiser les flux de trésorerie attendus au taux du marché à la date de la comptabilisation initiale. Le taux doit notamment tenir compte de la durée restante jusqu'au moment du remboursement du principal à l'échéance et de la qualité du crédit de l'émetteur. Nous avons traité plus en profondeur l'évaluation de la juste valeur au chapitre 3.

Par la suite, l'effet à payer est évalué au coût amorti selon la méthode du taux d'intérêt effectif, à moins que l'entreprise ne le classe À la juste valeur par le biais du résultat net, auquel cas il est toujours évalué à sa juste valeur[41].

Toutefois, contrairement au taux d'intérêt des obligations, lequel est facile à déterminer, le taux d'intérêt pertinent à l'évaluation initiale des effets à payer à long terme comporte des difficultés particulières. Pour examiner ce problème comptable, nous traiterons de la situation où les effets émis ne font aucune mention de l'intérêt, mais offrent certains droits ou privilèges au détenteur.

Les effets émis sans mention d'intérêt mais avec certains droits ou privilèges

Parfois, un effet ne porte pas intérêt, mais accorde à son détenteur certains droits ou privilèges qui compensent l'intérêt. L'entreprise peut appliquer une technique d'actualisation pour évaluer initialement la juste valeur de l'effet à payer. Par contre, il est possible que pour certains effets à payer, la détermination du taux d'intérêt du marché présente des difficultés appréciables. Dans ce cas, on peut évaluer la juste valeur des droits ou privilèges accordés, puis évaluer la juste valeur de l'effet à payer par différence.

EXEMPLE

Comptabilisation d'effets à payer sans mention d'intérêt

La société Privilège ltée reçoit 80 000 $ en argent de Beaulieu ltée, en échange d'un effet à payer ne portant aucune mention d'intérêt et échéant dans 5 ans. Cet effet accorde à son détenteur (prêteur/client) le privilège d'obtenir 1 000 unités du modèle RX-500, produites et vendues par Privilège ltée (emprunteur/fournisseur), au cours des 5 années suivantes.

Puisque l'effet ne porte aucune mention d'intérêt, la seule raison qui pourrait motiver Beaulieu ltée à verser immédiatement la somme de 80 000 $ qu'il ne récupérera que dans 5 ans est que, durant cette période, il pourra se procurer gratuitement 1 000 unités d'un article. Du côté de Privilège ltée, cette opération donne naissance à deux obligations distinctes : 1) Le remboursement de l'effet à payer de 80 000 $ à l'échéance ; et 2) La «vente» au prix nul de 1 000 unités du modèle RX-500. En supposant qu'il est difficile de déterminer le taux d'intérêt du marché, Privilège ltée établit, en consultant les listes de prix officiels, que la juste valeur des 1 000 unités du modèle RX-500 est de 30 330 $. En échange d'un emprunt de 80 000 $, Privilège ltée accepte de céder à Beaulieu ltée le droit d'obtenir 1 000 unités de son modèle RX-500. La juste valeur de l'effet à payer est égale à 49 670 $, soit la différence entre la somme reçue (80 000 $) et la juste valeur de la contrepartie qui sera cédée (30 330 $). La charge d'intérêts sur l'effet à payer doit être calculée au taux d'intérêt effectif à la date d'émission de l'effet à payer, de sorte que la valeur à l'échéance correspond à 80 000 $. À l'aide d'une calculatrice financière, on trouve un taux d'intérêt effectif de 10 % (N = 5, PMT = 0 $, PV = 49 670 $, FV = –80 000 $, CPT I ?). Privilège ltée doit passer l'écriture suivante pour comptabiliser l'émission de cet effet à payer :

Caisse	*80 000*	
Effets à payer		*49 670*
Produits différés		*30 330*

Émission d'un effet à payer au montant de 80 000 $ échéant dans 5 ans, ne portant aucune mention d'intérêt et conférant au créancier le privilège d'obtenir gratuitement 1 000 unités du modèle RX-500, dont le prix unitaire est de 30,33 $.

On constate que la juste valeur des 1 000 unités du modèle RX-500 est comptabilisée dans le compte Produits différés jusqu'à ce que le détenteur achète réellement les unités. Comme nous l'expliquerons au chapitre 20, ce n'est que lorsque la transaction pourra franchir avec succès les cinq étapes du modèle de comptabilisation des produits que Privilège ltée pourra comptabiliser la vente de ses unités dans ses livres.

41. En fait, la comptabilisation des effets à payer à long terme suit les mêmes règles que celle des effets à payer à court terme, exposées au chapitre 12.

Poursuivons notre exemple, sachant qu'à la fin de la première année, Beaulieu ltée a acheté 200 unités du modèle RX-500. Voici les écritures que Privilège ltée doit enregistrer dans ses livres :

Intérêts sur dette non courante	*4 967*	
Effets à payer		*4 967*
Charge annuelle d'intérêts (49 670 $ × 10 %).		
Produits différés	*6 066*	
Ventes		*6 066*
Remise de 200 unités du modèle RX-500 à Beaulieu ltée (200 unités × 30,33 $).		

Une dernière écriture serait requise afin d'inscrire le coût des ventes si Privilège ltée utilise un système d'inventaire permanent.

Les emprunts hypothécaires

Nous avons jusqu'ici abordé le traitement comptable qu'il convient d'appliquer aux obligations et aux effets à payer à long terme. Il ne faudrait pas passer sous silence la comptabilisation des emprunts hypothécaires, lesquels constituent la forme la plus connue de dettes non courantes. Que ce soit un particulier, une société de personnes ou une société par actions qui désire contracter un **emprunt hypothécaire**, un acte notarié, appelé **contrat hypothécaire**, est rédigé afin que l'on puisse y décrire les modalités de l'emprunt. En vertu de ce document légal, l'emprunteur transporte un titre de propriété en garantie de l'emprunt. Ainsi, lorsqu'un particulier contracte un emprunt hypothécaire pour sa résidence personnelle, celle-ci est donnée en garantie de l'emprunt.

Le traitement comptable d'un emprunt hypothécaire ne présente aucune difficulté particulière, car il n'y a pas d'escompte ou de prime, l'emprunt hypothécaire étant toujours contracté au taux du marché. La comptabilisation de ce genre de dette est facilitée par l'établissement d'un tableau d'amortissement de l'emprunt hypothécaire qui fournit les informations pertinentes relativement à l'enregistrement des versements périodiques. Notons toutefois que les emprunteurs peuvent rembourser leur emprunt hypothécaire en effectuant des versements hebdomadaires, ce qui ne se produit habituellement pas lors du remboursement des autres dettes non courantes.

Nous présentons ci-après, à titre d'exemple, un extrait du tableau d'amortissement d'un emprunt hypothécaire de 50 000 $, contracté le 5 août 20X0 par Jesuy Hypotéké, remboursable par versements hebdomadaires de 99 $ sur une période de 20 ans et dont le taux d'intérêt contractuel hebdomadaire est de 0,16 %.

	(1)	(2)	(3)	(4)
Date	Versements hebdomadaires	Intérêts [(4) × 0,16 %]	Principal [(1) − (2)]	Solde [montant de la ligne précédente − (3)]
20X0-08-05				50 000 $
20X0-08-12	99 $	80 $	19 $	49 981
20X0-08-19	99	80	19	49 962
20X0-08-26	99	80	19	49 943

Avez-vous remarqué ?

Les concepts comptables qui sous-tendent la comptabilisation des autres formes de dettes non courantes sont essentiellement les mêmes que ceux des emprunts obligataires.

La restructuration d'une dette non courante

Il se peut qu'une entreprise éprouve de sérieuses difficultés financières et ne soit plus en mesure de rembourser ses dettes (principal et intérêts). Dans les situations d'insolvabilité, caractérisées par une insuffisance de trésorerie et d'équivalents de trésorerie eu égard aux paiements que doit effectuer l'entreprise, les créanciers lésés peuvent la forcer à déclarer faillite. Il est dans l'intérêt de l'entreprise de proposer à ses créanciers d'accepter une restructuration de ses dettes non courantes (aussi appelée réorganisation). Il est assez fréquent, par exemple, qu'une institution financière fasse certaines concessions lors de la restructuration d'une dette plutôt que de pousser l'emprunteur à la faillite. Généralement, la restructuration d'une dette permet au créancier de récupérer une plus grande partie de son investissement que si l'entreprise déclarait faillite.

La **restructuration d'une dette non courante** a donc pour but d'assainir les finances d'une entreprise en difficulté. Le créancier accepte alors de faire certaines concessions qui prennent généralement les formes suivantes :

1. En règlement complet de sa dette, l'emprunteur en difficulté remet au créancier certains actifs ou des titres de capitaux propres (actions ordinaires ou préférentielles) ayant, en règle générale, une valeur moindre que la dette.
2. Les deux parties s'entendent pour modifier les modalités de remboursement de la dette.
3. Les deux parties s'entendent sur une combinaison des deux concessions.

La remise d'actifs ou de titres de capitaux propres en règlement de la dette

Lorsqu'un emprunteur remet au créancier certains actifs en règlement complet de sa dette, la différence entre la valeur comptable du passif financier et la contrepartie payée, y compris les actifs transférés sans contrepartie, doit être comptabilisée en résultat net[42].

EXEMPLE

Remise d'actifs en règlement de la dette

La société Infortunée ltée est incapable de rembourser à la société Condescendante inc. un effet à payer de 100 000 $ et des intérêts courus de 12 000 $ calculés au taux de 12 %. Plutôt que de risquer de tout perdre, Condescendante inc. accepte de recevoir, en règlement de ces dettes, un terrain d'une juste valeur de 90 000 $. Ce terrain avait été acquis quelques années auparavant par Infortunée ltée au coût de 50 000 $. Voici l'écriture qui doit être enregistrée dans les livres d'Infortunée ltée :

Effet à payer	*100 000*	
Intérêts à payer	*12 000*	
Terrain		*50 000*
Profit découlant de la restructuration d'une dette ①		*62 000*

Restructuration d'une dette non courante dont le règlement complet est intervenu en échange d'un terrain ayant une juste valeur de 90 000 $.

Calcul :

① Valeur comptable de la dette totale (112 000 $) – Valeur comptable du terrain cédé (50 000 $)

Si le profit sur restructuration est considérable, sa nature et son montant doivent être indiqués séparément.

Supposons maintenant que l'emprunteur émet des actions au lieu de transférer des actifs en règlement de ses dettes. À quelle valeur doit-on comptabiliser l'émission de ces actions ? L'International Financial Reporting Standards Interpretations Committee (IFRIC) mentionne, dans l'**IFRIC 19** intitulée « Extinction de passifs financiers au moyen de titres de capitaux propres », que l'évaluation des actions doit se faire à la juste valeur des titres de capitaux propres émis ou à la juste valeur du passif éteint, selon celle qui peut être déterminée de la façon la plus fiable.

42. *Manuel de CPA Canada – Comptabilité – Partie I*, IFRS 9, paragr. 3.3.3.

EXEMPLE

Remise de titres de capitaux propres en règlement de la dette

Reprenons l'exemple d'Infortunée ltée, sachant que la société a émis des actions ordinaires sans valeur nominale ayant une juste valeur de 90 000 $ en règlement de ses dettes. Voici l'écriture qu'Infortunée ltée doit enregistrer si elle évalue les actions émises à leur juste valeur :

Effet à payer	*100 000*	
Intérêts à payer	*12 000*	
Actions ordinaires		*90 000*
Profit découlant de la restructuration d'une dette		*22 000*

Restructuration d'une dette non courante dont le règlement complet est intervenu en échange d'actions ordinaires ayant une juste valeur de 90 000 $.

Selon l'IFRIC 19, le profit découlant de la restructuration est présenté dans un poste distinct de l'état du résultat global ou dans une note aux états financiers.

La modification des modalités de remboursement de la dette

Différence NCECF

Une autre façon de procéder à la restructuration d'une dette consiste à en modifier les modalités de remboursement. Ces modifications peuvent prendre diverses formes impliquant une seule ou une combinaison des concessions suivantes :

1. Le report de la date d'échéance du principal et des intérêts ;
2. La renonciation par le créancier à une partie du principal et des intérêts qui lui sont dus ;
3. La réduction du taux d'intérêt de la dette non courante.

La restructuration d'une dette est parfois si importante que l'on peut penser qu'il s'agit d'une nouvelle dette. L'IASB a émis des directives pour déterminer si un échange de dettes constitue en substance l'extinction d'une dette existante et l'émission d'une nouvelle dette ou simplement une modification de la dette existante. Pour procéder à cette analyse, on examine d'abord s'il s'agit d'un échange entre un emprunteur et un prêteur existants. Lorsque ce ne sont pas les mêmes parties qui interviennent, on considère qu'il y a extinction de la dette initiale et comptabilisation d'une nouvelle dette. Mais s'il s'agit des mêmes parties, il faut déterminer si les titres d'emprunt échangés présentent des conditions substantiellement différentes. Si tel est le cas, l'opération d'échange doit être traitée comme une extinction du passif financier initial et la comptabilisation d'un nouveau passif financier[43].

Comme le résume la figure 13.8, les conditions sont jugées substantiellement différentes si la valeur actualisée des flux de trésorerie selon les nouvelles conditions, incluant les honoraires versés, diffère d'au minimum 10 % de la valeur actualisée des flux de trésorerie restants du passif financier initial. Dans le calcul de cette valeur actualisée, il faut utiliser le taux d'intérêt effectif initial[44].

Lorsqu'il s'agit, en substance, de l'émission d'une nouvelle dette et de l'extinction du passif initial, la différence entre la valeur comptable de la dette initiale et la juste valeur de la nouvelle dette (incluant la juste valeur de tous les autres actifs cédés) ainsi que les coûts ou honoraires engagés doivent être comptabilisés en résultat net de l'exercice. Au contraire, si la valeur actualisée des deux dettes est semblable, on présume qu'il s'agit, en substance, du même passif financier qui devra continuer à être évalué au coût amorti (ou à la juste valeur s'il avait été classé À la juste valeur par le biais du résultat net au moment de sa comptabilisation initiale). Pour ce faire, la valeur comptable est recalculée en fonction des flux de trésorerie révisés et de tous les coûts ou honoraires engagés, au taux d'intérêt effectif initial. L'ajustement est comptabilisé en résultat net à titre de produit ou de charge[45].

43. *Manuel de CPA Canada – Comptabilité – Partie I*, IFRS 9, paragr. 3.3.2.
44. *Manuel de CPA Canada – Comptabilité – Partie I*, IFRS 9, paragr. B3.3.6.
45. *Manuel de CPA Canada – Comptabilité – Partie I*, IFRS 9, paragr. B5.4.6.

FIGURE 13.8 L'opération constitue-t-elle une extinction du passif financier initial ?

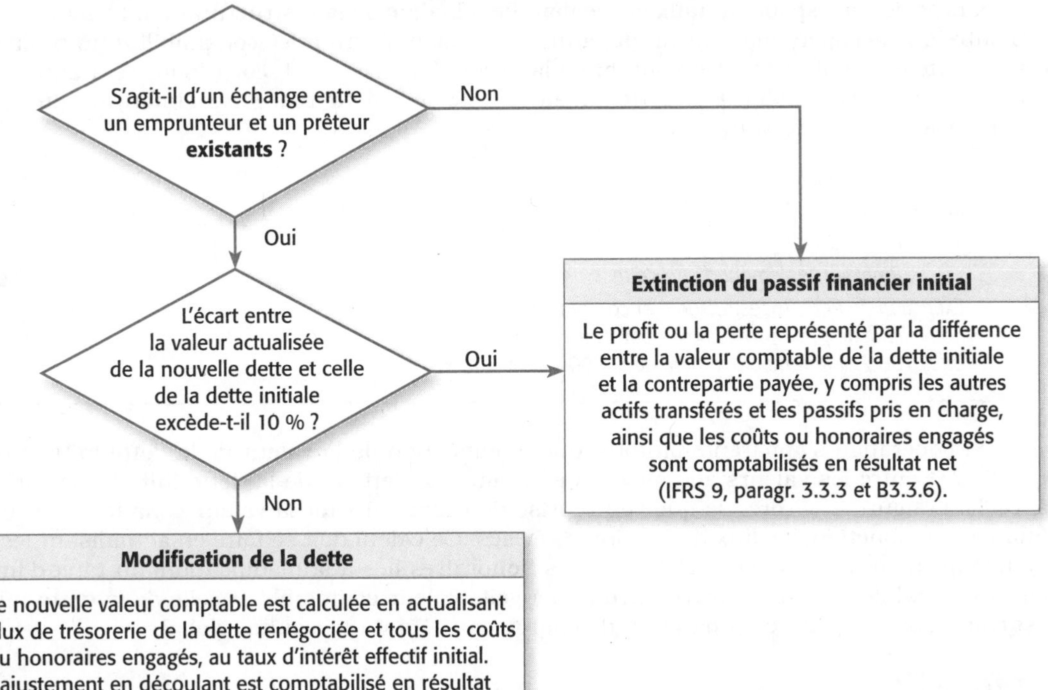

Source : Jocelyne Gosselin et Sylvain Durocher

EXEMPLE

Extinction de la dette

Reprenons l'exemple de la société Infortunée ltée, incapable de rembourser à la société Condescendante inc. un effet à payer de 100 000 $ et des intérêts courus de 12 000 $ après un an. Supposons cette fois que les dettes sont restructurées comme suit : 1) Condescendante inc. accepte de réduire de 10 000 $ le principal de la dette et de dispenser Infortunée ltée du paiement des intérêts de 12 000 $; 2) La date d'échéance est repoussée de 4 ans ; et 3) Le taux d'intérêt contractuel est ramené à 9 % par année, ce qui correspond au taux du marché à cette date.

Quel traitement comptable doit-on appliquer à cette opération de restructuration de dette ? Comme l'indique la figure 13.8, on doit d'abord vérifier si l'échange se fait entre un emprunteur et un prêteur existants. Dans ce cas-ci, les parties intervenant dans l'échange sont les mêmes, soit Infortunée ltée et Condescendante inc. On doit alors comparer la valeur actualisée des flux de trésorerie de la nouvelle dette avec celle de la dette initiale, en ayant recours au taux d'intérêt effectif de la dette initiale, afin de déterminer si l'écart entre ces 2 valeurs actualisées excède 10 %.

Valeur actualisée totale de la nouvelle dette	
(N = 4, I = 12 %, PMT = 8 100 $, FV = 90 000 $, CPT PV ?)	*81 799 $*
Dette initiale	
Valeur actualisée du remboursement du principal	*100 000 $*
Valeur actualisée des intérêts	*12 000*
Valeur actualisée totale de la dette initiale	*112 000 $*
Écart entre les deux valeurs [(112 000 $ – 81 799 $) ÷ 112 000 $]	*27 %*

Puisque l'écart entre les 2 valeurs excède 10 %, cette restructuration de dette correspond à une extinction de la dette initiale, ce qui justifie la comptabilisation d'une nouvelle dette. La nouvelle dette est comptabilisée à sa juste valeur, que l'on évalue comme étant la valeur des flux de trésorerie révisés, actualisés au taux du marché. Nous présumons ici que le nouveau taux négocié correspond au taux sur le marché à la date de la restructuration. La figure 13.8 montre que si l'opération s'apparente à une extinction, l'entreprise comptabilise un profit ou une perte en résultat net. Le montant de la perte, dans ce cas-ci, correspond à la différence entre la valeur comptable de la dette initiale et celle de la dette renégociée. Infortunée ltée doit donc passer l'écriture suivante :

Effet à payer (initial)	*100 000*	
Intérêts à payer	*12 000*	
Effet à payer (nouveau)		*90 000*
Profit sur règlement d'une dette		*22 000*
Extinction de la dette restructurée et comptabilisation d'une nouvelle dette prévoyant le paiement d'intérêts annuels de 8 100 $ et le remboursement de 90 000 $ dans 4 ans.		

Si l'opération s'apparente plutôt à une modification de la valeur de la dette initiale parce que l'écart entre les valeurs actualisées de la nouvelle dette et de la dette initiale est inférieur à 10 %, la figure 13.8 précise que l'entreprise doit alors ajuster la valeur comptable du passif financier en fonction des flux de trésorerie révisés. Ce calcul doit se faire en actualisant les flux de trésorerie futurs, incluant les frais et les honoraires liés à la modification, au taux d'intérêt effectif initial de la dette. L'écart entre la nouvelle valeur comptable et celle de la dette initiale est comptabilisé à titre de produit ou de charge dans l'état du résultat global.

EXEMPLE

Modification de la dette

Le 10 avril 20X6, la société Roulement à billes ltée vient de conclure la renégociation d'un emprunt bancaire auprès du même créancier. Voici les renseignements pertinents :

Coûts de transaction	*7 200 $*
Valeur des flux de trésorerie du nouvel emprunt actualisés au taux d'intérêt effectif initial, incluant les coûts de transaction	*787 200*
Valeur comptable, au 10 avril 20X6, de l'emprunt initial	*805 000*

La différence de 17 800 $ (787 200 $ – 805 000 $) entre la valeur actualisée de la nouvelle dette et la valeur comptable de la dette initiale ne représente que 2 % de cette dernière (17 800 $ ÷ 805 000 $). Puisque ce pourcentage se situe en deçà du critère de 10 %, Roulement à billes ltée doit traiter la renégociation à titre de modification de la dette existante en inscrivant l'écriture de journal suivante :

Emprunt bancaire	*17 800*	
Profit sur restructuration d'emprunt bancaire		*17 800*
Modification de l'emprunt bancaire à la suite d'une restructuration.		

Après cette écriture, la valeur comptable de l'emprunt bancaire est de 787 200 $ qui correspond aux flux de trésorerie révisés actualisés au taux d'intérêt effectif initial[46].

Emprunt bancaire	*7 200*	
Caisse		*7 200*
Paiement des coûts de transaction liés à la restructuration.		

Certains comptables jugent que la solution précédente est discutable. L'IASB indique en effet que « [...] les coûts ou honoraires engagés sont portés en ajustement de la valeur comptable du passif et sont amortis sur la durée résiduelle du passif modifié[47] ». Pour respecter cette recommandation,

46. *Manuel de CPA Canada – Comptabilité – Partie I*, IFRS 9, paragr. B5.4.6.

47. *Manuel de CPA Canada – Comptabilité – Partie I*, IFRS 9, paragr. B3.3.6.

il faudrait comptabiliser la dette modifiée à la valeur actualisée des flux de trésorerie révisés, sans inclure les coûts de transaction. Voici l'écriture de journal qui devrait être faite :

Emprunt bancaire	*32 200*	
Profit sur restructuration		*25 000*
Caisse		*7 200*
Modification de l'emprunt bancaire à la suite d'une restructuration et paiement des coûts de transaction.		

Cette écriture impliquerait la comptabilisation d'un profit supérieur de 7 200 $ (25 000 $ – 17 800 $) comparativement à la solution précédente. On peut se questionner à savoir si cette comptabilisation permettrait de présenter une image fidèle de la restructuration. En effet, on devrait comptabiliser un profit additionnel de 7 200 $ pour pouvoir reporter les coûts de transaction sur la durée restante de la nouvelle dette. Habituellement, dans le cas des actifs financiers, par exemple, le report d'une charge n'implique pas la comptabilisation d'un profit en résultat net. Dans le cas d'un passif financier, l'amortissement des coûts de transaction conduit à la comptabilisation d'un profit dans l'année de la restructuration. Cela pourrait laisser croire aux utilisateurs que la restructuration a été plus bénéfique qu'elle ne l'a été en réalité.

Lorsqu'une entreprise échange des passifs ou modifie les conditions d'une dette avec l'un de ses créanciers, elle peut être amenée à engager des frais de commissions ou d'autres coûts rattachés à l'échange ou à la modification de sa dette. À titre d'exemple, il peut s'agir de la commission liée à l'annulation d'une option de remboursement par anticipation payée par le créancier au débiteur. Les coûts renvoient aux sommes engagées pour modifier le passif financier initial, comme les honoraires et commissions versés aux agents (y compris les employés agissant comme agents de vente), aux conseils, aux courtiers et arbitragistes, les montants prélevés par les organismes réglementaires et les Bourses de valeurs, ainsi que les taxes et droits de transfert. Ils ne comprennent pas les primes ou escomptes sur les titres d'emprunt, les coûts de financement, les frais de gestion internes ou les frais de siège[48].

Le traitement comptable de ces commissions et coûts dépend de la substance de l'opération et du type d'instrument financier en cause, comme le résume le tableau 13.3.

13

TABLEAU 13.3 Les frais et les honoraires liés à l'échange ou à la modification de dette[49]

Substance de l'opération	Frais et honoraires
L'opération est considérée comme une extinction de la dette initiale.	Comptabilisés comme une portion du profit ou de la perte.
L'opération est considérée comme une modification de la dette initiale et le passif est évalué au coût amorti.	Ajustés à la valeur comptable de la dette modifiée et amortis sur sa durée de vie restante.
L'opération est considérée comme une modification de la dette initiale et le passif est classé À la juste valeur par le biais du résultat net.	Comptabilisés en résultat net.

Source : Sylvain Durocher

Avez-vous remarqué ?

On doit appliquer des règles particulières lorsqu'il y a restructuration d'une dette. Il faut déterminer s'il s'agit de l'extinction de la dette existante et de l'émission d'une nouvelle dette, ou s'il est plutôt question d'une modification des modalités de la dette existante. La nécessité de refléter fidèlement les opérations dicte le traitement comptable à adopter.

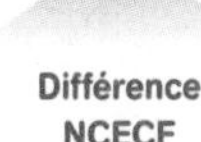

Différence NCECF

48. *Manuel de CPA Canada – Comptabilité – Partie I*, IFRS 9, paragr. B5.4.8.

49. *Manuel de CPA Canada – Comptabilité – Partie I*, IFRS 9, paragr. B3.3.6 et paragr. 5.7.1.

 La présentation dans les états financiers

Différence NCECF

L'IASB formule des recommandations en matière de présentation des passifs financiers dans les états financiers. Le chapitre 4 traitait de ces recommandations, que le lecteur est invité à relire, plus particulièrement les pages 4.36 à 4.72.

L'IASB donne également, dans l'**IAS 1** intitulée «Présentation des états financiers», quelques exemples des renseignements minimums à inclure dans les états financiers à l'égard des passifs financiers non courants. À ces exemples nous ajoutons quelques commentaires, présentés dans le tableau 13.4.

Soulignons enfin que l'état du résultat global doit comporter un poste présentant le montant des charges financières au titre de l'exercice[50]. Cette information est utile pour permettre aux utilisateurs de connaître les coûts de financement.

TABLEAU 13.4 La présentation des informations exigées selon l'IAS 1

***Normes internationales d'information financière,* IAS 1**	**Commentaires**
Paragr. 60 *L'entité doit présenter séparément dans l'état de la situation financière les [...] passifs courants et non courants [...], sauf lorsqu'une présentation selon le critère de liquidité apporte des informations fiables et plus pertinentes. Lorsque cette exception s'applique, l'entité doit présenter tous les [...] passifs par ordre de liquidité.*	En règle générale, les passifs sont présentés selon qu'ils sont courants ou non courants. Cette présentation aide les utilisateurs à déterminer le fonds de roulement de l'entreprise ainsi que les actifs nets utilisés pour les activités à long terme. Pour certaines entreprises dont le cycle d'exploitation n'est pas clairement défini, comme les institutions financières, la présentation par ordre de liquidité est plus pertinente.
Paragr. 61 *Quelle que soit la méthode de présentation adoptée, l'entité doit présenter le montant qu'elle s'attend [...] à régler dans plus de douze mois pour chaque poste [...] de passif regroupant des montants qu'elle s'attend [...] à régler :* *(a) au plus tard dans les douze mois suivant la date de clôture, et* *(b) plus de douze mois après la date de clôture.*	Même si l'entreprise opte pour la présentation par ordre de liquidité, elle doit mentionner aux utilisateurs les montants de ses passifs qu'elle n'aura pas à régler dans les 12 mois suivant la date de clôture.
Paragr. 73 *S'il est loisible à l'entité de refinancer ou de renouveler une obligation pour au moins douze mois après la date de clôture en vertu d'une facilité de prêt existante et qu'elle s'attend à procéder à un tel refinancement ou renouvellement, elle classe l'obligation comme non courante, même si celle-ci doit normalement arriver à échéance dans un délai plus court. Toutefois, lorsque le refinancement ou le renouvellement de l'obligation ne relève pas de la seule discrétion de l'entité (par exemple parce qu'il n'existe pas d'accord de refinancement), l'entité ne prend pas en compte le potentiel de refinancement de l'obligation et classe celle-ci en élément courant.*	Cela permet d'éviter que l'entreprise n'ait à reclasser ses passifs financiers non courants qui arrivent à échéance dans les passifs courants lorsqu'il existe un accord de refinancement ou de renouvellement. Cet accord doit cependant être à la seule discrétion de l'entreprise.
Paragr. 74 *Lorsque, à la date de clôture ou avant, l'entité manque à une disposition d'un accord d'emprunt à long terme et que ce manquement a pour effet de rendre le passif remboursable à vue, elle classe celui-ci en tant que passif courant, même si le prêteur a accepté, après la date de clôture mais avant la date d'autorisation de publication des états financiers, de ne pas exiger le paiement à la suite de ce manquement. L'entité classe le passif en tant que passif courant parce qu'à la date de clôture, elle ne dispose pas d'un droit inconditionnel de différer le règlement de ce passif pendant au moins douze mois à compter de cette date.*	Le classement à titre de passif courant est justifié du fait que l'entreprise ne dispose pas d'un droit inconditionnel de différer le règlement de ce passif pendant au moins 12 mois à compter de cette date.

50. *Manuel de CPA Canada – Comptabilité – Partie I*, IAS 1, paragr. 82(b).

TABLEAU 13.4 *(suite)*

Paragr. 75 *Toutefois, l'entité classe ce passif comme non courant si le prêteur a accepté, à la fin de la période de présentation de l'information financière, d'octroyer un délai de grâce prenant fin au plus tôt douze mois après la date de clôture, période pendant laquelle l'entité peut remédier à ses manquements et pendant laquelle le prêteur ne peut exiger le remboursement immédiat de l'emprunt.*	Une entreprise qui est en difficulté financière et qui a obtenu un délai de grâce supérieur à un an peut continuer de classer son passif en tant que passif non courant. On peut considérer que si le créancier accepte de prolonger l'échéance, c'est que l'entreprise a la capacité de remédier à ses manquements durant ce délai.
Paragr. 80A *Si une entité a reclassé :* *(a) un instrument financier remboursable au gré du porteur classé comme instrument de capitaux propres, ou* *(b) un instrument qui impose à l'entité une obligation de remettre une quote-part de ses actifs nets à une autre partie uniquement lors de la liquidation et qui est classé comme instrument de capitaux propres,* *entre passifs financiers et capitaux propres, elle doit indiquer les montants ainsi ajoutés et retranchés pour chacune des catégories (passifs financiers et capitaux propres), ainsi que la date et les motifs du reclassement.*	La nécessité de présenter fidèlement la nature de l'instrument financier peut amener à classer un passif comme un titre de capitaux propres si les caractéristiques de cet instrument prêtent à ce classement. Par contre, une entreprise doit le reclasser dès qu'il cesse de présenter les caractéristiques ou de remplir les conditions qui avaient entraîné ce classement.

Les extraits des états financiers de Sears Canada illustrent bien le souci du détail qu'ont les entreprises dans la présentation de la dette non courante.

NOTES ANNEXES

2. Principales méthodes comptables

[...]

2.21 Passifs financiers et instruments de capitaux propres

IAS 32, paragr. 15 — 2.21.1 Classement à titre d'emprunt ou de capitaux propres

Les instruments d'emprunt et de capitaux propres sont classés soit comme passifs financiers, soit comme capitaux propres selon la substance des accords contractuels.

[...]

2.21.3 Passifs financiers

IFRS 9, paragr. 3.1.1
IFRS 9, paragr. 5.3.1

Les passifs financiers sont comptabilisés à la date de transaction lorsque la Société devient partie aux dispositions contractuelles de l'instrument. Les passifs financiers sont classés soit comme « passifs financiers à la juste valeur par le biais du résultat net », soit comme « autres passifs financiers ».

2.21.4 Passifs financiers à la juste valeur par le biais du résultat net

IFRS 9, paragr. 4.2.2

Un passif financier est classé comme passif financier à la juste valeur par le biais du résultat net s'il est détenu à des fins de transaction ou s'il est désigné comme à la juste valeur par le biais du résultat net. Actuellement, la Société ne dispose d'aucun passif financier qui a été désigné comme à la juste valeur par le biais du résultat net au moment de la comptabilisation initiale.

2.21.5 Autres passifs financiers

IFRS 9, paragr. 5.1.1
IFRS 9, paragr. 4.2.1

Les autres passifs financiers, incluant les emprunts, sont initialement évalués à la juste valeur, déduction faite des coûts de transaction. Les autres passifs financiers sont par la suite évalués au coût amorti et les charges d'intérêts sont comptabilisées selon la méthode du taux d'intérêt effectif.

La Société amortit les coûts de transaction liés à l'émission de titres d'emprunt sur la durée de la dette au moyen de la méthode du taux d'intérêt effectif.

2.21.6 Décomptabilisation des passifs financiers

IFRS 9, paragr. 3.3.1

La Société décomptabilise les passifs financiers si, et seulement si, les obligations de la Société sont éteintes, annulées ou arrivent à expiration.

14. Instruments financiers

[...]

14.2 Risque de liquidité

IFRS 7, paragr. 39 (c)

Le risque de liquidité correspond au risque que la Société ne puisse disposer de trésorerie suffisante pour régler ses passifs financiers à mesure qu'ils arrivent à échéance. La Société maintient son accès à des sources de financement adéquates afin de chercher à s'assurer qu'elle dispose de fonds suffisants pour respecter les exigences financières actuelles et futures, à un coût raisonnable.

IFRS 7, paragr. 39(a)

Le tableau qui suit présente un sommaire de la valeur comptable et des échéances contractuelles, capital et intérêts, des principaux passifs financiers au 30 janvier 2016.

		Échéance contractuelle des flux de trésorerie				
(en millions de dollars canadiens)	Valeur comptable	Total	Moins de 1 an	Entre 1 an et 3 ans	Entre 3 ans et 5 ans	Plus de 5 ans
Créditeurs et charges à payer	332,7 $	332,7 $	332,7 $	– $	– $	– $
Obligations en vertu de contrats de location-financement, y compris les paiements à court terme [1]	24,2	30,2	5,6	10,0	8,7	5,9
Obligations en vertu de contrats de location simple [2]	s.o.	376,3	81,2	130,2	81,5	83,4
Redevances [2]	s.o.	15,9	3,4	7,2	5,3	–
Engagements d'achat [2,4]	s.o.	13,4	12,2	0,5	0,5	0,2
Obligations au titre des régimes de retraite [3]	326,9	65,6	20,2	39,3	5,9	0,2
	683,8 $	**834,1 $**	**455,3 $**	**187,2 $**	**101,9 $**	**89,7 $**

[1] *L'échéance des flux de trésorerie liés aux obligations en vertu de contrats de location-financement, y compris les paiements à court terme, comprend des intérêts annuels sur les obligations en vertu de contrats de location-financement à un taux moyen pondéré de 7,6 %.*

[2] *Les obligations en vertu de contrats de location simple, les redevances et certains engagements d'achat ne sont pas présentés dans les états consolidés de la situation financière.*

[3] *Les paiements sont calculés en fonction d'une évaluation aux fins de capitalisation au 31 décembre 2013, laquelle a été menée à terme le 30 juin 2014. Toute obligation liée à des périodes ultérieures à 2019 serait calculée en fonction d'une évaluation aux fins de capitalisation devant être achevée le 31 décembre 2016.*

[4] *Certains fournisseurs exigent des niveaux d'engagement d'achat minimaux sur la durée du contrat. Une partie de ces obligations sont incluses au poste Autres passifs à long terme dans les états consolidés de la situation financière.*

IFRS 7, paragr. 39 (c)

La direction est d'avis que les fonds en caisse, les flux de trésorerie futurs générés par les activités d'exploitation et la disponibilité du financement actuel et futur suffiront à régler ces passifs financiers. Au 30 janvier 2016, la Société n'avait aucun engagement important à l'égard des dépenses d'investissement.

[...]

Charges financières

Les charges d'intérêts sur les obligations à long terme, y compris les obligations en vertu de contrats de location-financement, la partie courante des obligations à long terme, l'amortissement des coûts de transaction, la désactualisation de la partie non courante des provisions et les commissions d'engagement sur la tranche non utilisée de la facilité de crédit modifiée pour l'exercice 2015, ont totalisé 6,3 M $ (7,3 M $ en 2014). Les charges d'intérêts ont été incluses au poste Charges financières dans les comptes consolidés de la perte nette et de la perte globale. Pour l'exercice 2015, les charges financières comprenaient également une charge de 3,4 M $ au titre des intérêts liés aux avis d'imposition et aux avis de redressement concernant l'exercice considéré et les exercices précédents (économies de 6,5 M $ au titre des intérêts liés à une charge à payer à l'égard de positions fiscales incertaines en 2014), et une charge de néant (charge de 0,2 M $ en 2014) au titre des intérêts liés au règlement d'un avis d'imposition concernant la taxe de vente.

IAS 1, paragr. 82 (b)

[...]

Source : Rapport annuel 2015 de Sears Canada Inc.

Sears Canada Inc., *Rapport annuel 2015*, [En ligne], <http://sears.fr.ca.investorroom.com/rapports> (page consultée le 5 juillet 2016).

13

Avez-vous remarqué ?

Les informations à fournir sur les dettes non courantes sont nombreuses. Elles doivent permettre aux utilisateurs d'évaluer l'importance des passifs, de même que la nature et l'ampleur des risques auxquels l'emprunteur s'expose.

Différence NCECF

PARTIE II – LES NCECF

Équivalents terminologiques *Manuel de CPA Canada* – Partie II et Partie I.

Nous traiterons ici uniquement des NCECF propres aux dettes à long terme. Le lecteur est invité à revoir le chapitre 4 pour tout ce qui concerne les NCECF applicables aux passifs financiers. La figure 13.9 résume les principales différences entre les NCECF et les IFRS dont nous traiterons plus en détail dans les sections qui suivent.

Les emprunts obligataires

Le processus d'émission des obligations est simplifié pour les entreprises à capital fermé. Il est possible pour elles d'obtenir une dispense de prospectus si elles vendent leurs titres à des investisseurs qualifiés[51].

En ce qui a trait au traitement comptable des **obligations évaluées au coût amorti**, le **chapitre 3856** du *Manuel – Partie II*, intitulé « Instruments financiers », ne contient aucune référence à la méthode du taux d'intérêt effectif. Le paragraphe A.3 précise seulement que la différence entre la juste valeur initiale et la valeur nominale représente un ajustement d'intérêts payés d'avance qui doit être amorti sur la durée de vie prévue de l'instrument et comptabilisé en résultat à titre de

FIGURE 13.9 Les particularités des NCECF au sujet des dettes non courantes

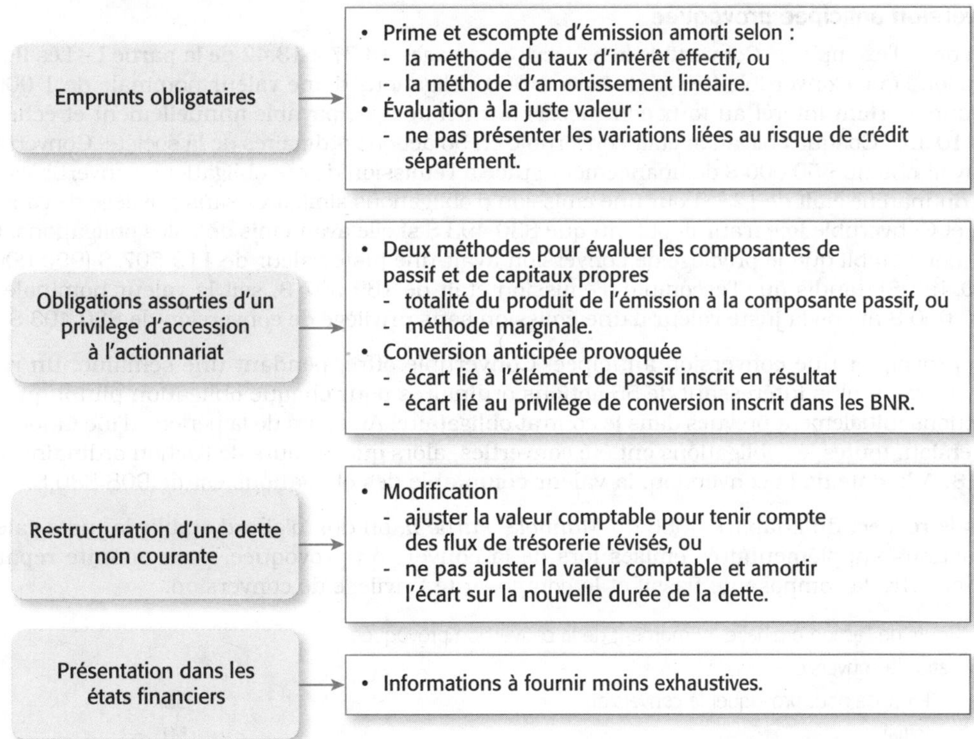

51. Autorité des marchés financiers, *Les dispenses de prospectus*, Québec, Canada, 2006.

charge d'intérêts. Il est possible de présenter l'amortissement des intérêts payés d'avance comme une composante à part de la charge d'intérêts. On en déduit que les primes et les escomptes d'émission d'emprunts obligataires peuvent être amortis selon la méthode du taux d'intérêt effectif ou selon une méthode d'amortissement linéaire, par exemple.

Il est aussi possible, lors de la comptabilisation initiale, de faire le choix irrévocable d'évaluer les passifs financiers à la juste valeur. Par contre, puisque la notion de résultat global n'existe pas dans les NCECF, il n'est pas nécessaire de présenter séparément les variations de valeur qui sont attribuables aux variations du risque de crédit.

Les obligations assorties d'un privilège d'accession à l'actionnariat

Selon les NCECF, il existe deux méthodes acceptables pour évaluer les composantes de passif et de capitaux propres des obligations convertibles et des obligations avec bons de souscription :

a) L'élément de capitaux propres est évalué à zéro. La totalité du produit de l'émission est attribuée à l'élément de passif.

b) La valeur de l'élément le plus facile à évaluer est déduite du produit total de l'émission. La différence donne la valeur de l'élément restant[52].

IFRS
Résultat net

Concernant la conversion anticipée provoquée, les actions accordées conformément au ratio de conversion initial sont évaluées au prix contractuel initial, alors que les actions supplémentaires offertes pour provoquer la conversion sont évaluées à la juste valeur. Le montant du profit ou de la perte lié à l'élément de passif est comptabilisé en **résultat**, tandis que l'écart entre la valeur comptable de la composante capitaux propres et le montant du règlement pris en compte est comptabilisé dans les capitaux propres[53]. Le Conseil des normes comptables (CNC) n'exige pas que les coûts supplémentaires liés à cette conversion anticipée provoquée soient comptabilisés en résultat, comme le demandent les IFRS.

13

EXEMPLE

Conversion anticipée provoquée

Reprenons l'exemple de Convertible ltée, décrit aux pages 13.37 à 13.42 de la partie I – Les IFRS. Rappelons que Convertible ltée avait émis 1 000 obligations d'une valeur nominale de 1 000 $ chacune, portant intérêt au taux contractuel annuel de 9 %, payable annuellement et échéant dans 10 ans. Chaque obligation était convertible en 50 actions ordinaires de la société. Convertible ltée avait obtenu 950 000 $ de financement grâce à l'émission de ces obligations convertibles. Le taux du marché était de 12 % pour une émission d'obligations similaires sans privilège de conversion, et Convertible ltée n'aurait obtenu que 830 493 $ si elle avait émis de telles obligations. On avait donc établi que le privilège de conversion avait une juste valeur de 119 507 $ (950 000 $ – 830 493 $), tandis que l'escompte d'émission était de 169 507 $, soit la valeur nominale de 1 000 000 $ moins la juste valeur d'une émission sans privilège de conversion de 830 493 $.

Pour provoquer une conversion anticipée, Convertible offre, pendant une semaine, un ratio de conversion plus intéressant de 55 actions ordinaires pour chaque obligation plutôt que les 50 actions initialement prévues dans le contrat obligataire. Au cours de la période d'incitation à la conversion, toutes les obligations ont été converties, alors que le cours de l'action ordinaire était à 30 $. À la date de la conversion, la valeur comptable des obligations est de 908 880 $.

Dans le respect du chapitre 3856 du *Manuel – Partie II*, on doit d'abord établir la juste valeur des actions supplémentaires émises lors de la conversion provoquée, pour ensuite répartir celle-ci entre la composante Passif et la composante Privilège de conversion.

Cours de l'action ordinaire au moment de la conversion provoquée			30 $
Ratio de conversion			
Proposé pour provoquer la conversion	55		
Initial	50	×	5

52. *Manuel de CPA Canada – Comptabilité – Partie II*, paragr. 3856.22.

53. *Manuel de CPA Canada – Comptabilité – Partie II*, paragr. 3856.A37.

		150
Nombre d'obligations converties	×	1 000
Juste valeur des actions supplémentaires		150 000 $

Cette contrepartie supplémentaire de 150 000 $ est répartie comme suit :

Composante Passif ①	124 241 $
Composante Privilège de conversion ②	25 759
Total	150 000 $

Calculs et explications :

① Ce montant représente l'excédent de la juste valeur de 1 033 121 $ de l'emprunt obligataire sur sa valeur comptable à la date de la conversion provoquée. Le détail du calcul figure à la page 13.41.

② Ce montant correspond à la différence entre la contrepartie supplémentaire (150 000 $) et la fraction de la contrepartie attribuée à la composante Passif (124 241 $).

Une fois cette répartition établie, la société Convertible ltée doit passer l'écriture suivante à la date de la conversion provoquée :

Emprunt obligataire	*908 880*	
Surplus d'apport – Privilège de conversion	*119 507*	
Perte sur règlement de l'emprunt obligataire	*124 241*	
Bénéfices non répartis	*25 759*	
Actions ordinaires		*1 178 387*
Conversion provoquée de la totalité des obligations convertibles en circulation.		

IFRS
Résultats non distribués

Le montant porté au crédit du compte Actions ordinaires est le même que celui présenté à la page 13.42. La différence entre les deux référentiels provient de la répartition de la contrepartie supplémentaire de 150 000 $ due à la conversion provoquée. Rappelons que selon le *Manuel – Partie I*, le montant total de la perte est comptabilisé en résultat net, tandis que selon le *Manuel – Partie II*, le montant de la perte lié à l'élément de passif (124 241 $) est comptabilisé en résultat alors que le montant de la contrepartie lié à la composante Privilège de conversion (25 759 $) est comptabilisé dans les bénéfices non répartis.

13

La restructuration d'une dette non courante

Les concepts comptables liés à la restructuration d'une dette non courante sont essentiellement les mêmes que dans les IFRS sauf dans le cas où la restructuration consiste à renégocier les modalités de la dette et qu'en substance, nous concluons qu'il s'agit du même passif. Selon les IFRS, une nouvelle valeur comptable est calculée en actualisant les flux de trésorerie de la dette renégociée, au taux d'intérêt effectif initial, et l'ajustement en découlant est comptabilisé en résultat net. Le chapitre 3856 du *Manuel – Partie II* ne fournit aucune directive à cet égard. Il serait donc possible d'utiliser le même traitement comptable que celui proposé dans les IFRS ou de ne pas ajuster la valeur comptable de la dette et d'amortir l'écart qui en découle sur la nouvelle durée de la dette. Si l'entreprise utilise la méthode du taux d'intérêt effectif, elle devra recalculer un nouveau taux d'intérêt effectif.

La présentation dans les états financiers

Les états financiers de Josy Dida inc.

Comme en fait foi la note 16 des états financiers de Josy Dida inc. disponibles dans la plateforme *i+Interactif*, les recommandations en matière de présentation des passifs financiers sont beaucoup moins exhaustives que celles qu'exigent les IFRS. Le chapitre 3856 du *Manuel – Partie II* précise les informations obligatoires à fournir. Le lecteur est invité à relire la section **Les informations à fournir dans les notes** de la partie II – Les NCECF du chapitre 4 du présent manuel pour voir une liste sommaire des informations à fournir dans les notes concernant les passifs financiers.

Par exemple, selon les NCECF, on doit présenter : 1) le détail des conditions rattachées aux emprunts obligataires et autres formes de dette à long terme ; 2) le montant global estimatif des versements à effectuer dans chacune des cinq années subséquentes en vertu des clauses de rachat et d'amortissement de la dette à long terme ainsi que ; 3) les informations rattachées aux modalités de conversion des obligations convertibles, elles aussi requises.

Consultez le tableau synthèse des particularités des NCECF.

Avez-vous remarqué ?

La principale différence entre les deux référentiels se situe sur le plan de l'évaluation d'un instrument financier qui comprend deux composantes : une de passif et une de capitaux propres. Les NCECF permettent le choix entre deux méthodes, la méthode marginale ou l'attribution à la composante de passif de la totalité du prix d'émission.

SYNTHÈSE DU CHAPITRE 13

La figure 13.10 illustre en un coup d'œil les principaux thèmes abordés dans le présent chapitre. Le texte qui suit la figure vous permettra de vérifier l'acquisition des objectifs d'apprentissage.

FIGURE 13.10 Les principaux thèmes abordés dans le présent chapitre

Équilibre entre le risque de liquidité et l'effet de levier → **Financement par emprunt à long terme**

NCECF

Emprunts obligataires

- Nature et caractéristiques
- Émis au pair, à prime ou à escompte
- Subséquemment :
  - (i) valeur comptable correspondant au coût amorti
  - (ii) décomptabilisation de l'emprunt lorsque l'obligation est éteinte
  - (iii) remboursement avant échéance pouvant entraîner la comptabilisation d'un profit ou d'une perte

Obligations assorties d'un privilège

Même traitement comptable que les emprunts obligataires
De plus :
- Comptabilisation distincte des composantes de passif et de capitaux propres
- Lors de la conversion, actions émises à la valeur comptable de la composante de passif
- Lors de l'exercice des bons de souscription, actions émises à la valeur comptable de la composante de passif ou à la juste valeur des actions émises

Autres formes répandues

- Effet à payer
  Difficulté liée à la détermination de la juste valeur à l'émission
- Emprunt hypothécaire
  Essentiellement le même traitement comptable que les emprunts obligataires

NCECF – Emprunts obligataires
- choix de 2 méthodes pour l'amortissement de la prime ou de l'escompte
- variations liées au risque de crédit non présentées séparément

NCECF – Obligations assorties d'un privilège
- choix de 2 méthodes pour la comptabilisation distincte des composantes de passif et de capitaux propres
- lors d'une conversion anticipée provoquée, écart scindé entre les composantes de passif et de capitaux propres

Si difficultés financières, restructuration et comptabilisation d'un profit

NCECF – Restructuration
- aucune directive

Informations à fournir dans les états financiers

NCECF – Informations à fournir
- moins exhaustives

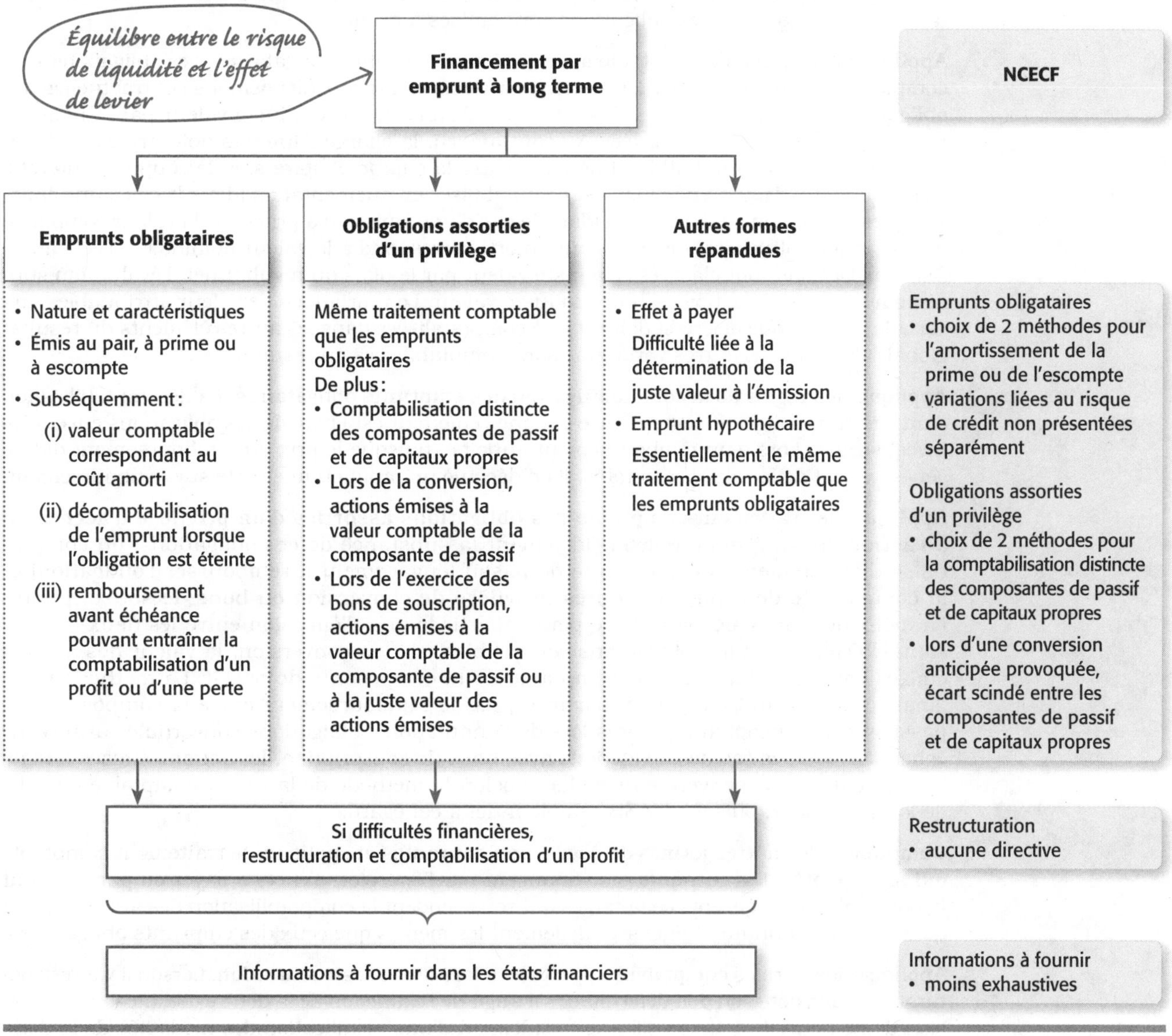

Source : Jocelyne Gosselin et Diane Bigras

Décrire la nature des dettes non courantes et des emprunts obligataires. Le passif courant découle des activités d'exploitation courantes et régulières, alors que le passif non courant résulte habituellement du financement de certaines activités d'investissement ponctuelles. Le financement à long terme par emprunt permet de garder intact le niveau de contrôle exercé par les actionnaires actuels et fournit aux créanciers un droit prioritaire en cas de liquidation de l'entreprise. Par contre, il implique habituellement le versement périodique des intérêts et le remboursement du principal à l'échéance. Le choix de l'entreprise de se financer au moyen de dettes non courantes doit prendre en compte l'équilibre entre le risque de liquidité et l'effet de levier.

Une obligation est un titre d'emprunt à long terme négociable obtenu auprès de plusieurs prêteurs. Elle peut être immatriculée ou être au porteur, être garantie ou non garantie, à échéance unique ou échéant en série, remboursable par anticipation, convertible, etc. Toutes ces caractéristiques ont pour but de créer des obligations adaptées aux besoins de l'émetteur et des prêteurs.

 **Déterminer l'évaluation initiale des emprunts obligataires.** Le prix d'émission d'obligations est égal à la valeur actualisée des intérêts périodiques versés, plus la valeur actualisée du principal remboursé à l'échéance. Le taux d'actualisation utilisé correspond au taux du marché, de sorte que le prix d'émission correspond à la juste valeur des obligations à cette date sur le marché. Les obligations doivent être évaluées à la juste valeur lors de leur comptabilisation initiale. Si le taux du marché initial est égal au taux d'intérêt nominal, les obligations sont émises au pair. Si le taux du marché initial est supérieur au taux d'intérêt nominal, les obligations sont émises à escompte. Enfin, si le taux du marché initial est inférieur au taux d'intérêt nominal, les obligations sont émises à prime.

 **Appliquer le traitement comptable approprié aux emprunts obligataires.** Les obligations sont comptabilisées lorsque l'émetteur devient partie prenante aux dispositions contractuelles des obligations. Elles peuvent être classées Au coût amorti ou À la juste valeur par le biais du résultat net. Si elles sont classées Au coût amorti, la charge d'intérêts doit être calculée au taux d'intérêt effectif initial. La différence entre la charge d'intérêts, et le coupon d'intérêts, calculé au taux d'intérêt nominal, est comptabilisée en augmentation (dans le cas d'une émission à escompte) ou en diminution (dans le cas d'une émission à prime) de la valeur comptable de l'emprunt obligataire. Ainsi, le coût amorti correspond à la valeur nominale à l'échéance. Si les obligations sont classées À la juste valeur par le biais du résultat net, l'évaluation subséquente de ces obligations se fait à la juste valeur. Les variations de valeur attribuables aux variations du risque de crédit doivent être comptabilisées dans les autres éléments du résultat global, alors que les autres variations sont comptabilisées en résultat net.

 **Appliquer les règles de décomptabilisation des emprunts obligataires.** La décomptabilisation d'un emprunt obligataire est permise lorsque l'émetteur est libéré de ses obligations envers les investisseurs. Lors d'un remboursement anticipé, puisque le prix du remboursement diffère généralement de la valeur comptable, il en découle un profit ou une perte sur remboursement.

 **Appliquer le traitement comptable des obligations assorties d'un privilège d'accession à l'actionnariat.** Afin de refléter fidèlement la substance de ces obligations, on comptabilise distinctement la composante de passif (engagement à rembourser l'obligation) et la composante de capitaux propres (privilège de conversion ou bons de souscription). La méthode marginale est utilisée pour répartir le prix d'émission entre les deux composantes. Dans le cas des obligations convertibles, s'il y a conversion, la valeur des actions émises correspond à la valeur comptable de la composante de passif. La méthode marginale est aussi utilisée pour répartir le prix de remboursement entre la composante de passif et celle de capitaux propres lors de l'annulation d'obligations convertibles avant leur échéance. Dans le cas des obligations avec bons de souscription, les actions émises lors de l'exercice des bons peuvent être évaluées selon la méthode de la valeur comptable ou celle de la juste valeur, puisque l'IASB semble muet à cet égard.

 **Comprendre les autres formes de dettes non courantes et appliquer le traitement comptable qui s'y rapporte.** Les entreprises se financent par l'émission d'effets à payer ou par emprunt hypothécaire. Les concepts comptables qui sous-tendent la comptabilisation des autres formes de dettes non courantes sont essentiellement les mêmes que ceux des emprunts obligataires.

 **Appliquer les normes comptables appropriées lors d'une restructuration.** Lorsqu'il y a restructuration d'une dette, on doit déterminer s'il s'agit de l'extinction de la dette existante et de l'émission d'une nouvelle dette ou s'il s'agit seulement d'une modification des modalités de la dette existante. La nécessité de refléter fidèlement les opérations dicte le traitement comptable à adopter.

 **Présenter la dette non courante dans les états financiers.** Il importe de présenter les passifs non courants selon les normes comptables et de fournir dans les états financiers toute l'information pertinente à la prise de décision des utilisateurs.

 **Comprendre et appliquer les NCECF liées aux emprunts obligataires et aux autres formes de dettes non courantes.** Les principales différences entre les deux référentiels portent d'abord sur l'amortissement de la prime ou de l'escompte, lequel peut se calculer en utilisant la méthode du taux d'intérêt effectif ou la méthode de l'amortissement linéaire. Une autre différence concerne les obligations assorties d'un privilège d'accession à l'actionnariat. Sur le plan de l'évaluation, les NCECF permettent de choisir l'une de ces deux méthodes, la méthode marginale ou l'attribution à la composante de passif de la totalité du prix d'émission. Lors de la conversion anticipée provoquée, l'écart entre la valeur comptable et le montant du règlement est réparti entre la composante de passif et de capitaux propres.

Le capital social des sociétés de capitaux

14

Des ressources pédagogiques sont disponibles en ligne.

14

Objectifs d'apprentissage

À la fin de ce chapitre, vous pourrez:

1. expliquer le caractère distinctif des sociétés par actions;
2. décrire la nature du capital social;
3. appliquer le traitement comptable du capital social;
4. appliquer le traitement comptable des bons de souscription;
5. appliquer le traitement comptable des plans de rémunération fondée sur des actions et les présenter dans les états financiers;
6. appliquer les normes comptables liées au rachat d'actions et aux actions propres détenues;
7. calculer la valeur comptable d'une action et expliquer l'utilité et les limites de cette statistique;
8. présenter le capital social dans les états financiers;
9. comprendre et appliquer les NCECF liées au capital social.

Aperçu du chapitre

L'histoire de l'humanité a montré qu'il est du propre de l'homme de toujours chercher à se regrouper pour profiter du savoir-faire de ses pairs. La société est devenue de plus en plus organisée, passant d'une culture artisanale à une culture industrialisée. Les entreprises de dimension artisanale qui réussissent bien ont vite fait de prendre de l'envergure et de rechercher des investisseurs pour financer leur croissance. C'est à partir des années 1860 que se développent progressivement les sociétés par actions. La **société par actions** permet de rassembler une plus grande quantité de capitaux que ne le permet l'entreprise individuelle. Toutefois, les formalités pour la mise sur pied et le fonctionnement d'une société par actions sont plus complexes, puisque celle-ci est assujettie aux dispositions et aux règlements de la loi en vertu de laquelle elle est constituée.

Pour attirer les investisseurs malgré la forte compétition, les sociétés par actions doivent faire preuve de créativité. Elles doivent offrir des actions pourvues de divers **droits,** tels que des dividendes prioritaires et cumulatifs ou des droits de participation et de convertibilité. Certains stratèges financiers ont même concocté des titres de capitaux propres qui possèdent les mêmes caractéristiques que des titres de créances afin de les rendre plus alléchants.

L'**émission des actions** peut se faire de diverses façons. Évidemment, la façon la plus simple est de les émettre contre de la trésorerie, mais il peut arriver qu'elles soient émises lors d'une opération d'échange contre des biens ou des services. Les **plans de rémunération fondée sur des actions** sont un exemple d'opération courante d'échange entre l'entreprise et les membres du personnel. L'entreprise peut également offrir les actions à des souscripteurs. Ces derniers se voient faciliter l'accès à l'actionnariat en bénéficiant de conditions de paiement avantageuses. Certaines entreprises émettent des **bons de souscription** pour inciter l'achat de leurs actions. Ces bons donnent à leur détenteur le droit d'acheter les actions à un prix stipulé à l'avance. Finalement, certains titres ont un privilège de conversion, qui permet de convertir le titre détenu en actions d'une autre catégorie.

L'entreprise a aussi la possibilité de racheter ses actions. Il existe une foule de raisons qui peuvent l'inciter à le faire. Un rachat peut viser à accroître le résultat par action en réduisant le nombre d'actions en circulation ou à développer le marché des actions de l'entreprise afin de permettre une hausse de leur cours. Quelle que soit la raison invoquée,

14

le **rachat d'actions** doit respecter certaines règles légales et sa comptabilisation doit être conforme aux normes comptables. La valeur attribuée à chacun des éléments qui composent les capitaux propres d'une entreprise forme la valeur comptable de cette dernière. Cette valeur, présentée sous la forme de la **valeur comptable de l'action**, est utilisée comme valeur de référence pour certaines opérations d'achat ou de vente de titres. Dans le présent chapitre, nous nous concentrerons plus particulièrement sur ce qui touche le capital social d'une entreprise, alors que le chapitre 15 traitera des réserves. Pour terminer, les principales différences concernant les sujets abordés dans le présent chapitre, selon le *Manuel – Partie I* et *Partie II*, seront relevées dans la partie II – Les NCECF.

PARTIE I – LES IFRS

 Équivalents terminologiques *Manuel de CPA Canada* – Partie I et Partie II.

 Le caractère distinctif des sociétés par actions

De toutes les formes juridiques d'entreprise, la société par actions est certes celle qui attire le plus l'attention : on peut penser aux chiffres d'affaires de grandes sociétés québécoises telles que Cascades et Bombardier, aux sommes colossales investies dans les sociétés telles qu'Aluminerie de Bécancour, et au nombre de personnes employées par des sociétés telles que Bell et Weston. La quasi-totalité des grandes entreprises commerciales, manufacturières et industrielles sont des sociétés par actions. Leur prédominance s'explique principalement par la facilité avec laquelle elles peuvent réunir et conserver des capitaux considérables tout en limitant, dans une certaine mesure, la responsabilité de leurs propriétaires.

Les diverses sortes de sociétés par actions

La figure 14.1 illustre les deux sortes de **sociétés par actions**.

14

FIGURE 14.1 Les deux sortes de sociétés par actions

Les sociétés par actions

Ayant une obligation d'information du public	À capital fermé
Les entreprises à but lucratif dont les actions sont accessibles au public en général (inscrites en Bourse, par exemple) sont des entreprises ayant une obligation d'information du public. Citons, par exemple, Cascades, Bombardier, etc.	Les actions des entreprises à capital fermé sont détenues par un nombre restreint d'actionnaires. Elles ne sont pas accessibles au public en général. Pensons notamment aux petites sociétés comme Salon d'esthétique Jessica inc. ou aux plus grandes, telle Kruger.

Par définition, une **entreprise à capital fermé** (ECF) est une entreprise dont les actions ne sont pas inscrites à la cote officielle et qui ne peut faire un appel public à l'épargne lorsqu'elle procède à l'émission d'actions ou de titres d'emprunt. De son côté, l'**entreprise ayant une obligation d'information du public** (OIP) est une société de capitaux dont les actions sont inscrites à la cote officielle, se vendent sur un marché hors cote ou peuvent être offertes au public en général de quelque autre façon. En plus d'émettre des titres de capitaux propres (actions), les entreprises ayant une OIP peuvent aussi faire un appel public à l'épargne en émettant des titres d'emprunt tels que les obligations décrites au chapitre 13. Compte tenu de la nécessité de protéger les investisseurs, les entreprises ayant une OIP doivent se soumettre à une réglementation très rigoureuse imposée par l'Autorité des marchés financiers (AMF).

Les caractéristiques des sociétés par actions

Les sociétés par actions se distinguent des entreprises individuelles et des sociétés de personnes de plusieurs façons.

Une existence légale distincte En vertu de la notion de personnalité de l'entreprise, toutes les entreprises ont une existence comptable. De plus, la société par actions possède une existence légale distincte. En effet, contrairement aux entreprises individuelles et aux sociétés de personnes, qui n'ont pas une existence légale distincte de leurs propriétaires, la société par actions peut, en son nom propre, acheter, détenir, hypothéquer, donner en garantie et vendre des immobilisations. Elle peut poursuivre et être poursuivie en justice, et elle paie ses propres impôts.

Une existence indéfinie Contrairement à l'entreprise individuelle et, dans une certaine mesure, à la société de personnes, l'existence d'une société par actions n'est pas remise en cause lors du décès ou du départ d'un propriétaire ou d'un administrateur. Certains actionnaires vendent leurs actions à d'autres investisseurs, qui exercent leur droit de vote à l'assemblée générale annuelle, et l'entreprise continue d'exister comme si aucun changement n'était survenu. Le maintien d'un seuil de rentabilité acceptable et d'une situation financière solvable est le principal indicateur d'une existence indéfinie.

Un titre de capitaux propres transférable Le détenteur d'actions émises par une entreprise ayant une OIP (surtout si ces titres se négocient en Bourse) peut les vendre à n'importe quel moment. Cependant, dans le cas des ECF, un actionnaire ne peut généralement céder ses actions sans se conformer à certaines formalités précisées dans les statuts de l'entreprise.

Une responsabilité limitée des actionnaires Comme une société par actions est une personne morale, les actionnaires ne sont pas personnellement responsables de ses dettes. Les créanciers qui veulent recouvrer leur dû doivent s'adresser à l'entreprise et non aux actionnaires, qui prennent le seul risque de perdre le capital qu'ils ont investi dans l'entreprise[1].

La possibilité de réunir des capitaux considérables Contrairement à une entreprise individuelle et, dans une certaine mesure, à une société de personnes, dont la possibilité de réunir des fonds est limitée à la capacité individuelle du ou des propriétaires, l'émission d'actions à l'aide d'un appel public à l'épargne constitue une source de financement non négligeable. L'entreprise obtient ainsi d'importants capitaux qui lui permettent d'accélérer de façon notable la réalisation de projets de grande envergure.

La possibilité d'une gestion plus efficace Ayant à leur disposition des ressources considérables, les administrateurs d'une société par actions d'une certaine envergure ont la possibilité d'embaucher des gestionnaires de grande compétence. La gestion de l'entreprise est donc confiée à des personnes ayant des aptitudes variées et adaptées aux besoins de l'entreprise.

La non-participation des actionnaires à la gestion Toute médaille a son revers. Une entreprise qui embauche des professionnels écarte les véritables propriétaires (actionnaires) de la gestion de l'entreprise. Ainsi, les actionnaires qui ne détiennent qu'une faible proportion d'actions (actionnaires minoritaires) ne peuvent en aucune façon intervenir dans la gestion de l'entreprise. À la décharge de celle-ci, signalons toutefois qu'en règle générale, les petits investisseurs ne désirent pas participer à sa gestion active, leur seul souci étant de réaliser un rendement sur leur investissement.

Les restrictions imposées par les lois Une société par actions est assujettie à de nombreuses lois fédérales et provinciales. Ces lois imposent de nombreuses restrictions portant, par exemple, sur les fonds que les actionnaires ne peuvent retirer de l'entreprise sans remplir certaines formalités. De plus, les entreprises ayant une OIP doivent publier des informations détaillées et obtenir l'autorisation de l'AMF avant de faire un appel public à l'épargne.

La double imposition Les entreprises individuelles et les sociétés de personnes ne paient pas d'impôts. Le ou les propriétaires doivent inclure les résultats de l'entreprise dans leurs déclarations de revenus personnelles. Par contre, en tant que personne morale, la société par actions voit ses résultats imposés par les divers paliers gouvernementaux. Les mêmes résultats feront de nouveau l'objet d'une imposition pour les actionnaires lorsque ces derniers les recevront sous forme de dividendes. Il est difficile de dire, sur le plan fiscal, si cette double imposition procure des avantages ou présente des inconvénients. Il peut y avoir une différence à ce sujet selon que l'entreprise a

1. La responsabilité d'un actionnaire est limitée pour autant qu'il ne se porte pas personnellement garant de l'entreprise. Ainsi, dans le cas d'une petite ECF qui désire contracter un emprunt bancaire, l'institution financière exigera probablement de l'actionnaire principal, ou très souvent de l'unique actionnaire, un endossement personnel du prêt consenti à l'entreprise. En pareil cas, la responsabilité de l'actionnaire ne se limite plus à son apport de capitaux.

une OIP ou est une ECF. Dans le dernier cas, on doit tenir compte du taux d'imposition marginal combiné des principaux actionnaires, des salaires que leur attribue l'entreprise, des dividendes qu'elle leur verse, du taux d'imposition de l'entreprise elle-même, etc.

Ce survol des caractéristiques propres à une société de capitaux nous permet de dresser le tableau 14.1, qui porte sur les avantages et les inconvénients de la société par actions.

TABLEAU 14.1 Les avantages et les inconvénients de la société par actions

Avantages	Inconvénients
• Existence légale distincte • Existence indéfinie • Négociabilité et cessibilité des titres de capitaux propres • Responsabilité limitée des actionnaires • Possibilité de réunir des capitaux considérables • Possibilité d'une gestion plus efficace	• Non-participation des actionnaires à la gestion (surtout lorsque l'entreprise a une OIP) • Restrictions imposées par les lois • Double imposition (dans certains cas, il peut s'agir d'un avantage)

L'environnement légal des sociétés par actions

Plusieurs croient que la mise sur pied d'une société par actions est une opération relativement complexe. S'il est vrai que l'on doit remplir certaines formalités, la constitution d'une société par actions n'est pas un privilège accordé par l'État, mais bien un droit dont jouit tout citoyen. En effet, toute personne (ou regroupement de personnes) âgée de plus de 18 ans, saine d'esprit et n'étant pas déclarée faillie, peut présenter, au palier gouvernemental de son choix, une requête portant sur la constitution d'une société par actions.

La constitution peut se faire selon la *Loi canadienne sur les sociétés par actions* (LCSA) ou relever de compétence provinciale. À titre d'exemple, les entreprises constituées au Québec sont assujetties à la Loi sur les sociétés par actions (Québec) (LSAQ). Le choix de la juridiction sous laquelle une entreprise s'incorpore dépend de plusieurs facteurs. Le tableau 14.2 présente quelques-uns de ces facteurs.

14

TABLEAU 14.2 Les facteurs liés au choix de la juridiction lors de l'incorporation

Facteurs	LCSA	LSAQ
Endroits où la compagnie prévoit mener ses activités	• Peut en principe mener des activités dans toutes les provinces et tous les territoires du Canada. • Doit toutefois s'immatriculer au Registre des entreprises si elle mène des activités au Québec.	• Est automatiquement immatriculée et autorisée à mener des activités au Québec lorsqu'elle s'incorpore. • Si elle souhaite mener des activités dans d'autres provinces ou territoires canadiens, elle peut avoir à s'enregistrer, à déposer certaines déclarations ou à payer certains frais additionnels (selon la province ou le territoire concerné).
Nom de la compagnie	• N'a pas à être constituée sous un nom français. • Toutefois, lorsqu'elle mène des activités au Québec, elle doit utiliser un nom français. • Le processus de « réservation de nom » est obligatoire.	• Doit obligatoirement être constituée sous un nom français. • Elle peut toutefois utiliser un nom d'une autre langue pour ses activités à l'extérieur du Québec. • Le processus de « réservation de nom » est disponible, mais il n'est pas obligatoire.
Lieu de résidence des administrateurs	• Doit avoir au moins 25 % de résidents canadiens parmi ses administrateurs.	• Aucune restriction.
Siège social	• Doit être situé dans une des provinces ou un des territoires canadiens.	• Doit être situé en permanence au Québec.
Frais d'incorporation de base	• Voir les tarifs publiés par Corporations Canada.	• Voir les tarifs publiés par le Registraire des entreprises.

Source : Éducaloi, *La société par actions (compagnie)*, [En ligne], <www.educaloi.qc.ca/capsules/la-societe-par-actions-compagnie> (page consultée le 17 août 2016). Éducaloi, 2016. La loi peut avoir changé depuis cette date. Consulter www.educaloi.qc.ca/capsules/la-societe-par-actions-compagnie

Bien qu'il existe certaines différences entre la LSAQ et la LCSA[2], cette dernière nous servira de point de référence pour expliquer l'importance des considérations juridiques liées à la comptabilisation des transactions portant sur les capitaux propres des sociétés par actions.

Enfin, rappelons que la LCSA s'en remet aux principes comptables généralement reconnus (PCGR) énoncés dans le *Manuel de CPA Canada – Comptabilité* pour l'établissement des états financiers des sociétés par actions, ce qui confère à l'organisation Comptables professionnels agréés du Canada (CPA Canada) un statut d'autoréglementation.

La mise sur pied et le fonctionnement d'une société par actions

La première étape de la mise sur pied d'une société par actions consiste à rédiger les **statuts constitutifs**. Il s'agit des clauses initiales ou des mises à jour réglementant la constitution, ainsi que toute modification, fusion, réorganisation et dissolution d'une société par actions. Les statuts constitutifs doivent notamment mentionner la **dénomination sociale** de l'entreprise, c'est-à-dire son nom suivi d'un élément juridique tel que incorporée (inc.), limitée (ltée) ou corporation (corp.), la province du siège social, le nombre d'administrateurs, les catégories d'actions ainsi que le nombre, les droits et privilèges des actions que l'entreprise sera autorisée à émettre, les restrictions qui s'appliquent à l'émission, au transfert et au droit de propriété de ses actions, et les limites, s'il y a lieu, imposées aux activités de l'entreprise.

Les statuts constitutifs et les formulaires prescrits dûment remplis et signés sont envoyés, par le ou les fondateurs de l'entreprise, à Corporations Canada. L'autorité compétente délivre alors un certificat de constitution. L'entreprise existe à compter de la date y figurant.

Une fois le certificat de constitution reçu, les fondateurs doivent adopter les **règlements administratifs**, c'est-à-dire l'ensemble des dispositions qui fixent les règles de régie interne portant sur le fonctionnement de l'entreprise et les relations avec ses actionnaires. Ensuite, les actionnaires devront se réunir afin de ratifier les règlements administratifs.

Bien que les **actionnaires** soient les véritables propriétaires d'une société par actions, la gestion d'une telle entreprise s'exerce par l'intermédiaire d'un **conseil d'administration** dont les membres (administrateurs) sont élus par les actionnaires possédant des actions avec droit de vote. À leur tour, les administrateurs désignent les **dirigeants** qui seront appelés à former le comité de direction. Nous présentons dans la figure 14.2 l'organigramme d'une société par actions d'une certaine envergure.

Les **administrateurs** ont la responsabilité de formuler les grandes orientations de l'entreprise, d'embaucher les dirigeants et de passer en revue leurs actions afin de protéger les intérêts de l'ensemble des actionnaires de l'entreprise. Pour leur part, les **dirigeants** ont la responsabilité de voir à l'application des orientations formulées par le conseil d'administration et à la gestion quotidienne des opérations de l'entreprise.

Conformément aux exigences de la LCSA, l'entreprise doit tenir un **livre des valeurs mobilières**, que l'on appelle aussi **livre des actionnaires**. Le livre des valeurs mobilières permet de consigner au même endroit une foule de renseignements, notamment :

- les noms, dans l'ordre alphabétique, de toutes les personnes qui sont ou qui ont été actionnaires ;
- l'adresse et la profession de chaque personne au moment où elle est actionnaire, pour autant que ces renseignements soient disponibles ;
- le nombre d'actions que possède chaque actionnaire, les versements acquittés ou à payer sur ces actions (au Québec), et les dates d'acquisition et de transfert.

En règle générale, la tâche de tenir à jour le livre des valeurs mobilières relève de la responsabilité du secrétaire du conseil d'administration de l'entreprise. La plupart des entreprises ayant une OIP ont toutefois recours aux services d'organismes spécialisés qui agissent à titre d'agent de transfert et de préposé aux livres. L'entreprise verse le paiement total du dividende à l'agent de transfert. Ce dernier a la responsabilité de répartir le dividende aux actionnaires figurant sur la liste des actionnaires au prorata du nombre d'actions détenues. Même si tout le processus est informatisé, un délai entre la date de déclaration du dividende et la date de paiement est nécessaire pour permettre à l'agent de transfert de transmettre l'argent à tous les actionnaires éligibles.

2. Le lecteur qui voudrait en savoir davantage sur les dispositions de ces deux lois peut consulter les textes officiels aux adresses suivantes : <http://lois-laws.justice.gc.ca/fra/lois/c-44/> et <www.legisquebec.gouv.qc.ca/fr/ShowDoc/cs/S-31.1>.

FIGURE 14.2 L'organigramme d'une société par actions

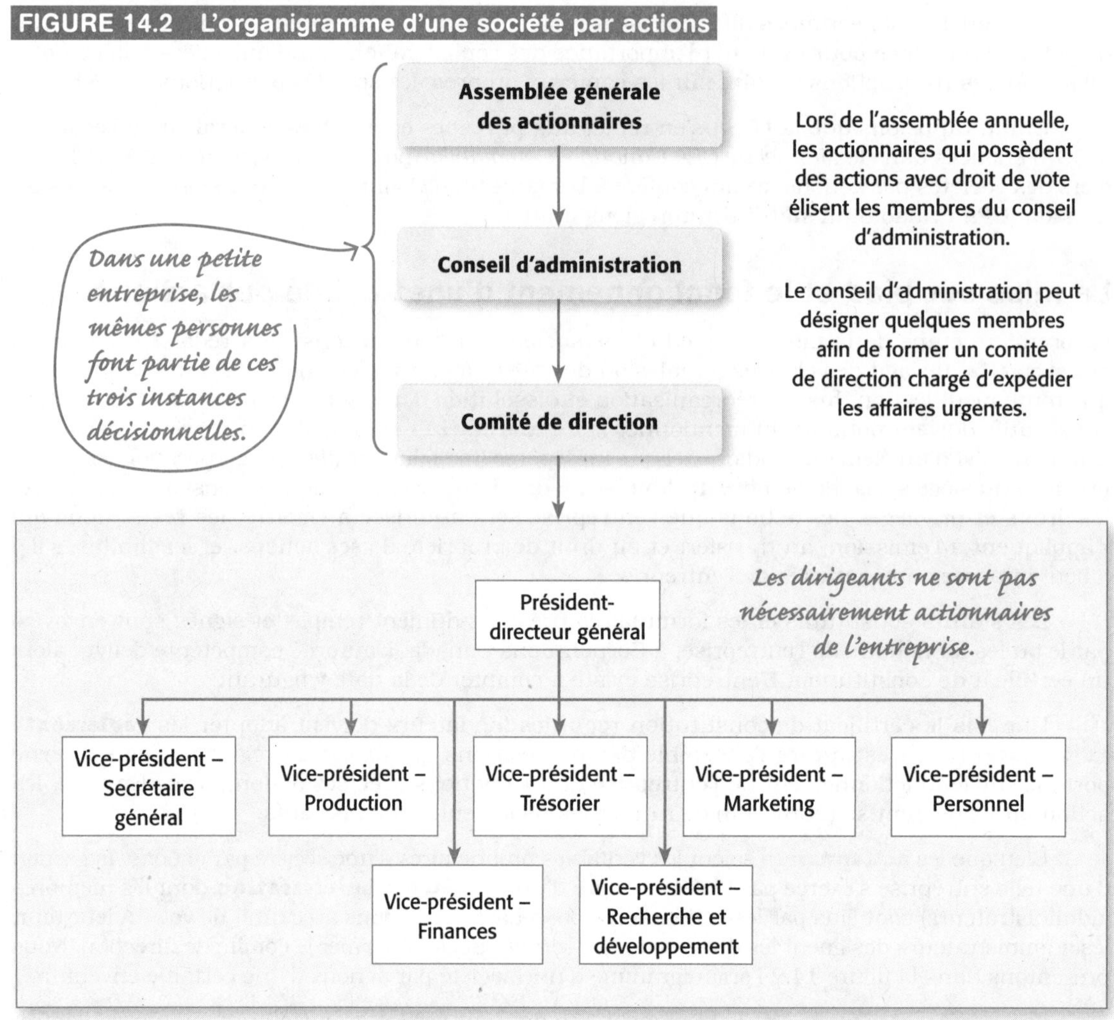
Assemblée générale des actionnaires
Lors de l'assemblée annuelle, les actionnaires qui possèdent des actions avec droit de vote élisent les membres du conseil d'administration.
Dans une petite entreprise, les mêmes personnes font partie de ces trois instances décisionnelles.
Conseil d'administration
Le conseil d'administration peut désigner quelques membres afin de former un comité de direction chargé d'expédier les affaires urgentes.
Comité de direction
Président-directeur général
Les dirigeants ne sont pas nécessairement actionnaires de l'entreprise.
Vice-président – Secrétaire général
Vice-président – Production
Vice-président – Trésorier
Vice-président – Marketing
Vice-président – Personnel
Vice-président – Finances
Vice-président – Recherche et développement

La distinction entre le capital social et les réserves

Dans la section Capitaux propres de l'état de la situation financière d'une entreprise individuelle ou d'une société de personnes, on ne fait aucune distinction entre le capital investi et les résultats générés par les activités. En effet, un seul montant suffit pour représenter les capitaux propres d'une entreprise individuelle, tandis qu'il y a autant de comptes que d'associés dans le cas d'une société de personnes. Dans le cas d'une société par actions, les capitaux propres se composent principalement du **capital social**, c'est-à-dire des sommes investies dans l'entreprise par les actionnaires, et des réserves attribuables aux porteurs de titres de capitaux propres. L'International Accounting Standards Board (IASB) ne précise pas ce qui compose les réserves. Dans les états financiers des entreprises canadiennes, les **réserves** sont constituées, entre autres, du surplus d'apport, des résultats non distribués, des résultats non distribués affectés et du cumul des autres éléments du résultat global. Voici une comparaison de la section Capitaux propres de trois états de la situation financière différents :

FLEURISTE LA ROSE ENR.
(entreprise individuelle)
Situation financière partielle

Avoir de la propriétaire	
Capital – Jacynthe Larose	*80 000 $*

LEMAY, LÉPINE & ASSOCIÉS
(société de personnes)
Situation financière partielle

Avoir des associés	
Capital – Kim Lemay	*35 000 $*
Capital – Bob Lépine	*45 000*
Total de l'avoir des associés	*80 000 $*

DISTINCTE LTÉE
(société par actions)
Situation financière partielle

Capitaux propres	
Capital social	*50 000 $*
Réserves	
Surplus d'apport	*5 000*
Résultats non distribués	*25 000*
Total des réserves	*30 000*
Total des capitaux propres	*80 000 $*

Pourquoi est-il essentiel de distinguer, sur les plans tant juridique qu'économique, le capital social des réserves d'une société par actions ? Force est d'admettre que la raison principale d'une telle distinction provient des exigences de la loi. Pour les entreprises de compétence fédérale, le capital social correspond à ce que la LCSA désigne sous l'appellation **capital déclaré**.

> La société tient un compte de capital déclaré pertinent pour chaque catégorie et chaque série d'actions. La société verse au compte Capital déclaré pertinent le montant total de l'apport reçu en contrepartie des actions qu'elle émet[3].

La LSAQ, pour sa part, précise ce qui suit :

> La société tient un compte de capital-actions émis et payé. Ce compte est subdivisé par catégories d'actions et, le cas échéant, par séries d'actions. La société verse au compte de capital-actions émis et payé les sommes reçues en contrepartie des actions qu'elle émet, mais, dans le cas d'actions avec valeur nominale, à concurrence seulement de cette valeur[4].

Une particularité de la LSAQ est qu'elle permet l'émission d'actions avec valeur nominale, sans valeur nominale ou une combinaison des deux, alors que la LCSA n'autorise que l'émission d'actions sans valeur nominale. La **valeur nominale** correspond à une valeur arbitraire fixée par les fondateurs de l'entreprise et consignée comme telle dans les statuts de constitution. Elle peut varier considérablement d'une entreprise à l'autre. En pratique, cependant, il s'agit le plus souvent d'une valeur de 1 $, 10 $, 100 $ ou 1 000 $.

Il ne faut pas confondre la valeur nominale et la juste valeur d'une action. Pour les entreprises ayant une OIP, la **juste valeur** d'une action correspond à la cote boursière. Il est fort improbable que ces deux valeurs coïncident, car la juste valeur varie selon les fluctuations du marché, tandis que la valeur nominale correspond à une valeur arbitraire fixe.

Lorsque les actions sont sans valeur nominale, le produit entier de l'émission est crédité au compte Capital social approprié. Lorsque les actions ont une valeur nominale, le produit de l'émission doit être réparti entre le capital social et la prime d'émission, selon le cas. On utilise parfois l'expression **valeur attribuée** pour désigner le montant qu'une entreprise porte, par action, au crédit du compte Capital social approprié lorsqu'elle émet des actions.

Cette répartition des sommes reçues lors de l'émission des actions est importante, car la loi interdit de distribuer le capital légal (capital déclaré ou émis et payé) afin de protéger les créanciers. Or, le **capital légal** ne correspond qu'à la portion représentant le capital social, ce qui signifie

3. *Loi canadienne sur les sociétés par actions*, art. 26(1) et 26(2).
4. Loi sur les sociétés par actions, art. 68 et 69.

qu'en plus de pouvoir distribuer des dividendes à même ses résultats non distribués, une entreprise de compétence québécoise pourrait aussi distribuer en dividendes à ses actionnaires la **prime d'émission,** c'est-à-dire l'excédent du produit d'une émission d'actions sur leur valeur nominale[5].

Sur le plan économique, la distinction entre le capital social et les réserves se justifie du seul fait que l'évolution des résultats non distribués fournit une indication sur la capacité de survie et de croissance de l'entreprise.

Compte tenu de la nécessité de distinguer le capital social des réserves, on saisit mieux la raison pour laquelle les capitaux propres d'une société par actions comprennent ces cinq éléments principaux :

1. Le **capital social**, décrivant les différentes catégories d'actions que l'entreprise peut émettre et a effectivement émises. Il s'agit, rappelons-le, du capital légal (déclaré ou émis et payé) de l'entreprise ;
2. Le **surplus d'apport**, correspondant aux montants versés à l'entreprise par les porteurs de titres en sus des montants attribués au poste Capital social ;
3. Les **résultats non distribués**, qui représentent les résultats nets que l'entreprise n'a pas distribués à ses actionnaires ou, si l'on préfère, la somme des résultats nets réinvestis dans l'entreprise ;
4. Les **résultats non distribués affectés**, constituant la portion des résultats nets qui ne peut être distribuée aux actionnaires à la suite d'une restriction imposée par des textes réglementaires, une loi ou une décision du conseil d'administration ;
5. Le **cumul des autres éléments du résultat global**, regroupant les éléments qui ne figurent pas dans le résultat net, mais plutôt dans les autres éléments du résultat global. Ils sont ensuite cumulés dans un compte distinct parmi les réserves.

Avez-vous remarqué ?

La principale distinction entre une société par actions et les autres formes juridiques d'entreprises est son existence légale distincte. C'est une personne morale qui a les droits, pouvoirs et privilèges d'une personne physique. Il existe deux sortes de sociétés par actions : l'entreprise ayant une OIP ou l'entreprise à capital fermé. Afin de bien informer les utilisateurs des états financiers, l'IASB demande d'indiquer par voie de notes aux états financiers la forme juridique de l'entité.

14

Le capital social

L'émission de titres de capitaux propres sous forme d'actions permet à une entreprise de réunir des sommes importantes afin de financer ses diverses activités. La participation de chaque investisseur peut varier considérablement, allant d'une seule action achetée pour quelques dollars à des milliers d'actions requérant un investissement de quelques millions de dollars. L'importance relative des titres de capitaux propres d'un investisseur est égale au nombre d'actions qu'il détient divisé par le nombre total d'actions en circulation. Cette importance relative est établie sur la base du nombre et non de la valeur (juste valeur, capital déclaré ou capital versé) des actions. Ainsi, si Paul Lapointe possède 25 000 des 100 000 actions en circulation d'une entreprise, il détient 25 % des titres de capitaux propres. Une telle détention doit sûrement procurer certains avantages.

Les droits fondamentaux des actionnaires

Comme nous l'avons mentionné précédemment, les statuts constitutifs doivent indiquer les droits et privilèges rattachés à chaque catégorie d'actions. S'il existe une seule catégorie d'actions, la LCSA et la LSAQ présument que chaque action confère à son détenteur les droits fondamentaux suivants[6] :

1. **Le droit de vote** Chaque action confère à son détenteur le droit de voter à l'assemblée des actionnaires, notamment lors de l'élection des membres du conseil d'administration et lors de la prise de décisions importantes requérant, selon les règlements de l'entreprise, l'approbation des actionnaires ;
2. **Le droit de participer au résultat** Chaque actionnaire jouit du droit de recevoir les dividendes déclarés par le conseil d'administration ;

5. Un tel dividende est possible pour autant qu'il n'y a pas de motif raisonnable de croire que, de ce fait, l'entreprise ne pourra acquitter son passif à échéance (LSAQ, art. 104).

6. *Loi canadienne sur les sociétés par actions*, art. 24(3) et Loi sur les sociétés par actions, art. 47.

3. **Le droit de participer à l'actif en cas de liquidation** En cas de liquidation, les actionnaires se partagent proportionnellement ce qu'il reste des actifs de l'entreprise. Il s'agit d'un intérêt résiduel, car le droit de participer à l'actif ne peut être exercé qu'une fois que le droit à l'actif des créanciers a été pris en compte.

La catégorie d'actions qui possède ces trois droits fondamentaux porte souvent le nom d'**actions ordinaires**. S'il existe plusieurs catégories d'actions, l'entreprise doit inscrire dans ses statuts constitutifs les droits et restrictions afférents aux actions de chaque catégorie. Toutes les autres catégories d'actions qui comportent d'autres droits ou restrictions portent généralement le nom d'**actions préférentielles**[7].

Voyons maintenant les différents droits et restrictions qui peuvent être attribués à une catégorie d'actions.

Les autres droits et restrictions afférents aux actions

La LCSA et la LSAQ accordent aux entreprises le droit d'émettre plus d'une catégorie d'actions, ce qui leur permet d'offrir des actions comportant des caractéristiques différentes pour répondre aux besoins des investisseurs. Une **catégorie d'actions** confère à tous ses détenteurs des droits et des restrictions identiques.

Le droit de préemption, ou droit prioritaire de souscription Aux trois droits fondamentaux décrits précédemment, la LCSA et la LSAQ permettent à une entreprise d'ajouter un **droit de préemption**[8], qui confère aux détenteurs d'une catégorie d'actions le droit de souscrire toute nouvelle émission d'actions de cette catégorie en proportion du nombre d'actions qu'ils détiennent déjà. Cela permet de les protéger contre une dilution de leur droit de vote. Ce n'est qu'une fois expirée la période accordée pour l'exercice du droit de préemption que les nouvelles actions sont offertes à d'autres investisseurs.

L'absence de droit de vote Certaines entreprises répriment le financement par équité, comme nous l'avons vu au chapitre 13, à cause des risques d'une dilution de participation des actionnaires principaux. La création d'une catégorie d'actions sans droit de vote permet à l'entreprise de profiter des avantages du financement par équité sans en subir les désavantages. Cette catégorie d'actions intéresse particulièrement les investisseurs qui accordent la priorité au rendement plutôt qu'à l'influence qu'ils pourraient avoir sur l'entreprise.

Le dividende cumulatif ou non cumulatif Les actions sont souvent assorties du privilège de recevoir un dividende d'un montant déterminé ou calculé à un taux donné. Ce privilège peut être cumulatif ou non. Une action à **dividende cumulatif** ne garantit pas à son détenteur que des dividendes lui seront versés. Ce privilège signifie seulement que l'actionnaire a le droit de recevoir le dividende convenu, à la condition expresse que le conseil d'administration déclare un dividende. Lorsqu'une partie d'un dividende cumulatif ou la totalité de celui-ci n'est pas déclarée au cours d'un exercice donné, ce dividende non déclaré s'accumule et doit être versé au cours d'un exercice subséquent avant que quelque dividende puisse être déclaré en faveur des détenteurs d'actions à dividende non cumulatif.

14

Les dividendes cumulatifs non déclarés sont des **dividendes arriérés**. Puisque les membres du conseil d'administration sont libres de déclarer un dividende et d'en fixer le montant, les dividendes arriérés ne constituent pas une dette. Par conséquent, ils ne doivent pas figurer dans le passif de l'entreprise. Le montant des dividendes arriérés doit être signalé dans une note aux états financiers afin d'en informer convenablement les utilisateurs[9].

Lorsque les actions sont à **dividende non cumulatif**, les actionnaires perdent définitivement les dividendes que le conseil d'administration omet de déclarer, ce qui explique le peu d'attrait qu'a ce type d'actions sur le marché. Le chapitre 15 comprend plus de détails sur les privilèges de dividende cumulatif ou non cumulatif.

Le dividende prioritaire Lorsqu'une entreprise émet plusieurs catégories d'actions, il est important d'établir un ordre de priorité du dividende (actions de premier, de deuxième ou de troisième rang).

---

7. Les lois ne font aucune distinction entre les actions ordinaires et les actions préférentielles. Ce n'est qu'en pratique que ces expressions ont gagné en popularité et qu'elles font aujourd'hui partie du vocabulaire usuel des sociétés par actions.
8. *Loi canadienne sur les sociétés par actions*, art. 28(1) et Loi sur les sociétés par actions, art. 55.
9. CPA Canada, *Manuel de CPA Canada – Comptabilité – Partie I*, IAS 1, paragr. 137(b). (*Voir la page iv des liminaires pour plus de détails à l'égard des normes publiées mais non encore entrées en vigueur.*)

Ainsi, en stipulant que le dividende attaché à l'action est un **dividende prioritaire**, l'entreprise donne droit au détenteur de cette action de recevoir son dividende avant que les détenteurs des autres catégories d'actions ne puissent recevoir le leur.

Par exemple, certaines entreprises émettent des **actions subalternes**, qui permettent de préciser le rang de priorité entre les catégories d'actions. Lorsque les statuts de l'entreprise ne prévoient aucun ordre de priorité, la catégorie d'actions à dividende cumulatif a préséance sur les autres catégories.

Les actions participantes Les **actions participantes** donnent le droit de recevoir le dividende prévu et d'obtenir une part des résultats de l'entreprise, comme pour les détenteurs d'actions ordinaires, après que ceux-ci ont reçu un dividende calculé au même taux que celui s'appliquant aux actions participantes (ou tout autre montant précisément mentionné dans les statuts). Le chapitre 15 comprend plus de détails à ce sujet.

Les actions convertibles Plusieurs entreprises joignent aux actions qu'elles émettent un **privilège de conversion** conférant à leurs détenteurs le droit de les échanger contre un nombre d'actions ordinaires stipulé à l'avance. Dans certains cas, le privilège de conversion n'est accordé que pour un certain nombre d'années, tandis que, dans d'autres cas, la période de conversion est illimitée.

L'ajout d'un privilège de conversion peut être avantageux tant pour l'entreprise émettrice que pour l'investisseur. En effet, non seulement l'actionnaire reçoit tout dividende déclaré auquel il a droit, mais il a ainsi la possibilité de devenir détenteur d'actions ordinaires. Il exerce son privilège de conversion si l'entreprise est prospère, ce qui implique que la juste valeur des actions ordinaires augmente, ou si les dividendes versés aux détenteurs d'actions ordinaires sont élevés. Au cours de la période prévue pour exercer son privilège de conversion, l'actionnaire peut tirer avantage d'une augmentation du cours des actions ordinaires sans convertir ses actions, car la valeur des actions convertibles s'accroît en proportion de celle des actions ordinaires en raison du privilège qui fait le pont entre ces deux catégories d'actions.

Souvent, l'émission d'actions convertibles constitue un moyen détourné de favoriser l'émission éventuelle d'actions ordinaires. De plus, l'attrait qu'ont les actions convertibles pour les investisseurs (dividende prioritaire et possibilité de conversion) permet à l'entreprise émettrice de les assortir d'un taux de dividende légèrement inférieur à celui que confèrent les autres catégories d'actions non convertibles ou de les émettre à un montant plus élevé.

Même si nous pouvons affirmer que le privilège de conversion a une valeur réelle, tout comme nous l'avons fait au chapitre 13 dans le cas des obligations convertibles, l'entreprise n'accorde aucune valeur au privilège de conversion associé aux actions convertibles. En effet, si l'IASB exige de dissocier l'élément de passif (emprunt obligataire) de l'élément de capitaux propres (privilège de conversion) lors de l'émission d'obligations convertibles, il ne formule, par contre, aucune exigence lors de l'émission d'actions convertibles. On pourrait affirmer que, même s'il s'agit de deux éléments de capitaux propres indissociables, il n'y a qu'un seul titre de capitaux propres avant et après la conversion, soit une action convertible soit une action ordinaire.

Les actions rachetables Les actions peuvent être **rachetables au gré de l'entreprise émettrice** au prix stipulé à l'avance dans le contrat d'émission et qui est, le plus souvent, légèrement supérieur au prix d'émission. Elles peuvent aussi être rachetables à des dates prédéterminées. Notons que, advenant le rachat d'actions à dividende cumulatif, l'entreprise peut être tenue de verser les dividendes arriérés si ses statuts le prévoient. Puisque la déclaration d'un dividende est discrétionnaire, lorsque des dividendes arriérés existent, le prix du rachat doit être plus élevé pour englober ce montant arriéré qui, dans ce cas, n'est pas considéré comme un dividende.

Le droit de rachat offre la possibilité à l'entreprise émettrice de réduire son financement par action, lorsqu'elle le souhaite. Elle peut, par exemple, choisir d'exercer son droit de rachat pour profiter d'une baisse du taux d'intérêt sur le marché et émettre de nouvelles actions (ou des titres d'emprunt) comportant un taux de dividende (ou d'intérêt) moins élevé. Afin de dédommager les détenteurs des actions rachetées, le prix de rachat est habituellement légèrement supérieur au prix d'émission.

Les statuts constitutifs peuvent aussi prévoir des actions **rachetables au gré du détenteur**. En pareil cas, l'entreprise émettrice est tenue de racheter sur demande, en tout temps ou, le plus souvent, à une date déterminée à l'avance, les actions rachetables. Comme dans le cas des actions rachetables au gré de l'entreprise émettrice, le prix de rachat est habituellement fixé au préalable.

Rappelons toutefois que, comme nous l'avons expliqué au chapitre 4, les actions rachetables au gré du détenteur sont comptabilisées à titre de passif. En d'autres termes, elles ne figurent pas dans le capital social et les dividendes versés sur de telles actions sont inclus dans les charges financières présentées dans l'état du résultat global. Le lecteur est invité à relire les pages 4.37 à 4.40, traitant de la distinction entre les actions émises qui constituent un passif et celles qui constituent un véritable titre de capitaux propres.

Le privilège de participation à l'actif en cas de liquidation En règle générale, les porteurs d'actions ordinaires ont le droit de participer à l'actif en cas de liquidation. Cependant, l'entreprise doit régler toutes ses dettes avant de pouvoir distribuer une partie de son capital aux actionnaires. Il peut donc s'agir d'un privilège purement théorique. Lors de la liquidation, l'actionnaire a le droit de recevoir le montant des dividendes arriérés en plus du prix de liquidation convenu. Lorsqu'il existe plusieurs catégories d'actions, il est possible, en vertu des statuts constitutifs, d'établir un rang précisant le droit prioritaire par rapport à l'actif en cas de liquidation.

Avez-vous remarqué ?

Bien que les actions puissent être assorties de différents droits et restrictions, il faut qu'au moins une ou plusieurs catégories d'actions possèdent les trois droits fondamentaux : le droit de vote, le droit de participer au résultat et le droit de participer à l'actif en cas de liquidation. Afin de bien informer les utilisateurs des droits et restrictions attachés à chaque catégorie d'actions, cette information doit être fournie dans les états financiers.

Le traitement comptable du capital social

Dans la figure 14.3, nous passons en revue les divers aspects que peut revêtir une action. Les définitions qui y sont données permettront au lecteur de se retrouver dans la présente section.

Lorsqu'une entreprise reçoit son certificat de constitution, elle est autorisée à émettre le nombre d'actions prévu dans ses statuts. Cette autorisation ne donne pas lieu à une écriture comptable. Il suffit alors de noter le nombre d'**actions autorisées** dans le compte Capital social. Lorsque les statuts prévoient un nombre limité d'actions et que cette limite est atteinte, l'entreprise doit demander une modification de ses statuts avant toute nouvelle émission d'actions. C'est pour éviter une telle éventualité que la plupart des entreprises prennent soin de prévoir dans leurs statuts le droit d'émettre un nombre illimité d'actions.

14

L'émission d'actions au comptant

Nous avons dit que les entreprises constituées en vertu de la LCSA doivent obligatoirement émettre des actions sans valeur nominale, tandis que celles qui sont constituées en vertu de la LSAQ ont la possibilité d'émettre des actions avec valeur nominale[10].

Lorsqu'une entreprise émet des actions sans valeur nominale, le produit total[11] de l'émission est porté au crédit du compte de capital social pertinent. Le nom du compte dépend des catégories d'actions prévues dans les statuts constitutifs de l'entreprise. Par exemple, cela pourrait être Actions ordinaires ou Actions de catégorie A, selon le cas.

10. Avant 1985, la LCSA permettait l'émission d'actions avec valeur nominale. Compte tenu de l'existence indéfinie des entreprises, plusieurs entreprises canadiennes ont encore des actions émises avec valeur nominale. De plus, comme le permet la loi de certaines provinces, dont le Québec, certaines entreprises émettent toujours des actions avec valeur nominale. C'est pourquoi nous présentons les écritures relatives à ces deux types d'actions dans le présent ouvrage.

11. Il existe une exception à cette règle. Les lois (LCSA, art. 26(3) et LSAQ, art. 70) permettent à une entreprise qui émet des actions lors d'une transaction comportant un lien de dépendance, au sens donné à cette expression dans les lois fiscales, de ne verser au capital déclaré qu'une partie de la contrepartie reçue. L'excédent de la contrepartie reçue sur la valeur attribuée aux actions est alors crédité à un compte de capitaux propres. En pratique, cette situation est peu fréquente et recèle des problèmes fiscaux qui débordent le cadre du présent ouvrage.

FIGURE 14.3 Les divers aspects du capital social

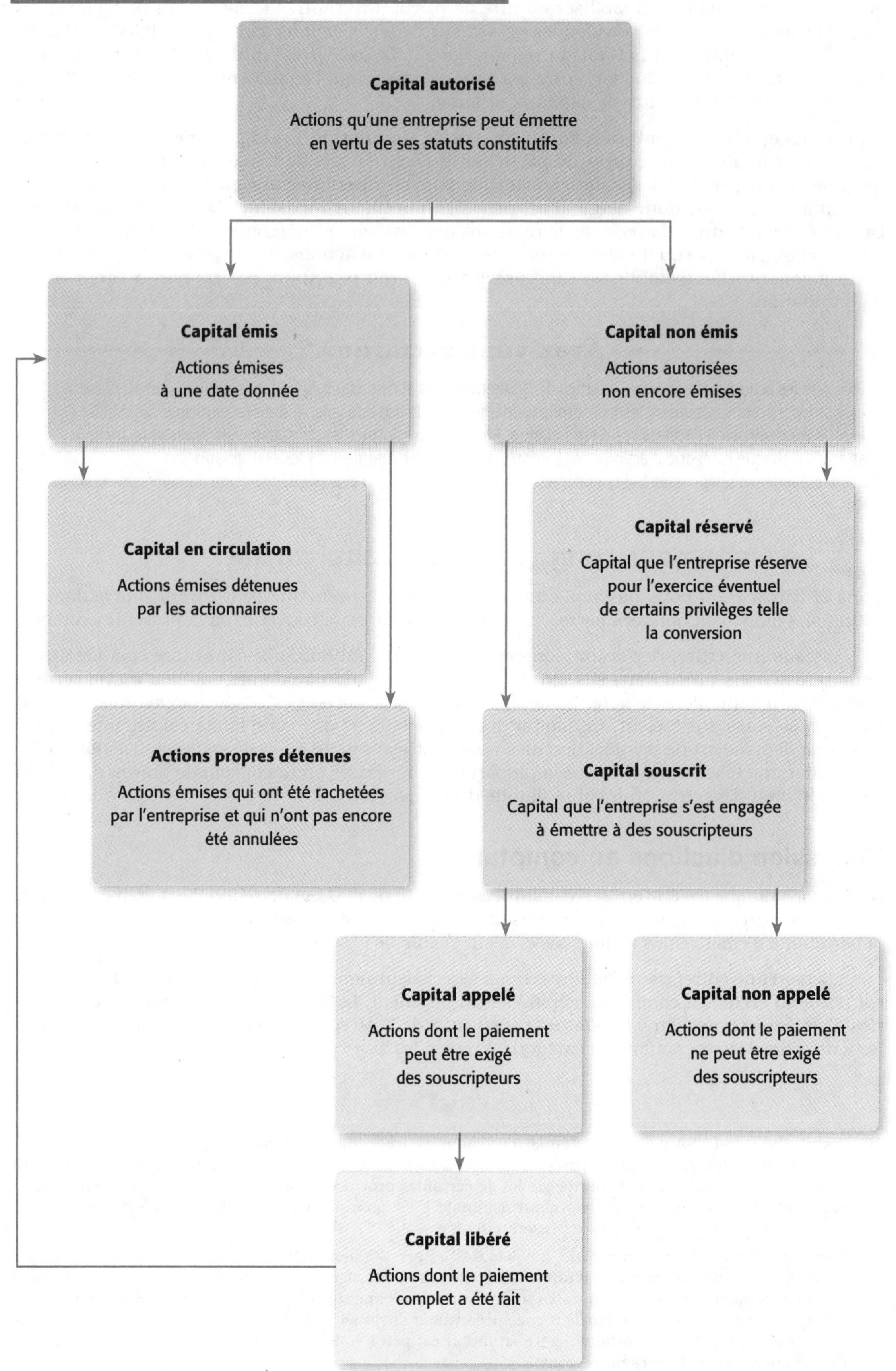
Capital autorisé
Actions qu'une entreprise peut émettre en vertu de ses statuts constitutifs
Capital émis
Actions émises à une date donnée
Capital non émis
Actions autorisées non encore émises
Capital en circulation
Actions émises détenues par les actionnaires
Capital réservé
Capital que l'entreprise réserve pour l'exercice éventuel de certains privilèges telle la conversion
Actions propres détenues
Actions émises qui ont été rachetées par l'entreprise et qui n'ont pas encore été annulées
Capital souscrit
Capital que l'entreprise s'est engagée à émettre à des souscripteurs
Capital appelé
Actions dont le paiement peut être exigé des souscripteurs
Capital non appelé
Actions dont le paiement ne peut être exigé des souscripteurs
Capital libéré
Actions dont le paiement complet a été fait

14

EXEMPLE

Émission d'actions sans valeur nominale

L'action ordinaire de la société Harvey inc. a une valeur sur le marché de 12,50 $ et la société procède à l'émission au comptant de 800 actions. L'écriture suivante doit être enregistrée par la société :

Caisse	*10 000*	
Actions ordinaires		*10 000*
Émission de 800 actions au prix unitaire de 12,50 $.		

Lorsque les actions émises ont une valeur nominale et que, à leur émission, les actions ont une valeur supérieure à leur valeur nominale, on doit créditer cet excédent dans le compte Surplus d'apport – Prime d'émission. Rappelons que ce compte de surplus d'apport ne fait pas partie du capital social et qu'un montant égal à son solde pourrait par conséquent faire l'objet d'une distribution subséquente sous forme de dividendes.

EXEMPLE

Émission d'actions avec valeur nominale

Supposons cette fois que l'action ordinaire de Harvey inc. a une valeur nominale de 10 $, l'émission sera enregistrée comme suit :

Caisse	*10 000*	
Actions ordinaires		*8 000*
Surplus d'apport – Prime d'émission d'actions ordinaires		*2 000*
Émission, au prix unitaire de 12,50 $, de 800 actions ayant chacune une valeur nominale de 10 $.		

Voici un extrait de l'état de la situation financière de Harvey inc. au 31 décembre 20X1, illustrant la présentation distincte des éléments des capitaux propres :

Harvey inc.
Situation financière partielle
au 31 décembre 20X1

Capitaux propres	
Capital social	
Actions ordinaires d'une valeur nominale de 10 $ chacune	
Nombre illimité d'actions autorisées	
Nombre d'actions émises et en circulation : 800	*8 000 $*
Surplus d'apport – Prime d'émission d'actions ordinaires	*2 000*
Total des capitaux propres	*10 000 $*

L'émission d'actions en échange de biens ou de services

Différence NCECF

Lorsqu'une entreprise émet des actions en échange de biens ou de services, l'IASB recommande ce qui suit dans l'**IFRS 2**, intitulée « Paiement fondé sur des actions » :

> Pour des transactions dont le paiement est fondé sur des actions et qui sont réglées en instruments de capitaux propres, l'entité doit évaluer les biens ou les services reçus et l'augmentation de capitaux propres qui en est la contrepartie, directement, à la juste valeur des biens ou services reçus, sauf si cette juste valeur ne peut être estimée de façon fiable [...][12].

L'IASB précise que, dans le cas où la transaction a lieu avec des parties autres que des membres du personnel, la juste valeur des biens ou des services reçus est présumée fiable. Dans les rares cas où l'entreprise ne peut établir la juste valeur fiable des biens ou des services reçus,

12. *Manuel de CPA Canada – Comptabilité – Partie I*, IFRS 2, paragr. 10.

elle doit se reporter à la juste valeur des actions émises à la date à laquelle les biens ou les services sont reçus pour en déterminer la valeur. Si aucun marché n'existe pour déterminer la juste valeur des actions émises, on doit utiliser une technique d'évaluation généralement acceptée pour la détermination de la juste valeur d'instruments financiers, comme expliqué au chapitre 3. Pour les transactions effectuées avec des membres du personnel, le lecteur est invité à lire la section du présent chapitre portant sur les plans de rémunération fondée sur des actions.

Si les biens ou les services sont reçus à plusieurs dates et que leur juste valeur ne peut être déterminée de façon fiable, l'entreprise doit évaluer la juste valeur des titres de capitaux propres attribués à chaque date à laquelle les biens ou les services sont reçus. Une approximation peut être utilisée si, par exemple, les services sont reçus de manière continue pendant un exercice durant lequel le cours des actions n'a pas changé de façon importante. L'entreprise pourrait alors utiliser le cours moyen comme évaluation de la juste valeur.

EXEMPLE

Émission d'actions en échange de biens

La société Échangex ltée procède à l'émission de 10 000 actions ordinaires sans valeur nominale en échange d'un terrain le 1er mars 20X0. La date d'évaluation sera le 1er mars, soit la date où la société obtient le terrain. Le montant comptabilisé diffère selon les circonstances :

Scénario A La juste valeur du terrain est évaluée à 95 000 $.

Terrain	*95 000*	
Actions ordinaires		*95 000*
Émission de 10 000 actions en échange d'un terrain ayant une juste valeur de 95 000 $.		

Scénario B La juste valeur du terrain n'est pas connue, mais les actions ordinaires de la société se négocient en Bourse à la valeur de 10 $ l'action.

Terrain	*100 000*	
Actions ordinaires		*100 000*
Émission de 10 000 actions ayant une juste valeur unitaire de 10 $ en échange d'un terrain.		

14

L'émission d'actions peut également être effectuée en échange de services.

EXEMPLE

Émission d'actions en échange de services

Échangex ltée engage un conseiller en marketing pour la conception d'une campagne publicitaire. L'entente est signée le 1er juillet 20X1, et il est prévu que les services seront rendus de manière continue pendant tout l'exercice qui se terminera le 30 juin 20X2. Le conseiller en marketing sera payé, à la fin de cet exercice, au moyen de l'émission de 5 000 actions ordinaires sans valeur nominale de la société. Supposons que la juste valeur du service soit difficilement déterminable. Le cours des actions est resté relativement stable durant cet exercice, et le cours moyen de l'action du 1er juillet 20X1 au 30 juin 20X2 est de 10 $.

Bien que la juste valeur du service reçu soit difficilement évaluable, il est possible de l'évaluer indirectement en se reportant à la juste valeur des actions émises à la date où le service est rendu. Les services sont rendus pendant l'exercice, donc il faut évaluer la juste valeur des actions durant cet exercice. Lorsque le cours des actions n'a pas varié de façon importante pendant l'exercice, il est possible d'utiliser le cours moyen pour évaluer la juste valeur des actions.

30 juin 20X2		
Charge de publicité	*50 000*	
Actions ordinaires		*50 000*
Émission de 5 000 actions ordinaires ayant un cours moyen unitaire de 10 $ en paiement d'une campagne de publicité.		

Avez-vous remarqué ?

Les actions émises en échange de biens ou de services sont généralement comptabilisées à la juste valeur des biens ou des services reçus. Ainsi, l'évaluation des biens ou des services reçus n'est pas touchée par le mode de financement.

Différence NCECF

Les transferts non réciproques impliquant l'émission d'actions

Dans de rares circonstances, il est possible qu'une entreprise fasse un don en émettant de ses actions propres ou des options sur achat de ses actions propres. Un tel **transfert non réciproque** pourrait être effectué en faveur d'un organisme de bienfaisance. L'IFRS 2 s'applique aux transactions pour lesquelles il peut être difficile de démontrer que des biens ou des services ont été ou seront reçus. Ces transactions seront évaluées en fonction de la juste valeur des actions ou des options[13]. À titre d'exemple, supposons que Généreuse inc. émette 1 000 actions préférentielles sans valeur nominale à Centraide lors de la campagne annuelle de souscription de cet organisme, au moment où le cours unitaire des actions est de 5 $. À ce moment, un montant de 5 000 $ serait comptabilisé en charges dans le compte Contribution à Centraide, et le même montant serait crédité au compte Actions préférentielles.

Il peut arriver également que les biens ou les services reçus s'avèrent d'une valeur inférieure à la juste valeur des titres de capitaux propres transférés. Dans ce cas, la différence entre la juste valeur des titres de capitaux propres transférés et la juste valeur des biens ou des services reçus est attribuable à la partie non déterminable des biens ou des services reçus ou à recevoir. Si cette partie non déterminable ne répond pas aux critères de comptabilisation d'un actif, elle est comptabilisée en charges, à titre de dons par exemple.

Avez-vous remarqué ?

Exceptionnellement, des actions peuvent être émises sans contrepartie. Dans un tel cas, l'évaluation de ces actions est établie en fonction de la juste valeur des actions à la date d'émission. Les utilisateurs obtiennent ainsi de l'information pertinente et fidèle sur les émissions d'actions sans égard à la contrepartie reçue.

La souscription à des actions

Afin de faciliter l'acquisition d'actions, une entreprise peut émettre des actions en vertu de contrats de souscription. En règle générale, à la date de la souscription, le souscripteur effectue un versement partiel et s'engage à verser le solde du produit de l'émission à des dates déterminées à l'avance. Compte tenu des échéances, et comme nous l'avons indiqué dans la figure 14.3, le **capital souscrit** se compose de deux éléments: le **capital appelé**, c'est-à-dire le capital qui peut être exigé d'un souscripteur, et le **capital non appelé**, c'est-à-dire la portion de la souscription qui n'est pas encore exigible selon les conditions du contrat de souscription. Notons qu'une entreprise constituée en vertu de la LCSA n'est autorisée à émettre les **actions** que lorsque celles-ci ont été entièrement **libérées**[14], c'est-à-dire lorsque le paiement complet a été encaissé. Jusqu'à ce moment-là, le souscripteur ne bénéficie pas du statut d'actionnaire. La situation est complètement différente au Québec. La LSAQ permet d'émettre les actions dès la souscription et confère au souscripteur les pleins droits dévolus à tout actionnaire, pour autant qu'il effectue les versements aux dates prévues dans le contrat de souscription[15].

14

La comptabilisation des actions souscrites

Différence NCECF

Nous devons d'abord préciser que la comptabilisation des actions souscrites ne concerne que les entreprises constituées en vertu de la LCSA. Puisque la LSAQ permet d'émettre les actions dès la souscription, le compte Actions souscrites n'est pas pertinent. L'IASB ne formule aucune recommandation précise en matière de comptabilisation des actions souscrites et des souscriptions à recevoir. L'entreprise a donc deux options:

1. Comptabiliser le plein montant – reçu et à recevoir – à titre d'actions souscrites;
2. Comptabiliser les seuls montants encaissés à titre d'actions souscrites.

13. Comme nous l'expliquerons dans la section traitant des plans de rémunération fondée sur des actions, une telle option devrait être évaluée à l'aide d'un modèle d'évaluation des options.

14. *Loi canadienne sur les sociétés par actions*, art. 25(3).

15. Loi sur les sociétés par actions, art. 53.

EXEMPLE

Comptabilisation des actions souscrites

Le capital autorisé de la société Souscrite ltée se compose d'un nombre illimité d'actions ordinaires sans valeur nominale. Le 2 juin 20X3, un groupe d'investisseurs signent des contrats de souscription en vertu desquels ils s'engagent à acheter 1 000 actions ordinaires au coût de 26 $ chacune. Pour montrer leurs bonnes intentions, ces investisseurs versent immédiatement 25 % du prix convenu et s'engagent à verser le solde dans 6 mois. Voici les écritures que la société doit passer selon les deux options :

Option 1 **Le plein montant de la souscription est comptabilisé**			**Option 2** **Seuls les montants encaissés sont comptabilisés**		
		2 juin 20X3			
Souscriptions à recevoir – Actions ordinaires	*26 000*		*Aucune écriture*		
Actions ordinaires souscrites		*26 000*			
Souscription de 1 000 actions ordinaires à 26 $ l'action.					
Caisse	*6 500*		*Caisse*	*6 500*	
Souscription à recevoir – Actions ordinaires		*6 500*	*Actions ordinaires souscrites*		*6 500*
Encaissement de 25 % des souscriptions à recevoir.			*Encaissement de 25 % des souscriptions à recevoir.*		
		2 décembre 20X3			
Caisse	*19 500*		*Caisse*	*19 500*	
Souscription à recevoir – Actions ordinaires		*19 500*	*Actions ordinaires souscrites*		*19 500*
Encaissement du solde dû sur les actions souscrites.			*Encaissement du solde dû sur les actions souscrites.*		
Actions ordinaires souscrites	*26 000*		*Actions ordinaires souscrites*	*26 000*	
Actions ordinaires		*26 000*	*Actions ordinaires*		*26 000*
Émission de 1 000 actions ordinaires entièrement libérées.			*Émission de 1 000 actions ordinaires entièrement libérées.*		

Deux différences importantes existent entre ces deux options. La première différence est, selon l'option 1, la comptabilisation d'une souscription à recevoir dès l'engagement des investisseurs, alors que selon l'option 2, aucune souscription à recevoir n'est comptabilisée. Certains font valoir que la souscription à recevoir est un actif (courant quand le recouvrement est attendu à brève échéance), puisqu'elle est une ressource contrôlée par l'entreprise. La capacité de contrôler les avantages d'un actif découle habituellement de droits. La souscription à recevoir est, du point de vue légal, reconnue comme une créance, ce qui permettrait à l'entreprise de recourir aux tribunaux en cas de non-paiement de la part des souscripteurs. De plus, des avantages économiques futurs sont attendus, puisque la souscription à recevoir devrait se transformer en rentrées de trésorerie à son échéance.

D'autres affirment que les souscriptions à recevoir ne répondent pas à la définition d'un actif. Est-ce qu'un engagement de la part d'un groupe d'investisseurs est un événement suffisant pour comptabiliser la transaction dans les livres de l'entreprise émettrice ? En général, pour pouvoir comptabiliser une transaction, il faut qu'elle provienne d'un événement passé et que des avantages économiques futurs soient attendus par l'entreprise. Dans le cas des souscriptions à recevoir, l'émission des actions est à venir. Une analogie pourrait également être faite avec les engagements relatifs à l'achat de marchandises, qui ne sont comptabilisés que lorsque le contrôle des avantages inhérents à la marchandise est transféré à l'acheteur. Pourquoi en serait-il autrement des engagements à la souscription d'actions, sachant que les actionnaires ne profitent des droits liés aux actions que lorsqu'elles sont entièrement libérées[16] ?

La seconde différence entre ces deux options de comptabilisation est le moment où les actions souscrites sont comptabilisées. Selon la première option, le capital social est augmenté du montant total des actions souscrites dès la souscription, ce qui risque d'induire en erreur les utilisateurs des états financiers relativement au montant de financement obtenu par l'émission d'actions. En effet, ils pourraient ne pas comprendre que le prix d'émission de certaines actions n'est que partiellement encaissé et que la trésorerie n'est pas encore disponible. De plus, le capital social pourrait être réduit des actions confisquées si les souscriptions à recevoir demeuraient non encaissées. C'est pourquoi la seconde option ne comptabilise les actions souscrites que lorsqu'un montant à titre d'actions souscrites est encaissé. Cette façon de faire est beaucoup plus prudente, puisqu'elle a pour effet d'augmenter les capitaux propres uniquement lorsque la trésorerie a été reçue.

Le choix de la première option de comptabilisation a un impact important sur les états financiers. En effet, elle a pour conséquence d'augmenter l'actif courant et les capitaux propres, et ainsi d'améliorer le ratio de fonds de roulement et le ratio d'endettement. Certains dirigeants pourraient choisir cette option dans le seul but d'améliorer la situation financière de l'entreprise. Pour contrer ces effets pervers, certains comptables suggèrent de présenter la souscription à recevoir en déduction du compte Actions souscrites dans la section des capitaux propres. De cette manière, les capitaux propres ne sont augmentés que lorsqu'une rentrée de trésorerie a lieu. C'est d'ailleurs cette position qu'a adopté la Securities and Exchange Commission (SEC) dans le *Staff Accounting Bulletin* (SAB) 107. Elle précise que les montants à recevoir à la suite de l'émission d'actions doivent être présentés en diminution des capitaux propres, sauf dans le cas où les sommes à recevoir sont encaissées entre la date de clôture et la date d'approbation des états financiers, auquel cas la présentation dans l'actif courant est permise.

Dans l'**IAS 1**, intitulée «Présentation des états financiers», on précise que l'entreprise doit fournir, soit dans l'état de la situation financière, soit dans les notes aux états financiers, le nombre d'actions émises et non entièrement libérées. Bien que cette norme ne fasse aucune mention de la présentation des souscriptions à recevoir, on peut conclure que même si la souscription à recevoir est présentée dans l'actif, une note aux états financiers doit informer les utilisateurs que le prix d'émission de certaines actions émises n'a pas été entièrement encaissé.

EXEMPLE

Modes de présentation des souscriptions à recevoir

Reprenons les données de l'exemple de Souscrite ltée, en tenant pour acquis que l'exercice financier de celle-ci se termine le 30 juin 20X3 et que les montants reçus sont toujours dans la trésorerie.

SOUSCRITE LTÉE
Situation financière partielle
au 30 juin 20X3

À titre d'actif		*En réduction du capital social souscrit*	
Actif courant		***Actif courant***	
Souscription à recevoir –		*Trésorerie*	*6 500 $*
Actions ordinaires	*19 500 $*		
Trésorerie	*6 500*		
Total de l'actif courant	*26 000 $*		
Capitaux propres		***Capitaux propres***	
Capital social		*Capital social*	
Actions ordinaires souscrites	*26 000 $*	*Actions ordinaires souscrites*	*26 000 $*
Total des capitaux propres	*26 000 $*	*Moins : Souscription à recevoir*	*(19 500)*
		Total des capitaux propres	*6 500 $*

16. Rappelons que dans le cas des entreprises constituées en vertu de la LSAQ, les actionnaires ont les pleins droits liés aux actions dès la souscription.

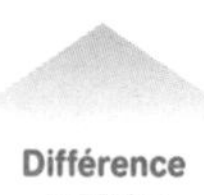
Différence NCECF

Avez-vous remarqué ?

Selon les IFRS, les souscriptions à recevoir peuvent être présentées dans l'actif courant ou en contrepartie du compte Actions souscrites dans les capitaux propres. Le choix de la méthode de comptabilisation des actions souscrites a un impact important sur les ratios financiers, d'où l'importance d'indiquer la méthode retenue par l'entreprise afin de ne pas berner les utilisateurs des états financiers.

L'émission de plusieurs titres à la fois

Afin d'accroître l'attrait de ses titres de capitaux propres et de favoriser un apport supplémentaire de capitaux, il arrive qu'une entreprise offre aux investisseurs d'acquérir, à un montant forfaitaire, deux ou plusieurs catégories de titres. C'est aussi fréquemment le cas lors de regroupements d'entreprises. Ce genre d'émission à montant forfaitaire soulève le problème de la répartition du prix d'émission entre les différentes catégories de titres émis. Deux méthodes de répartition peuvent alors être appliquées conformément aux IFRS : la méthode proportionnelle et la méthode marginale.

Lorsque l'entreprise émettrice met en circulation deux titres de capitaux propres à la fois, elle connaît généralement la juste valeur respective de ces titres. En pareil cas, elle peut utiliser la **méthode proportionnelle** et répartir proportionnellement la contrepartie reçue entre les deux catégories de titres émis.

EXEMPLE

Émission de plusieurs titres à la fois – Méthode proportionnelle

Un investisseur est disposé à offrir la somme de 75 000 $ à la société Fort-Fétère ltée en échange de 2 000 actions ordinaires et de 600 actions préférentielles ayant une juste valeur respective de 10 $ et de 100 $ l'action. Si la société accepte cette offre, la répartition du montant forfaitaire et l'enregistrement de l'émission des actions se feront comme suit :

Juste valeur totale des actions	
Actions ordinaires (2 000 actions à 10 $)	*20 000 $*
Actions préférentielles (600 actions à 100 $)	*60 000*
	80 000 $
Valeur attribuée aux actions ordinaires	
$\frac{20\,000\,\$}{80\,000\,\$} \times 75\,000\,\$$	*18 750 $*
Valeur attribuée aux actions préférentielles	
$\frac{60\,000\,\$}{80\,000\,\$} \times 75\,000\,\$$	*56 250*
Répartition totale du montant forfaitaire	*75 000 $*

Caisse	*75 000*	
Actions ordinaires		*18 750*
Actions préférentielles		*56 250*

Émission de 2 000 actions ordinaires et de 600 actions préférentielles ayant une juste valeur unitaire respective de 10 $ et de 100 $ pour un montant forfaitaire réparti proportionnellement entre ces titres.

Lorsque l'entreprise émettrice ne connaît la juste valeur que d'une seule catégorie de titres, par exemple parce qu'il s'agit de la première émission de l'autre catégorie d'actions, elle peut utiliser la **méthode marginale** et attribuer à la première catégorie la valeur connue, le reste du prix d'émission représentant le produit obtenu pour l'autre catégorie de titres.

EXEMPLE

Émission de plusieurs titres à la fois – Méthode marginale

Reprenons l'exemple de Fort-Fétère ltée, en supposant cette fois que seule la juste valeur de l'action ordinaire (10 $) est connue. La répartition du montant forfaitaire et l'enregistrement de l'émission des actions se feront alors comme suit :

Montant forfaitaire reçu	*75 000 $*
Valeur attribuée aux actions ordinaires (2 000 actions à 10 $)	*(20 000)*
Valeur attribuée aux actions préférentielles	*55 000 $*

Caisse	*75 000*	
Actions ordinaires		*20 000*
Actions préférentielles		*55 000*
Émission de 2 000 actions ordinaires ayant une juste valeur unitaire de 10 $ et de 600 actions préférentielles à une valeur établie par différence.		

La comptabilisation des coûts d'émission d'actions

Lors de l'émission de titres de capitaux propres, une entreprise engage plusieurs frais. Ainsi, lorsqu'elle se propose d'émettre des actions, elle doit successivement engager des frais administratifs pour préparer le prospectus d'émission[17], des frais juridiques et d'audit externe, des frais de publicité, des commissions versées à un preneur ferme, et des frais d'impression et d'expédition des certificats d'actions, s'il y a lieu.

Quoique la présentation des **coûts d'émission d'actions** ne fasse pas l'objet de débats passionnés, probablement à cause de leur faible importance relative, il existe, en pratique, deux façons différentes de tenir compte de ces coûts. La première méthode consiste à retrancher les coûts d'émission d'actions du prix d'émission. Les tenants de cette approche soutiennent que ces coûts doivent être déduits de la contrepartie reçue en échange des actions afin de dégager le véritable montant découlant de l'opération de financement. De plus, puisque les coûts d'émission d'actions n'ont rien en commun avec les transactions courantes de l'entreprise et qu'ils concernent une transaction ayant lieu entre l'entreprise et ses actionnaires, ils ne devraient pas être pris en considération dans la détermination du résultat net. Enfin, ce mode de comptabilisation permet aussi de montrer, au capital social, l'investissement net réel des actionnaires.

La seconde méthode consiste à retrancher les coûts d'émission d'actions des résultats non distribués. Lorsqu'une entreprise n'émet qu'une seule catégorie d'actions, il lui est facile de déterminer le montant des coûts d'émission qui s'y rattachent et de présenter le capital social net. Toutefois, lorsqu'elle procède à de multiples émissions de diverses catégories d'actions au cours d'un même exercice, il se peut qu'il ne lui soit pas possible, au prix d'un effort raisonnable, de répartir les coûts d'émission entre chacune des catégories d'actions. Il s'avère alors pratique de les retrancher en bloc du solde des résultats non distribués, pour autant qu'il existe un tel solde.

Les partisans de la présentation des coûts d'émission en déduction des résultats non distribués font aussi valoir qu'il n'est pas coutume, en pratique, de présenter le capital émis à une valeur inférieure au capital légal, lequel représente le montant reçu des actionnaires[18]. Il s'agit ici d'une interprétation stricte de la notion de capital déclaré selon laquelle une entreprise doit porter au compte Capital déclaré pertinent le montant total de l'apport reçu des actionnaires en contrepartie des actions qu'elle émet[19]. Les tenants de la réduction du capital social y voient une interprétation trop stricte car, selon eux, le capital déclaré doit renfermer le montant total de l'apport net reçu en contrepartie des actions émises par une entreprise.

17. Vous pouvez consulter la définition du terme « prospectus » au chapitre 13.
18. Skinner, Ross M. et Milburn, J. Alex, *Normes comptables, analyse et concepts*, Éditions du Renouveau Pédagogique Inc., 2003, p. 224.
19. Voir les articles de lois cités à la page 14.9, portant sur la définition de capital déclaré.

Pour sa part, l'IASB précise que les coûts d'émission d'actions doivent être comptabilisés en déduction des capitaux propres[20].

Que l'on retranche les coûts d'émission d'actions du capital social ou des résultats non distribués, l'effet sur les capitaux propres au total est le même.

EXEMPLE

Comptabilisation des coûts d'émission d'actions

La société Émè ltée émet 10 000 actions ordinaires au prix unitaire de 25 $ et engage des coûts d'émission de 2 000 $.

En déduction du capital social			En déduction des résultats non distribués		
Hypothèse : actions sans valeur nominale					
Caisse	*248 000*		*Caisse*	*248 000*	
Actions ordinaires		*248 000*	*Résultats non distribués*	*2 000*	
Émission de 10 000 actions au prix unitaire de 25 $ moins les coûts d'émission de 2 000 $.			*Actions ordinaires*		*250 000*
			Émission de 10 000 actions au prix unitaire de 25 $ compte tenu des coûts d'émission de 2 000 $.		
Hypothèse : actions d'une valeur nominale de 20 $					
Caisse	*248 000*		*Caisse*	*248 000*	
Actions ordinaires		*200 000*	*Résultats non distribués*	*2 000*	
Surplus d'apport – Prime d'émission d'actions ordinaires		*48 000*	*Actions ordinaires*		*200 000*
Émission de 10 000 actions d'une valeur nominale de 20 $ au prix unitaire de 25 $ moins les coûts d'émission de 2 000 $.			*Surplus d'apport – Prime d'émission d'actions ordinaires*		*50 000*
			Émission de 10 000 actions d'une valeur nominale de 20 $ au prix unitaire de 25 $ compte tenu des coûts d'émission de 2 000 $.		

Bien que les éléments qui composent les capitaux propres ont des soldes différents selon les situations illustrées ci-dessus, le total des capitaux propres de Émè ltée demeure le même (248 000 $).

La conversion d'actions en une autre catégorie d'actions

Les sociétés par actions émettent parfois des actions à la suite d'une conversion de dettes ou d'actions convertibles. Au chapitre 13, nous avons traité de deux problèmes liés à la conversion des titres d'emprunt en actions : la valeur du privilège de conversion et le recours à la méthode de la valeur comptable lors de la conversion des obligations en actions ordinaires.

Pour ce qui est du privilège de conversion d'un titre de capitaux propres en un autre titre de capitaux propres, bien qu'il ait une valeur, celle-ci n'est pas comptabilisée de façon distincte, puisque les deux composantes sont des titres de capitaux propres et que le privilège de conversion ne peut être négocié distinctement du titre auquel il est rattaché[21]. Le produit de l'émission doit

20. *Manuel de CPA Canada – Comptabilité – Partie I*, **IAS 32**, paragr. 35. Notons que, sur le plan fiscal, les coûts d'émission d'actions sont déductibles en totalité du résultat net de l'exercice au cours duquel l'entreprise émettrice les engage.

21. Comme il est expliqué au chapitre 4, lorsqu'un privilège de conversion est rattaché à un titre de dette, l'émetteur doit attribuer une valeur à ce privilège de conversion.

donc être porté en entier au compte Capital social, et au compte Surplus d'apport – Prime d'émission lorsque les actions ont une valeur nominale. L'IASB ne recommande aucune méthode au moment d'effectuer la conversion de titres de capitaux propres. La comptabilisation de la conversion peut donc se faire selon deux méthodes, la méthode de la valeur comptable ou la méthode de la juste valeur. Dans le cas de la **méthode de la valeur comptable**, la conversion consiste simplement à transférer la valeur comptable des actions converties dans le compte approprié du capital social.

EXEMPLE

Conversion d'actions – Méthode de la valeur comptable

La société Convertie ltée a émis récemment, au prix de 120 000 $, 1 000 actions convertibles. Chaque action convertible a une valeur nominale de 100 $ et est convertible en 10 actions ordinaires au gré du détenteur. Supposons que 20 % de ces actions soient converties en actions sans valeur nominale[22] et qu'au moment de la conversion, l'action ordinaire se négocie à la Bourse à 13 $. Voici l'écriture de journal que doit enregistrer la société :

Actions convertibles (20 % de 100 000 $)	*20 000*	
Surplus d'apport – Prime d'émission d'actions convertibles (20 % de 20 000 $)	*4 000*	
Actions ordinaires		*24 000*
Émission de 2 000 actions ordinaires à la suite de la conversion de 200 actions convertibles (1 000 actions convertibles × 20 % × 10 actions ordinaires).		

Selon cette méthode, aucun excédent n'est comptabilisé lors de la conversion. Puisque l'on peut supposer que la possibilité de tirer profit du privilège de conversion incite les investisseurs à acheter les actions convertibles au moment où elles sont émises, on peut considérer que le capital reçu par l'entreprise émettrice lors de la conversion des actions représente la valeur qu'il convient d'attribuer aux actions émises en faveur des actionnaires qui convertissent leurs actions. C'est d'ailleurs pour cette raison que nous n'avons pas tenu compte du cours des actions ordinaires (13 $) lors de la conversion des actions.

Selon la **méthode de la juste valeur**, on tient compte de la juste valeur des actions émises à la suite de la conversion. L'excédent de la juste valeur des actions émises sur le prix net d'émission des actions converties doit être comptabilisé dans les résultats non distribués.

14

EXEMPLE

Conversion d'actions – Méthode de la juste valeur

Reprenons les données de l'exemple précédent et supposons que Convertie ltée opte pour la méthode de la juste valeur. Elle comptabilise la conversion de la façon suivante :

Actions convertibles (20 % de 100 000 $)	*20 000*	
Surplus d'apport – Prime d'émission d'actions convertibles (20 % de 20 000 $)	*4 000*	
Résultats non distribués – Excédent de la juste valeur des actions émises sur le prix net d'émission des actions converties	*2 000*	
Actions ordinaires (2 000 actions à 13 $)		*26 000*
Émission de 2 000 actions ordinaires à la suite de la conversion de 200 actions convertibles (1 000 actions convertibles × 20 % × 10 actions ordinaires).		

22. Dans le cas d'actions ordinaires ayant une valeur nominale supérieure au prix net d'émission des actions converties, on devrait porter l'excédent de la valeur nominale des actions ordinaires sur le prix net d'émission des actions converties au débit du compte Résultats non distribués. On notera toutefois que si le prix net d'émission des actions converties est supérieur à la valeur nominale des actions ordinaires, on devrait porter l'excédent au compte Surplus d'apport – Prime d'émission.

Cette méthode a l'avantage de présenter les actions émises à leur juste valeur au moment de l'émission, ce qui permet de rendre l'évaluation comparable à d'autres émissions qui pourraient être faites au cours du même exercice. De plus, l'excédent de 2 000 $ de la juste valeur des actions émises sur le prix net d'émission des actions converties, débité au compte Résultats non distribués, indique le coût que représente cette conversion pour l'entreprise et ses actionnaires.

Il faut préciser que selon la LCSA et la LSAQ, seule la méthode de la valeur comptable est acceptable[23].

En ce qui a trait aux coûts relatifs à l'incitation à la conversion, ils doivent être considérés comme une transaction portant sur les titres de capitaux propres et être déduits des capitaux propres.

Si les actions convertibles sont rachetables au gré du détenteur et qu'elles sont comptabilisées à titre de passif, ce sont alors les règles décrites au chapitre 13 concernant les obligations convertibles qui s'appliquent.

Avez-vous remarqué ?

L'IASB ne recommande l'emploi d'aucune méthode pour comptabiliser la conversion d'actions en une autre catégorie d'actions. L'émission peut se faire à la juste valeur des actions émises ou à la valeur comptable des actions converties. Toutefois, les entreprises canadiennes, pour se conformer aux lois, utilisent la méthode de la valeur comptable.

Les bons de souscription

Différence NCECF

14

Jusqu'à présent, nous avons traité de la comptabilisation des transactions relatives aux émissions d'actions au comptant, en échange de biens ou de services, par voie de souscription ainsi qu'au moyen de la conversion de titres. Plusieurs entreprises émettent aussi des bons de souscription avant de procéder à l'émission d'actions. Un **bon de souscription** est un instrument financier qui permet à son détenteur d'acheter (de souscrire) des actions ordinaires à un prix stipulé à l'avance, appelé **prix d'exercice**. L'entreprise doit déterminer si le bon de souscription possède les caractéristiques d'un passif financier ou d'un titre de capitaux propres. Généralement, pour qu'un bon de souscription soit considéré comme un titre de capitaux propres, il ne doit pas prévoir de règlement en trésorerie et il doit être échangeable contre un nombre déterminé d'actions.

L'évaluation du bon de souscription se fait de différentes façons, selon qu'il est émis seul ou conjointement avec d'autres titres. Lorsqu'il est émis seul, la détermination de son prix d'émission devrait correspondre à sa juste valeur à la date d'émission. La juste valeur est obtenue par référence au cours sur le marché. Si le bon de souscription ne se négocie sur aucun marché, sa juste valeur peut être estimée à l'aide d'un modèle d'évaluation des options, comme le recommande l'IFRS 2. Ce type de modèle est expliqué en détail plus loin, dans la section portant sur les plans de rémunération fondée sur des actions. Toutefois, si le bon est attribué à tous les porteurs d'une catégorie donnée de titres de capitaux propres, l'IASB précise que ces droits ne sont pas soumis aux dispositions de l'IFRS 2. La détermination de la juste valeur pourrait donc se faire à l'aide des autres techniques d'évaluation présentées au chapitre 3.

Différence NCECF

Les bons de souscription émis en échange de biens ou de services

Il est possible qu'une entreprise décide d'émettre des bons de souscription en échange de biens ou de services. C'est alors la règle utilisée pour l'émission d'actions en échange de biens ou de services qui s'applique. On évalue les bons à la juste valeur des biens ou des services reçus, à moins que l'entreprise ne puisse en établir la juste valeur de façon fiable. Dans ce cas, elle doit se servir de la juste valeur des bons émis à la date à laquelle les biens ou les services sont reçus pour déterminer la valeur des biens ou des services reçus. Finalement, si aucun marché n'est disponible pour déterminer la juste valeur des bons émis, on doit utiliser des modèles d'évaluation tels que présentés plus loin.

23. *Loi canadienne sur les sociétés par actions*, art. 39(4) et Loi sur les sociétés par actions, art. 73.

EXEMPLE

Émission de bons de souscription en échange de services

La société Difficulté inc. décide d'émettre à son créancier des bons de souscription en paiement des intérêts sur un emprunt à long terme. Cet emprunt, au montant de 100 000 $, porte un intérêt annuel de 7 % et est payable le 31 décembre de chaque année. Puisque la juste valeur du service reçu (le règlement des intérêts annuels) est une valeur fiable, les bons de souscription doivent être évalués à la juste valeur des intérêts sur l'emprunt. Voici l'écriture à passer pour comptabiliser l'émission des bons de souscription :

31 décembre		
Charge d'intérêts sur emprunt à long terme (100 000 $ × 7 %)	*7 000*	
Bons de souscription		*7 000*
Émission de bons de souscription en paiement des intérêts sur l'emprunt à long terme.		

Voyons maintenant les autres formes de bons de souscription. Le tableau 14.3, dans lequel on définit les autres types de bons de souscription, servira de point de repère pour la suite de cette sous-section.

TABLEAU 14.3 Les autres types de bons de souscription

Nom	Caractéristiques
Bon de souscription à des actions	Titre émis conjointement avec un autre titre (action ou obligation) et qui permet à son détenteur d'acheter (de souscrire) des actions ordinaires à un prix stipulé à l'avance. Quoique leur durée puisse être indéterminée, elle varie généralement de 5 à 10 ans.
Droit de souscription à des actions	Titre qui permet à un actionnaire d'exercer son droit de préemption avant que l'émission d'actions ne soit offerte au public en général. Les droits de souscription sont de très courte durée (par exemple, de 60 à 90 jours).
Option sur action accordée par les entreprises	Titre émis dans le contexte de la politique de participation des employés à l'actionnariat d'une entreprise et qui permet à un dirigeant, à un cadre ou à un employé d'acheter des actions ordinaires à un prix stipulé à l'avance qui, le plus souvent, est inférieur ou égal au cours des actions le jour où les options sont exercées.

Il existe trois situations propices à l'émission des autres types de bons de souscription :

1. Afin de renforcer l'attrait pour un autre titre, une entreprise peut l'assortir d'un bon de souscription à des actions. C'est le cas notamment lors de l'émission d'obligations et d'actions préférentielles.
2. Afin de signifier aux actionnaires qu'ils peuvent exercer leur droit de préemption, une entreprise émet à leur intention un certain nombre de droits de souscription à des actions.
3. Dans le contexte d'un plan de rémunération fondée sur des actions aux membres du personnel d'une entreprise, celle-ci peut émettre des options sur actions.

Chaque situation présente ses caractéristiques propres. Dans les pages qui suivent, nous traiterons de chacune de ces situations. Il importe cependant de préciser, dès à présent, que les IFRS ne contiennent rien sur la comptabilisation des bons de souscription. Ce qui suit est rédigé en fonction de la pratique canadienne courante, laquelle est fortement influencée par le traitement comptable que l'on applique aux bons de souscription aux États-Unis.

Les bons de souscription à des actions

Les bons de souscription à des actions émis conjointement avec d'autres titres permettent à leur détenteur d'acheter (de souscrire) des actions à un prix stipulé à l'avance. Nous avons déjà traité

14

en détail des obligations avec bons de souscription détachables au chapitre 13. Toutefois, dans le cas des bons de souscription émis conjointement avec des actions, aucune recommandation de l'IASB ne mentionne la façon de comptabiliser chacun de ces titres.

Lorsque le bon de souscription peut être négocié distinctement du titre auquel il est attaché, on peut s'inspirer des méthodes présentées dans la sous-section du présent chapitre portant sur l'émission de plusieurs titres à la fois et répartir le produit de l'émission entre le bon et le titre en question. Pour ce faire, on peut utiliser la méthode proportionnelle lorsqu'il est possible d'établir les justes valeurs du titre et du bon. Si seule la juste valeur de l'action, par exemple, peut être déterminée, on peut utiliser la méthode marginale, qui consiste à attribuer à ce titre la juste valeur connue et à considérer que le solde du produit de l'émission représente la valeur du bon de souscription.

Avez-vous remarqué ?

Lorsqu'un bon de souscription est émis seul, la détermination de son prix d'émission doit correspondre à sa juste valeur à la date d'émission. S'il est émis en échange de biens ou de services, il est généralement évalué à la juste valeur des biens ou des services reçus. S'il est émis conjointement avec d'autres titres, la répartition du produit d'émission peut se faire selon la méthode proportionnelle ou selon la méthode marginale. Pour les utilisateurs des états financiers, la comptabilisation distincte des bons de souscription permet de mieux évaluer les flux de trésorerie futurs liés à l'exercice des bons de souscription émis.

Les droits de souscription à des actions

Lorsque les statuts constitutifs accordent un droit de préemption aux actionnaires, ceux-ci reçoivent des droits de souscription qui peuvent être exercés dans un laps de temps relativement court. Ainsi, lors d'une nouvelle émission d'actions, les anciens actionnaires ont préséance. S'ils exercent leurs droits, ils obtiennent un nombre supplémentaire d'actions proportionnel à leurs titres de capitaux propres existants. En général, il s'agit d'actions avec droit de vote.

14

EXEMPLE

Répercussions des droits de souscription d'actions

Il y a présentement 100 000 actions ordinaires de la société Préemptive ltée en circulation. La société se propose d'émettre 50 000 nouvelles actions ordinaires. Ses statuts accordent aux détenteurs d'actions ordinaires un droit préférentiel de souscription. Voici la situation de M. Paul Fortier, en tenant pour acquis que la société a procédé à l'émission de la totalité des 50 000 nouvelles actions ordinaires.

		Droits de souscription	
	Avant l'émission des droits	Exercés	Non exercés
Nombre d'actions détenues par Paul Fortier	60 000	90 000	60 000
Nombre d'actions émises et en circulation	100 000	150 000	150 000
Pourcentage des titres de capitaux propres	60 %	60 %	40 %

Les données ci-dessus sont éloquentes. Si M. Paul Fortier n'exerce pas ses droits de souscription, il perdra le contrôle absolu (50 % plus une action) qu'il détenait avant l'émission d'actions supplémentaires. Cet exemple illustre bien l'importance du droit de préemption, qui protège les actionnaires contre une dilution de leur droit de vote[24].

24. Lorsque le droit de préemption existe et que des bons de souscription d'actions (décrits précédemment) ou des options sur actions (décrites un peu plus loin) sont émis, l'entreprise émettrice doit aussi prévoir l'émission de droits de souscription afin de protéger les actionnaires actuels contre toute dilution involontaire. Dès lors, on comprend mieux pourquoi plusieurs entreprises n'accordent pas de droit de préemption.

La durée des droits de souscription est généralement très courte afin que l'entreprise puisse rapidement obtenir les capitaux convoités par l'entremise de la nouvelle émission d'actions. Afin d'accorder un avantage réel aux actionnaires actuels et de les inciter à se prévaloir de cet avantage, le prix de la nouvelle action, indiqué sur le certificat attestant du droit de souscription, est généralement inférieur au cours de l'action à la date d'émission des droits. Bien que le prix d'émission soit inférieur à la juste valeur, il est avantageux pour l'entreprise d'émettre des droits de souscription, car elle obtient ainsi des capitaux beaucoup plus rapidement et à un coût moins élevé que si elle procédait à une émission publique.

Trois possibilités se présentent alors aux détenteurs de droits de souscription : ils peuvent 1) se prévaloir de leurs droits de souscription ; 2) ne rien faire jusqu'à la date d'expiration du délai ; et 3) vendre leurs droits de souscription. En effet, les droits de souscription sont généralement inscrits à la Bourse. De cette façon, un actionnaire actuel qui ne tient pas à maintenir son pourcentage de titres de capitaux propres peut permettre à un nouvel investisseur de devenir actionnaire ou à un autre actionnaire d'accroître le nombre de ses titres de capitaux propres. Le placement en actions ordinaires de l'investisseur est alors constitué de la valeur comptable des droits, plus la somme versée lors de l'exercice des droits.

En ce qui concerne l'évaluation des droits de souscription, certains font valoir que puisque le droit est exclusif aux détenteurs d'actions ordinaires et qu'il est émis sans contrepartie, aucune valeur ne devrait lui être accordée. D'autres affirment qu'il pourrait être possible de déterminer la valeur de ce droit en utilisant une technique d'évaluation, telle que présentée au chapitre 3. Rappelons que l'IASB exclut du champ d'application de l'IFRS 2 les droits d'acquérir des titres de capitaux propres supplémentaires à un prix inférieur à leur juste valeur lorsque ces droits sont attribués à tous les porteurs d'une catégorie donnée de titres de capitaux propres. Cela signifie que la juste valeur des droits de souscription n'a pas à être évaluée selon le modèle d'évaluation des options, comme nous le verrons plus loin, dans la section portant sur les plans de rémunération fondée sur des actions.

En pratique, la plupart des entreprises qui émettent des droits de souscription ne passent aucune écriture le jour où elles les émettent ; il suffit qu'elles notent le nombre d'actions réservées à l'exercice des droits et qu'elles s'assurent de disposer de suffisamment d'actions autorisées et non émises.

L'exercice des droits et des bons de souscription

Lorsque les investisseurs exercent les droits ou les bons qu'ils détiennent, l'entreprise a deux choix en matière de comptabilisation. Elle peut utiliser la méthode de la valeur comptable ou la méthode de la juste valeur. Si elle choisit la **méthode de la valeur comptable**, la valeur comptable du droit ou du bon exercé est ajoutée au prix payé à l'émission des actions. Si elle opte plutôt pour la **méthode de la juste valeur**, les actions émises sont comptabilisées à leur juste valeur. La différence entre la juste valeur des actions émises et le total de la contrepartie reçue à l'émission des actions et de la valeur comptable du droit ou du bon est comptabilisée dans les capitaux propres.

EXEMPLE

Exercice des bons de souscription – Méthode de la valeur comptable

Le 31 août 20X4, la société Praissay inc. a émis au comptant 200 000 bons de souscription au prix unitaire de 10 $ chacun. Chaque bon donne le droit d'acheter une action ordinaire au coût de 15 $ l'action. Puisque les bons de souscription ne seront pas réglés en trésorerie mais plutôt en un nombre déterminé de titres de capitaux propres, nous pouvons les considérer comme des titres de capitaux propres. L'écriture de journal enregistrée à la date d'émission est présentée ci-dessous.

	Débit	Crédit
31 août 20X4		
Caisse	*2 000 000*	
Bons de souscription		*2 000 000*
Émission, au prix unitaire de 10 $, de 200 000 bons de souscription.		

Le 15 septembre 20X4, 100 000 bons de souscription sont exercés. À cette date, le cours des actions ordinaires est à 26 $. La société a choisi de comptabiliser l'exercice des bons de souscription selon la méthode de la valeur comptable.

15 septembre 20X4		
Caisse	*1 500 000*	
Bons de souscription	*1 000 000*	
Actions ordinaires		*2 500 000*
Émission de 100 000 actions ordinaires à la suite de l'exercice de 100 000 bons de souscription.		

EXEMPLE

Exercice des bons de souscription – Méthode de la juste valeur

Reprenons les mêmes données que précédemment, mais supposons maintenant que la société choisit de comptabiliser l'exercice des bons au 15 septembre 20X4 selon la méthode de la juste valeur.

15 septembre 20X4		
Caisse	*1 500 000*	
Bons de souscription	*1 000 000*	
Résultats non distribués – Excédent de la juste valeur des actions émises sur la contrepartie reçue	*100 000*	
Actions ordinaires		*2 600 000*
Émission de 100 000 actions ordinaires à 26 $ chacune à la suite de l'exercice de 100 000 bons de souscription.		

On peut constater que, peu importe la méthode choisie, le total des capitaux propres demeure le même. Seule la composition des capitaux propres change selon la méthode utilisée. La méthode de la valeur comptable n'engendre aucun excédent, mais le montant crédité au compte Actions ordinaires ne correspond pas à la juste valeur des actions à la date d'émission. Selon la méthode de la juste valeur, le compte Actions ordinaires correspond à la juste valeur des actions ordinaires à la date d'émission (100 000 actions × 26 $) et l'excédent (100 000 $) comptabilisé dans le compte Résultats non distribués correspond à la différence entre la juste valeur des actions émises (2 600 000 $) et le total du montant encaissé à l'émission des actions et des bons de souscription exercés (1 500 000 $ + 1 000 000 $).

14

Avez-vous remarqué ?

Lors de l'exercice des droits ou des bons de souscription, les actions émises peuvent être comptabilisées selon la méthode de la valeur comptable ou selon la méthode de la juste valeur. Cette dernière offre une meilleure information aux utilisateurs des états financiers, puisqu'elle présente les actions à leur juste valeur à la date d'émission.

La présentation dans les états financiers des droits et des bons de souscription

Les droits de souscription, lorsqu'ils sont comptabilisés, et les bons de souscription, émis seuls ou conjointement avec d'autres titres, sont des instruments financiers et doivent être présentés dans les états financiers à titre de capitaux propres ou de passif financier selon les termes et conditions dont ils sont assortis. De plus, une note aux états financiers doit mentionner les actions réservées à l'exercice de ces droits ou de ces bons, y compris les modalités et les montants liés à ces titres.

La section suivante portera sur les options sur actions attribuées aux membres du personnel. Leur comptabilisation est très particulière, ce qui justifie d'en faire une section distincte.

 Les plans de rémunération fondée sur des actions

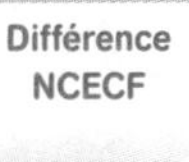

Les grandes entreprises rivalisent d'ingéniosité afin de trouver des moyens d'attirer et de retenir les services de leurs dirigeants, cadres et employés. Aussi, leur salaire de base en argent est fréquemment complété par différents plans d'avantages du personnel, de bonis et de rémunération fondée sur des actions. Ces plans de rémunération fondée sur des actions peuvent prendre différentes formes. Des bonis peuvent être attribués non pas en argent comptant, mais sous forme d'actions de l'employeur. Des primes peuvent être attribuées et calculées en fonction de l'augmentation de la valeur des actions de l'employeur, des options sur actions peuvent être consenties aux employés ou des plans de droits à l'appréciation d'actions peuvent être instaurés. Finalement, l'entreprise peut consentir des attributions d'actions liées à la performance. Dans tous ces cas, le fait de lier la rémunération des employés à la valeur des actions de l'employeur peut avoir un effet de motivation et contribuer à aligner les intérêts des employés, des cadres ou des dirigeants sur ceux de leur employeur.

Si ces plans de rémunération fondée sur des actions représentent une forme de rémunération, il convient alors de s'interroger sur les problèmes d'évaluation, de comptabilisation et de présentation de l'information financière qui en découlent. L'objectif est de permettre aux utilisateurs des états financiers d'évaluer la capacité de l'entreprise à générer de la trésorerie et des équivalents de trésorerie, et d'apprécier la mesure dans laquelle la direction d'une entreprise s'est acquittée avec efficience et efficacité de sa responsabilité à l'égard de l'utilisation des ressources qui lui ont été confiées.

Un **plan de rémunération fondée sur des actions** réfère à un accord de paiement fondé sur des actions que l'IASB définit comme un accord conclu entre l'entreprise et un membre du personnel, visant à établir une rémunération qui donne à ce dernier le droit de recevoir de la trésorerie ou d'autres actifs de l'entreprise à hauteur de montants fondés sur le cours ou la juste valeur de titres de capitaux propres (y compris des actions ou des options sur actions) de l'entreprise ou d'autres entreprises du même groupe, ou de recevoir des titres de capitaux propres de l'entreprise ou d'autres entreprises du même groupe, moyennant le respect de toutes les conditions d'acquisition qui sont précisées[25]. L'**IFRS 2** s'applique à tous les plans de rémunération fondée sur des actions.

C'est la substance du plan qui détermine son mode de comptabilisation. La figure 14.4 présente les deux principaux types de plans de rémunération fondée sur des actions et leur mode de comptabilisation. Le fait que le plan de rémunération prévoie un règlement en titres de capitaux propres ou en trésorerie touche non seulement la partie créditrice de la transaction (capitaux propres ou passif), mais également son mode et sa date d'évaluation. Dans tous les cas, la rémunération est comptabilisée pendant toute la **période d'acquisition des droits**, c'est-à-dire celle pendant laquelle toutes les conditions d'acquisition des droits doivent être remplies. À titre d'exemple, l'entreprise peut imposer aux membres du personnel l'achèvement d'une période de service précise ou l'atteinte d'objectifs de performance. Selon l'IFRS 2, les membres du personnel englobent les tiers qui fournissent des services similaires à l'entreprise, tels des consultants. Dans la suite de cette section, nous expliquerons la comptabilisation de ces deux types de plans de rémunération fondée sur des actions.

Les normes de comptabilisation des plans de rémunération fondée sur des actions font référence à plusieurs dates, qu'il convient de déterminer et d'expliquer. Les dates importantes sont illustrées dans la figure 14.5.

EXEMPLE

Dates pertinentes dans un plan d'options sur actions

La société Optex inc. met en place, le 1er juin 20X0, un plan d'options sur actions permettant à 1 000 de ses salariés de se porter acquéreurs de 100 actions chacun au prix d'exercice unitaire de 10 $. Le 1er juin 20X0, le prix de l'action s'élève également à 10 $. L'accord stipule que les employés doivent demeurer au service d'Optex inc. durant une période de deux ans avant d'être en mesure d'exercer ces droits. Ceux-ci viennent à échéance dans cinq ans. Dans cet exemple, la date d'attribution est le 1er juin 20X0, la date d'acquisition des droits est le 31 mai 20X2 et la date d'expiration est le 31 mai 20X5. La date d'exercice des droits pourra se situer entre le 31 mai 20X2 et le 31 mai 20X5. Si un employé quitte la société avant le 31 mai 20X2, cela entraîne l'annulation des droits qui lui avaient été attribués. Si un employé n'exerce pas ses droits avant le 31 mai 20X5, ceux-ci expirent et il ne lui sera plus possible de s'en prévaloir.

25. *Manuel de CPA Canada – Comptabilité – Partie I*, IFRS 2, Annexe A.

FIGURE 14.4 Les principaux types de plans de rémunération fondée sur des actions et leur comptabilisation

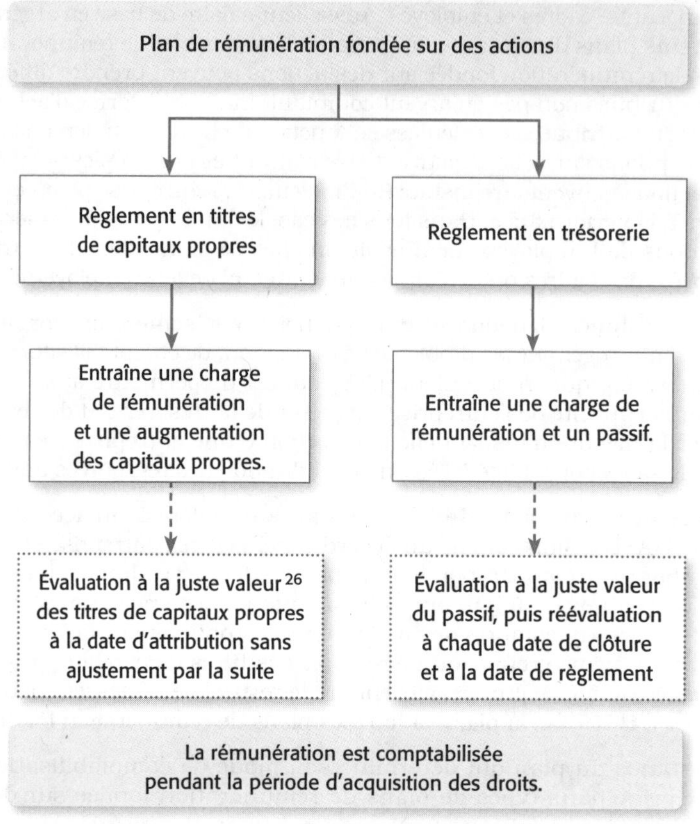

Source : Sylvain Durocher

FIGURE 14.5 Les dates importantes

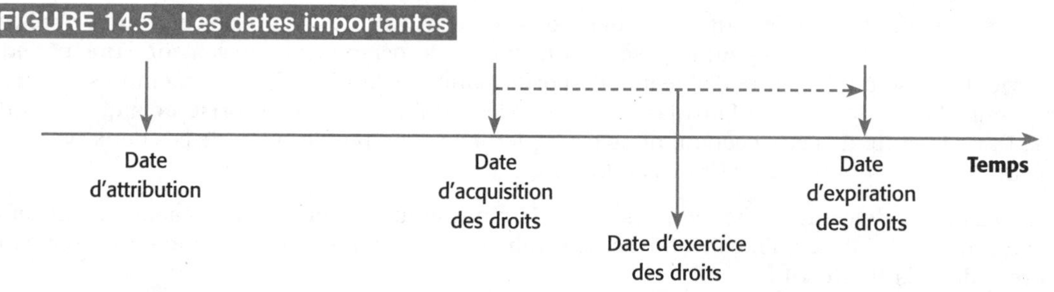

Source : Sylvain Durocher

La **date d'attribution** mérite quelques éclaircissements. Il s'agit de la date à laquelle l'entreprise et le membre du personnel concluent un accord, dont ils ont une compréhension commune des caractéristiques et des conditions, qui stipule que le paiement est fondé sur des actions. Si celui-ci est soumis à un processus d'approbation ultérieure, la date d'attribution est la date à laquelle l'approbation a été obtenue.

26. Lorsqu'une entreprise applique l'IFRS 2, elle évalue la juste valeur selon cette norme, et non selon l'IFRS 13 (*voir le* Manuel de CPA Canada – Comptabilité – Partie I, *IFRS 2, paragr. 6A et Annexe A*). Selon l'IFRS 2, la juste valeur est le montant pour lequel un actif pourrait être échangé, un passif éteint ou un titre de capitaux propres attribué entre des parties bien informées et consentantes dans le cadre d'une transaction effectuée dans des conditions de concurrence normale. Cette définition diffère à certains égards de celle donnée dans l'annexe A de l'IFRS 13. Selon cette dernière, la juste valeur est le « prix qui serait reçu pour la vente d'un actif ou payé pour le transfert d'un passif lors d'une transaction normale entre des intervenants du marché à la date d'évaluation ».

EXEMPLE

Date d'attribution

Supposons que le plan d'options sur actions offert par Optex inc. à ses employés prévoit l'attribution d'un nombre maximal de 5 000 options. Il a été mis en place le 1er juin 20X0 et 1 000 options ont été attribuées à des membres du personnel à cette même date. Le plan doit faire l'objet d'une approbation à la prochaine assemblée des actionnaires prévue le 15 juillet 20X0. La date d'attribution de ces 1 000 actions serait le 15 juillet 20X0 si le plan était effectivement approuvé par les actionnaires. Par la suite, si Optex inc. attribuait les 4 000 options restantes le 30 septembre 20X0, la date d'attribution de ces 4 000 options serait le 30 septembre 20X0.

Les plans prévoyant un règlement en titres de capitaux propres

Le premier type de plan présenté dans la figure 14.4 est celui qui prévoit un règlement en titres de capitaux propres. Les **plans prévoyant un règlement en titres de capitaux propres** incluent les plans d'actions et les plans d'options sur actions. Dans ces cas, la rémunération est évaluée à la juste valeur des titres de capitaux propres à la date d'attribution, sans ajustement subséquent, et la rémunération est comptabilisée pendant toute la période d'acquisition des droits.

En vertu d'un **plan d'actions**, les membres du personnel se voient attribuer des actions en échange de leurs services. La rémunération est donc évaluée au prix du marché des actions de l'entreprise à la date d'attribution, sans ajustement subséquent. Cependant, si une période d'acquisition des droits est prévue et que les membres du personnel n'ont pas droit aux dividendes pendant cette période, la juste valeur des actions doit être ajustée en conséquence à la date d'attribution. Elle est réduite de la valeur actualisée des dividendes attendus.

EXEMPLE

Plan d'actions sans droit aux dividendes pendant la période d'acquisition des droits

La société Belledune inc. attribue 1 000 actions ordinaires à certains membres de son personnel le 1er janvier 20X4, au moment où le prix du marché de l'action est de 50 $. Les membres du personnel doivent rester au service de l'entreprise 24 mois avant la pleine acquisition des droits aux actions et n'ont pas droit aux dividendes pendant cette période. Tous les membres du personnel sont demeurés au service de l'entreprise pendant la période de 24 mois. La juste valeur de l'action s'élève à 55 $ le 31 décembre 20X5, moment où tous les employés ont exercé leurs privilèges. La valeur actualisée des dividendes trimestriels s'élève à 3,83 $. La charge de rémunération totale est de 46 170 $ [(50,00 $ – 3,83 $) × 1 000 actions] et doit être comptabilisée pendant toute la période d'acquisition des droits de 24 mois de la façon suivante, en supposant que la date de clôture de l'exercice est le 31 décembre :

31 décembre 20X4		
Rémunération fondée sur des actions	*23 085*	
Capitaux propres – Plan d'actions		*23 085*
Charge liée au plan d'actions (46 170 $ × 1 an ÷ 2 ans).		
31 décembre 20X5		
Rémunération fondée sur des actions	*23 085*	
Capitaux propres – Plan d'actions		*23 085*
Charge liée au plan d'actions (46 170 $ × 1 an ÷ 2 ans).		
Capitaux propres – Plan d'actions	*46 170*	
Actions ordinaires		*46 170*
Émission des actions en vertu du plan d'actions.		

Dans la première écriture, le compte Capitaux propres – Plan d'actions est une composante des capitaux propres. Même si la valeur de l'action de l'entreprise évolue au cours de la période d'attribution de 24 mois, on n'ajuste pas la charge de rémunération. De plus, on retient la valeur

> comptable pour l'évaluation des actions ordinaires, puisque l'objectif est d'évaluer la charge de rémunération. On pourrait cependant envisager, au moment de l'émission des actions, de les évaluer à la juste valeur, car l'IFRS 2 ne formule aucune recommandation à cet effet. Dans un tel cas, la différence de 8 830 $ entre la juste valeur totale des actions (55 000 $) et la juste valeur de la rémunération (46 170 $) serait portée au débit des résultats non distribués, comme nous avons expliqué à la page 14.28 dans le contexte des bons de souscription.

L'autre type de plan prévoyant un règlement en titres de capitaux propres est le **plan d'options sur actions**. Dans un tel plan, le membre du personnel se voit conférer le droit de se porter acquéreur, pour un temps limité, d'un certain nombre d'actions de son employeur à un prix stipulé à l'avance. Très souvent, le prix d'exercice se rapproche du cours de l'action à la date d'attribution. Le membre du personnel obtient donc le droit de profiter de toute augmentation future de la valeur de l'action. Dans l'exemple d'Optex inc. énoncé précédemment, si le prix de marché de l'action grimpait à 13 $, le membre du personnel pourrait se porter acquéreur de l'action au prix stipulé de 10 $ et réaliser un profit unitaire de 3 $ en les revendant. De son côté, la société assumerait un coût d'opportunité lié au fait qu'elle renonce à la possibilité d'émettre les actions en cause à un prix supérieur à 10 $.

Dans un régime d'options sur actions, la rémunération doit être évaluée à la juste valeur des options à la date d'attribution sans ajustement subséquent. L'IASB énonce plusieurs exigences concernant la mesure et l'évaluation de la rémunération. Le tableau 14.4 résume ces exigences et présente des commentaires sur chacune d'elles.

Différence NCECF

TABLEAU 14.4 L'évaluation de la rémunération – Les plans prévoyant un règlement en titres de capitaux propres

***Normes internationales d'information financière*, IFRS 2**[27]	**Commentaires**
Paragr. 11	
Base d'évaluation	
Le coût de la rémunération et les titres de capitaux propres attribués doivent être évalués en se reportant à la juste valeur des titres de capitaux propres.	L'IFRS 2 recommande d'évaluer toute transaction dont le paiement est fondé sur des actions et qui est réglée en titres de capitaux propres à la juste valeur des biens ou des services reçus, sauf si cette valeur ne peut être estimée de façon fiable. Dans le cas des transactions conclues avec des membres du personnel, il est difficile d'évaluer la juste valeur des services reçus des salariés, car les plans de rémunération fondée sur des actions représentent l'une des nombreuses composantes de la rémunération globale des salariés. C'est pourquoi la juste valeur de la rémunération est évaluée en se reportant à la juste valeur de ce qui est cédé. L'accent est donc mis sur les titres de capitaux propres attribués par l'entreprise en échange des services rendus par les salariés. Évidemment, le coût est calculé après déduction du montant versé par le salarié pour exercer ses options.
Paragr. 16	
Date de l'évaluation	
La juste valeur des titres de capitaux propres est évaluée à la date d'attribution.	Les caractéristiques des options sur actions ou des actions qui sont consenties sont établies en fonction de la situation qui prévaut à la date d'attribution. Il est donc normal que le calcul se fasse à partir des informations financières et économiques qui ont cours à cette date.

27. Soulignons que ce n'est pas le texte intégral des normes qui a été reproduit, mais une synthèse. En effet, l'IFRS 2 ne s'applique pas seulement à la rémunération fondée sur des actions, mais bien à tous les paiements fondés sur des actions.

TABLEAU 14.4 *(suite)*

Paragr. B4 Outils d'évaluation	
La juste valeur d'une option sur action est estimée au moyen d'un modèle d'évaluation des options.	Le modèle Black-Scholes-Merton ou les modèles de type binomial sont des outils d'évaluation des options couramment utilisés en finance. Ils peuvent aussi être utilisés pour estimer la valeur des options à la date d'attribution. Le choix du modèle doit tenir compte des caractéristiques du plan d'options sur actions. À titre d'exemple, le modèle Black-Scholes-Merton convient lorsque la durée contractuelle des options sur actions est relativement courte et qu'il est prévu que les options seront exercées dans un bref délai après la date d'acquisition. Si ce n'est pas le cas, un modèle binomial est préférable.
Paragr. B6 Intrants à utiliser pour l'évaluation Le modèle d'évaluation utilisé doit prendre en compte :	
• le **prix d'exercice de l'option** ;	Le prix d'exercice est le montant auquel le salarié peut se porter acquéreur des actions.
• la **durée de vie de l'option** ;	La durée prévue de l'option correspond à la période qui précède sa date d'expiration si un modèle binomial est utilisé. Si le modèle Black-Scholes-Merton est plutôt utilisé, la durée est établie en fonction de la date attendue de l'exercice de l'option. Cette différence est due aux caractéristiques du modèle utilisé.
• le prix actuel des actions sous-jacentes ;	Pour une action cotée, il s'agit du prix de l'action sur le marché. Pour une action non cotée, le prix du marché doit être estimé.
• la **volatilité** attendue du prix de l'action ;	La volatilité représente l'ampleur des fluctuations d'un prix au cours d'une période donnée. Il s'agit généralement de la volatilité attendue sur la durée établie pour l'option. Elle est fondée sur les informations historiques modifiées pour tenir compte de leur représentativité pour l'avenir. S'il existe une fourchette de prévisions raisonnables en matière de volatilité, il faut pondérer chaque montant de la fourchette par la probabilité d'occurrence correspondante.
• les dividendes attendus sur les actions ;	Les dividendes attendus sont établis à partir de données publiques, comme l'historique des versements de dividendes de l'entreprise, modifiées pour tenir compte de leur représentativité pour l'avenir. S'il existe une fourchette de prévisions raisonnables en matière de dividendes attendus, il faut pondérer chaque montant de la fourchette par la probabilité d'occurrence correspondante.
• le **taux d'intérêt sans risque** pour la durée de vie de l'option.	Le taux d'intérêt sans risque correspond au taux de rendement implicite actuel sur les obligations d'État à coupon zéro (du pays dont la devise est utilisée pour libeller le prix d'exercice) ayant une durée résiduelle égale à la durée de vie des options.
Paragr. 20 Acquisition des droits	
Un montant doit être comptabilisé uniquement pour le nombre de titres de capitaux propres finalement acquis.	Il n'y a pas lieu de comptabiliser une charge pour les titres de capitaux propres attribués à des membres du personnel qui quittent l'entreprise avant que ne soit terminée la période minimale de services à rendre avant l'acquisition des droits.
L'entreprise doit estimer le nombre de titres de capitaux propres dont l'acquisition est attendue, puis réviser ces estimations à chaque exercice ultérieur.	Comme toute autre révision d'estimation comptable, l'effet de la révision des estimations est traité de façon prospective.

TABLEAU 14.4 *(suite)*

Paragr. 23

Évaluation subséquente	
L'entreprise ne doit procéder à aucun ajustement ultérieur des capitaux propres après la date d'acquisition.	Même si les options sur actions ne sont pas exercées avant leur échéance ou si un membre du personnel renonce à un titre de capitaux propres qui lui a été attribué, les montants comptabilisés ne sont pas annulés. Le montant auparavant comptabilisé dans une composante distincte des capitaux propres peut cependant être transféré dans une autre composante des capitaux propres, comme les résultats non distribués.

Différence NCECF

14

Prenons les données de l'exemple suivant pour compléter les explications du tableau 14.4.

EXEMPLE

Comptabilisation d'un plan d'options sur actions

Le 1er janvier 20X0, la société Options plus ltée met en place un plan d'options sur actions ordinaires ayant les caractéristiques suivantes :

Nombre d'options attribuées par employé	*500*
Nombre d'employés touchés par le plan	*100*
Prix d'exercice de chaque option	*40 $*
Prix de l'action le 1er janvier 20X0	*40 $*
Période d'acquisition des droits	*2 ans*
Date d'expiration des options	*31 décembre 20X3*
Durée de vie des options	*3 ans*
Taux d'intérêt sans risque	*6 %*
Volatilité attendue	*20 %*
Rendement attendu sous forme de dividendes	*3 %*
Nombre de départs prévus	*5 par année*

Même si le prix d'exercice est égal au prix de l'action à la date d'attribution, ce plan contient indéniablement un élément de rémunération. Celui-ci est attribuable notamment à la volatilité de l'action (il est possible que la valeur augmente à plus de 40 $ à l'avenir) ainsi qu'à la valeur temps de l'option (l'option de payer 40 $ dans 3 ans n'équivaut pas à celle de payer 40 $ aujourd'hui). En tenant pour acquis que le modèle Black-Scholes-Merton convient dans la présente situation, la valeur unitaire de l'option s'élève à 6,54 $[28]. En présumant que 10 employés (5 par année × 2 ans) quitteront la société avant l'expiration du délai d'acquisition, le nombre estimatif d'options dont l'acquisition des droits est attendue est de 45 000 (90 employés × 500 options) et la charge de rémunération estimative s'élève à 294 300 $ (45 000 × 6,54 $). Options plus ltée doit comptabiliser cette charge sur une durée de deux ans, soit la période pendant laquelle les employés doivent rendre des services avant la pleine acquisition des droits. Un montant correspondant est comptabilisé au crédit des capitaux propres.

Voici les écritures de journal qui sont nécessaires pour comptabiliser ce plan d'options sur actions au cours de la période en cause. Nous avons tenu pour acquis qu'aucun employé n'a quitté la société en 20X0, mais que 15 départs sont survenus en 20X1. De plus, il appert que 75 employés ont finalement exercé leurs droits avant la date d'expiration des options. Par souci de simplicité, nous avons présumé que le prix de l'action s'élevait à 56 $ au moment où tous les employés ont exercé leurs droits.

28. Le calcul de la valeur d'une option déborde du cadre du présent ouvrage. Plusieurs sites Web permettent de calculer la valeur d'une option en application des modèles d'évaluation des options. Le lecteur pourra consulter un exemple, à l'adresse <www.option-price.com>.

31 décembre 20X0		
Rémunération fondée sur des actions	*147 150*	
Capitaux propres – Plan d'options sur actions		*147 150*
Coût total estimatif de la rémunération réparti sur deux ans (294 300 $ × 1 an ÷ 2 ans).		
31 décembre 20X1		
Rémunération fondée sur des actions	*130 800*	
Capitaux propres – Plan d'options sur actions		*130 800*
Répartition annuelle de la rémunération révisée afférente au plan d'options sur actions.		

Calcul :

Coût total révisé : (85 employés × 500 options × 6,54 $)	277 950 $
Montant comptabilisé en 20X0	(147 150)
Montant à comptabiliser en 20X1	130 800 $

Du 31 décembre 20X1 au 31 décembre 20X3		
Caisse ①	*1 500 000*	
Capitaux propres – Plan d'options sur actions ②	*245 250*	
Actions ordinaires		*1 745 250*
Émission d'actions à la suite de l'exercice des droits afférents au plan d'options sur actions.		

Calculs :

① (75 employés × 500 options × 40 $)

② (277 950 $ × 75 employés ÷ 85 employés)

L'évaluation du coût de la rémunération a eu lieu à la date d'attribution, soit le 1er janvier 20X0, et ce, même si le prix s'élevait à 56 $ au moment de l'exercice des droits. En fait, la rémunération n'est pas ajustée subséquemment à son évaluation initiale, même lorsqu'il y a des changements dans les paramètres, comme le prix de l'action, la volatilité, le taux d'intérêt sans risque, ou la durée. Le seul ajustement qui est effectué de façon prospective a trait à l'estimation du nombre d'options qui deviendront acquises. À cet effet, en 20X0, une estimation du roulement du personnel a été effectuée : on s'attendait à ce que 10 employés quittent la société avant la date d'acquisition des droits (31 décembre 20X1). Cette estimation a été revue la deuxième année quand les 15 départs réels ont été connus.

De plus, il est à noter qu'il n'y a pas lieu d'ajuster la charge de rémunération fondée sur des actions et les capitaux propres après la date d'acquisition, et ce, même si les options ne sont pas exercées. En effet, 10 des 85 employés ne se sont pas prévalus de leurs droits et le montant associé à ces droits s'élève à 32 700 $ (277 950 $ × 10 ÷ 85). La charge de rémunération fondée sur des actions n'est pas réduite, et ce montant de 32 700 $ subsistera dans les capitaux propres de la société. Toutefois, rien n'empêche l'entreprise de transférer le solde du compte Capitaux propres – Plan d'options sur actions dans un autre compte de capitaux propres, comme le compte Résultats non distribués.

Ce traitement se justifie théoriquement de la façon suivante. Le fait que l'option ne soit pas exercée par les salariés ne signifie pas qu'elle ne comporte aucune valeur. En effet, pour obtenir le même droit que les salariés ont obtenu initialement, un investisseur aurait dû débourser une certaine somme d'argent comptant. De leur côté, les salariés ont dû rendre des services pendant deux ans pour bénéficier de la même option.

Bien que la présente sous-section porte sur la rémunération fondée sur des actions, les règles d'évaluation et de comptabilisation que nous venons d'exposer s'appliquent également aux paiements fondés sur des actions pour l'acquisition de biens ou de services lorsque la juste valeur des biens ou des services reçus ne peut être évaluée de façon fiable. Cependant, une différence par rapport aux règles exposées précédemment est que le coût des biens ou des services doit être évalué à la date à laquelle l'entreprise obtient le bien ou à laquelle l'autre partie fournit le service.

Avez-vous remarqué ?

Le fait de comptabiliser le coût de la rémunération est cohérent par rapport à la caractéristique de fidélité de l'information comptable. Comme l'attribution d'options sur actions représente en substance une forme de rémunération, il convient que le coût qui y est associé fasse partie des charges de l'entreprise. De plus, la valeur attribuée aux actions émises lors de l'exercice des droits est ainsi plus représentative de la réalité, puisqu'elle inclut non seulement le prix d'exercice de l'option, mais également la juste valeur de la rémunération déterminée lors de l'attribution des options.

Les plans prévoyant un règlement en trésorerie

Différence NCECF

Les **plans prévoyant un règlement en trésorerie** incluent les **droits à l'appréciation d'actions** par lesquels des membres du personnel ont droit à un paiement futur en trésorerie fondé sur l'augmentation du prix de l'action de l'entreprise par rapport à un niveau prédéfini, durant une période prédéfinie. Ils comprennent également les **plans d'actions fictives** selon lesquels les membres du personnel ont droit à un paiement en trésorerie égal à la valeur des actions. Ces plans couvrent aussi la situation où une entreprise attribue aux membres de son personnel un droit de recevoir un paiement futur en trésorerie en leur attribuant un droit sur des actions (y compris des actions à émettre lors de l'exercice d'options sur actions) remboursables soit de manière obligatoire (par exemple, en cas de rupture du contrat de travail), soit au choix du membre du personnel.

Différence NCECF

Comme l'indique la figure 14.4, de tels accords entraînent la comptabilisation d'une charge de rémunération et d'un passif, dont la juste valeur doit être évaluée en appliquant un modèle d'évaluation d'options. La rémunération doit être comptabilisée durant toute la période d'acquisition des droits. Le montant comptabilisé à titre de charge et de passif est réévalué à chaque date de clôture et à la date de règlement.

14

EXEMPLE

Droits à l'appréciation d'actions

Au début de l'exercice 20X2, la société Appréciation ltée a instauré un plan de droits à l'appréciation d'actions en faveur de ses dirigeants. En vertu de ce plan, un dirigeant recevra une somme d'argent égale à la différence entre le prix des actions ordinaires à la date d'exercice et le prix de l'action à la date d'attribution des droits, soit 15 $. La société a octroyé 5 000 droits à chacun de ses 5 dirigeants. Ces droits ne peuvent être exercés avant le 1er janvier 20X5 ou après le 31 décembre 20X8. Voici les renseignements pertinents de même que le calcul de la charge de rémunération afférente au plan au 31 décembre de chaque année.

		Rémunération			Charge		
Date	Juste valeur unitaire des droits selon le modèle d'évaluation d'options	Estimation totale	Ratio à ce jour	Totale imputée à ce jour	20X2	20X3	20X4
20X2	6 $	150 000 $	1/3	50 000 $	50 000 $		
20X3	9	225 000	2/3	150 000		100 000 $	
20X4	5	125 000	3/3	125 000			(25 000) $

Appréciation ltée évalue la charge de rémunération en retenant la juste valeur du passif. Cette dernière doit être établie à chaque date de clôture en utilisant un modèle d'évaluation d'options. Les intrants nécessaires à l'application du modèle doivent être obtenus à chacune de ces dates. Ces intrants correspondent au prix d'exercice de 15 $, au prix de l'action, à la durée de vie du droit, à la volatilité attendue, aux dividendes attendus ainsi qu'au taux d'intérêt sans risque. Puisque la période d'acquisition des droits est de trois ans, la rémunération est comptabilisée durant cette période, en tenant compte des révisions d'estimations effectuées à chaque date de clôture. Voici l'écriture qui doit être enregistrée le 31 décembre de chaque année :

31 décembre 20X2		
Rémunération fondée sur des actions	*50 000*	
Dette liée à la rémunération fondée sur des actions		*50 000*
Rémunération découlant des avantages conférés en vertu du plan de droits à l'appréciation d'actions.		
31 décembre 20X3		
Rémunération fondée sur des actions	*100 000*	
Dette liée à la rémunération fondée sur des actions		*100 000*
Rémunération découlant des avantages conférés en vertu du plan de droits à l'appréciation d'actions.		
31 décembre 20X4		
Dette liée à la rémunération fondée sur des actions	*25 000*	
Rémunération fondée sur des actions		*25 000*
Révision de l'estimation relative à la rémunération découlant des avantages conférés en vertu du plan de droits à l'appréciation d'actions.		

Le compte Rémunération fondée sur des actions est crédité en 20X4, car la rémunération estimative totale à la fin de l'exercice 20X4 est de 125 000 $, tandis que la rémunération comptabilisée au cours des deux exercices précédents a atteint 150 000 $.

Poursuivons maintenant cet exemple en supposant que le 31 décembre 20X5, la juste valeur unitaire des droits s'élève à 8 $ et que le 15 mars 20X6, tous les dirigeants exercent leurs droits alors que le prix des actions est de 22 $. Les écritures suivantes seraient requises en 20X5 et en 20X6 :

31 décembre 20X5		
Rémunération fondée sur des actions	*75 000*	
Dette liée à la rémunération fondée sur des actions		*75 000*
Révision de l'estimation relative à la rémunération découlant des avantages conférés en vertu du plan de droits à l'appréciation d'actions [(8 $ – 5 $) × 25 000 options].		
15 mars 20X6		
Dette liée à la rémunération fondée sur des actions	*200 000*	
Caisse ①		*175 000*
Rémunération fondée sur des actions ②		*25 000*
Règlement des droits à l'appréciation d'actions.		

Calculs :

① [(22 $ – 15 $) × 5 000 droits × 5 dirigeants]

② Montant payé (*voir le calcul en* ①)	175 000 $
Rémunération totale comptabilisée antérieurement (8 $ × 25 000 options)	200 000
Charge à comptabiliser en 20X6	(25 000) $

Finalement, il est important de préciser que bien que la présente sous-section porte sur la rémunération fondée sur des actions, les règles d'évaluation que nous venons d'exposer s'appliquent également aux paiements fondés sur des actions pour l'acquisition de biens ou de services.

Avez-vous remarqué ?

Dans les plans prévoyant un règlement en trésorerie, la charge totale qui est comptabilisée pendant toute la durée totale des droits correspond en bout de piste au montant effectivement déboursé par l'entreprise. À la fin de chaque période ou exercice financier, le montant comptabilisé fait l'objet d'une révision d'estimations comptables en prenant en considération les faits et la situation prévalant à cette date. Ce traitement comptable vise à aider les utilisateurs des états financiers à évaluer les flux de trésorerie futurs découlant de la décision de l'entreprise de mettre en place un tel plan de rémunération. De plus, ce traitement donne lieu à une plus grande volatilité des résultats qu'un plan prévoyant l'émission de titres de capitaux propres, car le passif est réajusté à sa juste valeur à chaque date de fin d'exercice.

Les plans prévoyant un choix de règlement

Différence NCECF

Certains plans peuvent prévoir deux modes de règlements possibles, l'un en trésorerie et l'autre, en titres de capitaux propres, en plus de conférer le choix de règlement à l'entreprise ou au membre du personnel. C'est la substance de l'accord qui détermine ce choix et le mode de comptabilisation qui en découle. La figure 14.6 résume les considérations importantes entourant ces situations.

Si la substance de l'accord confère à l'entreprise le choix du mode de règlement, il faut alors déterminer si l'entreprise a une obligation actuelle de régler en trésorerie. Si tel est le cas, l'accord est comptabilisé comme un plan prévoyant un règlement en trésorerie, ainsi que nous l'avons expliqué précédemment. Il existe une **obligation actuelle** de régler en trésorerie si l'entreprise a pour pratique ou pour politique constante de régler en trésorerie, ou encore si elle a l'habitude de régler en trésorerie lorsque les membres du personnel en font la demande. De plus, lorsque le choix

FIGURE 14.6 Les plans offrant un choix de règlement

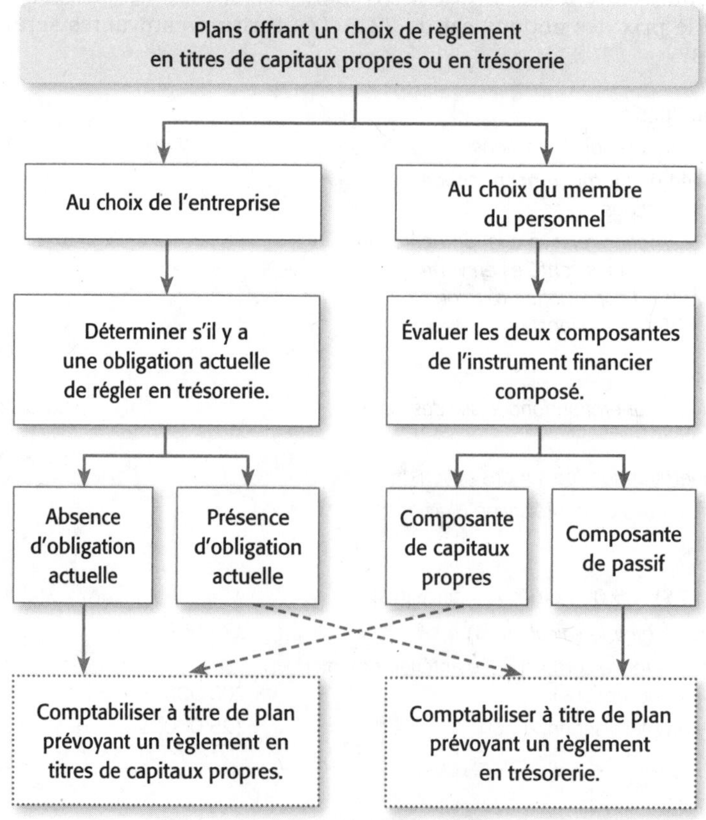

Source : Sylvain Durocher

de régler en titres de capitaux propres n'a pas de réalité économique, par exemple parce que l'entreprise ne peut émettre d'actions, on présume qu'il existe une obligation actuelle de régler en trésorerie. S'il est établi qu'aucune obligation actuelle de régler en trésorerie n'existe, l'accord est comptabilisé comme un plan prévoyant un règlement en titres de capitaux propres.

Si la substance de l'accord confère au membre du personnel le choix du mode de règlement, il s'agit alors d'un instrument financier composé dont on doit évaluer distinctement les composantes de passif et de capitaux propres. La composante de passif est comptabilisée comme un plan prévoyant un règlement en trésorerie, et la composante de capitaux propres est comptabilisée comme un plan prévoyant un règlement en titres de capitaux propres. Pour l'évaluation distincte des composantes, l'entreprise doit d'abord évaluer la juste valeur de la composante de passif à la date d'attribution, puis évaluer la juste valeur de la composante de capitaux propres en considérant que l'autre partie doit renoncer au droit de recevoir de la trésorerie pour avoir droit aux titres de capitaux propres. La juste valeur de cet instrument financier composé est la somme des justes valeurs des deux composantes.

EXEMPLE

Choix du mode de règlement conféré au membre du personnel

Le 1er janvier 20X2, la société Dual inc. établit un plan selon lequel certains membres du personnel ont le droit de recevoir soit 2 000 actions fictives, c'est-à-dire le droit à un paiement en trésorerie égal à la valeur de 2 000 actions, soit 2 400 actions ordinaires. La période d'acquisition des droits est de trois ans, et l'exercice de l'un des droits annule la possibilité d'exercer l'autre. À la date d'attribution, le prix de l'action de l'entreprise est de 25 $. Le dernier jour de 20X2, de 20X3 et de 20X4, le prix de l'action s'élève respectivement à 28 $, à 30 $ et à 31 $.

À la date d'attribution, la juste valeur du choix « actions fictives » est de 50 000 $ (2 000 actions fictives × 25 $). La juste valeur du choix « actions » est de 60 000 $ (2 400 actions × 25 $). L'IFRS 2 exige d'abord d'établir la valeur de la composante de passif, laquelle s'élève à 50 000 $. La juste valeur de la composante de capitaux propres doit tenir compte du fait que les membres du personnel doivent renoncer au montant de trésorerie de 50 000 $ pour pouvoir recevoir les actions. La composante de capitaux propres correspond donc à la différence entre le choix « actions », qui s'élève à 60 000 $, et la valeur de 50 000 $ attribuée à la composante de passif, soit 10 000 $. La juste valeur de l'instrument financier composé est la somme de la valeur des 2 composantes, soit 60 000 $ (50 000 $ + 10 000 $). Si, pour le choix « actions », Dual inc. avait prévu l'attribution de 2 000 actions comme pour le choix « actions fictives », la valeur de la composante de capitaux propres aurait été nulle, car les justes valeurs des 2 modes de règlement auraient été égales. Dual inc. procédera aux calculs suivants au cours de 20X2 à 20X4 :

Année	Détails	Charge de rémunération	Passif	Capitaux propres
20X2	Composante de passif (2 000 actions × 28 $ × 1 an ÷ 3 ans)	18 667 $	18 667 $	
	Composante de capitaux propres (10 000 $ × 1 an ÷ 3 ans)	3 333		3 333 $
20X3	Composante de passif [(2 000 actions × 30 $ × 2 ans ÷ 3 ans) − 18 667 $]	21 333	21 333	
	Composante de capitaux propres (10 000 $ × 1 an ÷ 3 ans)	3 333		3 333
20X4	Composante de passif [(2 000 actions × 31 $) − (18 667 $ + 21 333 $)]	22 000	22 000	
	Composante de capitaux propres (10 000 $ × 1 an ÷ 3 ans)	3 334*		3 334
	Total	72 000 $	62 000 $	10 000 $

* Montant arrondi

Il est à noter que la composante de passif est réévaluée à la juste valeur du passif à chaque date de clôture, contrairement à la composante de capitaux propres, qui ne fait l'objet d'aucune réévaluation après la date d'attribution. Puisque la composante de passif correspond à des actions fictives, la juste valeur du passif est évaluée à partir du prix de l'action. Si la composante de passif avait été un droit à l'appréciation d'actions, l'entreprise aurait dû utiliser un modèle d'évaluation des options pour réévaluer le passif à chaque date de clôture.

Les écritures de journal à la page suivante seraient nécessaires pour enregistrer la charge de rémunération fondée sur des actions au cours de la période d'acquisition en présumant que la date de clôture de l'exercice financier de Dual inc. est le 31 décembre.

31 décembre 20X2

Rémunération fondée sur des actions	*22 000*	
Dette liée à la rémunération fondée sur des actions		*18 667*
Capitaux propres – Plan d'actions		*3 333*

Rémunération fondée sur des actions afférente au plan offrant un choix de règlement aux membres du personnel.

31 décembre 20X3

Rémunération fondée sur des actions	*24 666*	
Dette liée à la rémunération fondée sur des actions		*21 333*
Capitaux propres – Plan d'actions		*3 333*

Rémunération fondée sur des actions afférente au plan offrant un choix de règlement aux membres du personnel.

31 décembre 20X4

Rémunération fondée sur des actions	*25 334*	
Dette liée à la rémunération fondée sur des actions		*22 000*
Capitaux propres – Plan d'actions		*3 334*

Rémunération fondée sur des actions afférente au plan offrant un choix de règlement aux membres du personnel.

Au terme de la période d'acquisition, les membres du personnel doivent choisir l'une des options de règlement. À la date du règlement, le passif doit être réévalué. Présumons que le règlement a lieu le 15 janvier 20X5, alors que le prix de l'action est de 30 $. L'écriture suivante est nécessaire pour réévaluer la composante de passif :

15 janvier 20X5

Dette liée à la rémunération fondée sur des actions	*2 000*	
Rémunération fondée sur des actions		*2 000*

Réévaluation de la composante de passif du plan offrant un choix de règlement aux membres du personnel.

Calcul :

Juste valeur du passif à la date du règlement (2 000 actions × 30 $)	60 000 $
Rémunération totale comptabilisée antérieurement en rapport avec la composante de passif	(62 000)
Charge à comptabiliser lors du règlement	(2 000) $

Si les membres du personnel optent pour le paiement en trésorerie, le passif est décomptabilisé et la composante de capitaux propres comptabilisée antérieurement demeure dans les capitaux propres. L'écriture suivante est donc requise :

Dette liée à la rémunération fondée sur des actions	*60 000*	
Caisse		*60 000*

Règlement selon le choix « actions fictives » du plan offrant un choix de règlement aux membres du personnel.

Si les membres du personnel optent au contraire pour le règlement en titres de capitaux propres (le choix « actions »), le passif est alors directement transféré en capitaux propres, comme contrepartie des titres de capitaux propres émis. L'écriture suivante est alors requise.

Dette liée à la rémunération fondée sur des actions	*60 000*	
Capitaux propres – Plan d'actions	*10 000*	
Actions ordinaires		*70 000*

Règlement en actions du plan offrant un choix de règlement aux membres du personnel.

Avez-vous remarqué ?

Le traitement comptable des plans prévoyant un choix de règlement est dicté par la caractéristique essentielle de l'information comptable qu'est la fidélité. En effet, l'objectif est de donner une image fidèle du plan de rémunération. L'analyse de la substance du plan prend toute son importance afin de déterminer si l'on est en présence d'un passif qui entraînera vraisemblablement une sortie de ressources représentatives d'avantages économiques ou d'un titre de capitaux propres.

Différence NCECF

Les plans prévoyant des attributions liées à la performance

Dans certains plans, l'acquisition des droits dépend non seulement de la prestation de services durant une période déterminée, mais également de l'atteinte d'un objectif de performance établi. En effet, certaines entreprises tentent de cibler davantage les mesures incitatives liées aux plans de rémunération fondée sur des actions. Ainsi, pour motiver ses vendeurs à accroître la clientèle, une entreprise pourrait décider de faire varier le nombre d'options sur actions qui leur est attribué en fonction d'un objectif lié à l'accroissement de la part du marché. Ou encore, pour motiver les dirigeants de l'une de ses divisions, une entreprise pourrait associer le nombre d'options qui leur est attribué à l'augmentation de la marge brute contrôlable de cette division. D'une façon plus générale, l'objectif de performance peut être associé à l'atteinte d'un résultat par action cible ou à une augmentation du taux de rendement de l'actif ou des capitaux propres. Dans tous les cas, le salarié est récompensé davantage lorsqu'il atteint les objectifs de performance qui ont été fixés.

Le choix des critères de rendement doit être effectué avec une grande prudence. En effet, un dirigeant pourrait prendre des décisions qui, à court terme, seraient profitables pour l'entreprise et pour son propre plan de rémunération, mais qui, à long terme, pourraient s'avérer catastrophiques pour l'entreprise. Citons comme exemple le non-renouvellement des immobilisations comptabilisées selon le modèle du coût dans le cas où le seul critère de rendement serait l'augmentation des capitaux propres. À court terme, la charge d'amortissement, étant inférieure à celle qui aurait prévalu si un remplacement d'immobilisations avait eu lieu, permettrait de dégager un résultat plus élevé, donc une augmentation des capitaux propres. À long terme, une telle décision pourrait causer la ruine de l'entreprise si celle-ci perdait son avantage concurrentiel à cause de l'utilisation d'équipements désuets. On doit donc non seulement choisir avec soin les critères de rendement, mais aussi s'assurer qu'ils sont atteints durant une certaine période (par exemple, de trois à cinq ans). On limite ainsi la manipulation à des fins opportunistes de ces critères de rendement par les dirigeants.

Que ce soit dans le cadre d'un plan prévoyant un règlement en titres de capitaux propres ou en trésorerie, le coût de la rémunération est basé sur la meilleure estimation de la réalisation ou de la non-réalisation de la condition de performance. Ce coût est par la suite ajusté de façon prospective lors de la révision des estimations en cause ou lorsque l'atteinte ou non de l'objectif de performance est connue.

À titre d'exemple, si un plan prévoit l'attribution de 1 000 options dans le cas où la part de marché de l'entreprise augmente de 5 %, de 1 500 options si elle augmente de 10 % et de 2 500 options si elle augmente de 15 %, la charge sera calculée à partir de la meilleure estimation de l'augmentation de la part du marché à chaque date d'établissement des états financiers.

La présentation dans les états financiers des plans de rémunération fondée sur des actions

Le coût total de la rémunération liée aux plans de rémunération fondée sur des actions fait partie des charges dans l'état du résultat global. Il peut également être comptabilisé à l'actif, comme dans le coût des stocks si le membre du personnel travaille à la production des marchandises destinées à la vente et que sa rémunération, totale ou partielle, est un coût incorporable, comme expliqué dans le chapitre 7. Le montant comptabilisé en charges dans l'état du résultat global en vertu de ces plans doit être divulgué par voie de notes. Dans l'état de la situation financière, le passif lié aux plans prévoyant un règlement en trésorerie est classé au passif courant ou non courant, selon la date prévue d'exercice des droits. Les montants portés aux capitaux propres en vertu des plans de rémunération fondée sur des actions représentent un élément distinct des capitaux propres à des fins de présentation de l'état des variations des capitaux propres. Dans le tableau des flux de trésorerie, la charge qui se rapporte aux plans prévoyant un règlement en titres de capitaux propres n'entraîne aucun décaissement, elle est donc traitée comme un élément sans effet sur la trésorerie dans les activités d'exploitation présentées selon la méthode indirecte. Pour la charge relative aux plans qui prévoient un règlement en trésorerie, la variation du passif devrait également faire partie des activités d'exploitation puisque selon l'**IAS 7**, les décaissements destinés aux membres du personnel ou pour leur compte font partie des activités d'exploitation. Cependant, comme l'IASB ne précise pas la nature des décaissements destinés aux membres du personnel dans l'IAS 7, la variation de ce passif pourrait faire partie des activités de financement.

Les informations à divulguer par voie de notes sont très exhaustives. Le tableau 14.5 présente ces exigences et fournit des commentaires à leur égard.

TABLEAU 14.5 La présentation des plans de rémunération fondée sur des actions

***Normes internationales d'information financière,* IFRS 2**	**Commentaires**
Paragr. 44	
Une entité doit fournir les informations qui permettent aux utilisateurs des états financiers de comprendre la nature et la portée des accords en vigueur pendant la période et dont le paiement est fondé sur des actions.	L'exhaustivité des exigences de divulgation vise notamment à assurer la compréhensibilité pour les utilisateurs des états financiers.
Paragr. 45	
Pour appliquer le principe énoncé au paragraphe 44, l'entité doit fournir au moins les informations suivantes : *(a) une description de chaque type d'accord de paiement fondé sur des actions existant à un moment donné pendant la période, y compris les termes et conditions généraux de cet accord, tels que les dispositions d'acquisition des droits, l'échéance la plus éloignée des options attribuées, et le mode de règlement (en trésorerie ou en instruments de capitaux propres). Une entité ayant conclu plusieurs accords, quasiment identiques, dont le paiement est fondé sur des actions peut agréger ces informations, sauf si la mention séparée de chaque accord est nécessaire pour satisfaire au principe énoncé au paragraphe 44 ;*	Les plans de rémunération fondée sur des actions peuvent prendre différentes formes. Il peut s'agir de plans d'actions, de plans d'options sur actions, de plans d'actions fictives, de droits à l'appréciation d'actions ou même de plans hybrides. Il importe donc de décrire les différents types de plans en fournissant leurs conditions pour permettre aux utilisateurs des états financiers de pouvoir en apprécier l'incidence.
(b) le nombre et les prix d'exercice moyens pondérés des options sur actions pour chacun des groupes d'options suivants :	Puisque les options sur actions ont une durée limitée, il est fréquent qu'une entreprise ait de nombreuses attributions en circulation au même moment. Le prix d'exercice indiqué pour chacune des attributions peut différer étant donné l'évolution du cours de l'action. Le prix d'exercice moyen est donc une information pertinente.
(i) en circulation au début de la période,	Il s'agit de l'ensemble des attributions non échues au début de l'exercice, qu'elles soient exerçables ou non.
(ii) attribuées pendant la période,	Il s'agit des nouvelles attributions d'options consenties au cours de l'exercice.
(iii) auxquelles il est renoncé pendant la période,	Les détenteurs des options peuvent devoir renoncer aux options qu'ils détiennent, notamment parce que leur contrat d'emploi prend fin.
(iv) exercées pendant la période,	Les options sont exercées quand le détenteur se prévaut de son privilège.
(v) expirées pendant la période,	Certains détenteurs peuvent décider de ne pas exercer les options qu'ils détiennent, notamment parce que le cours des actions est inférieur au prix d'exercice. Les options peuvent donc arriver à échéance sans être exercées.
(vi) en circulation à la fin de la période, et	Il s'agit de l'ensemble des attributions en circulation, qu'elles soient exerçables ou non.
(vii) exerçables à la fin de la période ;	Il s'agit des seules options qui peuvent être exercées du fait que les détenteurs ont satisfait aux conditions d'acquisition des droits.

TABLEAU 14.5 *(suite)*

(c) *pour les options sur actions exercées pendant la période, le prix moyen pondéré à la date d'exercice. Si les options ont été exercées régulièrement tout au long de la période, l'entité peut indiquer à la place le prix moyen pondéré pour la période ;*	En étant informé du prix moyen des actions émises lors de l'exercice des options, les utilisateurs des états financiers peuvent comparer ce prix moyen des actions au prix moyen d'exercice, ce qui leur fournit une indication de l'incidence des décisions de la direction.
(d) *pour les options sur actions en circulation à la fin de la période, la fourchette de prix d'exercice et la durée de vie contractuelle résiduelle moyenne pondérée. Si la fourchette des prix d'exercice est étendue, les options en circulation doivent être subdivisées en autant de fourchettes que nécessaire pour évaluer le nombre et la date d'émission des actions supplémentaires qui pourraient être émises et le montant de trésorerie qui pourrait être reçu lors de l'exercice de ces options.*	Les utilisateurs des états financiers sont mieux informés de l'incidence potentielle des options sur actions en circulation sur les flux de trésorerie futurs en connaissant les prix auxquels les différentes attributions peuvent être exercées ainsi que la période pendant laquelle ces attributions peuvent être exercées. Cela fournit également une indication du coût d'opportunité de ces options si les utilisateurs comparent les prix d'exercice au cours actuel de l'action.
Paragr. 46 *Une entité doit fournir les informations qui permettent aux utilisateurs des états financiers de comprendre comment la juste valeur des biens ou des services reçus, ou la juste valeur des instruments de capitaux propres attribués pendant la période ont été déterminées.*	Le tableau 14.4 fournit des indications sur la façon d'évaluer la juste valeur de la rémunération fondée sur des actions. Les informations à fournir indiquées ci-après visent pour leur part à en informer les utilisateurs des états financiers.
Paragr. 47 *Si une entité a évalué indirectement la juste valeur des biens ou des services reçus en rémunération des instruments de capitaux propres de l'entité, par référence à la juste valeur des instruments de capitaux propres attribués, elle doit, pour appliquer le principe énoncé au paragraphe 46, fournir au moins les informations suivantes :*	
(a) *pour les options sur actions attribuées pendant la période, la juste valeur moyenne pondérée de ces options à la date de l'évaluation et des indications sur la manière dont cette juste valeur a été évaluée, y compris :*	
(i) *le modèle d'évaluation des options utilisé et les données entrées dans ce modèle, y compris la moyenne pondérée des prix des actions, le prix d'exercice, la volatilité attendue, la durée de vie des options, les dividendes attendus, le taux d'intérêt sans risque, ainsi que toute autre donnée intégrée dans le modèle, y compris la méthode utilisée et les hypothèses permettant d'intégrer les effets d'un exercice anticipé attendu,*	Comme les entreprises peuvent utiliser des modèles différents pour évaluer le coût des options sur actions, le fait d'indiquer le modèle utilisé ainsi que la valeur des intrants dans ce modèle permet aux utilisateurs des états financiers de mieux comparer les entreprises les unes avec les autres.
(ii) *le mode de détermination de la volatilité attendue, y compris une explication sur la mesure dans laquelle la volatilité historique a influencé la volatilité attendue, et*	La volatilité ayant une incidence importante sur la valeur de l'option, il est donc pertinent pour les utilisateurs de connaître la façon dont elle a été déterminée. Cette information leur permet également de comparer le mode de détermination utilisé par différentes entreprises. De façon générale, l'information sur la volatilité attendue est très pertinente car elle représente les prévisions de la direction par rapport à la variabilité du prix de l'action.
(iii) *si et comment, d'autres caractéristiques de l'attribution d'options ont été intégrées dans l'évaluation de la juste valeur, comme par exemple une condition de marché ;*	L'acquisition des droits peut être liée à un objectif de prix de l'action. Une telle condition de marché doit être prise en compte dans l'évaluation de la juste valeur de l'option à la date d'attribution et être mentionnée aux utilisateurs des états financiers.
(b) *pour les autres instruments de capitaux propres attribués pendant la période (c'est-à-dire autres que des options sur actions), le nombre et la juste valeur moyenne pondérée de ces instruments de capitaux propres à la date de l'évaluation et des indications*	L'entreprise peut mettre en place des plans d'actions selon lesquels les détenteurs se voient attribuer des actions de l'entreprise lorsqu'ils satisfont aux conditions d'acquisition des droits. Le fait d'informer les utilisateurs des états financiers du nombre d'actions attribuées au cours de l'exercice et de la

14

TABLEAU 14.5 *(suite)*

sur la manière dont cette juste valeur a été évaluée, y compris :	juste valeur des actions ainsi attribuées permet aux utilisateurs de connaître le coût d'opportunité lié à la décision de la direction de mettre en place un tel plan d'actions.
(i) si la juste valeur n'a pas été évaluée sur la base d'un prix de marché observable, la manière dont elle a été déterminée,	L'absence d'un prix de marché observable rend la détermination de la juste valeur plus subjective. Il importe donc d'informer les utilisateurs des états financiers de la manière dont la juste valeur a été déterminée.
(ii) si les dividendes attendus ont été intégrés dans l'évaluation de la juste valeur, et comment, et *(iii) si d'autres caractéristiques des instruments de capitaux propres attribués ont été intégrés dans l'évaluation de la juste valeur, et comment ;*	Tout comme il convient d'indiquer aux utilisateurs des états financiers les intrants utilisés dans les modèles d'évaluation des options, il convient également de leur indiquer les intrants utilisés dans l'évaluation des actions attribuées dans le cadre des plans d'actions. Les dividendes ou d'autres caractéristiques comme l'incessibilité des actions pouvant avoir une incidence sur la juste valeur, il convient donc d'en informer les utilisateurs.
(c) pour les accords de paiement fondé sur des actions qui ont été modifiés pendant la période : *(i) une explication de ces modifications,* *(ii) la juste valeur marginale attribuée (résultant de ces modifications), et* *(iii) des informations sur la manière dont la juste valeur marginale a été évaluée, conformément aux dispositions énoncées aux points (a) et (b) ci-dessus, le cas échéant.*	Il arrive qu'une entreprise modifie un plan d'options sur actions, notamment parce que le cours de l'action a évolué à la baisse et se situe en dessous du prix d'exercice. Il faut donc informer les utilisateurs des états financiers de la nature de ces modifications et de leur effet.
Paragr. 50 *Une entité doit fournir les informations qui permettent aux utilisateurs des états financiers de comprendre l'effet sur le résultat net de l'entité pour la période et sur sa situation financière des transactions dont le paiement est fondé sur des actions.*	Les plans de rémunération fondée sur des actions résultent des décisions de la direction. Les utilisateurs des états financiers doivent donc être informés des effets de ces décisions pour apprécier la mesure dans laquelle la direction d'une entreprise s'est acquittée avec efficience et efficacité de sa responsabilité à l'égard de l'utilisation des ressources qui lui ont été confiées.
Paragr. 51 *Pour appliquer le principe énoncé au paragraphe 50, l'entité doit fournir au moins les informations suivantes :*	
(a) la charge totale, comptabilisée pour la période, découlant de transactions dont le paiement est fondé sur des actions, pour lesquelles les biens ou les services reçus ne remplissaient pas les conditions de comptabilisation en tant qu'actifs et ont donc été immédiatement comptabilisés en charges, y compris la mention séparée de la quote-part de la charge totale qui découle des seules transactions comptabilisées comme des transactions dont le paiement est fondé sur des actions et qui sont réglées en titres de capitaux propres ;	Lorsque l'entreprise présente ses charges par nature dans l'état du résultat global, elle peut décider de présenter distinctement la rémunération fondée sur des actions dans cet état financier ou de fournir le montant par voie de notes aux états financiers. Si elle présente ses charges par fonction, le montant est fourni par voie de notes aux états financiers.
(b) pour les passifs découlant de transactions dont le paiement est fondé sur des actions : *(i) la valeur comptable totale à la fin de la période, et* *(ii) la valeur intrinsèque totale, à la fin de la période, des passifs pour lesquels le droit de l'autre partie à obtenir de la trésorerie ou d'autres actifs a été acquis à la fin de la période (par exemple, droits acquis à l'appréciation d'actions).*	Comme les passifs sont évalués en utilisant un modèle d'évaluation des options, le montant des passifs qui est comptabilisé peut être différent de leur valeur intrinsèque (c'est-à-dire la différence entre le prix d'exercice et le cours de l'action). Il convient donc de fournir aux utilisateurs des états financiers le montant de cette valeur intrinsèque relatif à la portion acquise des droits conférés en vertu du plan pour leur permettre de connaître l'écart entre le montant comptabilisé et le montant qui sera éventuellement déboursé.

TABLEAU 14.5 *(suite)*

Paragr. 52

Si l'information que la présente norme impose de fournir ne satisfait pas aux principes des paragraphes 44, 46 et 50, l'entité doit fournir les informations supplémentaires nécessaires pour y satisfaire.

Prise dans son ensemble, l'information fournie dans les états financiers doit permettre aux utilisateurs des états financiers de comprendre la nature et la portée des accords en vigueur pendant l'exercice et dont le paiement est fondé sur des actions, de comprendre la manière dont la juste valeur de la rémunération ou celle des titres de capitaux propres attribués pendant l'exercice a été déterminée et de comprendre l'effet sur les résultats ainsi que sur la situation financière.

L'extrait de la note aux états financiers de 2015 de l'entreprise Canadian Tire que nous reproduisons ci-après est un exemple de l'application de ces exigences de présentation.

29. Paiements fondés sur des actions

IFRS 2, paragr. 47(a)(i) et (ii)

La juste valeur des options sur actions des employés et des unités d'actions au rendement est évaluée au moyen de la formule de Black et Scholes. Les données d'évaluation comprennent le cours des actions à la date d'évaluation, le prix d'exercice de l'instrument, la volatilité attendue (fondée sur la volatilité historique moyenne pondérée ajustée en fonction des variations attendues en raison des informations publiées), la durée de vie moyenne pondérée attendue des instruments (fondée sur l'expérience historique et le comportement général du porteur de l'option), les dividendes attendus et le taux d'intérêt sans risque (fondé sur les obligations d'État). La détermination de la juste valeur ne prend pas en compte les conditions de service et de performance non liées au marché dont sont assorties les transactions. La juste valeur des unités d'actions différées est égale au cours de l'action de catégorie A sans droit de vote.

Les régimes de paiements fondés sur des actions de la Société sont exposés ci-dessous. Aucun régime n'a été annulé ni modifié de façon importante en 2015.

Options sur actions

IFRS 2, paragr. 45(a)

La Société a attribué à certains employés des options sur actions attribuées en conjonction avec des droits à l'appréciation d'actions, ce qui leur permet d'exercer leurs options sur actions et de souscrire des actions de catégorie A sans droit de vote, ou de recevoir un paiement en trésorerie correspondant à l'écart entre le prix moyen pondéré quotidien d'une action de catégorie A sans droit de vote de la Société à la date d'exercice et le prix d'exercice de l'option sur actions. Le prix d'exercice de chaque option équivaut au cours de clôture moyen pondéré des actions de catégorie A sans droit de vote négociées à la Bourse de Toronto au cours de la période de dix jours civils prenant fin le dernier jour précédant immédiatement la date d'attribution. Les droits sur les options sur actions attribuées de 2008 à 2011 ont généralement été acquis à la troisième date anniversaire de l'attribution, et les options peuvent être exercées sur une période de sept ans. Les droits sur les options sur actions attribuées de 2012 à 2015 s'acquièrent généralement graduellement sur une période de trois ans et les options peuvent être exercées sur une période de sept ans. Au 2 janvier 2016, le nombre total d'actions de catégorie A sans droit de vote autorisées à être émises en vertu du régime d'options sur actions était de 3,4 millions.

IFRS 2, paragr. 51(a)

La charge de rémunération, déduction faite des conventions de couverture, comptabilisée au cours de l'exercice clos le 2 janvier 2016 à l'égard des options sur actions s'est chiffrée à 14,0 millions de dollars (10,7 millions en 2014).

IFRS 2, paragr. 45(b)

Les transactions effectuées relativement aux options sur actions en 2015 et en 2014 se sont établies comme suit :

	2015		2014	
	Nombre d'options	**Prix d'exercice moyen pondéré**	Nombre d'options	Prix d'exercice moyen pondéré
En cours au début	**1 526 343**	**72,21 $**	1 986 354	64,26 $
Attribuées	**387 234**	**129,14**	330 879	99,81
Exercées et échangées	**(823 888)**	**65,69**	(747 768)	63,17
Ayant fait l'objet d'une renonciation	**(79 446)**	**92,53**	(35 810)	74,90
Expirées	**–**	**–**	(7 312)	71,90
En cours à la fin	**1 010 243**	**97,75 $**	1 526 343	72,21 $
Options sur actions pouvant être exercées à la fin	**243 240**		538 667	

IFRS 2, paragr. 45(c)

[1] *Le prix de marché moyen pondéré des actions de la Société lorsque les options ont été exercées en 2015 était de 127,12 $ (105,37 $ en 2014).*

Le tableau suivant résume l'information relative aux options sur actions en cours au 2 janvier 2016.

IFRS 2, paragr. 45(d)

	Options en cours			Options pouvant être exercées	
Fourchette des prix d'exercice	**Nombre d'options en cours**	**Durée de vie contractuelle résiduelle moyenne pondérée[1]**	**Prix d'exercice moyen pondéré**	**Nombre d'options pouvant être exercées**	**Prix d'exercice moyen pondéré**
129,14 $	**362 669**	**6,19**	**129,14 $**	**–**	**– $**
99,72 à 103,61	**267 707**	**5,20**	**99,83**	**73 101**	**99,85**
69,01	**258 080**	**4,18**	**69,01**	**48 352**	**69,01**
40,04 à 63,67	**121 787**	**2,44**	**60,64**	**121 787**	**60,64**
40,04 $ à 129,14 $	**1 010 243**	**4,96**	**97,75 $**	**243 240**	**74,09 $**

[1] *La durée de vie contractuelle résiduelle moyenne pondérée est exprimée en années.*

Régimes d'unités d'actions au rendement et de parts au rendement

La Société attribue à certains de ses employés des unités d'actions au rendement. Pour chaque unité d'actions au rendement qu'il détient, le participant peut choisir de recevoir un paiement en espèces équivalant au cours moyen pondéré des actions de catégorie A sans droit de vote de la Société négociées à la Bourse de Toronto, pendant une période de dix jours civils commençant le jour ouvrable suivant le dernier jour de la période de rendement, multiplié par un facteur établi selon des critères précis axés sur le rendement aux termes du régime d'unités d'actions au rendement. La période de rendement de chaque attribution d'unités d'actions au rendement a une durée d'environ trois ans à compter de la date d'émission. La charge de rémunération, déduction faite des conventions de couverture, comptabilisée au cours de l'exercice clos le 2 janvier 2016 à l'égard de ces actions au rendement s'est chiffrée à 25,0 millions de dollars (51,2 millions en 2014).

CT REIT attribue des parts au rendement à ses dirigeants. Chaque part au rendement accorde aux dirigeants le droit à un paiement en espèces équivalant au cours moyen pondéré des parts de CT REIT négociées à la Bourse de Toronto pendant une période de dix jours commençant le jour ouvrable suivant la fin de la période de rendement, multiplié par un facteur établi selon des critères précis axés sur le rendement aux termes du régime de parts au rendement. La période de rendement de chaque attribution a une durée d'environ trois ans à compter de la date d'émission. La charge de rémunération comptabilisée au cours de l'exercice clos le 2 janvier 2016 pour les parts au rendement octroyées aux dirigeants s'est chiffrée à 0,7 million de dollars (0,2 million en 2014).

Régimes d'unités d'actions différées et de parts différées

IFRS 2, paragr. 45(a) et 51(a)

La Société offre un régime d'unités d'actions différées aux membres de son conseil d'administration qui ne sont pas des employés ni des dirigeants de la Société. En vertu de ce régime, les administrateurs peuvent choisir de recevoir une partie ou la totalité de leur rémunération annuelle, versée trimestriellement, sous forme d'unités d'actions différées. Le nombre d'unités d'actions différées à émettre est établi en divisant le montant de rémunération trimestrielle que l'administrateur a choisi de différer par le cours moyen pondéré des actions de catégorie A sans droit de vote négociées à la Bourse de Toronto pendant les dix jours civils qui précèdent et incluent le dernier jour ouvrable avant la fin du trimestre civil. Le compte d'unités d'actions différées de chaque employé comprend la valeur des dividendes, le cas échéant, qui sont réinvestis dans des unités d'actions différées additionnelles. Les administrateurs ne peuvent convertir leurs unités d'actions différées en espèces qu'après avoir quitté le conseil. La valeur des unités d'actions différées converties en espèces correspondra à la juste valeur de marché des actions de catégorie A sans droit de vote au moment de la conversion, conformément aux particularités du régime d'unités d'actions différées. La charge de rémunération comptabilisée au cours de l'exercice clos le 2 janvier 2016 s'est chiffrée à (0,1) million de dollars (2,2 millions en 2014).

La Société offre également un régime d'unités d'actions différées à ses dirigeants. En vertu de ce régime, les dirigeants peuvent choisir de recevoir la totalité ou une partie de leur prime annuelle sous forme d'unités d'actions différées. Le nombre d'unités d'actions différées émises est établi en divisant le montant de la prime annuelle que le dirigeant a choisi de différer par le cours moyen des actions de catégorie A sans droit de vote négociées à la Bourse de Toronto durant les cinq jours de Bourse précédant immédiatement le dixième jour ouvrable suivant la publication des états financiers de la Société de l'exercice pour lequel la prime annuelle a été accordée. Le compte d'unités d'actions différées de chaque dirigeant comprend la valeur des dividendes, le cas échéant, qui sont réinvestis dans des unités d'actions différées additionnelles. Le dirigeant ne peut convertir ses unités d'actions différées en espèces qu'après son départ de la Société. La valeur des unités d'actions différées converties en espèces correspondra à la juste valeur de marché des actions de catégorie A sans droit de vote au moment de la conversion, conformément aux particularités du régime d'unités d'actions différées. La charge de rémunération comptabilisée au cours de l'exercice clos le 2 janvier 2016 s'est chiffrée à néant (0,5 million de dollars en 2014).

CT REIT offre un régime de parts différées à l'intention des membres de son conseil des fiduciaires qui ne sont pas des employés ni des dirigeants de CT REIT ou de ses entreprises liées. En vertu de ce régime, les fiduciaires peuvent choisir de recevoir la totalité ou une partie de leur rémunération annuelle, versée trimestriellement, sous forme de parts différées. Le nombre de parts différées émises est établi en divisant le montant de rémunération trimestrielle que le fiduciaire choisit de différer par le cours moyen des parts de CT REIT, pondéré en fonction du volume, négociées à la Bourse de Toronto durant les cinq jours de Bourse précédant immédiatement la fin du trimestre civil. Le compte de parts différées de chaque fiduciaire comprend la valeur des distributions, le cas échéant, qui sont réinvesties dans des parts différées additionnelles. Les parts différées représentent un droit de recevoir un nombre équivalent de parts de CT REIT ou, au choix du fiduciaire, un montant en espèces équivalent aux parts lorsque le fiduciaire quitte le conseil. Les parts différées qui sont converties en espèces correspondent à la juste valeur de marché des parts de CT REIT au moment de la conversion, conformément aux modalités du régime de parts différées.

La juste valeur des parts différées correspond au cours des parts de CT REIT. Pour l'exercice clos le 2 janvier 2016, la charge de rémunération s'est établie à 0,1 million de dollars (0,1 million en 2014).

IFRS 2, paragr. 45(a) et 51(a)

Régime de parts restreintes

CT REIT offre un régime de parts restreintes à ses dirigeants. En vertu de ce régime, les dirigeants de CT REIT peuvent choisir de recevoir la totalité ou une partie de leur prime annuelle sous forme de parts restreintes qui accordent aux dirigeants le droit de recevoir un nombre équivalent de parts de CT REIT ou, à leur choix, un montant équivalent en espèces, à la fin de la période d'acquisition des droits, qui est habituellement d'une durée de cinq ans suivant la date de paiement de la prime annuelle. Le nombre de parts restreintes devant être émises est calculé en divisant le montant de la prime annuelle que le dirigeant a choisi de différer par le cours moyen des parts de CT REIT, pondéré en fonction du volume, négociées à la Bourse de Toronto durant les cinq jours de Bourse précédant immédiatement le dixième jour ouvrable suivant la publication des états financiers de CT REIT pour l'exercice au cours duquel la prime annuelle a été gagnée. Le régime de parts restreintes prévoit également des attributions discrétionnaires de parts restreintes, qui accordent aux dirigeants le droit de recevoir un nombre équivalent de parts de CT REIT ou, à leur choix, un montant équivalent en espèces, à la fin de la période d'acquisition des droits, qui est habituellement d'une durée de trois ans suivant la date d'émission. Les parts restreintes qui sont converties en espèces correspondent à la valeur de marché des parts de CT REIT à la date de conversion, conformément aux modalités du régime de parts restreintes. Le compte de parts restreintes de chaque fiduciaire comprend la valeur des distributions, le cas échéant, qui sont réinvesties dans des parts restreintes additionnelles.

La juste valeur des parts restreintes correspond au cours des parts de CT REIT. Pour l'exercice clos le 2 janvier 2016, la charge de rémunération liée aux parts restreintes émises aux dirigeants s'est établie à néant (0,1 million de dollars en 2014).

IFRS 2, paragr. 47(a)(i) et (ii)

La juste valeur des options sur actions et des unités d'actions au rendement à la fin de l'exercice a été déterminée à l'aide du modèle d'évaluation des options de Black et Scholes et des hypothèses suivantes :

	2015		2014	
	Options sur actions	**Unités d'actions au rendement**	Options sur actions	Unités d'actions au rendement
Cours de l'action à la fin de l'exercice (en $ CA)	**118,16 $**	**118,16 $**	122,22 $	122,22 $
Prix d'exercice moyen pondéré[1] (en $ CA)	**97,17 $**	**s.o.**	71,89 $	s.o.
Durée de vie résiduelle attendue (en années)	**4,0**	**0,9**	3,7	1,0
Dividendes attendus	**1,8 %**	**2,6 %**	1,7 %	2,3 %
Volatilité attendue[2]	**22,3 %**	**21,1 %**	24,5 %	17,7 %
Taux d'intérêt sans risque	**1,1 %**	**0,9 %**	1,6 %	1,4 %

[1] *Reflète les renonciations attendues.*

[2] *Reflète la volatilité historique sur une période comparable à la durée restante des options sur actions, ce qui ne correspond pas nécessairement aux résultats réels.*

La détermination de la juste valeur ne prend pas en compte les conditions de service et de performance non liées au marché dont sont assorties les transactions.

IFRS 2, paragr. 51(a)

La charge comptabilisée à l'égard de la rémunération fondée sur des actions se détaille comme suit :

(en millions de dollars canadiens)	**2015**	2014
Charge découlant des transactions dont le paiement est fondé sur des actions	**35,6 $**	103,8 $
Effet des conventions de couverture	**4,1**	(38,8)
Total de la charge incluse dans le bénéfice net	**39,7 $**	65,0 $

IFRS 2, paragr. 51(b)

La valeur comptable du passif lié aux transactions dont le paiement est fondé sur des actions au 2 janvier 2016 totalisait 100,0 millions de dollars (170,3 millions en 2014).

La valeur intrinsèque de l'obligation au titre des avantages acquis au 2 janvier 2016 se chiffrait à 23,4 millions de dollars (51,3 millions en 2014).

Source : Rapport annuel 2015 de Canadian Tire.
Société Canadian Tire Ltée, *Rapport 2015 aux actionnaires de la Société Canadian Tire,* [En ligne], <http://investors.canadiantire.ca/French/investisseurs/rapports-financiers/divulgations-annuelles/default.aspx> (page consultée le 20 juillet 2016).

La figure 14.7 présente une synthèse de nos explications sur le capital social.

14

FIGURE 14.7 Une synthèse des transactions comportant l'émission d'actions

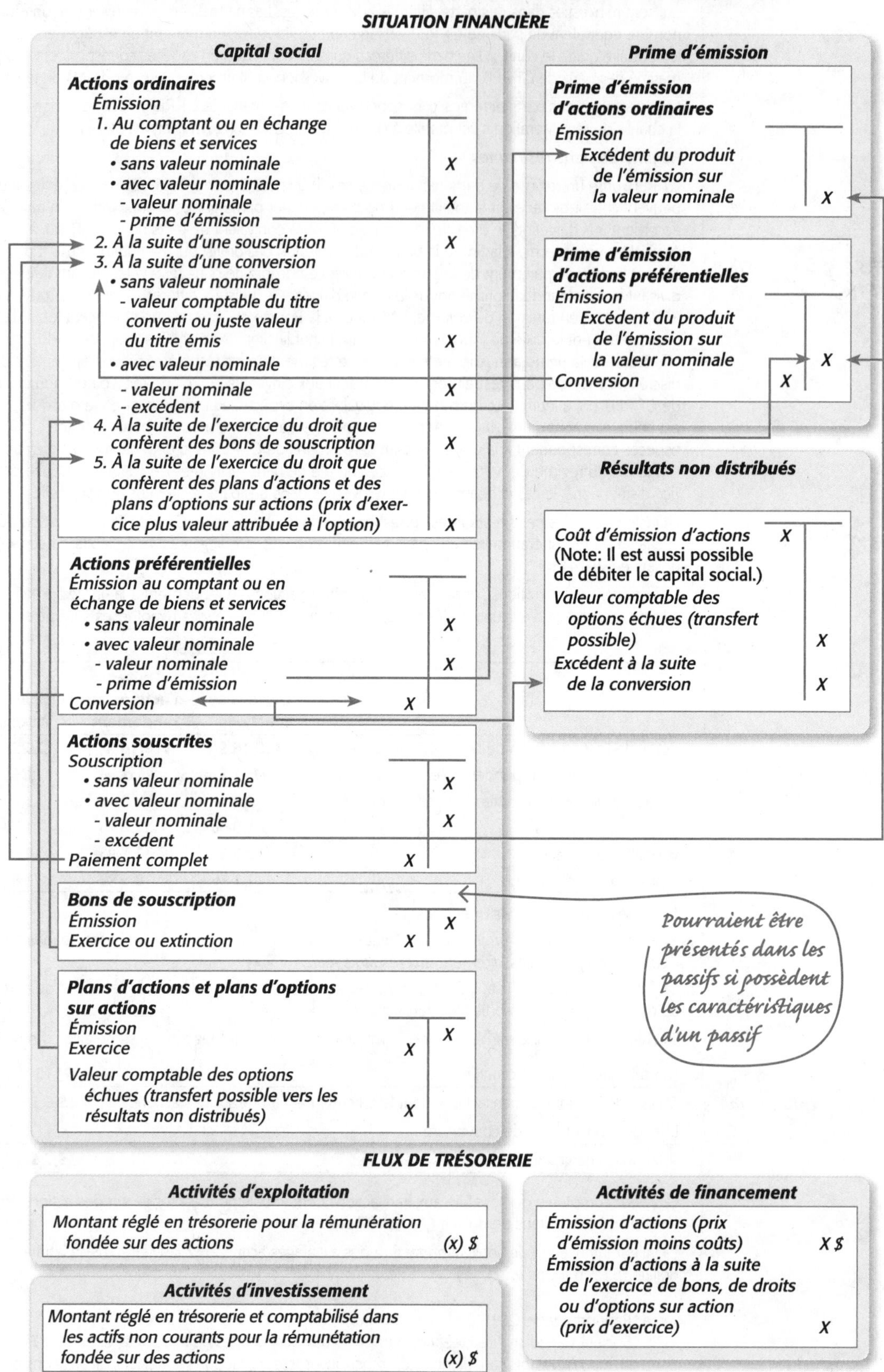

Source : Nicole Lacombe et Daniel McMahon • Adaptation : Diane Bigras

 Le rachat d'actions et les actions propres détenues

Au cours des dernières années, de nombreuses entreprises ont procédé au rachat de leurs actions propres par le truchement d'offres publiques de rachat effectuées dans le cours de leurs activités normales. Pensons notamment aux sociétés Groupe CGI, Johnson & Johnson, Métro et Nissan.

Il existe une foule de raisons à l'appui de la décision d'une entreprise de racheter ses actions propres. Voici une liste non exhaustive des principales raisons invoquées par les entreprises au cours des dernières années :

1. Accroître le bénéfice par action en réduisant le nombre d'actions en circulation ;
2. Restreindre l'emprise d'un actionnaire particulier ou d'un groupe d'actionnaires ;
3. Disposer de suffisamment d'actions pour respecter les engagements de l'entreprise relativement à ses plans d'options sur actions ;
4. Acquérir les actions d'un actionnaire qui ne désire plus l'être ;
5. Réunir suffisamment d'actions pour procéder à un regroupement d'entreprises ;
6. Permettre à certains débiteurs ou clients, qui sont en même temps actionnaires, de régler leurs dettes envers l'entreprise ;
7. Développer le marché des actions de l'entreprise afin de permettre une hausse de leur cours.

Quelle que soit la raison invoquée, le rachat d'actions ne peut se faire qu'en remplissant certaines conditions.

Le rachat et l'annulation immédiate d'actions

Différence NCECF

Les exigences légales en matière de rachat d'actions sont très explicites. En vertu tant de la LCSA que de la LSAQ, une entreprise ne peut acquérir ses actions propres ou racheter des actions qu'elle a émises s'il existe des motifs raisonnables de croire que, de ce fait, elle ne peut ou elle ne pourrait acquitter ses dettes à échéance. Cela nous ramène effectivement aux règles de maintien du capital légal expliquées plus tôt. De plus, selon ces lois, les actions rachetées doivent être annulées ou, si les statuts comportent un nombre limité d'actions, être réintégrées parmi les actions autorisées, mais non émises.

Une entreprise qui procède au rachat de ses actions propres paie rarement un prix identique au montant reçu lors de l'émission des titres en cause ou à la valeur moyenne du prix net d'émission du capital social de la catégorie. Le **prix net d'émission**, dans le cas des actions avec valeur nominale, correspond à la valeur nominale majorée de la prime d'émission et diminuée des frais d'émission. Il existe deux situations possibles : le prix payé peut être supérieur ou égal au prix net d'émission des actions dans les livres comptables, ou il peut être inférieur à ce prix. Le rachat peut donc donner lieu respectivement à une perte ou à un profit, que l'on ne peut évidemment pas comptabiliser en résultat net de l'exercice, car il s'agit d'une transaction portant sur les titres de capitaux propres. Les directives de l'IASB à cet effet sont les suivantes :

> Si une entité rachète ses propres instruments de capitaux propres, ceux-ci (les « actions propres ») doivent être déduits des capitaux propres. Aucun profit ou perte ne doit être comptabilisé en résultat net lors de l'achat, de la vente, de l'émission ou de l'annulation d'instruments de capitaux propres de l'entité. De telles actions propres peuvent être acquises ou détenues par l'entité ou par d'autres membres du groupe consolidé. La contrepartie versée ou reçue doit être comptabilisée directement en capitaux propres[29].

La figure 14.8 illustre la comptabilisation du rachat et de l'annulation d'actions selon que le prix de rachat est supérieur ou inférieur au prix net d'émission de ces actions.

29. *Manuel de CPA Canada – Comptabilité – Partie I*, IAS 32, paragr. 33.

FIGURE 14.8 La comptabilisation du rachat et de l'annulation d'actions

Rachat et annulation

Prix de rachat supérieur au prix net d'émission			**Prix de rachat inférieur au prix net d'émission**		
Avec valeur nominale:			***Avec valeur nominale:***		
Capital social (valeur nominale)	*X*		*Capital social (valeur nominale)*	*X*	
*Surplus d'apport – Prime d'émission **	*X*		*Surplus d'apport – Prime d'émission **	*X*	
Résultats non distribués – Excédent du prix de rachat sur le prix net d'émission des actions	*X*		*Caisse*		*X*
Caisse		*X*	*Résultats non distribués – Excédent du prix net d'émission sur le prix de rachat des actions*		*X*
Sans valeur nominale:			***Sans valeur nominale:***		
Capital social (prix net d'émission)	*X*		*Capital social (prix net d'émission)*	*X*	
Résultats non distribués – Excédent du prix de rachat sur le prix net d'émission des actions	*X*		*Caisse*		*X*
Caisse		*X*	*Résultats non distribués – Excédent du prix net d'émission sur le prix de rachat des actions*		*X*

* Le montant débité au compte Surplus d'apport – Prime d'émission de la catégorie d'actions rachetées est proportionnel au nombre d'actions rachetées.

EXEMPLE

Comptabilisation du rachat et de l'annulation d'actions

La société Jerachaite inc. a préparé un extrait de son état de la situation financière au 31 décembre 20X4:

JERACHAITE INC.
Situation financière partielle
au 31 décembre 20X4

Capitaux propres			
Capital social			
Autorisé	*Nombre illimité d'actions de catégorie A sans valeur nominale comportant un dividende de 1 $ l'action*		
	Nombre illimité d'actions de catégorie B ayant une valeur nominale de 10 $ l'action		
Émis	*100 000 actions de catégorie A*		*2 200 000 $*
	200 000 actions de catégorie B		*2 000 000*
Total du capital social			*4 200 000*
Réserves			
Surplus d'apport – Prime d'émission d'actions de catégorie B		*50 000 $*	
Résultats non distribués		*375 000*	
Total des réserves			*425 000*
Total des capitaux propres			*4 625 000 $*

Au cours de 20X5, deux transactions ont porté sur les titres de capitaux propres. D'abord, le 10 juin, la société a racheté, au coût de 9,50 $ l'action, 10 000 actions de catégorie B qui ont été immédiatement annulées. Puis, le 25 novembre, alors que le cours des actions était à la hausse, elle a racheté et annulé 20 000 actions de cette même catégorie. À cette date, la société a dû débourser 13 $ pour chaque action.

Le coût unitaire d'acquisition des actions rachetées le 10 juin (9,50 $) est inférieur à leur prix net d'émission (10,25 $)[30]. Voici l'écriture que la société doit enregistrer lors du rachat et de l'annulation des actions acquises le 10 juin.

Actions de catégorie B (10 000 actions à 10 $)	*100 000*	
*Surplus d'apport – Prime d'émission d'actions de catégorie B*①	*2 500*	
Caisse (10 000 actions à 9,50 $)		*95 000*
Résultats non distribués – Excédent du prix net d'émission sur le prix de rachat des actions de catégorie B		*7 500*

Rachat, au prix unitaire de 9,50 $, de 20 000 actions de catégorie B ayant chacune une valeur nominale de 10 $, et annulation de ces actions et de la prime d'émission proportionnellement au nombre d'actions rachetées.

Calcul :

① [(10 000 actions ÷ 200 000 actions) × 50 000 $]

Compte tenu de la recommandation de l'IASB, aucun profit ne peut être comptabilisé en résultat net. L'excédent (7 500 $) du prix net d'émission de ces actions (100 000 $ + 2 500 $) sur le prix de rachat (95 000 $) est comptabilisé dans les résultats non distribués. En le comptabilisant dans ce compte, on indique aux actionnaires que le solde peut être distribué.

Par contre, le coût unitaire d'acquisition des actions rachetées le 25 novembre (13 $) est supérieur au prix net d'émission (10,25 $). Voici l'écriture que la société doit enregistrer lors du rachat et de l'annulation des actions acquises le 25 novembre :

Actions de catégorie B (20 000 actions à 10 $)	*200 000*	
*Surplus d'apport – Prime d'émission d'actions de catégorie B*①	*5 000*	
Résultats non distribués – Excédent du prix de rachat sur le prix net d'émission des actions de catégorie B	*55 000*	
Caisse (20 000 actions à 13 $)		*260 000*

Rachat, au prix unitaire de 13 $ l'action, de 20 000 actions de catégorie B ayant chacune une valeur nominale de 10 $, et annulation de ces actions et de la prime d'émission proportionnellement au nombre d'actions rachetées.

Calcul :

① [(20 000 actions ÷ 190 000 actions) × 47 500 $]

Il est important de rappeler que la perte sur rachat ne peut être comptabilisée en résultat net. L'excédent (55 000 $) du prix de rachat (260 000 $) sur le prix net d'émission de ces actions (200 000 $ + 5 000 $) est comptabilisé dans les résultats non distribués. L'excédent est ainsi supporté par les porteurs de titres de capitaux propres.

Différence NCECF

14

Les actions propres détenues

Nous avons affirmé précédemment que la LCSA et la LSAQ exigent que les actions rachetées soient annulées. Toutefois, ces lois prévoient trois cas d'exception :

1. L'entreprise peut, en qualité de mandataire, détenir ses actions propres[31] ;
2. L'entreprise peut détenir ses actions propres à titre de garantie dans le cadre de transactions conclues dans le cours ordinaire d'une activité commerciale comprenant le prêt d'argent[32] ;

30. Valeur nominale 2 000 000 $
Prime d'émission 50 000
Prix net d'émission 2 050 000 $ ÷ 200 000 actions = 10,25 $ par action

31. *Loi canadienne sur les sociétés par actions*, art. 31(1) et Loi sur les sociétés par actions, art. 87.

32. *Loi canadienne sur les sociétés par actions*, art. 31(2).

3. L'entreprise peut détenir ses actions propres si la détention a pour objet de la rendre mieux à même de remplir les conditions de participation ou de contrôle canadiens auxquelles est subordonné, en vertu du régime des lois fédérales ou provinciales prescrites, le droit de recevoir certains avantages, notamment des licences, permis, subventions et paiements[33].

Les deuxième et troisième exceptions sont intéressantes sur le plan comptable[34], car il y est question d'**actions propres détenues**, c'est-à-dire d'actions rachetées et non annulées. Dans le cas de la deuxième exception, les actions propres détenues seront annulées lorsque la période de garantie sera écoulée. En ce qui a trait à la troisième exception, il s'agit du seul cas où une action peut être revendue. À l'article 38(8) de la LCSA, il est toutefois précisé que si l'action est toujours détenue après deux ans, elle doit être annulée.

Les caractéristiques des actions propres détenues

Quel que soit le motif du rachat des actions, l'effet net est le même : une diminution de l'actif accompagnée d'une diminution des capitaux propres. Lors de l'émission d'actions, l'actif et les capitaux propres ont augmenté ; il est donc normal qu'en cas de rachat, l'effet inverse se produise. Les actions propres détenues ne constituent pas un actif, mais plutôt une réduction des capitaux propres.

> Les instruments de capitaux propres d'une entité ne sont pas comptabilisés en actif financier, quelle que soit la raison de leur rachat. Le paragraphe 33 impose à une entité qui rachète ses instruments de capitaux propres de les déduire de ses capitaux propres. Toutefois, lorsqu'une entité détient ses capitaux propres pour le compte de tiers, par exemple une institution financière détenant ses capitaux propres pour le compte d'un client, il existe une relation de mandataire et, de ce fait, ces participations ne sont pas incluses dans l'état de la situation financière de l'entité[35].

De plus, notons qu'une entreprise qui détient ses actions propres ne peut exercer le droit de vote qui leur est rattaché, pas plus qu'elle ne peut recevoir de dividendes ou une partie de son actif en cas de liquidation. Enfin, bien que les actions propres détenues fassent toujours partie des actions émises, elles ne sont pas considérées comme étant en circulation.

La comptabilisation des actions propres détenues

Différence NCECF

14

L'IASB ne fait aucune recommandation concernant la façon de comptabiliser les actions propres détenues. Nous proposons deux méthodes pour concevoir et comptabiliser les actions propres détenues : la méthode des deux transactions distinctes et la méthode de la transaction unique.

La **méthode des deux transactions distinctes** fait valoir que, en achetant ses actions propres, l'entreprise met un terme à ses relations avec l'actionnaire qui les lui vend et que, par conséquent, la revente subséquente de ces actions doit être considérée comme une transaction distincte. Selon cette méthode, lors du rachat, on comptabilise immédiatement l'écart entre le prix de rachat et le prix net d'émission des actions rachetées. La valeur nominale ou la valeur attribuée (si les actions n'ont pas de valeur nominale) des actions rachetées est comptabilisée au débit du compte Actions propres détenues jusqu'à ce que celles-ci soient revendues ou annulées. Si les actions ont une valeur nominale, un montant proportionnel au nombre d'actions rachetées et annulées est débité au compte Surplus d'apport – Prime d'émission de cette catégorie d'actions. Lors de la revente, si les actions ont une valeur nominale, la différence entre le prix de revente et la valeur nominale est comptabilisée au compte Surplus d'apport – Prime d'émission. Rappelons qu'il est impossible, en vertu de la LSAQ, de vendre des actions à un prix inférieur à la valeur nominale. Si les actions n'ont pas de valeur nominale, la différence entre le prix de revente et le prix net d'émission est comptabilisée au compte Capital social. Ainsi, le montant du capital social correspond au prix de revente, comme s'il s'agissait d'une nouvelle émission d'actions. La figure 14.9 illustre cette méthode.

33. *Loi canadienne sur les sociétés par actions*, art. 32(1).

34. La première exception n'a aucune incidence comptable. L'entreprise n'a pas racheté d'actions ; un investisseur lui a simplement demandé d'en assumer la garde, parfois même d'en exercer les droits de vote.

35. *Manuel de CPA Canada – Comptabilité – Partie I*, IAS 32, paragr. AG36.

FIGURE 14.9 La comptabilisation du rachat et de la revente d'actions considérés comme deux transactions distinctes

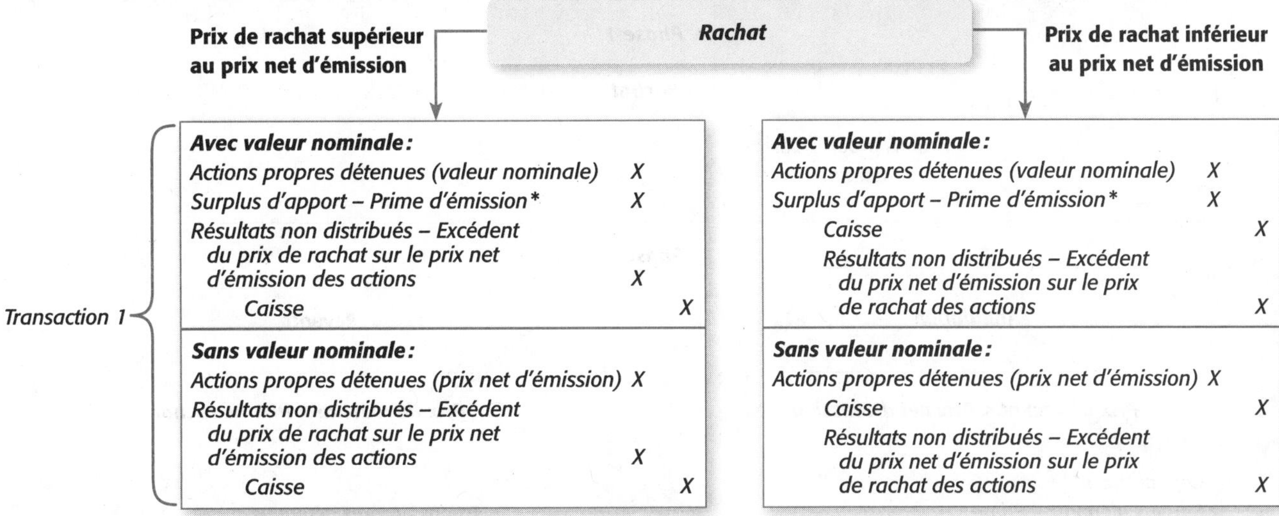

* Le débit au compte Surplus d'apport – Prime d'émission de la catégorie d'actions rachetées n'est possible que s'il existe un solde créditeur dans ce compte.

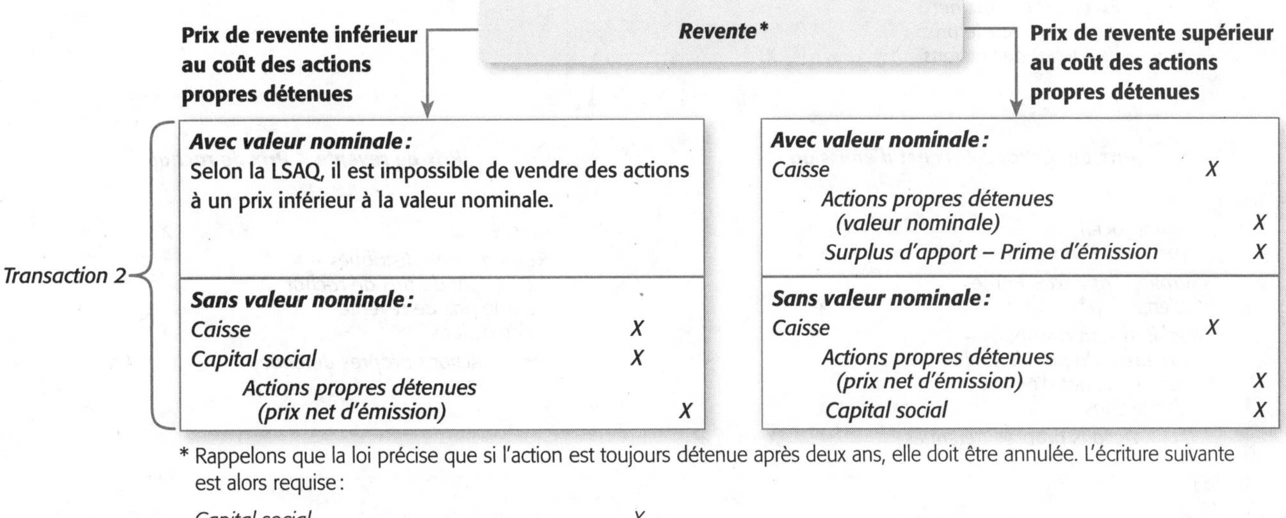

* Rappelons que la loi précise que si l'action est toujours détenue après deux ans, elle doit être annulée. L'écriture suivante est alors requise :

Capital social	X	
Actions propres détenues		X

Source : Nicole Lacombe et Daniel McMahon • Adaptation : Diane Bigras

La **méthode de la transaction unique** fait valoir que le rachat et la revente (ou l'annulation) sont les deux phases d'une seule et même transaction dont la revente (ou l'annulation) constitue l'aboutissement. Les actions rachetées sont transitoirement détenues par l'entreprise dans l'attente que soit terminée la transaction initiale. Ainsi, si les actions rachetées sont détenues pour se conformer aux exigences décrites dans les deuxième et troisième cas d'exception décrits précédemment, on doit attendre les événements qui viendront mettre un terme à la transaction de rachat, soit l'annulation dans le deuxième cas ou l'annulation ou la revente dans le troisième cas. Selon cette méthode, le coût des actions rachetées est inscrit dans le compte Actions propres détenues jusqu'à ce que celles-ci soient revendues ou annulées. L'écart entre le prix de rachat et le prix de revente sera comptabilisé lorsque les deux phases seront terminées. La figure 14.10 présente ces deux phases.

FIGURE 14.10 La comptabilisation du rachat et de l'annulation ou la revente d'actions considérés comme une seule transaction comportant deux phases

Phase 1

Rachat

Actions propres détenues	X	
Caisse		X

Phase 2

Annulation

Prix de rachat < Prix net d'émission

Capital social	X	
*Surplus d'apport – Prime d'émission**	X	
Actions propres détenues		X
Résultats non distribués – Excédent du prix net d'émission sur le prix de rachat des actions		X

Prix de rachat > Prix net d'émission

Capital social (prix net d'émission)	X	
*Surplus d'apport – Prime d'émission**	X	
Résultats non distribués – Excédent du prix de rachat sur le prix net d'émission des actions	X	
Actions propres détenues		X

Revente

Prix de revente > Prix de rachat

Caisse	X	
Actions propres détenues		X
Résultats non distribués – Excédent du prix de revente sur le prix de rachat des actions		X

Prix de revente < Prix de rachat

Caisse	X	
Résultats non distribués – Excédent du prix de rachat sur le prix de revente des actions	X	
Actions propres détenues		X

* Le montant débité au compte Surplus d'apport – Prime d'émission de la catégorie d'actions rachetées n'est possible que si les actions rachetées ont une valeur nominale et ce montant est proportionnel au nombre d'actions rachetées.

Source : Nicole Lacombe et Daniel McMahon • Adaptation : Diane Bigras

14

EXEMPLE

Comptabilisation des actions propres détenues

Reprenons les données de base de l'exemple de Jerachaite inc. *(voir la page 14.50)*, sachant que les transactions suivantes sont survenues au cours de 20X5 :

15 mai	*Rachat, au prix de 16 $ l'action, de 10 000 actions de catégorie B*
16 juin	*Revente, au prix de 17 $ l'action, de 3 000 actions rachetées le 15 mai*
17 août	*Revente, au prix de 15 $ l'action, de 4 000 actions rachetées le 15 mai*
31 août	*Annulation définitive des 3 000 dernières actions rachetées le 15 mai*

À titre indicatif, nous comparons ci-après les écritures qui doivent être enregistrées à chacune de ces dates selon que l'entreprise utilise l'une ou l'autre des deux méthodes. Cette comparaison est suivie d'un extrait de l'état de la situation financière de la société au 31 décembre 20X5 traduisant l'incidence de ces deux méthodes.

15 mai 20X5

Méthode de la transaction unique

Compte	Débit	Crédit
Actions propres détenues	*160 000*	
Caisse		*160 000*

Rachat de 10 000 actions de catégorie B à 16 $ l'action.

Méthode des deux transactions distinctes

Compte	Débit	Crédit
Actions propres détenues	*100 000*	
Surplus d'apport – Prime d'émission d'actions ①	*2 500*	
Résultats non distribués – Excédent du prix de rachat sur le prix net d'émission des actions	*57 500*	
Caisse		*160 000*

Rachat de 10 000 actions de catégorie B à 16 $ chacune, ayant une valeur nominale de 10 $ l'action, et annulation de la prime d'émission proportionnellement au nombre d'actions rachetées.

Calcul :

① [(10 000 ÷ 200 000 actions) × 50 000 $]

16 juin 20X5

Méthode de la transaction unique

Compte	Débit	Crédit
Caisse	*51 000*	
Actions propres détenues ①		*48 000*
Résultats non distribués – Excédent du prix de revente sur le prix de rachat des actions		*3 000*

Revente de 3 000 actions propres détenues à 17 $ l'action.

Calcul :

① [(3 000 ÷ 10 000 actions) × 160 000 $]

Méthode des deux transactions distinctes

Compte	Débit	Crédit
Caisse	*51 000*	
Actions propres détenues ①		*30 000*
Surplus d'apport – Prime d'émission d'actions de catégorie B		*21 000*

Revente de 3 000 actions propres détenues à 17 $ l'action.

Calcul :

① [(3 000 ÷ 10 000 actions) × 100 000 $]

17 août 20X5

Méthode de la transaction unique

Compte	Débit	Crédit
Caisse	*60 000*	
Résultats non distribués – Excédent du prix de rachat sur le prix de revente des actions	*4 000*	
Actions propres détenues ①		*64 000*

Revente de 4 000 actions propres détenues à 15 $ l'action.

Calcul :

① [(4 000 ÷ 10 000 actions) × 160 000 $]

Méthode des deux transactions distinctes

Compte	Débit	Crédit
Caisse	*60 000*	
Actions propres détenues ①		*40 000*
Prime d'émission d'actions ordinaires		*20 000*

Revente de 4 000 actions propres détenues à 15 $ l'action.

Calcul :

① [(4 000 ÷ 10 000 actions) × 100 000 $]

31 août 20X5

Actions de catégorie B	*30 000*		*Actions de catégorie B*	*30 000*	
*Surplus d'apport – Prime d'émission d'actions de catégorie B*①	*750*		*Actions propres détenues*		*30 000*
Résultats non distribués – Excédent du prix de rachat sur le prix net d'émission des actions	*17 250*		*Annulation des 3 000 dernières actions propres détenues.*		
Actions propres détenues		*48 000*			
Annulation des 3 000 dernières actions propres détenues, ayant coûté 16 $ l'action, et de la prime d'émission proportionnellement au nombre d'actions annulées.					

Calcul :

① [(3 000 ÷ 200 000 actions) × 50 000 $]

JERACHAITE INC.
Situation financière partielle
au 31 décembre 20X5

	Méthode de la transaction unique	*Méthode des deux transactions distinctes*
Capitaux propres		
Capital social		
Autorisé *Nombre illimité d'actions de catégorie A sans valeur nominale comportant un dividende de 1 $ l'action*		
Nombre illimité d'actions de catégorie B ayant une valeur nominale de 10 $ l'action		
Émis *100 000 actions de catégorie A*	*2 200 000 $*	*2 200 000 $*
197 000 actions de catégorie B	*1 970 000*	*1 970 000*
Total du capital social	*4 170 000*	*4 170 000*
Réserves		
Surplus d'apport – Prime d'émission d'actions de catégorie B	*49 250*	*88 500*
Résultats non distribués	*356 750*	*317 500*
Total des réserves	*406 000*	*406 000*
Total des capitaux propres	*4 576 000 $*	*4 576 000 $*

Le tableau comparatif et l'état de la situation financière partielle présentés ci-dessus illustrent très bien les différences entre ces deux méthodes. On notera que le total des capitaux propres est identique selon les deux méthodes. Il a diminué de 49 000 $ par rapport à l'état de la situation financière de 20X4, soit le prix de rachat moins les prix de revente (160 000 $ – 51 000 $ – 60 000 $). La principale différence entre ces deux méthodes a trait à la répartition entre les comptes des capitaux propres. Cette différence s'explique du fait que lorsque la méthode de la transaction unique est utilisée, le montant débité au compte Actions propres détenues correspond à la valeur de rachat, ce qui retarde la comptabilisation de l'écart à la suite du rachat au moment de la revente ou de l'annulation. Lorsqu'il y a revente, même si les actions sont revendues à un prix différent de leur prix net d'émission initial, le capital social et la prime d'émission demeurent intacts. En revanche, selon la méthode des deux transactions distinctes, le compte Actions propres détenues correspond à la valeur nominale des actions rachetées, et la différence entre le prix de rachat et la valeur nominale est comptabilisée dès le rachat. C'est pourquoi au moment du rachat, un montant proportionnel au nombre d'actions rachetées (2 500 $) a été débité au compte Surplus d'apport – Prime d'émission d'actions ordinaires et un écart de 57 500 $ a été comptabilisé dans les résultats non distribués. De plus, lors de la revente, l'écart entre la valeur de revente et le montant comptabilisé dans le compte Actions propres détenues est comptabilisé dans le compte Surplus d'apport – Prime d'émission afin de refléter les nouvelles valeurs d'émission. Rappelons que si les actions n'avaient pas eu de valeur nominale, la différence entre le prix de revente et le montant comptabilisé dans les actions propres détenues aurait été comptabilisée dans le compte Capital social.

Différence NCECF

La présentation dans les états financiers des actions propres détenues

Lorsqu'une entreprise acquiert ses actions propres, le coût (le solde du compte Actions propres détenues) doit figurer en déduction des capitaux propres jusqu'à l'annulation ou la revente de ces actions. L'IAS 1 précise également qu'une entreprise doit fournir, soit dans l'état de la situation financière soit dans les notes, des informations sur les actions propres détenues.

EXEMPLE

Présentation des actions propres détenues dans les états financiers

Voici la section des capitaux propres de Jerachaite inc. immédiatement après la transaction du 15 mai 20X5 expliquée dans l'exemple précédent :

JERACHAITE INC.
Situation financière partielle
au 15 mai 20X5

		Méthode de la transaction unique	Méthode des deux transactions distinctes
Capitaux propres			
Capital social			
Autorisé	*Nombre illimité d'actions de catégorie A sans valeur nominale comportant un dividende de 1 $ l'action*		
	Nombre illimité d'actions de catégorie B ayant une valeur nominale de 10 $ l'action		
Émis	*100 000 actions de catégorie A*	2 200 000 $	2 200 000 $
	200 000 actions de catégorie B (dont 10 000 ont été rachetées)	2 000 000	2 000 000
Total du capital social		4 200 000	4 200 000
Réserves			
Surplus d'apport – Prime d'émission d'actions de catégorie B		50 000	47 500
Résultats non distribués		375 000	317 000
Total des réserves		425 000	365 000
Moins : Coût des 10 000 actions propres détenues		(160 000)	(100 000)
Total des capitaux propres		4 465 000 $	4 465 000 $

Notons que les actions propres détenues font toujours partie du capital émis et qu'elles sont présentées en déduction des capitaux propres. On remarque également que selon la méthode de la transaction unique, leur coût représente le prix de rachat (160 000 $), alors que selon la méthode des deux transactions distinctes, leur coût représente la valeur nominale (100 000 $).

Avez-vous remarqué ?

Si une entreprise rachète et annule ses actions, la différence entre le prix de rachat et le prix net d'émission est comptabilisée dans les résultats non distribués. Si une entreprise rachète ses actions sans toutefois les annuler, il est alors question d'actions propres détenues. La comptabilisation de ces dernières peut se faire selon la méthode des deux transactions distinctes ou selon la méthode de la transaction unique. Le choix de la méthode de comptabilisation a une incidence sur la répartition de la contrepartie reçue entre les différentes composantes des capitaux propres, d'où l'importance que l'entreprise indique la méthode de comptabilisation qu'elle a retenue.

 La valeur comptable d'une action

Nous avons indiqué au début du présent chapitre que les actionnaires sont les véritables propriétaires d'une société par actions et que parmi leurs droits fondamentaux se trouve celui de participer à l'actif en cas de liquidation pour ainsi se partager proportionnellement ce qu'il reste des actifs de l'entreprise une fois le droit à l'actif des créanciers pris en compte.

Le calcul de la **valeur comptable d'une action** permet de connaître la valeur comptable de l'intérêt résiduel auquel ont droit les actionnaires d'une société. Cette statistique peut être destinée à différents usages. Par exemple, elle peut servir de base à l'évaluation de l'actif net et de ses variations d'un exercice à l'autre. Elle peut également permettre aux investisseurs d'évaluer le potentiel de croissance d'un titre en comparant sa valeur comptable à sa valeur boursière[36]. Cette statistique est aussi fréquemment utilisée comme valeur de référence dans les clauses de rachat d'actions des conventions entre actionnaires, où elle représente la valeur minimale à laquelle doit s'effectuer le rachat des actions entre actionnaires.

Pour comprendre les notions relatives à la valeur comptable d'une action, revenons à l'équation comptable fondamentale :

Actif = Passif + Capitaux propres

(ou Actif – Passif = Capitaux propres)

Cette équation rappelle que la valeur comptable d'une entreprise correspond à la valeur de son actif net (capitaux propres), établie en conformité avec les normes comptables applicables. La valeur de l'actif net de l'entreprise sert donc au calcul de la valeur comptable des actions de l'entreprise mais, pour cela, il faut tenir compte des droits et restrictions de chacune des catégories d'actions émises.

Ainsi, pour calculer la valeur comptable d'une action, on doit d'abord répartir les capitaux propres entre les différentes catégories d'actions, puis attribuer cette valeur à chacune des actions d'une même catégorie.

Commençons par la situation la plus simple, soit celle où une entreprise n'émet qu'une seule catégorie d'actions.

Une seule catégorie d'actions

14

Lorsque le capital social d'une entreprise ne comporte qu'une seule catégorie d'actions, la valeur comptable d'une action peut être obtenue en appliquant la formule suivante :

$$\text{Valeur comptable d'une action} = \frac{\text{Total des capitaux propres}}{\text{Nombre d'actions en circulation}}$$

Supposons que la société Valconsimple ltée (VL) a 10 000 actions ordinaires sans valeur nominale en circulation et qu'au 31 décembre 20X0, ses capitaux propres se composent des trois comptes suivants :

Actions ordinaires	*100 000 $*
Cumul des autres éléments du résultat global	*15 000*
Résultats non distribués	*75 000*
Total des capitaux propres	*190 000 $*

La valeur comptable d'une action de VL est de 19 $, soit 190 000 $ divisé par 10 000 actions.

36. En divisant la valeur boursière (cote) des actions d'une société par leur valeur comptable, on obtient le ratio cours/valeur comptable. De manière générale, lorsque ce ratio est faible, il indique que la cote est attrayante et qu'elle offre un potentiel de croissance raisonnable.

Plusieurs catégories d'actions

Lorsque le capital social d'une entreprise comprend à la fois des actions ordinaires et des actions préférentielles, la première étape consiste à attribuer à chacune des catégories la valeur attribuée ou la valeur nominale qui leur a été dévolue lors de leur comptabilisation. Ensuite, on doit consulter les statuts constitutifs pour connaître les droits et les privilèges de chaque catégorie d'actions, puis répartir en conséquence le total des capitaux propres entre les différentes catégories. Ainsi, si une catégorie d'actions préférentielles offre des dividendes cumulatifs, il est tout à fait approprié de tenir compte des dividendes arriérés dans la détermination de la valeur comptable de cette catégorie d'actions. Les dividendes arriérés sont en quelque sorte des résultats non distribués « réservés » dans l'éventualité d'une déclaration de dividendes. Ils représentent un droit acquis sur toute distribution éventuelle de dividendes pour les détenteurs d'actions à dividende cumulatif même si, du point de vue juridique, ils ne constituent pas une dette. De même, lorsque des actions préférentielles sont rachetables à un prix supérieur à leur valeur attribuée ou à leur valeur nominale, cela signifie que la société offre une garantie additionnelle aux détenteurs de ces actions. En effet, ceux-ci sont assurés de recevoir une prime au rachat. Dans de telles situations, on doit tenir compte de la valeur de rachat dans la détermination de la valeur comptable de cette catégorie d'actions. Enfin, lorsque des actions préférentielles sont participantes, on doit examiner les modalités de participation prévues dans les statuts constitutifs. Nous traiterons plus en détail de la manière d'effectuer la répartition entre les actions préférentielles participantes et les actions ordinaires au chapitre 15. Les détenteurs d'actions ordinaires, pour leur part, se voient attribuer la valeur résiduelle de l'actif une fois calculée la part de l'actif net qui revient aux détenteurs d'actions préférentielles de l'entreprise. La figure 14.11 présente la façon de déterminer la valeur comptable d'une action préférentielle et d'une action ordinaire.

FIGURE 14.11 La détermination de la valeur comptable d'une action

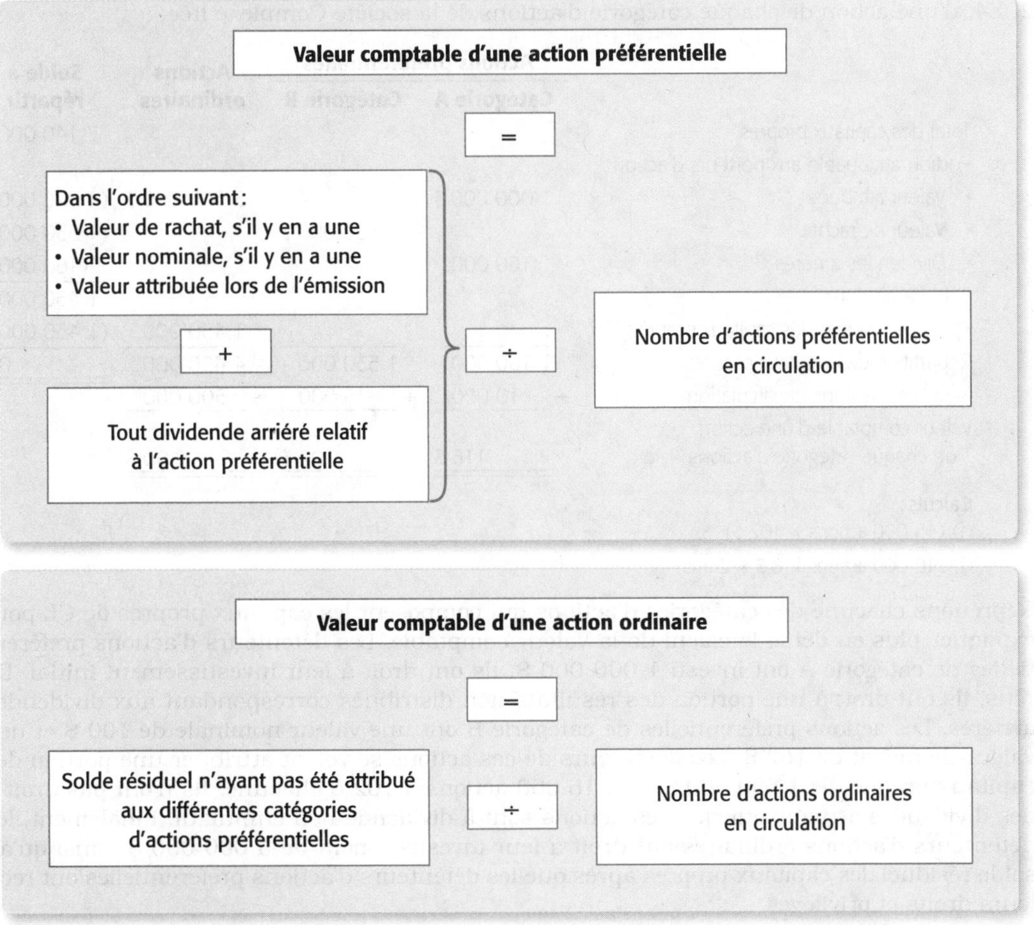

Source : Nicole Lacombe et Daniel McMahon • Adaptation : Diane Bigras

EXEMPLE

Valeur comptable d'une action

Voici la section des capitaux propres de la société Complexe ltée (CL), extraite de l'état de la situation financière établi en date du 31 décembre 20X4 :

Capital social autorisé	
Actions préférentielles	
Nombre illimité d'actions préférentielles de catégorie A sans valeur nominale à dividende cumulatif de 8 $	
Nombre illimité d'actions préférentielles de catégorie B ayant chacune une valeur nominale de 100 $ à dividende non cumulatif de 10 % et rachetables à 102 $	
Actions ordinaires	
Nombre illimité d'actions ordinaires sans valeur nominale	
Capital social émis et en circulation	
10 000 actions préférentielles de catégorie A	*1 000 000 $*
15 000 actions préférentielles de catégorie B	*1 500 000*
500 000 actions ordinaires	*3 000 000*
Prime d'émission d'actions préférentielles de catégorie B	*180 000*
Résultats non distribués	*1 460 000*
Total des capitaux propres	*7 140 000 $*

Supposons que CL n'a déclaré aucun dividende au cours des deux derniers exercices. Les calculs qui suivent sont nécessaires pour déterminer la valeur comptable, au 31 décembre 20X4, d'une action de chaque catégorie d'actions de la société Complexe ltée.

	Actions préférentielles		Actions	Solde à
	Catégorie A	**Catégorie B**	**ordinaires**	**répartir**
Total des capitaux propres				7 140 000 $
Portion attribuable aux porteurs d'actions				
• Valeur attribuée	1 000 000 $		3 000 000 $	(4 000 000)
• Valeur de rachat ①		1 530 000 $		(1 530 000)
• Dividendes arriérés ②	160 000			(160 000)
Solde à distribuer				1 450 000
• Solde résiduel des capitaux propres			1 450 000	(1 450 000)
Répartition des capitaux propres	1 160 000	1 530 000	4 450 000	0 $
Nombre d'actions en circulation	÷ 10 000	÷ 15 000	÷ 500 000	
Valeur comptable d'une action de chaque catégorie d'actions	116 $	102 $	8,90 $	

Calculs :

① (15 000 actions × 102 $)

② (10 000 actions × 8 $ × 2 ans)

Reprenons chacune des catégories d'actions qui composent les capitaux propres de CL pour expliquer plus en détail le calcul de la valeur comptable. Les détenteurs d'actions préférentielles de catégorie A ont investi 1 000 000 $. Ils ont droit à leur investissement initial. De plus, ils ont droit à une portion des résultats non distribués correspondant aux dividendes arriérés. Les actions préférentielles de catégorie B ont une valeur nominale de 100 $ et une valeur de rachat de 102 $. Les détenteurs de ces actions se voient attribuer une portion des capitaux propres de 1 530 000 $, soit 15 000 actions à 102 $ chacune. Ils n'ont pas droit à des dividendes arriérés puisque ces actions sont à dividende non cumulatif. Finalement, les détenteurs d'actions ordinaires ont droit à leur investissement de 3 000 000 $, ainsi qu'au solde résiduel des capitaux propres après que les détenteurs d'actions préférentielles ont reçu leurs droits et privilèges.

14

La répartition effective de l'actif net de CL est illustrée sous forme de pointe de tarte.

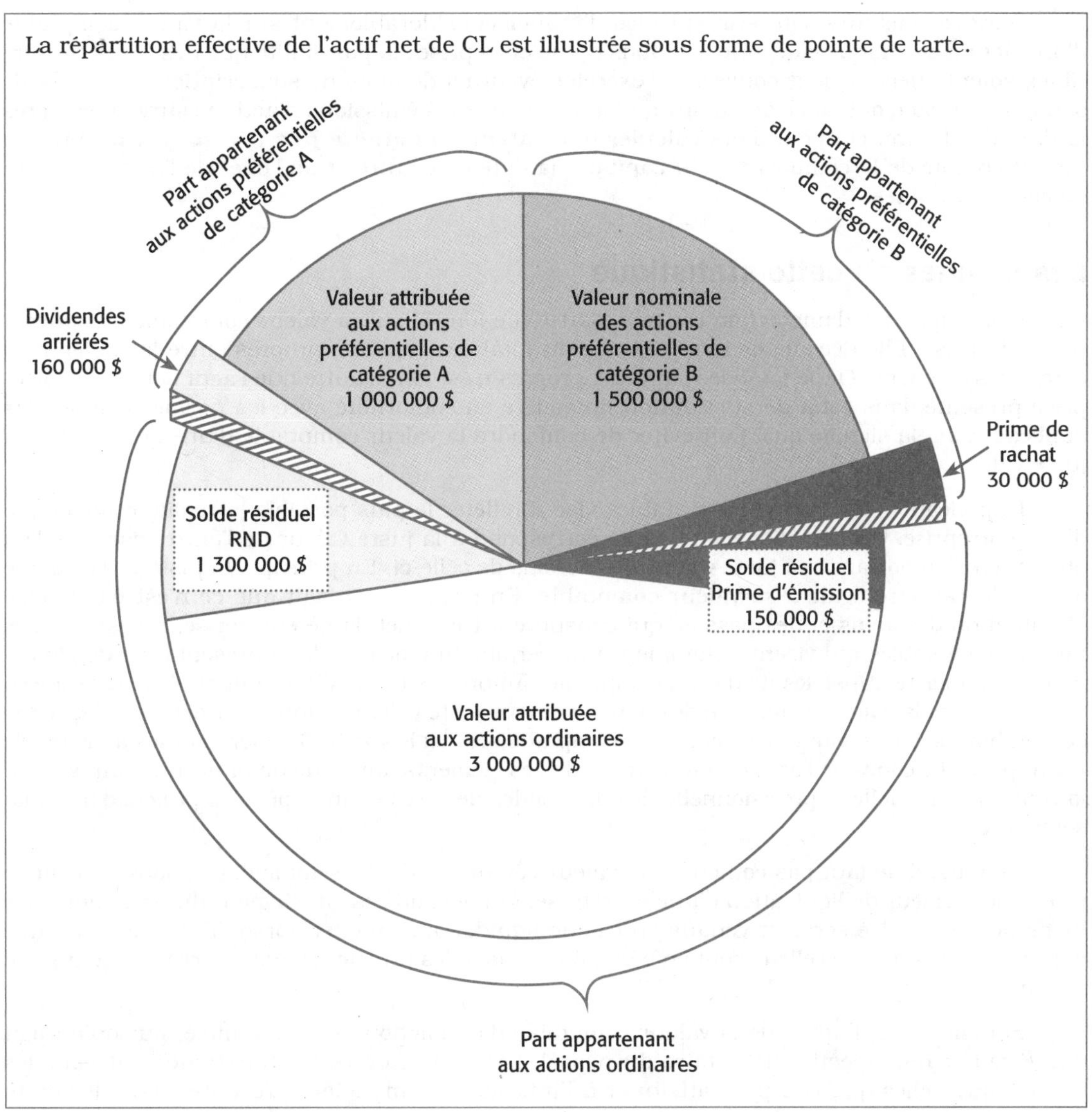

Avez-vous remarqué ?

Les statuts constitutifs d'une entreprise permettent de préciser les droits liés à chacune des catégories d'actions. Ceux-ci servent non seulement au partage des dividendes, mais également au calcul de la valeur comptable des actions de l'entreprise.

Les variations de la valeur comptable d'une action

Plusieurs événements peuvent faire varier la valeur comptable d'une action ordinaire. Ainsi, cette valeur s'accroît si l'entreprise réalise un bénéfice ou effectue l'une des opérations suivantes : le regroupement d'actions, l'émission d'actions ordinaires à une valeur supérieure à la valeur comptable des actions déjà en circulation, ou le rachat d'actions ordinaires ou préférentielles à un prix inférieur à leur valeur comptable respective. À l'inverse, la valeur comptable d'une action diminue lorsque l'entreprise subit une perte ou effectue l'une des opérations suivantes : la déclaration d'un dividende en numéraire ou en actions, l'émission d'actions ordinaires à une valeur inférieure à la valeur comptable des actions déjà en circulation, ou le rachat d'actions ordinaires ou préférentielles à un prix supérieur à leur valeur comptable respective.

D'autres facteurs sont susceptibles d'influer considérablement sur la valeur comptable d'une action de chaque catégorie d'actions d'une entreprise : la possibilité que des titres convertibles soient effectivement convertis, l'exercice éventuel de bons de souscription, de droits de souscription ou d'options d'achat sur actions ainsi que les émissions d'actions survenues après la date de clôture. On peut alors calculer une **valeur comptable *pro forma* par action**, en tenant compte de la composition du capital à la date de clôture et de l'effet de l'une ou l'autre de ces éventualités.

Les lacunes de cette statistique

La valeur comptable d'une action est une statistique fondée sur la valeur comptable attribuée à une entreprise. Elle découle de la répartition du total des capitaux propres entre les différentes catégories d'actions. Or, le total des capitaux propres n'est rien d'autre que l'actif net d'une entreprise présenté dans l'état de la situation financière en conformité avec les normes comptables applicables. Cela signifie qu'il faut éviter de confondre la valeur comptable d'une action avec sa juste valeur.

L'application des normes comptables vise à refléter le plus possible la réalité économique d'une entreprise. Cette réalité économique correspond à la juste valeur de l'entreprise, que l'on obtient en se reportant à la juste valeur des actions de celle-ci. En principe, la juste valeur d'une action devrait être égale à sa valeur comptable. En pratique, on sait que ce n'est pas le cas. L'évaluation des actifs et des passifs, qui constituent l'actif net d'une entreprise, repose sur des normes comptables qui visent notamment une certaine uniformité de la présentation de l'information financière. Ainsi, les méthodes comptables autorisées par l'IASB donnent-elles naissance à un écart entre la valeur comptable des actions et leur juste valeur. Citons, par exemple, les actifs comptabilisés à leur coût et les actifs non comptabilisés, tel le goodwill généré par les activités de l'entreprise. Le cours de l'action tient compte de ces éléments ainsi que de plusieurs autres, dont la rentabilité actuelle et prévisionnelle, les dividendes déclarés et anticipés, les projets d'investissement, etc.

De plus, il ne faut pas confondre la valeur comptable de l'ensemble des actions, leur juste valeur et la valeur de liquidation d'une entreprise, qui dépend essentiellement du prix auquel les biens de l'entreprise seraient vendus en cas de liquidation. En effet, lorsqu'il faut liquider une entreprise, les actifs de celle-ci sont en général vendus à des prix nettement inférieurs à leur juste valeur.

Somme toute, l'utilité de la valeur comptable d'une action est très limitée, puisqu'il s'agit d'une valeur rétrospective (tributaire du passé). Les limites de cette statistique sont donc les mêmes que celles que l'on peut attribuer à l'information financière présentée dans les états financiers.

La présentation dans les états financiers

Dans le présent chapitre, nous avons expliqué les exigences précises en matière de présentation du capital social. En résumé, comme le but de toute norme de présentation est d'informer les utilisateurs convenablement pour faciliter leurs prises de décisions, on doit donner une description détaillée des comptes de capital social et de leurs variations. Le tableau 14.6 présente quelques exemples d'information à inclure dans les états financiers, auxquels nous ajoutons certains commentaires.

Pour permettre aux utilisateurs des états financiers de comprendre les objectifs, politiques et procédures de l'entreprise en matière de gestion du capital, des informations à ce sujet doivent être fournies. Des exemples de renseignements à fournir sur la gestion du capital sont présentés dans le tableau 2.8.

TABLEAU 14.6 La présentation du capital social dans les états financiers

Normes internationales d'information financière, IAS 1	**Commentaires**
Paragr. 79	
L'entité doit fournir, soit dans l'état de la situation financière, soit dans l'état des variations de capitaux propres, soit dans les notes, les informations suivantes : *a) pour chaque catégorie de capital :* *(i) le nombre d'actions autorisées,*	Il est important de donner les détails de chaque catégorie d'actions autorisée, car toutes les catégories ne sont pas nécessairement en circulation. Une entreprise peut disposer de sept catégories d'actions, de A à G, comportant différents droits et privilèges, et n'avoir émis que des actions de catégorie A.
(ii) le nombre d'actions émises et entièrement libérées et le nombre d'actions émises et non entièrement libérées,	On doit également fournir des informations sur le nombre d'actions émises à la date de clôture. S'il y a encore des souscriptions à recevoir, il importe de mentionner si les actions sont libérées ou non.
(iii) la valeur nominale des actions ou le fait que les actions n'ont pas de valeur nominale,	La comptabilisation d'une action est différente selon que celle-ci ait ou non une valeur nominale. Il est donc important pour les utilisateurs des états financiers de savoir si le montant comptabilisé est la valeur nominale ou la valeur attribuée.
(iv) un rapprochement entre le nombre d'actions en circulation au début et à la fin de période,	L'état de la situation financière est une image statique de la situation de l'entreprise à une date précise ; il ne montre pas les variations des comptes de capital. Bien que le tableau des flux de trésorerie fournisse de l'information sur ces variations, il n'est pas suffisamment précis sur certains détails tels que le nombre d'actions émises, rachetées, annulées ou revendues. Afin de mieux renseigner les utilisateurs, l'IASB exige une présentation détaillée.
(v) les droits, privilèges et restrictions attachés à cette catégorie d'actions, y compris les restrictions relatives à la distribution de dividendes et au remboursement du capital,	Bien entendu, la description de tous les droits, privilèges et restrictions est une information pertinente pour les utilisateurs.
(vi) les actions de l'entité détenues par elle-même ou par ses filiales ou entreprises associées, et	Il s'agit d'actions propres détenues qui doivent obligatoirement être présentées, car elles rappellent aux utilisateurs que tous les droits et privilèges que confèrent normalement de telles actions sont rendus inopérants durant la période de détention par l'entreprise émettrice.
(vii) les actions réservées pour une émission dans le cadre d'options et de contrats de vente d'actions, y compris les modalités et les montants ; [...]	On doit informer les utilisateurs, principalement les actionnaires actuels, de toutes les émissions éventuelles, car il pourrait en résulter une dilution de leur capital.
Paragr. 80A	
Si une entité a reclassé : *(a) un instrument financier remboursable au gré du porteur classé comme instrument de capitaux propres, ou*	Une entreprise doit reclasser un instrument financier à compter de la date à laquelle il cesse de présenter toutes les caractéristiques ou de remplir toutes les conditions qui existaient lors de la comptabilisation initiale.
(b) un instrument qui impose à l'entité une obligation de remettre une quote-part de ses actifs nets à une autre partie uniquement lors de la liquidation et qui est classé comme instrument de capitaux propres,	Un titre de capitaux propres reclassé comme passif financier doit être évalué à la juste valeur de l'instrument à la date du reclassement. Toute différence entre la valeur comptable du titre de capitaux propres et la juste valeur du passif financier à la date du reclassement doit être comptabilisée en capitaux propres.
entre passifs financiers et capitaux propres, elle doit indiquer les montants ainsi ajoutés et retranchés pour chacune des catégories (passifs financiers et capitaux propres), ainsi que la date et les motifs du reclassement.	Un passif financier reclassé comme un titre de capitaux propres doit être évalué à la valeur comptable du passif financier à la date du reclassement.
Paragr. 136A	
Pour les instruments financiers remboursables au gré du porteur classés comme instruments de capitaux propres, l'entité doit fournir les informations suivantes (dans la mesure où elles ne sont pas fournies ailleurs) : *(a) des données quantitatives sommaires sur l'instrument classé en capitaux propres ;* *(b) ses objectifs, politiques et procédures de gestion de son obligation de racheter ou de rembourser les instruments à la demande des porteurs, y compris tout changement par rapport à la période précédente ;* *(c) la sortie de trésorerie attendue lors du remboursement ou du rachat de cette catégorie d'instruments financiers ; et* *(d) des informations concernant la manière dont la sortie de trésorerie attendue lors du remboursement ou du rachat a été déterminée.*	Normalement, un instrument financier remboursable au gré du porteur est classé comme un passif financier. Dans le cas où il serait classé comme un titre de capitaux propres, il est important de fournir des informations aux utilisateurs afin de les informer du remboursement possible de cet instrument et des impacts que ce remboursement pourrait avoir sur les flux de trésorerie.

L'extrait suivant de la note 28 sur le capital social de Canadian Tire donne un bon exemple de l'application du paragraphe 79 de l'IAS 1, présenté dans le tableau 14.6.

28. Capital social

Le capital social comprend les éléments suivants :

	(en millions de dollars canadiens)	2015	2014
IAS 1, paragr. 79(a)(i)	Autorisées		
	3 423 366 actions ordinaires		
	100 000 000 d'actions de catégorie A sans droit de vote		
IAS 1, paragr. 79(a)(ii)	Émises		
	3 423 366 actions ordinaires (3 423 366 en 2014)	**0,2 $**	0,2 $
	70 637 987 actions de catégorie A sans droit de vote (74 023 208 en 2014)	**671,0**	695,3
		671,2 $	695,5 $

IAS 1, paragr. 79(a)(ii)
IAS 1, paragr. 79(a)(iii)

Toutes les actions émises sont entièrement libérées. La Société ne détient aucune action ordinaire ou action de catégorie A sans droit de vote. Ni les actions ordinaires ni les actions de catégorie A sans droit de vote n'ont de valeur nominale.

Au cours de 2015 et de 2014, la Société a émis et racheté des actions de catégorie A sans droit de vote.

Les transactions suivantes à l'égard des actions de catégorie A sans droit de vote ont été conclues en 2015 et en 2014.

IAS 1, paragr. 79(a)(iv)

	2015		2014	
(en millions de dollars canadiens)	**Nombre**	**$**	Nombre	$
Actions en circulation au début	**74 023 208**	**695,3 $**	76 560 851	712,7 $
Émises dans le cadre du régime de réinvestissement des dividendes	**65 760**	**8,3**	62 357	6,9
Rachetées [1]	**(3 450 981)**	**(434,6)**	(2 600 000)	(290,6)
Excédent du prix d'achat sur le coût moyen	**–**	**402,0**	–	266,3
Actions en circulation à la fin	**70 637 987**	**671,0 $**	74 023 208	695,3 $

[1] *Les actions rachetées ont retrouvé le statut d'actions autorisées et non émises. La Société comptabilise les actions rachetées à la date de transaction.*

IAS 1, paragr. 79(a)(v)

Conditions rattachées aux actions de catégorie A sans droit de vote et aux actions ordinaires

Les détenteurs d'actions de catégorie A sans droit de vote ont le droit de toucher un dividende privilégié cumulatif fixe annuel de 0,01 $ par action. Après le versement d'un dividende privilégié cumulatif fixe annuel de 0,01 $ sur chaque action de catégorie A sans droit de vote pour l'exercice considéré et chaque exercice précédent et le versement d'un dividende non cumulatif au même taux sur chaque action ordinaire pour l'exercice considéré, les détenteurs d'actions de catégorie A sans droit de vote et les détenteurs d'actions ordinaires ont le droit de toucher d'autres dividendes déclarés et versés du même montant, sans préférence ni distinction, ni priorité d'une action sur une autre.

Advenant la liquidation ou la dissolution de la Société, toutes les sommes de la Société disponibles aux fins de distribution aux détenteurs d'actions de catégorie A sans droit de vote et d'actions ordinaires seront versées ou distribuées de manière égale, action pour action, aux détenteurs d'actions de catégorie A sans droit de vote et aux détenteurs d'actions ordinaires, sans préférence ni distinction, ni priorité d'une action sur une autre.

Les détenteurs d'actions de catégorie A sans droit de vote ont le droit de recevoir un avis de convocation à toutes les assemblées des actionnaires et d'assister à ces dernières. Ils ne peuvent toutefois pas voter à ces assemblées, sauf dans la mesure permise par la *Loi sur les sociétés* par actions de l'Ontario et sous réserve des conditions décrites ci-dessous. Les détenteurs d'actions de catégorie A sans droit de vote, exerçant leur droit de vote séparément en fonction de leur catégorie distincte, sont habilités à élire i) trois administrateurs ou ii) un cinquième du nombre total d'administrateurs de la Société, selon le nombre le plus élevé.

Les détenteurs d'actions ordinaires ont le droit de recevoir un avis de convocation à toutes les assemblées des détenteurs d'actions ordinaires, d'assister à ces dernières et d'y exercer leur droit de vote pour chaque action détenue, la seule restriction portant sur le droit d'élire certains administrateurs élus par les détenteurs d'actions de catégorie A sans droit de vote, comme il est décrit plus haut.

Les actions ordinaires peuvent être converties à tout moment, au gré de chaque détenteur d'actions ordinaires, en actions de catégorie A sans droit de vote, à parité numérique. Le nombre autorisé d'actions d'une catégorie ne peut être augmenté sans l'approbation des détenteurs d'au moins deux tiers des actions de chaque catégorie représentée qui ont voté lors de l'assemblée des actionnaires tenue afin d'examiner une telle hausse. Ni les actions de catégorie A sans droit de vote ni les actions ordinaires ne peuvent être modifiées de quelque manière que ce soit par voie de fractionnement, de regroupement, de reclassement, d'échange ni autrement, à moins que l'autre catégorie d'actions ne soit également modifiée au même moment, de la même manière et dans les mêmes proportions.

Si une offre visant l'achat des actions ordinaires est faite à la totalité ou à la quasi-totalité des détenteurs ou est requise par les lois applicables sur les valeurs mobilières ou par la Bourse de Toronto pour tous les détenteurs d'actions ordinaires en Ontario et que la majorité des actions ordinaires alors émises et en circulation sont remises et acceptées conformément à cette offre, les détenteurs d'actions de catégorie A sans droit de vote auront alors et par la suite droit à un vote par action à toutes les assemblées des actionnaires et, par la suite, les actions de catégorie A sans droit de vote seront désignées comme des actions de catégorie A. Le droit au vote susmentionné assorti aux actions de catégorie A sans droit de vote ne serait pas applicable dans le cas d'une offre visant à la fois l'achat des actions de catégorie A sans droit de vote et l'achat d'actions ordinaires au même prix par action et selon les mêmes modalités.

IAS 1, paragr. 79(a)(v)

Ce qui précède constitue un résumé de certaines conditions rattachées aux actions de catégorie A sans droit de vote de la Société. Il y a lieu de se reporter aux statuts de modification datés du 15 décembre 1983 de la Société pour connaître le texte intégral de ces conditions.

Au 2 janvier 2016, la Société avait des dividendes déclarés et payables aux détenteurs d'actions de catégorie A sans droit de vote et d'actions ordinaires d'un montant de 42,6 millions de dollars (40,7 millions en 2014) au taux de 0,575 $ par action (0,525 $ par action en 2014).

Le 17 février 2016, le conseil d'administration de la Société a déclaré un dividende de 0,575 $ par action payable le 1er juin 2016 aux actionnaires inscrits aux registres en date du 30 avril 2016.

Les dividendes déclarés se sont élevés à 2,1500 $ par action en 2015 (1,9625 $ par action en 2014).

L'effet de dilution des options sur actions des employés est de 430 281 (652 932 en 2014).

Source : Rapport annuel 2015 de Canadian Tire
Société Canadian Tire Ltée, *Rapport 2015 aux actionnaires de la Société Canadian Tire*, [En ligne], <http://investors.canadiantire.ca/French/investisseurs/rapports-financiers/divulgations-annuelles/default.aspx> (page consultée le 20 juillet 2016).

Avez-vous remarqué ?

Des informations détaillées sur le capital social sont nécessaires pour pouvoir fournir une information complète, comme l'exige le « Cadre conceptuel de l'information financière » (le Cadre). Les états financiers doivent permettre aux utilisateurs de connaître les droits et restrictions rattachés à chaque catégorie d'actions et les aider à comprendre l'incidence que pourrait avoir d'éventuelles émissions.

PARTIE II – LES NCECF

Équivalents terminologiques *Manuel de CPA Canada* – Partie II et Partie I.

Plusieurs différences existent entre les NCECF et les IFRS en ce qui a trait au capital social des sociétés de capitaux. La figure 14.12 résume les particularités dont nous traiterons en détail dans les sections qui suivent.

Le caractère distinctif des sociétés par actions

Qu'il s'agisse d'une entreprise ayant une OIP ou d'une ECF, les caractéristiques des sociétés par actions, l'environnement légal qui les régit et la mise sur pied sont identiques. Le fonctionnement d'une ECF est généralement beaucoup moins formel que celui d'une entreprise ayant une OIP. Les administrateurs et les dirigeants d'une ECF sont souvent les fondateurs mêmes de l'entreprise. À cause de cette proximité entre les actionnaires, il est très important que ceux-ci rédigent une convention entre actionnaires afin de se protéger mutuellement, et ce, dès la constitution de l'entreprise. La **convention entre actionnaires** devrait prévoir les éventualités suivantes : départ volontaire ou forcé d'un actionnaire, incapacité physique ou mentale, décès, faillite, etc. Pour chacune d'elles, on doit prévoir la façon de déterminer la valeur des actions, la durée de l'option accordée aux autres actionnaires d'acquérir les actions de l'actionnaire démissionnaire ou incapable, ou de sa succession, les modalités de paiement des actions et toute autre modalité jugée pertinente. Ce serait également faire preuve de clairvoyance que d'inclure dans cette convention des dispositions concernant l'assurance vie réciproque pour chacun des actionnaires. Cette précaution évite l'éclatement d'une ECF en cas de décès subit de l'un des actionnaires.

FIGURE 14.12 Les particularités des NCECF au sujet du capital social

Le caractère distinctif	• Une convention entre actionnaires est souhaitable.
Le capital-actions	• Le droit de préemption est fondamental pour préserver le contrôle. • Les actions privilégiées rachetables avec droit de vote sont utiles à titre de mesure de planification fiscale. • Les actions émises en échange de biens ou de services doivent être comptabilisées à la juste valeur la plus fiable. • Les souscriptions à recevoir doivent être présentées en diminution des capitaux propres.
Les bons de souscription	• La juste valeur peut être évaluée à l'aide d'un modèle d'évaluation des options. • Ils sont présentés dans le poste Surplus d'apport aux capitaux propres.
Les plans de rémunération fondée sur des actions	• Des règles permettent de déterminer si un plan est rémunératoire. • L'entreprise doit utiliser la meilleure estimation dans une fourchette de valeurs possibles pour établir la volatilité prévue, la durée prévue et les dividendes prévus. • La méthode de la valeur calculée peut être utilisée pour établir la volatilité prévue. • Les extinctions ne peuvent être estimées ou considérées que lorsqu'elles surviennent. • Les plans prévoyant un règlement en trésorerie sont évalués à la valeur intrinsèque. • Les droits à la plus-value d'actions qui prévoient un règlement par l'émission de titres de capitaux propres peuvent être évalués soit comme s'ils devaient être réglés en trésorerie (à la valeur intrinsèque) soit comme s'ils devaient être réglés par l'émission de titres de capitaux propres. • Les plans offrant un choix de règlement (en trésorerie ou par l'émission de titres de capitaux propres) doivent être comptabilisés comme des plans réglés en trésorerie.
Le rachat d'actions et les actions propres détenues	• Si le prix de rachat est inférieur à la valeur attribuée, la différence est créditée au surplus d'apport. • Si le prix de rachat est supérieur à la valeur attribuée, la différence doit être débitée dans l'ordre suivant : - au surplus d'apport constitué des excédents provenant de la revente ou de l'annulation d'actions de même catégorie ; - au surplus d'apport provenant d'autres opérations que celles mentionnées précédemment ; - aux bénéfices non répartis. • Seule la méthode de la transaction unique est permise lors de la comptabilisation des actions propres détenues.

Source : Diane Bigras et Sylvain Durocher

IFRS
Capital social

Le capital-actions

Dans le cas des ECF, certains droits afférents aux actions sont plus importants que d'autres. Par exemple, le **droit de préemption** est fondamental pour l'actionnaire principal, car il le protège d'une dilution involontaire de ses titres de capitaux propres. Les ECF ont aussi souvent recours à l'émission d'**actions privilégiées rachetables, avec droit de vote,** à titre de mesure de planification fiscale. Ces actions facilitent, d'une part, le transfert progressif du pouvoir d'un actionnaire principal chevronné à une nouvelle recrue débordante d'énergie mais encore inexpérimentée et, d'autre part, la récupération de leur investissement au moment voulu. Parfois, aussi, certaines

Préférentielles

entreprises doivent accorder un droit de vote aux détenteurs de leurs actions préférentielles pour les attirer lorsqu'elles éprouvent des difficultés financières.

Le traitement comptable du capital-actions

L'émission d'actions **en échange de biens ou de services** doit être comptabilisée à la juste valeur la plus fiable, soit à la juste valeur des biens ou des services reçus, soit à la juste valeur des actions émises[37]. On se rappelle que, selon les IFRS, la comptabilisation doit se faire à la juste valeur des biens ou des services reçus, sauf si cette juste valeur ne peut être évaluée de façon fiable.

Le **chapitre 3251**, intitulé « Capitaux propres », indique que les prêts non remboursés destinés à l'achat d'actions (souscription à recevoir) doivent être portés en diminution des capitaux propres, alors que l'IASB ne donne aucune directive sur leur présentation.

Les bons de souscription

IFRS
Titres

Contrairement à l'IASB, qui exclut les droits ou les bons de souscription émis au porteur des **instruments** de capitaux propres à l'application des règles de comptabilisation de l'IFRS 2 portant sur le paiement fondé sur des actions, le Conseil des normes comptables (CNC) n'exclut pas de tels droits ou bons du champ d'application du **chapitre 3870**, traitant des rémunérations et autres paiements à base d'actions. Les entreprises pourraient donc évaluer la juste valeur des droits ou bons à l'aide d'un modèle d'évaluation des options.

De plus, selon les NCECF, les bons de souscription considérés comme un instrument de capitaux propres sont présentés dans le poste Surplus d'apport aux capitaux propres, alors qu'ils le sont dans le capital social selon les IFRS.

Les plans de rémunération fondée sur des actions

Les NCECF prévoient des règles détaillées pour déterminer si certains plans d'achat d'actions réservés au personnel dans son ensemble sont rémunératoires et donc assujettis au chapitre 3870 du *Manuel – Partie II*. Un plan est non rémunératoire si toutes les conditions suivantes sont respectées. D'abord, la quasi-totalité des membres du personnel y a accès. Ensuite, le plan ne comporte aucune caractéristique d'une option, mises à part celles relatives au court délai accordé aux membres du personnel pour s'inscrire au plan, et au fait que le prix d'acquisition est fondé sur la juste valeur de l'action à la date d'acquisition et que les membres du personnel ont le droit d'annuler leur participation avant cette date. Finalement, la valeur de la **décote** est minime. La décote représente la différence entre le prix d'exercice de l'option et la juste valeur de l'action. Une décote minime ne doit pas excéder la plus élevée de deux valeurs. La première est la décote par action qui serait raisonnable dans un placement récurrent de titres auprès d'actionnaires ou d'autres investisseurs. La seconde est le montant par action des frais d'émission économisés du fait de ne pas avoir à collecter un montant important de capital par la voie d'un appel public à l'épargne. Selon les NCECF, une décote de 5 % ou moins par rapport au cours de l'action est considérée adéquate pour remplir cette condition[38].

Pour sa part, l'IASB considère que tout plan d'achat d'actions offert aux membres du personnel doit être traité d'une manière semblable et il s'en remet à l'importance relative des sommes en cause pour décider de l'exclusion. Si les droits conférés aux membres du personnel n'ont pas de valeur significative, cela signifie que les montants en cause sont peu significatifs. Comme il n'est pas nécessaire d'inclure des informations non significatives dans les états financiers, l'IASB conclut qu'il n'est pas essentiel de prévoir une exclusion précise dans une norme comptable.

À titre d'exemple, supposons que la société Irving inc. instaure un plan d'options sur actions selon lequel tout employé peut, entre le 1er et le 15 janvier de chaque année, se porter acquéreur de 50 actions ordinaires de la société pour un montant égal à 95 % de la juste valeur de ces actions déterminée le 31 décembre précédent. Un tel régime serait considéré comme non rémunératoire et serait exclu de la portée du chapitre 3870. Lors de l'exercice des options sur actions, c'est le montant payé qui serait comptabilisé au capital-actions.

37. *Manuel de CPA Canada – Comptabilité – Partie II*, paragr. 3870.09.

38. *Manuel de CPA Canada – Comptabilité – Partie II*, paragr. 3870.28.

En ce qui a trait aux intrants utilisés dans l'application des modèles d'évaluation des options, les NCECF exigent d'utiliser le chiffre qui constitue la meilleure estimation dans une fourchette de valeurs possibles en ce qui a trait à la volatilité prévue, à la durée de l'option et aux dividendes prévus. Si aucun des chiffres se situant dans la fourchette ne constitue une meilleure estimation, il convient de retenir celui qui minimise la valeur de l'option. Rappelons que pour évaluer la volatilité prévue et les dividendes prévus, les IFRS requièrent de calculer une valeur attendue en pondérant chaque montant de la fourchette par la probabilité d'occurrence correspondante. Pour l'établissement de la durée, les IFRS requièrent l'utilisation de la durée contractuelle ou de la durée attendue selon le type de modèle utilisé.

Par ailleurs, l'un des problèmes auxquels fait face une entreprise appliquant les NCECF est de déterminer la volatilité prévue du cours de ses actions, puisque ces dernières ne se négocient pas sur un marché public. À cet effet, le CNC permet l'utilisation de la **méthode de la valeur calculée**. Selon cette méthode, l'entreprise utilise la volatilité historique d'un **indice sectoriel** approprié plutôt que la volatilité prévue du cours de l'action dans le modèle d'évaluation des options. Un indice sectoriel approprié correspond à un indice qui est représentatif du secteur d'activité dans lequel œuvre l'entreprise et, si possible, de sa taille. Plusieurs indices différents peuvent être pris en considération pour choisir un indice sectoriel approprié. Comme point de départ, une entreprise peut considérer un indice d'une bourse étrangère, comme un indice Dow Jones pertinent. Une entreprise qui exerce ses activités dans plusieurs secteurs peut choisir un indice relatif au secteur qui correspond le mieux à ses activités ou choisir différents indices sectoriels et les pondérer en fonction de la nature de ses activités. Si l'entreprise exerce ses activités dans un secteur où les sociétés ouvertes sont absentes, elle choisit l'indice du secteur qui se rapproche le plus de la nature de ses activités. Lorsqu'il est impossible de trouver un indice sectoriel approprié, la volatilité historique d'indices boursiers généraux tels que le S&P 500, le Russell 3000®, ou le Dow Jones Wilshire 5000 peut être utilisée.

Les NCECF permettent un choix de méthode comptable en ce qui a trait à la prise en compte des **extinctions**, c'est-à-dire des départs des membres du personnel avant d'avoir satisfait aux conditions d'acquisition des droits. Une entreprise peut choisir d'estimer les départs attendus des membres du personnel pendant la période d'acquisition des droits et corriger ces estimations lorsque les extinctions surviennent (comme l'exigent les IFRS), ou encore elle peut ne comptabiliser l'effet des départs qu'au moment où ils surviennent. Cette dernière méthode est beaucoup plus simple.

14

EXEMPLE

Comptabilisation des extinctions lorsque les départs surviennent

Dans l'exemple d'Options plus ltée (*voir les pages 14.34 et 14.35*), la charge de rémunération à comptabiliser au 31 décembre 20X0 serait calculée en fonction de 50 000 options (100 employés × 500 options), puisqu'aucun départ n'est survenu en 20X0. Par ailleurs, la charge de 20X1 serait ajustée et calculée en fonction de 42 500 options (85 employés × 500 options) pour tenir compte des 15 départs survenus au cours de cet exercice. Les écritures et les calculs en cause sont présentés ci-dessous. Rappelons que la période d'acquisition des droits est de 2 ans et tenons pour acquis que la valeur unitaire de l'option est de 6,54 $.

31 décembre 20X0		
Rémunération fondée sur des actions	*163 500*	
Capitaux propres – Plan d'options sur actions		*163 500*
Coût total estimatif de la rémunération réparti sur deux ans (50 000 options × 6,54 $ × 1 an ÷ 2 ans).		
31 décembre 20X1		
Rémunération fondée sur des actions	*114 450*	
Capitaux propres – Plan d'options sur actions		*114 450*
Répartition annuelle de la rémunération révisée afférente au plan d'options sur actions.		

Calcul :

Coût total révisé (42 500 options × 6,54 $)	277 950 $
Montant comptabilisé en 20X0	(163 500)
Montant à comptabiliser en 20X1	114 450 $

Dans un autre ordre d'idées, les NCECF prescrivent d'évaluer les plans de rémunération fondée sur des actions prévoyant un règlement en trésorerie, comme les plans d'actions fictives ou certains **droits à la plus-value d'actions**, à la valeur intrinsèque plutôt qu'à la juste valeur du passif comme le requièrent les IFRS. La **valeur intrinsèque** correspond à la différence entre la juste valeur de l'action et le prix d'exercice de l'option. La valeur intrinsèque reflète la valeur non actualisée des sorties de trésorerie attendues, excluant donc la valeur temps. Il n'est pas nécessaire pour ce type de plans d'utiliser un modèle d'évaluation des options comme il est requis de le faire en vertu des IFRS.

IFRS Droits à l'appréciation d'actions

EXEMPLE

Plan prévoyant un règlement en trésorerie

La société Droits plus-value ltée instaure, le 1er janvier 20X2, un plan de droits à la plus-value d'actions à l'intention de ses trois dirigeants. Ces derniers peuvent recevoir une somme d'argent égale à la différence entre la juste valeur de l'action déterminée par un expert en évaluation d'entreprises et le prix d'exercice établi à 20 $. La société a octroyé 2 000 droits à chacun de ses dirigeants, qui peuvent exercer leurs droits entre le 1er janvier 20X3 et le 31 décembre 20X5. Voici les renseignements pertinents et le calcul de la charge de rémunération de chacune des années en cause.

			Rémunération				Charges	
Date	**Juste valeur de l'action**	**Prix d'exercice**	**Par action**	**Estimation totale**	**Ratio à ce jour**	**Totale imputée à ce jour**	**20X2**	**20X3**
20X2	23 $	20 $	3 $	18 000 $	1/2	9 000 $	9 000 $	
20X3	25	20	5	30 000	2/2	30 000		21 000 $

Droits plus-value ltée évalue la charge de rémunération en retenant la valeur intrinsèque du passif. Cette dernière doit être établie à chaque date de clôture, ce qui peut nécessiter une évaluation d'entreprise à chacune de ces dates. Puisque la période d'acquisition des droits est de deux ans, la rémunération est comptabilisée tout au long de cette période, en tenant compte des révisions d'estimations effectuées à chaque date de clôture. Voici l'écriture qui doit être enregistrée le 31 décembre de chaque année :

31 décembre 20X2		
Rémunération fondée sur des actions	*9 000*	
Dette liée à la rémunération fondée sur des actions		*9 000*
Rémunération découlant des avantages conférés en vertu du plan de droits à la plus-value d'actions.		
31 décembre 20X3		
Rémunération fondée sur des actions	*21 000*	
Dette liée à la rémunération fondée sur des actions		*21 000*
Rémunération découlant des avantages conférés en vertu du plan de droits à la plus-value d'actions.		

En supposant que le 30 juin 20X4 tous les dirigeants exercent leurs droits alors que la juste valeur des actions est de 24 $, l'écriture suivante serait enregistrée pour comptabiliser le règlement et ajuster la charge de rémunération :

30 juin 20X4		
Dette liée à la rémunération fondée sur des actions	*30 000*	
Caisse ①		*24 000*
Rémunération fondée sur des actions ②		*6 000*
Règlement des droits à la plus-value d'actions.		

Calculs :

① [(24 $ – 20 $) × 2 000 droits × 3 dirigeants]

② Montant payé (*voir le calcul en* ①)	24 000 $
Rémunération totale comptabilisée antérieurement	(30 000)
Charge à comptabiliser en 20X4	(6 000)$

Certains droits à la plus-value d'actions peuvent être réglés par l'émission d'instruments de capitaux propres (actions de la société). Les entreprises qui appliquent les NCECF ont le choix d'évaluer ces plans selon les indications pour les plans prévoyant un règlement en trésorerie ou selon les indications pour les plans prévoyant un règlement en instruments de capitaux propres. Cette option est intéressante pour ces entreprises, car cela signifie qu'elles peuvent utiliser la valeur intrinsèque pour évaluer ces plans, ce qui est beaucoup plus simple pour elles.

Selon les NCECF, les plans offrant au détenteur le choix du mode de règlement (en trésorerie ou en instruments de capitaux propres) doivent être comptabilisés comme des plans prévoyant un règlement en trésorerie. Cette conclusion est fondée sur le fait qu'étant donné que le mode de règlement échappe au contrôle de la direction, celle-ci ne peut éviter une sortie de trésorerie future si telle est la décision du détenteur; il s'agit donc, en substance, d'un passif. Rappelons que les IFRS considèrent plutôt ces plans comme des instruments financiers composés et exigent de distinguer la composante de passif de la composante de capitaux propres. Une telle différence peut avoir une incidence sur les ratios calculés par les utilisateurs des états financiers qui utilisent les montants du passif et des capitaux propres dans leur analyse financière.

EXEMPLE

Plan offrant au détenteur le choix du mode de règlement

Reprenons les données de l'exemple de Dual inc. (*voir les pages 14.39 à 14.40*). Rappelons que cette entreprise a établi le 1er janvier 20X2 un plan selon lequel certains membres du personnel ont le droit de recevoir soit 2 000 actions fictives soit 2 400 actions ordinaires de la société. Le choix appartient aux membres du personnel, et l'exercice d'un droit annule la possibilité d'exercer l'autre. Si Dual inc. applique les NCECF, elle n'a d'autre choix que de comptabiliser ce plan comme s'il était réglé en trésorerie, puisque le choix du mode de règlement échappe au contrôle de la société et que si les membres du personnel optaient pour les actions fictives, cela impliquerait un paiement équivalent à la juste valeur des actions en cause.

Supposons maintenant que Dual inc. a recours à un expert en évaluation d'entreprises qui détermine que la juste valeur des actions ordinaires s'établit respectivement à 28 $, à 30 $ et à 31 $ le 31 décembre 20X2, 20X3 et 20X4. Supposons également que les membres du personnel optent tous pour les actions fictives le 31 décembre 20X4. Comme le délai d'acquisition des droits est de trois ans, les écritures suivantes seraient requises à la fin de chacun de ces exercices.

31 décembre 20X2		
Rémunération fondée sur des actions	*18 667*	
Dette liée à la rémunération fondée sur des actions		*18 667*
Rémunération fondée sur des actions afférente au plan offrant un choix de règlement aux membres du personnel (28 $ × 2 000 actions × 1 an ÷ 3 ans).		
31 décembre 20X3		
Rémunération fondée sur des actions	*21 333*	
Dette liée à la rémunération fondée sur des actions		*21 333*
Rémunération fondée sur des actions afférente au plan offrant un choix de règlement aux membres du personnel [(30 $ × 2 000 actions × 2 ans ÷ 3 ans) – 18 667 $)].		
31 décembre 20X4		
Rémunération fondée sur des actions	*22 000*	
Dette liée à la rémunération fondée sur des actions		*22 000*
Rémunération fondée sur des actions afférente au plan offrant un choix de règlement aux membres du personnel [(31 $ × 2 000 actions × 3 ans ÷ 3 ans) – (18 667 $ + 21 333 $)].		
Dette liée à la rémunération fondée sur des actions	*62 000*	
Caisse		*62 000*
Règlement du plan offrant un choix de règlement aux membres du personnel qui ont choisi les actions fictives.		

Finalement, mentionnons que les exigences à propos des informations à fournir en vertu des NCECF sont moins nombreuses. Voici les recommandations du CNC à cet égard :

> L'entreprise qui a mis en place un ou plusieurs plans de rémunération à base d'actions doit en donner une description indiquant les modalités générales des attributions en vertu des plans, comme les conditions d'acquisition des droits, et la durée maximale des options attribuées [...][39].
>
> L'entreprise doit fournir les informations suivantes :
>
> a) le nombre d'options, le prix d'exercice moyen pondéré, la fourchette des prix d'exercice et la fourchette des durées contractuelles qui restent à courir pour chacun des groupes d'options suivants :
>
> i) les options en cours à la fin de l'exercice,
>
> ii) les options attribuées au cours de l'exercice.
>
> Si la fourchette des prix d'exercice est large (par exemple, si le prix d'exercice le plus élevé excède environ 150 % du prix d'exercice le plus bas), il faut la diviser de manière à répartir les prix d'exercice dans des fourchettes qui sont significatives pour permettre de déterminer le nombre d'actions additionnelles susceptibles d'être émises et le moment de l'émission, ainsi que les sommes susceptibles d'être reçues par suite de l'exercice des options ;
>
> b) le nombre d'instruments de capitaux propres autres que les options (tels que les actions pour lesquelles les droits ne sont pas acquis) attribués au cours de l'exercice et une description des modalités dont ces instruments sont assortis (par exemple, des conditions de performance) ;
>
> c) le coût de rémunération total passé en charges pour les attributions de rémunérations à base d'actions au profit de salariés ;
>
> d) les sommes portées au débit ou au crédit du surplus d'apport pour les attributions de rémunérations à base d'actions au profit de salariés [...] ;
>
> e) les sommes portées au crédit du capital-actions pour les attributions de rémunérations à base d'actions au profit de salariés [...] ;
>
> f) les modalités des modifications importantes apportées aux attributions en cours[40].
>
> L'entreprise qui attribue des options dans le cadre de plusieurs plans de rémunération à base d'actions au profit de salariés doit fournir les informations prévues au paragraphe 3870.67 séparément pour les divers types d'attributions, dans la mesure où les différences entre les caractéristiques des attributions font de la présentation distincte un élément important pour comprendre l'utilisation que fait l'entreprise des rémunérations à base d'actions[41].

14

Les états financiers de Josy Dida inc.

Les notes 4 et 19 jointes aux états financiers de Josy Dida inc., disponibles dans la plateforme *i+ Interactif*, donne un exemple des informations à fournir selon les NCECF.

Avez-vous remarqué ?

Les normes concernant les plans de rémunération fondée sur des actions sont détaillées et coûteuses à appliquer. Les NCECF réduisent le fardeau des coûts de préparation en permettant une utilisation plus fréquente de la valeur intrinsèque. Elles épargnent également aux ECF l'obligation de déterminer la volatilité de leurs propres actions, ce qui nécessiterait des évaluations d'entreprises fréquentes et onéreuses.

Le rachat d'actions et les actions propres détenues

En ce qui concerne le rachat d'actions, le **chapitre 3240**, intitulé « Capital-actions », fournit des directives très précises au sujet de leur comptabilisation. Si le coût d'acquisition des actions rachetées est inférieur à la valeur attribuée, l'entreprise débite au capital-actions un montant

39. *Manuel de CPA Canada – Comptabilité – Partie II*, paragr. 3870.66.
40. *Manuel de CPA Canada – Comptabilité – Partie II*, paragr. 3870.67.
41. *Manuel de CPA Canada – Comptabilité – Partie II*, paragr. 3870.68.

égal à la valeur attribuée et crédite le surplus d'apport de la différence. Si le coût d'acquisition des actions rachetées est supérieur à la valeur attribuée, l'entreprise débite au capital-actions un montant égal à la valeur attribuée. Elle comptabilise le résidu au surplus d'apport jusqu'à concurrence de la partie de ce surplus qui est constituée des excédents provenant de la revente ou de l'annulation d'actions de même catégorie dont le prix de vente ou la valeur d'annulation était supérieur au coût d'acquisition. S'il subsiste un résidu, l'entreprise débite le surplus d'apport provenant d'autres opérations que celle mentionnée précédemment ayant trait à la même catégorie d'actions jusqu'à concurrence d'un montant proportionnel au nombre d'actions rachetées ou annulées. S'il subsiste encore un résidu, l'entreprise débite les **bénéfices non répartis**.

IFRS Résultats non distribués

EXEMPLE

Rachat d'actions

État de la situation financière

Reprenons le cas de Jerachaite inc. (*voir les pages 14.50 et 14.51*), adapté au contexte des ECF. Voici un extrait du **bilan** au 31 décembre 20X4.

JERACHAITE INC.
Bilan partiel
au 31 décembre 20X4

Capitaux propres			
Capital-actions			
Autorisé	*Nombre illimité d'actions de catégorie A sans valeur nominale comportant un dividende de 1 $ l'action*		
	Nombre illimité d'actions de catégorie B ayant une valeur nominale de 10 $ l'action		
Émis	*100 000 actions de catégorie A*		*2 200 000 $*
	200 000 actions de catégorie B		*2 000 000*
Total du capital-actions			*4 200 000*
Surplus d'apport			
Bien reçu à titre gratuit (don d'équipement)		*20 000 $*	
Prime d'émission d'actions de catégorie B		*50 000*	
Total du surplus d'apport			*70 000*
Bénéfices non répartis			*375 000*
Total des capitaux propres			*4 645 000 $*

Rappelons les deux transactions survenues au cours de 20X5.

D'abord, le 10 juin, la société a racheté, au prix de 9,50 $ l'action, 10 000 actions de catégorie B qui ont été immédiatement annulées. Ce coût unitaire d'acquisition des actions (9,50 $) est inférieur à leur valeur nominale (10 $). Voici l'écriture que doit enregistrer la société lors du rachat et de l'annulation des actions acquises le 10 juin :

Actions de catégorie B (10 000 actions à 10 $)	*100 000*	
Caisse (10 000 actions à 9,50 $)		*95 000*
Surplus d'apport – Excédent du prix net d'émission sur le prix de rachat des actions de catégorie B		*5 000*
Rachat, au prix unitaire de 9,50 $, de 10 000 actions de catégorie B ayant chacune une valeur nominale de 10 $ et annulation de ces actions.		

Si l'on compare cette écriture à celle qui est faite selon les IFRS (*voir la page 14.51*), on constate deux différences : le compte Surplus d'apport – Prime d'émission n'est pas touché lors du rachat selon les NCECF et l'excédent du prix net d'émission sur le prix de rachat est comptabilisé dans un compte de surplus d'apport. Selon les IFRS, l'excédent (7 500 $) du prix net d'émission de ces actions (100 000 $ + 2 500 $) sur le prix de rachat (95 000 $) était comptabilisé aux résultats non distribués. Bien que l'écriture présente des différences importantes, le total des capitaux propres demeure le même peu importe le référentiel. Comparons, ci-dessous, l'incidence de cette écriture sur le solde des comptes des capitaux propres selon chacun des référentiels :

Capitaux propres	**Selon les NCECF**	**Selon les IFRS**
Total du capital-actions	(100 000) $	(100 000) $
Total du surplus d'apport	5 000	(2 500)
Total des bénéfices non répartis (résultats non distribués)	θ	7 500
Total des capitaux propres	(95 000) $	(95 000) $

Puis, le 25 novembre, alors que le cours des actions était à la hausse, Jerachaite inc. a racheté et annulé 20 000 actions de cette même catégorie. À cette date, la société a dû débourser 13 $ pour chaque action, ce qui est supérieur à la valeur nominale (10 $). Voici l'écriture que doit enregistrer la société lors du rachat et de l'annulation des actions acquises le 25 novembre :

Actions de catégorie B (20 000 actions à 10 $)	*200 000*	
Surplus d'apport – Excédent du prix de rachat sur la valeur nominale des actions de catégorie B	*5 000*	
Surplus d'apport – Prime d'émission d'actions de catégorie B ①	*5 263*	
Bénéfices non répartis – Excédent du prix de rachat sur la valeur nominale des actions de catégorie B	*49 737*	
Caisse (20 000 actions à 13 $)		*260 000*

Rachat, au prix unitaire de 13 $ l'action, de 20 000 actions de catégorie B ayant chacune une valeur nominale de 10 $ et annulation de ces actions.

Calcul :

① [(20 000 actions ÷ 190 000 actions) × 50 000 $]

Encore une fois, une comparaison avec l'écriture faite selon les IFRS (*voir la page 14.51*) nous permet de constater que la répartition de la contrepartie payée lors du rachat est différente. Rappelons que selon les IFRS, le prix net d'émission de ces actions (200 000 $ + 5 000 $) est décomptabilisé et que l'excédent du prix de rachat sur le prix net d'émission est comptabilisé dans les résultats non distribués. Selon les NCECF, seule la valeur nominale est décomptabilisée, l'excédent du prix de rachat sur la valeur nominale étant réparti d'abord au surplus d'apport constitué par les excédents provenant de la revente ou de l'annulation d'actions de cette catégorie, puis au surplus d'apport provenant d'autres opérations que celle mentionnée ci-dessus ayant trait à la même catégorie d'actions jusqu'à concurrence d'un montant proportionnel au nombre d'actions rachetées ou annulées et, finalement, le solde aux bénéfices non répartis. Malgré ces différences importantes, l'incidence sur le total des capitaux propres demeure le même selon les deux référentiels, comme en témoignent ces renseignements :

Capitaux propres	**Selon les NCECF**	**Selon les IFRS**
Total du capital-actions	(200 000) $	(200 000) $
Total du surplus d'apport	(10 263)	(5 000)
Total des bénéfices non répartis (résultats non distribués)	(49 737)	(55 000)
Total des capitaux propres	(260 000) $	(260 000) $

Quant aux actions propres détenues, le CNC permet uniquement l'emploi de la méthode de la transaction unique pour les comptabiliser. Lorsqu'une entreprise revend ses actions propres détenues et que le prix de la revente dépasse le prix de rachat, elle crédite l'excédent au surplus d'apport. Si, au contraire, le prix de la revente est inférieur au prix de rachat, l'entreprise comptabilise l'écart au débit du surplus d'apport, dans la mesure où il subsiste dans ce compte un excédent provenant de la revente ou de l'annulation d'actions de même catégorie. S'il subsiste un résidu, l'entreprise le débite au compte Bénéfices non répartis.

14

Avez-vous remarqué ?

Le CNC fournit des directives très précises au sujet de la comptabilisation du rachat d'actions et des actions propres détenues. Toutefois, cette différence ne fournit pas d'informations additionnelles aux utilisateurs, informations qui les aideraient à comprendre les états financiers, mais on peut croire qu'elle facilite la comparabilité des états financiers de diverses entreprises qui appliquent les NCECF.

Les états financiers de Josy Dida inc.

La présentation dans les états financiers

Consultez le tableau synthèse des particularités des NCECF.

Le lecteur peut consulter la note 18 des états financiers de Josy Dida inc., disponibles dans la plateforme *i+ Interactif.* Cette note contient un exemple des informations à fournir sur le capital-actions, selon les recommandations du chapitre 3240, dont le lecteur pourra s'inspirer lorsqu'il préparera des états financiers.

14

SYNTHÈSE DU CHAPITRE 14

La figure 14.13 illustre en un coup d'œil les principaux thèmes abordés dans le présent chapitre. Le texte qui suit la figure vous permettra de vérifier l'acquisition des objectifs d'apprentissage.

FIGURE 14.13 Les principaux thèmes abordés dans le présent chapitre

NCECF

Société par actions

Caractéristiques, mise sur pied et fonctionnement

Importance d'une convention entre actionnaires

Capitaux propres

Réserves (*voir le chapitre 15*)

Capital social

Catégories et caractéristiques des actions

- Droit de préemption fondamental pour préserver le contrôle.
- Actions privilégiées rachetables avec droit de vote utilisées à titre de mesure de planification fiscale.
- Actions émises en échange de biens ou de services comptabilisées à la juste valeur la plus fiable.

Émission

Rachat

Valeur comptable d'une action

Informations à fournir dans les états financiers

- Décomptabilisation à la valeur nominale (VN)
- Excédent du prix de rachat sur la VN ou sur la valeur attribuée comptabilisé au surplus d'apport
- Excédent de la VN ou de la valeur attribuée sur le prix de rachat réparti entre le surplus d'apport et les bénéfices non répartis

Comptant

Opération d'échange

Avec des membres du personnel

Avec des tiers

Souscription

Souscriptions à recevoir présentées en diminution des capitaux propres

Bons de souscription*

- Juste valeur peut être évaluée à l'aide d'un modèle d'évaluation des options.
- Bons présentés dans le poste Surplus d'apport aux capitaux propres.

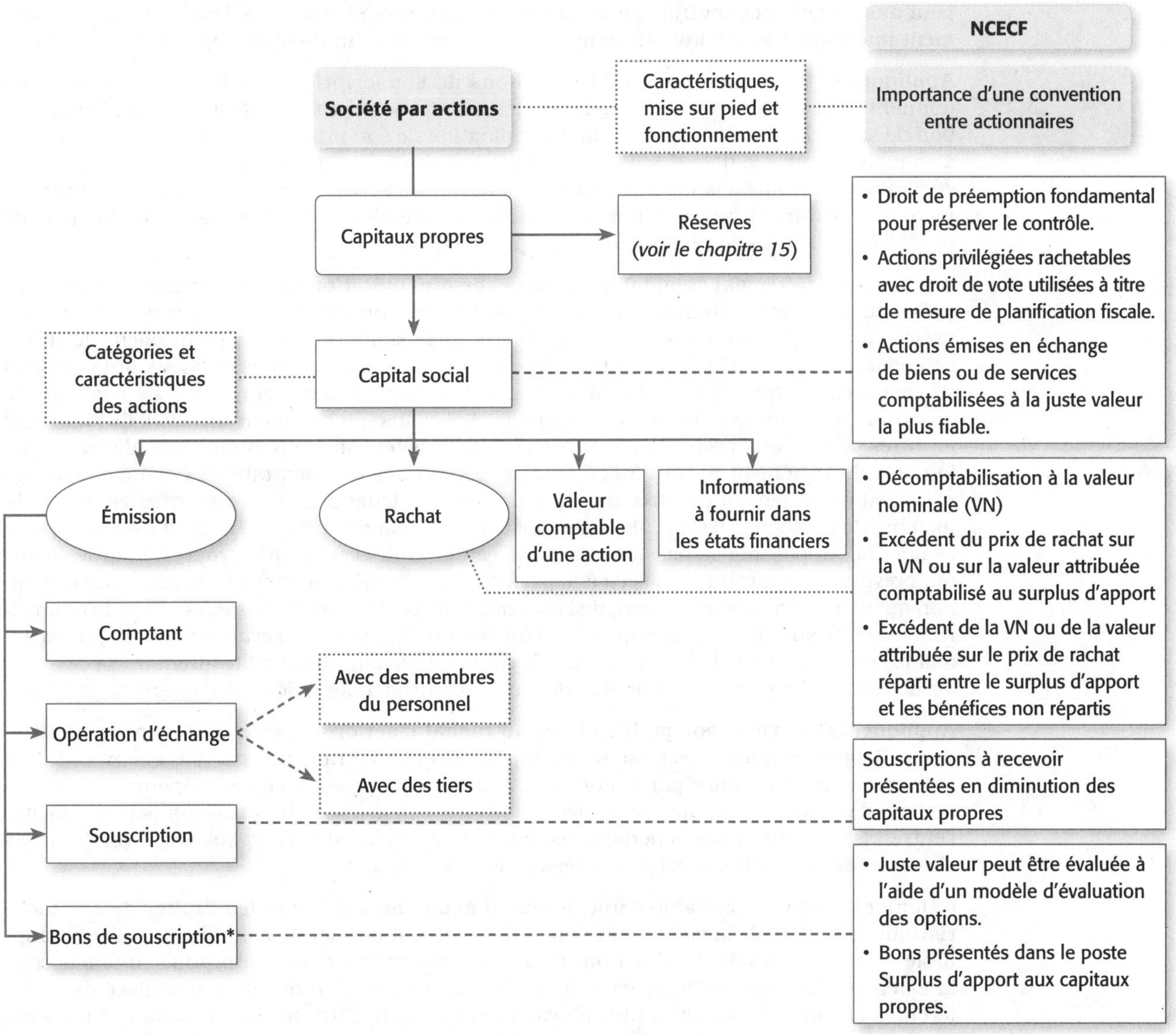

* Les bons sont présentés dans le passif s'ils possèdent les caractéristiques d'un passif.

Source : Diane Bigras

Expliquer le caractère distinctif des sociétés par actions. La société par actions se distingue des autres formes juridiques d'entreprise entre autres par son existence légale distincte de ses propriétaires, son existence indéfinie, la responsabilité limitée de ses actionnaires et la possibilité d'en transférer facilement les titres de propriété. À cause des nombreux règlements auxquels elle est assujettie, la mise sur pied et le fonctionnement d'une société par actions est plus complexe que ceux des entreprises individuelles. L'entreprise doit obtenir un certificat de constitution, adopter des règlements et mettre sur pied un conseil d'administration et un comité de direction.

Décrire la nature du capital social. Les capitaux propres d'une société par actions sont composés de deux éléments importants : le capital social et les réserves. Le présent chapitre a porté essentiellement sur le capital social, tout en abordant les bons de souscription, les plans d'actions et les plans d'options sur actions. Les réserves seront traitées au chapitre 15.

Le capital social représente les titres de capitaux propres que l'entreprise peut émettre à ses actionnaires. En plus des droits fondamentaux que confère l'action à ses actionnaires, certaines catégories d'actions peuvent comporter d'autres droits et privilèges tels que des dividendes prioritaires et cumulatifs, être convertibles ou rachetables.

Appliquer le traitement comptable du capital social. La façon la plus simple d'émettre des actions est de le faire en contrepartie de trésorerie, mais il arrive également que l'entreprise émette des actions à la suite d'une opération d'échange. Afin d'attirer des investisseurs, elle peut aussi signer des contrats de souscription dans lesquels elle offre des conditions de paiement intéressantes aux investisseurs désireux d'acheter un nombre important d'actions.

Appliquer le traitement comptable des bons de souscription. Les bons de souscription donnent droit à leur détenteur d'acheter des actions à un prix stipulé à l'avance. Lorsque le bon de souscription est émis seul, la détermination de son prix d'émission doit correspondre à sa juste valeur à la date d'émission. S'il est émis en échange de biens ou de services, il est généralement évalué à la juste valeur des biens ou des services reçus. S'il est émis conjointement avec d'autres titres, la répartition du produit d'émission peut se faire selon la méthode proportionnelle ou selon la méthode marginale.

Appliquer le traitement comptable des plans de rémunération fondée sur des actions et les présenter dans les états financiers. Les plans de rémunération fondée sur des actions qui prévoient un règlement en titres de capitaux propres sont évalués à la juste valeur des titres de capitaux propres à la date d'attribution sans ajustement par la suite. Ceux qui prévoient un règlement en trésorerie sont évalués à la juste valeur du passif et réévalués à chaque date de clôture de même qu'à la date de règlement. Les plans qui prévoient un choix de règlement en titres de capitaux propres ou en trésorerie nécessitent une attention particulière. Quand le choix du règlement revient à l'entreprise, les plans sont comptabilisés comme ceux qui prévoient un règlement en titres de capitaux propres. Quand le choix est entre les mains du membre du personnel, il s'agit alors d'un instrument financier composé et il est nécessaire d'en évaluer la composante de passif ainsi que la composante de capitaux propres. Pour les plans qui prévoient des attributions liées à la performance, le coût est basé sur la meilleure estimation quant à la réalisation, ou non, de la condition de performance. Plusieurs plans de rémunération fondée sur des actions requièrent l'utilisation d'un modèle d'évaluation des options qui doit prendre en compte le prix d'exercice, le cours de l'action, sa volatilité attendue, la durée de vie de l'option, le rendement attendu sous forme de dividendes et le taux d'intérêt sans risque.

Appliquer les normes comptables liées au rachat d'actions et aux actions propres détenues. Rappelons que l'entreprise peut toujours décider de racheter ses actions propres soit pour accroître le bénéfice par action, soit pour en rehausser le cours ou pour acquérir les actions d'un actionnaire qui ne désire plus l'être. Plusieurs autres raisons peuvent inciter l'entreprise à racheter ses actions, mais, quelle que soit la raison invoquée, elle doit toujours s'assurer de respecter les exigences légales qui la régissent.

Calculer la valeur comptable d'une action et expliquer l'utilité et les limites de cette statistique. Le calcul de la valeur comptable d'une action permet de connaître la valeur comptable de l'intérêt résiduel auquel ont droit les actionnaires d'une entreprise en fonction de la catégorie d'actions qu'ils détiennent. Cette statistique, bien qu'elle soit utilisée dans différentes circonstances, agit à titre de valeur rétrospective (tributaire du passé) et présente les mêmes limites que celles qui sont attribuables à l'information financière présentée dans les états financiers.

Présenter le capital social dans les états financiers. En bref, rappelons que l'entreprise doit fournir des informations sur les comptes de capital social et leurs variations au cours de l'exercice afin de faciliter la prise de décisions des utilisateurs des états financiers.

Comprendre et appliquer les NCECF liées au capital social. L'une des différences importantes entre ces deux référentiels se rapporte au rachat d'actions et aux actions propres détenues. Le CNC fournit des directives très précises concernant leur comptabilisation. Il existe également des différences importantes pour ce qui est de la comptabilisation des plans de rémunération fondée sur des actions. Entre autres, les NCECF sont plus simples, puisqu'elles permettent d'avoir recours à la valeur intrinsèque, notamment pour évaluer les droits à la plus-value d'actions. Elles ne requièrent pas non plus d'estimer les extinctions, qui peuvent être prises en compte lorsqu'elles surviennent, et n'obligent pas les ECF à calculer la volatilité attendue de leurs propres actions.

L'évolution des réserves

15

Des ressources pédagogiques sont disponibles en ligne.

15

Objectifs d'apprentissage

À la fin de ce chapitre, vous pourrez :

1. déterminer le poste des réserves dans lequel une opération doit être comptabilisée et présentée ;
2. expliquer ce que représentent les résultats non distribués, comptabiliser et présenter les opérations en cause ;
3. analyser et comptabiliser les diverses sortes de dividendes ;
4. appliquer le traitement comptable des changements de méthodes comptables ;
5. analyser et corriger les erreurs comptables ;
6. comptabiliser l'affectation des résultats non distribués ;
7. traiter les éléments compris dans le cumul des autres éléments du résultat global et les présenter dans les états financiers ;
8. comprendre et appliquer les NCECF liées à l'évolution des réserves.

Aperçu du chapitre

Lorsque l'on mentionne le mot **réserve,** plusieurs exemples nous viennent à l'esprit : les réserves fauniques, les réserves naturelles, les réserves amérindiennes et les réserves bancaires. Peu importe le type de réserves, elles font toujours référence à une mise de côté. Dans le cas des réserves fauniques, des espèces animales sont isolées sur un territoire afin de les sauvegarder. Dans le cas des réserves amérindiennes, les gouvernements attribuent des territoires aux communautés des Premières Nations afin qu'elles puissent préserver leur culture. Les réserves bancaires, quant à elles, représentent une somme d'argent que les banques conservent pour pouvoir répondre aux retraits de leurs clients. Les réserves des sociétés par actions ne font pas exception à la règle. Elles représentent les sommes amassées par l'entreprise au fil du temps. Ces sommes peuvent être de diverses origines. Elles peuvent venir entre autres du **surplus d'apport** provenant de la prime d'émission d'actions à valeur nominale, comme nous l'avons vu au chapitre 14, ou des **résultats non distribués,** c'est-à-dire des résultats nets que l'entreprise a générés et qu'elle a décidé de conserver pour assurer sa croissance.

Plusieurs transactions peuvent modifier les résultats non distribués. L'une des plus courantes est la déclaration de **dividendes.** Ceux-ci représentent une fraction du résultat net que le conseil d'administration décide de distribuer aux actionnaires et peuvent être acquittés en numéraire, en nature ou en actions. Le conseil d'administration peut également décider de verser des dividendes à même les surplus d'apport. Dans ce cas, on parle de dividendes de liquidation, puisqu'une partie des sommes versées par les actionnaires leur est remise.

Il est possible également que les réserves doivent être retraitées pour tenir compte de **changements de méthodes comptables** ou de **corrections d'erreurs.** Ces traitements rétrospectifs sont nécessaires pour permettre aux utilisateurs des états financiers de se servir des chiffres comparatifs dans leur prise de décision. Les changements d'estimations comptables, quant à eux, sont comptabilisés de manière prospective, puisqu'ils découlent de l'obtention de nouvelles informations.

Des exigences légales ou réglementaires peuvent obliger l'entreprise à affecter une partie de ses résultats non distribués. Ces **résultats non distribués affectés** ne peuvent être distribués aux actionnaires sous forme de dividendes.

La dernière composante des réserves est le **cumul des autres éléments du résultat global.** Outre les transactions que l'entreprise effectue avec ses actionnaires et qui touchent les capitaux propres, il existe des opérations, sans rapport avec les actionnaires, qui ne peuvent être comptabilisées en résultat net. Elles le sont dans un compte de réserve. Il en est ainsi, par exemple, de certains écarts découlant de la variation de valeur d'immobilisations corporelles et incorporelles comptabilisées selon le modèle de la réévaluation.

Le présent chapitre se concentrera donc sur la deuxième composante des capitaux propres, les réserves, et les principales transactions qui touchent celles-ci. Il traitera également des principales différences entre les IFRS et les NCECF relativement à cette composante des capitaux propres.

PARTIE I – LES IFRS

Équivalents terminologiques *Manuel de CPA Canada* – Partie I et Partie II.

La nature des réserves

Différence NCECF

Nous savons déjà que l'intérêt résiduel des actionnaires dans une société par actions se compose principalement du capital social et des réserves. Le **capital social** correspond aux sommes investies dans l'entreprise par les actionnaires, alors que les **réserves** représentent les sommes amassées par l'entreprise au fil du temps. Ces dernières se composent essentiellement des quatre éléments suivants : le surplus d'apport, les résultats non distribués, les résultats non distribués affectés et le cumul des autres éléments du résultat global.

Le **surplus d'apport** est constitué de montants versés à l'entreprise par les porteurs de titres en sus des montants attribués au poste Capital social. À titre d'exemple, on y trouve la prime d'émission d'actions comportant une valeur nominale et les plans d'options sur actions. Il en a été traité lors de l'analyse du capital social au chapitre 14. Dans la partie I – Les IFRS du présent chapitre, nous aborderons plus en détail chacun des trois autres éléments ainsi que les principales opérations qui les influencent, par exemple la déclaration et la comptabilisation des dividendes, les changements de méthodes comptables, les corrections d'erreurs, les affectations et les autres éléments du résultat global.

Différence NCECF

15

Avez-vous remarqué ?

Compte tenu du caractère particulier des différentes composantes des réserves, leur présentation distincte permet aux utilisateurs de mieux évaluer la capacité de l'entreprise à utiliser ou à distribuer ses réserves.

Les résultats non distribués

Essentiellement, les résultats non distribués représentent l'accumulation des résultats réalisés par l'entreprise qui n'ont pas été distribués aux actionnaires sous forme de dividendes. Selon cette définition, il semblerait que seuls les résultats nets (qu'il s'agisse d'un bénéfice ou d'une perte) et la distribution de dividendes influent sur les résultats non distribués. Or, le tableau 15.1 révèle que plusieurs autres opérations ou événements peuvent donner lieu à une augmentation ou à une diminution des résultats non distribués.

La diversité des éléments énumérés dans ce tableau met clairement en évidence l'importance de préciser davantage ce que représentent les résultats non distribués. Ainsi, on entend par **résultats non distribués** le solde cumulatif des résultats nets d'une société par actions, compte tenu des dividendes, des écarts découlant de l'annulation ou de la revente d'actions, des impôts remboursables et des autres montants qui peuvent augmenter ou réduire les résultats non distribués en cause.

TABLEAU 15.1 Les éléments qui caractérisent l'évolution des résultats non distribués

Diminutions	Augmentations
1. Perte nette	**1.** Bénéfice net
2. Effet rétrospectif débiteur d'un changement de méthode comptable	**2.** Effet rétrospectif créditeur d'un changement de méthode comptable
3. Correction d'une erreur ayant eu pour effet de surévaluer le résultat net de un ou de plusieurs exercices antérieurs	**3.** Correction d'une erreur ayant eu pour effet de sous-évaluer le résultat net de un ou de plusieurs exercices antérieurs
4. Dividendes en numéraire, en actions ou en nature	**4.** –
5. Affectation	**5.** Annulation d'une affectation
6. Excédent du prix de rachat des actions sur le prix net d'émission (annulation) ou sur le prix de revente (revente)	**6.** Excédent du prix net d'émission sur le prix de rachat des actions (annulation) Excédent du prix de revente sur le prix de rachat des actions (revente)
7. Coûts d'émission d'actions (lorsque ce traitement est retenu)	**7.** –
8. Impôts remboursables	**8.** Recouvrement des impôts remboursables
9. Virement des pertes latentes initialement comptabilisées dans les autres éléments du résultat global et qui ne peuvent plus tard être virées en résultat net	**9.** Virement des profits latents initialement comptabilisés dans les autres éléments du résultat global et qui ne peuvent plus tard être virés en résultat net

Nous connaissons déjà très bien le premier élément du tableau 15.1. Rappelons que l'International Accounting Standards Board (IASB) recommande de tenir compte des résultats après impôts des activités abandonnées pour déterminer le résultat net d'un exercice plutôt que de les porter directement aux résultats non distribués[1].

En résumé, les résultats nets (bénéfices ou pertes) sont à l'origine de l'augmentation ou de la diminution des résultats non distribués, qu'ils proviennent de l'exercice en cours ou des exercices antérieurs. Les éléments 2 et 3 du tableau 15.1 constituent des ajustements apportés ultérieurement aux résultats nets des exercices passés. Les dividendes (élément 4) représentent la portion des résultats non distribués que l'entreprise a décidé de ne pas réinvestir dans ses activités. L'affectation (élément 5) consiste à réserver une partie des résultats non distribués qui ne pourront être distribués aux actionnaires. Nous expliquerons chacun de ces éléments un peu plus loin. Pour le reste, les résultats non distribués servent de véritable « éponge ».

Ainsi, les éléments 6 (écarts sur rachat ou revente d'actions) et 7 (coûts d'émission d'actions) sont des transactions portant sur les capitaux propres, sujet dont nous avons amplement traité au chapitre 14. Les résultats non distribués servent essentiellement à éponger le tout. Comme nous le verrons au chapitre 18, les résultats non distribués sont également mis à contribution entre le moment où une entreprise doit payer des impôts remboursables (élément 8) et celui de leur recouvrement. Nous avons vu, dans la figure 2.1, une liste des profits et pertes comptabilisés dans les autres éléments du résultat global qui ne peuvent être reclassés ultérieurement dans le résultat net. Pensons par exemple aux écarts de réévaluation d'une immobilisation comptabilisée selon le modèle de la réévaluation. Lors de la décomptabilisation de l'actif, le cumul des autres éléments du résultat global qui y est lié peut, au choix de l'entreprise, être viré dans les résultats non distribués. Avant d'aborder les situations moins fréquentes, examinons d'abord les dividendes (élément 4).

Avez-vous remarqué ?

Les résultats non distribués ne sont pas composés uniquement des bénéfices nets ou pertes nettes réalisés par l'entreprise au fil des ans. Plusieurs autres opérations portant sur les capitaux propres peuvent les toucher. Les utilisateurs des états financiers doivent être conscients du fait que la totalité des résultats non distribués ne peut être distribuée en dividendes.

15

1. Au besoin, le lecteur peut se reporter au chapitre 20, où ces opérations seront traitées en détail.

 Les dividendes

On entend généralement par **dividende** la fraction du résultat net que le conseil d'administration décide de distribuer en numéraire, c'est-à-dire en argent, aux actionnaires, en proportion des actions qu'ils détiennent compte tenu des droits ou restrictions attachés à chacune des catégories d'actions. Comme nous le verrons plus loin, le dividende en numéraire ne constitue pas la seule façon de déclarer un dividende. Avant d'aborder ce sujet, nous traiterons brièvement de la politique de dividende qu'adoptent plusieurs sociétés de capitaux.

La nécessité d'une politique de dividende

La réalisation d'un bénéfice net pendant un exercice entraîne une augmentation de l'actif et un accroissement des capitaux propres. Le conseil d'administration doit alors faire un choix entre le réinvestissement des bénéfices nets réalisés et leur distribution aux actionnaires.

Avant de déclarer un dividende, il importe que le conseil d'administration étudie les avantages et les inconvénients d'une telle décision en tentant de répondre aux questions suivantes : L'entreprise a-t-elle la trésorerie nécessaire pour déclarer un dividende ? Pourrait-elle utiliser à meilleur escient la trésorerie qu'elle a l'intention de verser aux actionnaires ? Quel serait l'effet, sur le cours des actions, de la décision de déclarer ou de ne pas déclarer un dividende à un moment donné ? Quels sont les effets fiscaux et légaux d'une telle décision ? Toutes ces questions sont prises en considération lors de l'établissement de la **politique de dividende** d'une société par actions.

Quelle que soit la politique de dividende retenue par une entreprise, le montant déclaré en dividendes pour un exercice donné est généralement inférieur à celui du bénéfice net du même exercice pour une ou plusieurs des raisons suivantes :

1. *Le conseil d'administration désire conserver l'actif net de l'entreprise pour poursuivre son expansion. On donne souvent à cette pratique le nom de financement interne ou de réinvestissement des bénéfices.*

   Plusieurs entreprises en pleine expansion ne distribuent aucun dividende en numéraire, car elles ont besoin de toutes leurs ressources pour assurer leur expansion. Ainsi, Google a pour politique de ne pas distribuer de dividende et de conserver son capital pour financer son développement interne et ses acquisitions.

2. *À la suite d'une entente conclue avec ses créanciers, le conseil d'administration peut être tenu de conserver une partie des bénéfices nets. Cette restriction constitue une protection supplémentaire contre les pertes nettes que pourraient subir les créanciers en cause.*

   Lors d'un emprunt, les créanciers exigent des garanties pouvant prendre la forme d'une obligation de respecter certains ratios financiers, tels que le maintien d'un fonds de roulement ou d'un ratio d'endettement minimal, ou encore d'une restriction quant au seuil minimal des capitaux propres. Une telle restriction limite la capacité de distribuer des dividendes.

   C'est le cas notamment de la Société Canadian Tire Limitée, comme en témoigne l'extrait suivant de son rapport annuel :

SOCIÉTÉ CANADIAN TIRE LIMITÉE

4. GESTION DU CAPITAL

[…]

Les clauses restrictives financières clés comprises dans les ententes d'emprunt existantes font l'objet d'une surveillance continue par la direction afin d'assurer la conformité à ces ententes. Les clauses restrictives financières clés de la Société Canadian Tire sont les suivantes :

- […] ;
- limite quant au montant pouvant être versé aux actionnaires en vertu de laquelle les distributions de la Société (y compris les dividendes et le remboursement ou le rachat d'actions) ne peuvent excéder, entre autres, son bénéfice net cumulé sur une période donnée.

Source : Rapport annuel 2015 de Canadian Tire.

Société Canadian Tire Ltée, *Rapport 2015 aux actionnaires de la Société Canadian Tire*, [En ligne], <http://investors.canadiantire.ca/French/investisseurs/rapports-financiers/divulgations-annuelles/default.aspx> (page consultée le 20 juillet 2016).

3. *Le conseil d'administration, qui désire une certaine stabilité dans sa politique de dividende, peut accumuler certains actifs dans les exercices davantage bénéficiaires pour les distribuer dans les exercices moins rentables. De cette façon, il lui est possible de «niveler» le montant des dividendes versés aux actionnaires.*

   Les entreprises tentent de maintenir une certaine stabilité dans leurs paiements de dividende. En effet, lorsqu'une entreprise déclare trimestriellement le même dividende par action, les investisseurs associent ce dividende à l'action, laquelle, par le fait même, est considérée comme un placement de qualité supérieure. À titre d'exemple, la Compagnie Pétrolière Impériale ltée verse un dividende tous les ans depuis plus d'un siècle et son paiement de dividende annuel a augmenté pendant 21 années consécutives[2]. Lorsque les investisseurs sont au courant qu'une action rapporte un dividende constant, la direction hésite à le réduire, à moins qu'une baisse prononcée du résultat net ou un fonds de roulement déficient ne la force à prendre cette décision. Il arrive même que des entreprises qui connaissent temporairement des problèmes de trésorerie empruntent les sommes nécessaires au versement d'un dividende trimestriel.

4. *Le conseil d'administration doit assurer le respect des restrictions imposées par la loi en vertu de laquelle l'entreprise a été constituée.*

   Une société par actions ne peut distribuer des dividendes à ses actionnaires quand il existe des motifs raisonnables de croire qu'elle ne pourra acquitter son passif à échéance. Ces restrictions visent à limiter la distribution des ressources de l'entreprise au profit des actionnaires afin de protéger les créanciers de l'entreprise. Rappelons que les actionnaires n'ont qu'un intérêt résiduel dans les actifs de l'entreprise après déduction de tous ses passifs, c'est-à-dire que les créanciers ont un droit privilégié sur les actifs de l'entreprise.

Ces diverses raisons font peu état de la capacité financière de l'entreprise de verser des dividendes.

La capacité financière de verser des dividendes

Comme nous l'avons vu dans la sous-section précédente, puisque le dividende est habituellement une distribution partielle du résultat net de l'exercice, il faut d'abord déterminer le résultat net dans l'état du résultat global pour ensuite prendre une décision concernant le montant à distribuer et le montant à réinvestir. L'état des variations des capitaux propres reflète d'ailleurs l'incidence de cette décision.

Certains affirment à tort qu'une entreprise paie des dividendes «à même ses résultats non distribués». S'il est vrai que l'existence de résultats non distribués (solde créditeur) constitue généralement une condition essentielle à la déclaration d'un dividende, laisser sous-entendre que les dividendes proviennent des résultats non distribués, c'est risquer d'induire en erreur les personnes qui méconnaissent la comptabilité. En effet, elles pourraient s'imaginer que les résultats non distribués représentent de la trésorerie dont l'entreprise dispose pour distribuer des dividendes. La réalité est tout autre, car les dividendes distribués proviennent généralement de la trésorerie. Le fait qu'une entreprise ait des résultats non distribués, par exemple 750 000 $, ne révèle ni le montant de la trésorerie ni la valeur des autres actifs qu'elle possède.

La situation financière d'une entreprise ainsi que ses stratégies de développement à court et à long termes influent sur la capacité et la pertinence de verser des dividendes. Tout dividende autre qu'en actions entraîne ultimement une diminution de l'actif. Par conséquent, le montant et la composition de la trésorerie et des autres actifs, le montant des dettes dont le règlement est prévu à court terme à même la trésorerie de l'entreprise et les sommes d'argent requises pour l'acquisition éventuelle d'immobilisations sont autant de facteurs qui peuvent influer sur la capacité de l'entreprise à verser des dividendes.

2. Tirée du site Web de La Compagnie Pétrolière Impériale Ltée, <www.imperialoil.ca/Canada-Francais/about_media_releases_20160729_div.aspx>, (page consultée le 1er septembre 2016).

EXEMPLE

Capacité financière à verser des dividendes

Voici l'état de la situation financière condensé de la société Dividentout ltée au 31 décembre 20X0.

DIVIDENTOUT LTÉE
Situation financière condensée
au 31 décembre 20X0

Actif courant		***Passif courant***	*300 000 $*
Trésorerie	*350 000 $*		
		Capitaux propres	
Actif non courant		*Capital social*	*450 000*
Immobilisations corporelles	*1 050 000*	*Réserves*	
		Surplus d'apport – Prime d'émission	*100 000*
		Résultats non distribués	*550 000*
		Total des réserves	*650 000*
		Total des capitaux propres	*1 100 000*
Total de l'actif	*1 400 000 $*	*Total du passif et des capitaux propres*	*1 400 000 $*

À l'aide de cet état de la situation financière, nous pouvons formuler les commentaires suivants concernant la capacité financière de Dividentout ltée de verser des dividendes :

1. Pour autant que les résultats non distribués ne fassent l'objet d'aucune restriction, l'entreprise pourrait déclarer un dividende de 550 000 $, soit un montant égal au solde du compte Résultats non distribués. Pour les actionnaires, il s'agirait d'un retour sur investissement, car les opérations passées ont entraîné une augmentation de 550 000 $ des capitaux propres. Puisque les dividendes (autres qu'en actions) sont des distributions d'actifs et que le solde des actifs disponibles n'est que de 350 000 $, le paiement d'un tel dividende nécessiterait la vente de certaines immobilisations ou l'emprunt d'un montant de 200 000 $. La vente d'actifs remettra-t-elle en cause la continuité de l'exploitation ? Un nouvel emprunt est-il souhaitable ?
2. Compte tenu de ce qui précède, on pourrait affirmer que le montant maximal disponible aux fins de déclaration d'un dividende s'élève à 350 000 $, soit celui de la trésorerie. Encore une fois, un tel montant de dividende soulèverait certaines difficultés. En effet, l'entreprise devrait normalement conserver une partie de sa trésorerie pour le règlement de ses passifs courants de 300 000 $, sans oublier que l'exploitation courante nécessite des décaissements réguliers (les salaires, par exemple). On doit donc tenir compte des besoins de trésorerie déterminés lors de l'établissement du budget de caisse.
3. On doit aussi tenir compte de l'incidence des changements de prix sur la situation financière de l'entreprise. Si, pour remplacer les immobilisations inscrites dans l'état de la situation financière à leur coût amorti (1 050 000 $), il en coûtait 1 600 000 $ à l'entreprise, les résultats non distribués au 31 décembre 20X0 ne feraient que couvrir les effets de l'augmentation des prix au fil des ans. Envisagée sous cet angle, la déclaration d'un dividende pourrait être discutable.
4. Enfin, si le capital légal correspondait au solde du poste Capital social, l'entreprise pourrait déclarer un dividende maximal de 650 000 $, soit le total des résultats non distribués et du surplus d'apport. Encore une fois, puisque la trésorerie n'est que de 350 000 $, le paiement d'un tel dividende nécessiterait la vente de certaines immobilisations ou l'emprunt d'un montant de 300 000 $. Plus encore, si un dividende de 650 000 $ était déclaré, la somme de 550 000 $ serait considérée comme une distribution des résultats nets, alors qu'un montant de 100 000 $ serait considéré comme un remboursement de l'investissement des actionnaires, c'est-à-dire comme un dividende de liquidation. Nous reviendrons sur ce sujet un peu plus loin dans le présent chapitre.

15

Comme on peut le constater, l'établissement du montant approprié lors de la déclaration d'un dividende est beaucoup plus complexe qu'il ne le semble de prime abord. Non seulement l'entreprise doit-elle avoir des résultats non distribués, mais elle doit aussi posséder la capacité financière et la volonté stratégique de déclarer un dividende.

Il existe un ratio financier qui reflète la politique de dividende d'une entreprise. Il s'agit du **ratio de distribution**, déterminé de la façon suivante :

$$\text{Ratio de distribution} = \frac{\text{Dividendes sur actions ordinaires}}{\text{Résultat net} - \text{Dividendes sur actions préférentielles}}$$

Notons que le ratio de distribution d'une entreprise en pleine expansion est habituellement très faible, car elle réinvestit la majeure partie sinon la totalité de ses bénéfices nets.

Les diverses sortes de dividendes

Bien que les entreprises déclarent le plus souvent des dividendes en numéraire, il en existe plusieurs autres sortes, dont les certificats de dividende provisoire, les dividendes en nature, les dividendes de liquidation et les dividendes en actions. Nous expliquerons chacune de ces formes dans les pages qui suivent.

Les dividendes en numéraire

Puisque le **dividende en numéraire** (ou **dividende en espèces**) constitue la forme la plus courante de dividende, c'est elle que désigne le terme « dividende » employé sans qualificatif. Essentiellement, il s'agit d'une distribution d'argent aux actionnaires. L'effet net d'un tel dividende est une diminution des résultats non distribués et du compte Caisse.

Nous savons déjà qu'une entreprise n'est tenue de distribuer un dividende que si le conseil d'administration a adopté une résolution officielle à ce sujet. Lors de la rédaction de cette résolution, le conseil d'administration doit prêter une attention particulière à trois dates bien précises : la date de déclaration, la date de clôture du livre des valeurs mobilières et la date de paiement du dividende[3].

La **date de déclaration**, disons le 15 décembre 20X1, correspond à la date où le conseil d'administration a pris l'engagement officiel de verser un dividende. Après avoir déclaré un dividende et l'avoir annoncé aux actionnaires, les administrateurs ne peuvent rescinder la décision qu'ils ont prise. Par conséquent, cette date est importante car, le 15 décembre 20X1, l'entreprise a contracté une dette envers ses actionnaires, laquelle doit être inscrite à cette date.

Notons que les dividendes ne visent que les actions émises et en circulation, ce qui exclut les actions propres détenues et les actions souscrites non encore entièrement payées.

La **date de clôture du livre des valeurs mobilières**, disons le 31 décembre 20X1, mentionnée dans la résolution de déclaration du dividende se situe habituellement deux semaines après la date de déclaration et sert à déterminer les personnes auxquelles le dividende sera versé. Pendant cette période (par exemple du 15 décembre au 31 décembre), l'agent de transfert doit terminer tous les transferts d'actions en cours. Contrairement aux intérêts, les dividendes ne sont pas courus ; ils sont versés aux actionnaires immatriculés ou inscrits à la date de clôture du livre des valeurs mobilières. C'est pourquoi, de la date de déclaration à celle de clôture du livre des valeurs mobilières, on dit que les actions se négocient **dividende attaché** ou **cum-dividende**, c'est-à-dire à un prix qui comprend le montant du dividende. En revanche, après la date de clôture du livre des valeurs mobilières, les actions se vendent **dividende détaché** ou **ex-dividende**, c'est-à-dire à un prix qui ne comprend pas le dividende, car celui-ci sera versé à l'actionnaire dont le nom est inscrit dans le livre des valeurs mobilières à la date de clôture du livre, qu'il soit encore actionnaire ou non au moment où l'entreprise versera le dividende (date de paiement). Aucune écriture n'est requise à la date de clôture du livre des valeurs mobilières, car cette date ne sert qu'à déterminer l'identité des actionnaires auxquels le dividende sera versé. La figure 15.1 illustre bien le moment où les actions se négocient avec dividende attaché ou avec dividende détaché.

La **date de paiement** du dividende, disons le 15 janvier 20X2, survient habituellement deux semaines après la date de clôture du livre des valeurs mobilières. Cette période est nécessaire afin de permettre à l'agent de transfert ou au Service de la comptabilité de dresser la liste des actionnaires inscrits et de préparer le paiement des dividendes.

3. L'explication qui suit concerne aussi les autres sortes de dividendes que nous verrons plus loin.

FIGURE 15.1 La reconnaissance d'un dividende dans le prix de vente

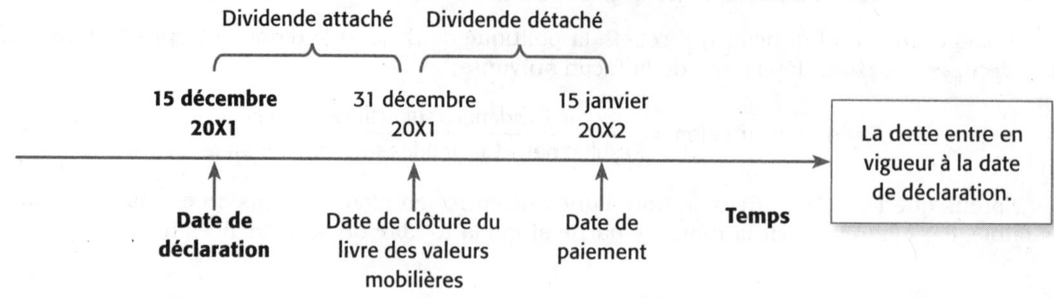

Source : Nicole Lacombe

EXEMPLE

Comptabilisation des dividendes

Le 15 décembre 20X1, le conseil d'administration de la société G. Déklaray ltée, dont 100 000 actions ordinaires sont émises et en circulation, déclare un dividende de 1,25 $ l'action, payable le 15 janvier 20X2 aux actionnaires inscrits le 31 décembre 20X1.

15 décembre 20X1		
Dividendes en numéraire[4]	*125 000*	
Dividendes à payer		*125 000*
Déclaration d'un dividende de 1,25 $ l'action, payable le 15 janvier 20X2 aux actionnaires inscrits le 31 décembre 20X1.		

Si, au 31 décembre 20X1, G. Déklaray ltée doit dresser un état de la situation financière, le poste Dividendes à payer sera présenté parmi les passifs courants.

À la date de paiement, l'entreprise se libère de sa dette et enregistre l'écriture suivante :

15 janvier 20X2		
Dividendes à payer	*125 000*	
Caisse		*125 000*
Paiement du dividende déclaré le 15 décembre 20X1.		

15

À titre d'exemple, voici le communiqué de presse qu'a publié la Compagnie Pétrolière Impériale Ltée lors de la déclaration d'un dividende survenue le 29 juillet 2016 :

Déclaration de dividende – troisième trimestre

CALGARY, le 29 juillet 2016 – La Compagnie Pétrolière Impériale Ltée a déclaré aujourd'hui un dividende trimestriel de 15 cents par action sur ses actions ordinaires en circulation. Le dividende est payable le 1er octobre 2016 aux actionnaires inscrits à la fermeture des bureaux le 2 septembre 2016.

Source : Compagnie Pétrolière Impériale Ltée, *Déclaration de dividende – troisième trimestre,* [En ligne], <www.imperialoil.ca/Canada-Francais/about_media_releases_20160729_div.aspx> (page consultée le 1er septembre 2016).
© Imperial Oil

Si les dividendes sont déclarés après la date de clôture de l'exercice, mais avant que la publication des états financiers soit autorisée, l'IASB fait la recommandation suivante : « Si une entité

4. Ce compte temporaire est ensuite viré au compte Résultats non distribués à la fin de l'exercice lors de la passation des écritures de clôture. Le recours à un compte temporaire peut s'avérer utile afin de repérer le montant des dividendes déclarés pour chaque catégorie d'actions, le cas échéant. Cela facilite également la préparation de l'état des variations des capitaux propres.

décide d'attribuer des dividendes aux détenteurs d'instruments de capitaux propres [...] après la date de clôture, l'entité ne doit pas comptabiliser ces dividendes en tant que passifs à la fin de la période de présentation de l'information financière[5]. » Toutefois, elle doit indiquer, dans les notes aux états financiers, le montant total des dividendes déclarés après la fin de l'exercice, mais avant l'autorisation de publication des états financiers, ainsi que le montant par action.

Les certificats de dividende provisoire

À l'occasion, une entreprise peut déclarer un dividende plusieurs mois avant la date de paiement. En effet, il est possible qu'une entreprise qui manque temporairement de trésorerie veuille tout de même procéder à la déclaration d'un dividende. En pareilles circonstances, le conseil d'administration procède à la déclaration d'un dividende au moyen de l'émission de certificats de dividende provisoire.

Un **certificat de dividende provisoire** est une promesse écrite par laquelle l'entreprise s'engage à verser le dividende convenu à une date ultérieure plutôt qu'immédiatement. Il s'agit en fait d'un effet à payer similaire à ceux décrits au chapitre 12. Puisque, pour l'actionnaire, il y a une période d'attente de la date de déclaration à la date de paiement[6], un certificat de dividende provisoire porte généralement intérêt. Les intérêts versés aux actionnaires doivent être comptabilisés en charges, car ils se rapportent non pas au dividende déclaré (Résultats non distribués), mais à la dette (Dividendes à payer) résultant du non-paiement du dividende.

EXEMPLE

Émission de certificats de dividende provisoire

Le 17 mars 20X3, la société Dépoché ltée, temporairement à court de trésorerie, déclare l'émission de certificats de dividende provisoire de 1,50 $ par action sur ses 200 000 actions ordinaires émises et en circulation. Les certificats sont payables le 30 juin aux actionnaires inscrits le 31 mars et portent intérêt au taux annuel de 10 %. Voici les écritures qui doivent être comptabilisées lors de la déclaration de ces certificats et de leur paiement :

	Débit	Crédit
17 mars 20X3		
Certificats de dividende provisoire[7]	*300 000*	
Effets à payer aux actionnaires (ou Certificats de dividende à payer)		*300 000*
Déclaration, au moyen de l'émission de certificats de dividende provisoire portant intérêt au taux annuel de 10 %, d'un dividende de 1,50 $ l'action, payable le 30 juin aux actionnaires inscrits le 31 mars.		
30 juin 20X3		
Effets à payer aux actionnaires (ou Certificats de dividende à payer)	*300 000*	
Intérêts sur le passif courant	*7 479*	
Caisse		*307 479*
Paiement des certificats de dividende provisoire et des intérêts afférents (300 000 $ × 10 % × 91 jours ÷ 365 jours).		

Notons que les intérêts portent uniquement sur la période comprise entre la date de clôture du livre des valeurs mobilières (31 mars) et la date de paiement (30 juin).

Les dividendes en nature

Un **dividende en nature** correspond à une distribution d'actifs autres que de la trésorerie aux actionnaires. Il peut s'agir d'une distribution de marchandises, de titres de capitaux propres détenus dans d'autres entreprises, de biens immobiliers ou de tout autre actif désigné par le conseil d'administration.

Différence NCECF

5. CPA Canada, *Manuel de CPA Canada – Comptabilité – Partie 1*, **IAS 10**, paragr. 12. (*Voir la page iv des liminaires pour plus de détails à l'égard des normes publiées mais non encore entrées en vigueur.*)
6. L'actionnaire n'est pas obligé de conserver le certificat de dividende provisoire jusqu'à la date d'échéance. Il peut le vendre pour obtenir immédiatement de la trésorerie.
7. Le compte Certificats de dividende provisoire sera viré au compte Résultats non distribués au moyen d'une écriture de clôture.

Le plus souvent, la déclaration d'un dividende en nature comprend la distribution d'actions de diverses sociétés détenues par l'entreprise à titre de placements, car leur juste valeur est plus facilement déterminable, et les titres ainsi détenus peuvent être aisément répartis entre les actionnaires selon le pourcentage de participation de chacun.

L'IASB recommande d'évaluer les dividendes en nature à la juste valeur des actifs à distribuer[8]. Si une entreprise donne le choix aux actionnaires de recevoir de la trésorerie ou un actif autre que de la trésorerie, elle doit évaluer le dividende en fonction de la juste valeur de chaque option et de la probabilité que les actionnaires choisissent l'une ou l'autre. À la fin de chaque exercice, ou à la date de paiement du dividende, elle doit réviser et ajuster la valeur comptable du dividende à payer selon la juste valeur des actifs à distribuer à cette date. Cet ajustement est comptabilisé dans les capitaux propres à titre d'ajustement du montant du dividende. Quand l'actif est distribué, il est décomptabilisé. La différence entre la valeur comptable et la juste valeur de cet actif à la date de paiement est comptabilisée en résultat net de l'exercice ou dans les autres éléments du résultat global s'il s'agit d'un placement classé À la juste valeur par le biais des autres éléments du résultat global (JVBAERG).

EXEMPLE

Déclaration d'un dividende en nature

La société Plasactions ltée détient un placement de 1 000 000 d'actions ordinaires de la société Transit ltée, acquises il y a quelques années au coût de 6 $ l'action, classé À la juste valeur par le biais du résultat net (JVBRN). Le 14 février 20X5, le conseil d'administration de Plasactions ltée, dont le nombre d'actions ordinaires émises et en circulation s'élève à 400 000, déclare un dividende en nature payable le 15 mars aux actionnaires inscrits le 28 février. Selon les modalités de la résolution du conseil d'administration, pour chaque action ordinaire, Plasactions ltée cède à son détenteur deux actions ordinaires de Transit ltée. À la date de déclaration, l'action ordinaire de Transit ltée se négocie à 8,50 $ à la Bourse.

Puisque le placement dans Transit ltée est classé À la JVBRN, le solde de ce compte est de 8 500 000 $ à la date de déclaration, en présumant que la juste valeur n'a pas varié depuis la fin du dernier exercice financier. Voici l'écriture qui doit être enregistrée à la date de déclaration :

14 février 20X5		
Dividendes en nature (400 000 actions × 2 × 8,50 $)	*6 800 000*	
Dividendes en nature à payer		*6 800 000*
Déclaration d'un dividende en nature à servir le 15 mars 20X5 aux détenteurs d'actions ordinaires inscrits le 28 février. Le détenteur de chaque action ordinaire recevra 2 actions ordinaires de Transit ltée, dont la juste valeur unitaire est de 8,50 $ aujourd'hui.		

Le 15 mars, date de paiement des dividendes, la juste valeur de l'action ordinaire de Transit ltée a augmenté à 8,60 $ et est restée à ce montant durant tout l'exercice. Voici les écritures à enregistrer à la date de paiement le 15 mars et à la date de clôture le 31 décembre relativement aux dividendes en nature :

15 mars 20X5		
Placements à la JVBRN – Actions de Transit ltée	*100 000*	
Profit/Perte découlant de la variation de valeur des placements à la JVBRN – Actions de Transit ltée		*100 000*
Augmentation de valeur des actions de Transit ltée [1 000 000 actions × (8,60 $ – 8,50 $)].		
Dividendes en nature	*80 000*	
Dividendes en nature à payer		*80 000*
Ajustement des dividendes à la suite de l'augmentation de la juste valeur des actions cédées en paiement des dividendes en nature [400 000 actions ordinaires de Plasactions ltée × 2 actions de Transit ltée × (8,60 $ – 8,50 $)].		

8. *Manuel de CPA Canada – Comptabilité – Partie I*, **IFRIC 17**, paragr. 11.

15

Dividendes en nature à payer	*6 880 000*	
Placements à la JVBRN – Actions de Transit ltée		*6 880 000*
Distribution du dividende en nature déclaré le 14 février 20X5.		

31 décembre 20X5

Profit/Perte découlant de la variation de valeur des placements à la JVBRN – Actions de Transit ltée	*100 000*	
Résultats non distribués	*6 780 000*	
Dividendes en nature		*6 880 000*
Virement aux résultats non distribués des profits ou pertes sur placements à la JVBRN et des dividendes en nature déclarés au cours de l'exercice.		

Si Plasactions ltée avait classé le placement dans Transit ltée À la JVBAERG, elle aurait comptabilisé tous les profits et pertes latents découlant des variations de la juste valeur du placement dans les autres éléments du résultat global. Au moment de la clôture des livres, au 31 décembre 20X5, les profits et pertes latents qui s'y rapportent doivent être virés au cumul des autres éléments du résultat global. Toutefois, il est possible, à la cession d'un placement classé À la JVBAERG, de virer le poste Cumul des autres éléments du résultat global qui s'y rattache dans les résultats non distribués. Il convient alors de passer les écritures suivantes à la date de clôture, en présumant que toutes les variations de la juste valeur des années antérieures ont déjà été comptabilisées dans les autres éléments du résultat global et virées dans le compte Cumul des profits et pertes latents sur placements à la JVBAERG :

Profit/Perte latent découlant de la variation de valeur des placements à la JVBAERG – Actions de Transit ltée	*100 000*	
Cumul des autres éléments du résultat global		*100 000*
Virement au cumul des autres éléments du résultat global des profits ou pertes latents sur placements à la JVBAERG survenus au cours de l'exercice.		
Résultats non distribués	*6 880 000*	
Dividendes en nature		*6 880 000*
Virement aux résultats non distribués des dividendes en nature déclarés au cours de l'exercice.		

Si Plasactions ltée décidait de virer la portion du compte Cumul des autres éléments du résultat global liée aux actions de Transit ltée cédées lors du paiement des dividendes, l'écriture suivante serait faite :

Cumul des profits et pertes latents sur placements à la JVBAERG	*2 080 000*	
Résultats non distribués		*2 080 000*
Virement aux résultats non distribués du montant cumulé des profits et pertes latents sur placements à la JVBAERG dans Transit ltée transféré aux actionnaires sous forme de dividende en nature.		

Calcul :

Juste valeur de l'action de Transit ltée	8,60 $
Coût initial	6,00
Profit latent total cumulé	2,60
Nombre d'actions cédées aux actionnaires	× 800 000
Profit à virer aux résultats non distribués	2 080 000 $

15

Différence NCECF

Les dividendes de liquidation

Une distribution aux actionnaires correspondant à la distribution du surplus d'apport porte le nom de **dividende de liquidation**. Lors de la déclaration d'un dividende de liquidation, les actionnaires doivent être informés de l'origine exacte du montant qu'ils recevront. Les dividendes de liquidation sont habituellement déclarés par des entreprises qui abandonnent un secteur d'activité.

EXEMPLE

Déclaration d'un dividende de liquidation

Reprenons les données de l'exemple de la société Dividentout ltée, dont l'état de la situation financière condensé est présenté à la page 15.8. Puisque les lois n'interdisent pas la distribution du surplus d'apport sous forme de dividendes, supposons que l'entreprise déclare un dividende total de 250 000 $, dont 100 000 $ proviennent du surplus d'apport. Dans ce cas, les actionnaires recevront d'abord un **rendement sur leur investissement**, soit la portion correspondant à la distribution d'une partie des bénéfices accumulés (150 000 $), et un **remboursement du capital investi** correspondant à la distribution du surplus d'apport (100 000 $). La divulgation de cette information est importante pour les actionnaires car, toutes choses étant égales par ailleurs, un remboursement du capital investi peut laisser entrevoir une diminution du potentiel de performance futur.

Voici les écritures qui doivent être enregistrées dans les livres de Dividentout ltée à la date de déclaration et à la date de paiement du dividende de 250 000 $:

À la date de déclaration		
Dividendes en numéraire[9]	*150 000*	
Surplus d'apport – Dividendes de liquidation	*100 000*	
Dividendes à payer		*250 000*
Déclaration d'un dividende de 250 000 $, dont 100 000 $ proviennent du surplus d'apport.		
À la date de paiement		
Dividendes à payer	*250 000*	
Caisse		*250 000*
Paiement du dividende de liquidation.		

15

Les dividendes en actions

Même si la popularité des dividendes en actions a été à la baisse au cours des dernières années, certaines sociétés par actions continuent de les distribuer à leurs actionnaires en plus ou en remplacement des dividendes en numéraire. On entend par **dividende en actions** la distribution aux actionnaires de nouvelles actions en proportion du nombre d'actions qu'ils détiennent déjà.

À juste titre, certains affirment que l'utilisation du terme « dividende » dans ce contexte est pour le moins discutable. Selon eux, toutes les formes de dividendes examinées jusqu'ici entraînent une diminution de l'actif résultant de la distribution d'une partie ou de la totalité de la trésorerie ou d'autres actifs. Bien que, dans le présent cas, il n'y ait aucune distribution de l'actif, on continue de parler de dividende, car le terme est bien enraciné dans la pratique.

La raison d'être d'un dividende en actions

Par le passé, les entreprises ont déclaré des dividendes en actions pour une ou plusieurs des raisons suivantes :

1. *Une société par actions en pleine expansion peut désirer conserver toutes ses ressources en vue de poursuivre sa croissance tout en donnant une preuve tangible du succès de l'exploitation.*

   L'entreprise peut procéder ainsi en vue de calmer l'appétit des actionnaires, qui considèrent habituellement que le dividende en actions équivaut à une distribution de bénéfices nets s'élevant à un montant égal à la juste valeur des actions reçues. Le bien-fondé de ce point de

9. Rappelons que ce compte sera viré au compte Résultats non distribués en passant une écriture de clôture.

vue est d'ailleurs attesté par le fait que si le pourcentage des actions distribuées est faible, les dividendes en actions n'ont pas pour effet d'entraîner une baisse importante du cours de l'action et de la valeur globale des actions en circulation avant la déclaration du dividende en actions. De plus, les actionnaires peuvent être enclins à accepter un dividende en actions en sachant que les nouvelles actions reçues peuvent être revendues (ce qui entraîne toutefois une diminution de leur participation) et ainsi converties en argent comptant.

2. *La déclaration d'un dividende en actions sur des actions ordinaires entraîne une augmentation proportionnelle du nombre d'actions en circulation sans aucune diminution des capitaux propres. Lorsque le pourcentage des actions distribuées est élevé, cela peut entraîner une diminution de la cote boursière des actions, rendant ainsi le titre plus accessible sur le marché.*

   Nous verrons un peu plus loin qu'il est possible de produire le même effet au moyen d'un fractionnement d'actions.

3. *Le conseil d'administration peut y voir un moyen de transformer un financement interne en un financement qualifié de permanent.*

   La déclaration d'un dividende en actions consiste, ni plus ni moins, en un transfert de résultats non distribués en capital social.

La comptabilisation d'un dividende en actions

Avant de procéder à l'enregistrement d'un dividende en actions, on doit répondre à la question suivante : Quelle somme doit-on virer des résultats non distribués au capital social ?

L'IASB est muet en ce qui a trait à la comptabilisation des dividendes en actions. Voyons alors ce qu'en disent les diverses lois. La Loi sur les sociétés par actions du Québec (LSAQ) indique ceci : « Si le paiement d'un dividende est effectué en actions, l'entreprise peut porter au crédit du compte de capital-actions émis et payé de la catégorie ou série appropriée tout ou partie de la valeur de ces actions[10]. » Pour sa part, la *Loi canadienne sur les sociétés par actions* (LCSA) exige ceci : « Le montant déclaré en numéraire des dividendes versés par l'entreprise sous forme d'actions est porté au compte capital déclaré pertinent[11]. » Si l'on interprète ces deux extraits en tenant compte des règlements qui s'appliquent à l'émission d'actions, on en conclut que les lois exigent que toute action soit émise à un montant équivalant à celui qui aurait été reçu si elle avait été émise au comptant. Il est donc d'usage d'attribuer à une action émise à la suite d'un dividende en actions une valeur égale à la juste valeur (cote boursière) des actions de la catégorie appropriée à la date de la déclaration du dividende.

Le choix du traitement comptable peut aussi être guidé par l'effet du dividende en actions sur le cours de l'action, ce que les normalisateurs américains ont pris en considération[12].

En effet, selon la position américaine, un dividende en actions qui n'excède pas 25 % du nombre d'actions déjà en circulation doit être comptabilisé à la juste valeur des actions au moment de la déclaration du dividende. Par contre, lorsque le taux du dividende excède 25 % du nombre d'actions déjà en circulation, il est recommandé de ne comptabiliser que la valeur nominale des nouvelles actions émises ou la somme minimale que la loi exige de porter au capital social lors d'une émission d'actions. Il peut aussi être acceptable, selon la position américaine, de comptabiliser le dividende à une valeur égale à la valeur comptable moyenne du capital social.

La logique inhérente à cette position réside dans le fait que la déclaration d'un « faible » dividende en actions n'influe habituellement pas sur le cours de l'action ; il en découle une certaine plus-value pour les actionnaires. On doit donc attribuer à un tel dividende une valeur équivalant à la juste valeur des actions à la date de la déclaration du dividende. En revanche, comme la déclaration d'un « important » dividende en actions a pour effet d'accroître considérablement le nombre d'actions en circulation, il en résulte une réduction marquée du cours des actions.

On pourrait aussi avancer qu'un dividende en actions « important » s'apparente à un fractionnement d'actions, sujet dont nous traiterons plus loin. En effet, les actionnaires actuels reçoivent tous un dividende en proportion des actions qu'ils détiennent déjà. Selon cette position, aucune écriture n'est nécessaire.

---

10. Loi sur les sociétés par actions, art. 103.
11. *Loi canadienne sur les sociétés par actions*, art. 43(2).
12. Puisque l'IASB ne formule aucune recommandation claire sur le sujet, et afin de guider le lecteur, nous exposons brièvement la position américaine publiée dans le « Restatement and Revision of Accounting Research Bulletin », *Accounting Research Bulletin No. 43*, New York, AICPA, 1953.

Pour illustrer la comptabilisation d'un dividende en actions, nous utiliserons les recommandations prévues par les lois canadiennes, c'est-à-dire la comptabilisation à la juste valeur à la date de la déclaration.

EXEMPLE

Déclaration d'un dividende en actions

La société Dividaction ltée a 100 000 actions ordinaires en circulation, d'une valeur nominale de 5 $ chacune. Les capitaux propres de l'entreprise se composent des éléments suivants :

Capital social	*500 000 $*
Surplus d'apport – Prime d'émission d'actions ordinaires	*100 000*
Résultats non distribués	*400 000*
Total des capitaux propres	*1 000 000 $*

Supposons que Dividaction ltée déclare et distribue un dividende en actions de 5 %, alors que la juste valeur de l'action ordinaire est de 7,50 $. Les écritures suivantes devront être enregistrées à la date de déclaration et à la date de distribution :

À la date de déclaration		
Dividendes en actions	*37 500*	
Dividendes en actions ordinaires à distribuer		*37 500*
Déclaration d'un dividende en actions de 5 % comportant l'émission de 5 000 actions ordinaires ayant une juste valeur de 7,50 $.		
À la date de distribution		
Dividendes en actions ordinaires à distribuer	*37 500*	
Capital social		*25 000*
Surplus d'apport – Prime d'émission d'actions ordinaires [13] *[5 000 actions × (7,50 $ – 5,00 $)]*		*12 500*
Émission de 5 000 actions ordinaires, d'une valeur nominale de 5 $ chacune, à la suite de la distribution du dividende en actions.		

Si l'entreprise doit dresser un état de la situation financière entre la date de déclaration et la date de distribution, le poste Dividendes en actions ordinaires à distribuer doit être présenté dans la section des capitaux propres et faire partie du capital social. Cette présentation découle de l'application de la définition d'un passif financier donnée à l'**IAS 32**, intitulée « Instruments financiers : Présentation ». Lorsqu'une entreprise s'engage à remettre un nombre fixe de ses actions propres à tous les actionnaires d'une même catégorie de ses titres de capitaux propres, cet engagement n'est pas un passif financier, mais bien un titre de capitaux propres.

Notons que le total des capitaux propres de l'entreprise demeure inchangé et que la participation de chaque actionnaire demeure proportionnellement la même, comme l'illustre le calcul suivant montrant l'évolution des capitaux propres et de la participation d'un actionnaire à la suite de la distribution du dividende en actions.

	Avant le dividende en actions	Après le dividende en actions
Capital social	500 000 $	525 000 $
Surplus d'apport – Prime d'émission	100 000	112 500
Résultats non distribués (après fermeture du compte Dividendes en nature)	400 000	362 500
Total des capitaux propres	1 000 000 $	1 000 000 $

13. Dans le cas d'actions sans valeur nominale, le montant total de 37 500 $ aurait été crédité au compte Capital social.

15

Actions en circulation	100 000	105 000
Valeur comptable par action	10,00 $	9,52 $
Nombre d'actions détenues par Jos Blow	500	525
Pourcentage de participation	0,5 %	0,5 %
Valeur comptable de la participation de Jos Blow	5 000 $	5 000 $

Le fractionnement et le regroupement d'actions

Tout comme le dividende en actions, le **fractionnement d'actions** requiert la distribution aux actionnaires de nouvelles actions en proportion du nombre d'actions qu'ils détiennent déjà. Le but premier du fractionnement est d'accroître la négociabilité d'une action en en réduisant la juste valeur. Par ricochet, il est aussi plus facile pour l'entreprise d'émettre de nouvelles actions à un prix plus abordable. La réduction de la juste valeur de l'action est à peu près inversement proportionnelle à l'ordre de grandeur du fractionnement.

Ainsi, alors que chacune de ses actions ordinaires se négociait à 9 $, la société de technologie de l'information Hartco inc. a procédé à un fractionnement de 4 pour 3. Le jour suivant le fractionnement, l'action ordinaire de l'entreprise se vendait 6,75 $ dès l'ouverture des marchés boursiers, soit exactement 75 % du cours précédant le fractionnement. À la fin de la journée, l'action se négociait 6,87 $. La baisse du cours de l'action n'était donc plus exactement proportionnelle à l'augmentation du nombre d'actions. En effet, de nombreux autres facteurs difficiles à prévoir peuvent influer sur la valeur des actions.

Le fractionnement d'actions ne modifie ni le total des capitaux propres ni chacun de ses éléments, à savoir le capital social, le surplus d'apport et les résultats non distribués. Le seul changement découle d'une augmentation du nombre d'actions et d'une diminution proportionnelle de la valeur attribuée[14] à chaque action.

EXEMPLE

Fractionnement d'actions

La société Fractionnée ltée a procédé à un fractionnement de 4 pour 1 des 25 000 actions ordinaires (émises à 12 $ chacune). Ce fractionnement ne modifie en rien la répartition des capitaux propres au 31 décembre 20X8, peu importe que les actions aient ou non une valeur nominale.

FRACTIONNÉE LTÉE
Situation financière partielle
au 31 décembre 20X8

Actions avec valeur nominale

Avant le fractionnement		Après le fractionnement	
Capitaux propres		*Capitaux propres*	
Actions ordinaires d'une valeur nominale de 10 $ chacune		*Actions ordinaires d'une valeur nominale de 2,50 $ chacune*	
Nombre d'actions émises et en circulation : 25 000	250 000 $	*Nombre d'actions émises et en circulation : 100 000*	250 000 $
Surplus d'apport – Prime d'émission d'actions ordinaires	50 000	*Surplus d'apport – Prime d'émission d'actions ordinaires*	50 000
Résultats non distribués	125 000	*Résultats non distribués*	125 000
Total des capitaux propres	425 000 $	*Total des capitaux propres*	425 000 $

Note : La valeur nominale est passée de 10 $ à 2,50 $ à la suite du fractionnement.

14. Dans le cas d'actions émises avec une valeur nominale, cette valeur correspond obligatoirement à la valeur nominale.

Actions sans valeur nominale			
Avant le fractionnement		**Après le fractionnement**	
Capitaux propres		*Capitaux propres*	
Actions ordinaires sans valeur nominale		*Actions ordinaires sans valeur nominale*	
Nombre d'actions émises et en circulation : 25 000	*300 000 $*	*Nombre d'actions émises et en circulation : 100 000*	*300 000 $*
Résultats non distribués	*125 000*	*Résultats non distribués*	*125 000*
Total des capitaux propres	*425 000 $*	*Total des capitaux propres*	*425 000 $*

Note : La valeur attribuée à chaque action ordinaire est passée de 12 $ à 3 $ à la suite du fractionnement.

On constate que le montant total figurant dans chaque compte des capitaux propres demeure inchangé.

Aucune écriture comptable n'est requise lors d'un fractionnement d'actions, car il est possible de noter directement dans le compte de Capital social du grand livre le changement apporté au nombre d'actions et à la valeur nominale, s'il y a lieu. Dans les états financiers, la note décrivant les changements survenus dans le capital social au cours de l'exercice doit faire mention des effets du fractionnement d'actions.

Le **regroupement d'actions**, comme son nom l'indique, est l'opération inverse du fractionnement. Évidemment, une telle opération vise à accroître la juste valeur des actions ordinaires en circulation. Ainsi, à la dernière assemblée annuelle de ses actionnaires, le 29 avril 2016, Bombardier a proposé un regroupement des actions classes A et B de 1 pour 16. Ce regroupement a pour objectif de permettre à l'action de Bombardier, qui était cotée autour de 2 $ en avril 2016, de voir sa juste valeur augmenter à environ 32 $, soit 16 fois plus qu'au moment du regroupement.

15

Une comparaison du dividende en actions et du fractionnement d'actions

À première vue, il n'y a pas de différence entre un dividende en actions et un fractionnement d'actions ; tous deux entraînent une augmentation proportionnelle du nombre d'actions en circulation sans modifier le total des capitaux propres. Toutefois, si l'on y regarde de plus près, on constate une différence importante. Le fractionnement d'actions ne modifie pas la composition des comptes des capitaux propres. Ainsi, les soldes des comptes Capital social, Surplus d'apport – Prime d'émission et Résultats non distribués demeurent inchangés à la suite du fractionnement d'actions ; seul le nombre d'actions en circulation augmente. En revanche, le dividende en actions entraîne une augmentation des comptes Capital social et Surplus d'apport – Prime d'émission, s'il y a lieu, ainsi qu'une diminution correspondante des résultats non distribués.

Toutefois, si l'on tient à présenter fidèlement la nature de l'opération, il serait probablement plus approprié de traiter la distribution d'un dividende en actions dont le taux du dividende est important comme s'il s'agissait d'un fractionnement d'actions. En plus de classer cette distribution comme un fractionnement sous forme de dividende en actions, on n'effectuerait alors aucune modification aux comptes de capitaux propres.

L'incidence d'un dividende en actions ou d'un fractionnement sur les titres convertibles

Lors de la déclaration d'un dividende en actions ou d'un fractionnement d'actions, il est important de consulter les conditions de l'acte de fiducie selon lequel des obligations convertibles sont émises ainsi que les statuts constitutifs décrivant les caractéristiques des titres convertibles. Habituellement, ces documents renferment une **clause antidilution** nécessitant le retraitement du **ratio de conversion** lors de la déclaration d'un dividende en actions ou d'un fractionnement d'actions. Cette clause a pour but d'assurer la protection des détenteurs de titres convertibles.

Lorsque, par exemple, un investisseur achète une action préférentielle ayant une valeur nominale de 1 000 $ convertible en 40 actions ordinaires, ce nombre d'actions ordinaires passe à 80 à la suite d'un fractionnement de 2 pour 1 s'il existe une clause antidilution. La figure 15.2 illustre bien l'importance de prévoir une clause antidilution pour compenser toute réduction de la valeur attribuée aux actions ordinaires et ainsi maintenir intact le privilège de conversion accordé au détenteur du titre convertible.

FIGURE 15.2 L'importance de la clause antidilution

Hypothèses :
- Acquisition d'une action préférentielle d'une valeur nominale de 1 000 $
- Chaque action préférentielle est convertible en 40 actions ordinaires
- Juste valeur d'une action ordinaire avant le fractionnement : 25 $
- Juste valeur d'une action ordinaire après le fractionnement de 2 pour 1 : 12,50 $

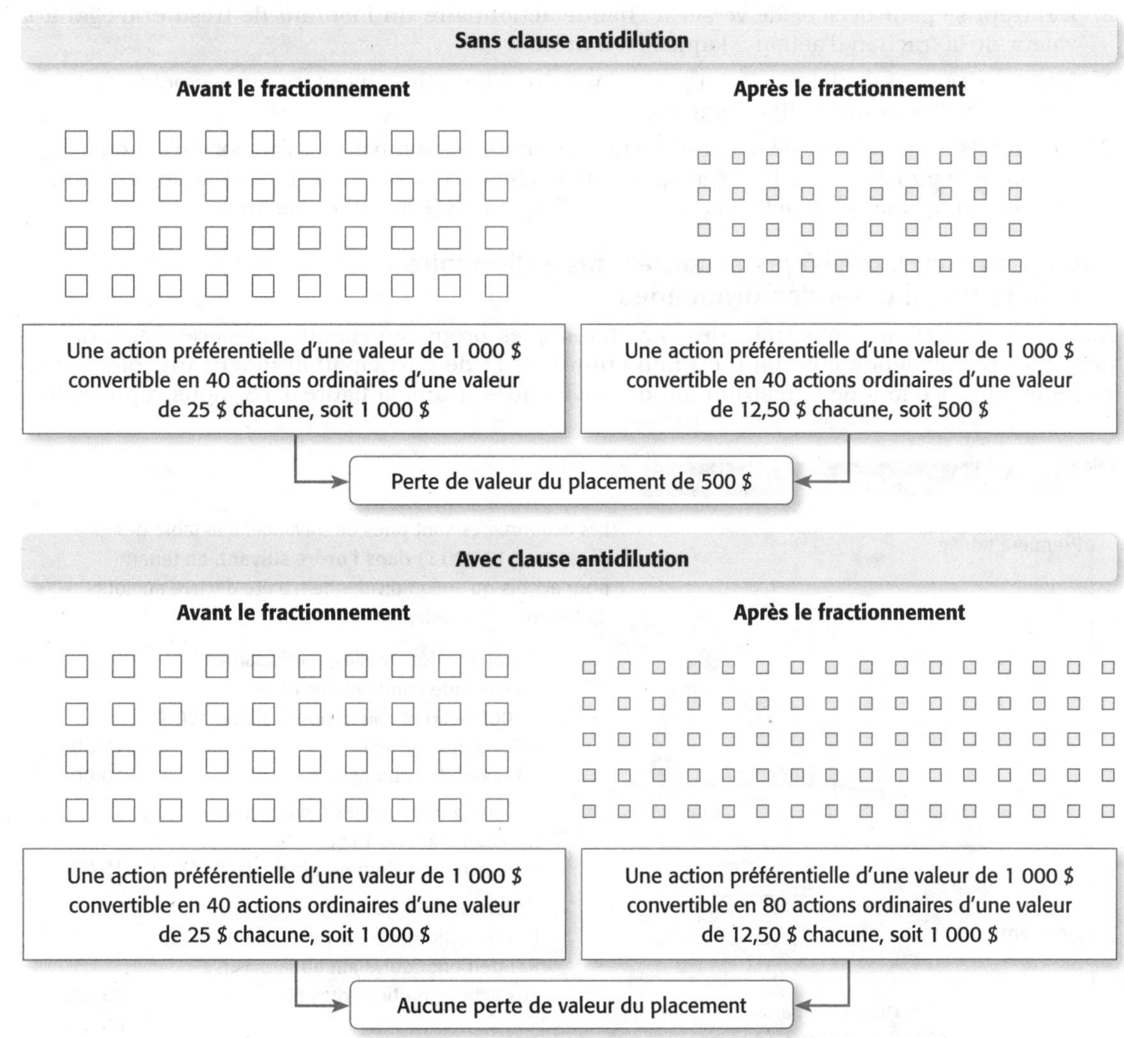

Sur le plan comptable, pour tenir compte d'une clause antidilution, il suffit de prendre en note l'ajustement du ratio de conversion lors de la déclaration d'un dividende en actions ou d'un fractionnement. Dans la même veine, lorsqu'une entreprise émet des bons de souscription, elle devrait les assortir d'une clause antidilution, sans quoi leurs détenteurs pourraient perdre tout intérêt à les exercer.

Les fractions d'actions

On doit aussi souligner le problème des fractions d'actions pouvant découler de la déclaration d'un dividende en actions ou d'un fractionnement d'actions. En effet, certains actionnaires pourraient avoir droit à une **fraction d'action**, aussi appelée **rompu**. Supposons, par exemple, que la société Rompu ltée déclare et distribue un dividende en actions de 10 %. Pour simplifier cet exemple, posons l'hypothèse que l'entreprise compte 10 000 actionnaires détenant chacun 45 actions ordinaires sans valeur nominale et d'une juste valeur unitaire de 5 $. Chaque actionnaire est donc en droit de recevoir 4,5 actions. Dans ce cas, quatre possibilités s'offrent à l'entreprise :

1. L'entreprise peut émettre un **bon de souscription partiel** pour la fraction d'action en cause. L'actionnaire peut vendre ce bon (ce qui entraîne une faible dilution de sa participation) ou acquérir suffisamment de bons de souscription partiels pour pouvoir acheter un certain nombre d'actions ordinaires « entières » (ce qui entraîne une faible augmentation de sa participation)[15]. Si l'entreprise opte pour cette solution, à la date de déclaration du dividende en actions, le compte Bons de souscription partiels doit être crédité d'un montant égal à la juste valeur du nombre d'actions ordinaires « entières ». Ce compte est débité et le compte Capital social est crédité lorsque les actionnaires présentent les bons à l'entreprise pour prendre livraison des actions.
2. L'entreprise peut décider de verser à chaque actionnaire un montant de trésorerie égal à la valeur de la fraction d'action à laquelle il a droit.
3. L'entreprise peut demander à chaque actionnaire d'investir le montant supplémentaire requis pour avoir droit à une action complète.
4. L'entreprise peut décider de n'accorder aucune compensation pour les fractions d'actions. Dans ce cas, Rompu ltée n'émettrait que quatre nouvelles actions ordinaires à chaque actionnaire. Le taux du dividende en actions serait alors d'environ 8,9 % au lieu de 10 %.

L'effet des divers privilèges accordés aux actionnaires lors de la distribution des dividendes

Au chapitre 14, nous avons traité des caractéristiques propres à chaque catégorie d'actions. Les privilèges de dividende cumulatif ou non cumulatif et de participation jouent un rôle de première importance lors de la distribution des dividendes. Dans la figure 15.3, nous représentons

FIGURE 15.3 La tarte aux dividendes

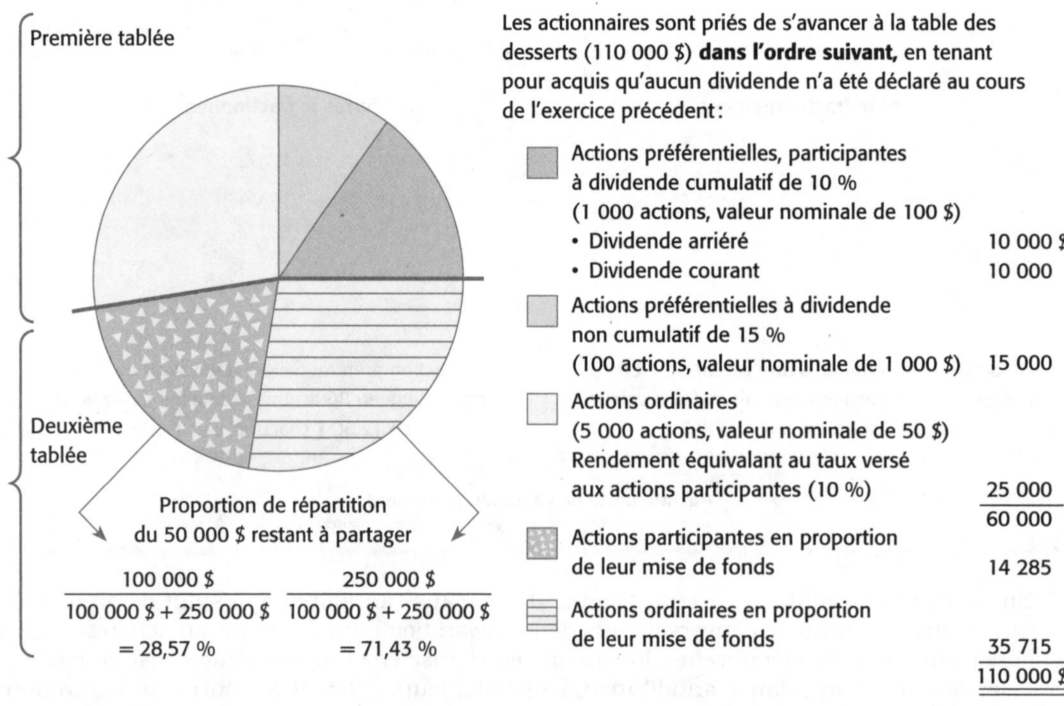

15. Notons qu'il s'agit d'un type de bons différents de ceux décrits au chapitre 14, car ceux-ci n'ont pas de prix d'exercice en argent. Pour acquérir une action, le détenteur doit accumuler le nombre de bons de souscription partiels requis.

les dividendes sous forme d'une tarte que se partagent les actionnaires selon les privilèges qu'ils détiennent. On constatera d'emblée que les premiers servis lors de la déclaration d'un dividende sont les détenteurs d'actions préférentielles à dividende cumulatif. Ils ont droit à tout dividende arriéré en plus du dividende courant. La pointe de tarte suivante va aux détenteurs d'actions préférentielles à dividende non cumulatif. Viennent ensuite les détenteurs d'actions ordinaires.

Dans le cas où les actions préférentielles sont participantes, les détenteurs d'actions ordinaires ont droit à un rendement équivalent avant le partage du solde avec les détenteurs d'actions préférentielles participantes. Le calcul du rendement équivalent peut être établi de trois façons, selon ce qui est stipulé dans les statuts :

1. Le même pourcentage de rendement calculé à partir de la valeur nominale ou de la valeur attribuée si l'action est sans valeur nominale ;
2. Le même montant d'argent que celui accordé à chaque détenteur d'actions participantes ;
3. Le montant d'argent global accordé aux détenteurs d'actions participantes.

Si l'on utilisait les données de la figure 15.3, l'application de ces trois façons de faire conduirait aux dividendes suivants :

1. (10 % × 50 $ × 5 000 actions = 25 000 $) C'est cette méthode qui est présentée dans la figure 15.3, car elle est la plus équitable pour les détenteurs d'actions ordinaires ;
2. (10 $ × 5 000 actions = 50 000 $) Cette façon de procéder ne tient pas compte de l'investissement initial différent des deux catégories d'actions, soit 100 000 $ et 250 000 $ respectivement pour les détenteurs d'actions participantes et les détenteurs d'actions ordinaires ;
3. Le montant global versé aux détenteurs d'actions participantes est de 10 000 $. Cette façon de procéder ne tient pas compte de l'investissement initial différent des deux catégories d'actions (100 000 $ et 250 000 $) ni du nombre différent d'actions en circulation (1 000 et 5 000).

De plus, les détenteurs d'actions préférentielles participantes reviendront une seconde fois à la table des desserts pour partager ce qui reste de la tarte aux dividendes avec les détenteurs d'actions ordinaires. Le privilège de participation peut être entier, comme illustré dans la figure 15.3, ou partiel (dans le second cas, il se limite à un certain pourcentage). Ainsi, le capital social d'une entreprise pourrait renfermer une catégorie d'actions qui comportent un dividende de 10 % et qui sont participantes jusqu'à concurrence d'un rendement additionnel de 5 %. Les détenteurs de ces actions recevraient d'abord le dividende prescrit de 10 %, puis s'il subsiste un solde à répartir, une participation n'excédant pas 5 %, ce qui leur donnerait un rendement total de 15 %.

EXEMPLE

Effet des divers privilèges lors de la distribution des dividendes

Le capital social de la société Dividex ltée se compose des éléments suivants :

Actions préférentielles d'une valeur nominale de 100 $ chacune, comportant un dividende de 10 %	
Nombre d'actions émises et en circulation : 1 000	*100 000 $*
Actions ordinaires sans valeur nominale	
Nombre d'actions émises et en circulation : 200 000	*400 000*
Total du capital social	*500 000 $*

Dividex ltée envisage la possibilité de distribuer la somme de 100 000 $ en dividende. Voici la répartition de cette somme entre les détenteurs d'actions préférentielles et ordinaires selon quatre hypothèses différentes.

1er cas Les actions préférentielles sont non cumulatives et non participantes.

	Actions préférentielles	Actions ordinaires	Montant à répartir
Dividende déclaré			100 000 $
Dividende de l'exercice en cours (100 000 $ × 10 %)	10 000 $		(10 000)

15

	Actions préférentielles	Actions ordinaires	Montant à répartir
Solde disponible			90 000
Solde attribué aux détenteurs d'actions ordinaires		90 000 $	(90 000)
Dividende par catégorie d'actions	10 000 $	90 000 $	0 $

2e cas *Les actions préférentielles sont non cumulatives et entièrement participantes. Les statuts constitutifs prévoient que la participation des actions préférentielles avec les actions ordinaires se fait au prorata du capital émis une fois que les détenteurs d'actions ordinaires ont reçu un rendement équivalent en pourcentage sur leur investissement.*

	Actions préférentielles	Actions ordinaires	Montant à répartir
Dividende déclaré			100 000 $
Dividende de l'exercice en cours (100 000 $ × 10 %)	10 000 $		(10 000)
Rendement équivalent sur actions ordinaires (400 000 $ × 10 %)		40 000 $	(40 000)
Solde disponible			50 000
Répartition du solde disponible au prorata de l'investissement respectif des actionnaires			
[50 000 $ × (100 000 $ ÷ 500 000 $)]	10 000		(10 000)
[50 000 $ × (400 000 $ ÷ 500 000 $)]		40 000	(40 000)
Dividende par catégorie d'actions	20 000 $	80 000 $	0 $

3e cas *Les actions préférentielles sont cumulatives et non participantes. Aucun dividende n'a été déclaré au cours des trois exercices précédents.*

	Actions préférentielles	Actions ordinaires	Montant à répartir
Dividende déclaré			100 000 $
Dividende arriéré (100 000 $ × 10 % × 3 ans)	30 000 $		(30 000)
Dividende de l'exercice en cours (100 000 $ × 10 %)	10 000		(10 000)
Solde disponible			60 000
Solde attribué aux détenteurs d'actions ordinaires		60 000 $	(60 000)
Dividende par catégorie d'actions	40 000 $	60 000 $	0 $

4e cas *Les actions préférentielles sont cumulatives et entièrement participantes. Aucun dividende n'a été déclaré au cours des trois exercices précédents. Les statuts constitutifs prévoient que la participation des actions préférentielles avec les actions ordinaires se fait au prorata du capital émis une fois que les détenteurs d'actions ordinaires ont reçu un rendement équivalent en pourcentage sur leur investissement.*

	Actions préférentielles	Actions ordinaires	Montant à répartir
Dividende déclaré			100 000 $
Dividende arriéré (100 000 $ × 10 % × 3 ans)	30 000 $		(30 000)
Dividende de l'exercice en cours (100 000 $ × 10 %)	10 000		(10 000)
Rendement équivalent sur actions ordinaires (400 000 $ × 10 %)		40 000 $	(40 000)
Solde disponible			20 000
Répartition du solde disponible au prorata de l'investissement respectif des actionnaires			
[20 000 $ × (100 000 $ ÷ 500 000 $)]	4 000		(4 000)
[20 000 $ × (400 000 $ ÷ 500 000 $)]		16 000	(16 000)
Dividende par catégorie d'actions	44 000 $	56 000 $	0 $

Les quatre cas décrits dans l'exemple précédent ne couvrent pas toutes les situations possibles de répartition des dividendes lorsqu'il existe plusieurs catégories d'actions. On doit toujours s'en remettre aux statuts constitutifs afin de trouver les clauses particulières s'appliquant à la répartition des dividendes.

Avez-vous remarqué ?

Les privilèges et les restrictions rattachés aux catégories d'actions ont un effet important sur la distribution des dividendes, peu importe la sorte de dividendes. On doit donc fournir de l'information dans les états financiers sur les caractéristiques propres à chaque catégorie d'actions afin que les utilisateurs puissent déterminer l'effet de ces caractéristiques sur la portion de dividende à laquelle ils auront droit.

Les changements de méthodes comptables

Les changements de méthodes comptables doivent demeurer peu fréquents, car ils peuvent avoir un impact négatif sur la comparabilité des états financiers. Nous verrons maintenant la nature de tels changements, leur traitement comptable ainsi que leur présentation dans les états financiers.

La nature des changements de méthodes comptables

Différence NCECF

Au chapitre 1, nous avons affirmé qu'en vertu de la caractéristique de comparabilité, une entreprise doit utiliser les mêmes méthodes comptables d'un exercice à l'autre. Cette caractéristique, rappelons-le, s'applique aux informations comptables et implique aussi que les états financiers doivent être comparables d'une entreprise à l'autre.

L'IASB définit les **méthodes comptables** comme étant «les principes, bases, conventions, règles et pratiques spécifiques appliqués par une entité lors de l'établissement et de la présentation de ses états financiers[16]». On s'attend à ce que les méthodes comptables suivies par l'entreprise soient les mêmes pendant tout l'exercice et ne changent pas d'un exercice à l'autre. Toutefois, une entreprise peut être amenée à faire certains changements dans des circonstances bien particulières.

L'IASB prévoit que seules deux situations peuvent donner lieu à un changement de méthode comptable. La première est celle où le changement est imposé par une nouvelle norme ou interprétation. Dans une telle situation, la nouvelle norme ou interprétation indique généralement les dispositions de transition pour l'application de la nouvelle méthode comptable. La seconde situation est liée à un changement de méthode effectué volontairement par une entreprise. Dans un tel cas, la nouvelle méthode adoptée doit permettre de fournir des informations **fiables** et plus **pertinentes** sur la situation financière, la performance ou les flux de trésorerie de l'entreprise[17]. L'IASB est d'avis que «pour être utile, l'information financière doit être pertinente et donner une image fidèle de ce qu'elle prétend représenter[18]».

Nous savons que le but premier de l'information financière est son **utilité** pour la prise de décisions. Les changements de méthodes comptables visent essentiellement à accroître l'utilité de cette information. Toutefois, force est d'admettre que, pour atteindre cet objectif, on doit accepter un compromis relativement à une caractéristique qualitative auxiliaire de l'information financière: la **comparabilité.** Nous verrons cependant qu'il est possible, en faisant une présentation détaillée, de s'assurer que les utilisateurs de l'information comptable comprennent la pertinence du changement d'une méthode comptable et son incidence sur les états financiers, ce qui leur permettra par la suite de comparer le résultat net et la situation financière de l'entreprise avant et après l'application de ce changement de méthode comptable.

16. *Manuel de CPA Canada – Comptabilité – Partie I,* **IAS 8**, paragr. 5.
17. *Manuel de CPA Canada – Comptabilité – Partie I,* IAS 8, paragr. 14(b).
18. *Manuel de CPA Canada – Comptabilité – Partie I,* «**Cadre conceptuel de l'information financière**», paragr. QC4.

Voici une liste non exhaustive de changements de méthodes comptables :

- Modification du mode d'amortissement des immobilisations qui ne découle pas d'un changement apporté à la durée d'utilité estimée ou au rythme d'amoindrissement du potentiel de service procuré par ces immobilisations ;
- Modification de la méthode de détermination du coût des stocks par le passage, par exemple, de la méthode du coût moyen pondéré à la méthode du premier entré, premier sorti (PEPS) ;
- Modification de la méthode de comptabilisation des produits résultant d'une obligation de prestation remplie progressivement par le passage de la méthode de comptabilisation à hauteur des coûts engagés à la méthode de l'avancement des travaux ;
- Modification du mode d'amortissement des frais de développement comptabilisés à l'actif ;
- Modification d'une norme comptable existante. Les dernières années ont été caractérisées par la publication de plusieurs nouvelles normes comptables, notamment en ce qui concerne les instruments financiers. Bon nombre d'entreprises ont donc été contraintes de modifier leurs méthodes comptables pour ces instruments.

On doit faire preuve de prudence lors de l'analyse d'une situation pouvant mener au changement d'une méthode comptable. En effet, il existe des situations qui ne donnent pas lieu à des changements de méthodes comptables.

Ne constituent pas des changements de méthodes comptables :

(a) l'application d'une méthode comptable à des transactions, autres événements ou conditions différant en substance de ceux survenus précédemment ; et

(b) l'application d'une nouvelle méthode comptable à des transactions, autres événements ou conditions qui ne se produisaient pas auparavant ou qui n'étaient pas significatifs[19].

À titre d'exemple de la situation énoncée en (a), supposons que, jusqu'à la fin de l'exercice précédent, une entreprise ait eu son propre service de recherche et développement et ait comptabilisé à l'actif les frais de développement selon les recommandations de l'IASB. Au début de l'exercice en cours, le conseil d'administration a décidé de mettre fin aux activités de ce service et de faire affaire avec un centre de recherche et développement externe. L'entreprise comptabilisera dorénavant le coût des brevets d'invention acquis de ce centre de recherche. Dans ce cas, il ne s'agit pas du changement d'une méthode comptable, mais plutôt de l'application d'une nouvelle méthode ayant pris naissance à la suite d'opérations qui se distinguent nettement de celles qui existaient auparavant.

Différence NCECF

Pour illustrer la deuxième situation prévue par l'IASB, supposons que les coûts d'emprunt d'une entreprise ont toujours été considérés comme négligeables et comptabilisés en charges de l'exercice au cours duquel ils étaient engagés. À la suite d'un projet de construction important, les coûts d'emprunt deviennent significatifs, si bien que l'entreprise décide de les incorporer au coût de l'actif. Encore une fois, il ne s'agit pas du changement d'une méthode comptable, car les coûts d'emprunt qui, autrefois, n'étaient pas significatifs sont maintenant suffisamment importants pour être comptabilisés à l'actif et amortis sur plusieurs exercices.

Le traitement des effets des changements de méthodes comptables

Avant de déterminer le traitement à appliquer lors du changement d'une méthode comptable, il faut connaître la raison à l'origine de celui-ci. Lorsque le changement découle de la première application d'une norme, incluant les interprétations de l'International Financial Reporting Standards Interpretations Committee (IFRIC), ce sont les dispositions de transition prévues par cette norme qui dictent le traitement à appliquer, soit une application rétrospective complète, une application rétrospective partielle ou une application prospective.

En ce qui concerne la première application de la méthode visant à évaluer les immobilisations corporelles ou incorporelles selon le modèle de la réévaluation, bien qu'elle constitue un changement de méthode comptable, elle doit être traitée comme une réévaluation conformément

19. *Manuel de CPA Canada – Comptabilité – Partie I*, IAS 8, paragr. 16.

à l'**IAS 16**, intitulée « Immobilisations corporelles », ou à l'**IAS 38**, intitulée « Immobilisations incorporelles ».

Dans les circonstances où les IFRS ne préconisent pas l'usage d'une certaine méthode comptable pour une transaction ou un événement, l'entreprise peut choisir d'appliquer une méthode comptable issue des positions officielles les plus récentes d'autres organismes de normalisation comptable. À la suite d'une telle modification, l'entreprise qui choisit de changer sa méthode comptable comptabilise ce changement comme un changement volontaire.

Lorsque le changement d'une méthode comptable est volontaire ou qu'aucune disposition de transition n'est prévue par une nouvelle norme, l'IASB en recommande l'**application rétrospective**. Ce traitement conduit à appliquer la nouvelle méthode comptable aux actifs, aux passifs et aux capitaux propres comme si l'entreprise avait toujours utilisé cette méthode ; il entraîne aussi le retraitement de toute synthèse historique que l'entreprise aurait présentée. Lorsque c'est possible, l'entreprise doit procéder à l'**application rétrospective complète**. Ceci consiste à retraiter le solde de chaque élément présenté dans les états financiers comme si la nouvelle méthode comptable avait toujours été appliquée. Les chiffres relatifs aux exercices antérieurs fournis aux fins de comparaison sont tous recalculés en fonction de la nouvelle méthode. Ce traitement assure l'uniformité des méthodes comptables sous-jacentes aux chiffres des divers exercices. De plus, il facilite l'interprétation de l'évolution des résultats nets et des autres données analytiques, car il permet de comparer les états financiers de divers exercices. Toutefois, l'IASB a voulu tenir compte du caractère praticable de l'application rétrospective d'une nouvelle méthode comptable avant d'imposer l'application rétrospective complète.

> Lorsqu'il est impraticable de déterminer les effets spécifiquement liés à la période du changement d'une méthode comptable sur l'information comparative relative à une ou plusieurs périodes antérieures présentées, l'entité doit appliquer la nouvelle méthode comptable aux valeurs comptables des actifs et passifs au début de la première période pour laquelle l'application rétrospective est praticable, qui peut être la période considérée ; elle doit également effectuer un ajustement correspondant du solde d'ouverture de chaque composante affectée des capitaux propres pour cette période[20].

Cette recommandation propose une application rétrospective partielle lorsqu'il n'est pas possible de retraiter les chiffres comparatifs de tous les exercices antérieurs présentés. Diverses raisons peuvent expliquer l'incapacité de procéder à un retraitement des informations comparatives. Certaines données peuvent ne pas avoir été recueillies au cours des exercices antérieurs pour permettre l'application rétrospective complète. Une entreprise, par exemple, qui passe de la méthode du coût amorti à la méthode de la juste valeur pour comptabiliser ses placements pourrait considérer qu'elle ne peut estimer de manière fiable la juste valeur des placements à la date de clôture des exercices antérieurs. Elle pourrait alors utiliser l'application rétrospective partielle.

Selon l'**application rétrospective partielle**, la nouvelle méthode comptable est appliquée aux événements et transactions qui ont eu lieu antérieurement et un retraitement cumulatif, représentant l'effet du changement de méthode comptable sur les exercices antérieurs, modifie uniquement les états financiers de l'exercice au cours duquel l'application rétrospective est praticable. Le retraitement cumulatif est porté au solde d'ouverture des résultats non distribués. Prenons l'exemple de la société Machin ltée, qui présente les chiffres de 20X0 et 20X1 à des fins de comparaison dans ses états financiers de 20X2. Elle a modifié l'une de ses méthodes comptables en 20X2 et jugé que l'application rétrospective aux chiffres de 20X0 était impraticable. Dans ses états financiers de 20X2, elle présente les chiffres modifiés de 20X1, mais non ceux de 20X0. Elle ajuste alors le solde d'ouverture des résultats non distribués de 20X1 pour tenir compte de l'effet sur tous les exercices qui le précèdent. C'est la raison pour laquelle cette méthode est appelée application rétrospective partielle, puisque, comme nous venons de le décrire, seule une partie des chiffres présentés dans les états financiers sont retraités.

L'application rétrospective complète nécessite de pouvoir faire des estimations relatives aux exercices antérieurs reflétant les circonstances qui existaient au moment où est survenu la transaction ou l'événement. De plus, il est nécessaire que les informations inhérentes aux estimations représentent bel et bien des informations qui étaient disponibles lors de l'établissement des états financiers des exercices antérieurs. C'est donc dire qu'il faut ignorer, dans l'établissement des

20. *Manuel de CPA Canada – Comptabilité – Partie I,* IAS 8, paragr. 24.

estimations nécessaires au retraitement des montants des exercices antérieurs, les informations devenues disponibles ultérieurement à ces exercices. Il est, cependant, parfois impraticable de déterminer précisément ces informations. À titre d'exemple, si une entreprise modifie son mode d'amortissement des frais de développement comptabilisés à l'actif pour passer du mode linéaire à un mode fondé sur les unités de production, il peut être impraticable pour elle de revenir en arrière pour estimer les quantités d'extrants qui étaient attendues à la fin des exercices précédents. Seul l'effet cumulatif au début de l'exercice en cours peut être déterminable, ce qui entraîne alors une application rétrospective partielle.

Dans certains cas, il arrive même qu'il soit impossible de faire une application rétrospective partielle. En effet, s'il est impraticable de déterminer l'effet cumulé et d'ajuster le solde des capitaux propres au début de l'exercice en cours, il faut alors appliquer la nouvelle méthode comptable de manière prospective aux exercices en cours et futurs touchés par le changement.

Une **application prospective** consiste à appliquer la nouvelle méthode aux transactions, aux événements et aux situations intervenant après la date du changement de méthode de manière à ce que l'effet de ce changement se reflète dans les chiffres de l'exercice en cours et ceux des exercices subséquents[21]. Ainsi, si une entreprise modifie sa façon de déterminer ses unités génératrices de trésorerie aux fins d'application du test de dépréciation de ses immobilisations corporelles, il pourrait être impraticable pour elle de procéder à une estimation de l'effet de ce changement sur ses états financiers antérieurs[22]. Il est commun de voir des applications prospectives dans les dispositions de transition des nouvelles normes ou interprétations. À titre d'exemple, pensons à l'IAS 38, qui autorisait un traitement prospectif en ce qui a trait à la comptabilisation des immobilisations incorporelles.

La figure 15.4 présente un résumé de la position de l'IASB en ce qui concerne les changements volontaires de méthodes comptables. La figure inclut aussi le traitement des corrections d'erreurs expliqué plus loin.

FIGURE 15.4 L'application du changement volontaire d'une méthode comptable ou d'une correction d'erreur

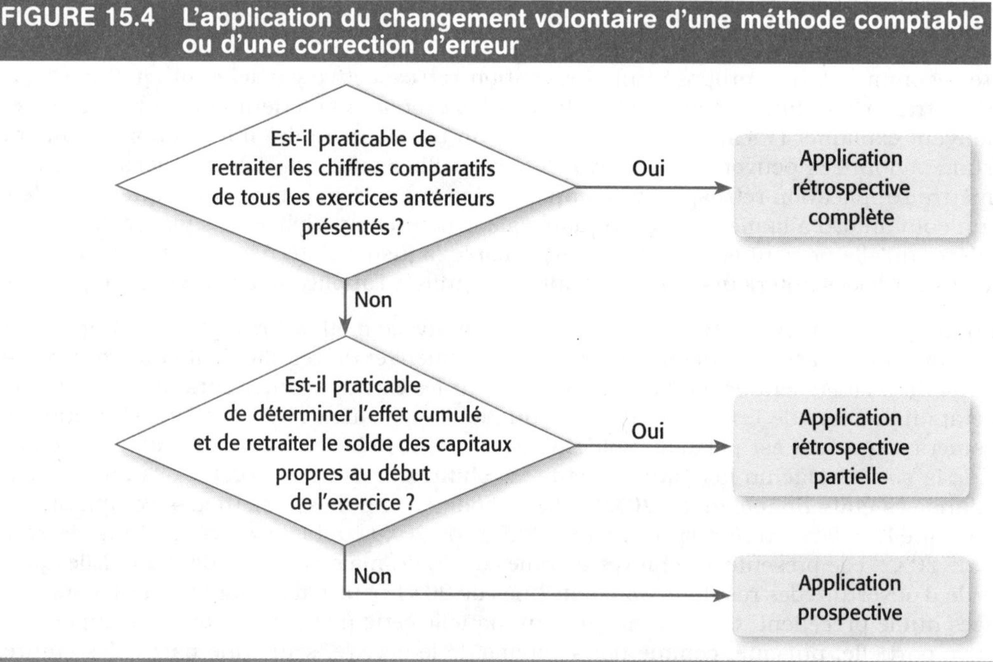

Illustrons maintenant les trois façons de traiter les changements de méthodes comptables proposés par l'IASB : 1) l'application rétrospective complète ; 2) l'application rétrospective partielle ; et 3) l'application prospective.

21. *Manuel de CPA Canada – Comptabilité – Partie I*, IAS 8, paragr. 5.

22. En effet, rappelons qu'une méthode comptable inclut non seulement les méthodes de comptabilisation, mais aussi les règles et les pratiques particulières appliquées par une entreprise pour l'établissement de ses états financiers.

EXEMPLE

Application rétrospective complète d'un changement de méthodes comptables

La société Modifiée ltée a commencé ses activités le 1er janvier 20X0. Au cours de ses deux premiers exercices, elle a utilisé la méthode PEPS pour déterminer le coût de ses stocks, tant sur le plan comptable que sur le plan fiscal. En 20X2, la direction a décidé de modifier cette méthode comptable en adoptant la méthode du coût moyen pondéré[23]. Voici un extrait des états financiers, compte **non tenu** du changement de méthode comptable, ainsi que l'évaluation différentielle du stock de marchandises au 31 décembre :

MODIFIÉE LTÉE
Résultat global partiel
de l'exercice terminé le 31 décembre

	20X2	20X1	20X0
Chiffre d'affaires	200 000 $	140 000 $	100 000 $
Coût des ventes	95 000	68 000	51 000
Marge brute	105 000	72 000	49 000
Charges d'exploitation	85 000	63 000	48 000
Bénéfice avant impôts	20 000 $	9 000 $	1 000 $

MODIFIÉE LTÉE
Variations des capitaux propres partielles
de l'exercice terminé le 31 décembre

Résultats non distribués	20X2	20X1	20X0
Solde au 1er janvier	10 000 $	1 000 $	θ
Bénéfice avant impôts	20 000	9 000	1 000 $
Solde au 31 décembre	30 000 $	10 000 $	1 000 $

L'entreprise a aussi déterminé la valeur comptable du stock de marchandises au 31 décembre, selon les deux méthodes en cause :

	20X2	20X1	20X0
PEPS (ancienne méthode)	19 000 $	14 000 $	10 000 $
Coût moyen pondéré (nouvelle méthode)	14 500	11 500	9 000
Diminution du stock de clôture	4 500 $	2 500 $	1 000 $

Pour Modifiée ltée, nous devons déterminer les effets du changement de méthode comptable sur les exercices 20X0, 20X1 et 20X2. Nous présentons ci-dessous une analyse détaillée de ces effets.

	Méthode PEPS	Méthode du coût moyen pondéré	Écart
20X0			
Chiffre d'affaires	100 000 $	100 000 $	
Coût des ventes ①	51 000	52 000	1 000 $
Marge brute	49 000	48 000	
Charges d'exploitation	48 000	48 000	
Résultat avant impôts	1 000	0	1 000
Résultats non distribués au début	θ	θ	
Résultats non distribués à la fin	1 000 $	0 $	1 000 $
Actif courant			
Stock de marchandises	10 000 $	9 000 $	1 000 $

23. Cet exemple, pour des considérations pédagogiques, ne tient pas compte de l'effet fiscal. Le lecteur désireux de voir les incidences fiscales d'un changement de méthode comptable est invité à consulter le dernier exemple la présente sous-section.

	Méthode PEPS	Méthode du coût moyen pondéré	Écart
20X1			
Chiffre d'affaires	140 000 $	140 000 $	
Coût des ventes ①	68 000	69 500	1 500 $
Marge brute	72 000	70 500	1 500
Charges d'exploitation	63 000	63 000	
Résultat avant impôts	9 000	7 500	1 500
Résultats non distribués au début	1 000	0	1 000
Résultats non distribués à la fin	10 000 $	7 500 $	2 500 $
Actif courant			
Stock de marchandises	14 000 $	11 500 $	2 500 $
20X2			
Chiffre d'affaires	200 000 $	200 000 $	
Coût des ventes ①	95 000	97 000	2 000 $
Marge brute	105 000	103 000	2 000
Charges d'exploitation	85 000	85 000	
Résultat avant impôts	20 000	18 000	2 000
Résultats non distribués au début	10 000	7 500	2 500
Résultats non distribués à la fin	30 000 $	25 500 $	4 500 $
Actif courant			
Stock de marchandises	19 000 $	14 500 $	4 500 $
Calcul :	**20X2**	**20X1**	**20X0**
① Coût des ventes selon la méthode PEPS	95 000 $	68 000 $	51 000 $
Moins : Stock au début (PEPS)	(14 000)	(10 000)	θ
Plus : Stock au début (coût moyen)	11 500	9 000	θ
Plus : Stock à la fin (PEPS)	19 000	14 000	10 000
Moins : Stock à la fin (coût moyen)	(14 500)	(11 500)	(9 000)
Coût des ventes selon le coût moyen	97 000 $	69 500 $	52 000 $

Voici maintenant les écritures de correction qui auraient dû être faites pour les années 20X0 et 20X1. Puisque les comptes de ces années ont été clôturés, elles ne sont présentées que pour montrer l'effet détaillé de ce retraitement sur les différents postes des états financiers :

20X0		
Coût des ventes	*1 000*	
Stock de marchandises (9 000 $ – 10 000 $)		*1 000*
Effet pour l'année 20X0 du changement apporté à la détermination du coût des stocks, passant de la méthode PEPS à celle du coût moyen pondéré.		
20X1		
Coût des ventes	*1 500*	
Stock de marchandises ①		*1 500*
Effet pour l'année 20X1 du changement apporté à la détermination du coût des stocks, passant de la méthode PEPS à celle du coût moyen pondéré.		

Calcul :

① Stock à la fin (coût moyen)	11 500 $
Stock à la fin (PEPS)	(14 000)
Différence	(2 500)
Moins : Écart corrigé en 20X0	(1 000)
Écart à corriger en 20X1	(1 500) $

Puisque les livres de Modifiée ltée ont été clôturés pour les années 20X0 et 20X1, on doit retraiter les résultats non distribués au début de 20X2 pour comptabiliser l'effet rétrospectif

15

de ce changement de méthode comptable. Voyons maintenant les écritures qui devront être enregistrées, en supposant que Modifiée ltée n'a pas encore clôturé ses livres au 31 décembre 20X2 et qu'elle utilise un système d'inventaire permanent :

Résultats non distribués ①		*2 500*	
Stock de marchandises (1 000 $ + 1 500 $)			*2 500*
Effet rétrospectif pour les années 20X0 et 20X1 du changement apporté à la détermination du coût des stocks, passant de la méthode PEPS à celle du coût moyen pondéré.			
Calcul :			
① Diminution du résultat net en 20X0, à la suite de l'augmentation du coût des ventes	(1 000) $		
Diminution du résultat net en 20X1 à la suite de l'augmentation du coût des ventes	(1 500)		
Diminution totale des résultats nets de 20X0 et 20X1	(2 500) $		
Coût des ventes		*2 000*	
Stock de marchandises ①			*2 000*
Effet pour l'année 20X2 du changement apporté à la détermination du coût des stocks, passant de la méthode PEPS à celle du coût moyen pondéré.			
Calcul :			
① Stock à la fin (coût moyen)	14 500 $		
Stock à la fin (PEPS)	(19 000)		
Différence	(4 500)		
Moins : Écart corrigé en 20X0 et 20X1 (1 000 $ + 1 500 $)	(2 500)		
Écart à corriger en 20X2	(2 000) $		

Cet exemple montre bien que l'application rétrospective complète des états financiers présente l'effet du changement d'une méthode comptable sur chaque élément touché, et ce, pour chaque exercice antérieur présenté, comme si la nouvelle méthode comptable avait toujours été appliquée. Certains font valoir qu'une correction des chiffres publiés antérieurement est de nature à miner la crédibilité des états financiers. Ils affirment que si les états financiers des exercices précédents sont constamment retraités aux fins de comparaison, les utilisateurs finiront par remettre en cause la fidélité et la crédibilité de ces états. De plus, ils soutiennent que les résultats nets publiés antérieurement pourraient avoir influencé les décisions et le comportement des utilisateurs à cette époque. Selon eux, des chiffres antérieurs retraités ne présentent aucun intérêt pour les utilisateurs, car il leur est impossible de réviser ces décisions et de modifier le comportement adopté dans le passé. Toutefois, les avantages découlant de la comparabilité contrebalancent cet inconvénient.

15

Il est possible que l'entreprise ne soit pas en mesure de déterminer les effets précis sur chaque élément touché par le changement de méthode liés à un ou à plusieurs exercices antérieurs présentés. Dans ce cas, elle doit procéder à une application rétrospective partielle.

EXEMPLE

Application rétrospective partielle d'un changement de méthodes comptables

Reprenons les données sur la société Modifiée ltée, fournies à la page 15.27, en tenant maintenant pour acquis qu'il est impraticable de déterminer les effets précis du changement de méthode comptable sur les chiffres des exercices précédents fournis à des fins de comparaison. L'entreprise porte l'effet cumulatif du changement aux résultats non distribués de l'exercice en cours. Voici l'écriture qu'elle doit enregistrer au 31 décembre 20X2 :

Résultats non distribués	*2 500*	
Coût des ventes	*2 000*	
Stock de marchandises (14 500 $ – 19 000 $)		*4 500*
Effet du changement apporté à la détermination du coût des stocks, passant de la méthode PEPS à celle du coût moyen pondéré.		

Dans le cas de l'application rétrospective partielle, l'entreprise détermine d'abord l'effet du changement sur l'exercice en cours puis, par différence, obtient l'effet cumulatif sur le solde d'ouverture des résultats non distribués de 20X2. Soulignons que l'écriture précédente est en fait le regroupement des deux écritures requises en 20X2 lors de l'application rétrospective complète. En effet, la seule différence entre l'application rétrospective partielle et l'application rétrospective complète réside dans l'impossibilité de déterminer, pour les périodes antérieures présentées, les postes touchés par le changement de méthode. Cependant, les chiffres de l'exercice en cours sont les mêmes, peu importe le type d'application rétrospective.

L'application rétrospective partielle implique nécessairement que les chiffres des états financiers antérieurs ne sont plus entièrement comparables, bien que le retraitement cumulatif lié au changement soit présenté dans les états financiers de l'exercice au cours duquel l'application rétrospective est applicable. Ce compromis est nécessaire lorsqu'il n'est pas possible de présenter l'effet du changement d'une méthode comptable sur chaque élément touché pour tous les exercices antérieurs présentés.

Dans d'autres cas, il peut également arriver que l'entreprise ne soit pas en mesure de déterminer l'effet cumulé de l'application de la nouvelle méthode sur les exercices antérieurs. Elle procède alors à une application prospective.

EXEMPLE

Application prospective d'un changement de méthodes comptables

Reprenons l'exemple de Modifiée ltée. L'application prospective signifie que la nouvelle méthode d'évaluation des stocks est appliquée à compter de 20X2 sans que les montants comparatifs et les soldes d'ouverture ne soient modifiés.

Comme pour les deux applications précédentes, supposons que la société Modifiée ltée n'a pas encore comptabilisé l'effet du changement de méthode comptable, qu'elle utilise un système d'inventaire permanent et que ses livres ne sont pas clôturés. Voici l'écriture qu'elle doit enregistrer en date du 31 décembre 20X2 selon cette approche[24] :

Coût des ventes	*4 500*	
Stock de marchandises		*4 500*
Effet du changement apporté à la détermination du coût des stocks, passant de la méthode PEPS à celle du coût moyen pondéré.		

On doit toutefois reconnaître que puisqu'il n'y a eu aucun retraitement des états financiers précédents, les chiffres antérieurs et postérieurs au changement de méthode comptable ne sont plus entièrement comparables.

Dans le tableau 15.2, nous présentons de façon comparative les trois traitements des effets du changement de méthode comptable relative à la détermination du coût des stocks que nous venons d'expliquer. Les principales différences entre ces trois traitements sont mises en évidence par les montants tramés.

24. Dans cet exemple, nous tenons pour acquis que l'entreprise a pris la décision de changer de méthode comptable à compter de l'exercice 20X2 et que les données relatives au stock de clôture de l'exercice 20X1, établies selon la nouvelle méthode comptable, ne pouvaient être obtenues au prix d'un effort raisonnable. Nous optons pour cette hypothèse afin de pouvoir illustrer l'effet maximal du changement de la méthode comptable sur les états financiers selon les trois traitements comptables envisagés par l'IASB. En pratique, l'application prospective n'est pas souhaitable dans le cas d'un changement de méthode comptable relative à la méthode de détermination du coût des stocks, car le coût des ventes comporte un stock initial et un stock de clôture établis selon des méthodes différentes, ce qui rend à peu près impossible toute analyse du coût des ventes et toute comparabilité.

TABLEAU 15.2 Une comparaison des trois façons de traiter le changement d'une méthode comptable

MODIFIÉE LTÉE
Résultat global partiel
de l'exercice terminé le 31 décembre

	Application prospective			Application rétrospective partielle			Application rétrospective complète		
	20X2	**20X1**	**20X0**	**20X2**	**20X1**	**20X0**	**20X2**	**20X1 retraité**	**20X0 retraité**
Chiffre d'affaires	200 000 $	140 000 $	100 000 $	200 000 $	140 000 $	100 000 $	200 000 $	140 000 $	100 000 $
Coût des ventes	99 500	68 000	51 000	97 000	68 000	51 000	97 000	69 500	52 000
Marge brute	100 500	72 000	49 000	103 000	72 000	49 000	103 000	70 500	48 000
Charges d'exploitation	85 000	63 000	48 000	85 000	63 000	48 000	85 000	63 000	48 000
Bénéfice avant impôts	15 500 $	9 000 $	1 000 $	18 000 $	9 000 $	1 000 $	18 000 $	7 500 $	0 $

MODIFIÉE LTÉE
Variations des capitaux propres partielles
de l'exercice terminé le 31 décembre

	Application prospective			Application rétrospective partielle			Application rétrospective complète		
Résultats non distribués	**20X2**	**20X1**	**20X0**	**20X2**	**20X1**	**20X0**	**20X2**	**20X1**	**20X0**
Solde au début (avant retraitement)	10 000 $	1 000 $		10 000 $	1 000 $		10 000 $	1 000 $	
Changement de méthode comptable				(2 500)			(2 500)	(1 000)	
Solde retraité	10 000	1 000		7 500	1 000		7 500	0	
Bénéfice avant impôts	15 500	9 000	1 000 $	18 000	9 000	1 000 $	18 000	7 500	0 $
Solde à la fin	25 500 $	10 000 $	1 000 $	25 500 $	10 000 $	1 000 $	25 500 $	7 500 $	0 $

MODIFIÉE LTÉE
Situation financière partielle
au 31 décembre

	Application prospective			Application rétrospective partielle			Application rétrospective complète		
	20X2	**20X1**	**20X0**	**20X2**	**20X1**	**20X0**	**20X2**	**20X1 retraité**	**20X0 retraité**
Actif courant									
Stock de marchandises	14 500 $	14 000 $	10 000 $	14 500 $	14 000 $	10 000 $	14 500 $	11 500 $	9 000 $

15

EXEMPLE

Effet fiscal d'un changement de méthodes comptables

Reprenons les données sur la société Modifiée ltée, fournies à la page 15.27, et supposons qu'à des fins fiscales, l'entreprise continue d'utiliser la méthode PEPS[25] et que son taux d'imposition est de 40 %.

MODIFIÉE LTÉE
Résultat global partiel
de l'exercice terminé le 31 décembre

	20X2	*20X1*	*20X0*
Bénéfice avant impôts	*20 000 $*	*9 000 $*	*1 000 $*
Impôts sur le résultat	*8 000*	*3 600*	*400*
Bénéfice net	*12 000 $*	*5 400 $*	*600 $*

MODIFIÉE LTÉE
Variations des capitaux propres partielles
de l'exercice terminé le 31 décembre

Résultats non distribués	*20X2*	*20X1*	*20X0*
Solde au 1er janvier	*6 000 $*	*600 $*	*θ*
Bénéfice net (après impôts de 40 %)	*12 000*	*5 400*	*600 $*
Solde au 31 décembre	*18 000 $*	*6 000 $*	*600 $*

Voici une analyse détaillée de l'effet fiscal du changement de méthode comptable.

	Méthode PEPS	Méthode du coût moyen pondéré	Écart
20X0			
Résultat avant impôts	1 000 $	0 $	1 000 $
Impôts sur le résultat – Exigibles	400	400	
Impôts sur le résultat – Différés ②	0	(400)	(400)
Résultat net	600	0	600
Résultats non distribués au début	θ	θ	
Résultats non distribués à la fin	600 $	0 $	600 $
Actif courant			
Stock de marchandises	10 000 $	9 000 $	1 000 $
Actif d'impôt différé ①	0	400	400
20X1			
Résultat avant impôts	9 000 $	7 500 $	1 500 $
Impôts sur le résultat – Exigibles	3 600	3 600	
Impôts sur le résultat – Différés ②	0	(600)	(600)
Résultat net	5 400	4 500	900
Résultats non distribués au début	600	0	600
Résultats non distribués à la fin	6 000 $	4 500 $	1 500 $
Actif courant			
Stock de marchandises	14 000 $	11 500 $	2 500 $
Actif d'impôt différé ①	0	1 000	1 000

15

25. Ce traitement fiscal est purement hypothétique et vise uniquement à illustrer ce qui se passe en présence de différences temporaires liées à la méthode de l'actif ou du passif fiscal que nous expliquerons plus en détail au chapitre 18.

	Méthode PEPS	Méthode du coût moyen pondéré	Écart
20X2			
Résultat avant impôts	20 000 $	18 000 $	2 000 $
Impôts sur le résultat – Exigibles	8 000	8 000	
Impôts sur le résultat – Différés ②	0	(800)	(800)
Résultat net	12 000	10 800	1 200
Résultats non distribués au début	6 000	4 500	1 500
Résultats non distribués à la fin	18 000 $	15 300 $	2 700 $
Actif courant			
Stock de marchandises	19 000 $	14 500 $	4 500 $
Actif d'impôt différé ①	0	1 800	1 800

Calculs :

	20X2	20X1	20X0
① Stock à la fin (PEPS)	19 000 $	14 000 $	10 000 $
Stock à la fin (coût moyen)	(14 500)	(11 500)	(9 000)
Différence temporaire déductible	4 500	2 500	1 000
Taux d'impôts	× 40 %	× 40 %	× 40 %
Actif d'impôt différé	1 800 $	1 000 $	400 $
② Actif d'impôt différé à la fin	(1 800) $	(1 000) $	(400) $
Actif d'impôt différé au début	1 000	400	0
Impôts sur le résultat – Différés (créditeur)	(800) $	(600) $	(400) $

Voici maintenant les écritures de correction qui doivent être faites pour les années 20X0 et 20X1 si l'entreprise procède à une application rétrospective complète. Puisque les comptes de ces années sont clôturés, elles sont présentées uniquement pour montrer l'effet détaillé de ce retraitement sur les postes liés aux impôts sur le résultat différés :

20X0

Actif d'impôt différé	*400*	
Impôts sur le résultat – Différés		*400*

Impact fiscal pour l'année 20X0 du changement apporté à la détermination du coût des stocks, passant de la méthode PEPS à celle du coût moyen pondéré.

20X1

Actif d'impôt différé	*600*	
Impôts sur le résultat – Différés		*600*

Impact fiscal pour l'année 20X1 du changement apporté à la détermination du coût des stocks, passant de la méthode PEPS à celle du coût moyen pondéré.

Puisque les livres de Modifiée ltée ont été clôturés pour les années 20X0 et 20X1, on doit retraiter les résultats non distribués au début de 20X2 pour comptabiliser l'impact fiscal rétrospectif de ce changement de méthode comptable. Voyons maintenant les écritures qui doivent être enregistrées, en supposant que Modifiée ltée n'a pas encore clôturé ses livres au 31 décembre 20X2 :

Actif d'impôt différé	*1 000*	
Résultats non distribués ①		*1 000*

Impact fiscal rétrospectif pour les années 20X0 et 20X1 du changement apporté à la détermination du coût des stocks, passant de la méthode PEPS à celle du coût moyen pondéré.

Calcul :

① Augmentation du résultat net en 20X0, à la suite de la diminution des impôts sur le résultat – Différés	400 $

15

Augmentation du résultat net en 20X1 à la suite de la diminution des impôts sur le résultat – Différés	600		
Augmentation totale des résultats nets de 20X0 et 20X1	1 000 $		
Actif d'impôt différé		*800*	
Résultats non distribués			*800*

Impact fiscal pour l'année 20X2 du changement apporté à la détermination du coût des stocks, passant de la méthode PEPS à celle du coût moyen pondéré.

Voici maintenant l'écriture qui doit être enregistrée au 31 décembre 20X2 si Modifiée ltée est incapable de déterminer les effets précis du changement de méthode comptable sur les chiffres des exercices précédents fournis aux fins de comparaison. Elle fait alors une application rétrospective partielle :

Actif d'impôt différé (1 800 $ – 0 $)	*1 800*	
Impôts sur le résultat – Différés		*800*
Résultats non distribués		*1 000*

Impact fiscal du changement apporté à la détermination du coût des stocks, passant de la méthode PEPS à celle du coût moyen pondéré.

Supposons enfin que l'application rétrospective est impraticable et qu'une application prospective est faite par Modifiée ltée. Voici l'écriture qu'elle doit enregistrer en date du 31 décembre 20X2 selon cette approche :

Actif d'impôt différé	*1 800*	
Impôts sur le résultat – Différés		*1 800*

Impact fiscal du changement apporté à la détermination du coût des stocks, passant de la méthode PEPS à celle du coût moyen pondéré.

15

La présentation des changements de méthodes comptables dans les états financiers

Le tableau 15.3 présente les normes de présentation de l'IASB, auxquelles nous ajoutons quelques commentaires.

TABLEAU 15.3 La présentation des changements de méthodes comptables

***Normes internationales d'information financière,* IAS 8**	**Commentaires**
Paragr. 28 *Lorsque la première application d'une IFRS a une incidence sur la période considérée ou sur toute période antérieure ou devrait avoir une telle incidence sauf qu'il est impraticable de déterminer le montant de l'ajustement, ou encore pourrait avoir une incidence sur des périodes futures, l'entité doit fournir les informations suivantes :* *(a) le titre de l'IFRS ;* *(b) le cas échéant, le fait que le changement de méthode comptable est mis en œuvre selon ses dispositions transitoires ;* *(c) la nature du changement de méthode comptable ;* *(d) le cas échéant, une description des dispositions transitoires ;*	Cette première recommandation concerne les changements de méthodes comptables qui sont imposés par une nouvelle norme dans laquelle des dispositions transitoires sont ou ne sont pas prévues. Ces informations contribuent à répondre aux questions quoi, pourquoi, comment et combien. En effet, les utilisateurs sont renseignés sur la nature du changement (quoi), sur la description de la nouvelle norme en cause (pourquoi) et sur les dispositions transitoires appliquées (comment). Elle vise aussi à les renseigner sur l'effet du changement sur tous les postes des états financiers qui sont en cause (combien).

TABLEAU 15.3 *(suite)*

(e) *le cas échéant, les dispositions transitoires susceptibles d'avoir une incidence sur des périodes ultérieures ;* (f) *pour la période considérée et pour chaque période antérieure présentée, dans la mesure du possible, le montant de l'ajustement :* (i) *pour chaque poste affecté des états financiers, et* (ii) *si IAS 33* Résultat par action *s'applique à l'entité, pour le résultat de base et le résultat dilué par action ;* (g) *le montant de l'ajustement relatif aux périodes antérieures aux périodes présentées, dans la mesure du possible ; et* (h) *si l'application rétrospective imposée par le paragraphe 19(a) ou (b) est impraticable pour une période antérieure spécifique ou pour des périodes antérieures aux périodes présentées, les circonstances qui ont mené à cette situation et une description de la manière et de la date de début de l'application du changement de méthode comptable.* *Les états financiers des périodes ultérieures ne doivent pas nécessairement reproduire ces informations.*	S'il est impraticable de déterminer l'effet sur un ou plusieurs exercices antérieurs, il faut en expliquer la raison aux utilisateurs des états financiers et décrire quand et comment le changement sera effectué. Expliquer l'effet du changement prend toute son importance, puisque les utilisateurs ont déjà analysé les états financiers publiés au cours des exercices précédents. Cela leur permet donc de corriger ou de mettre à jour leurs analyses antérieures. Toutes ces informations ne sont généralement fournies qu'une fois, c'est-à-dire au cours de l'exercice où a lieu le changement.
Paragr. 29 *Lorsqu'un changement volontaire de méthode comptable a une incidence sur la période considérée ou sur une période antérieure, ou devrait avoir une incidence sur cette période sauf qu'il est impraticable de déterminer le montant de l'ajustement, ou encore pourrait avoir une incidence sur des périodes ultérieures, l'entité doit fournir les informations suivantes :* (a) *la nature du changement de méthode comptable ;* (b) *les raisons pour lesquelles l'application de la nouvelle méthode comptable fournit des informations fiables et plus pertinentes ;* (c) *pour la période considérée et pour chaque période antérieure présentée, dans la mesure du possible, le montant de l'ajustement :* (i) *pour chaque poste affecté des états financiers, et* (ii) *si IAS 33 s'applique à l'entité, pour le résultat de base et le résultat dilué par action ;* (d) *le montant de l'ajustement relatif aux périodes antérieures aux périodes présentées, dans la mesure du possible ; et* (e) *si l'application rétrospective est impraticable pour une période antérieure spécifique, ou pour des périodes antérieures aux périodes présentées, les circonstances qui ont mené à cette situation et une description de comment et depuis quand le changement de méthode comptable a été appliqué.* *Les états financiers des périodes ultérieures ne doivent pas nécessairement reproduire ces informations.*	Cette recommandation concerne les changements volontaires d'une méthode comptable. Comme dans le cas précédent, elle vise à fournir aux utilisateurs des états financiers des indications sur les questions quoi, pourquoi, comment et combien. Dans ce cas-ci, c'est essentiellement le pourquoi qui diffère de la situation précédente. En effet, puisqu'il s'agit d'un changement volontaire, l'entreprise doit expliquer pourquoi elle considère que la nouvelle méthode fournit des renseignements fiables et plus pertinents. Cette information permet aux utilisateurs de porter un jugement sur le bien-fondé du changement.
Paragr. 30 *Lorsqu'une entité n'a pas appliqué une nouvelle IFRS publiée mais non encore entrée en vigueur, elle doit fournir les informations suivantes :* (a) *ce fait ; et* (b) *des informations connues ou pouvant raisonnablement être estimées concernant l'évaluation de l'impact possible de l'application de la nouvelle IFRS sur les états financiers de l'entité au cours de sa première période d'application.*	Cette recommandation a une saveur prédictive. Elle vise à renseigner les utilisateurs des états financiers sur la nature et l'incidence potentielle des changements de méthodes comptables qui surviendront dans un avenir rapproché du fait que de nouvelles normes sont publiées sans être immédiatement mises en application. Les utilisateurs peuvent dès lors en tenir compte dans leur analyse des tendances. L'intitulé de la norme en cause, la nature du changement, la date de mise en application prévue, l'incidence prévisible (ou une indication que l'incidence n'est pas connue) sont autant d'informations qui intéresseront les utilisateurs. L'extrait des notes aux états financiers consolidés au 2 janvier 2016 de Canadian Tire fournit un exemple de telles informations.

CANADIAN TIRE

2. BASE D'ÉTABLISSEMENT

[...]

IAS 8, paragr. 30

Normes, modifications et interprétations publiées mais non encore adoptées

Les nouvelles normes, modifications et interprétations suivantes ont été publiées et elles devraient avoir une incidence sur la Société, mais elles ne sont pas en vigueur pour l'exercice clos le 2 janvier 2016 et, par conséquent, n'ont pas été appliquées dans le cadre de la préparation des présents états financiers consolidés.

[...]

Produits des activités ordinaires tirés de contrats conclus avec des clients

En mai 2014, l'IASB a publié IFRS 15, *Produits des activités ordinaires tirés de contrats conclus avec des clients* (« IFRS 15 »), qui remplace IAS 11, *Contrats de construction*, IAS 18, *Produits des activités ordinaires*, et IFRIC 13, *Programmes de fidélisation de la clientèle* (« IFRIC 13 »), ainsi que diverses autres interprétations liées aux produits. IFRS 15 prévoit un modèle exhaustif unique que les entités utiliseront pour comptabiliser les produits des activités ordinaires tirés de contrats conclus avec des clients, à l'exception des contrats compris dans le champ d'application des normes sur les contrats de location, les contrats d'assurance et les instruments financiers. IFRS 15 comporte également des obligations d'information améliorées.

IFRS 15 sera appliquée de façon rétrospective pour les exercices ouverts à compter du 1er janvier 2018. L'adoption anticipée est permise. La Société évalue actuellement l'incidence potentielle de cette norme.

Initiative concernant les informations à fournir

En décembre 2014, l'IASB a publié *Initiative concernant les informations à fournir (modifications d'IAS 1)* dans le cadre de l'initiative concernant les informations à fournir de l'IASB. Ces modifications encouragent les entités à avoir recours au jugement professionnel à l'égard des informations à fournir et de la présentation dans leurs états financiers.

Ces modifications entrent en vigueur pour les exercices ouverts à compter du 1er janvier 2016. La mise en œuvre de ces modifications n'aura pas d'incidence importante sur la Société.

[...]

Source : Rapport annuel 2015 de Canadian Tire.
Société Canadian Tire Ltée, *Rapport 2015 aux actionnaires de la Société Canadian Tire*, [En ligne], <http://investors.canadiantire.ca/French/investisseurs/rapports-financiers/divulgations-annuelles/default.aspx> (page consultée le 20 juillet 2016).

Avez-vous remarqué ?

Afin de permettre aux utilisateurs de comparer les états financiers d'un exercice à l'autre, la permanence des méthodes comptables est importante. Toutefois, l'IASB prévoit deux situations où il est possible d'effectuer un changement de méthode comptable.

15

L'analyse et la correction des erreurs

Une entreprise procède annuellement à l'inscription de milliers d'opérations. Même s'il existe en son sein un excellent système de contrôle interne, il est possible qu'une opération ne soit pas comptabilisée de la façon appropriée. L'entreprise doit alors être en mesure de déterminer les effets de cette erreur sur ses états financiers, de corriger l'erreur dans ses livres comptables et de la décrire dans ses états financiers, s'il y a lieu.

La nature des erreurs comptables

Certaines erreurs peuvent survenir au moment de la comptabilisation, de l'évaluation ou de la présentation des postes dans les états financiers. Il est impossible de dresser une liste de toutes les erreurs comptables qui peuvent être commises. Cependant, elles résultent généralement de l'une ou de plusieurs des situations suivantes :

1. **Les erreurs strictement mathématiques** Parmi les erreurs strictement mathématiques, on relève notamment les erreurs de calcul de l'amortissement, de la paie, de l'extension ou de l'addition des feuilles d'inventaire. Leur fréquence a cependant diminué à la suite de l'informatisation des systèmes d'information.
2. **L'utilisation d'une méthode comptable qui n'est pas généralement reconnue dans les circonstances** Tel est le cas, par exemple, lorsqu'une entreprise comptabilise ses stocks selon

la méthode du dernier entré, premier sorti alors qu'elle devrait utiliser la méthode PEPS, ou lorsqu'elle utilise la méthode des impôts exigibles alors qu'elle est tenue d'utiliser la méthode de l'actif et du passif d'impôt différé.

3. **L'omission volontaire** Ne pas tenir compte, consciemment, de la valeur résiduelle lors du calcul de l'amortissement selon le mode linéaire est une omission volontaire.
4. **La mauvaise interprétation des données disponibles ou l'optimisme exagéré des dirigeants**[26] Lors de l'estimation des frais de développement devant être comptabilisés à l'actif, par exemple, une interprétation trop optimiste des conclusions d'une étude de marché peut entraîner la comptabilisation à l'actif d'un montant supérieur aux avantages économiques futurs qui seront effectivement retirés de ces frais de développement. Cela peut également se produire lors de l'estimation de la période d'utilisation des immobilisations. Lorsque l'entreprise choisit délibérément une période trop courte ou trop longue, il peut être nécessaire qu'elle procède à une correction d'erreur lors des exercices subséquents.
5. **L'omission involontaire** Il se peut qu'une erreur résulte d'une omission involontaire. Par exemple, le comptable peut omettre de comptabiliser un produit ou une charge en fin d'exercice. En effet, l'application de la comptabilité d'engagement peut entraîner l'omission involontaire de certaines données lors des écritures de régularisation.
6. **L'inscription erronée** L'inscription erronée consiste en des erreurs d'inscription intentionnelles ou involontaires, par exemple, la passation en charges du coût d'un équipement ou l'inscription d'une facture d'électricité dans le compte Publicité.

Les différences entre les changements d'estimations et la correction d'erreurs comptables

On ne doit pas confondre les corrections d'erreurs et les **changements d'estimations comptables**. Une estimation faite au cours du processus de comptabilisation normal que des événements subséquents viennent infirmer n'est pas considérée comme une erreur. En fait, de par leur nature même, les estimations comptables impliquent des jugements qui doivent être révisés à la lumière des nouveaux renseignements disponibles.

La correction d'une erreur résulte obligatoirement de faits ou d'opérations passés. Lorsque l'erreur a été commise, les données étaient disponibles ; elles ont été soit mal interprétées, soit utilisées de façon erronée, soit omises. Pour sa part, le changement apporté à une estimation comptable résulte de l'obtention de nouvelles informations, de l'acquisition de plus d'expérience ou de l'existence de faits nouveaux. Parmi les éléments qui nécessitent des estimations, citons, par exemple, les dépréciations d'actif, les profits ou les pertes découlant de la variation de valeur de certains actifs, la durée d'utilité et la valeur résiduelle des biens amortissables, le temps durant lequel se feront sentir les avantages économiques découlant d'un coût comptabilisé à l'actif ainsi que le montant de l'obligation découlant de garanties[27].

Cette distinction est fondamentale, car les effets d'un changement d'estimation comptable doivent être traités **prospectivement**, tandis que les effets d'une correction d'erreur doivent être comptabilisés **rétrospectivement**.

Ainsi, l'IASB recommande que les effets de tout changement d'estimation comptable soient comptabilisés à l'exercice au cours duquel a lieu le changement, si l'estimation ne touche que le résultat net de l'exercice, ou à l'exercice au cours duquel a lieu le changement et aux exercices ultérieurs dont le résultat net est touché par ce changement[28].

26. À ne pas confondre avec un changement d'estimation comptable. Nous y reviendrons dans la sous-section qui suit. Pour le moment, retenons que les données étaient **disponibles** lors de l'estimation initiale.
27. On doit lire ces exemples avec l'idée qu'ils découlent de nouvelles informations, de l'acquisition de plus d'expérience ou de l'existence de faits nouveaux. Lorsque, au contraire, les données en cause existaient, mais qu'elles ont été mal utilisées ou omises dans les exercices antérieurs, les mêmes exemples pourraient donner lieu à une correction d'erreur.
28. *Manuel de CPA Canada – Comptabilité – Partie I*, IAS 8, paragr. 36.

EXEMPLE

Changement d'estimation comptable

Le 1er janvier 20X1, la société Bouf'éclair ltée a procédé à l'acquisition, au coût de 12 000 $, d'une petite voiture destinée à la livraison à domicile. Le livreur, M. Jesuy Prudent, est un homme d'une cinquantaine d'années qui n'a jamais eu d'accident, ni même un seul point d'inaptitude. Par conséquent, l'entreprise a estimé que la voiture sera utilisée pour une durée de six ans, après quoi elle sera mise au rancart sans aucune valeur résiduelle. Au cours des deux premiers exercices, l'amortissement a été comptabilisé selon le mode linéaire. Or, voilà que le 14 février 20X3, M. Jesuy Prudent meurt d'une crise cardiaque lors d'un match Canadiens-Avalanche. Il est remplacé par Speedy O'Praylar, diplômé universitaire excentrique. Le 31 décembre 20X3, Bouf'éclair ltée doit admettre que la voiture, qui devait être utilisable jusqu'à la fin de 20X6, ne durera pas aussi longtemps. En conséquence, l'entreprise procède à un changement de l'estimation de la durée d'utilité de la voiture, qu'elle fixe au total à quatre ans au lieu des six ans initialement prévus.

Si, pour simplifier cet exemple, on suppose qu'il n'y a eu aucune différence entre l'amortissement comptable et l'amortissement fiscal au cours des deux premiers exercices, l'état de la situation financière de l'entreprise comporte les éléments suivants au 31 décembre 20X2 :

Coût du matériel roulant	*12 000 $*
Moins : Amortissement cumulé	*(4 000)*
Valeur comptable	*8 000 $*

Puisque le changement de l'estimation résulte d'un fait nouveau, il doit être appliqué prospectivement, c'est-à-dire à compter de l'exercice en cours. Pour ce faire, il faut calculer l'amortissement de 20X3 de la façon suivante :

$$\text{Amortissement} = \frac{\text{Valeur comptable}}{\text{Durée d'utilité restante}} = \frac{8\,000\ \$}{2\ \text{ans}} = 4\,000\ \$$$

En supposant que la régularisation relative à l'amortissement de l'exercice 20X3 ne soit pas encore comptabilisée, voici l'écriture que doit passer l'entreprise ainsi que l'effet sur les exercices en cours et les exercices ultérieurs :

Amortissement – Matériel roulant	*4 000*	
Amortissement cumulé – Matériel roulant		*4 000*
Dotation annuelle à l'amortissement, compte tenu de la révision de la durée d'utilité de la voiture de livraison.		

	20X1	*20X2*	*20X3*	*20X4*	*20X5*	*20X6*
Charge initiale	*(2 000) $*	*(2 000) $*	*(2 000) $*	*(2 000) $*	*(2 000) $*	*(2 000) $*
Charge révisée	*2 000*	*2 000*	*4 000*	*4 000*	*0*	*0*
Incidence sur la charge	*0 $*	*0 $*	*2 000 $*	*2 000 $*	*(2 000) $*	*(2 000) $*

Autant il importe de distinguer un changement d'estimation comptable d'une correction d'erreur, autant il est nécessaire de distinguer un changement d'estimation comptable d'un changement de méthode comptable. À cet effet, l'IASB précise qu'un changement apporté à la base d'évaluation qui est appliquée à un poste donné est bel et bien un changement de méthode comptable et non un changement d'estimation comptable. Si une entreprise décide de modifier son mode d'amortissement d'une immobilisation dont la nature de l'utilisation par l'entreprise reste inchangée, il s'agit d'un changement de méthode comptable. Si, au contraire, l'utilisation de l'immobilisation est modifiée de sorte que le rythme d'amoindrissement du potentiel de service est différent, il s'agit alors d'un changement d'estimation comptable, puisque le nouveau mode d'amortissement résulte de nouveaux renseignements et reflète une nouvelle réalité.

Notons que lorsqu'il est difficile de déterminer s'il s'agit d'un changement de méthode comptable ou d'un changement d'estimation, le changement est traité comme un changement d'estimation comptable.

Lorsqu'une entreprise procède à un changement d'estimation comptable, elle doit renseigner les utilisateurs des états financiers sur la nature du changement ainsi que sur le montant du changement qui a une incidence sur l'exercice en cours ou qui aura une incidence prévisible sur les exercices ultérieurs. S'il est impraticable d'estimer l'incidence sur les exercices ultérieurs, l'entreprise doit mentionner ce fait aux utilisateurs[29]. Dans notre exemple, Bouf'éclair ltée indiquerait dans ses états financiers de 20X3 que la charge d'amortissement a été augmentée de 2 000 $ à la suite du changement apporté à l'estimation de la durée d'utilité de la voiture. Elle indiquerait également que ce changement aura pour effet d'augmenter la charge d'amortissement de 2 000 $ en 20X4 et de la diminuer de 2 000 $ en 20X5 et 20X6. L'effet sur la charge d'impôts, sur le résultat net, sur le résultat par action, sur l'amortissement cumulé et sur l'actif ou passif d'impôt différé serait également indiqué dans la note.

Puisque nous sommes maintenant plus en mesure de différencier les changements d'estimations des corrections d'erreurs comptables, revenons au traitement de celles-ci.

Les critères déterminant l'importance des erreurs

Les critères déterminant l'importance des erreurs sont cohérents avec ceux qui s'appliquent à la notion d'**importance relative**, traitée au chapitre 1. Dans le cas plus particulier d'une erreur donnée, ces critères sont les suivants :

1. **La valeur absolue de l'erreur** Ainsi, une erreur de 10 000 $ justifie que l'on s'y arrête davantage que si le montant de l'erreur n'était que de 100 $.
2. **La valeur relative de l'erreur** Par exemple, le pourcentage que représente le montant de l'erreur par rapport au résultat net, au total de l'actif, au total de l'actif courant, etc.
3. **La taille de l'entreprise** Une erreur de 10 000 $ n'a pas la même importance pour une entreprise comme Cascades, dont le chiffre d'affaires annuel atteint plusieurs millions de dollars, que pour le dépanneur du coin, dont le chiffre d'affaires ne dépasse pas 300 000 $ par année.
4. **L'effet de l'erreur sur les décisions des utilisateurs des états financiers** Une erreur est importante, quel que soit son montant, si, par exemple, elle est susceptible d'amener un investisseur à modifier ses décisions portant sur l'acquisition ou la vente de titres de capitaux propres d'une entreprise donnée.
5. **L'effet cumulatif des erreurs** Prises séparément, trois erreurs pourraient être jugées de peu d'importance. Toutefois, si ces trois erreurs reflètent chacune une sous-évaluation des charges, leur effet cumulatif peut alors être important.
6. **La répercussion de l'erreur sur un tiers** Parfois, une erreur n'est pas importante, mais il faut tout de même la corriger, par exemple, une erreur commise lors de l'établissement du relevé de compte d'un client ou lors de l'enregistrement des encaissements ou des décaissements.
7. **Le caractère intentionnel de l'erreur** Comme le mentionne l'IASB, les états financiers ne sont pas conformes aux IFRS s'ils contiennent des erreurs, même non significatives, mais commises intentionnellement pour parvenir à une présentation particulière de la situation financière, de la performance financière ou des flux de trésorerie d'une entreprise[30]. Ainsi, l'éthique professionnelle a préséance sur l'importance relative dans une telle situation. Une erreur volontaire destinée à tromper les utilisateurs est à proscrire, peu importe le montant en cause.

L'évaluation de l'importance d'une erreur et la façon de la traiter nécessitent le jugement des personnes en cause, soit les dirigeants et le comptable ou l'auditeur.

En pratique, certains événements peuvent amener l'entreprise à prêter une attention particulière à la correction des erreurs. Cela peut se produire notamment dans les cas suivants :

1. **Lors d'un nouveau mandat d'audit** Lorsqu'une entreprise fait l'objet d'un audit pour la première fois ou qu'il y a changement d'auditeur, il arrive fréquemment que des erreurs soient repérées.
2. **Lors de l'émission de titres d'emprunt ou de capitaux propres** L'entreprise qui fait un appel public à l'épargne est tenue de présenter, dans un prospectus, des données financières portant sur les résultats nets obtenus au cours des derniers exercices. Parfois, à cette occasion, des erreurs peuvent être découvertes et corrigées.
3. **Lors de l'acquisition ou de la vente d'une entreprise** Lors de l'acquisition ou de la vente d'une entreprise, il est important de corriger les erreurs qui auraient pu être commises lors de l'établissement

29. *Manuel de CPA Canada – Comptabilité – Partie I*, IAS 8, paragr. 39 et 40.
30. *Manuel de CPA Canada – Comptabilité – Partie I*, IAS 8, paragr. 41.

15

des états financiers afin que les personnes en cause soient davantage en mesure de déceler les tendances réelles (par exemple, l'augmentation ou la diminution du chiffre d'affaires et du résultat net), ce qui permettra de mieux déterminer le prix de vente de l'entreprise ou son coût d'acquisition.

Le traitement comptable et la présentation des corrections d'erreurs dans les états financiers

Différence NCECF

Dès qu'une erreur est découverte, elle doit être corrigée[31]. Une erreur peut être découverte dans l'exercice au cours duquel elle a été commise ou dans un exercice postérieur. Avant d'expliquer en détail la façon d'analyser et de corriger les erreurs, voyons les exigences de l'IASB et un exemple de la mise en application de ces recommandations.

L'IASB exige que la correction d'une erreur commise dans les états financiers antérieurs soit comptabilisée rétrospectivement et que tous les états financiers présentés à des fins de comparaison qui sont touchés par cette erreur soient corrigés. Si l'erreur est survenue avant le premier exercice antérieur qui est présenté de façon comparative, les soldes d'ouverture des actifs, des passifs et des capitaux propres de ce premier exercice antérieur présenté doivent être retraités[32]. De plus, dans l'exercice au cours duquel une telle erreur est corrigée, une note aux états financiers doit fournir des informations sur : 1) la nature de l'erreur d'un exercice antérieur ; 2) l'incidence sur chacun des postes des états financiers des exercices antérieurs qui sont touchés, incluant le résultat par action de base et dilué ; 3) le montant de la correction au début du premier exercice présenté ; et 4) si le retraitement rétrospectif est impraticable pour un exercice antérieur, les circonstances qui ont mené à cette situation, la manière dont l'erreur a été corrigée et la date à partir de laquelle l'erreur a été corrigée[33].

Comme l'IASB le précise, les erreurs de l'exercice en cours découvertes avant l'autorisation de publication des états financiers doivent être corrigées. Tel n'est cependant pas le cas des erreurs commises dans les états financiers publiés antérieurement. Celles-ci doivent être corrigées de manière rétrospective, comme nous l'avons déjà expliqué en contexte de changement de méthode comptable. Toutefois, lorsqu'il est impraticable de le faire, l'IASB donne les recommandations suivantes :

> Lorsqu'il n'est pas praticable de déterminer les effets d'une erreur sur une période spécifique pour l'information comparative présentée au titre des périodes antérieures, l'entité doit retraiter les soldes d'ouverture des actifs, passifs et capitaux propres de la première période présentée pour laquelle un retraitement rétrospectif est praticable (cette période peut être la période considérée).
>
> Lorsqu'il n'est pas praticable de déterminer l'effet cumulé, au début de la période considérée, d'une erreur sur toutes les périodes antérieures, l'entité doit retraiter l'information comparative pour corriger l'erreur de manière prospective à partir de la première date praticable[34].

Différence NCECF

Le processus d'analyse d'une erreur

Même si des erreurs de plusieurs types peuvent être commises, de façon générale, il est possible de procéder à l'analyse et à la correction de chaque erreur en suivant un processus systématique comportant les quatre étapes suivantes :

1. On doit d'abord repérer **ce qui a été fait** relativement à l'opération, en revoyant les écritures de journal qui s'y rapportent.
2. On doit ensuite déterminer **ce qui aurait dû être fait.**
3. En comparant le travail effectué aux étapes **1** et **2**, on doit **déterminer les effets de l'erreur** sur les états financiers de l'exercice en cours et sur ceux des exercices antérieurs, s'il y a lieu.
4. Enfin, si l'on juge qu'une telle mesure est appropriée, on doit enregistrer une **écriture de correction** dans l'exercice où l'erreur a été trouvée et, si l'on estime que cela est nécessaire, procéder au **retraitement des états financiers des exercices antérieurs.**

31. Toutes les erreurs mentionnées dans la présente sous-section sont jugées importantes. En pratique, l'auditeur n'insistera pas sur la correction d'erreurs non intentionnelles qui ne sont pas significatives.
32. *Manuel de CPA Canada – Comptabilité – Partie I*, IAS 8, paragr. 42.
33. *Manuel de CPA Canada – Comptabilité – Partie I*, IAS 8, paragr. 49.
34. *Manuel de CPA Canada – Comptabilité – Partie I*, IAS 8, paragr. 44 et 45.

Les diverses catégories d'erreurs

Le processus d'analyse et de correction d'une erreur est largement tributaire de la **catégorie** à laquelle appartient l'erreur découverte et du **moment** où elle s'est produite. La figure 15.5 fait état des diverses combinaisons possibles de ces deux facteurs et du traitement comptable requis dans chaque situation.

Quelques commentaires sont de mise pour aider le lecteur à comprendre le contenu de cette figure[35].

FIGURE 15.5 La relation entre le moment où une erreur se produit et la catégorie à laquelle elle appartient

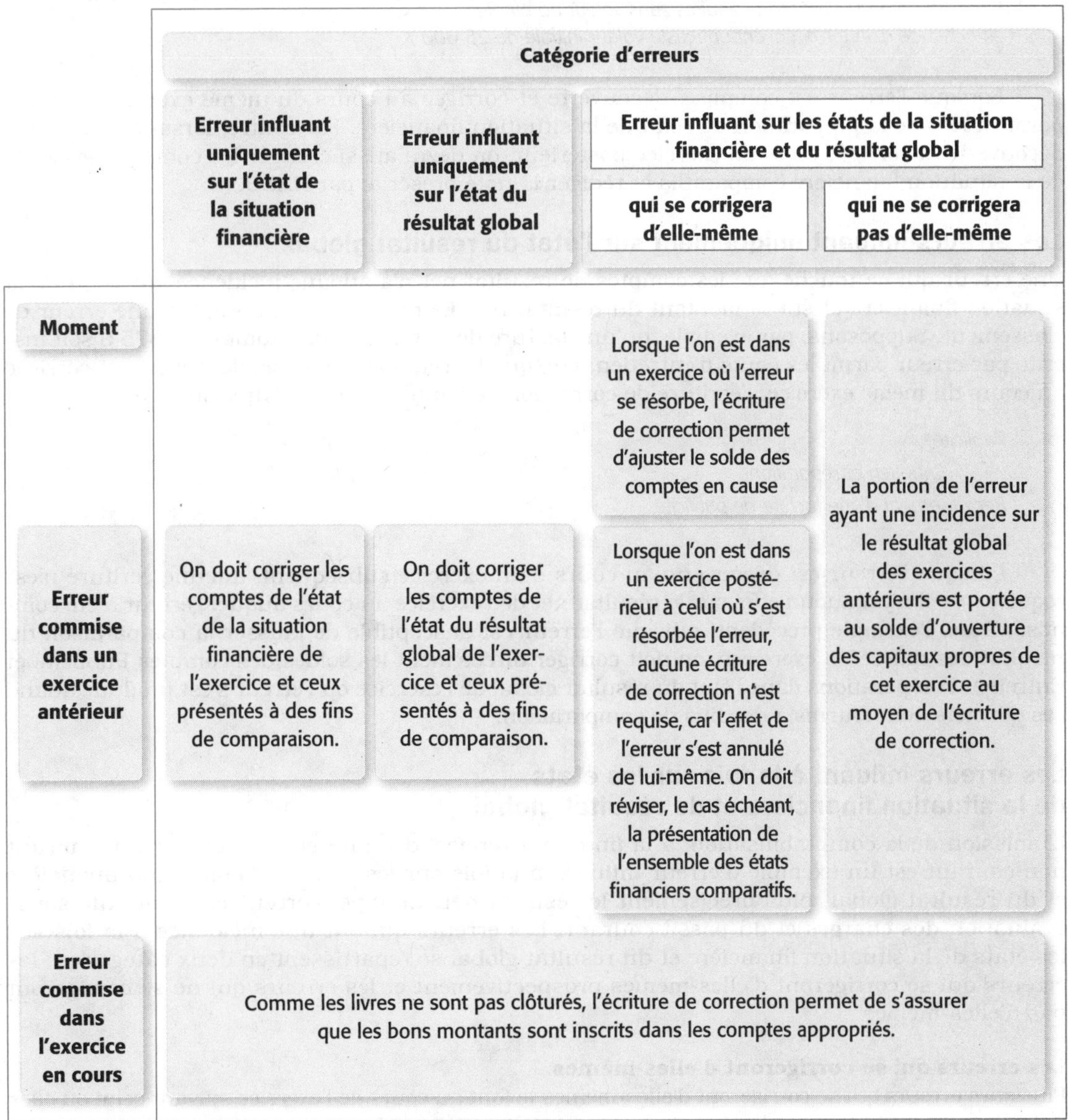

Moment	Catégorie d'erreurs: Erreur influant uniquement sur l'état de la situation financière	Erreur influant uniquement sur l'état du résultat global	Erreur influant sur les états de la situation financière et du résultat global — qui se corrigera d'elle-même	Erreur influant sur les états de la situation financière et du résultat global — qui ne se corrigera pas d'elle-même
Erreur commise dans un exercice antérieur	On doit corriger les comptes de l'état de la situation financière de l'exercice et ceux présentés à des fins de comparaison.	On doit corriger les comptes de l'état du résultat global de l'exercice et ceux présentés à des fins de comparaison.	Lorsque l'on est dans un exercice où l'erreur se résorbe, l'écriture de correction permet d'ajuster le solde des comptes en cause Lorsque l'on est dans un exercice postérieur à celui où s'est résorbée l'erreur, aucune écriture de correction n'est requise, car l'effet de l'erreur s'est annulé de lui-même. On doit réviser, le cas échéant, la présentation de l'ensemble des états financiers comparatifs.	La portion de l'erreur ayant une incidence sur le résultat global des exercices antérieurs est portée au solde d'ouverture des capitaux propres de cet exercice au moyen de l'écriture de correction.
Erreur commise dans l'exercice en cours	Comme les livres ne sont pas clôturés, l'écriture de correction permet de s'assurer que les bons montants sont inscrits dans les comptes appropriés.			

Note : Une erreur touchant l'exercice pris en considération mais découverte après la clôture des livres est tenue pour une erreur d'un exercice antérieur.

Source : Daniel McMahon et Réjean Brault • Adaptation : Diane Bigras

35. Pour des considérations pédagogiques, tous les exemples fournis dans cette sous-section ne tiennent pas compte de l'effet fiscal.

Les erreurs influant uniquement sur l'état de la situation financière

Une erreur qui n'influe que sur les postes de l'état de la situation financière survient lorsque l'on porte des montants dans les mauvais comptes, que l'on omet de comptabiliser des opérations n'influant que sur l'état de la situation financière ou que les montants comptabilisés dans ce cas sont erronés. Supposons que nous découvrons, lors de la préparation des états financiers du 31 décembre 20X6, que le principal actionnaire de la société Pharmacie Kon Primay inc. a cédé, au cours de l'exercice 20X6, un terrain d'une valeur de 25 000 $ en échange de 5 000 actions ordinaires sans valeur nominale. Quel que soit le moment où l'on découvre et où l'on corrige cette erreur, l'écriture suivante doit être enregistrée :

Terrain	*25 000*	
Actions ordinaires		*25 000*
Émission de 5 000 actions ordinaires sans valeur nominale en échange d'un terrain ayant une juste valeur initiale de 25 000 $.		

Lorsque l'erreur est commise, découverte et corrigée au cours du même exercice, rien n'y paraîtra lors de la préparation de l'état de la situation financière. Par contre, lorsque l'erreur est découverte et corrigée dans un exercice postérieur, on devra aussi corriger les comptes des états de la situation financière comparatifs et rédiger la note prescrite par l'IASB.

Les erreurs influant uniquement sur l'état du résultat global

Une erreur qui ne touche que les comptes de résultat net n'a aucune incidence sur l'état de la situation financière et sur le montant du résultat net. Le plus souvent, il s'agit d'une erreur de classement. Supposons, par exemple, qu'une facture de publicité d'une somme de 375 $ soit inscrite par erreur parmi les coûts d'entretien. Lorsque l'erreur est commise, découverte et corrigée au cours du même exercice, l'écriture de correction suivante devra être enregistrée :

Publicité	*375*	
Entretien et réparations		*375*
Reclassement d'une facture de publicité.		

Lorsque l'erreur est découverte au cours d'un exercice subséquent, aucune écriture n'est requise, car il n'y a aucun effet sur le résultat net de l'exercice au cours duquel l'erreur a été commise. Dans l'exemple précédent, puisque l'erreur est susceptible de fausser la comparaison du résultat des différents exercices, on doit corriger directement les soldes des comptes Publicité et Entretien et réparations dans l'état du résultat global de l'exercice où l'erreur s'est produite quand ces derniers sont fournis à des fins de comparaison.

Les erreurs influant à la fois sur les états de la situation financière et du résultat global

L'omission de la comptabilisation, à la fin d'un exercice, des intérêts courus sur un emprunt non courant est un exemple d'erreur influant à la fois sur les états de la situation financière et du résultat global, plus précisément le résultat net. Ce type d'erreur entraîne une sous-évaluation des charges et du passif courant. Les erreurs qui ont une incidence à la fois sur les états de la situation financière et du résultat global se répartissent en deux catégories : les erreurs qui se corrigeront d'elles-mêmes prospectivement et les erreurs qui ne se corrigeront pas d'elles-mêmes.

Les erreurs qui se corrigeront d'elles-mêmes

Plusieurs erreurs qui se corrigeront d'elles-mêmes le font au cours de l'exercice suivant celui où elles ont été commises. Ce type d'erreur influe habituellement sur les stocks, les sommes payées ou reçues d'avance, et les sommes à payer ou à recevoir. La nécessité d'une écriture de correction dépend encore une fois du moment où l'erreur est découverte. Lorsque l'erreur est commise, découverte et corrigée au cours du même exercice, une simple écriture de correction permet de rétablir les faits. La situation demande plus d'attention quand l'erreur est découverte dans un exercice postérieur à celui au cours duquel elle a été commise.

EXEMPLE

Erreur qui se corrigera d'elle-même – Sans impact sur le résultat net

Le comptable d'Idayfix inc. a oublié d'enregistrer l'achat de marchandises en transit à la fin de l'exercice 20X1. Ces marchandises, qui ont un coût de 15 000 $, n'ont pas été incluses dans le stock de clôture de 20X1. L'achat a été comptabilisé lors de leur réception au début de l'exercice 20X2. L'analyse suivante montre les sous-évaluations (–), les surévaluations (+) et les effets nuls (=) qui découlent de cette erreur:

Effets sur le résultat net de l'exercice terminé le 31 décembre

	20X2	20X1
Stock d'ouverture	–15 000 $	=
Achats	+15 000 $	–15 000 $
Stock de clôture	=	–15 000 $
Coût des ventes	=	=
Résultat net	=	=

Effets sur l'état de la situation financière au 31 décembre

	20X2	20X1
Actif (Stock de marchandises)	=	–15 000 $
Passif	=	–15 000 $
Capitaux propres	=	=

Si l'erreur est découverte en 20X2 (soit au cours de l'exercice suivant celui où elle a été commise), on doit enregistrer l'écriture de correction suivante, en tenant pour acquis que l'entreprise utilise un système d'inventaire périodique:

Stock de marchandises (au début)	15 000	
Achats		15 000

Correction apportée à la sous-évaluation du stock d'ouverture et à la surévaluation des achats.

Dans ce cas, l'erreur n'a aucune incidence sur le résultat net de l'exercice 20X1, car les marchandises non comptabilisées manquent à la fois dans les achats et dans le stock de clôture, ce qui s'annule. L'erreur s'inverse d'elle-même en 20X2, car la sous-évaluation du stock d'ouverture est compensée par la surévaluation des achats. Comme le fournisseur a été payé avant la fin de l'exercice 20X2, il n'y a pas lieu de corriger le passif de l'entreprise.

Si l'erreur est découverte en 20X3 (soit après la clôture des livres de l'exercice 20X2), aucune écriture ne sera passée, car l'erreur se sera corrigée d'elle-même.

15

EXEMPLE

Erreur qui se corrigera d'elle-même – Avec impact sur le résultat net

Reprenons les données de la société Idayfix inc. en supposant cette fois que le comptable a bien comptabilisé l'achat des marchandises en 20X1, mais qu'il omis d'inclure ces marchandises dans le stock de clôture à la fin de l'exercice 20X1. L'analyse de l'erreur prend alors la forme suivante:

Effets sur le résultat net de l'exercice terminé le 31 décembre

	20X2	20X1
Stock d'ouverture	–15 000 $	=
Achats	=	=
Stock de clôture	=	–15 000 $
Coût des ventes	–15 000 $	+15 000 $
Résultat net	+15 000 $	–15 000 $

Effets sur l'état de la situation financière au 31 décembre

	20X2	*20X1*
Actif (Stock de marchandises)	=	*−15 000 $*
Passif	=	=
Capitaux propres	=	*−15 000 $*

Si l'erreur est découverte en 20X2 (soit au cours de l'exercice suivant celui où elle a été commise), l'écriture de correction suivante doit être enregistrée :

Stock de marchandises (au début)	*15 000*	
Résultats non distribués (au début)		*15 000*
Correction apportée à la sous-évaluation du stock d'ouverture.		

Dans ce cas, l'écriture de correction vient ajuster le solde d'ouverture du compte Résultats non distribués puisque les comptes de 20X1 ont été clôturés et qu'il est impossible d'ajuster directement le résultat global de l'exercice 20X1.

Si l'erreur est découverte en 20X3 (soit après la clôture des livres de l'exercice 20X2), aucune écriture ne sera passée, car l'erreur se sera corrigée d'elle-même.

Les erreurs qui ne se corrigeront pas d'elles-mêmes

Certaines erreurs ne se corrigeront pas d'elles-mêmes au cours de l'exercice suivant celui où elles ont été commises. En fait, elles peuvent mettre plusieurs années avant de se corriger ou ne pas se corriger du tout. Entrent dans cette catégorie les erreurs portant sur les actifs et les passifs non courants et les erreurs portant sur les capitaux propres.

EXEMPLE

Erreur qui ne se corrigera pas d'elle-même

Le 1er juillet 20X5, le principal actionnaire de la société Oublitout ltée a cédé à la société un équipement d'une juste valeur de 5 000 $ en échange de 500 actions ordinaires d'Oublitout ltée. La société, qui a omis de comptabiliser cette opération, prévoit utiliser l'équipement au cours des 10 prochaines années, puis le mettre au rebut sans obtenir aucune valeur résiduelle. Oublitout ltée amortit ses équipements selon le mode linéaire.

Si l'erreur est découverte en 20X5, il est facile de corriger l'inscription initiale et d'amortir l'équipement en fin d'exercice. En supposant que l'erreur soit découverte et corrigée le 31 décembre 20X5, l'écriture suivante doit être enregistrée :

Équipements	*5 000*	
Amortissement – Équipements (5 000 $ ÷ 10 ans x 6 mois ÷ 12 mois)	*250*	
Amortissement cumulé – Équipements		*250*
Actions ordinaires		*5 000*
Équipement acquis en échange d'actions ordinaires et dotation annuelle à l'amortissement.		

Si l'erreur est découverte en 20X6 ou dans un exercice subséquent, la correction de l'erreur demande une analyse plus détaillée. La figure ci-contre illustre le processus d'analyse suivi par la société Oublitout ltée pour aboutir à l'écriture de correction. Nous constatons que la charge d'amortissement pour l'exercice 20X5 a été comptabilisée dans les résultats non distribués puisqu'il est impossible de corriger la charge de 20X5, car elle a fait l'objet d'écritures de clôture.

Notons que l'erreur se résorbe progressivement. En fait, si elle n'avait pas été découverte, elle se serait résorbée d'elle-même sur une période de 10 ans.

Même si l'erreur est découverte en 20X7 (soit après la clôture des livres de l'exercice 20X6), on devra passer une écriture de correction ; seuls les montants différeront.

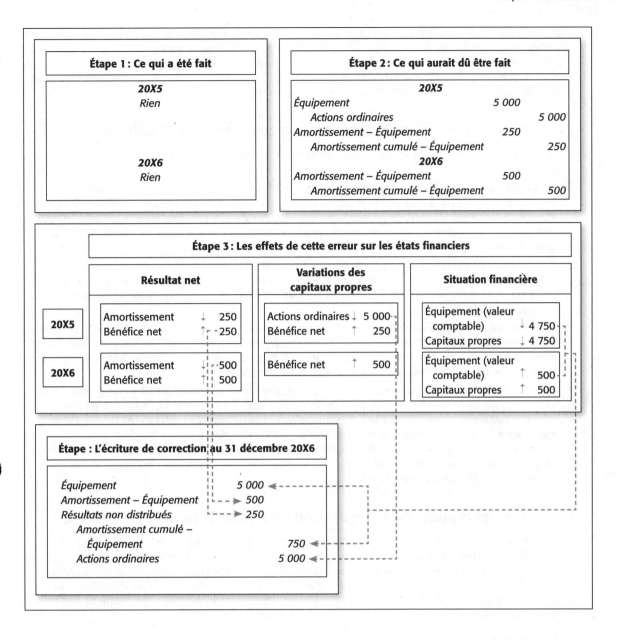

Étape 1 : Ce qui a été fait

20X5
Rien

20X6
Rien

Étape 2 : Ce qui aurait dû être fait

20X5		
Équipement	*5 000*	
Actions ordinaires		*5 000*
Amortissement – Équipement	*250*	
Amortissement cumulé – Équipement		*250*
20X6		
Amortissement – Équipement	*500*	
Amortissement cumulé – Équipement		*500*

Étape 3 : Les effets de cette erreur sur les états financiers

	Résultat net	**Variations des capitaux propres**	**Situation financière**
20X5	Amortissement ↓ 250 Bénéfice net ↑ 250	Actions ordinaires ↓ 5 000 Bénéfice net ↑ 250	Équipement (valeur comptable) ↓ 4 750 Capitaux propres ↓ 4 750
20X6	Amortissement ↓ 500 Bénéfice net ↑ 500	Bénéfice net ↑ 500	Équipement (valeur comptable) ↑ 500 Capitaux propres ↑ 500

Étape : L'écriture de correction au 31 décembre 20X6

Équipement	*5 000*	
Amortissement – Équipement	*500*	
Résultats non distribués	*250*	
Amortissement cumulé – Équipement		*750*
Actions ordinaires		*5 000*

Avez-vous remarqué ?

Le « Cadre conceptuel de l'information financière » (le Cadre) précise que pour donner une image parfaitement fidèle, les états financiers doivent être exempts d'erreurs. Il est donc important de corriger les erreurs dès qu'elles sont découvertes et d'appliquer cette correction de façon rétrospective lorsque cela est possible.

6 L'affectation des résultats non distribués

En soi, l'affectation des résultats non distribués est fort simple. Il s'agit de virer une partie des résultats non distribués à un compte d'affectation particulier, créant ainsi un nouvel élément distinct dans la section des capitaux propres de l'état de la situation financière. Le compte d'affectation peut être intitulé de diverses façons, mais plusieurs préfèrent utiliser l'expression **Résultats non distribués affectés**.

Quel que soit le nom qu'on lui donne, l'affectation des résultats non distribués a pour unique objectif de signifier aux actionnaires qu'une portion des résultats non distribués ne peut être distribuée en dividende. Notons que l'affectation des résultats non distribués ne modifie nullement la composition de l'actif d'une entreprise. Parfois, en même temps qu'elle affecte une partie de ses résultats non distribués, une entreprise met de côté des ressources qu'elle n'utilisera qu'aux fins précisées lors de l'affectation des résultats non distribués. C'est le cas, notamment, d'une entreprise qui crée un fonds spécial pour l'expansion de son usine[36].

La raison d'être de l'affectation des résultats non distribués

L'affectation des résultats non distribués peut résulter de l'une ou de plusieurs des situations suivantes :

1. **L'existence de restrictions légales** Une entreprise qui rachète ses actions propres et ne les annule pas peut être tenue par la loi de restreindre la distribution des résultats non distribués d'un montant égal au coût des actions propres détenues[37]. Cette exigence, ou toute autre exigence de même nature, fait en sorte que le montant de résultats non distribués affectés n'est pas disponible aux fins de la distribution de dividendes.
2. **L'existence de restrictions contractuelles** En vertu d'une clause relative à un contrat d'emprunt, le conseil d'administration peut être tenu d'affecter une partie des résultats non distribués pendant la durée de l'emprunt. Une telle clause fournit en quelque sorte une garantie supplémentaire au créancier.
3. **L'existence de projets spéciaux** Le conseil d'administration peut vouloir limiter la distribution de dividende en numéraire pour financer en interne le remplacement de ses immobilisations. Une affectation pour remplacement des immobilisations indique aux actionnaires que ce montant de résultats non distribués affectés ne peut être distribué en dividende.
4. **La possibilité de pertes futures** Nous savons qu'une dette afférente à une perte future ne peut être comptabilisée dans l'immédiat. Il en est autrement des pertes découlant d'opérations ou de faits passés[38]. Aussi, le conseil d'administration peut vouloir restreindre les résultats non distribués disponibles aux fins de distribution de dividendes à cause de pertes probables ou prévues pouvant résulter d'une diminution possible de la valeur des stocks, du règlement d'un litige, d'une couverture d'assurance insuffisante, etc. L'affectation des résultats non distribués permet alors de montrer cette restriction.

La comptabilisation de l'affectation des résultats non distribués

Quel que soit le motif de l'affectation, dès que celle-ci a été approuvée par le conseil d'administration, elle doit être comptabilisée en respectant la recommandation suivante de l'IASB : « [...] Les dotations à ces réserves sont des affectations de résultats non distribués plutôt que des charges[39]. » Cela signifie que la création d'une affectation des résultats non distribués ne doit jamais être comptabilisée en résultat, net ou global. L'affectation est tirée directement des résultats non distribués.

15

EXEMPLE

Affectation des résultats non distribués

Au début de 20X1, le conseil d'administration de la société Expansée ltée a adopté la résolution d'affecter à l'acquisition d'une importante pièce d'équipement une tranche annuelle de 150 000 $ de ses résultats non distribués au cours des 4 exercices suivants. L'écriture suivante sera comptabilisée au cours de chacun des quatre exercices en cause.

---

36. Nous avons déjà traité des fonds à usage particulier au chapitre 11.
37. La *Loi canadienne sur les sociétés par actions* (LCSA) et la Loi sur les sociétés par actions du Québec (LSAQ) n'imposent pas cette contrainte. Toutefois, elle est présente dans d'autres lois.
38. Au besoin, le lecteur peut revoir la définition d'un passif présentée au chapitre 1.
39. *Manuel de CPA Canada – Comptabilité – Partie I*, « Cadre conceptuel de l'information financière », paragr. 4.21.

Résultats non distribués	*150 000*	
Résultats non distribués affectés à l'acquisition d'une pièce d'équipement		*150 000*
Affectation des résultats non distribués à la suite d'une résolution du conseil d'administration.		

Si, au début du cinquième exercice, soit en 20X5, la société procède à l'acquisition de la pièce d'équipement, il ne sera plus pertinent de maintenir l'affectation des résultats non distribués. L'écriture suivante devra alors être enregistrée :

Résultats non distribués affectés à l'acquisition d'une pièce d'équipement	*600 000*	
Résultats non distribués		*600 000*
Annulation de l'affectation des résultats non distribués.		

Le lecteur a sans doute remarqué que l'affectation annuelle de 150 000 $ de résultats non distribués pendant 4 ans ne modifie en rien le total de l'actif, pas plus qu'elle ne garantit qu'Expansée ltée disposera de la trésorerie nécessaire pour acquérir la pièce d'équipement désirée. Il est toutefois raisonnable de croire que si la société a généré un résultat net d'au moins 600 000 $ au cours de cet exercice, les actifs se sont accrus d'un montant équivalent, car la société a réinvesti cette somme dans l'entreprise. Si les dirigeants de la société craignent que cette augmentation des actifs soit utilisée à mauvais escient, il leur est toujours loisible de créer un fonds spécial.

La présentation des restrictions à l'égard de la distribution des résultats non distribués

L'affectation des résultats non distribués doit être présentée séparément dans la section des capitaux propres de l'état de la situation financière ou dans les notes[40] si cette information est pertinente pour les utilisateurs des états financiers. Une description de la nature et de l'objet de l'affectation doit être mentionnée dans l'état de la situation financière ou par voie de notes[41]. De plus, les états financiers de l'exercice doivent faire voir les variations survenues dans les comptes d'affectation.

EXEMPLE

Présentation d'une affectation des résultats non distribués

Poursuivons l'exemple d'Expansée ltée, dont voici un extrait de l'état de la situation financière à la fin de la première année de l'affectation des résultats non distribués :

EXPANSÉE LTÉE
Situation financière partielle
au 31 décembre 20X1

Capitaux propres		
Actions ordinaires sans valeur nominale		
Nombre illimité d'actions autorisées		
Nombre d'actions émises et en circulation : 125 000		*750 000 $*
Réserves		
Résultats non distribués	*960 000 $*	
Résultats non distribués affectés à l'acquisition d'une pièce d'équipement	*150 000*	
Total des réserves		*1 110 000*
Total des capitaux propres		*1 860 000 $*

40. *Manuel de CPA Canada – Comptabilité – Partie I*, IAS 1, paragr. 78(e).
41. *Manuel de CPA Canada – Comptabilité – Partie I*, IAS 1, paragr. 79(b).

Bien que les IFRS prescrivent la façon de tenir compte de l'affectation des résultats non distribués lorsque le conseil d'administration autorise une telle affectation, il faut bien reconnaître que rien n'oblige une entreprise à adopter la résolution de créer de façon officielle un compte d'affectation de ses résultats non distribués.

L'extrait suivant des notes afférentes aux états financiers consolidés d'Hydro-Québec illustre une autre façon de présenter les restrictions à l'égard de la distribution des résultats non distribués. Soulignons que l'expression « bénéfices non répartis » est synonyme de résultats non distribués.

HYDRO-QUÉBEC

Exercices terminés les 31 décembre 2015 et 2014

Notes afférentes aux états financiers consolidés

Note 16 Capitaux propres

[...]

BÉNÉFICES NON RÉPARTIS

IAS 1, paragr. 79(b)

En vertu de la *Loi sur Hydro-Québec*, les dividendes qu'Hydro-Québec est appelée à verser sont déclarés une fois l'an par le gouvernement du Québec, qui en détermine les modalités de paiement. Pour un exercice financier donné, le dividende ne peut excéder le surplus susceptible de distribution, équivalant à 75 % du bénéfice net. Ce calcul est effectué d'après les états financiers consolidés. Toutefois, il ne peut être déclaré pour un exercice donné aucun dividende dont le montant aurait pour effet de réduire à moins de 25 % le taux de capitalisation à la fin de l'exercice. La totalité ou la partie du surplus susceptible de distribution qui n'a pas fait l'objet d'une déclaration de dividende ne peut plus être distribuée à l'actionnaire sous forme de dividende.

Source : Rapport annuel 2015 d'Hydro-Québec
Hydro-Québec, *Rapport annuel 2015*, [En ligne], <www.hydroquebec.com/publications/fr/docs/rapport-annuel/rapport-annuel.pdf> (page consultée le 7 septembre 2016).

Plusieurs entreprises ont pour but, lorsqu'elles présentent par voie de notes les restrictions à l'égard de la distribution des résultats non distribués, d'éviter toute mauvaise interprétation de l'information fournie aux actionnaires. Ainsi, à la lecture de la section des capitaux propres d'Expansée ltée (*voir la page précédente*), un utilisateur non averti pourrait formuler le commentaire suivant : « D'accord, vous gardez 150 000 $ pour l'acquisition future d'équipements. Vous n'avez donc pas besoin de 960 000 $, alors distribuez-nous ce montant en dividendes. »

Ce raisonnement erroné résulte d'une mauvaise interprétation non seulement de l'affectation des résultats non distribués, mais aussi des dividendes eux-mêmes. Comme nous l'avons déjà dit, la rédaction d'une note fournit une information plus complète permettant d'éviter une telle interprétation.

15

Avez-vous remarqué ?

L'affectation des résultats non distribués informe les utilisateurs qu'une partie des résultats non distribués ne peut être distribuée en dividendes. Il ne faut pas confondre l'affectation des résultats non distribués et la création d'un fonds conçu pour amasser de la trésorerie à une fin particulière.

Le cumul des autres éléments du résultat global

Différence NCECF

Comme nous l'avons expliqué au chapitre 2, le **résultat global** inclut toutes les variations des capitaux propres d'une entreprise qui découlent de transactions sans rapport avec les propriétaires. Il inclut donc le résultat net (bénéfice net ou perte nette) ainsi que les autres éléments du résultat global. Selon la définition de l'IASB, les **autres éléments du résultat global** comprennent les éléments de produits et de charges (y compris les ajustements de reclassement) qui ne sont pas comptabilisés en résultat net comme l'imposent ou l'autorisent d'autres IFRS[42]. Le **cumul des autres éléments du résultat global** correspond à l'accumulation des profits et

42. *Manuel de CPA Canada – Comptabilité – Partie I*, IAS 1, paragr. 7.

pertes latents. Il peut y avoir plusieurs comptes Cumul des AERG puisqu'il est nécessaire de suivre l'évolution de chaque composante. Par exemple, l'entreprise doit avoir autant de comptes Cumul des écarts de réévaluation qu'elle a d'immobilisations comptabilisées selon le modèle de la réévaluation. Bien sûr, tous ces comptes sont regroupés aux fins de la présentation des états financiers. De plus, chaque compte Cumul des AERG est aux autres éléments du résultat global ce que les comptes de produits, de charges, de profits et de pertes sont aux résultats non distribués. Le cumul des autres éléments du résultat global est l'une des composantes des capitaux propres, au même titre que le capital social, le surplus d'apport et les résultats non distribués.

Selon les IFRS, on doit exclure les produits, les profits, les charges et les pertes suivants du résultat net et les traiter comme des autres éléments du résultat global. Il s'agit : 1) des écarts de réévaluation d'immobilisations corporelles et incorporelles (*voir les chapitres 9 et 10*) ; 2) des réévaluations du passif (de l'actif) net au titre des prestations définies des régimes d'avantages postérieurs à l'emploi (*voir le chapitre 17*) ; 4) des profits et pertes latents découlant des ajustements des pertes de crédit (*voir le chapitre 6*) et de la variation de valeur de certains actifs financiers dont les conditions contractuelles et le modèle économique conduisent à les classer À la JVBAERG (*voir le chapitre 4*) ; 4) des profits et des pertes sur certains instruments de couverture (*voir le chapitre 19*) ; 5) du montant de la variation de la juste valeur de certains passifs classés À la JVBRN qui est attribuable aux variations du risque de crédit du passif en question (*voir les chapitres 4 et 13*) ; et 6) des profits et pertes sur les placements dans des titres de capitaux propres classés de façon irrévocable À la JVBAERG (*voir le chapitre 4*).

Les utilisateurs des états financiers doivent être en mesure de connaître les variations des capitaux propres de l'exercice qui sont attribuables aux autres éléments du résultat global. Comme nous l'avons indiqué au chapitre 2, une entreprise peut présenter les variations de l'exercice survenues dans le cumul des autres éléments du résultat global dans un seul état appelé **État du résultat net et des autres éléments du résultat global**, communément désigné **État du résultat global**, comportant deux sections séparées : le résultat net et les autres éléments du résultat global. Elle peut aussi présenter chacune de ces sections dans deux états distincts : l'État du résultat net et l'État du résultat global. Si l'entreprise opte pour cette présentation, l'état du résultat net devra précéder celui du résultat global. Peu importe le mode de présentation retenu, la section **Autres éléments du résultat global** doit présenter les éléments dans deux catégories distinctes : ceux qui seront reclassés ultérieurement en résultat net et ceux qui ne le seront pas. Le solde des composantes du cumul des autres éléments du résultat global peut figurer directement dans l'état de la situation financière ou être fourni par voie de notes.

EXEMPLE

Présentation du cumul des autres éléments du résultat global

Prenons les données suivantes sur la société Labellevie inc. :

	20X2	*20X1*
Capital social	*50 000 $*	*50 000 $*
Résultats non distribués au début de l'exercice	*300 000 $*	*200 000 $*
Bénéfice net de l'exercice	*60 000*	*100 000*
Résultats non distribués à la fin de l'exercice	*360 000 $*	*300 000 $*
Cumul des autres éléments du résultat global au début de l'exercice	*12 000 $*	*9 000 $*
Profits et pertes sur actifs financiers à la JVBAERG	*8 000*	*5 000*
Virement aux résultats non distribués	*(1 000)*	*(2 000)*
Profits et pertes sur couvertures efficaces de flux de trésorerie	*2 500*	
Cumul des autres éléments du résultat global à la fin de l'exercice	*21 500 $*	*12 000 $*

15

Afin de respecter les exigences de présentation énoncées par l'IASB, Labellevie inc. pourrait présenter son information financière de la façon suivante :

LABELLEVIE INC.
Résultat global
de l'exercice terminé le 31 décembre

	20X2	20X1
Résultat net	60 000 $	100 000 $
Autres éléments du résultat global, après impôts, non reclassés ultérieurement en résultat net		
Profits et pertes latents sur actifs financiers à la juste valeur par le biais des autres éléments du résultat global	8 000	5 000
Reclassement en résultats non distribués	(1 000)	(2 000)
Variation des profits et pertes latents sur actifs financiers à la juste valeur par le biais des autres éléments du résultat global	7 000	3 000
Autres éléments du résultat global, après impôts, reclassés ultérieurement en résultat net		
Profits et pertes sur couvertures efficaces de flux de trésorerie	2 500	
Autres éléments du résultat global	9 500	3 000
Résultat global	69 500 $	103 000 $

LABELLEVIE INC.
Situation financière partielle
au 31 décembre

	20X2	20X1
Capitaux propres		
Capital social	50 000 $	50 000 $
Réserves		
Résultats non distribués	360 000	300 000
Cumul des autres éléments du résultat global (note X)	21 500	12 000
Total des réserves	381 500	312 000
Total des capitaux propres	431 500 $	362 000 $

LABELLEVIE INC.
Extrait des notes
de l'exercice terminé le 31 décembre

Note X : Cumul des autres éléments du résultat global

	20X2	20X1
Profits et pertes latents sur actifs financiers à la juste valeur par le biais des autres éléments du résultat global ①	19 000 $	12 000 $
Profits et pertes sur couvertures efficaces de flux de trésorerie	2 500	
	21 500 $	12 000 $

Calcul et explication :

① Le solde au début de l'exercice est entièrement attribuable aux profits et aux pertes latents sur actifs financiers À la juste valeur par le biais des autres éléments du résultat global. Le solde à la fin de 20X2 se calcule comme suit : 12 000 $ + 8 000 $ – 1 000 $.

Précisons que les montants fournis en ce qui a trait aux autres éléments du résultat global sont des montants après impôts et que la charge ou le produit d'impôts qui se rapporte à chacune des composantes est fournie en note. L'entreprise peut aussi choisir de présenter chacun des éléments avant impôts, en indiquant distinctement dans l'état du résultat global le montant total d'impôts attribuable à l'ensemble des éléments de chacune des deux catégories, c'est-à-dire les éléments qui seront reclassés ultérieurement en résultat net et ceux qui ne le seront pas.

Avez-vous remarqué ?

Certains profits et pertes sont exclus du résultat net. Ces éléments sont présentés dans les autres éléments du résultat global et cumulés aux capitaux propres afin que les utilisateurs puissent déterminer plus facilement la performance de l'entreprise liée à ses activités d'exploitation.

Différence NCECF

PARTIE II – LES NCECF

Équivalents terminologiques *Manuel de CPA Canada* – Partie II et Partie I.

Plusieurs différences existent entre les NCECF et les IFRS en ce qui a trait à la présentation des capitaux propres. La figure 15.6 résume ces différences, dont nous traiterons en détail dans les sections qui suivent.

FIGURE 15.6 Les particularités des NCECF au sujet des capitaux propres

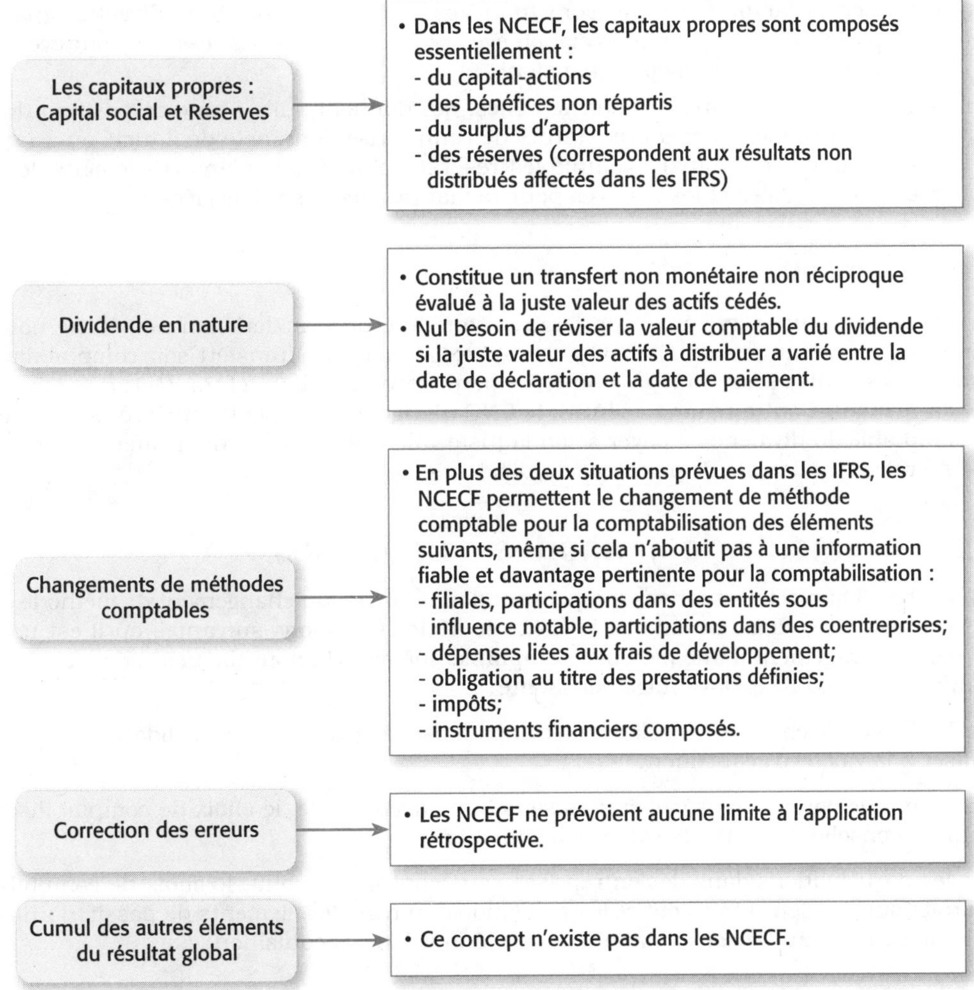

15

La nature des réserves

IFRS
Capital social
Résultats non distribués
État de la situation financière

Les capitaux propres d'une entreprise qui applique les NCECF sont composés du **capital-actions**, des **bénéfices non répartis**, des surplus d'apport, des réserves et des autres composantes telles que les participations ne donnant pas le contrôle. Un exemple des éléments composant les capitaux propres d'une entreprise à capital fermé (ECF) est présenté dans le **bilan** de Josy Dida inc. disponible dans la plateforme *i+ Interactif*. Cet exemple permettra à l'étudiant de constater les différences terminologiques entre les deux référentiels. L'expression **surplus d'apport** est définie de façon plus précise dans les NCECF. On regroupe dans ce poste les primes d'émission, les **gains** découlant du rachat ou de la conversion d'actions à un prix inférieur à la valeur inscrite au capital-actions et les options sur actions. Bien qu'il soit peu fréquent de débiter un compte de surplus d'apport, le Conseil des normes comptables (CNC), au **chapitre 3251**, permet de le faire dans deux situations bien particulières :

Écarts
Les états financiers de Josy Dida inc.

a) pour annuler en tout ou en partie une écriture déjà portée au compte [...] ;
b) pour éliminer ou réduire le déficit, moyennant le consentement des actionnaires[43].

Résultats non distribués affectés

Le CNC ne donne pas la même définition que l'IASB quant aux **réserves**. La définition donnée par le CNC correspond à ce que l'IASB désigne comme les résultats non distribués affectés. Selon le CNC :

> Le terme « réserve » doit servir exclusivement à désigner les montants affectés à même les bénéfices non répartis et les autres postes du surplus et qui n'ont pas pour objet de constater une obligation réelle ou reconnue ni la dépréciation d'une valeur active en date du bilan. Les réserves sont de deux sortes :
>
> a) les réserves facultatives, qui sont instituées à la discrétion de la direction (par exemple les réserves pour dépréciation éventuelle des stocks, les réserves pour éventualités et les réserves pour expansion) ;
>
> b) les réserves statutaires et contractuelles, qui donnent suite à une disposition de la loi, à la constitution et aux statuts de l'entreprise, à un acte de fiducie ou à un contrat quelconque (par exemple les réserves pour fonds d'amortissement, les réserves générales et les réserves pour rachat des actions privilégiées)[44].

Les dividendes

Un dividende en nature versé aux propriétaires constitue un transfert non monétaire non réciproque, selon les définitions du CNC. Or, celui-ci exige qu'un tel transfert soit comptabilisé à la juste valeur des actifs cédés. Tout gain ou toute perte découlant d'un tel transfert doit être comptabilisé en résultat. Contrairement à l'IASB, le CNC n'exige pas que l'entreprise révise et ajuste la valeur comptable du dividende à payer selon la juste valeur des actifs à distribuer à la clôture de chaque exercice ou à la date de paiement du dividende.

Les changements de méthodes comptables

L'IASB ne prévoit que deux situations qui peuvent donner lieu à un changement de méthode comptable. En plus de ces deux situations, le CNC ajoute les situations suivantes où il est possible d'effectuer le changement d'une méthode comptable, même si la nouvelle méthode n'aboutit pas à une information fiable et davantage pertinente :

- Pour les filiales, le choix de consolider, de comptabiliser à la valeur de consolidation ou de comptabiliser à la valeur d'acquisition ;
- Pour les participations dans des entités sous influence notable, le choix de comptabiliser à la valeur de consolidation ou à la valeur d'acquisition ;
- Pour les participations dans des entreprises sous contrôle conjoint, le choix de comptabiliser les droits sur les éléments d'actif et les obligations au titre des éléments de passif, d'utiliser la méthode de la valeur de consolidation ou celle à la valeur d'acquisition ;

---

43. *Manuel de CPA Canada – Comptabilité – Partie II*, paragr. 3251.09.
44. *Manuel de CPA Canada – Comptabilité – Partie II*, paragr. **3260**.02.

- Pour les frais de développement, le choix de les comptabiliser à l'actif ou en charges ;
- Pour l'obligation au titre des prestations définies pour laquelle une évaluation aux fins de la capitalisation a été établie, le choix de l'évaluer au moyen de cette évaluation ou au moyen d'une évaluation séparée établie aux fins de la comptabilisation ;
- Pour les impôts, le choix de les comptabiliser selon la méthode des impôts exigibles ou la **méthode des impôts futurs** ;
- Pour un instrument financier composé, le choix d'évaluer à zéro la composante capitaux propres ou d'évaluer la composante la plus facile à évaluer et d'imputer la différence à l'élément restant[45].

IFRS
Méthode de l'actif ou du passif fiscal

Tous ces choix s'expliquent par la volonté du CNC d'offrir aux ECF des normes simples, dans la mesure où elles peuvent répondre aux besoins des utilisateurs des états financiers.

Les informations à présenter dans les états financiers sur les changements de méthodes comptables sont plus nombreuses selon l'IAS 8 que selon le **chapitre 1506** du *Manuel – Partie II.*

L'analyse et la correction des erreurs

Contrairement à l'IASB, le CNC ne mentionne aucune limite au retraitement rétrospectif d'une erreur. Cela implique que l'entreprise doit mettre en œuvre tous les moyens possibles pour corriger l'information erronée.

Tout comme pour les changements de méthodes comptables et d'estimations comptables, les informations à fournir sur les erreurs selon les NCECF sont beaucoup plus succinctes que selon les IFRS.

Le cumul des autres éléments du résultat global

Contrairement aux IFRS, il n'existe pas de poste Cumul des autres éléments du résultat global dans les capitaux propres. En effet, le concept de résultat global n'existe pas dans les NCECF.

Avez-vous remarqué ?

Les composantes des capitaux propres ou les opérations comprises dans ces composantes diffèrent selon les NCECF et les IFRS. Les différences de terminologie entre les deux référentiels pourraient créer de la confusion chez les utilisateurs.

Consultez le tableau synthèse des particularités des NCECF.

15

45. *Manuel de CPA Canada – Comptabilité – Partie II*, paragr. 1506.09.

SYNTHÈSE DU CHAPITRE 15

La figure 15.7 illustre en un coup d'œil les principaux thèmes abordés dans le présent chapitre. Le texte qui suit la figure vous permettra de vérifier l'acquisition des objectifs d'apprentissage.

FIGURE 15.7 Les principaux thèmes abordés dans le présent chapitre

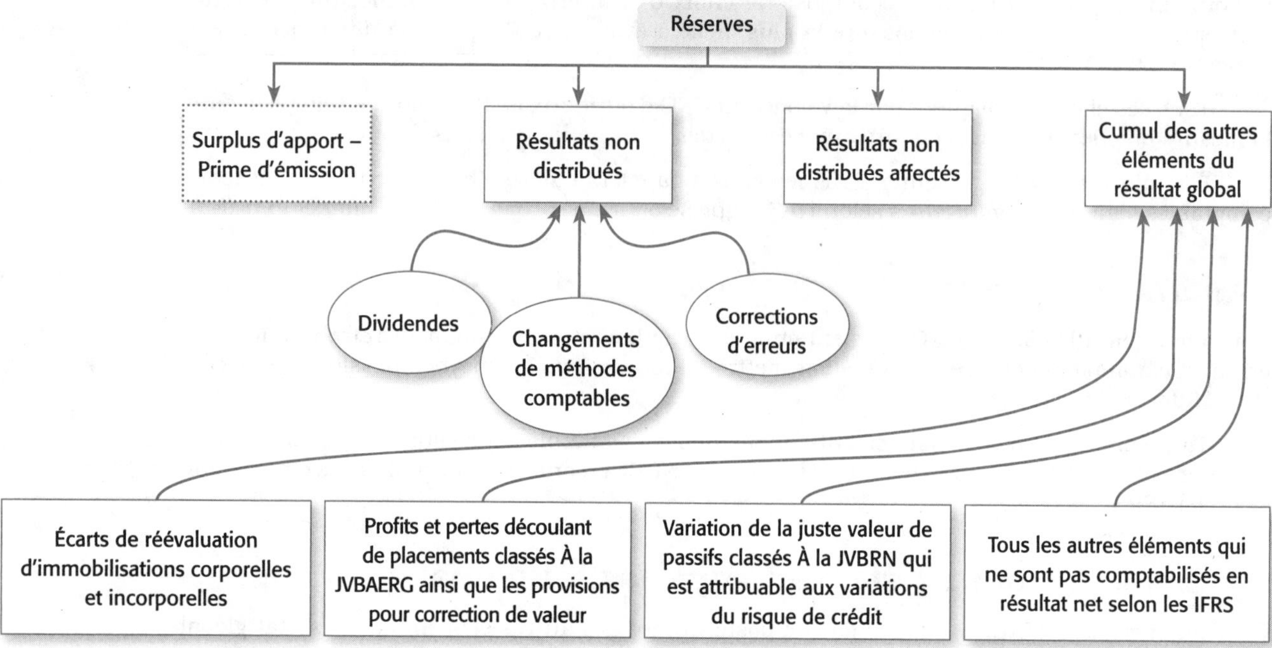

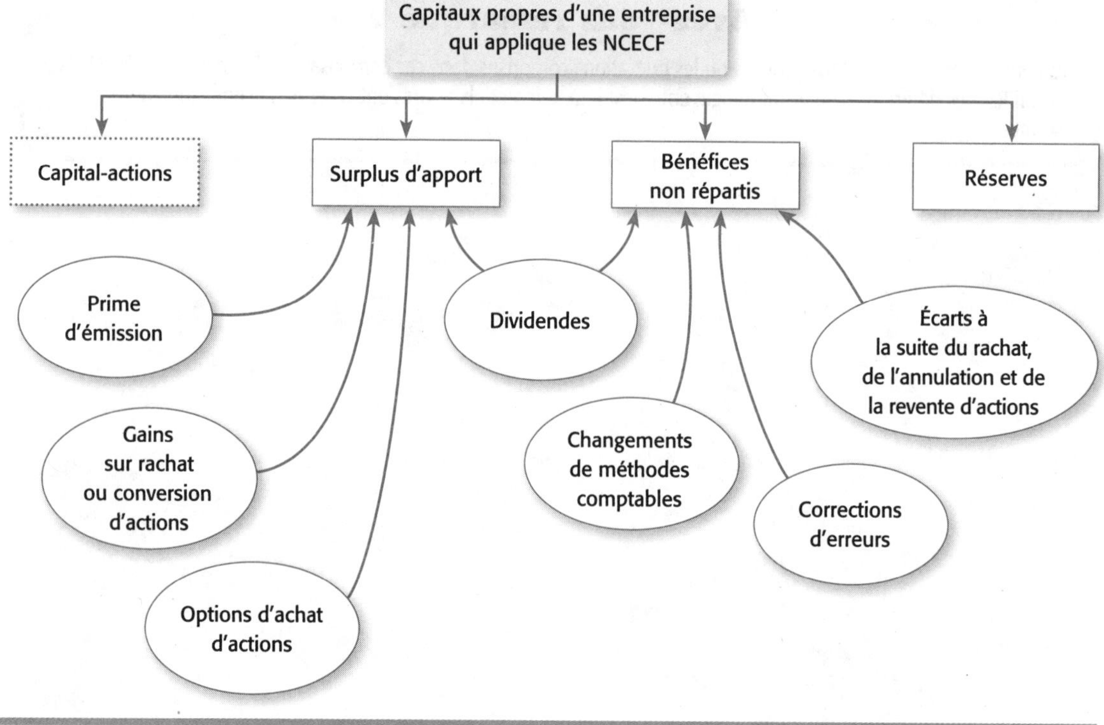

Déterminer le poste des réserves dans lequel une opération doit être comptabilisée et présentée. Les capitaux propres d'une société par actions sont composés de deux éléments importants : le capital social et les **réserves.** Le capital social a été étudié en détail au chapitre 14. Les réserves, qui ont fait l'objet du présent chapitre, sont composées de quatre éléments : le surplus d'apport, les résultats non distribués, les résultats non distribués affectés et le cumul des autres éléments du résultat global. Le surplus d'apport est essentiellement constitué de la prime d'émission, qui représente la différence entre le prix d'émission et la valeur nominale lorsque les actions ont une telle valeur. Nous en avons traité avec le capital social au chapitre 14.

Expliquer ce que représentent les résultats non distribués, comptabiliser et présenter les opérations en cause. Les résultats non distribués sont l'élément le plus important des réserves. Ils représentent l'accumulation des résultats nets réalisés par l'entreprise. Plusieurs opérations, telles que la déclaration de dividendes, les changements de méthodes comptables et les corrections d'erreurs, peuvent augmenter ou diminuer les résultats non distribués.

Analyser et comptabiliser les diverses sortes de dividendes. Les dividendes représentent une fraction du résultat net de l'entreprise que le conseil d'administration décide de verser à ses actionnaires en numéraire, en nature ou en actions. Ils diminuent les résultats non distribués.

Appliquer le traitement comptable des changements de méthodes comptables. Afin que l'information comparative fournie dans les états financiers soit utile aux utilisateurs, une application rétrospective, touchant le solde des résultats non distribués, est faite lorsque cela est praticable dans le cas des changements de méthodes comptables. Rappelons que de tels changements peuvent être effectués uniquement si une norme l'impose ou si cela permet de fournir des informations financières fiables et davantage pertinentes.

Analyser et corriger les erreurs comptables. Quant aux corrections d'erreurs, il est primordial de les corriger dès qu'elles sont découvertes afin que les états financiers soient conformes aux IFRS. Une application rétrospective est exigée, sauf dans le cas où elle serait impraticable.

Comptabiliser l'affectation des résultats non distribués. Il arrive parfois que des textes réglementaires ou une loi créent, par exemple, l'obligation de préserver une portion du résultat net qui ne peut être distribuée aux actionnaires. Cette portion est appelée résultats non distribués affectés.

Traiter les éléments compris dans le cumul des autres éléments du résultat global et les présenter dans les états financiers. Le dernier élément des réserves, appelé cumul des autres éléments du résultat global, correspond au solde cumulé des profits et des pertes qui ne découlent pas d'opérations avec les propriétaires de l'entreprise et qui doivent être exclus du résultat net. Il comprend, par exemple, certaines variations de la juste valeur des immobilisations corporelles et incorporelles et des actifs financiers classés À la juste valeur par le biais des autres éléments du résultat global.

Comprendre et appliquer les NCECF liées à l'évolution des réserves. La principale différence concerne la composante réserve des capitaux propres. La définition donnée par le CNC correspond à ce que l'IASB désigne comme les résultats non distribués affectés. De plus, une ECF peut changer certaines méthodes comptables même si cela ne conduit pas à des informations plus pertinentes. Enfin, contrairement aux IFRS, il n'existe pas de poste Cumul des autres éléments du résultat global dans les capitaux propres des entreprises qui appliquent les NCECF.

QUATRIÈME PARTIE

Les autres éléments de l'état de la situation financière

QUATRIÈME PARTIE

Les autres éléments de l'état de la situation financière

Comparativement aux deuxième et troisième parties de ce manuel, qui traitaient respectivement des actifs ainsi que des passifs et des capitaux propres, la présente partie aborde les opérations qui se traduisent parfois par la comptabilisation d'un actif, parfois par celle d'un passif ou d'un titre de capitaux propres. Nous présenterons les normes comptables relatives à quatre types de ces opérations, soit les contrats de location, du point de vue tant du locataire que du locateur, les avantages du personnel, les impôts ainsi que les dérivés et les opérations de couverture.

Les contrats de location

16

Des ressources pédagogiques sont disponibles en ligne.

Objectifs d'apprentissage

À la fin de ce chapitre, vous pourrez :

1. expliquer les avantages liés à la location et l'approche préconisée par l'IASB pour comptabiliser les contrats de location ;
2. appliquer le traitement comptable des contrats de location-financement dans la perspective du preneur et présenter ces contrats dans les états financiers ;
3. appliquer le traitement comptable des contrats de location simple dans la perspective du preneur et présenter ces contrats dans les états financiers ;
4. appliquer le traitement comptable des contrats de location-financement dans la perspective du bailleur qui est un intermédiaire financier et présenter ces contrats dans les états financiers ;
5. appliquer le traitement comptable des contrats de location-financement dans la perspective du bailleur qui est un fabricant ou un distributeur et présenter ces contrats dans les états financiers ;
6. appliquer le traitement comptable des contrats de location simple dans la perspective du bailleur et présenter ces contrats dans les états financiers ;
7. appliquer le traitement comptable approprié à certains sujets particuliers liés aux contrats de location ;
8. expliquer les raisons qui sous-tendent la controverse entourant la comptabilisation des contrats de location ;
9. comprendre et appliquer les NCECF liées aux contrats de location.

Aperçu du chapitre

Une grande partie de la population est locataire d'un appartement plutôt que propriétaire d'une maison ou d'un immeuble en copropriété. Ceux qui possèdent une automobile ont dû prendre la décision d'acheter ou de louer leur véhicule. Plusieurs finissants optent pour la location d'un smoking pour leur bal de fin d'études. La location est chose courante dans la vie de tous les jours des individus. Un **contrat de location** est un accord par lequel le **bailleur** (locateur) cède au **preneur** (locataire), pour une période déterminée, le droit d'utilisation d'un actif en échange d'un paiement ou d'une série de paiements. En ce qui concerne les entreprises, les contrats de location sont utilisés dans presque tous les secteurs d'activité économique de notre société et couvrent une multitude d'actifs, qu'il s'agisse de biens meubles ou immeubles ou même d'actifs incorporels. Ainsi, la boutique où vous achetez vos vêtements favoris est probablement louée par le commerçant. Il en va de même du matériel informatique, des locaux commerciaux pour bureaux ou lieux d'entreposage, des avions, des wagons de chemin de fer, des satellites et d'une foule d'autres actifs que plusieurs entreprises préfèrent louer plutôt que de les acquérir.

L'objectif du présent chapitre est d'examiner la comptabilisation des contrats de location selon l'**IAS 17** intitulée « Contrats de location ». Nous expliquerons la distinction entre les contrats de **location simple** et les contrats de **location-financement** ainsi que l'incidence de chacun sur la présentation de l'information financière. Nous aborderons ensuite les enjeux comptables liés à certains problèmes particuliers, comme la location de terrains et de constructions et la cession-bail, puis aborderons la controverse persistante entourant la comptabilisation des contrats de location. Finalement, nous traiterons des principales différences concernant les sujets abordés dans le présent chapitre selon les IFRS et les NCECF.

16

Lorsque des notions de mathématiques financières sont utilisées, les variables nécessaires aux calculs sont indiquées avec les abréviations suivantes :

N : nombre de périodes	PV : valeur actualisée
I : taux d'intérêt	FV : valeur future
PMT : paiements périodiques	BGN : paiements en début de période

PARTIE I – LES IFRS

 Équivalents terminologiques *Manuel de CPA Canada* – Partie I et Partie II.

Les avantages de la location d'actifs

Comment expliquer la grande popularité de la location d'actifs, alors qu'intuitivement nous sommes portés à croire que rien ne vaut le fait d'être propriétaire ? Est-il possible que le preneur et le bailleur retirent plus d'avantages de la location ? Le tableau 16.1 décrit les principaux avantages de la location tant pour le preneur que pour le bailleur.

TABLEAU 16.1 Les avantages de la location

Du point de vue du preneur	Du point de vue du bailleur
Réduction de la mise de fonds initiale Une institution bancaire finance habituellement jusqu'à concurrence de 75 % à 80 % du coût d'acquisition d'un actif. Grâce à la location, une entreprise peut avoir accès à un financement à 100 %. En effet, la plupart des contrats de location n'exigent aucun versement initial. Ainsi, l'entreprise dispose de plus de trésorerie pour ses activités d'exploitation, ses activités d'investissement et ses activités de financement.	**Augmentation du chiffre d'affaires** Lorsqu'un client ne dispose pas de trésorerie immédiate, mais que sa cote de crédit est bonne, le vendeur peut lui proposer une location. Ce faisant, il peut conclure une opération qui aurait autrement été impossible. Ainsi, l'entreprise peut augmenter de façon substantielle son chiffre d'affaires. Les concessionnaires d'automobiles sont un bon exemple d'entreprises qui tirent parti de la location d'actifs.
Financement à taux fixe Bon nombre de prêts commerciaux sont consentis à un taux d'intérêt flottant, c'est-à-dire au taux préférentiel plus un certain pourcentage selon la cote de crédit de l'emprunteur. De plus, l'emprunt est renégociable périodiquement, ce qui signifie que le prêteur peut exiger le remboursement complet du solde dû. En revanche, les dispositions d'un contrat de location prévoient des échéances déterminées dès le début du contrat. De plus, le taux d'intérêt est fixe, ce qui permet au preneur de se prémunir contre les augmentations du coût du loyer de l'argent et ainsi de mieux prévoir ses mouvements de trésorerie. Enfin, il peut éviter les coûts liés au renouvellement d'un prêt.	**Augmentation du rendement sur investissement** Bien que le taux d'intérêt soit fixe selon les dispositions du contrat, le bailleur a l'avantage de pouvoir déterminer ce taux. D'une part, compte tenu du risque lié au recouvrement de sa créance, le bailleur peut obtenir un taux de rendement plus élevé sur un contrat de location que sur une somme équivalente investie dans des placements temporaires. D'autre part, le preneur qui ne dispose pas de trésorerie immédiate est prêt à accepter un taux de financement légèrement supérieur à celui qu'exigerait une institution bancaire.
Flexibilité du financement En règle générale, les modalités de remboursement d'un emprunt bancaire sont assez rigides et les garanties requises sont assez élevées. Par contre, les dispositions du contrat de location peuvent prévoir des modalités de paiement adaptées au preneur. Ainsi, un emprunt bancaire est habituellement remboursable à période fixe (par exemple, mensuellement). De plus, il est fréquent que le prêteur exige plusieurs garanties ou impose des restrictions, notamment quant au fonds de roulement à maintenir ou à la politique de dividendes. En revanche, en vertu d'un contrat de location, les modalités de paiement peuvent faire l'objet d'une entente entre le preneur et le bailleur, ce qui permet au preneur de faire coïncider la date de ses versements avec celle de ses rentrées de trésorerie. En outre, le bailleur n'exige habituellement aucune autre garantie que l'actif loué lui-même.	**Financement personnalisé** Afin de conclure des ventes, les bailleurs sont passés maîtres dans l'art de rédiger des contrats de location sur mesure. Ainsi, le bailleur peut non seulement conclure une opération, mais il peut du même coup satisfaire un client en lui permettant de payer les loyers au moment où il a la trésorerie nécessaire pour le faire.

TABLEAU 16.1 *(suite)*

Protection contre l'obsolescence technologique

Si une entreprise achète un équipement dont la technologie évolue rapidement, elle s'expose au risque que ce dernier devienne obsolète avant qu'il ne soit entièrement payé ou encore à la possibilité de devoir se priver de la nouvelle technologie, faute de trésorerie.

La location permet à une entreprise de se protéger contre l'obsolescence technologique. Avec l'accord du bailleur, elle peut mettre fin à l'ancien contrat et en signer un nouveau portant sur un équipement de pointe. Il est facile de percevoir un tel avantage dans le domaine informatique, par exemple.

Fidélité du client

Lorsque le bailleur accepte de mettre un terme à un contrat, il le fait sans risque de perte. Le loyer du nouveau contrat est déterminé en fonction des sommes qu'il restait à recouvrer sur l'ancien contrat, de la valeur de revente de l'actif usagé et de la valeur du nouvel actif.

L'attachement du client est encore plus important. En effet, l'entreprise qui possède un équipement peut en disposer à sa guise et le remplacer par le modèle de son choix quand elle le désire. En revanche, l'entreprise qui loue le même équipement est en quelque sorte attachée au locateur. En effet, le bailleur doit donner son accord pour mettre fin à l'ancien contrat.

Protection contre la perte de valeur

Au terme du contrat, le bailleur reprend possession de l'actif loué. Le preneur n'a pas à assumer les risques liés à la diminution de valeur de l'actif. Une telle diminution de valeur peut être attribuée non seulement à l'obsolescence technologique, mais aussi à un contexte économique défavorable.

Profit potentiel sur la valeur résiduelle

Puisque le bailleur reprend possession de l'actif loué, il peut bénéficier d'une augmentation de la valeur résiduelle de l'actif loué. Ainsi, en période de prospérité économique, l'inflation et le jeu de l'offre et de la demande peuvent faire grimper substantiellement la valeur résiduelle de l'actif loué.

Financement « hors bilan »

Nous verrons plus loin que si le contrat est rédigé pour faire en sorte que les risques et les avantages inhérents à la propriété de l'actif ne soient pas transférés au preneur, l'actif n'a pas à être comptabilisé, et aucune dette ne figure dans le passif de l'entreprise.

Contrairement à un emprunt conventionnel, une telle location influe moins sur la capacité d'emprunt subséquente du preneur. Le ratio d'endettement calculé à partir des actifs et des passifs comptabilisés demeure intact, laissant place à l'obtention de financement supplémentaire.

EXEMPLE

Avantages du financement hors-bilan

La société Dubaï ltée envisage de louer ou d'acheter un avion léger pour les déplacements de ses dirigeants. Le 1er janvier 20X0, les actifs, passifs et capitaux propres de Dubaï ltée se chiffrent respectivement à 2 500 000 $, à 1 500 000 $ et à 1 000 000 $. La juste valeur de l'avion s'élève à 500 000 $ et l'entreprise pourrait emprunter la totalité de la somme nécessaire si elle décidait d'acheter l'avion plutôt que de le louer. Si elle achète l'actif, elle comptabilise un actif au montant de 500 000 $ et un montant identique du côté du passif. Si elle loue l'avion et que le contrat est rédigé pour faire en sorte que les risques et les avantages ne lui soient pas transférés, elle n'inscrit rien dans l'actif ni dans le passif au moment de la signature du contrat. La situation financière de Dubaï ltée se présenterait comme suit, selon les deux situations possibles à la date d'acquisition de l'avion ou de la signature du contrat de location :

	Achat	*Location*
Total de l'actif	*3 000 000 $*	*2 500 000 $*
Total du passif	*2 000 000*	*1 500 000*
Total des capitaux propres	*1 000 000*	*1 000 000*
Ratio d'endettement (Passif ÷ Actif)	*66,7 %*	*60,0 %*

Cette brève analyse permet de faire ressortir clairement les avantages de la location. En choisissant de louer l'avion plutôt que de l'acheter, Dubaï ltée semble moins endettée, comme le montre son ratio d'endettement inférieur. La décision de louer ou d'acheter se répercute également sur le résultat net. Pour illustrer ces répercussions, prenons les renseignements additionnels suivants en ce qui concerne notre exemple. Supposons que l'éventuelle acquisition de l'avion soit financée sur une période de 20 ans au taux d'intérêt annuel de 10 % et que

16

l'avion soit amorti linéairement pendant cette même période en présumant une valeur résiduelle nulle. Pour réaliser un rendement de 10 % sur son investissement, un locateur exigerait un loyer de 58 730 $ (N = 20, I = 10 %, PV = 500 000 $, FV = 0 $, CPT PMT ?) en supposant des versements en fin de périodes annuelles. Bien que le total des charges d'amortissement et d'intérêts sur la dette non courante serait identique au total des charges locatives sur une durée de 20 ans, le résultat net des premiers exercices serait supérieur, comme le montrent les calculs ci-dessous, effectués pour le premier exercice suivant l'acquisition de l'avion ou la signature du contrat de location :

	Achat	*Location*
Amortissement (500 000 $ ÷ 20 ans)	*25 000 $*	*0*
Intérêts sur la dette non courante (500 000 $ × 10 %)	*50 000*	
Charge locative		*58 730 $*
Total des charges	*75 000 $*	*58 730 $*

La location conduit dans cet exemple à un résultat net plus élevé au début du contrat de location, et cette considération, jumelée à un taux d'endettement inférieur, rend l'option de la location très attrayante aux yeux des locataires.

Il ne faudrait pas croire pour autant que les contrats de location ne présentent que des avantages. Le tableau 16.1 a simplement pour but d'exposer quelques-unes des raisons qui justifient leur popularité croissante. La décision de louer plutôt que d'acheter doit être basée sur une analyse approfondie portant notamment sur la situation financière de l'entreprise, l'ampleur du financement requis pour un projet précis par rapport à l'ensemble des projets d'investissement, la nature de l'actif en cause ainsi que la fréquence et la durée de son utilisation, le tout en tenant compte des conséquences fiscales éventuelles.

L'approche comptable préconisée

La décision de louer plutôt que d'acheter est purement financière. Du point de vue comptable, la principale question est de déterminer si le droit d'utilisation de l'actif en vertu du contrat de location donne naissance à un actif qui doit figurer dans l'état de la situation financière du locataire. Pour ce faire, il faut attacher plus d'importance à la substance d'un contrat de location qu'à sa forme juridique. Selon cette approche, si un contrat de location représente en substance une acquisition, l'actif en cause et la dette correspondante doivent être comptabilisés dans les états financiers du locataire.

Toute la réflexion de l'International Accounting Standards Board (IASB) dans l'IAS 17 est basée sur la constatation que le fait d'être propriétaire d'un bien comporte des risques et des avantages. On trouve dans le tableau 16.2 une présentation résumée de ces avantages et de ces risques.

TABLEAU 16.2 Les avantages et les risques inhérents à la propriété d'un actif

Avantages	Risques
• Espérance d'une exploitation rentable sur la durée de vie économique de l'actif.	• Possibilité de pertes pouvant résulter de la sous-utilisation des capacités de l'actif.
• Possibilité de tirer profit d'une appréciation de la valeur de l'actif.	• Possibilité d'obsolescence technologique de l'actif.
• Possibilité d'obtenir une valeur résiduelle au terme de l'utilisation de l'actif.	• Possibilité de variations de la rentabilité causées par l'évolution de la conjoncture économique.

L'analyse des risques et des avantages permet d'établir la substance sous-jacente à la réalité économique inhérente au contrat de location. À cet effet, l'IASB affirme ce qui suit :

> Un contrat de location est classé en tant que contrat de location-financement s'il transfère au preneur la quasi-totalité des risques et des avantages inhérents à la propriété. Un contrat de location est classé en tant que contrat de location simple s'il ne

transfère pas au preneur la quasi-totalité des risques et des avantages inhérents à la propriété.

Qu'un contrat de location soit un contrat de location-financement ou un contrat de location simple dépend de la réalité de la transaction plutôt que de la forme du contrat[1].

En mettant l'accent sur la substance inhérente à un contrat de location, l'IASB opte pour la position selon laquelle la possession d'un actif découle essentiellement de la prise en charge de la quasi-totalité des risques et des avantages inhérents à la propriété de cet actif.

Avez-vous remarqué ?

Du point de vue du preneur, cette position concorde avec la définition d'un actif. En effet, en vertu du contrat de location signé par le bailleur et le preneur et en tenant compte de la livraison de l'actif au preneur (événements passés), le preneur prend en charge presque tous les risques et les avantages inhérents à la propriété, ce qui représente un avantage économique futur contrôlé par le preneur.

L'IAS 17 s'applique à la comptabilisation de tous les contrats de location autres que les contrats de location portant sur la prospection ou l'utilisation de minéraux, de pétrole, de gaz naturel et autres ressources semblables non renouvelables et les accords de licences portant sur des éléments tels que des œuvres cinématographiques, des enregistrements vidéo, des pièces de théâtre, des manuscrits, des brevets et des droits d'auteurs. Par ailleurs, l'IAS 17 ne s'applique pas à l'évaluation : 1) d'un bien immobilier détenu par des preneurs et comptabilisé comme immeuble de placement ; 2) d'un immeuble de placement mis à disposition par des bailleurs en vertu de contrats de location simple ; 3) d'actifs biologiques détenus par des preneurs en vertu de contrats de location-financement ; et 4) d'actifs biologiques mis à disposition par des bailleurs en vertu de contrats de location simple. D'autres normes plus précises traitent de ces actifs. L'IAS 17 s'applique aux accords qui transfèrent le droit d'utilisation des actifs, même s'ils imposent au bailleur des prestations importantes pour l'exploitation et la maintenance de ces actifs. Elle ne s'applique en aucun cas aux contrats de service qui ne transfèrent pas le droit d'utilisation des actifs d'une partie à l'autre[2].

La terminologie associée aux contrats de location

Avant d'aborder en détail les modalités d'application de l'IAS 17, il importe de préciser la terminologie afférente aux contrats de location. Ainsi, si un contrat transfère au preneur la quasi-totalité des risques et des avantages inhérents à la propriété de l'actif loué, ce contrat est désigné comme un **contrat de location-financement**. Si, au contraire, les risques et les avantages ne sont pas transférés au preneur, ce contrat est désigné comme un **contrat de location simple**. Cette terminologie s'applique tant au preneur qu'au bailleur.

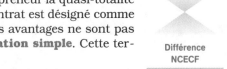

Le traitement comptable par le preneur

16

Puisque le concept de transfert de la quasi-totalité des risques et des avantages inhérents à la propriété est en soi très large, l'IASB a dû établir des balises servant à délimiter et à préciser les circonstances dans lesquelles un tel transfert a lieu. Avant d'entrer dans les détails de l'analyse de ces balises, voyons la figure 16.1, qui illustre de façon très sommaire l'ensemble du traitement comptable que doit effectuer le preneur.

La comptabilisation d'un contrat de location-financement par le preneur

Le classement des contrats de location par le preneur doit être fait en fonction de la substance de la transaction plutôt qu'en fonction de la forme juridique du contrat. Un contrat de location-financement est un contrat de location ayant pour effet de transférer au preneur la quasi-totalité des risques et des avantages inhérents à la propriété d'un actif, indépendamment du transfert

1. CPA Canada, *Manuel de CPA Canada – Comptabilité – Partie I*, IAS 17, paragr. 8 et 10 (*Voir la page iv des liminaires pour plus de détails à l'égard des normes publiées mais non encore entrées en vigueur.*).
2. *Manuel de CPA Canada – Comptabilité – Partie I*, IAS 17, paragr. 2 et 3.

FIGURE 16.1 Le cheminement de l'analyse des dispositions d'un contrat de location par le preneur – Synthèse

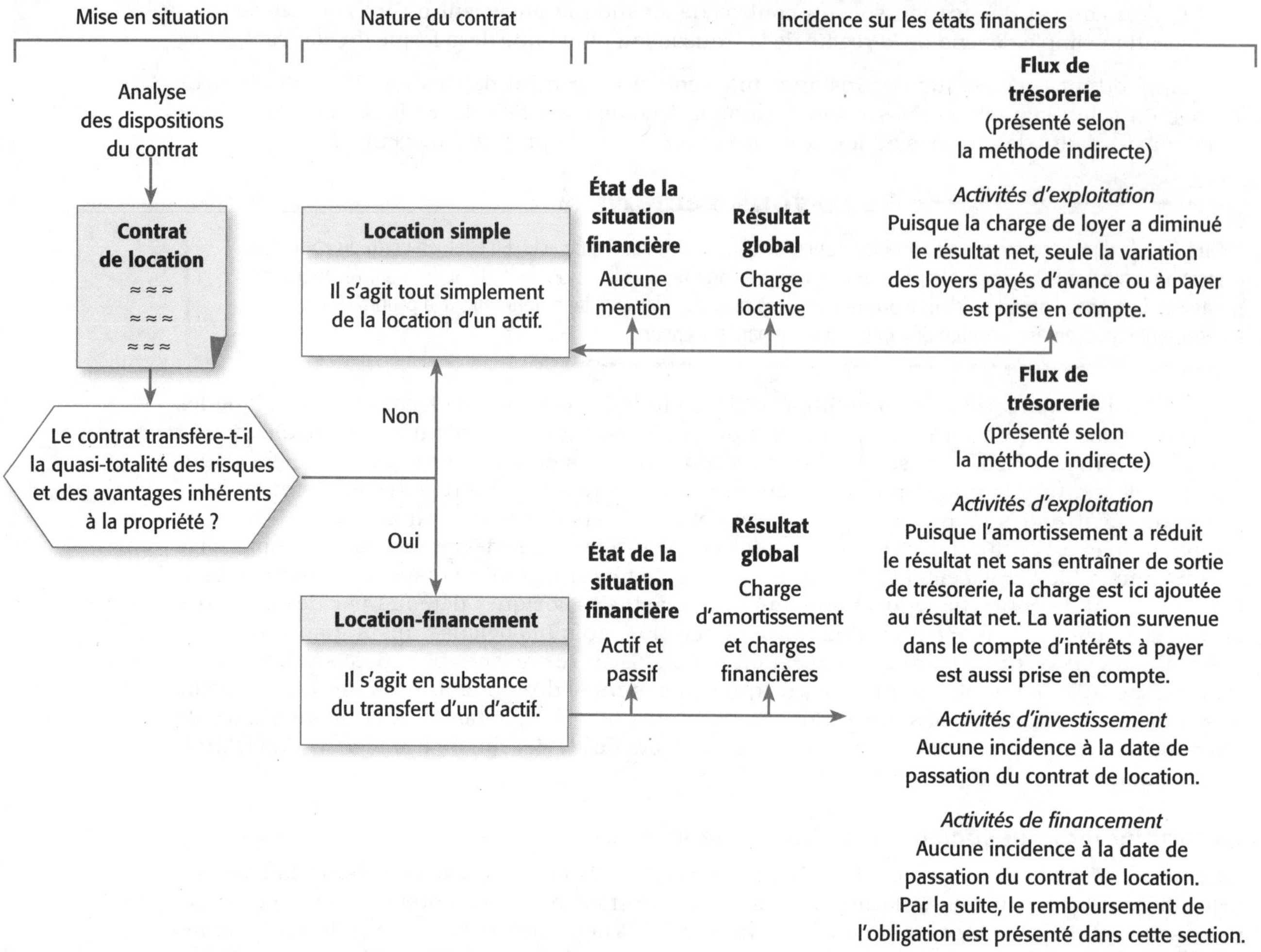

Mise en situation	Nature du contrat	Incidence sur les états financiers		
Analyse des dispositions du contrat → **Contrat de location** → Le contrat transfère-t-il la quasi-totalité des risques et des avantages inhérents à la propriété ?				
Non	**Location simple** Il s'agit tout simplement de la location d'un actif.	**État de la situation financière** Aucune mention	**Résultat global** Charge locative	**Flux de trésorerie** (présenté selon la méthode indirecte) *Activités d'exploitation* Puisque la charge de loyer a diminué le résultat net, seule la variation des loyers payés d'avance ou à payer est prise en compte.
Oui	**Location-financement** Il s'agit en substance du transfert d'un d'actif.	**État de la situation financière** Actif et passif	**Résultat global** Charge d'amortissement et charges financières	**Flux de trésorerie** (présenté selon la méthode indirecte) *Activités d'exploitation* Puisque l'amortissement a réduit le résultat net sans entraîner de sortie de trésorerie, la charge est ici ajoutée au résultat net. La variation survenue dans le compte d'intérêts à payer est aussi prise en compte. *Activités d'investissement* Aucune incidence à la date de passation du contrat de location. *Activités de financement* Aucune incidence à la date de passation du contrat de location. Par la suite, le remboursement de l'obligation est présenté dans cette section.

Source : Nicole Lacombe et Daniel McMahon • Adaptation : Sylvain Durocher

Différence NCECF

de propriété. L'IASB fournit cinq exemples de situations qui, individuellement ou conjointement, **doivent** en principe conduire au classement d'un contrat à titre de contrat de location-financement :

1. Le contrat de location transfère la propriété de l'actif au preneur au terme de la durée du contrat de location.
2. Le contrat de location donne au preneur l'option d'acheter l'actif à un prix qui devrait être suffisamment inférieur à sa **juste valeur**[3] à la date à laquelle l'option peut être exercée pour que, dès la passation du contrat de location, on ait la certitude raisonnable que l'option sera exercée. Nous désignerons cette situation comme une **option d'achat à prix de faveur**.
3. La durée du contrat de location couvre la majeure partie de la durée de vie économique de l'actif, même s'il n'y a pas transfert de propriété.
4. La valeur actualisée des paiements minimaux au titre de la location s'élève, à la passation du contrat de location, au moins à la quasi-totalité de la juste valeur de l'actif loué.
5. L'actif loué est d'une nature tellement spécifique que seul le preneur peut l'utiliser sans y apporter de modifications majeures[4].

3. Dans l'IAS 17, la juste valeur est définie comme étant « le montant pour lequel un actif pourrait être échangé, ou un passif éteint, entre des parties bien informées, consentantes, et agissant dans des conditions de concurrence normale ». L'expression « juste valeur » utilisée dans l'IAS 17 diffère à certains égards de la définition qu'en donne l'**IFRS 13**. Lorsqu'une entreprise applique l'IAS 17, elle évalue la juste valeur selon cette norme, et non selon l'IFRS 13 (voir *Manuel de CPA Canada – Comptabilité – Partie I*, IAS 17, paragr. 4 et 6A).
4. *Manuel de CPA Canada – Comptabilité – Partie I*, IAS 17, paragr. 10.

La figure 16.2 résume les considérations inhérentes au classement des contrats de location par le preneur.

FIGURE 16.2 Le classement d'un contrat de location par le preneur

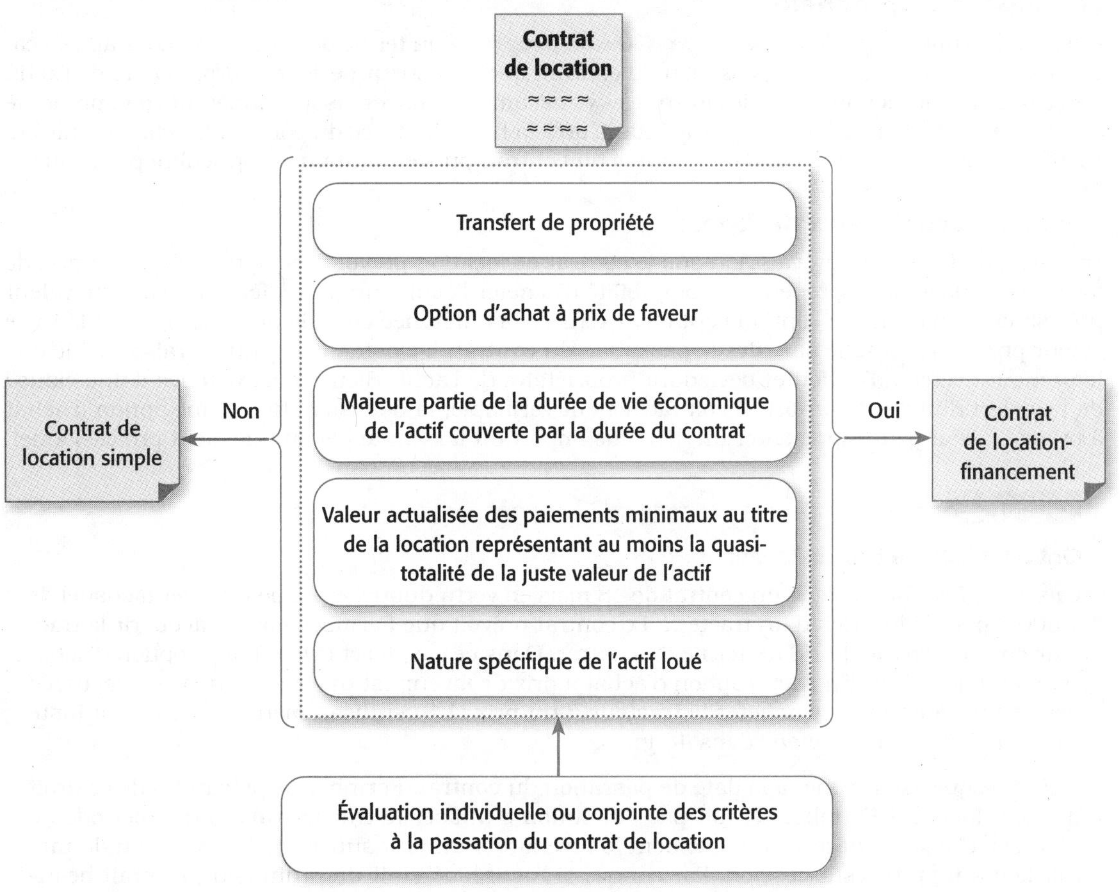

Par ailleurs, l'IASB fournit trois indicateurs de situations qui, individuellement ou conjointement, **peuvent** conduire au classement d'un contrat à titre de contrat de location-financement :

1. Dans les cas où le preneur peut résilier le contrat de location, les pertes subies par le bailleur relativement à la résiliation sont à la charge du preneur ;
2. Les profits ou les pertes résultant de la variation de la juste valeur de la valeur résiduelle sont à la charge du preneur ;
3. Le preneur a la possibilité de poursuivre la location pour une deuxième période moyennant un loyer sensiblement inférieur au prix du marché[5].

16

Différence NCECF

Ces trois indicateurs peuvent être associés aux cinq exemples de situations pouvant conduire au classement d'un contrat à titre de contrat de location-financement que nous avons énoncés précédemment. Le classement des contrats de location est affaire de jugement professionnel. L'IASB précise que les exemples et les indicateurs fournis précédemment ne sont pas toujours concluants si d'autres caractéristiques du contrat font en sorte que la quasi-totalité des risques et des avantages inhérents à la propriété n'est pas transférée au preneur.

Le classement est effectué à la **date de passation du contrat de location**, laquelle correspond normalement à la date de signature du contrat. La passation du contrat peut avoir lieu à une date antérieure lorsqu'il y a un engagement réciproque des parties concernant les principales clauses du contrat. La date de passation du contrat de location peut différer de la date du **début de la période de location**, laquelle correspond à la date à partir de laquelle le preneur est autorisé à exercer son droit d'utilisation de l'actif loué.

5. *Manuel de CPA Canada – Comptabilité – Partie I*, IAS 17, paragr. 11.

Nous expliquerons maintenant tour à tour les cinq exemples de situations pouvant conduire au classement d'un contrat à titre de contrat de location-financement (*voir la figure 16.2*), en incorporant à notre explication les trois indicateurs établis par l'IASB.

Le transfert de propriété

L'existence d'une clause de **transfert du titre de propriété** au terme de la durée du contrat de location est une indication, dès la passation du contrat, que le preneur deviendra propriétaire de l'actif. De ce fait, il bénéficiera de tous les avantages et assumera tous les risques inhérents à la propriété de l'actif, même s'il n'en deviendra propriétaire qu'à la fin de la durée du contrat. En effet, il utilisera l'actif en tant que locataire pendant la durée du contrat, puis en tant que propriétaire par la suite.

L'option d'achat à prix de faveur

Une situation similaire prévaut lorsque le contrat de location prévoit une option d'achat à prix de faveur selon laquelle le preneur a la possibilité d'acheter l'actif à un prix inférieur à sa juste valeur prévisible au moment où l'option peut être exercée. La différence entre le prix d'exercice et la juste valeur prévisible est telle que, dès la passation du contrat, il existe une certitude raisonnable que le preneur exercera l'option et deviendra propriétaire de l'actif. Bien que l'existence d'une clause de transfert du titre de propriété soit facilement vérifiable, la détermination d'une option d'achat à prix de faveur peut représenter un défi plus important faisant appel au jugement professionnel.

EXEMPLE

Option d'achat à prix de faveur

La société Fermbec a signé un contrat de 48 mois en vertu duquel elle paie un loyer mensuel de 1 500 $ pour la location d'un tracteur. Le contrat prévoit que Fermbec pourra acquérir le tracteur pour la somme de 1 $ au terme du contrat. Dans ce cas, il est évident que l'option d'achat est à prix de faveur. En effet, l'option d'achat à prix de faveur est une disposition contractuelle permettant à Fermbec d'acheter le tracteur à un prix (1 $) suffisamment inférieur à la juste valeur prévisible du tracteur dans 48 mois.

Il est presque assuré que, à la date de passation du contrat, Fermbec se prévaudra de ce droit d'achat. Même si Fermbec n'avait pas l'intention d'utiliser le tracteur après une période de 48 mois, elle pourrait fort probablement le revendre à un prix supérieur à 1 $, ce qui donnerait lieu à un profit sur cession. Par contre, si l'actif loué était un ordinateur, il serait beaucoup plus difficile d'évaluer si le prix auquel l'option d'achat pourra être exercée représente véritablement un prix de faveur.

La durée du contrat de location

16

Même si aucun transfert de propriété n'est prévu en vertu du contrat de location, il peut y avoir transfert de la quasi-totalité des risques et des avantages inhérents à la propriété au preneur si la durée du contrat de location couvre la majeure partie de la durée de vie économique de l'actif loué. En effet, si le preneur utilise l'actif durant la majeure partie de sa durée de vie économique, il bénéficiera par le fait même de la majeure partie des avantages liés à l'espérance d'une exploitation rentable de l'actif et assumera la majeure partie des risques liés aux variations de rentabilité dues à la conjoncture économique et à la sous-utilisation des capacités de l'actif.

L'IASB ne définit pas ce qu'il entend par « la majeure partie de la durée de vie économique de l'actif loué ». Il ne fournit aucun critère quantitatif, laissant ainsi au praticien le soin d'exercer son jugement professionnel. Chaque contrat de location doit donc être traité comme un cas d'espèce.

La durée du contrat de location, ou **période de location**, comprend la période non résiliable durant laquelle le preneur s'est engagé à louer l'actif. Un **contrat de location non résiliable** est un contrat de location qui peut être résilié seulement : 1) si une éventualité peu probable survient ; 2) avec l'autorisation du bailleur ; 3) si le preneur conclut avec le même bailleur un nouveau contrat portant sur le même actif ou sur un actif équivalent ; ou 4) lors du paiement d'une somme complémentaire telle qu'il existe, dès la passation du contrat de location, la certitude raisonnable que le contrat de location sera poursuivi[6]. Il arrive que le preneur ait la possibilité de résilier le contrat, mais qu'il doive dans un tel cas assumer les pertes subies par le bailleur. Si, en cas de résiliation

6. *Manuel de CPA Canada – Comptabilité – Partie I*, IAS 17, paragr. 4.

du contrat, les pertes du bailleur sont considérables, cela peut inciter le preneur à ne pas se prévaloir de son droit de résiliation. Ce fait doit être pris en compte dans l'évaluation de la période non résiliable. Comme l'indique l'IASB, quand les pertes subies par le bailleur en cas de résiliation sont à la charge du preneur, cela est une indication qui peut conduire à classer le contrat comme un contrat de location-financement.

La durée du contrat de location comprend aussi toutes les périodes ultérieures pour lesquelles le preneur a l'option d'obtenir la poursuite de son contrat de location moyennant ou non le paiement d'une somme complémentaire dans la mesure où, dès la passation du contrat de location, on peut avoir la certitude raisonnable que le preneur exercera son option de renouvellement. Nous croyons qu'il est de mise d'ajouter à la période non résiliable :

1. toute période visée par une **option de renouvellement à prix de faveur**. La possibilité pour le preneur de poursuivre la location durant une deuxième période moyennement un prix sensiblement inférieur au prix du marché est un indicateur de situation qui, de l'avis de l'IASB, peut conduire au classement d'un contrat en tant que contrat de location-financement ;
2. toute période durant laquelle le non-renouvellement du contrat entraînerait une pénalité importante. Par exemple, si une entreprise loue un équipement 1 000 $ par année pendant 3 ans, que le contrat prévoit une option de renouvellement au même montant durant une période additionnelle de 2 ans et que le non-renouvellement entraîne une pénalité de 2 500 $, il existe dès la passation du contrat une certitude raisonnable que le preneur exercera son option de renouvellement ;
3. toute période visée par des options de renouvellement ordinaires précédant la date à compter de laquelle peut être exercée une option d'achat à prix de faveur. Puisqu'il y a une option d'achat à prix de faveur, le preneur peut avoir intérêt à renouveler le contrat jusqu'à la date où cette option peut être exercée. Il peut donc exister, dès la passation du contrat, une certitude raisonnable que le contrat sera renouvelé jusqu'à la date où l'option à prix de faveur peut être exercée.

La durée du contrat ne peut s'étendre au-delà de la date à compter de laquelle peut être exercée une option d'achat à prix de faveur, puisque, à cette date, le preneur devient effectivement propriétaire de l'actif loué.

La **durée de vie économique** de l'actif loué correspond à la période attendue d'utilisation économique d'un actif par un ou plusieurs utilisateurs ou au nombre d'unités d'œuvre ou d'unités similaires attendues de l'utilisation de l'actif par un ou plusieurs utilisateurs[7]. Il n'est pas toujours facile de déterminer la durée de vie économique d'un actif. À titre d'exemple, pensons aux actifs utilisés dans le secteur de la haute technologie, où l'obsolescence technologique est difficile à prévoir.

La valeur actualisée des paiements minimaux au titre de la location

Un autre exemple fourni par l'IASB et qui devrait conduire au classement d'un contrat de location comme un contrat de location-financement est celui où, à la passation du contrat de location, la valeur actualisée des paiements minimaux au titre de la location s'élève au moins à la quasi-totalité de la juste valeur de l'actif loué. Encore une fois, l'IASB ne définit pas ce qu'il entend par « la quasi-totalité de la juste valeur de l'actif loué ». Il ne fournit aucun critère quantitatif et préfère laisser au praticien le soin d'exercer son jugement professionnel. Cependant, il est raisonnable de penser que la notion de « quasi-totalité » utilisée pour comparer la valeur actualisée des paiements minimaux au titre de la location à la juste valeur de l'actif loué renvoie à une proportion plus élevée que l'expression « majeure partie » utilisée pour comparer la période de location à la durée de vie économique de l'actif loué.

Nous allons maintenant traiter des éléments qui influent sur le calcul de la valeur actualisée des paiements minimaux au titre de la location, soit les paiements minimaux au titre de la location, le coût des services et des taxes, les loyers conditionnels et le taux d'actualisation.

Les paiements minimaux au titre de la location du point de vue du preneur

Du point de vue du preneur, les **paiements minimaux au titre de la location** sont les décaissements prévus en vertu du contrat. Ainsi, si le contrat ne comporte pas d'option d'achat à prix de faveur, les paiements minimaux au titre de la location comprennent tous les paiements que le preneur est ou peut être tenu d'effectuer pendant la durée du contrat de location (à l'exclusion du loyer conditionnel, du coût des services et des taxes à payer ou à rembourser au bailleur) ainsi que tous les montants garantis par lui ou par une personne qui lui est liée. Bien que l'IASB n'indique pas expressément la nature des paiements que le preneur est tenu ou peut être tenu d'effectuer, nous croyons que ces paiements incluent non seulement les loyers minimaux, c'est-à-dire les versements périodiques

7. *Manuel de CPA Canada – Comptabilité – Partie I*, IAS 17, paragr. 4.

que le preneur s'est engagé à effectuer, mais aussi les pénalités de non-renouvellement prévues dans le contrat lorsque l'on n'a pas la certitude raisonnable que le preneur renouvellera le contrat.

Les paiements minimaux incluent également le montant de toute **valeur résiduelle garantie** par le preneur. En effet, puisque la valeur résiduelle d'un actif loué correspond à sa juste valeur estimative au terme de la durée du contrat de location, il est fréquent que le bailleur veuille, à la date de passation du contrat, se protéger contre le risque de toute perte en exigeant du preneur qu'il garantisse en totalité ou en partie la valeur résiduelle de l'actif loué. Un tel engagement de la part du preneur peut engendrer un décaissement au terme de la durée du contrat. Le fait que le preneur assume les pertes liées à la variation de la juste valeur de la valeur résiduelle est un indicateur de situation qui, de l'avis de l'IASB, peut conduire au classement d'un contrat en tant que contrat de location-financement. En effet, le montant de la valeur résiduelle garantie par le preneur est pris en compte dans le calcul de la valeur actualisée des paiements minimaux au titre de la location, ce qui peut l'amener à représenter la quasi-totalité de la juste valeur de l'actif loué.

Par contre, si une partie ou la totalité de la valeur résiduelle n'est pas garantie par le preneur ou par une personne qui lui est liée, ce dernier n'a aucun engagement et ne tient pas compte de cette **valeur résiduelle non garantie**, tout comme il ne tiendrait pas compte d'une valeur résiduelle garantie par un tiers qui ne lui est pas lié. En effet, il est possible que le bailleur ait recours à un tiers, comme une compagnie d'assurance, pour garantir la valeur résiduelle prévue à la fin de la durée de la location.

Si le contrat comporte une option d'achat à prix de faveur, les paiements minimaux au titre de la location englobent les montants minimaux à payer au titre de la location sur la durée du contrat de location jusqu'à la date prévue d'exercice de l'option d'achat, plus le montant prévu pour l'exercice de l'option d'achat à prix de faveur.

Le coût des services et des taxes

Quelle que soit la nature de l'actif loué, son utilisation entraîne certains coûts. Citons, par exemple, les coûts d'assurances, d'entretien et de réparation, de même que les impôts fonciers. Puisque ces coûts sont liés à l'utilisation de l'actif, ils doivent être exclus des paiements minimaux au titre de la location. En effet, l'entreprise engagera essentiellement les mêmes coûts, que l'actif soit loué ou qu'il soit acheté. Il arrive souvent que ces coûts soient à la charge du preneur. Leur évaluation ne pose alors aucun problème particulier. Lorsque le contrat stipule que les coûts des services sont à la charge du bailleur, ce dernier en tient compte dans la détermination du montant du loyer. Ils doivent donc être exclus des paiements minimaux au titre de la location par le preneur et comptabilisés à titre de charges lorsqu'ils sont engagés. S'il est impossible de déterminer le montant du coût des services et des taxes qui est inclus dans les paiements minimaux, il faut en faire une estimation.

Par ailleurs, le montant des taxes sur les produits et services inclus dans le montant du loyer doit être exclu des paiements minimaux, puisqu'il sera remboursé à l'entreprise à titre de crédit de taxes sur les intrants.

Les loyers conditionnels

Les paiements minimaux au titre de la location excluent également les **loyers conditionnels**. Bien que l'IASB précise dans la définition des paiements minimaux au titre de la location que ceux-ci excluent les loyers conditionnels, il ne fournit pas de définition de ces derniers. Cependant, en pratique, il est fréquent de trouver dans les contrats de location d'espace commercial des loyers qui sont en partie basés sur le chiffre d'affaires du preneur. À titre d'exemple, le loyer d'une boutique établie dans un centre commercial pourrait comprendre un loyer mensuel de base de 1 500 $, plus un loyer conditionnel correspondant à 2 % du chiffre d'affaires, payable en fin d'exercice. De plus, les contrats de location de véhicules incluent souvent, en plus du loyer de base, un montant additionnel calculé en fonction du nombre de kilomètres parcourus qui excèdent, disons, 24 000 kilomètres par année. Étant donné que les loyers conditionnels dépendent de facteurs autres que la valeur de l'actif loué, ils sont comptabilisés en résultat net à mesure qu'ils sont engagés.

Le taux d'actualisation

Différence NCECF

Pour déterminer la valeur actualisée des paiements minimaux au titre de la location, le preneur doit utiliser comme taux d'actualisation le taux d'intérêt implicite du contrat de location si celui-ci peut être déterminé, sinon son taux d'emprunt marginal.

Le **taux d'intérêt implicite du contrat de location** correspond au taux de rendement exigé par le bailleur sur son investissement. Il s'agit donc du taux d'actualisation qui donne, à la passation du contrat de location, une valeur actualisée cumulée des paiements minimaux au titre de la location et de la valeur résiduelle non garantie égale à la juste valeur de l'actif loué. Pour sa part, le **taux d'emprunt marginal du preneur** correspond au taux d'intérêt que le preneur aurait à payer pour un contrat de location similaire ou, si celui-ci ne peut être déterminé, le taux d'intérêt qu'obtiendrait le preneur, à la passation du contrat de location, pour emprunter sur une durée et avec une garantie similaires la trésorerie nécessaire à l'acquisition de l'actif.

Lorsque la totalité des paiements minimaux au titre de la location est assumée par le preneur, il est évidemment possible pour ce dernier d'estimer le taux implicite du contrat. En effet, le preneur connaît habituellement la juste valeur de l'actif loué. Cependant, lorsqu'il n'existe aucune option d'achat à prix de faveur et que le preneur ne connaît pas la portion non garantie de la valeur résiduelle de l'actif loué, il peut lui être impossible de déterminer le taux d'intérêt implicite. Il doit alors utiliser son taux d'emprunt marginal. Par contre, si le preneur garantit la totalité de la valeur résiduelle ou si le contrat comporte une option d'achat à prix de faveur, la détermination du taux d'intérêt implicite du contrat est possible.

Si le taux implicite du contrat est inconnu du preneur, qui utilise alors son taux d'emprunt marginal, le montant obtenu en actualisant les paiements minimaux au titre de la location est comptabilisé à l'actif et au passif, comme nous l'expliquerons en détail dans la division **Les détails de la comptabilisation d'un contrat de location-financement**. Cependant, le montant comptabilisé ne peut excéder la juste valeur de l'actif loué. De ce fait, il est possible dans certains cas que le taux à utiliser excède le taux marginal d'emprunt lorsque le taux implicite du contrat est inconnu du preneur.

EXEMPLE

Taux à utiliser lorsque le taux implicite est inconnu

La société Delta inc. loue une pièce d'équipement de Fred loue tout inc. moyennant 5 versements annuels de 11 693 $ effectués en début de période. La juste valeur de l'équipement est de 50 000 $ et Delta inc. ignore le taux implicite du contrat de location. Son taux d'emprunt marginal est de 8 %. En actualisant les loyers au taux de 8 %, la valeur actualisée des paiements minimaux au titre de la location s'élève à 50 422 $ (N = 5, I = 8 %, PMT = 11 693 $, FV = 0 $, BGN, CPT PV ?). En limitant le montant de l'actif comptabilisé à 50 000 $, le taux d'actualisation inhérent à ce montant est de 8,49 % (N = 5, PMT = 11 693 $, PV = – 50 000 $, FV = 0 $, BGN, CPT I ?) et c'est ce taux qui doit alors être utilisé par Delta inc.

Différence NCECF

La nature spécifique de l'actif loué

Lorsque la nature de l'actif loué est tellement spécifique que seul le preneur peut l'utiliser sans devoir y apporter des modifications majeures, cela suggère qu'il y a transfert de la quasi-totalité des risques et des avantages inhérents à la propriété de l'actif loué au preneur. En effet, le preneur étant le seul à pouvoir utiliser l'actif dans son état actuel, il bénéficiera par le fait même de la quasi-totalité des avantages liés à l'espérance d'une exploitation rentable de l'actif et assumera la quasi-totalité des risques liés aux variations de rentabilité dues à la conjoncture économique et à la sous-utilisation des capacités de l'actif. À titre d'exemple, si une entreprise évoluant dans le domaine de la haute technologie produit une pièce d'équipement spécialement adaptée aux besoins de la Station spatiale internationale et qu'elle lui loue cette pièce d'équipement durant une période de 10 ans, il est raisonnable de conclure qu'il y a transfert de tous les risques et des avantages inhérents à la propriété. En effet, même si la pièce d'équipement présente une durée de vie économique de 15 ans, elle ne peut servir à d'autres entreprises au terme du contrat de location de 10 ans, à moins d'être modifiée substantiellement pour être adaptée aux besoins de ces autres entreprises. Cependant, si la période de location est relativement courte par rapport à la durée de vie économique de l'actif loué, il se peut que la quasi-totalité des risques et des avantages ne soient pas transférés au preneur. En effet, un bailleur peut accepter de signer des contrats de location relativement courts s'il sait qu'il lui est possible de louer l'actif à un autre preneur au terme de la durée du contrat en l'adaptant aux besoins du nouveau preneur sans devoir apporter à l'actif des modifications substantielles. N'oublions pas que l'IASB précise que les cinq exemples reproduits dans la figure 16.2 devraient, **individuellement** ou **conjointement,** conduire au classement d'un contrat de location à titre de contrat de location-financement.

Ayant donné des exemples de situations pouvant mener au classement d'un contrat à titre de contrat de location-financement, nous allons maintenant aborder les règles de comptabilisation de ces contrats de location par le preneur.

16

Avez-vous remarqué ?

Les indications fournies par l'IASB sur le classement des contrats de location pour le preneur visent à établir la substance sous-jacente à la réalité économique des contrats afin de déterminer s'il s'agit en substance de l'acquisition d'un actif et de la prise en charge d'une obligation, auquel cas le contrat de location doit être comptabilisé comme un contrat de location-financement.

Le cheminement critique de la comptabilisation d'un contrat de location-financement

La figure 16.3 illustre le cheminement critique de la comptabilisation d'un contrat de location-financement.

FIGURE 16.3 Le classement d'un contrat de location par le preneur

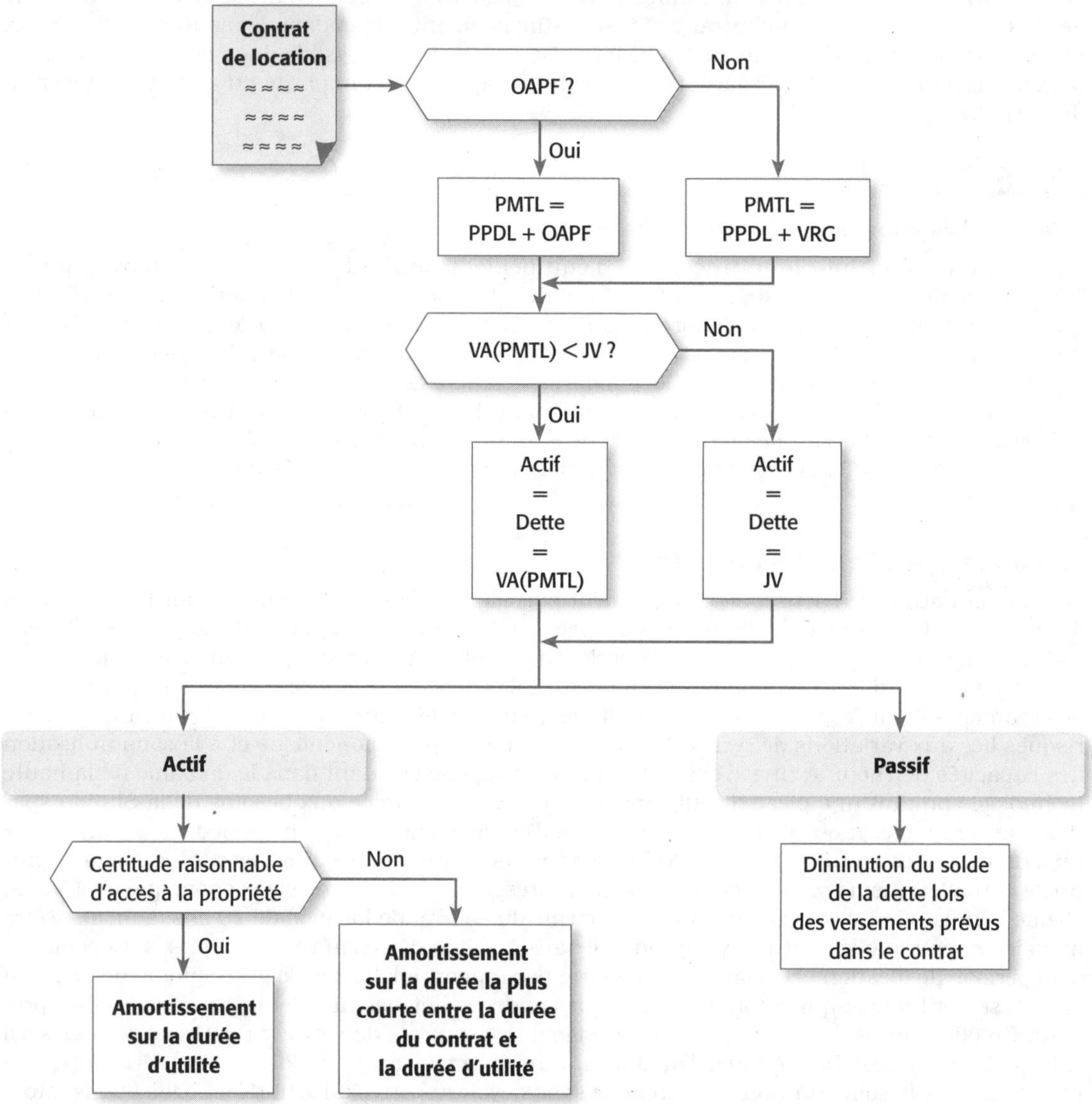

JV : Juste valeur
OAPF : Option d'achat à prix de faveur
PMTL : Paiements minimaux au titre de la location
PPDL : Paiements du preneur sur la durée de la location
VA : Valeur actualisée
VRG : Valeur résiduelle garantie

Source : Daniel McMahon • Adaptation : Sylvain Durocher

L'importance de l'option d'achat à prix de faveur

Nous avons déjà traité de la composition des paiements minimaux au titre de la location. Rappelons simplement que la définition des paiements minimaux au titre de la location varie selon qu'il existe une option d'achat à prix de faveur ou non. Afin d'éviter toute confusion entre l'option d'achat à prix de faveur et la valeur résiduelle garantie, nous présentons, dans le tableau 16.3, une comparaison succincte de ces deux notions.

TABLEAU 16.3 Une comparaison des caractéristiques fondamentales de l'option d'achat à prix de faveur et de la valeur résiduelle garantie

Option d'achat à prix de faveur	Valeur résiduelle garantie
Durée du contrat de location	
L'existence d'une option d'achat à prix de faveur fixe la durée du contrat.	La valeur résiduelle estimative est déterminée en fonction de la durée du contrat.
Comparaison avec la juste valeur estimative du bien	
L'option d'achat à prix de faveur peut être exercée à un prix considérablement inférieur à la juste valeur estimative de l'actif au terme de la durée du contrat.	Si la valeur résiduelle est garantie en totalité, elle correspond à la juste valeur estimative de l'actif loué au terme de la durée du contrat.
Accès à la propriété	
À la date de passation du contrat, il est presque assuré que le preneur exercera son option d'achat et deviendra effectivement propriétaire de l'actif loué au terme de la durée du contrat.	La valeur résiduelle garantie n'implique pas l'accès à la propriété de l'actif loué. Il s'agit plutôt d'un engagement visant à garantir au bailleur l'obtention d'une somme prédéterminée pour la valeur de l'actif à la fin de la durée de la location.
Négociabilité	
L'option d'achat peut faire l'objet d'une négociation entre le preneur et le bailleur.	La valeur résiduelle n'est pas à proprement parler négociable. Toutefois, le preneur peut négocier la portion de celle-ci qu'il accepte de garantir.

Précisons que l'existence d'une option d'achat n'implique pas automatiquement qu'il y a transfert des risques et des avantages inhérents à la propriété au preneur. Il faut en fait que cette option d'achat soit à prix de faveur. En effet, il importe que le prix stipulé par l'option d'achat soit suffisamment inférieur à la juste valeur attendue de l'actif loué pour que l'on ait, dès la passation du contrat, la certitude raisonnable que l'option sera exercée. Cette certitude n'existe pas si le contrat de location prévoit une option d'achat à un montant égal à la juste valeur au moment où l'option peut être exercée.

Le plafonnement de la valeur actualisée des paiements minimaux au titre de la location

Pour déterminer le montant à comptabiliser à l'actif, on doit appliquer la règle du moindre de la valeur actualisée des paiements minimaux au titre de la location ou de la juste valeur de l'actif loué. Cette règle de plafonnement vise à éviter toute surévaluation de la valeur comptable de l'actif lors de la comptabilisation initiale.

16

Les coûts directs initiaux

Différence NCECF

Le preneur peut engager des **coûts directs initiaux**, c'est-à-dire des coûts marginaux directement attribuables à la négociation et à la finalisation d'un contrat de location. Il peut s'agir des commissions versées à un courtier ou des honoraires professionnels payés à un conseiller juridique. Les coûts initiaux engagés par le preneur sont ajoutés au montant comptabilisé à titre d'actif loué. Ces coûts ne sont pas pris en compte dans le plafonnement de la valeur actualisée des paiements minimaux au titre de la location expliqué précédemment. Ils sont ajoutés au coût de l'actif après l'application de la règle de plafonnement.

Différence NCECF

L'amortissement de l'actif loué comptabilisé

L'**amortissement d'un actif loué** doit se faire selon une méthode cohérente par rapport aux pratiques comptables du preneur en matière d'amortissement du coût des immobilisations de même nature dont il est propriétaire. S'il existe une certitude raisonnable que le preneur obtiendra le titre de propriété de l'actif à la fin du contrat de location (parce que le contrat inclut une clause d'accès à la propriété ou prévoit une option d'achat à prix de faveur), l'actif loué est amorti sur sa durée d'utilité. La **durée d'utilité** est la période estimée restante depuis le début de la période de location, pendant laquelle l'entreprise s'attend à consommer les avantages économiques représentatifs de l'actif, période qui n'est pas limitée par la durée du contrat de location[8]. Dans une telle situation, on considère que le preneur est « propriétaire » de l'actif à partir de la date de passation du contrat.

En l'absence de la certitude raisonnable que le preneur deviendra propriétaire de l'actif à la fin du contrat de location, l'actif est amorti sur la durée la plus courte entre sa durée d'utilité et la durée du contrat de location. Comme le preneur retournera vraisemblablement l'actif au bailleur au terme du contrat, la durée d'utilité de l'actif ne peut excéder la durée du contrat pour le preneur.

Si le contrat de location prévoit une valeur résiduelle garantie, il faut en tenir compte dans l'établissement du montant amortissable, conformément à l'**IAS 16**, applicable aux immobilisations corporelles. Puisque la valeur résiduelle garantie est incluse dans la valeur de l'actif, on doit l'exclure du montant amortissable, à moins que l'on n'estime que la valeur résiduelle sera inférieure au montant garanti. Si le contrat comporte une option d'achat à prix de faveur, il faut estimer la valeur résiduelle de l'actif au terme de sa durée d'utilité afin de soustraire cette valeur du montant amortissable, comme on le ferait pour tout autre actif amortissable qui aurait fait l'objet d'une acquisition plutôt que d'une location. Si le contrat ne contient aucune option d'achat à prix de faveur et que la valeur résiduelle n'est pas garantie, il ne convient pas de tenir compte de la valeur résiduelle estimative dans le calcul de l'amortissement puisque le montant comptabilisé à l'actif exclut la valeur résiduelle.

La réduction du passif

Périodiquement, le paiement du loyer est assimilé au remboursement d'un emprunt hypothécaire. À l'aide d'un **tableau d'amortissement de l'obligation découlant du contrat de location-financement**, semblable à celui préparé dans l'exemple qui suit, on dissocie alors la portion de la charge financière de la portion de l'amortissement du solde de la dette (de la remise sur le principal).

De façon cohérente par rapport à la méthode du taux d'intérêt effectif, la charge financière doit être affectée à chaque exercice couvert par le contrat de location de manière à obtenir un taux d'intérêt périodique constant sur le solde restant du passif à chaque exercice.

Les détails de la comptabilisation d'un contrat de location-financement

Après avoir étudié l'aspect théorique de la comptabilisation d'un contrat de location-financement, dont le cheminement est illustré dans la figure 16.3, passons à un exemple pratique.

16

EXEMPLE

Comptabilisation d'un contrat de location-financement par le preneur

Le 1er janvier 20X1, la société Loutout ltée signe un contrat en vertu duquel elle loue un équipement de la société Équipement Boni inc. Dans cette transaction, Loutout ltée est le preneur et Équipement Boni inc., le bailleur. Le contrat de location comporte les dispositions suivantes :

1. La juste valeur de l'équipement au 1er janvier 20X1 est de 150 000 $. Sa durée de vie économique est de quatre ans ;
2. La durée de ce contrat non résiliable est de trois ans. Le loyer annuel exigé du preneur est de 51 000 $. Celui-ci doit être versé au début de chaque année et comprend un montant de 4 406 $ pour le coût des services. Au terme du contrat, la valeur résiduelle estimative de l'équipement sera de 30 000 $. Loutout ltée a l'option de se porter acquéreur de l'équipement pour ce même montant de 30 000 $ à la fin de la durée du contrat ;
3. Équipement Boni inc. reprendra possession de l'équipement le 31 décembre 20X3, et Loutout ltée s'engage à garantir la totalité de la valeur résiduelle estimative à cette date ;
4. Équipement Boni inc. exige un rendement de 10 % sur le financement de ce contrat. Le montant du loyer a été établi en fonction de cette exigence, et le taux d'intérêt est écrit en toutes lettres dans le contrat ;
5. Loutout ltée a le droit d'utiliser l'actif à compter de la signature du contrat. Elle n'a pas engagé de coûts directs initiaux ;
6. Le taux exigé par Équipement Boni inc. pour un contrat similaire aurait été de 11 % au 31 décembre 20X1.

8. *Manuel de CPA Canada – Comptabilité – Partie I*, IAS 17, paragr. 4.

Une discussion avec le contrôleur de Loutout ltée a permis d'obtenir d'autres renseignements :

7. La société amortit les équipements de même nature selon le mode d'amortissement linéaire ;
8. Si la société avait acheté l'équipement, elle aurait pu obtenir un taux de financement de 12 % de son institution bancaire ;
9. Le montant estimatif que Loutout ltée pourrait obtenir de la sortie de l'équipement si ce dernier avait déjà l'âge et se trouvait déjà dans l'état prévu à la fin de la durée du contrat de location s'élève à 24 800 $ au 31 décembre 20X1 et à 27 300 $ au 31 décembre 20X2.

Enfin, le 31 décembre 20X3, le bailleur a vendu l'équipement usagé au prix de 29 500 $.

Analysons maintenant ce contrat de location. Il est possible de conclure que la quasi-totalité des risques et des avantages inhérents à la propriété soit transférée à Loutout ltée. En effet, la valeur actualisée des paiements minimaux au titre de la location représente au moins la quasi-totalité de la juste valeur de l'actif loué. En fait, elle est égale à la juste valeur de l'équipement loué de 150 000 $ (N = 3, I = 10 %, PMT = 46 594 $, FV = 30 000 $, BGN, CPT PV ?).

Dans ce calcul, on considère des paiements annuels de loyer de 46 594 $, soit le montant de loyer de 51 000 $ moins le coût des services de 4 406 $. De plus, on utilise le taux d'intérêt implicite du contrat de 10 %, puisque ce dernier est connu de Loutout ltée. Comme la valeur actualisée des paiements minimaux au titre de la location est égale à la juste valeur de l'équipement loué, l'entreprise doit comptabiliser un actif de 150 000 $ et un passif correspondant. Si Loutout ltée avait engagé des coûts directs initiaux, le montant serait ajouté à la valeur de l'actif.

De plus, la durée de la période de location est de 3 ans, ce qui représente 75 % de la durée économique de l'actif loué, laquelle est de 4 ans. Bien que l'IAS 17 ne suggère aucun seuil quantitatif pour évaluer cette condition, on peut argumenter qu'un tel pourcentage représente la majeure partie de la durée économique de l'actif loué. Chose certaine, combiné avec le fait que la valeur actualisée des paiements minimaux au titre de la location représente la totalité de la juste valeur de l'actif loué, le fait que la durée du contrat représente 75 % de la durée économique permet de conclure sans équivoque qu'il s'agit bel et bien d'un contrat de location-financement.

Voici les écritures de journal qui doivent être enregistrées par le preneur pour comptabiliser les opérations relatives au contrat de location-financement :

	20X1		*20X2*		*20X3*	
1**er **janvier						
Équipement loué (en vertu d'un contrat de location-financement)	*150 000*					
Obligation découlant d'un contrat de location-financement		*150 000*				
Signature d'un contrat de location-financement.						
Obligation découlant d'un contrat de location-financement	*46 594*		*36 253*		*39 879*	
Intérêts à payer			*10 341*		*6 715*	
Coût des services	*4 406*		*4 406*		*4 406*	
Caisse		*51 000*		*51 000*		*51 000*
Versement annuel sur contrat de location-financement.						
31 décembre						
Intérêts sur la dette non courante	*10 341*		*6 715*		*2 726*	
Intérêts à payer		*10 341*		*6 715*		*2 726*
Intérêts courus au 31 décembre selon le tableau d'amortissement de la dette (voir le tableau ci-après).						

	20X1		*20X2*		*20X3*	
Amortissement – Équipement loué	*41 733*		*40 484*		*38 283*	
Amortissement cumulé – Équipement loué		*41 733*		*40 484*		*38 283*
Dotation annuelle à l'amortissement.						
Obligation découlant d'un contrat de location-financement					*27 274*	
Intérêts à payer					*2 726*	
Amortissement cumulé – Équipement loué					*120 500*	
Équipement loué (en vertu d'un contrat de location-financement)						*150 000*
Caisse						*500*
Somme versée au bailleur relativement à la valeur résiduelle garantie (30 000 $ – 29 500 $) et décomptabilisation des actifs et des passifs relatifs au contrat de location échu.						

Voici quelques commentaires sur ces écritures :

20X1

1. À la date de passation du contrat de location (laquelle correspond ici à la date de signature du contrat), le 1er janvier, on comptabilise l'opération de location-financement au moindre de la juste valeur et de la valeur actualisée des paiements minimaux au titre de la location. La valeur comptable de l'équipement loué et du passif correspondant est donc inscrite à 150 000 $ puisque la valeur actualisée des paiements au titre de la location est égale à la juste valeur ;
2. À la même date, on comptabilise le premier versement de loyer de 51 000 $. Ce montant comprend le coût des services de 4 406 $ comptabilisé en charges, tandis que le passif est réduit de 46 594 $. Puisqu'il s'agit d'un versement de début de période, ce montant ne comporte aucune charge financière ;
3. À la fin de l'exercice financier de Loutout ltée, le 31 décembre, on comptabilise les intérêts courus sur la dette non courante calculés dans le tableau à la fin de cet exemple ;
4. Le 31 décembre 20X1, on doit aussi amortir l'équipement loué sur la durée d'utilité, laquelle correspond à la durée du contrat (trois ans), puisque ce dernier ne renferme aucune disposition de transfert de propriété ou d'option d'achat à prix de faveur. En effet, Loutout ltée peut se porter acquéreur de l'équipement, mais cette option d'achat n'est pas à prix de faveur. Puisque Loutout ltée s'est portée garante de la valeur résiduelle, il faut en tenir compte dans le calcul du montant amortissable. Aux fins du calcul de l'amortissement, la valeur résiduelle est définie, dans l'**IAS 16**, comme le montant estimé qu'une entreprise obtiendrait en ce moment de la sortie de l'actif, après déduction des coûts de sortie estimés, si l'actif avait déjà l'âge et se trouvait déjà dans l'état prévu à la fin de sa durée d'utilité. Ce montant s'élève à 24 800 $ au 31 décembre 20X1. Le montant amortissable est donc de 125 200 $ (150 000 $ – 24 800 $), à répartir sur 3 ans selon le mode d'amortissement linéaire. La charge d'amortissement de 20X1 s'élève donc à 41 733 $;

20X2 et 20X3

5. Les écritures de 20X2 et de 20X3 ne posent aucun problème particulier, à l'exception de celle relative à l'amortissement et celle que l'on enregistre à l'expiration du contrat. Il s'agit, à chaque année, de comptabiliser le versement annuel du loyer et les intérêts courus extraits du tableau d'amortissement de l'obligation ;
6. Le calcul de l'amortissement doit prendre en compte les révisions d'estimations comptables relatives à la valeur résiduelle pour chacun des exercices. Le montant amortissable révisé s'élève à 122 700 $ (150 000 $ – 27 300 $) au 31 décembre 20X2 et il doit être diminué de l'amortissement de 20X1, soit 41 733 $. Le solde à amortir de 80 967 $ doit être réparti sur la durée d'utilité restante de 2 ans, ce qui implique un amortissement de 40 484 $ en

20X2. L'amortissement de 20X3 correspond à la valeur comptable de 67 783 $ (150 000 $ – 41 733 $ – 40 484 $) au début de l'exercice, diminuée de la valeur résiduelle révisée de 29 500 $, ce qui implique une charge de 38 283 $;

7. À l'expiration du contrat, le 31 décembre 20X3, on doit décomptabiliser l'équipement loué et l'amortissement cumulé – Équipement loué, car Loutout ltée remet l'équipement à Équipement Boni inc. qui le vend au prix de 29 500 $. Puisque Loutout ltée a garanti une valeur résiduelle de 30 000 $, elle doit verser la somme de 500 $ au bailleur. On doit également décomptabiliser l'obligation découlant du contrat de location-financement de 27 274 $ et les intérêts à payer de 2 726 $. Ce passif total de 30 000 $ est éteint par la remise d'un actif d'une valeur de 29 500 $ et d'une somme d'argent de 500 $. L'obligation découlant d'un contrat de location-financement assumée par un preneur est soumise aux règles de décomptabilisation énoncées dans l'**IFRS 9**, intitulée « Instruments financiers », dont nous avons fait l'étude au chapitre 4 ;
8. À noter que le preneur applique les dispositions de l'**IAS 36**, intitulée « Dépréciation d'actifs », que nous avons expliquée au chapitre 9, afin de déterminer si un actif loué s'est déprécié.

Voici l'amortissement de l'obligation relative à un équipement loué.

Date	(1) Paiements minimaux au titre de la location (montants nets)*	(2) Intérêts sur le solde de l'obligation [(4) × 10 %]	(3) Diminution du solde de l'obligation [(1) – (2)]	(4) Solde de l'obligation [(4) – (3)]
20X1-01-01				150 000 $
20X1-01-01	46 594 $	θ	46 594 $	103 406
20X2-01-01	46 594	10 341 $	36 253	67 153
20X3-01-01	46 594	6 715	39 879	27 274
20X3-12-31	30 000	2 726**	27 274	0

* Il s'agit des 3 loyers de 51 000 $, abstraction faite du coût annuel des services, au montant de 4 406 $, et de la valeur résiduelle garantie.

** Montant arrondi.

Dans l'exemple précédent, le bailleur reprend possession de l'équipement à l'expiration du contrat et vend cet équipement au prix de 29 500 $. Que se passerait-il si le prix de vente excédait la valeur résiduelle garantie par le preneur ? La réponse dépend des dispositions du contrat. Ainsi, le contrat pourrait prévoir le partage du profit entre le preneur et le bailleur lorsque le prix de vente excède la valeur résiduelle garantie.

EXEMPLE

Partage du profit sur cession de l'actif loué

Supposons que le contrat signé entre Loutout ltée et Équipement Boni inc. prévoit que le preneur recevra 75 % de tout profit éventuel. Loutout ltée passerait l'écriture suivante au 31 décembre 20X3 si le produit de la cession s'élevait à 31 000 $:

Caisse	*750*	
Obligation découlant d'un contrat de location-financement	*27 274*	
Intérêts à payer	*2 726*	
Amortissement cumulé – Équipement loué	*119 250*	
Équipement loué (en vertu d'un contrat de location-financement)		*150 000*
Somme recouvrée du bailleur relativement à la valeur résiduelle garantie [75 % × (31 000 $ – 30 000 $)] et décomptabilisation des actifs et des passifs relatifs au contrat de location échu.		

Le montant de 119 250 $ débité au compte Amortissement cumulé – Équipement loué mérite quelques explications. Puisque le montant obtenu par le bailleur à la fin de la durée du contrat est supérieur à la valeur résiduelle garantie par Loutout ltée et que cette dernière est en droit de recevoir 75 % de l'excédent, Loutout ltée aurait pris en compte la valeur résiduelle de 30 750 $ (30 000 $ + 750 $) dans le calcul de son montant amortissable en 20X3. Ainsi, la charge d'amortissement s'élèverait à 37 033 $ (150 000 $ – 30 750 $ – 41 733 $ – 40 484 $) pour cet exercice au lieu du montant de 38 283 $ figurant dans les écritures de l'exemple précédent. De ce fait, le montant de l'amortissement cumulé s'établirait à 119 250 $ à la fin de 20X3.

Lorsque le contrat de location prévoit une option d'achat qui n'est pas à prix de faveur, le preneur peut tout de même décider de se porter acquéreur de l'actif à la fin du contrat. Dans un tel cas, l'équipement loué est décomptabilisé et remplacé par l'équipement acheté.

EXEMPLE

Acquisition de l'actif par le preneur à la fin du contrat

Supposons maintenant que Loutout ltée décide de se porter acquéreur de l'équipement à l'expiration du contrat pour la somme de 30 000 $. L'entreprise passerait alors les écritures suivantes au 31 décembre 20X3 :

Obligation découlant d'un contrat de location-financement	*27 274*	
Intérêts à payer	*2 726*	
Caisse		*30 000*
Versement de la valeur résiduelle garantie au bailleur en retour du droit de propriété de l'équipement loué.		
Équipement	*150 000*	
Amortissement cumulé – Équipement loué	*120 000*	
Équipement loué (en vertu d'un contrat de location-financement)		*150 000*
Amortissement cumulé – Équipement		*120 000*
Transfert des soldes des comptes relatifs à l'équipement loué acquis par la société.		

Il est à noter que la valeur comptable de l'équipement de 30 000 $ serait par la suite amortie sur la durée d'utilité restante de l'équipement.

La présentation d'un contrat de location-financement dans les états financiers du preneur et les informations à fournir

16

Les contrats de location sont comptabilisés selon la substance sous-jacente à leur réalité économique et non seulement selon leur forme juridique. Même si la forme juridique d'un contrat de location implique que le preneur n'acquiert pas le titre légal de propriété de l'actif loué, dans le cas de contrats de location-financement, la substance sous-jacente à la réalité économique fait que le preneur acquiert les avantages économiques de l'utilisation de l'actif loué. En contrepartie, le preneur s'oblige à payer un montant approximativement égal, à la passation du contrat de location, à la juste valeur de l'actif augmentée de la charge financière correspondante. Il est primordial de refléter ces transactions de location dans l'état de la situation financière du preneur, sinon ses ressources économiques et ses obligations sont sous-évaluées, ce qui a un effet de distorsion sur les ratios financiers. Il convient donc que le preneur comptabilise l'actif et l'obligation d'effectuer les paiements futurs au titre d'un contrat de location-financement.

En fait, l'IASB énonce un certain nombre d'exigences en ce qui a trait à la présentation dans les états financiers et aux informations à fournir par le preneur concernant ses contrats de location-financement. Le tableau 16.4 fournit un sommaire de ces exigences, accompagnées de commentaires.

Plusieurs autres normes comptables prévoient des informations à fournir qui peuvent s'appliquer aux contrats de location-financement d'un preneur. La première est l'**IFRS 7**, intitulée « Instruments financiers : Informations à fournir ». Même si nous avons traité en détail de cette norme au chapitre 4, rappelons que la valeur comptable des passifs financiers évalués au coût amorti doit être indiquée dans l'état de la situation financière ou dans une note. L'obligation découlant d'un contrat de location-financement doit donc être mentionnée. De plus, l'intérêt sur

TABLEAU 16.4 Les informations à fournir par le preneur pour les contrats de location-financement

***Normes internationales d'information financière*, IAS 17**	**Commentaires**
Paragr. 31 […] *le preneur doit fournir* […] *les informations suivantes :*	
(a) pour chaque catégorie d'actif, la valeur nette comptable à la fin de la période de présentation de l'information financière ;	Cette information permet aux utilisateurs des états financiers de connaître la proportion des immobilisations de l'entreprise qui sont louées plutôt qu'achetées. Pour un créancier, ce renseignement est important, car les immobilisations louées ne peuvent être données en garantie d'un éventuel emprunt.
(b) un rapprochement entre le total des paiements minimaux futurs au titre de la location à la fin de la période de présentation de l'information financière et leur valeur actualisée. En outre, l'entité doit indiquer, à la fin de la période de présentation de l'information financière, le total des paiements minimaux futurs au titre de la location et leur valeur actualisée, pour chacune des périodes suivantes : *(i) à un an au plus,* *(ii) à plus d'un an mais à cinq ans au plus,* *(iii) à plus de cinq ans ;*	Cette information permet de connaître le calendrier des sorties de trésorerie liées aux contrats de location-financement. Elle permet de porter un jugement sur la capacité de l'entreprise à faire face à ses obligations.
(c) les loyers conditionnels inclus dans les charges de la période ;	Comme les loyers conditionnels sont exclus des paiements minimaux au titre de la location, la divulgation de ce renseignement permet aux utilisateurs des états financiers de connaître l'ensemble des coûts liés aux contrats de location-financement.
(d) le total à la fin de la période de présentation de l'information financière des paiements minimaux futurs au titre de la sous-location que l'on s'attend à recevoir dans le cadre de contrats de sous-location non résiliables ;	Ce renseignement informe les utilisateurs des états financiers des rentrées de trésorerie qui peuvent compenser les sorties de trésorerie en lien avec les contrats de location-financement.
(e) une description générale des dispositions significatives des contrats de location du preneur comprenant, sans toutefois s'y limiter : *(i) la base de détermination des paiements au titre des loyers conditionnels,* *(ii) l'existence et les conditions d'options de renouvellement ou d'achat et de clauses d'indexation, et leurs termes, et* *(iii) les restrictions imposées par les dispositions contractuelles concernant notamment les dividendes, l'endettement complémentaire et d'autres locations.*	Ces informations viennent complémenter les montants comptabilisés au titre des contrats de location-financement. Notamment, les options d'achat et de renouvellement sont considérées lors du classement des contrats (*voir la figure 16.2*), et des informations à cet égard permettent de mieux comprendre ce classement.

cette obligation fait partie de la charge d'intérêts totale pour les actifs et passifs financiers qui ne sont pas classés À la juste valeur par le biais du résultat net, et cette charge doit être mentionnée dans l'état du résultat global ou dans les notes. La juste valeur des passifs financiers ainsi que les méthodes et les hypothèses utilisées pour déterminer cette juste valeur doivent être mentionnées. Le preneur doit aussi fournir des informations permettant aux utilisateurs de ses états financiers d'évaluer la nature et l'ampleur des risques inhérents aux obligations découlant des contrats de location-financement auxquels il est exposé à la date de clôture.

La deuxième norme qui s'applique aux contrats de location-financement est l'**IAS 16**, intitulée « Immobilisations corporelles », que nous avons expliquée aux chapitres 8 et 9. Rappelons qu'en vertu de cette norme, le preneur doit notamment indiquer, pour chaque catégorie d'immobilisations corporelles, les conventions d'évaluation utilisées pour déterminer la valeur comptable brute, les modes d'amortissement utilisés, les durées d'utilité ou les taux d'amortissement utilisés, la valeur comptable brute et le cumul des amortissements en début et en fin d'exercice de même qu'un rapprochement entre les valeurs comptables à l'ouverture et à la clôture de l'exercice. Il est également nécessaire d'indiquer l'amortissement, qu'il soit comptabilisé en charges ou dans le coût d'autres actifs.

Les autres normes qui s'appliquent au preneur sont l'**IAS 36**, intitulée « Dépréciation d'actifs », l'**IAS 40**, intitulée « Immeubles de placement », l'**IAS 41**, intitulée « Agriculture », ainsi que l'**IAS 38**, intitulée « Immobilisations incorporelles », dont nous avons traité respectivement aux chapitres 9, 11, 8 et 10.

EXEMPLE

Présentation d'un contrat de location-financement par le preneur

Voici des extraits des états financiers et des notes que Loutout ltée devrait préparer pour répondre aux exigences de présentation de l'IAS 17 à partir des renseignements qui sont disponibles :

LOUTOUT LTÉE
Situation financière partielle
au 31 décembre 20X1

Immobilisations	
Équipement loué en vertu d'un contrat de location-financement (Note 5)	*108 267 $*
Dette courante	
Intérêts à payer	*10 341*
Tranche à court terme de l'obligation découlant d'un contrat de location-financement (Note 9)	*36 253*
Dette non courante	
Obligation découlant d'un contrat de location-financement (Note 9)	*67 153*

LOUTOUT LTÉE
Résultat global partiel
de l'exercice terminé le 31 décembre 20X1

Charges d'exploitation	
Amortissement de l'équipement loué	*41 733 $*
Intérêts sur la dette non courante	*10 341*
Coût des services	*4 406*

LOUTOUT LTÉE
Flux de trésorerie partiels
de l'exercice terminé le 31 décembre 20X1

Activités d'exploitation	
Résultat net	*XX $*
Amortissement de l'équipement loué	*41 733*
Augmentation des intérêts à payer	*10 341*
Activités de financement	
Remboursement de l'obligation découlant d'un contrat de location financement	*(46 594)*

LOUTOUT LTÉE
Extrait des notes
de l'exercice terminé le 31 décembre 20X1

NOTE 1. RÉSUMÉ DES PRINCIPALES MÉTHODES COMPTABLES

Contrats de location

Tout contrat qui transfère à la société la quasi-totalité des risques et des avantages inhérents à la propriété de l'actif loué est comptabilisé comme s'il s'agissait de l'acquisition d'un actif et de la prise en charge d'un passif à la date de passation du contrat. Les actifs comptabilisés en vertu d'un contrat de location-financement sont amortis selon le mode d'amortissement linéaire sur la durée du contrat.

NOTE 5. IMMOBILISATIONS

Équipement loué	*150 000 $*
Amortissement cumulé	*(41 733)*
	108 267 $

NOTE 9. OBLIGATION DÉCOULANT D'UN CONTRAT DE LOCATION-FINANCEMENT

La société assume une obligation découlant d'un contrat de location-financement, d'un montant original comptabilisé de 150 000 $, remboursable en versements annuels de 51 000 $, y compris le principal, les intérêts au taux de 10 % et le coût des services de 4 406 $. L'obligation est assortie d'une valeur

16

résiduelle garantie de 30 000 $ échéant en 20X3. Les paiements minimaux au titre de la location au cours des exercices à venir en vertu du contrat de location-financement, qui expire le 31 décembre 20X3, ainsi que le solde de l'obligation découlant de ce contrat de location, sont les suivants :

	Paiements minimaux au titre de la location	*Intérêts inclus dans les paiements*	*Valeur actualisée*
Échéance à un an au plus	*46 594 $*	*10 341 $*	*36 253 $*
Échéance à plus d'un an mais à cinq ans au plus	*76 594*	*9 441*	*67 153*
Total	*123 188 $*	*19 782 $*	*103 406 $*

*La juste valeur de l'obligation découlant de ce contrat de location s'élève à 112 919 $*① *au 31 décembre 20X1 (y compris les intérêts courus jusqu'à cette date). Cette valeur a été obtenue en actualisant les paiements minimaux au titre de la location au taux du marché de 11 % pour un contrat similaire au 31 décembre 20X1.*

NOTE 15. RISQUE DE TAUX D'INTÉRÊT

La société assume une obligation découlant d'un contrat de location-financement à taux fixe qui l'expose au risque de marché lié à la variabilité des taux d'intérêt. Le taux effectif d'intérêt est de 10 % et demeure le même jusqu'à la date d'expiration du contrat, soit le 31 décembre 20X3.

Calcul :

① (N = 2, I = 11 %, PMT = 46 594 $, FV = 30 000 $, BGN, CPT PV ?)

Notons que les informations à fournir à propos des instruments financiers dont nous avons traité au chapitre 4 sont beaucoup plus nombreuses que les précédentes qui ont, pour leur part, été préparées à partir des seuls renseignements disponibles dans cet exemple.

Il n'est pas nécessaire de suivre à la lettre cette présentation de l'information relative aux contrats de location-financement, puisque les normes comptables laissent une certaine latitude relativement au format à adopter pour répondre aux exigences des informations à fournir.

Remarquons que les IFRS n'obligent pas à présenter distinctement les intérêts à payer et le principal de la tranche à court terme de l'obligation découlant du contrat de location, comme nous l'avons fait dans la section Dette courante de l'état partiel de la situation financière de Loutout ltée ci-dessus. À notre avis, cette façon de procéder assure une plus grande cohérence dans la présentation de l'ensemble des dettes, si les montants en cause le justifient.

Finalement, il importe de préciser que, lors de la signature du contrat de location où l'actif loué et l'obligation découlant du contrat de location-financement sont comptabilisés, il n'y a aucun mouvement de trésorerie. C'est pourquoi le nouvel équipement loué ne figure pas dans la section des activités d'investissement du tableau des flux de trésorerie et l'obligation prise en charge ne se trouve pas dans la section des activités de financement. Seuls les montants payés par la suite figurent dans cet état financier.

La comptabilisation d'un contrat de location simple par le preneur

Lorsque la substance sous-jacente à la réalité économique d'un contrat de location est telle qu'il n'y a pas transfert de la quasi-totalité des risques et des avantages inhérents à la propriété, nous sommes en présence d'un contrat de location simple. La comptabilisation d'un contrat de location simple par le preneur est relativement facile : les paiements au titre de la location doivent être comptabilisés en charges sur une base linéaire pendant toute la durée du contrat de location, à moins qu'une autre base systématique soit plus représentative de l'échelonnement dans le temps des avantages qu'en retirera l'utilisateur de l'actif, même si les paiements ne sont pas effectués sur cette base.

L'IASB est cependant muet en ce qui a trait au traitement comptable des coûts directs initiaux assumés par le preneur dans le cas d'un contrat de location simple. Une option serait de différer ces coûts et de les amortir sur la durée du contrat, alors qu'une autre serait de les comptabiliser en charges immédiatement. Il importe donc que le preneur indique la méthode retenue pour comptabiliser les coûts directs initiaux liés à un contrat de location simple si ces coûts sont significatifs.

EXEMPLE

Comptabilisation d'un contrat de location simple par le preneur

Le 1er juillet 20X1, Variétés inc. a loué un local dans un nouveau centre commercial, Le Carrefour inc., afin d'exploiter une concession de Loto-Québec. Le contrat de location comporte les dispositions suivantes :

1. Le local occupé par Variétés inc. est situé dans le mail central et correspond à une infime partie de la superficie totale du centre commercial ;
2. La durée du contrat non résiliable est de cinq ans. Le loyer mensuel exigé de Variétés inc. est de 1 300 $ et comprend un montant de 150 $ pour les frais d'entretien. Le loyer doit être payé au début de chaque mois ;
3. Variétés inc. pourra renouveler le contrat pour une période additionnelle de cinq ans ; les conditions du renouvellement seront déterminées à l'expiration du présent contrat.

Il est clair que ce contrat ne transfère pas la quasi-totalité des risques et des avantages inhérents à la propriété à Variétés inc. Il n'y a aucune clause prévoyant le transfert de propriété ni aucune option d'achat à prix de faveur. De plus, le contrat est d'une durée de cinq ans, ce qui ne représente qu'une infime portion de la durée de vie économique du centre commercial. Les paiements minimaux au titre de la location ne représentent par conséquent qu'une faible portion de la juste valeur de l'espace loué par Variétés inc. De ce fait, voici l'écriture que doit comptabiliser Variétés inc. au début de chaque mois relativement à ce contrat de location :

Charge locative	*1 150*	
Charge d'entretien	*150*	
Caisse		*1 300*
Paiement du loyer mensuel.		

La présentation d'un contrat de location simple dans les états financiers du preneur et les informations à fournir

Le contrat de location signé par Variétés inc. implique la présentation d'une charge locative au montant de 6 900 $ (1 150 $ × 6 mois) dans l'état du résultat global de l'exercice terminé le 31 décembre 20X1. Aucun actif loué ou obligation ne figure dans l'état de la situation financière. Dans le tableau des flux de trésorerie, l'augmentation (la diminution) des loyers à payer serait ajoutée au (déduite du) résultat net dans la section des activités d'exploitation. De même, l'augmentation (la diminution) des loyers payés d'avance serait déduite (ajoutée).

Les informations que le preneur doit fournir dans ses états financiers en rapport avec ses contrats de location simple sont indiquées dans le tableau 16.5 et sont accompagnées de commentaires.

16

TABLEAU 16.5 Les informations à fournir par le preneur pour les contrats de location simple

***Normes internationales d'information financière,* IAS 17**	**Commentaires**
Paragr. 35 […] *le preneur doit fournir* […] *les informations suivantes :*	
(a) *le montant total des paiements minimaux futurs à effectuer au titre de la location en vertu de contrats de location simple non résiliables pour chacune des périodes suivantes :* (i) *à un an au plus,* (ii) *à plus d'un an mais à cinq ans au plus,* (iii) *à plus de cinq ans ;*	Cette information permet de connaître le calendrier des sorties de trésorerie liées aux contrats de location simple. Elle permet de porter un jugement sur la capacité de l'entreprise à faire face à ses obligations.
(b) *le total à la fin de la période de présentation de l'information financière des paiements minimaux futurs au titre de la sous-location que l'on s'attend à recevoir dans le cadre de contrats de sous-location non résiliables ;*	Ce renseignement informe les utilisateurs des états financiers des rentrées de trésorerie qui peuvent compenser les sorties de trésorerie en lien avec les contrats de location simple.

TABLEAU 16.5 *(suite)*

(c) le montant des paiements au titre de la location et de la sous-location comptabilisés comme charges de la période en indiquant séparément les montants correspondant aux paiements minimaux, les loyers conditionnels et le revenu des sous-locations ;	Le fait d'indiquer aux utilisateurs des états financiers les composantes de la charge liée aux contrats de location simple leur permet de mieux évaluer les montants qui sont récurrents. En effet, les loyers conditionnels, contrairement aux paiements minimaux, sont souvent calculés en fin d'exercice et peuvent varier d'un exercice à l'autre.
(d) une description générale des principales dispositions des contrats de location du preneur comprenant, sans toutefois s'y limiter : *(i) la base de détermination des paiements au titre des loyers conditionnels,* *(ii) l'existence et les conditions d'options de renouvellement ou d'achat et de clauses d'indexation, et leurs termes, et* *(iii) les restrictions imposées par les dispositions contractuelles concernant notamment les dividendes, l'endettement complémentaire et d'autres locations.*	Ces informations complémentent les montants comptabilisés au titre des contrats de location simple. Notamment, la base d'évaluation des loyers conditionnels permet aux utilisateurs des états financiers de mieux prévoir les flux de trésorerie qui en découleront. De plus, l'existence d'une option de renouvellement permet de rassurer les utilisateurs sur la possibilité qu'a le preneur de continuer à pouvoir utiliser les actifs au-delà de la période initiale de location.

L'IASB stipule que le preneur doit également fournir, concernant ses contrats de location simple, les informations imposées par l'**IFRS 7**. À titre d'exemple, si le preneur accuse un retard dans le paiement des loyers, les loyers à payer en vertu de contrats de location simple constituent un passif financier, et le preneur doit informer les utilisateurs des états financiers du risque de liquidité auquel l'expose ce passif financier.

EXEMPLE

Informations à fournir par le preneur pour un contrat de location simple

Variétés inc. pourrait donc présenter la note suivante dans ses états financiers au 31 décembre 20X1 :

Les paiements minimaux futurs à effectuer au titre de la location en vertu d'un contrat de location simple échéant le 30 juin 20X6 s'établissent comme suit :

Échéance à un an au plus	*13 800 $*
Échéance à plus d'un an mais à cinq ans au plus	*48 300*
Total	*62 100 $*

La charge locative s'élève à 6 900 $ en 20X1. La société a la possibilité de renouveler ce contrat pour une période additionnelle de cinq ans à des conditions qui seront déterminées au moment de l'expiration du contrat le 30 juin 20X6.

16

La comptabilisation des avantages dans les contrats de location simple par le preneur

De plus en plus, les bailleurs offrent des **avantages dans les contrats de location simple** dans le but d'attirer les preneurs. Pensons tout particulièrement au versement, à l'avance, d'un montant en espèces au preneur, à une période initiale d'occupation gratuite ou à la réduction du loyer les premiers mois, au remboursement de dépenses ou à la prise en charge par le bailleur de coûts normalement assumés par le locataire (comme les coûts de relocation, les aménagements des locaux loués et les coûts associés à un engagement de location du locataire précédent).

Il faut se demander si de tels avantages doivent être comptabilisés en résultat net au cours de l'exercice durant lequel ils sont reçus par le preneur ou s'ils doivent être comptabilisés sur la durée du contrat.

Selon l'Interprétation **SIC-15**, intitulée « Avantages dans les contrats de location simple », tous les avantages consentis pour la négociation ou le renouvellement d'un contrat de location simple doivent être comptabilisés en tant qu'éléments constitutifs de la contrepartie acceptée pour l'utilisation de l'actif loué, quelles que soient la nature, la forme et la date de paiement de ces avantages. Le preneur doit comptabiliser ces avantages comme une diminution de la charge locative sur la durée du contrat de location, sur une base linéaire, à moins qu'une autre méthode systématique ne soit représentative de la façon dont le locataire tire avantage dans le temps de l'utilisation de l'actif loué[9].

EXEMPLE

Avantages dans les contrats de location simple pour le preneur

Le 2 janvier 20X1, la Quincaillerie Hay Gwin inc. a signé un contrat de 3 ans pour la location d'un local dans un centre commercial détenu par la société Centre d'Orléans inc., moyennant le versement d'un loyer mensuel de 1 000 $. Afin d'amener le preneur à signer le contrat, Centre d'Orléans inc. lui a accordé une période initiale d'occupation gratuite de trois mois. Compte tenu de ce qui précède, la charge locative mensuelle qui sera comptabilisée par le preneur sera de 917 $, soit [(1 000 $ × 33 mois) ÷ 36 mois]. Voici les écritures de journal que la Quincaillerie Hay Gwin inc. doit enregistrer :

2 janvier, 2 février et 2 mars 20X1		
Charge locative	*917*	
Charge locative à payer		*917*
Charge locative mensuelle d'un contrat de location simple.		
À compter du 2 avril 20X1 *(pour les 33 derniers mois)*		
Charge locative	*917*	
*Charge locative à payer*①	*83*	
Caisse		*1 000*
Charge locative mensuelle d'un contrat de location simple.		

Calcul :

① [(917 $ × 3 mois) ÷ 33 mois]

Pour conclure notre explication de la comptabilisation des contrats de location du côté du preneur, nous présenterons ci-après quelques extraits des notes 16, 25 et 36 aux états financiers de la Société Canadian Tire Limitée concernant l'exercice terminé le 31 décembre 2015. Ces extraits illustrent l'information à fournir à l'égard des contrats de location-financement et des contrats de location simple. Certaines informations comparatives ont été omises pour alléger la présentation.

16

16. IMMOBILISATIONS CORPORELLES

[...]

IAS 37, paragr. 31(a)

La valeur comptable des actifs loués en vertu de contrats de location-financement au 2 janvier 2016 comprenait un montant de 39,3 millions de dollars (44,9 millions en 2014) au titre des bâtiments et un montant de 55,3 millions (54,1 millions en 2014) au titre des agencements et du matériel.

[...]

25. DETTE À LONG TERME

La dette à long terme se détaille comme suit :

IAS 17, paragr. 31(b)

	2015		2014	
(en millions de dollars canadiens)	**Valeur nominale**	**Valeur comptable**	Valeur nominale	Valeur comptable
[...]				
Obligations liées aux contrats de location-financement	**145,9**	**145,9**	153,0	153,0
[...]				
Total de la dette	**3 007,7 $**	**2 995,7 $**	2 726,6 $	2 719,1 $
À court terme	**24,3 $**	**24,3 $**	587,5 $	587,5 $
À long terme	**2 983,4**	**2 971,4**	2 139,1	2 131,6
[...]				

9. *Manuel de CPA Canada – Comptabilité – Partie I*, SIC-15, paragr. 3 et 5.

Obligations liées aux contrats de location-financement

IAS 17, paragr. 31(e)

Les contrats de location-financement se rapportent aux centres de distribution, au matériel et aux agencements. La Société a généralement la possibilité de renouveler les contrats de location ou d'acheter les actifs loués à la fin des contrats. En 2015, les taux d'intérêt des contrats de location-financement se situaient entre 0,81 pour cent et 11,35 pour cent. Au 2 janvier 2016, les dates d'expiration se situaient entre un mois et 144 mois.

IAS 17, paragr. 31(b)

Les obligations liées aux contrats de location-financement sont à payer comme suit :

	2015			2014		
(en millions de dollars canadiens)	**Paiements minimaux futurs au titre de la location**	**Intérêts**	**Valeur actualisée des paiements minimaux au titre de la location**	Paiements minimaux futurs au titre de la location	Intérêts	Valeur actualisée des paiements minimaux au titre de la location
Échéance – moins de un an	**27,8 $**	**8,2 $**	**19,6 $**	29,7 $	9,0 $	20,7 $
Échéance – entre un an et deux ans	**24,5**	**7,2**	**17,3**	25,0	8,0	17,0
Échéance – entre deux et trois ans	**21,0**	**6,5**	**14,5**	21,0	7,0	14,0
Échéance – entre trois et quatre ans	**18,5**	**5,8**	**12,7**	18,4	6,3	12,1
Échéance – entre quatre et cinq ans	**16,7**	**5,1**	**11,6**	16,1	5,6	10,5
Plus de cinq ans	**85,0**	**14,8**	**70,2**	98,8	20,1	78,7
	193,5 $	**47,6 $**	**145,9 $**	209,0 $	56,0 $	153,0 $

[...]

36. CONTRATS DE LOCATION SIMPLE

La Société en tant que preneur

IAS 17, paragr. 35(d)

La Société loue un certain nombre de magasins de détail, de centres de distribution, de postes d'essence, d'installations et de matériel de bureau aux termes de contrats de location simple qui expirent à diverses dates jusqu'au 31 mars 2035. Ces contrats de location sont généralement assortis d'options de renouvellement, le plus souvent au gré de la Société.

IAS 17, paragr. 35(a)

Les loyers annuels à verser à la location d'immobilisations corporelles aux termes des contrats de location simple s'établissent comme suit :

(en millions de dollars canadiens)	**2015**	2014
Moins de un an	**343,4 $**	326,4 $
Entre un an et cinq ans	**1 055,5**	990,2
Plus de cinq ans	**884,6**	764,5
	2 283,5 $	2 081,1 $

IAS 17, paragr. 35(c)

Les montants suivants ont été comptabilisés en charges, comme suit :

(en millions de dollars canadiens)	**2015**	2014
Loyers minimaux	**341,9 $**	312,4 $
Loyer conditionnel	**5,1**	3,3
Paiements reçus au titre de la sous-location	**(39,7)**	(35,9)
	307,3 $	279,8 $

IAS 17, paragr. 35(b)

En raison du réaménagement ou du remplacement de biens immobiliers existants, certains biens immobiliers loués ne sont plus nécessaires au déroulement des activités. Dans la mesure du possible, la Société sous-loue ces biens immobiliers à des tierces parties et reçoit donc des paiements de sous-location qui viennent réduire ses coûts. De plus, dans le cas de certains locaux, le bail principal est au nom de la Société et cette dernière sous-loue le bien immobilier aux franchisés. Le total des paiements minimaux futurs de sous-location prévu aux termes de ces contrats de sous-location non résiliables s'établissait à 94,9 millions de dollars au 2 janvier 2016 (88,8 millions en 2014). La Société a comptabilisé une provision de 0,5 million de dollars (1,1 million en 2014) à l'égard de ces contrats de location.

Source : Rapport annuel 2015 de Canadian Tire.

Société Canadian Tire Ltée, *Rapport 2015 aux actionnaires de la Société Canadian Tire,* [En ligne], <http://investors.canadiantire.ca/French/investisseurs/rapports-financiers/divulgations-annuelles/default.aspx> (page consultée le 2 août 2016).

 Le traitement comptable par le bailleur

Le traitement comptable par le bailleur est également fondé sur le concept de transfert de la quasi-totalité des risques et des avantages inhérents à la propriété. Avant d'entrer dans les détails du classement d'un contrat de location par le bailleur, voyons la figure 16.4, qui illustre de façon très sommaire l'ensemble du traitement comptable que doit effectuer ce dernier.

FIGURE 16.4 Le cheminement de l'analyse des dispositions d'un contrat de location par le bailleur – Synthèse

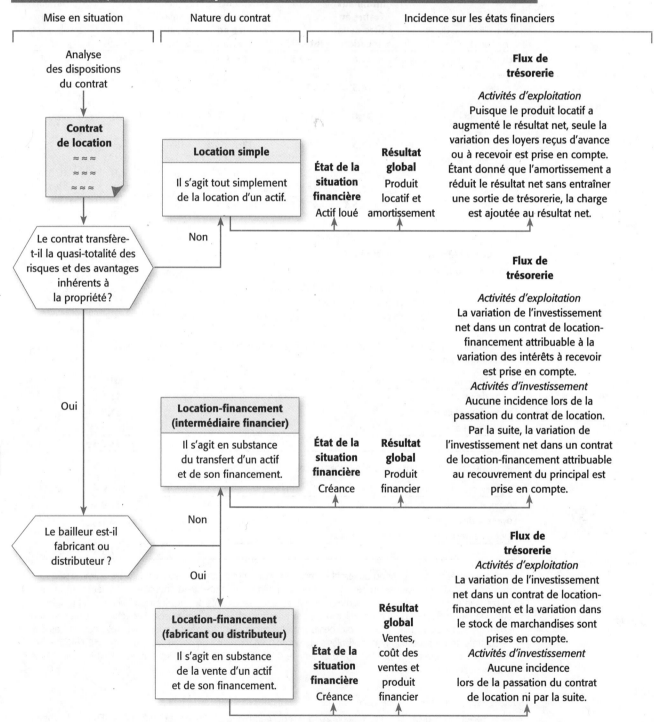

Source : Nicole Lacombe et Daniel McMahon • Adaptation : Sylvain Durocher

La comptabilisation d'un contrat de location par le bailleur

Le bailleur, à l'instar du preneur, doit classer ses contrats de location en fonction de la substance sous-jacente à la réalité de la transaction plutôt que selon la forme du contrat. L'objectif demeure le même, soit évaluer si le contrat transfère au preneur la quasi-totalité des risques et des avantages inhérents à la propriété.

Différence NCECF

Les cinq situations qui, individuellement ou conjointement, **doivent** en principe conduire au classement d'un contrat à titre de contrat de location-financement, et que nous avons reproduites dans la figure 16.2, sont tout aussi pertinentes pour le bailleur que pour le preneur. De même, le bailleur s'en remet aux trois indicateurs de situations qui, individuellement ou conjointement, **peuvent** conduire au classement d'un contrat à titre de contrat de location-financement que nous avons présentés à la page 16.11.

Différence NCECF

Puisque la transaction entre le preneur et le bailleur repose sur le même contrat de location, il est tout à fait justifié d'utiliser des définitions identiques d'un contrat de location-financement et d'un contrat de location simple. Cependant, l'application de ces définitions aux circonstances particulières du preneur et du bailleur conduit parfois ces derniers à classer un même contrat différemment. À titre d'exemple, si le bailleur bénéficie d'une valeur résiduelle garantie par une partie non liée au preneur, il peut classer ce contrat comme un contrat de location-financement, alors que le preneur pourrait le classer comme un contrat de location simple.

Avez-vous remarqué ?

Les indications fournies par l'IASB au sujet du classement des contrats de location pour le bailleur visent à établir la substance sous-jacente à la réalité économique des contrats de location. Elles visent à déterminer s'il s'agit en substance de la cession d'un actif et de l'obtention d'un droit de recevoir une série de versements, auquel cas le contrat de location doit être comptabilisé comme un contrat de location-financement.

Nous allons maintenant traiter des considérations particulières au bailleur en ce qui a trait à la comptabilisation des contrats de location-financement. Le bailleur qui s'engage dans une opération de location est soit un fabricant ou un distributeur, soit un intermédiaire financier. Dans le premier cas, le bailleur vend d'abord l'actif, ce qui entraîne un profit ou une perte sur vente, puis finance l'opération, qui lui rapporte des produits financiers. Dans le second cas, puisque le bailleur est un simple intermédiaire financier, il ne procède à aucune vente et ne s'engage donc que dans une opération de financement.

La comptabilisation d'un contrat de location-financement par un intermédiaire financier

Pour pallier les besoins de trésorerie de certains fabricants, de leurs distributeurs et de leurs clients, un nouvel agent financier a vu le jour. Son rôle consiste à acheter des actifs pour les louer immédiatement. Pour cet **intermédiaire financier**, les contrats de location procurent un produit financier.

16

Les paiements minimaux au titre de la location du point de vue du bailleur

Comme nous l'avons expliqué précédemment dans la sous-division **Les paiements minimaux au titre de la location du point de vue du preneur**, dans le cas du preneur, la définition des paiements minimaux au titre de la location varie selon que le contrat de location comporte ou non une option d'achat à prix de faveur.

Cette situation n'a rien de surprenant, puisque ce sont les encaissements éventuels qui intéressent le bailleur. Ainsi, lorsqu'une option d'achat à prix de faveur figure dans le contrat, les sommes que le bailleur recevra plus tard correspondent au montant minimal à recevoir au titre de la location sur la durée du contrat de location jusqu'à la date prévue d'exercice de l'option d'achat, majoré du prix d'exercice de l'option d'achat. Si le contrat ne comporte pas une telle option, le bailleur pourra recouvrer plus tard les paiements que le preneur est tenu d'effectuer pendant la durée du contrat de location (à l'exclusion du loyer conditionnel, du coût des services et des taxes à payer ou à rembourser au bailleur) ainsi que toute valeur résiduelle garantie par le preneur, par une personne qui lui est liée ou par un tiers non lié au bailleur qui a la capacité financière d'assumer les obligations de garantie. Une valeur résiduelle garantie par un tiers non lié au preneur ou au bailleur est donc prise en considération dans les paiements minimaux au titre de la location du bailleur, mais non dans ceux du preneur.

L'investissement du bailleur dans un contrat de location-financement

Pour le bailleur, l'**investissement brut dans le contrat de location** est représenté par le total des paiements minimaux au titre de la location et de toute valeur résiduelle non garantie revenant au bailleur. Pour sa part, l'**investissement net dans le contrat de location** est représenté par l'investissement brut dans le contrat de location, actualisé au taux implicite du contrat. À la date de passation du contrat, l'investissement net correspond à la juste valeur de l'actif loué, majorée des coûts directs initiaux engagés par le bailleur. La différence entre l'investissement brut et l'investissement net correspond aux **produits financiers non acquis**. Le bailleur comptabilise l'investissement net dans le contrat de location à titre de créance, alors qu'il comptabilise les produits financiers selon une formule permettant de dégager un taux de rendement périodique constant calculé sur le solde de l'investissement net. La figure 16.5 illustre ces considérations.

FIGURE 16.5 L'investissement du bailleur dans un contrat de location

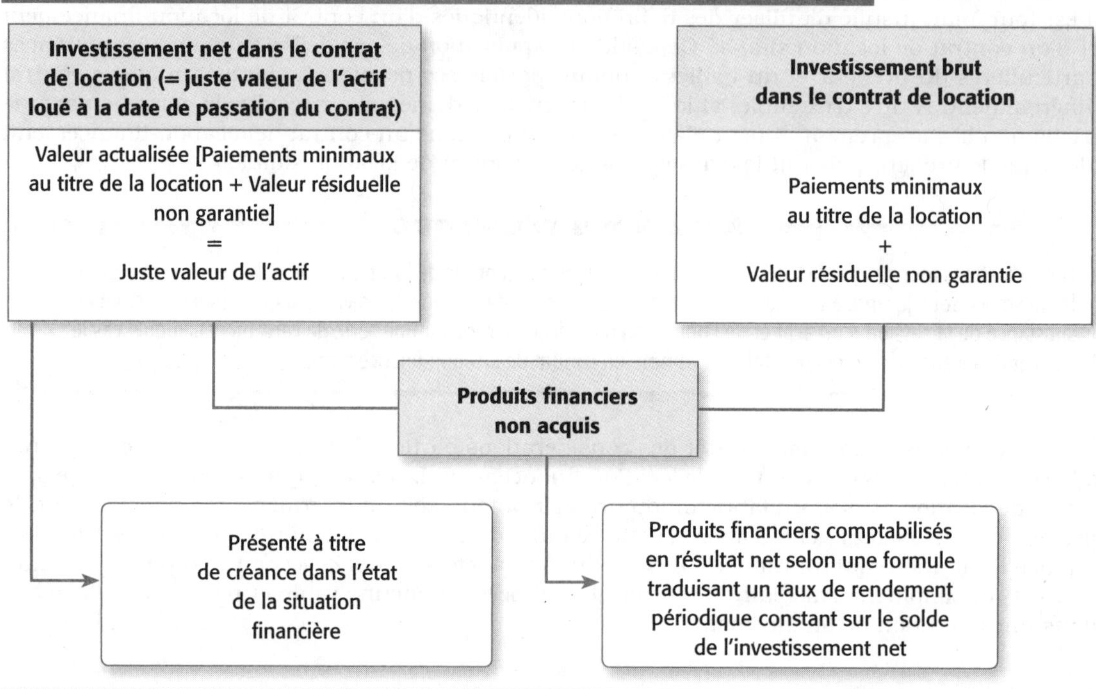

Contrairement au preneur, le bailleur doit prendre en compte la valeur résiduelle non garantie lorsqu'il comptabilise le contrat de location. En effet, dans le contrat de location, la valeur résiduelle non garantie est incluse dans l'investissement brut et, par le fait même, est une partie intégrante de la détermination des produits financiers non acquis. Comme la valeur résiduelle non garantie est prise en considération dans l'établissement du rendement à obtenir, elle doit être incluse dans la détermination des produits financiers non acquis, puisque ces derniers correspondent au rendement souhaité.

Les coûts directs initiaux

Différence NCECF

Le bailleur peut assumer des **coûts directs initiaux** pour conclure le contrat de location. Ces coûts sont des coûts marginaux directement attribuables à la négociation et à la conclusion du contrat de location, comme les commissions aux courtiers et les honoraires juridiques. Les coûts directs initiaux assumés par le bailleur sont inclus dans l'évaluation initiale de la créance et réduisent les produits financiers comptabilisés au cours de la période de location. D'ailleurs, rappelons que le **taux d'intérêt implicite** d'un contrat de location est défini comme étant le taux d'actualisation qui donne, à la passation du contrat, une valeur actualisée totale des paiements minimaux au titre de la location et de la valeur résiduelle non garantie égale à la somme de la juste valeur de l'actif loué et des coûts directs initiaux du bailleur. Cette définition confirme que les coûts directs initiaux sont automatiquement inclus dans la créance à la date de passation du contrat de location. En fait, un bailleur qui assume des coûts directs initiaux dans le cadre d'un contrat de location donné, mais aucun coût direct initial dans le cadre d'un autre contrat identique, doit exiger un montant de loyer supérieur dans le premier contrat pour réaliser le même taux de rendement dans les deux contrats.

EXEMPLE

Effet des coûts directs initiaux sur le montant du loyer

Un bailleur loue deux équipements identiques selon les modalités suivantes :

	Contrat 1	*Contrat 2*
Nom du preneur	*Preneur ltée*	*Loutout inc.*
Coût de l'équipement	*20 000 $*	*20 000 $*
Juste valeur de l'équipement	*20 000 $*	*20 000 $*
Durée du contrat (loyer annuel en début de période)	*5 ans*	*5 ans*
Taux de rendement désiré	*10 %*	*10 %*
Coûts directs initiaux	*Aucun*	*500 $*

Puisque le bailleur désire obtenir un rendement de 10 % sur son investissement total, il détermine le loyer annuel selon la réalité financière de chacun des deux contrats en effectuant les calculs suivants :

Contrat 1 : (N = 5, I = 10 %, PV = 20 000 $, FV = 0 $, BGN, CPT PMT ?) = 4 796 $
Contrat 2 : (N = 5, I = 10 %, PV = 20 500 $, FV = 0 $, BGN, CPT PMT ?) = 4 916 $

Cette comparaison montre que le bailleur doit augmenter le montant du loyer annuel de 120 $ (4 916 $ – 4 796 $) lorsqu'il assume des coûts directs initiaux de 500 $ s'il veut réaliser un même rendement de 10 %.

Différence NCECF

Passons maintenant à un exemple pratique de l'application des règles relatives à la comptabilisation d'un contrat de location-financement par le bailleur.

Les détails de la comptabilisation d'un contrat de location-financement par un intermédiaire financier

La comptabilisation d'un contrat de location par un intermédiaire financier vise à montrer la substance de la transaction selon laquelle le bailleur cède l'actif loué et obtient une créance en échange de cet actif.

Un bailleur peut utiliser deux méthodes pour enregistrer son investissement dans un contrat de location : la méthode du montant brut et la méthode du montant net. Ces deux méthodes diffèrent uniquement par les écritures de journal qu'elles impliquent. La présentation dans les états financiers ne change pas, peu importe la méthode utilisée. Avec la **méthode du montant brut**, la différence entre l'investissement brut et l'investissement net est créditée au compte Produits financiers non acquis correspondant aux produits financiers qui seront effectivement gagnés sur la durée du contrat. Cette méthode implique donc l'utilisation de deux comptes pour comptabiliser l'investissement net, soit le compte Loyers à recevoir (correspondant à l'investissement brut dans le contrat de location) et le compte Produits financiers non acquis, lequel consiste en un compte de contrepartie du compte Loyers à recevoir.

16

EXEMPLE

Comptabilisation d'un contrat de location-financement par un intermédiaire financier

La société Financetout ltée se spécialise dans l'achat d'équipements de tous genres, qu'elle loue immédiatement à des entreprises. Elle joue donc un rôle d'intermédiaire financier auprès de ses clients.

Le 1er janvier 20X2, Financetout ltée signe un contrat en vertu duquel elle loue un équipement de production de lames de patins, communément appelé presse-lames, à G. Louey inc. Le contrat de location comporte les dispositions suivantes :

1. La juste valeur et le coût d'acquisition de l'équipement payé par Financetout ltée est de 250 000 $ à la date de passation du contrat. Sa durée de vie économique est de cinq ans, et sa valeur résiduelle estimative est nulle ;
2. La durée du contrat non résiliable est de trois ans à compter du 1er janvier 20X2. Le loyer annuel exigé de G. Louey inc. est de 95 114 $ et doit être versé au début de chaque année ;

3. Bien que Financetout ltée reprenne possession de l'équipement le 31 décembre 20X4, G. Louey inc. s'engage à garantir la totalité de la valeur résiduelle estimative, soit 19 998 $, à l'expiration du contrat. Selon les conditions du contrat, G. Louey inc. recevra 50 % de tout profit découlant de la cession de l'équipement à l'expiration du contrat.

Les renseignements suivants relatifs à cette opération ont été obtenus lors de discussions avec la préposée aux contrats de location de Financetout ltée et avec le propriétaire de G. Louey inc. :

4. Financetout ltée a engagé des coûts directs initiaux de 2 000 $;
5. Le taux d'emprunt marginal de G. Louey inc. est de 21,5 % à la date de passation du contrat ;
6. Financetout ltée exige un rendement de 20 % sur le financement de ce contrat. Le montant du loyer a été établi en fonction de cette exigence. Elle utilise la méthode du montant brut.

Analysons maintenant la substance de ce contrat de location. Puisque G. Louey inc. garantit la totalité de la valeur résiduelle, la valeur actualisée des paiements minimaux au titre de la location représente la totalité de la juste valeur de l'équipement de production. De ce fait, il est possible de conclure que la quasi-totalité des risques et des avantages inhérents à la propriété de l'équipement est transférée à G. Louey inc. Financetout ltée doit donc comptabiliser ce contrat comme un contrat de location-financement, et ce, même si G. Louey inc. ne deviendra jamais propriétaire de l'équipement.

Financetout ltée doit enregistrer les écritures suivantes :

	20X2		20X3		20X4	
1er janvier						
Équipement destiné à la location	*250 000*					
Caisse		*250 000*				
Achat d'un équipement « presse-lames » destiné à la location.						
Coûts directs initiaux différés	*2 000*					
Caisse		*2 000*				
Coûts directement liés au contrat intervenu avec G. Louey inc.						
Loyers à recevoir	*305 340*					
Équipement destiné à la location		*250 000*				
Coûts directs initiaux différés		*2 000*				
Produits financiers non acquis		*53 340*				
Contrat de location-financement intervenu avec G. Louey inc.						
Caisse	*95 114*		*95 114*		*95 114*	
Loyers à recevoir		*95 114*		*95 114*		*95 114*
Encaissement du loyer annuel.						
31 décembre						
Produits financiers non acquis	*31 377*		*18 630*		*3 333*	
Produits financiers – Intérêts sur contrat de location		*31 377*		*18 630*		*3 333*
Intérêts gagnés au 31 décembre selon le tableau d'amortissement de l'investissement net (voir le tableau ci-après).						

Voici quelques commentaires sur ces écritures :

20X2

1. Lorsque les coûts directs initiaux sont engagés par le bailleur, ils sont inscrits dans le compte Coûts directs initiaux différés jusqu'à la passation du contrat de location

car ils seront pris en compte dans l'évaluation de la créance relative au contrat de location-financement ;

2. À la date de passation du contrat, laquelle correspond ici à la date de signature du contrat, on comptabilise l'opération en décomposant les deux parties de l'investissement net dans le contrat de location-financement. Ainsi, on débite le compte Loyers à recevoir d'un montant égal à l'investissement brut dans le contrat de location représenté par le total des paiements minimaux au titre de la location. L'équipement destiné à la location est décomptabilisé, puisqu'il y a transfert de la quasi-totalité des risques et des avantages inhérents à sa propriété. Les coûts directs initiaux différés sont également décomptabilisés pour être pris en compte dans l'évaluation initiale de la créance liée au contrat de location. Le total de la juste valeur de l'équipement loué et des coûts directs initiaux correspond à la valeur actualisée des paiements minimaux au titre de la location, donc à l'investissement net dans ce contrat ;
3. À la fin de chaque exercice financier de Financetout ltée, le 31 décembre, on comptabilise les intérêts effectivement gagnés au cours de l'exercice. Pour ce faire, on doit établir le tableau d'amortissement de l'investissement net relatif au contrat de location. Ces calculs sont présentés ci-après. Les produits financiers sont établis en utilisant le taux implicite du contrat de location de 20 % appliqué sur le solde de l'investissement net immédiatement avant chacun des paiements de loyer. Le taux d'emprunt marginal du preneur n'est pas pertinent. En effet, le bailleur utilise toujours le taux implicite du contrat de location pour comptabiliser son investissement dans ce contrat et ses produits financiers qui en découlent ;

20X3 et 20X4

4. Les écritures de 20X3 et 20X4 ne posent aucun problème particulier et servent simplement à comptabiliser l'encaissement du loyer annuel et les produits financiers effectivement gagnés chaque année.

Voici l'amortissement de l'investissement net relatif à un contrat de location-financement.

Exercice	(1) Solde de l'investissement net au début de l'exercice	(2) Paiements minimaux au titre de la location	(3) Solde de l'investissement aux fins de calcul des intérêts [(1) – (2)]	(4) Intérêts sur le solde de l'investissement [(3) × 20 %]	(5) Solde de l'investissement net à la fin de l'exercice [(3) + (4)]
20X2	252 000 $	95 114 $	156 886 $	31 377 $	188 263 $
20X3	188 263	95 114	93 149	18 630	111 779
20X4	111 779	95 114	16 665	3 333	19 998
Fin 20X4	19 998	19 998	0		0
Total		305 340 $		53 340 $	

Supposons maintenant que, le 3 janvier 20X5, Financetout ltée vende l'équipement loué à la société Désuète inc. pour la somme de 20 498 $. Financetout ltée doit alors enregistrer les écritures suivantes :

	Débit	Crédit
Caisse	*20 498*	
Loyers à recevoir		*19 998*
À payer à G. Louey inc.		*250*
Profit sur contrat de location-financement		*250*
Cession de l'équipement loué.		
À payer à G. Louey inc.	*250*	
Caisse		*250*
Paiement à G. Louey inc. d'un montant correspondant à 50 % du profit réalisé lors de la cession de l'équipement loué à Désuète inc.		

Dans l'exemple précédent, nous avons émis l'hypothèse selon laquelle la valeur résiduelle était garantie. Que se passerait-il si cette valeur résiduelle était non garantie ? Que la valeur résiduelle soit garantie ou non ne change en rien le montant que le bailleur désire recouvrer. En effet, lorsqu'il établit le montant des loyers à recevoir, le bailleur suppose qu'il recouvrera la valeur résiduelle à l'expiration du contrat, qu'elle soit garantie ou non.

EXEMPLE

Location-financement avec valeur résiduelle non garantie

Reprenons l'exemple de Financetout ltée, en supposant cette fois que la valeur résiduelle est non garantie. L'analyse de la substance du contrat permet de conclure que la quasi-totalité des risques et des avantages inhérents à la propriété de l'équipement est transféré à G. Louey inc., car les paiements minimaux au titre de la location (PMTL) totalisent 240 427 $ (N = 3, I = 20 %, PMT = 95 114 $, FV = 0 $, BGN, COMP PV ?), ce qui représente la quasi-totalité (96 %) de la juste valeur de l'équipement loué.

De ce fait, seules les écritures de journal relatives à l'inscription et à l'expiration du contrat sont modifiées. Voici ces deux écritures révisées :

1er janvier 20X2		
Loyers à recevoir	*285 342*	
Valeur résiduelle non garantie	*19 998*	
Équipement destiné à la location		*250 000*
Coûts directs initiaux différés		*2 000*
Produits financiers non acquis		*53 340*
Contrat de location-financement intervenu avec G. Louey inc.		
3 janvier 20X5		
Caisse	*20 498*	
Valeur résiduelle non garantie		*19 998*
Profit sur contrat de location-financement		*500*
Cession de l'équipement loué.		

Soulignons que lors de l'inscription du contrat de location-financement, on débite le compte Valeur résiduelle non garantie, puisque ce montant n'est pas à recevoir du preneur. Comme nous l'avons déjà mentionné, le preneur n'a aucune obligation relative à ce montant. Afin d'éviter toute confusion, il est préférable d'utiliser un compte distinct plutôt que d'incorporer la valeur résiduelle non garantie aux loyers à recevoir. Cependant, cette valeur résiduelle non garantie fait partie de l'investissement brut et de l'investissement net dans le contrat de location, comme le fait ressortir la figure 16.5.

De plus, puisque le bailleur assume tous les risques relatifs à la valeur résiduelle non garantie, il va de soi qu'il n'a pas à partager le profit découlant de la cession de l'équipement avec le preneur et qu'il le comptabilise donc en entier dans ses livres.

La **méthode du montant net** peut aussi être utilisée pour comptabiliser un contrat de location-financement. Selon cette méthode, un seul compte est utilisé pour comptabiliser l'investissement net dans le contrat de location.

EXEMPLE

Méthode du montant net pour comptabiliser un contrat de location-financement

Reprenons l'exemple de Financetout ltée et examinons comment l'utilisation de la méthode du montant net modifierait les écritures à enregistrer. En 20X2, les deux premières écritures passées par Financetout ltée seraient identiques, mais les suivantes seraient remplacées par celles-ci :

1er janvier 20X2		
Investissement net dans un contrat de location-financement	*252 000*	
Équipement destiné à la location		*250 000*
Coûts directs initiaux différés		*2 000*
Contrat de location-financement intervenu avec G. Louey inc.		

Caisse	*95 114*	
Investissement net dans un contrat de location-financement		*95 114*
Encaissement du loyer annuel.		
31 décembre 20X2		
Investissement net dans un contrat de location-financement	*31 377*	
Produits financiers – Intérêts sur contrat de location		*31 377*
Intérêts gagnés au 31 décembre selon le tableau d'amortissement de l'investissement net.		

Rappelons que l'utilisation de la méthode du montant brut ou de celle du montant net n'influe nullement sur les montants présentés dans les états financiers. Chacune représente une méthode de tenue des livres particulière. La méthode du montant brut a l'avantage de faire ressortir distinctement les montants totaux à recevoir du preneur dans le compte Loyers à recevoir et le montant des intérêts non gagnés dans le compte Produits financiers non acquis. Le compte Produits financiers non acquis est un compte de contrepartie du compte Loyers à recevoir, la différence entre ces deux comptes équivalant à l'investissement net dans le contrat de location. La méthode du montant net utilise un seul compte, le compte Investissement net dans un contrat de location, lequel représente pour sa part le montant du principal toujours dû par le preneur additionné des intérêts courus. Les comptes en T ci-dessous, préparés à partir des exemples de la société Financetout ltée, montrent clairement que les deux méthodes produisent une information comparable.

Méthode du montant brut				Méthode du montant net	
Loyers à recevoir		*Produits financiers non acquis*		*Investissement net dans un contrat de location-financement*	
305 340	95 114	31 377	53 340	252 000	95 114
				31 377	
210 226			21 963	188 263	

188 263

La comptabilisation d'un contrat de location-financement par un fabricant ou un distributeur

Un bailleur qui est **fabricant ou distributeur** donne souvent à ses clients le choix entre l'achat ou la location d'un actif. La comptabilisation d'un contrat de location-financement par un tel bailleur comporte deux principales différences par rapport aux dispositions que nous avons expliquées dans le contexte d'un intermédiaire financier. La première a trait aux types de produits générés par une telle transaction et la seconde concerne le traitement à accorder aux coûts directs initiaux.

En effet, pour favoriser la vente de ses biens, le fabricant ou le distributeur peut avoir recours à la location-financement. En substance, un tel contrat de location-financement crée deux types de produits. Dès la date de passation du contrat de location, cette transaction génère d'abord une marge brute sur la vente de l'actif loué. Le contrat génère aussi des produits financiers durant la période de location, représentés par la différence entre l'investissement brut et l'investissement net, lequel correspond à la juste valeur de l'actif loué à la date de passation du contrat. Ces considérations sont illustrées dans la figure 16.6.

La détermination du produit de la vente et du coût des ventes

Le montant à inscrire au titre de la vente et du coût des ventes mérite une attention particulière. En effet, le produit de la vente correspond à la juste valeur de l'actif ou, si elle est inférieure, à la valeur actualisée des paiements minimaux revenant au bailleur au titre de la location, calculée en utilisant

FIGURE 16.6 La location-financement pour un bailleur fabricant ou distributeur

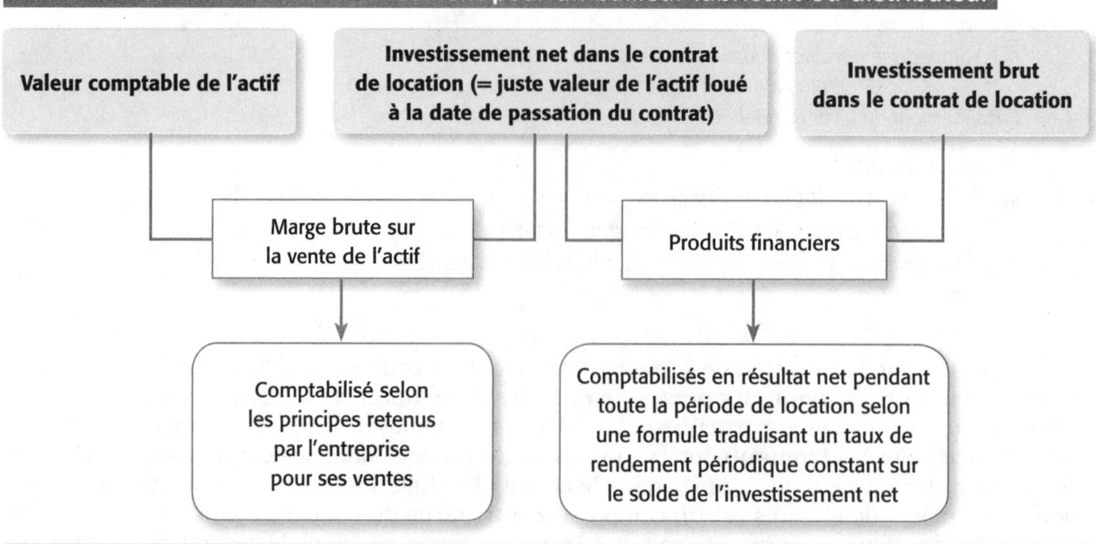

un taux d'intérêt commercial. C'est donc dire que si la transaction comporte une valeur résiduelle non garantie, la valeur actualisée de la valeur résiduelle non garantie est exclue du montant inscrit à titre de vente. De plus, si le bailleur propose un taux d'intérêt artificiellement bas au preneur conformément à ses pratiques commerciales visant à attirer des clients, il y a lieu d'actualiser les paiements minimaux non pas en utilisant ce taux artificiellement bas, mais plutôt en utilisant un taux d'intérêt commercial. Ainsi, on évite de comptabiliser au moment de la vente une partie excessive du produit total de la transaction. À titre d'exemple, supposons que Restopro inc. propose à ses clients la location d'équipements de restaurant et publicise ses contrats de location en mentionnant un taux de financement de 0 %. Délicio inc. signe un contrat de location-financement de 10 ans pour des équipements d'une juste valeur de 100 000 $ moyennant des loyers annuels de 10 000 $ payables en début de période. Le taux d'intérêt commercial s'élève à 10 %. Au lieu d'inscrire un produit de la vente de 100 000 $, soit 10 paiements de 10 000 $ actualisés au taux artificiellement bas de 0 %, puis des produits financiers nuls sur la période de location, le produit de la vente est plutôt évalué à 67 590 $ (N = 10, I = 10 %, PMT = 10 000 $, FV = 0 $, BGN, CPT PV ?) et les produits financiers sont calculés sur la période de location en utilisant ce taux commercial de 10 %.

Quant à lui, le coût des ventes correspond au coût, ou à la valeur comptable si elle est différente, de l'actif loué, moins la valeur actualisée de la valeur résiduelle non garantie. La différence entre le produit de la vente et le coût des ventes est la marge brute sur la vente, qui est comptabilisée selon les méthodes retenues par l'entreprise pour ses ventes.

Sur le plan strictement théorique, il est justifié de tenir compte uniquement de la valeur actualisée des paiements minimaux au titre de la location dans la détermination du prix de vente, puisque ces paiements sont les seuls encaissements assurés pour le bailleur à la date d'entrée en vigueur du contrat de location. Si l'on ne tient pas compte de la valeur résiduelle non garantie dans la détermination du prix de vente, il est cohérent de ne pas en tenir compte dans la détermination du coût des ventes.

Les coûts de négociation et de rédaction d'un contrat

Dans le cas des bailleurs fabricants ou distributeurs, l'IASB ne parle pas de coûts directs initiaux, mais plutôt de **coûts engagés pour la négociation ou la rédaction d'un contrat de location-financement**. Il s'agit bel et bien des mêmes types de coûts, mais la définition que l'IASB adopte pour les coûts directs initiaux exclut les coûts engagés par les bailleurs fabricants ou distributeurs. La raison en est la suivante. Alors que ces coûts sont pris en compte dans le taux implicite des bailleurs qui sont des intermédiaires financiers, ils doivent en être exclus par les bailleurs qui sont fabricants ou distributeurs. En effet, rappelons que le **taux d'intérêt implicite du contrat de location** est défini comme le taux d'actualisation qui donne, à la passation du contrat de location, une valeur actualisée cumulée des paiements minimaux au titre de la location et de la valeur résiduelle non garantie égale à la somme de la juste valeur de l'actif loué et des coûts directs initiaux du bailleur. Les bailleurs fabricants ou distributeurs comptabilisent ces coûts en charges au début de la période de location, car ils sont essentiellement liés à la réalisation de la marge brute sur la vente, contrairement aux intermédiaires financiers qui doivent recouvrer ces coûts au moyen des produits financiers, d'où la nécessité pour eux de les prendre en compte dans le taux implicite.

Les détails de la comptabilisation d'un contrat de location-financement par le fabricant ou le distributeur

La comptabilisation d'un contrat de location par un fabricant ou un distributeur vise à montrer la substance de la transaction selon laquelle le bailleur vend l'actif loué et finance cette vente.

EXEMPLE

Comptabilisation d'un contrat de location-financement par un fabricant ou distributeur

La société IGM ltée se spécialise dans la fabrication et la vente d'ordinateurs pour les systèmes centraux de traitement de données. Le 1er janvier 20X0, elle signe un contrat en vertu duquel elle loue un ordinateur à Branchaud inc. Voici les principales dispositions de ce contrat de location :

1. La juste valeur de l'ordinateur loué est de 150 000 $ à la date de passation du contrat. Sa durée de vie économique est de trois ans et demi, et sa valeur résiduelle estimative est nulle ;
2. La durée du contrat non résiliable est de trois ans à compter du 1er janvier 20X0. Le loyer annuel exigé de Branchaud inc. est de 52 500 $ et comprend une somme de 2 885 $ pour l'entretien de l'ordinateur. Le loyer doit être versé au début de chaque année ;
3. À l'expiration du contrat le 31 décembre 20X2, Branchaud inc. pourra devenir propriétaire de l'ordinateur en versant la somme de 30 000 $, soit la juste valeur estimative de l'ordinateur à cette date. Branchaud inc. a refusé de garantir cette valeur résiduelle.

Les renseignements suivants, relatifs à cette opération, ont été obtenus grâce à quelques courriels échangés avec le Service de la comptabilité de la société IGM ltée et avec M. Branchaud, propriétaire de Branchaud inc. :

4. L'ordinateur loué a été fabriqué au coût de 120 000 $;
5. IGM ltée a engagé des coûts de négociation et de rédaction du contrat de 1 000 $;
6. Le taux d'emprunt marginal de Branchaud inc. est de 16 % à la date de passation du contrat ;
7. IGM ltée exige un rendement de 15 % sur le financement de ce contrat. Le montant du loyer a été établi en fonction de cette exigence. Au 31 décembre 20X1, IGM ltée aurait exigé un taux de 14 % pour un contrat similaire ;
8. IGM ltée utilise un système d'inventaire permanent.

Analysons la substance de ce contrat de location. Il est possible de conclure qu'il transfère la quasi-totalité des risques et des avantages inhérents à la propriété à Branchaud inc. Cette conclusion est fondée sur deux observations. D'abord, la durée du contrat de location couvre 86 % (36 mois ÷ 42 mois) de la durée de vie économique de l'ordinateur, ce qui en représente la majeure partie. Ensuite, la valeur actualisée des paiements minimaux au titre de la location s'élève à 130 275 $ [N = 3, I = 15 %, PMT = (52 500 $ – 2 885 $), FV = 0 $, BGN, CPT PV ?], ce qui représente 87 % de la juste valeur de l'ordinateur. Il peut être discutable d'affirmer que ce pourcentage représente au moins la quasi-totalité de la juste valeur de l'actif. Par contre, jumelée au fait que le contrat couvre la majeure partie de la durée de vie économique de l'actif loué, cette constatation nous permet de conclure sans équivoque qu'il s'agit d'un contrat de location-financement.

Voici les écritures de journal qui doivent être enregistrées par le bailleur pour comptabiliser les opérations relatives au contrat de location-financement, en présumant qu'IGM ltée utilise la méthode du montant brut :

	20X0		20X1		20X2	
1er janvier						
Coûts commerciaux	*1 000*					
Caisse		*1 000*				
Paiement des coûts de négociation et de rédaction du contrat de location de Branchaud inc.						

	20X0		20X1		20X2	
Loyers à recevoir	148 845					
Valeur résiduelle non garantie	30 000					
Coût des ventes	100 275					
Ventes		130 275				
Produits financiers non acquis		28 845				
Stock de produits finis		120 000				
Contrat de location-financement intervenu avec Branchaud inc.						
Caisse	52 500		52 500		52 500	
Loyers à recevoir		49 615		49 615		49 615
Produits d'entretien		2 885		2 885		2 885
Encaissement du loyer annuel.						
31 décembre						
Produits financiers non acquis	15 058		9 874		3 913	
Produits financiers – Intérêts sur contrat de location		15 058		9 874		3 913
Intérêts gagnés au 31 décembre selon le tableau d'amortissement de l'investissement net (voir le tableau ci-après).						

Voici quelques commentaires sur ces écritures :

20X1

1. Les coûts de négociation et de rédaction du contrat sont comptabilisés à titre de charges commerciales. Ils sont ainsi rattachés à la marge brute sur la vente de l'ordinateur comptabilisée à la date de passation du contrat de location ;
2. À la date de passation du contrat, l'investissement brut et l'investissement net dans le contrat de location-financement s'établissent comme suit. L'investissement net correspond à la juste valeur de l'actif loué :

Paiements minimaux au titre de la location (loyers à recevoir)	148 845 $
Plus : Valeur résiduelle non garantie	30 000
Investissement brut dans le contrat de location	178 845
Moins : Produits financiers non acquis	(28 845)
Investissement net dans le contrat de location-financement	150 000 $

3. Le montant inscrit au compte Ventes correspond à la valeur actualisée des paiements minimaux au titre de la location calculés précédemment (montant arrondi). Le montant inscrit au compte Coût des ventes correspond au coût de production de l'ordinateur de 120 000 $, diminué de la valeur actualisée de la valeur résiduelle non garantie :

120 000 $ – 19 725 $ (N = 3, I = 15 %, PMT = 0 $, FV = 30 000 $, CPT PV ?) 100 275 $

4. Si IGM ltée utilisait plutôt la méthode du montant net, la vente aurait été inscrite de la façon suivante à la date de passation du contrat :

Investissement net dans un contrat de location-financement	150 000	
Coût des ventes	100 275	
Ventes		130 275
Stock de produits finis		120 000
Contrat de location-financement intervenu avec Branchaud inc.		

5. À chaque date de réception du paiement fait par Branchaud inc., le montant de 2 885 $ lié aux produits d'entretien est comptabilisé en tant que tel, et le solde de 49 615 $ est considéré comme un encaissement de la créance liée aux loyers à recevoir. Il est à noter que ces coûts d'entretien assumés par IGM ltée auraient été comptabilisés auparavant, même si cette écriture ne figure pas dans la solution de ce problème ;

6. À la fin de chaque exercice financier d'IGM ltée, le 31 décembre, on comptabilise les intérêts effectivement gagnés au cours de l'exercice. Pour ce faire, on doit établir le tableau d'amortissement de l'investissement net relatif au contrat de location de la façon suivante :

Exercice	(1) Solde de l'investissement net au début de l'exercice	(2) Paiements minimaux au titre de la location et VRNG*	(3) Solde de l'investissement aux fins de calcul des intérêts [(1) − (2)]	(4) Intérêts sur le solde de l'investissement net [(3) × 15 %]	(5) Solde de l'investissement net à la fin de l'exercice [(3) + (4)]
20X0	150 000 $	49 615 $	100 385 $	15 058 $	115 443 $
20X1	115 443	49 615	65 828	9 874	75 702
20X2	75 702	49 615	26 087	3 913	30 000
Fin 20X2	30 000	30 000	0		0
Total		178 845 $		28 845 $	

* Il s'agit des 3 loyers minimaux nets de 52 500 $, abstraction faite des frais d'entretien de 2 885 $ et de la valeur résiduelle non garantie (VRNG).

20X1 et 20X2

7. Les écritures de 20X1 et 20X2 ne posent aucun problème particulier et servent simplement à comptabiliser l'encaissement du loyer annuel et les produits financiers et d'entretien effectivement gagnés chaque année.

Supposons maintenant que, le 2 janvier 20X3, IGM ltée a vendu le matériel loué à la société Récupération inc. pour la somme de 31 100 $. IGM ltée doit alors enregistrer l'écriture suivante :

Caisse	*31 100*	
Valeur résiduelle non garantie		*30 000*
Profit sur contrat de location-financement		*1 100*
Cession du matériel loué.		

Dans l'exemple précédent, nous avons émis l'hypothèse selon laquelle la valeur résiduelle est non garantie. Si, au contraire, elle l'était, le montant de 30 000 $ serait inscrit dans le compte Loyers à recevoir plutôt que dans le compte Valeur résiduelle non garantie.

Les pertes de crédit attendues sur les créances locatives

Le bailleur doit comptabiliser les **pertes de crédit attendues sur les créances locatives**, lesquelles incluent les investissements nets dans un contrat de location-financement. À cet effet, il peut adopter deux méthodes comptables, comme nous l'expliquons au chapitre 6 dans le contexte de la dépréciation des créances. La première consiste à évaluer la correction de valeur pour pertes à un montant correspondant aux pertes de crédit attendues pour la durée de vie des créances locatives si le risque de crédit que comporte cette créance a augmenté de manière importante depuis la comptabilisation initiale. Si ce risque n'a pas augmenté de manière importante, il faudra comptabiliser les pertes de crédit attendues sur les 12 prochains mois. Le chapitre 6 traite des facteurs qui peuvent entraîner une augmentation du risque de crédit. Dans le cas particulier des créances locatives, le contrat de location établit habituellement qu'advenant le cas où le preneur manque à ses obligations de paiement de loyer, le bailleur peut récupérer l'actif loué. Ainsi, lorsque la juste valeur de l'actif loué est suffisante pour couvrir le solde de l'investissement net, le recouvrement de ce dernier montant est considéré comme assuré, donc aucune correction de valeur pour pertes n'est nécessaire.

La deuxième méthode, que l'IASB qualifie de méthode simplifiée, ne requiert nullement d'évaluer si le risque de crédit que comportent les créances locatives a augmenté de manière importante depuis la comptabilisation initiale. Il s'agira alors d'évaluer les pertes de crédit attendues pour la durée de vie des créances locatives en tenant compte des facteurs comme le non-paiement des loyers, des états financiers qui témoignent de difficultés financières importantes du preneur et la probabilité croissante de faillite ou autre restructuration financière du preneur qui pourraient suggérer l'existence d'une insuffisance de flux de trésorerie. Peu importe la méthode retenue, la perte au titre des pertes de crédit attendues correspond à la valeur actualisée des insuffisances des flux de trésorerie, comme nous l'expliquons au chapitre 6. La valeur actualisée est calculée en utilisant le

16

taux d'intérêt implicite relié au contrat. La valeur comptable de l'investissement net est réduite par l'utilisation d'un compte de correction de valeur (provision). L'évaluation des pertes de crédit attendues est effectuée à chaque année et ce compte de correction de valeur est ajusté en conséquence.

Dans le même ordre d'idées, lorsque le contrat prévoit une valeur résiduelle non garantie, il est nécessaire de réviser régulièrement cette valeur résiduelle. Si elle est inférieure au montant prévu initialement, une dépréciation de l'investissement net est alors nécessaire, puisque les flux de trésorerie initialement prévus ne seront pas encaissés. Dans un tel cas, la comptabilisation des produits pendant la durée du contrat de location doit être revue et toute diminution au titre de montants comptabilisés par régularisation doit immédiatement être comptabilisée en charges[10].

EXEMPLE

Réévaluation à la baisse de la valeur résiduelle non garantie

Reprenons l'exemple de la société IGM ltée. Au 31 décembre 20X0, le solde de l'investissement net dans le contrat de location est de 115 443 $. Supposons qu'à cette date la valeur résiduelle estimative de l'ordinateur n'est que de 25 000 $ au lieu de 30 000 $. Cette baisse découle d'importants progrès technologiques qui réduisent l'attrait du modèle loué par Branchaud inc.

Dans un tel cas, il faut recalculer le solde de l'investissement net en utilisant le taux d'intérêt implicite initial et comptabiliser la différence à titre de perte due à la révision de la valeur résiduelle non garantie dans l'exercice en cours :

Valeur actualisée des paiements de loyer (N = 2, I = 15 %, PMT = 49 615 $, FV = 0 $, BGN, CPT PV ?)	92 758 $
Valeur actualisée de la valeur résiduelle non garantie (N = 2, I = 15 %, PMT = 0 $, FV = 25 000 $, CPT PV ?)	18 904
Solde de l'investissement net	111 662 $

Un montant de 3 781 $ (111 662 $ − 115 443 $) est comptabilisé en charges au moyen de l'écriture de journal suivante :

Perte due à la révision de la valeur résiduelle non garantie	*3 781*	
Produits financiers non acquis	*1 219*	
Valeur résiduelle non garantie		*5 000*
Baisse de la valeur résiduelle estimative.		

L'amortissement de l'investissement net révisé est présenté ci-dessous :

Exercice	(1) Solde de l'investissement net au début de l'exercice	(2) Paiements minimaux au titre de la location et VRNG*	(3) Solde de l'investissement aux fins de calcul des intérêts [(1) − (2)]	(4) Intérêts sur le solde de l'investissement net [(3) × 15 %]	(5) Solde de l'investissement net à la fin de l'exercice [(3) + (4)]
20X0					111 662 $
20X1	111 662 $	49 615 $	62 047 $	9 307 $	71 354
20X2	71 354	49 615	21 739	3 261	25 000
20X3	25 000	25 000	0	0	0

* Il s'agit des 3 loyers minimaux nets de 52 500 $, abstraction faite des frais d'entretien de 2 885 $ et de la valeur résiduelle non garantie (VRNG).

L'ajustement de 1 219 $ apporté aux produits financiers non acquis dans l'écriture de journal précédente correspond à la différence entre les produits financiers attendus initialement pour 20X1 et 20X2 de 13 787 $ (9 874 $ + 3 913 $) (*voir la page 16.41*) et ceux révisés pour les mêmes exercices (tenant compte de la révision de la valeur résiduelle non garantie) au montant de 12 568 $ (9 307 $ + 3 261 $) (*voir ci-dessus*).

10. *Manuel de CPA Canada – Comptabilité – Partie I*, IAS 17, paragr. 41.

16

Dans un autre ordre d'idées, il peut arriver qu'un investissement net dans un contrat de location fasse partie d'un groupe destiné à être cédé et classé comme détenu en vue de la vente. Dans une telle situation, cet actif doit être évalué et comptabilisé selon l'**IFRS 5**, intitulée « Actifs non courants détenus en vue de la vente », comme nous l'avons expliqué au chapitre 8.

La présentation d'un contrat de location-financement dans les états financiers du bailleur et les informations à fournir

Les informations que le bailleur doit fournir dans ses états financiers en rapport avec ses contrats de location-financement sont indiquées dans le tableau 16.6 et sont accompagnées de commentaires.

TABLEAU 16.6 Les informations à fournir par le bailleur pour les contrats de location-financement

***Normes internationales d'information financière,* IAS 17**	**Commentaires**
Paragr. 47 [...] *le bailleur doit fournir* [...] *les informations suivantes :*	
(a) Un rapprochement entre l'investissement brut dans le contrat de location à la fin de la période de présentation de l'information financière et la valeur actualisée des paiements minimaux à recevoir au titre de la location à la fin de la période de présentation de l'information financière. En outre, l'entité doit indiquer, à la fin de la période de présentation de l'information financière, l'investissement brut dans le contrat de location et la valeur actualisée des paiements minimaux à recevoir au titre de la location, pour chacune des périodes suivantes : *(i) à un an au plus,* *(ii) à plus d'un an mais à cinq ans au plus,* *(iii) à plus de cinq ans ;*	Cette information permet de connaître le calendrier des rentrées de trésorerie liées aux contrats de location-financement. Elle est utile pour connaître la trésorerie dont disposera l'entreprise pour faire face à ses obligations à court terme.
(b) Les produits financiers non acquis ;	Cette information renseigne les utilisateurs des états financiers sur les produits financiers qui seront générés ultérieurement durant la période de location.
(c) Les valeurs résiduelles non garanties revenant au bailleur ;	Comme ces valeurs résiduelles ne sont pas garanties, elles représentent un risque pour l'entreprise. Il est donc pertinent d'informer les utilisateurs des états financiers de l'ampleur de ces montants, qui sont inclus dans l'investissement brut dans un contrat de location-financement.
(d) La correction de valeur cumulée des paiements minimaux non recouvrables au titre de la location ;	Il est pertinent pour les utilisateurs des états financiers de connaître les pertes de valeur comptabilisées antérieurement à la suite des dépréciations de l'investissement net. Cela témoigne de la capacité de la direction à gérer le risque de crédit auquel fait face l'entreprise.
(e) Les loyers conditionnels comptabilisés dans les produits de la période ;	Comme les loyers conditionnels ne font pas partie de l'investissement net et, par le fait même, sont exclus des produits financiers, leur présentation distincte permet aux utilisateurs des états financiers de connaître la nature et l'ampleur des autres produits générés par les contrats de location-financement.
(f) Une description générale des dispositions significatives des contrats de location du bailleur.	Ces informations complémentent les montants comptabilisés au titre des contrats de location-financement.
Paragr. 48 *Comme indicateur de croissance, il est souvent utile d'indiquer également l'investissement brut diminué des produits non acquis dans les affaires nouvelles de la période, après déduction des montants correspondants aux contrats de location résiliés.*	Cette information permet de connaître l'ampleur des nouveaux investissements nets dans les contrats de location-financement survenus pendant l'exercice en cours. En particulier, pour les utilisateurs des états financiers d'un bailleur qui est un intermédiaire financier, cela fournit une indication de la croissance des affaires et permet de mieux prévoir les produits financiers futurs.

Finalement, le bailleur fournit également les informations exigées par l'**IFRS 7**. En effet, l'investissement net dans un contrat de location-financement est un actif financier. Ces exigences de présentation ont été exposées de façon détaillée aux chapitres 4 et 6. Rappelons entre autres que l'IFRS 7 exige que la valeur comptable, les profits nets et les pertes nettes ainsi que le montant des pertes de valeur de chaque classe d'instruments financiers soient indiqués. Le bailleur précise aussi le produit d'intérêts total des actifs financiers qui ne sont pas comptabilisés À la juste valeur par le biais du résultat net, de même que les produits d'intérêt sur des actifs financiers qui ont subi une perte de valeur. Il présente également la juste valeur de chaque catégorie d'actifs financiers ainsi que les méthodes et les hypothèses utilisées pour déterminer cette juste valeur. Il fournit également des informations sur ses méthodes comptables ainsi que d'autres renseignements permettant d'évaluer la nature et l'ampleur des risques, notamment le risque de crédit et le risque de marché, qui découlent des instruments financiers auxquels il est exposé.

EXEMPLE

Présentation d'un contrat de location-financement par le bailleur

Pour respecter ces exigences de présentation et à partir des renseignements fournis dans l'exemple précédent, IGM ltée présente les informations suivantes dans ses états financiers établis au 31 décembre 20X1 :

IGM LTÉE
Situation financière partielle
au 31 décembre

	20X1	*20X0*
Actif courant		
Tranche à court terme de l'investissement net dans un contrat de location-financement (Note 4)	*75 702 $*	*39 741 $*
Actif non courant		
Investissement net dans un contrat de location-financement (Note 4)		*75 702*

IGM LTÉE
Résultat global partiel
de l'exercice terminé le 31 décembre

	20X1	*20X0*
Ventes		*130 275 $*
Coût des ventes		*(100 275)*
Charges commerciales		*(1 000)*
Produits financiers découlant d'un contrat de location-financement	*9 874 $*	*15 058*
Produits d'entretien	*2 885*	*2 885*
Résultat net	*12 759 $*	*46 943 $*

IGM LTÉE
Flux de trésorerie partiels
de l'exercice terminé le 31 décembre

	20X1	*20X0*
Activités d'exploitation		
Résultat net	*12 759 $*	*46 943 $*
Diminution (augmentation) de l'investissement net dans un contrat de location-financement ①	*39 741*	*(115 443)*
Diminution du stock de produits finis		*120 000*

IGM LTÉE
Extrait des notes
de l'exercice terminé le 31 décembre 20X1

NOTE 1. RÉSUMÉ DES PRINCIPALES MÉTHODES COMPTABLES

Contrats de location

Les produits tirés de la vente de matériel informatique en vertu d'un contrat de location-financement sont comptabilisés au début de la location. Les produits provenant des activités de financement liées à ce contrat de location-financement sont comptabilisés dans l'état du résultat global selon une formule

16

traduisant un taux de rendement périodique constant sur le solde de l'investissement net dans le contrat de location.

NOTE 4. INVESTISSEMENT DANS UN CONTRAT DE LOCATION-FINANCEMENT

La société a signé un contrat de location pour du matériel informatique échéant le 31 décembre 20X2. L'investissement dans ce contrat se détaille comme suit :

	Échéance à un an au plus	Échéance à plus d'un an mais à cinq ans au plus	Total
20X1			
Paiements minimaux au titre de la location	49 615 $	θ	49 615 $
Valeur résiduelle non garantie	30 000	θ	30 000
Investissement brut dans un contrat de location-financement	79 615	θ	79 615
Produits financiers non acquis	(3 913)	θ	(3 913)
Investissement net dans un contrat de location-financement	75 702 $	θ	75 702 $
20X0			
Paiements minimaux au titre de la location	49 615 $	49 615 $	99 230 $
Valeur résiduelle non garantie		30 000	30 000
Investissement brut dans un contrat de location-financement	49 615	79 615	129 230
Produits financiers non acquis	(9 874)	(3 913)	(13 787)
Investissement net dans un contrat de location-financement	39 741 $	75 702 $	115 443 $

La juste valeur de l'investissement net dans ce contrat de location s'élève à 75 931 $ au 31 décembre 20X1 ②. Cette valeur a été obtenue en actualisant les paiements minimaux au titre de la location au taux du marché de 14 % ③ pour un contrat similaire au 31 décembre 20X1.

NOTE 10. EXPOSITION AU RISQUE

L'investissement net dans un contrat de location-financement expose la société au risque de crédit pour un montant maximal de 75 702 $ (115 443 $ en 20X0). En cas de manquement de la part du débiteur, la société est en droit de lui retirer le droit d'usage de l'ordinateur loué. La société réalise une enquête de crédit avant de signer tout contrat de location-financement et n'a jamais réalisé de perte sur ses investissements dans des contrats de location-financement. Cet investissement net à taux fixe expose la société au risque de marché lié à la variabilité des taux d'intérêt. Le taux effectif est de 15 % et demeure le même jusqu'à la date d'expiration du contrat, soit le 31 décembre 20X2.

Explication et calcul :

① Comme le fabricant ou le distributeur écoule habituellement ses produits au moyen de la vente et que l'encaissement des créances clients qui en découle est présenté dans les activités d'exploitation, un traitement similaire est réservé aux contrats de location, qui sont en substance des ventes du fait qu'il y a transfert de la quasi-totalité des risques et des avantages inhérents à la propriété de l'actif loué. L'encaissement des loyers à recevoir est donc totalement présenté dans les activités d'exploitation. Pour un intermédiaire financier, il y aurait cependant lieu d'inclure l'encaissement des produits financiers dans les activités d'exploitation et l'encaissement du principal sur l'investissement net dans les activités d'investissement.

② (N = 1, I = 14 %, PMT = 49 615 $, FV = 30 000 $, BGN, CPT PV ?)

③ Selon le point 7 de l'énoncé.

Finalement, il importe de préciser que, lors de la signature du contrat de location où l'actif loué est décomptabilisé et remplacé par l'investissement net (représenté par les loyers à recevoir et les produits financiers non acquis), il n'y a aucun mouvement de trésorerie. C'est pourquoi la sortie de l'équipement loué et le nouvel investissement net ne sont pas montrés dans la section Investissement du tableau des flux de trésorerie. Seuls les montants encaissés par la suite y figurent.

Il est à noter que l'IFRS 7 peut exiger de fournir davantage d'informations sur les instruments financiers. Les extraits précédents se limitent aux renseignements donnés dans l'énoncé.

La comptabilisation d'un contrat de location simple par le bailleur

Lorsque la substance d'un contrat de location révèle que la quasi-totalité des risques et des avantages inhérents à la propriété n'est pas transférée au preneur (*voir la figure 16.2*), on est en présence d'un **contrat de location simple**. La comptabilisation d'un contrat de location simple par le bailleur est relativement facile à faire. Le bailleur comptabilise les produits locatifs découlant de tels contrats en résultat net de façon linéaire sur toute la durée du contrat de location, à moins qu'une autre base systématique ne soit plus représentative de l'échelonnement dans le temps de la diminution de l'avantage tiré de l'utilisation de l'actif loué.

Quant aux **coûts directs initiaux** engagés par le bailleur lors de la négociation et de la finalisation d'un contrat de location simple, ils doivent être ajoutés à la valeur de l'actif loué et comptabilisés en charges pendant toute la durée du contrat de location sur la même base que le sont les produits locatifs.

Puisque le bailleur conserve la quasi-totalité des risques et des avantages inhérents à la propriété de l'actif loué, il doit comptabiliser en résultat net, à chaque exercice, l'amortissement de l'actif loué et tous les frais liés à son utilisation (assurances, impôts fonciers, entretien, etc.) qui demeurent à sa charge en vertu du contrat de location. Le mode d'amortissement des actifs destinés à la location doit être cohérent par rapport à celui qui est applicable à des actifs similaires. De plus, les règles expliquées au chapitre 9 concernant la dépréciation d'actifs s'appliquent aux actifs destinés à la location.

Les détails de la comptabilisation d'un contrat de location simple par le bailleur

La comptabilisation d'un contrat de location simple par le bailleur est relativement peu complexe.

EXEMPLE

Comptabilisation d'un contrat de location simple par le bailleur

Reprenons l'exemple du contrat de location intervenu entre Variétés inc. et le centre commercial Le Carrefour inc. (*voir les renseignements fournis à la page 16.26*). Si l'on suppose que le centre commercial a engagé des coûts directs initiaux de 600 $ avant la signature du contrat, voici les écritures que Le Carrefour inc. devra passer pour comptabiliser ce contrat de location :

Avant la signature du contrat de location		
Centre commercial destiné à la location – Coûts initiaux	*600*	
Caisse		*600*
Paiement des coûts directs initiaux liés au contrat de location de la société Variétés inc.		
Au début de chaque mois		
Caisse	*1 300*	
Produits locatifs		*1 150*
Produits d'entretien		*150*
Encaissement du loyer mensuel de la société Variétés inc.		

Tout au long du contrat de location, Le Carrefour inc. comptabilise en charges les frais d'entretien et autres charges d'exploitation du centre commercial. Elle doit également comptabiliser l'amortissement du centre commercial à la fin de son exercice financier en adoptant le même mode d'amortissement que celui utilisé pour des actifs similaires. Il est à noter que les coûts initiaux directs qui ont été ajoutés à la valeur comptable du centre commercial destiné à la location doivent être amortis sur la durée du contrat de location sur la même base que les produits locatifs, ce qui peut différer du mode d'amortissement du centre commercial. C'est pourquoi il serait approprié d'utiliser l'approche par composante, expliquée au chapitre 8, pour comptabiliser ces coûts.

La présentation d'un contrat de location simple dans les états financiers du bailleur et les informations à fournir

Les informations que le bailleur doit fournir dans ses états financiers en rapport avec ses contrats de location simple sont indiquées dans le tableau 16.7 et sont accompagnées de commentaires.

TABLEAU 16.7 Les informations à fournir par le bailleur pour les contrats de location simple

***Normes internationales d'information financière,* IAS 17**	**Commentaires**
Paragr. 49 *Les actifs faisant l'objet de contrats de location simple doivent être présentés dans l'état de la situation financière du bailleur selon la nature de l'actif.*	Le fait de connaître les actifs destinés à la location détenus par le bailleur permet aux utilisateurs des états financiers d'évaluer le rendement de ce type d'actif en lien avec les rentrées futures de trésorerie qui y sont associées.
Paragr. 56 […] *le bailleur doit fournir* […] *les informations suivantes :* *(a) le montant des paiements minimaux futurs à recevoir au titre de contrats de location simple non résiliables en cumul et pour chacune des périodes suivantes :* *(i) à un an au plus,* *(ii) à plus d'un an mais à cinq ans au plus,* *(iii) à plus de cinq ans ;*	Cette information permet de connaître le calendrier des rentrées de trésorerie liées aux contrats de location simple. Elle est utile pour connaître la trésorerie dont disposera l'entreprise pour faire face à ses obligations à court terme.
(b) les loyers conditionnels totaux comptabilisés dans les produits de la période.	Cette information permet aux utilisateurs des états financiers de connaître la nature et l'ampleur des loyers autres que les loyers minimaux qui sont générés par les contrats de location simple.
(c) une description générale des dispositions des contrats de location du bailleur.	Ces informations complémentent les montants comptabilisés au titre des contrats de location simple. Elles permettent notamment de connaître l'existence d'options d'achat ou de renouvellement.

Les dispositions relatives aux informations à fournir selon l'IAS 16, expliquées au chapitre 9, s'appliquent aussi aux actifs loués en vertu de contrats de location simple. Rappelons que, selon cette norme, le bailleur indique notamment, pour chaque catégorie d'immobilisations corporelles, les conventions d'évaluation utilisées pour déterminer la valeur comptable brute, les modes d'amortissement, les durées d'utilité ou les taux d'amortissement, la valeur comptable brute et le cumul des amortissements en début et en fin d'exercice ainsi qu'un rapprochement entre les valeurs comptables à l'ouverture et à la clôture de l'exercice. Il indique aussi l'amortissement, qu'il soit comptabilisé en charges ou dans le coût d'autres actifs.

Les dispositions relatives aux informations à fournir selon d'autres normes s'appliquent également aux actifs loués en vertu de contrats de location simple, soit celles de l'**IAS 36**, de l'**IAS 40** et de l'**IAS 41**, dont nous avons respectivement traité aux chapitres 9, 11 et 8, ainsi que celles de l'**IAS 38**, expliquées au chapitre 10.

Finalement, le bailleur est également tenu de fournir les informations imposées par l'**IFRS 7**. À titre d'exemple, les loyers à recevoir en vertu de contrats de location simple constituent un actif financier et le bailleur doit informer les utilisateurs des états financiers de son exposition maximale au risque de crédit de même que des garanties détenues. Il doit aussi donner des informations sur la qualité du crédit des actifs financiers qui ne sont ni en souffrance ni dépréciés.

EXEMPLE

Présentation d'un contrat de location simple par le bailleur

Reprenons l'exemple du contrat de location intervenu entre Le Carrefour inc. et Variétés inc. Tenons pour acquis que la valeur comptable de l'édifice abritant le centre commercial s'élève à 2 850 000 $ (excluant les coûts directs initiaux), soit un coût de 4 500 000 $ et un amortissement cumulé de 1 650 000 $. Le Carrefour inc. amortit l'immeuble selon le mode

16

d'amortissement linéaire au taux annuel de 5 %. L'entreprise inclut les informations suivantes dans ses états financiers de l'exercice terminé le 31 décembre 20X1, préparés à partir des renseignements fournis dans l'énoncé :

LE CARREFOUR INC.
Situation financière partielle
au 31 décembre 20X1

Immobilisations	
Immeuble destiné à la location ①	*4 500 600 $*
Moins : Amortissement cumulé ②	*1 650 060*
	2 850 540

LE CARREFOUR INC.
Résultat global partiel
de l'exercice terminé le 31 décembre 20X1

Produits locatifs ③	*6 900 $*
Produits d'entretien ③	*900*
Amortissement de l'immeuble destiné à la location ④	*(112 560)*
Résultat net	*(104 760) $*

LE CARREFOUR INC.
Flux de trésorerie partiels
de l'exercice terminé le 31 décembre 20X1

Activités d'exploitation	
Résultat net	*(104 760) $*
Amortissement de l'immeuble destiné à la location	*112 560*

NOTE 1. PRINCIPALES MÉTHODES COMPTABLES

La société évalue l'immeuble de placement destiné à la location au coût et l'amortit selon le mode d'amortissement linéaire au taux de 5 % par année. La composante des coûts initiaux est amortie linéairement sur cinq ans.

NOTE 8. CONTRAT DE LOCATION SIMPLE

La société a signé un contrat de location simple échéant le 30 juin 20X6. Les paiements minimaux à recevoir au titre de ce contrat se détaillent comme suit :

À un an au plus	*13 800 $*
À plus d'un an mais à cinq ans au plus	*48 300*
Total	*62 100 $*

Calculs et explication :

① (4 500 000 $ + 600 $)

② (1 650 000 $ + 60 $)

③ Il s'agit des montants mensuels des écritures précédentes multipliés par 6.

④ [(4 500 000 $ × 5 % × 6 mois ÷ 12 mois) + (600 $ ÷ 5 ans × 6 mois ÷ 12 mois)]

La comptabilisation des avantages dans les contrats de location simple par le bailleur

Le bailleur consent parfois des avantages à un preneur pour l'inciter à signer un nouveau contrat de location ou à prolonger un contrat existant. Il comptabilise de tels avantages comme une réduction des produits locatifs pendant la durée du contrat en les répartissant de façon linéaire (à moins qu'une autre méthode systématique ne soit représentative de la façon dont l'avantage relatif au bien loué se consomme dans le temps). Rappelons que ces avantages peuvent prendre diverses formes, comme un versement de trésorerie, une période d'occupation gratuite ou encore une réduction de loyer les premiers mois. Cette recommandation de l'Interprétation **SIC-15** est cohérente par rapport au traitement comptable que doit appliquer le preneur à ces mêmes avantages.

EXEMPLE

Avantages dans les contrats de location simple pour le bailleur

Reprenons les données de l'exemple de la société Centre d'Orléans inc. (*voir la page 16.28*). Cette dernière a consenti une période initiale d'occupation gratuite de trois mois à la Quincaillerie Hay Gwin inc. Voici les écritures de journal que doit enregistrer Centre d'Orléans inc. :

2 janvier, 2 février et 2 mars 20X1		
Coûts différés relatifs à un contrat de location	*917*	
Produits locatifs		*917*
Produit locatif mensuel et avantages liés à la période d'occupation gratuite consentie au locataire.		
***À compter du 2 avril 20X1** (pour les 33 derniers mois)*		
Caisse	*1 000*	
Produits locatifs		*917*
Coûts différés relatifs à un contrat de location		*83*
Produit locatif mensuel et avantages liés à la période d'occupation gratuite consentie au locataire [(917 $ × 3 mois) ÷ 33 mois].		

Notons que les coûts engagés par le bailleur au titre des avantages consentis pour obtenir la signature ou le renouvellement de contrats de location simple ne font pas partie des coûts directs initiaux (comme les coûts directs administratifs ou publicitaires et les honoraires légaux ou de conseils). Ces derniers sont engagés par un bailleur pour rédiger un contrat, tandis que les avantages consentis dans un contrat de location simple sont, en substance, rattachés à la contrepartie pour l'utilisation de l'actif loué.

Les immeubles de placement

Les actifs loués correspondent parfois à des **immeubles de placement**, dont nous avons traité au chapitre 11. Du côté du preneur, l'**IAS 40** permet à ce dernier de classer un placement immobilier détenu dans le cadre d'un contrat de location simple comme un immeuble de placement. Si tel est le cas, ce placement immobilier doit être comptabilisé comme s'il s'agissait d'un contrat de location-financement, même en l'absence de transfert de la quasi-totalité des risques et des avantages inhérents à la propriété. L'IAS 40 supplante donc l'IAS 17 pour ce qui est du classement des contrats de location dans une telle situation. Cependant, le preneur doit alors utiliser le modèle de la juste valeur pour comptabiliser l'actif loué. L'obligation découlant du contrat de location doit pour sa part être comptabilisée par le preneur de la façon expliquée au début du présent chapitre.

Du côté du bailleur, un immeuble loué par ce dernier en vertu d'un contrat de location simple entre dans la définition d'un immeuble de placement puisqu'il est détenu en vue d'en tirer des produits de location. L'IAS 40 permet à l'entreprise de choisir d'appliquer le modèle du coût ou le modèle de la juste valeur à tous ses immeubles de placement. Les explications que nous avons fournies dans le présent chapitre pour la comptabilisation des contrats de location simple par le bailleur témoignent de l'application du modèle du coût. Si l'entreprise opte pour le modèle de la juste valeur, le mode de comptabilisation sera significativement différent. Comme nous l'expliquons au chapitre 11, si un bailleur transfère un immeuble de ses stocks à ses immeubles de placement, l'écart entre la valeur comptable et la juste valeur sera comptabilisé en résultat net au moment du transfert. Si le transfert s'effectue plutôt des immobilisations corporelles aux immeubles de placement, l'écart entre la valeur comptable et la juste valeur sera porté dans les autres éléments du résultat global à titre d'écart de réévaluation. Par la suite, le bien loué comptabilisé comme immeuble de placement sera présenté à sa juste valeur dans l'état de la situation financière, alors que les produits de location et la variation de la juste valeur de l'immeuble de placement seront présentés dans le résultat net. Il n'y a pas lieu de comptabiliser d'amortissement si le modèle de la juste valeur est utilisé.

Le traitement comptable de certains sujets particuliers

La comptabilisation des contrats de location mérite une attention particulière lorsque le preneur loue une propriété comprenant un terrain et des constructions ou encore lorsqu'il conclut une transaction de cession-bail. Nous traiterons maintenant de ces deux situations.

La location de terrains et de constructions

Il arrive que des entreprises signent des contrats de location pour des propriétés qui comprennent des terrains et des constructions (immeubles) sur ces terrains. La **location de terrains et de constructions** suscite divers problèmes comptables qui découlent principalement des faits suivants : 1) le terrain a, en principe, une durée de vie économique indéterminée ; 2) le contrat de location fait rarement la distinction entre la portion du loyer portant sur le terrain et celle portant sur les constructions ; et 3) la répartition de la juste valeur totale entre le terrain et les constructions est parfois difficile à établir.

Comme l'illustre la figure 16.7, pour résoudre les problèmes que soulève la comptabilisation d'un contrat de location impliquant un terrain et des constructions, il faut d'abord déterminer si

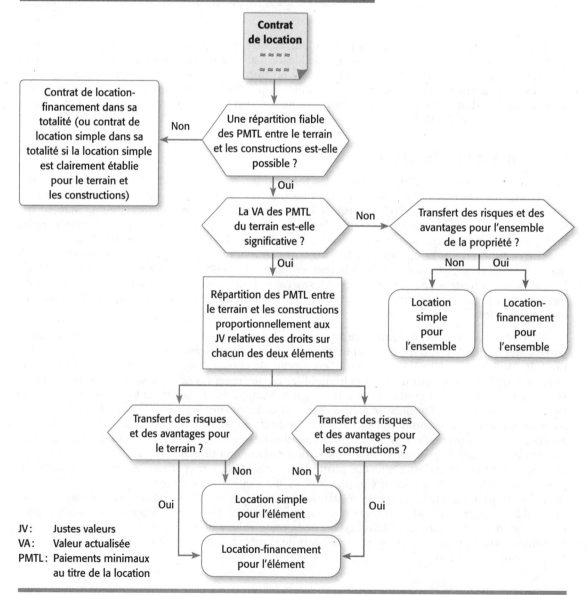

FIGURE 16.7 La location de terrains et de constructions

Contrat de location

Une répartition fiable des PMTL entre le terrain et les constructions est-elle possible ?

- Non → Contrat de location-financement dans sa totalité (ou contrat de location simple dans sa totalité si la location simple est clairement établie pour le terrain et les constructions)
- Oui → La VA des PMTL du terrain est-elle significative ?
  - Non → Transfert des risques et des avantages pour l'ensemble de la propriété ?
    - Non → Location simple pour l'ensemble
    - Oui → Location-financement pour l'ensemble
  - Oui → Répartition des PMTL entre le terrain et les constructions proportionnellement aux JV relatives des droits sur chacun des deux éléments
    - Transfert des risques et des avantages pour le terrain ?
      - Non → Location simple pour l'élément
      - Oui → Location-financement pour l'élément
    - Transfert des risques et des avantages pour les constructions ?
      - Non → Location simple pour l'élément
      - Oui → Location-financement pour l'élément

JV : Justes valeurs
VA : Valeur actualisée
PMTL : Paiements minimaux au titre de la location

les paiements au titre de la location peuvent être répartis de manière fiable entre le terrain et les constructions. S'il est impossible de procéder à une répartition fiable, le contrat de location est considéré dans sa totalité comme un contrat de location-financement, à moins qu'il puisse être clairement établi que les deux éléments constituent des contrats de location simple, auquel cas le contrat de location est classé dans sa totalité comme location simple. Si une répartition fiable peut être effectuée, il faut alors répartir les paiements minimaux au titre de la location entre le terrain et les constructions, proportionnellement aux justes valeurs relatives des droits du preneur sur l'élément terrain et sur l'élément constructions. Si la valeur actualisée des paiements minimaux au titre de la location du terrain est significative[11] par rapport à la valeur actualisée des paiements minimaux au titre de la location de l'ensemble de la propriété, les principes présentés dans le présent chapitre sont appliqués pour déterminer, de façon distincte pour le terrain et pour les constructions, s'il y a transfert de la quasi-totalité des risques et des avantages inhérents à la propriété. Afin de classer le contrat de location pour le terrain, un facteur important à prendre en considération est qu'un terrain a, en principe, une durée de vie indéterminée. Chaque élément est alors comptabilisé à titre de contrat de location simple ou à titre de contrat de location-financement, selon le cas. Par ailleurs, si le montant qui serait comptabilisé à titre d'actif loué pour le terrain est non significatif, le terrain et les constructions sont considérés comme une seule unité aux fins de classement du contrat. La durée de vie économique des constructions est alors réputée être la durée de vie économique de l'ensemble de l'actif loué.

Il peut arriver dans certaines situations que le bailleur exige des montants forfaitaires payables d'avance. Si le contrat est un contrat de location simple, l'IASB exige de l'amortir sur la durée du contrat selon le rythme des avantages procurés. Ces montants sont inclus dans les paiements minimaux au titre de location quand vient le temps de répartir ces paiements minimaux entre les éléments terrain et constructions pour les comptabiliser séparément. Ils font partie de la valeur actualisée des paiements minimaux au titre de la location quand vient le temps de comptabiliser les contrats de location-financement.

Mentionnons enfin qu'une évaluation séparée des éléments terrain et constructions n'est pas requise lorsque la participation du preneur dans le terrain et les constructions est classée en tant qu'immeuble de placement selon l'**IAS 40** et que l'entreprise utilise le modèle de la juste valeur.

EXEMPLE

Location de terrains et de constructions

La société Girophare ltée loue une propriété comprenant un terrain et un entrepôt dans le but d'améliorer son réseau de distribution. Le contrat de location prévoit un loyer annuel global de 31 660 $ payable au début de chaque année à compter du 1er janvier 20X0 pour une période de 30 ans. La juste valeur du terrain s'élève à 75 000 $ à la date de la signature du contrat, et il est prévu que le terrain n'affichera aucune diminution de valeur pendant cette période de 30 ans. La juste valeur de l'entrepôt est estimée à 400 000 $, et il est prévu que sa valeur résiduelle sera négligeable au terme de cette période de 30 ans, qui correspond également à sa durée de vie économique. Le taux implicite du contrat de location est connu de Girophare ltée et s'élève à 6 %.

Comme le loyer ne précise pas les portions attribuables au terrain et à l'entrepôt, il est nécessaire de le répartir proportionnellement aux justes valeurs relatives des droits de Girophare ltée sur chacun des éléments. Considérant que le terrain maintiendra sa valeur de 75 000 $ au cours de la période de la location, le loyer attribuable au terrain s'élève à 4 245 $ (N = 30, I = 6 %, PV = 75 000 $, FV = –75 000 $, BGN, CPT PMT ?).

Pour sa part, le loyer attribuable à l'entrepôt s'élève à 27 415 $ (N = 30, I = 6 %, PV = 400 000 $, FV = 0 $, BGN, CPT PMT ?), considérant une valeur résiduelle nulle de cette construction au terme de la durée du contrat.

16

11. L'IASB ne formule aucune directive pour déterminer le caractère significatif de la valeur actualisée des paiements minimaux au titre de la location attribuable au terrain. Le comptable doit donc faire preuve de jugement.

La substance sous-jacente à la réalité économique du contrat pour chacun des éléments louée peut maintenant être analysée. Comme la durée du contrat de location couvre la totalité de la durée de vie économique de l'entrepôt et que la valeur actualisée des paiements minimaux au titre de location (arrondie) de 400 000 $ (N = 30, I = 6 %, PMT = 27 415 $, FV = 0 $, BGN, CPT PV ?) représente la totalité de la juste valeur de l'entrepôt, il est possible de conclure que le contrat de location pour l'entrepôt est un contrat de location-financement.

L'analyse de la substance du contrat de location pour le terrain permet de conclure qu'il s'agit d'un contrat de location simple. En effet, la durée du contrat ne saurait représenter la majeure partie de la durée économique du terrain qui, en principe, est indéterminée. Il n'y a aucune option d'achat à prix de faveur et aucun transfert prévisible du titre de propriété. Ce terrain n'est pas non plus d'une nature spécifique et adaptée aux besoins de Girophare ltée. Finalement, la valeur actualisée des paiements minimaux au titre de la location de 61 938 $ (N = 30, I = 6 %, PMT = 4 245 $, FV = 0 $, BGN, CPT PV ?) représente 83 % (61 938 $ ÷ 75 000 $) de la juste valeur de l'actif loué. Il est possible de soutenir qu'un tel pourcentage ne correspond pas au moins à la quasi-totalité de cette juste valeur.

Le contrat de location-financement pour l'entrepôt et le contrat de location simple pour le terrain seraient comptabilisés conformément aux dispositions qui s'appliquent au preneur que nous avons expliquées précédemment.

Avez-vous remarqué ?

Il peut paraître paradoxal de comptabiliser l'entrepôt loué et de ne pas comptabiliser le terrain sur lequel est situé cet entrepôt. Encore une fois, c'est la substance sous-jacente à la réalité économique de chacun des contrats qui est examinée afin de conclure s'il convient de comptabiliser un actif loué.

Dans l'exemple précédent, si la valeur actualisée des paiements minimaux au titre de la location représentait la quasi-totalité de la juste valeur du terrain, il convient de se demander s'il serait logique de comptabiliser le terrain loué à l'actif, car il faudrait vraisemblablement le décomptabiliser à la fin du contrat puisqu'il n'y a aucun accès à la propriété selon les termes de l'entente. N'oublions pas que les cinq situations décrites à la page 16.10 doivent être considérées individuellement ou conjointement pour déterminer si un contrat doit être classé à titre de contrat de location-financement. Puisqu'un terrain a une durée de vie économique indéterminée, on peut avancer que le fait que la valeur actualisée au titre de la location représente la quasi-totalité de la juste valeur du terrain est insuffisant, individuellement, pour conclure en l'existence d'un contrat de location-financement. Cette condition doit potentiellement être examinée conjointement avec la présence d'une option d'achat à prix de faveur ou la présence d'une clause de transfert de propriété pour classifier le contrat. Ceci est un exemple additionnel montrant que les IFRS laissent beaucoup de place à l'exercice du jugement.

La cession-bail

Différence NCECF

On entend par **cession-bail** une opération de cession d'un actif qui est immédiatement repris à bail. La cession-bail est un mode de financement de plus en plus populaire. Les entreprises ont notamment recours à ce genre d'opération pour monétiser les immeubles qu'elles détiennent et utilisent. La cession de ces immeubles à des investisseurs permet ainsi à l'entreprise de réunir des capitaux tout en conservant les avantages liés à l'exploitation de ses installations actuelles par l'entremise d'un contrat de location.

Nous illustrons l'opération de cession-bail dans la figure 16.8. Dans cet exemple, la société Astral ltée (vendeur-preneur), qui possède un complexe immobilier connu sous le nom de Complexe G, a un urgent besoin de financement et décide de vendre son complexe immobilier à Zurich inc. (acheteur-bailleur) et de le reprendre immédiatement à bail.

Dans une transaction de cession-bail, le prix de vente et le paiement au titre de la location sont généralement liés, car ils sont négociés ensemble. La comptabilisation de l'opération de location consiste à analyser les dispositions du contrat pour déterminer s'il s'agit d'un contrat de location-financement ou d'un contrat de location simple, car la comptabilisation de l'opération de vente dépend de la catégorie de contrat de location en cause.

FIGURE 16.8 Une transaction de cession-bail

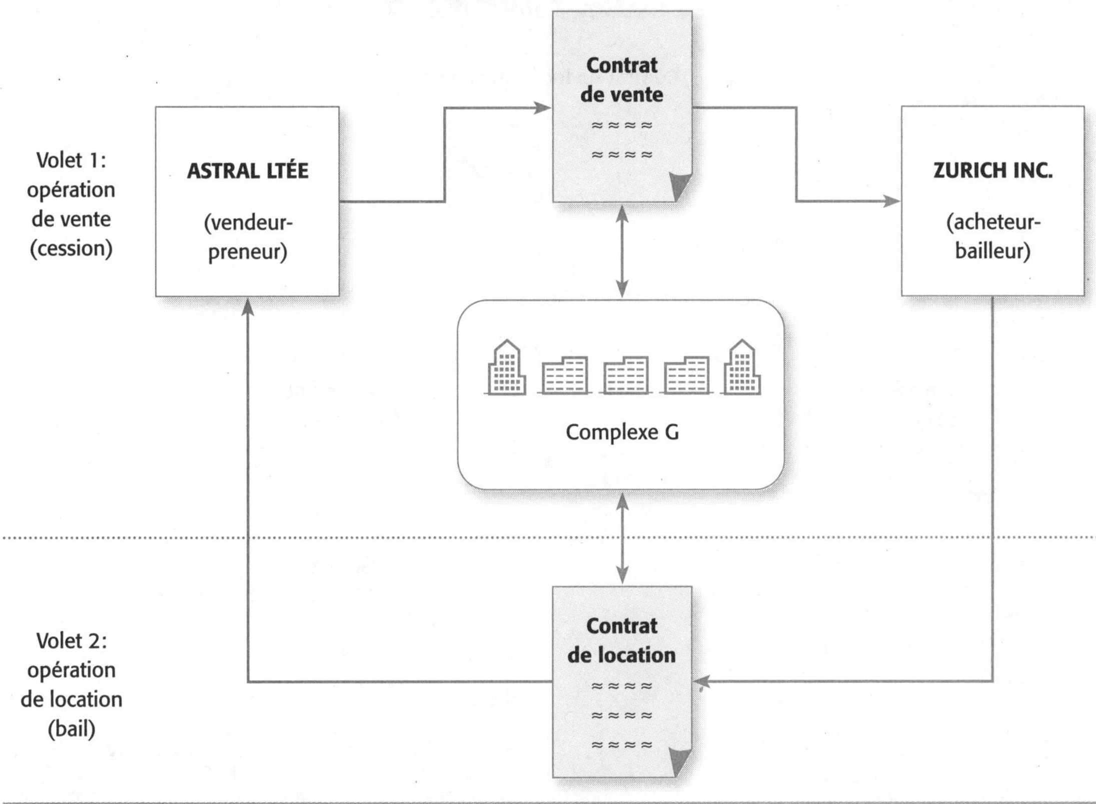

Comme l'illustre la figure 16.9, s'il s'agit d'un contrat de location-financement, la transaction est, du point de vue du bailleur, un moyen d'accorder du financement au preneur, l'actif tenant lieu de garantie. De ce fait, si le produit de cession excède la valeur comptable de l'actif, il ne convient pas de considérer cet excédent comme un produit, on doit plutôt le différer et l'amortir sur la durée du contrat. Par ailleurs, si le produit de cession est inférieur à la valeur comptable, la différence est comptabilisée en résultat net, car cela traduit une dépréciation de l'actif.

FIGURE 16.9 Une transaction de cession-bail impliquant un contrat de location-financement

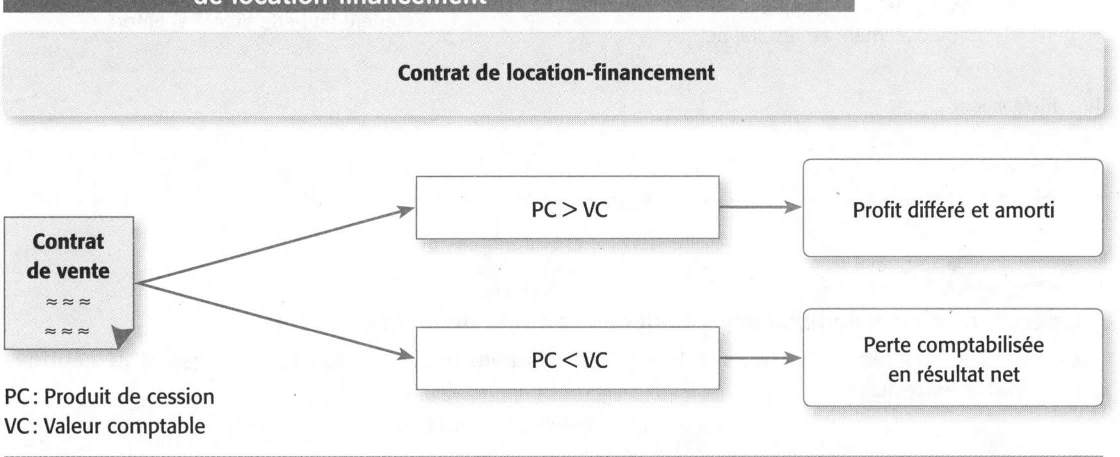

Comme le montre la figure 16.10, plusieurs éléments entrent en jeu s'il s'agit d'un contrat de location simple.

FIGURE 16.10 Une transaction de cession-bail impliquant un contrat de location simple

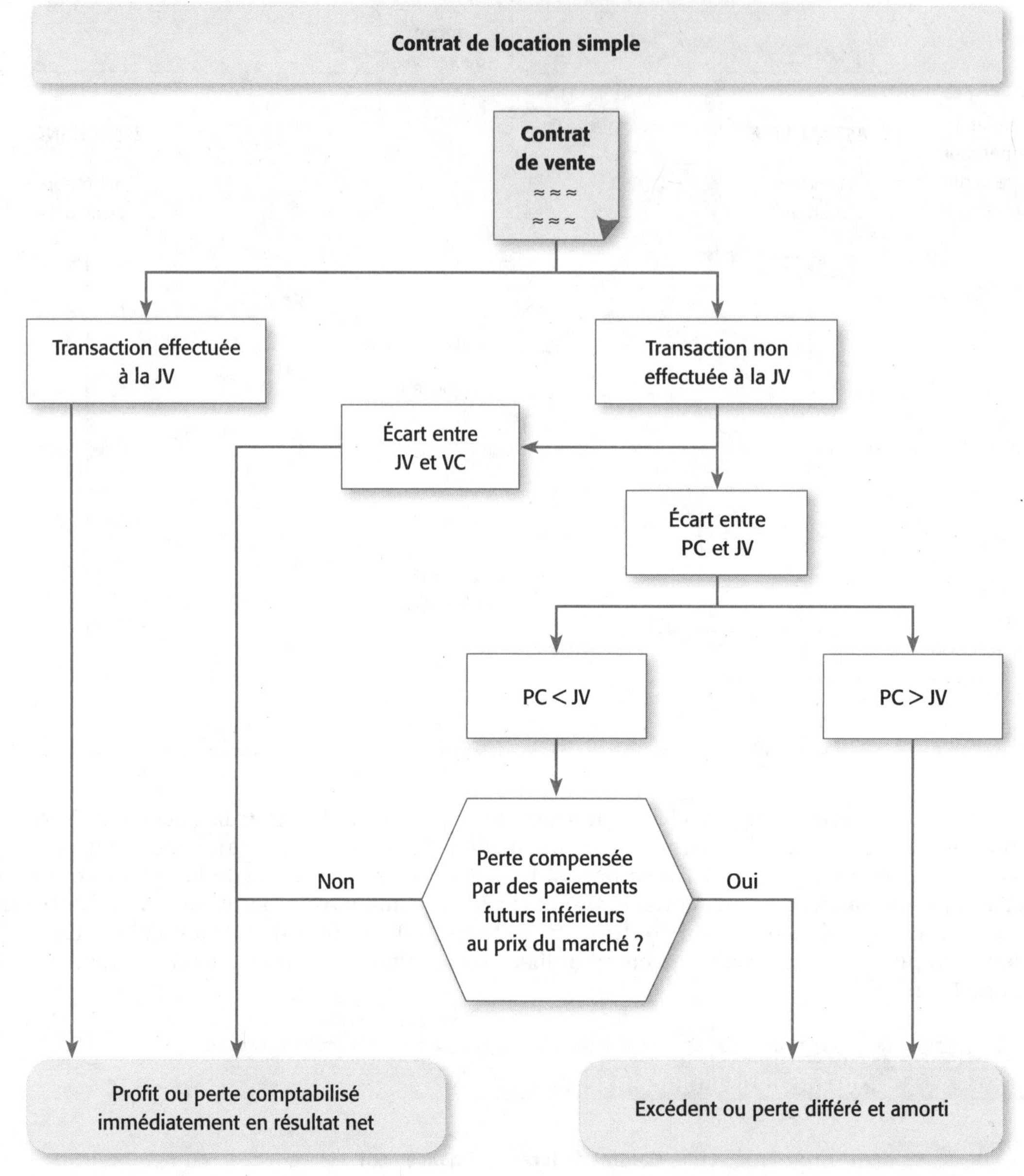

JV : Juste valeur
PC : Produit de cession
VC : Valeur comptable

16

EXEMPLE

Opérations de cession-bail impliquant des contrats de location simple

Considérons les cinq situations indépendantes suivantes pour illustrer les possibilités énoncées dans cette figure :

	Description de la situation				
	1	*2*	*3*	*4*	*5*
Produit de cession (PC)	*15 000 $*	*15 000 $*	*12 000 $*	*15 500 $*	*16 800 $*
Juste valeur (JV)	*15 000*	*15 000*	*15 000*	*15 000*	*17 500*
Valeur comptable (VC)	*10 000*	*16 000*	*15 000*	*16 000*	*18 000*

Évaluation des profits ou des pertes

	1	2	3	4	5
Profit (perte) comptabilisé immédiatement en résultat net (VC – JV)	*5 000 $*	*(1 000) $*	*(3 000) $*	*(1 000) $*	*(500) $*
Profit (perte) différé (PC – JV)				*500*	*(700)*

On doit d'abord se demander si la transaction a été effectuée à la juste valeur. Si c'est le cas, le profit ou la perte découlant de la cession est comptabilisé immédiatement en résultat net (situations 1 et 2). Si la transaction n'a pas été effectuée à la juste valeur, c'est-à-dire que le produit de cession diffère de la juste valeur de l'actif, on comptabilise immédiatement l'écart entre la valeur comptable et la juste valeur en résultat net (situations 3, 4 et 5). Si le produit de cession excède la juste valeur, l'excédent est différé et amorti sur la durée d'utilité de l'actif (situation 4). Au contraire, si le produit de cession est inférieur à la juste valeur, la perte est immédiatement comptabilisée en résultat net (situations 3 et 5), à moins qu'elle ne soit compensée par des paiements futurs inférieurs au prix du marché, auquel cas elle est différée et amortie proportionnellement aux paiements au titre de la location sur la période d'utilisation.

Dans la situation 3, nous avons présumé que la perte n'est pas compensée par des paiements au titre de la location inférieurs au prix du marché. La situation 4 montre qu'il est possible d'avoir à la fois une perte comptabilisée immédiatement et un profit différé. La perte comptabilisée immédiatement correspond à la baisse de valeur de l'actif (16 000 $ – 15 000 $), tandis que le profit différé résulte de la vente. La situation 5 montre qu'il est possible d'avoir à la fois une perte comptabilisée immédiatement et une perte différée. La différence de 500 $ entre la valeur comptable et la juste valeur est comptabilisée immédiatement. De plus, l'écart entre le produit de cession et la juste valeur de 700 $ (16 800 $ – 17 500 $) est différé, en supposant que cette perte est compensée par des paiements au titre de la location inférieurs au prix du marché. Il importe de souligner que cette situation peut très bien se produire en pratique lorsque le vendeur est forcé de vendre : ce dernier est alors à la merci de l'acheteur, qui peut lui offrir un montant moindre que la juste valeur de l'actif en cause.

En somme, lorsque l'on est en présence d'un contrat de location simple, l'écart entre la valeur comptable et la juste valeur de l'actif est toujours comptabilisé immédiatement en résultat net. Dans les seules situations où la transaction n'est pas effectuée à la juste valeur, il convient, dans certaines circonstances, de différer l'excédent ou la perte.

Différence NCECF

La controverse entourant la comptabilisation des contrats de location

La controverse la plus importante entourant la comptabilisation des contrats de location est certes liée à la distinction parfois arbitraire entre les contrats de location simple et les contrats de location-financement. En effet, les critères de classement des contrats de location sont établis de façon relativement floue, mettant l'accent sur les principes plutôt que sur la facilité d'application. Ainsi, comment déterminer si la durée de la location couvre « la majeure partie » de la durée de vie économique de l'actif loué ou si les paiements minimaux au titre de la location représentent au moins « la quasi-totalité » de la juste valeur de l'actif loué ? De ce fait, les contrats de location sont parfois structurés pour éviter la comptabilisation d'un actif loué et d'une obligation découlant de cet actif, donnant ainsi naissance à des actifs et à des passifs « hors bilan ».

Pourquoi le preneur veut-il éviter la comptabilisation des actifs loués ? Pour répondre à cette question, il faut analyser les effets des contrats de location-financement sur les états financiers du preneur et ses conséquences. Le tableau 16.8 résume ces effets et ces conséquences.

Quant au bailleur, surtout s'il est fabricant ou distributeur, il est plutôt réticent à l'idée de comptabiliser des contrats de location simple.

En vertu d'un contrat de location simple, le bailleur doit considérer les produits locatifs et l'amortissement de l'actif loué. Au cours des premiers exercices, cela conduit généralement à un résultat net inférieur à celui qu'il obtiendrait s'il avait plutôt recours à un contrat de

TABLEAU 16.8 Les effets des contrats de location-financement sur les états financiers du preneur et ses conséquences

Effets	Conséquences
Sur le résultat net	
Augmentation des charges d'exploitation	**Diminution de la rentabilité**
Les charges relatives à un contrat de location-financement (principalement l'amortissement, plus les intérêts sur la dette non courante) excèdent généralement les charges relatives à un contrat de location simple (loyers) au cours des premiers exercices suivant la signature du contrat.	Un résultat moindre entraîne une diminution de la rentabilité et de tous les ratios de performance, dont le résultat par action. Cela peut aussi influer sur la rémunération des dirigeants lorsqu'elle est basée sur le résultat.
Sur la situation financière	
Augmentation de l'actif immobilisé	**Diminution du taux de rendement de l'actif**
L'actif loué figure parmi les immobilisations dans l'actif.	Si l'on combine la diminution du résultat net à court terme et l'augmentation de l'actif immobilisé, il s'ensuit inévitablement une baisse du taux de rendement de l'actif.
Augmentation de la dette	**Diminution du ratio de liquidité et augmentation du ratio d'endettement**
L'obligation découlant de la location-financement est répartie entre les dettes courantes et les dettes non courantes.	Comme la portion à court terme de l'obligation découlant d'un contrat de location-financement figure dans le passif courant, cela diminue le ratio de liquidité générale. L'augmentation des dettes entraîne une augmentation du ratio d'endettement et peut impliquer le non-respect de clauses contractuelles restrictives en ce qui concerne les emprunts courants et non courants. En outre, puisque le pouvoir d'emprunt de l'entreprise est réduit, celle-ci attire plus difficilement les nouveaux investisseurs.

location-financement puisque les produits de financement sont plus élevés au début du contrat. Dès lors, le bailleur troque la valeur comptable d'un actif loué en vertu d'un contrat de location simple pour un investissement net dans un contrat de location-financement, ce qui conduit généralement à un état de la situation financière plus favorable, notamment à cause de la portion à court terme de l'investissement net, qui a pour effet d'augmenter le ratio de liquidité générale.

D'un côté, le bailleur préfère souvent les contrats de location-financement aux contrats de location simple et, d'un autre côté, le preneur souhaite l'inverse. Pour concilier ces deux positions extrêmes, il faut soigneusement formuler les dispositions du contrat de telle façon que les deux parties soient satisfaites. Les valeurs résiduelles offrent une solution.

16

D'une part, rappelons que le preneur ne s'engage qu'envers une valeur résiduelle garantie. De ce fait, si la valeur résiduelle de l'actif est significative, il importe pour le preneur de ne pas garantir cette valeur résiduelle afin de considérer le contrat comme un contrat de location simple. Le preneur veut aussi s'assurer de l'absence de clause d'accès à la propriété et établir la durée de façon qu'elle ne représente qu'une faible proportion de la durée de vie économique de l'actif. Il importe également de s'assurer de l'absence d'option d'achat à prix de faveur, bien que le contrat puisse inclure une option d'achat d'un montant égal à la valeur résiduelle prévue à la fin du contrat. Si ces précautions sont prises, le contrat est un contrat de location simple pour le preneur.

D'autre part, rappelons que le bailleur doit inclure dans les paiements minimaux au titre de la location toute valeur résiduelle garantie, qu'elle soit garantie par le preneur ou par un tiers non lié au bailleur. Voilà donc une solution. Si le bailleur peut trouver une tierce partie prête à garantir la valeur résiduelle, il peut conclure qu'il s'agit pour lui d'un contrat de location-financement[12].

Une autre solution réside dans le processus d'actualisation des paiements minimaux au titre de la location. Nous savons que le bailleur utilise toujours le taux d'intérêt implicite du contrat.

12. Il n'en fallait pas plus pour qu'un nouveau secteur d'activité voie le jour. En effet, certaines entreprises se spécialisent dans la garantie de valeurs résiduelles. Pour obtenir une telle protection, le bailleur verse une somme d'argent semblable à une prime d'assurance, en contrepartie de laquelle l'entreprise assume le risque relatif à la valeur résiduelle non garantie par le preneur.

Le preneur doit également utiliser le taux d'intérêt implicite du contrat, à moins qu'il ne puisse le déterminer, auquel cas il doit utiliser son taux d'emprunt marginal.

Pour qu'il lui soit possible de déterminer le taux d'intérêt implicite du contrat, le preneur doit : 1) pouvoir exercer une option d'achat à prix de faveur ; 2) avoir garanti la totalité de la valeur résiduelle ; ou 3) connaître la valeur résiduelle non garantie. Dans tous ces cas, le preneur possède les données nécessaires pour calculer le taux implicite du contrat. La clé consiste donc à rédiger le contrat de façon que le preneur ne connaisse pas le taux d'intérêt implicite et qu'il y ait une valeur résiduelle non garantie qui ne lui soit pas divulguée. Le preneur est alors « forcé » d'utiliser son taux d'emprunt marginal. Si, par bonheur, ce taux est supérieur au taux d'intérêt implicite, la valeur actualisée des paiements minimaux au titre de la location pourrait être significativement inférieure à la juste valeur de l'actif loué. Notons toutefois qu'au Québec la Loi sur la protection du consommateur exige que le taux du financement soit inscrit sur le contrat.

Rappelons également que l'IAS 17 laisse beaucoup de place au jugement en ne fournissant aucun critère quantitatif pour établir ce que constitue la « majeure » partie de la durée économique et la « quasi-totalité » de la juste valeur de l'actif loué. Les entreprises disposent donc d'une certaine latitude dans l'application de la norme, ce qui peut les conduire à classer des contrats similaires de façon différente.

Notre explication des diverses possibilités de manipulation des dispositions du contrat permettant au preneur de le comptabiliser comme un contrat de location simple et au bailleur de le comptabiliser comme un contrat de location-financement met clairement en évidence le problème du concept même de la comptabilisation des contrats de location. C'est ce qui a conduit l'IASB, conjointement avec le Financial Accounting Standards Board (FASB), à développer l'**IFRS 16** qui entrera en vigueur le 1er janvier 2019. L'IFRS 16 implique la comptabilisation, par le preneur, de la plupart des contrats de location dans l'état de la situation financière selon un modèle unique, faisant disparaître la distinction entre contrats de location-financement et contrats de location simple. Cependant, le traitement comptable appliqué par le bailleur reste sensiblement le même et la distinction entre contrats de location-financement et contrats de location simple demeure inchangée.

PARTIE II – LES NCECF

Équivalents terminologiques *Manuel de CPA Canada* – Partie II et Partie I.

Plusieurs différences existent entre les NCECF et les IFRS en ce qui a trait aux contrats de location. La figure 16.11 résume ces différences dont nous allons maintenant traiter en détail.

Les NCECF, plus précisément dans le **chapitre 3065** du *Manuel – Partie II*, adoptent une terminologie différente pour désigner les contrats de location. Ces différences terminologiques ressortent clairement quand on regarde les notes 4, 12 et 16 des états financiers de Josy Dida inc. Ces états financiers, disponibles dans la plateforme *i+ Interactif*, présentent des contrats de location-acquisition et des contrats de location-exploitation.

Les états financiers de Josy Dida inc.

Par ailleurs, les NCECF diffèrent légèrement en ce qui a trait aux critères de classification des contrats. D'abord, le Conseil des normes comptables (CNC) prévoit des critères quantitatifs. Ainsi, si la durée du contrat représente 75 % de la durée économique de l'actif loué, il est possible de conclure qu'il s'agit d'un contrat de **location-acquisition**. Il en est de même si la **valeur actualisée des paiements minimums exigibles en vertu du bail** représentent 90 % ou plus de la juste valeur de l'actif loué. Finalement, le critère concernant la nature spécifique de l'actif est absent dans les NCECF.

IFRS
Location-financement
Valeur actualisée des paiements minimaux au titre de la location

Tout comme selon les IFRS, un preneur et un bailleur utilisent les mêmes critères pour classer leurs contrats de location selon les NCECF. Cependant, selon ces dernières, deux conditions additionnelles doivent être examinées. D'abord, le risque qui caractérise le recouvrement des loyers ne doit pas être supérieur au risque lié normalement au recouvrement de créances similaires. Ensuite, le montant des coûts non remboursables que le bailleur pourrait être amené à engager aux termes du bail doit pouvoir être estimé avec assez de précision. S'il est impossible de faire une telle estimation, cela peut signifier que le bailleur conserve une partie importante des risques liés à la propriété de l'actif. Ce pourrait être le cas notamment lorsque le bailleur s'engage à protéger le preneur contre les risques de désuétude.

FIGURE 16.11 Les particularités des NCECF au sujet des contrats de location

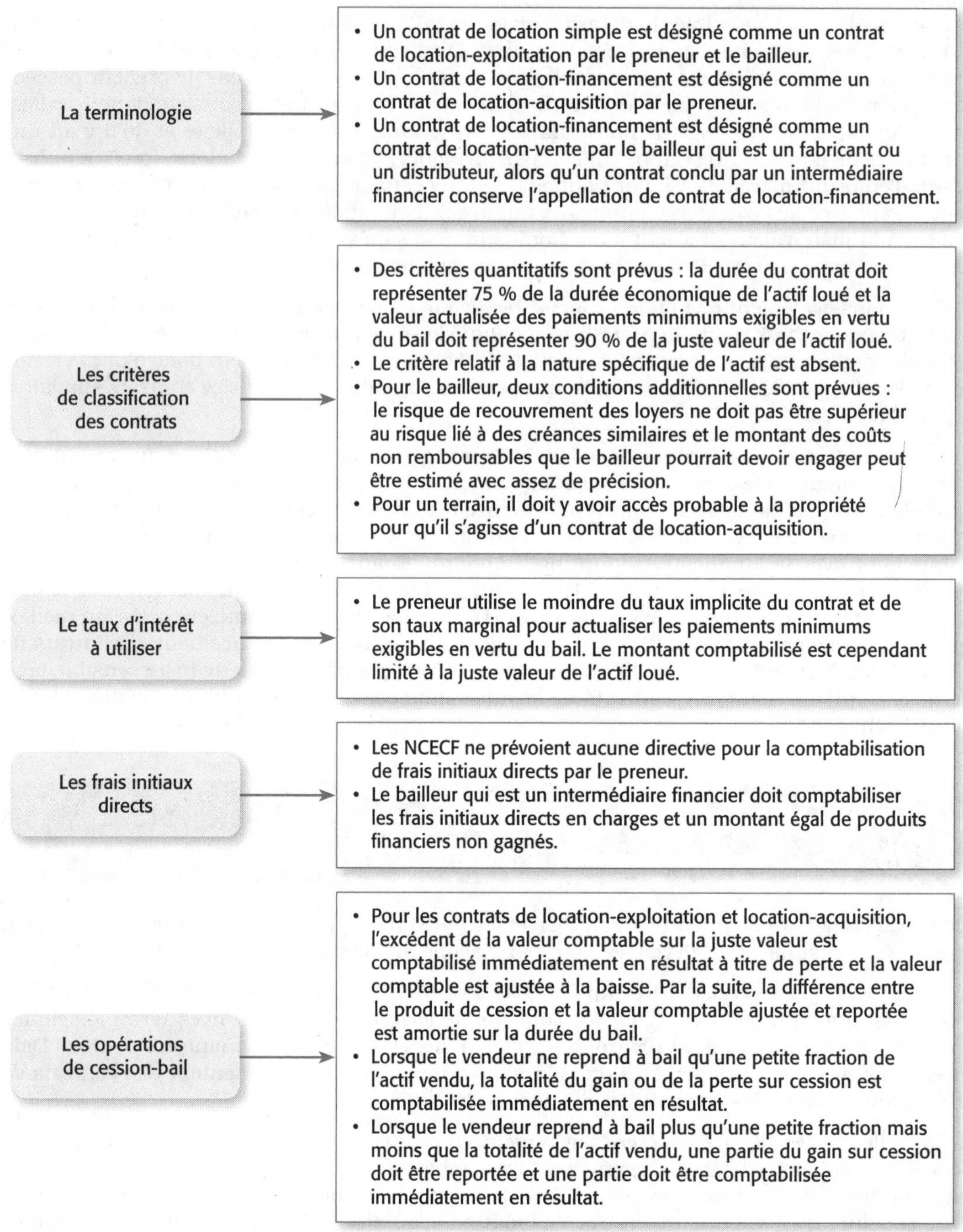

La terminologie	• Un contrat de location simple est désigné comme un contrat de location-exploitation par le preneur et le bailleur. • Un contrat de location-financement est désigné comme un contrat de location-acquisition par le preneur. • Un contrat de location-financement est désigné comme un contrat de location-vente par le bailleur qui est un fabricant ou un distributeur, alors qu'un contrat conclu par un intermédiaire financier conserve l'appellation de contrat de location-financement.
Les critères de classification des contrats	• Des critères quantitatifs sont prévus : la durée du contrat doit représenter 75 % de la durée économique de l'actif loué et la valeur actualisée des paiements minimums exigibles en vertu du bail doit représenter 90 % de la juste valeur de l'actif loué. • Le critère relatif à la nature spécifique de l'actif est absent. • Pour le bailleur, deux conditions additionnelles sont prévues : le risque de recouvrement des loyers ne doit pas être supérieur au risque lié à des créances similaires et le montant des coûts non remboursables que le bailleur pourrait devoir engager peut être estimé avec assez de précision. • Pour un terrain, il doit y avoir accès probable à la propriété pour qu'il s'agisse d'un contrat de location-acquisition.
Le taux d'intérêt à utiliser	• Le preneur utilise le moindre du taux implicite du contrat et de son taux marginal pour actualiser les paiements minimums exigibles en vertu du bail. Le montant comptabilisé est cependant limité à la juste valeur de l'actif loué.
Les frais initiaux directs	• Les NCECF ne prévoient aucune directive pour la comptabilisation de frais initiaux directs par le preneur. • Le bailleur qui est un intermédiaire financier doit comptabiliser les frais initiaux directs en charges et un montant égal de produits financiers non gagnés.
Les opérations de cession-bail	• Pour les contrats de location-exploitation et location-acquisition, l'excédent de la valeur comptable sur la juste valeur est comptabilisé immédiatement en résultat à titre de perte et la valeur comptable est ajustée à la baisse. Par la suite, la différence entre le produit de cession et la valeur comptable ajustée et reportée est amortie sur la durée du bail. • Lorsque le vendeur ne reprend à bail qu'une petite fraction de l'actif vendu, la totalité du gain ou de la perte sur cession est comptabilisée immédiatement en résultat. • Lorsque le vendeur reprend à bail plus qu'une petite fraction mais moins que la totalité de l'actif vendu, une partie du gain sur cession doit être reportée et une partie doit être comptabilisée immédiatement en résultat.

16

En ce qui a trait à la location d'un terrain, les NCECF requièrent qu'il y ait accès probable à la propriété pour conclure au transfert de la quasi-totalité des risques et des avantages inhérents à la propriété. Cette conclusion est fondée sur le fait que les terrains présentent normalement une **durée de vie utile** qui n'est pas limitée dans le temps.

IFRS Durée d'utilité

Une différence additionnelle réside dans le taux à utiliser par le preneur dans la détermination de la valeur actualisée des paiements minimums exigibles en vertu du bail. En effet, le preneur doit utiliser le moindre du taux implicite du contrat de location et de son **taux d'intérêt marginal**. Cependant, tout comme selon les IFRS, il est impossible de comptabiliser un montant supérieur à la juste valeur à titre d'actif loué.

Taux d'emprunt marginal

EXEMPLE

Taux utilisé par le preneur

La société Baluchon inc. loue une pièce d'équipement de la société Joe Loue Tout inc. Le contrat de 5 ans prévoit des loyers annuels payables en début de période au montant de 3 000 $. Baluchon inc. ne connaît pas la valeur résiduelle de cet équipement au terme de la durée du contrat. Le contrat stipule un taux d'intérêt implicite de 6 %. Le taux d'intérêt marginal de Baluchon inc. est de 5,5 %. La juste valeur de l'équipement est de 15 000 $ à la date de **signature** du contrat et on estime sa durée économique à 8 ans.

IFRS
Passation

L'analyse de ce contrat permet de conclure qu'il s'agit d'un contrat de location-acquisition pour Baluchon inc. En effet, la valeur actualisée des paiements minimums exigibles en vertu du bail s'élève à 13 515 $ (N = 5, I = 5,5 %, PMT = 3 000 $, FV = 0 $, BGN, CPT PV ?), ce qui représente 90 % (13 515 $ ÷ 15 000 $) de la juste valeur de l'actif loué. Pour effectuer ce calcul, on doit utiliser le moindre du taux d'intérêt marginal du preneur ou du taux implicite. Le respect de ce critère est suffisant en soi pour classer ce contrat comme un contrat de location-acquisition même si sa durée ne représente que 62,5 % de la durée économique de l'équipement (ce qui est inférieur au seuil quantitatif de 75 % prévu dans les NCECF) et que le contrat ne prévoit aucune option d'achat à prix de faveur ni le transfert de propriété. L'équipement loué et l'obligation découlant du contrat de location-acquisition sont comptabilisés pour un montant de 13 515 $. Les intérêts sur l'obligation sont calculés en utilisant le taux de 5,5 %.

Coûts directs initiaux

Les NCECF prévoient également un traitement différent pour les **frais initiaux directs**. Du point de vue du preneur, les NCECF ne comportent aucune directive en ce qui a trait à la comptabilisation de ces frais. Bien que les recommandations soient les mêmes selon les IFRS et les NCECF pour le bailleur qui est un fabricant ou un distributeur, le bailleur qui est un intermédiaire financier doit, selon les NCECF, comptabiliser les frais initiaux directs en charges et comptabiliser en contrepartie un montant égal de **produits financiers non gagnés**. Cette différence n'a aucun effet sur le résultat puisqu'un montant équivalent aux frais initiaux directs est comptabilisé à titre de produits financiers.

Produits financiers non acquis

EXEMPLE

Frais initiaux directs engagés par un bailleur qui est un intermédiaire financier

Reprenons l'exemple de la société Financetout ltée que nous avons étudié à partir de la page 16.33. Les écritures suivantes sont requises pour comptabiliser ce contrat de location-financement :

	20X2		*20X3*	*20X4*
1er janvier				
Équipement destiné à la location	*250 000*			
Caisse		*250 000*		
Achat d'un équipement « presse-lame » destiné à la location.				
Frais initiaux directs	*2 000*			
Caisse		*2 000*		
Coûts directement liés au contrat intervenu avec G. Louey inc.				
Loyers à recevoir	*305 340*			
Équipement destiné à la location		*250 000*		
Produits financiers non gagnés		*55 340*		
Contrat de location-financement intervenu avec G. Louey inc.				

	20X2		20X3		20X4	
Produits financiers non gagnés	*2 000*					
Produits financiers – Intérêts sur contrat de location		*2 000*				
Produits d'intérêts d'un montant égal aux frais initiaux directs.						
Caisse	*95 114*		*95 114*		*95 114*	
Loyers à recevoir		*95 114*		*95 114*		*95 114*
Encaissement du loyer annuel.						
31 décembre						
Produits financiers non gagnés	*31 377*		*18 630*		*3 333*	
Produits financiers – Intérêts sur contrat de location		*31 377*		*18 630*		*3 333*
Intérêts gagnés au 31 décembre selon le tableau d'amortissement de l'investissement net.						

Les écritures précédentes diffèrent de celles qui sont présentées à la page 16.34 à trois égards. D'abord, dans la deuxième écriture, les frais initiaux directs sont comptabilisés immédiatement en charges. De ce fait, aucun montant relié aux frais initiaux directs reportés n'a à être considéré dans la troisième écriture. Finalement, la quatrième écriture est nécessaire pour comptabiliser en contrepartie des frais initiaux directs un montant égal de produits financiers non gagnés. Le solde de l'investissement net avant la comptabilisation du premier versement de loyer s'élève donc à 252 000 $. Le total des produits financiers comptabilisés sur la durée du contrat s'élève à 55 340 $, alors que des frais initiaux directs au montant de 2 000 $ ont été comptabilisés en charges. L'effet net sur le résultat est donc de 53 340 $. Selon les IFRS, c'est ce montant net de 53 340 $ qui figure à titre de produits financiers.

Finalement, les NCECF prescrivent un traitement quelque peu différent des transactions de cession-bail. En effet, lorsque la valeur comptable excède la juste valeur, la différence est immédiatement comptabilisée en résultat à titre de perte et la valeur comptable de l'actif loué est ajustée à la baisse. Par la suite, la différence entre le produit de disposition et la valeur comptable ajustée est différée et amortie sur la durée du contrat de location. Ce traitement comptable est le même qu'il s'agisse d'un contrat de location-exploitation ou d'un contrat de location-acquisition. Rappelons que selon les IFRS, les pertes sur cession doivent être comptabilisées immédiatement en résultat net lorsque la reprise à bail est considérée comme un contrat de location-financement. Josy Dida inc. décrit bien sa méthode comptable à cet égard dans la note 4 accompagnant ses états financiers (disponibles dans la plateforme *i+ Interactif*) sous la rubrique Frais de location. On y précise le traitement réservé aux gains et pertes liés aux transactions de cession-bail dans un contexte réaliste.

16

i+ Les états financiers de Josy Dida inc.

Par ailleurs, un traitement comptable particulier est requis dans le cas où le vendeur-preneur ne reprend à bail qu'une petite fraction du bien vendu. Une entreprise pourrait ainsi se départir d'un immeuble de 12 étages et ne reprendre à bail qu'un seul étage de ce même immeuble. Dans un tel cas, lorsque le vendeur-preneur ne reprend à bail qu'une petite fraction de l'actif vendu, la totalité du **gain** ou de la perte doit être comptabilisée en résultat au moment de la vente. On peut présumer que le vendeur-preneur a transféré à l'acheteur-bailleur la quasi-totalité du bien vendu et que le vendeur-preneur n'a conservé qu'une petite fraction de ce bien lorsque la valeur actualisée des paiements minimums exigibles en vertu du bail représente 10 % ou moins de la juste valeur du bien vendu. Lorsque le vendeur-preneur conserve plus qu'une petite fraction, mais moins que la quasi-totalité du bien, une partie du gain sur cession doit être reportée et une partie doit être comptabilisée immédiatement en résultat. Le montant du gain ou de la perte immédiatement pris en compte dans la détermination du résultat est égal : 1) à l'excédent, le cas échéant, du gain résultant de la vente sur la valeur actualisée des paiements minimums exigibles sur la durée du bail, si la reprise à bail est considérée comme un contrat de location-exploitation ou 2) à l'excédent de ce

IFRS Profit

même gain sur le montant inscrit au titre du bien loué, si la reprise à bail est considérée comme un contrat de location-acquisition[13].

EXEMPLE

Opération de cession-bail

Prima inc. vend une tour de bureaux de 20 étages. Elle reprend immédiatement à bail 3 étages de la tour de bureaux pour une durée de 20 ans, soit la quasi-totalité de la vie restante de l'immeuble[14]. Les trois étages représentent environ 15 % de la juste valeur de la tour de bureaux. Le produit de cession de l'immeuble et sa valeur comptable s'élèvent respectivement à 5 000 000 $ et à 1 000 000 $. Les loyers mensuels prévus dans le contrat s'établissent à 8 250 $ (payable au début de chaque mois) et le taux d'intérêt implicite mensuel prévu dans le contrat est de 1 %.

Pour comptabiliser cette opération, il faut d'abord établir s'il s'agit d'un contrat de location-exploitation ou d'un contrat de location-acquisition. Puisque la durée du contrat représente la quasi-totalité de la durée de vie économique de la tour de bureaux, il s'agit d'un contrat de location-acquisition. Étant donné que Prima inc. conserve plus que 10 % mais moins que la quasi-totalité de la tour de bureaux, une partie du gain sur cession de 4 000 000 $ (5 000 000 $ – 1 000 000 $) doit être reportée et une partie doit être comptabilisée immédiatement en résultat :

Gain sur cession total	4 000 000 $
Montant à reporter (Montant comptabilisé à titre d'actif loué, soit (N = 240, I = 1 %, PMT = 8 250 $, FV = 0 $, BGN, CPT PV ?)	(756 753)
Montant à comptabiliser en résultat net immédiatement	3 243 247 $

Le gain de 756 753 $ est reporté et amorti au rythme de l'amortissement de l'actif loué sur la durée du bail. Si Prima inc. avait conservé 10 % ou moins de la tour de bureaux, la totalité du gain de 4 000 000 $ aurait été comptabilisée en résultat.

Consultez le tableau synthèse des particularités des NCECF.

13. *Manuel de CPA Canada – Comptabilité – Partie II*, paragr. 3065.67 et 3065.68.
14. Cet exemple est inspiré de : *Manuel de CPA Canada – Comptabilité – Partie V*, Comité sur les problèmes nouveaux, Abrégé des délibérations, CPN-25. Bien que cette norme ne soit plus en vigueur, l'exemple qui y figure est toujours pertinent pour illustrer cette facette des NCECF.

SYNTHÈSE DU CHAPITRE 16

La figure 16.12 illustre en un coup d'œil les principaux thèmes abordés dans le présent chapitre. Le texte qui suit la figure vous permettra de vérifier l'acquisition des objectifs d'apprentissage.

FIGURE 16.12 Les principaux thèmes abordés dans le présent chapitre

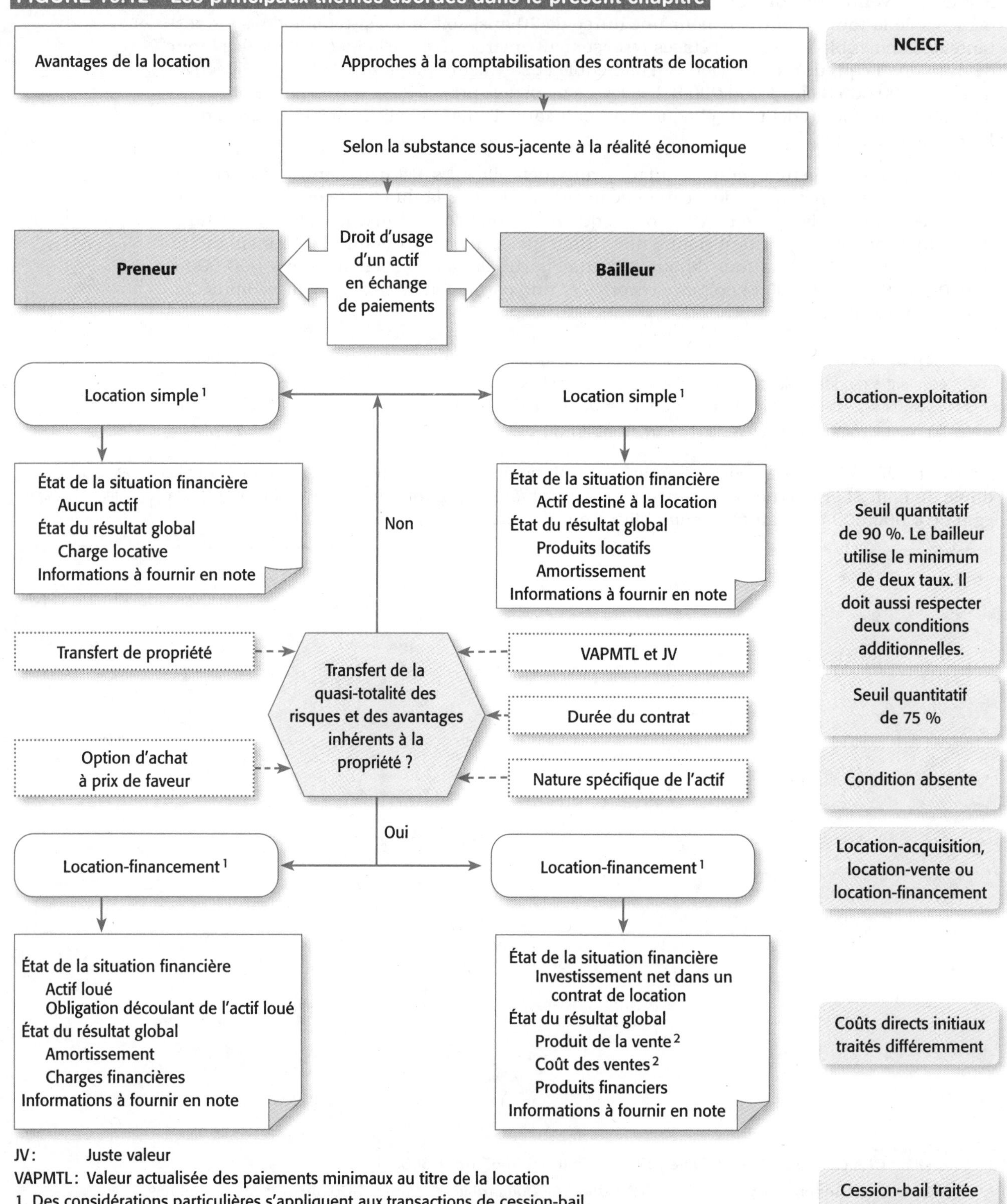

JV : Juste valeur
VAPMTL : Valeur actualisée des paiements minimaux au titre de la location
1. Des considérations particulières s'appliquent aux transactions de cession-bail.
2. Dans le cas des fabricants ou des distributeurs.

 **Expliquer les avantages liés à la location et l'approche préconisée par l'IASB pour comptabiliser les contrats de location.** La location comporte plusieurs avantages. Elle peut permettre une réduction de la mise de fonds initiale, un financement à taux fixe, une plus grande flexibilité de mode de remboursement et une certaine protection contre l'obsolescence technologique de même que contre la perte de valeur de l'actif loué. De plus, elle représente un financement «hors-bilan», ce qui permet de montrer un ratio d'endettement moins élevé. L'IASB opte pour la comptabilisation des contrats en fonction de la substance sous-jacente à leur réalité économique.

 **Appliquer le traitement comptable des contrats de location-financement dans la perspective du preneur et présenter ces contrats dans les états financiers.** Il est nécessaire d'examiner la substance des contrats de location pour établir s'il y a transfert de la quasi-totalité des risques et des avantages inhérents à la propriété de l'actif loué. Pour analyser la substance, le comptable doit examiner minutieusement le contrat et relever toute clause qui prévoit le transfert de propriété de l'actif du bailleur au preneur ou qui consent au preneur une option d'achat à prix de faveur. De plus, le comptable doit évaluer si la durée du contrat couvre la majeure partie de la durée de vie économique de l'actif et si la VAPMTL représente la quasi-totalité de la juste valeur de l'actif loué. Il doit également s'interroger sur la possibilité que la nature de l'actif soit spécifiquement adaptée aux besoins du preneur. Lorsqu'il y a transfert de la quasi-totalité des risques et des avantages inhérents à la propriété de l'actif, il s'agit d'un contrat de location-financement. Du côté du preneur, ce type de contrat implique la comptabilisation de l'actif loué, ainsi que l'obligation découlant du contrat de location-financement. En parallèle, l'amortissement de l'actif loué et la charge financière relative aux intérêts sur l'obligation sont comptabilisés en résultat net. L'entreprise fournit également un certain nombre de renseignements dans ses notes.

 **Appliquer le traitement comptable des contrats de location simple dans la perspective du preneur et présenter ces contrats dans les états financiers.** Lorsqu'il n'y a pas transfert de la quasi-totalité des risques et des avantages inhérents à la propriété, il s'agit d'un contrat de location simple. Du côté du preneur, la location simple n'entraîne aucune comptabilisation de l'actif et nécessite simplement l'inscription d'une charge locative. L'application de la comptabilité d'engagement peut cependant entraîner la comptabilisation d'un loyer payé d'avance ou d'un loyer à payer dans l'état de la situation financière. Certaines informations doivent également être fournies par voie de notes.

 **Appliquer le traitement comptable des contrats de location-financement dans la perspective du bailleur qui est un intermédiaire financier et présenter ces contrats dans les états financiers.** Le bailleur applique exactement les mêmes critères que le preneur pour évaluer la substance de ses contrats de location. Dans le cas d'une location-financement, il décomptabilise l'actif et inscrit l'investissement net dans le contrat de location dans l'actif ainsi que les produits financiers qui en découlent en résultat net. Le bailleur doit également fournir un certain nombre de renseignements dans ses notes.

 **Appliquer le traitement comptable des contrats de location-financement dans la perspective du bailleur qui est un fabricant ou un distributeur et présenter ces contrats dans les états financiers.** Dans le cas d'une location-financement pour un bailleur qui est fabricant ou distributeur, ce dernier décomptabilise l'actif et inscrit l'investissement net dans le contrat de location dans l'actif ainsi que les produits financiers qui en découlent en résultat net. Il comptabilise également le produit de la vente et le coût des ventes en résultat net. Il doit aussi fournir un certain nombre de renseignements dans ses notes.

 **Appliquer le traitement comptable des contrats de location simple dans la perspective du bailleur et présenter ces contrats dans les états financiers.** En l'absence de transfert de la quasi-totalité des risques et des avantages inhérents à la propriété de l'actif loué, il s'agit d'un contrat de location simple. Le bailleur comptabilise alors l'actif loué à titre d'actif destiné à la location ainsi que les produits locatifs et la charge d'amortissement en résultat net.

 **Appliquer le traitement comptable approprié à certains sujets particuliers liés aux contrats de location.** La location de terrain et de constructions impose de distinguer la portion du loyer attribuable à chacun de ces éléments, lesquels sont ensuite comptabilisés distinctement selon les règles énoncées dans le présent chapitre. Les profits et les pertes découlant de transactions de cession-bail sont parfois comptabilisés en résultat net et parfois différés. Le traitement dépend du classement du contrat de location et du fait que la transaction a été effectuée ou non à la juste valeur.

Expliquer les raisons qui sous-tendent la controverse entourant la comptabilisation des contrats de location. Comme les normes actuelles permettent de structurer les contrats de location pour éviter la comptabilisation des actifs loués et des obligations en découlant, l'IASB envisage en ce moment d'exiger la comptabilisation de tous les contrats de location.

Comprendre et appliquer les NCECF liées aux contrats de location. Les NCECF incluent un certain nombre de différences par rapport aux IFRS en ce qui a trait à la terminologie utilisée pour désigner les contrats de location, aux critères à examiner pour évaluer s'il y a transfert de la quasi-totalité des risques et des avantages inhérents à la propriété de l'actif loué, au taux d'actualisation à utiliser par le preneur, ainsi qu'à la façon de comptabiliser les coûts directs initiaux et les opérations de cession-bail.

Les avantages du personnel

17

i+ Des ressources pédagogiques sont disponibles en ligne.

Objectifs d'apprentissage

À la fin de ce chapitre, vous pourrez :

1. appliquer le traitement comptable approprié aux avantages à court terme ;
2. appliquer le traitement comptable approprié aux avantages postérieurs à l'emploi découlant des régimes à cotisations définies ;
3. appliquer le traitement comptable approprié aux avantages postérieurs à l'emploi découlant des régimes à prestations définies ;
4. appliquer le traitement comptable approprié aux autres avantages à long terme ;
5. appliquer le traitement comptable approprié aux indemnités de cessation d'emploi ;
6. présenter les avantages du personnel dans les états financiers ;
7. comprendre et appliquer les NCECF liées aux avantages du personnel.

Aperçu du chapitre

Nous avons tous, un jour ou l'autre, participé à un sondage d'opinion ou rempli un questionnaire collectant des données personnelles, dont notamment notre salaire annuel. Dans un tel cas, le but premier du sondeur est d'analyser l'opinion des participants en fonction de cette donnée précise. Bien que le salaire annuel soit un élément important de notre rémunération totale, il ne constitue en soi qu'une partie de celle-ci. En fait, si nous avons à choisir entre deux emplois différents, nous allons naturellement analyser non seulement le salaire annuel offert, mais également toute la gamme d'avantages sociaux qui sont offerts par chacun des employeurs potentiels. Ces avantages sont établis pour que les membres du personnel puissent satisfaire leurs besoins personnels tout en permettant à l'entreprise d'atteindre ses objectifs stratégiques. Les avantages du personnel représentent fréquemment l'une des charges les plus importantes pour une entreprise. C'est probablement la raison pour laquelle l'International Accounting Standards Board (IASB) exige que la charge globale relative aux avantages du personnel soit divulguée aux utilisateurs des états financiers directement dans l'état du résultat global ou dans les notes.

L'IASB reconnaît quatre catégories d'avantages du personnel : 1) les **avantages à court terme** ; 2) les **avantages postérieurs à l'emploi** ; 3) les **autres avantages à long terme** ; 4) les **indemnités de cessation d'emploi.** Dans le présent chapitre, nous traiterons des exigences de l'**IAS 19** intitulée « Avantages du personnel[1] » concernant l'évaluation et la comptabilisation de chacune de ces catégories. Par la suite, nous présenterons et commenterons un tableau qui résume les exigences de présentation et d'information à fournir pour l'ensemble des avantages du personnel. Finalement, nous traiterons des principales différences concernant les avantages du personnel selon les IFRS et les NCECF.

17

Lorsque des notions de mathématiques financières sont utilisées, les variables nécessaires aux calculs sont indiquées avec les abréviations suivantes :

N : nombre de périodes
I : taux d'intérêt
PMT : paiements périodiques
PV : valeur actualisée
FV : valeur future
BGN : paiements en début de période

1. CPA Canada, *Manuel de CPA Canada – Comptabilité – Partie I*, IAS 19. (*Voir la page iv des liminaires pour plus de détails à l'égard des normes publiées mais non encore entrées en vigueur.*)

PARTIE I – LES IFRS

Équivalents terminologiques *Manuel de CPA Canada* – Partie I et Partie II.

Les **avantages du personnel** sont les contreparties de toute forme accordées par une entreprise pour les services rendus par les membres de son personnel ou pour la cessation de leur emploi[2]. L'IAS 19 précise le traitement comptable approprié à quatre catégories d'avantages du personnel. Des exemples d'avantages pour chacune des catégories sont présentés dans la figure 17.1.

FIGURE 17.1 Les catégories d'avantages du personnel

Catégories d'avantages du personnel	Exemples
Les avantages à court terme	Salaires, cotisations de sécurité sociale, congés annuels payés et congés de maladie payés, intéressement et primes, assistance médicale, logement, voiture, biens ou services gratuits
Les avantages postérieurs à l'emploi	Prestations de retraite, sommes forfaitaires versées à la retraite, assurance vie postérieure à l'emploi, assistance médicale postérieure à l'emploi
Les autres avantages à long terme	Congés liés à l'ancienneté, congés sabbatiques, primes d'ancienneté et autres avantages liés à l'ancienneté, prestations pour invalidité de longue durée
Les indemnités de cessation d'emploi	Sommes forfaitaires en contrepartie de la cessation d'emploi, salaire versé jusqu'à la fin de la période de préavis

1 Les avantages à court terme

Différence NCECF

Les **avantages à court terme** désignent les avantages du personnel qui sont dus intégralement dans les 12 mois suivant la fin de l'exercice où les membres du personnel ont rendu les services correspondants. Si la contrepartie donnée en échange des services n'est pas totalement payable au cours des 12 prochains mois, il s'agit alors d'un avantage à long terme, dont nous traiterons plus loin dans le présent chapitre.

Étant donné leur nature à court terme, ces avantages sont comptabilisés pour un montant non actualisé. Ils sont comptabilisés en charges au cours de l'exercice où le membre du personnel rend les services, à moins qu'une autre norme comptable n'impose ou n'autorise leur incorporation dans le coût d'un actif. Citons à titre d'exemple l'**IAS 2** qui exige qu'une entreprise manufacturière incorpore le coût de la main-d'œuvre directe dans le coût des stocks. L'excédent du coût des avantages sur la somme payée est comptabilisé au passif, à titre de charges à payer. Si le montant payé excède la valeur de l'avantage, l'excédent est alors comptabilisé à l'actif, à titre de charges payées d'avance, dans la mesure où le montant payé d'avance entraînera une réduction des paiements futurs ou un remboursement en trésorerie. Ainsi, une entreprise dont le cycle de paie est mensuel et qui prépare des états financiers intermédiaires en date du 15 mars 20X1 doit présenter les salaires, rémunérations et cotisations de sécurité sociale afférents à la période du 1er au 15 mars dans l'état du résultat global de la période terminée le 15 mars 20X1. Le même montant est présenté à titre de charges à payer dans l'état de la situation financière au 15 mars 20X1. Les cotisations de sécurité sociale incluent à titre d'exemples la part de l'entreprise au Régime de rentes du Québec, au Régime de l'assurance-emploi, au Fonds des services de santé, au Régime québécois d'assurance parentale et à la Commission de la santé et de la sécurité du travail. Nous avons expliqué en détail le mode de comptabilisation des salaires et des cotisations de sécurité sociale dans le chapitre 12.

2. *Manuel de CPA Canada – Comptabilité – Partie I*, IAS 19, paragr. 8.

Les **avantages non pécuniaires**, comme l'assistance médicale, le logement, la voiture et les biens ou services gratuits ou subventionnés sont comptabilisés au cours de l'exercice où le **membre du personnel**[3] rend les services à l'entreprise. Ainsi, si une entreprise souscrit une police d'assurance maladie pour les membres actifs de son personnel, la prime annuelle qu'elle assume se rapporte aux services rendus par les membres de son personnel pendant l'exercice en cours. Elle est donc comptabilisée au cours de ce même exercice. Par ailleurs, si une entreprise assume les coûts de logement de certains membres de son personnel pour l'année 20X1, ces coûts assumés constituent en substance des avantages du personnel qui se rapportent aux services rendus par les membres du personnel en 20X1. Ils sont alors comptabilisés en charges au cours de cet exercice. Les biens et services gratuits ou subventionnés attribués aux membres du personnel doivent également être comptabilisés en charges au cours de l'exercice où les services sont rendus. Ainsi, si une entreprise qui vend des articles électroniques permet aux membres de son personnel de se procurer des articles avec un rabais de 30 % sur le prix de vente habituel, le rabais de 30 % constitue un avantage du personnel.

EXEMPLE

Biens offerts à rabais aux membres du personnel

La société Rousseau électronique inc. vend à des membres de son personnel des marchandises dont le prix de vente habituel s'élève à 50 000 $. La vente et l'avantage du personnel sont comptabilisés de la façon suivante :

Caisse	*35 000*	
Avantages du personnel	*15 000*	
Ventes		*50 000*
Ventes à des membres du personnel moyennant un rabais de 30 % du prix de vente normal.		

La comptabilisation des **absences rémunérées** à court terme, comme les **congés de maladie** et les **congés parentaux**, dépend des caractéristiques de l'avantage. Si les droits à des absences rémunérées ne sont pas cumulables, le coût est comptabilisé au moment où l'absence se produit. Ainsi, une entreprise qui paie un salaire à un membre de son personnel en congé parental comptabilise ce coût pendant ce congé. Il n'y a pas lieu d'estimer ni de comptabiliser une dette avant la date du congé puisque les droits ne sont pas reportables. S'ils ne sont pas exercés, ils sont simplement perdus. Si les droits sont cumulables, le coût est comptabilisé au moment où les membres du personnel rendent les services qui donnent droit à des absences rémunérées futures. Puisque les absences peuvent être reportées à des exercices futurs si les droits de l'exercice en cours ne sont pas totalement utilisés, une obligation incombe à l'entreprise si certains membres de son personnel ne se prévalent pas de tous leurs droits à chaque année.

EXEMPLE

Absences rémunérées

La société Bismat a signé une convention collective avec les membres de son personnel prévoyant sept jours de congés de maladie rémunérés par an ainsi que la possibilité de reporter les congés non utilisés à une période future et celle d'écouler les congés non utilisés sous forme de congés payés. À la fin de 20X1, les 50 membres du personnel ont en moyenne utilisé 5 journées de congé de maladie. Une charge de rémunération et une dette équivalant à 100 jours de travail (50 membres du personnel × 2 jours non utilisés) doivent être comptabilisées à la fin de l'exercice 20X1.

De plus, si certains membres du personnel accumulent des journées de congé au fil du temps, le passif comptabilisé doit être ajusté pour tenir compte des augmentations de salaire.

3. Selon l'IAS 19, les avantages du personnel englobent les prestations attribuées aux membres du personnel ou à leurs personnes à charge ou bénéficiaires. Un membre du personnel peut travailler pour une entreprise à plein temps ou à temps partiel, et à titre permanent, occasionnel ou temporaire. Les administrateurs et autres dirigeants sont aussi des membres du personnel. Voir le *Manuel de CPA Canada – Comptabilité – Partie I*, IAS 19, paragr. 6 et 7.

Si les membres du personnel perdent le droit aux congés accumulés au moment où ils quittent l'entreprise, le montant comptabilisé doit exclure le montant attribuable au nombre estimatif de membres du personnel qui quitteront l'entreprise en perdant le droit aux absences rémunérées cumulables.

Certaines entreprises offrent des **plans d'intéressement** et des **programmes de primes** aux membres de leur personnel. Ainsi, un contrat de rémunération signé avec les directeurs divisionnaires peut prévoir un salaire de base auquel s'ajoute une prime de 10 % du bénéfice divisionnaire. Au moment de préparer les états financiers de l'exercice 20X1, une charge et une dette de 50 000 $ sont comptabilisées si le bénéfice divisionnaire totalise 500 000 $. Lorsqu'un contrat de rémunération existe, une **obligation juridique** incombe à l'entreprise. Si une entreprise a pour habitude d'accorder des primes aux membres de son personnel sans que cette pratique soit consignée dans un contrat, elle a une **obligation implicite** du fait qu'elle n'a pas d'autre solution réaliste que d'accorder les primes. Tout comme l'obligation juridique, l'obligation implicite suppose une **obligation actuelle** pour l'entreprise, laquelle existe seulement si l'entreprise n'a pas d'autre solution réaliste que de payer. Dans l'évaluation du montant à comptabiliser, il est nécessaire de prendre en considération toute condition d'**acquisition des droits** liés aux plans d'intéressement et aux programmes de primes. L'acquisition des droits signifie qu'un membre du personnel a rempli les conditions pour être admissible à des avantages, qu'il demeure ou non au service de l'employeur. Par exemple, si un membre du personnel doit demeurer au service de l'entreprise pendant 6 mois avant d'avoir le droit de recevoir sa prime et que l'entreprise estime que 10 % des membres de son personnel quitteront l'entreprise avant la fin du délai d'acquisition, seulement 90 % du montant total de la prime calculée est comptabilisé en résultats de l'exercice où les services sont rendus. L'existence d'une obligation actuelle d'effectuer des paiements au titre d'événements passés est l'une des deux conditions nécessaires pour la comptabilisation du coût attendu des paiements à effectuer au titre de l'intéressement et des primes. La seconde condition a trait à la possibilité d'effectuer une estimation fiable du montant en cause. Elle est satisfaite si les conditions formelles du plan contiennent une formule de calcul du montant de l'avantage ou encore si les pratiques passées prouvent de façon évidente le montant de l'obligation implicite en cause. Cette condition est également satisfaite si l'entreprise détermine les montants à payer avant la date d'autorisation de publication des états financiers. Comme l'obligation découlant des plans d'intéressement et des programmes de primes découle de l'activité des membres du personnel et non d'une opération conclue avec les actionnaires de l'entreprise, le coût de ces plans est comptabilisé comme une charge et non pas comme une distribution de bénéfice.

Une caractéristique commune aux avantages à court terme est qu'ils sont tous payables pendant que le membre du personnel est au service de l'entreprise. Ce n'est pas le cas pour les avantages postérieurs à l'emploi dont nous discuterons dans la section suivante.

Avez-vous remarqué ?

Les deux conditions énumérées précédemment pour la comptabilisation des plans d'intéressement et des programmes de prime sont tout à fait cohérentes avec les critères de comptabilisation d'un passif qui requièrent qu'il soit probable que l'élément en cause entraîne une sortie d'avantages économiques futurs et que son coût ou sa valeur puisse être évalué de façon fiable.

Différence NCECF

Les avantages postérieurs à l'emploi

Les **avantages postérieurs à l'emploi** se distinguent des avantages à court terme du fait qu'ils sont payables après la cessation de l'emploi. Les **régimes d'avantages postérieurs à l'emploi** concernent les accords formels ou informels en vertu desquels une entreprise offre des avantages postérieurs à l'emploi à un ou à plusieurs membres de son personnel.

Les **régimes de retraite** représentent sans contredit le principal type d'avantage postérieur à l'emploi. Ces régimes existent au Canada depuis plus d'un siècle. La *Loi sur les pensions* de 1870, qui prévoyait le versement d'une rente de retraite aux fonctionnaires fédéraux, a donné naissance au premier régime de retraite lié à l'emploi au Canada. Dans le secteur privé, le premier régime de retraite a été établi en 1874 par la société de chemins de fer du Grand Tronc pour son personnel de bureau. En outre, la loi fédérale de 1887 sur les sociétés de caisse de retraite a permis aux entreprises dotées d'une charte fédérale de créer des caisses de retraite auxquelles ces entreprises étaient libres de cotiser. Les institutions financières ont été parmi les premiers établissements à se prévaloir des dispositions de cette loi. Dans les années qui ont suivi la Première Guerre mondiale, plusieurs mesures ont été prises par les employeurs, et surtout les dirigeants des grandes entreprises, pour améliorer l'efficience et l'efficacité de leurs entreprises. L'une de ces mesures a été l'introduction de régimes de retraite, dont les principaux objectifs étaient d'obtenir le plus de coopération possible de la part des membres du personnel, d'augmenter leur productivité, de diminuer le taux de rotation du personnel et d'encourager les membres du personnel plus âgés à prendre leur retraite. À cette époque, les rentes de retraite étaient perçues comme une récompense pour les longs et loyaux services. La période après la Seconde Guerre mondiale a été pour sa part caractérisée par une montée de la syndicalisation et du phénomène de la négociation collective. Au fil des ans, l'intervention accrue des syndicats a contribué à faire croître le nombre de régimes existants tandis que les prestations de retraite étaient de plus en plus perçues comme une rémunération différée plutôt que comme une récompense offerte par l'employeur. Sur le plan comptable, considérer les prestations de retraite comme des salaires différés a comme corollaire la détermination du coût des prestations de retraite (qui seront versées au moment où le membre du personnel sera à la retraite) qui est relié aux services rendus par les membres du personnel au cours d'un exercice donné.

Par ailleurs, les grandes entreprises canadiennes offrent de plus en plus d'autres formes de régimes d'avantages postérieurs à l'emploi, dont les plus communs sont les régimes d'**assurance vie postérieure à l'emploi** et les régimes d'**assistance médicale postérieure à l'emploi** qui couvrent à titre d'exemples les frais hospitaliers non couverts par les régimes publics, les médicaments, les soins infirmiers, les services paramédicaux et les soins dentaires.

Il existe deux principaux types de régimes d'avantages postérieurs à l'emploi : les régimes à cotisations définies et les régimes à prestations définies. Le tableau 17.1 résume les différences entre les deux types de régimes. Dans un régime à cotisations définies, les cotisations des participants, c'est-à-dire des membres du personnel, et celles de l'entreprise sont fixées à l'avance. Par exemple, dans un régime de retraite, il peut être prévu que le salarié et l'entreprise cotisent chacun un montant égal à 5 % du salaire brut du membre du personnel. Ces cotisations, majorées des intérêts, sont accumulées et portées au crédit du participant de façon individuelle. Le montant des prestations de retraite attribuable à chaque participant est établi à partir du montant ainsi accumulé. Le montant que recevra le membre du personnel lorsqu'il prendra sa retraite est donc incertain. En effet, ce dernier assume le **risque de placement**, c'est-à-dire le risque que les actifs investis soient insuffisants pour faire face aux prestations de retraite, et le **risque actuariel**, c'est-à-dire le risque que les prestations soient moins importantes que prévu.

TABLEAU 17.1 ◦ Une comparaison sommaire des régimes à cotisations définies et à prestations définies

	Régimes à cotisations définies	Régimes à prestations définies
Montant qui sera assumé par l'entreprise	Établi	Incertain
Montant qui sera reçu par le membre du personnel	Incertain	Établi
Risque de placement et risque actuariel	Assumé par le membre du personnel	Assumé par l'entreprise

Dans un régime à prestations définies, c'est plutôt le montant ou le mode de calcul du montant des prestations à la retraite qui est déterminé. Ce montant est généralement établi en fonction des années de service du membre du personnel ou de son salaire ; l'entreprise a la responsabilité d'accumuler les sommes nécessaires pour payer les prestations promises lorsqu'elles deviendront exigibles. Le montant que doit assumer l'entreprise est donc incertain, puisqu'il dépend de plusieurs facteurs difficiles à estimer avec précision. Toutefois, le montant ou le mode de calcul du montant que recevra le membre du personnel lorsqu'il prendra sa retraite est déjà établi. En fait, c'est l'entreprise qui assume le risque de placement et le risque actuariel, c'est-à-dire le risque que les prestations coûtent plus cher que prévu. La comptabilisation des avantages découlant de chacun de ces deux types de régimes est étudiée dans le présent chapitre.

 Les régimes à cotisations définies

Différence NCECF

Les **régimes à cotisations définies** sont des régimes en vertu desquels une entreprise « verse des cotisations définies à une entité distincte (un fonds) et n'aura aucune obligation juridique ou implicite de payer des cotisations supplémentaires si le fonds n'a pas suffisamment d'actifs pour servir toutes les prestations correspondant aux services rendus par le personnel pendant la période considérée et les périodes antérieures[4] ». Le fonds distinct dans lequel les cotisations sont accumulées est souvent appelé **caisse de retraite**. Au Canada, les régimes à cotisations définies sont plus nombreux, mais ils couvrent un moins grand nombre de participants du fait que nous les trouvons surtout au sein des entreprises de plus petite taille.

Puisque l'obligation de l'entreprise se limite au montant qu'elle doit verser chaque année à la caisse de retraite, la comptabilisation des régimes à cotisations définies est relativement simple. En effet, l'intervention d'un actuaire n'est pas nécessaire, et les obligations liées aux cotisations à verser sont évaluées sur une base non actualisée, à moins que les cotisations ne soient exigibles qu'à plus de 12 mois après la fin de l'exercice au cours duquel les membres du personnel ont rendu les services qui y donnent droit.

Les cotisations payables en vertu d'un régime à cotisations définies sont comptabilisées en charges (à moins qu'une autre norme comptable n'impose ou n'autorise leur incorporation dans le coût d'un actif) et dans le passif à titre de charges à payer au cours de l'exercice où le membre du personnel rend les services. Le montant des cotisations payées est comptabilisé en diminution de cette charge à payer. Si le montant payé excède le montant comptabilisé en charges, l'excédent est comptabilisé à l'actif à titre de charges payées d'avance, dans la mesure où le montant payé d'avance entraînera une diminution des paiements futurs ou un remboursement en trésorerie. S'il est nécessaire d'actualiser les cotisations parce qu'elles sont versées sur une période qui excède un an après que les services sont rendus, le taux à utiliser est un taux de marché à la date de clôture fondé sur des obligations d'entreprises de haute qualité, c'est-à-dire des obligations qui présentent un faible risque de crédit.

EXEMPLE

Régime à cotisations définies

La société Albert ltée instaure un régime de retraite à cotisations définies le 1er janvier 20X0. Les dispositions du régime prévoient que les cotisations de l'employeur et celles des membres du personnel s'élèvent à 5 % des salaires bruts. Les salaires totaux pour l'exercice 20X0 se chiffrent à 500 000 $. La société a prélevé la part des membres du personnel sous forme de déductions à la source, et elle a remis le montant prélevé, additionné de ses propres cotisations, à la caisse de retraite. Pour comptabiliser la charge de l'exercice et les cotisations versées, Albert ltée enregistre l'écriture suivante :

Déductions à la source à payer (500 000 $ × 5 %)	*25 000*	
Avantages postérieurs à l'emploi (500 000 $ × 5 %)	*25 000*	
Caisse		*50 000*
Charge relative au régime de retraite à cotisations définies et versement des cotisations.		

Supposons maintenant qu'Albert ltée s'engage, en plus de verser une cotisation de 5 % du salaire brut, à verser des cotisations additionnelles de l'ordre de 15 000 $ pour les services rendus avant 20X0. Ce montant sera versé à la caisse de retraite en 3 versements annuels de 5 000 $, le premier versement devant être effectué dès le 1er janvier 20X0. La valeur actualisée de ces cotisations est de 13 678 $, compte tenu d'un taux d'actualisation de 10 %. Dans un tel cas, la charge d'avantages postérieurs à l'emploi inclut les cotisations de l'entreprise pour les services rendus au cours de l'exercice, le coût des services passés et les intérêts sur la valeur actualisée des cotisations futures pour les services passés. En effet, si les cotisations pour les services passés sont échelonnées dans le temps, il est nécessaire de calculer les intérêts sur ces dernières. L'IASB ne fournit aucune indication sur le mode de comptabilisation du coût des services passés des régimes à cotisations définies ni sur le mode de

4. *Manuel de CPA Canada – Comptabilité – Partie I*, IAS 19, paragr. 8.

comptabilisation des intérêts. Cependant, puisqu'il recommande de comptabiliser directement en charges le coût des services passés des régimes à prestations définies ainsi que le coût des intérêts (comme nous en traiterons plus loin dans ce chapitre), une comptabilisation similaire semble tout indiquée pour les régimes à cotisations définies. Albert ltée enregistre alors l'écriture suivante :

Déductions à la source à payer	*25 000*	
Avantages postérieurs à l'emploi ①	*39 546*	
Caisse ②		*55 000*
Charge d'avantages postérieurs à l'emploi à payer ③		*9 546*

Charge relative au régime de retraite à cotisations définies.

Calculs :

① Part de l'entreprise (500 000 $ × 5 %)	25 000 $
Valeur actualisée des cotisations futures (I = 10 %, N = 3, PMT = 5 000 $, FV = 0 $, BGN, CPT PV ?)	13 678
Intérêts [(13 678 $ – 5 000 $) × 10 %]	868
Charge totale de 20X0	39 546 $
② Part des membres du personnel (500 000 $ × 5 %)	25 000 $
Part de l'entreprise [(500 000 $ × 5 %)]	25 000
Premier versement – cotisations additionnelles	5 000
Total payé en 20X0	55 000 $
③ (39 546 $ – 25 000 $ – 5 000 $)	

Différence NCECF

Une entreprise peut décider de financer les obligations au titre d'avantages postérieurs à l'emploi par la souscription d'une police d'assurance. Il s'agit alors d'un **régime à prestations assurées** dont le coût doit être comptabilisé comme celui d'un régime à cotisations définies. Cependant, si l'entreprise conserve une obligation implicite ou juridique de payer directement les prestations à leur date d'exigibilité ou de payer des montants complémentaires si l'assureur ne paie pas toutes les prestations prévues en vertu du régime, un tel régime doit alors être comptabilisé comme un régime à prestations définies, tel que nous l'expliquerons dans la sous-section suivante.

3 Les régimes à prestations définies

La particularité d'un **régime à prestations définies** est attribuable au fait que le montant ou le mode de calcul du montant des prestations que recevront les participants à leur retraite est prévu dans les dispositions du régime. L'IASB définit un régime à prestations définies comme un régime autre qu'un régime à cotisations définies[5]. Du côté des régimes de retraite, le type de régime à prestations définies le plus courant est le régime fin de carrière, mais il existe également des régimes salaires de carrière et des régimes à prestations uniformes.

Dans un **régime fin de carrière**, les prestations sont basées sur le nombre d'années de service du membre du personnel et sur son salaire moyen durant un nombre restreint d'années précédant immédiatement sa retraite et correspondant généralement à la période où la rémunération a été la plus élevée. Par exemple, un participant pourrait recevoir une prestation de retraite annuelle égale à 2 % de son salaire moyen des 5 dernières années de service multiplié par le nombre total d'années de service. Le membre du personnel qui aurait été au service d'une entreprise pendant 30 ans et qui aurait touché un salaire moyen de 100 000 $ au cours des 5 dernières années de sa carrière recevrait ainsi une prestation de retraite annuelle de 60 000 $ à sa retraite (100 000 $ × 2 % × 30 ans).

Dans un **régime salaires de carrière**, la prestation attribuable à un participant pour chaque année de service équivaut à un pourcentage du salaire de l'année en cause. Par exemple, un membre du personnel pourrait toucher une prestation de retraite s'élevant à 2 % de son salaire

5. *Manuel de CPA Canada – Comptabilité – Partie I*, IAS 19, paragr. 8.

annuel moyen multiplié par le nombre d'années de service. Le membre du personnel qui aurait été au service d'une entreprise pendant 25 ans et dont le salaire annuel moyen aurait été de 90 000 $ au cours de sa carrière recevrait ainsi une prestation de retraite annuelle de 45 000 $ à sa retraite (90 000 $ × 2 % × 25 ans).

Finalement, dans les **régimes à prestations uniformes**, la rente annuelle correspond généralement à un montant fixe multiplié par le nombre d'années de service. Ainsi, le membre du personnel qui aurait été au service d'une entreprise pendant 30 ans pourrait toucher, à sa retraite, une rente annuelle équivalant au montant de 2 000 $ multiplié par le nombre de ses années de service, soit une prestation annuelle de 60 000 $.

Du côté des régimes à prestations définies autres que les régimes de retraite, c'est également le montant ou le mode de calcul des prestations qui est prévu. En effet, certaines entreprises souscrivent des régimes d'assurance collective, et d'autres procèdent par autoassurance. Une entreprise peut souscrire une assurance vie collective en vertu de laquelle le capital assuré des membres actifs de son personnel s'élève à deux fois leur salaire annuel. Cette protection peut être prolongée au moment de leur retraite, le capital assuré pourrait dorénavant s'élever à 25 % du capital assuré avant la retraite ou encore, à une somme forfaitaire fixe de 10 000 $ par exemple[6]. En ce qui concerne les soins de santé, une entreprise peut choisir l'**autoassurance**. Dans un tel cas, elle assume l'entière responsabilité de verser les prestations conformément aux dispositions du régime. Cela ne l'empêche cependant pas de souscrire un contrat de service administratif selon lequel l'assureur n'agit qu'à titre d'administrateur et règle les réclamations selon les dispositions du régime à partir des sommes fournies par l'employeur. Les dispositions du régime peuvent prévoir, à titre d'exemple, une couverture jusqu'à concurrence de 80 % des coûts médicaux admissibles engagés par le retraité.

Dans les régimes à prestations définies, l'employeur assume le risque de placement et le risque actuariel. Lorsque les sommes accumulées dans la caisse de retraite s'avèrent insuffisantes pour couvrir le versement des prestations, c'est l'employeur qui doit combler la différence. De la même façon, bien que les régimes autres que les régimes de retraite soient pour la plupart des régimes non capitalisés, comme nous l'expliquerons plus loin, l'employeur demeure responsable d'honorer ses engagements au moment où le paiement des sommes est requis. Dans les régimes à prestations définies, certaines variables telles que le nombre de membres du personnel qui atteindront effectivement l'âge de la retraite, la période pendant laquelle des prestations devront leur être payées et les niveaux de salaires futurs ne peuvent pas être déterminées avec précision. Le montant exact des prestations qui deviendront exigibles dans une période future reste donc incertain.

Dans la présente sous-section, nous traitons de la comptabilisation des régimes d'avantages postérieurs à l'emploi à prestations définies dans la perspective de l'entreprise qui consent de tels avantages aux membres de son personnel[7]. Avant d'aborder les problèmes comptables en cause, il est important de bien comprendre le contexte général dans lequel s'inscrivent les régimes capitalisés que nous définirons plus loin. Plus particulièrement, le contexte d'un régime de retraite est illustré dans la figure 17.2.

La gestion des actifs d'un régime de retraite d'une grande entreprise est généralement confiée à un fiduciaire. En effet, bien qu'il incombe au conseil d'administration du régime d'investir les actifs accumulés en vue du versement des prestations de retraite, le conseil peut déléguer cette tâche à une société de fiducie, à une compagnie d'assurance ou à des conseillers en placements. Un régime peut être contributif ou non contributif. Dans un **régime contributif**, les membres du personnel et l'employeur versent des cotisations à la caisse de retraite ; les cotisations des membres du personnel font généralement l'objet de retenues salariales. Dans un **régime non contributif**, l'employeur assume seul la capitalisation (ou financement) du régime. Les cotisations de l'employeur, et celles des membres du personnel s'il y a lieu, sont versées par l'employeur à la caisse de retraite (une entité juridique distincte, comme une société de fiducie). Ces sommes, ainsi que le rendement qu'elles produisent, sont accumulées dans la caisse de retraite et servent

6. Rappelons qu'un régime à prestations assurées doit être comptabilisé comme un régime à prestations définies si l'entreprise conserve une obligation implicite ou juridique de payer directement les prestations à leur date d'exigibilité ou de payer des montants complémentaires si l'assureur ne paie pas toutes les prestations prévues en vertu du régime.

7. La comptabilisation des opérations des régimes de retraite dans la perspective des régimes de retraite eux-mêmes est traitée dans l'**IAS 26** et déborde de la portée du présent chapitre.

FIGURE 17.2 Les intervenants dans un régime de retraite contributif à prestations définies

PARTICIPANTS
La cotisation des membres du personnel est prélevée à la source par l'employeur.

Prestations définies
Une année de service donne au membre du personnel le droit de recevoir une portion de prestations définies.

$$

ACTUAIRE
L'actuaire calcule la valeur actualisée de l'obligation au titre des prestations définies et la compare avec les actifs du régime de retraite. Il avise l'employeur des ajustements requis lors de chaque évaluation actuarielle.

ENTREPRISE
L'employeur ajoute sa cotisation à celle des membres du personnel.

$$

Actif du régime de retraite
$$$$$$$

RETRAITÉS
Les retraités reçoivent leurs prestations de retraite directement du fiduciaire.

$ $ $ $ $ $ $ $ $

FIDUCIAIRE
Les sommes accumulées en fiducie sont investies en vue de générer un rendement.

Afin de protéger les intérêts des membres du personnel, la gestion des actifs du régime de retraite est habituellement confiée à un fiduciaire.

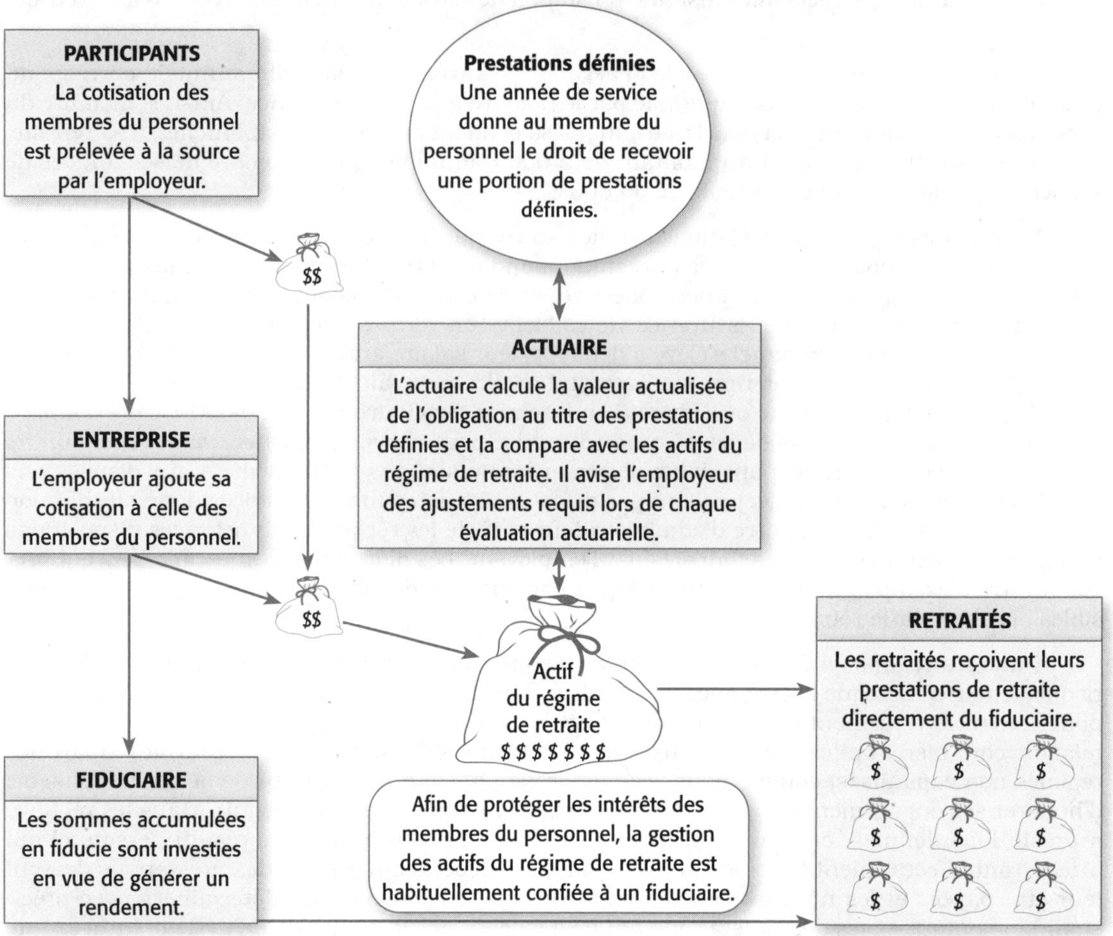

Source : Daniel McMahon

exclusivement au paiement des prestations aux retraités. C'est d'ailleurs la caisse de retraite qui verse les prestations aux retraités lorsqu'elles deviennent exigibles. C'est ce que nous appelons un **régime capitalisé**.

À l'opposé des régimes de retraite, les autres régimes d'avantages postérieurs à l'emploi, comme les régimes d'assurance vie et d'assistance médicale, sont généralement des **régimes non capitalisés**. Aucune somme n'est transférée dans une entité juridique distincte, comme une fiducie, pour pourvoir au paiement des prestations à l'échéance. C'est l'entreprise elle-même qui paie les prestations aux retraités lorsqu'elles deviennent exigibles. Deux facteurs expliquent cette différence. D'abord, contrairement aux régimes de retraite, aucune exigence légale canadienne n'oblige les entreprises à constituer de tels fonds. Ensuite, si elles le faisaient, les cotisations effectuées ne seraient pas déductibles sur le plan fiscal, comme le sont les cotisations à une caisse de retraite.

Les problèmes comptables auxquels fait face une entreprise qui instaure un régime d'avantages postérieurs à l'emploi à prestations définies sont les suivants :

- L'évaluation de l'obligation au titre des prestations définies ;
- L'évaluation des actifs des régimes capitalisés ;
- La détermination des montants à comptabiliser.

Avant de traiter plus en détail de ces problèmes comptables, il importe de bien comprendre comment est déterminée l'obligation au titre des prestations définies, de voir ce que constitue les actifs d'un régime capitalisé et de déterminer les facteurs qui font varier cette obligation et ces actifs. Ensuite, nous verrons comment chacun de ces facteurs influe sur le calcul des montants à comptabiliser par l'employeur.

Dans un autre ordre d'idées, mentionnons que les droits et les obligations de l'employeur découlant des régimes d'avantages postérieurs à l'emploi constituent en soi des instruments financiers. Ces droits et obligations sont cependant exclus de la portée des recommandations sur l'évaluation et la présentation des instruments financiers inclus dans l'**IFRS 9**. Ce sont les recommandations de l'IAS 19, dont nous traiterons de façon exhaustive dans les pages qui suivent, qui prévalent.

L'obligation au titre des avantages postérieurs à l'emploi

La création d'un régime d'avantages postérieurs à l'emploi à prestations définies signifie qu'il y a promesse, de la part de l'employeur, de verser des prestations de retraite aux participants conformément aux dispositions du régime. L'évaluation de l'obligation qui en découle requiert l'intervention d'un actuaire.

Le rôle de l'actuaire

Le rôle de l'actuaire consiste à évaluer l'**obligation au titre des avantages postérieurs à l'emploi**. Pour les régimes capitalisés, comme les régimes de retraite, son évaluation actuarielle permet de déterminer les sommes que l'employeur doit mettre de côté pour respecter son engagement. Pour tous les régimes, capitalisés ou non, une telle évaluation permet de connaître l'incidence des promesses faites aujourd'hui pour des décaissements qui devront être effectués à l'avenir.

Les facteurs qui influent sur le calcul de l'obligation

Comme le montre la figure 17.3, plusieurs facteurs influent sur le calcul de l'obligation : les dispositions du régime, les dispositions législatives, les données sur les participants et les hypothèses actuarielles utilisées.

FIGURE 17.3 Les facteurs qui influent sur le calcul de l'obligation au titre des avantages postérieurs à l'emploi

Les dispositions du régime constituent le point de départ du calcul de l'obligation. En effet, certaines dispositions, dont les suivantes, influent directement sur le calcul de l'obligation au titre des avantages postérieurs à l'emploi : 17

- La façon de calculer les prestations lors d'une retraite prise à l'âge normal de la retraite, d'une retraite anticipée et d'un départ avec le droit à une prestation différée ;
- Les clauses d'indexation ou de diminution des prestations payables aux retraités ;
- Le montant payable aux bénéficiaires lors du décès d'un participant actif ou d'un retraité ;
- Les clauses relatives aux conditions d'adhésion au régime.

Par exemple, les dispositions du régime pourraient établir que la prestation annuelle payable à la retraite sera calculée selon la formule suivante : « Salaire annuel moyen de la carrière × Nombre d'années de service × 2 % », et qu'advenant le décès du membre du personnel retraité, 60 % de cette prestation sera payable au conjoint survivant jusqu'au décès de ce dernier.

Malgré les dispositions du régime, certains avantages postérieurs à l'emploi font l'objet de dispositions législatives dont le but est de protéger les participants. Ainsi, les lois relatives aux régimes de retraite peuvent contenir des dispositions qui influent sur le calcul de l'obligation au titre des avantages postérieurs à l'emploi. Ces lois peuvent spécifier, à titre d'exemples, les règles relatives à l'**acquisition des droits aux prestations**, c'est-à-dire le droit d'un membre du personnel de recevoir des prestations qu'il demeure ou non au service de l'employeur, les conditions d'adhésion et le pourcentage minimum de prestations payables au conjoint lors du décès d'un retraité.

Pour calculer l'obligation au titre des avantages postérieurs à l'emploi, il est évidemment nécessaire de connaître un certain nombre de données sur les participants, comme le nombre de salariés adhérant au régime, leur sexe, leur âge, leur nombre d'années de service, leur niveau de rémunération actuel et la part minimale du coût des prestations à être assumée par l'employeur.

Aux dispositions du régime, aux dispositions législatives ainsi qu'aux données sur les participants s'ajoutent plusieurs facteurs incertains qui doivent être pris en considération pour calculer l'obligation au titre des avantages postérieurs à l'emploi. À cause de l'incertitude qui caractérise ces facteurs, il est nécessaire d'établir des **hypothèses actuarielles**, que nous pouvons classer en deux principales catégories : les hypothèses financières et les hypothèses démographiques.

Les hypothèses financières touchent par exemple :

- le taux d'actualisation ;
- les niveaux futurs de prestations ;
- les salaires futurs ;
- les coûts médicaux futurs ;
- les impôts à payer par le régime.

Les hypothèses démographiques englobent notamment :

- la mortalité ;
- le taux de rotation du personnel, d'invalidité et de retraite anticipée ;
- la proportion des participants au régime ayant un conjoint ou des personnes à charge qui auront droit aux prestations ;
- la proportion des participants au régime qui choisiront chacune des options de paiement offertes par le régime.

L'actuaire tente de déterminer les prestations totales qui devront être payées à l'avenir au groupe de membres du personnel couverts par le régime. Pour ce faire, un certain nombre d'hypothèses financières doivent être formulées. En premier lieu, pour tenir compte de la valeur temporelle de l'argent, l'actuaire doit choisir un taux d'actualisation afin de ramener la valeur estimative des prestations qui seront payées à l'avenir à leur valeur actualisée. Comme nous l'expliquerons plus loin, ce taux correspond au taux de rendement du marché des obligations d'entreprises de haute qualité. En deuxième lieu, l'actuaire doit tenir compte des niveaux futurs de prestations qui découleront de l'application des dispositions du régime ou d'une obligation implicite. Ainsi, les clauses du régime peuvent prévoir, ou l'entreprise peut avoir l'habitude, de procéder à une revalorisation des prestations pour atténuer les effets de l'inflation. Ou encore, les clauses du régime peuvent prévoir une modification à la hausse ou à la baisse des prestations en situation de surplus ou de déficit du régime. Ces éléments influent sur le montant des prestations futures et doivent être estimés. En troisième lieu, les dispositions d'un régime prévoient fréquemment un ajustement des prestations payables aux retraités pour prendre en considération les prestations payables en vertu d'un régime général et obligatoire, comme le Régime de rentes du Québec ou le Régime de pension du Canada. L'actuaire doit donc estimer les prestations futures d'un tel régime général et obligatoire, car elles influeront sur celles payables en vertu du régime offert par l'entreprise. Cette estimation est basée sur les données historiques ou d'autres indications fiables. Dans plusieurs régimes à prestations définies, les prestations sont basées sur les salaires futurs. L'actuaire doit alors faire une estimation du taux d'augmentation des salaires. Pour ce faire, il tient compte de l'inflation, de l'ancienneté, de la promotion et d'autres facteurs comme l'offre et la demande sur le marché de l'emploi. Par ailleurs, dans le cas des régimes contributifs, l'actuaire doit également prendre en compte les cotisations des membres du personnel, car ces dernières réduisent le coût des prestations que doit supporter l'entreprise. Les cotisations peuvent être prévues dans les dispositions du régime ou découler d'une obligation implicite. De plus, des cotisations supplémentaires peuvent être requises des membres du personnel lorsque le régime montre un déficit. Pour les régimes d'assistance médicale, l'actuaire doit également estimer les coûts liés aux soins de santé. Puisque les coûts médicaux évoluent, il est nécessaire de les estimer en prenant en considération non seulement les effets de cette évolution constante, mais aussi les effets de l'inflation. L'estimation des coûts médicaux futurs doit également tenir compte du progrès technologique, de l'offre des soins de santé, ainsi que de l'évolution de l'état de santé des bénéficiaires du régime. En dernier lieu, l'actuaire doit estimer les impôts à payer par le régime, le cas échéant. Au Canada, les produits de placement générés par les actifs accumulés dans un régime de retraite sont généralement exempts d'impôts.

Le montant des prestations qui seront versées à l'avenir sera également tributaire de certaines hypothèses démographiques. Les prestations payables à l'avenir dépendront d'abord de la mortalité pendant et après l'emploi. Rappelons que, selon les données de 2012 de Statistique Canada, l'espérance de vie des femmes est de 83 ans, alors que celle des hommes est de 79 ans. Pour estimer cette variable, l'actuaire tient compte de l'évolution attendue de la mortalité, par exemple en modifiant au besoin les tables de mortalité actuelles pour refléter les estimations relatives au recul de la mortalité. L'actuaire doit également prévoir le nombre de membres du personnel qui prendront leur retraite à l'âge normal de retraite et le nombre de ceux qui prendront plutôt une retraite anticipée. En effet, les dispositions d'un régime de retraite peuvent permettre aux membres du personnel de prendre une retraite anticipée pendant un certain nombre d'années précédant la date normale de la retraite et prévoir, dans un tel cas, une réduction de la prestation de retraite annuelle pour tenir compte du fait que des prestations seront versées sur une plus longue période. Le taux de rotation du personnel doit également être prévu, car les prestations sont souvent établies en fonction du nombre d'années de service. Il est également nécessaire de tenter de prévoir le nombre de demandes de prestations d'invalidité si un régime prévoit des compensations à cet égard. En outre, la proportion des membres du personnel, de leur conjoint et des personnes à leur charge réunissant les caractéristiques pour avoir droit aux prestations influera nécessairement sur le montant de l'obligation calculée par l'actuaire. De plus, si un régime offre différentes options de paiement, l'actuaire doit estimer le nombre de participants qui choisiront chacune des options disponibles. Finalement, dans les régimes d'assistance médicale, des prévisions au sujet du nombre de retraités qui formuleront des demandes d'indemnisation doivent être établies.

L'ensemble de ces hypothèses démographiques et financières sont donc considérées par l'actuaire dans son évaluation de l'obligation au titre des avantages postérieurs à l'emploi. Cependant, précisons que ces hypothèses sont bel et bien celles de la direction de l'entreprise. Comme la direction est responsable de la préparation des états financiers, elle est également responsable de la formulation des hypothèses. Il va sans dire qu'elle consulte l'expert qu'est l'actuaire pour l'assister dans cette tâche. En ce qui a trait au choix des hypothèses actuarielles, l'IAS 19 précise que les hypothèses retenues à des fins comptables doivent représenter les meilleures estimations de la direction. Ces hypothèses doivent être exemptes de parti pris et mutuellement compatibles. Elles sont considérées comme étant exemptes de parti pris si elles ne sont ni risquées, ni excessivement prudentes. Elles sont mutuellement compatibles si elles traduisent les rapports économiques entre des facteurs tels l'inflation, les taux d'augmentation des salaires, le rendement des actifs du régime et le taux d'actualisation. À titre d'exemple, toutes les hypothèses qui nécessitent de tenir compte de l'inflation doivent supposer le même niveau d'inflation sur une même période future. Le montant de l'obligation au titre des avantages postérieurs à l'emploi calculé est donc tributaire des hypothèses actuarielles utilisées.

En terminant, précisons qu'il est important de bien distinguer les hypothèses démographiques et financières, car l'incidence des modifications de chacune de ces deux catégories d'hypothèses doit être divulguée séparément, comme nous en traiterons plus loin dans le présent chapitre.

17

Les méthodes actuarielles

Différence NCECF

En prenant en considération les dispositions du régime, les dispositions législatives, les données sur les participants et les hypothèses actuarielles, l'actuaire évalue le montant total des prestations qui seront payables à l'avenir à tous les membres et anciens membres du personnel actuellement couverts par le régime. Dans le cas des régimes capitalisés, comme les régimes de retraite, l'actuaire détermine, à l'aide d'une méthode actuarielle, la portion de cette obligation au titre des avantages postérieurs à l'emploi qui aurait dû être mise de côté à une date donnée. Cette portion se nomme **obligation au titre des prestations définies**. Même pour les régimes non capitalisés, la direction est intéressée à connaître l'obligation au titre des prestations définies, laquelle témoigne de l'incidence cumulative des engagements passés pour des décaissements qui devront avoir lieu à l'avenir.

Il existe diverses méthodes actuarielles qui donnent des évaluations différentes de l'obligation au titre des prestations définies, et par le fait même de l'échéancier des cotisations requises de la part de l'entreprise pour les régimes capitalisés. Comme il existe différentes méthodes comptables pour rendre compte d'une même opération (par exemple, les différents modes d'amortissement des immobilisations), il existe aussi différentes méthodes actuarielles qui conviennent à différentes situations pour déterminer le montant des cotisations requises. Deux grandes catégories de méthodes existent, les méthodes prospectives et rétrospectives.

Selon les **méthodes prospectives**, les cotisations calculées sont fixes sur le plan des dollars ou du pourcentage des salaires et visent à accumuler les fonds pour les prestations relatives aux services passés et futurs des membres du personnel. En ce qui concerne les **méthodes rétrospectives**, les cotisations sont calculées en vue d'accumuler les fonds pour les prestations se rapportant exclusivement aux services passés des membres du personnel. Ces dernières méthodes sont donc plus pertinentes aux fins comptables du fait qu'elles relient les prestations aux services déjà rendus par les membres du personnel, ce qui est plus cohérent avec les caractéristiques comptables d'un passif. Parmi les méthodes rétrospectives, l'IASB a arrêté son choix sur la **méthode des unités de crédit projetées** qui doit obligatoirement être utilisée à des fins comptables. Cette méthode permet de déterminer la valeur actuarielle des prestations en fonction des services rendus par les membres du personnel. À chaque année de service du membre du personnel est attribué un coût des prestations futures qui lui sont destinées. La méthode des unités de crédit projetées permet donc de rattacher ces coûts aux services rendus par les membres du personnel qui contribuent à ce que l'entreprise génère des produits. De plus, en permettant de calculer le montant cumulatif des prestations accumulées pour l'ensemble des services déjà rendus par les membres du personnel, cette méthode permet d'évaluer une obligation qui est cohérente avec la définition d'un passif utilisée en comptabilité.

Avez-vous remarqué ?

L'une des caractéristiques essentielles d'un passif est qu'il découle de transactions ou d'événements passés. La méthode des unités de crédit projetées met l'accent sur les services déjà rendus par les membres du personnel, lesquels correspondent à un événement passé.

Cette méthode, aussi appelée **méthode de répartition des prestations au prorata des services**, est aussi attrayante du fait qu'elle tient compte de la projection du niveau des salaires en fonction duquel seront calculées les prestations (rappelons que, dans les régimes fin de carrière et les régimes salaires de carrière, les prestations sont basées sur le niveau des salaires futurs). Certains critiquent le fait de tenir compte du niveau des salaires futurs, car ils estiment que le coût des prestations ne devrait prendre en considération ces augmentations de salaires que lorsqu'elles ont lieu. Tenir compte de ces augmentations prévues est cependant conforme au principe selon lequel on comptabilise un élément dans les états financiers lorsque sa valeur peut être évaluée de façon fiable. Puisque les prestations qu'il faudra effectivement verser sont établies en fonction du niveau des salaires futurs et que la portion se rapportant aux services rendus au cours d'un exercice peut être calculée par l'actuaire, il convient de tenir compte du niveau des salaires futurs. En fait, pour prendre en considération l'inflation et l'évolution prévue des coûts médicaux dans le cas des régimes de soins de santé, l'IASB recommande d'évaluer l'obligation au titre des prestations définies en tenant compte non seulement du niveau des salaires futurs, mais aussi des modifications prévues des avantages financiers, comme la revalorisation des rentes.

Soulignons que la méthode utilisée par l'actuaire aux fins de la capitalisation (ou financement) du régime n'est pas nécessairement celle qui convient le mieux sur le plan comptable. Le but premier poursuivi par l'actuaire est de s'assurer que les fonds nécessaires sont accumulés à temps selon le contexte particulier dans lequel se trouve l'entreprise. En comptabilité, l'objectif est plutôt de prendre en considération le coût inhérent aux services déjà rendus par les participants. Il est également possible que les hypothèses souvent conservatrices utilisées aux fins du calcul des cotisations à verser diffèrent des hypothèses utilisées à des fins comptables. Les calculs à des fins comptables doivent donc être effectués à l'aide de la méthode prescrite par l'IASB, soit la méthode des unités de crédit projetées, en tenant compte des hypothèses qui représentent les meilleures estimations de la direction. Cette méthode doit être utilisée pour calculer le coût ainsi que l'obligation au titre des prestations définies pour tous les régimes d'avantages postérieurs à l'emploi offerts par l'entreprise, qu'ils soient capitalisés ou non.

Différence NCECF

L'obligation au titre des prestations définies

L'obligation au titre des avantages postérieurs à l'emploi peut se diviser en deux parties. La première partie est constituée de l'**obligation au titre des prestations définies**, qui représente la valeur actualisée des paiements futurs qui devraient être nécessaires pour régler l'obligation découlant des services passés. Ces derniers correspondent aux services rendus par les membres du personnel pendant l'exercice examiné et les exercices antérieurs, déterminée à l'aide de la méthode des unités de crédit projetées. La seconde partie est constituée de l'**obligation au titre des prestations pour les services futurs**, qui se rapporte aux services futurs que doivent rendre les membres du personnel. Rappelons, comme l'illustre la figure 17.4, que ce sont les hypothèses actuarielles utilisées qui influent sur le montant total de l'obligation au titre des avantages postérieurs à l'emploi et que c'est la méthode actuarielle utilisée qui influe sur la portion de cette obligation qui constitue l'obligation au titre des prestations définies.

FIGURE 17.4 Les composantes de l'obligation au titre des avantages postérieurs à l'emploi

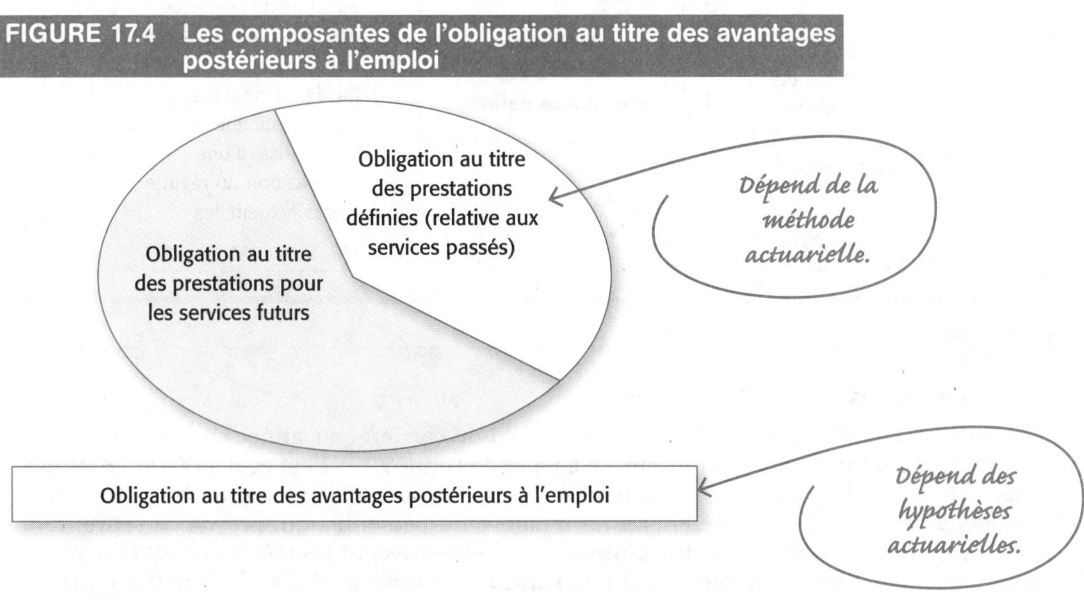

Nous avons déjà mentionné que les hypothèses actuarielles représentent les meilleures estimations faites par la direction de l'entreprise en ce qui a trait aux variables financières et démographiques qui influent sur le coût des avantages. Il s'agit donc des hypothèses les plus probables. On doit bien faire la distinction entre une hypothèse probable et une hypothèse prudente. L'utilisation d'hypothèses prudentes a pour effet de surévaluer l'obligation au titre des avantages postérieurs à l'emploi et donc les cotisations requises, cela dans le but de créer une marge de sécurité pour parer à toute éventualité. Par contre, des hypothèses trop prudentes, tout comme des hypothèses trop risquées, ne conviennent pas nécessairement à des fins comptables si elles ne sont pas réalistes.

Les facteurs qui font varier l'obligation au titre des prestations définies

Comme l'illustre la figure 17.5, plusieurs facteurs font varier l'obligation au titre des prestations définies.

Dans le cas des régimes de retraite, la législation canadienne impose généralement une évaluation actuarielle triennale. Néanmoins, les entreprises choisissent souvent une évaluation annuelle. En procédant à l'évaluation actuarielle à partir de la méthode des unités de crédit projetées, l'actuaire détermine le montant de l'obligation au titre des prestations définies relatives aux services rendus jusqu'à la date d'arrêté des comptes. Tout comme une évaluation actuarielle effectuée aux fins de la capitalisation sert à déterminer le montant des cotisations à effectuer jusqu'à la prochaine évaluation, une évaluation actuarielle effectuée aux fins de la comptabilisation sert à déterminer le coût des services qui seront rendus au cours de chacun des exercices jusqu'à la prochaine évaluation actuarielle. Ce coût augmente l'obligation au titre des prestations définies à chaque exercice.

La méthode des unités de crédit projetées considère que chaque année de service donne lieu à une unité supplémentaire de droits à prestations et évalue séparément chacune de ces unités pour obtenir l'obligation finale. En fait, le coût des services rendus au cours de l'exercice est la valeur actualisée des droits à prestations affectés à l'exercice en cause. Il correspond donc à l'accroissement de la valeur actualisée de l'obligation au titre des prestations définies découlant des services rendus par les membres du personnel pendant l'exercice examiné. L'exemple suivant[8] illustre comment ce coût est déterminé et comment se construit l'obligation au titre des prestations définies.

FIGURE 17.5 Les facteurs qui font varier l'obligation au titre des prestations définies

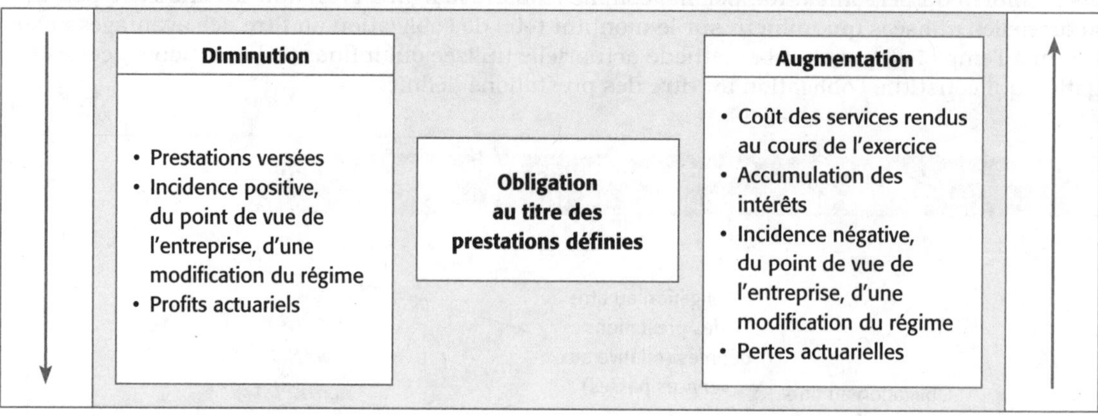

Diminution
• Prestations versées
• Incidence positive, du point de vue de l'entreprise, d'une modification du régime
• Profits actuariels
Obligation au titre des prestations définies
Augmentation
• Coût des services rendus au cours de l'exercice
• Accumulation des intérêts
• Incidence négative, du point de vue de l'entreprise, d'une modification du régime
• Pertes actuarielles

EXEMPLE

Méthode des unités de crédit projetées

Une somme forfaitaire égale à 1 % du salaire de fin de carrière par année d'activité doit être versée au moment du départ à la retraite. Le salaire de l'année 20X1 est égal à 60 000 $, et des augmentations de 5 % par année sont attendues. Le taux d'actualisation est de 10 %. L'analyse ci-dessous fournit les détails afférents à un membre du personnel qui prévoit se retirer à la fin de 20X3, en supposant que les hypothèses actuarielles restent les mêmes de 20X1 à 20X3. Le salaire de fin de carrière du membre du personnel est estimé à 66 150 $ (60 000 $ × $1{,}05^2$). La prestation forfaitaire est donc estimée à 1 985 $ (66 150 $ × 1 % × 3 années). Selon la méthode des unités de crédit projetées, la prestation affectée à chacun des exercices 20X1 à 20X3 est la valeur actualisée de 662 $ (1 985 $ ÷ 3 ans). Le coût des services pour chacun des exercices en cause est la valeur actualisée de ce montant de 662 $.

	20X1	20X2	20X3
Obligation à l'ouverture	0 $	547 $	1 203 $
Intérêts calculés au taux de 10 %	0	55	120
Coût des services rendus au cours de l'exercice	547 ①	601 ②	662
Obligation à la clôture	547 $	1 203 $	1 985 $

Calculs :

① (N = 2, I = 10 %, PMT = 0 $, FV = 662 $, CPT PV ?)

② (N = 1, I = 10 %, PMT = 0 $, FV = 662 $, CPT PV ?)

Cet exemple montre comment le coût des services rendus au cours de chacun des exercices s'accumule et forme l'obligation au titre des prestations définies. À chaque date de clôture, cette obligation inclut le coût des services rendus antérieurement, auquel s'ajoute le coût financier, soit les intérêts qui s'accumulent avec le temps, dont nous traitons maintenant.

Du fait que l'obligation au titre des prestations définies est une valeur actualisée, elle augmente progressivement du montant de l'accumulation des intérêts avec le temps. Ces intérêts sont calculés à partir du taux d'actualisation faisant partie des hypothèses actuarielles. Ce taux d'actualisation doit être établi en fonction des taux du marché pour des obligations d'entreprises de haute qualité. Dans le cas des monnaies pour lesquelles il n'existe pas de marché large pour ce type d'obligations, il faut se référer aux taux de rendement du marché des obligations d'État libellées dans cette monnaie. La monnaie et la durée de ces obligations d'entreprises ou de ces obligations d'État doivent correspondre à la monnaie et à la durée estimée des obligations au titre

8. Cet exemple est inspiré de celui fourni au paragraphe 68 de l'IAS 19.

des avantages postérieurs à l'emploi. Le taux d'actualisation doit refléter le calendrier attendu pour le versement des prestations. Puisqu'il est difficile en pratique de déterminer quelles obligations reflètent exactement le calendrier du versement des prestations, une entreprise utilise souvent un taux moyen, unique et pondéré qui reflète le calendrier attendu des versements. Qui plus est, il est parfois difficile, dans la réalité, de trouver des obligations dont l'échéance est suffisamment longue pour correspondre à celle estimée pour tous les versements des prestations. Dans cette situation, l'entreprise utilise les taux du marché disponibles pour les versements à court terme et extrapole les taux du marché pour les échéances plus lointaines en fonction de la courbe des taux de rendement.

L'obligation au titre des prestations définies représente une estimation de la valeur actualisée des prestations devant être versées à l'avenir. Évidemment, les prestations versées aux participants à leur retraite réduisent l'obligation.

Que ce soit sur une base volontaire ou pour se conformer à de nouvelles exigences légales, ou encore pour donner suite à une négociation collective, une entreprise peut être amenée à effectuer une **modification du régime**. Une modification peut toucher différentes dispositions du régime. Par exemple, considérons le scénario où un régime de retraite à prestations définies prévoit le versement d'une prestation annuelle calculée selon la formule suivante :

Prestation annuelle = Salaire moyen des 5 dernières années de service
× Nombre d'années de service × 2 %

À la suite de la dernière négociation collective, les parties décident que les prestations de retraite annuelles seront dorénavant calculées à 2,25 % du salaire moyen des 5 dernières années de service plutôt qu'à 2 %. Il devient alors nécessaire de modifier le mode de calcul des prestations. Une telle modification a pour effet d'augmenter l'obligation au titre des prestations définies si les nouvelles dispositions s'appliquent aussi aux services déjà rendus par les membres du personnel, c'est-à-dire si la modification a un effet rétrospectif. Une modification du régime ayant pour effet de désavantager les participants, par exemple si les prestations annuelles étaient maintenant calculées à 1,95 % du salaire moyen des 5 dernières années, aurait au contraire pour effet de diminuer l'obligation au titre des prestations définies.

Les modifications de régimes incluent non seulement les changements apportés à un régime, mais elles incluent également l'instauration et la cessation d'un régime. En effet, au moment d'instaurer un nouveau régime de retraite à prestations définies, une entreprise peut accorder des droits à prestations pour les exercices antérieurs à celui où le régime est mis en place. Comme ces droits se rapportent à des services passés, ils ont donc un effet à la hausse immédiat sur l'obligation au titre des prestations définies. De même, lorsqu'une entreprise met fin à un régime, l'obligation au titre des prestations définies est touchée puisque le nombre d'années de service qui sera pris en considération pour le calcul des prestations sera moins élevé. Les réductions de régimes et leur liquidation influent également sur l'obligation au titre des prestations définies de façon similaire aux modifications, comme nous l'expliquerons plus loin dans le présent chapitre.

Les **écarts actuariels** représentent une variation de la valeur actualisée de l'obligation au titre des prestations définies qui découlent de l'effet des changements apportés aux hypothèses actuarielles et des **ajustements liés à l'expérience**. Ces ajustements se rapportent aux écarts entre les hypothèses antérieures et ce qui s'est effectivement produit. Tout comme les estimations comptables sont régulièrement révisées pour tenir compte des nouvelles informations disponibles, les hypothèses actuarielles sont révisées pour tenir compte de la nouvelle situation qui prévaut. La direction doit réviser le taux d'actualisation utilisé pour calculer l'obligation au titre des prestations définies afin qu'il reflète le taux du marché en vigueur à la date d'évaluation. Il est également nécessaire de revoir l'hypothèse relative aux coûts médicaux futurs en prenant en compte les changements touchant la pratique médicale et la technologie qui s'y rapporte. De la même façon, les estimations concernant la rotation du personnel peuvent être modifiées lorsque l'on constate des variations importantes entre la rotation attendue et la rotation effective depuis la dernière évaluation actuarielle et si l'on s'attend à ce que la nouvelle tendance se maintienne. Une modification des hypothèses a une incidence directe sur le calcul de l'obligation au titre des prestations définies. Elle peut l'augmenter ou la diminuer, entraînant ainsi une perte ou un profit actuariel. Lorsque le taux d'actualisation révisé est inférieur à celui qui avait été estimé lors de la dernière évaluation actuarielle, cela a pour effet d'augmenter l'obligation au titre des prestations définies, entraînant ainsi une perte actuarielle. Au contraire, lorsque le taux est modifié à la hausse, cela a pour effet de diminuer l'obligation au titre des prestations définies, entraînant par le fait même un profit actuariel.

En ce qui a trait aux ajustements liés à l'expérience, la situation réelle diffère parfois de la situation attendue selon les hypothèses actuarielles sans qu'il soit nécessaire de modifier ces dernières. À titre d'exemple, si les augmentations salariales réelles accordées au cours de l'exercice ont exceptionnellement excédé les augmentations attendues, il n'est peut-être pas nécessaire de modifier l'hypothèse actuarielle relative au taux d'augmentation des salaires. En effet, le taux d'augmentation à long terme peut demeurer pertinent malgré l'augmentation exceptionnellement élevée observée pendant l'exercice en cours. Toutefois, l'obligation au titre des prestations définies est évidemment plus élevée que prévue si les prestations futures sont calculées à partir des salaires. Cela représente donc une perte actuarielle. De la même façon, si le nombre de départs de membres du personnel excède le taux de rotation du personnel attendu à l'origine, il se produit un profit actuariel puisque, dans l'établissement du coût des services rendus au cours de l'exercice, on avait anticipé que ces membres du personnel fourniraient un plus grand nombre d'années de service.

Les actifs d'un régime capitalisé

Comme nous l'avons mentionné précédemment, certains régimes, tels que les régimes de retraite, sont capitalisés. Les cotisations que verse l'entreprise (et les membres du personnel, s'il y a lieu) à la caisse de retraite sont investies afin de générer un rendement. Les placements peuvent prendre la forme d'obligations, de titres de participation, de prêts hypothécaires, de biens immobiliers, etc. En plus de la trésorerie, ces différents types de placements constituent les principaux **actifs du régime**. Précisons que les actifs du régime excluent les cotisations impayées dues au régime par l'entreprise qui présente les états financiers ainsi que les instruments financiers non transférables émis par l'entreprise et détenus par le régime. Les actifs du régime sont réduits de tous les passifs du régime qui ne se rapportent pas aux avantages du personnel, comme les fournisseurs et les autres dettes ainsi que les passifs qui découlent d'instruments financiers dérivés. De plus, les actifs d'un régime sont détenus par une entité légalement distincte de l'entreprise qui présente les états financiers et servent uniquement et exclusivement à capitaliser ou à payer les avantages du personnel. Ils ne sont donc pas disponibles aux créditeurs de l'entreprise, et ce, même en cas de faillite. Aussi, ces actifs ne peuvent être restitués à l'entreprise, à moins qu'il subsiste dans le régime des actifs suffisants pour payer la totalité de l'obligation au titre des avantages du personnel, ou encore que l'entreprise soit en droit de se voir rembourser des avantages du personnel qu'elle a déjà payés.

Les actifs d'un régime comprennent également les contrats d'assurance éligibles. Un **contrat d'assurance éligible** est un contrat conclu avec un assureur non lié dont le produit ne peut servir qu'à payer ou à capitaliser les avantages du personnel accordés selon un régime à prestations définies. Comme pour les autres actifs d'un régime, le produit du contrat doit demeurer hors de la portée des créanciers de l'entreprise même en cas de faillite et ne peut être remis à l'entreprise que si le produit représente des actifs excédentaires non nécessaires pour le respect de l'ensemble des obligations au titre des avantages du personnel ou si le produit représente un remboursement des avantages du personnel déjà payés.

Les facteurs qui font varier les actifs d'un régime

La figure 17.6 illustre les facteurs qui font varier à la hausse ou à la baisse la valeur des actifs d'un régime.

Ce sont les cotisations de l'employeur et les cotisations des membres du personnel (s'il y a lieu) qui représentent la source de trésorerie à partir de laquelle sera constitué le portefeuille de placements du régime.

17

FIGURE 17.6 Les facteurs qui font varier les actifs d'un régime

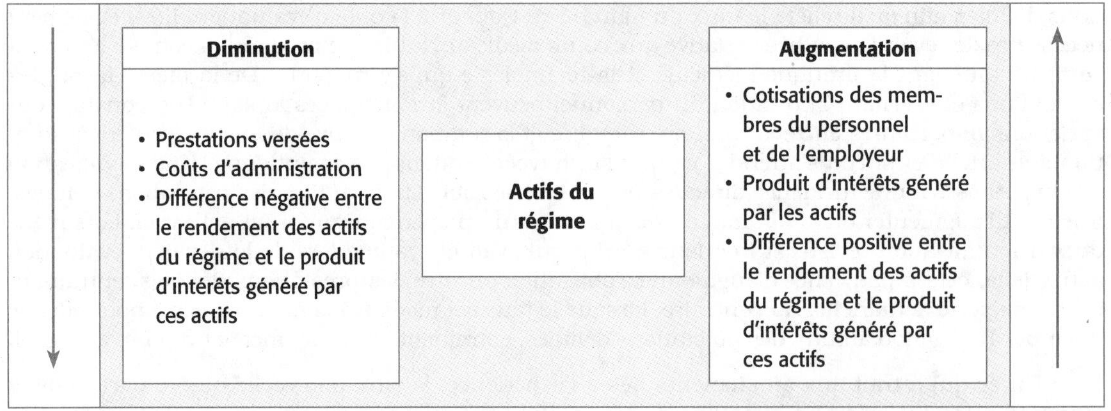

Mentionnons que les actifs d'un régime sont évalués à leur juste valeur, laquelle représente le prix qui serait reçu pour la vente d'un actif lors d'une transaction normale entre des intervenants du marché à la date d'évaluation[9]. Le **rendement des actifs du régime** comprend les produits réels d'intérêts, de dividendes, de location et d'autres sources générés par ces actifs. De plus, il comprend non seulement les profits ou les pertes réalisés sur ces actifs, mais également les profits et les pertes latents sur ces actifs. Les coûts de gestion des actifs et les impôts à payer par le régime, le cas échéant, sont déduits dans le calcul du rendement des actifs. Les honoraires des conseillers en gestion de placements sont un exemple de coût de gestion des actifs. Le rendement des actifs du régime doit être scindé en deux composantes. La première correspond au **produit d'intérêts généré par les actifs du régime**. On calcule ce «produit d'intérêts» en multipliant la juste valeur des actifs au début de l'exercice par le taux d'actualisation déterminé lui aussi au début de l'exercice, en tenant compte de la variation des actifs du régime attribuable au paiement des cotisations et des prestations au cours de l'exercice. Le taux d'actualisation correspond à celui utilisé pour calculer les intérêts sur l'obligation au titre des prestations définies. Il ne correspond donc pas nécessairement au taux de rendement attendu sur les actifs du régime. La seconde composante correspond à la différence entre le rendement des actifs du régime et le produit d'intérêts généré par ces actifs. Il importe de distinguer ces deux composantes, car leur traitement comptable diffère, comme nous l'expliquerons plus loin. Le produit d'intérêts généré par les actifs augmente la valeur de l'actif, comme le montre la figure 17.6. La différence entre le rendement des actifs et le produit d'intérêts augmente ou diminue l'actif, selon que le rendement des actifs est supérieur ou inférieur au produit d'intérêts. Si le rendement des actifs du régime excède le produit d'intérêts généré par les actifs, cela a pour effet d'augmenter les actifs du régime. Au contraire, si le rendement des actifs est inférieur au produit d'intérêts généré par les actifs, cela a pour effet de diminuer les actifs du régime.

Comme l'objectif de la mise de côté de trésorerie dans la caisse de retraite est de pourvoir au paiement des prestations, les prestations sont versées à même les sommes accumulées dans la caisse. Les **prestations versées** réduisent donc à la fois l'obligation au titre des prestations définies et les actifs d'un régime.

Les **coûts d'administration** du régime comprennent tous les coûts autres que les coûts de gestion des actifs, ces derniers étant pris en compte en réduction du rendement des actifs du régime. L'administration du régime peut entraîner des coûts tels les salaires et les honoraires des actuaires et des auditeurs. Les coûts d'administration assumés par le régime sont payés à même la trésorerie accumulée et réduisent d'autant les sommes disponibles pour le versement des prestations.

EXEMPLE

Évolution des actifs d'un régime et de l'obligation au titre des prestations définies

La société Sélect inc. instaure le 1er janvier 20X7 un régime de retraite à prestations définies pour les membres de son personnel. Le régime de retraite est contributif, et les prestations sont basées sur le nombre d'années de service et sur le salaire moyen des cinq dernières années de la carrière des participants. À cette même date, Sélect inc. a instauré pour les membres de son personnel un régime collectif d'assurance vie, maladie et hospitalisation non contributif. Ce dernier régime n'est pas capitalisé. Il prévoit le paiement d'une prestation de décès d'un montant de 10 000 $ et le remboursement des coûts médicaux et d'hospitalisation non couverts par les régimes publics jusqu'à concurrence d'un montant annuel de 10 000 $ par individu.

Aux 31 décembre 20X7 et 20X8, la juste valeur des actifs du régime de retraite s'établit comme suit :

	20X8	*20X7*
Trésorerie	*20 000 $*	*15 000 $*
Placements à capital garanti	*25 000*	*20 000*
Titres de participation	*120 000*	*110 000*
Obligations	*35 000*	*40 000*
Créances hypothécaires	*45 000*	*50 000*
	245 000 $	*235 000 $*

9. *Manuel de CPA Canada – Comptabilité – Partie I*, IFRS 13, Annexe A. Bien que la définition de la juste valeur établie à l'**IFRS 13** s'applique à la juste valeur des actifs d'un régime d'avantages postérieurs à l'emploi capitalisé, les informations à fournir énoncées dans l'IFRS 13 ne s'appliquent pas aux actifs de ces régimes.

En 20X7 et 20X8, les facteurs ayant fait varier les actifs sont les suivants :

	20X8	20X7
Juste valeur des actifs au début	235 000 $	0 $
Cotisations totales des membres du personnel et de l'employeur	80 000	330 000
Rendement des actifs	25 000	15 000
Prestations versées aux retraités	(95 000)	(110 000)
Juste valeur des actifs à la fin	245 000 $	235 000 $

Les coûts de gestion des actifs du régime sont pris en compte dans le rendement des actifs du régime. Nous présumons dans cet exemple que les coûts d'administration autres que les coûts de gestion des actifs sont négligeables. En ce qui concerne le régime d'assurance vie, maladie et hospitalisation, des prestations de 5 000 $ ont été versées annuellement à des retraités.

Lors de l'instauration du régime le 1er janvier 20X7, Sélect inc. a attribué aux membres de son personnel des droits à prestations pour les services rendus au cours des 10 dernières années. L'évaluation actuarielle effectuée au 1er janvier 20X7 fournit les renseignements suivants en ce qui concerne le régime de retraite (RR) et le régime collectif d'assurance vie, maladie et hospitalisation (RVMH). L'information est fournie séparément pour les régimes capitalisés et les régimes non capitalisés, puisque l'entreprise pourrait vouloir distinguer ces deux catégories de régimes au moment de préparer l'information à fournir en note.

	RR	RVMH
Obligation au titre des prestations définies au 1er janvier 20X7, calculée en utilisant la méthode des unités de crédit projetées	320 000 $	200 000 $
Coût des services à être rendus en 20X7 en utilisant cette même méthode actuarielle	60 000	20 000
Portion de ce coût que supporteront les participants (3 % des salaires bruts)	22 000	s.o.
Taux d'actualisation	10 %	10 %

Les renseignements suivants sont tirés de l'évaluation actuarielle au 31 décembre 20X7 :

	RR	RVMH
Obligation au titre des prestations définies au 31 décembre 20X7	360 000 $	271 000 $
Augmentation de l'obligation au titre des prestations définies découlant d'une modification du régime effectuée le 31 décembre 20X7 (incluse dans le montant de 360 000 $)	15 000	s.o.
Coût des services à être rendus en 20X8 par les membres du personnel	65 000	22 000
Portion de ce coût que supporteront les participants (3 % des salaires bruts)	23 000	s.o.
Taux d'actualisation	9 %	9 %

Les renseignements suivants sont tirés de l'évaluation actuarielle au 31 décembre 20X8 :

	RR	RVMH
Obligation au titre des prestations définies au 31 décembre 20X8	355 325 $	300 000 $
Coût des services à être rendus en 20X9 par les membres du personnel	70 000	22 000
Portion de ce coût que supporteront les participants (3 % des salaires bruts)	25 000	s.o.
Taux d'actualisation	9 %	9 %

On remarque que l'obligation au titre des prestations définies s'élève à 320 000 $ pour le régime de retraite et à 200 000 $ pour le régime collectif d'assurance vie, maladie et hospitalisation dès l'instauration des régimes le 1er janvier 20X7. Ces montants sont attribuables au coût des services passés, c'est-à-dire les services rendus au cours des 10 années précédant la mise en place des régimes. On remarque également que le coût des services rendus au cours de 20X7 est calculé lors de l'évaluation actuarielle précédente effectuée le 1er janvier 20X7 au moment de l'instauration du régime. En effet, les différentes méthodes actuarielles utilisées, dont la méthode des unités de crédit projetées, servent à établir le coût qui s'appliquera à chacun des exercices d'ici la prochaine évaluation actuarielle[10]. De plus, on remarque que le montant de la cotisation versée par l'entreprise à la caisse de retraite (330 000 $ en 20X7 et 80 000 $ en 20X8, *voir la page précédente*) diffère du coût des services rendus au cours du même exercice (60 000 $ en 20X7 et 65 000 $ en 20X8, selon les évaluations actuarielles figurant à la page précédente). La différence en 20X7 s'explique en partie par le fait que l'actuaire a probablement recommandé à Sélect inc. de capitaliser une partie du coût des services passés découlant de l'instauration du régime. La différence en 20X7 et en 20X8 peut également provenir du fait que l'actuaire utilise une méthode actuarielle différente aux fins de la capitalisation du régime et aux fins comptables. De plus, même si l'actuaire utilisait la même méthode aux fins de la capitalisation et aux fins comptables, il est possible que ce dernier ajoute au montant de la cotisation requise une certaine somme pour financer tout déficit du régime ou tout écart actuariel. Nous expliquerons ces éléments plus loin.

En supposant qu'une cotisation de 170 000 $ soit versée par l'employeur au début de 20X7 lors de l'instauration du régime de retraite, que les autres cotisations et les prestations soient versées en fin d'exercice et que la constitution des prestations se fasse uniformément tout au long de l'exercice[11], voici l'évolution des actifs du régime de retraite de Sélect inc. :

Évolution des actifs au cours de 20X7	
Valeur des actifs au 1er janvier 20X7	*0 $*
Produit d'intérêts généré par les actifs (170 000 $ × 10 %)*	*17 000*
Cotisations reçues	*330 000*
Prestations versées aux retraités en fin d'exercice	*(110 000)*
Valeur attendue des actifs au 31 décembre 20X7	*237 000*
Différence négative entre le rendement des actifs et le produit d'intérêts généré par ces actifs (15 000 $ – 17 000 $)	*(2 000)*
Valeur des actifs au 31 décembre 20X7	*235 000 $*
Évolution des actifs au cours de 20X8	
Valeur des actifs au 31 décembre 20X7	*235 000 $*
Produit d'intérêts généré par les actifs (235 000 $ × 9 %)*	*21 150*
Cotisations reçues en fin d'exercice	*80 000*
Prestations versées aux retraités en fin d'exercice	*(95 000)*
Valeur attendue des actifs au 31 décembre 20X8	*241 150*
Différence positive entre le rendement des actifs et le produit d'intérêts généré par ces actifs (25 000 $ – 21 150 $)	*3 850*
Valeur des actifs au 31 décembre 20X8	*245 000 $*

** Le taux à utiliser correspond au taux d'actualisation qui a été utilisé dans l'évaluation actuarielle pour calculer l'obligation au titre des prestations définies au début de l'exercice.*

On constate que le produit d'intérêts généré par les actifs calculé selon l'hypothèse relative au taux d'actualisation diffère du rendement réel des actifs du régime. Comme le solde des actifs du régime à la fin de l'exercice est connu, il est possible d'en déduire le rendement réel des actifs. À titre d'exemple, comme le solde des actifs à la fin de 20X8 s'élève à 245 000 $, cela signifie que le rendement des actifs s'élève à 25 000 $ (245 000 $ – 235 000 $ – 80 000 $ + 95 000 $). Comme le produit d'intérêts généré par les actifs se chiffre à 21 150 $, une différence positive de 3 850 $ existe entre ces deux montants pour l'exercice. Nous verrons plus loin l'utilité d'examiner séparément le produit d'intérêts généré par les actifs et la différence entre le rendement des actifs et ce produit d'intérêts, étant donné que leur traitement comptable diffère. Le produit d'intérêts généré par les actifs est calculé sur la valeur des actifs au début de l'exercice, en tenant compte de l'hypothèse selon laquelle les cotisations (à l'exception de la cotisation de 170 000 $ effectuée lors de l'instauration du régime) et les prestations sont versées en fin d'exercice. Puisque ces mouvements de trésorerie ont lieu en fin d'exercice, il ne faut pas les prendre en considération dans le calcul du produit d'intérêts.

17

10. Dans notre exemple, l'évaluation actuarielle est effectuée annuellement. Le coût des services rendus au cours de l'exercice est donc déterminé chaque année. Dans le cas d'une évaluation actuarielle triennale, le coût établi lors de l'évaluation actuarielle s'applique aux trois exercices suivant l'évaluation.

11. Nous verrons plus loin que ces hypothèses sont nécessaires pour calculer les intérêts.

On peut illustrer l'évolution de l'obligation au titre des prestations définies au moyen d'une analyse similaire :

Évolution de l'obligation au titre des prestations définies au cours de 20X7

Obligation au titre des prestations définies au 1er janvier 20X7 (coût des services passés liés à l'instauration du régime)		*320 000 $*
Coût des services rendus en 20X7		*60 000*
Intérêts sur l'obligation		
(320 000 $ × 10 %)*	*32 000 $*	
*(60 000 $ × ½** × 10 %)*	*3 000*	*35 000*
Coût des services passés afférent à une modification du régime		*15 000*
Prestations versées en fin d'exercice		*(110 000)*
Obligation au titre des prestations définies au 31 décembre 20X7 selon les hypothèses actuarielles		*320 000*
*Perte actuarielle****		*40 000*
Obligation au titre des prestations définies selon l'évaluation actuarielle effectuée au 31 décembre 20X7		*360 000 $*

Évolution de l'obligation au titre des prestations définies au cours de 20X8

Obligation au titre des prestations définies au 31 décembre 20X7		*360 000 $*
Coût des services rendus en 20X8		*65 000*
Intérêts sur l'obligation		
(360 000 $ × 9 %)	*32 400 $*	
(65 000 $ × ½ × 9 %)	*2 925*	*35 325*
Prestations versées en fin d'exercice		*(95 000)*
Obligation au titre des prestations définies au 31 décembre 20X8 selon les hypothèses actuarielles		*365 325*
Profit actuariel		*(10 000)*
Obligation au titre des prestations définies selon l'évaluation actuarielle effectuée au 31 décembre 20X8		*355 325 $*

* *Le taux d'actualisation à utiliser est celui du début de l'exercice.*

** *Cette fraction est utilisée pour tenir compte du fait que les prestations sont accumulées de façon uniforme tout au long de l'exercice. De ce fait, le montant de 60 000 $ accumulé à la fin de l'exercice s'élève en moyenne à 30 000 $ pour l'exercice (60 000 $ × ½).*

*** *On obtient ce montant en calculant la différence entre le montant réel de 360 000 $ découlant de l'évaluation actuarielle au 31 décembre 20X7 et le montant de 320 000 $ calculé à partir des hypothèses actuarielles.*

17

Du côté du régime d'assurance vie, maladie et hospitalisation, l'évolution de l'obligation au titre des prestations définies s'établit de la façon suivante :

Évolution de l'obligation au titre des prestations définies au cours de 20X7

Obligation au titre des prestations définies au 1er janvier 20X7 (coût des services passés liés à l'instauration du régime)		*200 000 $*
Coût des services rendus en 20X7		*20 000*
Intérêts sur l'obligation		
(200 000 $ × 10 %)	*20 000 $*	
(20 000 $ × ½ × 10 %)	*1 000*	*21 000*
Prestations versées en fin d'exercice		*(5 000)*
Obligation au titre des prestations définies au 31 décembre 20X7 selon les hypothèses actuarielles		*236 000*
Perte actuarielle		*35 000*
Obligation au titre des prestations définies selon l'évaluation actuarielle effectuée au 31 décembre 20X7		*271 000 $*

Évolution de l'obligation au titre des prestations définies au cours de 20X8

Obligation au titre des prestations définies au 31 décembre 20X7		*271 000 $*
Coût des services rendus en 20X8		*22 000*
Intérêts sur l'obligation		
(271 000 $ × 9 %)	*24 390 $*	
(22 000 $ × ½ × 9 %)	*990*	*25 380*
Prestations versées en fin d'exercice		*(5 000)*
Obligation au titre des prestations définies au 31 décembre 20X8 selon les hypothèses actuarielles		*313 380*
Profit actuariel		*(13 380)*
Obligation au titre des prestations définies selon l'évaluation actuarielle effectuée au 31 décembre 20X8		*300 000 $*

On remarque que le calcul des intérêts sur l'obligation tient compte du fait que les droits à prestations pour les services rendus au cours de l'exercice sont gagnés uniformément tout au long de l'exercice. Le montant des prestations versées n'influe pas sur le calcul des intérêts, car on pose comme hypothèse que les prestations sont versées en fin d'exercice. Il en va de même pour la modification apportée au régime le 31 décembre 20X7 (15 000 $). Comme elle est survenue en fin d'exercice, il n'y a pas lieu de calculer des intérêts sur le coût de cette modification en 20X7. Si la modification avait eu lieu durant l'exercice, disons le 1er février 20X7, il aurait fallu calculer des intérêts pour une période de 10 mois en 20X7.

Les évaluations actuarielles effectuées en fin d'exercice font ressortir une perte actuarielle de 40 000 $ en 20X7 et un profit actuariel de 10 000 $ en 20X8 en ce qui concerne l'obligation au titre des prestations définies du régime de retraite. Pour le régime d'assurance vie, maladie et hospitalisation, une perte actuarielle de 35 000 $ et un profit actuariel de 13 380 $ ont respectivement été calculés pour ces mêmes années. Comme nous l'avons expliqué précédemment, ces montants peuvent inclure l'incidence combinée du changement de certaines hypothèses actuarielles et les ajustements liés à l'expérience. Les écarts actuariels sur l'obligation au titre des prestations définies sont déterminés chaque fois qu'une nouvelle évaluation actuarielle est effectuée.

La situation de capitalisation des régimes

On entend par **situation de capitalisation** l'excédent ou le déficit d'un régime représenté par la différence entre la juste valeur des actifs et l'obligation au titre des prestations définies.

EXEMPLE

Situation de capitalisation

Dans le cas de Sélect inc., la situation de capitalisation de ses régimes s'établit comme suit :

Régime de retraite	***20X8***	***20X7***
Obligation au titre des prestations définies	*355 325 $*	*360 000 $*
Actifs du régime	*245 000*	*235 000*
Déficit	*110 325 $*	*125 000 $*

Régime d'assurance vie, maladie et hospitalisation	***20X8***	***20X7***
Obligation au titre des prestations définies	*300 000 $*	*271 000 $*
Actifs du régime	*0*	*0*
Déficit	*300 000 $*	*271 000 $*

La comptabilisation des régimes à prestations définies

Après avoir traité des facteurs qui font varier les actifs d'un régime et l'obligation au titre des prestations définies découlant d'un régime, voyons maintenant comment ces mêmes facteurs sont pris en considération dans le calcul des montants à comptabiliser par l'entreprise. En fait, chaque facteur faisant varier les actifs d'un régime ou l'obligation au titre des prestations définies influe directement ou indirectement sur les montants comptabilisés dans les livres de l'entreprise.

Le coût des services

Le principe général qui guide la comptabilisation du coût lié aux régimes à prestations définies est que les droits aux prestations doivent être affectés aux périodes de service. Il convient donc de répartir le coût des prestations sur les exercices pendant lesquels les membres du personnel rendent ces services. C'est en vertu de la formule de calcul des prestations établie par le régime que les droits à prestations doivent être affectés aux périodes de service. Le tableau 17.2 fournit des exemples de la façon d'appliquer ce principe.

TABLEAU 17.2 L'affectation des droits à prestations aux périodes de service

Formule de calcul des prestations [12]	Montant affecté à chaque période [13]
Un régime de retraite prévoit le paiement d'une prestation forfaitaire de 1 000 $ par année de service payable lors du départ à la retraite.	Un droit à prestations de 1 000 $ est attribué à chaque année. Le coût des services rendus au cours de l'exercice est la valeur actualisée de 1 000 $.
Un régime de retraite prévoit le paiement d'une prestation de 1 000 $ pour chaque année de service, à l'exclusion des années de service effectuées avant l'âge de 25 ans.	Aucun coût n'est affecté aux années de service effectuées avant l'âge de 25 ans, car les services rendus avant cette date ne génèrent aucun droit à prestations.
Un régime de retraite prévoit le paiement d'une prestation annuelle égale à 2,5 % du salaire de fin de carrière pour chaque année de service. Cette prestation est payable à partir de 65 ans.	Les droits à prestations correspondant à la valeur actualisée d'une prestation annuelle de 2,5 % du salaire de fin de carrière estimé, payables entre la date du départ à la retraite et la date attendue du décès, sont affectés à chaque année de service. Le coût des services rendus au cours d'un exercice est la valeur actualisée de ces droits.
Un régime d'assistance médicale postérieure à l'emploi prévoit le remboursement de 40 % des coûts médicaux d'un membre du personnel après l'emploi s'il quitte l'entreprise après avoir complété entre 10 et 20 années de service, et de 50 % s'il la quitte après 20 années ou plus de service.	L'entreprise affecte 4 % (40 % ÷ 10 ans) de la valeur actualisée des coûts médicaux attendus à chacune des 10 premières années de service et 1 % (10 % supplémentaire ÷ 10 ans) à chacune des 10 années suivantes.

Si les services rendus au cours des périodes ultérieures donnent accès à un niveau de droits à prestations significativement supérieur à celui des périodes précédentes, l'entreprise doit répartir les droits à prestations sur une base linéaire entre la date à laquelle les services du membre du personnel commencent à générer des droits et celle à laquelle les services complémentaires rendus par ce dernier ne généreront aucun montant supplémentaire notable.

EXEMPLE

Répartition des droits à prestations

Un régime d'assistance médicale postérieure à l'emploi prévoit le remboursement de 20 % des frais médicaux d'un membre du personnel s'il quitte son emploi après avoir complété entre 10 et 20 ans de service, et 80 % des frais médicaux après 20 ans de service ou plus. Dans cette situation, les années de service ultérieures aux 19 premières années de service génèrent un niveau de droits à prestations significativement supérieur aux années précédentes. C'est pourquoi l'affectation aux années de service se fait sur une base linéaire. Puisque le temps de service supérieur à 20 ans ne génère pas un montant additionnel important de droits à prestations, ceux-ci sont affectés à chacune des 20 premières années de service à raison de 4 % (80 % ÷ 20 années de service) pour les membres du personnel dont le nombre d'années de service attendu est de 20 ans et plus. Pour les membres du personnel dont le nombre d'années de service attendu se situe entre 10 et 20 ans, des droits à prestations de 2 % (20 % ÷ 10 années de service) sont affectés à chacune des 10 premières années de service. Dans tous les cas, le montant affecté est bel et bien la valeur actualisée des montants en cause.

12. Ces exemples sont tirés et adaptés des paragraphes 71 à 74 de l'IAS 19.
13. Dans tous les exemples, l'entreprise doit tenir compte de la probabilité qu'un membre du personnel quitte l'entreprise avant d'avoir acquis le droit aux prestations.

Ayant traité du principe général qui guide la comptabilisation des régimes à prestations définies, voyons maintenant de façon détaillée comment chacun des éléments qui fait varier les actifs du régime et l'obligation au titre des prestations définies est comptabilisé dans les livres de l'entreprise. Comme le montre la figure 17.7, certains de ces éléments sont comptabilisés en résultat net et d'autres dans les autres éléments du résultat global. À partir de l'exemple de la société Sélect inc., illustrons la comptabilisation des éléments suivants : le coût des services (services rendus au cours de l'exercice et services passés), les intérêts nets (intérêts sur l'obligation au titre des prestations définies et produit d'intérêts généré par les actifs du régime) et les réévaluations (écarts actuariels et différence entre le rendement des actifs et le produit d'intérêts généré par ces actifs). Les chiffres proviennent tous des données de l'exemple intitulé « Évolution des actifs d'un régime et de l'obligation au titre des prestations définies », plus précisément des détails en ce qui a trait à l'évolution des actifs du régime (*voir la page 17.21*) et à l'évolution de l'obligation au titre des prestations définies (*voir les pages 17.22 et 17.23*). Plus loin dans le présent chapitre, nous traiterons des autres éléments, soit l'effet du plafond des actifs du régime et l'effet d'une liquidation d'un régime.

FIGURE 17.7 Les composantes du coût des régimes à prestations définies

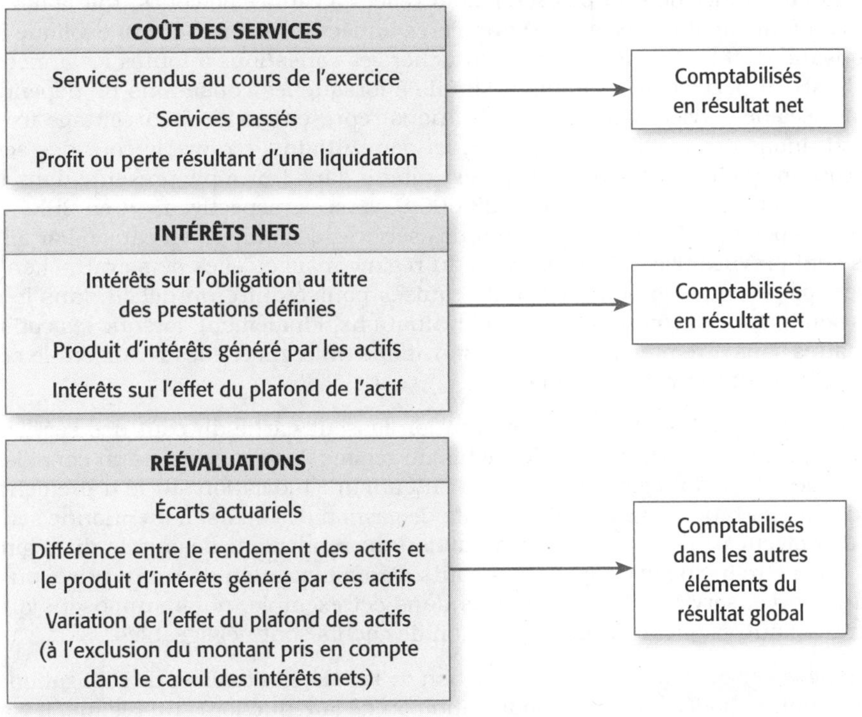

17

Précisons que dans l'exemple présenté dans ce chapitre, nous présumons que le montant total calculé pour le coût des avantages postérieurs à l'emploi est comptabilisé en résultat net ou dans les autres éléments du résultat global. Il va sans dire qu'il est possible qu'une portion du montant calculé soit incorporée dans le coût d'un actif comme les stocks ou les immobilisations corporelles, tel que requis par d'autres IFRS.

Le **coût des services** englobe le coût des services rendus au cours de l'exercice, le coût des services passés et le profit ou la perte découlant d'une liquidation. Ces éléments sont tous comptabilisés en résultat net.

En ce qui a trait au **coût des services rendus au cours de l'exercice**, la méthode des unités de crédit projetées doit être utilisée pour établir la valeur actualisée des droits à prestation affectée à un exercice donné. Cette information est tirée de la dernière évaluation actuarielle.

EXEMPLE

Coût des services rendus au cours de l'exercice

Dans l'exemple de Sélect inc., cette composante du coût du régime de retraite correspond au coût, supporté par l'employeur, des services rendus au cours de l'exercice, soit 38 000 $ en 20X7 (60 000 $ – 22 000 $) et 42 000 $ en 20X8 (65 000 $ – 23 000 $). Il s'agit du coût total des services rendus au cours de l'exercice qui figure dans le détail de l'évolution de l'obligation au titre des prestations définies présenté précédemment moins le montant des cotisations des membres du personnel. Puisque le régime d'assurance vie, maladie et hospitalisation est non contributif, il n'y a aucune cotisation des membres du personnel, et le coût des services rendus au cours de l'exercice s'élève à 20 000 $ en 20X7 et à 22 000 $ en 20X8.

Il convient de fournir des explications additionnelles en ce qui concerne le traitement à réserver aux **cotisations des membres du personnel**. Lorsque ces cotisations sont prévues par les dispositions du régime et qu'elles se rattachent aux services, elles doivent être comptabilisées en réduction du coût des services par un rattachement aux périodes de service. À titre d'exemple, si un régime prévoit des cotisations de 4 % du salaire brut pendant les 10 premières années de service et des cotisations de 6 % du salaire brut par la suite, les cotisations qui sont versées la onzième année ne sont pas seulement reliées à l'année en cours, soit la onzième année, mais elles sont également reliées aux 10 premières années de service, ce qui explique l'augmentation des cotisations. Il faut donc tenter de rattacher ces cotisations à toutes les années de service en cause. L'IAS 19 permet un traitement simplifié lorsque les cotisations ne dépendent pas du nombre d'années de service. Quand les cotisations représentent un pourcentage fixe du salaire brut, les cotisations des membres du personnel peuvent ainsi réduire le coût des services dans la période courante. C'est ce traitement qui est retenu dans l'exemple présenté dans ce chapitre. En effet, les cotisations de 22 000 $ et de 23 000 $, versées respectivement en 20X7 et 20X8 par les membres du personnel, réduisent le coût des services des années en cause. Par ailleurs, si les cotisations sont prévues par les dispositions du régime mais qu'elles ne se rattachent nullement aux services, par exemple lorsqu'elles sont requises pour réduire un déficit dans le régime, ces cotisations sont prises en compte dans les réévaluations. Finalement, lorsque les cotisations sont discrétionnaires sans être prévues par les dispositions du régime, elles réduisent le coût des services lorsqu'elles sont versées au régime.

Il est possible que les coûts d'administration fassent partie du coût des services. En effet, l'IASB stipule que les coûts de gestion des actifs du régime doivent être pris en considération dans le rendement des actifs du régime, mais ne fournit aucune indication sur le traitement comptable des coûts d'administration autres que les coûts de gestion des actifs. Il mentionne seulement que ces coûts ne doivent pas être portés en réduction du rendement des actifs du régime. Ceux-ci pourraient donc être inclus avec les autres coûts d'administration de l'entreprise, ou encore être ajoutés au coût des services. Rappelons que dans cet exemple, nous supposons que les coûts d'administration autres que les coûts de gestion des actifs sont négligeables.

Le **coût des services passés** est la variation de la valeur actualisée de l'obligation au titre des prestations définies qui découle de la modification ou de la réduction d'un régime. Il y a **modification d'un régime** lorsque l'entreprise instaure un régime à prestations définies, lorsqu'elle modifie les prestations à payer en vertu de ce régime ou lorsqu'elle y met fin. Il y a **réduction de régime** lorsque l'entreprise réduit de façon importante le nombre de membres du personnel participant au régime. Cela peut se produire lors de la fermeture d'une division ou d'un secteur opérationnel.

Lors de l'instauration d'un régime de retraite, il arrive que l'on accorde aux participants des droits aux prestations pour des services rendus au cours d'un certain nombre d'années précédentes. Par exemple, il peut être prévu que le calcul des années de service aux fins de la détermination des prestations de retraite débute cinq ans avant l'instauration du régime. Dans un tel cas, dès la création du régime, il existe une obligation au titre des prestations définies représentée par le coût des prestations relatives aux services rendus au cours des cinq dernières années. De la même façon, comme nous l'avons expliqué précédemment, il est possible qu'une modification apportée aux dispositions d'un régime s'applique aux services rendus antérieurement par les membres du personnel. Les ajustements qui découlent de l'instauration ou de la modification d'un régime ont une incidence sur l'obligation au titre des prestations définies, car celle-ci représente la valeur actualisée des prestations relatives aux services rendus par les membres du personnel jusqu'à la date de l'évaluation. Le coût des services passés peut être positif ou négatif, selon que la modification ou la réduction du régime augmente ou diminue l'obligation au titre des prestations définies. À titre d'exemple, si la prestation annuelle payable en vertu d'un régime est calculée selon la formule « salaire moyen des 10 dernières années de la carrière × nombre d'années de service × 2 % » et que le régime est modifié à la suite des négociations menant à la signature d'une nouvelle convention collective de sorte que la formule utilise dorénavant le salaire moyen des 5 dernières années de service dans le calcul des prestations, cette modification aurait pour effet d'augmenter l'obligation au titre des prestations définies. En effet, le salaire annuel augmente généralement à mesure que la carrière d'un individu progresse. Au contraire, si la formule était modifiée pour utiliser plutôt le salaire moyen de la carrière entière, l'obligation serait diminuée.

Lors d'une modification ou d'une réduction de régime, l'entreprise doit, avant de déterminer le coût des services passés, réévaluer le passif net ou l'actif net au titre des prestations définies[14] sur la base de la juste valeur des actifs du régime et des hypothèses actuarielles qui reflètent les prestations accordées selon le régime avant sa modification ou sa réduction. Le coût des services passés est évalué par le changement dans le passif (l'actif) net au titre des prestations définies découlant de la modification ou de la réduction. L'entreprise doit comptabiliser le coût des services passés à la date de modification ou de réduction du régime ou, si elle est antérieure, à la date à laquelle l'entreprise comptabilise les coûts de restructuration correspondants (dont nous avons traité au chapitre 12) ou les indemnités de cessation d'emploi correspondantes que nous verrons plus loin dans le présent chapitre)[15].

EXEMPLE

Coût des services passés

Pour le régime de retraite de Sélect inc., le coût lié à l'instauration du régime en 20X7 au montant de 320 000 $ et le coût de la modification du régime effectuée cette même année au montant de 15 000 $ sont comptabilisés en résultat net en 20X7 pour un montant total de 335 000 $. Pour le régime d'assurance vie, maladie et hospitalisation, le coût lié à l'instauration du régime au montant de 200 000 $ en 20X7 est imputé en résultat net au cours de cet exercice financier. Il n'y a aucun coût lié aux services passés en 20X8 pour ces deux régimes.

Les intérêts nets

Les intérêts nets sont calculés sur le passif (l'actif) net au titre des prestations définies, c'est-à-dire sur la différence entre l'obligation au titre des prestations définies et les actifs du régime. Un passif net correspond au déficit du régime, alors qu'un actif net correspond à l'excédent ou surplus. Les intérêts nets sur le passif (l'actif) net au titre des prestations définies sont donc composés du coût financier relatif à l'obligation au titre des prestations définies, du produit d'intérêts généré par les actifs du régime et des intérêts sur l'effet du plafond de l'actif.

L'obligation au titre des prestations définies étant une valeur actualisée, la valeur de cette obligation s'accroît théoriquement avec le passage du temps en fonction du taux d'intérêt utilisé pour actualiser les montants des prestations payables à l'avenir. On obtient l'intérêt sur l'obligation, aussi appelé **coût financier**, en multipliant le taux d'actualisation déterminé au début de l'exercice par la valeur actualisée de l'obligation au titre des prestations définies, en tenant compte des changements importants de l'obligation, comme le montant des prestations payées. Quant au produit d'intérêts généré par les actifs, il peut être affecté au paiement des prestations futures ; il vient donc diminuer le coût du régime d'avantages postérieurs à l'emploi que doit supporter l'entreprise. Précisons que c'est le produit d'intérêts généré par les actifs du régime et non le rendement des actifs qui doit être pris en considération pour le calcul des intérêts nets. Comme nous le verrons plus loin dans ce chapitre, la différence entre le rendement des actifs et le produit d'intérêts généré par les actifs est comptabilisée différemment. Le produit d'intérêts généré par les actifs traduit l'évolution de la juste valeur des actifs du régime détenus au cours de l'exercice, tenant compte des cotisations effectivement versées et des prestations payées. Les intérêts sur l'effet du plafond des actifs seront traités plus loin dans le présent chapitre.

14. Le passif net au titre des prestations définies correspond au déficit d'un régime, alors que l'actif net correspond au surplus. L'actif net est ajusté pour tenir compte de l'effet du plafond des actifs, comme nous l'expliquerons plus loin.

15. *Manuel de CPA Canada – Comptabilité – Partie I*, IAS 19, paragr. 103.

EXEMPLE

Intérêts nets

Dans l'exemple de Sélect inc., les intérêts nets de 20X7 et de 20X8 à comptabiliser en résultat net sont calculés de la façon suivante :

Régime de retraite	*20X8*	*20X7*
Coût financier – Intérêts sur l'obligation au titre des prestations définies (voir la page 17.22)	*35 325 $*	*35 000 $*
Produit d'intérêts généré par les actifs (voir la page 17.21)	*21 150*	*17 000*
Intérêts nets	*14 175 $*	*18 000 $*
Régime d'assurance vie, maladie et hospitalisation	***20X8***	***20X7***
Coût financier – Intérêts sur l'obligation au titre des prestations définies (voir les pages 17.22 et 17.23)	*25 380 $*	*21 000 $*

Les réévaluations

Différence NCECF

Les **réévaluations** incluent les écarts actuariels, la différence entre le rendement des actifs du régime et le produit d'intérêts généré par ces actifs, ainsi que la variation de l'effet du plafond des actifs dont nous traiterons plus loin dans ce chapitre. L'effet des réévaluations est entièrement comptabilisé dans les autres éléments du résultat global dès que ces réévaluations ont lieu.

Les **écarts actuariels** se rapportent à l'obligation au titre des prestations définies. Ils découlent des effets des changements apportés aux hypothèses actuarielles ou des ajustements liés à l'expérience. Rappelons que les ajustements liés à l'expérience représentent les différences entre les hypothèses actuarielles antérieures et ce qui s'est effectivement passé, par exemple une rotation réelle du personnel qui excède l'hypothèse utilisée à cet effet. Les écarts actuariels sont déterminés lorsqu'une nouvelle évaluation actuarielle est effectuée, comme nous l'avons montré à la page 17.22.

EXEMPLE

Écarts actuariels

Pour son régime de retraite, Sélect inc. devra comptabiliser dans les autres éléments du résultat global une perte actuarielle de 40 000 $ en 20X7 et un profit actuariel de 10 000 $ en 20X8 (*voir la page 17.22*). Pour son régime d'assurance vie, maladie et hospitalisation, une perte actuarielle de 35 000 $ sera comptabilisée en 20X7 et un profit actuariel de 13 380 $ en 20X8 (*voir les pages 17.22 et 17.23*).

17

Un autre élément qui représente une réévaluation consiste en la différence entre le rendement des actifs et le produit d'intérêts généré par ces actifs. Rappelons que le rendement des actifs se compose de deux éléments, soit le produit d'intérêts généré par les actifs et la différence entre le rendement des actifs et ce produit d'intérêts. Le premier élément est inclus dans les intérêts nets dont nous avons traité ci-dessus et est comptabilisé en résultat net. Le second est comptabilisé dans les autres éléments du résultat global. La différence entre le rendement des actifs et le produit d'intérêts peut être positive ou négative, selon que le produit d'intérêts généré par les actifs est inférieur ou supérieur au rendement des actifs. Comme le produit d'intérêts est calculé à partir de l'hypothèse relative au taux d'actualisation, il diffère nécessairement du rendement sur les actifs qui correspond aux revenus réels, réalisés et latents, sur les actifs du régime.

EXEMPLE

Différence entre le rendement des actifs et le produit d'intérêts

Pour son régime de retraite, Sélect inc. comptabilise une différence négative (débit dans les autres éléments du résultat global) de 2 000 $ en 20X7 et une différence positive (crédit dans les autres éléments du résultat global) de 3 850 $ en 20X8 (*voir la page 17.21*). Cet élément ne s'applique pas au régime d'assurance vie, maladie et hospitalisation, car ce dernier n'est pas capitalisé.

Notons que les dispositions de l'IAS 19 doivent être appliquées séparément à chaque régime significatif. Les calculs sont donc effectués distinctement pour le régime de retraite et le régime d'assurance vie, maladie et hospitalisation. En ce qui a trait aux éléments devant être comptabilisés en résultat net, en l'occurrence le coût des services et les intérêts nets, l'IASB ne précise pas si ces derniers doivent faire partie d'un même compte de charges (ou de produits) dans l'état du résultat global. Une entreprise pourrait ainsi décider d'inclure les intérêts nets des régimes d'avantages postérieurs à l'emploi avec les charges financières.

EXEMPLE

Montants à comptabiliser en résultat net et dans les autres éléments du résultat global et écritures de journal

Si Sélect inc. choisit de grouper et de présenter dans un même compte ces éléments, la charge se résumerait ainsi pour les exercices 20X7 et 20X8.

Description	*20X8*	*20X7*
Coût des services rendus au cours de l'exercice (voir la page 17.26)	*42 000 $*	*38 000 $*
Coût des services passés (voir la page 17.27)	*θ*	*335 000*
Intérêts nets (voir la page 17.28)	*14 175*	*18 000*
Total de la charge relative au régime de retraite	*56 175 $*	*391 000 $*

Par ailleurs, les montants relatifs au régime de retraite qui doivent être comptabilisés dans les autres éléments du résultat global se résument de la façon suivante pour 20X7 et 20X8 :

Description	*20X8*	*20X7*
Écarts actuariels (voir la page 17.28)	*10 000 $*	*(40 000) $*
Différence entre le rendement des actifs et le produit d'intérêts généré par les actifs (voir la page 17.28)	*3 850*	*(2 000)*
Total du montant à comptabiliser dans les autres éléments du résultat global	*13 850 $*	*(42 000) $*

À la suite de ces calculs, les montants relatifs au régime de retraite de Sélect inc. sont comptabilisés de la façon suivante pour chacune des années en cause (les lettres « AERG » désignent une comptabilisation dans les autres éléments du résultat global) :

	20X8		*20X7*	
Avantages postérieurs à l'emploi – Régime de retraite	*56 175*		*391 000*	
Réévaluations – Régime de retraite (AERG)		*13 850*	*42 000*	
Passif net au titre des prestations définies – Régime de retraite		*42 325*		*433 000*
Montants relatifs au régime de retraite.				

De la même façon, la charge des exercices en cause pour le régime d'assurance vie, maladie et hospitalisation est déterminée et enregistrée de la façon suivante :

Description	*20X8*	*20X7*
Coût des services rendus au cours de l'exercice (voir la page 17.26)	*22 000 $*	*20 000 $*
Coût des services passés (voir la page 17.27)	*θ*	*200 000*
Intérêts nets (voir la page 17.28)	*25 380*	*21 000*
Total de la charge relative au régime d'assurance vie, maladie et hospitalisation	*47 380 $*	*241 000 $*

Les montants relatifs au régime d'assurance vie, maladie et hospitalisation qui doivent être comptabilisés dans les autres éléments du résultat global se résument de la façon suivante pour 20X7 et 20X8 :

Description	*20X8*	*20X7*
Écarts actuariels (voir la page 17.28)	*13 380 $*	*(35 000) $*
Différence entre le rendement des actifs et le produit d'intérêts généré par ces actifs (voir la page 17.28)	*–*	*–*
Total du montant à imputer dans les autres éléments du résultat global	*13 380 $*	*(35 000) $*

À la suite de ces calculs, les montants relatifs au régime d'assurance vie, maladie et hospitalisation de Sélect inc. sont comptabilisés de la façon suivante pour chacun des exercices en cause :

	20X8		*20X7*	
Avantages postérieurs à l'emploi – Régime d'assurance vie, maladie et hospitalisation	*47 380*		*241 000*	
Réévaluations – Régime d'assurance vie, maladie et hospitalisation (AERG)		*13 380*	*35 000*	
Passif net au titre des prestations définies – Régime d'assurance vie, maladie et hospitalisation		*34 000*		*276 000*
Montants relatifs au régime d'assurance vie, maladie et hospitalisation.				

L'IASB précise que les réévaluations comptabilisées dans les autres éléments du résultat global ne donnent pas lieu à des **ajustements de reclassement**. En d'autres mots, ils ne doivent pas être reclassées en résultat net par la suite. Par contre, il est permis de les virer à une autre composante des capitaux propres. Ainsi, une entreprise a le loisir de laisser s'accumuler l'effet des réévaluations dans le cumul des autres éléments du résultat global ou de les virer aux résultats non distribués.

EXEMPLE

Virement des réévaluations en résultats non distribués

Si Sélect inc. choisissait cette dernière option, voici les écritures en rapport avec le régime de retraite pour 20X7 et 20X8 :

	20X8		*20X7*	
Réévaluations – Régime de retraite (AERG)	*13 850*			*42 000*
Résultats non distribués		*13 850*	*42 000*	
Virement des réévaluations de l'exercice dans les résultats non distribués.				

De la même façon, les écritures suivantes seraient requises pour le régime d'assurance vie, maladie et hospitalisation :

	20X8		*20X7*	
Réévaluations – Régime d'assurance vie, maladie et hospitalisation (AERG)	*13 380*			*35 000*
Résultats non distribués		*13 380*	*35 000*	
Virement des réévaluations de l'exercice dans les résultats non distribués.				

17

Différence NCECF

Le montant de capitalisation et le coût de l'exercice

Les raisons suivantes font qu'il est peu probable que le **montant de capitalisation**, c'est-à-dire la cotisation versée à la caisse de retraite par l'entreprise, corresponde exactement au total des montants comptabilisés en résultat net et dans les autres éléments du résultat global au cours de l'exercice :

1. Il est possible que la méthode actuarielle utilisée pour déterminer le montant annuel de capitalisation diffère de la méthode reconnue par l'IASB, soit la méthode des unités de crédit projetées.
2. Même si cette méthode est utilisée, il est possible que l'actuaire utilise des hypothèses différentes pour déterminer le montant des cotisations requises. En effet, il peut vouloir faire preuve de prudence dans la détermination des hypothèses qui ne seraient alors pas nécessairement celles qui représentent les meilleures estimations de la direction.
3. De plus, même si l'actuaire utilise la même méthode actuarielle, des écarts peuvent subsister, car le montant de capitalisation qu'il suggère comprend, en plus du montant nécessaire pour couvrir le coût des prestations relatives aux services rendus au cours de l'exercice, un montant à payer annuellement pendant une certaine période pour pourvoir au coût des prestations relatives aux services passés ou pour compenser les écarts actuariels antérieurs. La détermination de ce montant peut se faire d'une façon différente de celle retenue aux fins de la comptabilisation de ces éléments.

L'écart entre, d'une part, le total des montants comptabilisés en résultat net et dans les autres éléments du résultat global au cours de l'exercice et, d'autre part, le montant des cotisations effectivement versées à la caisse de retraite est comptabilisé à titre d'actif ou de passif.

EXEMPLE

Comptabilisation des cotisations versées à la caisse de retraite et des prestations payées en vertu du régime d'assurance vie, maladie et hospitalisation

Dans l'exemple de Sélect inc., le montant des cotisations versées à la caisse de retraite et le montant des prestations payées en vertu du régime d'assurance vie, maladie et hospitalisation sont comptabilisés de la façon suivante :

	20X8		20X7	
Déductions à la source à payer	*23 000*		*22 000*	
Passif net au titre des prestations définies – Régime de retraite (par différence)	*57 000*		*308 000*	
Caisse		*80 000*		*330 000*
Cotisations versées à la caisse de retraite.				
Passif net au titre des prestations définies – Régime d'assurance vie, maladie et hospitalisation	*5 000*		*5 000*	
Caisse		*5 000*		*5 000*
Prestations payées en vertu du régime d'assurance vie, maladie et hospitalisation.				

Dans la première écriture, le débit au compte Déductions à la source à payer correspond au montant des cotisations payées par les membres du personnel au moyen de retenues salariales et que l'employeur verse à la caisse de retraite en plus de ses propres cotisations (*selon les renseignements fournis à la page 17.20*)[16].

EXEMPLE

Comptes en T – Passif net au titre des prestations définies

Les comptes en T présentés ci-dessous illustrent l'évolution des deux comptes de passif net au titre des prestations définies. Au 31 décembre 20X7, le passif net au titre des prestations définies pour le régime de retraite de Sélect inc. s'élève à 125 000 $, alors qu'il s'élève à 110 325 $ au 31 décembre 20X8. Ce passif s'élève à 271 000 $ et à 300 000 $ pour les mêmes années en ce qui concerne le régime d'assurance vie, maladie et hospitalisation.

16. Nous supposons ici que le montant total des retenues salariales a été versé à la caisse de retraite par Sélect inc. en date du 31 décembre.

Passif net au titre des prestations définies – Régime de retraite

	Débit	Crédit	
		433 000	*Coût de 20X7*
Versement à la caisse en 20X7	308 000		
		125 000	*Solde au 31 décembre 20X7*
		42 325	*Coût de 20X8*
Versement à la caisse en 20X8	57 000		
		110 325	*Solde au 31 décembre 20X8*

Passif net au titre des prestations définies – Régime d'assurance vie, maladie et hospitalisation

	Débit	Crédit	
		276 000	*Coût de 20X7*
Prestations versées en 20X7	5 000		
		271 000	*Solde au 31 décembre 20X7*
		34 000	*Coût de 20X8*
Prestations versées en 20X8	5 000		
		300 000	*Solde au 31 décembre 20X8*

Le montant figurant dans le passif pour chacun des deux régimes correspond exactement au déficit de ces régimes à la fin de 20X7 et de 20X8 (*voir la page 17.23*).

En effet, tous les éléments qui font varier les actifs et l'obligation au titre des prestations définies ont été comptabilisés soit en résultat net, soit dans les autres éléments du résultat global. L'état de la situation financière montre donc le déficit de chaque régime (ou le surplus, le cas échéant), qui correspond à la différence entre les actifs du régime et l'obligation au titre des prestations définies. Il ne conviendrait pas de classer, d'une part, les actifs du régime dans les actifs de l'entreprise et, de l'autre, l'obligation au titre des prestations définies dans les passifs. Seul le passif net (déficit) ou l'actif net (excédent) doit figurer dans l'état de la situation financière.

Avez-vous remarqué ?

La raison pour laquelle les actifs du régime ne peuvent figurer dans l'actif de l'entreprise est fort simple. Les actifs du régime ne réunissent pas toutes les caractéristiques d'un actif du point de vue de l'entreprise. En effet, l'entreprise ne contrôle pas l'accès aux avantages liés à ces actifs puisqu'ils ont été transférés à un fiduciaire et ne doivent servir qu'au paiement des prestations. Seul le montant net entre l'obligation au titre des prestations définies et les actifs du régime représente le passif assumé par l'entreprise ou l'actif qu'elle contrôle.

Le lecteur se demande probablement pourquoi certaines composantes du coût des régimes à prestations définies sont comptabilisées en résultat net, alors que d'autres sont plutôt comptabilisées dans les autres éléments du résultat global. De l'avis des auteurs, ce sont des raisons politiques qui expliquent un tel traitement comptable. Jusqu'en 2012, une partie des écarts actuariels et du coût des services passés n'était pas totalement comptabilisée et demeurait « hors bilan ». Cet état de fait découlait de l'intense lobbying des entreprises auprès des normalisateurs comptables pour éviter une comptabilisation trop rapide de ces éléments qui aurait entraîné des résultats jugés trop volatils. Par contre, les éléments « hors bilan » vont à l'encontre de l'approche bilantielle qui prévaut dans les IFRS. L'IASB a adopté une position de compromis en recommandant de comptabiliser la totalité de l'excédent ou du déficit dans l'état de la situation financière des entreprises, mais en permettant de comptabiliser une partie des éléments qui le composent hors du résultat net, c'est-à-dire dans les autres éléments du résultat global. C'est ainsi que les écarts actuariels n'influent jamais sur le résultat net des entreprises. Pour voir l'incidence des écarts actuariels, il est donc important que les utilisateurs des états financiers tiennent compte non seulement du résultat net, mais également des autres éléments du résultat global.

EXEMPLE

Représentation synthèse des régimes d'avantages postérieurs à l'emploi

Les représentations synthèses qui suivent permettent d'avoir une vue d'ensemble de la comptabilisation du régime de retraite et du régime d'assurance vie, maladie et hospitalisation de Sélect inc. pour 20X7 et 20X8. Elles font ressortir en un clin d'œil les composantes du coût à comptabiliser en résultat net et dans les autres éléments du résultat global, les comptes affectés dans les livres de Sélect inc. ainsi que des informations extra-comptables relatives à l'évolution des actifs du régime de retraite et de l'obligation au titre des prestations définies des deux régimes.

Sommaire des montants relatifs au régime de retraite de Sélect inc. pour 20X7

	Montants à comptabiliser dans les livres de Sélect inc.					Informations extra-comptables	
	Résultat net	Autres éléments du résultat global	Encaisse	Déductions à la source à payer	Passif net au titre des prestations définies	Obligation au titre des prestations définies	Actifs du régime
Coût des services rendus au cours de l'exercice	60 000 dt				60 000 ct	60 000 ct	
Moins : Portion supportée par les membres du personnel	22 000 ct				22 000 dt		
	38 000 dt				38 000 ct		
Coût des services passés	335 000 dt				335 000 ct	335 000 ct	
Coût financier	35 000 dt				35 000 ct	35 000 ct	
Produit d'intérêts généré par les actifs	17 000 ct				17 000 dt		17 000 dt
Écarts actuariels		40 000 dt			40 000 ct	40 000 ct	
Différence entre le rendement des actifs et le produit d'intérêts généré par ces actifs		2 000 dt			2 000 ct		2 000 ct
Cotisations versées à la caisse de retraite			330 000 ct	22 000 dt	308 000 dt		330 000 dt
Prestations de retraite versées en 20X7						110 000 dt	110 000 ct
Montant à comptabiliser en 20X7	391 000 dt	42 000 dt	330 000 ct	22 000 dt	125 000 ct		
Solde au 31 décembre 20X7						360 000 ct	235 000 dt

Sommaire des montants relatifs au régime de retraite de Sélect inc. pour 20X8

	Montants à comptabiliser dans les livres de Sélect inc.					Informations extra-comptables	
	Résultat net	Autres éléments du résultat global	Encaisse	Déductions à la source à payer	Passif net au titre des prestations définies	Obligation au titre des prestations définies	Actifs du régime
Solde au 31 décembre 20X7					125 000 ct	360 000 ct	235 000 dt
Coût des services rendus au cours de l'exercice	65 000 dt				65 000 ct	65 000 ct	
Moins : Portion supportée par les membres du personnel	23 000 ct				23 000 dt		
	42 000 dt				42 000 ct		
Coût financier	35 325 dt				35 325 ct	35 325 ct	
Produit d'intérêts généré par les actifs	21 150 ct				21 150 dt		21 150 dt

	Montants à comptabiliser dans les livres de Sélect inc.					Informations extra-comptables	
	Résultat net	Autres éléments du résultat global	Encaisse	Déductions à la source à payer	Passif net au titre des prestations définies	Obligation au titre des prestations définies	Actifs du régime
Écarts actuariels		10 000 ct			10 000 dt	10 000 dt	
Différence entre le rendement des actifs et le produit d'intérêts généré par ces actifs		3 850 ct			3 850 dt		3 850 dt
Cotisations versées à la caisse de retraite			80 000 ct	23 000 dt	57 000 dt		80 000 dt
Prestations de retraite versées en 20X8						95 000 dt	95 000 ct
Montant à comptabiliser en 20X8	56 175 dt	13 850 ct	80 000 ct	23 000 dt	14 675 dt		
Solde au 31 décembre 20X8					110 325 ct	355 325 ct	245 000 dt

Sommaire des montants relatifs au régime d'assurance vie, maladie et hospitalisation de Sélect inc. pour 20X7

	Montants à comptabiliser dans les livres de Sélect inc.				Informations extra-comptables
	Résultat net	Autres éléments du résultat global	Encaisse	Passif net au titre des prestations définies	Obligation au titre des prestations définies
Coût des services rendus au cours de l'exercice	20 000 dt			20 000 ct	20 000 ct
Coût des services passés	200 000 dt			200 000 ct	200 000 ct
Coût financier	21 000 dt			21 000 ct	21 000 ct
Écarts actuariels		35 000 dt		35 000 ct	35 000 ct
Prestations de retraite versées en 20X7			5 000 ct	5 000 dt	5 000 dt
Montant à comptabiliser en 20X7	241 000 dt	35 000 dt	5 000 ct	271 000 ct	
Solde au 31 décembre 20X7					271 000 ct

Sommaire des montants relatifs au régime d'assurance vie, maladie et hospitalisation de Sélect inc. pour 20X8

	Montants à comptabiliser dans les livres de Sélect inc.				Informations extra-comptables
	Résultat net	Autres éléments du résultat global	Encaisse	Passif net au titre des prestations définies	Obligation au titre des prestations définies
Solde au 31 décembre 20X7				271 000 ct	271 000 ct
Coût des services rendus au cours de l'exercice	22 000 dt			22 000 ct	22 000 ct
Coût financier	25 380 dt			25 380 ct	25 380 ct
Écarts actuariels		13 380 ct		13 380 dt	13 380 dt
Prestations de retraite versées en 20X8			5 000 ct	5 000 dt	5 000 dt
Montant à comptabiliser en 20X8	47 380 dt	13 380 ct	5 000 ct	29 000 ct	
Solde au 31 décembre 20X8				300 000 ct	300 000 ct

EXEMPLE

Présentation dans les états financiers

Pour conclure l'exemple de Sélect inc., voici un extrait comparatif de l'état de la situation financière, de l'état du résultat global et du tableau des flux de trésorerie des exercices 20X7 et 20X8. Des explications sur les exigences de présentation dans les notes seront fournies à la fin du présent chapitre.

SÉLECT INC.
Situation financière partielle
au 31 décembre

	20X8	20X7
Passif non courant		
Passif net au titre des prestations définies		
Régime de retraite	110 325 $	125 000 $
Régime d'assurance vie, maladie et hospitalisation	300 000	271 000
Capitaux propres		
Cumul des autres éléments du résultat global		
Réévaluations des passifs nets au titre des prestations définies	(49 770)	(77 000)

SÉLECT INC.
Résultat global partiel
de l'exercice terminé le 31 décembre

	20X8	20X7
Avantages postérieurs à l'emploi		
Régime de retraite	56 175 $	391 000 $
Régime d'assurance vie, maladie et hospitalisation	47 380	241 000
Total des charges	103 555	632 000
Résultat net	(103 555)	(632 000)
Autres éléments du résultat global non reclassés ultérieurement en résultat net		
Réévaluations du passif net au titre des prestations définies		
Régime de retraite	13 850	(42 000)
Régime d'assurance vie, maladie et hospitalisation	13 380	(35 000)

SÉLECT INC.
Flux de trésorerie partiels
de l'exercice terminé le 31 décembre

	20X8	20X7
Activités d'exploitation		
Résultat net (montant inclus dans le)	(103 555) $	(632 000) $
Augmentation (diminution) du passif net au titre des prestations définies		
Régime de retraite	(825)	83 000
Régime d'assurance vie, maladie et hospitalisation	42 380	236 000

Les montants à prendre en considération dans le tableau des flux de trésorerie préparé selon cette méthode méritent quelques explications. Puisque le chiffre de départ dans la section des activités d'exploitation est le résultat net et non le résultat global, la variation du passif net au titre des prestations définies doit exclure les réévaluations comptabilisées dans les autres éléments du résultat global. En excluant ces réévaluations, le passif net au titre des prestations définies – Régime de retraite s'élève à 83 000 $ au 31 décembre 20X7 (125 000 $ – 42 000 $) et à 82 175 $ au 31 décembre 20X8 (110 325 $ – 42 000 $ + 13 850 $). De la même façon, sans tenir compte des réévaluations, le passif net au titre des prestations définies – Régime d'assurance vie, maladie et hospitalisation s'élève à 236000 $ (271 000 $ – 35 000 $) au 31 décembre 20X7 et à 278 380 $ (300 000 $ – 35 000 $ + 13 380 $) au 31 décembre 20X8. Il est à noter que cette façon de procéder suppose que les versements à la caisse de retraite et les prestations payées pour le régime d'assurance vie, maladie et hospitalisation (qui réduisent tous deux le passif net au titre des prestations définies) n'incluent aucune portion reliée aux réévaluations comptabilisées dans les autres éléments du résultat global. Compte tenu de ces explications, le passif net au titre des prestations définies – Régime de retraite augmente donc de 83 000 $ (83 000 $ – 0 $) en 20X7 et diminue de 825 $ (82 175 $ – 83 000 $) en 20X8. De son côté, le passif net au titre des prestations définies – Régime d'assurance vie, maladie et hospitalisation augmente de 236 000 $ (236 000 $ – 0 $) en 20X7 et de 42 380 $ (278 380 $ – 236 000 $) en 20X8.

Il est à noter que l'IAS 19 ne précise pas s'il est nécessaire de distinguer les parties courante et non courante du passif net au titre des prestations définies dans l'état de la situation financière. La présentation adoptée pour Sélect inc. suppose que la totalité du montant est présentée à titre de passif non courant. Il serait acceptable de présenter les cotisations à verser au cours de l'année suivante à titre de passif courant. De plus, bien que nous ayons choisi de présenter la totalité du coût des services et des intérêts nets sous un seul poste dans l'état du résultat global, Sélect inc. pourrait choisir de présenter les intérêts nets parmi les charges financières. Par ailleurs, nous avons supposé que Sélect inc. accumulait les réévaluations dans un compte de cumul des autres éléments du résultat global. Si elle optait plutôt pour les virer en résultats non distribués, le montant cumulatif des réévaluations ne serait pas présenté distinctement dans les capitaux propres. Dans le tableau des flux de trésorerie présenté selon la méthode indirecte, les variations du passif (de l'actif) net au titre des prestations définies font partie des activités d'exploitation puisque selon l'**IAS 7**, les décaissements destinés aux membres du personnel ou pour leur compte font partie des activités d'exploitation. Cependant, comme l'IASB ne précise pas la nature des décaissements destinés aux membres du personnel dans l'IAS 7, les variations du passif (de l'actif) net au titre des prestations définies pourraient possiblement faire partie des activités de financement. Dans un tableau des flux de trésorerie présenté selon la méthode directe, la section des activités d'exploitation (ou celle des activités de financement, comme il est indiqué ci-dessus) ferait état des montants versés à la caisse de retraite et des prestations versées aux participants d'un régime non capitalisé.

D'autres éléments influant sur les montants à comptabiliser

Dans cette division, nous présentons les autres éléments à comptabiliser au titre des régimes d'avantages postérieurs à l'emploi à prestations définies illustrés dans la figure 17.7 que nous n'avons pas traités lors de la présentation de l'exemple de la société Sélect inc., soit l'effet du plafond des actifs du régime et l'effet d'une liquidation.

Le plafond de l'actif net au titre des prestations définies

Lorsqu'un régime à prestations définies capitalisé affiche un excédent, il peut arriver que le solde du passif net au titre des prestations définies devienne débiteur. Dans un tel cas, l'état de la situation financière de l'entreprise inclut un actif net au titre des prestations définies. Cette situation est possible quand les cotisations versées à la caisse de retraite excèdent le coût du régime ou lorsqu'il y a des profits actuariels. L'entreprise peut comptabiliser cet actif net, c'est-à-dire l'excédent des actifs du régime sur l'obligation au titre des prestations définies, car il respecte normalement les caractéristiques d'un actif.

17

Avez-vous remarqué ?

En ce qui concerne l'actif net au titre des prestations définies, on peut affirmer que l'entreprise contrôle une ressource du fait qu'elle peut utiliser l'excédent pour générer des avantages économiques futurs. Cet actif est la conséquence d'un événement passé, soit celui d'avoir versé à la caisse de retraite des montants supérieurs au coût des services rendus par les membres du personnel. Cet actif générera des avantages économiques futurs pour l'entreprise sous la forme d'une diminution des cotisations requises à l'avenir ou d'un remboursement en trésorerie, le cas échéant.

Par contre, le **plafond des actifs** que l'entreprise peut comptabiliser correspond à la valeur actualisée des avantages économiques futurs. On détermine cette valeur actualisée en utilisant l'hypothèse relative au taux d'actualisation à la fin de l'exercice. L'**effet du plafond** correspond à la différence entre l'actif net du régime avant tout ajustement pour tenir compte du plafond et le plafond des actifs déterminé en actualisant les avantages économiques futurs.

Les remboursements en trésorerie en provenance du régime sont une première façon pour l'entreprise de bénéficier d'avantages économiques futurs. Comme l'explique l'**IFRIC 14**, un remboursement peut être considéré comme étant disponible si l'entreprise dispose d'un droit inconditionnel à un remboursement : 1) pendant la durée de vie du régime, et ce, sans supposer que les obligations découlant du régime doivent être réglées pour obtenir le remboursement ; 2) en assumant le règlement graduel des obligations découlant du régime au fil du temps jusqu'à ce que tous les participants aient quitté le régime ; ou 3) en assumant le règlement complet des obligations découlant du régime à un moment précis, comme lors de la liquidation du régime[17]. Certaines dispositions législatives peuvent empêcher tout remboursement du régime, mais donner préséance aux dispositions du régime si celles-ci permettent un tel remboursement. Le montant du remboursement disponible correspond à la portion de l'excédent à la fin de l'exercice que l'entreprise est en droit de se faire rembourser, moins tous les coûts associés à ce remboursement.

Des avantages économiques futurs peuvent également découler des réductions des cotisations futures requises de la part de l'entreprise. En effet, lorsqu'un excédent existe dans un régime capitalisé, les administrateurs du régime peuvent décider de réduire les cotisations requises de la part des membres du personnel et de l'entreprise. Une telle décision pourrait, à titre d'exemple, viser à éviter que les excédents accumulés dans le régime ne deviennent assujettis à l'impôt. L'IFRIC 14 précise que l'avantage économique futur disponible sous forme de réduction des cotisations futures est égal au coût des services à être rendus à l'avenir par les membres du personnel, excluant les montants devant être assumés par des cotisations des membres du personnel. Comme nous l'avons expliqué précédemment (*voir la figure 17.4*), le coût des services futurs correspond à la différence entre l'obligation totale au titre des avantages postérieurs à l'emploi calculée par l'actuaire (relative au coût des services passés et futurs) et l'obligation au titre des prestations définies (relative au coût des services passés). L'excédent dans un régime peut donc servir à couvrir ce coût des services futurs qui s'accumuleront dans l'avenir. Par ailleurs, des dispositions législatives peuvent imposer des cotisations minimales à l'entreprise, par exemple pour assurer que la capitalisation du régime soit supportée tant par les membres du personnel que par l'entreprise. L'estimation de la valeur actualisée des réductions des cotisations futures doit donc prendre en compte ces cotisations minimales requises de la part de l'entreprise.

Comme nous l'expliquons dans l'exemple qui suit, l'effet du plafond a une incidence sur les intérêts nets comptabilisés en résultat net et les réévaluations comptabilisées dans les autres éléments du résultat global.

EXEMPLE

Plafond des actifs et effet du plafond

Les données suivantes concernent l'évolution des actifs du régime de retraite non contributif de l'entreprise Couche-Tôt inc. en 20X7 ainsi que l'évolution de l'obligation au titre des prestations définies pour le même exercice.

Actifs du régime		*Obligation au titre des prestations définies*	
Solde au 1er janvier 20X7	*500 $*	*Solde au 1er janvier 20X7*	*420 $*
Cotisations	*100*	*Coût des services de l'exercice*	*90*
Produit d'intérêts généré par les actifs	*47*	*Coût financier*	*39*
Prestations payées	*(70)*	*Prestations payées*	*(70)*
Écart négatif entre le rendement des actifs et le produit d'intérêts généré par ces actifs	*(7)*	*Profit actuariel*	*(9)*
Solde au 31 décembre 20X7	*570 $*	*Solde au 31 décembre 20X7*	*470 $*

Bien qu'il soit impossible pour l'entreprise d'obtenir des remboursements du régime, la valeur actualisée des diminutions de cotisations futures attendues (nettes des cotisations minimales) s'élève à 70 $ au 31 décembre 20X6 et à 81 $ au 31 décembre 20X7. Le régime a toujours montré un déficit, sauf en 20X6 où il a montré un excédent.

Au 31 décembre 20X6, avant de prendre en compte l'effet du plafond, le solde du compte Passif net au titre des prestations définies montre un solde débiteur de 80 $. Puisque le solde

17. *Manuel de CPA Canada – Comptabilité – Partie I*, IFRIC 14, paragr. 11.

est maintenant débiteur, le compte pourrait être renommé Actif net au titre des prestations définies. Comme c'est la première fois en 20X6 que le régime montre un excédent, il faut alors calculer l'effet du plafond de l'actif. En effet, l'actif net est le moindre de l'excédent de 80 $ (soit les actifs de 500 $ moins l'obligation de 420 $) et du plafond des actifs au montant de 70 $ (valeur actualisée des diminutions de cotisations futures). Au 31 décembre 20X6, l'effet du plafond de 10 $ (70 $ – 80 $) doit être comptabilisé dans les autres éléments du résultat global (*voir la figure 17.7*). Plus précisément, c'est la variation de l'effet du plafond qui doit être comptabilisée dans les autres éléments du résultat global. Comme il n'y avait aucun plafond des actifs précédemment, la variation de l'effet du plafond correspond à 10 $ au 31 décembre 20X6. L'entreprise peut créditer directement le compte Actif net au titre des prestations définies ou utiliser un compte de contrepartie. Si Couche-Tôt inc. choisit la première option, l'écriture suivante est requise :

Réévaluations – Régime de retraite (AERG)	*10*	
Actif net au titre des prestations définies		*10*
Variation de l'effet du plafond de l'actif net au titre des prestations définies (80 $ – 70 $).		

En 20X7, le coût des services correspond au coût des services rendus au cours de l'exercice au montant de 90 $. Quant aux intérêts nets, ils tiennent compte non seulement des intérêts sur l'obligation (le coût financier) et du produit d'intérêts généré par les actifs, mais également de l'intérêt sur l'effet du plafond de l'actif. On calcule les intérêts sur l'effet du plafond en multipliant l'effet du plafond des actifs déterminé au début de l'exercice par le taux d'actualisation utilisé dans les hypothèses actuarielles au début de ce même exercice. Les intérêts nets sont calculés de la façon suivante, sachant qu'un taux d'actualisation de 10 % s'applique :

Coût financier (selon l'information fournie)	*39 $*
Produit d'intérêts généré par les actifs du régime (selon l'information fournie)	*(47)*
Intérêts sur l'effet du plafond des actifs (10 $ × 10 %)	*1*
Intérêts nets	*(7) $*

Comme l'effet du plafond diminue l'actif net, il est normal que les intérêts sur cet effet augmentent le coût lié aux intérêts nets.

Finalement, en ce qui a trait aux réévaluations, ces dernières incluront non seulement les écarts actuariels ainsi que la différence entre le rendement des actifs et le produit d'intérêts généré par ces actifs, mais également la variation de l'effet du plafond, à l'exclusion des montants pris en compte dans le calcul des intérêts nets. Au 31 décembre 20X7, le plafond des actifs s'élève à 81 $, soit la valeur actualisée des diminutions de cotisations futures, car ce montant est inférieur au montant de l'excédent de 100 $ (570 $ – 470 $) dans le régime. L'effet du plafond est donc de 19 $ (81 $ – 100 $) au 31 décembre 20X7. La variation de l'effet du plafond est déterminée de la façon suivante pour 20X7 :

Effet du plafond au 31 décembre 20X7	*19 $*
Effet du plafond au 31 décembre 20X6	*(10)*
Montant pris en compte dans le calcul des intérêts nets	*(1)*
Variation de l'effet du plafond en 20X7	*8 $*

Pour Couche-Tôt inc., les réévaluations à comptabiliser dans les autres éléments du résultat global se résument ainsi pour 20X7 :

Profits actuariels sur l'obligation	*9 $*
Écart négatif entre le rendement des actifs et le produit d'intérêts généré par ces actifs	*(7)*
Variation de l'effet du plafond	*(8)*
Réévaluations totales en 20X7	*(6) $*

17

Les écritures suivantes sont alors requises pour comptabiliser les montants relatifs au régime de retraite de Couche-Tôt inc. en 20X7 :

*Avantages postérieurs à l'emploi*①		*83*	
Réévaluations – Régime de retraite (AERG)		*6*	
Actif net au titre des prestations définies			*89*
Montants relatifs au régime de retraite pour l'exercice.			

Calcul :

① Coût des services	90 $
Intérêts nets	(7)
Avantages postérieurs à l'emploi	83 $

Actif net au titre des prestations définies	*100*	
Caisse		*100*
Cotisations versées à la caisse de retraite.		

Après ces écritures, le solde du compte Actif net au titre des prestations définies s'élève à 81 $, soit le solde de 70 $ au début de 20X7 tenant compte du plafond des actifs au début de l'exercice, moins le coût de l'exercice de 89 $, plus les cotisations versées à la caisse de 100 $. Ce montant de 81 $ correspond à l'excédent de 100 $ au 31 décembre 20X7, moins l'effet du plafond des actifs de 19 $.

La liquidation d'un régime

Le profit ou la perte découlant de la liquidation d'un régime fait partie du coût des services d'un régime d'avantages postérieurs à l'emploi à prestations définies (*voir la figure 17.7*).

Une **liquidation de régime** se produit lorsqu'une entreprise élimine toute obligation juridique ou implicite ultérieure pour l'ensemble ou une partie des prestations prévues. Une liquidation exclut cependant le versement de prestations aux membres du personnel ou en leur nom prévu dans les dispositions du régime et pris en compte dans les hypothèses actuarielles. Une liquidation peut prendre la forme d'un règlement aux bénéficiaires ou pour leur compte d'une somme forfaitaire en échange des droits à prestations qu'ils ont accumulés. Elle peut également prendre la forme de l'acquisition d'un contrat d'assurance pour financer les droits à prestations accumulés. Par contre, l'acquisition d'un contrat d'assurance ne constitue pas une liquidation si l'entreprise continue à assumer une obligation juridique ou implicite de payer les cotisations ultérieures si l'assureur faillit à ses engagements. Il est à noter que la terminaison d'un régime et son remplacement par un autre régime offrant des prestations qui sont en substance identiques ne représentent pas une liquidation de régime.

Le profit ou la perte découlant d'une liquidation est comptabilisé au moment où la liquidation a lieu. Avant de déterminer le profit ou la perte découlant d'une liquidation, l'entreprise doit réévaluer le passif (l'actif) net au titre des prestations définies en fonction de la juste valeur des actifs du régime et des hypothèses actuarielles à cette date. Le profit ou la perte découlant de la liquidation est égal à la différence entre la valeur actualisée de l'obligation au titre des prestations définies qui est réglée, telle que déterminée à la date de la liquidation, et la contrepartie de la liquidation. Cette contrepartie inclut le montant des actifs du régime qui sont transférés dans le cadre de la liquidation et les paiements directement effectués par l'entreprise.

17

EXEMPLE

Liquidation d'un régime

Les données qui suivent concernent le régime de retraite à prestations définies non contributif de Bouchard inc. Le régime a fait l'objet d'une liquidation totale le 31 mai 20X4. En effet, l'entreprise liquide le régime à cette date et achète un contrat d'assurance pour financer les droits à prestations accumulés et ainsi se libérer de toutes les obligations liées au régime de retraite. La société d'assurance sera responsable de payer les prestations aux retraités.

Actifs du régime		*Obligation au titre des prestations définies*	
Solde au 1er janvier 20X4	*800 $*	*Solde au 1er janvier 20X4*	*1 320 $*
Cotisations	*60*	*Coût des services de la période de 5 mois*	*190*
Produit d'intérêts généré par les actifs	*57*	*Coût financier*	*94*
Prestations payées	*(30)*	*Prestations payées*	*(30)*
Écart négatif entre le rendement des actifs et le produit d'intérêts généré par ces actifs	*(13)*	*Perte actuarielle*	*15*
		Solde au 31 mai 20X4 selon la situation prévalant avant la liquidation	*1 589 $*
Solde au 31 mai 20X4	*874 $*	*Solde au 31 mai 20X4, tenant compte de la liquidation du régime*	*1 500 $*

Les actifs du régime au montant de 874 $ reflètent la juste valeur des actifs du régime immédiatement avant la liquidation. On remarque que le rendement des actifs s'élève à 44 $ (57 $ – 13 $) pour la période de 5 mois se terminant le 31 mai 20X4. Du côté de l'obligation au titre des prestations définies, l'utilisation des hypothèses prévalant immédiatement avant la liquidation et reflétant les prestations accordées en vertu du régime avant la liquidation montre une obligation de 1 589 $, alors que ce montant s'élève à 1 500 $ en tenant compte de la liquidation du régime. L'écart entre ces deux montants peut être dû à plusieurs facteurs, par exemple le fait que les prestations seront basées sur un salaire moyen moins élevé que prévu étant donné la terminaison du régime. La contrepartie de la liquidation s'élève à 1 500 $. Bouchard inc. devra débourser 626 $, car les actifs du régime au montant de 874 $ sont insuffisants pour couvrir le montant de l'obligation.

Pour l'exercice clos le 31 décembre 20X4, les montants à comptabiliser pour le régime de retraite sont les suivants :

Coût des services		
Coût des services rendus au cours de l'exercice		*190 $*
Profit découlant de la liquidation		
Obligation au titre des prestations définies	*1 589 $*	
Contrepartie de la liquidation	*(1 500)*	*(89)*
Coût des services		*101*
Intérêts nets		
Coût financier	*94*	
Produit d'intérêts généré par les actifs	*(57)*	*37*
Montant à comptabiliser en résultat net		*138 $*
Réévaluations		
Perte actuarielle	*15 $*	
Écart négatif entre le rendement des actifs et le produit d'intérêts généré par ces actifs	*13*	*28 $*

Les écritures nécessaires pour enregistrer les montants relatifs au régime de retraite, incluant sa liquidation, sont les suivantes :

Passif net au titre des prestations définies	*60*	
Caisse		*60*
Cotisations versées au régime de retraite.		
Avantages postérieurs à l'emploi	*138*	
Réévaluations – Régime de retraite (AERG)	*28*	
Passif net au titre des prestations définies ①	*460*	
Caisse (ou Créditeurs) ②		*626*
Montants relatifs au régime de retraite pour l'exercice.		

Calculs :

① Solde du passif net au 1er janvier 20X4 (1 320 $ – 800 $)	520 $
Cotisations versées (*voir la première écriture*)	(60)
Passif net au titre des prestations définies	460 $
② Obligation au titre des prestations définies au moment de la liquidation du régime	1 500 $
Solde des actifs du régime	(874)
Montant à débourser par l'entreprise	626 $

À la suite de ces écritures, le solde du compte Passif net au titre des prestations définies est nul. Le montant de 626 $ que l'entreprise doit débourser pour se libérer de ses obligations doit demeurer dans le compte Créditeurs jusqu'au moment de son paiement.

Les régimes multiemployeurs

Les actifs apportés par différentes entreprises qui ne sont pas sous contrôle commun peuvent être regroupés dans un **régime multiemployeurs** et utilisés pour accorder des avantages au personnel de plusieurs entreprises en partant du principe que les niveaux de cotisations et d'avantages sont calculés sans tenir compte de l'entreprise qui emploie les membres du personnel en question. Un régime multiemployeurs doit d'abord être classé à titre de régime à cotisations définies ou de régime à prestations définies, selon les conditions de l'entente avec les membres du personnel ou leurs représentants. S'il s'agit d'un régime à prestations définies, l'entreprise doit le comptabiliser comme tel. Elle comptabilise donc sa part de l'obligation au titre des prestations définies, des actifs et du coût du régime, comme nous l'avons expliqué. Il peut cependant arriver que l'entreprise ne dispose pas d'information suffisante pour comptabiliser le régime comme un régime à prestations définies. Cela pourrait être le cas si elle n'a pas accès à tous les renseignements sur le régime qui sont nécessaires pour appliquer les recommandations de l'IAS 19 ou parce que le régime expose chacune des entreprises participantes aux risques actuariels associés au personnel présent et passé des autres entreprises. Dans cette situation, l'entreprise n'est pas en mesure de déterminer de façon fiable sa part de l'obligation, des actifs et du coût. Dans un tel cas, l'entreprise comptabilise le régime comme un régime à cotisations définies. Elle devra cependant fournir certaines informations par voie de notes que nous identifierons plus loin dans ce chapitre.

Les **régimes à administration groupée** se distinguent des régimes multiemployeurs en ce sens que bien que les employeurs qui y participent mettent leurs actifs en commun à des fins de placement pour réduire les coûts d'administration et de gestion, les droits des différents employeurs sont séparés au seul bénéfice des membres de leur propre personnel. Ces régimes ne posent donc pas de problème particulier de comptabilisation puisque l'information permettant de les traiter de la même façon que tout autre régime à employeur unique est disponible et que ces régimes n'exposent pas les entreprises participantes aux risques actuariels associés au personnel des autres entreprises.

Les **régimes généraux et obligatoires**, comme le Régime d'assurance-emploi, le Régime de rentes du Québec ou le Régime de pension du Canada, sont comptabilisés comme des régimes multiemployeurs. Tous ces exemples représentent des régimes à cotisations définies qui doivent être comptabilisés comme tels par l'entreprise. Ainsi, la part de l'employeur au Régime de rentes du Québec est comptabilisée en charges au moment où le salaire qui y donne droit est dû, c'est-à-dire au moment où les services sont rendus.

Les autres avantages à long terme

Outre les avantages à court terme et les avantages postérieurs à l'emploi, les avantages du personnel incluent également les autres avantages à long terme. Ces autres avantages comprennent les absences rémunérées de longue durée, comme les congés liés à l'ancienneté ou les congés sabbatiques, les primes d'ancienneté, l'intéressement et les primes à payer 12 mois ou plus après la fin de l'exercice pendant lequel les membres du personnel ont rendu les services correspondants.

Par exemple, une entreprise peut accorder aux membres de son personnel la possibilité de bénéficier d'un congé sabbatique d'une durée de 12 mois à condition qu'ils aient obtenu la sécurité d'emploi au moment de faire leur demande et qu'ils aient accumulé 10 années de service depuis le dernier congé sabbatique. Pendant ce congé, les membres du personnel reçoivent un salaire équivalant à 80 % du salaire auquel ils auraient normalement droit. Il importe donc de calculer l'obligation au titre des prestations définies à chaque exercice qui précède ces congés. À chaque année de service précédant le congé sabbatique, l'entreprise comptabilise en charges la valeur actualisée de 10 % (soit une année sur 10) du coût de la rémunération pendant le congé sabbatique, en tenant compte de la probabilité que certains membres du personnel n'obtiennent pas la sécurité d'emploi et que d'autres ne fassent pas de demandes de congé sabbatique.

Un autre exemple est celui des indemnités pour invalidité de longue durée. Si le niveau de l'indemnité dépend de la durée des services, l'obligation est générée lorsque les services sont rendus. Si le niveau de l'indemnité est le même pour tous les membres du personnel, peu importe la durée de l'emploi, le coût attendu de cet avantage est comptabilisé lorsque l'événement à l'origine de l'incapacité à long terme a lieu.

Puisque l'évaluation des autres avantages à long terme ne comporte pas autant d'incertitude que celle des avantages postérieurs à l'emploi, l'IASB retient une méthode simplifiée pour comptabiliser les autres avantages à long terme. Selon cette méthode, tous les éléments du coût de ces avantages sont comptabilisés en résultat net, incluant les réévaluations du passif (de l'actif) net au titre des prestations définies. Ainsi, aucun élément n'est comptabilisé dans les autres éléments du résultat global. Par le fait même, le coût des autres avantages à long terme incluent les mêmes éléments que le coût des régimes d'avantages postérieurs à l'emploi à prestations définies (*voir la figure 17.7*), sauf que le coût total est comptabilisé en résultat net.

 Les indemnités de cessation d'emploi

Les **indemnités de cessation d'emploi** représentent des avantages fournis aux membres du personnel en contrepartie de la cessation d'emploi qui découlent soit de la décision de la direction de l'entreprise de mettre fin à l'emploi du membre du personnel avant l'âge normal de départ à la retraite (départ forcé), soit de la décision du membre du personnel d'accepter une offre d'indemnités en échange de la cessation de son emploi (départ volontaire)[18]. Ces indemnités se distinguent des trois premiers types d'avantages étudiés dans ce chapitre du fait que c'est la cessation des activités du membre du personnel qui y donne droit, et non la prestation de services par ce dernier. Par exemple, une entreprise peut signer un contrat avec l'un de ses dirigeants stipulant qu'une indemnité équivalant à six mois de salaire lui sera versée si l'entreprise met prématurément fin à son contrat. Cela correspond à une indemnité de cessation d'emploi. Par contre, une entreprise pourrait avoir comme politique de payer une somme équivalant à 1 000 $ par année de service au moment du départ du membre du personnel. Une telle prestation, bien qu'elle puisse être désignée comme une indemnité de départ, représente plutôt un avantage postérieur à l'emploi à comptabiliser selon les règles indiquées précédemment, car elle est fournie en contrepartie de services rendus.

De même, les indemnités de cessation d'emploi n'incluent pas les prestations découlant de la cessation d'emploi d'un membre du personnel à sa demande. De telles prestations constituent des avantages postérieurs à l'emploi. Par contre, si l'entreprise offre des prestations supérieures dans le cas d'une cessation d'emploi découlant d'une décision de la direction plutôt que de la demande du membre du personnel, l'écart constitue une indemnité de cessation d'emploi. Certaines indemnités de cessation d'emploi peuvent être prévues par la loi, un contrat de travail, une convention collective ou par le fait que l'entreprise a historiquement accordé des indemnités similaires. Il s'agit d'indemnités de cessation d'emploi, sauf si elles sont conditionnelles à la réception de services futurs de la part des membres du personnel.

18. *Manuel de CPA Canada – Comptabilité – Partie I*, IAS 19, paragr. 8.

EXEMPLE

Indemnités de cessation d'emploi impliquant des avantages à court terme

La société Viotron inc. décide de fermer une division dans cinq mois. La convention collective prévoit le versement d'une indemnité de 50 000 $ par membre du personnel dans une telle situation. Pour les membres du personnel qui acceptent de rester au service de Viotron inc. jusqu'à la fermeture de la division afin d'achever les contrats en cours, l'entreprise offre d'attribuer une indemnité s'élevant plutôt à 75 000 $. La direction estime que 50 membres du personnel quitteront l'entreprise immédiatement et 100 resteront jusqu'à la fermeture. L'indemnité de cessation d'emploi à comptabiliser s'élève à 7 500 000 $, soit un montant de 50 000 $ pour chacun des 150 membres du personnel. Le montant additionnel de 2 500 000 $ (100 membres du personnel × 25 000 $) correspond à des avantages à court terme à comptabiliser pendant la période de 5 mois où les membres du personnel rendront les services, soit un montant de 500 000 $ par mois.

Puisque c'est la cessation des activités qui donne droit aux indemnités de cessation d'emploi, il y a lieu de s'interroger sur le moment de la comptabilisation. La comptabilisation en charges et dans le passif doit être effectuée à la première des deux dates suivantes : la date où l'entreprise ne peut plus retirer son offre d'indemnités ou la date où elle comptabilise les coûts d'une restructuration prévoyant le paiement de telles indemnités tel que requis par l'**IAS 37**.

La date à laquelle une entreprise doit comptabiliser une provision pour restructuration a été expliquée au chapitre 12. Rappelons ici les grandes lignes de la détermination de cette date. Une restructuration doit être comptabilisée lorsqu'elle satisfait aux caractéristiques essentielles d'un élément de passif. Ce sera le cas lorsqu'une entreprise a une obligation actuelle (juridique ou implicite) résultant d'un événement passé, qu'il est probable qu'une sortie de ressources représentatives d'avantages économiques sera nécessaire pour éteindre l'obligation, et que le montant de l'obligation peut être estimé de manière fiable. Dans le cas d'une restructuration, on considère qu'il existe une obligation implicite lorsqu'une entreprise a un plan de restructuration établi et détaillé et qu'elle a créé, chez les personnes touchées, une attente à l'effet qu'elle mettra en œuvre la restructuration, que ce soit en commençant à exécuter le plan ou en annonçant ses principales caractéristiques.

La date où une entreprise ne peut plus retirer son offre dépend des circonstances. Dans le cas des indemnités payables à la suite de la décision du membre du personnel d'accepter une offre d'indemnités en échange de la cessation de son emploi (départs volontaires), la date où l'entreprise ne peut plus retirer son offre est la première des deux dates entre celle où le membre du personnel accepte l'offre et celle où l'entreprise ne peut plus retirer son offre à cause d'une restriction légale, réglementaire, contractuelle ou autre. Pour les indemnités de cessation d'emploi payables à la suite de la décision de l'entreprise de mettre fin à l'emploi des membres du personnel (départs forcés), la date où l'entreprise ne peut plus retirer son offre est la date de la communication d'un **plan de licenciement**. Ce plan doit satisfaire à plusieurs critères. D'abord, les mesures requises pour exécuter le plan doivent indiquer qu'il est improbable que des changements importants soient apportés au plan. Ensuite, le plan doit fournir des indications sur le nombre de personnes visées par le licenciement, leur catégorie d'emploi ou leur fonction, leur lieu de travail ainsi que la date de la réalisation prévue du plan. Finalement, les indemnités de cessation d'emploi doivent être fixées avec suffisamment de précision pour permettre aux membres du personnel de déterminer la nature et le montant des prestations qu'ils peuvent recevoir. La figure 17.8 résume les principaux éléments à considérer pour établir la date de comptabilisation des indemnités de cessation d'emploi dans le cas d'un départ volontaire et d'un départ forcé.

À titre d'exemple, si une entreprise tente d'inciter les départs volontaires pour réduire ses effectifs en offrant des indemnités de cessation d'emploi, le plan doit préciser exactement qui sont les membres du personnel visés par l'offre, par exemple tous les cadres intermédiaires travaillant dans l'une des divisions des provinces maritimes, les montants en cause, par exemple l'équivalent de deux années de salaire, et préciser la période à laquelle l'offre prend fin, ainsi que la date où le membre du personnel doit se retirer. Si l'entreprise s'attend à ce que la moitié des cadres intermédiaires touchés acceptent l'offre, la charge et un passif correspondant doivent être comptabilisés dès que le plan de licenciement est communiqué aux membres du personnel.

FIGURE 17.8 La date de comptabilisation des indemnités de cessation d'emploi

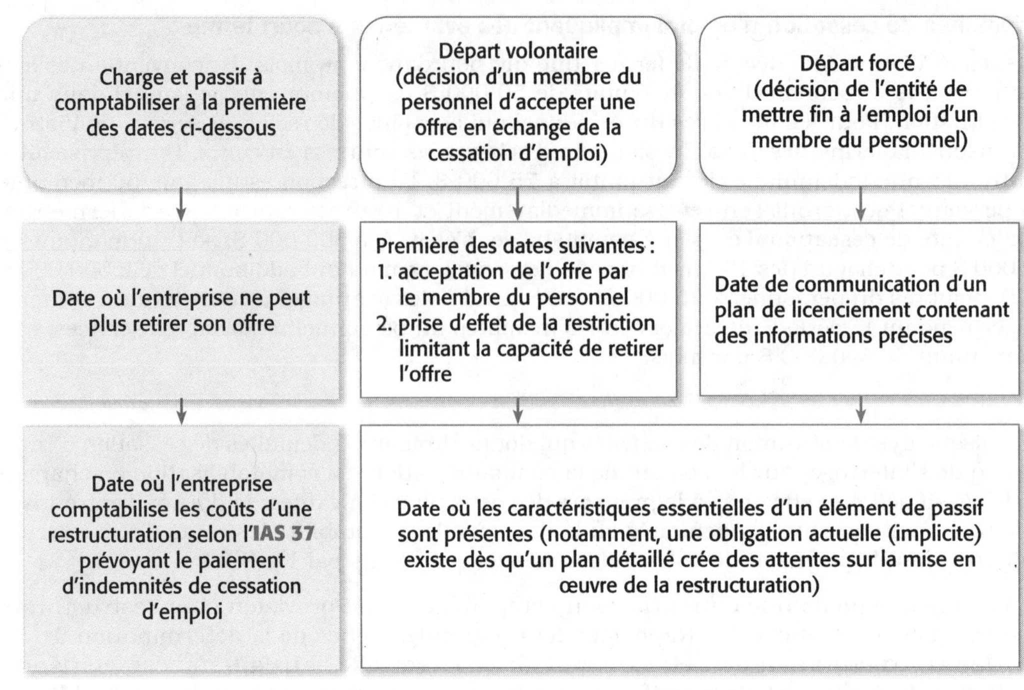

Après avoir comptabilisé la charge et le passif au titre des indemnités de cessation d'emploi, l'entreprise doit évaluer et comptabiliser les variations ultérieures en fonction de la nature de l'avantage du personnel en cause. S'il s'agit d'une amélioration des avantages postérieurs à l'emploi, l'entreprise doit les comptabiliser comme des avantages postérieurs à l'emploi. Si le règlement des indemnités est attendu dans les 12 mois suivant la fin de l'exercice où elles ont été comptabilisées, l'entreprise doit les comptabiliser comme des avantages à court terme, et dans le cas contraire, elle doit suivre le mode de comptabilisation des autres avantages à long terme.

Les indemnités attribuées peuvent prendre différentes formes. Il peut s'agir d'un paiement forfaitaire, d'une amélioration des prestations postérieures à l'emploi, comme les prestations de retraite, ou du versement du salaire jusqu'à la fin de la période de préavis. Lorsque les indemnités sont payables plus de 12 mois suivant la date de clôture, elles doivent être actualisées en utilisant les taux du marché pour des obligations d'entreprises de haute qualité. Le taux d'actualisation doit refléter le calendrier attendu pour le versement des indemnités.

17

EXEMPLE

Indemnités de cessation d'emploi impliquant des avantages postérieurs à l'emploi

La société Dubois ltée se voie dans l'obligation de mettre à pied 10 % des membres du personnel travaillant dans l'une de ses usines à la suite de la perte définitive d'un important client. Le contrat de travail signé avec les membres du personnel prévoit un paiement équivalant à neuf mois de salaire lors d'une mise à pied à la suite de la baisse du volume d'activités. Ce contrat prévoit également que les prestations de retraite des membres du personnel congédiés sont améliorées de la façon suivante : la rente annuelle sera calculée non pas en prenant en considération le salaire moyen des 5 dernières années de service, mais bien en tenant compte de la moyenne des salaires des 2 années les mieux rémunérées pendant la carrière du membre du personnel congédié. Dans un tel cas, l'indemnité de cessation d'emploi comprend non seulement le paiement forfaitaire équivalant à neuf mois de salaire, mais également l'amélioration des prestations de retraite. À cet effet, tenons pour acquis que l'obligation au titre des prestations définies évolue de la façon suivante à cause du licenciement des membres du personnel de Dubois ltée :

Obligation au titre des prestations définies selon les dispositions originales du régime et avant la considération du licenciement	*1 450 000 $*
Incidence de la réduction du nombre d'années de service liée au départ de 10 % des membres du personnel	*(250 000)*
Solde de l'obligation avant de tenir compte de la modification des dispositions	*1 200 000*
Incidence de la modification du calcul des prestations maintenant déterminées en fonction des deux années de service les mieux rémunérées	*50 000*
Nouvelle valeur de l'obligation au titre des prestations définies	*1 250 000 $*

Si la diminution de l'obligation au montant de 250 000 $ correspond à une réduction de régime, ce montant réduit le coût des services. Sinon, le montant de 250 000 $ fera partie du prochain écart actuariel qui sera calculé sur l'obligation et il sera comptabilisé dans les autres éléments du résultat global.

L'augmentation de 50 000 $ associée à l'amélioration des prestations représente pour sa part une indemnité de cessation d'emploi. En tenant pour acquis que les paiements forfaitaires équivalant à 9 mois de salaire totalisent 2 500 000 $ et que ce montant est payable d'ici un mois, Dubois ltée comptabilise les indemnités de cessation d'emploi de la façon suivante :

Indemnités de cessation d'emploi	*2 550 000*	
Indemnités de cessation d'emploi à payer		*2 500 000*
Passif net au titre des prestations définies		*50 000*
Indemnités de cessation d'emploi découlant de la mise à pied des membres du personnel d'une usine.		

La présentation dans les états financiers et les informations à fournir

L'IASB formule des exigences pour la présentation dans les états financiers et les informations à fournir par voie de notes pour chaque catégorie d'avantages du personnel. Ces exigences sont présentées dans le tableau 17.3 et sont accompagnées de commentaires.

Différence NCECF

TABLEAU 17.3 La présentation des avantages du personnel dans les états financiers et les informations à fournir

***Normes internationales d'information financière,* IAS 19**	**Commentaires**
Les avantages à court terme	
Paragr. 25 *Bien que la présente norme n'impose pas de fournir des informations spécifiques sur les avantages à court terme, d'autres IFRS peuvent l'imposer. Par exemple, IAS 24 impose la communication d'informations sur les avantages accordés aux principaux dirigeants. De même, IAS 1* Présentation des états financiers *impose des obligations d'information concernant les charges liées aux avantages du personnel.*	Le chapitre 2 expliquait que la charge d'avantages du personnel doit être présentée séparément. Elle peut figurer dans un poste distinct dans l'état du résultat global, notamment si l'entreprise adopte la méthode des charges par nature, ou être mentionnée en note si l'entreprise adopte la méthode des charges par fonction. Le chapitre 11 traitait des informations à fournir pour les parties liées.
Les avantages postérieurs à l'emploi	
Paragr. 53 *L'entité doit indiquer le montant comptabilisé en charges pour les régimes à cotisations définies.*	L'indication du montant passé en charges permet aux utilisateurs des états financiers de juger de l'incidence du régime sur le résultat net de l'exercice.

17

TABLEAU 17.3 *(suite)*

Paragr. 54

Lorsque IAS 24 l'impose, l'entité fournit des informations sur les cotisations versées à des régimes à cotisations définies pour ses principaux dirigeants.

Cette information permet de communiquer aux utilisateurs des états financiers l'ampleur des avantages consentis aux dirigeants. Le chapitre 11 traitait des informations sur les parties liées.

Compensation

Paragr. 131

L'entité doit compenser un actif lié à un régime et un passif lié à un autre régime si, et seulement si :

(a) elle détient un droit juridiquement exécutoire d'utiliser l'excédent d'un régime pour régler les obligations d'un autre régime ; et

(b) elle a l'intention soit de régler les obligations sur une base nette, soit de réaliser l'excédent dégagé sur un régime et de régler simultanément son obligation au titre de l'autre régime.

Les règles relatives à la compensation ont été expliquées au chapitre 4. Le fait de montrer les montants bruts des actifs d'un régime et du passif d'un autre régime est cohérent avec l'idée selon laquelle l'entreprise assume le risque de placement et le risque actuariel relatif à chacun des régimes pris individuellement. De plus, cela montre que les actifs d'un régime doivent servir uniquement à payer les obligations qui découlent de ce même régime, à moins que les critères de compensation énoncés ci-contre ne soient respectés.

Paragr. 132

Les critères de compensation sont analogues à ceux établis pour les instruments financiers dans IAS 32 Instruments financiers : Présentation.

Distinction entre courant et non courant

Paragr. 133

Certaines entités distinguent les actifs et les passifs courants des actifs et des passifs non courants. La présente norme ne précise pas si l'entité doit distinguer la partie courante et la partie non courante des actifs et des passifs résultant des avantages postérieurs à l'emploi.

Dans l'exemple de Sélect inc., le passif net au titre des prestations définies au montant de 125 000 $ pour le régime de retraite pourrait figurer à titre de passif non courant au 31 décembre 20X7. Il serait également possible de considérer, par exemple, le montant des cotisations à verser au cours des 12 prochains mois comme la partie courante du passif net au titre des prestations définies et d'inclure ce montant dans les passifs courants. Ainsi, au 31 décembre 20X7, Sélect inc. pourrait présenter à titre de passif courant un montant de 57 000 $ (80 000 $ – 23 000 $) pour son régime de retraite et le solde de 68 000 $ (125 000 $ – 57 000 $) à titre de passif non courant. Rappelons que le montant prévu pour les cotisations à verser au régime pour l'année suivante est souvent connu à l'avance.

Composantes du coût des prestations définies

Paragr. 134

Le paragraphe 120 impose à l'entité de comptabiliser en résultat net le coût des services et les intérêts nets sur le passif (l'actif) net au titre des prestations définies. La présente norme ne précise pas la façon de présenter ces deux composantes. L'entité les présente conformément à IAS 1.

Pour 20X7, Sélect inc. pourrait inclure le montant total de 391 000 $ à titre de charges d'avantages postérieurs à l'emploi pour son régime de retraite, et celui de 241 000 $ pour son régime d'assurance vie, maladie et hospitalisation. Elle pourrait également choisir d'exclure de ces montants les intérêts nets respectifs de 18 000 $ et de 21 000 $ et de les présenter dans ses charges financières. Rappelons que la charge d'avantages du personnel doit être divulguée. Elle peut figurer séparément dans l'état du résultat global ou être indiquée par voie de notes, comme nous l'avons expliqué au chapitre 2.

Informations à fournir

Paragr. 135

L'entité doit fournir des informations :

(a) expliquant les caractéristiques de ses régimes à prestations définies (voir paragraphe 139) ;

(b) indiquant et expliquant les montants comptabilisés dans ses états financiers relativement à ses régimes à prestations définies (voir paragraphes 140 à 144) ;

Le fait d'expliquer aux utilisateurs des états financiers les caractéristiques des régimes à prestations définies leur permet de mieux cerner la nature de ces régimes. De plus, comme les montants ne sont pas nécessairement présentés distinctement dans les états financiers, le fait de divulguer les montants comptabilisés permet aux utilisateurs des états financiers de comprendre l'incidence financière

TABLEAU 17.3 *(suite)*

(c) décrivant l'incidence potentielle de ses régimes à prestations définies sur le montant, l'échéancier et le degré d'incertitude de ses flux de trésorerie futurs (voir paragraphes 145 à 147).

de ces régimes. Finalement, comme l'incidence sur les flux de trésorerie est souvent significative et incertaine, compte tenu des nombreuses hypothèses actuarielles en cause, des informations sont requises pour aider les utilisateurs à juger de l'incidence des régimes sur la capacité de l'entreprise à générer des flux de trésorerie futurs.

Paragr. 136

Pour atteindre les objectifs énoncés au paragraphe 135, l'entité doit considérer tous les aspects suivants :

(a) le niveau de détail nécessaire pour satisfaire aux obligations d'information ;

(b) l'importance à accorder à chacune de ces obligations ;

(c) le degré de regroupement ou de ventilation à retenir ;

(d) la question de savoir si les utilisateurs ont besoin d'informations supplémentaires pour évaluer les informations quantitatives fournies.

Une entreprise peut compter plusieurs divisions et filiales et offrir un grand nombre de régimes d'avantages postérieurs à l'emploi aux membres de son personnel. Il convient alors d'adopter un format de présentation qui permette aux utilisateurs des états financiers de comprendre l'incidence des régimes sans pour autant les surcharger d'informations.

Paragr. 137

Si les informations fournies en application des dispositions de la présente norme et d'autres IFRS ne sont pas suffisantes pour atteindre les objectifs énoncés au paragraphe 135, l'entité doit fournir les informations supplémentaires nécessaires pour atteindre ces objectifs. Par exemple, elle peut présenter une analyse de la valeur actualisée de l'obligation au titre des prestations définies établissant des distinctions quant à la nature, aux caractéristiques et aux risques de l'obligation. Il pourrait s'agir de distinguer :

(a) les sommes dues aux participants en activité des sommes dues aux participants titulaires de droits à prestations différées et des sommes dues aux retraités ;

(b) les avantages acquis des avantages accumulés, mais non acquis ;

(c) les avantages soumis à une quelconque condition des sommes attribuables aux augmentations de salaire futures et des autres avantages.

Deux entreprises peuvent offrir des régimes d'avantages sociaux postérieurs à l'emploi affichant une obligation au titre des prestations définies similaire mais comprenant des caractéristiques différentes, par exemple en ce qui a trait à la maturité des régimes. Un régime mature suppose une plus grande proportion de participants déjà retraités ou près de l'âge de la retraite. Les prestations à payer pour un régime mature sont donc plus importantes à court terme. Si le régime est en déficit, cela entraîne des contributions additionnelles qui seront requises de l'entreprise dans un avenir rapproché. Les utilisateurs des états financiers sont donc mieux informés sur l'échéancier des flux de trésorerie si des informations sont fournies relativement à l'obligation au titre des prestations définies qui se rapporte aux participants en activité par rapport à celle se rapportant aux participants retraités.

Paragr. 138

L'entité doit apprécier s'il est nécessaire de ventiler tout ou partie des informations à fournir afin de distinguer les régimes ou groupes de régimes qui sont exposés à des risques significativement différents. Par exemple, une entité peut ventiler les informations sur les divers régimes en fonction des différences qu'ils présentent quant à l'une ou plusieurs des caractéristiques suivantes :

(a) la situation géographique ;

(b) le type de régime, par exemple les régimes à rente uniforme, les régimes salaire de fin de carrière et les régimes d'assistance médicale postérieure à l'emploi ;

(c) l'environnement réglementaire ;

(d) le secteur (information sectorielle) ;

(e) le mode de financement (régimes sans capitalisation, partiellement capitalisés ou entièrement capitalisés).

Lorsqu'une entreprise offre plusieurs régimes postérieurs à l'emploi à prestations définies, une information ventilée peut être très pertinente. À titre d'exemple, un régime capitalisé peut montrer un excédent important qui compense le déficit d'un régime non capitalisé. Comme il n'est généralement pas possible d'utiliser l'excédent d'un régime pour combler le déficit d'un autre, il ne faut pas laisser croire aux utilisateurs des états financiers que la situation de capitalisation des régimes est sans problèmes. Le fait de divulguer séparément le déficit du régime non capitalisé permet aux utilisateurs des états financiers de mieux juger des besoins en flux de trésorerie futurs pour satisfaire au paiement des prestations promises. Dans l'exemple de Sélect inc., comme l'entreprise a deux régimes, l'un capitalisé et l'autre non capitalisé, il est pertinent de présenter l'information distinctement pour ces deux régimes.

Caractéristiques des régimes à prestations définies et risques qui y sont associés

Paragr. 139

L'entité doit fournir :

(a) des informations sur les caractéristiques de ses régimes à prestations définies, notamment :

Sélect inc. doit expliquer qu'elle offre un régime de retraite à prestations définies contributif en vertu duquel les prestations sont basées sur le nombre d'années de service et sur le

TABLEAU 17.3 *(suite)*

(i) *la nature des avantages qu'offre le régime (par exemple, régime à prestations définies fondées sur le salaire de fin de carrière ou régime fondé sur les cotisations assorti d'une garantie),*

(ii) *une description du cadre réglementaire applicable au régime, par exemple les exigences de financement minimal, le cas échéant, et l'incidence de ce cadre sur le régime, par exemple sur le plafond de l'actif (voir paragraphe 64),*

(iii) *une description des responsabilités de toute autre entité quant à la gouvernance du régime, par exemple les responsabilités des fiduciaires ou administrateurs du régime ;*

(b) *une description des risques auxquels le régime expose l'entité, axée sur les risques inhabituels ou propres à l'entité ou au régime, et des concentrations importantes de risque. Par exemple, si les actifs du régime sont investis principalement dans une même catégorie de placements, comme des biens immobiliers, le régime peut exposer l'entité à une concentration de risque lié au marché immobilier ;*

(c) *une description de toute modification, réduction ou liquidation de régime.*

salaire moyen des cinq dernières années de la carrière des participants. Elle précise que le régime est capitalisé et que le montant de la cotisation annuelle versée au régime est déterminé par les actuaires. Elle précise également qu'elle offre un régime collectif d'assurance vie, maladie et hospitalisation non contributif et non capitalisé qui prévoit le paiement d'une prestation au décès des participants ainsi que le remboursement des coûts médicaux et d'hospitalisation non couverts par les régimes publics.

Comme les titres de participation représentent plus de 45 % des actifs du régime de retraite (110 000 $ ÷ 235 000 $ en 20X7 – *voir la page 17.19*), il est nécessaire d'indiquer ce fait et de préciser que le régime peut exposer l'entreprise à une concentration de risque de marché lié au cours des actions. Il est également nécessaire d'indiquer que lors de l'instauration du régime en 20X7, des droits à prestations ont été accordés pour les services rendus au cours des 10 années précédant la mise en place des régimes.

Explication des montants contenus dans les états financiers

Paragr. 140

L'entité doit présenter un rapprochement entre les soldes d'ouverture et de clôture de chacun des éléments suivants, s'il existe :

(a) *le passif (l'actif) net au titre des prestations définies, des rapprochements séparés étant requis pour :*

(i) *les actifs du régime,*

(ii) *la valeur actualisée de l'obligation au titre des prestations définies,*

(iii) *l'effet du plafond de l'actif ;*

(b) *les droits à remboursement. L'entité doit également décrire, pour chaque droit à remboursement, le lien avec l'obligation correspondante.*

Paragr. 141

Chaque rapprochement mentionné au paragraphe 140 doit montrer chacun des éléments suivants, s'il existe :

(a) *le coût des services rendus au cours de la période ;*

(b) *le produit ou la charge d'intérêts ;*

(c) *les réévaluations du passif (de l'actif) net au titre des prestations définies, en indiquant séparément :*

(i) *le rendement des actifs du régime, à l'exclusion des montants inclus dans le produit d'intérêts en (b),*

(ii) *les écarts actuariels découlant de changements dans les hypothèses démographiques (voir paragraphe 76(a)),*

(iii) *les écarts actuariels découlant de changements dans les hypothèses financières (voir paragraphe 76(b)),*

(iv) *les variations de l'effet de la limitation au plafond de l'actif du montant de l'actif net au titre des prestations définies, à l'exclusion des montants inclus dans le produit ou la charge d'intérêts en (b). L'entité doit également indiquer comment elle a déterminé l'avantage économique maximal disponible, c'est-à-dire s'il s'agit de remboursements, de diminutions des cotisations futures ou d'une combinaison des deux ;*

Sélect inc. présente ce rapprochement pour les actifs du régime de retraite et l'obligation au titre des prestations définies de ce régime. Elle présente également le rapprochement de l'obligation au titre des prestations définies du régime d'assurance vie, maladie et hospitalisation.

Afin d'illustrer ces exigences de divulgation, les informations suivantes sont requises pour le régime de retraite de Sélect inc. pour l'exercice 20X7 :

Évolution des actifs du régime de retraite

Solde au 1er janvier 20X7	*0 $*
Produit d'intérêts généré par les actifs	*17 000*
Cotisations de l'employeur	*308 000*
Cotisations des membres du personnel	*22 000*
Prestations	*(110 000)*
Différence négative entre le rendement des actifs du régime et le produit d'intérêts généré par ces actifs	*(2 000)*
Solde au 31 décembre 20X7	*235 000 $*

Évolution de l'obligation au titre des prestations définies

Coût des services passés afférents à l'instauration du régime le 1er janvier 20X7	*320 000 $*
Coût des services rendus au cours de 20X7	*60 000*
Coût des services passés afférents à une modification de régime	*15 000*
Coût financier	*35 000*
Prestations	*(110 000)*
Perte actuarielle	*40 000*
Solde au 31 décembre 20X7	*360 000 $*

17

TABLEAU 17.3 *(suite)*

(d) le coût des services passés ainsi que les profits et pertes sur liquidation. Comme il est indiqué au paragraphe 100, il n'est pas nécessaire de faire la distinction entre le coût des services passés et les profits et pertes sur liquidation s'ils sont simultanés; *(e) l'effet des variations du cours des monnaies étrangères;* *(f) les cotisations au régime, en indiquant séparément les cotisations de l'employeur et celles des participants au régime;* *(g) les prestations du régime, en indiquant séparément les montants payés au titre d'une liquidation;* *(h) les effets des regroupements et des cessions d'entreprises.*	Il est à noter qu'il faudrait distinguer la portion de la perte actuarielle de 40 000 $ attribuable à des changements dans les hypothèses démographiques et celle attribuable à des changements dans les hypothèses financières. Ces informations permettent aux utilisateurs des états financiers de connaître les éléments qui ont eu une incidence importante sur les actifs et les obligations du régime au cours de l'exercice, comme le coût de 320 000 $ lié à l'instauration du régime.
Paragr. 142 *L'entité doit ventiler la juste valeur des actifs du régime entre différentes catégories fondées sur la nature de ces actifs et les risques qui s'y rattachent, et, pour chaque catégorie d'actifs du régime, établir une distinction entre ceux qui sont cotés sur un marché actif (au sens donné à cette expression dans IFRS 13* Évaluation de la juste valeur*) et ceux qui ne le sont pas. Par exemple, en considérant le niveau de détail nécessaire dont il est question au paragraphe 136, l'entité pourrait établir une distinction entre les éléments suivants :* *(a) la trésorerie et les équivalents de trésorerie;* *(b) les instruments de capitaux propres (séparés selon le secteur d'activité, la taille de la société, la situation géographique, etc.);* *(c) les instruments de créance (séparés selon le type d'émetteur, la qualité de crédit, la situation géographique, etc.);* *(d) les biens immobiliers (séparés selon la situation géographique, etc.);* *(e) les dérivés (séparés selon le type de risque sous-jacent, par exemple selon qu'il s'agit de dérivés de taux, de dérivés de change, de dérivés d'actions, de dérivés de crédit, de swaps de longévité, etc.);* *(f) les fonds de placement (séparés selon le type de fonds);* *(g) les titres adossés à des actifs;* *(h) les titres de créance structurés.*	Le régime de retraite de Sélect inc. détient des placements sous forme de trésorerie, de placements à capital garanti, de titres de participation, d'obligations et de créances hypothécaires (*voir la page 17.19*). Sélect inc. doit préciser la proportion des titres de participation et des obligations qui sont cotés sur un marché actif. Elle doit également préciser la proportion des titres de participation qui se rapportent à des sociétés publiques et privées, ainsi que les principaux secteurs d'activité et les secteurs géographiques en cause. Les secteurs d'activité peuvent être établis sur la base des classements boursiers, et les secteurs géographiques peuvent être établis sur la base des pays ou des continents. Les obligations gouvernementales, municipales et corporatives peuvent être distinguées. Les cotes de crédit émanant des agences de notation peuvent être utilisées pour séparer les obligations selon la qualité du crédit. Comme pour les titres de participation, les pays ou continents peuvent servir à distinguer les obligations selon la situation géographique. La nature des placements garantis doit être précisée, comme celle des créances hypothécaires, en mentionnant à titre d'exemple les créances consenties à des participants au régime.
Paragr. 143 *L'entité doit indiquer la juste valeur des instruments financiers transférables de l'entité elle-même qui sont détenus à titre d'actifs du régime et la juste valeur des actifs du régime qui sont des biens immobiliers occupés par l'entité ou d'autres actifs utilisés par celle-ci.*	Le fait que les actifs d'un régime de retraite soient composés en grande partie d'actifs de l'entreprise elle-même ajoute un élément de risque non négligeable. En effet, si l'entreprise se retrouve en difficulté financière et que le régime possède des actions de l'entreprise, les difficultés financières de l'entreprise se répercuteront sur la capacité du régime à faire face à ses obligations. En effet, la juste valeur des actifs du régime diminuera.
Paragr. 144 *L'entité doit indiquer les hypothèses actuarielles importantes qui ont été utilisées pour déterminer la valeur actualisée de l'obligation au titre des prestations définies (voir paragraphe 76). Ces informations doivent être fournies en chiffres absolus (par exemple un pourcentage absolu, et non pas uniquement une fourchette de pourcentages ou d'autres variables). Si l'entité fournit des informations globales pour un groupe de régimes, ces informations doivent être fournies sous la forme de moyennes pondérées ou d'intervalles relativement étroits.*	Les taux d'actualisation, les taux attendus d'augmentation des salaires, les taux d'évolution des coûts médicaux et toute autre hypothèse actuarielle importante doivent être divulgués. L'utilisation d'hypothèses actuarielles différentes peut entraîner des différences significatives dans l'évaluation de l'obligation au titre des prestations définies. Les utilisateurs des états financiers doivent être informés des hypothèses pour évaluer la comparabilité des hypothèses utilisées par les différentes entreprises. Bien qu'il puisse être difficile de réajuster l'obligation au titre des prestations définies pour tenir compte d'hypothèses différentes, les utilisateurs peuvent à tout le moins évaluer si le coût et les obligations établis par une entreprise particulière semblent sur ou sous-évalués

17

TABLEAU 17.3 *(suite)*

par rapport à ceux établis par une autre entreprise. Le fait de divulguer les hypothèses permet également aux utilisateurs des états financiers de suivre leur évolution dans le temps et de comprendre leur effet sur l'obligation calculée. Par exemple, si l'hypothèse relative au taux d'actualisation a augmenté au cours d'un exercice, cela aura entraîné une baisse de l'obligation et possiblement généré un profit actuariel au cours de l'exercice en cours.

Montant, échéancier et degré d'incertitude des flux de trésorerie futurs

Paragr. 145

L'entité doit fournir les informations suivantes :

(a) une analyse de sensibilité à la date de clôture pour chaque hypothèse actuarielle importante (c'est-à-dire présentée en application du paragraphe 144), montrant comment les changements qui auraient raisonnablement pu être apportés aux hypothèses actuarielles pertinentes à cette date auraient influé sur l'obligation au titre des prestations définies ;

(b) les méthodes et hypothèses utilisées aux fins de l'élaboration des analyses de sensibilité requises par le point (a), et les limites de ces méthodes ;

(c) les changements dans les méthodes et hypothèses utilisées aux fins de l'élaboration des analyses de sensibilité par rapport à la période précédente, ainsi que les raisons de ces changements.

Un changement dans le taux d'actualisation peut avoir un effet significatif sur l'obligation au titre des prestations définies des régimes d'avantages postérieurs à l'emploi. Sélect inc. pourrait donc indiquer l'effet de retenir un taux d'actualisation de 10 % plutôt que 9 % sur l'obligation au titre des prestations définies au 31 décembre 20X7. De même, l'obligation au titre des prestations définies des régimes d'assistance médicale postérieurs à l'emploi est très sensible à l'hypothèse relative au taux d'évolution des coûts médicaux. Fournir l'effet d'une variation, disons de 5 % à 6 %, de cette hypothèse permet aux utilisateurs des états financiers de mieux juger de l'ampleur de l'incertitude relative aux estimations.

Paragr. 146

L'entité doit fournir une description des stratégies d'appariement actif-passif utilisées par le régime ou l'entité, le cas échéant, y compris l'utilisation de rentes et d'autres techniques, comme les swaps de longévité, pour gérer le risque.

Les **swaps de longévité** permettent de couvrir les risques liés à l'augmentation de la longévité des retraités. Si ceux-ci vivent plus longtemps que l'espérance de vie moyenne convenue, l'institution financière qui couvre le risque effectue alors des paiements au régime de retraite pour compenser les coûts liés au prolongement de la vie des retraités. Dans le cas inverse, le régime effectue un paiement à la banque. Cette stratégie doit être mentionnée aux utilisateurs des états financiers puisqu'elle influence le risque lié à la variation des montants des prestations futures.

Paragr. 147

Pour donner une idée de l'incidence du régime à prestations définies sur ses flux de trésorerie futurs, l'entité doit fournir les informations suivantes :

(a) une description de toutes modalités de financement et de toute politique de capitalisation ayant une incidence sur les cotisations futures ;

(b) les cotisations qu'il est prévu de verser au régime au cours du prochain exercice ;

(c) des informations sur le profil des échéances de l'obligation au titre des prestations définies, dont la duration moyenne pondérée de l'obligation. Il peut être bon de fournir des informations sur l'échelonnement des versements de prestations, par exemple une analyse des échéances de ces versements.

Sélect inc. a versé des cotisations importantes en 20X7 (308 000 $), notamment pour compenser le coût des services passés lié à l'instauration du régime. Les états financiers de 20X7 doivent donc renseigner les utilisateurs des états financiers sur la politique de l'entreprise ayant trait à la capitalisation de ce coût non récurrent. Par le fait même, ces utilisateurs seront en droit de s'attendre à ce que les cotisations des exercices futurs soient inférieures à celles de 20X7. La note doit également mentionner les cotisations attendues de 57 000 $ pour 20X8 (80 000 $ – 23 000 $). Le montant des cotisations de l'année suivante est généralement connu étant donné qu'il a été déterminé par l'actuaire lors de la dernière évaluation actuarielle.

Régimes multiemployeurs

Paragr. 148

L'entité qui participe à un régime multiemployeurs à prestations définies doit fournir les informations suivantes :

(a) une description des modalités de financement, y compris de la méthode utilisée pour déterminer le taux de cotisation de l'entité et de toute exigence de financement minimal ;

Lorsque l'entreprise participe à un régime multiemployeurs à prestations définies, elle comptabilise sa part de l'obligation au titre des prestations définies, des actifs et du coût du régime. Elle fournit également toutes les informations indiquées dans ce tableau qui concernent les régimes à prestations définies. Étant donné la nature particulière d'un régime multiemployeurs,

17

TABLEAU 17.3 *(suite)*

(b) une description de la mesure dans laquelle l'entité peut, selon les dispositions du régime multiemployeurs, être tenue envers celui-ci des obligations d'autres entités; *(c) une description de la répartition convenue, le cas échéant, du déficit ou de l'excédent :* *(i) en cas de liquidation du régime,* *(ii) dans le cas où l'entité se retire du régime.* *(d) Si l'entité comptabilise le régime comme s'il s'agissait d'un régime à cotisations définies en application du paragraphe 34, elle doit fournir les informations suivantes en plus de celles qui sont requises par les points (a) à (c), plutôt que les informations requises par les paragraphes 139 à 147 :* *(i) le fait qu'il s'agit d'un régime à prestations définies,* *(ii) la raison pour laquelle elle ne dispose pas d'informations suffisantes pour le comptabiliser comme un régime à prestations définies,* *(iii) les cotisations qu'il est prévu de verser au régime au cours du prochain exercice,* *(iv) des informations sur tout déficit ou excédent du régime pouvant influer sur le montant des cotisations futures, y compris la base utilisée pour déterminer le montant du déficit ou de l'excédent et les conséquences pour l'entité, le cas échéant,* *(v) une indication du niveau de participation de l'entité au régime par rapport à celui des autres entités participantes. Parmi les mesures pouvant donner une telle indication, mentionnons la proportion des cotisations totales au régime qui est à la charge de l'entité ou la proportion attribuable à l'entité des participants en activité, des participants retraités et des anciens participants qui ont droit à des prestations.*	il importe de renseigner les utilisateurs des états financiers sur la façon dont les cotisations que doit verser l'entreprise sont déterminées, sur les risques de devoir assumer les obligations des autres entreprises et sur la façon de partager un excédent et de répartir un déficit dans des situations particulières comme la liquidation du régime ou le retrait de l'entreprise. Lorsque celle-ci ne dispose pas de suffisamment d'informations ou qu'elle ne peut déterminer de façon fiable sa part de l'obligation, elle doit comptabiliser un régime multiemployeurs à prestations définies comme un régime à cotisations définies. Dans un tel cas, les informations décrites dans ce tableau sur les caractéristiques des régimes à prestations définies et les risques qui y sont associés, sur les explications des montants contenus dans les états financiers ainsi que sur le montant, l'échéancier et le degré de certitude des flux de trésorerie futurs ne doivent pas être fournies. L'entreprise se limite plutôt à fournir les informations énumérées en d).
Régimes à prestations définies dont les risques sont partagés par différentes entités soumises à un contrôle commun Paragr. 149 *L'entité qui participe à un régime à prestations définies dont les risques sont partagés par différentes entités soumises à un contrôle commun doit fournir les informations suivantes :* *(a) l'accord contractuel ou la politique déclarée prévoyant la facturation du coût net des prestations définies ou l'absence d'une telle politique;* *(b) la politique de détermination des cotisations à payer par l'entité;* *(c) dans le cas où, selon le paragraphe 41, l'entité comptabilise sa part du coût net des prestations définies, toutes les informations sur le régime dans son ensemble requises par les paragraphes 135 à 147;* *(d) dans le cas où, selon le paragraphe 41, l'entité comptabilise sa cotisation exigible pour la période, les informations sur le régime dans son ensemble requises par les paragraphes 135 à 137, 139, 142 à 144, et 147(a) et (b).*	Il se peut qu'un ensemble de filiales participent à un régime à prestations définies offert à leurs membres du personnel par la société mère. Les utilisateurs des états financiers de chacune des filiales ont besoin d'informations sur les engagements assumés par la filiale en vertu d'un tel arrangement.
Paragr. 150 *Les informations requises par le paragraphe 149(c) et (d) peuvent être fournies au moyen d'un renvoi aux informations fournies dans les états financiers d'une autre entité du groupe si les conditions suivantes sont réunies :* *(a) les informations à fournir sur le régime sont identifiées et présentées séparément dans les états financiers de l'autre entité du groupe;*	Pour faire suite à l'explication ci-dessus, si les utilisateurs des états financiers des filiales ont également accès aux états financiers de la société mère, un renvoi à ces états financiers pourrait être fourni dans les états financiers des filiales.

17

TABLEAU 17.3 *(suite)*

(b) les utilisateurs des états financiers de l'entité considérée ont en même temps (ou d'abord) accès aux états financiers de l'autre entité du groupe, et ce, aux mêmes conditions.

Obligations d'information imposées par d'autres IFRS

Paragr. 151

Lorsque IAS 24 l'impose, l'entité fournit des informations sur :

(a) les transactions effectuées avec des régimes postérieurs à l'emploi qui sont des parties liées ;

(b) les avantages postérieurs à l'emploi accordés à ses principaux dirigeants.

Le chapitre 11 traitait des informations relatives aux parties liées. Rappelons l'utilité de ces informations, car les opérations relatives aux parties liées sont parfois conclues à des conditions inhabituelles.

Paragr. 152

Lorsque IAS 37 l'impose, l'entité fournit des informations sur les passifs éventuels résultant d'obligations au titre d'avantages postérieurs à l'emploi.

En vertu d'un régime multiemployeurs, une entreprise participante peut être tenue de financer un éventuel déficit du régime si d'autres entreprises cessent de participer. Il s'agit d'un passif éventuel à traiter en tant que tel. Nous avons traité de la comptabilisation de ces passifs dans le chapitre 12.

Les autres avantages à long terme

Paragr. 158

Bien que la présente norme n'impose pas de fournir des informations spécifiques sur les autres avantages à long terme, d'autres IFRS peuvent l'imposer. Par exemple, IAS 24 impose la communication d'informations sur les avantages accordés aux principaux dirigeants. De même, IAS 1 impose des obligations d'information concernant les charges liées aux avantages du personnel.

Le chapitre 2 expliquait que la charge d'avantages du personnel peut figurer séparément dans l'état du résultat global ou être mentionnée dans les notes.

Les indemnités de cessation d'emploi

Paragr. 171

Différence NCECF

Bien que la présente norme n'impose pas de fournir des informations spécifiques sur les indemnités de cessation d'emploi, d'autres IFRS peuvent l'imposer. Par exemple, IAS 24 impose la communication d'informations sur les avantages accordés aux principaux dirigeants. De même, IAS 1 impose des obligations d'information concernant les charges liées aux avantages du personnel.

Le chapitre 2 traitait de la présentation des avantages du personnel dans l'état du résultat global et le chapitre 11 traitait des informations sur les parties liées.

Les extraits des états financiers de la société Pages Jaunes Limitée au 31 décembre 2015 qui sont reproduits ci-dessous fournissent un exemple d'application des différentes exigences de présentation énoncées dans l'IAS 19.

Pages Jaunes Limitée

NOTES COMPLÉMENTAIRES – 31 DÉCEMBRE 2015

(Tous les montants des tableaux sont en milliers de dollars canadiens, sauf l'information sur les actions)

11. AVANTAGES POSTÉRIEURS À L'EMPLOI

IAS 19, paragr. 135(a)

Pages Jaunes Limitée dispose de régimes de retraite composés d'un volet à prestations définies et d'un volet à cotisations définies qui couvrent la quasi-totalité de ses employés. Pages Jaunes Limitée maintient des régimes de retraite à prestations définies supplémentaires sans capitalisation à l'intention de certains dirigeants, en plus de régimes d'avantages complémentaires de retraite et postérieurs à l'emploi (les « avantages complémentaires ») offerts à la quasi-totalité de ses employés.

IAS 19, paragr. 139(b)

Les régimes de retraite à prestations définies exposent habituellement la Société à des risques actuariels, comme le risque d'investissement, le risque de taux d'intérêt, le risque de longévité et le risque lié au salaire.

Risque d'investissement	La valeur actualisée de l'obligation au titre des prestations définies est calculée en utilisant un taux d'actualisation déterminé par référence au rendement des obligations de sociétés de première catégorie; si le rendement réel des actifs des régimes est inférieur à ce taux, un déficit sera généré. Actuellement, les régimes suivent une stratégie de placement relativement équilibrée entre des titres de capitaux propres et des instruments d'emprunt. Étant donné que l'obligation au titre des prestations définies est à long terme par nature, le comité de retraite juge approprié d'investir une part raisonnable des actifs dans des instruments de capitaux propres afin de maximiser le rendement.
Risque de taux d'intérêt	Une diminution du taux d'intérêt sur les obligations accroîtra l'obligation au titre des prestations définies, particulièrement sur une base de solvabilité. Par contre, même si une augmentation du rendement des placements des régimes de retraite à prestations définies atténuera partiellement cette augmentation; l'incidence pourrait être notable, étant donné que le passif des régimes est sensible aux variations des taux d'intérêt.
Risque de longévité	La valeur actualisée du passif des régimes à prestations définies est calculée en fonction des estimations des taux de mortalité chez les participants aux régimes, pendant et après l'emploi. Toute augmentation de l'espérance de vie des participants aux régimes aura pour effet de faire augmenter l'obligation au titre des prestations définies.
Risque lié au salaire	La valeur actualisée de l'obligation au titre des prestations définies est calculée en fonction de la projection des salaires des participants aux régimes. Ainsi, toute augmentation de salaire des participants aux régimes plus marquée que prévu aura pour effet de faire augmenter le passif des régimes à prestations définies.

La valeur actualisée de l'obligation au titre des prestations définies et le coût connexe des services rendus au cours de l'exercice et des services passés ont été évalués selon la méthode de répartition des prestations au prorata des services. Ils sont fondés sur l'évaluation actuarielle des actifs des régimes et le calcul de la valeur actualisée de l'obligation au titre des prestations définies qui ont été effectués par Morneau Shepell, Fellows de l'Institut canadien des actuaires et de la Société des actuaires au 31 mai 2015 et qui ont fait l'objet d'extrapolations au 31 décembre 2015. Aux fins de capitalisation, une évaluation actuarielle du volet à prestations définies des régimes de retraite de Pages Jaunes a également été effectuée au 31 mai 2015.

La variation des obligations au titre des prestations définies et de la juste valeur des actifs ainsi que le rapprochement de la situation de capitalisation des régimes de retraite à prestations définies et du montant comptabilisé dans les états consolidés de la situation financière aux 31 décembre 2015 et 2014 se présentent comme suit :

IAS 19, paragr. 138(e)

IAS 19, paragr. 140(a)(i) et 141

IAS 19, paragr. 140(a)(ii) et 141

	Au 31 décembre 2015		Au 31 décembre 2014	
	Prestations de retraite[1]	**Avantages complémentaires**	Prestations de retraite[1]	Avantages complémentaires
Juste valeur des actifs des régimes au début de l'exercice	**474 854 $**	**– $**	438 008 $	– $
Cotisations de l'employeur	**35 224**	**2 014**	28 212	2 029
Cotisations des employés	**1 502**	**–**	1 680	–
Produits d'intérêts	**18 838**	**–**	20 534	–
Rendement des actifs des régimes, excluant les produits d'intérêts (gains actuariels)	**3 089**	**–**	31 103	–
Prestations versées	**(44 725)**	**(2 014)**	(35 011)	(2 029)
Actifs distribués à la liquidation (note 10)	**–**	**–**	(8 195)	–
Frais d'administration	**(898)**	**–**	(1 477)	–
Juste valeur des actifs du régime à la fin de l'exercice	**487 884 $**	**– $**	474 854 $	– $
Obligations au titre des prestations constituées au début de l'exercice	**660 501 $**	**41 615 $**	576 664 $	40 292 $
Coût des services rendus de l'exercice	**9 737**	**182**	10 047	264
Cotisations des employés	**1 502**	**–**	1 680	–

IAS 19, paragr. 140(a)(ii) et 141

Prestations versées	**(44 725)**	**(2 014)**	(35 011)	(2 029)
Obligations au titre des prestations définies éteintes à la liquidation (note 10)	**–**	**–**	(7 541)	–
Coût financier	**25 848**	**1 507**	26 901	1 762
Gain découlant d'une réduction	**(1 096)**	**(538)**	(312)	(1 701)
Coûts des services passés	**(2 449)**	**(4 169)**	–	–
(Gains actuariels) pertes actuarielles découlant de ce qui suit :				
Ajustements liés à l'expérience	**(13 516)**	**1 033**	–	(739)
Changements dans les hypothèses démographiques	**–**	**(53)**	19 966	306
Changements dans les hypothèses financières	**(3 203)**	**381**	68 107	3 460
Obligations au titre des prestations définies à la fin de l'exercice	**632 599 $**	**37 944 $**	660 501 $	41 615 $
Obligation nette au titre des prestations définies	**(144 715) $**	**(37 944) $**	(185 647) $	(41 615) $

[1] Comprennent les régimes de retraite à prestations définies supplémentaires sans capitalisation.

IAS 19, paragr. 147(a)

Bien que l'ensemble des régimes de retraite ne soit pas considéré comme entièrement capitalisé à des fins de présentation de l'information financière, les régimes de retraite agréés sont capitalisés conformément aux règlements prescrits applicables en matière de financement régissant les régimes de retraite individuels.

IAS 19, paragr. 144

Le tableau qui suit présente les principales hypothèses adoptées pour mesurer les obligations de Pages Jaunes Limitée en ce qui a trait aux prestations de retraite et aux avantages complémentaires aux 31 décembre 2015 et 2014 :

	Au 31 décembre 2015		Au 31 décembre 2014	
	Prestations de retraite	**Avantages complémentaires**	Prestations de retraite	Avantages complémentaires
Obligation au titre des avantages postérieurs à l'emploi				
Taux d'actualisation à la fin de l'exercice	**4,00 %**	**4,00 %**	4,00 %	4,00 %
Taux d'augmentation de la rémunération	**2,95 %**	**2,95 %**	3,00 %	3,00 %
Coûts nets des régimes d'avantages				
Taux d'actualisation à la fin de l'exercice précédent	**4,00 %**	**4,00 %**	4,75 %	4,75 %
Taux d'augmentation de la rémunération	**3,00 %**	**3,00 %**	3,00 %	3,00 %
Durée moyenne pondérée (en années)	**15**	**13**	16	13

IAS 19, paragr. 144

Aux fins de l'évaluation, le taux de croissance annuel hypothétique du coût des soins médicaux couverts (le « taux tendanciel du coût des soins médicaux ») a été fixé à 6,7 % en 2015. Le taux de croissance du coût des soins médicaux est présumé augmenter à 8,0 % en 2016, puis reculer graduellement pour se situer à 5,0 % en 2026 et demeurer à ce niveau par la suite. Le taux de croissance annuel hypothétique du coût des soins dentaires couverts a été fixé à 4,5 % en 2015. Le taux de croissance du coût des soins dentaires couverts est présumé augmenter à 6,0 % en 2016, puis reculer graduellement pour se situer à 4,0 % en 2026 et demeurer à ce niveau par la suite.

IAS 19, paragr. 145(a)

Le tableau suivant indique dans quelle mesure des changements raisonnablement susceptibles de se produire dans chacune des principales hypothèses actuarielles auraient eu une incidence sur l'obligation au titre des prestations définies au 31 décembre 2015 :

	Prestations de retraite	Avantages complémentaires
Baisse de 0,25 % du taux d'actualisation à la fin de l'exercice	**24 605 $**	1 376 $
Hausse de 0,25 % du taux de la rémunération	**2 968 $**	– $
Hausse de 1 % des taux tendanciels du coût des soins de santé	**S.O. $**	2 761 $

Le coût net des régimes d'avantages présenté dans le compte de résultat inclut les composantes suivantes :

	Pour les exercices clos les 31 décembre			
	2015		2014	
	Prestations de retraite	**Avantages complémentaires**	Prestations de retraite	Avantages complémentaires
IAS 19, paragr. 134 — Coût des services rendus de l'exercice	**9 737 $**	**182 $**	10 047 $	264 $
Frais d'administration	**898**	**–**	1 477	–
Coûts des services passés	**(2 449)**	**(4 169)**	–	–
Coûts des services[1]	**8 186 $**	**(3 987) $**	11 524 $	264 $
Gain découlant d'une réduction	**(1 096) $**	**(538) $**	(312) $	(1 701) $
Perte à la liquidation	**–**	**–**	654	–
(Gain net) perte nette découlant d'une réduction (note 10)	**(1 096) $**	**(538) $**	342 $	(1 701) $
Coût financier	**25 848 $**	**1 507 $**	26 901 $	1 762 $
Produits d'intérêts	**(18 838)**	**–**	(20 534)	–
Charge d'intérêt nette sur l'obligation nette au titre des prestations définies (note 19)	**7 010 $**	**1 507 $**	6 367 $	1 762 $
Coûts (recouvrements) nets des régimes d'avantages comptabilisés dans le compte de résultat	**14 100 $**	**(3 018) $**	18 233 $	325 $
IAS 1, paragr. 106A — (Gains actuariels) pertes actuarielles comptabilisé(e)s dans les autres éléments du résultat global	**(19 808) $**	**1 361 $**	56 970 $	3 027 $
Total du (recouvrement) coût net des régimes d'avantages pour les régimes à prestations définies de Pages Jaunes (« PJ »)	**(5 708) $**	**(1 657) $**	75 203 $	3 352 $
IAS 19, paragr. 53 — Coûts nets des régimes d'avantages pour les régimes à cotisations définies de PJ[1]	**7 332**	**–**	6 500	–
Total du coût (recouvrement) net des régimes d'avantages	**1 624 $**	**(1 657) $**	81 703 $	3 352 $

1 Compris dans les coûts d'exploitation.

IAS 19, paragr. 139(c)

En raison des réductions de la main-d'oeuvre, le nombre d'employés couverts par les régimes de retraite a diminué, et cette restructuration a donné lieu à un gain découlant d'une réduction au 8 octobre 2015 et à un gain découlant d'une réduction et à une perte à la liquidation au 1er mars 2014 (se reporter à la note 10, Provisions).

Au cours de l'exercice clos le 31 décembre 2015, la Société a modifié les régimes de retraite et d'avantages postérieurs à l'emploi pour certains groupes d'employés. Ces modifications ont été apportées sur une base prospective et concernaient uniquement certains groupes d'employés, et elles comprenaient, entre autres, pour les employés concernés, l'élimination des avantages postérieurs à l'emploi, l'élimination de l'indexation sur les services futurs pendant la retraite, l'introduction de cotisations des employés et la réduction de la garantie pour invalidité à court terme. Certaines de ces modifications se sont traduites par un recouvrement des coûts des services passés de 6,6 M $ en 2015 (néant en 2014).

IAS 19, paragr. 142

Les actifs des régimes se composent principalement de titres canadiens et étrangers, d'obligations de gouvernements et de sociétés, de débentures et de prêts hypothécaires garantis. Les actifs des régimes sont détenus en fiducie et leur répartition se présentait comme suit aux 31 décembre 2015 et 2014 :

(en pourcentage – %)	**Au 31 décembre 2015**	Au 31 décembre 2014
Juste valeur des actifs des régimes :		
Obligations et débentures canadiennes	**27,0**	31,5
Actions ordinaires canadiennes	**11,0**	11,0
Actions ordinaires mondiales	**–**	9,5
Parts de fonds de placement		
Fonds d'actions canadiennes	**17,5**	18,0
Fonds d'actions mondiales	**31,0**	21,0
Fonds à revenu fixe canadiens	**10,0**	6,0
Fonds de placement hypothécaires	**2,0**	2,0
Billets à court terme et bons du Trésor	**0,5**	0,5
Trésorerie et équivalents de trésorerie	**1,0**	0,5

IAS 19, paragr. 143

Aux 31 décembre 2015 et 2014, les titres de participation cotés en Bourse n'incluaient pas directement d'actions de Pages Jaunes Limitée.

IAS 19, paragr. 141(f) et 147(b)

Les paiements en espèces versés par Pages Jaunes Limitée au titre des régimes de retraite et des avantages complémentaires ont totalisé 44,6 M$ en 2015 (35,6 M$ en 2014). Les paiements en espèces au titre des régimes de retraite et des avantages complémentaires devraient s'élever à environ 41,4 M$ en 2016.

IAS 19, paragr. 147(a)

La politique de financement de Pages Jaunes Limitée consiste à verser des cotisations à ses régimes de retraite en se fondant sur diverses méthodes d'évaluation actuarielle, comme le permettent les organismes de réglementation en matière de régimes de retraite. Pages Jaunes Limitée a la responsabilité de financer adéquatement ses régimes. Les cotisations reflètent les hypothèses actuarielles concernant le rendement futur des placements, les projections salariales et les avantages liés aux services futurs.

Pages Jaunes Limitée a également comptabilisé une charge au titre des régimes de retraite provinciaux et fédéral et des régimes d'États de 9 M$ pour l'exercice clos le 31 décembre 2015 (7,7 M$ pour l'exercice clos le 31 décembre 2014).

IAS 1, paragr. 90

Au 31 décembre 2015, Pages Jaunes Limitée a comptabilisé un solde cumulé de 86,3 M$, déduction faite de l'impôt sur le résultat de 29,3 M$ au titre des pertes actuarielles dans les autres éléments du résultat global.

Source : États financiers consolidés de Pages Jaunes Limitée
Pages Jaunes, *États financiers consolidés de Pages Jaunes Limitée : Aux 31 décembre 2015 et 2014*, [En ligne], <http://entreprise.pj.ca> (page consultée le 22 août 2016).

17

PARTIE II – LES NCECF

Équivalents terminologiques *Manuel de CPA Canada* – Partie II et Partie I.

Les NCECF présentées dans le **chapitre 3462** du *Manuel – Partie II* comportent quelques différences avec les IFRS qui sont détaillées dans la présente section. La figure 17.9 résume ces différences, dont nous traitons en détail dans les sections qui suivent.

Les avantages à court terme

Mentionnons que la norme analogue à l'IAS 19 s'intitule « Avantages sociaux futurs » dans les NCECF. Elle exclut explicitement de sa portée les avantages fournis aux membres du personnel au cours de leur période d'emploi, lesquels correspondent aux avantages à court terme dans l'IAS 19.

Les avantages postérieurs à l'emploi

Les différences entre les IFRS et les NCECF portent essentiellement sur les avantages postérieurs à l'emploi.

FIGURE 17.9 Les particularités des NCECF au sujet des avantages sociaux futurs

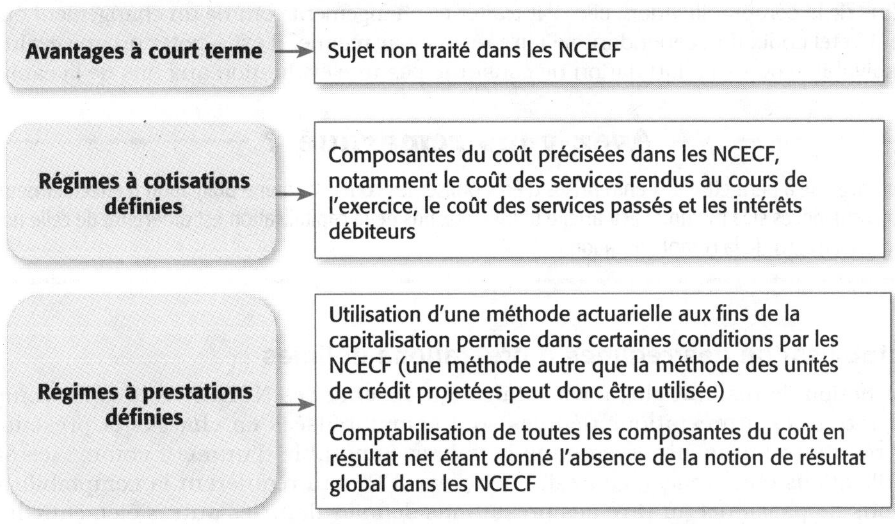

Avantages à court terme
Sujet non traité dans les NCECF
Régimes à cotisations définies
Composantes du coût précisées dans les NCECF, notamment le coût des services rendus au cours de l'exercice, le coût des services passés et les intérêts débiteurs
Régimes à prestations définies
Utilisation d'une méthode actuarielle aux fins de la capitalisation permise dans certaines conditions par les NCECF (une méthode autre que la méthode des unités de crédit projetées peut donc être utilisée)
Comptabilisation de toutes les composantes du coût en résultat net étant donné l'absence de la notion de résultat global dans les NCECF

Les régimes à cotisations définies

Les NCECF sont plus claires en ce qui a trait aux composantes du coût des régimes à cotisations définies. En effet, elles précisent que le coût pour un exercice comprend : 1) le coût des services rendus au cours de l'exercice ; 2) le coût des services passés ; 3) les intérêts débiteurs sur la valeur actualisée estimative des cotisations requises dans les exercices futurs au titre des services rendus par le salarié au cours de l'exercice examiné ou des exercices antérieurs ; et 4) en déduction, les intérêts créditeurs de l'exercice sur tout excédent non affecté du régime. Rappelons que les IFRS traitent seulement de la première composante et sont muettes sur les trois autres. L'exemple de la société Albert ltée que nous avons fourni à la page 17.7 inclut les trois premières composantes énumérées ci-dessus et est comptabilisé de façon cohérente avec les NCECF. Dans cet exemple, le coût des services rendus au cours de l'exercice s'élève à 25 000 $ pour 20X0, le coût des services passés s'élève à 13 678 $ et les intérêts débiteurs se chiffrent à 868 $, pour une charge totale de 39 546 $.

Les régimes à prestations définies

Pour les régimes à prestations définies, les NCECF présentent deux principales différences avec les IFRS. La première a trait à la possibilité d'utiliser une méthode actuarielle aux fins de la capitalisation et la seconde à la comptabilisation des réévaluations en résultat net.

Les méthodes actuarielles

Pour déterminer le coût des régimes à prestations définies, les entreprises qui appliquent les NCECF peuvent utiliser l'**évaluation actuarielle effectuée aux fins de la capitalisation** plutôt qu'une évaluation actuarielle effectuée séparément aux fins de la comptabilisation lorsque les dispositions légales, réglementaires ou contractuelles applicables à certains régimes à prestations définies de l'entreprise exigent l'établissement d'une évaluation actuarielle aux fins de la capitalisation. L'utilisation de la **méthode de répartition des prestations au prorata des services**[19] n'est donc pas obligatoire dans ces circonstances selon les NCECF. En effet, si l'évaluation actuarielle effectuée pour déterminer le montant des cotisations à verser à la caisse de retraite (donc aux fins de la capitalisation) est différente, cette dernière peut tout de même être utilisée. Cependant, la méthode choisie doit être appliquée à tous les régimes dont les dispositions légales, réglementaires ou contractuelles exigent l'établissement d'une évaluation actuarielle aux fins de la capitalisation.

IFRS
Méthode des unités de crédit projetées

19. Lorsque l'évolution future des niveaux de salaire ou la croissance future des coûts n'a pas d'incidence sur le montant des avantages sociaux futurs, la **méthode de répartition des prestations constituées** peut également être utilisée selon les NCECF. Selon cette méthode, les avantages gagnés à une date donnée sont établis à partir des dispositions du régime et de certains facteurs concernant le passé du salarié jusqu'à cette date, notamment l'évolution de son salaire et ses années de service.

Lorsqu'une entreprise change de méthode pour comptabiliser un régime à prestations définies, par exemple lorsqu'elle passe de l'évaluation actuarielle aux fins de la capitalisation à l'évaluation actuarielle aux fins de la comptabilisation, elle doit traiter ce changement comme un changement de méthode comptable. Un tel choix doit cependant se faire régime par régime. Il est à noter qu'une évaluation aux fins de la solvabilité ou de la liquidation ne constitue pas une évaluation aux fins de la capitalisation.

Avez-vous remarqué ?

Cette différence vise à permettre aux entreprises d'économiser les coûts liés à une obligation d'effectuer deux évaluations actuarielles si la méthode actuarielle utilisée aux fins de la capitalisation est différente de celle normalement requise aux fins de la comptabilisation.

La comptabilisation des régimes à prestations définies

IFRS
État du résultat global
Liquidation
Passif (actif) net au titre des prestations définies
Produit d'intérêts généré par les actifs du régime
Profits
Effet du plafond de l'actif
Réductions

Puisque la notion de résultat global est totalement absente des NCECF, toutes les composantes du coût des régimes à prestations définies sont comptabilisées en charges et présentées dans l'**état des résultats** (ou incorporées dans la valeur comptable d'un actif comme les stocks ou les immobilisations corporelles), contrairement aux IFRS qui requièrent la comptabilisation des réévaluations du passif net au titre des prestations définies dans les autres éléments du résultat global. Les composantes du coût selon les NCECF sont cependant les mêmes que celles énoncées dans les IFRS. Le coût total, pour l'exercice, d'un régime à prestations définies comprend : 1) le coût des services rendus au cours de l'exercice ; 2) le cas échéant, le montant des actifs du régime transférés et des paiements effectués directement par l'entreprise dans le cadre d'un **règlement** ; 3) le coût financier (déterminé en multipliant le **passif [l'actif] au titre des prestations définies** au début de l'exercice par le taux d'actualisation utilisé pour déterminer l'obligation au titre des prestations définies au début de l'exercice) ; et 4) les réévaluations et autres éléments. Les réévaluations et autres éléments comprennent : 1) la différence entre le rendement réel des actifs du régime et le **rendement calculé à l'aide du taux d'actualisation utilisé pour déterminer l'obligation au titre des prestations définies** ; 2) les **gains** et pertes actuariels ; 4) l'effet de la **provision pour moins-value** ; 4) le coût des services passés ; et 5) les gains et pertes auxquels donnent lieu les règlements et **compressions**. Bien que les composantes soient similaires, il est à noter que les NCECF ne les regroupent pas sous les trois appellations utilisées dans les IFRS, soit le coût des services, les intérêts nets et les réévaluations du passif (de l'actif net) au titre des prestations définies.

Puisque tous les éléments sont comptabilisés en résultat net, les NCECF précisent que le coût total d'un régime à prestations définies peut être déterminé pour chaque composante séparément, ou d'une façon plus globale en prenant en considération : 1) les variations de l'obligation au titre des prestations définies autres que celles attribuables aux versements des prestations aux participants du régime ; 2) le rendement réel des actifs du régime, représenté par la différence entre la juste valeur des actifs au début de l'exercice, diminuée des prestations versées et augmentée des cotisations, et leur juste valeur à la fin de l'exercice (le tout déduction faite des coûts de gestion des actifs) ; et 3) la variation de la provision pour moins-value. Les cotisations des salariés réduisent le coût total d'un régime à prestations définies.

17

EXEMPLE

Comptabilisation d'un régime de retraite à prestations définies selon les NCECF

La société Tremco inc. offre un régime de retraite à prestations définies aux membres de son personnel. L'évaluation actuarielle préparée aux fins de la capitalisation permet d'établir les informations suivantes à propos de l'évolution des actifs du régime et de l'obligation au titre des prestations définies pour l'exercice 20X1 :

Actifs du régime		*Obligation au titre des prestations définies*	
Solde au début	*80 000 $*	*Solde au début*	*100 000 $*
Cotisations à la caisse de retraite	*8 000*	*Coût des services rendus au cours de l'exercice*	*10 000*
*Rendement réel**	*7 000*	*Intérêt sur l'obligation au titre des prestations définies*	*9 000*

Prestations payées	*(5 000)*	*Prestations payées*	*(5 000)*
Solde à la fin	*90 000 $*	*Solde attendu de l'obligation au titre des prestations définies*	*114 000*
		Gain actuariel	*(3 000)*
		Solde à la fin selon la nouvelle évaluation actuarielle effectuée aux fins de la capitalisation	*111 000 $*

** Le rendement des actifs du régime calculé à l'aide du taux d'actualisation utilisé pour déterminer l'obligation au titre des prestations définies s'élève à 6 500 $.*

Si Tremco inc. examine chacune des composantes individuellement pour déterminer le coût de son régime à prestations définies, ce coût sera déterminé de la façon suivante :

Coût des services rendus au cours de l'exercice	*10 000 $*
Coût financier (9 000 $ – 6 500 $)	*2 500*
Différence entre le rendement réel des actifs du régime et le rendement calculé à partir du taux d'actualisation (7 000 $ – 6 500 $)	*(500)*
Gain actuariel	*(3 000)*
Coût total du régime à prestations définies	*9 000 $*

Si Tremco inc. n'a pas les informations détaillées sur l'évolution des actifs du régime de retraite et sur l'évolution de l'obligation au titre des prestations définies, elle peut utiliser l'approche plus globale expliquée ci-dessus pour déterminer le coût total du régime à prestations définies. Elle fera alors les calculs suivants :

Variations de l'obligation au titre des prestations définies autres que celles attribuables au versement des prestations (111 000 $ + 5 000 $ – 100 000 $)	*16 000 $*
*Rendement réel des actifs du régime**	*(7 000)*
Coût total du régime à prestations définies	*9 000 $*

** Le rendement réel peut être obtenu en calculant la différence entre la juste valeur des actifs au début de l'exercice, diminuée des prestations versées et augmentée des cotisations, et leur juste valeur à la fin de l'exercice, soit : 80 000 $ – 5 000 $ + 8 000 $ – 90 000 $ = –7 000 $.*

Tremco inc. devrait alors enregistrer les écritures suivantes en lien avec son régime de retraite pour l'exercice 20X1 :

Avantages postérieurs à l'emploi – Régime de retraite	*9 000*	
Passif au titre des prestations définies		*9 000*
Coût total du régime de retraite pour l'exercice.		
Passif au titre des prestations définies	*8 000*	
Caisse		*8 000*
Cotisations versées à la caisse de retraite.		

Les autres avantages à long terme

Les NCECF prévoient un traitement comptable similaire pour les autres avantages à long terme (comme les congés sabbatiques) et les avantages postérieurs à l'emploi. Précisons que le traitement comptable des autres avantages à long terme dans l'IAS 19 est similaire au traitement de l'ensemble des avantages postérieurs à l'emploi établi dans les NCECF.

Les prestations de cessation d'emploi

IFRS Indemnités de cessation d'emploi

Le traitement comptable à réserver aux **prestations de cessation d'emploi** est essentiellement le même selon les NCECF et les IFRS. Il existe cependant une légère différence à l'égard du moment de la comptabilisation des prestations spéciales de cessation d'emploi pour départ volontaire.

Le moment pourrait différer selon les deux ensembles de normes. En effet, les NCECF requièrent de comptabiliser un passif et une charge lorsque les membres du personnel acceptent l'offre et que le montant en cause peut faire l'objet d'une estimation raisonnable. Comme le fait ressortir la figure 17.8 la comptabilisation selon les IFRS pourrait avoir lieu avant que les membres du personnel n'acceptent l'offre, soit dès que l'entreprise communique un plan détaillé créant des attentes sur la mise en œuvre d'une restructuration qui donne lieu aux indemnités pour départ volontaire.

La présentation dans les états financiers et les informations à fournir

Les NCECF ne formulent aucune exigence particulière concernant la présentation dans les états financiers des postes relatifs aux régimes d'avantages postérieurs à l'emploi. De plus, les exigences en ce qui a trait aux informations à fournir dans les notes sont beaucoup moins nombreuses dans les NCECF en comparaison avec celles énumérées dans les IFRS. Le tableau 17.4 présente ces exigences et fournit des commentaires pour chacune d'elles.

TABLEAU 17.4 Les informations à fournir dans les états financiers à l'égard des avantages sociaux futurs

NCECF, Chapitre 3462	Commentaires
Généralités Paragr. 113 *L'entité doit fournir séparément les informations requises aux paragraphes 3462.114 à .118 pour les régimes qui fournissent :* *a) des prestations de retraite ;* *b) principalement des avantages sociaux futurs complémentaires.*	Une entreprise présenterait séparément les informations relatives à un régime de retraite et à un régime d'assurance vie, maladie et hospitalisation.
IFRS Multiemployeurs ***Régimes interentreprises*** Paragr. 114 *L'entité doit fournir les informations suivantes au sujet des régimes interentreprises :* *a) une description générale du régime, indiquant s'il s'agit d'un régime de retraite ou d'un autre régime, tel qu'un régime complémentaire de soins de santé pour les retraités, et s'il s'agit d'un régime à prestations définies ou à cotisations définies ;* *b) lorsque le régime est un régime à prestations définies interentreprises, mais que l'entité n'a pas suffisamment d'informations pour pouvoir appliquer la comptabilité des régimes à prestations définies, et qu'elle applique la comptabilité des régimes à cotisations définies :* *i) le fait qu'il s'agit d'un régime à prestations définies,* *ii) la raison pour laquelle il est comptabilisé comme un régime à cotisations définies,* *iii) les informations disponibles concernant l'excédent ou le déficit du régime,* *iv) la nature et l'incidence des changements significatifs dans les éléments contractuels du régime.*	Les utilisateurs des états financiers s'attendent à ce qu'un régime à prestations définies soit comptabilisé comme tel, même s'il s'agit d'un régime interentreprises. Si l'entreprise manque d'informations pour être en mesure de le comptabiliser comme un régime à prestations définies, elle doit donc en aviser les utilisateurs.
Régimes à prestations définies Paragr. 115 *L'entité doit fournir les informations suivantes au sujet des régimes à prestations définies :* *a) une description générale de chaque catégorie de régimes, indiquant notamment s'il s'agit d'un régime de retraite ou d'un autre régime, tel qu'un régime complémentaire de soins de santé pour les retraités ;*	Une description des régimes permet de renseigner les utilisateurs sur les engagements de l'entreprise à l'égard des membres de son personnel. Les informations sur la juste valeur des actifs, sur l'obligation au titre des prestations définies et sur l'excédent ou déficit et sur la provision pour moins-value permettent aux utilisateurs de connaître l'impact du régime sur la situation financière de l'entreprise.

TABLEAU 17.4 *(suite)*

b) *la juste valeur des actifs du régime à la clôture de la période ;* c) *l'obligation au titre des prestations définies à la clôture de la période ;* d) *l'excédent ou le déficit du régime à la clôture de la période (la différence entre c) et b)) ;* e) *la différence entre l'excédent ou le déficit du régime à la fin de la période et le montant comptabilisé dans le* **bilan** *à titre de* **provision pour moins-value** *;* f) *s'il n'est pas présenté dans le corps de l'état des résultats, le montant des réévaluations et autres éléments de la période (*voir les paragraphes 3462.085 à .090*) ;* g) *la date d'effet de la plus récente évaluation actuarielle utilisée pour déterminer l'obligation au titre des prestations définies ;* h) *la nature et l'incidence des changements significatifs dans les éléments contractuels des régimes au cours de la période.*	
Paragr. 116	
Le chapitre 1505, Informations à fournir sur les méthodes comptables, *exige la communication des méthodes comptables importantes. Pour les régimes à prestations définies, l'entité est tenue d'indiquer si l'obligation au titre des prestations définies est mesurée au moyen d'une évaluation actuarielle aux fins de la capitalisation ou d'une évaluation aux fins de la comptabilisation (*voir le paragraphe 3462.029*).*	Les méthodes actuarielles aux fins de la comptabilisation et aux fins de la capitalisation peuvent générer des montants différents pour le coût des services et l'obligation au titre de prestations définies. Connaître la méthode utilisée permet aux utilisateurs d'évaluer si les états financiers de différentes entreprises sont comparables.
Paragr. 117	
Le chapitre 1506, Modifications comptables, *exige la communication des changements de méthodes comptables. Pour les régimes à prestations définies, l'entité est ainsi tenue d'indiquer les changements apportés quant au choix d'utiliser, pour évaluer l'obligation au titre des prestations définies, soit une évaluation actuarielle réalisée aux fins de la capitalisation, soit une évaluation actuarielle réalisée aux fins de la comptabilité, et les changements apportés à la méthode actuarielle utilisée.*	L'information sur les changements de méthode comptable ou de méthode actuarielle fournit aux utilisateurs des indications sur la comparabilité des informations d'un exercice à l'autre.
Prestations de cessation d'emploi	
Paragr. 118	
L'entité doit indiquer la nature et, si elle n'est pas présentée séparément dans le corps de l'état des résultats, l'incidence des **prestations** *de cessation d'emploi accordées au cours de la période.*	Cette information permet aux utilisateurs de juger de l'ampleur des prestations de cessation d'emploi consenties aux membres du personnel.

IFRS État de la situation financière

Les états financiers de Josy Dida inc.

Les états financiers de Josy Dida inc., disponibles dans la plateforme i+ *Interactif*, contiennent de l'information sur un régime de retraite, plus précisément dans les notes 4 et 20. Le lecteur y verra concrètement l'information très sommaire exigée par les NCECF. Il pourrait s'inspirer de ces notes s'il doit préparer des états financiers conformes aux NCECF.

Consultez le tableau synthèse des particularités des NCECF.

SYNTHÈSE DU CHAPITRE 17

La figure 17.10 illustre en un coup d'œil les principaux thèmes abordés dans le présent chapitre. Le texte qui suit la figure vous permettra de vérifier l'acquisition des objectifs d'apprentissage.

FIGURE 17.10 Les principaux thèmes abordés dans le présent chapitre

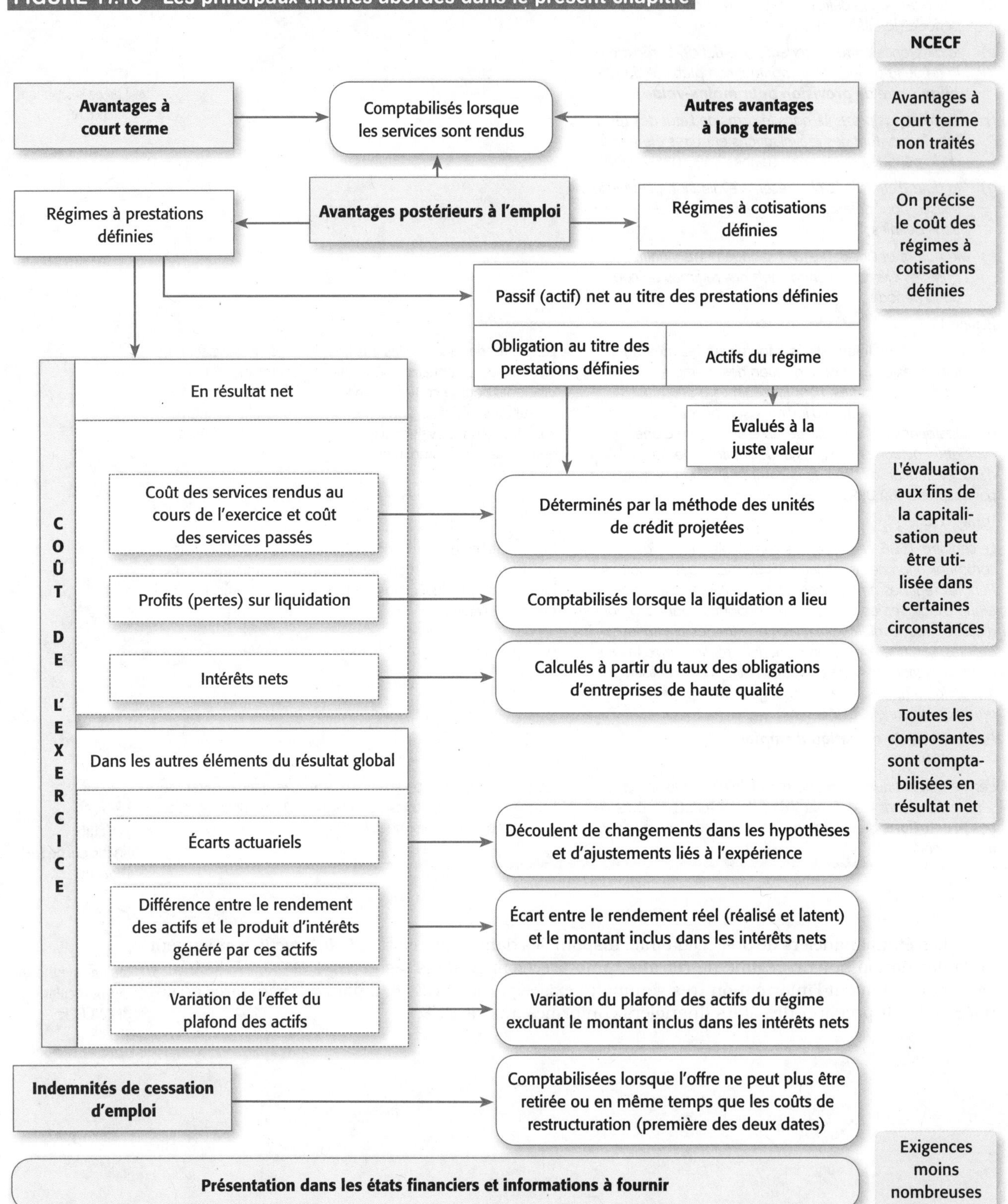

Appliquer le traitement comptable approprié aux avantages à court terme. Les avantages à court terme, comme les salaires et les cotisations de sécurité sociale, sont comptabilisés en charges au cours de l'exercice où le membre du personnel rend les services, à moins qu'une autre norme comptable n'impose ou n'autorise leur incorporation dans le coût d'un actif (comme les stocks ou les immobilisations corporelles). L'excédent du coût des avantages sur la somme payée est comptabilisé au passif, à titre de charges à payer. Si le montant payé excède la valeur de l'avantage, l'excédent est alors comptabilisé à l'actif à titre de charges payées d'avance, dans la mesure où le montant payé d'avance entraînera une réduction des paiements futurs ou un remboursement en trésorerie.

Appliquer le traitement comptable approprié aux avantages postérieurs à l'emploi découlant des régimes à cotisations définies. Dans un régime à cotisations définies, l'obligation de l'entreprise se limite au montant qu'elle doit verser chaque année à la caisse de retraite. La comptabilisation de ces régimes est donc relativement simple. Les cotisations payables en vertu d'un tel régime sont comptabilisées en charges (à moins qu'une autre norme comptable n'impose ou n'autorise leur incorporation dans le coût d'un actif) et dans le passif à titre de charges à payer au cours de l'exercice où le membre du personnel rend les services. Le montant des cotisations payées est comptabilisé en diminution de cette charge à payer. Si le montant payé excède le montant comptabilisé en charges, l'excédent est comptabilisé à l'actif à titre de charges payées d'avance, dans la mesure où le montant payé d'avance entraînera une diminution des paiements futurs ou un remboursement en trésorerie.

Appliquer le traitement comptable approprié aux avantages postérieurs à l'emploi découlant des régimes à prestations définies. La comptabilisation d'un régime à prestations définies est plus complexe et nécessite l'intervention d'un actuaire. Ces régimes impliquent l'évaluation des actifs des régimes capitalisés à la juste valeur et la détermination de l'obligation au titre des prestations définies par la méthode des unités de crédit projetées. Le coût pour un exercice donné découle des éléments qui font varier les actifs du régime et l'obligation. Le coût des services, qui inclut le coût des services rendus au cours de l'exercice, le coût des services passés et les profits et pertes sur liquidation de régime, ainsi que les intérêts nets sont comptabilisés en résultat net. À l'instar de l'obligation au titre des prestations définies, le coût des services rendus au cours de l'exercice et le coût des services passés sont déterminés par la méthode des unités de crédit projetées. Les profits et les pertes sur liquidation sont comptabilisés lorsque la liquidation a lieu. Les intérêts nets incluent le coût financier sur l'obligation, le produit d'intérêts généré par les actifs du régime et les intérêts sur l'effet du plafond de l'actif. Ils sont tous déterminés à partir du taux des obligations d'entreprises de haute qualité. Les réévaluations, qui incluent les écarts actuariels, la différence entre le rendement des actifs et le produit d'intérêts généré par les actifs, ainsi que la variation de l'effet du plafond de l'actif, sont comptabilisées dans les autres éléments du résultat global. Les écarts actuariels se rapportent à l'obligation au titre des prestations définies et découlent de changements dans les hypothèses et d'ajustements liés à l'expérience. Ils sont déterminés lors des évaluations actuarielles. La différence entre le rendement des actifs et le produit d'intérêts généré par ces actifs vise à prendre en compte la totalité du rendement réalisé et latent des actifs qui n'a pas été comptabilisé (ou qui a été comptabilisé en trop) dans le produit d'intérêts. Le plafond des actifs correspond à la valeur actualisée des avantages économiques disponibles sous forme de remboursements ou de diminutions des cotisations futures. Lorsque le plafond est inférieur aux actifs du régime, la variation de l'effet du plafond de l'exercice, excluant le montant pris en compte dans les intérêts nets, fait partie des réévaluations.

Appliquer le traitement comptable approprié aux autres avantages à long terme. Puisque l'évaluation des autres avantages à long terme, comme les congés sabbatiques, ne comporte pas autant d'incertitude que celle des avantages postérieurs à l'emploi, une méthode simplifiée est utilisée pour les comptabiliser. Selon cette méthode, tous les éléments du coût de ces avantages sont comptabilisés en résultat net, incluant les réévaluations du passif (de l'actif) net au titre des prestations définies. Ainsi, aucun élément n'est comptabilisé dans les autres éléments du résultat global.

Appliquer le traitement comptable approprié aux indemnités de cessation d'emploi. La comptabilisation des indemnités de cessation d'emploi en charges et dans le passif doit être effectuée à la première des deux dates suivantes : la date où l'entreprise ne peut plus retirer son offre d'indemnités ou la date où elle comptabilise les coûts d'une restructuration prévoyant le paiement de telles indemnités. La date où une entreprise ne peut plus retirer son offre dépend des circonstances. Dans le cas des indemnités payables à la suite de la décision du membre

17

du personnel d'accepter une offre d'indemnités en échange de la cessation de son emploi, la date où l'entreprise ne peut plus retirer son offre correspond à la première de deux dates : celle où le membre du personnel accepte l'offre ou celle où l'entreprise ne peut plus retirer son offre à cause d'une restriction légale, réglementaire, contractuelle ou autre. Pour les indemnités de cessation d'emploi payables à la suite de la décision de l'entreprise de mettre fin à l'emploi de membres du personnel, la date où l'entreprise ne peut plus retirer son offre est la date de la communication d'un plan de licenciement.

Présenter les avantages du personnel dans les états financiers. Les informations à fournir relativement aux avantages du personnel sont nombreuses. Elles visent à expliquer les caractéristiques des régimes à prestations définies, à indiquer et à expliquer les montants comptabilisés dans les états financiers relativement à ces régimes et à décrire l'incidence potentielle de ces régimes sur le montant, l'échéancier et le degré d'incertitude de ses flux de trésorerie futurs.

Comprendre et appliquer les NCECF liées aux avantages du personnel. Les NCECF ne couvrent pas les avantages à court terme. De plus, elles sont plus précises en ce qui concerne les composantes du coût d'un régime à cotisations définies. Pour la détermination du coût des régimes à prestations définies, elles permettent d'avoir recours à l'évaluation actuarielle effectuée aux fins de la capitalisation. L'utilisation de la méthode des unités de crédit projetées n'est donc pas obligatoire. Selon les NCECF, le coût total des régimes à prestations définies est comptabilisé en charges et présenté dans l'état des résultats puisque la notion de résultat global n'existe pas dans les NCECF. De plus, le traitement comptable pour les autres avantages à long terme est identique à celui des avantages postérieurs à l'emploi. Finalement, les informations à fournir en vertu des NCECF sont beaucoup moins nombreuses.

La comptabilisation des impôts sur le résultat des sociétés

18

Des ressources pédagogiques sont disponibles en ligne.

18

Objectifs d'apprentissage

À la fin de ce chapitre, vous pourrez :

1. établir les différences entre le bénéfice comptable et le bénéfice imposable ;
2. utiliser les fondements de la comptabilisation des impôts sur le résultat ;
3. présenter les impôts sur le résultat dans les états financiers ;
4. appliquer le traitement comptable approprié au report des pertes fiscales ;
5. appliquer le traitement comptable approprié relatif à certains problèmes particuliers ;
6. comprendre et appliquer les NCECF liées à la comptabilisation des impôts sur le résultat des sociétés.

Aperçu du chapitre

Dans notre société, les impôts servent non seulement à procurer aux gouvernements les fonds nécessaires à leur fonctionnement, mais aussi à résoudre certaines iniquités économiques ou sociales. Au moyen de la fiscalité, les gouvernements adoptent des mesures visant à réduire le fardeau fiscal de certains contribuables, à encourager les investissements ou à stimuler l'économie. Bien que le calcul des impôts exigés par les instances gouvernementales soit établi à partir des revenus gagnés par un individu au cours de l'année civile, les différentes mesures prévues par les lois fiscales font en sorte que les impôts exigés sont rarement calculés uniquement à partir du revenu gagné par le contribuable. Ainsi, lorsque vous procédez à la préparation de votre déclaration de revenus, il vous est possible de bénéficier de déductions et de crédits d'impôt réduisant le montant de votre revenu imposable. Les frais de scolarité, les frais de garde d'enfants, de même que certaines dépenses relatives à un emploi sont quelques exemples de déductions d'impôt et de crédits prévus par les autorités en vue de réduire votre fardeau fiscal.

Tout comme les particuliers, les entreprises sont tenues de verser à l'État une partie de leur revenu sous forme d'impôts. On compte, d'une part, les entreprises individuelles et les sociétés de personnes, dont les propriétaires doivent payer personnellement des impôts et, d'autre part, les sociétés par actions, qui doivent produire leurs propres déclarations fiscales à titre de personnes morales distinctes[1].

Les impôts sur le résultat que doivent verser les sociétés par actions sont fonction de leur performance économique, évaluée en respect des lois fiscales en vigueur. Ces lois comportent des mesures à caractère social ou économique qui ne visent pas les mêmes objectifs que les normes comptables. Ainsi, par exemple, alors que les normes comptables exigent le recours à la comptabilité d'engagement, comme nous l'avons vu au chapitre 1, les lois fiscales reposent davantage sur une comptabilité de caisse, en respect des objectifs économiques qu'elles poursuivent. Par conséquent, le bénéfice imposable, sur lequel les impôts exigibles sont calculés, diffère souvent du résultat net calculé à des fins comptables.

Dans le présent chapitre, nous étudierons les principales différences observées entre les calculs du **bénéfice imposable** et du **bénéfice comptable.** Nous aborderons ainsi certaines particularités des lois fiscales et nous nous appliquerons à comprendre leurs incidences sur les impôts exigibles actuels et futurs d'une société.

1. Les entreprises individuelles et les sociétés de personnes ne sont pas assujetties aux lois fiscales en tant qu'entités distinctes.

Nous verrons que les écarts observés entre le bénéfice comptable et le bénéfice imposable proviennent principalement de deux sources, les **différences permanentes** et les **différences temporaires.** Les différences permanentes représentent des produits et des charges qui ne peuvent être pris en compte dans le calcul du bénéfice imposable, même s'ils l'ont été dans le calcul du bénéfice comptable. Les différences temporaires représentent des différences qui proviennent de la prise en compte, dans le calcul du bénéfice comptable, d'éléments de produits ou de charges qui sont pris en considération par les autorités fiscales au cours d'un exercice financier différent. Ces différences découlent donc d'un décalage dans le temps entre le moment où un élément est inclus dans le calcul du bénéfice comptable et celui où il est admis en diminution ou en augmentation du bénéfice imposable.

Les différences temporaires s'éliminent avec le temps, puisque les éléments qui leur ont donné naissance sont un jour pris en compte dans le calcul du bénéfice imposable. Elles produiront inévitablement un effet sur les impôts exigibles d'une société et représentent donc un actif ou un passif appelé **actif ou passif d'impôt différé.**

Nous verrons également que les pertes fiscales réalisées par une entreprise peuvent se répercuter sur le calcul des impôts des années antérieures et des années futures. Nous traiterons de la notion de report rétrospectif et prospectif des pertes fiscales et nous nous intéresserons au **traitement comptable du report des pertes fiscales,** qui permet, à certaines conditions, leur comptabilisation à titre d'actifs d'impôt différé.

Le principal objectif du présent chapitre est donc de faire la lumière sur la situation des impôts sur le résultat des entreprises afin de mieux comprendre les enjeux et, surtout, d'améliorer la compréhension des notions inhérentes à ce sujet. Il permettra d'établir les importantes particularités liées à la comptabilisation des impôts sur le résultat des entreprises de même que les faits et les conditions liés à la comptabilisation et à la présentation des postes d'actif d'impôt différé et de passif d'impôt différé, tant dans l'état de la situation financière que dans l'état du résultat global. Pour terminer, les principales différences relatives aux sujets abordés dans le présent chapitre, selon le *Manuel – Partie I* et *Partie II,* seront relevées dans la partie II – Les NCECF.

PARTIE I – LES IFRS

Équivalents terminologiques *Manuel de CPA Canada* – Partie I et Partie II.

Le poste Impôts sur le résultat – Le mal-aimé

Imagé, le titre qui précède décrit bien la dure réalité des impôts sur le résultat des entreprises. De prime abord, on peut affirmer que rares sont ceux qui aiment payer des impôts. Il n'est donc pas étonnant que, avant même de prendre connaissance des états financiers d'une société par actions, l'utilisateur ait un préjugé défavorable envers les données relatives aux impôts sur le résultat. Il n'y a qu'un pas à franchir pour que ce préjugé devienne conviction.

Qui plus est, un utilisateur qui analyse les états financiers d'une entreprise peut parfois avoir l'impression que celle-ci ne paie pas sa quote-part d'impôts.

EXEMPLE

Impôts sur le résultat – Vue d'ensemble

Afin d'illustrer cette situation, voici deux extraits des états financiers de la société Camouflée ltée :

CAMOUFLÉE LTÉE
Situation financière partielle
au 30 juin 20X3

Passifs non courants	
Impôts différés	*500 000 $*
Passifs courants	
Impôts exigibles	*64 000 $*

CAMOUFLÉE LTÉE
Résultat global partiel
de l'exercice terminé le 30 juin 20X3

Bénéfice avant impôts	*200 000 $*
Impôts sur le résultat	*76 000*
Bénéfice net	*124 000 $*

Deux constatations s'imposent à la suite de la lecture de ces extraits des états financiers de Camouflée ltée :

- Dans l'état de la situation financière, le poste Impôts exigibles est clair, puisqu'il fait référence au montant d'impôts que doit payer la société en 20X3. Par contre, le poste Impôts différés indique aux utilisateurs des états financiers qu'un montant d'impôts n'est pas exigible maintenant, ce qui peut les amener à conclure que la société ne paie pas sa quote-part d'impôts, puisque le paiement d'une partie peut être retardé, alors que les impôts personnels des utilisateurs, eux, sont dus immédiatement.
- Les informations fournies dans l'état du résultat global semblent indiquer aux utilisateurs que la société a un **taux d'imposition effectif** (ou **apparent**) de 38 %, soit la charge totale d'impôts (76 000 $) divisée par le bénéfice avant impôts (200 000 $). Or, si le **taux d'imposition de base** promulgué par le gouvernement est de 40 %[2], les utilisateurs inexpérimentés pourraient conclure que la société s'est dérobée à une partie de ses obligations fiscales, ce qui n'est pas le cas en réalité, comme nous le verrons plus loin.

Les impôts sur le résultat génèrent donc plusieurs sources d'incompréhension que nous éluciderons dans ce chapitre.

Les différences entre le bénéfice comptable et le bénéfice imposable

D'entrée de jeu, il importe de comprendre que les autorités fiscales et les organismes de normalisation comptable ont des objectifs fort différents lorsqu'ils établissent les règles de mesure du résultat pour un exercice donné.

18

2. Nous savons que les résultats des sociétés par actions sont assujettis aux impôts fédéral et provincial. Afin de simplifier notre explication, dorénavant, dans le présent chapitre, nous ne ferons pas de distinction entre ces deux sources d'imposition. Pour le moment, notre objectif n'est pas de former des fiscalistes rompus aux particularités des diverses lois fiscales, mais plutôt des comptables professionnels capables d'en comptabiliser les effets dans les états financiers. Nous utiliserons donc des taux d'imposition fictifs et limiterons les particularités fiscales au niveau minimal, de sorte qu'il sera facile de comprendre la logique inhérente à la comptabilisation des impôts sur le résultat des sociétés.

De son côté, l'International Accounting Standard Board (IASB) établit des règles pour la comptabilisation des opérations et l'évaluation du résultat net en conformité avec les principes, fondements et notions consignés dans le «**Cadre conceptuel de l'information financière**» (le Cadre) et avec l'ensemble des normes comptables. Comme nous l'avons vu au chapitre 1, les normes visent principalement à assurer l'uniformité de la comptabilisation, de l'évaluation et de la présentation de l'information financière. Dans ce contexte, la comptabilité d'engagement et le respect des critères de comptabilisation des actifs et des passifs sont de première importance.

Lors de l'adoption et de la modification des lois fiscales, le gouvernement poursuit des objectifs sociaux et économiques. Il tente ainsi de mieux répartir la richesse nationale entre les plus fortunés et les moins bien nantis, de stimuler l'économie en général, plus particulièrement en période de récession et dans les régions défavorisées, de favoriser une politique de plein emploi, etc. Il est donc évident que ces objectifs diffèrent de ceux poursuivis lors de l'établissement des normes de présentation des états financiers. C'est pourquoi le **bénéfice imposable**, déterminé en respect des règles établies par les administrations fiscales, est rarement le même que le **bénéfice comptable**[3].

EXEMPLE

Amortissement comptable et amortissement fiscal

Pour illustrer cette différence entre les lois fiscales et les normes comptables, prenons l'exemple de l'amortissement des immobilisations. La répartition systématique et rationnelle du coût des immobilisations, qui permet de refléter la diminution des avantages économiques que celles-ci procureront, amène la comptabilisation d'une charge d'amortissement. Ainsi, un équipement acquis le 1er octobre au coût de 100 000 $, que l'on prévoit utiliser de façon uniforme au cours des 10 prochaines années et dont la valeur résiduelle est nulle, est amorti selon le mode linéaire, produisant un amortissement comptable de 2 500 $ (100 000 $ × 1 an ÷ 10 ans × 3 mois ÷ 12 mois) pour l'exercice financier terminé le 31 décembre. En revanche, conformément à la *Loi de l'impôt sur le revenu*, l'amortissement fiscal (déduction pour amortissement [DPA]) pourrait être établi selon le mode d'amortissement dégressif au taux de 20 % si l'équipement fait partie de la catégorie 8. Compte tenu de l'application de la règle fiscale de la demi-année, l'amortissement fiscal s'élève à 10 000 $ (100 000 $ × 20 % × ½) pour le même exercice. Toutes choses étant égales par ailleurs, le bénéfice comptable est donc supérieur d'un montant de 7 500 $ au bénéfice imposable. En ayant recours, dans la majorité des cas, au mode d'amortissement accéléré, le fisc réduit donc le fardeau fiscal des premières périodes d'utilisation des actifs. Cet allégement fiscal a pour but d'amener l'entreprise à réinvestir davantage dans ses activités, ce qui pourrait avoir pour effet de créer de nouveaux emplois, augmentant ainsi le nombre de contribuables susceptibles de payer des impôts.

L'exemple dont il vient d'être question n'illustre que superficiellement les différences entre le bénéfice comptable et le bénéfice imposable[4]. Avant de traiter en détail de ce sujet, il est nécessaire d'avoir une vue d'ensemble des concepts en cause. L'exemple présenté ci-après résume de façon succincte tous les concepts qui entrent en jeu lors du rapprochement du bénéfice comptable et du bénéfice imposable.

3. Dans le présent chapitre, nous utiliserons les expressions bénéfice comptable et bénéfice imposable, largement employées dans la pratique pour désigner le résultat calculé selon ces deux bases. Le lecteur doit savoir que les principes expliqués s'appliquent aussi lorsque le résultat est négatif, soit lorsque l'entreprise réalise une perte, qu'elle soit comptable ou fiscale. Enfin, le bénéfice comptable correspond au résultat avant déduction de la charge d'impôts.

4. Les différences entre les lois fiscales et les normes comptables affectent tant le résultat net que les autres éléments du résultat global. Dans le présent chapitre, nous traiterons d'abord des différences attribuables aux éléments comptabilisés en résultat net et, par la suite, nous aborderons les différences inhérentes aux éléments comptabilisés dans les Autres éléments du résultat global (AERG).

EXEMPLE

Concepts en cause lors du rapprochement des bénéfices comptable et imposable

Essentiellement, les différences entre les principes comptables et les lois fiscales font en sorte que l'on doit apporter des ajustements au bénéfice comptable de la société Imposée ltée pour obtenir le bénéfice imposable.

Le point de départ est le montant du résultat avant impôts établi selon les normes comptables.

	Résultat ordinaire	Activité abandonnée
Bénéfice comptable de 20X2	100 000 $	50 000 $
Différences permanentes		
Dividende d'une société canadienne imposable	(10 000)	
Portion du gain en capital non imposable		(25 000)
Différences temporaires		
Amortissement comptable	15 000	
Amortissement fiscal	(40 000)	
Coûts de garantie	7 000	
Débours relatifs aux garanties	(2 000)	
Montant imposable en 20X3		(15 000)
Bénéfice imposable	70 000	10 000
Taux d'imposition	× 40 %	× 40 %
Impôts exigibles	28 000 $	4 000 $

En comptabilité, la ventilation des impôts est essentielle afin de rehausser la valeur prédictive de l'information.

Ces éléments visent à tenir compte des particularités des lois fiscales.

Le point d'arrivée est le bénéfice imposable sur lequel la dette fiscale est établie.

Avez-vous remarqué ?

Les objectifs du Cadre et ceux des lois fiscales donnent lieu à une évaluation différente des résultats d'une entreprise. Ainsi, le bénéfice comptable est rarement le même que le bénéfice imposable, à partir duquel les impôts exigibles sont déterminés.

Les différences permanentes

Les **différences permanentes** découlent d'éléments qui **ne seront jamais pris en considération** dans le calcul soit du bénéfice comptable, soit du bénéfice imposable. En effet, les lois fiscales actuelles prévoient que certaines charges ou pertes, tout comme certains produits ou profits, ne doivent jamais entrer dans le calcul du bénéfice imposable. Ces éléments peuvent être classés dans quatre catégories distinctes, qui sont décrites ci-dessous.

Les produits non imposables

Les lois fiscales établissent explicitement que certains produits et profits ne sont pas imposables. C'est le cas notamment des dividendes reçus par une société ouverte d'une autre société canadienne imposable et du produit reçu par une entreprise désignée comme bénéficiaire en vertu d'une police d'assurance vie lors du décès de l'un de ses dirigeants. Bien que ces produits soient légitimement inclus dans le bénéfice comptable d'une entreprise, ils ne sont pas imposés par le fisc. Il faut donc les soustraire du bénéfice comptable pour déterminer le bénéfice imposable.

Les charges non déductibles

Toujours en vertu des lois fiscales, certaines charges et pertes ne sont pas admises en déduction du bénéfice imposable. Citons comme exemples les cotisations à un club social ou sportif, les primes des polices d'assurance vie des dirigeants d'une entreprise lorsque de telles assurances ne sont pas exigées par les créanciers, la charge de salaires attribuable à des régimes d'options d'achat sur actions dont le règlement doit être effectué par l'émission de titres de capitaux propres, certains intérêts et pénalités versés aux autorités fiscales ou autres, la totalité des contributions politiques[5], l'excédent du montant admissible à l'amortissement fiscal en ce qui a trait aux **dépenses en immobilisations admissibles** telles que les brevets, les coûts de constitution, les marques de commerce et les goodwill payés depuis 1972. Puisque ces éléments sont pris en compte dans la détermination du bénéfice comptable, ils doivent y être ajoutés pour déterminer le bénéfice imposable.

Les éléments déductibles non comptabilisés

Le fisc peut également accorder des déductions fiscales en sus des montants déjà comptabilisés en résultat. C'est le cas notamment de l'excédent de la déduction pour épuisement accordée aux entreprises minières et pétrolières sur la charge d'épuisement comptabilisée en fonction du coût des ressources donnant lieu à cet épuisement. Puisque cet excédent de la déduction fiscale sur la charge comptable n'est pas pris en considération dans la détermination du bénéfice comptable, il doit en être retranché pour déterminer le bénéfice imposable.

Les gains et les pertes en capital

Le résultat net renferme le montant total de certains gains et pertes en capital. Depuis octobre 2000, la moitié des gains en capital n'est pas imposable. Il en va de même des pertes en capital dont la moitié n'est pas déductible. Pour déterminer le bénéfice imposable, il faut retrancher la portion non imposable de tout gain en capital et ajouter la portion non déductible des pertes.

Parmi les données relatives à la société Imposée ltée, on constate un dividende de 10 000 $ reçu d'une société canadienne imposable. Bien que ce produit soit à juste titre inclus dans le bénéfice comptable, il doit en être retranché afin que l'on puisse obtenir le bénéfice imposable sur lequel sera établi le montant de la dette fiscale. La portion non imposable d'un gain en capital, soit ici 25 000 $ (50 % de 50 000 $), en a également été retranchée.

Les différences temporaires

Les **différences temporaires** découlent essentiellement d'un **décalage dans le temps** entre le moment où un élément est inclus dans le calcul du bénéfice comptable et celui où il l'est dans le calcul du bénéfice imposable. Contrairement aux différences permanentes, qui ne seront jamais prises en compte dans le calcul soit du bénéfice comptable, soit du bénéfice imposable, les différences temporaires finiront toujours, en vertu de l'hypothèse de la continuité d'exploitation, par être prises entièrement en compte tant dans le calcul du bénéfice comptable que dans celui du bénéfice imposable.

EXEMPLE

Différences temporaires

La société Décalée ltée a réalisé un bénéfice comptable de 500 000 $ au cours de chacun des 5 derniers exercices. Elle est assujettie à un taux d'imposition de 40 % et elle détient un bien amortissable ayant coûté 120 000 $. Compte tenu de l'utilisation qu'en fait la société, cet équipement a été amorti de façon linéaire sur une période de 5 ans dans les livres comptables de Décalée ltée. Sur le plan fiscal, il a été amorti sur 3 ans à raison de 25 % la première année, de 50 % la deuxième année et de 25 % la troisième année. Cette répartition sur trois ans tient compte de la règle du demi-taux la première année. Voici le rapprochement du bénéfice comptable et du bénéfice imposable :

	20X1	20X2	20X3	20X4	20X5
Bénéfice comptable	500 000 $	500 000 $	500 000 $	500 000 $	500 000 $
Différence temporaire					
Amortissement comptable	24 000	24 000	24 000	24 000	24 000
Amortissement fiscal	(30 000)	(60 000)	(30 000)	θ	θ
	(6 000)	(36 000)	(6 000)	24 000	24 000
Bénéfice imposable	494 000	464 000	494 000	524 000	524 000
Taux d'imposition	× 40 %	× 40 %	× 40 %	× 40 %	× 40 %
Impôts exigibles	197 600 $	185 600 $	197 600 $	209 600 $	209 600 $

5. Les contributions politiques ne sont pas déductibles du bénéfice imposable. Toutefois, le fisc accorde un crédit d'impôt pour contributions politiques dont l'effet est de réduire le montant d'impôts exigibles.

Comme on peut le constater, pour la période de 5 ans, l'amortissement comptable total de 120 000 $ est égal à l'amortissement fiscal. La seule différence provient du décalage dans le temps entre le moment où l'on comptabilise l'amortissement comptable et celui où l'on se prévaut de l'amortissement fiscal. Ainsi, au cours des trois premiers exercices, l'amortissement fiscal déduit par l'entreprise est plus élevé que l'amortissement comptable.

Il en résulte un accroissement des différences temporaires, qui atteignent 48 000 $ (6 000 $ + 36 000 $ + 6 000 $) à la fin de 20X3. Par la suite, l'entreprise comptabilise toujours le même montant d'amortissement comptable, alors que le bien est complètement amorti sur le plan fiscal ; les différences temporaires cumulées de 48 000 $ se résorbent donc complètement au cours des années 20X4 et 20X5.

Notre observation suivante porte sur le montant des impôts exigibles par le fisc au cours de ces cinq exercices. On constatera qu'au total l'entreprise a dû verser la somme de 1 000 000 $ (197 600 $ + 185 600 $ + 197 600 $ + 209 600 $ + 209 600 $) au fisc, soit le résultat avant impôts de 2 500 000 $ multiplié par le taux d'imposition de 40 %. Toutefois, l'amortissement accéléré sur le plan fiscal a permis, au cours des trois premiers exercices, de différer (en 20X4 et en 20X5) le paiement de certains impôts. Ce report est évidemment avantageux pour l'entreprise, qui dispose, pendant cette période, de fonds supplémentaires.

La différence entre l'amortissement fiscal et l'amortissement comptable constitue certes la principale source de différences temporaires. Voici, décrites de façon sommaire, quatre catégories de situations possibles donnant lieu à des différences temporaires :

1. *Certaines charges, déduites immédiatement du bénéfice imposable, ne seront comptabilisées que plus tard dans le bénéfice comptable de l'entreprise.* Tel est le cas, lorsque l'amortissement fiscal excède l'amortissement comptable ou que certains coûts sont immédiatement déduits fiscalement alors que leur comptabilisation en résultat net est différée. Il en est ainsi, par exemple, du coût d'émission des dettes obligataires comptabilisées au coût amorti.
2. *Certaines charges, comptabilisées immédiatement dans le bénéfice comptable de l'entreprise, ne seront déduites que plus tard du bénéfice imposable.* Ces charges comprennent les provisions pour garanties et les dettes liées aux avantages du personnel (les allocations de départ, par exemple)[6] ainsi que la charge de salaires estimative relative aux transactions dont le paiement est fondé sur des actions et dont le règlement doit se faire en trésorerie ou par transfert d'autres actifs. Cette situation peut également se produire lorsque l'amortissement comptable excède l'amortissement fiscal et dans le cas de l'excédent de la dépréciation des stocks sur les montants autorisés par le fisc.
3. *Certains produits, inclus dans le bénéfice comptable de l'exercice en cours, ne seront imposables que plus tard.* Citons, par exemple, le produit de certaines ventes à crédit immédiatement inclus dans le bénéfice comptable, mais graduellement imposable en fonction des encaissements.
4. *Certains produits, différés à un exercice futur, sont imposables immédiatement.* Ces produits comprennent les bénéfices non réalisés sur certains types de contrats de construction et les profits différés sur les transactions de cession-bail.

Avez-vous remarqué ?

Les différences permanentes correspondent à des produits ou à des charges qui ne sont pas imposables ou déductibles fiscalement ou qui sont considérés dans le bénéfice imposable sans l'être dans le bénéfice comptable.

Les différences temporaires correspondent à des produits ou à des charges qui ne sont pas imposables ou déductibles fiscalement dans le même exercice que celui où ils ont été comptabilisés en résultat net.

L'exemple de la société Imposée ltée (*voir la page 18.7*) renferme trois sources de différences temporaires, soit l'amortissement des immobilisations, les coûts de garantie et la portion imposable en 20X3 relative à la vente d'un terrain dans le cadre d'un abandon d'activité. Ce terrain qui avait coûté initialement 10 000 $ a été vendu pour un montant de 60 000 $. Du montant de la vente

6. Dans les deux cas, le fisc n'admet en déduction du bénéfice imposable que les montants effectivement versés au cours de l'exercice. Ainsi, les charges comptables relatives aux coûts de garantie et aux salaires fondées sur des estimations ne sont pas admises sur le plan fiscal.

de 60 000 $, la société a encaissé seulement 24 000 $, soit 40 % de la somme convenue, le solde devant être reçu en 20X3. Sur le plan fiscal, seule la portion du gain qui se rapporte au montant encaissé du produit de disposition est imposable en 20X2, ce qui laisse une différence temporaire égale à 60 % du montant imposable, soit 15 000 $ [(50 000 $ – 25 000 $) × 60 %].

En résumé, il ressort de notre explication des différences permanentes et des différences temporaires que le **bénéfice imposable** est obtenu au moyen de calculs effectués en conformité avec les lois fiscales pertinentes, tandis que le **bénéfice comptable**, soit le résultat avant impôts, découle de l'application des normes comptables. Le tableau 18.1 contient les principaux éléments en cause[7].

TABLEAU 18.1 Une synthèse des principaux éléments à considérer lors du rapprochement du bénéfice comptable et du bénéfice imposable

Bénéfice comptable selon l'état du résultat global	**XX $**
± Différences permanentes	
Tout élément qui ne sera jamais inclus dans le calcul soit du bénéfice comptable, soit du bénéfice imposable	
• Dividendes reçus d'une société canadienne imposable	
• Partie non déductible des frais de repas et de représentation	
• Contributions politiques	
• Cotisations à un club social ou sportif	
• Amendes et pénalités diverses	
• Primes des polices d'assurance vie des dirigeants, sauf si celles-ci sont requises par les créanciers	
• Charge de salaires fondée sur des actions prévoyant un règlement en titres de capitaux propres	
• Portion non imposable d'un gain en capital	
• Portion non déductible d'une perte en capital	
• Portion non déductible de l'amortissement des biens incorporels	
± Différences temporaires	
Décalage dans le temps entre l'inclusion dans le bénéfice comptable et dans le bénéfice imposable	
• Amortissement comptable et amortissement fiscal	
• Coût des avantages postérieurs à l'emploi et cotisations versées à la caisse du régime (ou prestations versées aux participants pour les régimes non capitalisés)	
• Provision pour garanties et coûts des garanties	
• Charge de salaires fondée sur des actions prévoyant un règlement en trésorerie et paiement de ces salaires	
• Certains profits sur disposition d'actif et portion de ce profit encaissée	
• Amortissement des frais de développement et frais de développement engagés	**XX**
Bénéfice imposable	**XX**
Taux d'imposition	**× X %**
Impôts exigibles	**XX $**

18

 La comptabilisation des impôts sur le résultat

Différence NCECF

La comptabilisation des impôts sur le résultat nécessite d'abord de comptabiliser les impôts exigibles, qui sont calculés à partir du bénéfice imposable. Par la suite, on doit tenir compte de l'effet des différences temporaires et comptabiliser les impôts différés. On peut se demander pourquoi il est nécessaire de comptabiliser des impôts différés. La raison est la suivante. Les différences temporaires représentent des produits ou des charges qui n'ont pas été pris en compte dans le calcul du bénéfice imposable ou du bénéfice comptable courant, mais qui le seront éventuellement en vertu de l'hypothèse de la continuité d'exploitation. Ces différences représentent donc un actif ou

7. Ce tableau synthèse ne présente pas tous les exemples possibles de différences permanentes ou temporaires. Puisque nous n'avons pas pour objectif, dans le présent chapitre, de former des fiscalistes, nous reproduisons dans ce tableau les exemples les plus courants, principalement ceux dont le traitement comptable est abordé dans le présent ouvrage.

un passif selon qu'elles donneront lieu à de futurs impôts exigibles ou à de futures réductions des impôts exigibles.

Au fil des ans, plusieurs méthodes de comptabilisation des impôts sur le résultat ont été utilisées avec plus ou moins d'uniformité partout dans le monde. Les IFRS optent pour une approche bilantielle, axée sur l'état de la situation financière, que l'on nomme méthode de l'actif ou du passif fiscal.

Les fondements théoriques de la méthode de l'actif ou du passif fiscal

Pour bien comprendre cette méthode, il faut d'abord se rappeler les principes fondamentaux qui ont, jusqu'ici, guidé la comptabilisation des actifs et des passifs. Ainsi, notre étude des chapitres précédents nous a permis de conclure que l'établissement des états financiers repose sur le principe fondamental qu'un actif représente des avantages économiques futurs qui se traduiront par une contribution directe ou indirecte aux flux de trésorerie futurs de l'entreprise, alors qu'un passif représente une obligation actuelle dont l'extinction implique que l'entreprise abandonnera des ressources représentatives d'avantages économiques. Dans cette perspective, la **méthode de l'actif ou du passif fiscal** a pour objectif de présenter dans l'état de la situation financière les avantages économiques ou l'abandon d'avantages économiques qui découlent de la différence entre la valeur comptable et la valeur fiscale (**base fiscale**) des actifs et des passifs. Puisque ces différences temporaires auront des répercussions sur les impôts exigibles ou recouvrables des années subséquentes, la comptabilisation d'actifs ou de passifs d'impôt différé à leur égard traduit les avantages futurs ou les abandons d'avantages qui en résulteront pour l'entreprise.

Pour déterminer les avantages futurs ou les abandons d'avantages qui découleront des différences temporaires, l'**IAS 12**, intitulée « Impôts sur le résultat », requiert d'établir l'incidence fiscale qu'auraient la réalisation d'un actif pour un montant égal à sa valeur comptable et le règlement d'un passif pour un montant égal à sa valeur comptable. En effet, il est possible que la réalisation de la valeur comptable d'un actif, soit par sa vente ou son utilisation, entraîne une augmentation ou une diminution des impôts exigibles au cours de l'exercice de sa réalisation ou d'un exercice ultérieur.

EXEMPLE

Comparaison de la valeur comptable et de la base fiscale d'un actif

Poursuivons l'exemple précédent. La société Décalée ltée présente différemment les données relatives au bien amortissable acquis le 1er janvier 20X1.

Date	Valeur comptable	Base fiscale	Différence temporaire	Taux	Impôts différés
20X1-01-01	120 000 $	120 000 $			
Amortissement	(24 000)	(30 000)	6 000 $ ct	40 %	2 400 $ ct
20X1-12-31	96 000 $	90 000 $	6 000 $ ct		2 400 $ ct

Comme on peut le constater, la disposition de l'équipement pour un montant égal à sa valeur comptable de 96 000 $ le 31 décembre 20X1 entraînerait un bénéfice imposable de 6 000 $ (Prix de vente de 96 000 $ – Base fiscale de 90 000 $) et un montant d'impôts exigibles de 2 400 $.

Il est également possible, dans certains cas, que le règlement d'une dette pour sa valeur comptable entraîne une diminution ou une augmentation des impôts exigibles au cours de l'exercice du règlement ou d'un exercice ultérieur.

EXEMPLE

Comparaison de la valeur comptable et de la base fiscale d'un passif

Une entreprise comptabilise une provision de 10 000 $ pour la garantie des produits au cours de l'exercice 20X1 et les frais pour honorer la garantie sont engagés en 20X2. La provision pour garanties qui figure dans l'état de la situation financière le 31 décembre 20X1 a une valeur nulle sur le plan fiscal. En effet, cette dette comptable ne peut être déductible fiscalement qu'au moment où le montant est effectivement payé, c'est-à-dire en 20X2. Si l'entreprise réglait cette dette pour un montant égal à sa valeur comptable de 10 000 $ au 31 décembre 20X1, le bénéfice imposable serait réduit de 10 000 $, entraînant ainsi une diminution des impôts exigibles. Un actif d'impôt différé découle donc de cette provision pour garanties.

De l'avis de l'IASB, le fait que le recouvrement ou le règlement d'un actif ou d'un passif pour sa valeur comptable puisse augmenter ou diminuer les paiements futurs des impôts impose à l'entreprise la comptabilisation d'un actif ou d'un passif d'impôt différé.

La méthode de l'actif ou du passif fiscal met l'accent sur l'état de la situation financière, en ce sens qu'elle vise à comptabiliser un actif ou un passif d'impôt différé uniquement en fonction de l'écart existant entre la valeur comptable et la base fiscale d'un actif ou d'un passif. Ce type d'écart représente en fait les différences temporaires à partir desquelles seront déterminés les actifs et passifs d'impôt différé. Dans les deux prochaines divisions, nous fournirons des définitions utiles et expliquerons comment déterminer la base fiscale et les écarts temporaires.

Quelques définitions importantes

Les pages précédentes contiennent un certain nombre de nouveaux termes qu'il importe de bien définir avant de poursuivre notre étude de la comptabilisation des impôts sur le résultat. Le tableau 18.2, qui présente la terminologie utilisée par l'IASB à l'IAS 12, fournit une brève explication[8].

TABLEAU 18.2 La terminologie propre aux impôts sur le résultat

Terminologie comptable	Explications
Différence temporaire	Différence entre la valeur comptable (VC) d'un actif ou d'un passif et sa base fiscale (BF). Une différence temporaire peut être soit déductible, soit imposable.
Différence temporaire déductible	Différence qui générera des montants déductibles lors de la détermination du bénéfice imposable des exercices futurs lorsque la valeur comptable de l'actif ou du passif sera recouvrée ou réglée. Autrement dit, à la date de clôture de l'exercice : • VC (actif) < BF ; • VC (passif) > BF.
Différence temporaire imposable	Différence qui générera des montants imposables lors de la détermination du bénéfice imposable des exercices futurs lorsque la valeur comptable de l'actif ou du passif sera recouvrée ou réglée. Autrement dit, à la date de clôture de l'exercice : • VC (actif) > BF ; • VC (passif) < BF.
Actif d'impôt différé	Montant d'impôts sur le résultat recouvrables au cours des exercices futurs au titre de différence temporaire déductible, de report en avant de pertes fiscales non utilisées et de report en avant de crédits d'impôt non utilisés.
Passif d'impôt différé	Montant des impôts sur le résultat payables au cours des exercices futurs au titre de différences temporaires imposables.

La détermination de la base fiscale et des différences temporaires

Si la notion de **valeur comptable** nous est familière, il en est tout autrement de la notion de **base fiscale** d'un actif ou d'un passif. En effet, trouver la valeur comptable d'un actif ou d'un passif est aisé, car il s'agit simplement de consulter les livres comptables de l'entreprise. L'établissement de la base fiscale de ces éléments relève toutefois d'une étude plus approfondie des lois fiscales.

8. CPA Canada, *Manuel de CPA Canada – Comptabilité – Partie I*, IAS 12, paragr. 5. (*Voir la page iv des liminaires pour plus de détails à l'égard des normes publiées mais non encore entrées en vigueur.*)

Notre objectif, dans le présent ouvrage, n'est pas de faire une étude approfondie des lois fiscales telle que celle que vous ferez dans vos cours de fiscalité. Toutefois, nous avons expressément besoin de la base fiscale des actifs et des passifs pour poursuivre notre étude de la comptabilisation des impôts sur le résultat.

D'une part, l'IASB fournit les indications suivantes pour nous aider à déterminer la base fiscale d'un actif :

> La base fiscale d'un actif représente le montant qui sera fiscalement déductible de tout avantage économique imposable qui ira à l'entité lorsqu'elle recouvrera la valeur comptable de cet actif. Si les avantages économiques ne sont pas imposables, la base fiscale de l'actif est égale à sa valeur comptable[9].

L'IASB fournit également d'autres indications pour déterminer la base fiscale d'un passif :

> La base fiscale d'un passif représente sa valeur comptable, moins tout montant qui sera fiscalement déductible au titre de ce passif au cours des périodes futures. Dans le cas de produits perçus d'avance, la base fiscale du passif qui en résulte est la valeur comptable moins tout élément de produit qui ne sera pas imposable au cours des périodes futures[10].

Le tableau 18.3 contient une revue des principaux postes de l'état de la situation financière étudiés dans les chapitres précédents afin d'illustrer les différences temporaires qui découlent de l'écart entre leur valeur comptable et leur base fiscale. Notez que, dans ce tableau, les valeurs comptables et les bases fiscales sont hypothétiques. Pour l'instant, le lecteur est invité à prêter une attention particulière aux exemples de différences temporaires ; en ce qui concerne les pertes fiscales inutilisées, nous y reviendrons plus loin dans le présent chapitre.

TABLEAU 18.3 La valeur comptable et la base fiscale des principaux actifs et passifs

			Différences temporaires		
Compte	**Valeur comptable**	**Base fiscale**	**Différence temporaire déductible**	**Différence temporaire imposable**	**Explications**
Caisse	19 000 $	19 000 $			La base fiscale des montants en caisse est égale à leur valeur comptable. Il n'y a donc aucune différence temporaire.
Clients	135 000 $	135 000 $			La base fiscale des comptes clients est égale à leur valeur comptable. Il n'y a donc aucune différence temporaire.
Provision pour correction de valeur – Clients	15 000 $	15 000 $			En règle générale, la base fiscale de la provision pour correction de valeur – Clients est égale à sa valeur comptable. Il n'y a donc aucune différence temporaire.
Intérêts courus à recevoir	10 000 $	10 000 $			Les produits d'intérêts sont inclus dans le bénéfice imposable du même exercice que celui au cours duquel ils sont pris en compte dans le bénéfice comptable. Il n'y a donc aucune différence temporaire.
Dividendes à recevoir d'une société canadienne imposable	40 000 $	40 000 $			Les dividendes ne sont pas imposables[11]. Puisque l'encaissement qui découlera de la réalisation de cet actif ne sera pas pris en compte pour la détermination du bénéfice imposable, la base fiscale est présumée égale à la valeur comptable. Il n'y a donc aucune différence temporaire.

9. *Manuel de CPA Canada – Comptabilité – Partie I*, IAS 12, paragr. 7.
10. *Manuel de CPA Canada – Comptabilité – Partie I*, IAS 12, paragr. 8.
11. Cette affirmation doit être nuancée. Lors de l'établissement du bénéfice imposable, ces dividendes constituent effectivement une différence permanente, ce qui signifie qu'aucune charge fiscale ne doit figurer dans l'état du résultat global. Nous verrons toutefois à la page 18.63 que ces dividendes donnent lieu au paiement d'un impôt remboursable touchant uniquement l'état de la situation financière de l'entreprise.

TABLEAU 18.3 *(suite)*

Compte	Valeur comptable	Base fiscale	Différences temporaires		Explications
			Différence temporaire déductible	Différence temporaire imposable	
Stocks	350 000 $	350 000 $			En règle générale, la base fiscale des stocks est égale à leur valeur comptable. Il n'en résulte donc aucune différence temporaire.
Immobilisation corporelle non amortissable – Terrain	50 000 $	50 000 $			Le coût du terrain, de 50 000 $, sera déductible du revenu imposable lorsque le terrain sera vendu. Sa base fiscale est égale à sa valeur comptable. Il n'y a donc pas de différence temporaire.
Immobilisations corporelles amortissables	1 850 000 $	1 700 000 $		150 000 $	La base fiscale des immobilisations amortissables correspond à leur fraction non amortie du coût en capital (FNACC). Le recouvrement de la valeur comptable, soit 1 850 000 $, donnerait lieu à une récupération d'amortissement qui serait imposable. Il s'agit donc d'un écart temporaire imposable. Si la valeur comptable des immobilisations avait été inférieure à leur FNACC, la différence aurait été un écart temporaire déductible. En effet, si on avait eu une valeur comptable de 1 650 000 $ (au lieu de 1 850 000 $), le recouvrement de cette valeur aurait entraîné une perte finale qui aurait été déductible d'impôt.
Immobilisations incorporelles générées en interne (Frais de développement différés)[12]	85 000 $	0 $		85 000	Si les coûts relatifs à ces immobilisations ont déjà été déduits fiscalement, leur base fiscale est nulle. Les frais de développement différés sont entièrement déduits sur le plan fiscal l'année où ils sont engagés. Il existe donc une différence temporaire imposable.
Fournisseurs	175 000 $	175 000 $			Puisque les charges relatives à ces comptes fournisseurs ont déjà été déduites fiscalement, la base fiscale est égale à la valeur comptable. En effet, la base fiscale est égale à la valeur comptable moins tout montant qui reste à déduire ultérieurement, soit 0 $. Il n'existe donc aucune différence temporaire.
Produits différés	50 000 $	0 $	50 000 $		Les produits différés peuvent parfois être imposés lorsque l'entreprise les encaisse, alors qu'ils seront ultérieurement comptabilisés comme produits. La base fiscale d'un produit différé est égale à la valeur comptable (50 000 $) diminuée de tout élément de produit qui ne sera pas imposable ultérieurement (50 000 $), soit 0 $. Une différence temporaire déductible existe donc à cet égard. Toutefois, si le produit différé se rapporte à une transaction pour laquelle les autorités fiscales permettent l'utilisation d'une provision permettant d'imposer les produits en même temps que les encaissements, la base fiscale serait vraisemblablement la même que la valeur comptable et aucune différence temporaire n'existerait.
Dettes non courantes	1 100 000 $	1 100 000 $			Lorsque la dette sera réglée, aucun montant ne sera déductible. La base fiscale est donc présumée égale à la valeur comptable. En effet, la base fiscale d'un passif est égale à la valeur comptable, moins tout montant qui sera fiscalement déductible au cours des exercices futurs.
Passif au titre des prestations définies	15 000 $	0 $	15 000		Le montant relatif à ce passif sera déductible dans un exercice ultérieur, lorsque l'entreprise versera les

12. Les immobilisations incorporelles acquises font l'objet d'un traitement fiscal particulier dont l'étude déborde le cadre du présent ouvrage. Retenons toutefois que lorsque des différences temporaires découlent de la différence entre la valeur comptable et la base fiscale des immobilisations incorporelles acquises, cette différence est comptabilisée à titre d'actif ou de passif d'impôt différé.

TABLEAU 18.3 *(suite)*

Compte	Valeur comptable	Base fiscale	Différences temporaires Différence temporaire déductible	Différences temporaires Différence temporaire imposable	Explications
					cotisations à la caisse du régime de retraite ou les prestations aux participants d'un régime non capitalisé. Sa base fiscale est donc nulle. Une différence temporaire déductible existe à cet égard.
	0 $	10 000 $	10 000		Certains éléments ont une base fiscale mais ne sont pas comptabilisés en tant qu'actifs ou en tant que passifs dans l'état de la situation financière. C'est le cas des coûts d'émission d'actions qui ont été entièrement comptabilisés dans les résultats non distribués, mais qui seront déductibles fiscalement sur une période de cinq ans. La différence entre la base fiscale des coûts d'émission d'actions, qui est le montant admissible en déduction fiscale au cours des périodes futures, et la valeur comptable nulle est une différence temporaire déductible dont résulte un actif d'impôt différé.
Total des différences temporaires imposables				235 000	
Total des différences temporaires déductibles			75 000		À la fin de chaque exercice financier, l'entreprise réévalue l'actif d'impôt différé non comptabilisé, dans la mesure où il est devenu probable qu'un bénéfice futur permettra de recouvrer l'actif d'impôt différé (*voir l'IAS 12, paragr. 37*).
Pertes fiscales inutilisées			1 000		
Moins : Montant dont la réalisation n'est plus jugée probable			0		
			76 000		
Taux d'imposition dont l'application est attendue sur l'exercice au cours duquel l'actif sera réalisé ou le passif, réglé, sur la base des taux d'imposition qui ont été adoptés ou quasi adoptés à la fin de l'exercice financier (*voir l'IAS 12, paragr. 47*)			× 40 %	× 40 %	Il s'agit normalement du taux en vigueur à la date de fin d'exercice. N. B. : Les actifs et les passifs d'impôt différé ne doivent pas être actualisés (*voir l'IAS 12, paragr. 53*).
Actif d'impôt différé			30 400		
Passif d'impôt différé				94 000	
Passif d'impôt différé présenté distinctement dans le passif non courant			63 600		
Montants compensés s'ils concernent les impôts sur le résultat prélevés par la même administration fiscale et si l'entreprise jouit d'un droit juridiquement exécutoire de compenser les actifs et les passifs d'impôt exigible (*voir l'IAS 12, paragr. 74*)					
Passif d'impôt différé du début (chiffres fournis par hypothèse)			(46 000)		
Charge d'impôt différé à inclure à la charge d'impôts de l'exercice			17 600 $		La charge (produit) d'impôts comprend la charge (produit) d'impôt exigible et la charge (produit) d'impôt différé (*voir l'IAS 12, paragr. 6*).

Source : Sylvain Durocher et Daniel McMahon • Adaptation : Danièle Pérusse

Sans passer en revue l'ensemble des comptes qui peuvent figurer dans l'état de la situation financière, le tableau 18.3 illustre de façon éloquente le fait qu'il existe des différences entre la valeur comptable et la base fiscale des actifs et des passifs d'une société. Il montre en effet que lorsque la valeur comptable d'un actif excède sa base fiscale, il en découle une différence temporaire imposable qui donne naissance à un passif d'impôt différé. On peut également y constater que lorsque la valeur comptable d'un passif excède sa base fiscale, il s'ensuit plutôt une différence temporaire déductible qui occasionne un actif d'impôt différé. Les situations inverses n'apparaissent pas dans le tableau, mais il importe toutefois de les mentionner. Ainsi, lorsque la valeur comptable d'un actif est inférieure à sa base fiscale, cela entraîne une différence temporaire déductible qui crée un actif d'impôt différé. Par ailleurs, lorsque la valeur comptable d'un passif est inférieure à sa base fiscale, cela implique une différence temporaire imposable qui donne lieu à un passif d'impôt différé. Nous expliquerons ci-après comment comptabiliser ces actifs et passifs d'impôt différé.

La comptabilisation des actifs et des passifs d'impôt différé

Pour tenir compte des différences temporaires qui existent entre la valeur comptable et la base fiscale des actifs et des passifs, l'IAS 12 exige de comptabiliser des actifs et passifs d'impôt différé. Plus précisément, cette norme impose de comptabiliser un passif d'impôt différé pour toutes les différences temporaires imposables[13]. De même, elle requiert de comptabiliser un actif d'impôt différé pour toutes les différences temporaires déductibles dans la mesure où il est probable qu'un bénéfice imposable sera disponible dans le futur et que ces différences temporaires pourront y être imputées[14]. À la fin de chaque exercice, il y a lieu de faire une nouvelle évaluation des actifs d'impôt différé. Un actif d'impôt différé qui n'avait pas été comptabilisé peut l'être s'il est devenu probable que les bénéfices imposables futurs seront suffisants pour le recouvrer. La valeur comptable d'un actif d'impôt différé déjà comptabilisé doit être réduite s'il n'est plus probable que les bénéfices imposables futurs seront suffisants pour recouvrer la totalité ou une partie de cet actif d'impôt différé. Les actifs et passifs d'impôt différé doivent être évalués aux taux d'imposition dont l'application est attendue sur la période au cours de laquelle l'actif sera réalisé ou le passif réglé, sur la base des taux adoptés ou quasi adoptés à la fin de l'exercice.

EXEMPLE

Exemple complet sur trois exercices

La société Multi-Ékart ltée a été fondée le 1er janvier 20X0. Vous trouverez ci-dessous les états du résultat global et de la situation financière comparatifs de cette société pour une période de trois ans, compte non tenu des impôts sur le résultat.

MULTI-ÉKART LTÉE
Résultat global partiel
de l'exercice terminé le 31 décembre

	20X0	20X1	20X2
Produits des activités ordinaires	900 000 $	1 300 000 $	2 100 000 $
Coût des ventes	540 000	728 000	1 155 000
Marge brute	360 000	572 000	945 000
Charges d'exploitation			
Salaires et autres charges	206 500	383 000	613 950
Coûts de garantie	9 000	13 000	21 000
Amortissement des immobilisations	16 000	16 000	28 500
Amortissement des frais de développement différés	20 000	20 000	40 000
Intérêts et frais bancaires	500	600	750
Intérêts sur la dette à long terme	24 000	22 400	30 800
Total des charges d'exploitation	276 000	455 000	735 000
Bénéfice d'exploitation	84 000	117 000	210 000
Autres produits et autres charges			
Autres charges – Amendes			(5 000)
Profit sur vente d'un terrain			5 000
Bénéfice avant impôts	84 000 $	117 000 $	210 000 $

MULTI-ÉKART LTÉE
Situation financière
au 31 décembre

	20X0	20X1	20X2
Actif			
Actif courant			
Trésorerie	6 000 $	2 800 $	66 500 $
Clients, montant net	25 000	43 500	70 000
Stock de marchandises	30 000	55 000	80 000
Total de l'actif courant	61 000	101 300	216 500

13. Cette règle ne s'applique pas à la comptabilisation initiale d'un goodwill.
14. Cependant, aucun actif ou passif d'impôt futur ne doit être constaté lors de la comptabilisation initiale d'un actif ou d'un passif dans une transaction (autre qu'un regroupement d'entreprises) qui n'affecte ni le bénéfice comptable ni le bénéfice imposable.

	20X0	20X1	20X2
Immobilisations corporelles			
Terrain	35 000	35 000	35 000
Immeuble	240 000	240 000	240 000
Amortissement cumulé	(6 000)	(12 000)	(18 000)
	234 000	228 000	222 000
Équipements	100 000	100 000	225 000
Amortissement cumulé	(10 000)	(20 000)	(42 500)
	90 000	80 000	182 500
Total des immobilisations corporelles	359 000	343 000	439 500
Immeubles de placement			
Terrains détenus pour expansion future	100 000	100 000	80 000
Frais de développement différés	80 000	60 000	120 000
Total de l'actif	600 000 $	604 300 $	856 000 $
Passif et capitaux propres			
Passif courant			
Fournisseurs et autres charges à payer	19 000 $	22 300 $	58 830 $
Provision pour garanties	5 000	6 000	12 000
Amendes à payer			5 000
Tranche à court terme de la dette non courante	20 000	20 000	30 000
Total du passif courant	44 000	48 300	105 830
Passif non courant			
Emprunt hypothécaire	280 000	260 000	240 000
Effet à payer			90 000
Passif au titre des prestations définies	2 000	5 000	9 170
Total du passif non courant	282 000	265 000	339 170
Capitaux propres			
Capital social	200 000	150 000	210 000
Résultats non distribués	74 000	141 000	201 000
Total des capitaux propres	274 000	291 000	411 000
Total du passif et des capitaux propres	600 000 $	604 300 $	856 000 $

Multi-Èkart ltée utilise le mode d'amortissement linéaire pour son immeuble et ses équipements. L'immeuble est amorti sur une durée de 40 ans et les équipements, sur une durée de 10 ans. L'acquisition des immobilisations se fait toujours en début d'exercice. Les frais de développement différés sont également amortis selon le mode linéaire sur une durée de 5 ans. Finalement, la totalité des coûts liés au régime de retraite à prestations définies est comptabilisée en résultat net. Il n'y a aucune réévaluation à comptabiliser dans les autres éléments du résultat global.

Les informations suivantes sont tirées de la déclaration fiscale préparée par l'entreprise pour chacune des trois années en cause :

	20X0	20X1	20X2
Taux d'imposition	30 %	40 %	38 %
Coûts de garantie engagés	4 000 $	12 000 $	15 000 $
Frais de développement engagés	100 000		100 000
Cotisations versées à la caisse de retraite (montant déductible)			830
Amendes non déductibles			5 000

L'immeuble fait partie de la catégorie 6, dont le taux de déduction pour amortissement est de 10 %. L'équipement fait partie de la catégorie 8, dont le taux est de 20 %. Il n'y a eu aucune

18

disposition d'immeuble ou d'équipement de 20X0 à 20X2. Un terrain ayant un coût d'origine de 20 000 $ a été vendu en 20X2 pour un montant de 25 000 $. Seulement 50 % du gain en capital qui en découle est imposable.

À partir des informations précédentes, il est possible de comptabiliser les impôts sur le résultat de Multi-Ékart ltée pour les exercices 20X0 à 20X2. La première étape consiste à effectuer le rapprochement entre le bénéfice comptable et le bénéfice imposable afin de déterminer les impôts exigibles pour chacun des exercices. La seconde étape consiste à calculer les différences temporaires cumulatives afin de comptabiliser les impôts différés. Ces calculs sont présentés ci-après.

Voici le rapprochement du bénéfice comptable et du bénéfice imposable :

	20X0	20X1	20X2
Bénéfice comptable (selon l'état du résultat global)	84 000 $	117 000 $	210 000 $
Différences permanentes			
Amendes non déductibles			5 000
Portion non imposable du gain en capital relatif à la disposition d'un terrain ①			(2 500)
Différences temporaires			
Amortissement (*voir ci-après le calcul des différences temporaires – Immobilisations corporelles*)			
Comptable	16 000	16 000	28 500
Fiscal	(22 000)	(40 800)	(47 420)
Frais de développement différés (*voir ci-après le calcul des différences temporaires – Frais de développement différés*)			
Amortissement comptable	20 000	20 000	40 000
Montant déductible	(100 000)		(100 000)
Coûts de garantie (*voir ci-après le calcul des différences temporaires – Provision pour garanties*)			
Charge comptable	9 000	13 000	21 000
Montant déductible	(4 000)	(12 000)	(15 000)
Coûts de retraite (*voir ci-après le calcul des différences temporaires – Passif au titre des prestations définies*)			
Charge comptable incluse dans Salaires et autres charges ②	2 000	3 000	5 000
Montant déductible			(830)
Bénéfice imposable	5 000	116 200	143 750
Taux d'imposition	× 30 %	× 40 %	× 38%
Impôts exigibles	1 500 $	46 480 $	54 625 $

Calculs :

①	
Produit de disposition	25 000 $
Coût d'acquisition	(20 000)
Gain en capital	5 000
Portion non imposable	× 50 %
Portion imposable	2 500 $

② Il s'agit de la variation du passif au titre des prestations définies d'une année à l'autre tenant compte des cotisations versées à la caisse de retraite.

18

Ces rapprochements entre le bénéfice comptable et le bénéfice imposable nous permettent de comptabiliser la dette fiscale à la fin de chaque exercice financier de la façon suivante :

31 décembre

	20X0		20X1		20X2	
Impôts sur le résultat – Exigibles	*1 500*		*46 480*		*54 625*	
Impôts exigibles		*1 500*		*46 480*		*54 625*
Dette fiscale de l'exercice.						

Dans cet exemple comme dans tous ceux qui suivront, les comptes intitulés Impôts sur le résultat, exigibles ou différés, sont des comptes de produits ou de charges, alors que le compte Impôts exigibles (recouvrables) est un compte de valeur, plus précisément un compte de passif (actif).

Une fois que la dette fiscale de l'exercice est inscrite, on doit comptabiliser les impôts différés. Pour ce faire, il est nécessaire de calculer les différences temporaires déductibles et imposables. À noter qu'il est nécessaire de calculer les différences temporaires cumulatives à la fin de chaque exercice afin d'ajuster le solde des impôts différés figurant dans l'état de la situation financière au solde voulu.

Voici le calcul des différences temporaires des immobilisations corporelles :

	Valeur comptable	Base fiscale	Différence temporaire imposable
Immeuble			
20X0-01-01 – Acquisition	240 000 $	240 000 $	
Amortissement ① et ②	(6 000)	(12 000)	
20X0-12-31	234 000	228 000	6 000 $ ⑩
Amortissement ① et ③	(6 000)	(22 800)	
20X1-12-31	228 000	205 200	22 800 ⑩
Amortissement ① et ④	(6 000)	(20 520)	
20X2-12-31	222 000 $	184 680 $	37 320 ⑩
Équipements			
20X0-01-01 – Acquisition	100 000 $	100 000 $	
Amortissement ⑤ et ⑥	(10 000)	(10 000)	
20X0-12-31	90 000	90 000	0
Amortissement ⑤ et ⑦	(10 000)	(18 000)	
20X1-12-31	80 000	72 000	8 000 ⑩
20X2-01-01 – Acquisition	125 000	125 000	
Amortissement ⑧ et ⑨	(22 500)	(26 900)	
20X2-12-31	182 500 $	170 100 $	12 400 ⑩

Calculs et explications :

① (240 000 $ ÷ 40 ans)

② [240 000 $ × 10 % (catégorie 6) × ½ (règle de la demi-année)]

③ (228 000 $ × 10 %)

④ (205 200 $ × 10 %)

⑤ (100 000 $ ÷ 10 ans)

⑥ [100 000 $ × 20 % (catégorie 8) × ½ (règle de la demi-année)]

⑦ (90 000 $ × 20 %)

⑧ [(100 000 $ ÷ 10 ans) + (125 000 $ ÷ 10 ans)]

⑨ [(72 000 $ × 20 %) + (125 000 $ × 20 % (catégorie 8) × ½ (règle de la demi-année))]

⑩ Dans toutes les situations, il s'agit d'un écart temporaire imposable, car la valeur comptable des immobilisations excède leur base fiscale. Ainsi, si le montant de la valeur comptable des immobilisations était entièrement recouvré, cela donnerait naissance à un montant imposable, car une récupération d'amortissement en découlerait. Puisque les déductions d'amortissement cumulatives ont excédé les charges d'amortissement cumulatives, une différence temporaire imposable se créera quand la situation s'inversera.

18

Voici le calcul des différences temporaires des frais de développement différés :

	Valeur comptable	Base fiscale	Différence temporaire imposable
20X0 – Frais engagés	100 000 $	100 000 $	
Amortissement①	(20 000)		
Montant déductible		(100 000)	
20X0-12-31	80 000	0	80 000 $
Amortissement①	(20 000)		
20X1-12-31	60 000	0	60 000
20X2-01-01 – Frais engagés	100 000	100 000	
Amortissement②	(40 000)		
Montant déductible		(100 000)	
20X2-12-31	120 000 $	0 $	120 000

Calculs :

① (100 000 $ ÷ 5 ans)

② [(100 000 $ ÷ 5 ans) + (100 000 $ ÷ 5 ans)]

Voici le calcul des différences temporaires de la provision pour garanties :

	Charge comptabilisée en résultat net	Coût effectivement engagé	Valeur comptable	Base fiscale①	Différence temporaire déductible②
20X0	9 000 $	4 000 $	5 000 $	0 $	5 000 $
20X1	13 000	12 000			
	22 000	16 000	6 000	0	6 000
20X2	21 000	15 000			
	43 000 $	31 000 $	12 000	0	12 000

Explications :

① La base fiscale d'un passif est égale à sa valeur comptable, diminuée de tout montant qui sera déductible dans les périodes futures. Comme tous les montants inclus dans ce passif seront déductibles lorsqu'ils seront engagés, la base fiscale est donc nulle.

② Comme le règlement de ce passif donnera naissance à des économies d'impôts dans les exercices futurs, il s'agit d'une différence temporaire déductible.

Voici le calcul des différences temporaires du passif au titre des prestations définies :

	Charge comptabilisée en résultat net	Cotisations versées à la caisse de retraite	Valeur comptable	Base fiscale①	Différence temporaire déductible②
20X0	2 000 $		2 000 $	0 $	2 000 $
20X1	3 000				
	5 000		5 000	0	5 000
20X2	5 000	830 $			
	10 000 $	830 $	9 170	0	9 170

Explications :

① La base fiscale est égale à la valeur comptable du passif, diminuée de tout montant qui sera déductible dans les périodes futures. Comme tous les montants inclus dans ce passif seront déductibles lorsque les cotisations seront payées à la caisse de retraite, la base fiscale est nulle.

② Comme le règlement de ce passif donnera naissance à des économies d'impôts dans les exercices futurs, il s'agit d'une différence temporaire déductible.

Le calcul des différences temporaires cumulatives se fait à partir de l'état de la situation financière, en comparant la valeur comptable et la base fiscale des éléments qui s'y retrouvent. Compte tenu des calculs effectués précédemment, la situation se résume comme suit pour Multi-Ékart ltée au 31 décembre 20X0 :

	Valeur comptable	Base fiscale	Différences temporaires déductibles	Différences temporaires imposables
État de la situation financière				
Trésorerie	6 000 $	6 000 $		
Clients, montant net	25 000	25 000		
Stock de marchandises	30 000	30 000		
Terrain	35 000	35 000		
Immeuble	234 000	228 000		6 000 $
Équipements	90 000	90 000		
Terrains détenus pour expansion future	100 000	100 000		
Frais de développement différés	80 000	0		80 000
Total de l'actif	600 000 $	514 000 $		
Fournisseurs et autres charges à payer	19 000 $	19 000 $		
Provision pour garanties	5 000	0	5 000 $	
Emprunt hypothécaire	300 000	300 000		
Passif au titre des prestations définies	2 000	0	2 000	
Total du passif	326 000	319 000 $		
Capital social	200 000			
Résultats non distribués	74 000			
Total du passif et des capitaux propres	600 000 $			
Total des différences temporaires au 31 décembre 20X0			7 000 $	86 000 $

Voici le calcul des impôts différés de 20X0 :

Total des différences temporaires déductibles		7 000 $
Taux d'imposition en vigueur	×	30%
Actif d'impôt différé		2 100 $
Total des différences temporaires imposables		86 000 $
Taux d'imposition en vigueur	×	30%
Passif d'impôt différé		25 800 $

31 décembre 20X0		
Impôts sur le résultat – Différés	*23 700*	
Actif d'impôt différé [15]	*2 100*	
Passif d'impôt différé		*25 800*
Impôts différés de l'exercice.		

15. Il est important de rappeler que la comptabilisation d'un actif d'impôt différé n'est permise que dans la mesure où il est probable qu'un bénéfice imposable, sur lequel ces différences temporaires déductibles pourront être imputées, sera disponible dans le futur. De plus, l'IAS 12 exige que le montant des différences temporaires déductibles pour lesquelles aucun actif d'impôt différé n'a été comptabilisé soit présenté dans les notes (*voir l'IAS 12, paragr. 81(e)*).

Voici le calcul des différences temporaires des postes de l'état de la situation financière au 31 décembre 20X1 :

	Valeur comptable	Base fiscale	Différences temporaires déductibles	Différences temporaires imposables
État de la situation financière[16]				
Trésorerie	2 800 $	2 800 $		
Clients, montant net	43 500	43 500		
Stock de marchandises	55 000	55 000		
Terrain	35 000	35 000		
Immeuble	228 000	205 200		22 800 $
Équipements	80 000	72 000		8 000
Terrains détenus pour expansion future	100 000	100 000		
Frais de développement différés	60 000	0		60 000
	604 300	513 500 $		
Actif d'impôt différé	2 100			
Total de l'actif	606 400 $			
Fournisseurs et autres charges à payer	22 300 $	22 300 $		
Provision pour garanties	6 000	0	6 000 $	
Emprunt hypothécaire	280 000	280 000		
Passif au titre des prestations définies	5 000	0	5 000	
Total du passif	313 300	302 300 $		
Impôts exigibles	1 500			
Passif d'impôt différé	25 800			
Capital social	150 000			
Résultats non distribués	115 800			
Total du passif et des capitaux propres	606 400 $			
Total des différences temporaires au 31 décembre 20X1			11 000 $	90 800 $

Voici le calcul des impôts différés de 20X1 :

Total des différences temporaires déductibles	11 000 $
Taux d'imposition en vigueur	× 40 %
Actif d'impôt différé	4 400 $
Total des différences temporaires imposables	90 800 $
Taux d'imposition en vigueur	× 40 %
Passif d'impôt différé	36 320 $

La charge d'impôt différé correspond à la variation des actifs et passifs d'impôt différé figurant dans l'état de la situation financière. Par conséquent, la charge d'impôt différé s'établit comme suit pour l'exercice 20X1 :

18

16. Notez que les valeurs comptables des postes de l'état de la situation financière tiennent compte des écritures de journal passées en 20X0. Ainsi, en le comparant avec l'état de la situation financière déjà établi aux pages 18.16 et 18.17, vous voyez maintenant apparaître les postes Actif d'impôt différé, Impôts exigibles et Passif d'impôt différé. Le poste Résultats non distribués tient compte de la charge relative à l'impôt exigible (1 500 $) et différé (23 700 $) de 20X0, du bénéfice avant impôts de 20X1 (117 000 $) et des dividendes déclarés en 20X1 (établis par différence à partir des soldes des résultats non distribués : 74 000 $ + 117 000 $ – 141 000 $ = 50 000 $) pour s'établir à 115 800 $ (74 000 $ – 1 500 $ – 23 700 $ + 117 000 $ – 50 000 $ = 115 800 $).

	Solde au 31 décembre 20X0	Solde au 31 décembre 20X1	Charge (Produit) d'impôt différé[17]
Actif d'impôt différé	2 100 $	4 400 $	(2 300) $
Passif d'impôt différé	25 800 $	36 320 $	10 520
Charge d'impôt différé de l'exercice 20X1			8 220 $
Composition de la charge d'impôt différé de l'exercice			
Coût (produit) au titre des impôts différés rattaché à l'apparition et à la résorption des différences temporaires au cours de 20X1			
Total des différences temporaires déductibles	7 000 $	11 000 $	(4 000) $
Taux d'imposition en vigueur au 31 décembre 20X1			× 40 %
			(1 600)
Total des différences temporaires imposables	86 000 $	90 800 $	4 800
Taux d'imposition en vigueur au 31 décembre 20X1			× 40 %
			1 920
Total partiel			320
Ajustement de l'actif et du passif d'impôt différé d'ouverture à la suite d'une augmentation des taux d'imposition			
Total des différences temporaires déductibles au début de l'exercice	7 000 $		
Augmentation du taux d'imposition (40 % – 30 %)	× 10 %		(700)
Total des différences temporaires imposables	86 000		
Augmentation du taux d'imposition (40 % – 30 %)	× 10 %		8 600
			7 900
Charge d'impôt différé de l'exercice 20X1			8 220 $

Comme le montrent les calculs ci-dessus, il est possible, pour tenir compte du changement dans le taux d'imposition, de distinguer la partie de la charge d'impôt différé qui se rapporte à l'apparition ou à la résorption de différences temporaires pendant l'exercice en cours et la partie qui se rapporte à l'ajustement de l'actif ou du passif d'impôt différé qui existait au début de l'exercice. Effectivement, l'effet du changement de taux est reflété dans la charge d'impôts de l'exercice où a lieu la modification du taux, même si le nouveau taux s'applique à toutes les différences cumulées au cours des exercices antérieurs. Cette distinction est utile pour présenter les informations requises dans les notes, comme nous en traiterons plus loin.

31 décembre 20X1		
Impôts sur le résultat – Différés	*8 220*	
Actif d'impôt différé (1 600 $ + 700 $)	*2 300*	
Passif d'impôt différé (1 920 $ + 8 600 $)		*10 520*
Impôts différés de l'exercice.		

17. Pour déterminer s'il s'agit d'une charge ou d'un produit, il suffit de songer à l'écriture comptable requise par chacun des éléments pris séparément. À titre d'exemple, pour que le solde du compte Actif d'impôt différé soit augmenté de 2 300 $, il faut le débiter ; il devient alors évident que le compte Impôts sur le résultat doit être crédité de 2 300 $, ce qui correspond à la réduction de la charge d'impôts ou tout simplement à un produit d'impôts.

Voici le calcul des différences temporaires des postes de l'état de la situation financière au 31 décembre 20X2 :

	Valeur comptable	Base fiscale	Différences temporaires déductibles	Différences temporaires imposables
État de la situation financière [18]				
Trésorerie	66 500 $	66 500 $		
Clients, montant net	70 000	70 000		
Stock de marchandises	80 000	80 000		
Terrain	35 000	35 000		
Immeuble	222 000	184 680		37 320 $
Équipements	182 500	170 100		12 400
Terrains détenus pour expansion future	80 000	80 000		
Frais de développement différés	120 000	0		120 000
	856 000	686 280 $		
Actif d'impôt différé	4 400			
Total de l'actif	860 400 $			
Fournisseurs et autres charges à payer	58 830 $	58 830 $		
Provision pour garanties	12 000	0	12 000 $	
Amendes à payer	5 000	5 000		
Emprunt hypothécaire	270 000	270 000		
Effet à payer	90 000	90 000		
Passif au titre des prestations définies	9 170	0	9 170	
Total du passif	445 000	423 830 $		
Impôts exigibles	47 980			
Passif d'impôt différé	36 320			
Capital social	210 000			
Résultats non distribués	121 100			
Total du passif et des capitaux propres	860 400 $			
Total des différences temporaires au 31 décembre 20X2			21 170 $	169 720 $

Voici le calcul des impôts différés de 20X2 :

Total des différences temporaires déductibles	21 170 $
Taux d'imposition en vigueur	× 38 %
Actif d'impôt différé	8 045 $
Total des différences temporaires imposables	169 720 $
Taux d'imposition en vigueur	× 38 %
Passif d'impôt différé	64 494 $

18. Encore une fois, les valeurs comptables des postes de l'état de la situation financière tiennent compte des écritures de journal passées en 20X0 et 20X1. Ainsi, en le comparant avec l'état de la situation financière déjà établi aux pages 18.16 et 18.17, vous voyez maintenant apparaître les postes Actif d'impôt différé et Passif d'impôt différé. Le solde du poste Résultats non distribués s'élève à 121 100 $ et il tient compte du solde au début de l'exercice (141 000 $), de la charge relative à l'impôt exigible (1 500 $ + 46 480 $) et différé (23 700 $ + 8 220 $) de 20X0 et 20X1, du bénéfice avant impôts de 20X3 (210 000 $) et des dividendes de 150 000 $, établis par différence à partir des soldes des résultats non distribués (141 000 $ + 210 000 $ – 201 000 $).

Voici le calcul de la charge d'impôt différé de l'exercice 20X2 :

	Solde au 31 décembre 20X1	Solde au 31 décembre 20X2	Charge (Produit) d'impôt différé
Actif d'impôt différé	4 400 $	8 045 $	(3 645) $
Passif d'impôt différé	36 320 $	64 494 $	28 174
Charge d'impôt différé de l'exercice 20X2			24 529 $
Composition de la charge d'impôt différé de l'exercice			
Coût (produit) au titre des impôts différés rattaché à l'apparition et à la résorption des différences temporaires au cours de l'exercice			
Total des différences temporaires déductibles	11 000 $	21 170 $	(10 170) $
Taux d'imposition en vigueur au 31 décembre 20X2			× 38 %
			(3 865)
Total des différences temporaires imposables	90 800 $	169 720 $	78 920
Taux d'imposition en vigueur au 31 décembre 20X2			× 38 %
			29 990
Total partiel			26 125
Ajustement de l'actif et du passif d'impôt différé d'ouverture à la suite d'une diminution des taux d'imposition			
Total des différences temporaires déductibles au début de l'exercice	11 000 $		
Diminution du taux d'imposition (40 % – 38 %)	× 2 %		220
Total des différences temporaires imposables	90 800		
Diminution du taux d'imposition (40 % – 38 %)	× 2 %		(1 816)
			(1 596)
Charge d'impôt différé de l'exercice 20X2			24 529 $

31 décembre 20X2		
Impôts sur le résultat – Différés	*24 529*	
Actif d'impôt différé (3 865 $ – 220 $)	*3 645*	
Passif d'impôt différé (29 990 $ – 1 816 $)		*28 174*
Impôts différés de l'exercice.		

Avez-vous remarqué ?

Les postes Actif d'impôt différé et Passif d'impôt différé représentent les sommes qui pourraient être recouvrées (actif) ou devraient être versées (passif) à la date de présentation de l'information financière si les actifs et les passifs de l'entreprise étaient cédés ou réglés pour leur valeur comptable.

Les ajustements apportés aux soldes des postes Actif d'impôt différé et Passif d'impôt différé à la fin de l'exercice financier ont pour objectif d'ajuster à la fois le montant de la différence temporaire et le taux d'imposition. Le solde de ces postes peut ainsi correspondre aux sommes qui pourraient être recouvrées (actif) ou devraient être versées (passif) à la date de présentation de l'information financière si les actifs et les passifs de l'entreprise étaient cédés ou réglés pour leur valeur comptable.

La présentation dans les états financiers

Afin de favoriser une meilleure compréhension des postes relatifs aux impôts, l'IAS 12 contient plusieurs exigences concernant leur présentation dans les états financiers. Dans le but d'illustrer l'application de certaines de ces exigences, nous utiliserons les données de l'exemple de la société Multi-Ékart ltée.

La présentation de la charge d'impôts

D'entrée de jeu, l'IASB recommande que la charge ou le produit d'impôts relatif au résultat des activités ordinaires soit présenté dans l'état du résultat global et indique que cette charge ou ce produit doit comprendre les impôts exigibles de l'exercice de même que les impôts différés[19]. De plus, l'IASB exige la présentation distincte des principales composantes de la charge d'impôts. Ces composantes peuvent comprendre :

(a) la charge (produit) d'impôt exigible ;

(b) tout ajustement comptabilisé au cours de la période au titre de l'impôt exigible des périodes antérieures ;

(c) le montant de la charge (produit) d'impôt différé afférente à la naissance et à la résorption des différences temporaires ;

(d) le montant de la charge (produit) d'impôt différé afférente aux variations des taux d'impôt ou à l'assujettissement à des impôts nouveaux ;

(e) le montant de l'avantage résultant d'une perte fiscale, d'un crédit d'impôt ou d'une différence temporaire au titre d'une période antérieure, non comptabilisé précédemment, qui est utilisé pour réduire la charge d'impôt exigible ;

(f) le montant de l'avantage provenant d'une perte fiscale, d'un crédit d'impôt ou d'une différence temporaire au titre d'une période antérieure, non comptabilisé précédemment, qui est utilisé pour réduire la charge d'impôt différé ;

(g) la charge d'impôt différé générée par la réduction de valeur d'un actif d'impôt différé ou la reprise d'une réduction de valeur précédente [...] ; et

(h) le montant de la charge (produit) d'impôt afférente aux changements de méthodes comptables et aux corrections d'erreurs inclus dans le résultat net selon IAS 18 parce qu'ils ne peuvent pas être comptabilisés de manière rétrospective[20].

EXEMPLE

Présentation de la charge d'impôts dans l'état du résultat global

Poursuivons l'exemple de la société Multi-Ékart ltée, dont nous présentons le résultat global partiel ci-après.

MULTI-ÉKART LTÉE
Résultat global partiel
de l'exercice terminé le 31 décembre

	20X0	20X1	20X2
Bénéfice avant impôts	84 000 $	117 000 $	210 000 $
Impôts sur le résultat			
Impôts exigibles	1 500	46 480	54 625
Impôts différés[21]			
Rattachés à l'apparition et à la résorption de différences temporaires	23 700	320	26 125
Découlant d'une modification du taux d'imposition		7 900	(1 596)
	25 200	54 700	79 154
Bénéfice net	58 800 $	62 300 $	130 846 $

18

Le rapprochement entre le taux d'imposition effectif (ou apparent) et le taux d'imposition de base

Différence NCECF

Au début du présent chapitre, nous avons mentionné que l'une des principales causes de l'incompréhension de la charge d'impôts sur le résultat provient de ce que les utilisateurs des états financiers ont souvent l'impression qu'une entreprise ne paie pas sa quote-part d'impôts.

19. *Manuel de CPA Canada – Comptabilité – Partie I*, IAS 12, paragr. 6.

20. *Manuel de CPA Canada – Comptabilité – Partie I*, IAS 12, paragr. 80.

21. Bien que l'IAS 12 exige que les composantes de la charge (produit) d'impôts relatives aux variations des taux d'imposition ou à la naissance et au renversement des différences temporaires soient présentées distinctement (*voir l'IAS 12, paragr. 80*), elle n'exige pas expressément que cette distinction soit faite directement dans l'état du résultat global. Nous optons toutefois pour cette forme de présentation plus détaillée afin d'aider le lecteur à mieux comprendre les composantes des impôts sur le résultat. Cette présentation nous sera également fort utile à la sous-section suivante.

Cette illusion est fréquemment causée par l'analyse de l'état du résultat global. Afin d'illustrer cette situation, voici une analyse des résultats de Multi-Ékart ltée :

		20X0	20X1	20X2
Résultat avant impôts	(A)	84 000 $	117 000 $	210 000 $
Impôts sur le résultat	(B)	25 200	54 700	79 154
Résultat net		58 800 $	62 300 $	130 846 $
Taux d'imposition effectif (B ÷ A)		30,00 %	46,75 %	37,69 %
Taux d'imposition de base		30,00 %	40,00 %	38,00 %

Un utilisateur inexpérimenté pourrait avoir du mal à concilier les écarts de taux découlant de l'analyse effectuée précédemment. Plusieurs facteurs peuvent expliquer la différence entre le taux apparent et le taux de base. D'abord, aucun impôt n'est calculé sur les différences permanentes. De plus, lorsqu'il y a un changement de taux d'imposition, l'effet de ce changement est reflété entièrement dans l'exercice où a lieu le changement même si une partie des différences temporaires cumulatives se rapporte aux exercices antérieurs. Pour éviter une telle confusion, une note aux états financiers doit expliquer l'écart entre le taux d'imposition apparent ou effectif et le taux d'imposition édicté par les lois fiscales[22]. Cette explication peut être fournie sous forme de montants ou de taux.

EXEMPLE

Explication des écarts

Dans ses notes aux états financiers, Multi-Ékart ltée pourrait expliquer ses écarts de l'une des façons suivantes :

	20X0	*20X1*	*20X2*
Charge d'impôts sur le résultat selon le taux d'imposition applicable ①	*25 200 $*	*46 800 $*	*79 800 $*
Augmentation (diminution) attribuable aux modifications des taux d'imposition ②		*7 900*	*(1 596)*
Augmentation attribuable à des amendes non déductibles ③			*1 900*
Diminution attribuable à un gain en capital non imposable ④			*(950)*
Charge réelle d'impôts sur le résultat	*25 200 $*	*54 700 $*	*79 154 $*

ou

	20X0	*20X1*	*20X2*
Taux d'imposition applicable	*30,00 %*	*40,00 %*	*38,00 %*
Effet de l'augmentation (diminution) attribuable aux modifications des taux d'imposition ⑤		*6,75*	*(0,76)*
Augmentation attribuable à des amendes non déductibles ⑥			*0,90*
Diminution attribuable à un gain en capital non imposable ⑦			*(0,45)*
Taux d'imposition effectif	*30,00 %*	*46,75 %*	*37,69 %*

Calculs :

	20X0	20X1	20X2
① Bénéfice avant impôts selon l'état du résultat global	84 000 $	117 000 $	210 000 $
Taux d'imposition applicable	× 30 %	× 40 %	× 38 %
	25 200 $	46 800 $	79 800 $

② Montants inscrits à l'état du résultat net (*voir la page précédente*)

③ (5 000 $ × 38 %)

④ (2 500 $ × 38 %)

⑤ 20X1 – (7 900 $ ÷ 117 000 $)

20X2 – (1 596 $ ÷ 210 000 $)

⑥ (1 900 $ ÷ 210 000 $)

⑦ (950 $ ÷ 210 000 $)

22. *Manuel de CPA Canada – Comptabilité – Partie I*, IAS12, paragr. 81(c).

18

Différence NCECF

L'entreprise fournit aussi une explication des changements dans le ou les taux d'impôt applicables par rapport à l'exercice précédent[23].

La présentation des impôts dans l'état de la situation financière

La présentation dans l'état de la situation financière des postes liés aux impôts sur le résultat nécessite quelques précisions. Comme nous l'avons constaté dans l'exemple de Multi-Ëkart ltée, la comptabilisation des impôts donne lieu à la création de différents postes dans l'état de la situation financière, tels Impôts exigibles, Actif d'impôt différé et Passif d'impôt différé. Alors que le poste **Impôts exigibles (recouvrables)** présente les sommes à payer (à recouvrer) aux (des) autorités fiscales dans un avenir prévisible, les postes d'**actif** et de **passif d'impôt différé** présentent des montants dont la réalisation ou le paiement est reporté ultérieurement, à un moment souvent indéterminé.

La présentation des impôts exigibles

Les impôts exigibles représentent les sommes qui doivent être versées aux autorités fiscales au titre de l'exercice en cours et des exercices précédents. Lorsque le montant déjà payé au titre de l'exercice en cours et des exercices précédents excède le montant dû pour ces exercices, l'excédent doit être considéré comme un actif. Compte tenu de leur nature et des délais fixés par les lois fiscales pour le règlement des sommes dues au fisc, les impôts exigibles sont généralement présentés dans le passif courant (dans l'actif courant s'il s'agit d'impôts recouvrables).

De plus, l'IASB fournit des précisions sur la présentation des postes d'impôts exigibles sur une base compensée, c'est-à-dire la présentation du solde net des impôts exigibles et recouvrables. Ces précisions sont formulées de la manière suivante :

> Une entité doit compenser les actifs et passifs d'impôt exigible si, et seulement si, l'entité :
>
> (a) a un droit juridiquement exécutoire de compenser les montants comptabilisés ; et
>
> (b) a l'intention soit de régler le montant net, soit de réaliser l'actif et de régler le passif simultanément[24].

Une entreprise dispose normalement d'un droit juridiquement exécutoire de compenser ses postes d'actifs et de passifs d'impôts exigibles lorsqu'ils concernent la même autorité fiscale et que celle-ci permet à l'entreprise de faire ou de recevoir un seul paiement net à l'égard des impôts exigibles. Dans ces circonstances, les entreprises qui évoluent sous différentes juridictions fiscales ne peuvent compenser les sommes à recevoir en vertu d'une autorité fiscale donnée en se servant des sommes à payer à une autre autorité fiscale. Mentionnons finalement que la compensation des impôts exigibles ne peut être autorisée lorsque la dette fiscale doit être réglée immédiatement et que les sommes exigibles des autorités fiscales ne seront recouvrées qu'ultérieurement.

La présentation des impôts différés

Différence NCECF

En ce qui a trait aux impôts différés dans l'état de la situation financière, ils doivent être présentés à l'actif ou au passif non courant lorsque cet état établit une distinction entre les éléments courants et non courants de l'entreprise. La présentation parmi l'actif ou le passif non courant est requise peu importe la date à laquelle l'entreprise s'attend à ce que les différences temporaires ayant donné naissance à l'actif ou au passif d'impôt différé se résorberont.

18

La présentation dans l'état de la situation financière des actifs et passifs d'impôt différé doit faire l'objet d'une compensation, lorsque les conditions suivantes sont réunies :

(a) l'entité a un droit juridiquement exécutoire de compenser les actifs et passifs d'impôt exigible ; et

(b) les actifs et passifs d'impôt différé concernent des impôts sur le résultat prélevés par la même administration fiscale :

  (i) sur la même entité imposable, ou

  (ii) sur des entités imposables différentes qui ont l'intention, soit de régler les passifs et actifs d'impôt exigible sur la base de leur montant net, soit de réaliser les

23. *Manuel de CPA Canada – Comptabilité – Partie I*, IAS 12, paragr. 81(d).

24. *Manuel de CPA Canada – Comptabilité – Partie I*, IAS 12, paragr. 71.

actifs et de régler les passifs simultanément, lors de chaque période future au cours de laquelle on s'attend à ce que des montants importants d'actifs ou de passifs d'impôt différé soient réglés ou recouvrés[25].

Ces conditions permettant la **compensation des actifs et des passifs d'impôt différé** en vue de leur présentation sur une base nette sont semblables à celles énoncées précédemment pour la compensation des impôts exigibles, si ce n'est que lorsque les actifs et les passifs d'impôt différé concernent des entités fiscalement distinctes, il est possible de les présenter au montant net quand le règlement des actifs et des passifs d'impôt différé se fera sur le montant net ou encore quand les actifs et les passifs compensés pourront être réalisés ou réglés dans le même exercice futur. Ces conditions laissent croire que les actifs et les passifs d'impôt différé liés à des entités fiscales différentes ne peuvent être compensés lorsqu'il ne peut être établi que les différences temporaires imposables donneront lieu à des impôts exigibles durant le même exercice où des différences temporaires déductibles permettront de réduire les impôts exigibles.

EXEMPLE

Présentation des impôts dans l'état de la situation financière

Compte tenu des recommandations qui précèdent et des calculs du rapprochement entre le bénéfice comptable et le bénéfice imposable ainsi que ceux des impôts différés (*voir les pages 18.18 ainsi que 18.21 à 18.24*), il est possible de trouver les soldes des postes relatifs aux impôts que Multi-Ékart ltée doit présenter dans son état de la situation financière. Ces postes sont les suivants :

	Impôts exigibles[26]	Actif d'impôt différé	Passif d'impôt différé
31 décembre 20X0	*1 500*	*2 100*	*25 800*
31 décembre 20X1	*46 480*	*2 300*	*10 520*
	47 980	*4 400*	*36 320*
31 décembre 20X2	*54 625*	*3 645*	*28 174*
	102 605	*8 045*	*64 494*

L'état de la situation financière de Multi-Ékart ltée se présente comme suit, après avoir tenu compte de tous les montants se rapportant aux impôts sur le résultat :

MULTI-ÉKART LTÉE
Situation financière
au 31 décembre

	20X0	*20X1*	*20X2*
Actif			
Actif courant			
Trésorerie	*6 000 $*	*2 800 $*	*66 500 $*
Clients, montant net	*25 000*	*43 500*	*70 000*
Stock de marchandises	*30 000*	*55 000*	*80 000*
Total de l'actif courant	*61 000*	*101 300*	*216 500*

25. *Manuel de CPA Canada – Comptabilité – Partie I*, IAS 12, paragr. 74.
26. Vous avez sans doute remarqué que notre exemple manque un peu de réalisme, puisque la société n'a effectué aucun versement d'impôt au cours des trois exercices en cause. Nous l'avons voulu ainsi pour vous permettre de mieux saisir les concepts de base. Dans la réalité, Multi-Ékart ltée aurait effectué des acomptes provisionnels mensuels et un versement final à la fin de chaque exercice financier, et ces versements auraient été portés au débit du compte Impôts exigibles.

	20X0	20X1	20X2
Immobilisations corporelles			
Terrain	35 000	35 000	35 000
Immeuble	240 000	240 000	240 000
Amortissement cumulé	(6 000)	(12 000)	(18 000)
	234 000	228 000	222 000
Équipements	100 000	100 000	225 000
Amortissement cumulé	(10 000)	(20 000)	(42 500)
	90 000	80 000	182 500
Total des immobilisations corporelles	359 000	343 000	439 500
Immeubles de placement			
Terrains détenus pour expansion future	100 000	100 000	80 000
Frais de développement différés	80 000	60 000	120 000
Total de l'actif	600 000 $	604 300 $	856 000 $
Passif et capitaux propres			
Passif courant			
Fournisseurs et autres charges à payer	19 000 $	22 300 $	58 830 $
Provision pour garanties	5 000	6 000	12 000
Impôts exigibles	1 500	47 980	102 605
Amendes à payer			5 000
Tranche à court terme de la dette non courante	20 000	20 000	30 000
Total du passif courant	45 500	96 280	208 435
Passif non courant			
Emprunt hypothécaire	280 000	260 000	240 000
Effet à payer			90 000
Passif au titre des prestations définies	2 000	5 000	9 170
Passif d'impôt différé[27]	23 700	31 920	56 449
Total du passif non courant	305 700	296 920	395 619
Capitaux propres			
Capital social	200 000	150 000	210 000
Résultats non distribués	48 800	61 100	41 946
Total des capitaux propres	248 800	211 100	251 946
Total du passif et des capitaux propres	600 000 $	604 300 $	856 000 $

Différence NCECF

La présentation des impôts dans le tableau des flux de trésorerie

Les flux de trésorerie afférents aux impôts sur le résultat sont présentés dans les activités d'exploitation (à moins qu'ils puissent être reliés clairement à des activités d'investissement ou de financement). Les flux de trésorerie attribuables aux impôts doivent être présentés séparément dans le tableau des flux de trésorerie. Si on choisit la méthode directe pour présenter les activités d'exploitation, un poste distinct est présenté pour les impôts payés ou reçus. Avec la méthode indirecte, la charge d'impôt différé est ajoutée (ou déduite s'il s'agit d'un produit) au (du) résultat net. Pour présenter les flux de trésorerie attribuables à la charge d'impôt exigible, l'entreprise peut indiquer la variation du passif d'impôt exigible et indiquer en note les impôts effectivement payés ou reçus. Elle peut également choisir de rajouter la charge d'impôt exigible (ou de retrancher le produit d'impôt exigible), puis de soustraire les impôts payés (ou d'additionner les impôts recouvrés). L'entreprise pourrait aussi rajouter le total de la charge d'impôt exigible et différé (retrancher le total du produit d'impôts) et indiquer par la suite les impôts payés ou recouvrés.

27. Nous avons considéré que les règles relatives à la compensation des actifs et des passifs d'impôt différé étaient applicables pour cet exemple. Les montants nets s'élèvent à 23 700 $ (25 800 $ – 2 100 $) pour 20X0, 31 920 $ (36 320 $ – 4 400 $) pour 20X1 et 56 449 $ (64 494 $ – 8 045 $) pour 20X2.

EXEMPLE

Présentation des impôts dans le tableau des flux de trésorerie

C'est cette dernière option que nous utilisons dans le cas de Multi-Ēkart ltée.

MULTI-ÉKART LTÉE
Flux de trésorerie partiels
de l'exercice terminé le 31 décembre

	20X0	20X1	20X2
Activités d'exploitation			
Bénéfice net	58 800 $	62 300 $	130 846 $
Impôts sur le résultat	25 200	54 700	79 154
Impôts payés ①		(1 500)	(47 980)

Explication :

① Nous présumons que le montant payé correspond au passif à la fin de l'année précédente.

Nous présenterons plus loin dans ce chapitre des extraits des états financiers de la société Pages Jaunes Limitée qui fournissent un exemple additionnel de la présentation des éléments relatifs aux impôts sur le résultat.

La ventilation annuelle des impôts sur le résultat

Jusqu'à présent, nous avons traité uniquement des impôts différés liés aux activités ordinaires de l'entreprise. Cependant, d'autres opérations peuvent avoir des répercussions fiscales desquelles découleront des impôts différés. Pour de telles opérations, les impacts fiscaux doivent être comptabilisés de manière cohérente par rapport à l'opération elle-même. L'IASB mentionne ce qui suit à cet égard : « La comptabilisation des effets sur l'impôt exigible et sur l'impôt différé d'une transaction ou d'un autre événement est cohérente avec la comptabilisation de la transaction ou de l'événement lui-même[28]. » Dans cette perspective, nous traiterons dans les deux divisions suivantes des impôts relatifs aux activités abandonnées et des impôts liés aux opérations comptabilisées hors résultat net.

La charge d'impôts liée aux activités abandonnées

Comme nous le verrons au chapitre 20, les activités abandonnées doivent faire l'objet d'une présentation distincte dans l'état du résultat global afin de permettre aux utilisateurs de l'information financière de différencier les activités maintenues de celles qui ne le sont pas. Cette distinction est essentielle pour aider les utilisateurs des états financiers à mieux prévoir la performance économique de l'entreprise.

Par conséquent, lorsque l'état du résultat global présente un poste lié à une activité abandonnée, la charge d'impôts attribuable au résultat courant de l'activité abandonnée doit être présentée distinctement en diminution ou en augmentation du montant attribué aux activités abandonnées de l'exercice.

Si une entreprise procède à la fermeture d'une division qu'elle présente à titre d'activités abandonnées, l'ensemble des produits et des charges, y compris les impôts sur le résultat de cette division, serait présenté de la façon suivante pour un montant net unique dans la partie inférieure de l'état du résultat global :

Résultat avant impôts		XX $
Impôts sur le résultat		
Impôts exigibles	XX $	
Impôts différés	XX	XX
Résultat net des activités poursuivies		XX
Résultat net des activités abandonnées		XX
Résultat net		XX $

Les impôts totaux de l'exercice seraient donc ventilés entre le résultat des activités poursuivies et le résultat des activités abandonnées. Cette ventilation est importante, puisque seules les opérations maintenues ont une valeur prédictive.

28. *Manuel de CPA Canada – Comptabilité – Partie I*, IAS 12, paragr. 57.

Les impôts liés aux éléments comptabilisés hors résultat net

Certaines transactions ou événements générateurs d'impôts exigibles ou différés sont comptabilisés au cours d'un exercice sans que cela n'ait d'effet sur le résultat net. Il en est ainsi des variations de valeur de certains placements en titres de capitaux propres classés À la juste valeur par le biais des autres éléments du résultat global (JVBAERG), comme nous l'avons vu au chapitre 4, des réévaluations d'immobilisations corporelles ou incorporelles, que nous avons étudiées aux chapitres 9 et 10, des réévaluations du passif (de l'actif) net au titre des prestations définies, dont nous avons traité au chapitre 17, ou des changements de méthodes comptables pour lesquels un ajustement du solde d'ouverture des résultats non distribués doit être effectué, comme nous l'avons vu au chapitre 15. Lorsque de telles situations entraînent des conséquences sur les impôts exigibles ou différés, ces conséquences ne peuvent influer sur la charge d'impôts imputée en résultat net de l'exercice et doivent par conséquent être imputées directement aux autres éléments du résultat global ou aux capitaux propres dans le poste approprié. Ainsi, les impôts relatifs à une transaction portée directement aux résultats non distribués sont imputés à ce poste, alors que les impôts afférents à une transaction comptabilisée dans les composantes des autres éléments du résultat global sont imputés à ce poste. À ce sujet l'IASB formule la recommandation suivante :

> L'impôt exigible et l'impôt différé doivent être comptabilisés en produits ou en charges et compris dans le résultat net de la période sauf dans la mesure où l'impôt est généré :
>
> (a) par une transaction ou un événement comptabilisé hors résultat net, soit dans les autres éléments du résultat global soit directement en capitaux propres, dans la même période ou une période différente [...][29].

De telles indications signifient que les effets de la création et de la résorption des actifs et des passifs d'impôt différé liés aux éléments comptabilisés hors résultat net doivent être comptabilisés directement aux postes hors résultat net appropriés. Il en est de même pour tous les ajustements qui seront apportés ultérieurement aux postes d'impôt différé liés à ces éléments comptabilisés hors résultat net.

Pour faciliter la **ventilation des impôts**, on peut adapter le rapprochement de base utilisé jusqu'ici de la façon suivante :

	Activités ordinaires	Activités abandonnées	Autres éléments du résultat global	Retraitements des résultats non distribués
Bénéfice comptable				
± Différences permanentes				
± Différences temporaires				
Bénéfice imposable				

En procédant ainsi, il est possible de comptabiliser distinctement les impôts relatifs à chaque cas, ce qui facilite grandement l'enregistrement des impôts et leur présentation dans les états financiers.

EXEMPLE

Ventilation des impôts

Une analyse des opérations de la société Particulière ltée révèle les faits suivants concernant l'exercice terminé le 31 décembre 20X5 :

1. Le bénéfice avant impôts s'élève à 200 000 $. Ce montant comprend une somme de 40 000 $ reçue en dividendes d'une société canadienne imposable. Tandis que l'amortissement comptable imputé en résultat net totalise 35 000 $, l'amortissement fiscal maximal s'établit à 45 000 $.
2. Au cours de l'exercice, la société a procédé à la réévaluation d'un terrain qu'elle détient ; la valeur comptable de ce terrain est de 200 000 $ et la juste valeur est de 245 000 $. Le solde du compte Cumul de l'écart de réévaluation était de 126 000 $ au 31 décembre 20X4. La disposition de ce terrain entraînera un gain en capital dont la moitié sera imposable.
3. Au cours de 20X5, la société a décidé qu'à compter de 20X6 elle mettrait fin à ses activités de gestion, lesquelles ont généré au cours de 20X5 un résultat avant impôts de 50 000 $.

29. *Manuel de CPA Canada – Comptabilité – Partie I*, IAS 12, paragr. 58(a).

4. Vous avez découvert qu'en 20X4 la société n'a pas comptabilisé un produit de 250 000 $. Ce montant n'est pas inclus dans le résultat avant impôts de 200 000 $. Au 31 décembre 20X4, le solde des résultats non distribués s'établit à 476 000 $.
5. La société est assujettie à un taux d'imposition de 40 %.

Voici le rapprochement de base qui doit être effectué pour la ventilation des impôts sur le résultat de Particulière ltée :

	Activités ordinaires	Activités abandonnées	Écarts de réévaluation	Retraitements des résultats non distribués
Résultat avant impôts	200 000 $	50 000 $	45 000 $	250 000 $
± Différences permanentes	(40 000)		(22 500) ①	
± Différences temporaires	(10 000)		(22 500) ①	
Bénéfice imposable	150 000	50 000	0	250 000
Taux d'imposition	× 40 %	× 40 %	× 40 %	× 40 %
Impôts exigibles	60 000 $	20 000 $	0 $	100 000 $

Calcul :

① [(245 000 $ – 200 000 $) × 50 %]

Ces données sont présentées de la façon suivante dans les états financiers de la société pour l'exercice terminé le 31 décembre 20X5 :

PARTICULIÈRE LTÉE
Résultat global partiel
de l'exercice terminé le 31 décembre 20X5

	Avec ventilation des impôts
Bénéfice avant impôts	*200 000 $*
Impôts sur le résultat	
Impôts exigibles	*60 000*
Impôts différés ①	*4 000*
	64 000
Résultat net des activités poursuivies	*136 000*
Activités abandonnées	*50 000*
Impôts exigibles	*(20 000)*
Résultat net des activités abandonnées	*30 000*
Bénéfice net	*166 000 $*

Calcul :

① (10 000 $ × 40 %)

PARTICULIÈRE LTÉE
Variations des capitaux propres partielles
de l'exercice terminé le 31 décembre 20X5

	Cumul de l'écart de réévaluation	*Résultats non distribués*
Solde au 31 décembre 20X4	*126 000 $*	*476 000 $*
Correction d'erreur		
Produit non comptabilisé en 20X4		*250 000*
Moins : impôts exigibles afférents		*(100 000)*
Écart de réévaluation	*45 000*	
Impôts différés afférents	*(9 000)* ①	
Bénéfice net		*166 000*
Solde au 31 décembre 20X5	*162 000 $*	*792 000 $*

Calcul :

① (45 000 $ × 50 % × 40 %)

18

PARTICULIÈRE LTÉE
Situation financière partielle
au 31 décembre 20X5

	Avec ventilation des impôts
Passifs non courants	
Impôts différés ①	*13 000 $*

Calcul :

① [(10 000 $ + 22 500 $) × 40 %]

L'exemple de Particulière ltée illustre bien l'importance de la ventilation des impôts entre les événements et les opérations qu'ils concernent. Ainsi, en attribuant à l'activité abandonnée sa quote-part des impôts, le résultat avant activités abandonnées que présente Particulière ltée offre une plus grande valeur prédictive que le résultat net, puisqu'il tient compte uniquement des activités poursuivies par l'entreprise.

La ventilation des impôts assure également une juste présentation des éléments hors résultat net en leur attribuant les actifs ou les passifs d'impôt différé qui leur sont associés. Ainsi, dans les autres éléments du résultat global, l'écart de réévaluation de 45 000 $ de même que la charge d'impôt différé de 9 000 $ qui y est attribuable permettent de présenter aux utilisateurs l'effet détaillé sur le résultat global de la réévaluation du terrain. Il en est de même pour le retraitement des résultats non distribués à la suite de la comptabilisation d'un produit non comptabilisé au cours de l'exercice précédent. Mentionnons, finalement, qu'à l'égard des événements et des opérations comptabilisés hors résultat net, l'IASB exige que le montant d'impôts relatif à chaque autre élément du résultat global fasse l'objet d'une présentation distincte dans les états financiers.

Au cours des années subséquentes, les ajustements qui devront être portés aux impôts différés relatifs aux éléments comptabilisés hors résultat net, par exemple les modifications du taux d'imposition, devront également être comptabilisés directement aux éléments hors résultat net.

Avez-vous remarqué ?

Dans le but d'assurer la valeur prédictive de l'information, les conséquences fiscales d'un événement doivent être comptabilisées de manière cohérente avec la comptabilisation de ce même événement.

Le traitement comptable du report des pertes fiscales

La comptabilisation des reports de pertes fiscales mérite une attention particulière. Cette section aborde les diverses situations qui peuvent survenir dans le contexte d'une perte fiscale.

Un aperçu général

Lorsqu'une entreprise réalise des bénéfices, elle doit évidemment payer sa juste part d'impôts. Par souci d'équité et afin de venir en aide aux entreprises en difficulté, les lois fiscales canadiennes permettent d'appliquer les pertes subies dans un exercice déficitaire aux bénéfices imposables réalisés au cours des trois exercices précédents et aux bénéfices imposables des exercices futurs (ou de certains d'entre eux). La figure 18.1 illustre les principales dispositions des lois fiscales à cet égard.

Ainsi, lorsqu'une perte fiscale est reportée rétrospectivement (ou en amont), elle peut être admise en déduction du bénéfice imposable des trois exercices antérieurs afin de récupérer les sommes versées au fisc au cours de ces exercices. Le remboursement d'impôts est établi en fonction des taux d'imposition en vigueur au cours de ces exercices. Lorsque la perte fiscale est reportée prospectivement (ou en aval), elle est admise en déduction du bénéfice imposable des exercices à venir (ou de certains d'entre eux) afin de réduire les montants qui, autrement, seraient versés au fisc au cours de ces exercices. Dans ce cas, l'avantage fiscal se matérialisera en fonction des taux d'imposition qui seront alors en vigueur.

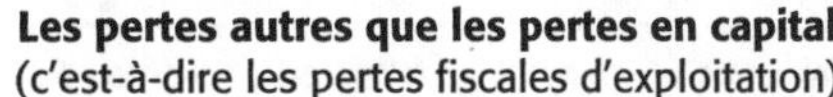

FIGURE 18.1 Les dispositions fiscales en matière de report de pertes

Les pertes autres que les pertes en capital
(c'est-à-dire les pertes fiscales d'exploitation)

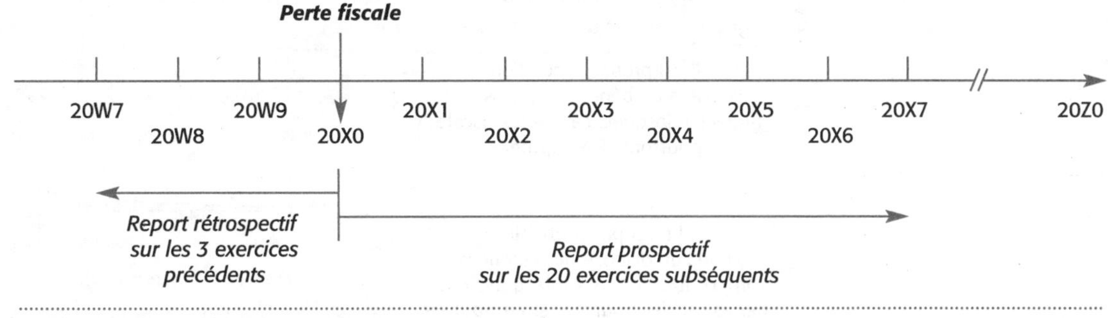

Les pertes en capital nettes

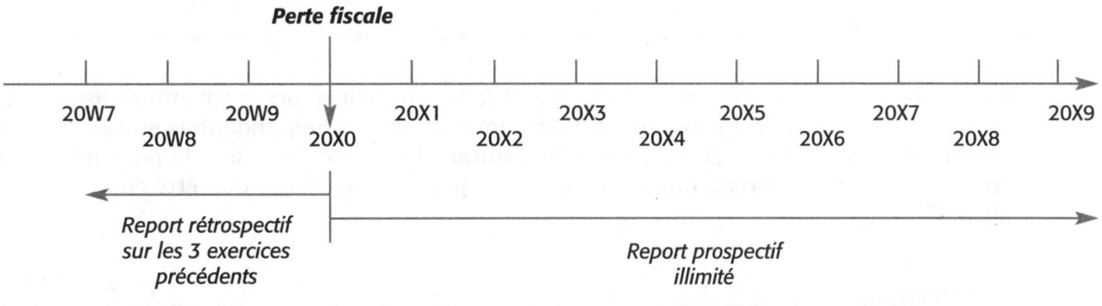

Les autorités fiscales laissent à la direction de l'entreprise le choix d'opter pour un report rétrospectif, un report prospectif ou une combinaison des deux. Plusieurs facteurs doivent alors être pris en compte par l'entreprise, notamment l'ampleur de la perte, le niveau des bénéfices imposables au cours des trois exercices précédents, les bénéfices imposables appréhendés pour les exercices à venir en cause, la possibilité de ne pas se prévaloir de certaines déductions fiscales, les taux d'imposition en vigueur des trois exercices passés et ceux qui sont prévus pour les exercices à venir en cause.

Dans les sous-sections qui suivent, nous analyserons en détail l'incidence de ces facteurs sur les différentes situations de report de pertes fiscales déterminées par l'IASB. Tout au cours de cette étude, nous garderons à l'esprit la question fondamentale suivante : Doit-on comptabiliser l'avantage fiscal provenant de la perte au cours de l'exercice où la perte est subie ou au cours des exercices où l'avantage fiscal se matérialise ? Notre analyse consistera donc à évaluer le montant de l'avantage fiscal découlant du report de la perte qu'il est possible de comptabiliser dès l'exercice de la perte, pour ensuite rattacher cet avantage fiscal aux opérations qui l'ont occasionné. Notons que cette analyse portera principalement sur le report d'une perte fiscale d'exploitation. Le lecteur qui maîtrise les notions sous-jacentes à ce type de report sera certes en mesure de les appliquer au contexte du report d'une perte en capital nette.

Dans la figure 18.2, nous présentons de façon schématique les différentes situations qui feront l'objet de notre analyse. Cette figure illustre d'emblée le fait que la probabilité qu'un avantage fiscal se matérialise est déterminant dans le traitement comptable du report des pertes fiscales.

Le report rétrospectif d'une perte fiscale

Lorsqu'une entreprise subit une perte fiscale d'exploitation au cours d'un exercice donné, le premier réflexe de ses dirigeants est de songer à un **report rétrospectif**. Pour ce faire, il s'agit de revoir les déclarations fiscales des trois derniers exercices afin de déterminer si la perte fiscale peut être reportée en entier sur ceux-ci.

Lorsque la perte fiscale peut être reportée en entier sur les exercices antérieurs, il est certain que l'entreprise pourra récupérer un montant précis d'impôts versés antérieurement. De plus,

FIGURE 18.2 Les diverses situations dans lesquelles il y a report d'une perte fiscale

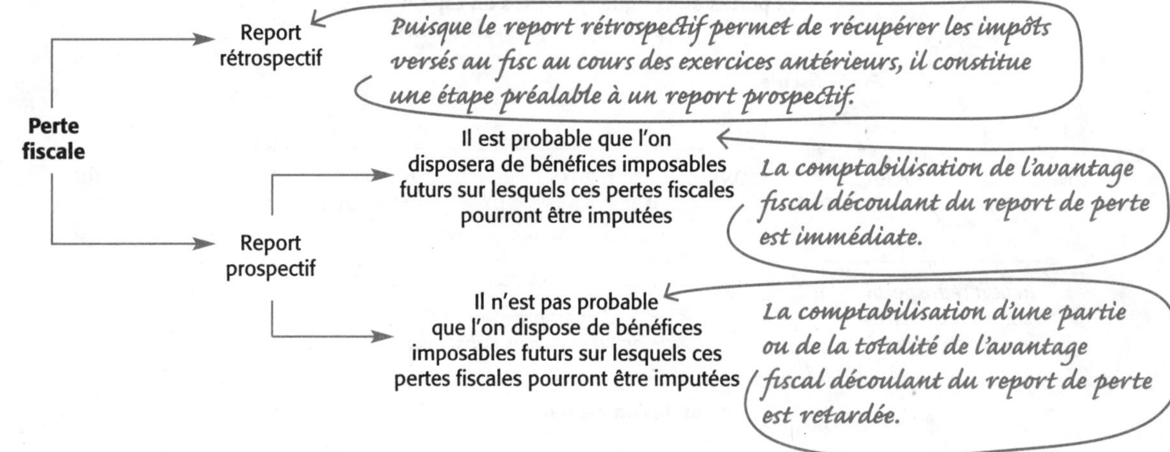

il n'y a dans ce cas aucune incertitude quant à la matérialisation de l'avantage fiscal qui découle du report de la perte. Par conséquent, l'IASB formule les recommandations suivantes à l'égard du report rétrospectif des pertes fiscales : « L'avantage lié à une perte fiscale pouvant être reportée en arrière pour recouvrer l'impôt exigible d'une période antérieure doit être comptabilisé en tant qu'actif [30] ».

EXEMPLE

Comptabilisation d'un report rétrospectif

Voici le rapprochement de base relatif aux opérations de la société Rétroactive ltée au 31 décembre de chaque année, ainsi que l'évolution des différences temporaires relatives aux immobilisations.

Voici le rapprochement du bénéfice comptable et du bénéfice imposable :

	20X1	20X2	20X3	20X4
Bénéfice comptable (perte)	50 000 $	100 000 $	60 000 $	(150 000) $
Amortissement comptable	10 000	10 000	10 000	10 000
Amortissement fiscal	(20 000)	(18 000)	(16 000)	(14 000)
Différence temporaire imposable [31]	(10 000)	(8 000)	(6 000)	(4 000)
Bénéfice imposable (perte fiscale)	40 000 $	92 000 $	54 000 $	(154 000) $
Taux d'imposition	40 %	42 %	44 %	45 %

Voici l'évolution des différences temporaires :

Date	Valeur comptable	Base fiscale	Différences temporaires	Taux (%)	Impôts différés
20X0-12-31	300 000 $	300 000 $			
20X1	(10 000)	(20 000)	10 000 $ ct	40	4 000 $ ct
20X1-12-31	290 000	280 000	10 000 ct	40	4 000 ct
20X2 ①					200 ct
②	(10 000)	(18 000)	8 000 ct	42	3 360 ct
20X2-12-31	280 000	262 000	18 000 ct	42	7 560 ct

30. *Manuel de CPA Canada – Comptabilité – Partie I*, IAS 12, paragr. 13.

31. Dans cet exemple, nous posons l'hypothèse qu'il n'y a qu'une seule différence temporaire qui s'accumule d'un exercice à l'autre.

Date		Valeur comptable	Base fiscale	Différences temporaires	Taux (%)	Impôts différés
20X3	③					360 ct
	②	(10 000)	(16 000)	6 000 ct	44	2 640 ct
20X3-12-31		270 000	246 000	24 000 ct	44	10 560 ct
20X4	④					240 ct
	②	(10 000)	(14 000)	4 000 ct	45	1 800 ct
20X4-12-31		260 000 $	232 000 $	28 000 $ ct	45	12 600 $ ct

Explications :

① Ajustement requis à la suite de l'augmentation du taux d'imposition [10 000 $ × (42 % – 40 %)]

② Amortissement comptable et amortissement fiscal de l'exercice

③ Ajustement requis à la suite de l'augmentation du taux d'imposition [18 000 $ × (44 % – 42 %)]

④ Ajustement requis à la suite de l'augmentation du taux d'imposition [24 000 $ × (45 % – 44 %)]

Voici les écritures de journal qui doivent être enregistrées par Rétroactive ltée le 31 décembre de chaque année :

31 décembre 20X1 [32]

Impôts sur le résultat – Exigibles		*16 000*	
Impôts exigibles (40 000 $ × 40 %)			*16 000*
Dette fiscale de l'exercice.			
Impôts sur le résultat – Différés (10 000 $ × 40 %)		*4 000*	
Passif d'impôt différé			*4 000*
Impôts différés de l'exercice.			

31 décembre 20X2

Impôts sur le résultat – Exigibles		*38 640*	
Impôts exigibles (92 000 $ × 42 %)			*38 640*
Dette fiscale de l'exercice.			
Impôts sur le résultat – Différés		*3 560*	
Passif d'impôt différé			*3 560*
Impôts différés de l'exercice établis comme suit :			
Passif d'impôt différé			
Solde requis au 31 décembre 20X2 (18 000 $ × 42 %)	*7 560 $*		
Solde au 31 décembre 20X1	*(4 000)*		
Somme à imputer en résultat net de 20X2	*3 560 $*		
La charge d'impôt différé de 20X2 se compose des éléments suivants :			
Ajustement du solde des impôts différés existant au début de l'exercice pour tenir compte du changement dans le taux d'imposition [10 000 $ × (42 % – 40 %)]	*200 $*		
Différences temporaires de l'exercice (8 000 $ × 42 %)	*3 360*		
	3 560 $		

31 décembre 20X3

Impôts sur le résultat – Exigibles		*23 760*	
Impôts exigibles (54 000 $ × 44 %)			*23 760*
Dette fiscale de l'exercice.			

32. Après avoir maîtrisé les concepts en jeu, certains opteront pour l'enregistrement d'une seule écriture. Dans notre analyse des situations décrites dans la figure 18.2, nous préférons fournir les détails de chaque opération afin que le lecteur puisse saisir les particularités de chaque cas.

		Débit	Crédit
Impôts sur le résultat – Différés		*3 000*	
Passif d'impôt différé			*3 000*
Impôts différés de l'exercice établis comme suit :			
Passif d'impôt différé			
Solde requis au 31 décembre 20X3 (24 000 $ × 44 %)	*10 560 $*		
Solde au 31 décembre 20X2	*(7 560)*		
Somme à imputer en résultat net de 20X3	*3 000 $*		
La charge d'impôt différé de 20X3 se compose des éléments suivants :			
Ajustement du solde des impôts différés existant au début de l'exercice pour tenir compte du changement dans le taux d'imposition [18 000 $ × (44 % – 42 %)]	*360 $*		
Différences temporaires de l'exercice (6 000 $ × 44 %)	*2 640*		
	3 000 $		
31 décembre 20X4			
Impôts recouvrables ①		*64 320*	
Impôts sur le résultat – Produit			*64 320*
Avantage fiscal découlant du report rétrospectif d'une perte fiscale de 154 000 $.			
Calcul :			
① 20X1 – (40 000 $ × 40 %)	16 000 $		
20X2 – (92 000 $ × 42 %)	38 640		
20X3 – (22 000 $ × 44 %)	9 680		
	64 320 $		
Impôts sur le résultat – Différés		*2 040*	
Passif d'impôt différé			*2 040*
Impôts différés de l'exercice établis comme suit :			
Passif d'impôt différé			
Solde requis au 31 décembre 20X4 (28 000 $ × 45 %)	*12 600 $*		
Solde au 31 décembre 20X3	*(10 560)*		
Somme à imputer en résultat net de 20X4	*2 040 $*		
La charge d'impôt différé de 20X4 se compose des éléments suivants :			
Ajustement du solde des impôts différés existant au début de l'exercice pour tenir compte du changement dans le taux d'imposition [24 000 $ × (45 % – 44 %)]	*240 $*		
Différences temporaires de l'exercice (4 000 $ × 45 %)	*1 800*		
	2 040 $		

La présentation dans les états financiers

La présentation dans les états financiers des divers postes qui composent les écritures précédentes doit être conforme aux recommandations générales décrites auparavant.

EXEMPLE

Présentation d'un report rétrospectif de pertes fiscales dans les états financiers

Voici des extraits des états financiers de Rétroactive ltée[33] :

RÉTROACTIVE LTÉE
Résultat global partiel
de l'exercice terminé le 31 décembre

	20X1	20X2	20X3	20X4
Bénéfice (perte) avant impôts	50 000 $	100 000 $	60 000 $	(150 000) $
Impôts sur le résultat				
Exigibles (recouvrables)	16 000	38 640	23 760	(64 320)
Différés[34]				
Rattachés à l'apparition de différences temporaires	4 000	3 360	2 640	1 800
Découlant d'une modification du taux d'imposition		200	360	240
	20 000	42 200	26 760	(62 280)
Bénéfice net (perte nette)	30 000 $	57 800 $	33 240 $	(87 720) $

RÉTROACTIVE LTÉE
Situation financière partielle
au 31 décembre

	20X1	20X2	20X3	20X4
Actif courant				
Impôts recouvrables				64 320 $
Passif non courant				
Passif d'impôt différé	4 000 $	7 560 $	10 560 $	12 600
Passif courant				
Impôts exigibles	16 000	38 640	23 760	

RÉTROACTIVE LTÉE
Flux de trésorerie partiels
de l'exercice terminé le 31 décembre

	20X1	20X2	20X3	20X4
Activités d'exploitation[35]				
Bénéfice net (perte nette)	30 000 $	57 800 $	33 240 $	(87 720) $
Éléments sans effet sur la trésorerie				
Amortissement	10 000	10 000	10 000	10 000
Impôts différés	4 000	3 560	3 000	2 040
Variation de certains actifs et passifs courants hors trésorerie				
Augmentation (diminution) des impôts exigibles	16 000	22 640	(14 880)	(23 760)
Augmentation des impôts recouvrables				(64 320)

33. Pour simplifier cet exemple, nous tenons pour acquis que la société ne verse aucun acompte provisionnel, mais qu'elle paie la totalité des impôts exigibles en un seul versement lors de la production de ses déclarations fiscales.

34. Rappelons que l'IASB n'exige pas expressément la présentation des composantes des impôts différés dans l'état du résultat global. Cette information pourrait être fournie dans les notes.

35. Nous illustrons ici la présentation de la section Activités d'exploitation en ayant recours à la méthode indirecte, même si l'entreprise aurait pu utiliser la méthode directe.

La récupération des 64 320 $ d'impôts versés au cours des 3 exercices précédents ne donne pas lieu à un redressement de la charge fiscale comptabilisée par Rétroactive ltée en 20X1, 20X2 et 20X3. Cette récupération est comptabilisée à titre de produit au cours de l'exercice 20X4, permettant ainsi de réduire le montant de la perte qui sera présentée dans l'état du résultat global.

L'intégralité de l'exemple de Rétroactive ltée permet de faire ressortir les commentaires suivants :

1. Puisque la société a subi une perte fiscale (154 000 $) inférieure au total des bénéfices imposables des 3 exercices précédents (186 000 $), elle pourra récupérer une partie des impôts versés (64 320 $). Il est à signaler que la société a d'abord récupéré les impôts versés au cours de l'exercice le plus ancien, soit 20X1. Si elle devait subir une autre perte en 20X5, le bénéfice imposable de 20X1 ne serait pas admissible au report de cette nouvelle perte ; en règle générale, il est donc préférable d'appliquer d'abord le report à l'exercice le plus ancien.

   Par contre, si la société prévoit réaliser des bénéfices imposables au cours des exercices à venir, deux options doivent être étudiées :

   a) Si l'entreprise prévoit réaliser des bénéfices imposables modestes au cours de chacun des 3 prochains exercices, il serait préférable qu'elle reporte la perte fiscale de 154 000 $ de la façon suivante sur les exercices précédents.

20X3 – (54 000 $ × 44 %)	*23 760 $*
20X2 – (92 000 $ × 42 %)	*38 640*
20X1 – (8 000 $ × 40 %)	*3 200*
Impôts recouvrables	*65 600 $*

   En procédant ainsi, elle récupérerait 1 280 $ de plus (65 600 $ – 64 320 $).

   b) Si la société prévoit réaliser des bénéfices imposables importants au cours des exercices à venir et que l'on prévoit une hausse des taux d'imposition, il pourrait être plus avantageux pour elle de ne pas effectuer de report rétrospectif et d'appliquer la perte fiscale aux bénéfices imposables des exercices à venir.

   Comme le lecteur l'aura sans doute constaté, le report d'une perte fiscale lorsqu'il y a variation des taux d'imposition requiert bien plus qu'une technique comptable efficace ; il faut également faire preuve de beaucoup de jugement dans l'analyse de la situation.

2. Même si la société augmente ainsi la perte fiscale, elle s'est prévalue de la déduction maximale pour amortissement permise en 20X4 (14 000 $). Il s'agit d'une décision visant exclusivement à recouvrer la plus grande partie possible des impôts versés au fisc au cours des exercices précédents. La direction peut soit prendre un amortissement fiscal maximal et ainsi récupérer immédiatement le montant d'argent le plus élevé possible (64 320 $ aujourd'hui), soit ne pas prendre d'amortissement fiscal et attendre à plus tard pour bénéficier pendant une plus longue période des déductions pour amortissement (900 $ par année, pendant un peu plus de 7 ans, avant d'atteindre le même montant). La synthèse, à la page 18.41, illustre bien ces deux extrêmes. Les données relatives aux exercices subséquents sont hypothétiques.

Le report prospectif d'une perte fiscale

Comme nous l'avons déjà mentionné, lorsqu'une entreprise subit une perte fiscale d'exploitation au cours d'un exercice donné, le premier réflexe de ses dirigeants est de songer à un report rétrospectif. Que se passe-t-il si le montant de la perte fiscale excède les bénéfices imposables des trois exercices précédents ? Après avoir effectué le report rétrospectif, les dirigeants se tournent vers les exercices à venir afin de procéder à un **report prospectif** du solde de la perte. La figure 18.2 présentée précédemment décrit brièvement les diverses situations qui peuvent se présenter selon qu'il est probable ou non de pouvoir tirer parti du report de la perte fiscale.

Synthèse de l'incidence de la déduction pour amortissement lors du report d'une perte fiscale sur les exercices antérieurs

Option A – Amortissement fiscal maximal en 20X4

Le rapprochement est effectué de haut en bas.

	20X4	20X5	20X6	20X7	20X8	20X9	20Y0	20Y1
Bénéfice comptable (perte)	(150 000) $	100 000 $	100 000 $	100 000 $	100 000 $	100 000 $	100 000 $	100 000 $
Amortissement comptable	10 000	10 000	10 000	10 000	10 000	10 000	10 000	10 000
Amortissement fiscal	(14 000)	(12 000)	(10 000)	(8 000)	(6 000)	(4 000)	(2 000)	
Perte déductible	(154 000) $							
Bénéfice imposable		98 000	100 000	102 000	104 000	106 000	108 000	110 000
Taux d'imposition		45 %	45 %	45 %	45 %	45 %	45 %	45 %
Impôts exigibles (recouvrables)	(64 320) $	44 100 $	45 000 $	45 900 $	46 800 $	47 700 $	48 600 $	49 500 $

Option A
Recouvrement immédiat de 6 160 $

Option B
Réduction des impôts à payer de 900 $ au cours des 7 prochains exercices, pour un total de 6 300 $

Le rapprochement est effectué de bas en haut.

Impôts exigibles (recouvrables)	(58 160) $*	43 200 $	44 100 $	45 000 $	45 900 $	46 800 $	47 700 $	48 600 $
Taux d'imposition		45 %	45 %	45 %	45 %	45 %	45 %	45 %
Bénéfice imposable		96 000	98 000	100 000	102 000	104 000	106 000	108 000
Perte déductible	(140 000) $							
Amortissement fiscal		(14 000)	(12 000)	(10 000)	(8 000)	(6 000)	(4 000)	(2 000)
Amortissement comptable	10 000	10 000	10 000	10 000	10 000	10 000	10 000	10 000
Bénéfice comptable (perte)	(150 000) $	100 000 $	100 000 $	100 000 $	100 000 $	100 000 $	100 000 $	100 000 $
	20X4	**20X5**	**20X6**	**20X7**	**20X8**	**20X9**	**20Y0**	**20Y1**

Option B – Aucun amortissement fiscal en 20X4

* [(40 000 $ × 40 %) + (92 000 $ × 42 %) + (8 000 $ × 44 %)]

Le report prospectif d'une perte fiscale non utilisée se traduit par la comptabilisation d'un actif d'impôt différé, puisqu'il permettra de générer des avantages économiques futurs en réduisant la facture fiscale des exercices subséquents. Cependant, un tel actif n'est comptabilisé que dans la mesure où il est probable que l'entreprise disposera de bénéfices imposables futurs sur lesquels les pertes fiscales pourront être imputées.

La notion de probabilité

Comme le précise l'IASB, les critères de comptabilisation des actifs d'impôt différé découlant du report en avant de pertes fiscales sont les mêmes que ceux retenus pour la comptabilisation d'un actif d'impôt différé découlant de différences temporaires déductibles, à savoir qu'il est probable[36] qu'un bénéfice imposable sur lequel les différences temporaires déductibles pourront être imputées sera disponible. Toutefois, l'existence de pertes fiscales non utilisées constitue une indication forte que des bénéfices imposables futurs risquent de ne pas être disponibles et, par conséquent, la comptabilisation des actifs d'impôt différé relativement aux pertes d'une entreprise est soumise à des conditions additionnelles.

Ainsi, l'IASB indique que lorsqu'une entreprise a un historique de pertes récentes, elle ne peut comptabiliser un actif d'impôt différé au titre de ses pertes fiscales que dans la mesure où elle dispose de différences temporaires imposables suffisantes ou d'autres indications convaincantes montrant qu'elle disposera de bénéfices imposables suffisants sur lesquels pourront être imputées les pertes fiscales non utilisées comptabilisées à titre d'actif d'impôt différé.

Pour évaluer la probabilité que l'entreprise dégage des bénéfices imposables sur lesquels imputer les pertes fiscales non utilisées, l'IASB formule certains critères, que nous présentons et commentons dans le tableau 18.4.

L'analyse de ces critères montre qu'il est nécessaire de faire **preuve de jugement** lors de la comptabilisation d'un actif d'impôt différé, principalement lorsque ce dernier est imputable à un report de perte prospectif. L'IASB précise d'ailleurs à ce sujet que lorsqu'il « n'est pas probable que l'entité disposera d'un bénéfice imposable auquel elle pourra imputer les pertes fiscales ou les crédits d'impôt non utilisés, l'actif d'impôt différé n'est pas comptabilisé[37] ».

Précisons enfin que, tout comme dans le cas des actifs d'impôt différé liés aux différences temporaires déductibles, les actifs d'impôt différé relatifs au report de pertes non utilisées doivent faire l'objet d'une réévaluation à chaque date de clôture. Cette évaluation doit permettre d'établir si l'avantage lié aux pertes non utilisées qui n'a pas été comptabilisé à titre d'actif d'impôt différé peut maintenant être comptabilisé à la suite de nouvelles perspectives concernant la probabilité que des bénéfices imposables futurs puissent permettre leur utilisation. L'inverse pourrait également se produire. Les actifs d'impôt différé liés aux pertes non utilisées déjà comptabilisés pourraient devoir être décomptabilisés, si les conditions qui prévalaient au moment de leur comptabilisation se sont détériorées au point de compromettre la probabilité que des bénéfices imposables futurs soient suffisants pour absorber les pertes non utilisées avant leur date d'expiration.

Afin de mieux comprendre les situations pouvant donner lieu à la comptabilisation d'un actif d'impôt différé lié à un report prospectif de pertes fiscales, nous nous intéresserons d'abord aux situations permettant de comptabiliser la totalité de l'avantage lié à une perte fiscale non utilisée, puis aux situations où seule une partie de cet avantage peut donner lieu à la comptabilisation d'un actif d'impôt différé.

La comptabilisation de la totalité de l'avantage découlant du report prospectif de la perte fiscale

La comptabilisation de la totalité de l'avantage découlant du report prospectif de la perte fiscale suppose que l'analyse des critères formulés par l'IASB permet de conclure qu'il est probable que l'entreprise disposera de bénéfices imposables futurs suffisants pour absorber la totalité des pertes non utilisées pour lesquelles elle envisage la comptabilisation d'un actif d'impôt différé.

36. Le terme « probable » n'est pas défini par l'IAS 12, mais, il est défini comme « plus probable qu'improbable » dans l'annexe A de l'**IFRS 5**.

37. *Manuel de CPA Canada – Comptabilité – Partie I*, IAS 12, paragr. 36.

TABLEAU 18.4 Les critères pour évaluer la probabilité qu'une entreprise dégage des bénéfices imposables sur lesquels imputer les pertes fiscales non utilisées

Critères d'évaluation, IAS 12	Commentaires
Paragr. 36 [...] *(a) l'entité dispose de différences temporaires imposables suffisantes auprès de la même administration fiscale et pour la même entité imposable, qui engendreront des montants imposables auxquels les pertes fiscales et crédits d'impôt non utilisés pourront être imputés avant qu'ils n'expirent ;*	Lorsqu'il existe des différences temporaires imposables, le seul fait de ne pas se prévaloir de certaines déductions fiscales peut provoquer l'apparition de bénéfices imposables. Pensons notamment à l'amortissement fiscal qu'une entreprise peut réclamer à sa seule discrétion. Le rapprochement de base suivant illustre cette façon de générer un bénéfice imposable : Bénéfice comptable θ $ Amortissement comptable 10 000 Amortissement fiscal θ Bénéfice imposable 10 000 $
(b) il est probable que l'entité dégagera des bénéfices imposables avant que les pertes fiscales ou les crédits d'impôt non utilisés n'expirent ;	L'évaluation des perspectives de bénéfices imposables futurs permet d'établir si ces derniers seront suffisants pour couvrir les pertes non utilisées que l'entreprise désire comptabiliser en tant qu'actif d'impôt différé. Lors de cette évaluation, l'entreprise ne doit pas prendre en compte les choix fiscaux qui, tout en permettant d'augmenter le bénéfice imposable, génèrent à leur tour des différences temporaires déductibles à l'origine de nouveaux actifs d'impôt différé (*voir l'IAS 12, paragr. 29(a)*).
(c) les pertes fiscales non utilisées résultent de causes identifiables qui ne se reproduiront vraisemblablement pas ; et	Un regard sur les résultats passés peut indiquer que la perte de l'exercice en cause est de nature inhabituelle et non susceptible de se répéter. Pensons notamment à une perte découlant d'une grève prolongée ou d'un tremblement de terre.
(d) il existe des opportunités liées à la gestion fiscale de l'entité [...] qui généreront un bénéfice imposable pendant la période au cours de laquelle les pertes fiscales ou les crédits d'impôt non utilisés pourront être imputés.	Des opportunités liées à la gestion fiscale sont des actions qu'entreprend l'entreprise pour créer ou augmenter son bénéfice imposable au cours des exercices se situant avant l'expiration des pertes non utilisées. Pour une société de placements, il pourrait s'agir d'encaisser des placements qui se sont appréciés, mais dont la base fiscale n'a pas été ajustée en conséquence en vue de dégager un bénéfice imposable qui permettra l'utilisation des pertes fiscales non utilisées.

EXEMPLE

Comptabilisation d'un report rétrospectif et prospectif complet – Partie A

Voici le rapprochement de base du bénéfice comptable et du bénéfice imposable de la société Présumay ltée :

	20X1 à 20X3	20X4	20X5	20X6
Bénéfice (perte) comptable	200 000 $	(300 000) $	3 000 $	198 000 $
Amortissement comptable	30 000	10 000	10 000	10 000
Amortissement fiscal	(40 000)	θ	θ	(18 000)
Différence temporaire	(10 000)	10 000	10 000	(8 000)
Bénéfice imposable (perte fiscale)[38]	190 000 $	(290 000) $	13 000 $	190 000 $
Taux d'imposition	40 %	44 %	38 %	40 %

38. Pour simplifier cet exemple, nous tenons pour acquis que la société ne verse aucun acompte provisionnel, mais qu'elle paie la totalité des impôts exigibles en un seul versement lors de la production de ses déclarations fiscales. De plus, nous posons l'hypothèse qu'il n'y a qu'une seule source de différences temporaires.

De plus, les données suivantes concernent les biens amortissables de la société au 31 décembre 20X0 :

Valeur comptable	350 000 $
Base fiscale (fraction non amortie du coût en capital)	(150 000)
Différences temporaires imposables cumulatives	200 000
Taux d'imposition en vigueur à la fin de 20X0	× 40 %
Passif d'impôt différé au 31 décembre 20X0	80 000 $

Après avoir analysé ces données, le contrôleur de la société a décidé qu'une partie (190 000 $) de la perte totale de 20X4 (290 000 $) sera portée sur les exercices précédents afin de récupérer les impôts versés. Pour comptabiliser le solde de la perte à reporter (100 000 $), il a tenu compte des faits suivants : 1) La perte fiscale non utilisée découle de causes reconnaissables qui ne se reproduiront vraisemblablement pas ; 2) L'entreprise dispose de différences temporaires imposables totalisant 200 000 $ et étant liées à la différence entre la base fiscale et la valeur comptable des immobilisations ; 3) L'évaluation des perspectives de bénéfices imposables futurs permet d'établir que les bénéfices comptables appréhendés pour les 20 prochains exercices sont incertains, mais devraient atteindre au moins 50 000 $; 4) La société ne se prévaudra d'aucun amortissement fiscal au cours des 20 prochains exercices, ce qui aura pour effet de générer 200 000 $ de bénéfices imposables supplémentaires. En effet, elle prévoit que l'amortissement comptable annuel sera de 10 000 $ au cours de cette période.

Comme l'illustre l'analyse qui suit, le rapprochement de base projeté repose sur le fait que la société estime probable de pouvoir réaliser la totalité du report de perte grâce, en partie, au fait qu'elle ne se prévaudra pas de certaines déductions fiscales.

	20X1 à 20X3	*20X4*	*20X5 à 20Z4*[39]
Bénéfice (perte) comptable	*200 000 $*	*(300 000) $*	*50 000 $*
Amortissement comptable	*30 000*	*10 000*	*200 000*
Amortissement fiscal	*(40 000)*	*θ*	*θ*
Différence temporaire	*(10 000)*	*10 000*	*200 000 $*
Bénéfice imposable (perte fiscale)	*190 000 $*	*(290 000) $*	*250 000 $*

Report rétrospectif 190 000 $ ← | → *Report prospectif 100 000 $*

Bénéfice « naturel » appréhendé (50 000 $)

Différences temporaires prévues (200 000 $)

Cette analyse montre bien que les bénéfices appréhendés des 20 prochaines années ne sont pas suffisants pour justifier la comptabilisation d'un actif d'impôt différé pour le report prospectif du solde de 100 000 $ de la perte fiscale. Cependant, compte tenu du fait que Présumay ltée dispose de différences temporaires imposables totalisant 200 000 $ et qu'il lui sera possible de renverser ces différences en ne se prévalant pas d'un amortissement fiscal pendant 20 ans, elle est en mesure d'évaluer que ses bénéfices imposables des 20 prochaines années seront plus que suffisants pour absorber la perte fiscale de 100 000 $, ce qui lui permet de comptabiliser un actif d'impôt différé à cet égard.

18

39. Évidemment, les données de base concernant les exercices 20X5 et 20X6 n'étaient pas connues du contrôleur au moment d'effectuer ces prévisions.

Voici les écritures de journal qu'il convient d'enregistrer pour les trois premiers exercices :

20X1 à 20X3 (écriture globale[40])		
Impôts sur le résultat – Exigibles	*76 000*	
Impôts exigibles (190 000 $ × 40 %)		*76 000*
Dette fiscale de l'exercice.		
Impôts sur le résultat – Différés (10 000 $ × 40 %)	*4 000*	
Passif d'impôt différé		*4 000*
Impôts différés de l'exercice.		

Avant d'effectuer les écritures comptables de l'exercice 20X4 et des exercices subséquents, il importe de bien analyser la situation et de préparer des feuilles de travail qui permettront, au fil des ans, de suivre l'évolution de la prise en compte de la perte fiscale et de la perte comptable, ainsi que l'évolution des différences temporaires et de l'avantage fiscal probable. Ces feuilles de travail, qui seront utiles à cet égard, sont les suivantes :

1. **L'évolution des différences temporaires** L'objectif de cette feuille de travail est de suivre l'évolution des différences temporaires relatives aux immobilisations au fil des ans.
2. **L'évolution de la prise en compte de la perte fiscale** Il est important de suivre l'évolution des montants de la perte fiscale différée au fil des ans. Cette feuille de travail fournit aussi des renseignements sur le solde de la perte à reporter sur le plan fiscal.
3. **L'évolution du solde de l'avantage fiscal relatif à une perte à comptabiliser** Cette feuille de travail permet de voir la façon dont l'avantage fiscal découlant du report prospectif est comptabilisé dans le résultat net de l'entreprise. Il est aussi important de suivre l'évolution de la prise en considération de la perte fiscale, car le montant de la perte à reporter sur le plan fiscal diffère de celui qu'il reste à prendre en considération sur le plan comptable.
4. **L'évolution de l'actif d'impôt différé** L'objectif de cette feuille de travail est de suivre l'évolution de l'actif d'impôt différé relatif à l'avantage fiscal au fil des ans.

EXEMPLE

Comptabilisation d'un report rétrospectif et prospectif complet – Partie B

Bien que les feuilles de travail renferment tous les renseignements relatifs aux exercices 20X4 à 20X6, signalons que les écritures sont faites à la fin de chaque exercice en tenant compte uniquement de la situation de l'exercice en cause. Les feuilles de travail présentent des renseignements cumulatifs afin de donner une vue globale de la situation.

Voici l'évolution des différences temporaires :

Date		Valeur comptable	Base fiscale	Différences temporaires	Taux (%)	Impôts différés
20X0-12-31		350 000 $	150 000 $	200 000 $ ct	40	80 000 $ ct
20X1 à 20X3		(30 000)	(40 000)	10 000 ct	40	4 000 ct
20X3-12-31		320 000	110 000	210 000 ct	40	84 000 ct
20X4	①					8 400 ct
	②	(10 000)		10 000 dt	44	4 400 dt
20X4-12-31		310 000	110 000	200 000 ct	44	88 000 ct
20X5	③					12 000 dt
	②	(10 000)		10 000 dt	38	3 800 dt

40. Afin de ne pas alourdir inutilement cet exemple, nous avons groupé les résultats nets des trois exercices qui précèdent celui de la perte. De plus, il serait également possible de n'enregistrer qu'une seule écriture.

Date	Valeur comptable	Base fiscale	Différences temporaires	Taux (%)	Impôts différés
20X5-12-31	300 000	110 000	190 000 ct	38	72 200 ct
20X6 ④					3 800 ct
②	(10 000)	(18 000)	8 000 ct	40	3 200 ct
20X6-12-31	290 000 $	92 000 $	198 000 $ ct	40	79 200 $ ct

Explications :

① Ajustement requis à la suite de l'augmentation du taux d'imposition [210 000 $ × (44 % – 40 %)]

② Différences temporaires de l'exercice correspondant à la résorption des différences temporaires imposables. Remarquez que la différence temporaire de l'exercice est toujours comptabilisée au taux d'imposition en vigueur à la fin de l'exercice en cause.

③ Ajustement requis à la suite de la baisse du taux d'imposition [200 000 $ × (38 % – 44 %)]

④ Ajustement requis à la suite de l'augmentation du taux d'imposition [190 000 $ × (40 % – 38 %)]

L'évolution de la prise en compte de la perte fiscale

20X4	
Perte fiscale	290 000 $
Report rétrospectif (20X1 à 20X3)	(190 000)
Perte fiscale à reporter	100 000
20X5	
Report prospectif applicable au bénéfice imposable	(13 000)
Perte fiscale à reporter	87 000
20X6	
Report prospectif applicable sur le bénéfice imposable	(87 000)
Perte fiscale à reporter	0 $

L'évolution du solde de l'avantage fiscal relatif à une perte à comptabiliser

20X4	
Perte comptable	300 000 $
Différence temporaire de l'exercice	(10 000)
Perte fiscale	290 000
Report rétrospectif (20X1 à 20X3)	(190 000)
Report prospectif probable	(100 000)
Solde à comptabiliser	0 $

Voici l'évolution de l'actif d'impôt différé :

Date		Bénéfices imposables appréhendés (réels)	Taux (%)	Actif d'impôt différé – Avantage fiscal probable
20X4	Montant prévu	100 000 $	44	44 000 $
20X5	Ajustement requis①			(6 000)
	Montant réel	(13 000)	38	(4 940)
	Solde prévu	87 000	38	33 060
20X6	Ajustement requis②			1 740
	Montant réel	(87 000)	40	(34 800)
	Solde	0 $		0 $

Calculs :

① Ajustement requis à la suite de la diminution du taux d'imposition [100 000 $ × (38 % – 44 %)]

② Ajustement requis à la suite de l'augmentation du taux d'imposition [87 000 $ × (40 % – 38 %)]

Ces quatre feuilles de travail facilitent l'enregistrement des écritures requises à la fin de chacun des exercices 20X4, 20X5 et 20X6.

31 décembre 20X4

Impôts recouvrables (190 000 $ × 40 %)	*76 000*	
Impôts sur le résultat – Recouvrés		*76 000*

Avantage fiscal découlant du report rétrospectif d'une partie de la perte fiscale.

18

Impôts sur le résultat – Différés		*4 000*	
Passif d'impôt différé			*4 000*
Impôts différés relatifs aux différences temporaires de l'exercice établis comme suit :			
Passif d'impôt différé			
Solde requis au 31 décembre 20X4 (200 000 $ × 44 %)	*88 000 $*		
Solde au 31 décembre 20X3	*(84 000)*		
Somme à comptabiliser en résultat net de 20X4	*4 000 $*		
Ce montant de 4 000 $ se compose des éléments suivants :			
Ajustement du solde des impôts différés existant au début de l'exercice pour tenir compte du changement dans le taux d'imposition [210 000 $ × (44 % – 40 %)]	*8 400 $*		
Différences temporaires de l'exercice (10 000 $ × 44 %)	*(4 400)*		
	4 000 $		
Actif d'impôt différé – Avantage fiscal probable (100 000 $ × 44 %)		*44 000*	
Impôts sur le résultat – Différés			*44 000*
Avantage fiscal découlant du report prospectif d'une partie de la perte fiscale.			
31 décembre 20X5			
Impôts sur le résultat – Différés		*6 000*	
Actif d'impôt différé – Avantage fiscal probable [100 000 $ × (38 % – 44 %)]			*6 000*
Effet de la baisse du taux d'imposition sur le solde des impôts différés relatifs à l'avantage fiscal probable.			
Impôts sur le résultat – Différés		*4 940*	
Actif d'impôt différé – Avantage fiscal probable (13 000 $ × 38 %)			*4 940*
Charge annuelle d'impôts eu égard au report de la perte de 20X4 sur le bénéfice imposable de 20X5.			
Passif d'impôt différé		*15 800*	
Impôts sur le résultat – Différés			*15 800*
Impôts différés de l'exercice établis comme suit :			
Passif d'impôt différé			
Solde requis au 31 décembre 20X5 (190 000 $ × 38 %)	*72 200 $*		
Solde au 31 décembre 20X4	*(88 000)*		
Somme à comptabiliser en résultats de 20X5	*(15 800) $*		
Ce montant de 15 800 $ se compose des éléments suivants :			
Ajustement du solde des impôts différés existant au début de l'exercice pour tenir compte du changement dans le taux d'imposition [200 000 $ × (38 % – 44 %)]	*12 000 $*		
Différences temporaires (10 000 $ × 38 %)	*3 800*		
	15 800 $		
31 décembre 20X6			
Actif d'impôt différé – Avantage fiscal probable [87 000 $ × (40 % – 38 %)]		*1 740*	
Impôts sur le résultat – Différés			*1 740*
Effet de la hausse du taux d'imposition sur le solde des impôts différés relatifs à l'avantage fiscal probable.			

Impôts sur le résultat – Différés		*34 800*	
Impôts sur le résultat – Exigibles		*41 200*	
Actif d'impôt différé – Avantage fiscal probable (87 000 $ × 40 %)			*34 800*
Impôts exigibles [(190 000 $ – 87 000 $) × 40 %]			*41 200*
Charge annuelle d'impôts en tenant compte de la perte de 20X4 sur le bénéfice imposable de 20X6.			
Impôts sur le résultat – Différés		*7 000*	
Passif d'impôt différé			*7 000*
Impôts différés de l'exercice établis comme suit :			
Passif d'impôt différé			
Solde requis au 31 décembre 20X6 (198 000 $ × 40 %)	*79 200 $*		
Solde au 31 décembre 20X5	*(72 200)*		
Somme à comptabiliser en résultat net de 20X6	*7 000 $*		
Ce montant de 7 000 $ se compose des éléments suivants :			
Ajustement du solde des impôts différés existant au début de l'exercice pour tenir compte du changement dans le taux d'imposition [190 000 $ × (40 % – 38 %)]	*3 800 $*		
Différences temporaires de l'exercice (8 000 $ × 40 %)	*3 200*		
	7 000 $		

La présentation dans les états financiers
La présentation des divers postes qui composent ces écritures est semblable à celle des postes dont il a été question dans l'exemple de Rétroactive ltée (*voir les pages 18.36 à 18.40*).

EXEMPLE

Présentation d'un report rétrospectif et prospectif complet de pertes fiscales dans les états financiers

Voici des extraits des états financiers de Présumay ltée :

PRÉSUMAY LTÉE
Résultat global partiel
de l'exercice terminé le 31 décembre

	20X1 à 20X3	*20X4*	*20X5*	*20X6*
Bénéfice (perte) avant impôts	*200 000 $*	*(300 000) $*	*3 000 $*	*198 000 $*
Impôts sur le résultat				
Exigibles (recouvrables)	*76 000*	*(76 000)*		*41 200*
Différés				
Rattachés à l'apparition ou à la résorption de différences temporaires	*4 000*	*(4 400)*	*(3 800)*	*3 200*
Découlant d'une modification du taux d'imposition		*8 400*	*(12 000)*	*3 800*
Avantage fiscal probable lié au report de perte				
Montant applicable à l'exercice		*(44 000)*	*4 940*	*34 800*
Découlant d'une modification du taux d'imposition			*6 000*	*(1 740)*
	80 000	*(116 000)*	*(4 860)*	*81 260*
Bénéfice net (perte nette)	*120 000 $*	*(184 000) $*	*7 860 $*	*116 740 $*

PRÉSUMAY LTÉE
Situation financière partielle
au 31 décembre

	20X3	*20X4*	*20X5*	*20X6*
Actif courant				
Impôts recouvrables		*76 000 $*		
Passif courant				
Impôts exigibles	*76 000 $*			*41 200 $*
Passif non courant				
Impôts différés	*84 000*	*44 000*	*39 140 $*	*79 200*

PRÉSUMAY LTÉE
Flux de trésorerie partiels
de l'exercice terminé le 31 décembre

	20X1 à 20X3	*20X4*	*20X5*	*20X6*
Activités d'exploitation				
Bénéfice net (perte nette)	*120 000 $*	*(184 000) $*	*7 860 $*	*116 740 $*
Éléments sans effet sur la trésorerie				
Amortissement	*30 000*	*10 000*	*10 000*	*10 000*
Impôts différés	*4 000*	*(40 000)*	*(4 860)*	*40 060*
Variation de certains actifs et passifs courants hors trésorerie				
Augmentation (Diminution) des impôts exigibles	*76 000*	*(76 000)*		*41 200*
Diminution (Augmentation) des impôts recouvrables		*(76 000)*	*76 000*	

La récupération des 76 000 $ d'impôts versés au cours des exercices 20X1, 20X2 et 20X3 et la comptabilisation d'un actif d'impôt différé relatif à l'avantage probable découlant du report prospectif d'une partie de la perte permettent à Présumay ltée de réduire le montant de la perte qui sera présentée dans l'état du résultat global de l'exercice 20X4.

L'intégralité de l'exemple de Présumay ltée permet de faire ressortir les commentaires suivants :

1. Puisque la société a subi une perte fiscale (290 000 $) supérieure au total des bénéfices imposables des 3 exercices précédents (190 000 $), elle pourra récupérer la totalité des impôts versés (76 000 $). La perte reportée sur les exercices précédents donne lieu à un recouvrement calculé aux taux d'imposition en vigueur au cours des exercices précédents.
2. Même si l'application du report rétrospectif n'a pas permis d'absorber la totalité de la perte, l'avantage fiscal découlant du report du solde de la perte de 100 000 $ (290 000 $ – 190 000 $) a été comptabilisé eu égard au respect de la notion de probabilité. L'IASB précise qu'il faut calculer l'avantage fiscal aux taux « dont l'application est attendue sur la période au cours de laquelle l'actif sera réalisé ou le passif réglé, sur la base des taux d'impôt (et des lois fiscales) qui ont été adoptés ou quasi adoptés à la fin de la période de présentation de l'information financière[41] ».
3. Dans l'état du résultat global, nous avons opté pour une présentation détaillée des montants découlant des modifications des taux d'imposition. Même s'il ne s'agit pas là d'une exigence expresse de l'IASB, selon lequel il serait aussi possible de regrouper les effets des modifications des taux d'imposition applicables tant aux différences temporaires qu'à l'avantage fiscal découlant du report de la perte, nous préférons la ventilation de ces effets, ce qui rend possible le suivi de l'ensemble de l'avantage fiscal lié au report de perte de 44 000 $ comptabilisé en 20X4, dont la matérialisation survient en 20X5 et en 20X6 (4 940 $ + 6 000 $ + 34 800 $ – 1 740 $ = 44 000 $).

18

41. *Manuel de CPA Canada – Comptabilité – Partie I*, IAS 12, paragr. 47.

4. Comme l'exige l'IASB, l'actif d'impôt différé relatif aux pertes fiscales inutilisées et le passif d'impôt différé relatif aux différences temporaires imposables ont été compensés, et seul le montant net figure dans la section Passif non courant de l'état de la situation financière de Présumay ltée. Au 31 décembre 20X4, le montant du passif d'impôt différé présenté dans le passif non courant s'élève donc à 44 000 $ (88 000 $ – 44 000 $) et il s'élève à 39 140 $ au 31 décembre 20X5 (72 200 $ – 33 060 $).

La comptabilisation d'une partie de l'avantage découlant du report prospectif de la perte fiscale

Lorsque l'entreprise ne générera pas suffisamment de bénéfices imposables pour absorber la totalité de la perte fiscale, il est tout de même possible de comptabiliser un actif d'impôt différé pour la partie de la perte fiscale qui pourra être imputée à l'encontre des bénéfices imposables des années subséquentes.

EXEMPLE

Comptabilisation d'un report rétrospectif et prospectif partiel

Voici le rapprochement de base du bénéfice comptable et du bénéfice imposable relatif aux opérations de la société Hinsertaine ltée au 31 décembre de chaque année :

	20X1 à 20X3	20X4	20X5	20X6
Bénéfice (perte) comptable	150 000 $	(910 000) $	50 000 $	708 000 $
Amortissement comptable	60 000	20 000	20 000	20 000
Amortissement fiscal	(70 000)	θ	θ	(28 000)
Différence temporaire	(10 000)	20 000	20 000	(8 000)
Bénéfice imposable (perte fiscale)[42]	140 000 $	(890 000) $	70 000 $	700 000 $
Taux d'imposition	40 %	38 %	37 %	42 %

De plus, supposons les données suivantes relatives aux biens amortissables de la société au 31 décembre 20X0 :

Valeur comptable	420 000 $
Base fiscale (fraction non amortie du coût en capital)	(250 000)
Différences temporaires imposables cumulatives	170 000
Taux d'imposition en vigueur à la fin de 20X0	× 40 %
Passif d'impôt différé au 31 décembre 20X0	68 000 $

Après avoir analysé ces données, le contrôleur de la société a décidé qu'une partie (140 000 $) de la perte totale de 20X4 (890 000 $) sera reportée sur les exercices précédents afin de récupérer les impôts versés.

Quant au solde de la perte à reporter, de 750 000 $ (890 000 $ – 140 000 $), les éléments suivants ont été rassemblés : 1) La perte est attribuable à plusieurs causes dont certaines sont susceptibles de se répéter ; 2) Des bénéfices avant impôts au montant de 260 000 $ devraient pouvoir être générés pendant la période de report de 20 ans ; 3) Si la société se prive de déduction fiscale pour amortissement, les différences temporaires imposables de 160 000 $ relatives aux immobilisations pourront se résorber, générant ainsi 160 000 $ de bénéfices imposables additionnels.

Comme l'illustre l'analyse qui suit, le rapprochement de base projeté fait ressortir l'improbabilité d'absorber toute la perte. Toutefois, la société estime probable de pouvoir réaliser une portion du report de perte grâce, en partie, au fait qu'elle ne se prévaudra pas de certaines déductions fiscales et qu'elle retrouvera sa rentabilité d'antan.

18

42. Encore une fois, pour simplifier cet exemple, nous tenons pour acquis que la société ne verse aucun acompte provisionnel, mais qu'elle paie la totalité des impôts exigibles en un seul versement lors de la production de ses déclarations fiscales. De plus, nous posons l'hypothèse qu'il n'y a qu'une seule source de différences temporaires.

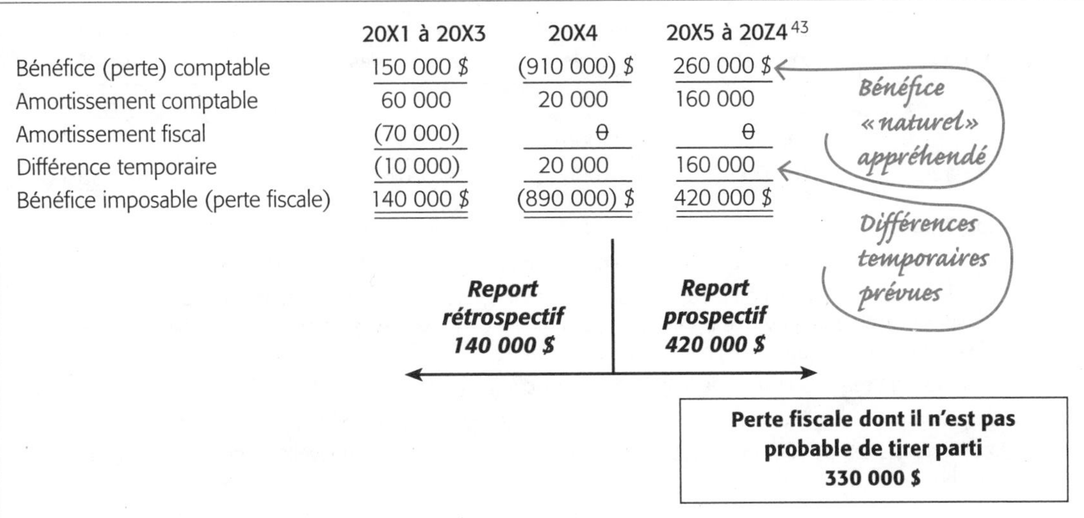

	20X1 à 20X3	20X4	20X5 à 20Z4[43]
Bénéfice (perte) comptable	150 000 $	(910 000) $	260 000 $
Amortissement comptable	60 000	20 000	160 000
Amortissement fiscal	(70 000)	θ	θ
Différence temporaire	(10 000)	20 000	160 000
Bénéfice imposable (perte fiscale)	140 000 $	(890 000) $	420 000 $

Voici les écritures de journal qu'il convient d'enregistrer pour les trois premiers exercices :

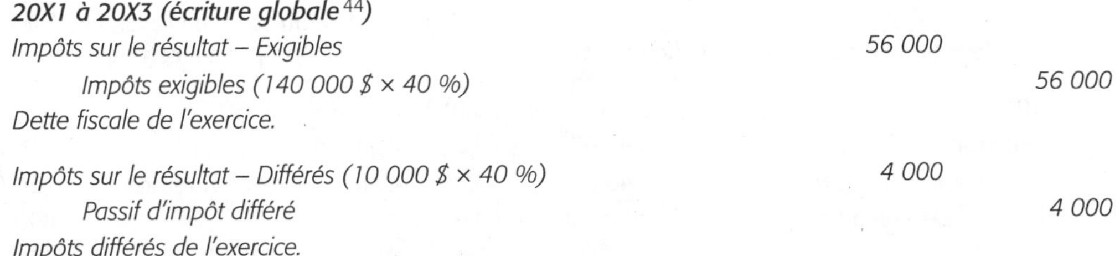

20X1 à 20X3 (écriture globale[44])

Impôts sur le résultat – Exigibles	*56 000*	
Impôts exigibles (140 000 $ × 40 %)		*56 000*
Dette fiscale de l'exercice.		
Impôts sur le résultat – Différés (10 000 $ × 40 %)	*4 000*	
Passif d'impôt différé		*4 000*
Impôts différés de l'exercice.		

Avant d'effectuer les écritures comptables de l'exercice 20X4 et des exercices subséquents, il importe encore une fois de bien analyser la situation et de préparer les quatre feuilles de travail suivantes : l'évolution des différences temporaires, l'évolution de la prise en compte de la perte fiscale, l'évolution du solde de l'avantage fiscal relatif à une perte à comptabiliser et l'évolution de l'actif d'impôt différé.

Bien que les feuilles de travail renferment tous les renseignements relatifs au présent exemple, signalons que les écritures sont faites à la fin de chaque exercice, en tenant compte uniquement de la situation de l'exercice en cause. Les feuilles de travail présentent des renseignements cumulatifs afin de donner une vue globale de la situation.

Voici la feuille de travail qui présente l'évolution des différences temporaires :

Date	Valeur comptable	Base fiscale	Différences temporaires	Taux (%)	Impôts différés
20X0-12-31	420 000 $	250 000 $	170 000 $ ct	40	68 000 $ ct
20X1 à 20X3	(60 000)	(70 000)	10 000 ct	40	4 000 ct
20X3-12-31	360 000	180 000	180 000 ct	40	72 000 ct
20X4 ①					3 600 dt
②	(20 000)		20 000 dt	38	7 600 dt
20X4-12-31	340 000	180 000	160 000 ct	38	60 800 ct
20X5 ③					1 600 dt
②	(20 000)		20 000 dt	37	7 400 dt
20X5-12-31	320 000	180 000	140 000		51 800 dt

18

43. Évidemment, les données de base concernant les exercices 20X5 et 20X6 n'étaient pas connues du contrôleur au moment d'effectuer ces prévisions.

44. Afin de ne pas alourdir inutilement cet exemple, nous avons regroupé les résultats nets des trois exercices qui précèdent l'exercice de la perte. De plus, il serait également possible de n'enregistrer qu'une seule écriture.

Date		Valeur comptable	Base fiscale	Différences temporaires	Taux (%)	Impôts différés
20X6	④					7 000 ct
	⑤	(20 000)	(28 000)	8 000 ct	42	3 360 ct
20X6-12-31		300 000 $	152 000 $	148 000 $ ct	42	62 160 $ ct

Explications :

① Ajustement requis à la suite de la baisse du taux d'imposition [180 000 $ × (38 % – 40 %)]

② Différences temporaires de l'exercice correspondant à la résorption de différences temporaires imposables. Remarquez que la différence temporaire de l'exercice est toujours comptabilisée au taux d'imposition en vigueur à la fin de l'exercice en cause.

③ Ajustement requis à la suite de la baisse du taux d'imposition [160 000 $ × (37 % – 38 %)]

④ Ajustement requis à la suite de la hausse du taux d'imposition [140 000 $ × (42 % – 37 %)]

⑤ Différences temporaires de l'exercice correspondant à la création de nouvelles différences temporaires imposables

Voici les feuilles de travail qui présentent l'évolution de la prise en compte de la perte fiscale et l'évolution du solde de l'avantage fiscal relatif à une perte à comptabiliser :

L'évolution de la perte fiscale non utilisée	
20X4	
Perte fiscale	890 000 $
Report rétrospectif (20X1 à 20X3)	(140 000)
Perte fiscale à reporter	750 000
20X5	
Report prospectif applicable au bénéfice imposable	(70 000)
Perte fiscale à reporter	680 000
20X6	
Report prospectif applicable au bénéfice imposable	(680 000)
Perte fiscale à reporter	0 $

L'évolution du solde de l'avantage fiscal relatif à une perte à comptabiliser	
20X4	
Perte comptable	910 000 $
Différence temporaire de l'exercice	(20 000)
Perte fiscale	890 000
Report rétrospectif (20X1 à 20X3)	(140 000)
Report prospectif probable	(420 000)
Solde à comptabiliser	330 000
20X5	
Aucun élément non appréhendé ①	θ
Solde à comptabiliser	330 000
20X6	
Report prospectif applicable au bénéfice imposable ②	(330 000)
Solde à comptabiliser	0 $

Explications :

① En 20X4, nous avons déjà comptabilisé, par anticipation, les avantages d'impôt différé relatifs à la perte fiscale de 420 000 $. En 20X5, nous assistons à la matérialisation d'une première tranche de 70 000 $; d'où un solde de 350 000 $ comptabilisé par anticipation. Nous présumons ici que les estimations initiales des bénéfices imposables futurs ne sont pas remises en cause.

② En 20X6, puisque nous assistons à la matérialisation du solde de la perte fiscale, nous pouvons également comptabiliser de façon prospective le solde de l'avantage découlant du report de perte non comptabilisé en 20X4.

Voici la feuille de travail qui présente l'évolution de l'actif d'impôt différé :

Date		Bénéfices imposables appréhendés (réels)	Taux (%)	Actif d'impôt différé – Avantage fiscal probable
20X4	Montant prévu	420 000 $	38	159 600 $
20X5	Ajustement requis ①			(4 200)
	Montant réel	(70 000)	37	(25 900)
	Solde prévu	350 000	37	129 500

18

Date		Bénéfices imposables appréhendés (réels)	Taux (%)	Actif d'impôt différé – Avantage fiscal probable
20X6	Ajustement requis ②			17 500
	Montant réel	(350 000)	42	(147 000)
	Solde	0 $		0 $

Calculs :

① [420 000 $ × (37 % – 38 %)]

② [350 000 $ × (42 % – 37 %)]

Ces quatre feuilles de travail facilitent l'enregistrement des écritures requises à la fin de chacun des exercices 20X4, 20X5 et 20X6.

31 décembre 20X4

Impôts recouvrables (140 000 $ × 40 %)		*56 000*	
Impôts sur le résultat – Produit			*56 000*
Avantage fiscal découlant du report rétrospectif d'une partie de la perte fiscale.			
Passif d'impôt différé		*11 200*	
Impôts sur le résultat – Différés			*11 200*
Impôts différés relatifs aux différences temporaires de l'exercice établis comme suit :			
Passif d'impôt différé			
Solde requis au 31 décembre 20X4 (160 000 $ × 38 %)	*60 800 $*		
Solde au 31 décembre 20X3	*(72 000)*		
Somme à comptabiliser en résultat net de 20X4	*(11 200) $*		
Ce montant de 11 200 $ se compose des éléments suivants :			
Ajustement du solde des impôts différés existant au début de l'exercice pour tenir compte du changement dans le taux d'imposition [180 000 $ × (40 % – 38 %)]	*3 600 $*		
Différences temporaires de l'exercice (20 000 $ × 38 %)	*7 600*		
	11 200 $		
Actif d'impôt différé – Avantage fiscal probable (420 000 $ × 38 %)		*159 600*	
Impôts sur le résultat – Différés			*159 600*
Avantage fiscal découlant du report prospectif d'une partie de la perte fiscale.			

31 décembre 20X5

Impôts sur le résultat – Différés	*4 200*	
Actif d'impôt différé – Avantage fiscal probable [420 000 $ × (37 % – 38 %)]		*4 200*
Effet de la baisse du taux d'imposition sur le solde des impôts différés relatifs à l'avantage fiscal probable.		
Impôts sur le résultat – Différés	*25 900*	
Actif d'impôt différé – Avantage fiscal probable (70 000 $ × 37 %)		*25 900*
Charge d'impôts de l'exercice eu égard au report de la perte de 20X4 sur le bénéfice imposable de 20X5.		

		Débit	Crédit
Passif d'impôt différé		*9 000*	
Impôts sur le résultat – Différés			*9 000*
Impôts différés de l'exercice établis comme suit :			
Passif d'impôt différé			
Solde requis au 31 décembre 20X5	*51 800 $*		
Solde au 31 décembre 20X4	*(60 800)*		
Somme à comptabiliser en résultat net de 20X5	*(9 000) $*		
Ce montant de 9 000 $ se compose des éléments suivants :			
Ajustement du solde des impôts différés existant au début de l'exercice pour tenir compte du changement dans le taux d'imposition [160 000 $ × (38 % – 37 %)]	*1 600 $*		
Différences temporaires de l'exercice (20 000 $ × 37 %)	*7 400*		
	9 000 $		
31 décembre 20X6			
Actif d'impôt différé – Avantage fiscal probable [350 000 $ × (42 % – 37 %)]		*17 500*	
Impôts sur le résultat – Différés			*17 500*
Effet de la hausse du taux d'imposition sur le solde des impôts différés relatifs à l'avantage fiscal probable.			
Impôts sur le résultat – Différés		*147 000*	
Impôts sur le résultat – Exigibles		*8 400*	
Actif d'impôt différé – Avantage fiscal probable (350 000 $ × 42 %)			*147 000*
Impôts exigibles [(700 000 $ – 680 000 $) × 42 %]			*8 400*
Charge d'impôts de l'exercice en tenant compte du report de la perte de 20X4 sur le bénéfice imposable de 20X6.			
Impôts sur le résultat – Différés		*10 360*	
Passif d'impôt différé			*10 360*
Impôts différés de l'exercice établis comme suit :			
Passif d'impôt différé			
Solde requis au 31 décembre 20X6 (148 000 $ × 42 %)	*62 160 $*		
Solde au 31 décembre 20X5	*(51 800)*		
Somme à comptabiliser en résultat net de 20X6	*(10 360) $*		
Ce montant de 10 360 $ se compose des éléments suivants :			
Ajustement du solde des impôts différés existant au début de l'exercice pour tenir compte du changement dans le taux d'imposition [140 000 $ × (42 % – 37 %)]	*7 000 $*		
Différences temporaires de l'exercice (8 000 $ × 42 %)	*3 360*		
	10 360 $		

18

La présentation dans les états financiers

La présentation des divers postes qui composent ces écritures est semblable à celle des postes dont il a été question dans l'exemple de Présumay ltée.

EXEMPLE

Présentation d'un report rétrospectif et prospectif partiel de pertes fiscales dans les états financiers

Voici des extraits des états financiers de Hinsertaine ltée :

HINSERTAINE LTÉE
Résultat global partiel
de l'exercice terminé le 31 décembre

	20X1 à 20X3	20X4	20X5	20X6
Bénéfice (perte) avant impôts	150 000 $	(910 000) $	50 000 $	708 000 $
Impôts sur le résultat				
Exigibles (recouvrables)	56 000	(56 000)		8 400
Différés				
Rattachés à l'apparition ou à la résorption de différences temporaires	4 000	(7 600)	(7 400)	3 360
Découlant d'une modification du taux d'imposition		(3 600)	(1 600)	7 000
Avantage fiscal probable lié au report de perte				
Montant applicable à l'exercice		(159 600)	25 900	147 000
Découlant d'une modification du taux d'imposition			4 200	(17 500)
	60 000	(226 800)	21 100	148 260
Bénéfice net (perte nette)	90 000 $	(683 200) $	28 900 $	559 740 $

HINSERTAINE LTÉE
Situation financière partielle
au 31 décembre

	20X3	20X4	20X5	20X6
Actif courant				
Impôts recouvrables		56 000 $		
Actif non courant				
Impôts différés		98 800	77 700 $	
Passif courant				
Impôts exigibles	56 000 $			8 400 $
Passif non courant				
Impôts différés	72 000			62 160

HINSERTAINE LTÉE
Flux de trésorerie partiels
de l'exercice terminé le 31 décembre

	20X1 à 20X3	20X4	20X5	20X6
Activités d'exploitation				
Bénéfice net (perte nette)	90 000 $	(683 200) $	28 900 $	559 740 $
Éléments sans effet sur la trésorerie				
Amortissement	60 000	20 000	20 000	20 000
Impôts différés	4 000	(170 800)	21 100	139 860

18

	20X1 à 20X3	20X4	20X5	20X6
Variation de certains actifs et passifs courants hors trésorerie				
Augmentation (Diminution) des impôts exigibles	*56 000*	*(56 000)*		*8 400*
Augmentation des impôts recouvrables		*(56 000)*		

Les avantages découlant du report prospectif des pertes non comptabilisées se traduisent par une réduction de la charge d'impôts dans l'exercice au cours duquel le report prospectif de la perte non comptabilisée se matérialise.

L'intégralité de l'exemple de Hinsertaine ltée permet de faire ressortir les commentaires suivants :

1. Puisque la société a subi une perte fiscale (890 000 $) supérieure au total des bénéfices imposables des 3 exercices précédents (140 000 $), elle pourra récupérer la totalité des impôts versés (56 000 $) pendant ces exercices. La perte reportée sur les exercices précédents donne lieu à un recouvrement calculé aux taux d'imposition en vigueur au cours de ces exercices.
2. L'application du report rétrospectif aux exercices 20X1, 20X2 et 20X3 n'a pas permis d'absorber la totalité de la perte fiscale. Ainsi, sur le plan fiscal, au 31 décembre 20X4, il existe un solde de perte de 750 000 $ (déterminé à partir des données fournies dans les feuilles de travail qui présentent l'évolution de la prise en compte de la perte fiscale et l'évolution du solde de l'avantage fiscal relatif à une perte à comptabiliser, *voir la page 18.52*) disponible pour les exercices à venir.
3. Sur le plan comptable, il est toutefois possible de comptabiliser immédiatement la portion de l'avantage fiscal pour laquelle il est probable qu'il se matérialisera, d'où l'apparition du compte Actif d'impôt différé – Avantage fiscal probable.
4. Remarquez également que la décision de ne pas prendre d'amortissement fiscal en 20X4 et 20X5 entraîne un renversement des différences temporaires imposables.

   Que se passerait-il si nous étions plutôt en présence de la création de nouvelles différences temporaires déductibles ? L'IASB exige que le montant comptabilisé à titre d'actif d'impôt différé soit limité au montant correspondant aux avantages futurs escomptés. Cela signifie que, pour comptabiliser de telles différences temporaires déductibles, la société devrait juger qu'il est probable qu'un bénéfice imposable, sur lequel ces différences temporaires pourront être imputées, sera disponible. Dans le cas contraire, les différences temporaires déductibles ne sont pas comptabilisées.
5. Dans l'état du résultat global, nous avons opté encore une fois pour une présentation détaillée des montants découlant des modifications des taux d'imposition. Même s'il ne s'agit pas là d'une exigence expresse de l'IASB, nous préférons effectuer la ventilation de ces effets, rendant ainsi possible le suivi de l'ensemble de l'avantage fiscal probable lié au report de perte de 159 600 $ comptabilisé en 20X4, dont la matérialisation survient en 20X5 et en 20X6 (25 900 $ + 4 200 $ + 147 000 $ – 17 500 $ = 159 600 $).
6. Comme l'exige l'IASB, l'actif d'impôt différé relatif aux pertes fiscales inutilisées et le passif d'impôt différé relatif aux différences temporaires imposables ont été compensés, et seul le montant net figure, selon la situation, dans la section Passif non courant ou Actif non courant de l'état de la situation financière d'Hinsertaine ltée.
7. Les montants à présenter dans les notes complémentaires portant sur le report des pertes fiscales peuvent être déterminés à partir des données fournies dans les feuilles de travail d'évolution de la perte fiscale non utilisée et d'évolution du solde de l'avantage fiscal relatif à une perte à comptabiliser (*voir la page 18.52*). Ainsi, au 31 décembre 20X4, on peut voir dans ces feuilles de travail que le solde de la perte fiscale à différer est de 750 000 $, tandis que le solde de la perte comptable non comptabilisée s'élève à 330 000 $, la différence correspondant essentiellement au montant appréhendé des bénéfices imposables futurs probables de 420 000 $.
8. Le lecteur a sans doute constaté que, en 20X6, il a été possible, malgré la faible probabilité formulée en 20X4, d'absorber la totalité de la perte. Il s'agit tout simplement d'un changement d'estimation comptable dont les effets sont comptabilisés en 20X6 conformément aux directives de l'IASB en cette matière et expliquées au chapitre 15.

Dans la sous-section traitant du rapprochement entre les taux, nous avons mentionné que les entreprises doivent également expliquer l'écart entre le taux d'imposition effectif (ou apparent) et le taux d'imposition édicté par les lois fiscales. Il serait bon de voir la façon dont une entreprise en situation de report de perte doit s'acquitter de cette obligation.

EXEMPLE

Note sur le rapprochement entre le taux de base et le taux apparent

Dans le cas d'Hinsertaine ltée, cette explication pourrait prendre la forme suivante[45] :

	20X4	*20X5*	*20X6*
Charge d'impôts sur le résultat selon le taux d'imposition applicable			
(910 000 $ × 38 %)	*(345 800) $*		
(50 000 $ × 37 %)		*18 500 $*	
(708 000 $ × 42 %)			*297 360 $*
Recouvrement d'impôts payés au cours des exercices antérieurs à un taux supérieur au taux courant [140 000 $ × (40 % – 38 %)]	*(2 800)*		
Ajustement des impôts différés attribuable aux modifications des taux d'imposition	*(3 600)*	*2 600*	*(10 500)*
Avantage fiscal découlant d'une perte non comptabilisée (330 000 $ × 38 %)	*125 400*		
Matérialisation d'un avantage fiscal non comptabilisé (330 000 $ × 42 %)			*(138 600)*
Charge réelle d'impôts sur le résultat net	*(226 800) $*	*21 100 $*	*148 260 $*

Le report prospectif d'une perte en l'absence de différences temporaires imposables

Les exemples des sociétés Présumay ltée et Hinsertaine ltée dont nous venons de traiter nous ont permis de comprendre la façon d'analyser la probabilité de tirer parti d'un report de pertes fiscales inutilisées en vue de la comptabilisation d'un actif d'impôt différé. Dans ces deux exemples, les entreprises disposaient de différences temporaires imposables leur permettant de comptabiliser une partie ou la totalité de l'avantage lié au report de perte. Mais qu'en est-il lorsqu'une entreprise ne dispose pas de différences temporaires imposables qui pourront se renverser au cours de la période de report prévue pour la perte fiscale ?

Comme nous l'avons mentionné dans le tableau 18.4, l'IASB exige que l'évaluation des bénéfices imposables futurs ne tienne pas compte des montants imposables qui découlent de différences temporaires déductibles susceptibles de donner elles-mêmes naissance à des actifs d'impôt différé.

EXEMPLE

Comptabilisation d'un report rétrospectif et prospectif partiel en l'absence de différences temporaires imposables

La société Débutante ltée a commencé ses opérations le 1er janvier 20X2 et a préparé le rapprochement de base suivant :

	20X4 à 20X6	20X7	20X8	20X9
Résultat avant impôts	200 000 $	(300 000) $	3 000 $	38 000 $
Amortissement comptable	30 000	10 000	10 000	10 000
Amortissement fiscal	(40 000)	θ	θ	θ
Différences temporaires	(10 000)	10 000	10 000	10 000
Bénéfice imposable (perte fiscale)	190 000 $	(290 000) $	13 000 $	48 000 $
Taux d'imposition	40 %	44 %	38 %	40 %

45. Cette note pourrait également être exprimée en pourcentages.

Voici les données relatives aux biens amortissables de la société au 31 décembre 20X3 :

Valeur comptable	300 000 $
Base fiscale (fraction non amortie du coût en capital)	(300 000)
Différences temporaires imposables cumulatives	0
Taux d'imposition	× 40 %
Passif d'impôt différé au 31 décembre 20X3	0 $

Après avoir analysé ces données, le contrôleur de la société a décidé qu'une partie (190 000 $) de la perte totale de 20X7 (290 000 $) sera reportée sur les exercices précédents afin de récupérer les impôts versés.

En ce qui a trait au solde de la perte de 100 000 $ (290 000 $ – 190 000 $), la comptabilisation d'un actif d'impôt différé pour la totalité ou une partie de la perte non utilisée doit tenir compte des faits suivants : 1) Compte tenu de la nature de ses opérations et du peu d'historique à sa disposition, la société ne peut prévoir de façon fiable ses résultats futurs. Elle estime à 41 000 $ ses résultats avant impôts au cours des deux prochaines années ; 2) Le fait de ne pas se prévaloir de la déduction pour amortissement fiscal à l'exercice 20X7 aura pour effet de ramener la base fiscale des immobilisations à leur valeur comptable, éliminant ainsi toute différence temporaire imposable ; 3) Comme la société ne dispose plus d'aucune différence temporaire imposable, elle ne peut pas, dans le calcul des bénéfices imposables des exercices futurs, tenir compte des différences temporaires déductibles qui surviendront au cours des prochains exercices. En effet, ces différences donneront elles-mêmes naissance à des actifs d'impôt différé.

Le rapprochement de base présenté dans l'analyse qui suit indique que seule une partie de la perte fiscale non utilisée peut être comptabilisée en 20X7 à titre d'actif d'impôt différé. Il s'agit du montant de 41 000 $, qui correspond aux bénéfices comptables attendus des exercices 20X8 et 20X9, lesquels ne tiennent pas compte du fait que l'entreprise pourra, pendant cette période, ne pas se prévaloir de la déduction pour amortissement fiscal. Un tel traitement est justifié par le fait que, en ne se prévalant pas de cette déduction, Débutante ltée créera dès 20X8 de nouvelles différences temporaires déductibles qui ne peuvent être prises en compte en 20X7 à titre d'avantages économiques futurs, puisque l'entreprise ne peut évaluer la mesure dans laquelle ces avantages se réaliseront.

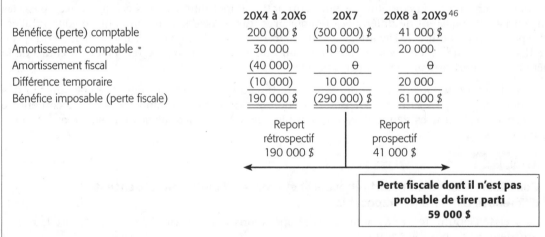

	20X4 à 20X6	20X7	20X8 à 20X9[46]
Bénéfice (perte) comptable	200 000 $	(300 000) $	41 000 $
Amortissement comptable	30 000	10 000	20 000
Amortissement fiscal	(40 000)	0	0
Différence temporaire	(10 000)	10 000	20 000
Bénéfice imposable (perte fiscale)	190 000 $	(290 000) $	61 000 $

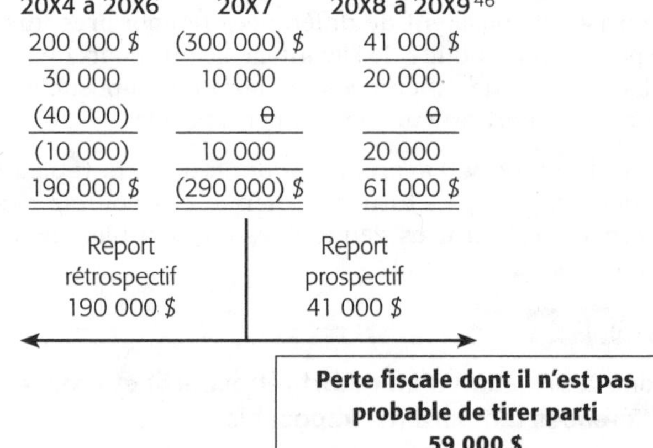

La réévaluation des avantages fiscaux probables

Dans les trois exemples des sociétés Présumay ltée, Hinsertaine ltée et Débutante ltée, celles-ci ont établi qu'il était probable de tirer parti du report de la totalité ou d'une portion des pertes fiscales. Cette probabilité était fondée sur des estimations des bénéfices imposables qui seraient réalisés

46. Évidemment, les données de base concernant les exercices 20X5 et 20X6 n'étaient pas connues du contrôleur au moment d'effectuer ces prévisions.

au cours des prochains exercices. Que se passerait-il si, au cours des exercices subséquents, on remettait en cause cette probabilité ? La position de l'IASB est la suivante à ce sujet :

> La valeur comptable d'un actif d'impôt différé doit être revue à la fin de chaque période de présentation de l'information financière. Une entité doit réduire la valeur comptable d'un actif d'impôt différé dans la mesure où il n'est plus probable qu'un bénéfice imposable suffisant sera disponible pour permettre d'utiliser l'avantage de tout ou partie de cet actif d'impôt différé. Une telle réduction doit être reprise dans la mesure où il devient probable que des bénéfices imposables suffisants seront disponibles.
>
> À la fin de chaque période de présentation de l'information financière, une entité réestime les actifs d'impôt différé non comptabilisés. Une entité comptabilise un actif d'impôt différé qui ne l'avait pas été jusque-là dans la mesure où il est devenu probable qu'un bénéfice imposable futur permettra de recouvrer l'actif d'impôt différé[47].

Avez-vous remarqué ?

Les exigences de l'IASB à l'égard de la réévaluation des actifs d'impôt différé ont pour effet de ne présenter un actif d'impôt différé dans l'état de la situation financière que dans la mesure où il représente un avantage économique futur dont pourra se prévaloir l'entreprise et qui se traduira par une contribution directe ou indirecte à ses flux de trésorerie futurs.

EXEMPLE

Probabilité révisée des bénéfices futurs permettant un report prospectif

Reprenons l'exemple de la société Hinsertaine ltée (*voir la page 18.50*), en supposant cette fois qu'en 20X5, la société ait en main des commandes fermes non exécutées qui généreront, au cours des 2 prochains exercices, des bénéfices imposables supérieurs à 900 000 $. Dès lors, il devient probable de réaliser le solde de la perte fiscale inutilisée. En conséquence, l'écriture suivante s'ajouterait aux écritures déjà comptabilisées aux pages 18.53 et 18.54 :

31 décembre 20X5		
Actif d'impôt différé – Avantage fiscal probable		
(330 000 $ × 37 %)	*122 100*	
Impôts sur le résultat – Différés		*122 100*
Avantage fiscal découlant du report prospectif de la perte fiscale inutilisée.		

Précisons que la logique suivie lors de la réévaluation des avantages fiscaux probables s'applique également à un actif d'impôt différé attribuable à des différences temporaires déductibles.

Les informations à fournir à l'égard des avantages fiscaux liés aux pertes non utilisées

Comme nous venons de le voir, la comptabilisation d'un actif d'impôt différé relativement aux pertes non utilisées repose sur l'évaluation des perspectives de bénéfices imposables futurs et sur la probabilité que ces bénéfices seront suffisants pour couvrir les pertes non utilisées. Compte tenu des incertitudes entourant la réalisation probable des pertes inutilisées, l'IASB exige que des informations additionnelles soient présentées dans les états financiers.

À l'égard des pertes inutilisées qui ont donné lieu à la comptabilisation d'un actif d'impôt différé, l'IASB exige, pour chaque catégorie de pertes fiscales non utilisées, que soient mentionnés :

> (i) le montant des actifs [...] d'impôt différé comptabilisés dans l'état de la situation financière pour chaque période présentée,
>
> (ii) le montant du produit ou de la charge d'impôt différé comptabilisé en résultat net, s'il ne ressort pas des changements apportés aux montants comptabilisés dans l'état de la situation financière[48].

47. *Manuel de CPA Canada – Comptabilité – Partie I*, IAS 12, paragr. 56 et 37.
48. *Manuel de CPA Canada – Comptabilité – Partie I*, IAS 12, paragr. 81(g).

De plus, lorsqu'au cours de l'exercice courant ou précédent l'entreprise a subi une perte et que la résorption de l'actif d'impôt différé comptabilisé dépend du fait que les bénéfices imposables futurs excéderont les bénéfices qui seront générés par le renversement des différences temporaires imposables, l'entreprise doit indiquer la nature des éléments probants justifiant la comptabilisation[49].

Enfin, à l'égard des pertes fiscales non utilisées pour lesquelles aucun actif d'impôt différé n'a été comptabilisé, l'IASB exige que le montant et la date d'expiration, s'il y a lieu, des pertes fiscales non comptabilisées soient présentés distinctement dans les états financiers[50].

EXEMPLE

Présentation des informations sur les pertes fiscales dans les notes

Compte tenu des renseignements disponibles dans l'exemple d'Hinsertaine ltée que nous avons présenté précédemment, les informations à fournir à l'égard des pertes fiscales non utilisées seraient les suivantes :

HINSERTAINE LTÉE
Notes complémentaires
de l'exercice terminé le 31 décembre

20X4

Note X. Report d'une perte fiscale

La perte fiscale susceptible de réduire les impôts des exercices à venir s'élève à 750 000 $, dont 420 000 $ pour lesquels l'avantage fiscal a été comptabilisé. Dans l'éventualité peu probable où la société pourrait tirer parti des pertes fiscales inutilisées de 330 000 $, l'avantage fiscal découlant du report de celles-ci ne sera comptabilisé en résultat net de la société que dans les exercices de leur matérialisation. La société peut se prévaloir de l'avantage fiscal découlant du report de cette perte jusqu'au 31 décembre 20Z4.

20X5

Note X. Report d'une perte fiscale

La perte fiscale susceptible de réduire les impôts des exercices à venir s'élève à 680 000 $, dont 350 000 $ pour lesquels l'avantage fiscal a été comptabilisé. Dans l'éventualité peu probable où la société pourrait tirer parti des pertes fiscales inutilisées de 330 000 $, l'avantage fiscal découlant du report de celles-ci ne sera comptabilisé en résultat net de la société que dans les exercices de leur matérialisation. La société peut se prévaloir de l'avantage fiscal découlant du report de cette perte jusqu'au 31 décembre 20Z4.

Le traitement comptable de certains problèmes particuliers

La comptabilisation des impôts sur le résultat des sociétés nécessite une attention particulière dans certaines situations que nous aborderons maintenant.

18

La décomptabilisation de biens amortissables

Pour illustrer les problèmes particuliers découlant de la **décomptabilisation de biens amortissables** et les effets de celle-ci sur le calcul des impôts différés, nous analyserons les deux situations susceptibles de se produire, soit celle dans laquelle une partie des biens d'une catégorie fiscale sont décomptabilisés et celle dans laquelle la totalité des biens d'une catégorie fiscale sont décomptabilisés. Comme le traitement fiscal de ces deux situations diffère, leur incidence sur la comptabilisation de la charge d'impôts sera également différente.

49. *Manuel de CPA Canada – Comptabilité – Partie I*, IAS 12, paragr. 82.

50. *Manuel de CPA Canada – Comptabilité – Partie I*, IAS 12, paragr. 81(e).

EXEMPLE

Décomptabilisation de biens amortissables constituant une partie d'une catégorie fiscale – Scénario 1

Le 2 janvier 20X0, la société Jacquiaire ltée a acheté les biens A, B, C et D au coût de 400 000 $. Ces biens appartiennent à la catégorie 10, dont le taux d'amortissement fiscal est de 30 %. La direction de la société a décidé d'amortir de façon linéaire ces biens, qui ont une durée d'utilité prévue de 10 ans et une valeur résiduelle nulle. Le 2 janvier 20X5, les biens C et D ont été vendus pour 46 000 $ et 4 000 $, respectivement. Le bien C avait été acquis au coût de 40 000 $ en 20X0, tandis que la société avait déboursé 30 000 $ pour le bien D. Les taux d'imposition ont été de 60 % en 20X0, de 50 % en 20X1 et de 40 % par la suite. Il n'y a aucune autre source de différences temporaires.

Sur le plan comptable, il faut décomptabiliser ces deux biens (40 000 $ et 30 000 $) ainsi que leur amortissement cumulé, soit respectivement 20 000 $ et 15 000 $, puisque les biens ont été amortis pendant 5 ans à raison de 4 000 $ par année pour le bien C et de 3 000 $ par année pour le bien D.

Sur le plan fiscal, puisque le produit de la vente du bien C au montant de 46 000 $ excède son coût d'acquisition de 40 000 $, il en résulte un gain en capital de 6 000 $, imposable dans une proportion de 50 %. Le reste du prix de vente (40 000 $) et le produit de 4 000 $ provenant de la vente du bien D doivent être déduits de la fraction non amortie du coût en capital des biens faisant partie de la catégorie 10[51].

En résumé, la valeur comptable de l'ensemble des biens A, B, C et D est réduite de 35 000 $ et la base fiscale l'est de 44 000 $. Il en découle donc un écart de 9 000 $, qui doit être reflété dans le compte Passif d'impôt différé, comme l'illustre la feuille de travail ci-après concernant l'évolution des différences temporaires.

Date	Valeur comptable	Base fiscale	Différences temporaires	Taux (%)	Impôts différés
20X0-01-02	400 000 $	400 000 $			
Amortissement	(40 000)	(60 000) ①	20 000 $ ct	60	12 000 $ ct
20X0-12-31	360 000	340 000	20 000 ct	60	12 000 ct
Ajustement ②					2 000 dt
Amortissement	(40 000)	(102 000)	62 000 ct	50	31 000 ct
20X1-12-31	320 000	238 000	82 000 ct	50	41 000 ct
Ajustement ③					8 200 dt
Amortissement	(40 000)	(71 400)	31 400 ct	40	12 560 ct
20X2-12-31	280 000	166 600	113 400 ct	40	45 360 ct
Amortissement	(40 000)	(49 980)	9 980 ct	40	3 992 ct
20X3-12-31	240 000	116 620	123 380 ct	40	49 352 ct
Amortissement	(40 000)	(34 986)	5 014 dt	40	2 006 dt
20X4-12-31	200 000	81 634	118 366 ct	40	47 346 ct
Aliénation	(35 000)	(44 000)	9 000 ct	40	3 600 ct
20X5-01-02	165 000	37 634	127 366 ct	40	50 946 ct
Amortissement	(33 000) ④	(11 290) ⑤	21 710 dt	40	8 684 dt
20X5-12-31	132 000 $	26 344 $	105 656 $ ct	40	42 262 $ ct

Calculs et explications :

① Application de la règle de la demi-année à l'année d'acquisition : 400 000 $ × 30 % × ½ = 60 000 $

② Ajustement requis à la suite de la baisse du taux d'imposition [20 000 $ × (50 % – 60 %)]

③ Ajustement requis à la suite de la baisse du taux d'imposition [82 000 $ × (40 % – 50 %)]

④ Le solde de la valeur comptable de 165 000 $ doit être réparti sur les 5 dernières années.

⑤ (37 634 $ × 30 %)

51. Lors de la vente d'un bien, il faut, selon les règles fiscales, réduire la fraction non amortie du coût en capital du moindre du coût d'acquisition et du produit de disposition. Ainsi, il y a gain en capital lorsque le produit de disposition excède le coût d'acquisition.

Le 2 janvier 20X5, Jacquiaire ltée enregistrera les écritures suivantes pour refléter l'effet isolé de la décomptabilisation des biens C et D :

2 janvier 20X5		
Caisse	*50 000*	
Amortissement cumulé – Matériel	*35 000*	
Biens amortissables – Matériel		*70 000*
Profit sur aliénation d'immobilisations		*15 000*
Aliénation des biens C et D.		
31 décembre 20X5		
Passif d'impôt différé	*5 084*	
Impôts sur le résultat – Différés		*5 084*

Impôts différés de l'exercice établis comme suit :

Passif d'impôt différé	
Solde requis au 31 décembre 20X5 (105 656 $ × 40 %)	*42 262 $*
Solde au 31 décembre 20X4	*(47 346)*
Somme à comptabiliser en résultat net de 20X5	*5 084 $*

Soulignons que le montant de 5 084 $ inclut l'effet de la différence entre l'amortissement et la déduction fiscale pour amortissement (8 684 $) ainsi que l'effet de l'aliénation des deux actifs (3 600 $).

EXEMPLE

Décomptabilisation de biens amortissables constituant la totalité d'une catégorie fiscale – Scénario 2

Reprenons l'exemple de Jacquiaire ltée, en supposant cette fois que, le 2 janvier 20X5, la société a vendu l'ensemble des biens A, B, C et D. Selon l'importance du prix de vente, trois situations peuvent survenir sur le plan fiscal. Afin de les illustrer, supposons que le prix de vente est de 75 000 $, de 225 000 $ ou de 450 000 $. Voici un résumé des effets comptables et fiscaux de cette décomptabilisation :

	Situation A	*Situation B*	*Situation C*
Sur le plan comptable			
Produit de la vente des biens	*75 000 $*	*225 000 $*	*450 000 $*
Valeur comptable			
Coût	*400 000*	*400 000*	*400 000*
Moins : Amortissement cumulé	*(200 000)*	*(200 000)*	*(200 000)*
	200 000	*200 000*	*200 000*
Profit (perte) sur aliénation d'immobilisations	*(125 000) $*	*25 000 $*	*250 000 $*
Sur le plan fiscal			
Base fiscale	*81 634 $*		
Produit de la vente des biens	*(75 000)*		
Perte finale déductible à 100 %	*6 634 $*		
Diminution des impôts exigibles (40 %)	*2 654 $*		
Produit de la vente des biens		*225 000 $*	
Base fiscale		*(81 634)*	
Récupération d'amortissement fiscal imposable à 100 %		*143 366 $*	
Impôts exigibles (40 %)		*57 346 $*	
Produit de la vente des biens			*450 000 $*
Coût			*(400 000)*
Gain en capital			*50 000 $*

18

	Situation A	Situation B	Situation C
Gain en capital imposable (50 %)			*25 000 $*
Coût			*400 000 $*
Base fiscale			*(81 634)*
Récupération d'amortissement fiscal imposable à 100 %			*318 366 $*
Impôts exigibles [(25 000 $ × 40 %) + (318 366 $ × 40 %)]			*137 346 $*

Pour refléter ces opérations dans les livres, l'entreprise enregistre les écritures qui suivent :

	Situation A		Situation B		Situation C	
2 janvier 20X5						
Caisse	*75 000*		*225 000*		*450 000*	
Amortissement cumulé – Matériel	*200 000*		*200 000*		*200 000*	
Perte sur aliénation d'immobilisations	*125 000*					
Biens amortissables – Matériel		*400 000*		*400 000*		*400 000*
Profit sur aliénation d'immobilisations				*25 000*		*250 000*
Aliénation des biens amortissables.						
Impôts exigibles	*2 654*					
Passif d'impôt différé	*47 346*					
Impôts sur le résultat – Exigibles		*2 654*				
Impôts sur le résultat – Différés		*47 346*				
Impôts sur le résultat – Exigibles			*57 346*		*137 346*	
Passif d'impôt différé			*47 346*		*47 346*	
Impôts exigibles				*57 346*		*137 346*
Impôts sur le résultat – Différés				*47 346*		*47 346*
Charge d'impôts relative à la décomptabilisation de la totalité des biens amortissables.						

Dans les 3 situations, le solde du passif d'impôt différé de 47 346 $ existant au 31 décembre 20X4 doit être annulé, puisqu'il ne subsiste aucune différence temporaire à la fin de 20X5, tous les biens ayant été vendus.

Les impôts remboursables

Différence NCECF

Jusqu'à présent, nous avons traité les dividendes reçus d'une société canadienne imposable comme une différence permanente lors du calcul du bénéfice imposable. Cependant, de tels dividendes sont assujettis à un impôt « temporaire » qui sera remboursé dès que l'entreprise versera elle-même un dividende à ses actionnaires. Ces impôts particuliers prévus dans la *Loi de l'impôt sur le revenu* sont appelés **impôts remboursables** ou **Impôt de la Partie IV**[52]. Voici les précisions de l'IASB à cet égard :

> [...] les conséquences fiscales des dividendes sont comptabilisées quand les dividendes à payer sont comptabilisés en tant que passifs. Les conséquences fiscales des dividendes sont plus directement liées aux événements ou transactions passés, plutôt que liées aux distributions aux propriétaires. Ainsi les conséquences fiscales des dividendes sont comptabilisées en résultat net pour la période [...][53].

18

52. La partie IV de la *Loi de l'impôt sur le revenu* traite de l'impôt sur les dividendes imposables reçus par les sociétés privées.

53. *Manuel de CPA Canada – Comptabilité – Partie I*, IAS 12, paragr. 52B.

Nous sommes d'avis que ces directives formulées par l'IASB imposent que les impôts « temporaires » que doit verser l'entreprise à la suite de la réception d'un dividende émis par une autre société soient comptabilisés à titre de charges à l'exercice au cours duquel ils sont exigibles, et ce, malgré le fait que ces impôts puissent éventuellement être recouvrés. Ce n'est qu'au moment où il sera possible à l'entreprise de récupérer ces impôts « temporaires », soit quand elle décidera du versement d'un dividende à ses propres actionnaires, que les conséquences fiscales seront comptabilisées à titre de réduction de la charge fiscale de l'exercice.

EXEMPLE

Impôts remboursables

La société Confucius ltée est une société fermée assujettie à l'impôt de la Partie IV s'élevant à 33 ⅓ % du dividende reçu. Malgré son statut de société fermée, Confucius ltée applique les IFRS. Les opérations suivantes ont eu lieu au cours de l'exercice terminé le 31 décembre 20X1 :

31 mars	*Réception d'un dividende de 150 000 $ d'une société canadienne dont Confucius ltée possède 5 % des actions ordinaires*
30 novembre	*Déclaration d'un dividende de 60 000 $ aux actionnaires de Confucius ltée, payable le 31 décembre 20X1 aux détenteurs d'actions ordinaires inscrits à la date de clôture du livre des valeurs mobilières, soit le 15 décembre*
31 décembre	*Paiement du dividende déclaré le 30 novembre*

En plus des écritures nécessaires pour comptabiliser la réception du dividende le 31 mars et la déclaration du dividende le 30 novembre, Confucius ltée doit passer les écritures suivantes le 31 décembre 20X1 pour comptabiliser les impôts qui se rapportent à ces dividendes :

Impôts de la Partie IV – Charge exigible	*50 000*	
Impôts exigibles (150 000 $ × 33 ⅓ %)		*50 000*
Impôt de la Partie IV sur les dividendes reçus.		
Impôts recouvrables	*20 000*	
Impôts de la Partie IV – Produit recouvrable (60 000 $ × 33 ⅓ %)		*20 000*
Impôts recouvrables à la suite de la déclaration du dividende de 60 000 $.		

Les impôts de la Partie IV sont donc comptabilisés en résultat net. Une entreprise peut les recouvrer lorsqu'elle paie des dividendes à ses propres actionnaires. Les conséquences fiscales des dividendes payés sont aussi comptabilisées en résultat net, pour la raison que ces conséquences se rapportent à des transactions passées plutôt que d'être liées aux distributions aux propriétaires. En d'autres mots, on considère que la récupération d'impôts qui résulte de la déclaration de ces dividendes se rapporte davantage aux impôts de la Partie IV payés précédemment qu'à la distribution de dividendes aux propriétaires.

Vous avez remarqué que la charge relative aux impôts de la Partie IV qui sera présentée dans l'état du résultat global est intitulée « Impôts de la Partie IV – Charge exigible » en vue d'établir une distinction entre la charge relative aux impôts sur le résultat net de l'exercice et celle relative aux produits de dividendes reçus d'une autre société. Cette distinction est importante parce que cette charge n'est que temporaire et que Confucius ltée pourra recouvrer les sommes versées lorsqu'elle décidera de verser des dividendes à ses actionnaires. Il en est de même du produit qui sera recouvré lorsque l'entreprise paiera des dividendes : il sera alors présenté dans l'état du résultat global à titre d'« Impôts de la Partie IV – Produit recouvrable » afin de le distinguer de la charge ou du produit d'impôts sur le résultat net de l'exercice en cause.

Il importe de comprendre que, dans les faits, les impôts remboursables représentent un impôt temporaire que le fisc conserve dans un compte intitulé « Impôts remboursables au titre de **dividendes** », cette somme étant remboursée à l'entreprise lorsqu'elle déclare elle-même un dividende. Il s'agit donc, en quelque sorte, d'une « avance » faite au fisc jusqu'au moment où cette somme pourra être recouvrée. La seconde écriture enregistrée par Confucius ltée représente la comptabilisation du produit d'impôts que l'entreprise récupérera à la suite de la déclaration de dividendes.

Précisons enfin que l'IASB exige que des renseignements complémentaires soient communiqués à l'égard des conséquences sur l'impôt des paiements de dividendes aux actionnaires.

> [...] une entité doit fournir des indications sur la nature des conséquences potentielles sur l'impôt sur le résultat découlant du paiement de dividendes aux actionnaires. De plus, l'entité doit fournir des informations sur le montant des conséquences potentielles sur l'impôt sur le résultat qui sont pratiquement déterminables, ainsi que sur l'existence de potentielles conséquences sur l'impôt sur le résultat qui ne sont pas pratiquement déterminables[54].

De plus, l'IASB exige que l'incidence sur les impôts sur le résultat des dividendes proposés et déclarés aux actionnaires avant l'autorisation de publier les états financiers, mais qui ne sont pas comptabilisés à titre de passif dans les états financiers, soit présentée distinctement. Ces informations additionnelles permettent aux investisseurs d'apprécier les effets sur les impôts de l'exercice de tout paiement de dividendes aux actionnaires, qu'ils aient été comptabilisés ou non. Lorsque les conséquences potentielles liées au paiement de dividendes ne peuvent être déterminées, l'IASB exige que ce fait soit communiqué.

Différence NCECF

Les réductions du taux d'imposition

Il est de tradition dans la législation fiscale canadienne de prévoir divers moyens destinés à stimuler l'économie du pays. On compte parmi eux les réductions directes ou indirectes du taux d'imposition applicable aux bénéfices imposables. La déduction accordée aux petites entreprises, la déduction à l'égard des bénéfices de fabrication et de transformation et la déduction relative aux ressources sont trois de ces stimulants. Il est facile de calculer les impôts exigibles.

EXEMPLE

Réductions du taux d'imposition – Partie A

La société PME ltée a droit à la déduction accordée aux petites entreprises. Supposons que la première tranche de 500 000 $ du bénéfice imposable jouisse d'un taux préférentiel de 14 %, tandis que l'excédent du plafond annuel de 500 000 $ est assujetti au taux d'imposition de base de 30 %[55]. Voici le rapprochement de base de PME ltée pour l'exercice 20X1 :

Bénéfice comptable (selon l'état du résultat net)	640 000 $
Différence permanente – Amendes et pénalités	10 000
Différence temporaire – (Amortissement fiscal > Amortissement comptable)	(50 000)
Bénéfice imposable	600 000 $

Le calcul du montant dû au fisc ne pose aucun problème particulier, si ce n'est qu'il faut tenir compte de la tranche de 500 000 $ jouissant du taux préférentiel de 14 %, ce qui donne une dette fiscale de 100 000 $, établie comme suit :

Impôts exigibles sur la première tranche de 500 000 $ (500 000 $ × 14 %)	70 000 $
Impôts exigibles sur l'excédent (100 000 $ × 30 %)	30 000
Total de la dette fiscale	100 000 $

18

Toutefois, les **réductions de taux d'imposition** créent un problème d'évaluation supplémentaire lié à l'évaluation des actifs et des passifs d'impôt différé. L'IASB indique à cet effet :

> Lorsque des taux d'impôt différents s'appliquent à des niveaux différents de résultat fiscal, les actifs et passifs d'impôt différé sont évalués en utilisant les

54. *Manuel de CPA Canada – Comptabilité – Partie I*, IAS 12, paragr. 82A.
55. Ces taux sont hypothétiques et sont utilisés uniquement pour illustrer le concept de réduction du taux d'imposition. Le lecteur doit consulter les lois fiscales appropriées s'il désire connaître les taux d'imposition en vigueur une année donnée.

taux moyens dont on attend l'application au bénéfice imposable (perte fiscale) des périodes au cours desquelles on s'attend à ce que les différences temporaires se résorbent[56].

À chaque date d'établissement de l'état de la situation financière, le comptable doit tenter d'évaluer le taux d'imposition moyen qui sera en vigueur lorsque les différences temporaires imposables ou déductibles se résorberont ou que les pertes fiscales inutilisées seront applicables, le tout devant tenir compte de l'incidence des réductions de taux.

EXEMPLE

Réductions du taux d'imposition – Partie B

Dans le cas de PME ltée, le premier réflexe pourrait être d'utiliser le taux d'imposition moyen applicable au bénéfice imposable de 16,7 % (100 000 $ ÷ 600 000 $). Toutefois, ce taux ne correspond pas nécessairement à celui qui sera en vigueur lorsque les différences temporaires se résorberont. Il suffit, par exemple, que les bénéfices imposables futurs de PME ltée se situent toujours bien au-delà de la barre des 500 000 $ pour que ce taux ne soit plus représentatif de la réalité. On doit donc évaluer les impôts différés à la fin de 20X1 au taux moyen qui sera en vigueur au moment de la résorption des différences temporaires.

Ainsi, si PME ltée prévoit que ses bénéfices imposables des années à venir seront de 650 000 $ par année, elle utilisera un taux moyen de 17,7 % {[(500 000 $ × 14 %) + (150 000 $ × 30 %)] ÷ 650 000 $}.

Les exigences de l'IASB à l'égard de l'utilisation d'un taux moyen pour évaluer les actifs et passifs d'impôt différé lorsque les taux d'imposition diffèrent selon le niveau de revenu visent à assurer la qualité et l'utilité de l'information financière. L'application du taux moyen prévu permet d'évaluer de manière plus juste les actifs et passifs d'impôt différé qui contribueront de manière directe ou indirecte à l'augmentation ou à la diminution des flux de trésorerie futurs de l'entreprise.

Voici l'écriture de journal relative aux impôts que doit enregistrer PME ltée pour l'exercice terminé le 31 décembre 20X1 et un extrait de son état du résultat global :

Impôts sur le résultat – Exigibles	*100 000*	
Impôts sur le résultat – Différés	*8 850*	
Passif d'impôt différé (50 000 $ × 17,7 %)		*8 850*
Impôts exigibles [(500 000 $ × 14 %) + (100 000 $ × 30 %)]		*100 000*
Charge annuelle d'impôts.		

PME LTÉE
Résultat global partiel
de l'exercice terminé le 31 décembre 20X1

Bénéfice avant impôts		*640 000 $*
Impôts sur le résultat		
Impôts exigibles	*100 000 $*	
Impôts différés	*8 850*	*108 850*
Résultat net		*531 150 $*

À la lecture de cet état du résultat global, on constate que le **taux d'imposition effectif** (ou apparent) est de 17 %, soit la charge d'impôts (108 850 $) divisée par le bénéfice avant impôts (640 000 $). Puisque le **taux d'imposition de base** promulgué par le gouvernement est de 30 %, il serait souhaitable, comme nous l'avons expliqué plus tôt dans le présent chapitre,

56. *Manuel de CPA Canada – Comptabilité – Partie I*, IAS 12, paragr. 49.

que PME ltée explique cet écart entre les taux en fournissant aux utilisateurs les informations suivantes par voie de note complémentaire :

Charge d'impôts sur le résultat selon le taux d'imposition de base ①	*192 000 $*
Augmentation attribuable à des frais non déductibles ②	*3 000*
Diminution liée à la création de différences temporaires ③	*(6 150)*
Diminution attribuable à la déduction accordée aux petites entreprises ④	*(80 000)*
Charge réelle d'impôts sur le bénéfice	*108 850 $*
ou	
Taux d'imposition de base	*30,0 %*
Augmentation attribuable à des frais non déductibles sur le plan fiscal ⑤	*0,4*
Diminution liée à la création de différences temporaires ⑥	*(0,9)*
Diminution attribuable à la déduction accordée aux petites entreprises ⑦	*(12,5)*
Taux d'imposition effectif	*17,0 %*

Calculs :

① (640 000 $ × 30 %)

② (10 000 $ × 30 %)

③ [50 000 $ × (30,0 % – 17,7 %)]

④ (500 000 $ × 16 %)

⑤ (3 000 $ ÷ 640 000 $)

⑥ {[50 000 $ × (30,0 % – 17,7 %)] ÷ 640 000 $}

⑦ (80 000 $ ÷ 640 000 $)

Il faut remarquer que la note relative au rapprochement du taux d'imposition de base et du taux d'imposition effectif ne sert pas uniquement à expliquer les effets des différences permanentes ; elle sert aussi à montrer l'effet des réductions et des augmentations du taux d'imposition.

Les crédits d'impôt à l'investissement

Essentiellement, les **crédits d'impôt à l'investissement** représentent une forme d'aide publique axée sur certaines dépenses admissibles prévues par les lois fiscales. L'objectif visé par ces lois est de réduire l'impôt exigible d'une entreprise qui a procédé à l'acquisition de certaines immobilisations ou qui a engagé certaines dépenses relatives à la recherche scientifique.

Plusieurs facteurs influent sur le taux du crédit alloué, dont la nature des dépenses admissibles, la région où elles sont engagées, la date d'acquisition ou celle de l'engagement des dépenses admissibles et le fait que l'entreprise soit ou non une société privée dont le contrôle est canadien.

Le traitement fiscal

Sur le plan fiscal, lorsqu'un crédit d'impôt est accordé pour certaines dépenses relatives à la recherche scientifique, celui-ci vient réduire le montant de la déduction fiscale qui peut être réclamée à l'égard de ces dépenses. Il en va de même lorsque le crédit se rapporte à l'acquisition d'un bien immobilisé. Dans ce cas, le crédit reçu est porté en déduction du coût en capital du bien en question, réduisant ainsi le montant admissible de la déduction pour amortissement des exercices à venir.

Le traitement comptable des crédits relatifs à l'acquisition d'immobilisations

L'**IAS 20**, qui traite des subventions, ne s'applique pas aux crédits d'impôt à l'investissement. Cependant, il est d'usage de comptabiliser ces crédits de la même manière que les subventions. Comme nous l'avons expliqué au chapitre 8, les **subventions liées à des actifs** doivent être comptabilisées soit en déduction du coût de l'actif, soit à titre de produits différés. Plus particulièrement, elles doivent être :

- soit déduites du coût des immobilisations en cause, l'amortissement étant alors calculé à partir du montant net ;
- soit présentées à titre de produit différé et comptabilisées en résultat net à mesure que les immobilisations en cause sont amorties.

EXEMPLE

Crédit d'impôt à l'investissement

Voici les données pertinentes relatives aux opérations de la société Gaspésienne ltée :

1. Au 31 décembre 20X0, la valeur comptable et la base fiscale des immobilisations de la société s'élevaient respectivement à 900 000 $ et à 600 000 $. Le solde du compte Passif d'impôt différé totalisait 120 000 $.
2. Le 2 janvier 20X1, la société a acquis un bien amortissable au coût de 100 000 $. Cette acquisition est admissible à un crédit d'impôt à l'investissement de 15 %.
3. La société utilise le mode d'amortissement dégressif au taux constant de 10 %. Sur le plan fiscal, le même mode d'amortissement est en vigueur, mais le taux est de 20 %.
4. La société est assujettie à un taux d'imposition de 40 %, et le bénéfice comptable avant amortissement et impôts de l'exercice 20X1 est de 250 000 $.

La feuille de travail suivante illustre l'incidence du crédit d'impôt à l'investissement sur l'évolution des différences temporaires de la société Gaspésienne ltée :

Date	Valeur comptable	Base fiscale	Différences temporaires	Taux (%)	Impôts différés
20X0-12-31	900 000 $	600 000 $	300 000 $ ct	40	120 000 $ ct
20X1					
Acquisition	100 000	100 000			
Crédit d'impôt à l'investissement	(15 000)	(15 000)			
Amortissement					
Fiscal ①		(128 500)			
Comptable ②	(98 500)		30 000 ct	40	12 000 ct
20X1-12-31	886 500 $	556 500 $	330 000 $ ct	40	132 000 $ ct

Calculs :

① Solde non amorti au 31 décembre 20X0

Solde non amorti au 31 décembre 20X0		600 000 $
Taux d'amortissement annuel		× 20 %
		120 000
Acquisition du 2 janvier (100 000 $ – 15 000 $)	85 000 $	
Taux d'amortissement (demi-taux)	× 10 %	8 500
Amortissement fiscal total		128 500 $

② Le montant de l'amortissement comptable peut être obtenu de deux façons, selon que le crédit d'impôt à l'investissement est comptabilisé en déduction du coût de l'équipement ou à titre de produit différé.

En déduction du coût de l'équipement

Solde non amorti au 20X0-12-31	900 000 $
Acquisition de 20X1	85 000
Solde à amortir	985 000
Taux dégressif	× 10 %
Amortissement de l'équipement	98 500 $

À titre de produit différé

Solde non amorti au 20X0-12-31	900 000 $
Acquisition de 20X1	100 000
Solde à amortir	1 000 000
Taux dégressif	× 10 %
Amortissement de l'équipement	100 000
Moins : Amortissement du produit différé (15 000 $ × 10 %)	(1 500)
Amortissement net	98 500 $

Nous sommes maintenant en mesure d'établir le rapprochement de base entre le bénéfice comptable avant amortissement et le bénéfice imposable permettant la comptabilisation des impôts sur le résultat de 20X1 de même que le crédit d'impôt à l'investissement.

Bénéfice comptable avant amortissement			250 000 $
Moins : Amortissement de l'exercice (établi ci-dessus)			(98 500)
Bénéfice comptable			151 500
Différence temporaire imposable (calculée ci-dessus)			(30 000)
Bénéfice imposable			121 500 $

Impôts sur le résultat – Exigibles		*48 600*	
Impôts exigibles (121 500 $ × 40 %)			*48 600*
Dette fiscale de l'exercice.			
Impôts sur le résultat – Différés		*12 000*	
Passif d'impôt différé			*12 000*
Impôts différés relatifs aux différences temporaires de l'exercice établis comme suit :			
Passif d'impôt différé			
Solde requis au 31 décembre 20X1 (330 000 $ × 40 %)	*132 000 $*		
Solde au 31 décembre 20X0	*(120 000)*		
Somme à comptabiliser en résultat net de 20X1	*12 000 $*		
Impôts exigibles (100 000 $ × 15 %)		*15 000*	
Équipements (ou Crédit d'impôt à l'investissement différé)			*15 000*
Crédit d'impôt lié à un investissement.			

Le crédit d'impôt à l'investissement doit donc être comptabilisé en réduction du passif d'impôt exigible. Un montant correspondant est comptabilisé en réduction de la valeur de l'actif (ou est comptabilisé à titre de produit différé).

La présentation dans les états financiers

Nous reproduisons ci-dessous des extraits des états financiers de la société Pages Jaunes Limitée au 31 décembre 2015 afin de fournir au lecteur une vue d'ensemble des différents éléments d'information fournis dans les états financiers et les notes en rapport avec les impôts sur le résultat.

ÉTATS CONSOLIDÉS DE LA SITUATION FINANCIÈRE

(en milliers de dollars canadiens)

		Au 31 décembre 2015	Au 31 décembre 2014
	ACTIF		
	ACTIFS COURANTS		
	[...]		
IAS 1, paragr. 54(n)	Impôt sur le résultat à recevoir (note 14)	**3 192**	47 798
	[...]		
	ACTIFS NON COURANTS		
	[...]		
IAS 1, paragr. 54(o)	Impôt sur le résultat différé (note 14)	**7 738**	4 719
	[...]		
	PASSIFS NON COURANTS		
	[...]		
IAS 1, paragr. 54(o)	Impôt sur le résultat différé (note 14)	**94 970**	53 386

COMPTES CONSOLIDÉS DE RÉSULTAT

Pour les exercices clos les 31 décembre

(en milliers de dollars canadiens, sauf l'information sur les actions et les montants par action)

IAS 12, paragr. 77

	2015	2014
[...]		
Bénéfice avant impôt sur le résultat et bénéfices liés aux participations dans des entreprises associées	**88 094**	147 425
Charge (économie) d'impôt sur le résultat (note 14)	**27 039**	(40 937)
Bénéfices liés aux participations dans des entreprises associées	–	(178)
Bénéfice net	**61 055 $**	188 540 $

ÉTATS CONSOLIDÉS DU RÉSULTAT GLOBAL

Pour les exercices clos les 31 décembre

(en milliers de dollars canadiens)

IAS 12, paragr. 81(ab)

	2015	2014
Bénéfice net	**61 055 $**	188 540 $
Autres éléments de bénéfice global (de perte globale) :		
[...]		
Éléments qui ne seront pas reclassés ultérieurement en résultat net		
[...]		
Impôt sur le résultat lié aux éléments qui ne seront pas reclassés ultérieurement en résultat net	**(4 946)**	15 935
[...]		

TABLEAUX CONSOLIDÉS DES FLUX DE TRÉSORERIE

Pour les exercices clos les 31 décembre

(en milliers de dollars canadiens)

IAS 7, paragr. 14(f)

	2015	2014
ACTIVITÉS D'EXPLOITATION		
Bénéfice net	**61 055 $**	188 540 $
Éléments d'ajustement		
[...]		
Charge (économie) d'impôt comptabilisée en résultat net	**27 039**	(40 937)
[...]		
Impôt sur le résultat reçu (payé), montant net	**46 664**	(51 544)

Notes complémentaires – 31 décembre 2015

(Tous les montants des tableaux sont en milliers de dollars canadiens, sauf l'information sur les actions)

14. IMPÔT SUR LE RÉSULTAT

Le tableau qui suit présente un rapprochement de l'impôt sur le résultat aux taux prévus par la loi au Canada et de l'impôt sur le résultat inscrit :

IAS 12, paragr. 81(c)

	Pour les exercices clos les 31 décembre	
	2015	2014
Bénéfice avant impôt sur le résultat et bénéfices liés aux participations dans des entreprises associées	**88 094 $**	147 425 $
Taux d'imposition combiné fédéral et provincial au Canada [1]	**26,7 %**	26,56 %
Charge d'impôt sur le résultat aux taux prévus par la loi	**23 521 $**	39 156 $
Augmentation (diminution) résultant des éléments suivants :		
Règlement d'avis de cotisation	**1 045**	(84 828)
Charges non déductibles aux fins de l'impôt	**1 120**	1 265
Perte au règlement d'un billet à recevoir	–	886
Cession d'une participation dans une entreprise associée	–	636
Autres [2]	**1 353**	1 948
Charge (économie) d'impôt sur le résultat	**27 039 $**	(40 937) $

IAS 12, paragr. 81(c)

1 *Le taux d'imposition combiné applicable prévu par la loi a augmenté de 0,14 %, principalement en raison de la répartition provinciale des revenus gagnés et de l'augmentation du taux d'imposition prévue par la loi de l'Alberta.*

2 *Certaines charges ont été reclassées à l'exercice précédent afin que leur présentation soit conforme à celle adoptée pour l'exercice considéré.*

IAS 12, paragr. 79

La charge (l'économie) d'impôt sur le résultat se présente comme suit :

	Pour les exercices clos les 31 décembre	
	2015	2014
Impôt exigible	**253 $**	(67 829) $
Impôt différé	**26 786**	26 892
	27 039 $	(40 937) $

[...]

IAS 12, paragr. 81(g)

Les (actifs) passifs d'impôt différé relatifs aux éléments suivants s'établissent comme suit :

	Coûts de financement différés	Report en avant de pertes autres qu'en capital	Produits différés	Avantages postérieurs à l'emploi	Charges à payer	Immobilisations corporelles et avantages incitatifs relatifs à un bail	Débentures échangeables	Immobilisations incorporelles	Passifs (actifs) d'impôt différé, montant net
31 décembre 2014	(34) $	(10 826) $	(7 607) $	(64 226) $	(10 520) $	1 525 $	4 987 $	135 368 $	48 667 $
Acquisitions d'entreprises	–	(1 383)	–	–	–	(156)	–	8 373	6 834
(Économie) charge inscrite au compte de résultat	(5 052)	(3 060)	1 997	7 167	(403)	9 550	(406)	16 992	26 785
Charge incluse dans les autres éléments du résultat global	–	–	–	4 946	–	–	–	–	4 946
Autres	565	(719)	–	–	–	–	–	154	–
31 décembre 2015	**(4 521) $**	**(15 988) $**	**(5 610) $**	**(52 113) $**	**(10 923) $**	**10 919 $**	**4 581 $**	**160 887 $**	**87 232 $**

	Coûts de financement différés	Report en avant de pertes autres qu'en capital	Produits différés	Avantages postérieurs à l'emploi	Charges à payer	Immobilisations corporelles et avantages incitatifs relatifs à un bail	Débentures échangeables	Immobilisations incorporelles	Passifs (actifs) d'impôt différé, montant net
31 décembre 2013	(4 765) $	(4 057) $	(9 469) $	(48 818) $	(13 127) $	(4 798) $	5 259 $	109 099 $	29 324 $
Acquisitions d'entreprises	–	(3 936)	–	–	–	–	–	3 665	(271)
Charge (économie) inscrite au compte de résultat	4 731	(2 833)	1 862	527	2 607	6 323	(272)	13 947	26 892
Économie incluse dans les autres éléments du résultat global	–	–	–	(15 935)	–	–	–	–	(15 935)
Autres	–	–	–	–	–	–	–	8 657	8 657
31 décembre 2014	(34) $	(10 826) $	(7 607) $	(64 226) $	(10 520) $	1 525 $	4 987 $	135 368 $	48 667 $

IAS 12, paragr. 81(e)

Au 31 décembre 2015, la Société n'avait comptabilisé aucun actif d'impôt différé relativement à des pertes d'exploitation à l'étranger de 143,3 M$ venant à expiration entre 2028 et 2035, à des pertes en capital au Canada de 9,1 M$ pouvant être utilisées pour une durée indéfinie, ainsi qu'à des différences temporaires déductibles de 170,5 M$.

18

Source : États financiers consolidés de Pages Jaunes Limitée.
Pages Jaunes Limitée. *États financiers consolidés de Pages Jaunes Limitée*. [En ligne], <https://entreprise.pj.ca/fr/investisseurs/rapports-financiers/> (page consultée le 10 août 2016).
Utilisé avec la permission de Pages Jaunes Limitée.

PARTIE II – LES NCECF

Équivalents terminologiques *Manuel de CPA Canada* – Partie II et Partie I.

IFRS Impôts sur le résultat

La comptabilisation des **impôts sur les bénéfices** est traitée au **chapitre 3465** du *Manuel – Partie II*. Les NCECF présentent un certain nombre de différences avec les IFRS qui sont résumées dans la figure 18.3.

FIGURE 18.3 Les particularités des NCECF au sujet des impôts sur le résultat

IFRS
État de la situation financière

Choix de la méthode de comptabilisation des impôts sur les bénéfices

Méthode des impôts exigibles	Méthode des impôts futurs
• Seuls les impôts exigibles sont comptabilisés • Le rapprochement entre la charge selon le taux d'imposition de base et la charge d'impôts à l'état des résultats est divulgué dans les notes • Ce rapprochement inclut l'effet des écarts permanents et temporaires	• Les impôts exigibles et futurs sont comptabilisés • Au **bilan,** les actifs et passifs d'impôts futurs sont ventilés entre le court terme et le long terme selon la nature de l'élément auquel ils se rattachent • Aucun rapprochement avec le taux d'imposition de base n'est requis dans les notes

Impôts remboursables

- Les impôts remboursables sont comptabilisés dans les bénéfices non répartis lorsqu'il est probable qu'ils seront recouvrés
- Le recouvrement est comptabilisé dans les bénéfices non répartis

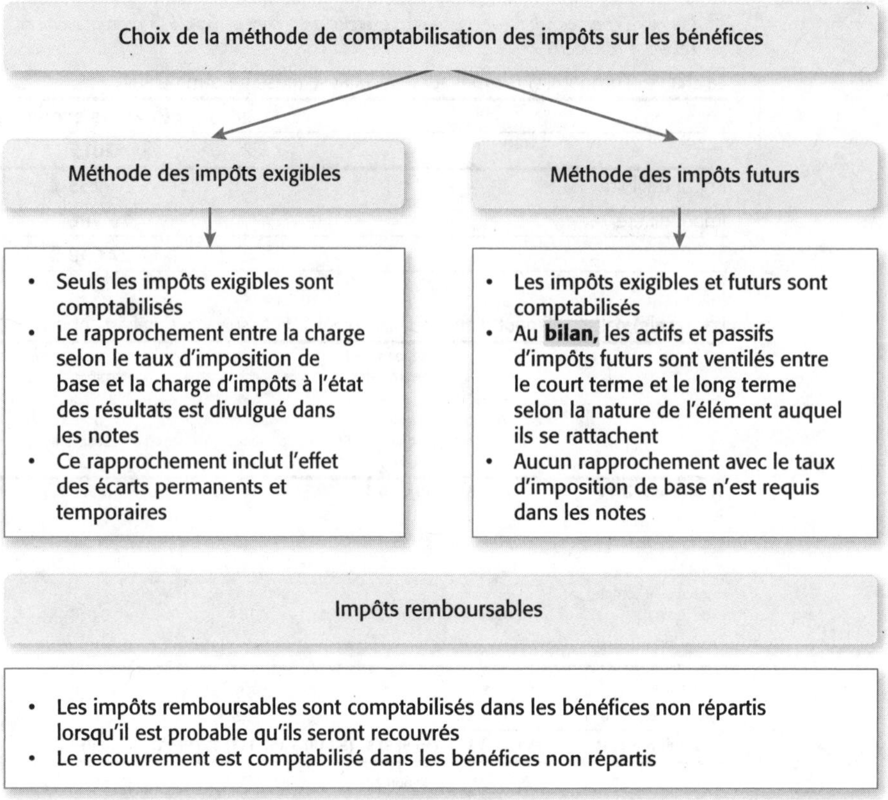

Méthode du passif fiscal
Impôt différé
Base fiscale

La première distinction entre la norme décrite dans le chapitre 3465 et l'IAS 12 est que le chapitre 3465 offre, à l'égard de la comptabilisation des impôts, la possibilité d'opter pour la méthode des impôts exigibles ou la **méthode des impôts futurs**. Ce chapitre présente également un certain nombre de différences à l'égard de la présentation des informations à fournir au sujet du rapprochement entre le taux effectif et le taux d'imposition de base, des soldes d'**impôt futur** au bilan et des avantages fiscaux liés aux pertes non utilisées. Le traitement comptable des impôts futurs liés à l'acquisition d'un actif lorsque sa **valeur fiscale** diffère de sa valeur comptable et des impôts remboursables sont également abordés d'une manière différente dans les NCECF.

18

La comptabilisation des impôts sur les bénéfices

Dans la partie I – Les IFRS du présent chapitre, nous avons pu constater que la comptabilisation des impôts futurs attribuables à la différence entre la valeur comptable et la valeur fiscale d'un élément de l'état de la situation financière ou encore à la comptabilisation des pertes non utilisées peut parfois s'avérer complexe. Pour cette raison, les NCECF laissent aux entreprises le choix de la méthode des impôts exigibles ou de celle des impôts futurs pour la comptabilisation des impôts sur les bénéfices.

La méthode des impôts exigibles

Différences

Le recours à la **méthode des impôts exigibles** permet à l'entreprise de présenter dans ses états financiers uniquement les impôts recouvrables ou exigibles. Il n'est donc pas nécessaire de comptabiliser l'effet des **écarts** temporaires ni de présenter des actifs et des passifs d'impôt futur au bilan.

EXEMPLE

Méthode des impôts exigibles

La société Simplex inc. présente le rapprochement suivant entre son bénéfice comptable et son bénéfice imposable pour l'exercice terminé le 31 décembre 20X1 :

Bénéfice comptable (selon l'**état des résultats**)		52 000 $
Écart permanent		
Frais de représentation non déductibles		5 000
Écarts temporaires		
Amortissement		50 000
Déduction pour amortissement		(60 000)
Coût de garanties		15 000
Montant déductibles pour les garanties		(7 000)
		55 000
Taux d'imposition	×	30 %
Impôts exigibles		16 500 $

IFRS
État du résultat global
Différence permanente
Différences temporaires

La seule écriture qui serait nécessaire pour comptabiliser les impôts de 20X1 selon la méthode des impôts exigibles serait la suivante :

Impôts sur les bénéfices – Exigibles	*16 500*	
Impôts exigibles		*16 500*
Charge fiscale de l'exercice.		

La méthode des impôts futurs

Une entreprise à capital fermé peut choisir d'appliquer la **méthode des impôts futurs**. Divers facteurs peuvent motiver cette décision, comme la volonté de faire un appel public à l'épargne dans un avenir rapproché ou la présence d'utilisateurs des états financiers en provenance de l'étranger. La méthode des impôts futurs est essentiellement la même que la méthode du passif fiscal expliquée en détail dans la partie I – Les IFRS de ce chapitre traitant de la comptabilisation des impôts sur le résultat selon les IFRS. Cependant, comme les exigences de présentation dans le bilan diffèrent selon les NCECF, examinons l'application de la méthode des impôts futurs avec les données de l'exemple de Simplex inc.

EXEMPLE

Méthode des impôts futurs

Reprenons l'exemple de Simplex inc. et supposons maintenant qu'elle utilise la méthode des impôts futurs. Pour ce faire, les informations additionnelles suivantes sont nécessaires :

Immobilisations		
Valeur comptable des immobilisations au 31 décembre 20X0		600 000 $
Valeur fiscale des immobilisations au 31 décembre 20X0		(450 000)
Écart temporaire imposable		150 000
Taux d'imposition		30 %
Passif d'impôt futur		45 000 $
Provisions pour garanties		
Durée des garanties		1 an
Provision pour garanties au 31 décembre 20X0		9 000 $
Valeur fiscale de la provision pour garanties au 31 décembre 20X0		0
Écart temporaire déductible		9 000
Taux d'imposition	×	30 %
Actif d'impôt futur		2 700 $

18

Le calcul des écarts temporaires est requis afin de comptabiliser les impôts futurs. Voici le calcul des écarts temporaires des immobilisations corporelles :

	Valeur comptable	Valeur fiscale	Écart temporaire imposable	Passif d'impôt futur
Solde au 31 décembre 20X0	600 000 $	450 000 $	150 000 $	45 000 $
Amortissement	(50 000)	(60 000)	10 000	3 000
Solde au 31 décembre 20X1	550 000 $	390 000 $	160 000 $	48 000 $

Voici le calcul des écarts temporaires de la provision pour garanties des produits :

	Valeur comptable	Valeur fiscale	Écart temporaire déductible	Actif d'impôt futur
Solde au 31 décembre 20X0	9 000 $	0 $	9 000 $	2 700 $
Charge comptable / déduction fiscale	15 000	7 000	8 000	2 400
Coûts engagés en 20X1	(7 000)	(7 000)		
Solde au 31 décembre 20X1	17 000 $	0 $	17 000 $	5 100 $

Les écritures suivantes sont requises pour comptabiliser la charge d'impôts de 20X1 :

Impôts sur les bénéfices – Exigibles	*16 500*	
Impôts exigibles		*16 500*
Dette fiscale de l'exercice.		
Impôts sur les bénéfices – Futurs	*3 000*	
Passif d'impôt futur		*3 000*
Impôts futurs de l'exercice relatifs aux immobilisations.		
Actif d'impôt futur	*2 400*	
Impôts sur les bénéfices – Futurs		*2 400*
Impôts futurs de l'exercice relatifs à la provision pour garanties.		

La présentation dans les états financiers et les informations à fournir

18

La présentation des postes relatifs aux impôts est fort simple lorsqu'une entreprise utilise la méthode des impôts exigibles. À l'état des résultats, la charge d'impôts doit faire l'objet d'un poste distinct et au bilan, les impôts exigibles ou recouvrables font partie du passif ou de l'actif à court terme. Lorsqu'une entreprise utilise la méthode des impôts exigibles, les NCECF exigent également de fournir un rapprochement entre le taux d'imposition de base et le taux effectif (apparent), soit en pourcentages, soit en montants.

EXEMPLE

Extraits des états financiers selon la méthode des impôts exigibles

Voici les extraits des états financiers dans le cas où Simplex inc. utilise la méthode des impôts exigibles. Dans cet exemple, nous tenons pour acquis que Simplex inc. n'a pas versé d'acomptes provisionnels et que le montant total des impôts exigibles est payé lorsque l'entreprise soumet sa déclaration fiscale.

SIMPLEX INC.
Résultats partiels
de l'exercice terminé le 31 décembre 20X1

Bénéfice avant impôts	*52 000 $*
Impôts sur les bénéfices	*(16 500)*
Bénéfice net	*35 500 $*

SIMPLEX INC.
Bilan partiel
au 31 décembre 20X1

Passif à court terme	
Impôts exigibles	*16 500 $*

SIMPLEX INC.
Extrait des notes
au 31 décembre 20X1

Note X. Impôts sur les bénéfices

La société comptabilise les impôts sur les bénéfices selon la méthode des impôts exigibles. Les éléments suivants expliquent la différence entre sa charge d'impôts et celle qu'on obtiendrait si on appliquait le taux d'imposition prévu par la loi.

Charge d'impôts selon le taux d'imposition de 30 %	*15 600 $*
Augmentation due à des frais de représentation non déductibles	*1 500*
Charges considérées dans une période différente au point de vue fiscal et au point de vue comptable	
Charge de garanties qui excède la déduction fiscale	*2 400*
Déduction fiscale pour amortissement qui excède la charge	*(3 000)*
Charge d'impôts	*16 500 $*

L'extrait des notes ci-dessus pourrait également être fourni en pourcentages de la façon suivante :

SIMPLEX INC.
Extrait des notes
au 31 décembre 20X1

Note X. Impôts sur les bénéfices

La société comptabilise les impôts sur les bénéfices selon la méthode des impôts exigibles. Les éléments suivants expliquent la différence entre le taux effectif d'impôt selon la charge présentée dans l'état des résultats et le taux d'imposition prévu par la loi.

Taux d'imposition prévu par la loi	*30,0 %*
Augmentation due à des frais de représentation non déductibles ①	*2,9*
Charges considérées dans une période différente au point de vue fiscal et au point de vue comptable	
Charge de garanties qui excède la déduction fiscale ②	*4,6*
Déduction fiscale pour amortissement qui excède la charge ③	*(5,8)*
Taux d'imposition effectif ④	*31,7 %*

Calculs :

① (1 500 $ ÷ 52 000 $)
② (2 400 $ ÷ 52 000 $)
③ (3 000 $ ÷ 52 000 $)
④ (16 500 $ ÷ 52 000 $)

18

Lorsque la méthode des impôts futurs est utilisée, la charge d'impôts doit également faire l'objet d'un poste distinct à l'état des résultats. Le détail des composantes exigible et future de cette charge d'impôts peut figurer directement dans l'état des résultats ou dans les notes. Au bilan, les actifs et passifs d'impôt doivent être présentés séparément, en distinguant les impôts futurs et exigibles. Une différence importante entre les NCECF et les IFRS est que les NCECF exigent de distinguer les impôts futurs à court terme et à long terme au bilan lorsque l'entreprise établit une telle distinction entre ses actifs et ses passifs. La répartition des actifs et des passifs d'impôt futur entre le court terme et le long terme repose sur le classement des actifs et des passifs auxquels se rattache l'impôt futur présenté. Ainsi, comme les garanties sont pour une période d'un an, l'actif d'impôt futur qui s'y rapporte est présenté dans l'actif à court terme. Le passif d'impôt futur qui se rapporte aux immobilisations est présenté dans le passif à long terme étant donné que les immobilisations sont utilisées sur une longue période. Il est à noter qu'il n'est pas requis de fournir le rapprochement entre le taux d'imposition de base et le taux effectif lorsqu'on utilise la méthode des impôts futurs.

EXEMPLE

Extraits des états financiers selon la méthode des impôts futurs

Voici les extraits des états financiers dans le cas où Simplex inc. utilise la méthode des impôts futurs. Dans cet exemple, nous tenons pour acquis que Simplex inc. n'a pas versé d'acomptes provisionnels et que le montant total des impôts exigibles est payé lorsque l'entreprise soumet sa déclaration fiscale.

SIMPLEX INC.
Résultats partiels
de l'exercice terminé le 31 décembre 20X1

Bénéfice avant impôts		52 000 $
Impôts sur les bénéfices		
Impôts exigibles	16 500	
Impôts futurs	600	
	17 100	
Bénéfice net		34 900 $

SIMPLEX INC.
Bilan partiel
au 31 décembre 20X1

Actif à court terme	
Actif d'impôt futur	5 100 $
Passif à court terme	
Impôts exigibles	16 500
Passif à long terme	
Passif d'impôt futur	48 000

Le tableau 18.5 présente l'ensemble des exigences des NCECF en ce qui a trait à la présentation dans les états financiers et aux informations à fournir.

18

TABLEAU 18.5 La présentation dans les états financiers et les informations à fournir dans les notes à l'égard des impôts sur les bénéfices

NCECF, Chapitre 3465	Commentaires
Présentation	
Charge d'impôts	
Paragr. 80	
La charge d'impôts prise en compte dans la détermination du bénéfice net ou de la perte nette de l'exercice avant activités abandonnées doit être présentée dans l'état des résultats lui-même.	Si l'entreprise utilise la méthode des impôts exigibles, la charge d'impôt exigible est présentée directement dans l'état des résultats. Si elle utilise la méthode des impôts futurs, la charge d'impôts figure dans l'état des résultats, mais le détail des portions exigible et future de cette charge pourrait être présenté directement dans l'état des résultats ou dans les notes.

TABLEAU 18.5 *(suite)*

Passifs d'impôts et actifs d'impôts

Paragr. 81

Les passifs d'impôts et les actifs d'impôts doivent être présentés séparément des autres passifs et actifs. Les passifs d'impôts exigibles et les actifs d'impôts exigibles doivent être présentés séparément des passifs d'impôts futurs et des actifs d'impôts futurs.

Les extraits des états financiers de Simplex inc. présentés à la page 18.76 montrent séparément les passifs d'impôts exigible et futur.

Paragr. 82

Lorsqu'une entreprise ventile ses actifs et ses passifs en actifs et passifs à court terme et à long terme, les portions à court terme et à long terme des passifs d'impôts futurs et des actifs d'impôts futurs doivent également être présentées séparément. La répartition entre le court terme et le long terme doit être fonction du classement des passifs et des actifs auxquels sont rattachés les passifs d'impôts futurs et les actifs d'impôts futurs. Un passif d'impôts futurs ou un actif d'impôts futurs qui n'est pas rattaché à un passif ou à un actif constaté du point de vue comptable doit être classé en fonction de la date de résorption prévue de l'écart temporaire. Les actifs d'impôts futurs rattachés aux pertes fiscales inutilisées et aux réductions d'impôts inutilisées doivent être classés en fonction de la date de réalisation prévue de l'économie.

Comme illustré à la page 18.76, si Simplex inc. utilise la méthode des impôts futurs, l'actif d'impôt futur relatif à la provision pour garanties est présenté dans l'**actif à court terme** et le passif d'impôt futur relatif aux immobilisations est présenté dans le **passif à long terme**. Puisque les garanties sont d'une durée d'un an, il convient de présenter l'actif d'impôt futur qui s'y rapporte dans l'actif à court terme. Puisque les immobilisations sont des actifs utilisés sur une longue période, il convient de classer le passif d'impôt futur qui s'y rapporte dans le passif à long terme.

IFRS
Actif courant

Passif non courant

Paragr. 83

Les passifs d'impôts exigibles et les actifs d'impôts exigibles doivent être compensés s'ils concernent une même entreprise assujettie et une même Administration fiscale. Les passifs d'impôts futurs et les actifs d'impôts futurs doivent être compensés s'ils concernent une même entreprise assujettie et une même Administration fiscale. Toutefois, lorsqu'une entreprise répartit ses actifs et ses passifs entre le court terme et le long terme, elle ne doit pas opérer compensation entre la portion à court terme des soldes d'impôts futurs et un solde d'impôts futurs classé dans le long terme.

Les règles relatives à la compensation sont similaires dans les IFRS et les NCECF. Par ailleurs, comme les NCECF exigent de distinguer les impôts futurs à court terme et à long terme, il est important de préciser qu'il est interdit d'opérer compensation entre les soldes des impôts futurs à court terme et à long terme.

Ainsi, lorsque Simplex inc. utilise la méthode des impôts futurs, elle ne doit pas compenser le passif d'impôt futur relatif aux immobilisations avec l'actif d'impôt futur relatif à la provision pour garantie (*voir la page 18.76*).

Paragr. 84

Lorsque les entreprises qui composent un groupe sont imposées séparément par une même Administration fiscale, un actif d'impôts futurs constaté par l'une des entreprises du groupe ne doit pas être compensé par un passif d'impôts futurs constaté par une autre entreprise du groupe, sauf s'il est possible de mettre en œuvre des stratégies de planification fiscale qui permettront de répondre aux exigences du paragraphe 3465.83 lorsque le passif d'impôts futurs deviendra exigible.

Puisque les entreprises sont imposées séparément, chacune d'elles paie ses impôts de façon indépendante. Il ne convient donc pas de compenser les impôts futurs des différentes entreprises qui composent un groupe consolidé.

Informations à fournir

Paragr. 88

Lorsque l'entreprise applique la méthode des impôts exigibles pour comptabiliser les impôts sur les bénéfices, les états financiers doivent fournir les informations suivantes :

a) [supprimé]

b) un rapprochement entre le taux d'imposition ou la charge d'impôts relatifs au bénéfice ou à la perte avant activités abandonnées de la période et les taux d'imposition prévus par la loi ou les montants qui découleraient de leur application, avec mention de la nature et du montant de chaque élément de rapprochement significatif ;

La note que prépare Simplex inc. dans le cas où elle utilise la méthode des impôts exigibles (*voir la page 18.75*) permet à l'utilisateur des états financiers de comprendre que le taux d'impôt apparent diffère du taux de base étant donné la présence d'une charge non déductible d'impôt (écart permanent) et de la présence d'écarts temporaires nets qui reportent le paiement des impôts à une période ultérieure.

Comme nous l'illustrons à la page 18.75, cette note peut être préparée en pourcentages ou en dollars.

TABLEAU 18.5 *(suite)*

c) le montant des réserves pour gains en capital et autres réserves similaires devant être incluses dans le bénéfice imposable au cours des cinq prochaines années et le moment où elles le seront;	
d) le montant des pertes fiscales inutilisées reportées en avant et des crédits d'impôt inutilisés; *e) la partie de la charge (l'économie) d'impôts liée aux opérations qui sont débitées (ou créditées) aux capitaux propres (voir les paragraphes 3465.68 et .78).*	Dans l'exemple de la société Inconstante ltée présenté à la page 18.80, la note préparée pour l'exercice 20X7 montre bien le montant de 100 000 $ de la perte inutilisée.
Paragr. 89 *Lorsque l'entreprise applique la méthode des impôts futurs pour comptabiliser les impôts sur les bénéfices, les informations suivantes doivent être fournies séparément :*	
a) la charge (l'économie) d'impôts exigibles prise en compte dans la détermination du bénéfice ou de la perte avant activités abandonnées; *b) la charge (l'économie) d'impôts futurs prise en compte dans la détermination du bénéfice ou de la perte avant activités abandonnées;*	Comme expliqué ci-dessus, le détail des portions exigible et future de la charge d'impôts peut être présenté directement dans l'état des résultats ou dans les notes.
c) la fraction du coût (de l'économie) au titre des impôts exigibles et des impôts futurs rattachée aux opérations qui sont débitées (ou créditées) aux capitaux propres (voir les paragraphes 3465.68 et .78); *d) le montant total des pertes fiscales inutilisées et des réductions d'impôts inutilisées, de même que le montant des écarts temporaires déductibles pour lesquels aucun actif d'impôts futurs n'a été constaté.*	Les NCECF exigent la ventilation des impôts tout comme les IFRS. Les utilisateurs des états financiers doivent voir directement dans l'état des bénéfices non répartis ou dans les notes les impôts qui se rapportent aux opérations sur les capitaux propres.
Paragr. 90 *L'augmentation ou la diminution nette du solde des impôts remboursables au titre de dividendes doit être présentée distinctement.*	Dans l'exemple de Confucius (*voir la page 18.81*), la société devrait fournir dans l'état des bénéfices non répartis ou dans les notes le montant net de 30 000 $ des impôts remboursables au titre de dividendes.
Paragr. 91 *Toute entreprise qui n'est pas assujettie aux impôts sur les bénéfices parce que son bénéfice est imposé directement entre les mains des propriétaires doit fournir cette information.*	Les entreprises personnelles ou les sociétés en nom collectif ne sont pas assujetties aux impôts sur les bénéfices des sociétés. Il importe donc d'en informer les utilisateurs des états financiers.

18

i+ Les états financiers de Josy Dida inc.

Comme nous l'avons noté dans plusieurs chapitres précédents, les informations à fournir dans les états financiers sont moins nombreuses selon les NCECF que selon les IFRS. La note 7 des états financiers de Josy Dida inc., disponibles dans la plateforme *i+ Interactif*, donne quelques informations quant aux impôts sur les bénéfices. Le lecteur y constatera très rapidement que ces informations sont très sommaires.

Le traitement comptable du report des pertes fiscales

Le traitement comptable du report des pertes fiscales est différent selon les NCECF en comparaison avec les IFRS si une entreprise utilise la méthode des impôts exigibles. En effet, aucun actif d'impôt futur n'est comptabilisé pour les reports prospectifs de pertes fiscales inutilisées.

EXEMPLE

Report d'une perte fiscale selon la méthode des impôts exigibles

La société Inconstante ltée en est à sa troisième année d'activité. Voici le calcul de son bénéfice imposable et de ses impôts exigibles au cours de ces trois exercices terminés le 31 décembre :

	20X6	20X7	20X8
Bénéfice (perte) comptable	200 000 $	(300 000) $	161 000 $
Amortissement comptable	30 000	10 000	20 000
Amortissement fiscal	(40 000)	θ	(35 000)
Bénéfice imposable (perte fiscale) de l'exercice	190 000 $	(290 000) $	146 000 $
Taux d'imposition	35 %	40 %	29 %

Considérant qu'en 20X7 Inconstante ltée a opté pour un report rétrospectif d'une partie de sa perte afin de récupérer les impôts versés au fisc en 20X6, voici les écritures comptables relatives aux impôts qui auraient été comptabilisées selon la méthode des impôts exigibles :

31 décembre 20X6		
Impôts sur les bénéfices – Exigibles	*66 500*	
Impôts exigibles (190 000 $ × 35 %)		*66 500*
Charge fiscale de l'exercice.		
31 décembre 20X7		
Impôts recouvrables	*66 500*	
Impôts sur les bénéfices – Produit		*66 500*
Avantage fiscal découlant du report rétrospectif d'une perte fiscale.		
31 décembre 20X8		
Impôts sur les bénéfices – Exigibles	*13 340*	
Impôts exigibles [(146 000 $ – 100 000 $①) × 29 %]		*13 340*
Charge fiscale de l'exercice.		

Calcul et explication :

① Solde de la perte pouvant être appliquée prospectivement (290 000 $ – 190 000 $)

Les extraits des états financiers d'Inconstante ltée se présentent comme suit pour les exercices 20X7 et 20X8 :

INCONSTANTE LTÉE
Résultats partiels
des exercices terminés le 31 décembre

	20X8	*20X7*
Bénéfice (perte) avant impôts	*161 000 $*	*(300 000) $*
Impôts (produit d'impôts) sur les bénéfices	*13 340*	*(66 500)*
Bénéfice net (perte nette)	*147 660 $*	*(233 500) $*

INCONSTANTE LTÉE
Bilan partiel
au 31 décembre

	20X8	*20X7*
Actif à court terme		
Impôts recouvrables		*66 500 $*
Passif à court terme		
Impôts exigibles	*13 340 $*	

INCONSTANTE LTÉE
Extrait des notes
au 31 décembre

Note X. Impôts sur les bénéfices

La société comptabilise les impôts sur les bénéfices selon la méthode des impôts exigibles. Les éléments suivants expliquent la différence entre le taux effectif d'impôt selon la charge présentée dans l'état des résultats et le taux d'imposition prévu par la loi.

	20X8	*20X7*
Taux d'imposition prévu par la loi	*29,0 %*	*40,0 %*
Charges considérées dans une période différente au point de vue fiscal et au point de vue comptable		
Charge d'amortissement qui excède la déduction fiscale ①		*(1,3)*
Déduction pour amortissement qui excède la charge ①	*(2,7)*	
Récupération d'impôts à un taux inférieur à la suite d'un report rétrospectif de perte fiscale ②		*(3,2)*
Report de perte fiscale non comptabilisé ③		*(13,3)*
Utilisation d'un report de perte fiscale ④	*(18,0)*	
Taux d'imposition effectif ⑤	*8,3 %*	*22,2 %*

Calculs :

① 20X8 : (15 000 $ × 29 % = 4 350 $ ÷ 161 000 $)
20X7 : (10 000 $ × 40 % = 4 000 $ ÷ 300 000 $)

② [190 000 $ × (40 % − 35 %) = 9 500 $ ÷ 300 000 $]

③ (100 000 $ × 40 % = 40 000 $ ÷ 300 000 $)

④ (100 000 $ × 29 % = 29 000 $ ÷ 161 000 $)

⑤ 20X8 : (13 340 $ ÷ 161 000 $)
20X7 : (66 500 $ ÷ 300 000 $)

En 20X7, Inconstante ltée devrait également fournir la note suivante pour divulguer le montant de la perte fiscale non utilisée :

Note X. Report d'une perte fiscale

La société dispose d'une perte fiscale au montant de 100 000 $ qui peut être utilisée pour réduire le bénéfice imposable au cours des 20 prochaines années.

Il y a plusieurs choses à noter dans cet exemple. D'abord, l'utilisation de la méthode des impôts exigibles fait en sorte que l'effet du report prospectif de la perte fiscale subie en 20X7 n'est pas comptabilisé en 20X7, mais plutôt lorsqu'il se matérialise dans les exercices futurs. Cela crée une distorsion, dans la charge d'impôts, qui est clairement expliquée aux utilisateurs des états financiers dans la note sur le rapprochement entre le taux d'imposition effectif (apparent) et le taux de base. Dans l'exemple d'Inconstante ltée, nous avons préparé cette note à partir des pourcentages plutôt que des montants. Cette note fait également ressortir l'effet, en 20X7, d'une récupération d'impôts à un taux différent lors du report rétrospectif de la perte fiscale. La note montre également l'effet des écarts temporaires de chacun des exercices.

Le traitement comptable de certains problèmes particuliers

La comptabilisation des impôts sur le résultat des entreprises à capital fermé nécessite une attention particulière dans certaines situations que nous aborderons maintenant.

Les impôts remboursables

Nous avons vu dans la partie I – Les IFRS du présent chapitre que la *Loi de l'impôt sur le revenu* prévoit que les dividendes reçus d'une société canadienne imposable sont assujettis à un impôt « temporaire » qui est remboursé dès que l'entreprise « bénéficiaire » verse elle-même un dividende à ses actionnaires. Le traitement accordé à ces impôts remboursables en vertu des NCECF diffère sensiblement des recommandations de l'IAS 12, comme l'indique la citation qui suit :

> Les impôts remboursables qui sont assimilables à des distributions anticipées et qui sont rattachés à une composante d'un instrument classé à titre de capitaux propres [...] doivent être débités aux **bénéfices non répartis** lorsqu'il est plus probable qu'improbable que ces impôts seront recouvrés dans un avenir prévisible. Le recouvrement de ces impôts remboursables doit être crédité aux bénéfices non répartis. Lorsqu'il n'est pas plus probable qu'improbable que les impôts seront recouvrés dans un avenir prévisible, ils doivent être passés en charge[57].

IFRS
Résultats non distribués

EXEMPLE

Impôts remboursables

Reprenons l'exemple de la société Confucius ltée, qui est une société fermée assujettie à l'**impôt de la Partie IV** et dont les opérations suivantes ont eu lieu au cours de l'exercice terminé le 31 décembre 20X1 :

31 mars	*Réception d'un dividende de 150 000 $ d'une société canadienne dont Confucius ltée possède 5 % des actions ordinaires*
30 novembre	*Déclaration d'un dividende de 60 000 $ aux actionnaires de Confucius ltée, payable le 31 décembre 20X1 aux détenteurs d'actions ordinaires inscrits au livre des valeurs mobilières à la date de clôture, soit le 15 décembre*
31 décembre	*Paiement du dividende déclaré le 30 novembre*

Voici les écritures que Confucius ltée doit comptabiliser au 31 décembre 20X1 :

Bénéfices non répartis – Impôts de la Partie IV	*50 000*	
Impôts exigibles (150 000 $ × 33 ⅓ %)		*50 000*
Impôt de la Partie IV sur les dividendes reçus.		
Impôts recouvrables	*20 000*	
Bénéfices non répartis – Impôts de la Partie IV (60 000 $ × 33 ⅓ %)		*20 000*
Impôts recouvrables à la suite de la déclaration du dividende de 60 000 $.		

i+ Consultez le tableau synthèse des particularités des NCECF.

57. *Manuel de CPA Canada – Comptabilité – Partie II*, paragr. 3465.68.

SYNTHÈSE DU CHAPITRE 18

La figure 18.4 illustre en un coup d'œil les principaux thèmes abordés dans le présent chapitre. Le texte qui suit la figure vous permettra de vérifier l'acquisition des objectifs d'apprentissage.

FIGURE 18.4 Les principaux thèmes abordés dans le présent chapitre

Bénéfice comptable
± Différences permanentes
± Différences temporaires

Bénéfice imposable
× Taux d'imposition

Impôts exigibles ou recouvrables

ÉTAT DU RÉSULTAT GLOBAL

Impôts différés* :

- Variation des actifs et des passifs d'impôt différé

± Impôts exigibles ou recouvrables*

= Charge ou produit d'impôts sur le résultat*

* Une ventilation des impôts doit être effectuée entre le résultat des activités poursuivies et celui des activités abandonnées.

HORS RÉSULTAT NET

Impôts différés :

- Variation des actifs et des passifs d'impôt différé relatifs à des éléments comptabilisés hors résultat net

± Impôts exigibles ou recouvrables

= Charge ou produit d'impôts comptabilisé hors résultat net (dans les autres éléments du résultat global ou dans les capitaux propres)

Conditions relatives à la comptabilisation d'un actif d'impôt différé relatif au report prospectif d'une perte fiscale

Des différences temporaires imposables suffisantes sont disponibles pour absorber les pertes fiscales non utilisées. — Oui → État de la situation financière

Non ↓

Il est probable que des bénéfices imposables futurs seront disponibles pour absorber les pertes fiscales non utilisées. — Oui → État de la situation financière

Non ↓

Des opportunités liées à la gestion fiscale de l'entreprise permettront d'absorber les pertes fiscales non utilisées. — Oui → État de la situation financière

Non ↓

AUCUN ACTIF D'IMPÔT FUTUR NE PEUT ÊTRE COMPTABILISÉ.

ÉTAT DE LA SITUATION FINANCIÈRE

Actif d'impôt différé

- Différences temporaires déductibles
- Reports de pertes prospectifs

Comptabilisé lorsqu'il est probable qu'un bénéfice imposable sera disponible pour résorber ces différences.

Passif d'impôt différé

- Différences temporaires imposables

Comptabilisé pour toutes différences temporaires imposables (sauf pour quelques exceptions).

Dans certaines circonstances, aucun actif ou passif d'impôt différé ne peut être comptabilisé lorsqu'au moment de l'acquisition, la valeur comptable de l'actif diffère de sa base fiscale.

NCECF

Choix entre la méthode des impôts futurs (passif fiscal) et la méthode des impôts exigibles.

Selon la méthode des **impôts exigibles**, la charge d'impôts correspond uniquement au montant des sommes dues à l'État calculé selon les lois fiscales en vigueur.

La notion de résultat global n'existe pas, mais les conséquences fiscales des éléments comptabilisés hors résultats (telle la correction d'erreur comptabilisée directement aux bénéfices non répartis) doivent être comptabilisées hors résultats.

Selon la méthode des **impôts exigibles**, seul le montant des impôts exigibles ou recouvrables est comptabilisé au bilan.

Selon la **méthode des impôts futurs**, la différence entre la valeur comptable et la valeur fiscale de l'actif au moment de son acquisition doit être comptabilisée à titre de passif d'impôt futur.

Selon la méthode des **impôts exigibles,** le montant des pertes fiscales non utilisées doit être présenté dans les notes qui accompagnent les états financiers.

 **Établir les différences entre le bénéfice comptable et le bénéfice imposable.** Les objectifs poursuivis par les autorités fiscales à l'égard de la détermination du bénéfice imposable sont différents de ceux poursuivis par l'IASB lors de l'établissement des normes de présentation de l'information financière. À partir des états financiers dressés en respect des normes comptables et du bénéfice comptable, les entreprises calculent leur bénéfice imposable en effectuant les ajustements requis par les lois fiscales en vigueur. Ces ajustements proviennent de deux types de différences entre les lois fiscales et les normes comptables : les différences permanentes et les différences temporaires.

Les différences permanentes représentent des ajustements apportés au bénéfice comptable pour des éléments inclus ou déduits du bénéfice comptable, mais qui ne seront jamais pris en considération dans le calcul du bénéfice imposable. Certains éléments déductibles non comptabilisés font également partie des différences permanentes, de même que la partie non imposable ou non déductible des gains ou des pertes en capital.

Les différences temporaires découlent d'un décalage entre le moment où un élément est inclus dans le bénéfice comptable et celui où il est inclus dans le bénéfice imposable. Contrairement aux différences permanentes, les différences temporaires finissent toujours par se résorber.

 **Utiliser les fondements de la comptabilisation des impôts sur le résultat.** La méthode de l'actif ou du passif fiscal doit être utilisée pour la comptabilisation des impôts sur le résultat. Cette méthode a pour objectif de présenter dans l'état de la situation financière les avantages économiques ou les abandons d'avantages économiques qui résultent des différences temporaires entre la valeur comptable des actifs et des passifs d'une entreprise et leur base fiscale.

Les différences temporaires déductibles peuvent donner lieu à la comptabilisation d'un actif d'impôt différé, dans la mesure où il est probable que l'entreprise dispose de bénéfices imposables suffisants sur lesquels elle pourra appliquer les différences temporaires déductibles. Les différences temporaires imposables donnent lieu à la comptabilisation d'un passif d'impôt différé. À chaque période de présentation des états financiers, les soldes d'actif ou de passif d'impôt différé doivent être évalués aux taux dont l'application est attendue au cours de la période où se renverseront les différences temporaires.

 **Présenter les impôts sur le résultat dans les états financiers.** À l'état du résultat global, la charge d'impôts doit comprendre les impôts exigibles de l'exercice de même que les impôts différés. Un rapprochement du taux d'imposition de base et du taux effectif doit être fourni dans les notes qui accompagnent les états financiers. L'état de la situation financière présente le montant des impôts exigibles ou recouvrables qui correspond aux sommes qui doivent être versées aux autorités fiscales ou reçues d'elles. Il montre également le montant des impôts différés qui doivent être présentés parmi les éléments non courants. Tant à l'état du résultat global qu'à l'état de la situation financière, les impôts sont compensés lorsque l'entreprise dispose d'un droit juridiquement exécutoire de compenser les actifs et les passifs afin de régler ou de recouvrer le solde net des impôts et qu'ils concernent la même autorité fiscale.

La charge d'impôts doit être ventilée entre les activités poursuivies, les activités abandonnées et les éléments comptabilisés hors résultat net, comme les autres éléments du résultat global et les éléments comptabilisés dans d'autres composantes des capitaux propres.

 **Appliquer le traitement comptable approprié au report des pertes fiscales.** Lorsqu'une entreprise subit des pertes fiscales, il lui est possible de bénéficier d'une période de report rétrospectif et prospectif qui lui permettra d'utiliser l'avantage découlant de ces pertes. Lorsqu'une entreprise procède à un report rétrospectif pour récupérer les impôts payés au cours d'exercices antérieurs, elle comptabilise l'actif d'impôt recouvrable qui en découle. Le solde de la perte fiscale qui est reporté prospectivement générera des avantages futurs lorsqu'il servira à réduire les bénéfices imposables des exercices futurs. L'avantage fiscal découlant de ces reports prospectifs peut être comptabilisé à titre d'actif d'impôt différé s'il est probable que l'entreprise disposera de bénéfices imposables suffisants au cours de la période de report. Pour évaluer le caractère probable des bénéfices imposables futurs, l'entreprise considère le fait que la perte résulte de causes identifiables, la présence de différences imposables d'un montant suffisant, les niveaux de bénéfices imposables futurs et les opportunités de gestion fiscale. À chaque date de clôture, les actifs d'impôt différé font l'objet d'une réévaluation. Cette dernière peut conduire à réduire les actifs d'impôt différé comptabilisés, mais pour lesquels les probabilités de disposer de bénéfices imposables suffisants n'existent plus. Elle peut également conduire à comptabiliser de nouveaux actifs d'impôt différé qui répondent pour la première fois aux exigences formulées par l'IASB.

18

Appliquer le traitement comptable approprié relatif à certains problèmes particuliers. Certains événements ou transactions soulèvent des questions sur la comptabilisation des impôts s'y rattachant. Ainsi :

- lorsqu'un actif est acquis et que sa valeur comptable et sa base fiscale diffèrent, par exemple parce qu'une partie du coût de l'actif ne peut être déductible fiscalement, l'écart entre la valeur comptable et la base fiscale de cet actif est considéré comme une différence permanente et aucun impôt différé n'est comptabilisé à l'égard de cet actif tant lors de l'acquisition que dans les exercices subséquents ;
- les différences temporaires découlant de l'écart entre la valeur comptable d'une participation dans une entreprise associée et sa base fiscale peuvent donner lieu à la comptabilisation d'un impôt différé à certaines conditions. Ces conditions visent essentiellement à ne pas comptabiliser des impôts différés qui ne se renverseront pas ;
- lorsque la totalité des biens d'une catégorie fiscale donnée font l'objet d'une décomptabilisation, à la suite de leur vente par exemple, le solde de l'actif ou du passif d'impôt différé lié à ces actifs doit être annulé, puisqu'il ne subsiste plus de différence temporaire ;
- les conséquences fiscales des impôts que doit temporairement verser une entreprise à la suite de la réception d'un dividende émis par une autre société doivent être comptabilisées en résultat net, tant au moment où ils sont exigibles qu'au moment où ils sont recouvrés ;
- les réductions du taux d'imposition auxquelles une entreprise peut avoir droit doivent se refléter dans le taux d'imposition utilisé pour la comptabilisation des impôts différés ;
- lorsque des actifs sont comptabilisés selon le modèle de la réévaluation, la différence entre la valeur comptable et la base fiscale de ces actifs doit être comptabilisée à titre de différence temporaire, peu importe les intentions de l'entreprise à l'égard du remplacement ou de l'utilisation des actifs ;
- les crédits d'impôts à l'investissement que reçoit une entreprise ont pour effet de réduire tant la valeur comptable que la base fiscale de la charge ou de l'actif en cause, ce qui ne produit aucun effet particulier sur les impôts différés ;
- dans le cas des instruments financiers composés, il arrive que la valeur comptable du passif diffère de la base fiscale, mais que le règlement du passif n'entraîne aucune incidence fiscale. Dans ce cas, aucun impôt différé ne doit être comptabilisé.

Comprendre et appliquer les NCECF liées à la comptabilisation des impôts sur le résultat des sociétés. Par souci de simplification de l'information financière présentée, les NCECF laissent à l'entreprise le choix de présenter les impôts sur les bénéfices selon la méthode du passif fiscal ou selon la méthode des impôts exigibles. Cette dernière permet à l'entreprise de présenter dans les états financiers uniquement les impôts recouvrables ou exigibles, lui évitant ainsi de devoir tenir compte des écarts temporaires aux fins de comptabilisation des actifs et des passifs d'impôt futur en découlant. Lorsque cette méthode est utilisée, des informations doivent être fournies dans les notes à l'égard du rapprochement relatif au taux d'imposition effectif. De telles informations additionnelles ne sont toutefois pas exigées lorsque l'entreprise utilise la méthode des impôts futurs. Dans ce cas, les actifs et passifs d'impôt futur présentés dans le bilan doivent être ventilés entre le court et le long terme selon l'actif ou le passif auquel se rattache l'écart. Selon les NCECF, on considère différemment les situations où la valeur fiscale d'un actif diffère de sa valeur comptable au moment de l'acquisition. À l'acquisition, on doit comptabiliser un passif d'impôt futur afin de refléter l'abandon d'avantage économique que présente la transaction, dû au fait que l'amortissement fiscal dont pourra se prévaloir l'entreprise est moins élevé.

Les NCECF recommandent de débiter les impôts remboursables aux bénéfices non répartis lorsqu'il est plus probable qu'improbable que ces impôts seront recouvrés dans un avenir prévisible. Ces impôts sont ainsi considérés comme une distribution anticipée aux actionnaires. Lorsqu'ils sont remboursés à l'entreprise, le recouvrement est alors crédité aux bénéfices non répartis.

Les dérivés et la comptabilité de couverture

19

Des ressources pédagogiques sont disponibles en ligne.

Objectifs d'apprentissage

À la fin de ce chapitre, vous pourrez :

1. comprendre les principales caractéristiques des dérivés ;
2. reconnaître les dérivés qui sont couverts par l'IFRS 9 et leur appliquer les normes comptables ;
3. comprendre les principales caractéristiques des opérations de couverture ;
4. comprendre les conditions d'application de la comptabilité de couverture ;
5. déterminer le type de couverture et appliquer les règles de la comptabilité de couverture de juste valeur ;
6. appliquer les règles de la comptabilité de couverture de flux de trésorerie ;
7. déterminer le moment où l'on doit cesser la comptabilité de couverture et présenter les opérations de couverture dans les états financiers ;
8. comprendre et appliquer les NCECF liées aux dérivés et à la comptabilité de couverture.

Aperçu du chapitre

Vous sortez fièrement de chez le concessionnaire au volant d'une automobile neuve. Évidemment, quelques heures plus tôt, vous aviez conclu à la nécessité d'assurer votre véhicule, car en cas de perte, les conséquences financières seraient trop lourdes à supporter. Dans d'autres circonstances, il est possible que vous aimiez prendre des risques, par exemple, en faisant de la descente en eau vive ou en pariant quelques dollars au casino. Le risque est alors source d'adrénaline, et les conséquences négatives qui pourraient en découler ne sont pas nécessairement dramatiques.

On observe des comportements semblables dans le monde des affaires. Dans certaines circonstances, les conséquences négatives d'une situation, d'un fait ou d'un événement peuvent s'avérer très graves ; les entreprises se protègent alors contre les risques. Ainsi, une entreprise peut contracter des assurances couvrant la perte, le vol ou l'incendie de certains actifs. Dans d'autres circonstances, certaines entreprises peuvent décider de spéculer, par exemple, sur la valeur d'une monnaie étrangère.

Au fil des ans, les marchés financiers ont offert une diversité de titres financiers, qu'il est maintenant convenu d'appeler instruments financiers dérivés, permettant de spéculer, tels les options, les contrats à terme et les swaps. Après avoir présenté les caractéristiques particulières de ces titres, la première section de la partie I – Les IFRS expliquera la comptabilisation des **dérivés** et leur présentation dans les états financiers.

La section suivante traitera de l'utilisation de titres financiers à des fins de couverture, c'est-à-dire de titres achetés dans le but de se protéger contre un risque précis. Par exemple, une entreprise peut acheter un placement à taux variable pour se protéger contre le risque de taux d'intérêt lié à une dette à taux variable. Si elle le souhaite, et à certaines conditions, elle pourra utiliser les règles de la **comptabilité de couverture** pour refléter le placement et la dette dans ses états financiers. Nous verrons que, du point de vue comptable, les relations de couverture visent à protéger l'entreprise de l'exposition aux variations de la juste valeur ou aux variations de flux de trésorerie. Dans certains cas, il est même possible d'utiliser les règles de la comptabilité de couverture pour se protéger contre les risques liés à une opération future. Cette section traitera de l'ampleur des renseignements à présenter dans les états financiers au sujet des opérations de couverture.

Dans la partie II – Les NCECF, les **principales différences** relatives aux dérivés et à la comptabilité de couverture entre le *Manuel – Partie I* et *Partie II* seront relevées.

Lorsque des notions de mathématiques financières sont utilisées, les variables nécessaires aux calculs sont indiquées avec les abréviations suivantes :

N : nombre de périodes	PV : valeur actualisée
I : taux d'intérêt	FV : valeur future
PMT : paiements périodiques	BGN : paiements en début de période

PARTIE I – LES IFRS

Équivalents terminologiques *Manuel de CPA Canada* – Partie I et Partie II.

L'objectif du présent chapitre n'est pas de se substituer à un volume de finance. Le lecteur a sans doute déjà suivi des cours de finance, où il a appris l'utilité des dérivés et de la couverture. Notre objectif est plutôt de faire une brève présentation des notions dont la compréhension est nécessaire aux fins de comptabilisation et de présentation des dérivés dans les états financiers et aux fins d'application de la comptabilité de couverture.

1 Les instruments financiers dérivés

Ces dernières années, peu de sujets ont reçu autant d'attention que la comptabilisation des instruments financiers. Comme nous l'avons vu au chapitre 4, un **instrument financier** est une entente contractuelle entre deux parties. À la suite de cette entente, une partie détient un actif financier et l'autre assume un passif financier ou émet un titre de capitaux propres. Le chapitre 4 exposait principalement les recommandations de l'International Accounting Standards Board (IASB) concernant les instruments financiers primaires. La présente section traitera des instruments financiers dérivés.

Les dérivés les plus usuels

Parmi les instruments financiers, on distingue les instruments primaires et les dérivés. Les créances, les dettes et les titres de participation sont des **instruments financiers primaires**. Les **instruments financiers dérivés**, aussi appelés **dérivés**, portent sur un élément sous-jacent qui peut être un instrument financier primaire ou un autre actif.

Il est aussi possible de distinguer les instruments financiers en fonction de leur liquidité. D'abord, les **dérivés de gré à gré** se négocient entre deux parties qui s'entendent sur les caractéristiques de l'instrument. À l'échéance, ces instruments financiers donnent souvent lieu au transfert physique du sous-jacent. Ensuite, les **dérivés boursiers** sont standardisés, c'est-à-dire que leurs caractéristiques sont fixées à l'avance. Ils se négocient sur un marché organisé, telle la Bourse de Montréal, qui est un marché spécialisé dans les dérivés. Lorsque l'instrument financier boursier vient à échéance, il n'y a pas de transfert physique du sous-jacent. Chaque partie à l'instrument financier encaisse (ou débourse) la différence entre le prix au comptant du sous-jacent et le prix fixé au contrat. Le **prix au comptant** est le prix qu'un acheteur qui ne détient ni instrument financier dérivé ni quelque autre privilège devrait payer pour obtenir le sous-jacent.

Les dérivés sont nombreux, mais leur étude détaillée dépasse l'objet du présent ouvrage. Nous présenterons ci-après uniquement les plus usuels, soit les options, les contrats à terme et les swaps (ou trocs financiers). Puisque les dérivés servent souvent à gérer les risques financiers qu'une entreprise assume, le lecteur aura plus de facilité à comprendre le présent chapitre après avoir relu la sous-section **La typologie des risques** du chapitre 4. La gestion des risques peut viser un objectif de **spéculation** ou de **couverture**. Un investisseur qui décide de spéculer fait en quelque sorte un pari sur l'évolution future d'un prix en vue d'en retirer une plus-value. Par comparaison, mentionnons pour l'instant que l'objectif d'une couverture est de se protéger contre l'évolution future d'un prix qui serait défavorable à l'investisseur.

Les options

Les **options**, négociées sur les marchés financiers depuis les années 1970, s'apparentent à des contrats de garantie. Par exemple, une garantie sur un véhicule protège son propriétaire contre les risques de défectuosité. Si une défectuosité survient, le propriétaire du véhicule exige que le vendeur de la garantie respecte son engagement en réparant le véhicule. Tant que ce dernier est en bon état, le détenteur de la garantie n'en tire aucun avantage monétaire.

De même, un contrat d'option sur des actions protège le détenteur contre le risque que le prix des actions fluctue. Un contrat d'option confère à son détenteur le droit, et non l'obligation, d'acheter ou de vendre un actif en particulier, par exemple des actions de Bombardier, à un prix déterminé appelé **prix d'exercice**, durant une période déterminée. En fixant le prix du **titre sous-jacent**, soit les actions de Bombardier, le contrat d'option est un moyen de diminuer le risque de marché[1] que courent les investisseurs. La valeur d'une option, disons sur des actions de Bombardier, à un moment précis comprend deux composantes. La première reflète la **valeur intrinsèque**. Il s'agit de la différence entre le prix d'exercice de l'option et le prix au comptant des actions de Bombardier à la date d'évaluation. La seconde composante est la **valeur temps**. Elle tient compte des prévisions de la valeur future du sous-jacent à la date d'exercice de l'option. La volatilité des actions, les dividendes attendus sur ces actions, le taux sans risque et la durée de l'option sont des variables susceptibles d'influencer la valeur temps d'une option. Plus l'incertitude à l'égard de ces variables est grande, plus la valeur temps est élevée. Comme nous l'avons relevé au chapitre 14, le modèle Black-Scholes-Merton ou les modèles de type binomial sont des outils d'évaluation des options couramment utilisés, bien que leur étude dépasse l'objet du présent chapitre.

L'émetteur du titre sous-jacent n'a rien à voir avec les contrats d'option émis sur ses propres titres. Par exemple, Bombardier ne joue aucun rôle dans l'émission des contrats d'option sur ses propres actions. C'est l'organisme de réglementation Corporation canadienne de compensation de produits dérivés, filiale en propriété exclusive de la Bourse de Montréal, qui émet les contrats d'option et en détermine les prix d'exercice ainsi que les dates d'échéance. Outre les contrats d'option sur actions, on trouve des contrats d'option portant notamment sur des indices boursiers, des devises, des taux d'intérêt, des marchandises, des contrats à terme ou des swaps. Le tableau 19.1 fournit quelques exemples d'utilisation des options.

TABLEAU 19.1 Quelques exemples d'utilisation des options

Nom et secteur d'activité de l'entreprise	Élément faisant l'objet de spéculation ou de couverture	Dérivé possiblement pertinent
Tecnomax ltée utilise du lithium dans la fabrication des appareils électroniques qu'elle vend à ses clients.	L'évolution du prix du lithium a des répercussions importantes sur le coût des ventes.	Option d'achat sur le lithium pour fixer les débours futurs ou spéculer sur le cours du lithium.
Medy Kal inc. offre des services de santé. Elle détient de nombreux équipements qu'elle doit financer par emprunt.	L'évolution des taux d'intérêt affecte les charges d'intérêts qu'elle doit payer à ses bailleurs de fonds.	Option sur le taux de base de la Banque du Canada. Medy Kal inc. encaisserait, par exemple, un montant égal à l'excédent du taux de base sur le seuil de 5 %.
Sucrobec inc. fabrique des confitures et des biscuits. Elle consomme annuellement de grandes quantités de sucre.	L'évolution du prix du sucre a des répercussions importantes sur le coût des ventes.	Option d'achat sur le sucre. Sucrobec inc. peut ainsi fixer ses coûts futurs.
Canasucre est une société agricole internationale qui cultive entre autres du sucre.	L'évolution du prix du sucre a des répercussions importantes sur son chiffre d'affaires.	Option de vente sur le sucre. Canasucre peut ainsi fixer ses prix de vente.
Aqua Parc exploite des parcs aquatiques en Amérique du Nord.	La météo, et plus précisément les heures d'ensoleillement et la température quotidienne, influence grandement son chiffre d'affaires.	Option climatique sur les heures d'ensoleillement ou sur la température quotidienne. Notez qu'à la différence des dérivés classiques, l'actif sous-jacent n'a aucune valeur. Aqua Parc pourrait recevoir, par exemple, une prime si les millimètres de pluie tombés au cours d'un mois excèdent un certain seuil. Cette prime pourrait compenser les faibles produits liés à la météo défavorable.

1. Le **risque de marché** est le risque que la juste valeur ou les flux de trésorerie futurs d'un instrument financier fluctuent en raison des variations des prix du marché. Il comprend le risque de change, le risque de taux d'intérêt et l'autre risque de prix.

TABLEAU 19.1 ***(suite)***

Nom et secteur d'activité de l'entreprise	Élément faisant l'objet de spéculation ou de couverture	Dérivé possiblement pertinent
Sun Fun inc. exerce des activités de grossiste en voyage. Ses clients sont établis au Canada et ses fournisseurs comprennent des propriétaires d'hôtels situés partout dans le monde.	L'évolution de la valeur du dollar canadien par rapport aux monnaies étrangères affecte le coût des forfaits de vacances que Sun Fun inc. vend à ses clients.	Option de vente sur des monnaies étrangères. Sun Fun inc. peut fixer ses débours futurs ou spéculer sur les taux de change.
Skymart inc. est une entreprise de vente au détail qui possède de nombreux magasins au Canada. Par l'intermédiaire de sa boutique en ligne, elle vend à des clients américains en affichant ses prix en dollars américains.	L'évolution de la valeur du dollar canadien par rapport au dollar américain affecte le montant de ses ventes converties en dollars canadiens.	Option de vente sur le dollar américain.

La figure 19.1 illustre les types de contrats d'option et les positions prises à leur égard.

FIGURE 19.1 Les types de contrats d'option et les positions prises à leur égard

Position		Types de contrats d'option	
		Options d'achat	Options de vente
Position	Acheteur (détenteur)	1 Détenteur d'une option d'achat	3 Détenteur d'une option de vente
	Vendeur (émetteur)	2 Émetteur d'une option d'achat	4 Émetteur d'une option de vente

Une **option d'achat** donne à son détenteur le droit d'acheter un sous-jacent à un prix déterminé pendant une période précise. Lorsqu'une **option d'achat de gré à gré** arrive à échéance, le détenteur prend possession du sous-jacent au prix convenu si le prix au comptant (par exemple, 1 200 $ par once d'or) excède le prix d'exercice (par exemple, 1 000 $ par once d'or). L'émetteur de l'option est alors obligé de vendre le sous-jacent au prix convenu. Si le prix au comptant (par exemple, 900 $) est inférieur au prix d'exercice, le détenteur de l'option décidera de ne pas exercer son option et pourra décider d'acheter le sous-jacent au comptant, directement sur le marché. Lorsqu'une **option d'achat négociée sur un marché organisé** (option boursière) arrive à échéance, le détenteur exerce son option dans les mêmes conditions que s'il s'agissait d'une option d'achat de gré à gré. La seule différence réside dans le fait que l'option négociée sur un marché organisé n'entraîne pas le transfert physique du sous-jacent. Le détenteur de l'option encaisse simplement son profit, c'est-à-dire l'excédent du prix au comptant sur le prix d'exercice soit 200 $ dans le premier exemple ci-dessus. Si le prix au comptant (par exemple, 900 $) est inférieur au prix d'exercice (par exemple, 1 000 $), le détenteur n'exerce tout simplement pas son option d'achat. Il n'encaisse aucun montant et, bien sûr, ne décaisse aucune somme.

Par comparaison avec une option d'achat, une **option de vente** donne à son détenteur le droit de vendre un sous-jacent à un prix déterminé pendant une période précise. Lorsqu'une **option de vente de gré à gré** arrive à échéance, le détenteur exerce son option et vend le sous-jacent au prix convenu si le prix au comptant (par exemple, 900 $) est inférieur au prix d'exercice (par exemple, 1 000 $). L'émetteur de l'option est alors obligé d'acheter le sous-jacent au prix convenu. Si le prix au comptant (par exemple, 1 200 $) excède le prix d'exercice, le détenteur de l'option de vente décidera de ne pas exercer son option et vendra le sous-jacent au comptant directement sur le marché. Lorsqu'une

option de vente négociée sur un marché organisé (option boursière) arrive à échéance, le détenteur exerce son option dans les mêmes conditions que s'il s'agissait d'une option de vente de gré à gré. La seule différence réside dans le fait que l'option négociée sur un marché organisé n'entraîne pas le transfert physique du sous-jacent. Le détenteur de l'option de vente encaisse simplement son profit, c'est-à-dire l'excédent du prix d'exercice sur le prix au comptant. Si le prix d'exercice est inférieur au prix au comptant, l'option n'est pas exercée et le détenteur n'encaisse ni ne décaisse aucun montant.

EXEMPLE

Effet financier de diverses options sur l'actif

Vous avez décidé de miser sur l'évolution du prix des actions de la société Paumay inc. dont vous connaissez le principal actionnaire. Vous pourriez acheter au coût de 5 $ une option de gré à gré ou une option qui se négocie sur un marché organisé. Dans les deux cas, chaque option porte sur 100 actions au prix d'exercice de 8 $. Avant de décider de l'option qui conviendrait le mieux, vous voulez aussi analyser l'effet d'une option dans deux scénarios. Dans le premier, le prix des actions sous-jacentes augmenterait de 2 $ dans le futur, alors que dans le second scénario, le prix diminuerait de 1 $.

Pour avoir une vue d'ensemble des possibilités, on peut préparer le tableau qui suit montrant l'effet financier d'une option sur l'actif :

	Scénario A		Scénario B	
Option coûtant 5 $, portant sur 100 actions au prix d'exercice de 8 $ l'action	Prix au comptant d'une action à l'échéance de l'option	10 $	Prix au comptant d'une action à l'échéance de l'option	7 $
1. Option d'achat				
1.1 de gré à gré	Débours initial	(5) $	*Option non exercée*	
	Débours à l'échéance (8 $ × 100)	(800)	Débours initial	(5) $
	Obtention d'un placement en actions (10 $ × 100)	1 000	Diminution nette de l'actif	(5) $
	Augmentation nette de l'actif	195 $		
1.2 négociée sur un marché actif	Débours initial	(5) $	*Option non exercée*	
	Encaissement à l'échéance [(10 $ – 8 $) × 100]	200	Débours initial	(5) $
	Encaissement net	195 $	Diminution nette de l'actif	(5) $
2. Option de vente				
2.1 de gré à gré	*Option non exercée*		Débours initial	(5) $
			Encaissement à l'échéance (8 $ × 100)	800
	Débours initial	(5) $	Remise du sous-jacent*	(700)
	Diminution nette de l'actif	(5) $	Augmentation nette de l'actif	95 $
			* Le cessionnaire se procure les actions sur le marché et les paie 700 $.	
2.2 négociée sur un marché actif	*Option non exercée*		Débours initial	(5) $
			Encaissement à l'échéance [(8 $ – 7 $)× 100]	100
	Débours initial	(5) $	Augmentation nette de l'actif	95 $
	Diminution nette de l'actif	(5) $		

L'analyse de ce tableau permet de dégager quelques constatations fondamentales. D'abord, l'achat d'une option ne conduit jamais à des pertes importantes. Lorsque les conditions du marché désavantagent l'investisseur, par exemple lorsque l'investisseur a acheté une option de vente dont le prix d'exercice est inférieur au prix au comptant du sous-jacent à la date d'exercice (scénario A, situation 2) ou lorsqu'il a acheté une option d'achat dont le prix d'exercice est supérieur au prix au comptant du sous-jacent à la date d'exercice (scénario B, situation 1), il perd uniquement le prix payé pour acheter l'option. Lorsque les conditions du marché l'avantagent (scénario A, situation 1 et scénario B, situation 2), il réalise un profit d'opportunité[2] substantiel comparativement au faible coût initial de l'option[3]. Par exemple, dans le scénario A, situation 1, il augmente son actif de 195 $ en ayant investi uniquement 5 $. Enfin, dans ces deux derniers cas, son profit est le même, peu importe s'il s'agit d'une option de gré à gré ou d'une option négociée sur un marché organisé.

En ce qui concerne la décision d'acheter une option de gré à gré ou une option négociée sur un marché organisé, elle ne se répercute pas sur le montant de profit ou de perte d'opportunité. Des facteurs tels que la facilité de revendre l'option avant son échéance ou la facilité d'obtenir l'option souhaitée sans devoir consacrer du temps à la négociation du contrat peuvent militer en faveur des options négociées sur un marché organisé.

Les contrats à terme

Un **contrat à terme** se distingue d'une option en ce qu'il oblige le détenteur à acheter (ou à vendre) un sous-jacent à un prix fixé pendant une période précise.

Tout comme pour les contrats d'option, il existe des contrats à terme de gré à gré et des contrats à terme boursiers. Les **contrats à terme de gré à gré** sont souvent des contrats d'approvisionnement. Ils engagent une partie (position vendeur) à livrer une quantité déterminée du sous-jacent à un prix de vente fixé à la date de signature du contrat et l'autre partie (position acheteur) à prendre possession du sous-jacent au prix d'achat fixé. Au moment du dénouement du contrat, il y a donc livraison du sous-jacent.

Les **contrats à terme boursiers position vendeur** obligent le détenteur à vendre le sous-jacent aux conditions fixées par la Bourse concernant la quantité du sous-jacent, son prix et sa date d'échéance. En contrepartie, les **contrats à terme boursiers position acheteur** obligent le détenteur à acheter le sous-jacent aux conditions fixées par la Bourse concernant la quantité du sous-jacent, son prix et sa date d'échéance.

Tout comme pour les options qui se négocient sur un marché organisé, les contrats à terme boursiers n'impliquent pas de transfert physique du sous-jacent à leur date d'échéance. En position vendeur, le détenteur liquide sa position en encaissant (ou en déboursant) la différence entre le prix au comptant du sous-jacent et le prix fixé au contrat.

EXEMPLE

Effet financier de divers contrats à terme sur l'actif

Reprenons l'exemple précédent en tenant maintenant pour acquis que vous envisagez d'acheter un contrat à terme plutôt qu'une option. Voici un tableau d'analyse faisant ressortir l'effet financier d'un contrat à terme.

19

2. Par exemple, dans le scénario A, situation 1, le montant de 195 $ n'est pas nécessairement comptabilisé à titre de profit. C'est pourquoi on le désigne parfois par profit d'opportunité.

3. La situation est tout autre pour l'émetteur des options. Puisqu'il est obligé de respecter la décision de l'acheteur, il devra vendre les actions à perte (scénario A, situation 1) ou les acheter à perte (scénario B, situation 2). L'émetteur réalise donc un profit basé sur le prix de vente initial des options qui ne sont pas exercées. Puisque ce sont des entités spécialisées et très peu nombreuses qui émettent les options, nous n'approfondirons pas le traitement comptable de leur point de vue.

	Scénario A		Scénario B	
Contrat à terme coûtant 5 $, portant sur 100 actions au prix d'exercice de 8 $ l'action	Prix unitaire au comptant à l'échéance	10 $	Prix unitaire au comptant à l'échéance	7 $
1. Contrat à terme position acheteur				
1.1 de gré à gré	Débours initial	(5) $	Débours initial	(5) $
	Débours à l'échéance (8 $ × 100)	(800)	Débours à l'échéance (8 $ × 100)	(800)
	Obtention d'un placement en actions	1 000	Obtention d'un placement en actions	700
	Augmentation nette de l'actif	195 $	Diminution nette de l'actif	(105) $
1.2 négocié sur un marché actif	Débours initial	(5) $	Débours initial	(5) $
	Encaissement à l'échéance [(10 $ – 8 $) × 100]	200	Débours à l'échéance [(7 $ – 8 $) × 100]	(100)
	Augmentation nette de l'actif	195 $	Diminution nette de l'actif	(105) $
2. Contrat à terme position vendeur				
2.1 de gré à gré	Débours initial	(5) $	Débours initial	(5) $
	Encaissement à l'échéance (8 $ × 100)	800	Encaissement à l'échéance (8 $ × 100)	800
	Remise des actions	(1 000)	Remise des actions	(700)
	Diminution nette de l'actif	(205) $	Augmentation nette de l'actif	95 $
2.2 négocié sur un marché actif	Débours initial	(5) $	Débours initial	(5) $
	Décaissement à l'échéance [(10 $ – 8 $) × 100]	(200)	Encaissement à l'échéance [(8 $ – 7 $) × 100]	100
	Diminution nette de l'actif	(205) $	Augmentation nette de l'actif	95 $

L'analyse comparative de cet exemple avec le précédent amène à dégager une première constatation fondamentale. Un contrat à terme peut conduire à des pertes plus importantes que l'achat d'une option, car le détenteur doit respecter le contrat, peu importe si les conditions du marché lui sont favorables ou défavorables. Notons aussi que les contrats à terme boursiers entraînent l'obligation de faire un dépôt initial sur marge que nous expliquerons dans la division **La règle générale**.

19

Un contrat à terme n'a pratiquement aucune valeur au moment de son émission, car le prix fixé au contrat est souvent égal au prix au comptant du sous-jacent à cette date. Entre la date d'émission et la date d'échéance d'un contrat à terme boursier, le détenteur de la position vendeur subit une « perte d'opportunité » si le prix au comptant excède le prix fixé. En effet, il doit vendre le sous-jacent au prix fixé. Le détenteur de la position acheteur réalise un profit d'opportunité, car il paie le sous-jacent moins cher que le prix au comptant.

Les tout premiers contrats à terme portaient sur les céréales. Par la suite, des contrats à terme concernant les métaux, le bétail, les denrées, les indices boursiers, les titres financiers (actions, bons du Trésor, obligations non courantes, certificats hypothécaires, etc.) et les devises ont fait leur apparition.

Malgré les ressemblances entre les deux catégories de contrats à terme, les contrats à terme de gré à gré diffèrent énormément des contrats à terme boursiers, comme le montre la figure 19.2.

FIGURE 19.2 Une comparaison entre les contrats à terme de gré à gré et les contrats à terme boursiers

	Contrats à terme de gré à gré	Contrats à terme boursiers
Uniformité	Les parties liées au contrat fixent le sous-jacent, le prix d'exercice et la date d'échéance.	Le sous-jacent, le prix et la date d'échéance sont standardisés.
Liquidité	Pas de marché organisé	Négociation à la Bourse
Mise de fonds	Mise de fonds initiale minime, voire nulle. À la livraison, le détenteur de la position acheteur (vendeur) paie (encaisse) le prix fixé pour le sous-jacent.	Dépôt initial sur marge et ajustement subséquent
Dénouement	Transfert physique du sous-jacent	Encaissement (décaissement) de la différence entre le prix au comptant du sous-jacent et le prix fixé au contrat à terme

Les contrats à terme de gré à gré s'apparentent à des engagements d'achat ou de vente convenus entre deux parties. En somme, le contrat à terme de gré à gré est un moyen de garantir la livraison future de marchandises à un prix convenu d'avance. Les entreprises comptabilisent les contrats à terme de gré à gré de la même façon que les engagements d'achat. Ce sujet sera peu approfondi dans les pages qui suivent, car ces contrats ne sont généralement pas des véhicules de placement ou de financement[4]. Nous examinerons principalement les contrats à terme boursiers, qui constituent une forme de pari entre deux parties concernant les variations de la juste valeur du sous-jacent.

La Chambre de compensation gère les contrats à terme boursiers. Elle fixe aussi la quantité du sous-jacent, le prix et la date d'échéance qui figurent dans les contrats. En outre, cet organisme garantit le respect des engagements pris dans chaque contrat au moyen d'un **système de marge**. Lors de la signature d'un contrat à terme boursier, le prix d'exercice fixé au contrat est habituellement identique au prix au comptant du sous-jacent. De ce fait, ni le détenteur de la position acheteur ni celui de la position vendeur n'ont à débourser un montant initial, si ce n'est parfois qu'un montant minime comparativement à la valeur du sous-jacent. Par ailleurs, à titre de garantie de leur engagement, les deux parties au contrat font un dépôt, appelé **marge**, chez leur courtier respectif. La Bourse et la Chambre de compensation fixent le montant minimal du dépôt, mais les maisons de courtage peuvent exiger de leurs clients un dépôt plus élevé. Ce dépôt initial n'est pas remboursable avant la date d'échéance. Après la date de signature du contrat, les maisons de courtage exigent régulièrement de nouveaux dépôts. Le montant de ces dépôts fluctue en fonction des variations du prix au comptant du sous-jacent.

Par exemple, si le prix au comptant du sous-jacent baisse de 1,00 $ avant l'échéance du contrat à terme boursier et que celui-ci porte sur 1 000 unités, le détenteur de la position acheteur subit une « perte d'opportunité » du même montant. Dans l'hypothèse où le contrat à terme venait à échéance ce jour-là, le détenteur de la position acheteur devrait débourser 1 000 $. Il retirerait donc un avantage économique à ne pas respecter son contrat à terme boursier. Pour s'assurer que le détenteur de la position acheteur respecte son engagement relatif au contrat à terme boursier, la Chambre de compensation l'oblige à faire, ce jour-là, un dépôt supplémentaire de 1 000 $.

4. Le chapitre 12 traitait en détail des engagements d'achat. Rappelons simplement que les engagements d'achat sont des engagements contractuels qui ne sont pas comptabilisés, ils peuvent faire l'objet d'une note aux états financiers.

Le lendemain, si le prix au comptant du sous-jacent augmentait de 0,10 $, le détenteur de la position acheteur pourrait récupérer 100 $ sur son dépôt effectué la veille. De cette façon, le compte de marge du client tient compte des variations nettes de la juste valeur du contrat, car la marge fluctue en fonction du prix au comptant du sous-jacent.

Les swaps

Un **swap** est un engagement entre deux parties qui échangent des flux financiers selon des conditions prédéterminées. L'échange porte sur les caractéristiques d'un titre et non sur le titre lui-même. Les deux parties peuvent échanger, par exemple, un taux d'intérêt fixe sur une dette fictive, appelée **notionnel**, contre un taux variable ou inversement : c'est le type de swap le plus fréquent. Les deux parties peuvent aussi échanger deux taux variables dont le taux de base diffère ou échanger le remboursement en monnaie étrangère d'un notionnel contre le remboursement d'un montant libellé dans une autre monnaie. L'échange peut également porter sur plus d'une caractéristique, par exemple un taux d'intérêt et la monnaie d'un notionnel. Si une entreprise signe un swap concernant l'échange d'un taux d'intérêt fixe contre un taux d'intérêt variable, cela signifie qu'elle reçoit des intérêts calculés à taux fixe et qu'elle paie des intérêts calculés à taux variable.

Dans un swap, chaque partie cherche à bénéficier de conditions plus intéressantes, compte tenu non seulement de ses prévisions, mais aussi de sa situation financière et de sa capacité à obtenir du financement auprès de nouveaux bailleurs de fonds. Ainsi, une entreprise qui assume une dette de 100 000 $ portant intérêt à taux variable (par exemple, 6 %) peut vouloir se protéger contre le risque de taux d'intérêt auquel sa dette l'expose. En effet, si les taux d'intérêt augmentent elle devra débourser un montant d'intérêts plus élevé. Elle pourrait donc vouloir « transformer » sa dette[5] portant intérêt à taux variable en une dette portant intérêt à taux fixe en prenant part à un swap selon lequel elle échangerait un taux variable sur un notionnel de 100 000 $ contre un taux fixe sur un notionnel équivalent. La figure 19.3 montre l'effet du swap sur le résultat de l'entreprise en fonction de la diminution ou de l'augmentation des taux d'intérêt du marché.

FIGURE 19.3 L'effet d'un swap sur le résultat d'une entreprise selon deux hypothèses

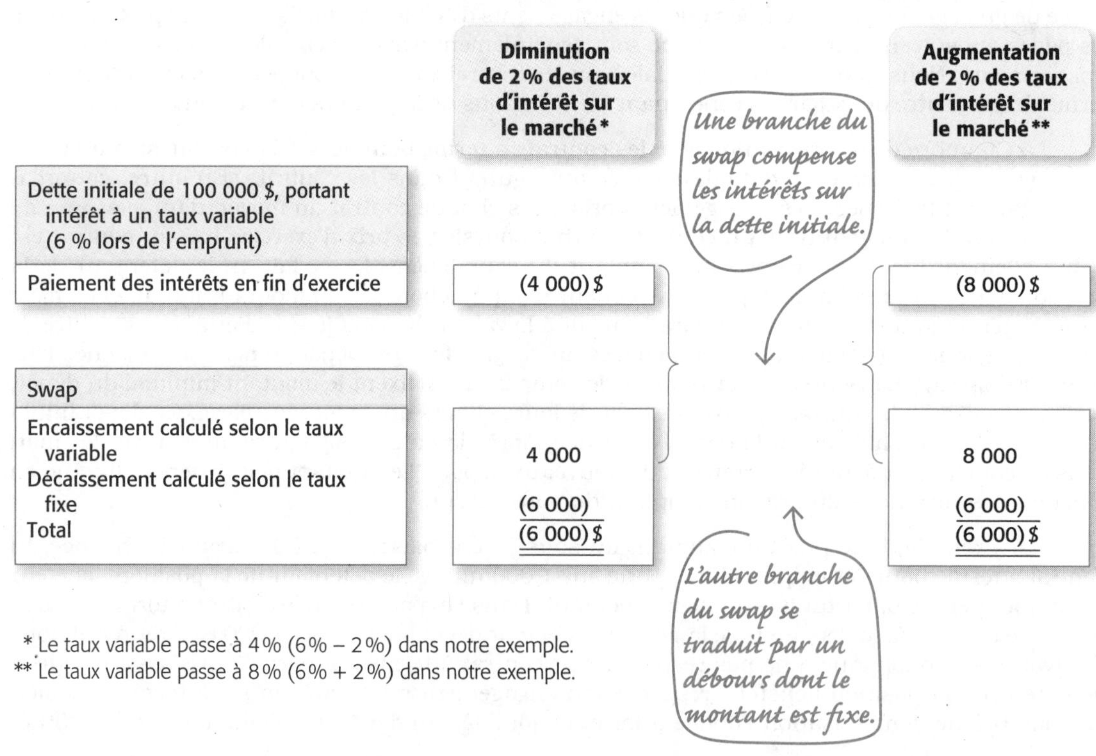

5. Nous expliquerons en détail les opérations de couverture dans la section **Les opérations de couverture** du présent chapitre.

Ainsi, peu importe les variations du taux d'intérêt, le swap a pour effet de transformer, en substance, un débours d'intérêt à taux variable (4 000 $ ou 8 000 $) en un débours d'intérêt à taux fixe (6 000 $). C'est pourquoi on dit d'un tel swap qu'il représente en substance l'échange d'un taux variable contre un taux fixe.

Les swaps se négocient depuis le début des années 1980. On peut se demander pourquoi les entreprises désireuses de modifier certaines caractéristiques de leur dette n'obtiennent pas simplement un nouveau financement. Plusieurs raisons permettent d'expliquer cette position. D'abord, les coûts de financement peuvent être élevés. Ensuite, un refinancement peut entraîner la renégociation de clauses contractuelles moins avantageuses que celles qui ont été conclues dans le contrat de financement initial, notamment si la situation financière de l'entreprise s'est détériorée ou si les conditions économiques ont changé. À titre d'exemple, ces raisons pourraient conduire le créancier à exiger un taux d'intérêt plus élevé que le taux initial. De plus, le swap peut porter sur une période inférieure à la durée de la dette initiale. Une entreprise pourrait vouloir couvrir son risque sur une durée inférieure à la durée contractuelle de la dette.

Maintenant que nous connaissons les raisons de l'utilisation d'un swap, nous pouvons examiner les démarches qu'une entreprise intéressée par ce type d'échange financier doit effectuer. Ces démarches sont illustrées dans la figure 19.4. Attardons-nous pour l'instant sur les parties impliquées et les relations qui les unissent. D'abord, l'entreprise (Samépatte ltée) contacte un intermédiaire, souvent un établissement financier (Banque Richie Sime), qui se charge de trouver une autre entreprise intéressée (Permuté ltée) par un tel échange. Ensuite, moyennant une commission, l'intermédiaire garantit le respect des engagements respectifs des deux entreprises, qui ne traitent jamais ensemble. Chaque partie n'a donc pas à se préoccuper de la solvabilité de l'autre. Au contraire, dans d'autres accords, l'intermédiaire n'assume pas le risque de crédit[6] et chaque partie doit alors évaluer le risque de manquement de l'autre avant de décider de signer le swap. Peu importe la partie qui assume le risque de crédit, chaque entreprise maintient ses relations avec son créancier initial (Samépatte ltée financée par la Banque Maboulle et Permuté ltée financée par la Banque Ché toi) et continue de lui verser les intérêts exigés en vertu de l'entente initiale (dans le cas d'un emprunt). De plus, chaque partie verse à (ou reçoit de) l'intermédiaire uniquement la

FIGURE 19.4 Les mouvements de trésorerie liés aux intérêts

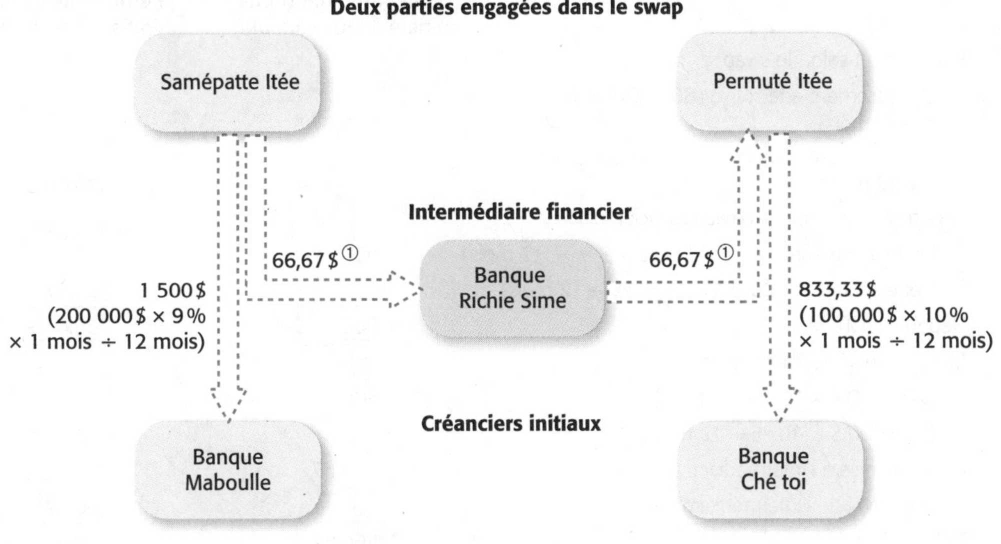

Calcul :

① Nominal du swap	80 000 $
Écart de taux d'intérêt (taux fixe de 10 % – taux variable de 9 %)	× 1 %
Flux de trésorerie annuel afférent au swap, montant net	800 $
Période couverte	× 1/12
Flux de trésorerie mensuel afférent au swap, montant net	66,67 $

6. Le **risque de crédit** est le risque qu'une partie à un instrument financier manque à une de ses obligations (*voir le chapitre 4 pour plus de détails*).

différence entre les paiements à titre d'intérêts et les encaissements à titre d'intérêts sur le swap (dans le cas d'un swap de taux d'intérêt). Le montant net qui est reçu ou versé au créancier initial et à l'intermédiaire témoigne de l'effet du swap. Précisons enfin qu'une opération de swap ne porte pas nécessairement sur la valeur totale de la dette initiale.

EXEMPLE

Swap de taux d'intérêt

La société Permuté ltée (PL) doit 100 000 $ à la Banque Ché toi. La dette arrive à échéance dans 15 ans et porte intérêt au taux de 10 % par année. PL prévoit que les taux d'intérêt diminueront et préférerait payer un taux d'intérêt variable afin de profiter d'éventuelles baisses de taux. Elle contacte alors la Banque Richie Sime afin que cette dernière trouve une autre entreprise qui assume en ce moment une dette à taux variable et qui aimerait plutôt assumer une dette à taux fixe. Quelques jours plus tôt, Samépatte ltée (SL) avait aussi contacté la Banque Richie Sime dans le but de conclure un swap. SL a une dette de 200 000 $ auprès de la Banque Maboulle, échéant dans 25 ans et portant intérêt au taux préférentiel majoré de 1 %. Même si SL sait qu'il y a de bonnes chances que les taux d'intérêt baissent au cours des mois à venir, elle préférerait payer un taux d'intérêt fixe car, dans l'hypothèse où les taux d'intérêt augmenteraient, sa situation de trésorerie est tellement risquée que SL pourrait s'avérer incapable de payer les intérêts sur sa dette initiale. Par l'intermédiaire de la Banque Richie Sime, les dirigeants de PL et de SL, qui ne se sont jamais rencontrés, conviennent de procéder à un swap sur un notionnel de 80 000 $ pendant 10 ans.

La figure 19.4 illustre les mouvements de trésorerie mensuels liés aux intérêts ; dans cet exemple, nous ne tenons pas compte des commissions payées à la Banque Richie Sime, mais nous supposons que le taux préférentiel s'élève à 8 %. Cette figure montre que, avec le swap, Permuté ltée a pu bénéficier de la baisse des taux d'intérêt en encaissant 66,67 $ de la Banque Richie Sime après avoir versé 833,33 $ à son créancier initial, la Banque Ché toi. De son côté, Samépatte a pu fixer son taux d'intérêt à un maximum de 10 % sur une portion de 80 000 $ de sa dette, comme elle le souhaitait. Voici une autre façon de voir l'effet mensuel du swap pour les deux parties liées au contrat :

	Samépatte ltée (dette initiale à taux variable)	Permuté ltée (dette initiale à taux fixe)
Engagement selon le swap		
Décaissement à taux fixe (80 000 $ × 10 % ÷ 12 mois)	666,67 $	
Décaissement à taux variable (80 000 $ × 9 % ÷ 12 mois)		600,00 $
Engagement résiduel face au créancier initial		
Dette à taux variable (120 000 $ × 9 % ÷ 12 mois)	900,00	
Dette à taux fixe (20 000 $ × 10 % ÷ 12 mois)		166,67
Débours total	1 566,67 $	766,67 $
Montant versé au créancier initial		
(200 000 $ × 9 % ÷ 12 mois)	1 500,00 $	
(100 000 $ × 10 % ÷ 12 mois)		833,33 $
Montant versé à l'intermédiaire financier	66,67	
Montant reçu de l'intermédiaire financier		(66,67)
Débours net	1 566,67 $	766,67 $

Du point de vue financier, la valeur d'un swap à une date déterminée tient compte principalement de l'écart entre les valeurs attendues du sous-jacent, de la durée du contrat et de la fréquence des encaissements et des décaissements. Le swap décrit dans l'exemple précédent aurait une valeur négative pour Samépatte ltée si l'on prévoyait, par exemple que le taux d'intérêt de base diminuera. En effet, l'entreprise devrait alors payer des intérêts à taux fixe et encaisserait un montant plus faible, calculé sur la base du taux variable. Du point de vue de Permuté ltée, la valeur du swap serait positive, car l'entreprise recevrait des intérêts à taux fixe et paierait des intérêts à taux variable, donc plus faibles. Dans la suite de ce chapitre, tout comme dans le manuel *Questions, exercices, problèmes et cas* qui l'accompagne, la juste valeur du swap sera fournie puisque l'évaluation requiert des connaissances spécialisées en finance.

La figure 19.5 résume les principales caractéristiques des options, des contrats à terme boursiers et des swaps présentés dans les pages précédentes.

FIGURE 19.5 Une comparaison de trois dérivés

	Option	Contrat à terme boursier	Swap
Nature	Une option donne le droit, et non l'obligation, d'effectuer une opération à un prix déterminé. Si le détenteur de l'option exerce son droit, l'émetteur est obligé de s'exécuter.	Les parties s'engagent à acheter ou à vendre une quantité ou un montant déterminé d'un sous-jacent à une date déterminée et à un prix déterminé.	Deux parties échangent des flux financiers.
Liquidité	Plusieurs options se négocient à la Bourse.	Se négocie à la Bourse.	N'est pas coté en Bourse.
Débours	Le détenteur assume un débours lorsqu'il achète le contrat d'option. Par la suite, il n'assume plus aucun débours additionnel, à moins qu'il n'exerce l'option.	Le détenteur verse un dépôt lorsqu'il achète le contrat à terme. Par la suite, la position acheteur verse un dépôt supplémentaire si le prix au comptant du sous-jacent diminue. À l'inverse, si le prix au comptant du sous-jacent augmente, son compte de marge diminue. La marge de la position vendeur varie en sens inverse de celle de la position acheteur.	Une opération de swap entraîne des coûts initiaux, payés à l'intermédiaire financier. Par la suite, d'autres débours sont requis si la position du swap est désavantageuse.

Avez-vous remarqué ?

Tous les dérivés dont traite le présent chapitre ont pour particularité d'avoir un coût initial minime par rapport aux possibilités de profits ou de pertes qu'ils recèlent. Du point de vue comptable, on comprend aisément que l'évaluation des dérivés au coût n'est pas une solution très intéressante. En clair, elle ne permet pas de montrer, dans les états financiers, les risques et avantages qui découlent de ces dérivés. L'évaluation à la juste valeur est donc pertinente, comme nous l'expliquerons dans la sous-section qui suit.

Les normes comptables

Voyons maintenant le moment où il convient de comptabiliser les instruments financiers dérivés et le montant approprié pour le faire.

La règle générale

Différence NCECF

Une entreprise comptabilise les dérivés qu'elle détient selon la règle applicable aux instruments financiers primaires, c'est-à-dire au moment où elle devient partie prenante aux dispositions contractuelles, comme expliquée dans le chapitre 4. Ainsi, une entreprise qui négocie un contrat à terme de gré à gré comptabilise ce contrat à la date de l'engagement. Elle n'a, bien sûr, aucune écriture de journal à inscrire dans ses livres si elle établit alors que la juste valeur de l'engagement est nulle. De même, une entreprise comptabilise les contrats d'options qu'elle achète ou qu'elle vend lorsqu'elle devient partie prenante à ces contrats.

Si le dérivé représente un actif financier, par exemple parce que le porteur d'une option peut acheter 10 actions valant 150 $ au prix d'exercice de 110 $, il doit obligatoirement être classé À la juste valeur par le biais du résultat net. En effet, les flux de trésorerie liés à cet actif financier ne correspondent pas seulement à l'encaissement du principal et des intérêts sur le principal. Ils sont liés à la juste valeur du sous-jacent, soit les 10 actions. Le détenteur ne peut donc classer cet actif financier Au coût amorti ; il doit obligatoirement évaluer l'actif à la juste valeur. Ainsi, les dérivés qui sont des actifs financiers sont toujours évalués à la juste valeur.

Qu'en est-il si le dérivé représente plutôt un passif ? Pensons, par exemple, à un contrat à terme boursier qui oblige l'entreprise à acheter des actions au prix d'exercice de 150 $ alors que la valeur des actions sur le marché au comptant est de 120 $. Afin que les états financiers reflètent cette obligation de verser plus tard la différence de 30 $ qui découle d'un fait passé, soit la variation de la juste valeur jusqu'à ce jour, l'IASB requiert d'évaluer tous les passifs financiers dérivés à la juste valeur.

EXEMPLE

Comptabilisation d'une option d'achat

Le 1er décembre 20X1, la société Day Rivay ltée achète 1 000 options donnant le droit de se procurer 1 000 actions de la société XYZ ltée, car elle prévoit que la valeur des actions augmentera à court terme. Voici quelques renseignements pertinents :

Coût d'une option	*1,00 $*
Prix d'exercice	*15,00 $*
Juste valeur d'une action de XYZ ltée, le 31 décembre 20X1	*17,25 $*
Juste valeur de l'option, le 31 décembre 20X1	*2,25 $*
Date de l'exercice des options	*15 janvier 20X2*
Juste valeur d'une option, le 15 janvier 20X2	*2,50 $*
Juste valeur d'une action de XYZ ltée, le 15 janvier 20X2	*17,50 $*
Clôture de l'exercice financier de Day Rivay ltée	*31 décembre 20X1*

Day Rivay ltée passera les écritures de journal suivantes dans ses livres :

1er décembre 20X1		
Options d'achat	*1 000*	
Caisse		*1 000*
Acquisition de 1 000 options à 1 $ chacune.		
31 décembre 20X1		
Options d'achat	*1 250*	
Profit/Perte découlant de la variation de valeur des options d'achat		*1 250*
Variation de la valeur des options [(2,25 $ – 1,00 $) × 1 000 options].		
15 janvier 20X2		
Options d'achat	*250*	
Profit/Perte découlant de la variation de valeur des options d'achat		*250*
Variation de la valeur des options [(2,50 $ – 2,25 $) × 1 000 options].		

Au moment de l'acquisition, Day Rivay ltée inscrit la juste valeur au compte Options d'achat. Notons que, dans les écritures précédentes, l'intitulé du compte ne mentionne pas le classement des options d'achat, c'est-à-dire À la juste valeur par le biais du résultat net. En effet, il n'est pas essentiel de préciser l'intitulé, car tous les instruments financiers dérivés doivent obligatoirement être classés À la juste valeur par le biais du résultat net. À la date de l'arrêté des comptes, soit le 31 décembre 20X1, Day Rivay ltée comptabilise en résultat net le profit découlant de l'augmentation de la valeur des options et redresse le compte Options d'achat.

À l'échéance des options, l'entreprise encaissera un montant égal à la juste valeur des options si elle détient une option négociée à la Bourse. Voici l'écriture de journal requise :

Caisse	*2 500*	
Options d'achat		*2 500*
Réalisation des 1 000 options à 2,50 $ chacune.		

Calcul :
(1 000 $ + 1 250 $ + 250 $)

Si elle détient plutôt une option de gré à gré, elle achètera les actions et passera alors cette écriture :

Placement en actions	*17 500*	
Options d'achat		*2 500*
Caisse		*15 000*
Exercice des options et acquisition des actions sous-jacentes.		

Selon ce scénario, Day Rivay ltée achète les 1 000 actions au prix d'exercice de 15 $ l'action et débourse 15 000 $. Toutefois, en y ajoutant la valeur comptable des options, les actions acquises ont une valeur comptable de 17 500 $, ce qui correspond à leur juste valeur à la date de l'acquisition.

Avez-vous remarqué ?

Dans l'exemple précédent, la juste valeur de l'option, soit 2,25 $, correspond à l'augmentation de la valeur du sous-jacent depuis la date d'acquisition de l'option. Cette valeur de 2,25 $ correspond à la valeur intrinsèque de l'option. Nous retenons cette hypothèse par souci de simplicité. (C'est également cette hypothèse que nous formulons dans le manuel *Comptabilité intermédiaire – Questions, exercices, problèmes, cas* qui accompagne le présent manuel.) Il est évident que, sur les marchés financiers, la juste valeur réelle de l'option reflète aussi, la valeur temps. Des modèles d'évaluation, tel le modèle Black-Scholes-Merton, sont utiles pour évaluer la juste valeur des options.

Qu'il s'agisse d'une option boursière ou d'une option de gré à gré, la comptabilisation de ce dérivé à la juste valeur permet de dégager le profit ou la perte qui en découle au fur et à mesure que la juste valeur du sous-jacent varie.

L'entreprise suit les mêmes principes quand elle achète un contrat à terme boursier. Elle doit également comptabiliser les opérations liées au dépôt sur marge. On comptabilise ce dépôt comme s'il s'agissait d'un compte de caisse, en prenant toutefois note que ce compte fait l'objet de restriction.

EXEMPLE

Comptabilisation d'un contrat à terme boursier, position vendeur

Le 1er juin 20X1, Termobain ltée achète un contrat à terme boursier, position vendeur, et verse un dépôt sur marge de 1 000 $ à son courtier. Le contrat porte sur 10 000 actions de la société Valable ltée et vient à échéance le 1er septembre 20X1. Il stipule que le prix d'exercice d'une action de Valable ltée s'élève à 8 $.

Le 30 juin, date de clôture de l'exercice financier de Termobain ltée, la juste valeur du contrat à terme boursier s'établit à 3 000 $. Le 1er septembre 20X1, la juste valeur de l'action de Valable ltée est de 7,50 $ et celle du contrat à terme boursier s'élève à 5 000 $. Le contrat à terme boursier arrive à échéance.

19

Ces opérations se reflètent ainsi dans les livres comptables de Termobain ltée :

1er juin 20X1

Dépôt sur marge	*1 000*	
Caisse		*1 000*
Paiement du dépôt sur marge afférent à un contrat à terme boursier, position vendeur.		

Note : Termobain ltée ne passe aucune écriture additionnelle pour comptabiliser la juste valeur du contrat, car cette valeur est nulle. En effet, le prix d'exercice correspond généralement au prix au comptant du titre sous-jacent à la date de l'émission du contrat.

30 juin 20X1

(Aucun dépôt supplémentaire sur marge n'est requis, car la baisse de valeur des actions avantage Termobain ltée, qui pourra vendre 10 000 actions à un prix supérieur à la juste valeur[7].)

Contrat à terme	*3 000*	
Profit/Perte découlant de la variation de valeur du contrat à terme		*3 000*
Augmentation de la juste valeur du contrat à terme.		

1er septembre 20X1

(Aucun dépôt supplémentaire sur marge n'est requis, pour les mêmes raisons que celles qui sont données précédemment.)

Contrat à terme	*2 000*	
Profit/Perte découlant de la variation de valeur du contrat à terme		*2 000*
Augmentation de la juste valeur du contrat à terme.		

Calcul :

Augmentation de valeur réalisée à ce jour	5 000 $
Augmentation de valeur déjà comptabilisée	(3 000)
Augmentation de valeur à comptabiliser	2 000 $

Caisse	*6 000*	
Dépôt sur marge		*1 000*
Contrat à terme boursier		*5 000*
Échéance du contrat à terme boursier.		

Note : Puisqu'il s'agit d'un contrat à terme boursier, Termobain ltée ne cède pas les actions à l'échéance du contrat à terme. En fait, elle ne détient probablement pas d'actions de Valable ltée. Elle encaisse simplement la différence entre la juste valeur de l'action à cette date (75 000 $) et le prix d'exercice (80 000 $), en plus de récupérer son dépôt sur marge.

Les informations financières relatives à ce contrat à terme seraient présentées de la façon suivante dans les états financiers de Termobain ltée :

TERMOBAIN LTÉE
Situation financière partielle
au 30 juin 20X1

Actif	
Dépôt sur marge	*1 000 $*
Contrat à terme	*3 000*

19

7. Si la juste valeur d'une action sur le marché dépassait la barre de 8 $ fixée par le prix d'exercice, Termobain ltée serait perdante, car son contrat à terme l'oblige à vendre les actions à 8 $. Elle devrait alors faire un dépôt sur marge additionnel.

TERMOBAIN LTÉE
Résultat global partiel
de l'exercice terminé le 30 juin 20X1

Profit découlant de la variation de valeur d'un contrat à terme	*3 000 $*
Résultat net	*3 000*

TERMOBAIN LTÉE
Flux de trésorerie partiels
de l'exercice terminé le 30 juin 20X1

Activités d'exploitation	
Résultat net	*3 000 $*
Variation de la juste valeur du contrat à terme	*(3 000)*
Activités d'investissement	
Dépôt sur marge	*(1 000)*

TERMOBAIN LTÉE
Résultat global partiel
de l'exercice terminé le 30 juin 20X2

Profit découlant de la variation de valeur d'un contrat à terme	*2 000 $*
Résultat net	*2 000*

TERMOBAIN LTÉE
Flux de trésorerie partiels
de l'exercice terminé le 30 juin 20X2

Activités d'exploitation	
Résultat net	*2 000 $*
Variation de la juste valeur du contrat à terme	*(2 000)*
Activités d'investissement	
Encaissement du contrat à terme	*5 000*
Dépôt sur marge	*1 000*

Dans cet exemple, nous supposons que le dépôt sur marge et le contrat à terme ne font pas partie de la trésorerie et des équivalents de trésorerie. Si c'était le cas, aucun montant ne figurerait dans la section des activités d'investissement du tableau des flux de trésorerie.

La comptabilisation d'un swap repose sur les mêmes principes que les autres dérivés. Elle suit les règles applicables aux actifs ou passifs financiers classés À la juste valeur par le biais du résultat net.

EXEMPLE

Comptabilisation d'un swap

Le 2 janvier 20X3, la société Jean Change ltée signe un swap échéant le 31 décembre 20X5 et portant sur un notionnel de 500 000 $. Il est convenu que, le 31 décembre de chaque année, date de clôture de l'exercice financier, Jean Change ltée recevra des intérêts calculés au taux fixe de 9 % et paiera des intérêts calculés au taux de base de la Banque du Canada, majoré de 3 %. Le 2 janvier 20X3, ce taux de base s'élevait à 6 %. Il était à 7 % le 2 janvier 20X4 et à 4 % le 2 janvier 20X5. Dans cet exemple, nous présumons que, d'une année à l'autre, le taux de base reste le même jusqu'au 2 janvier suivant. L'institution financière vous transmet son évaluation de la juste valeur du swap :

2 janvier 20X3	0 $
31 décembre 20X3	0
2 janvier 20X4	8 678
2 janvier 20X5	9 346

Voici les écritures de journal requises dans les livres de la société :

2 janvier 20X3

Aucune écriture n'est requise, car la juste valeur du swap est nulle.

31 décembre 20X3

Aucune écriture n'est requise, car la juste valeur du swap est toujours nulle.

2 janvier 20X4

Profit/Perte découlant de la variation de valeur du swap	*8 678*	
Swap		*8 678*
Variation de la juste valeur du swap.		

31 décembre 20X4

Swap	*5 000*	
Caisse ①		*5 000*
Débours inhérent au swap.		

Calcul :

① Intérêts à recevoir sur le swap (500 000 $ × 9 %)	45 000 $
Intérêts à payer sur le swap (500 000 $ × 10 %)	(50 000)
Montant net	(5 000) $

2 janvier 20X5

Swap	*13 024*	
Profit/Perte découlant de la variation de valeur du swap		*13 024*
Augmentation de la juste valeur du swap [9 346 $ – (–8 678 $ + 5 000 $)].		

31 décembre 20X5

Caisse ①	*10 000*	
Profit/Perte découlant de la variation de valeur du swap ②		*654*
Swap		*9 346*
Encaissement inhérent au swap.		

Calculs :

① Intérêts à recevoir sur le swap (500 000 $ × 9 %)	45 000 $
Intérêts à payer sur le swap (500 000 $ × 7 %)	(35 000)
Montant net	10 000 $
② Montant encaissé	10 000 $
Valeur comptable du swap	(9 346)
Profit	654 $

Cet exemple révèle plusieurs points intéressants. Au moment de la signature du contrat, soit lorsque la société devient partie prenante, elle doit comptabiliser la juste valeur du swap. Toutefois, aucune écriture de journal n'est requise car, dans cet exemple, comme dans la plupart des contrats de swap, la juste valeur du swap est nulle à cette date. À la fin de l'exercice 20X3, la société ne paie ni ne reçoit d'intérêt, car les taux sont demeurés stables tout au long de l'exercice. De plus, la juste valeur du swap est demeurée nulle.

Toutefois, le 2 janvier 20X4, Jean Change ltée subit les effets d'une augmentation du taux de base. À cette date, la juste valeur du swap devient négative et la société doit comptabiliser le passif qui en découle. Le montant qu'elle comptabilise représente la juste valeur du swap. Le 31 décembre 20X4, elle débourse un montant net de 5 000 $, qu'elle débite au compte Swap.

Le 2 janvier 20X5, le taux d'intérêt du marché diminue à 7 %, ce qui est bénéfique à Jean Change ltée. La juste valeur du swap devient positive et s'élève à 9 346 $. C'est donc dire que l'obligation liée au swap, déjà comptabilisée par l'entreprise, se transforme en actif. Encore une fois, Jean Change ltée comptabilise la variation de valeur en résultat net de l'exercice en cours. Le 31 décembre, la société encaisse un montant net de 10 000 $ et le répartit entre un profit découlant de la variation de valeur du swap de 654 $ (9 346 $ × 7 %) et la réalisation du swap, arrivé à terme.

Voici les extraits pertinents de l'état du résultat global de Jean Change ltée pour les exercices 20X3 à 20X5 ainsi que le total des trois exercices :

JEAN CHANGE LTÉE
Résultat global partiel
de l'exercice terminé le 31 décembre

	20X3	*20X4*	*20X5*	*Total*
Profit/Perte découlant de la variation de valeur du swap	*0*	*(8 678) $*	*13 678 $*	*5 000 $*
Résultat net	*0*	*(8 678) $*	*13 678 $*	*5 000 $*

Au total, Jean Change ltée comptabilise un profit de 5 000 $, soit le montant net encaissé au cours des 3 années d'existence du swap. Toutefois, les résultats annuels de la société montrent bien la volatilité de la juste valeur du swap, lequel a généré une perte de 8 678 $ en 20X4 et un profit de 13 678 $ en 20X5.

Cet exemple met en évidence une particularité des dérivés, à savoir qu'un contrat qui représente un passif financier à une date donnée peut devenir avantageux à un certain moment et constituer dès lors un actif financier. La situation inverse est aussi vraie ; un dérivé comptabilisé comme actif financier peut évoluer en un passif financier.

La comptabilisation des dérivés incorporés[8]

Différence NCECF

Si la comptabilisation est plutôt simple dans le cas des contrats qui constituent des dérivés, elle se complexifie lorsque des dérivés sont jumelés à un autre contrat. Les **instruments financiers composés**[9], soit des instruments financiers qui comportent au moins deux composantes, ont gagné en popularité au fil des ans, car ils permettent à l'émetteur de se financer à un taux d'intérêt moindre. Nous avons traité de cet aspect au chapitre 13. Comme le montre la figure 19.6, une obligation convertible en actions de l'émetteur comporte, du point de vue de celui-ci, une composante de passif (obligation de payer les intérêts et la valeur à l'échéance) et une composante de capitaux propres (privilège de conversion). Dans un premier temps, l'émetteur d'une telle obligation présente distinctement chacune des composantes dans l'état de la situation financière, en vertu de l'**IAS 32**, portant sur la présentation des instruments financiers. Puisque les composantes de capitaux propres correspondent à un intérêt résiduel dans l'actif net d'une entité, « [...] il convient d'affecter à la composante capitaux propres le montant résiduel obtenu après avoir déduit de la juste valeur de l'instrument considéré dans son ensemble le montant déterminé séparément pour la composante passif[10] ». Dans un second temps, il applique les recommandations contenues dans l'**IFRS 9**, portant sur les instruments financiers, pour comptabiliser son passif financier, sachant de plus que la valeur à l'échéance des obligations est basée sur un indice, disons la juste valeur d'un indice boursier ou celle d'une once d'or. Dans la figure 19.6, les traits pointillés encadrant la composante de capitaux propres signifient que l'IFRS 9 ne s'applique pas à cette composante.

Du point de vue du porteur, une telle obligation convertible, qui représente le **contrat hôte**, constitue un actif financier dont la comptabilisation repose aussi sur les recommandations de l'IFRS 9.

19

8. Précisons d'abord que lorsqu'un dérivé est attaché à un autre instrument financier mais qu'il est contractuellement transférable indépendamment de cet autre instrument, ce dérivé n'est pas un dérivé incorporé, mais un instrument financier distinct. On doit alors répartir le prix total forfaitaire entre les deux titres, sur la base de leur juste valeur respective. Pour plus de détails, voir la figure 19.6 et les explications qui s'y rattachent.
9. Le chapitre 4 a expliqué la nature et la comptabilisation des instruments financiers composés.
10. CPA Canada, *Manuel de CPA Canada – Comptabilité – Partie I*, IAS 32, paragr. 31. (*Voir la page iv des liminaires pour plus de détails à l'égard des normes publiées mais non encore entrées en vigueur.*)

FIGURE 19.6 Les instruments financiers composés avec dérivés incorporés

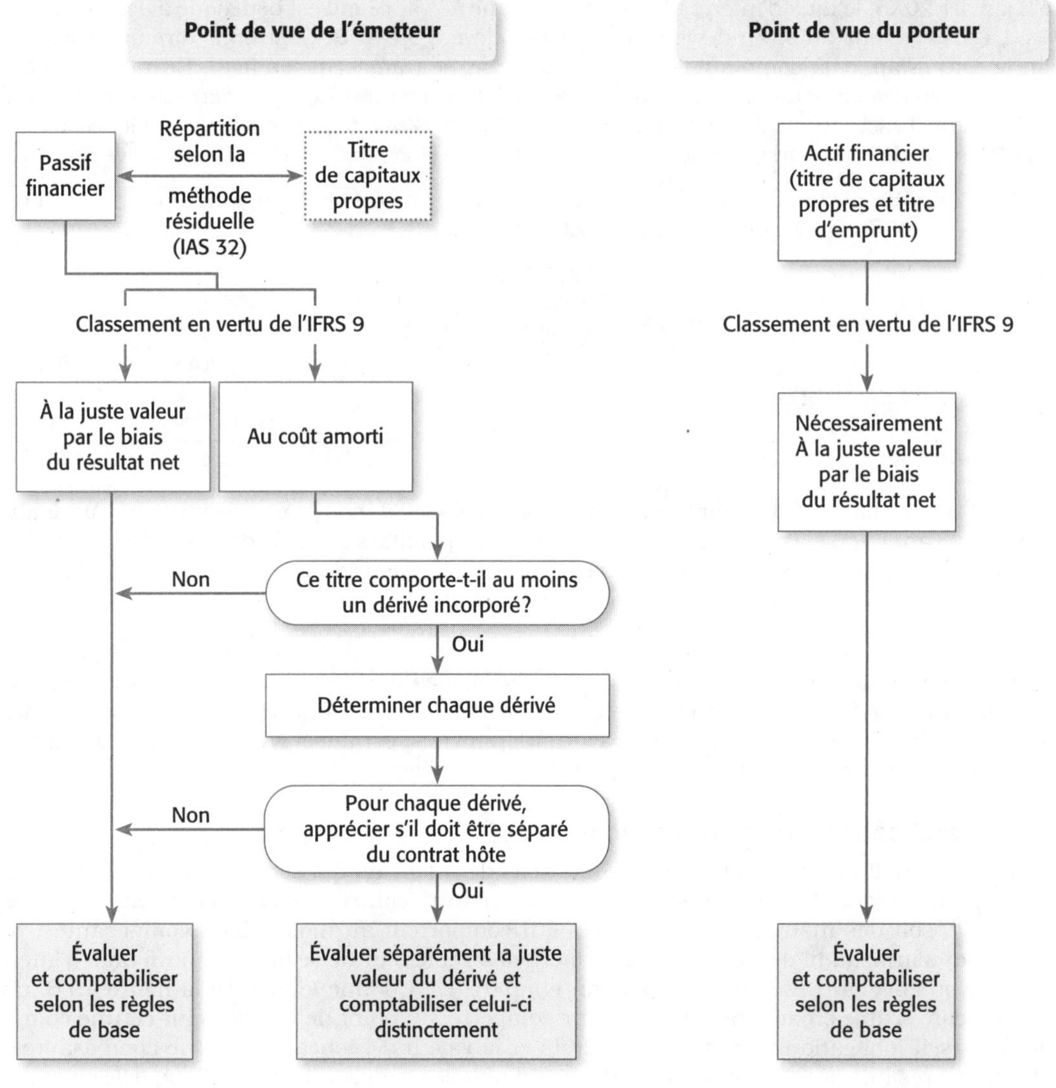

Rappelons d'abord que, selon le paragraphe 4.3.2, le classement doit se faire pour l'intégralité du contrat hybride, soit au niveau du contrat pris dans son ensemble. En d'autres mots, le porteur ne peut pas comptabiliser et classer distinctement le privilège de conversion et le placement en obligations non convertibles. Lorsqu'il analyse l'intégralité du contrat, il conclut nécessairement que les flux de trésorerie liés à cet actif financier ne correspondent pas seulement à l'encaissement du principal et des intérêts sur le principal. Tenons pour acquis qu'ils sont en effet liés à la juste valeur des actions de l'émetteur et à celle de l'or, ce qui correspond à un dérivé incorporé. Le détenteur ne peut donc classer cet actif financier comme étant Au coût amorti ni À la juste valeur par le biais des autres éléments du résultat global ; il doit obligatoirement le classer comme étant évalué subséquemment À la juste valeur par le biais du résultat net. Ainsi, les dérivés incorporés, soit la fluctuation de la valeur à l'échéance selon celle de l'or dans notre exemple, se trouvent comptabilisés de façon cohérente par rapport à la comptabilisation des dérivés autonomes que nous avons présentés précédemment dans le présent chapitre.

Revenons au point de vue de l'émetteur. La comptabilisation des instruments financiers composés peut en fait devenir délicate. En effet, la règle générale de comptabilisation des dérivés, expliquée dans les pages précédentes, impose de traiter ces instruments comme des actifs ou des passifs À la juste valeur par le biais du résultat net. Or, les instruments financiers composés, comme une obligation convertible, peuvent être classés différemment. Si l'IFRS 9 ne comportait pas de règles précises pour les instruments financiers composés, des titres en substance identiques pourraient être comptabilisés avec des règles différentes, ce qui nuirait bien sûr à la qualité de comparabilité que doit avoir l'information comptable.

Se pose alors la question de savoir comment traiter le dérivé incorporé dans un contrat hôte qui n'est pas un actif financier entrant dans le champ d'application de l'IFRS 9. Un **dérivé incorporé** a pour effet de faire varier certains des flux de trésorerie de l'instrument composé d'une manière similaire à un dérivé autonome. La figure 19.6 montre que si le contrat hôte est classé comme étant À la juste valeur par le biais du résultat net, l'émetteur applique simplement les règles de base à son passif et comptabilise notamment en résultat net les variations de valeur dès qu'elles se produisent. Toutefois, et comme nous l'avons indiqué aux chapitres 12 et 13 traitant des passifs, la majorité des passifs sont classés comme étant Au coût amorti. Lorsqu'un contrat hôte n'est pas évalué à la juste valeur, on comprend que le dérivé incorporé ne l'est pas non plus, ce qui entraînerait une incohérence par rapport aux règles comptables applicables aux dérivés autonomes. Dans ce cas, l'entreprise doit ajouter quelques étapes à son travail de comptabilisation, comme le montre la figure 19.6.

Du point de vue de l'émetteur, on doit déterminer si un dérivé est incorporé dans la composante passif, laquelle correspond à l'obligation de payer périodiquement des intérêts et de sacrifier des ressources à l'échéance. Il s'agit donc en substance d'un passif financier. Toutefois, la valeur à l'échéance varie selon la juste valeur d'une once d'or. Cette caractéristique s'apparente à un contrat à terme, position acheteur, sur l'or, car l'émetteur s'est engagé à débourser à l'échéance le prix d'une once d'or. On est donc en présence d'un passif financier comportant un dérivé incorporé.

L'IASB recommande aux émetteurs de séparer le contrat hôte et les dérivés incorporés lorsqu'ils s'engagent dans un contrat répondant aux trois conditions suivantes :

(a) les caractéristiques économiques et les risques que présente le dérivé incorporé ne sont pas étroitement liés aux caractéristiques économiques et aux risques que présente le contrat hôte [...] ;

(b) un instrument autonome qui comporterait les mêmes conditions que le dérivé incorporé répondrait à la définition d'un dérivé ;

(c) le contrat hybride n'est pas évalué à la juste valeur avec comptabilisation des variations de la juste valeur par le biais du résultat net (c'est-à-dire qu'on ne sépare pas un dérivé qui est incorporé dans un passif financier À la juste valeur par le biais du résultat net)[11].

La condition énoncée en (c) a pour objectif, comme dans le cas où le contrat hôte est un actif financier, de mettre l'accent sur la substance du contrat et de comptabiliser tous les dérivés à la juste valeur. Par souci de simplification du travail comptable et parce que la juste valeur de l'intégralité d'un titre peut s'avérer plus fiable que celle de chaque composante, l'IASB précise qu'une entreprise peut classer l'intégralité du contrat hôte comme étant À la juste valeur par le biais du résultat net, sauf si elle se trouve dans l'une ou l'autre des situations suivantes :

(a) le ou les dérivés incorporés ne modifient pas sensiblement les flux de trésorerie qui seraient par ailleurs imposés par le contrat ;

(b) il appert sans analyse approfondie, au premier examen d'un instrument hybride similaire, que la séparation du ou des dérivés incorporés est interdite, comme dans le cas d'une option de remboursement anticipé incorporée dans un prêt et autorisant son détenteur à rembourser le prêt par anticipation pour une somme avoisinant le coût amorti[12].

Par exemple, une simple option de remboursement par anticipation ne modifie pas sensiblement les flux de trésorerie si le montant du remboursement correspond sensiblement au coût amorti. Le passif remboursable par anticipation ne pourrait donc pas être classé À la juste valeur par le biais du résultat net. L'émetteur devrait alors déterminer si l'option, qui est le dérivé incorporé, doit être séparée du contrat hôte. À ce titre, la caractéristique énoncée au paragraphe 4.3.5(b) met l'accent, encore une fois, sur la nécessité de refléter fidèlement la substance du titre.

Lorsque l'émetteur conclut qu'un instrument séparé comportant les mêmes conditions que le dérivé incorporé répondrait à la définition d'un dérivé, tel que stipulé au paragraphe 4.3.3(b), le comptable analyse finalement les caractéristiques économiques du dérivé incorporé et du contrat hôte (paragraphe 4.3.3(a)). Pour ce faire, il cherche d'abord à déterminer, par exemple, si la juste valeur du dérivé incorporé fluctue en fonction des mêmes variables que celles qui font varier la juste valeur

11. *Manuel de CPA Canada – Comptabilité – Partie I*, IFRS 9, paragr. 4.3.3.

12. *Manuel de CPA Canada – Comptabilité – Partie I*, IFRS 9, paragr. 4.3.5.

du contrat hôte. Il utilise ensuite son jugement professionnel pour conclure à l'étroitesse de ces liens, car l'IASB ne donne pas de balise quantitative à cette fin. Si les caractéristiques et les risques liés au dérivé incorporé sont étroitement liés à ceux du contrat hôte, il n'a pas à séparer les deux composantes et comptabilise la totalité de l'instrument financier composé selon les règles applicables à la comptabilisation du contrat hôte. L'IASB fournit des exemples dans les paragraphes B4.3.5 et B4.3.8 de l'IFRS 9 qui facilitent l'analyse de cette caractéristique et sur lesquels repose le tableau 19.2.

TABLEAU 19.2 Des exemples illustrant les liens entre un contrat hôte et un dérivé incorporé

Exemple	Commentaire
1. Un billet à payer, échéant dans cinq ans et portant un taux d'intérêt fixe, comporte une option de vente incorporée qui permet au porteur d'exiger que l'émetteur rachète cet instrument contre de la trésorerie d'un montant variant selon le cours du pétrole.	La juste valeur de l'option de vente fluctue selon celle du pétrole, alors que la juste valeur du billet à payer, sans option de vente, fluctue selon le taux d'intérêt de référence et selon le risque de crédit propre au billet à payer. De ce fait, les deux composantes ne sont pas étroitement liées et le dérivé doit être séparé du contrat hôte. On ferait le même raisonnement pour une option de vente dont le montant fluctue en fonction du cours d'un titre de capitaux propres. Le fait que le billet à payer puisse être racheté en cédant de la trésorerie n'a pas d'effet sur l'analyse. Même si le prix de rachat était réglé en marchandises, les deux composantes ne seraient pas liées et le dérivé devrait être séparé du contrat hôte.
2. Un billet à payer porte intérêt au taux fixe de 5 % dans la mesure où le taux de la Banque du Canada se situe entre 2 % et 6 %. Si le taux d'intérêt de la Banque du Canada passe sous la barre des 2 %, le taux du billet passe à 4 %. Cependant, si le taux d'intérêt de la Banque du Canada dépasse 6 %, le taux du billet augmente à 8 %.	La clause d'ajustement du taux d'intérêt du billet s'apparente à un dérivé de garantie de taux plancher et de taux plafond. La juste valeur du dérivé et celle du billet à payer fluctuent principalement selon le taux de référence, soit le taux de la Banque du Canada, et le risque de crédit propre au billet. Compte tenu du lien étroit existant entre les deux composantes du contrat hôte, on ne doit pas séparer le dérivé incorporé du contrat hôte[13].
3. Un billet à payer de 100 000 $, contracté par ABC ltée, arrive à échéance dans 5 ans. Le montant du principal qui sera alors remboursé correspond à 100 000 $, indexé sur la valeur des actions de XYZ ltée.	Le billet à payer comporte un dérivé incorporé qui s'apparente à un contrat à terme boursier sur des actions de XYZ ltée. Le billet à payer et le dérivé incorporé ne sont pas étroitement liés, parce que les risques inhérents au contrat hôte et au dérivé incorporé sont dissemblables. Les deux éléments doivent donc être comptabilisés séparément. La conclusion serait la même si c'était le montant des intérêts qui fluctuait selon la juste valeur des actions de XYZ ltée.
4. Un billet à payer de 100 000 $, contracté par ABC ltée, arrive à échéance dans 5 ans. Le montant des intérêts annuels correspond à cinq onces d'or.	Le billet à payer comporte un dérivé incorporé qui s'apparente à un contrat à terme sur l'or. Le contrat hôte et le dérivé incorporé ne sont pas étroitement liés, parce que les risques inhérents au contrat hôte et au dérivé incorporé sont dissemblables. Les deux éléments doivent donc être comptabilisés séparément.
5. Un contrat de location hôte comporte une clause qui fixe le montant des loyers annuels à 500 000 $, ajusté d'un indice lié à l'inflation des loyers.	Le dérivé incorporé lié à la clause d'indexation s'apparente à un contrat à terme sur un indice d'inflation. Ce dérivé incorporé dans un contrat de location hôte est étroitement lié au contrat hôte et les deux composantes ne doivent pas être comptabilisées distinctement. La conclusion serait la même si les loyers étaient calculés sur la base du chiffre d'affaires du preneur ou d'un taux d'intérêt variable car, dans tous ces cas, la juste valeur des deux composantes fluctuent selon les mêmes variables.

19

13. L'IASB donne cependant un contre-exemple où l'on doit séparer les deux composantes : si le contrat hybride peut être réglé de telle façon que le titulaire ne recouvre pas la quasi-totalité de son placement comptabilisé ou si le dérivé incorporé permet d'au moins doubler le taux de rendement initial offert au titulaire du contrat hôte et de générer ainsi un rendement qui soit au moins le double de celui qu'offrirait le marché sur un contrat ayant les mêmes modalités.

Lorsque le comptable conclut qu'il doit séparer le contrat hôte, le dérivé est comptabilisé conformément à l'IFRS 9 et le contrat hôte l'est selon les autres normes applicables. Quand le dérivé doit être séparé, comme dans le premier exemple du tableau 19.2, l'émetteur du contrat hôte évalue ensuite le dérivé incorporé (l'option de vente fonction du cours du pétrole) à sa juste valeur, selon les directives données par l'IASB dans l'**IFRS 13**, intitulée « Évaluation de la juste valeur » et expliquée au chapitre 3 du présent manuel. À la date de la comptabilisation initiale, il détermine la juste valeur d'un dérivé incorporé et attribue ensuite l'écart entre la valeur du contrat composé et celle du dérivé incorporé à la composante contenant le contrat hôte. Quand l'entreprise est incapable de déterminer la juste valeur du dérivé, elle doit éviter de séparer les deux composantes et classer plutôt l'intégralité du contrat hybride comme étant À la juste valeur par le biais du résultat net. L'analyse de la pertinence de séparer un dérivé incorporé s'effectue uniquement lorsque l'entreprise devient partie prenante au contrat la première fois. La seule exception permise est lorsque les conditions du contrat changent de façon importante.

EXEMPLE

Comptabilisation d'un dérivé incorporé – Partie A : le point de vue du porteur

La société Marcoux ltée achète, le 30 juin 20X5, des obligations émises par la société Durant ltée. Ces obligations, d'une valeur nominale de 500 000 $, arrivent à échéance le 30 juin 20X7 et comportent une option de vente non transférable contractuellement permettant au porteur d'exiger que l'émetteur les rachète à un montant égal à la juste valeur de 50 onces d'or. Les obligations portent intérêt au taux de 7 % par année, ce qui correspond au taux d'intérêt du marché le 30 juin 20X5 pour des obligations identiques, payables le 30 juin de chaque année. La juste valeur d'obligations essentiellement identiques, mais sans option de vente émise, s'élève à 491 084 $, ce qui correspond à un taux d'intérêt du marché de 8 %. La juste valeur de l'option de vente s'élève à 8 916 $. Au cours des mois qui suivent, et jusqu'à l'échéance, seul le passage du temps fait varier la juste valeur. Toutefois, la juste valeur des obligations comportant l'option de vente passe à 504 717 $ le 30 juin 20X6, reflétant le taux d'intérêt du marché de 6 % pour des obligations identiques à celles détenues par Marcoux ltée. À cette date, la juste valeur de l'option de vente s'élève à 9 346 $. L'exercice financier des deux sociétés se termine le 30 juin.

Prenons d'abord le point de vue de Marcoux ltée. Le contrat hybride groupe un contrat hôte, soit les obligations détenues, et un dérivé incorporé, soit l'option de vente, position vendeur. Puisque le contrat hôte est un actif qui entre dans le champ d'application de l'IFRS 9, l'entité doit classer l'intégralité du contrat hôte selon les règles de base expliquées en détail au chapitre 4 du présent manuel. Compte tenu du fait que les encaissements attendus varient selon la juste valeur de l'or, les flux de trésorerie ne correspondent pas uniquement au recouvrement du principal et des intérêts, empêchant ainsi Marcoux ltée de classer son placement comme étant Au coût amorti. Elle doit donc le classer comme étant À la juste valeur par le biais du résultat net (JVBRN) et passer l'écriture de journal suivante :

30 juin 20X5		
Placement – Obligations à la JVBRN	*500 000*	
Caisse		*500 000*
Achat d'obligations comportant une option de vente.		

Par la suite, la société comptabilise normalement les intérêts créditeurs gagnés sur le placement en obligations à l'aide de la méthode du taux d'intérêt effectif. Périodiquement, elle doit aussi comptabiliser les variations de valeur de son placement. Dans notre exemple, la juste valeur fluctue uniquement le 30 juin 20X6. Voici les écritures de journal requises dans les livres de Marcoux ltée jusqu'à l'échéance des obligations :

30 juin 20X6		
Caisse	*35 000*	
Intérêts créditeurs – Placement en obligations à la JVBRN		*35 000*
Produits d'intérêts sur un placement en obligations À la juste valeur par le biais du résultat net (500 000 $ × 7 %).		

Note : Le solde du compte Placement – Obligations à la JVBRN demeure à 500 000 $.

	Débit	Crédit
Placement – Obligations à la JVBRN	*4 717*	
Profit/Perte découlant de la variation de valeur d'un placement en obligations à la JVBRN		*4 717*

Augmentation de la juste valeur du privilège de conversion des obligations de Durant ltée afin de refléter un taux d'intérêt du marché de 6 %.

Calcul :

Juste valeur des obligations	504 717 $
Valeur comptable des obligations	(500 000)
Augmentation de la valeur des obligations	4 717 $

30 juin 20X7

	Débit	Crédit
Caisse ①	*35 000*	
Placement – Obligations à la JVBRN ②		*4 717*
Intérêts créditeurs – Placement en obligations à la JVBRN ③		*30 283*

Produits d'intérêts sur un placement en obligations À la JVBRN et diminution de la valeur des obligations arrivées à l'échéance.

Calculs :

① (500 000 $ × 7 %)

② (504 717 $ – 500 000 $)

③ (35 000 $ – 4 717 $)

Note : Le solde du compte Placement – Obligations à la juste valeur par le biais du résultat net s'élève maintenant à 500 000 $ (504 717 $ – 4 717 $). Il représente la juste valeur des obligations dont l'échéance est le même jour.

	Débit	Crédit
Caisse	*500 000*	
Placement – Obligations à la JVBRN		*500 000*

Encaissement à l'échéance des obligations À la juste valeur par le biais du résultat net.

Avant de clore cet exemple, examinons ce qui serait comptabilisé si le détenteur des obligations avait demandé le rachat des obligations le 30 juin 20X6. Tenons pour acquis que la valeur de rachat, qui dépend du cours de l'or à cette date, était de 505 000 $. Marcoux ltée aurait alors enregistré l'écriture qui suit :

	Débit	Crédit
Caisse	*505 000*	
Placement – Obligations à la JVBRN		*504 717*
Profit sur obligations à la JVBRN		*283*

Rachat des obligations par l'émetteur au cours de l'or à ce jour.

L'exemple précédent permet de voir clairement que, du point de vue du porteur des obligations, l'intégration d'un dérivé incorporé a pour seule conséquence de forcer le classement du placement À la juste valeur par le biais du résultat net.

EXEMPLE

Comptabilisation d'un dérivé incorporé – Partie B : le point de vue de l'émetteur

Poursuivons notre exemple en examinant le point de vue de Durant ltée. Conformément au paragraphe 4.3.3 de l'IFRS 9, l'entreprise doit d'abord déterminer si elle doit séparer le contrat hôte, soit le passif financier représenté par les obligations à payer, et l'option de vente émise. Pour ce faire, elle analyse trois critères, qui doivent tous être respectés pour que les deux titres soient séparés. Premièrement, les caractéristiques économiques et les risques que présente l'option de vente émise sont alignés sur la juste valeur de l'or, ce qui s'écarte clairement des caractéristiques économiques et des risques des obligations. Deuxièmement, l'émission d'une option de vente sur l'or répondrait à la définition d'un dérivé. Troisièmement, le contrat hybride n'est pas classé comme étant À la juste valeur par le biais du résultat net. Si le contrat était ainsi classé, Durant ltée ne serait pas tenue de séparer les deux composantes. Elle évaluerait simplement l'ensemble de son passif financier à la juste valeur, en comptabilisant en résultat net les variations de valeur dès qu'elles se produiraient.

Tenons pour acquis que Durant ltée évalue les obligations à payer au coût amorti, respectant ainsi les trois critères. Dans un tel cas, elle doit séparer le produit de l'émission des obligations (500 000 $) entre le passif financier classé comme étant Au coût amorti, soit les obligations à payer sans option de vente (491 084 $), et le passif qui est un dérivé, soit l'option de vente émise (8 916 $). Elle comptabilise ainsi l'émission du contrat hybride :

30 juin 20X5		
Caisse	*500 000*	
Obligations à payer au coût amorti		*491 084*
Passif lié à l'émission d'une option de vente		*8 916*
Émission d'un contrat hybride groupant un passif financier classé comme étant Au coût amorti, soit les obligations à payer, et un dérivé, soit l'option de vente sur 50 onces d'or.		

Le compte Passif lié à l'émission d'une option de vente est un passif financier sous forme d'un dérivé qui doit être présenté selon l'IFRS 9 dans le passif non courant. Selon les renseignements fournis, le taux d'intérêt effectif sur les obligations à payer s'élève à 8 % au 30 juin 20X5 et c'est ce taux que Durant ltée utilise au cours des exercices subséquents pour comptabiliser ses charges financières. Elle comptabilise les opérations de 20X6 et 20X7 comme suit.

30 juin 20X6		
Intérêts débiteurs sur obligations à payer ①	*39 287*	
Caisse ②		*35 000*
Obligations à payer au coût amorti ③		*4 287*
Charge d'intérêts sur les obligations à payer.		

Calculs :

① (491 084 $ × 8 %)

② (500 000 $ × 7 %)

③ (39 287 $ – 35 000 $)

Note : Cette écriture a pour effet de porter la valeur comptable des obligations à payer à 495 371 $.

Perte découlant de la variation de valeur d'une option de vente émise	*430*	
Passif lié à l'émission d'une option de vente		*430*
Augmentation de valeur d'une option de vente émise (9 346 $ – 8 916 $).		

30 juin 20X7		
Intérêts débiteurs sur obligations à payer ①	*39 629*	
Caisse ②		*35 000*
Obligations à payer au coût amorti ③		*4 629*
Charge d'intérêts sur les obligations à payer.		

Calculs :

① (495 371 $ × 8 %) (écart d'arrondissement de 1 $)

② (500 000 $ × 7 %)

③ (39 629 $ – 35 000 $)

Note : Cette écriture a pour effet de porter la valeur comptable des obligations à payer à 500 000 $.

19

Obligations à payer au coût amorti	*500 000*	
Passif lié à l'émission d'une option de vente	*9 346*	
Caisse		*500 000*
Profit sur option de vente émise		*9 346*
Remboursement des obligations à payer arrivés à échéance sans que les porteurs aient exercé leur option de vente.		

Ces écritures montrent clairement que, du point de vue de Durant ltée, lorsque le passif financier est classé comme étant ultérieurement évalué au coût amorti, la charge d'intérêts annuelle est calculée selon la méthode du taux d'intérêt effectif. Par ailleurs, le passif lié à l'émission d'une option de vente doit constamment être évalué à la juste valeur avec comptabilisation en résultat net des variations de valeur.

Comme dans la partie A de cet exemple, ouvrons une parenthèse pour examiner la comptabilisation selon l'hypothèse où les détenteurs des obligations ont demandé le rachat des obligations le 30 juin 20X6. Durant ltée aurait enregistré l'écriture qui suit :

Obligations à payer au coût amorti	*495 371*	
Passif lié à l'émission d'une option de vente (8 916 $ + 430 $)	*9 346*	
Perte sur rachat d'obligations au coût amorti	*283*	
Caisse		*505 000*
Rachat des obligations au cours de l'or à ce jour.		

L'exemple précédent était simple, car il visait à faire ressortir les principes d'évaluation. La question de la comptabilisation des dérivés incorporés peut sembler un peu plus complexe du point de vue de l'émetteur des titres, car celui-ci doit d'abord déterminer, comme nous l'avons expliqué au chapitre 4, si le titre émis est un titre composé dont les composantes de passif et de capitaux propres doivent être distinguées. Ensuite, pour chacune des deux composantes, il doit analyser si la composante, alors traitée à titre de contrat hôte, inclut des dérivés incorporés.

EXEMPLE

Comptabilisation par l'émetteur d'un titre comportant deux dérivés incorporés

La société Armand Lavigne ltée exploite des vignobles[14]. Le 1er janvier 20X1, la société a reçu 1 000 000 $ lors de l'émission d'obligations « convertibles », d'une valeur nominale de 1 000 000 $, rachetables selon diverses modalités. À tout moment, les détenteurs d'obligations peuvent « convertir » leurs obligations, c'est-à-dire en exiger le rachat, à un montant, payable en trésorerie, correspondant à 20 000 fois le cours d'une action ordinaire à la date du rachat. Bien que le terme « convertir » soit utilisé, le détenteur des obligations ne convertit pas ses obligations en actions ordinaires, mais se fait payer la « valeur de conversion » des actions. Les obligations sont aussi rachetables en tout temps, au gré de l'émetteur, à une valeur correspondant au montant de leur valeur nominale. Il s'agit ici de leur « valeur de remboursement ». Le taux d'intérêt contractuel est de 1,5 %, et les obligations arrivent à échéance le 31 décembre 20Z0. Au moment de l'émission, le cours d'une action s'élève à 40 $ et la juste valeur de l'option de conversion est estimée à 151 530 $. Soulignons que de telles obligations ne comportent pas de composante de capitaux propres, puisque l'émetteur a une obligation contractuelle de céder de la trésorerie peu importe la modalité du remboursement. Les obligations comportent deux dérivés incorporés.

Le premier dérivé incorporé est l'option d'achat consentie par l'émetteur sur ses actions ordinaires. Le droit du détenteur de forcer le rachat à un prix basé sur le cours des actions correspond, en substance, à une option d'achat consentie par l'émetteur sur ses actions ordinaires et réglée par celui-ci en trésorerie. Ce droit devrait être séparé du titre d'emprunt hôte et comptabilisé séparément en tant que passif financier dérivé. Armand Lavigne ltée doit donc classer ce dérivé, d'une valeur de 151 530 $, comme étant À la juste valeur par le biais du résultat net, et le comptabiliser à sa juste valeur au moment de l'émission des obligations. Ce dérivé sera réévalué à chaque date de clôture, et les profits et les pertes découlant de la variation de valeur seront comptabilisés en résultat net.

19

14. Cet exemple est tiré du *Manuel de CPA Canada – Comptabilité – Partie V, Abrégé des délibérations nº 164*. Le traitement proposé est conforme aux recommandations de l'IFRS 9.

Les obligations comportent aussi un second dérivé incorporé, soit l'option de remboursement anticipé détenue par l'émetteur. Armand Lavigne ltée ne doit toutefois pas comptabiliser ce dérivé incorporé distinctement, dans la mesure où nous posons ici l'hypothèse que le prix de rachat se rapproche sensiblement du coût amorti.

Armand Lavigne ltée classe l'option de remboursement comme étant Au coût amorti, tout comme le contrat hôte. Ces passifs financiers peuvent donc être regroupés. Ils sont évalués au montant de 848 470 $ à la date de l'émission. Par la suite, pour déterminer le coût amorti à l'aide de la méthode du taux d'intérêt effectif, la société doit estimer la durée de vie des obligations. À cette fin, notons que la durée de vie attendue n'est pas nécessairement égale à la durée contractuelle totale de l'instrument financier. Dans notre exemple, nous tenons pour acquis qu'Armand Lavigne ltée estime à cinq ans la durée de vie des obligations. Pour ce faire, la société a tenu compte de la probabilité que les émetteurs demandent le remboursement anticipé des obligations et du cours des actions. Connaissant la valeur actualisée de la dette (848 470 $) et la durée de vie (5 ans), il est possible de calculer le taux d'intérêt effectif, soit 5 % (N = 5, PMT = –15 000 $, PV = 848 470 $, FV = –1 000 000 $, CPT I ?)]. La société utilise toutes ces données pour préparer le tableau d'amortissement de la dette :

Exercice	*Valeur comptable au début*	*Charge d'intérêts (5 %)*	*Versement d'intérêts (1,5 %)*	*Coût amorti (valeur comptable) à la fin*
20X1	*848 470 $*	*42 424 $*	*15 000 $*	*875 894 $*
20X2	*875 894*	*43 795*	*15 000*	*904 689*
20X3	*904 689*	*45 235*	*15 000*	*934 924*
20X4	*934 924*	*46 746*	*15 000*	*966 670*
20X5	*966 670*	*48 330**	*15 000*	*1 000 000*

* Montant arrondi

Dans l'exemple précédent, les obligations constituaient en substance des passifs financiers, car la société avait l'obligation contractuelle de céder de la trésorerie. Qu'en est-il lorsque la société a le choix de rembourser de semblables obligations soit en cédant de la trésorerie, soit en cédant un nombre fixe d'actions ? Comme nous l'avons expliqué au chapitre 4, l'émetteur doit alors conclure que les obligations à payer constituent un titre composé à deux composantes, soit un élément de passif et un élément de capitaux propres. La composante de passif comprend l'engagement de payer annuellement les intérêts et celui de rembourser la valeur du principal. La composante de capitaux propres comprend l'option de remboursement sous forme d'actions. L'émetteur de telles obligations doit alors répartir le produit de l'émission. Il importe de noter que les titres de capitaux propres ne constituent pas des dérivés dont l'évaluation et la comptabilisation doivent être faites en vertu des normes présentées dans l'IFRS 9. Ainsi, la valeur comptable de la composante de capitaux propres resterait la même jusqu'à ce que le titre soit converti ou remboursé.

Avez-vous remarqué ?

En comptabilisant les dérivés à la juste valeur avec comptabilisation des variations de valeur en résultat net, on introduit de la variabilité dans le résultat net au fil des exercices. Du point de vue des utilisateurs des états financiers, cette variabilité est en soi une indication des risques accrus qu'une entreprise assume en détenant des instruments financiers dérivés. Les bailleurs de fonds de l'entreprise sont alors justifiés d'exiger un taux de rendement plus élevé. (C'est ce qu'enseigne le modèle d'évaluation des actifs financiers (MEDAF)).

19

Différence NCECF

La difficulté de la comptabilisation des dérivés réside souvent dans la capacité d'identifier correctement les dérivés couverts par l'IFRS 9. Abordons maintenant cette difficulté.

Les dérivés couverts par l'IFRS 9

Différence NCECF

Jusqu'à maintenant, nous avons posé l'hypothèse que tous les dérivés étaient comptabilisés à titre d'instruments financiers. Or, certains d'entre eux, comme un contrat à terme de gré à gré sur une matière première, s'apparentent à un engagement d'achat dont traite le chapitre 12. L'IASB a donc apporté des précisions permettant de distinguer les dérivés qui constituent des instruments financiers et ceux qui représentent des engagements d'achat. Cette distinction est importante, car les engagements d'achat sont comptabilisés uniquement au moment où l'actif sous-jacent est reçu plutôt qu'à la date de signature du contrat, comme c'est le cas des dérivés. Une entreprise doit comptabiliser de la façon décrite par l'IFRS 9 un dérivé qui possède les trois caractéristiques suivantes :

(a) sa valeur varie en fonction de la variation d'un taux d'intérêt, du prix d'un instrument financier, du prix d'une marchandise, d'un cours de change, d'un indice de prix ou de taux, d'une notation ou d'un indice de crédit, ou d'une autre variable spécifiée (parfois appelée le « sous-jacent »), à condition que, dans le cas d'une variable non financière, celle-ci ne soit pas spécifique à l'une des parties au contrat ;

(b) il ne requiert aucun investissement net initial ou qu'un investissement net initial inférieur à celui qui serait nécessaire pour d'autres types de contrats dont on pourrait attendre des comportements similaires face à l'évolution des facteurs du marché ;

(c) son règlement se fait à une date future[15].

Examinons ces trois caractéristiques dans l'ordre inverse de leur présentation. La troisième caractéristique montre la principale distinction entre un instrument financier primaire et un dérivé. Bien qu'un dérivé fixe les conditions dès l'établissement de l'entente contractuelle, sa valeur définitive n'est connue qu'à l'échéance du contrat. En effet, la valeur d'un dérivé repose sur celle d'une variable sous-jacente. Il peut s'agir, par exemple, d'un nombre d'actions, d'un nombre d'unités de poids, d'un nombre d'unités de volume ou d'une monnaie. Entre la date de l'entente et la date d'échéance, le dérivé représente un droit contractuel de recevoir (céder) de la trésorerie ou un actif financier à des conditions potentiellement avantageuses ou désavantageuses.

La deuxième caractéristique explique en partie le temps qu'a mis l'IASB à élaborer les normes de comptabilisation. Le fait que le coût initial d'un dérivé soit à peu près nul, jumelé à l'utilisation du coût historique, a longtemps conduit les entreprises à ne pas comptabiliser de tels titres et, par conséquent, à ne pas les présenter dans leurs états financiers. Les utilisateurs des états financiers ne disposaient donc pas de toute l'information pertinente pour prendre leurs décisions. C'est pour pallier cette faiblesse que l'IASB affirme que la juste valeur représente souvent l'évaluation la plus pertinente, et même la seule évaluation acceptable dans le cas des dérivés.

La première caractéristique dont il a été question plus haut demande plusieurs précisions. Un dérivé porte nécessairement sur un sous-jacent et permet à l'entreprise de bénéficier des caractéristiques de ce sous-jacent sans devoir l'acheter ou le vendre. Par exemple, une entreprise qui détient des options d'achat d'actions de Québecor bénéficie des augmentations de valeur des actions de cette société comme si elle détenait les actions directement. De plus, l'avantage incontestable des dérivés consiste en ce que le porteur des options d'achat a investi une somme moindre que s'il avait acheté les actions.

Un dérivé portant sur un instrument financier, tel que des créances ou des actions, constitue lui-même un instrument financier, que ce soit un contrat de gré à gré ou un contrat boursier. Cependant, certains dérivés portant sur un élément non financier possèdent les trois caractéristiques déjà mentionnées, bien qu'ils ne répondent pas à la définition d'un instrument financier. Tels sont les dérivés qui se négocient sur un marché organisé et qui ne sont pas conclus pour répondre aux besoins de consommation de l'entreprise, c'est-à-dire qui ne sont pas réglés par la réception ou la livraison des marchandises sous-jacentes, mais plutôt par un montant net de trésorerie. Par exemple, un détaillant de matériel informatique qui achèterait un contrat à terme boursier sur du blé dans le but de spéculer sur la valeur de cette céréale devrait comptabiliser le dérivé selon les recommandations de l'IFRS 9. À l'échéance, il ne prendrait sûrement pas livraison du blé ; il paierait simplement la différence entre le prix d'exercice indiqué dans le contrat et le prix du blé sur le marché au comptant.

Toutefois, si un producteur de céréales concluait un contrat semblable de gré à gré dans le but de prendre possession du blé, il traiterait le contrat comme un **contrat à exécuter**, c'est-à-dire, dans notre exemple, un contrat d'approvisionnement en blé. Un tel contrat, qualifié d'**achat ferme** ou de **prise ferme (*take or pay*)**, confère le droit d'acheter une quantité déterminée d'un actif non financier pour répondre aux besoins de consommation de l'entreprise. Ces contrats peuvent toutefois avoir pour caractéristique de laisser le choix à l'entreprise de procéder au règlement net, par exemple, en cédant de la trésorerie correspondant à l'écart entre le prix fixé au contrat et la juste valeur des marchandises, plutôt que de prendre livraison de celles-ci. Dans un

15. *Manuel de CPA Canada – Comptabilité – Partie I*, IFRS 9, Annexe A.

tel cas, il s'agit bel et bien d'un instrument financier dérivé. Le paragraphe 2.6 de l'IFRS 9 indique des circonstances dans lesquelles on conclut que l'entreprise procédera au règlement net :

- Le contrat peut être réglé à une valeur nette en trésorerie, par un autre instrument financier ou par l'échange d'un autre instrument financier. Cette souplesse peut être explicitement mentionnée dans le contrat ou elle peut découler d'une pratique clairement établie.
- L'entreprise a pour pratique de prendre livraison physique du sous-jacent mais de le revendre dans un bref délai.
- Le sous-jacent, disons des onces d'or, est immédiatement convertible en trésorerie.

Si l'entreprise ne peut établir qu'elle procédera au règlement net, elle comptabilise les contrats comme des contrats à exécuter et non comme des instruments financiers dérivés. Notons qu'un contrat qui permet uniquement un règlement par le transfert d'un montant net correspondant aux variations de valeur constitue un véritable dérivé et non un **contrat d'achat ou de vente normalisé d'un actif financier**, dont traite le chapitre 11.

On ne doit pas confondre les dérivés portant sur un actif non financier et les instruments financiers dont la valeur peut être déterminée en fonction d'une marchandise. Il existe, par exemple, des obligations à payer dont le montant à l'échéance fluctue en fonction de l'or. Ces obligations sont remboursables en trésorerie, mais leur montant varie en fonction de la juste valeur de l'or. De tels titres constituent véritablement des instruments financiers, car leur dénouement ne peut se faire que par le transfert de trésorerie.

La figure 19.7 résume la présente sous-section.

FIGURE 19.7 Les dérivés couverts par l'IFRS 9

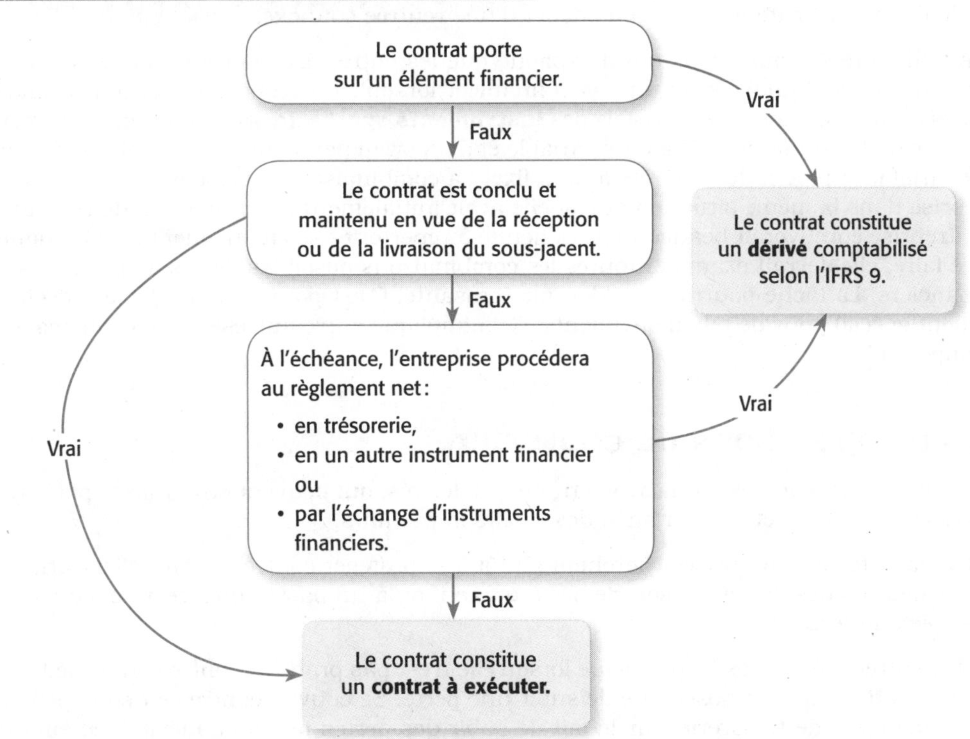

Avez-vous remarqué ?

Ce n'est pas la forme juridique du contrat dérivé qui en dicte le traitement comptable, mais plutôt l'objectif visé par l'entreprise lorsqu'elle devient partie prenante au contrat. Un dérivé conclu pour recevoir (vendre) plus tard une marchandise s'apparente, en substance, à un engagement d'achat (de vente), dont traite le chapitre 12. Par contre, si l'entreprise ne veut pas recevoir (livrer) la marchandise sous-jacente, elle mène des activités dans le cadre de la gestion des risques et applique alors les normes contenues dans l'IFRS 9.

Différence NCECF

19

La présentation dans les états financiers

Différence NCECF

Une entreprise doit présenter tous ses dérivés qui entrent dans le champ d'application de l'IFRS 9 en respectant les directives de l'**IFRS 7** concernant les informations à fournir sur les instruments financiers et de l'**IFRS 13** concernant la juste valeur. Le lecteur est invité à relire les sections pertinentes des chapitres 3 et 4 traitant des normes liées à la juste valeur et à la présentation des instruments financiers. En ce qui concerne les dérivés incorporés qui constituent des titres de capitaux propres, telle une option de règlement anticipé incorporée à des actions, l'entreprise émettrice doit respecter les recommandations du paragraphe 136A de l'**IAS 1**, intitulée « Présentation des états financiers », et donner les renseignements suivants :

- Des données quantitatives sommaires sur le titre classé en capitaux propres ;
- Ses objectifs, politiques et procédures de gestion de son obligation de règlement anticipé à la demande des porteurs, y compris tout changement survenu par rapport à l'exercice précédent ;
- Les sorties de trésorerie attendues pour racheter ou annuler ces instruments financiers ;
- Des informations expliquant la façon dont l'entreprise a estimé ces sorties de trésorerie.

Comme nous l'avons expliqué au chapitre 4, les entreprises doivent fournir dans leurs états financiers des informations sur le risque de liquidité. À cette fin, elles doivent présenter une analyse des échéances des passifs financiers en indiquant les échéances contractuelles résiduelles. Si une entreprise assume des passifs financiers dérivés, elle doit publier distinctement l'analyse afférente aux instruments financiers dérivés et celle afférente aux instruments financiers non dérivés. Il convient, par exemple, de distinguer les flux de trésorerie découlant des instruments financiers dérivés de ceux découlant des instruments financiers non dérivés si les flux de trésorerie découlant des instruments financiers dérivés font l'objet d'un règlement brut. La raison en est que la sortie de trésorerie brute peut s'accompagner d'une rentrée connexe.

Au chapitre 4, nous avons aussi expliqué que les entreprises doivent opérer une compensation entre un actif financier et un passif financier lorsqu'elles respectent certaines conditions. Certaines entreprises détiennent parfois des **instruments synthétiques**, par exemple, le regroupement d'une dette portant intérêt à taux variable et d'un swap par lequel elles reçoivent des intérêts à taux variable et paient des intérêts à taux fixe. La combinaison de ces deux instruments place l'entreprise dans la même situation que si elle avait initialement contracté une dette à taux fixe. Une entreprise éprouverait beaucoup de difficulté à répertorier ses instruments synthétiques car, pour ce faire, elle devrait examiner toutes les combinaisons possibles de ses actifs et de ses passifs financiers. La tâche pourrait vite devenir écrasante. C'est pourquoi l'IASB ne prévoit aucun traitement spécial pour de tels instruments. Cela implique entre autres que la compensation est donc impossible.

Différence NCECF

Les opérations de couverture

Différence NCECF

Dans les pages précédentes, nous avons traité des dérivés, qui peuvent être utilisés pour spéculer sur la valeur des titres et réaliser ainsi des profits importants.

La majorité des entreprises cherchent plutôt à se protéger contre d'éventuelles variations de la juste valeur ou des flux de trésorerie liés à un actif ou à un passif, qu'il résulte d'une transaction passée ou prévue[16].

Une entreprise s'expose à un risque lorsqu'elle n'est pas protégée contre d'éventuelles conséquences négatives, telle la possibilité de subir une perte. Se couvrir contre ce risque peut viser à éviter de manquer de trésorerie, car le fait de subir des pertes implique inévitablement la diminution de la trésorerie, que ce soit pendant l'exercice en cours ou un exercice subséquent. Les entreprises qui se couvrent peuvent aussi chercher à minimiser la volatilité du résultat net dans le temps. Elles peuvent enfin vouloir se protéger afin que les gestionnaires concentrent leur énergie à faire ce dans quoi ils excellent, c'est-à-dire gérer les activités d'exploitation plutôt que de gérer les risques financiers. Les entreprises disposent de divers outils pour se protéger. Afin de réduire le risque propre à un actif, elles peuvent, par exemple, s'inspirer des théories financières et diversifier leur portefeuille d'actifs. Pour réduire les risques de marché, de crédit ou de liquidité, elles

16. Nous verrons plus loin que, dans certaines circonstances, il est possible de couvrir des positions futures.

peuvent aussi conclure des opérations de couverture, mais elles doivent alors être conscientes du fait qu'elles limitent leurs possibilités de faire des profits.

Une **opération de couverture** est une opération selon laquelle une entreprise ouvre une position symétrique à une autre position qu'elle possède déjà, ou qu'elle possédera à la suite de certaines opérations futures déterminées, afin de se protéger d'un risque. Le point de départ de toute opération de couverture est donc le fait qu'une entreprise s'expose déjà à un risque. Il existe une multitude de façons de couvrir des risques. Le tableau 19.3 en donne quelques exemples.

TABLEAU 19.3 Des exemples d'opérations de couverture

Contexte	Risque couvert	Instruments de couverture possibles
1. Blanchette inc. assume un emprunt bancaire de 100 000 $, remboursable dans un an, à taux variable (taux de base de la Banque du Canada, majoré de 2 %).	Risque de marché lié au risque de taux d'intérêt. Par exemple, si les taux d'intérêt augmentent, les débours d'intérêt augmentent.	Actif, par exemple un billet à recevoir d'un dirigeant, encaissable dans un an, d'un montant équivalent et portant intérêt au même taux variable. Contrat de swap comportant un encaissement basé sur le même taux et un décaissement à taux fixe.
2. Neigette inc. assume un emprunt bancaire portant intérêt à taux fixe.	Risque de marché lié au risque de taux d'intérêt. Par exemple, si les taux d'intérêt diminuent, la juste valeur de la dette augmente.	Actif d'un montant équivalent qui porte intérêt à un taux fixe. Contrat de swap comportant un encaissement à taux fixe et un décaissement à taux variable.
3. Pelletier inc. détient un placement en actions de Neigette inc.	Risque de marché lié à l'autre risque de prix. Par exemple, la juste valeur des actions de Neigette inc., cotées en Bourse, pourrait diminuer après l'élection des nouveaux membres du conseil d'administration.	Options de vente sur les actions de Neigette inc. Contrat à terme boursier, position vendeur, sur les actions de Neigette inc. Si la cote boursière des actions diminue, Pelletier inc. exerce son option de vente et reçoit le prix d'exercice fixé au contrat.
4. Titango inc., une entreprise canadienne, achète pour 100 000 € de matières premières en Espagne. Elle devra payer cette somme à la fin du mois.	Risque de prix lié au risque de change. Par exemple, si le dollar canadien se dévalue par rapport à l'euro, Titango inc. devra débourser à la fin du mois un montant plus élevé en dollars canadiens comparativement à ce qu'elle aurait payé à son fournisseur à la date de l'achat.	Contrat à terme, position acheteur, sur l'euro. Titango inc. fixe ainsi le montant en dollars canadiens qu'elle paiera pour obtenir 100 000 € qu'elle utilisera ensuite pour payer son fournisseur.
5. I. Dé A. inc., une entreprise canadienne, vend pour 100 000 € de marchandises à un client espagnol et accepte de recevoir cette somme à la fin du mois.	Risque de prix lié au risque de change. Par exemple, si l'euro se dévalue par rapport au dollar canadien, I. Dé A. inc. recevra dans un mois un montant en dollars canadiens plus faible comparativement au montant qu'elle aurait encaissé en euros au moment de la vente.	Contrat à terme, position vendeur, sur l'euro. I. Dé A. inc. fixe ainsi le montant en dollars canadiens qu'elle recevra du client.

Une couverture est efficace si la juste valeur de la position couverte et celle de l'instrument de couverture varient exactement en sens inverse, en réaction à une variation du facteur de risque, et que la corrélation entre les variations de valeur tourne autour de −1. Par exemple, dans la deuxième situation du tableau 19.3, si Neigette inc. assume un emprunt bancaire au montant de 100 000 $, portant intérêt à taux fixe, il est évident qu'une augmentation de 1 % du taux de base n'aura aucune répercussion sur les intérêts à payer, mais la juste valeur diminuera (disons de 900 $), car la dette sera actualisée à un taux plus élevé. L'augmentation du taux d'intérêt n'aura aucune répercussion sur les intérêts encaissables sur l'actif, mais la juste valeur de celui-ci diminuera (disons de 900 $). Cette couverture est donc parfaitement efficace. Dans un autre contexte, il se peut que la variation de la juste valeur d'un actif, par exemple un billet à recevoir, soit accompagnée d'une augmentation du risque de crédit que représente le débiteur qui entraînerait une diminution de la juste valeur. Aux fins de l'évaluation de l'efficacité de la couverture, on comparera uniquement les variations dans les justes valeurs qui découlent de la variation du taux d'intérêt.

19

Une couverture pourrait être partiellement efficace si, par exemple, dans le cas de Blanchette inc. décrit dans le tableau 19.3, le taux de base utilisé pour calculer les intérêts encaissables était le taux Libor[17]. Blanchette inc. devrait alors s'assurer que ce taux fluctue de façon semblable au taux de base de la Banque du Canada.

Différence NCECF

Les opérations de couverture peuvent couvrir une période plus courte que l'échéance de la position couverte et peuvent aussi porter sur un montant plus faible. La section suivante comprend des exemples illustrant de telles couvertures.

Les conditions d'application de la comptabilité de couverture

Différence NCECF

Il importe d'abord de mentionner que la comptabilité de couverture ne peut ni ne doit s'appliquer à toutes les opérations de couverture. La raison en est simple. La comptabilité de couverture vise à présenter en résultat net du même exercice financier le profit et la perte sur l'élément couvert et sur l'instrument de couverture, les deux se contrebalançant, afin que les effets de la gestion des risques soient bien reflétés dans les états financiers. On désigne par **comptabilité de couverture**[18] l'ensemble des règles particulières qui permettent d'atteindre cet objectif. Si les règles comptables applicables aux deux positions conduisent déjà à ce résultat, l'entreprise n'a pas besoin d'appliquer la comptabilité de couverture. L'IASB n'oblige pas les entreprises à appliquer les règles de la comptabilité de couverture. L'IFRS 9 indique clairement que la comptabilité de couverture est une méthode comptable laissée au choix des entreprises.

Puisque les règles propres à la comptabilité de couverture diffèrent de celles qui doivent être suivies normalement, une entreprise qui souhaite appliquer la comptabilité de couverture doit respecter trois conditions, que nous approfondirons dans les pages suivantes et qui sont énoncées au paragraphe 6.4.1 de l'IFRS 9. Premièrement, la couverture porte sur certains éléments admis. Deuxièmement, lors de sa mise en place, l'entreprise a désigné clairement le risque couvert (ou la position couverte) et l'instrument de couverture ; elle a de plus documenté certaines caractéristiques de la couverture. Troisièmement, la relation de couverture satisfait à toutes les contraintes d'efficacité de la couverture.

Différence NCECF

Les éléments admis à titre d'instruments de couverture

Différence NCECF

La comptabilité de couverture ne peut s'appliquer qu'à certains instruments de couverture. Un **instrument de couverture** compense le risque auquel l'entreprise s'expose par rapport à l'élément couvert. Les **instruments de couverture admis** doivent quant à eux impliquer une contrepartie extérieure à l'entreprise. Ils comprennent les dérivés ainsi que les actifs et les passifs financiers non dérivés évalués À la juste valeur par le biais du résultat net. Il existe toutefois certaines exceptions.

Premièrement, un dérivé intégré qui n'est pas comptabilisé séparément du contrat hôte ne peut être un instrument de couverture admis. Lorsqu'un dérivé incorporé n'est pas séparé de l'instrument hôte, ses caractéristiques économiques et les risques qu'il présente sont étroitement liés au contrat hôte. Il n'est donc pas possible d'isoler et d'évaluer le risque propre au dérivé incorporé. Deuxièmement, une option vendue (ou option d'achat position vendeur) est admise à titre d'instrument de couverture uniquement si elle couvre une option achetée (option d'achat position acheteur). Une troisième exception touche les passifs financiers évalués À la juste valeur par le biais du résultat net dont les variations de valeur attribuables aux variations du risque de crédit sont

17. Le taux **Libor** (*London Interbank Offered Rate*, en français « taux interbancaire pratiqué à Londres ») correspond au taux d'intérêt pratiqué à Londres entre les principales banques internationales pour les prêts à court terme.

18. La gestion des risques pouvant rapidement devenir très complexe et exiger des connaissances poussées en ingénierie financière, les règles entourant la comptabilité de couverture comportent de nombreuses directives. Puisque l'objectif du présent chapitre n'est pas de former des experts en la matière, mais plutôt de présenter les éléments fondamentaux les plus importants, nous ne couvrons pas toutes les directives, précisions et explications données par l'IASB dans l'IFRS 9 ou dans les documents complémentaires que sont la base de conclusion et le guide d'application.

comptabilisées dans les autres éléments du résultat global. Enfin, les titres de capitaux propres émis par une entreprise ne sont pas admissibles, car ils ne sont ni des actifs financiers ni des passifs financiers. Font bien sûr exception à cette règle les instruments financiers émis qui sont en substance des passifs financiers, telles les actions rachetables au gré du détenteur.

Lorsqu'une entreprise choisit d'appliquer la comptabilité de couverture, elle doit clairement désigner l'instrument de couverture. Celui-ci correspond normalement à l'intégralité de l'instrument en question. Cependant, il est parfois possible de désigner uniquement une fraction de l'instrument à titre de couverture. Ainsi, pour un emprunt obligataire de 100 000 $ à taux fixe, on pourrait désigner 60 % de la valeur nominale à titre d'instrument de couverture de créances à taux fixe totalisant 60 000 $.

Contrairement à l'élément couvert, dont traite la sous-section suivante, on ne peut généralement pas désigner une composante d'un instrument à titre de couverture. En effet, il est difficile de préciser si, par exemple, la juste valeur d'une option sur des obligations fluctue selon les taux d'intérêt, l'autre risque de prix, la monnaie ou autre. Bien que cela dépasse l'objet du présent chapitre, soulignons qu'il est cependant possible, dans certains cas précis, de désigner une composante d'un instrument de couverture. On peut ainsi séparer la valeur intrinsèque et la valeur temps d'un contrat d'option et ne retenir que les variations de la valeur intrinsèque à titre d'instrument de couverture.

À l'opposé, on peut désigner à titre d'instrument de couverture une combinaison de dérivés ou encore d'actifs ou de passifs financiers non dérivés évalués À la juste valeur par le biais du résultat net.

La partie supérieure de la figure 19.8 résume les éléments admis à titre d'instruments de couverture.

FIGURE 19.8 Les éléments admis dans une relation de couverture

Instruments de couverture
- Un dérivé à la JVBRN;
- Un actif ou un passif non dérivé à la JVBRN.

Éléments couverts
- Un actif ou un passif comptabilisé, un engagement ferme, une transaction prévue;
- Un risque isolable et dont on peut évaluer de façon fiable l'effet sur la juste valeur ou les flux de trésorerie;
- Un élément dans son intégralité, un groupe d'éléments ou des composantes d'un élément.

Éléments non admis aux fins de la comptabilité de couverture
- Les dérivés incorporés qui ne sont pas comptabilisés séparément du contrat hôte sont des instruments de couverture non admis;
- Les titres de capitaux propres émis, sauf s'ils sont en substance des passifs financiers, sont des instruments de couverture non admis;
- Un passif financier évalué à la JVBRN dont les variations de valeur attribuables aux variations du risque de crédit sont comptabilisées dans les autres éléments du résultat global ne peut être un instrument de couverture;
- Un élément qui n'est pas évaluable ne peut être l'élément couvert;
- Les titres qui n'impliquent pas une contrepartie externe.

JVBRN : Juste valeur par le biais du résultat net

Différence NCECF

Les éléments admis à titre d'éléments couverts

Différence NCECF

Un **élément couvert** expose l'entreprise à un risque qu'elle a décelé et contre lequel elle a pris des mesures pour se protéger. Un élément couvert peut prendre la forme :

- d'un actif comptabilisé ;
- d'un passif comptabilisé ;
- d'un engagement ferme non comptabilisé ;
- d'une transaction prévue.

Par définition, un **engagement ferme** est « un accord exécutoire d'échange d'une quantité spécifiée de ressources, pour un prix spécifié, à une ou plusieurs dates futures spécifiées[19] ». Les caractéristiques d'un engagement ferme font en sorte que l'engagement de l'entreprise est probable. Il comporte des conditions qui permettent à celle-ci d'en estimer la juste valeur ou les flux de trésorerie qui y sont associés avec une assurance raisonnable. Une **transaction prévue** se définit comme une transaction future qui est prévue, mais qui ne fait pas l'objet d'un engagement. Bien qu'elle ne fasse pas l'objet d'un engagement, une transaction prévue doit être hautement probable pour être un élément couvert admis. Nous expliquerons plus loin les circonstances dans lesquelles une telle opération peut être désignée comme élément couvert.

De plus, l'élément couvert doit impliquer une partie extérieure à l'entreprise. Ainsi, une entreprise qui a plusieurs succursales ne peut couvrir les créances intersuccursales car, lorsque l'on analyse sa situation financière globale, de telles créances s'annulent et n'ont aucun effet sur le résultat net.

Vous avez sans doute déjà remarqué que l'on parle d'un élément couvert, alors que la sous-section précédente traitait d'un instrument de couverture. Il ne s'agit pas d'un choix anodin. Même si cela est possible, l'élément couvert ne correspond pas nécessairement à un titre ou à un seul instrument pris dans son intégralité, c'est-à-dire en englobant toutes les variations des flux de trésorerie ou de la juste valeur. Il peut être constitué d'un groupe d'éléments[20] ou d'une composante d'un élément. La principale exigence formulée par l'IASB est que l'élément couvert doit pouvoir être évalué de façon fiable. On doit en effet être capable de déterminer précisément le risque couvert et ses effets sur la juste valeur ou les flux de trésorerie. Par exemple, lorsqu'une entreprise assume une dette de 100 000 $ à taux variable et que le taux d'intérêt augmente de 1 %, elle est capable de conclure que ses paiements d'intérêts augmenteront de 1 000 $. De plus, dans le cas d'une transaction prévue, celle-ci doit aussi être hautement probable et, lorsqu'elle se réalise, elle doit être un élément couvert admis.

Examinons plus en détail les types de composantes d'un élément qui peuvent être désignées à titre d'éléments couverts. L'IASB distingue les composantes de risque, les composantes d'une valeur nominale et les flux de trésorerie contractuels choisis. Les **composantes de risque** correspondent aux seules variations des flux de trésorerie ou de la juste valeur qui sont attribuables à un ou plusieurs risques particuliers. Dans les contrats où le prix est établi selon une formule particulière basée sur un certain nombre de facteurs, il est relativement facile de prévoir la façon dont la variation d'un facteur modifiera le prix final. Il est alors assez simple de vérifier que la composante de risque est isolable et peut être évaluée de façon fiable. L'IASB désigne ces composantes comme étant des composantes de risque contractuellement spécifiées. Dans d'autres contrats, une composante de risque n'est pas contractuellement spécifiée, mais peut toutefois être désignée comme élément couvert, dans la mesure où l'entreprise est capable de l'isoler, par exemple en examinant la façon dont fluctuent la juste valeur ou les flux de trésorerie liés à d'autres contrats de référence. Toutefois, il existe une présomption réfutable que l'inflation n'est pas une composante de risque isolable, à moins qu'elle soit une composante de risque contractuellement spécifiée.

19

EXEMPLE

Risque d'inflation contractuellement spécifié

La société Mère Veille ltée a signé un engagement d'achat portant sur 1 000 litres de jus d'orange. Le prix qu'elle paiera est fixé à 1,00 $ le litre, soit le prix du jour sur le marché au comptant, ajusté

19. *Manuel de CPA Canada – Comptabilité – Partie I*, IFRS 9, Annexe A.

20. La section 6.6 de l'IFRS 9 contient des précisions concernant les groupes d'éléments. Le lecteur intéressé à poursuivre son apprentissage pourra s'y reporter, de même qu'aux paragraphes B6.6.1 à B6.6.16.

pour tenir compte de l'indice des prix à la consommation. Pour un tel contrat, Mère Veille ltée est capable d'évaluer l'effet de l'inflation sur le montant qu'elle paiera et pourrait décider de couvrir le risque d'inflation qui serait alors l'élément couvert. Le paragraphe B6.3.12 de l'IFRS 9 précise aussi que l'élément couvert peut correspondre à des variations de valeur ou de flux de trésorerie en deçà ou au-delà d'un prix. Dans l'exemple précédent, le risque couvert pourrait se limiter à l'inflation, évaluée au moyen de l'indice des prix à la consommation, qui excède le taux de 2 %.

EXEMPLE

Risque de prix

La société Boisé inc. a un contrat d'approvisionnement pour 1 000 tonnes de café. Le prix fixé est composé d'un montant de base, auquel s'ajoute un facteur tenant compte de la qualité du café qui sera livré par rapport à celle d'un type de café servant de référence. Le risque de prix lié à la qualité du café acheté est une composante fixée contractuellement et pourrait être l'élément couvert. À l'inverse, puisque le contrat ne comporte aucune formule permettant d'évaluer le risque de juste valeur du contrat lié au prix de base du café, ce risque ne peut être l'élément couvert.

EXEMPLE

Élément couvert comportant plusieurs risques

La société Aubly Gassion ltée assume une dette obligataire à taux variable dont la valeur à l'échéance varie selon la juste valeur de l'or. Cette dette l'expose au risque que les flux de trésorerie qu'elle devra sacrifier pour rembourser sa dette varient en fonction du taux d'intérêt du marché et de la valeur de l'or. Elle peut décider de se couvrir contre ces deux types de risques. Dans ce cas, elle désigne l'intégralité de sa dette obligataire à titre d'élément couvert. Elle peut aussi décider d'opérer une division comptable de sa dette et de se couvrir uniquement contre une composante de risque, disons les variations du taux d'intérêt, sans se couvrir contre celles de la valeur de l'or. Elle désigne alors le risque de taux d'intérêt lié à la dette obligataire comme étant l'élément couvert. Une telle division n'est acceptable que dans la mesure où Aubly Gassion ltée est capable d'évaluer de façon fiable la variation de la juste valeur de sa dette, qui est due aux variations des taux d'intérêt sur le marché.

On peut aussi déterminer des **composantes d'une valeur nominale**. La façon la plus simple d'établir une telle composante est de prendre une fraction d'une valeur nominale, par exemple en désignant 40 % des flux de trésorerie totaux d'un placement en obligations. Il est aussi possible d'établir une composante d'une valeur nominale en distinguant des strates[21].

Enfin, une composante des flux de trésorerie doit nécessairement être égale ou inférieure au total des flux de trésorerie de l'élément financier ou non financier.

EXEMPLE

Élément couvert inférieur à l'instrument de couverture

La société Fable Lafontène ltée a une créance de 100 000 $ portant intérêt au taux variable de 5 % de base, majoré d'une prime de risque (élément couvert). Le 1er juin 20X1, le taux Libor est de 7 %. L'instrument de couverture ne peut être les variations de flux de trésorerie d'une dette liée au taux Libor (7 %) et celles d'une créance de 100 000 $ au taux de 2 %, pour aboutir à un débours net correspondant à un intérêt de 5 % sur une dette de 100 000 $. Fable Lafontène ltée pourrait cependant désigner, à titre d'élément couvert, les variations de valeur de sa créance de 100 000 $ dues aux variations du taux Libor moins 200 points de pourcentage (7 % – 2 % en date du 1er juin 20X1).

La dernière façon de définir une composante est de prendre une série de flux de trésorerie choisie. Par exemple, l'élément couvert pourrait correspondre uniquement aux intérêts payés sur une obligation ou encore uniquement au remboursement du principal à l'échéance.

21. Le lecteur désireux de pousser plus loin sa compréhension est invité à consulter le paragraphe B6.3.18 de l'IFRS 9.

En somme, un élément couvert est un actif ou un passif comptabilisé, un engagement ferme non comptabilisé ou une transaction prévue hautement probable qui expose l'entreprise à un risque de variation de juste valeur ou de variation de flux de trésorerie futurs et qui est désigné comme tel.

La partie inférieure de la figure 19.8 présentée précédemment résume les éléments susceptibles d'être admis à titre d'élément couvert dans une relation de couverture.

Différence NCECF

Rappelons que la connaissance des éléments admissibles est importante, car la première condition qu'une entreprise doit respecter pour pouvoir appliquer la comptabilité de couverture est que la relation de couverture porte sur de tels éléments. La sous-section suivante examinera la deuxième condition préalable à la comptabilité de couverture, soit la désignation et la documentation de la couverture.

La désignation formelle et la documentation à constituer

Différence NCECF

La deuxième condition préalable à l'application de la comptabilité de couverture concerne la description et la documentation de la relation de couverture ainsi que l'objectif en matière de gestion des risques et la stratégie à cet égard. L'IASB précise, au paragraphe B6.5.24 de l'IFRS 9, que la **stratégie de gestion des risques** se distingue de l'**objectif de gestion des risques** sur les points suivants :

- La stratégie de gestion des risques est fixée par le plus haut niveau de la direction de l'entreprise.
- Elle consiste à déterminer les risques auxquels l'entreprise est exposée et la façon d'y réagir.
- Elle prévoit des stratégies globales en matière de gestion des risques. Par exemple, une stratégie pourrait préciser que la juste valeur des dettes à taux fixe doit représenter entre 20 % et 40 % des dettes totales. En période de faibles taux d'intérêt, la juste valeur des dettes à taux fixe pourrait atteindre 40 % de la juste valeur totale des dettes, mais diminuer à 20 % lorsque les taux d'intérêt sont élevés.
- L'objectif de gestion s'applique à une relation précise de couverture. Il détermine la façon dont un instrument de couverture a été planifié afin de couvrir une position donnée.

Plus globalement, la documentation doit comprendre au minimum :

- la description de la relation de couverture, précisant notamment l'instrument de couverture, l'élément couvert et la nature du risque couvert ;
- la stratégie de couverture et l'objectif en matière de gestion des risques ;
- la façon dont l'entreprise évaluera l'efficacité de la couverture.

EXEMPLE

Documentation de l'opération de couverture

La société Emma Lemonde ltée exerce des activités de grossiste en voyages. Elle détient un placement en actions d'une société du nom de Borax ltée qu'elle classe À la JVBAERG (choix irrévocable). Le 7 août 20X2, Emma Lemonde ltée achète des options de vente sur les actions de Borax ltée afin de se protéger contre le risque de marché lié à la détention des actions de Borax ltée, plus précisément contre le risque que la juste valeur du placement fluctue selon les variations de l'autre risque de prix. Elle estime alors que la comptabilité de couverture lui permettrait de refléter fidèlement l'effet des opérations de couverture sur sa situation financière et sa performance.

Au moment où Emma Lemonde ltée s'engage dans cette opération de couverture, soit le 7 août 20X2, elle doit documenter la relation de couverture. À cette fin, elle doit avoir déterminé la nature du risque auquel elle s'expose déjà, c'est-à-dire l'autre risque de prix. Le risque couvert doit être spécifique et non simplement lié aux risques généraux découlant des opérations de l'entreprise. Ainsi, le risque de voir le volume des ventes diminuer en raison des goûts changeants des clients n'est pas un risque susceptible d'être couvert aux fins d'application des règles de la comptabilité de couverture. Il importe aussi de faire une distinction claire entre le risque couvert et l'élément couvert, puisqu'il est possible de couvrir une seule composante d'un élément. Par exemple, une entreprise peut couvrir le risque de change d'une créance encaissable en monnaie étrangère sans couvrir nécessairement le risque de crédit auquel une telle créance l'expose. Le risque couvert est alors le risque de change et l'élément couvert est la créance. Revenons à notre exemple d'Emma Lemonde ltée. Celle-ci doit constituer une documentation adéquate concernant :

- la relation de couverture, en indiquant :
  - l'instrument de couverture, soit les options de vente sur les actions de Borax ltée,
  - l'élément couvert, soit son placement en actions de Borax ltée,
  - le risque couvert, soit le risque que la juste valeur du placement fluctue selon les variations de l'autre risque de prix, risque auquel l'expose son placement en actions ;
- le but visé par sa gestion des risques, par exemple, son objectif de se protéger contre le risque de marché ainsi que sa stratégie de gestion des risques, par exemple, s'assurer que plus de 75 % de la valeur des placements en actions sont couverts pour l'autre risque de prix ;
- la méthode qu'elle utilisera pour apprécier l'efficacité de la couverture, par exemple, le rapprochement des variations de valeur entre l'élément couvert et l'instrument de couverture. La documentation précise aussi les sources d'inefficacité et la façon dont l'entreprise déterminera le ratio de couverture, dont nous traiterons plus loin.

Si Emma Lemonde ltée avait décidé de couvrir uniquement une fraction de ses actions, par exemple 60 %, elle aurait dû établir clairement celle-ci. On peut aussi envisager le cas où Borax ltée, société émettrice des actions, serait une entreprise américaine. Emma Lemonde ltée serait alors exposée au risque que la juste valeur du placement fluctue selon les variations liées à l'autre risque de prix et que les flux de trésorerie fluctuent selon le taux de change de la monnaie américaine par rapport à la monnaie canadienne. Elle pourrait alors décider de se couvrir contre un seul de ces risques, de désigner un instrument de couverture couvrant simultanément les deux risques ou de contracter deux instruments de couverture distincts pour couvrir chaque risque. Cette situation illustre bien l'importance de décrire le risque couvert avec précision.

La documentation comprend aussi des renseignements sur l'efficacité de la couverture. L'**efficacité d'une couverture** traduit le fait que les variations de la juste valeur ou des flux de trésorerie sur l'instrument de couverture contrebalancent les variations de la juste valeur ou des flux de trésorerie sur l'élément couvert. L'**inefficacité d'une couverture** correspond donc à la portion des variations de la juste valeur ou des flux de trésorerie sur l'instrument de couverture qui est supérieure ou inférieure à celle de l'élément couvert. L'entreprise doit analyser les sources potentielles futures d'inefficacité et la façon dont elle prévoit rééquilibrer le ratio de couverture pour maintenir l'efficacité de la couverture. Dans l'exemple de la société Emma Lemonde ltée, puisque l'instrument de couverture porte sur le même sous-jacent que l'élément couvert, il est clair que la couverture sera efficace.

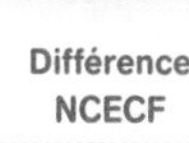
Différence NCECF

La prochaine sous-section donnera plus d'information sur la relation de couverture.

La relation de couverture

Différence NCECF

La troisième condition préalable à l'application de la comptabilité de couverture porte sur la relation de couverture. Pour s'assurer que cette dernière est efficace, les trois contraintes qui suivent doivent être respectées :

a) Il existe un lien économique entre l'élément couvert et l'instrument de couverture ;
b) L'effet du risque de crédit n'est pas prédominant dans les changements de valeur qui découlent de ce lien économique ;
c) Il y a adéquation entre, d'une part, le ratio de couverture et, d'autre part, le rapport entre la quantité de l'élément couvert et la quantité de l'instrument de couverture.

Reprenons chaque contrainte. D'abord, on conclut qu'il existe un lien économique entre les deux éléments d'une couverture lorsque la valeur de ces éléments évolue en sens inverse, et ce, en raison d'un risque précis. La seule existence d'une corrélation négative entre les valeurs des deux éléments ne suffit pas à établir l'existence d'un lien économique, puisque ces variations pourraient plutôt découler d'un autre risque. On doit en fait analyser comment la relation de couverture évoluera en réaction au risque couvert afin de déterminer si elle permettra d'atteindre l'objectif de gestion du risque. Dans l'exemple de la société Emma Lemonde ltée, il est clair qu'une annonce faite par Borax ltée d'un investissement important ou d'un bénéfice réalisé supérieur au bénéfice prévu par des analystes financiers qui aurait pour effet d'augmenter la valeur du placement en actions aurait l'effet contraire sur les options de vente. On en conclut qu'il existe un lien économique entre les deux éléments de la couverture.

La deuxième contrainte concernant la relation de couverture porte sur l'effet du risque de crédit, qui ne doit pas être la cause prédominante des variations de valeur ou de flux de trésorerie des éléments de la couverture. Cette contrainte découle du fait que l'IASB précise que « [...] l'efficacité de la couverture est déterminée non seulement par le lien économique entre ces éléments (c'est-à-dire les variations de leurs sous-jacents), mais aussi par l'effet du risque de crédit sur la valeur de l'instrument de couverture comme de l'élément couvert[22] ». Par exemple, si l'élément couvert est un effet à recevoir à taux fixe, une entreprise peut décider de se couvrir contre le risque de taux d'intérêt en contractant une dette à taux fixe. Il est clair qu'une diminution du taux d'intérêt du marché entraîne une augmentation de la valeur de l'effet à recevoir et une augmentation similaire de la valeur de la dette. De plus, si le débiteur est un tiers qui éprouve de sérieuses difficultés financières, la détérioration du crédit du débiteur entraîne une diminution de la valeur de l'effet à recevoir. On peut facilement concevoir que cette détérioration pourrait annuler l'augmentation de valeur due à la baisse du taux du marché. En comparant l'effet net des deux événements sur la variation de valeur de l'effet à recevoir, qui serait alors minime, et la variation de valeur de l'instrument de couverture, soit la dette à taux fixe, la relation de couverture semblerait peu efficace, puisque la valeur de l'effet à recevoir n'aurait pas varié de façon significative alors que la valeur de la dette aurait augmenté. L'IASB n'indique pas de critère quantitatif pour évaluer si l'effet du risque de crédit est dominant. Le comptable doit donc utiliser son jugement professionnel[23].

La troisième et dernière contrainte d'efficacité se rapporte au **ratio de couverture**. Ce ratio représente la relation, exprimée sous forme de pondération relative, entre la quantité de l'instrument de couverture et la quantité de l'élément couvert. Cette contrainte exige que le ratio de couverture propre à la relation de couverture corresponde à celui donné par la quantité de l'élément couvert et celle de l'instrument de couverture. Par exemple, si l'entreprise couvre 85 % des flux de trésorerie liés à une créance, la relation de couverture doit porter sur une quantité d'instruments de couverture suffisante pour couvrir 85 % des flux de trésorerie de la créance. Lorsque cette dernière contrainte n'est plus respectée, alors que l'objectif de la couverture demeure inchangé, l'entreprise doit rééquilibrer la quantité de l'instrument de couverture et celle de l'élément couvert, ou vice versa.

Lorsque la relation de couverture respecte les trois contraintes ci-dessus et que, de plus, l'élément couvert et l'instrument de couverture sont des éléments admis, et lorsque l'entreprise a préparé une documentation appropriée, elle peut utiliser la comptabilité de couverture. Au cours des exercices subséquents, elle devra périodiquement s'assurer que la relation de couverture demeure efficace. Elle devra le faire au minimum à chaque date de clôture d'une période financière ou lorsque des changements importants sont susceptibles de modifier l'efficacité de la couverture. Lors de cette vérification périodique, si l'entreprise prévoit que la relation de couverture ne sera plus efficace, elle doit cesser d'appliquer la comptabilité de couverture, en suivant les règles exposées plus loin.

Pour évaluer l'efficacité d'une couverture, l'entreprise doit utiliser une méthode qui tient compte des principales caractéristiques de la relation. Parfois, cette méthode sera très simple et se limitera à une analyse qualitative. Ainsi, lorsque l'élément couvert est un placement en obligations et que l'instrument de couverture, disons une option d'achat, porte sur les mêmes obligations, la même valeur nominale et la même échéance, l'analyse est très simple. Dans d'autres contextes, l'entreprise devra procéder à des analyses quantitatives. Ce sera le cas lorsque le risque d'inefficacité sera plus élevé. Par exemple, si l'élément couvert est le risque de prix d'un engagement de vente d'un pétrole et que l'instrument de couverture est une option d'achat de gaz naturel, l'entreprise devra vraisemblablement utiliser des modèles d'évaluation des options pour s'assurer que, en réaction à une variation du prix du pétrole en question, la juste valeur de l'option d'achat de gaz naturel variera en sens inverse à la juste valeur de l'engagement de vente.

Enfin, la méthode utilisée pour évaluer périodiquement l'efficacité de la couverture peut reposer sur celle utilisée en interne par l'entreprise pour sa gestion des risques, l'important étant que la méthode utilisée soit convenablement documentée. L'entreprise peut en changer

22. *Manuel de CPA Canada – Comptabilité – Partie I*, IFRS 9, paragr. B6.4.7.

23. *Manuel de CPA Canada – Comptabilité – Partie I*, IFRS 9, paragr. B6.4.7.

au fil du temps, par exemple si cela découle de changements de facteurs touchant l'efficacité de la couverture.

En guise de conclusion à cette section traitant des conditions d'application de la comptabilité de couverture, le tableau 19.4 présente quelques exemples d'opérations de couverture qui aideront le lecteur à mieux voir de façon concrète les contextes visés par la comptabilité de couverture.

TABLEAU 19.4 Quelques exemples d'opérations de couverture

Exemples	Commentaires
Couverture de juste valeur (On couvre les variations de la juste valeur.)	
1. Achat de deux dérivés portant sur le même actif sous-jacent et ayant la même échéance et le même prix d'exercice	Cette stratégie porte le nom de « califourchon ». Pensons, par exemple, à l'achat d'une option d'achat et d'une option de vente portant sur 1 000 lb de café, échéant dans 3 mois et dont le prix d'exercice est de 2 $/lb. Voici la position du détenteur des options à leur date d'échéance, selon deux scénarios : le prix au comptant du café s'élève à 1,80 $ ou à 2,20 $.

	Prix au comptant du café	
	1,80 $	**2,20 $**
Exercice de l'option d'achat	θ *	
[(2,20 $ – 2,00 $) × 1 000 lb]		*200 $*
Exercice de l'option de vente		θ *
[(2,00 $ – 1,80 $) × 1 000 lb]	*200 $*	
Encaissement, montant net	*200 $*	*200 $*

* Le détenteur n'a aucun intérêt financier à exercer son option.

Cet exemple illustre que, peu importe les variations de prix du café après la date d'achat des options, le détenteur est assuré de ne pas réaliser de pertes dues au risque de marché.

Exemples	Commentaires
Couverture de flux de trésorerie (On couvre les variations des flux de trésorerie.)	
2. Dette à taux variable (élément couvert) et swap portant sur l'encaissement d'intérêts à taux variable et le paiement d'intérêts à taux fixe (instrument de couverture)	L'entreprise qui combine ces deux titres se protège contre le risque de flux de trésorerie. Supposons que le swap porte sur le même notionnel que la dette. Dans ce cas, l'encaissement sur le swap correspond au décaissement sur la dette. De plus, l'entreprise débourse un montant fixe d'intérêts sur le swap, ce qui implique que les variations de taux d'intérêt sur le marché n'influent pas sur ses flux de trésorerie. Note : La société s'expose toutefois au risque de marché lié au taux d'intérêt, comme nous l'avons défini au chapitre 4.
3. Production de blé (élément couvert) et achat d'options de vente sur blé (instrument de couverture)	Le producteur de blé se protège ainsi contre le risque de marché, car il s'assure du prix de vente du blé qu'il produira subséquemment.
4. Achat prévu d'une marchandise (élément couvert) et option d'achat sur cette marchandise (instrument de couverture)	L'entreprise se protège ainsi contre le risque de marché. Par exemple, un boulanger s'assure du montant qu'il paiera pour acheter subséquemment le blé nécessaire à la production de pain. Si le prix du blé augmente sur le marché au comptant, le boulanger lève l'option et ne paie que le prix d'exercice.
5. Emprunt remboursable en monnaie américaine (élément couvert) et contrat à terme boursier selon lequel l'entreprise achètera des dollars américains au taux de 0,90 $ CA (instrument de couverture)	En combinant les deux titres, l'entreprise traitant au Canada se protège contre les fluctuations de la monnaie américaine par rapport à la monnaie canadienne. Si 1 $ US passe de 0,90 à 0,95 $ CA, l'entreprise doit sacrifier plus de dollars canadiens pour rembourser son emprunt et payer les frais financiers afférents. Toutefois, elle réalise un profit similaire sur son contrat à terme en vertu duquel le taux de change était fixé à 0,90 $ CA.
6. Produits tirés d'un contrat de construction en monnaie américaine (élément couvert) et achat d'option de vente sur la monnaie américaine (instrument de couverture)	La combinaison des deux opérations protège l'entreprise du risque de change. Si le taux de change de 1 $ US passe de 0,90 à 0,85 $ CA, les produits en dollars canadiens liés au contrat de construction diminuent. Toutefois, l'entreprise exerce son option de vente et réalise un profit équivalent.
7. Emprunt remboursable en monnaie américaine (élément couvert) et produits tirés d'un contrat de construction à long terme encaissables en monnaie américaine (instrument de couverture)	En faisant coïncider les encaissements sur le contrat de construction et les décaissements sur la dette, l'entreprise qui exerce la majorité de ses activités au Canada se protège contre le risque que le taux de change de la monnaie canadienne fluctue par rapport à la monnaie américaine.

19

Différence NCECF

Le dernier exemple du tableau précédent concerne une couverture de risque de change dont l'instrument de couverture n'est pas un dérivé. En effet, dans le cas d'une couverture du risque de change, l'IASB permet de désigner la composante de risque de change d'un actif ou d'un passif financier non dérivé comme instrument de couverture (pourvu qu'il ne s'agisse pas d'un placement dans un titre de capitaux propres pour lequel l'entité a choisi de présenter les variations de la juste valeur dans les autres éléments du résultat global).

5 Les règles de la comptabilité de couverture

Différence NCECF

Afin d'examiner en détail le traitement comptable des opérations de couverture, il est pertinent de situer les traitements comptables dans un contexte plus large.

Quand une couverture s'avère efficace, l'entreprise ne subit aucune perte ni ne réalise aucun profit sur la valeur totale des deux positions. C'est pourquoi certaines entreprises souhaitent comptabiliser au même moment en résultat net les profits et les pertes sur chaque élément de la couverture. Pour ce faire, elles ont au moins deux possibilités. La plus simple est de classer l'élément couvert et l'instrument de couverture comme étant À la juste valeur par le biais du résultat net, si cela est permis en vertu des normes comptables. Une entreprise comptabilise les titres ainsi classés à la juste valeur et, en résultat net, les variations de valeur des deux titres dès que celles-ci surviennent.

La seconde possibilité est d'utiliser la comptabilité de couverture. Elle s'avère pertinente lorsque l'entreprise ne classe pas ses instruments financiers À la juste valeur par le biais du résultat net.

EXEMPLE

Contexte où la comptabilité de couverture serait pertinente

La société Protek Syon ltée détient un placement en obligations classé comme étant À la juste valeur par le biais du résultat net et portant intérêt à taux fixe. De plus, elle assume une dette à taux fixe, échéant à long terme et classée comme étant Au coût amorti. Cette dette permet de compenser le risque de taux d'intérêt du placement. En vertu du classement des deux instruments financiers, Protek Syon ltée ne comptabilise pas au même moment en résultat net les variations de valeur de ces deux titres. Elle comptabilise en résultat net les variations de valeur sur la dette uniquement lors de la décomptabilisation de celle-ci, alors qu'elle comptabilise les variations de valeur sur le placement dès que celles-ci surviennent. Dans de telles circonstances, Protek Syon ltée pourrait choisir de classer son passif À la juste valeur par le biais du résultat net, car selon le paragraphe 4.2.2(a) de l'IFRS 9, cela éliminerait ou réduirait une non-concordance comptable. Une autre possibilité qui s'offre à Protek Syon ltée, analysée maintenant, est d'utiliser les règles de la comptabilité de couverture, qui lui permettraient de comptabiliser au même moment en résultat net les variations de valeur du placement et de la dette.

Notons que la comptabilité de couverture modifie les règles de comptabilisation des actifs et des passifs[24] dont le respect amènerait par ailleurs une entreprise à comptabiliser en résultat net les profits et les pertes afférents à chaque élément de la couverture à des moments différents.

L'IASB distingue trois types de couverture aux fins de comptabilisation. Le premier type, la **couverture de juste valeur**, consiste à se protéger contre les variations de la juste valeur attribuables à un risque particulier qui pourraient influer sur le résultat net. L'élément couvert pourrait être un actif ou un passif comptabilisé, un engagement ferme non comptabilisé ou encore une composante de l'un de ces éléments. Une participation comptabilisée selon la méthode de la mise en équivalence ne peut être qualifiée d'élément couvert dans une couverture de juste valeur. En effet, selon la méthode de la mise en équivalence, c'est la quote-part du résultat net et celle des autres éléments du résultat global de l'émetteur qui figurent dans les résultats de l'investisseur. C'est donc dire que les variations de la juste valeur du placement ne modifient pas le résultat net. À l'inverse, une entreprise qui a une dette à taux fixe s'expose au risque que la juste valeur de cette dette augmente si les taux d'intérêt du marché diminuent. Elle pourrait utiliser la comptabilité de couverture de juste valeur.

Le deuxième type, la **couverture de flux de trésorerie**, consiste à se protéger contre les variations de flux de trésorerie attribuables à un risque particulier et qui pourraient influer sur

24. Nous faisons principalement référence aux normes comptables expliquées au chapitre 4 et à la première section du présent chapitre.

le résultat net. L'élément couvert pourrait être la totalité ou une composante d'un actif ou d'un passif comptabilisé, un engagement ferme ou encore une transaction prévue hautement probable. Rappelons que l'IASB définit une transaction prévue comme une transaction future, mais ne faisant pas l'objet d'un engagement. Par exemple, l'entreprise qui a une dette à taux variable s'expose au risque de flux de trésorerie. En effet, si les taux d'intérêt du marché augmentent, elle devra alors sacrifier plus de trésorerie en paiement des intérêts.

Enfin, le troisième type porte sur la couverture d'un investissement net dans un établissement à l'étranger. Nous ne traiterons pas de ce type de couverture, car il est lié à la comptabilisation des variations des cours des monnaies étrangères, sujet qui déborde l'objet du présent ouvrage.

Les deux sous-sections suivantes portent sur les types de couverture présentés dans la figure 19.9.

FIGURE 19.9 La comptabilité de couverture

	Élément couvert	Instrument de couverture	Effet de la comptabilité de couverture
Couverture de juste valeur	Éléments admis : 1. Actif ou passif comptabilisé 2. Engagement ferme	Éléments admis : 1. Dérivé À la JVBRN 2. Actif ou passif À la JVBRN	**Modifier le moment de la comptabilisation des profits et des pertes sur l'élément couvert.**
	Profits et pertes comptabilisés en résultat net*	Profits et pertes comptabilisés en résultat net	
Couverture de flux de trésorerie	Éléments admis : 1. Actif ou passif comptabilisé 2. Engagement ferme 3. Transaction prévue hautement probable, autre qu'un engagement ferme	Éléments admis : 1. Dérivé À la JVBRN 2. Actif ou passif À la JVBRN	**Modifier la comptabilisation des profits et des pertes sur l'instrument de couverture.**
	Flux de trésorerie comptabilisés selon les règles de base	• Profits et pertes sur la portion efficace comptabilisés dans les autres éléments du résultat global • Profits et pertes sur la portion inefficace comptabilisés en résultat net	

* Il existe deux exceptions expliquées plus loin en ce qui concerne les actifs financiers À la JVBAERG et les éléments comptabilisés Au coût amorti.

Différence NCECF

Les règles de la comptabilité de couverture de juste valeur

Différence NCECF

La comptabilisation des éléments entrant dans une couverture de juste valeur se révèle assez simple, le principe de base étant que les profits et les pertes sur les deux éléments de la couverture sont comptabilisés en résultat net dès qu'ils surviennent. Il existe toutefois quelques exceptions.

La première survient lorsque l'élément couvert est un placement en titres de capitaux propres évalués À la juste valeur par le biais des autres éléments du résultat global. Comme nous l'avons expliqué au chapitre 4, une entreprise comptabilise les variations de valeur d'un tel placement dans les autres éléments du résultat global. Dans un tel cas, le profit ou la perte sur l'instrument de couverture est alors comptabilisé dans le compte de l'instrument de couverture et, en contrepartie, dans les autres éléments du résultat global afin de présenter au même endroit les profits et les pertes de chaque élément de la couverture.

Une deuxième exception provient du fait que, dans une couverture de juste valeur, l'élément couvert peut être comptabilisé de diverses façons. En effet, il peut s'agir d'un actif ou d'un passif évalué au coût amorti ou même d'un engagement non comptabilisé ou d'une transaction future.

Lorsque l'élément couvert est évalué au coût amorti, le profit ou la perte qui s'y rapporte est comptabilisé en résultat net. La contrepartie du profit ou de la perte est intégrée dans la valeur comptable de l'élément, ce qui va toutefois à l'encontre des règles comptables de cet actif financier classé Au coût amorti. C'est pourquoi l'entreprise doit amortir cette valeur redressée pour la ramener à la valeur à l'échéance. Elle calcule cet amortissement à l'aide de la méthode du taux d'intérêt effectif, compte tenu du taux d'intérêt effectif recalculé à la date à laquelle l'amortissement débute. Elle peut commencer à amortir la valeur redressée de l'élément couvert dès qu'elle comptabilise l'ajustement. Elle peut toutefois retarder le début de l'amortissement jusqu'au moment où elle met fin à la comptabilité de couverture. L'exemple suivant illustre cette possibilité.

EXEMPLE

Couverture de juste valeur d'un élément couvert classé Au coût amorti

Le 10 janvier 20X5, la société France Aise ltée obtient un billet à recevoir, d'une valeur de 100 000 $, portant intérêt au taux annuel de 8 %. Les intérêts sont encaissables le 31 décembre de chaque année et le billet arrive à échéance le 31 décembre 20X8. France Aise ltée classe ce billet Au coût amorti. Le 10 janvier 20X5, afin de se protéger contre le risque de juste valeur lié au taux d'intérêt fixe, l'entreprise signe un swap selon lequel elle recevra des intérêts calculés au taux de base de la Banque du Canada majoré de 3 % et paiera des intérêts au taux fixe de 8 %. Le swap porte sur un notionnel de 100 000 $ et arrive à échéance le 31 décembre 20X7.

Voici le taux d'intérêt du marché du billet à recevoir et le taux de base de la Banque du Canada à diverses dates :

	Taux d'intérêt du marché du billet	*Taux de base de la Banque du Canada **	*Juste valeur du swap*
10 janvier 20X5	*8,0 %*	*5 %*	*0 $*
31 décembre 20X5	*8,0 %*	*5 %*	*0*
31 décembre 20X6	*8,5 %*	*6 %*	*918*
31 décembre 20X7	*9,0 %*	*6 %*	*0*

* Dans le but de simplifier cet exemple, nous tenons pour acquis que le taux de base de la Banque du Canada au 31 décembre de chaque année correspond au taux de référence à utiliser pendant cette année pour calculer les intérêts à recevoir.

Le 10 janvier 20X5, la juste valeur du swap est nulle, car les encaissements qui y sont associés sont établis au taux de 8 % (taux de base de 5 % majoré d'une prime de 3 %) et correspondent aux décaissements attendus (calculés au taux fixe de 8 %).

Voici les écritures de journal requises :

Élément couvert – Billet à recevoir			**Instrument de couverture – Swap**
	10 janvier 20X5		
Billets à recevoir couverts au coût amorti	*100 000*		Aucune écriture, car la juste valeur est nulle.
Caisse		*100 000*	
Signature d'un billet.			

31 décembre 20X5	
Caisse 8 000 *Intérêts créditeurs sur billets à recevoir au coût amorti* 8 000 *Produits d'intérêts de 8 % sur un billet à recevoir.*	Aucune écriture, car la juste valeur est nulle, de même que les flux de trésorerie afférents.
31 décembre 20X6	
Caisse 8 000 *Intérêts créditeurs sur billets à recevoir au coût amorti* 8 000 *Produits d'intérêts sur un billet à recevoir.* *Profit/Perte découlant de la variation de valeur de billets à recevoir couverts au coût amorti* 886 *Billets à recevoir couverts au coût amorti* 886 *Portion de la diminution de valeur d'un billet, couverte par un swap.* **Calcul :** Valeur actualisée (N = 2, I = 8,5 %, PMT = 8 000 $, FV = 100 000 $, CPT PV ?) 99 114 $ Montant initial 100 000 Baisse de valeur 886 $	*Caisse* 1 000 *Intérêts créditeurs* 1 000 *Produits d'intérêts sur le swap [100 000 $ × (9 % – 8 %)].* *Swap de couverture* 918 *Profit/Perte découlant de la variation de valeur du swap de couverture* 918 *Augmentation de la valeur du swap de couverture.*
31 décembre 20X7	
Caisse 8 000 *Intérêts créditeurs sur billets à recevoir au coût amorti* 8 000 *Produits d'intérêts sur un billet à recevoir.* Note : C'est à partir de cette date que débute l'amortissement de la perte de 886 $ déduite de la valeur comptable du billet. On doit trouver le taux d'intérêt qui actualise les encaissements attendus (N = 1, PMT = 0 $, PV = –99 114 $, FV = 108 000 $, CPT I ?). Ce taux est de 8,965 %.	*Caisse* ① 1 000 *Intérêts créditeurs sur dérivés* ② 82 * *Swap de couverture* 918 *Encaissement net sur le swap arrivé à échéance.* **Calculs :** ① [100 000 $ × (9 % – 8 %)] ② (918 $ × 9 %) * Montant arrondi
31 décembre 20X8	
Caisse ① 8 000 *Billets à recevoir couverts au coût amorti* 886 *Intérêts créditeurs sur billets au coût amorti* ② 8 886 *Produits d'intérêts sur un billet à recevoir.*	Aucune écriture

Calculs :

① (100 000 $ × 8 %)

② (99 114 $ × 8,965 %)

Caisse	*100 000*	
Billets à recevoir couverts au coût amorti		*100 000*
Échéance d'un billet.		

Examinons certaines de ces écritures de journal. Le 10 janvier 20X5, date de la comptabilisation initiale, France Aise ltée doit comptabiliser la juste valeur du billet et du swap. Cependant, elle n'a aucune écriture à passer concernant le swap, car la valeur de ce dernier est nulle.

Le 31 décembre 20X5, la société n'ajuste pas la valeur comptable de son billet à recevoir, car elle évalue cet actif financier au coût amorti. France Aise ltée doit évaluer le swap à sa juste valeur, comme tous ses autres dérivés. Elle n'a aucune écriture de journal à passer, puisque la juste valeur du swap est nulle.

Le 31 décembre 20X6, la société comptabilise les flux de trésorerie liés à ses instruments financiers, soit l'encaissement des intérêts sur le billet à recevoir et sur le swap. Elle comptabilise en résultat net les profits ou les pertes liés à la relation de couverture. Pour ce faire, elle comptabilise la juste valeur du swap, établie à 918 $, au débit du compte d'actif et au crédit d'un compte de résultat net. Elle calcule ensuite la juste valeur du billet à recevoir afin de déterminer le profit ou la perte sur l'élément couvert qui est compensé par le profit sur swap déjà comptabilisé. Les calculs précédents montrent que la juste valeur du billet à recevoir, en utilisant le taux du marché de 8,5 %, s'élève à 99 114 $, soit une baisse de valeur de 886 $. À partir de ces deux valeurs, l'entreprise conclut à l'efficacité rétrospective de la couverture, puisque la diminution de valeur du billet est entièrement compensée par l'augmentation de valeur du swap. Sachant que cette baisse de valeur du billet à recevoir n'est pas liée à des pertes de crédit attendues, France Aise ltée n'en comptabiliserait normalement pas le montant en résultat net, car elle classe ce titre Au coût amorti. Toutefois, parce qu'elle applique la comptabilité de couverture, elle modifie le traitement comptable. Elle comptabilise cette diminution de valeur en résultat net et crédite en contrepartie le compte d'actif. À cette date, bien que le taux d'intérêt effectif de la dette ait changé en raison de l'écriture précédente, on conserve le taux effectif initial de 8 % aux fins de comptabilisation subséquente jusqu'au moment où la couverture cessera. Ce n'est qu'à ce moment que l'amortissement de cet ajustement de 886 $ débutera. À noter que la comptabilisation de l'amortissement de cet ajustement peut commencer dès qu'il est comptabilisé et au plus tard lorsque la relation de couverture cesse. C'est cette dernière option que nous avons retenue dans cet exemple.

Dans les écritures du 31 décembre 20X6, on remarque que les intitulés des comptes de profits et de pertes précisent que les variations de valeur font partie d'une opération de couverture. Cette précision est nécessaire car l'entreprise doit présenter séparément les profits et les pertes sur chaque élément de la couverture[25]. Au cours de l'exercice 20X6, France Aise ltée a réalisé un profit net de 32 $ (918 $ – 886 $), et c'est ce montant qui figure dans son état du résultat global. Si la société n'appliquait pas la comptabilité de couverture, seul le profit de 918 $ sur le swap serait comptabilisé.

Le 31 décembre 20X7, la société comptabilise normalement les produits d'intérêts de 8 000 $ liés à son billet à recevoir (valeur comptable avant l'ajustement de la baisse de valeur de 886 $ × taux d'intérêt effectif initial de 8 %). Elle encaisse aussi 1 000 $ sur son swap. Cette somme couvre deux aspects, d'abord les produits d'intérêts sur la valeur comptable du swap au début de l'exercice, puis la réalisation de cet actif financier arrivé à échéance. Puisque le swap arrive à échéance, la société doit mettre fin à l'application de la comptabilité de couverture. C'est à ce moment qu'elle calcule le taux d'intérêt effectif sur la valeur comptable du billet à recevoir. Ce taux est celui qui permet d'obtenir la valeur actualisée exacte de 99 114 $ (100 000 $ – 886 $) au 31 décembre 20X7, en actualisant les flux de trésorerie futurs de 100 000 $ au titre du principal et de 8 000 $ au titre des intérêts. Le taux obtenu s'élève à 8,965 %.

25. *Manuel de CPA Canada – Comptabilité – Partie I*, IFRS 7, paragr. 24A et 24B.

À compter du 1er janvier 20X8, la société utilise ce taux pour amortir la portion de la valeur comptable du billet à recevoir correspondant à la perte de 886 $. Dans notre exemple, cet amortissement s'effectue sur un an. Enfin, à l'échéance du billet à recevoir, le 31 décembre 20X8, la société comptabilise les produits d'intérêts selon la méthode du taux effectif, au taux de 8,965 %, et comptabilise le recouvrement de 100 000 $. Pour clore cet exemple, voici les extraits des états financiers de France Aise ltée :

FRANCE AISE LTÉE
Résultat global partiel
de l'exercice terminé le 31 décembre

	20X5	*20X6*	*20X7*	*20X8*
Intérêts créditeurs				
Billets au coût amorti	*8 000 $*	*8 000 $*	*8 000 $*	*8 886 $*
Swap de couverture		*1 000*	*82*	
Profit/Perte découlant de la variation de valeur du swap de couverture		*918*		
Profit/Perte découlant de la variation de valeur du billet couvert au coût amorti		*(886)*		
Résultat net	*8 000*	*9 032*	*8 082*	*8 886*

FRANCE AISE LTÉE
Situation financière partielle
au 31 décembre

	20X5	*20X6*	*20X7*	*20X8*
Actif				
Billet à recevoir couvert au coût amorti	*100 000 $*	*99 114 $*	*99 114 $*	*– $*
Swap de couverture	*–*	*918*	*–*	*–*

Cet exemple montre qu'il est possible pour une entreprise de se couvrir pendant une **période de durée inférieure** à celle pendant laquelle l'entreprise est exposée à un risque. Une entreprise peut aussi désigner comme instrument de couverture un titre dont l'échéance excède celle de l'élément couvert. Il est bien évident que, dans les deux cas, la relation de couverture se termine dès qu'un élément arrive à échéance.

L'exemple de la société France Aise ltée illustrait les principes de comptabilisation d'une couverture de juste valeur visant à protéger l'entreprise contre le risque de taux d'intérêt. Bien que cet exemple porte sur un seul élément couvert, soit un billet à recevoir, on conçoit aisément que les entreprises peuvent grouper plusieurs créances à titre d'élément couvert. Rappelons qu'il est possible de regrouper des éléments similaires en matière d'exposition à un risque donné. De même, une entreprise peut grouper des dettes à taux fixe à titre d'élément couvert et se protéger en signant, par exemple, un ou plusieurs swaps selon lesquels elle recevra des intérêts à taux fixe et paiera des intérêts à taux variable. Les institutions financières se trouvent souvent dans cette situation, où elles cherchent à couvrir leur portefeuille de passifs financiers, par exemple les milliers de dépôts reçus des clients, remboursables à vue, et les dépôts à terme. L'IASB a analysé en détail la question de savoir s'il est acceptable de regrouper des instruments financiers remboursables à vue et des instruments financiers remboursables à des dates déterminées. La question est délicate, car même si les dépôts des clients sont remboursables à vue, les données historiques des institutions financières montrent que celles-ci n'auront pas à rembourser tous ces dépôts à court terme. L'IASB poursuit donc un projet distinct, intitulé « Comptabilité de macro-couverture », qui traitera notamment en profondeur de la question de savoir si l'entreprise devrait désigner séparément les milliers de dépôts et de la pertinence d'adopter un traitement comptable particulier pour les **couvertures de la juste valeur du risque de taux d'intérêt d'un portefeuille d'actifs et de passifs financiers.** Pour le moment l'entité peut appliquer à de telles couvertures les dispositions en matière de comptabilité de couverture d'IAS 39 plutôt que celles de l'IFRS 9 et appliquer tout de même les dispositions de l'IFRS 9 à ses autres couvertures[26].

26. *Manuel de CPA Canada – Comptabilité – Partie I*, IFRS 9, paragr. 6.1.3.

19

Soulignons que le traitement comptable illustré dans l'exemple de la société France Aise ltée s'applique uniquement aux variations de valeur couvertes. Par exemple, si une entreprise détient un actif financier qui l'expose à deux types de risques, disons une créance à taux fixe qui l'expose au risque de taux d'intérêt et au risque de marché lié au risque de change, et que cette entreprise ne couvre que le risque de taux d'intérêt, elle doit isoler la variation de la juste valeur de la créance résultant des variations du taux d'intérêt et celle résultant des variations du cours de la monnaie. Seule la variation de la juste valeur de la créance due aux variations du taux d'intérêt est comptabilisée selon les règles de la comptabilité de couverture. On comptabilise la variation de la juste valeur de la créance due aux variations du cours de la monnaie de façon cohérente par rapport au classement de la créance.

La règle de base, quand il s'agit de comptabiliser en résultat net les profits et les pertes en ajustant la valeur comptable de l'élément couvert, souffre aussi d'une exception lorsque celui-ci n'est pas comptabilisé, parce qu'il s'agit d'un engagement ferme. Dans ce cas, les profits et les pertes sont comptabilisés dans un compte d'actif ou de passif distinct et, en contrepartie, en résultat net. Par exemple, un profit sur un engagement d'achat de stock est comptabilisé dans un compte que l'on pourrait intituler Engagement d'achat. Le solde de ce compte sera viré, à la date du dénouement de l'engagement ou de l'opération future, dans le compte Stock de marchandises, qui sera alors comptabilisé.

On se rappellera deux choses. D'abord, ce ne sont pas toutes les opérations futures qui peuvent faire l'objet d'une couverture de juste valeur, mais uniquement les engagements fermes non comptabilisés. Ensuite, dans une couverture de juste valeur, l'entreprise comptabilise en résultat net les profits et les pertes dès qu'ils se réalisent. La particularité des couvertures d'opérations futures découle du fait que l'entreprise n'a pas encore comptabilisé l'actif ou le passif lié à l'engagement ferme, mais qu'elle doit tout de même, en contrepartie des profits et des pertes, comptabiliser un actif ou un passif représenté par les variations dans la juste valeur de cet engagement ferme.

EXEMPLE

Couverture de juste valeur d'un engagement ferme

Le 1er septembre 20X5, la société Prévoie Yante ltée a pris un engagement ferme d'acheter 10 000 pieds linéaires[27] de planches de bois afin de s'assurer de la disponibilité de la ressource au moment où elle en aura besoin. L'engagement d'achat arrive à échéance le 1er décembre 20X5 et fixe le coût d'achat à 0,70 $ le pied linéaire. À cette date, Prévoie Yante ltée estime que la juste valeur du bois passera de son prix actuel de 0,70 $ le pied linéaire à 0,50 $ le pied linéaire. Voulant s'assurer d'une source d'approvisionnement et profiter simultanément des baisses du prix du marché, Prévoie Yante ltée achète, au coût symbolique de 10 $, une option de vente portant sur 10 000 pieds linéaires de planches de bois. Le prix d'exercice du contrat échéant le 1er décembre 20X5 est de 0,70 $ le pied linéaire. Le 30 septembre 20X5, date de clôture de l'exercice, la juste valeur du pied linéaire de bois s'élève à 0,65 $. Puisque la juste valeur de l'option varie de façon directement et inversement proportionnelle à celle du bois, tenons pour acquis que celle-ci s'établit à 500 $ [10 000 pi × (0,70 $ – 0,65 $)]. Le 1er décembre 20X5, Prévoie Yante ltée achète le bois au moment où la juste valeur du pied linéaire s'élève à 0,95 $. Le 2 décembre 20X5, elle revend à ses propres clients tout ce bois au prix de 1,15 $ le pied linéaire. Sachant que la société répond à toutes les conditions pour pouvoir appliquer les règles de la comptabilité de couverture, voici les écritures de journal requises dans ses livres, suivies des extraits des états financiers :

1er septembre 20X5		
Options de vente – Couverture	*10*	
Caisse		*10*
Acquisition d'une option de vente portant sur 10 000 pieds linéaires de bois.		

27. Un pied linéaire correspond à 0,305 mètre.

30 septembre 20X5

Options de vente – Couverture		490	
Profit/Perte découlant de la variation de valeur des options de vente de couverture			490
Augmentation de la juste valeur de l'option de vente.			

Calcul :

Juste valeur de l'option	500 $
Valeur comptable de l'option	(10)
Profit à comptabiliser	490 $

Profit/Perte découlant de la variation de valeur de l'engagement d'achat couvert	500	
Engagement d'achat		500
Diminution de la juste valeur de l'engagement couvert [10 000 pi × (0,70 $ – 0,65 $)].		

1er décembre 20X5

Profit/Perte découlant de la variation de valeur des options de vente de couverture	500	
Options de vente – Couverture		500
Diminution de la juste valeur de l'option de vente.		

Calcul :

Juste valeur de l'option	0 $
Valeur comptable de l'option	(500)
Perte à comptabiliser	500 $

Note : La juste valeur d'une option ne peut jamais être négative, car le détenteur a la possibilité, comme ici, de ne pas l'exercer. La perte maximale se limite donc à la valeur comptable de l'option.

Engagement d'achat	3 000	
Profit/Perte découlant de la variation de valeur de l'engagement d'achat couvert		3 000
Augmentation de la valeur de l'engagement d'achat [10 000 pi × (0,95 $ – 0,65 $)].		
Stock de marchandises ②	9 500	
Caisse ①		7 000
Engagement d'achat		2 500
Acquisition de 10 000 pieds linéaires de bois en vertu de l'engagement d'achat.		

Calculs :

① Coût d'acquisition selon l'engagement d'achat	0,70 $
Quantité spécifiée dans l'engagement	× 10 000 pi
Débours	7 000 $
② Décaissement à l'échéance de l'engagement (calculé en ① ci-dessus)	7 000 $
Transfert de la juste valeur de l'engagement d'achat {(–500 $ + 3 000 $) ou [(0,95 $ – 0,70 $) × 10 000 pi]}	2 500
Valeur comptable du stock	9 500 $

2 décembre 20X5		
Caisse	*11 500*	
Ventes		*11 500*
Vente des 10 000 pieds linéaires de bois à 1,15 $ le pied linéaire.		
Coût des ventes	*9 500*	
Stock de marchandises		*9 500*
Coût des 10 000 pieds linéaires de bois vendus.		

Voici les états financiers de Prévoie Yante ltée, qui reflètent ces opérations.

PRÉVOIE YANTE LTÉE
Situation financière partielle
au 30 septembre

	20X5	20X6
Actif		
Placement en options de vente – Couverture	*500 $*	*0*
Passif		
Engagement d'achat	*500*	

PRÉVOIE YANTE LTÉE
Résultat global partiel
de l'exercice terminé le 30 septembre

	20X5	20X6
Ventes		*11 500 $*
Coût des ventes		*9 500*
Marge brute		*2 000*
Profit/Perte découlant de la variation de valeur des options de couverture	*490 $*	*(500)*
Profit/Perte découlant de la variation de valeur de l'engagement d'achat couvert	*(500)*	*3 000*
Résultat net	*(10) $*	*4 500 $*

Le compte intitulé Engagement d'achat est un compte d'actif ou de passif qui montre uniquement les variations de valeur de l'engagement d'achat. Notons que l'engagement d'achat lui-même, soit l'obligation de débourser plus tard 7 000 $ pour acheter les marchandises, n'est pas comptabilisé. Il le sera au moment du transfert des risques et des avantages liés à la propriété économique des marchandises. Au moment où la société respecte cet engagement, ici le 1er décembre, elle vire le solde du compte Engagement d'achat dans le compte Stock de marchandises. Cette façon de faire a pour conséquence de présenter dans ce dernier compte la juste valeur du bois à la date d'acquisition.

L'état du résultat global de Prévoie Yante ltée illustre parfaitement la stratégie de couverture de l'entreprise. Dans le résultat net de l'exercice terminé le 30 septembre 20X5, la perte sur l'engagement d'achat était presque complètement compensée par le profit sur l'option de vente. Les règles de la comptabilité de couverture permettent aux utilisateurs des états financiers de voir l'effet net de la couverture. Dans le résultat net de l'exercice suivant, on distingue deux types de produits : les produits des activités ordinaires de la vente de bois, qui ont généré une marge brute de 2 000 $, et un profit net de 2 500 $ découlant des variations de la juste valeur des instruments financiers. Le montant total de 4 500 $ représente fidèlement le profit total généré par cette opération. En effet, les marchandises ont été vendues pour une contrepartie de 11 500 $, alors qu'elles ont entraîné un débours de 7 000 $. Prévoie Yante ltée avait une stratégie gagnante en se couvrant contre les risques de perte de valeur du bois, sans pour autant renoncer aux profits résultant d'une augmentation de valeur.

Plutôt que de se couvrir contre les risques que la juste valeur d'un instrument financier fluctue, il est possible de se protéger contre les risques que les flux de trésorerie varient à l'avenir, ce dont nous traiterons maintenant.

Différence NCECF

Les règles de la comptabilité de couverture de flux de trésorerie

Différence NCECF

Une couverture de flux de trésorerie est possible lorsqu'une entreprise possède un instrument financier qui l'expose aux fluctuations des flux de trésorerie découlant des variations de taux d'intérêt ou de taux de change. Ainsi, une entreprise qui détient une créance à taux variable s'expose à ce risque. Elle peut s'en protéger en prenant une position inverse, par exemple, en signant un swap selon lequel elle encaissera des intérêts à taux fixe et paiera des intérêts à taux variable dont le taux de base variera de la même façon que celui lié à la créance. L'entreprise pourrait vouloir comptabiliser au même moment les variations de valeur des deux éléments. Pour ce faire, rappelons qu'elle a deux options si l'élément couvert correspond à un instrument pris dans son intégralité. La première est la plus simple. En tenant pour acquis que l'entreprise classe la créance Au coût amorti et considérant que le swap doit obligatoirement être classé À la juste valeur par le biais du résultat net, elle pourrait classer de la même façon la créance, comme le permet le paragraphe 4.1.5 de l'IFRS 9 afin d'éliminer la non-concordance comptable. La seconde option consiste à appliquer les règles de la comptabilité de couverture si l'entreprise répond aux conditions préalables. Dans un tel cas, elle comptabilise l'élément couvert selon les règles de base. Dans notre exemple, elle comptabilise donc les variations de valeur sur la créance comptabilisée Au coût amorti en résultat net uniquement au moment où elle décomptabilise cette créance. La comptabilité de couverture permet de modifier les règles de comptabilisation de l'instrument de couverture, en l'occurence le swap dans notre exemple. En effet, dans une couverture de flux de trésorerie, on distingue d'abord la portion efficace et la portion inefficace de la couverture. Ensuite, on comptabilise dans les autres éléments du résultat global (AERG) la portion efficace et en résultat net la portion inefficace. La comptabilisation du profit latent aussi appelé dans l'IFRS 9 **Réserve pour couverture de flux de trésorerie**, doit correspondre au moins élevé des deux montants suivants :

(i) le cumul des profits et pertes sur l'instrument de couverture depuis le commencement de la couverture ;

(ii) le cumul (en valeur actualisée) des variations de la juste valeur de l'élément couvert (c'est-à-dire la valeur actualisée du cumul de la variation des flux de trésorerie attendus qui sont couverts) depuis le commencement de la couverture[28].

EXEMPLE

Couverture de flux de trésorerie

Le 10 janvier 20X5, la société Photo Pro ltée obtient un billet à recevoir, d'une valeur de 100 000 $, portant intérêt à un taux annuel variable établi au taux de base de la Banque du Canada majoré de 3 %. Les intérêts sont encaissables le 31 décembre de chaque année et le billet arrive à échéance le 31 décembre 20X7. Photo Pro ltée classe ce billet comme étant Au coût amorti. Le 10 janvier 20X5, afin de se protéger contre le risque de flux de trésorerie lié au taux d'intérêt, elle signe un swap selon lequel elle recevra des intérêts au taux fixe de 8 % et paiera des intérêts calculés au taux de base de la Banque du Canada majoré de 3 %. Le swap porte sur un notionnel de 100 000 $ et arrive à échéance le 31 décembre 20X7.

Voici quelques renseignements complémentaires à diverses dates :

	Taux de base de la Banque du Canada	*Juste valeur du swap*
10 janvier 20X5	*5 %*	*0 $*
31 décembre 20X5	*5 %*	*0*
31 décembre 20X6	*4 %*	*935*
31 décembre 20X7	*4 %*	*0*

28. *Manuel de CPA Canada – Comptabilité – Partie I*, IFRS 9, paragr. 6.5.11(a).

19

Dans la solution qui suit, nous posons l'hypothèse que le taux de la Banque du Canada ne fluctue pas pendant l'exercice (par exemple, le taux de 5 % au 31 décembre 20X5 reste en vigueur jusqu'au 31 décembre 20X6). Nous tenons aussi pour acquis que, le 31 décembre de chaque année, le taux de la Banque du Canada alors en vigueur constitue la meilleure estimation possible du taux qui aura cours jusqu'à l'échéance du billet à recevoir.

Le 10 janvier 20X5, la juste valeur du swap est nulle, car les encaissements qui y sont associés, calculés au taux fixe de 8 %, correspondent aux décaissements attendus (calculés au taux de base de 5 % majoré d'une prime de 3 %). Voici les écritures de journal requises :

Élément couvert – Billet à recevoir			**Instrument de couverture – Swap**		
			10 janvier 20X5		
Billet à recevoir couvert au coût amorti	*100 000*		Aucune écriture, car la juste valeur est nulle.		
Caisse		*100 000*			
Signature d'un billet.					
			31 décembre 20X5		
Caisse	*8 000*		Aucune écriture, car la juste valeur est nulle.		
Intérêts créditeurs sur billet couvert au coût amorti		*8 000*			
Produits d'intérêts sur le billet à recevoir au taux de base de 5 %, majoré d'une prime de 3 %.					
			31 décembre 20X6		
Caisse	*8 000*		Il n'y a aucun encaissement ni décaissement net sur le swap, car les encaissements calculés au taux fixe de 8 % correspondent aux décaissements calculés au taux de 5 % au début de l'exercice, majoré de la prime de 3 %.		
Intérêts créditeurs sur billet couvert au coût amorti		*8 000*	*Swap de couverture*	*935*	
Produits d'intérêts sur le billet à recevoir au taux de base de 5 % en vigueur pendant l'exercice, majoré d'une prime de 3 %.			*Profit/Perte latent découlant de la variation de valeur du swap de couverture (AERG)*		*935*
			Variation de valeur du swap liée à la portion efficace de la couverture.		
			31 décembre 20X7		
Caisse	*7 000*		*Caisse* ①	*1 000*	
Intérêts créditeurs sur billet couvert au coût amorti		*7 000*	*Intérêts créditeurs sur swap de couverture* ②		*65*
			Swap de couverture		*935*
Produits d'intérêts sur le billet à recevoir au taux de base de 4 % en vigueur pendant l'exercice, majoré d'une prime de 3 %.			*Encaissement net sur swap arrivé à échéance.*		
			Calculs : ① [100 000 $ × (8 % – 7 %)] ② (935 $ × 7 %)		

Caisse	*100 000*	
Billet à recevoir couvert au coût amorti		*100 000*
Échéance du billet.		

Profit/Perte latent découlant de la variation de valeur du swap de couverture (AERG)	*935*	
Profit/Perte découlant de la variation de valeur du swap de couverture		*935*
Virement en résultat net des profits/pertes latents cumulés dans les autres éléments du résultat global sur un instrument de couverture.		

L'application de la comptabilité de couverture se répercute sur les états financiers de l'exercice terminé le 31 décembre 20X6, au moment où la juste valeur du swap change. Supposons que Photo Pro ltée n'applique pas la comptabilité de couverture pour sa couverture de flux de trésorerie. Dans ce cas, elle comptabilise le profit de 935 $ du swap dans son résultat net, car ce profit concerne un dérivé qui, comme tous les dérivés, est obligatoirement classé À la juste valeur par le biais du résultat net. Cependant, comme Photo Pro ltée applique les règles de la comptabilité de couverture, elle comptabilise ce profit latent dans les autres éléments du résultat global. Ce traitement est logique, car la société ne comptabilise pas en résultat net la variation de la valeur actualisée des flux de trésorerie afférents au billet à recevoir.

Photo Pro ltée doit s'assurer que le profit de 935 $ n'excède pas le cumul des variations de valeur de l'élément couvert depuis le commencement de la couverture. Il s'agit pour cela de calculer la juste valeur du billet à recevoir au 31 décembre 20X6. Sur la base des renseignements disponibles, la juste valeur du billet est déterminée en actualisant les encaissements prévus dans un an au taux du marché de 7 %, ce qui correspond à 100 935 $ (N = 1, I = 7 %, PMT = 0 $, FV = 108 000 $, CPT PV ?). Cette juste valeur représente une augmentation de 935 $ par rapport à la juste valeur du billet au début de la période (100 000 $). L'efficacité de la couverture est donc parfaite ; c'est pourquoi la variation de valeur du swap (l'instrument de couverture) est entièrement comptabilisée dans les autres éléments du résultat global.

Enfin, le 31 décembre 20X7, la société comptabilise en résultat net le montant antérieurement comptabilisé dans le compte Cumul des autres éléments du résultat global sur l'instrument de couverture, car la couverture cesse.

PHOTO PRO LTÉE
Résultat global partiel
de l'exercice terminé le 31 décembre

	20X5	*20X6*	*20X7*
Intérêts créditeurs			
Billets à recevoir couvert	*8 000 $*	*8 000 $*	*7 000 $*
Swap de couverture			*65*
Profit/Perte découlant de la variation de valeur du swap de couverture			*935*
Résultat net	*8 000*	*8 000*	*8 000*
Autres éléments du résultat global			
Profit/Perte latent découlant de la variation de valeur du swap de couverture		*935*	
Virement en résultat net de l'exercice			*(935)*

PHOTO PRO LTÉE
Situation financière partielle
au 31 décembre

	20X5	*20X6*	*20X7*
Actif			
Billet à recevoir couvert au coût amorti	*100 000 $*	*100 000 $*	*– $*
Swap de couverture	*–*	*935*	*–*

19

Le lecteur remarquera que les produits totaux présentés dans l'état du résultat global pendant toute la durée des instruments financiers s'élèvent à 24 000 $, soit le montant que la société s'est assurée de recevoir malgré les fluctuations de taux d'intérêt grâce à sa couverture de flux de trésorerie.

Avez-vous remarqué ?

L'exemple précédent de Photo Pro ltée permet de faire ressortir une différence fondamentale entre la comptabilisation des deux types de couverture. Dans une couverture de juste valeur, les règles de la comptabilité de couverture modifient le traitement comptable de l'élément couvert, alors que dans une couverture de flux de trésorerie, c'est plutôt le traitement comptable de l'instrument de couverture qui est modifié. En effet, dans l'exemple précédent, le profit de 935 $ sur le swap est comptabilisé dans les autres éléments du résultat global, alors que, selon les règles habituelles de comptabilisation d'un dérivé, il serait comptabilisé en résultat net en 20X6.

Dans les exemples précédents, les entreprises ont mis fin à la relation de couverture à l'échéance de l'instrument de couverture. Il se peut qu'une entreprise mette volontairement fin à une telle relation. Précisons d'abord que si une entreprise décide d'utiliser la comptabilité de couverture dans le cadre d'une couverture de flux de trésorerie, ce fait nouveau n'est pas considéré, du point de vue comptable, comme un reclassement des instruments financiers en cause. En effet, le classement de ces instruments financiers lors de leur comptabilisation initiale a pu dicter un traitement comptable différent de celui adopté en appliquant la comptabilité de couverture. De même, lorsqu'une entreprise met fin à une relation de couverture de flux de trésorerie, ce fait n'est pas considéré comme un reclassement d'instrument financier[29]. Bien qu'elle continue alors de détenir les deux éléments qui composaient jusque-là la couverture, l'entreprise comptabilise chacun d'entre eux selon les règles expliquées au chapitre 4 ou selon celles applicables aux dérivés présentées dans la première section du présent chapitre. Pendant que l'entreprise appliquait les règles de la comptabilité de couverture, elle a pu comptabiliser certains profits ou pertes latents dans les autres éléments du résultat global. Ils y resteront jusqu'au moment où les profits, les pertes, les produits ou les charges liés à l'élément couvert seront comptabilisés en résultat net.

Avez-vous remarqué ?

Dans une couverture efficace de juste valeur, les profits sur un élément sont compensés par les pertes sur l'autre élément, et il est donc logique de comptabiliser tous les profits et les pertes en résultat net. Dans une couverture efficace de flux de trésorerie, les profits sur un élément sont aussi compensés par les pertes sur l'autre élément. Cependant, l'élément couvert étant habituellement comptabilisé au coût amorti, les profits et les pertes sur l'instrument de couverture sont comptabilisés dans les autres éléments du résultat global dans la mesure où ils seront ultérieurement compensés par des profits et des pertes symétriques sur l'élément couvert.

Une couverture de flux de trésorerie peut aussi porter sur un engagement ferme ou une transaction prévue hautement probable. Lorsque l'entreprise signe un engagement ferme, la survenance de l'opération sous-jacente est probable, puisque, par définition, un tel engagement est un accord exécutoire visant l'échange d'une quantité spécifiée de ressources, à un prix spécifié, à une ou plusieurs dates futures spécifiées. La probabilité de survenance d'une transaction prévue nécessite davantage l'utilisation du jugement. Cette probabilité est plus facile à estimer lorsque le délai jusqu'à l'occurrence de cette transaction est court. Il s'avère plus facile de prévoir les transactions prévues qui se réaliseront prochainement que celles qui se réaliseront dans quelques mois, car plusieurs facteurs externes, tels que les goûts changeants des consommateurs, peuvent obliger l'entreprise à modifier ses plans. Pour déterminer si une transaction prévue est hautement probable, l'entreprise peut s'inspirer des facteurs énumérés et commentés dans le tableau 19.5.

29. Le lecteur est invité à revoir la sous-section **Les reclassements** du chapitre 4.

TABLEAU 19.5 Les facteurs indiquant qu'une transaction prévue est hautement probable

Facteurs[30]	Commentaires
(a) La fréquence de transactions similaires antérieures;	Ce facteur montre que, historiquement, l'entreprise a l'habitude de conclure de telles opérations. À moins d'un changement important survenu dans l'environnement, on peut s'attendre à ce que l'entreprise maintienne ses façons de faire. À l'inverse, si une transaction prévue se rattache, par exemple, à une augmentation prévue du volume des ventes, il s'avère plus difficile d'affirmer que la transaction prévue est hautement probable.
(b) La capacité financière et opérationnelle de l'entité à exécuter la transaction;	Comme c'est souvent le cas lorsqu'une entreprise doit prévoir un événement futur à des fins de comptabilisation, elle doit s'assurer de disposer des ressources nécessaires à la réalisation de ses plans.
(c) L'affectation de ressources importantes à une activité particulière (par exemple, une usine de fabrication qui, à court terme, peut être utilisée uniquement à la transformation d'un type de marchandise donné);	Ce facteur peut jouer dans les deux sens. Quand une entreprise a projeté de faire des transactions importantes, il est possible qu'elle ne les conclue pas toutes, comme il est possible qu'elle ait l'habitude de prévoir une large part de ses transactions. Il faut alors examiner l'expérience passée de l'entreprise pour évaluer la probabilité que la transaction prévue soit conclue. En outre, toutes autres choses étant égales par ailleurs, plus grande sera la quantité physique ou la valeur future d'une transaction prévue par rapport aux transactions de même nature de l'entreprise, moins il est vraisemblable qu'elle soit considérée comme hautement probable et plus les indications nécessaires pour soutenir l'affirmation qu'elle est hautement probable doivent être probantes.
(d) L'ampleur des pertes ou des perturbations de l'activité susceptibles d'intervenir si la transaction ne se matérialise pas;	Lorsque l'entreprise peut décider de ne pas conclure la transaction prévue sans subir de conséquences négatives, telles que des pertes financières importantes, on peut difficilement affirmer que cette transaction est hautement probable.
(e) La probabilité que des transactions aux caractéristiques différentes en substance puissent être utilisées pour atteindre le même objectif commercial (par exemple, une entité qui envisage de lever des fonds peut procéder de plusieurs manières, depuis le prêt bancaire à court terme jusqu'à l'émission d'actions ordinaires).	Lorsque l'entreprise peut atteindre ses objectifs en adoptant diverses façons de faire, il s'avère plus difficile d'affirmer que l'une d'entre elles est plus probable que les autres. Par exemple, supposons qu'une entreprise ait l'intention d'acheter ses matières premières de Ventout ltée au coût unitaire de 100 $. Supposons aussi qu'elle a négocié un engagement d'achat résiliable auprès de Venmieux ltée au coût unitaire de 100 $, au cas où Ventout ltée serait incapable de lui vendre les matières premières. Dans ce cas, la probabilité de chaque transaction prévue prise isolément diminue.

Comment les règles de la comptabilité de couverture de flux de trésorerie sont-elles modifiées lorsque l'élément couvert est une transaction prévue ? Rappelons d'abord que la partie efficace du profit ou de la perte sur l'instrument de couverture continue à être comptabilisée dans les autres éléments du résultat global. Ce qui change, c'est le moment où le profit cumulatif (ou la perte cumulative) sera sorti des autres éléments du résultat global et la façon dont il le sera. Trois situations sont possibles.

Premièrement, si la transaction prévue conduit à comptabiliser un actif non financier ou un passif non financier ou si une telle transaction prévue devient un engagement ferme auquel l'entreprise applique la comptabilité de couverture de juste valeur, l'entreprise doit alors sortir les profits et les pertes antérieurement comptabilisés dans les autres éléments du résultat global en les intégrant directement à la valeur comptable de l'actif non financier ou du passif non financier. Par exemple, si la transaction prévue porte sur un achat de stock, les profits et les pertes antérieurement comptabilisés dans les autres éléments du résultat global sont transférés dans la valeur comptable des stocks lors de l'achat de ces derniers, sans que le résultat net soit touché. C'est

19

30. International Accounting Standards Board, *Normes internationales d'information financière (IFRS) y compris les Normes comptables internationales (IAS) et les Interprétations au 1er janvier 2006*, IAS 39, paragr. IG.F.3.7, Annexe A, Londres, 2006. Rappelons que le Guide d'application (dont les numéros de paragraphes commencent par IG) est donné à titre de guide et ne faisait pas partie de la norme. Même si l'IAS 39 a depuis été remplacée, les facteurs indiqués dans la colonne de gauche du tableau 19.5 nous semblent encore pertinents pour évaluer le caractère hautement probable d'une opération prévue.

donc dire que les variations de valeurs de l'élément couvert influenceront le résultat net uniquement lorsque les stocks seront revendus et que leur valeur comptable sera virée en résultat net à titre de coût des ventes.

Deuxièmement, il est possible que la transaction prévue porte sur un tout autre élément que ceux décrits au paragraphe précédent. Pensons, par exemple, à un engagement à acheter un actif financier, disons des obligations. L'entreprise doit alors reclasser les profits et les pertes antérieurement comptabilisés dans les autres éléments du résultat global et faire cet ajustement de reclassement en résultat net dans les mêmes périodes que celles au cours desquelles l'actif acquis ou le passif émis influent sur le résultat net. Par exemple, si la transaction prévue porte sur l'achat d'un placement en obligations, l'ajustement de reclassement se fait sur la période de comptabilisation des produits d'intérêts.

Troisièmement, peu importe la nature de l'élément couvert, si l'entreprise s'attend à ce que tout ou partie d'une perte comptabilisée dans les autres éléments du résultat global ne soit pas recouvrée au cours d'une ou de plusieurs périodes futures, elle doit dès lors reclasser en résultat net, sous forme d'un ajustement de reclassement, le montant qu'elle prévoit ne pas recouvrer. Le comptable devra faire preuve de jugement professionnel pour déterminer si les produits d'intérêts, les profits ou les pertes réalisés pendant l'exercice sont ceux qui avaient été couverts initialement. Pour ce faire, il devra consulter la documentation concernant la couverture, plus précisément la section traitant de l'élément couvert.

EXEMPLE

Couverture d'une opération future portant sur un actif non financier

Le 1er septembre 20X5, la société Crint Yves ltée a conclu à la vente hautement probable de l'un de ses terrains, dont la valeur comptable s'élève à 9 500 $ CA, au prix de 10 000 $ US. À ce jour, la société peut obtenir 1,50 $ CA pour 1 $ US, ce qui lui permettrait d'encaisser 15 000 $ CA à la vente du terrain. Crint Yves ltée souhaite se protéger contre le risque de change ; elle achète alors un contrat à terme boursier, position vendeur, de 10 000 $ US au taux de 1,50 échéant le 1er décembre 20X5. Le 30 septembre, date de clôture de l'exercice financier, le taux de change s'établit à 1,48 $ CA pour 1 $ US. Ce taux passe à 1,45 $ CA le 1er décembre 20X5, au moment où Crint Yves ltée vend le terrain. Voici la juste valeur du contrat à terme boursier à diverses dates :

	Prix de vente attendu	*Contrat à terme boursier*
1er septembre 20X5	*15 000 $*	*0 $*
30 septembre 20X5	*14 800*	*200*
1er décembre 20X5	*14 500*	*500*

Les renseignements précédents montrent que Crint Yves ltée a décidé de se protéger contre son exposition au risque de change et la couverture qu'elle a établie consiste en une couverture de flux de trésorerie. Dans ce contexte, l'IASB accepte que l'entreprise adopte la comptabilité de couverture pour un élément couvert autre qu'un engagement ferme, à la condition que la transaction prévue soit hautement probable, comme c'est le cas dans notre exemple. Voici les écritures de journal que Crint Yves ltée passe dans ses livres.

1er septembre 20X5

Aucune écriture requise, car la juste valeur du contrat à terme boursier est nulle. De plus, Crint Yves ltée ne doit pas comptabiliser la vente du terrain, car cette opération n'a pas encore eu lieu.

30 septembre 20X5

Contrat à terme boursier de couverture	*200*	
Profit/Perte latent découlant de la variation de valeur du contrat à terme boursier de couverture (AERG)		*200*
Augmentation de la juste valeur du contrat à terme boursier.		

19

1er décembre 20X1

Contrat à terme boursier de couverture	*300*	
Profit/Perte latent découlant de la variation de valeur du contrat à terme boursier de couverture (AERG)		*300*
Augmentation de la juste valeur du contrat à terme boursier.		
Caisse	*500*	
Contrat à terme boursier de couverture		*500*
Échéance du contrat à terme boursier [10 000 $ × (1,50 $ – 1,45 $)].		
Caisse ①	*14 500*	
Terrain		*9 500*
Profit sur cession de terrain		*5 000*
Vente d'un terrain en vertu de l'engagement de vente.		

Calcul :

① Prix de vente, en dollars américains	10 000 $
Taux de change	1,45
Encaissement	14 500 $

Profit/Perte latent découlant de la variation de valeur du contrat à terme boursier de couverture (AERG)	*500*	
Profit/Perte découlant de la variation de valeur du contrat à terme boursier de couverture		*500*
Profits latents virés en résultat net au moment de la comptabilisation de la vente du terrain (soit la réalisation de la transaction prévue couverte).		

Crint Yves ltée n'a d'autre choix, au moment de la vente du terrain, que de virer en résultat net le solde des profits et pertes latents antérieurement comptabilisés dans les autres éléments du résultat global, car c'est à ce moment qu'elle comptabilise en résultat net le profit découlant de la vente.

EXEMPLE

Couverture d'une opération future portant sur un actif non financier amortissable

En 20X5, une entreprise a appliqué les règles de la comptabilité de couverture à un élément couvert, soit un engagement d'achat d'une immobilisation en dollars américains (transaction prévue hautement probable) et à un instrument de couverture, soit un contrat à terme boursier sur la monnaie américaine. En 20X5, la société a correctement comptabilisé dans les autres éléments du résultat global un profit latent de 5 000 $ sur l'instrument de couverture. Elle a acheté l'immobilisation au cours de l'exercice suivant, c'est-à-dire en 20X6. Au moment où la société achète l'immobilisation, elle transfère le profit latent de 5 000 $, antérieurement comptabilisé dans les autres éléments du résultat global, dans le compte de l'immobilisation en cause, ce qui a pour effet de le réduire et de diminuer automatiquement la charge d'amortissement des exercices subséquents.

La couverture de flux de trésorerie peut donc concerner un actif ou un passif comptabilisé, comme nous l'avons expliqué précédemment, ou encore une transaction prévue hautement probable, comme nous venons tout juste de l'illustrer. Les normes comptables portant sur les couvertures de flux de trésorerie s'avèrent, somme toute, assez détaillées. La figure 19.10 présente ces normes applicables dans trois contextes afin d'aider le lecteur à bien saisir leurs effets.

19

Différence NCECF

FIGURE 19.10 Les normes comptables relatives à la comptabilisation des opérations de couverture de flux de trésorerie

	Couverture d'une opération passée	Couverture d'une opération future qui constitue un élément financier	Couverture d'une opération future qui constitue un élément non financier
Les données de l'exemple	Le 1er janvier, une entreprise assume un billet à payer de 50 000 $ à taux variable, qu'elle couvre par un swap. Le 31 janvier, la juste valeur du swap augmente de 1 000 $ et l'entreprise verse les intérêts de 5 000 $ sur son billet à payer le 1er février.	Le 1er janvier, l'entreprise prévoit acheter des obligations à taux variable dans quelques jours. Elle couvre le coût d'achat par un swap. La juste valeur du swap augmente de 1 000 $ le 31 janvier et l'entreprise paie 50 000 $ le 1er février pour acheter les obligations.	Le 1er janvier, l'entreprise prévoit acheter des marchandises au coût de 50 000 $ et se couvre par l'achat d'un contrat à terme, position vendeur, dont la juste valeur passe à 9 000 $ le 31 janvier. Le 1er février, l'entreprise débourse 59 000 $ pour acheter les marchandises.
Les extraits de l'état de la situation financière	*31 janvier — 28 février* ***Actif*** *Swap — 1 000 $ — θ* ***Passif*** *Billet à payer — 50 000 — 50 000 $*	*31 janvier — 28 février* ***Actif*** *Swap — 1 000 $ — θ* *Placement en obligations — — 50 000 $*	*31 janvier — 28 février* ***Actif*** *Contrat à terme — 9 000 $ — θ* *Stock de marchandises — — 50 000 $*
Les extraits des autres éléments du résultat global présentés dans l'état des variations des capitaux propres	*Pour le mois terminé le 31 janvier — 28 février* ***Profits latents sur swap*** *Solde au début — θ — 1 000 $* *Montant comptabilisé au cours du mois — 1 000 $ — θ* *Montant viré en résultat net — — (1 000)* *Solde à la fin — 1 000 $ — 0 $*	*Pour le mois terminé le 31 janvier — 28 février* ***Profits latents sur swap*** *Solde au début — θ — 1 000 $* *Montant comptabilisé au cours du mois — 1 000 $ — θ* *Montant viré en résultat net* — — (1 000)* *Solde à la fin — 1 000 $ — 0 $*	*Pour le mois terminé le 31 janvier — 28 février* ***Profits latents sur contrat à terme boursier*** *Solde au début — θ — 9 000 $* *Montant comptabilisé au cours du mois — 9 000 $ — θ* *Solde à la fin — 9 000 $ — 9 000 $*
Les extraits de l'état du résultat global	*Pour le mois terminé le 31 janvier — 28 février* *Intérêts débiteurs — — 5 000 $* *Profits sur swap — — (1 000)* *Résultat net — — 4 000 $*	*Pour le mois terminé le 31 janvier — 28 février* *Intérêts créditeurs sur placements — XX $ — XX $* *Profit sur swap** *Résultat net — XX — XX*	*Pour le mois terminé le 31 janvier — 28 février* *Autres profits*** *Résultat net*

* Notons que l'entreprise doit attendre de comptabiliser les produits d'intérêts sur le placement en obligations, que nous ne pouvons calculer car l'énoncé ne précise pas le taux d'intérêt effectif, pour virer en résultat net le profit de 1 000 $ sur le swap.

** Notons que le profit latent de 9 000 $ sera viré dans la valeur comptable des stocks acquis. Il sera donc comptabilisé en résultat net au moment de la vente des stocks.

Les autres règles applicables à la comptabilité de couverture

La section précédente traitait des règles comptables applicables pendant la période de couverture. La présente section aborde maintenant les règles applicables au moment où cesse la couverture ainsi que les normes de présentation des opérations de couverture.

La cessation de la comptabilité de couverture

Dans cette sous-section, nous ferons la distinction entre les situations qui entraînent ou non la cessation de la comptabilité de couverture et la façon dont ces situations se reflètent dans les états financiers.

Différence NCECF

La distinction entre les situations qui entraînent ou non la cessation de la comptabilité de couverture

Toute situation ou tout événement qui fait en sorte que la relation de couverture cesse de satisfaire aux contraintes d'efficacité entraîne automatiquement la cessation de la comptabilité de couverture. Rappelons que ces contraintes portent sur:

- l'existence d'un lien économique entre l'élément couvert et l'instrument de couverture;
- le fait que les changements de valeur qui découlent de ce lien économique ne sont pas principalement dus à l'effet du risque de crédit;
- l'adéquation entre, d'une part, le ratio de couverture et, d'autre part, le rapport entre la quantité de l'élément couvert et la quantité de l'instrument de couverture.

On observe les situations les plus simples lorsque l'instrument de couverture arrive à maturité, est vendu, résilié ou exercé. Il n'y a, bien sûr, plus de relation de couverture à compter de cette date. L'entreprise décomptabilise donc l'instrument de couverture. Notons que la décomptabilisation de l'instrument de couverture n'entraîne habituellement pas la décomptabilisation de l'élément couvert.

Une entreprise peut ne plus respecter les conditions de la comptabilité de couverture, par exemple, si elle ne s'attend plus à ce que la couverture soit efficace au cours des exercices subséquents ou si la couverture n'a pas été efficace au cours de l'exercice.

L'IASB précise clairement, au paragraphe B6.5.23 de l'IFRS 9, qu'une entreprise ne peut annuler une désignation si l'opération de couverture continue, d'une part, de satisfaire à l'objectif de gestion des risques et, d'autre part, de respecter toutes les conditions d'application (les éléments de la couverture sont des titres admis, l'entreprise maintient une documentation structurée et la relation de couverture demeure efficace). Par cette précision, l'IASB vise sans doute à empêcher qu'une entreprise cesse arbitrairement d'appliquer la comptabilité de couverture dans le seul but de manipuler ses états financiers. On doit en effet mentionner dès à présent que la cessation de la comptabilité de couverture peut avoir des effets sur le résultat net de la période, comme nous le verrons dans la division qui suit.

Il peut arriver qu'un instrument de couverture expire, soit vendu, résilié ou exercé sans que l'objectif de gestion des risques soit modifié. Pensons, par exemple, à une dette à taux fixe échéant dans 10 ans que la société Joura Prèjour inc. couvre par un premier swap de 2 ans. Joura Prèjour inc. pourrait avoir choisi l'échéance du swap principalement en fonction de l'absence sur le marché de contrats de swap de 10 ans, tout en sachant fort bien que son objectif était de couvrir la dette pendant les 10 années. À l'échéance du premier contrat de swap, Joura Prèjour inc. le remplace par un autre. Puisque l'objectif de gestion des risques reste le même et qu'il n'y a pas de changement dans la relation de couverture, on considère que le second swap représente le remplacement de l'instrument de couverture, ce qui ne met pas fin à la comptabilité de couverture.

L'IASB apporte plusieurs précisions concernant les situations où le ratio de couverture nécessite un rééquilibrage afin de maintenir l'efficacité de la relation, sans que l'objectif de la gestion des risques change. Un **rééquilibrage** peut entraîner une augmentation ou une diminution de la quantité de l'instrument de couverture ou de celle de l'élément couvert. Un rééquilibrage qui entraîne une augmentation de quantité n'est pas considéré comme une situation qui entraîne la cessation de la comptabilité de couverture. Cependant, si un rééquilibrage entraîne une diminution de la quantité de l'instrument de couverture ou de celle de l'élément couvert, le volume retranché ne fait plus partie de la relation de couverture. Ces dernières précisions soulignent le fait que la cessation de la comptabilité de couverture peut porter sur l'intégralité d'une relation ou sur une seule partie de celle-ci. Voici un autre exemple d'une cessation d'une partie d'une relation. La société Vidan Lesnuages inc. avait couvert l'achat futur de 1 000 tonnes métriques de gaz naturel. Six mois plus tard, elle réalise qu'elle aura besoin d'acheter uniquement 800 tonnes métriques de gaz. Dès ce moment, Vidan Lesnuages inc. doit cesser d'appliquer la comptabilité de couverture à la partie de l'opération future, qui n'est plus hautement probable, soit l'équivalent de 200 tonnes métriques.

Le traitement comptable d'une cessation de la comptabilité de couverture

La cessation de la comptabilité de couverture a uniquement un effet prospectif, c'est-à-dire que les profits et les pertes comptabilisés antérieurement ne sont pas modifiés. C'est pourquoi, dans une couverture de juste valeur où les profits et les pertes ont déjà été comptabilisés en résultat net, la cessation de la couverture ne requiert aucune écriture comptable additionnelle. Une particularité existe cependant si l'élément couvert était comptabilisé au coût amorti. Nous avons déjà mentionné que, dans ce cas, la contrepartie des profits et des pertes sur l'élément couvert comptabilisée dans la valeur comptable de cet élément devait être amortie. On se souviendra que cet amortissement doit commencer au plus tard lorsque la relation de couverture cesse, comme nous l'avons fait dans l'exemple de la société France Aise ltée donné précédemment.

La cessation d'une couverture de flux de trésorerie nécessite une analyse supplémentaire comparativement à la cessation d'une couverture de juste valeur. Nous avons vu que la partie efficace des profits et des pertes sur l'instrument de couverture s'accumule dans les autres éléments du résultat global. La question qui se pose est de savoir si cette partie efficace, aussi appelée « réserve de couverture de flux de trésorerie », doit être virée en résultat net. Si les flux de trésorerie futurs couverts sont encore susceptibles de se produire, aucune écriture n'est nécessaire lors de la cessation de couverture. Le principe de base continue de s'appliquer : le montant de la réserve de couverture de flux de trésorerie comptabilisé antérieurement sera viré en résultat net lorsque les flux de trésorerie de l'élément couvert modifieront le résultat net, par exemple, lorsque l'entreprise comptabilisera la charge d'intérêts sur une dette couverte. Bien sûr, si le montant de la réserve est une perte et que l'entreprise prévoit ne pas la recouvrer, il doit immédiatement être transféré dans le résultat net. Un virement semblable est approprié lorsque les flux de trésorerie futurs couverts ne sont plus susceptibles de se produire[31].

Différence NCECF

En conclusion, rappelons que la comptabilité de couverture vise à synchroniser la comptabilisation des profits et des pertes des éléments couverts et des instruments de couverture dans le résultat net et non pas dans le résultat global. Cela montre de nouveau l'importance que l'IASB attribue au montant du résultat net comparativement au montant du résultat global.

La présentation dans les états financiers

Différence NCECF

On doit s'assurer que les états financiers d'une entreprise contiennent toute l'information nécessaire pour que les utilisateurs comprennent les objectifs qu'elle vise en détenant ou en émettant des titres désignés comme éléments de couverture, le contexte nécessaire à la compréhension de ces objectifs, ainsi que ses stratégies. On doit aussi fournir toute information pertinente aux utilisateurs pour leur permettre de comprendre l'effet de la comptabilité de couverture.

Diverses IFRS s'appliquent à la présentation dans l'état de la situation financière de l'élément couvert et de l'instrument de couverture. Une entreprise qui a couvert, par exemple, un placement en obligations par un swap de taux d'intérêt ne peut opérer de compensation entre ces deux éléments, à moins de remplir les critères énoncés à cette fin, lesquels sont expliqués dans le chapitre 4. De même, l'entreprise applique les normes contenues dans l'IFRS 7, intitulée « Instruments financiers : Informations à fournir », et dans l'IFRS 13, intitulée « Évaluation de la juste valeur », expliquées dans les chapitres 3 et 4, à ses dérivés et à ses opérations de couverture. Nous ne présentons ici que les normes contenues dans l'IFRS 7 qui s'appliquent spécifiquement aux dérivés et aux opérations de couverture.

Précisons que les passifs dérivés, qui sont des titres nécessairement détenus à des fins de transaction, doivent être distingués des autres instruments financiers classés À la juste valeur par le biais du résultat net. Cette distinction touche à la fois la valeur comptable présentée dans l'état de la situation financière ainsi que les profits nets et les pertes nettes afférents présentés dans l'état du résultat global.

En ce qui concerne les opérations de couverture, l'entreprise présente les informations listées dans le tableau 19.6, auxquelles nous ajoutons quelques commentaires.

31. *Manuel de CPA Canada – Comptabilité – Partie I*, IFRS 9, paragr. 6.5.12(b).

TABLEAU 19.6 Les informations à fournir sur les opérations de couverture

***Normes internationales d'information financière,* IFRS 7**	**Commentaires**
Paragr. 21A *L'entité doit appliquer les obligations en matière d'informations à fournir des paragraphes 21B à 24F à l'égard des expositions au risque qu'elle couvre et auxquelles elle choisit d'appliquer la comptabilité de couverture. Les informations fournies au sujet de la comptabilité de couverture doivent comprendre des informations sur :* *(a) la stratégie de gestion des risques de l'entité et son application ;* *(b) l'incidence potentielle des opérations de couverture de l'entité sur le montant, l'échéance et le degré d'incertitude de ses flux de trésorerie futurs ;* *(c) l'effet de la comptabilité de couverture sur les états de la situation financière, du résultat global et des variations des capitaux propres de l'entité.*	L'exigence contenue dans ce paragraphe est d'ordre général. L'entreprise ne doit pas uniquement prendre en considération les exigences précisées dans les paragraphes subséquents de l'IFRS 7. Elle doit s'assurer de respecter les objectifs généraux listés aux alinéas (a) à (c). Ces informations aideront notamment les utilisateurs des états financiers à effectuer leur propre évaluation du risque lié aux activités de l'entreprise en prenant connaissance de la façon dont la direction elle-même gère ces risques. Ils seront également informés de la mesure dans laquelle les opérations de couverture ont permis de lisser le résultat net qui sert à la prévision des résultats futurs.
Paragr. 21B *L'entité doit présenter les informations requises dans une seule et même note ou section de ses états financiers. Elle n'est toutefois pas tenue de reprendre les informations déjà présentées ailleurs lorsque celles-ci sont incorporées dans les états financiers par renvoi à un autre document, tel qu'un rapport de gestion ou un rapport sur le risque, qui est consultable par les utilisateurs des états financiers aux mêmes conditions que les états financiers et en même temps. Si ces informations ne sont pas incorporées par renvoi, les états financiers sont incomplets.*	En demandant aux entreprises de concentrer l'information sur la comptabilité de couverture dans une seule note, il est évident que l'on facilite le travail des utilisateurs des états financiers, qui n'ont plus à chercher l'information à cet égard dans les nombreuses pages de ces états. L'analyse d'une seule note facilite leur capacité à se faire une idée globale sur le sujet. Les utilisateurs devront cependant être prudents, car si une partie de l'information est présentée dans le rapport de gestion, cela signifie que l'information ne sera pas auditée, contrairement à celle qui figure dans les états financiers audités.
Paragr. 21C *Lorsque l'application des paragraphes 22A à 24F impose de séparer par catégorie de risques les informations fournies, l'entité doit déterminer chacune de ces catégories en fonction des expositions au risque qu'elle décide de couvrir et pour lesquelles elle applique la comptabilité de couverture. Elle doit déterminer les catégories de risques de la même manière pour toutes les informations à fournir sur la comptabilité de couverture.*	Cette exigence vise à améliorer la comparabilité des renseignements.
Paragr. 21D *Pour atteindre les objectifs du paragraphe 21A, l'entité doit (sauf selon ce qui est précisé plus bas) déterminer le niveau de détail des informations à fournir, le poids relatif à accorder aux différents aspects des obligations d'information, le degré de regroupement ou de ventilation approprié ainsi que les informations supplémentaires dont les utilisateurs des états financiers ont besoin pour apprécier les informations quantitatives fournies. Toutefois, l'entité doit utiliser le même degré de regroupement ou de ventilation que pour les autres informations à fournir pour satisfaire aux dispositions de la présente IFRS et d'IFRS 13* Évaluation de la juste valeur.	L'appréciation du niveau de détail est affaire de jugement professionnel. Le paragraphe 21D vise à augmenter la comparabilité des renseignements fournis dans diverses notes aux états financiers.
La stratégie de gestion des risques Paragr. 22A *L'entité doit décrire sa stratégie de gestion des risques pour chaque catégorie de risques qu'elle décide de couvrir et pour laquelle elle applique la comptabilité de couverture. Cette description devrait permettre aux utilisateurs des états financiers d'apprécier, (par exemple) :*	La gestion des risques est un facteur clé de la rentabilité et de la situation financière, tant passées que futures. Il importe donc de renseigner les utilisateurs des états financiers à cet égard.

TABLEAU 19.6 *(suite)*

(a) l'origine de chacun des risques ;

(b) la façon dont l'entité gère chacun des risques, entre autres si elle couvre l'intégralité d'un élément contre l'ensemble des risques ou seulement une ou quelques-unes des composantes de risque d'un élément, et les motifs sous-jacents ;

(c) l'ampleur de l'exposition aux risques que gère l'entité.

Paragr. 22B

Pour être conformes aux dispositions du paragraphe 22A, les informations doivent comprendre (entre autres) une description :

(a) des instruments de couverture utilisés (et de la façon dont ils sont utilisés) pour couvrir les expositions au risque ;

(b) de la façon dont l'entité détermine le lien économique entre l'élément couvert et l'instrument de couverture aux fins de l'évaluation de l'efficacité de la couverture ;

(c) de la façon dont l'entité établit le ratio de couverture, et des sources d'inefficacité de la couverture.

Pour respecter la recommandation énoncée en (a) et (b) ci-contre, l'entreprise pourrait présenter distinctement, dans l'état de la situation financière, la juste valeur des instruments de couverture et fournir la note suivante :

Note xx : Comptabilité de couverture

La société détient des placements en obligations classés comme étant Au coût amorti qui l'exposent au risque de marché lié à l'autre risque de prix. Pour se couvrir contre les variations de la juste valeur qui en découleraient, elle détient des options de vente sur les mêmes obligations.

Pour déterminer s'il existe un lien économique, l'entreprise analyse la façon dont la relation de couverture peut évoluer pendant son existence afin de déterminer si elle demeurera susceptible d'atteindre l'objectif de gestion des risques. À cette fin, elle analyse les justes valeurs disponibles sur le marché […].

Paragr. 22C

Lorsque l'entité désigne une composante de risque particulière comme élément couvert (voir paragraphe 6.3.7 d'IFRS 9), elle doit fournir, outre les informations exigées aux paragraphes 22A et 22B, des informations qualitatives ou quantitatives sur :

(a) la façon dont elle a déterminé la composante de risque désignée comme élément couvert (ce qui comprend une description de la nature de la relation entre la composante de risque et l'élément dans son intégralité) ;

(b) la façon dont la composante de risque se rattache à l'élément dans son intégralité (par exemple, la composante de risque désignée a couvert, jusqu'ici, 80 % des variations de la juste valeur de l'élément dans son intégralité).

Toute composante de risque doit être isolable et doit pouvoir être évaluée de façon fiable. Les renseignements exigés ci-contre permettent aux utilisateurs des états financiers de juger de la fiabilité de l'information liée à ces composantes.

Le montant, l'échéance et le degré d'incertitude des flux de trésorerie futurs

Paragr. 23A

À moins d'en être exemptée selon le paragraphe 23C, l'entité doit fournir, pour chaque catégorie de risques, des informations quantitatives permettant aux utilisateurs des états financiers d'apprécier les conditions des instruments de couverture et leur incidence sur le montant, l'échéance et le degré d'incertitude de ses flux de trésorerie futurs.

Tout comme l'exigence contenue au paragraphe 21A, le paragraphe ci-contre est d'ordre général. L'entreprise ne doit pas uniquement prendre en considération les exigences précisées dans les paragraphes subséquents de l'IFRS 7. Elle doit s'assurer de respecter l'objectif général de pertinence de l'information financière. L'IASB estime que les renseignements qualitatifs ne suffisent pas.

Paragr. 23B

Pour se conformer aux dispositions du paragraphe 23A, l'entité doit présenter une ventilation qui fournit :

(a) un échéancier de la valeur nominale de l'instrument de couverture ;

(b) s'il y a lieu, le prix ou le taux moyen (par exemple, le prix d'exercice ou le prix à terme) de l'instrument de couverture.

Une entreprise indique, par exemple, l'échelonnement des flux de trésorerie attendus de l'instrument de couverture.

TABLEAU 19.6 *(suite)*

Paragr. 23C

Dans les cas où l'entité dénoue et renoue fréquemment des relations de couverture (c'est-à-dire qu'elle cesse la couverture et procède à un nouveau départ) parce que l'instrument de couverture et l'élément couvert changent tous deux fréquemment (c'est-à-dire que l'entité a recours à un processus dynamique suivant lequel l'exposition ainsi que les instruments de couverture utilisés pour la gérer ne demeurent pas les mêmes pour longtemps, comme dans l'exemple du paragraphe B6.5.24(b) d'IFRS 9) :

(a) elle n'est pas tenue de fournir les informations exigées aux paragraphes 23A et 23B ;

(b) elle doit indiquer :

(i) ce en quoi consiste la stratégie de gestion des risques ultime à laquelle ces relations de couverture se rattachent,

(ii) ce en quoi l'utilisation de la comptabilité de couverture et la désignation de ces relations de couverture en particulier reflètent sa stratégie de gestion des risques,

(iii) la fréquence selon laquelle elle procède à la cessation des relations de couverture et à un nouveau départ dans le cadre du processus qu'elle a établi pour ces relations de couverture.

L'analyse exhaustive de cette recommandation déborde l'objet du présent chapitre. Notons simplement que cette exception vise à éviter une surcharge d'information dans les états financiers, qui se refléterait dans la présentation d'une information inutilement détaillée.

Paragr. 23D

L'entité doit fournir pour chaque catégorie de risques une description des sources d'inefficacité qui sont susceptibles d'affecter la relation de couverture au cours de son existence.

Les sources d'inefficacité sont une indication de la mesure dans laquelle des événements parfois hors du contrôle de la direction sont susceptibles d'influencer sa capacité à couvrir les composantes de risque.

Paragr. 23E

Si de nouvelles sources d'inefficacité se manifestent dans une relation de couverture, l'entité doit indiquer ces sources par catégorie de risques et décrire l'inefficacité qui en résulte.

Les sources d'inefficacité pouvant évoluer avec le temps, il importe d'informer les utilisateurs des états financiers des nouvelles sources qui font leur apparition afin qu'ils en tiennent compte dans leur appréciation.

Paragr. 23F

En ce qui concerne les couvertures de flux de trésorerie, l'entité doit fournir une description de toute transaction prévue à l'égard de laquelle la comptabilité de couverture a été utilisée au cours de la période précédente, mais qui n'est plus susceptible de se produire.

Cette information permet aux utilisateurs des états financiers de juger de la fiabilité des prévisions faites par la direction.

Les effets de la comptabilité de couverture sur la situation et la performance financières

Plusieurs paragraphes de cette sous-section de la norme exigent de présenter les informations sous forme de tableau. Cette décision de l'IASB vise probablement à accroître la comparabilité des informations présentées par les différentes entreprises.

Paragr. 24A

L'entité doit fournir un tableau indiquant, par catégorie de risques pour chaque type de couverture (couverture de juste valeur, couverture de flux de trésorerie, couverture de l'investissement net dans un établissement à l'étranger), les montants suivants concernant les instruments de couverture désignés :

(a) la valeur comptable des instruments de couverture (en séparant les actifs financiers des passifs financiers) ;

(b) le poste de l'état de la situation financière dans lequel l'instrument de couverture est inclus ;

(c) la variation de la juste valeur de l'instrument de couverture utilisée aux fins de la comptabilisation de l'inefficacité de la couverture pour la période ;

(d) les valeurs nominales (y compris les quantités telles que les tonnes ou mètres cubes) des instruments de couverture.

Tous ces renseignements aident les utilisateurs des états financiers à évaluer l'importance des instruments de couverture sur la situation financière. Les utilisateurs peuvent, par exemple, comparer la valeur comptable des actifs et des passifs financiers de couverture par catégories de risques au total des actifs et passifs financiers de même qu'au total des actifs et des passifs.

Les renseignements exigés en (c) permettent de faire ressortir un élément pertinent de l'évaluation de l'atteinte de l'objectif de gestion des risques.

19

TABLEAU 19.6 *(suite)*

Paragr. 24B

L'entité doit fournir un tableau indiquant, par catégorie de risques pour chaque type de couverture, les montants suivants concernant les éléments couverts :

(a) dans le cas des couvertures de juste valeur :

(i) la valeur comptable de l'élément couvert comptabilisé dans l'état de la situation financière (en séparant les actifs des passifs),

(ii) le cumul des ajustements de couverture de juste valeur apportés à l'élément couvert et inclus dans la valeur comptable de l'élément couvert comptabilisé dans l'état de la situation financière (en présentant les actifs séparément des passifs),

(iii) le poste de l'état de la situation financière dans lequel l'élément couvert est inclus,

(iv) la variation de la valeur de l'élément couvert utilisée aux fins de la comptabilisation de l'inefficacité de la couverture pour la période,

(v) le cumul des ajustements de couverture de juste valeur restant dans l'état de la situation financière pour tout élément couvert qui a cessé d'être ajusté au titre des profits et pertes de couverture selon le paragraphe 6.5.10 d'IFRS 9 ;

Les renseignements exigés en (a) permettent aux utilisateurs des états financiers de juger de l'effet des couvertures de juste valeur. Plusieurs renseignements concernent l'élément couvert. Puisque ce dernier peut être une composante de risque ou de valeur nominale, cette composante n'est pas présentée isolément dans l'état de la situation financière. C'est plutôt l'intégralité de l'élément couvert que l'on y trouve. Le tableau exigé, présenté dans les notes, permettra de distinguer clairement l'élément couvert.

Le paragraphe 6.5.10, auquel renvoie l'alinéa (v) ci-contre, traite des profits et des pertes comptabilisés dans la valeur comptable d'un élément couvert évalué au coût amorti. Il précise que ces profits et ces pertes doivent être amortis en résultat net dès que l'ajustement est apporté ou, au plus tard, lorsque la couverture cesse.

(b) dans le cas des couvertures de flux de trésorerie et des couvertures d'investissement net dans un établissement à l'étranger :

(i) la variation de la valeur de l'élément couvert utilisée aux fins de la comptabilisation de l'inefficacité de la couverture pour la période (c'est-à-dire, dans le cas des couvertures de flux de trésorerie, la variation de la valeur utilisée pour déterminer l'inefficacité de la couverture comptabilisée selon le paragraphe 6.5.11(c) d'IFRS 9),

(ii) les soldes de la réserve de couverture de flux de trésorerie et des écarts de conversion des monnaies étrangères se rapportant aux couvertures maintenues qui sont comptabilisées selon les paragraphes 6.5.11 et 6.5.13(a) d'IFRS 9,

(iii) les soldes de la réserve de couverture de flux de trésorerie et des écarts de conversion des monnaies étrangères se rapportant à toutes les relations de couverture auxquelles la comptabilité de couverture n'est plus appliquée.

Les utilisateurs des états financiers pourront, sur la base de ces renseignements, évaluer l'importance relative des actifs et des passifs utilisés dans les couvertures de flux de trésorerie. Ils pourront aussi juger de l'effet des couvertures de flux de trésorerie sur le résultat global.

Le paragraphe 6.5.11, auquel renvoie l'alinéa (b) ci-contre, énonce les règles de comptabilisation d'une couverture de flux de trésorerie, notamment en ce qui concerne la portion efficace à comptabiliser dans les autres éléments du résultat global et la portion inefficace à comptabiliser en résultat net. Le paragraphe 6.5.13 concerne les couvertures d'investissement net, sujet non abordé dans le présent chapitre.

Paragr. 24C

L'entité doit fournir un tableau indiquant, par catégorie de risques pour chaque type de couverture :

(a) dans le cas des couvertures de juste valeur :

(i) l'inefficacité de la couverture — c'est-à-dire la différence entre les profits ou pertes de couverture de l'instrument de couverture et ceux de l'élément couvert — comptabilisée en résultat net (ou dans les autres éléments du résultat global dans le cas des couvertures d'un instrument de capitaux propres dont l'entité a choisi de présenter les variations de la juste valeur dans les autres éléments du résultat global selon le paragraphe 5.7.5 d'IFRS 9),

(ii) le poste de l'état du résultat global où l'inefficacité de la couverture est comptabilisée ;

L'IASB s'assure que les utilisateurs des états financiers auront suffisamment de détails pour pouvoir juger de l'atteinte des objectifs de gestion des risques et de l'effet des opérations de couverture sur la rentabilité.

TABLEAU 19.6 *(suite)*

(b) dans le cas des couvertures de flux de trésorerie et des couvertures d'investissement net dans un établissement à l'étranger :

(i) les profits et pertes de couverture de la période de présentation de l'information financière qui ont été comptabilisés dans les autres éléments du résultat global,

(ii) l'inefficacité de la couverture comptabilisée en résultat net,

(iii) le poste de l'état du résultat global où l'inefficacité de la couverture est comptabilisée,

(iv) le montant reclassé de la réserve de couverture de flux de trésorerie ou des écarts de conversion des monnaies étrangères au résultat net à titre d'ajustement de reclassement (voir IAS 1) (en faisant la distinction entre les montants qui avaient été traités selon la comptabilité de couverture, mais pour lesquels les flux de trésorerie futurs couverts ne sont plus susceptibles de se réaliser et les montants qui ont été transférés parce que l'élément couvert a influé sur le résultat net),

(v) le poste de l'état du résultat global dans lequel l'ajustement de reclassement (voir IAS 1) est inclus,

(vi) pour les couvertures de position nette, les profits et pertes de couverture comptabilisés dans un poste distinct de l'état du résultat global (voir paragraphe 6.6.4 d'IFRS 9).

Paragr. 24D

Lorsque le volume des relations de couverture auxquelles s'applique l'exemption du paragraphe 23C n'est pas représentatif des volumes normaux de la période (c'est-à-dire que le volume à la date de clôture ne reflète pas les volumes enregistrés au cours de la période), l'entité mentionne ce fait ainsi que la raison pour laquelle elle estime que les volumes ne sont pas représentatifs.

Il est évident que si le volume des relations à une date donnée ne reflète pas le volume habituel, les utilisateurs des états financiers auront besoin de connaître ce fait afin d'être en mesure de faire les prévisions les plus exactes possibles.

Paragr. 24E

L'entité doit fournir un rapprochement de chaque composante des capitaux propres et une analyse des autres éléments du résultat global selon IAS 1 qui, à eux deux :

(a) font, au minimum, la distinction entre les montants qui se rapportent aux informations fournies en application du paragraphe 24C(b)(i) et (b)(iv) et les montants comptabilisés en application du paragraphe 6.5.11(d)(i) et (d)(iii) d'IFRS 9 ;

[...]

Toujours dans l'optique de donner une information suffisamment détaillée, les montants du cumul des autres éléments du résultat global doivent être présentés en distinguant :

- la portion efficace des profits et des pertes sur l'instrument de couverture comptabilisés (selon le paragraphe 24C(b)(i)) ;
- le montant sorti de la réserve de couverture des flux de trésorerie, soit parce que les flux de trésorerie couverts ont modifié le résultat net de la période, soit parce que l'opération prévue n'est plus hautement probable (selon le paragraphe 24C(b)(iv)) ;
- le montant sorti de la réserve de couverture des flux de trésorerie et intégré à la valeur comptable de l'actif financier ou du passif non financier lors du dénouement de l'opération future couverte (selon le paragraphe 6.5.11(d)(i)) ;
- le montant de perte sorti de la réserve de couverture des flux de trésorerie et viré en résultat net parce que l'entreprise ne s'attend plus à la recouvrer au cours des périodes subséquentes (selon le paragraphe 6.5.11(d)(iii)).

TABLEAU 19.6 *(suite)*

Paragr. 24F	
Une entité doit fournir les informations exigées au paragraphe 24E séparément, par catégorie de risques. Cette ventilation par catégorie de risques peut se faire dans les notes annexes aux états financiers.	L'IASB réitère à plusieurs endroits que l'information doit être fournie par catégories de risque. Le tout vise à faciliter le repérage et l'analyse des informations pour les utilisateurs.

Avez-vous remarqué ?

Toutes les informations à fournir sur les opérations de couverture visent à permettre aux utilisateurs des états financiers de bien comprendre les effets de la comptabilité de couverture sur les états financiers. Ces informations sont très importantes pour leur permettre de comparer les états financiers de plusieurs entreprises car, rappelons-le, la comptabilité de couverture est un traitement comptable laissé au choix des entreprises.

Pour clore la partie I – Les IFRS de ce chapitre, nous présenterons plusieurs extraits des états financiers de la société Bombardier, de façon à ce que le lecteur apprécie l'importance des informations à fournir en ce qui concerne la comptabilité de couverture. Pour alléger la présentation, nous avons retiré certaines informations comparatives et certaines références. Les acronymes utilisés par Bombardier ont le sens suivant :

DDRC : Dérivé désigné dans une relation de couverture

ECC : Écart de conversion cumulé

RAI : Résultat avant impôts

Ces extraits proviennent des états financiers de l'exercice terminé au 31 décembre 2015 et reposent sur l'application de l'IAS 39 plutôt que sur l'IFRS 9 expliquée dans le présent ouvrage. Nous avons donc conservé uniquement les extraits pertinents au regard de l'IFRS 9 et des modifications corrélatives qu'elle entraîne de certains paragraphes de l'IFRS 7.

BOMBARDIER INC.

ÉTATS DU RÉSULTAT GLOBAL CONSOLIDÉS

Pour les exercices clos les 31 décembre
(en millions de dollars américains)

IAS 1, paragr. 82A(a)(i)

IFRS 7, paragr. 24C(b)

	Notes	**2015**	2014
Résultat net		**(5 340) $**	(1 246) $
AERG			
Éléments qui peuvent être reclassés en résultat net			
Variation nette liée aux couvertures de flux de trésorerie			
Incidence des fluctuations de taux de change		**12**	17
Perte nette sur instruments financiers dérivés		**(508)**	(389)
Reclassement en résultat ou dans l'actif non financier connexe(1)(2)		**449**	216
Impôts sur le résultat	12	**(6)**	37
[...]		**(53)**	(119)

(1) Inclut 327 millions $ de perte reclassée à l'actif non financier connexe pour l'exercice 2015 (97 millions $ de perte pour l'exercice 2014).

(2) 300 millions $ de perte nette différée devraient être reclassés des AERG à la valeur comptable de l'actif non financier connexe ou en résultat au cours de l'exercice 2016.

BOMBARDIER INC.

ÉTATS DES VARIATIONS DES CAPITAUX PROPRES CONSOLIDÉS

Pour les exercices clos les
(en millions de dollars américains)

IFRS 7, paragr. 24E

	Attribuables aux détenteurs d'instruments de capitaux propres de Bombardier Inc.										
	Capital social		Résultats non distribués (déficit)			Cumul des AERG					
	Actions privilégiées	Actions ordinaires	Autres résultats non distribués (déficit)	Pertes de réévaluation	Surplus d'apport	Actifs financiers DAV	Couvertures de flux de trésorerie	ECC	Total	Participations ne donnant pas le contrôle	Total des capitaux propres (déficit)
[...]											
Au 31 décembre 2014	347 $	1 381 $	1 151 $	(2 661) $	92 $	12 $	(322) $	42 $	42 $	13 $	55 $
Total du résultat global											
Résultat net	–	–	(5 347)	–	–	–	–	–	(5 347)	7	(5 340)
AERG	–	–	–	581	–	(5)	(53)	(90)	433	(2)	431
	–	–	(5 347)	581	–	(5)	(53)	(90)	(4 914)	5	(4 909)
[...]											
Au 31 décembre 2015	**347 $**	**2 195 $**	**(4 219) $**	**(2 080) $**	**106 $**	**7 $**	**(375) $**	**(48) $**	**(4 067) $**	**13 $**	**(4 054) $**

NOTES AUX ÉTATS FINANCIERS CONSOLIDÉS

Pour les exercices clos les 31 décembre 2015 et 2014

(Les montants des tableaux sont en millions de dollars américains, à moins d'indication contraire)

14. INSTRUMENTS FINANCIERS

[...]

Valeur comptable et juste valeur des instruments financiers

Le classement des instruments financiers et leur valeur comptable et juste valeur se présentaient comme suit aux :

Nous n'avons pas reproduit certaines colonnes de ce tableau qui montrent les montants des autres classes d'instruments financiers

IFRS 7, paragr. 8 et 25

[...]	DDRC	Valeur comptable totale	Juste valeur
31 décembre 2015			
Actifs financiers			
Trésorerie et équivalents de trésorerie	**– $**	**2 720 $**	**2 720 $**
Créances clients et autres débiteurs	**–**	**1 473**	**1 473**
Autres actifs financiers	**349**	**1 320**	**1 326**
	349 $	**5 513 $**	**5 519 $**
Passifs financiers			
Fournisseurs et autres créditeurs	**– $**	**4 040 $**	**4 040 $**
Dette à long terme(2)	**–**	**8 979**	**6 767**
Autres passifs financiers	**661**	**1 539**	**1 426**
	661 $	**14 558 $**	**12 233 $**

[...]

Instruments dérivés et activités de couverture

La valeur comptable de tous les instruments financiers dérivés et non dérivés désignés dans une relation de couverture était comme suit aux :

IFRS 7, paragr. 24A(a)

	31 décembre 2015		31 décembre 2014		1er janvier 2014	
	Actifs	**Passifs**	Actifs	Passifs	Actifs	Passifs
Instruments financiers dérivés désignés comme couvertures de la juste valeur						
Swaps combinés de taux d'intérêt et de devises	**– $**	**– $**	– $	– $	36 $	– $
Swaps de taux d'intérêt	**93**	**–**	226	–	296	67
	93	**–**	226	–	332	67
Instruments financiers dérivés désignés comme couvertures de flux de trésorerie(1)						
Contrats de change à terme	**256**	**661**	259	592	331	319

[...]

(1) La durée maximale des instruments financiers dérivés couvrant l'exposition de la Société à la variabilité des flux de trésorerie futurs liés à des opérations prévues était de 23 mois au 31 décembre 2015.

[...]

19

IFRS 7, paragr. 24A(c)

Les pertes nettes sur les instruments de couverture désignés comme des relations de couverture de juste valeur et les gains nets découlant d'éléments couverts connexes attribuables aux risques couverts comptabilisés dans les charges de financement ont totalisé respectivement 46 millions $ et 50 millions $ pour l'exercice 2015 (gains nets de 173 millions $ et pertes nettes de 168 millions $ respectivement pour l'exercice 2014).

[...]

33. GESTION DU RISQUE FINANCIER

La Société est principalement exposée au risque de crédit, au risque de liquidité et au risque de marché découlant de la détention d'instruments financiers.

IFRS 7, paragr. 31

Risque de crédit	Le risque de crédit représente le risque qu'une partie à un instrument financier ne soit pas en mesure de s'acquitter de ses obligations et qu'il en résulte une perte financière pour l'autre partie.
Risque de liquidité	Le risque de liquidité représente le risque qu'une entité éprouve des difficultés à s'acquitter de ses obligations liées aux passifs financiers.
Risque de marché	Le risque de marché représente le risque que la juste valeur ou les flux de trésorerie futurs d'un instrument financier varient en raison de modifications des cours du marché, que ces modifications soient causées par des facteurs particuliers à cet instrument financier ou à son émetteur, ou par des facteurs ayant une incidence sur la totalité des instruments financiers semblables négociés sur le marché. La Société est principalement exposée au risque de change et au risque de taux d'intérêt.

[...]

IFRS 7, paragr. 21C

Risque de marché

Risque de change

IFRS 7, paragr. 22A et 22B

Les activités internationales de la Société l'exposent à des risques de change importants dans le cours normal de ses activités, en particulier par rapport au dollar canadien, à la livre sterling, au franc suisse, à la couronne suédoise et à l'euro. La Société utilise diverses stratégies, y compris l'utilisation d'instruments financiers dérivés et l'appariement des positions d'actifs et de passifs, pour atténuer ces risques.

IFRS 7, paragr. 22A et 22B

Les principaux risques de change de la Société sont gérés par les secteurs et couverts par une trésorerie centralisée. Les risques de change sont gérés conformément à la Politique corporative de gestion du risque de change (la «politique en matière de change»). L'objectif visé par la politique en matière de change est d'atténuer l'incidence de la fluctuation des taux de change sur les états financiers consolidés de la Société. Selon la politique en matière de change, les pertes potentielles découlant de variations défavorables des taux de change ne devraient pas excéder des limites préétablies. La perte potentielle correspond à la perte prévue maximale qui pourrait être subie si une exposition au risque de change non couverte était touchée par une variation défavorable des taux de change pendant un trimestre. La politique en matière de change interdit aussi strictement toute opération de change spéculative qui entraînerait une exposition excédant la perte potentielle maximale approuvée par le conseil d'administration de la Société.

En vertu de la politique en matière de change, la direction des secteurs est chargée d'identifier toute exposition au risque de change réelle et possible découlant de leurs activités. Cette information est communiquée au groupe de trésorerie centralisée, qui est chargé d'exécuter les opérations de couverture conformément à la politique en matière de change.

Afin de gérer ses expositions de façon appropriée, chaque secteur maintient des prévisions de flux de trésorerie à long terme en monnaie étrangère. Les secteurs d'activité aéronautiques ont adopté une stratégie de couverture progressive, alors que Transport couvre entièrement son exposition au risque de change, afin de limiter l'incidence de la variation des taux de change sur leurs résultats. Les secteurs atténuent aussi le risque de change en maximisant les opérations dans la monnaie fonctionnelle de leurs activités, comme les achats de matières, les contrats de vente et les activités de financement.

De plus, la fonction de trésorerie centralisée gère les expositions du bilan aux fluctuations des taux de change en appariant les positions d'actifs et de passifs. Ce programme consiste essentiellement à jumeler la dette à long terme en monnaie étrangère à des actifs à long terme libellés dans la même monnaie.

Pour gérer l'exposition découlant des opérations en monnaie étrangère et modifier synthétiquement la monnaie d'exposition de certains éléments du bilan, la Société utilise surtout des contrats de change à terme. La Société applique la comptabilité de couverture à l'égard d'une tranche importante de ses opérations prévues et de ses engagements fermes libellés en monnaie étrangère désignés comme des couvertures de flux de trésorerie. Notamment, la Société conclut des contrats de change à terme pour réduire le risque de variation des flux de trésorerie futurs découlant des ventes et des achats prévus et des engagements fermes.

Les programmes de couverture de change de la Société ne sont habituellement pas touchés par l'évolution des conditions du marché, les instruments financiers dérivés étant normalement détenus jusqu'à leur échéance, conformément à l'objectif de fixer les taux de change sur les éléments couverts.

Analyse de sensibilité

Le risque de change découle d'instruments financiers qui sont libellés en monnaie étrangère. La sensibilité aux taux de change est fondée sur la somme des expositions nettes au risque de change des instruments financiers de la Société comptabilisés dans son état de la situation financière. L'incidence sur le RAI pour l'exercice 2015 est évaluée compte non tenu des relations de couverture des flux de trésorerie.

IFRS 7, paragr. 22A et 22B

		Incidence sur le RAI					
	Variation	**$ CAN/$ US**	**£/$ US**	**€/$ US**	**€/£**	**€/CHF**	**Autres**
Gain (perte)	+10 %	40 $	(3) $	163 $	3 $	(36) $	(66) $

L'incidence sur les AERG pour l'exercice 2015 qui suit a trait aux dérivés désignés dans une relation de couverture de flux de trésorerie. Pour ces dérivés, tout changement de la juste valeur est en grande partie contrebalancé par la réévaluation de l'exposition sous-jacente.

		Incidence sur les AERG avant impôts sur le résultat					
	Variation	**$ CAN/$ US**	**£/$ US**	**€/$ US**	**€/£**	**€/CHF**	**Autres**
Gain (perte)	+10 %	170 $	68 $	32 $	54 $	82 $	16 $

IFRS 7, paragr. 21C

Risque de taux d'intérêt

La Société est exposée au risque de variation de ses flux de trésorerie futurs découlant des variations des taux d'intérêt à l'égard de ses actifs et passifs financiers à taux variable, y compris la dette à long terme convertie de manière synthétique à un taux d'intérêt variable (voir la Note 27 – Dette à long terme). La Société est exposée parfois à des variations de taux d'intérêt dans le cadre de certains engagements de financement, lorsqu'un taux futur de financement a été garanti à un client. Pour ces éléments, les flux de trésorerie pourraient subir une incidence négative en cas de variation des taux de référence comme le Libor, l'Euribor ou le taux des acceptations bancaires. Ces risques sont principalement gérés par une fonction de trésorerie centralisée dans le cadre d'une politique de gestion globale des risques, y compris le recours à des instruments financiers, comme les swaps de taux d'intérêt. Les instruments financiers dérivés utilisés pour convertir synthétiquement les expositions au risque de taux d'intérêt sont principalement composés de swaps de taux d'intérêt et de swaps combinés de taux d'intérêt et de devises.

IFRS 7, paragr. 22A et 22B

En outre, la Société est exposée aux gains et aux pertes découlant de la variation des taux d'intérêt, ce qui comprend le risque de revente, au moyen de ses instruments financiers comptabilisés à leur juste valeur. Ces instruments financiers comprennent certains prêts et créances liées à des contrats de location – avions, certains placements dans des structures de financement, des placements dans des titres, des incitatifs à la location et certains instruments financiers dérivés.

Les programmes de couverture de taux d'intérêt de la Société ne sont habituellement pas touchés par l'évolution des conditions du marché, les instruments financiers dérivés étant normalement détenus jusqu'à leur échéance afin de s'assurer d'un bon appariement des actifs et des passifs, conformément à l'objectif de réduction des risques découlant des fluctuations des taux d'intérêt.

Analyse de sensibilité

Le risque de taux d'intérêt a surtout trait aux instruments financiers comptabilisés à leur juste valeur. En supposant une augmentation de 100 points de base des taux d'intérêt touchant l'évaluation de ces instruments financiers, compte non tenu des instruments financiers dérivés désignés dans une relation de couverture, aux 31 décembre 2015 et 2014, l'incidence sur le RAI se serait traduite par un ajustement négatif de 22 millions $ au 31 décembre 2015 (37 millions $ au 31 décembre 2014).

Différence NCECF

Source : Rapport annuel 2015 de Bombardier Inc.
Bombardier Inc., *Rapport annuel 2015 : Exercice clos le 31 décembre 2015,* [En ligne], < http://ir.bombardier.com/fr/rapports-financiers > (page consultée le 2 décembre 2016).
© 2016 Bombardier Inc. ou ses filiales

19

PARTIE II – LES NCECF

Équivalents terminologiques *Manuel de CPA Canada* – Partie II et Partie I.

Les instruments financiers dérivés

Le **chapitre 3856** du *Manuel – Partie II* traite des instruments financiers. En complément au chapitre 4 qui présente les différences entre les NCECF et les IFRS à l'égard de tels instruments, nous aborderons ici uniquement les différences au regard des dérivés et de la comptabilité de couverture.

À la lecture du présent chapitre, vous avez déjà pu déterminer les sujets qui diffèrent selon le référentiel grâce aux pictogrammes « Différence NCECF » qui figurent dans les marges de la partie I – Les IFRS. Nous expliquerons maintenant plus en détail ces différences, qui sont relevées dans la figure 19.11.

FIGURE 19.11 Les particularités des NCECF au sujet des dérivés et des opérations de couverture

Dérivés

1. Comptabilisation au coût des dérivés qui seront réglés par la remise d'instruments de capitaux propres dont on ne peut évaluer la juste valeur.
2. Distinction non obligatoire des dérivés incorporés dans un contrat hôte.
3. Contrat d'achat ou de vente, autre qu'un contrat boursier, qui porte sur un élément non financier non comptabilisé comme un dérivé.

Comptabilité de couverture

1. Aucune obligation d'évaluer l'efficacité de la couverture, du fait que la comptabilité de couverture est limitée aux cinq relations prédéterminées par le CNC :
   - Cela simplifie la documentation initiale.
   - Il suffit subséquemment de s'assurer que les conditions essentielles de la couverture n'ont pas changé.
   - À l'exclusion de la couverture d'un investissement net dans un établissement étranger, les seuls instruments de couverture admis sont des contrats à terme de gré à gré ou des swaps de taux ou de devises.
2. Aucune distinction entre la couverture de juste valeur et la couverture de flux de trésorerie :
   - Dans une couverture d'un actif ou d'un passif portant intérêt, comptabilisation des soldes nets à recevoir ou à payer sur l'instrument de couverture en ajustement des intérêts sur l'élément couvert.
   - Dans une couverture d'une opération future, les gains et pertes sur l'instrument de couverture sont comptabilisés en ajustement de la valeur comptable de l'élément couvert. Lorsque l'élément de couverture échoit avant l'opération future, il apparaît entre-temps comme élément distinct des capitaux propres. Lorsqu'il échoit après l'opération future, il est comptabilisé à la même date que l'élément couvert.

Les dérivés doivent être évalués à la juste valeur, ce qui correspond au traitement recommandé dans les IFRS. Les NCECF prévoient toutefois une exception. On comptabilise au coût les dérivés qui seront réglés par la remise d'**instruments de capitaux propres** d'une autre entité dont on ne peut évaluer la juste valeur.

IFRS
Titres de capitaux propres

EXEMPLE

Dérivés évalués au coût

Le 18 mars 20X1, Matto inc. signe un contrat d'option d'achat sur les créances de la société Clam inc. Le débours initial est de 100 $. À la date de l'entente, la juste valeur des créances s'élève à 80 000 $. Les deux parties s'entendent pour régler cette option, à la date d'échéance de l'option le 1er septembre, par la remise de 100 actions de la société Bon vivant inc., qui n'est pas cotée en Bourse. Matto inc. détient les 100 actions de Bon vivant inc., dont la valeur comptable s'élève à 70 000 $. Le 1er septembre, la juste valeur des créances est évaluée à 81 000 $.

Soulignons d'abord que, selon les NCECF, Matto inc. comptabilise ces actions au coût, car les actions de Bon vivant inc. ne se négocient pas sur un marché organisé. On comprend donc que la valeur comptable est sans doute différente de la juste valeur au 18 mars, qui pourrait avoisiner celle des créances.

Si Matto inc. devait comptabiliser son option à la juste valeur, elle devrait probablement évaluer la juste valeur de l'entreprise Bon vivant inc., ce qui entraînerait un lourd travail et, donc, des coûts importants pour rassembler les renseignements requis et procéder aux calculs. Il n'est pas évident que ces coûts seraient contrebalancés par des avantages du point de vue des utilisateurs peu nombreux des états financiers de Matto inc. C'est pourquoi le CNC permet de comptabiliser cette option au coût, ce qui se traduit par les écritures de journal suivantes dans les livres de Matto inc. :

18 mars 20X1		
Option d'achat de créances	*100*	
Caisse		*100*
Achat d'une option d'achat sur les créances de la société Clam inc., qui sera réglée par la remise de 100 actions de la société Bon vivant inc.		
1**er **septembre 20X1		
Créances	*81 000*	
Placement en actions de Bon vivant inc.		*70 000*
Option d'achat de créances		*100*
***Gain** sur cession d'actions*		*10 900*
Levée de l'option d'achat des créances de Clam inc., réglée par la remise des actions de Bon vivant inc.		

IFRS
Profit

Cette écriture nécessite quelques commentaires. On remarque que les créances sont comptabilisées à leur juste valeur le 1er septembre. Cela respecte la règle d'évaluation initiale des actifs financiers (*voir la partie II – Les NCECF du chapitre 4*). Matto inc. doit aussi sortir de ses livres la valeur comptable de l'option et celle des actions remises. Cela lui laisse un profit comptable de 10 900 $. Le réel profit économique pourrait différer, par exemple être moins élevé si la juste valeur des actions excédait celle des créances reçues le 1er septembre.

Si Matto inc. ne lève pas son option, elle doit simplement la sortir de ses livres le 1er septembre 20X2, en enregistrant l'écriture suivante :

Perte sur option d'achat non exercée	*100*	
Option d'achat de créances		*100*
Échéance d'une option d'achat non exercée.		

Les NCECF ne traitent pas des dérivés incorporés, laissant ainsi les entreprises libres de les séparer ou non du contrat hôte. Compte tenu de la complexité d'une telle séparation, principalement au moment d'évaluer la juste valeur de chaque dérivé incorporé, on peut croire que la plupart des entreprises qui appliquent les NCECF ne procèdent pas à une telle séparation.

EXEMPLE

Comptabilisation par l'émetteur d'un dérivé incorporé

Reprenons l'exemple de la société Marcoux ltée (*voir la page 19.23*), mais en adoptant le point de vue de Durant ltée, l'émetteur des titres. Tenons aussi pour acquis que Durant ltée bénéficie d'une dispense de prospectus, car elle émet ses titres auprès d'investisseurs qualifiés. Elle n'a donc pas une obligation d'information continue et peut appliquer les NCECF. Elle comptabilise ainsi l'émission du contrat hybride :

30 juin 20X5		
Caisse	*500 000*	
Obligations à payer		*500 000*
Émission d'un contrat hybride groupant un passif financier et une option de vente.		

Selon les renseignements fournis, le taux d'intérêt effectif sur les obligations à payer identiques s'élève à 7 % au 30 juin 20X5 et c'est ce taux que Durant ltée utilise au cours des exercices subséquents pour comptabiliser ses charges financières. Si ce taux différait du taux

19

contractuel, on devrait amortir la prime ou l'escompte d'émission en utilisant la méthode du taux d'intérêt réel ou celle de l'amortissement linéaire.

Durant ltée comptabilise les opérations de 20X6 et de 20X7 comme suit :

30 juin 20X6		
Intérêts débiteurs sur obligations à payer	*35 000*	
Caisse		*35 000*
Charge d'intérêts sur les obligations à payer (500 000 $ × 7 %).		
30 juin 20X7		
Intérêts débiteurs sur obligations à payer	*35 000*	
Caisse		*35 000*
Charge d'intérêts sur les obligations à payer.		
Obligations à payer au coût amorti	*500 000*	
Caisse		*500 000*
Remboursement des obligations à payer arrivées à échéance sans que les porteurs aient exercé leur option de vente.		

En comparant les écritures précédentes à celles requises selon les IFRS (*voir les pages 19.24 à 19.26*), on constate très clairement que le travail comptable est beaucoup plus simple si l'on utilise les NCECF. On doit par ailleurs reconnaître que les états financiers conformes aux NCECF sont moins transparents, car ils ne montrent pas le passif lié à l'option de vente ni les gains ou pertes qui s'y rattachent.

Le lecteur veillera à ne pas confondre la notion de dérivé incorporé et celle d'instrument financier composé. Dans ce dernier cas, un titre regroupe une composante de passif et une composante de capitaux propres qui doivent être comptabilisées distinctement, tant selon les IFRS que selon les NCECF.

Les dérivés couverts par le chapitre 3856

Dans l'annexe A du chapitre 3856, le Conseil des normes comptables (CNC) précise que les dérivés qui portent sur un sous-jacent qui est un instrument financier entrent dans le champ d'application de la norme. Il en est ainsi des options d'achat d'actions. Cependant, les contrats d'achat ou de vente, autres que les contrats boursiers, dont le sous-jacent est un élément non financier ne sont pas couverts, car ils ne représentent pas des instruments financiers. Par exemple, une option d'achat ou un contrat à terme de gré à gré portant sur du blé n'entre pas dans le champ d'application du chapitre 3856 ; l'engagement pour une partie de recevoir du blé n'est pas un actif financier, et l'engagement de l'autre partie de livrer ce blé n'est pas un passif financier ou un élément de capitaux propres. De ce fait, on conclut que le champ d'application de l'IFRS 9 à l'égard des dérivés est plus large que celui du chapitre 3856 des NCECF. La figure 19.12 schématise les contrats dérivés couverts par le chapitre 3856. En la comparant avec la figure 19.7, on voit rapidement ce qui diffère entre les NCECF et les IFRS.

FIGURE 19.12 Les dérivés couverts par le chapitre 3856

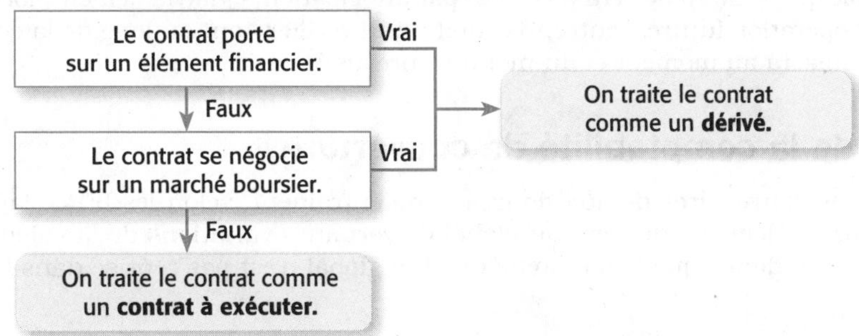

La présentation dans les états financiers

Les informations à fournir relatives aux dérivés selon les NCECF sont, encore une fois, allégées lorsqu'on les compare à celles requises par les IFRS. Une entreprise qui applique les NCECF indique notamment les éléments suivants dans ses états financiers :

- Le notionnel et la valeur comptable des dérivés évalués à la juste valeur, en distinguant les actifs dérivés des passifs dérivés ;
- La méthode utilisée pour déterminer la juste valeur des dérivés ainsi évalués ;
- En outre, si l'entreprise utilise un cours fourni par un courtier en produits dérivés, elle le signale, en précisant la nature et les conditions de l'instrument.

Les couvertures

IFRS Instrument de couverture

L'objectif de la comptabilité de couverture est fort louable. Comptabiliser au même moment en résultat net les profits et les pertes sur l'élément couvert et l'**élément de couverture** est en effet la meilleure façon de montrer aux utilisateurs des états financiers que l'entreprise se protège contre certains risques par une stratégie de couverture efficace. Cependant, la mise en application de la comptabilité de couverture engendre des coûts. En pratique, les comptables se heurtent aussi à une difficulté additionnelle, celle de prévoir, puis d'évaluer *ex post*, l'efficacité d'une couverture. C'est pourquoi les NCECF s'écartent sensiblement des IFRS au chapitre de la comptabilité de couverture.

Les conditions d'application de la comptabilité de couverture

Les IFRS précisent les éléments que l'on peut traiter comme un élément couvert, par exemple un actif comptabilisé, et ceux que l'on peut traiter comme un instrument de couverture, par exemple un actif financier non dérivé dans une couverture de change. Force est de constater que plusieurs actifs, passifs et opérations futures peuvent être comptabilisés selon les règles de la comptabilité de couverture. Le grand nombre d'éléments possibles explique que les IFRS imposent l'exigence d'évaluer l'efficacité de la couverture envisagée par une entreprise.

Dans un souci d'élaborer des NCECF qui soient simples, le CNC a décidé de ne pas exiger que l'entreprise évalue l'efficacité de la couverture. Pour ce faire, il a plutôt limité le nombre d'éléments qui peuvent être traités comme élément couvert et élément de couverture. Ainsi, la comptabilité de couverture ne peut être appliquée, selon les NCECF, qu'aux seules couvertures listées dans le tableau 19.7, auxquelles nous avons ajouté des commentaires.

Il ressort du tableau 19.7 que peu d'opérations de couverture peuvent être comptabilisées selon la comptabilité de couverture. Cependant, pour les opérations qui s'inscrivent dans l'une des cinq catégories listées dans ce tableau, l'entreprise n'a plus qu'à s'assurer qu'elle respecte les conditions d'application de la comptabilité de couverture. Premièrement, lors de la mise en place de la relation de couverture, elle désigne cette relation comme faisant l'objet de la comptabilité de couverture. Deuxièmement, elle constitue une documentation formelle. Celle-ci peut être beaucoup plus courte que celle requise selon les IFRS, car on n'a pas besoin de démontrer l'efficacité de la couverture ni la façon dont cette efficacité sera évaluée. Selon les NCECF, on précise simplement l'élément couvert, l'élément de couverture, le risque couvert et la durée de la couverture. Troisièmement, tant que la couverture perdure, l'entreprise s'assure que les conditions essentielles de l'élément couvert et de l'élément de couverture demeurent les mêmes. Par exemple, dans le cas d'une couverture d'un actif portant intérêt par un swap de taux d'intérêt, on doit s'assurer qu'il est toujours probable que le swap ne sera pas réglé par anticipation. Quatrièmement, lorsque l'élément couvert est une opération future, l'entreprise doit aussi vérifier, tout au long de la couverture, que l'opération se réalisera au moment et au montant prévus[32].

Les règles de la comptabilité de couverture

Rappelons que les couvertures de flux de trésorerie entraînent, selon les IFRS, la comptabilisation dans les autres éléments du résultat global de certaines variations de la valeur de l'élément de couverture. Étant donné que la notion de résultat global n'est pas reprise dans les NCECF, les

32. *Manuel de CPA Canada – Comptabilité – Partie II*, paragr. 3856.31.

TABLEAU 19.7 Les cinq relations auxquelles il est permis d'appliquer la comptabilité de couverture selon les NCECF

NCECF, chapitre 3856	Commentaires
Paragr. 32 *a) la couverture d'une opération future libellée en monnaie étrangère par un contrat de change à terme de gré à gré afin d'atténuer l'effet des fluctuations futures de taux de change* (voir le paragraphe 3856.A62) ;	Le paragraphe 3856.A62 précise quatre conditions à respecter : 1. Les deux titres doivent porter sur la même quantité de la même monnaie. 2. Le contrat à terme arrive à échéance dans les 30 jours précédant ou suivant le règlement de l'opération future. 3. Le règlement de l'opération future est probable. 4. La juste valeur du contrat à terme de gré à gré est nulle au commencement de la relation de couverture. Par exemple, la société ABC ltée peut appliquer la comptabilité de couverture au remboursement en dollars américains d'une dette de 100 000 $ en obtenant un contrat de change à terme de gré à gré selon lequel elle devra acheter 100 000 $ en dollars américains. Si elle détenait plutôt une option d'achat ou un contrat à terme boursier sur 100 000 $ en dollars américains, elle ne pourrait appliquer la comptabilité de couverture même si, du point de vue de la gestion des risques, la couverture était parfaite. Même si la comptabilisation des gains et des pertes de change déborde de l'objet du présent chapitre, mentionnons que le paragraphe .A62A précise le traitement comptable des contrats de change dont l'échéance précède la comptabilisation de l'élément couvert.
b) la couverture d'un achat futur ou d'une vente future d'une marchandise par un contrat à terme de gré à gré afin d'atténuer l'effet de fluctuations futures du prix de la marchandise (voir les paragraphes 3856.A63 et .A63A à .A63C) ;	Le paragraphe 3856.A63 précise quatre conditions à respecter : 1. Le contrat à terme doit porter sur la même quantité, qualité ou pureté de la même marchandise que les opérations futures désignées. 2. L'achat futur ou la vente future se fera probablement dans les 30 jours précédant ou suivant l'échéance du contrat à terme. 3. L'opération future est probable et se fera au moment et au montant prévus. 4. La juste valeur du contrat à terme de gré à gré est nulle au commencement de la relation de couverture. Les paragraphes 3856.A63A à 3856.A63C apportent des précisions sur les contrats faisant intervenir des monnaies étrangères et dépassent l'objet de notre étude. Un engagement ferme d'acheter 10 tonnes d'aluminium, disons à 2 010 $ la tonne, pourrait être couvert par un contrat à terme de gré à gré obligeant l'entreprise à vendre 10 tonnes d'aluminium au prix de 2 010 $ la tonne. L'entreprise pourrait comptabiliser ces deux éléments en appliquant la comptabilité de couverture. On pourrait aussi appliquer la comptabilité de couverture à l'opération inverse, soit à un engagement ferme de vendre 10 tonnes d'aluminium couvert par un contrat à terme de gré à gré obligeant l'entreprise à acheter 10 tonnes d'aluminium à un prix prédéterminé. Toute autre marchandise peut faire l'objet de tels contrats, que ce soit d'autres métaux ou des céréales, par exemple. Précisons que des placements en obligations ou en actions ne sont pas des marchandises et que des opérations futures les concernant ne peuvent être comptabilisées selon la comptabilité de couverture.
c) la couverture d'un actif ou d'un passif portant intérêt par un swap de taux afin d'atténuer l'effet des fluctuations de taux d'intérêt (voir le paragraphe 3856.A64) ;	Le paragraphe 3856.A64 précise que le swap doit posséder les caractéristiques suivantes : 1. Le montant du notionnel correspond au principal de l'actif ou du passif couvert. 2. La juste valeur du swap est nulle au commencement de la relation de couverture. 3. La formule pour calculer les encaissements et les décaissements du swap demeure la même durant la durée du swap. 4. Il est probable que l'instrument ne sera pas réglé par anticipation. 5. Le taux de référence pour la branche variable du swap concorde avec le taux de l'élément couvert.

TABLEAU 19.7 *(suite)*

	6. Le swap vient à échéance dans un délai de deux semaines avant ou après l'élément couvert. 7. Le taux variable du swap n'est pas limité par un plafond ou un plancher. 8. Si l'élément couvert porte intérêt à taux fixe, l'intervalle entre les refixations du taux d'intérêt variable du swap est court. 9. Si l'élément couvert porte intérêt à taux variable, l'intervalle entre les refixations du taux d'intérêt variable de l'élément couvert et celles du swap ne dépasse pas deux semaines. On peut, par exemple, appliquer la comptabilité de couverture à des créances à taux fixe couvertes par un swap d'intérêt taux variable – taux fixe.
d) la couverture d'un actif ou d'un passif portant intérêt libellé dans une monnaie étrangère par un swap de devises afin d'atténuer l'effet des fluctuations de taux d'intérêt et de taux de change (voir le paragraphe 3856.A65) ;	Le paragraphe 3856.A65 stipule que la totalité des conditions énoncées au paragraphe 3856.A64 s'appliquent, sauf quelques exceptions. On peut, par exemple, appliquer la comptabilité de couverture à des créances encaissables en dollars américains couvertes par un swap de devises selon lequel l'entreprise pourrait recevoir un montant déterminé de dollars canadiens et payer un montant déterminé de dollars américains.
e) la couverture de l'investissement net dans un établissement étranger autonome par un instrument financier dérivé ou non dérivé afin d'atténuer l'effet des fluctuations de taux de change (voir les paragraphes .38 à .41 du chapitre 1651, Conversion des devises).	Ce sujet déborde l'objet du présent ouvrage.

règles comptables prescrites dans les NCECF pour la comptabilité de couverture s'écartent sensiblement de celles prescrites dans les IFRS.

Au chapitre 3856, on ne trouve pas de distinction entre les couvertures de juste valeur et les couvertures de flux de trésorerie. Hormis les couvertures d'investissement net dans un établissement étranger, comptabilisées selon le **chapitre 1651** portant sur la conversion de devises, et les couvertures d'opérations futures, que nous décrirons plus loin, la comptabilité de couverture se résume à quelques règles plutôt simples.

Rappelons que, comme l'indique le tableau 19.7, l'élément couvert est nécessairement un actif ou un passif portant intérêt. La comptabilisation de cet élément se fait selon les règles habituelles. Par exemple, on comptabilise les intérêts encaissables sur un billet à recevoir à mesure que le temps passe et ce billet est habituellement évalué au coût amorti[33]. Quant à la comptabilisation de l'élément de couverture, les soldes nets à recevoir ou à payer sont simplement comptabilisés en ajustement des produits ou des charges sur l'élément couvert.

EXEMPLE

Comptabilisation d'une couverture d'un actif portant intérêt

Reprenons l'exemple de France Aise ltée (*voir la page 19.42*), qui couvre le risque de taux d'intérêt lié à un billet à recevoir par un swap de taux. Si l'entreprise prépare ses états financiers selon les NCECF, elle passe les écritures de journal qui suivent :

Élément couvert – Billet à recevoir			**Élément de couverture – Swap**
	10 janvier 20X5		
Billets à recevoir couverts	*100 000*		Aucune écriture, car la juste valeur est nulle.
Caisse		*100 000*	
Signature d'un billet.			

33. Le lecteur peut relire les explications données au chapitre 4 concernant la comptabilisation des actifs et des passifs financiers selon le chapitre 3856 du *Manuel de CPA Canada – Comptabilité – Partie II.*

19

31 décembre 20X5	
Caisse 8 000 *Intérêts créditeurs sur billets couverts* 8 000 *Produits d'intérêts sur un billet à recevoir (100 000 $ × 8 %).*	Aucune écriture, car la juste valeur est nulle, de même que les flux de trésorerie afférents.
31 décembre 20X6	
Caisse 8 000 *Intérêts créditeurs sur billets couverts* 8 000 *Produits d'intérêts sur un billet à recevoir.*	*Caisse* 1 000 *Intérêts créditeurs sur billets couverts* 1 000 *Produits d'intérêts sur le swap [100 000 $ × (9 % – 8 %)] comptabilisés en ajustement des intérêts créditeurs sur un billet couvert.*
31 décembre 20X7	
Caisse 8 000 *Intérêts créditeurs sur billets couverts* 8 000 *Produits d'intérêts sur un billet à recevoir.*	*Caisse* ① 1 000 *Intérêts créditeurs sur billets couverts* 1 000 *Encaissement net sur un swap arrivé à échéance.* **Calcul :** ① [100 000 $ × (9 % – 8 %)]
31 décembre 20X8	
Caisse 8 000 *Intérêts créditeurs sur billets couverts* 8 000 *Produits d'intérêts sur un billet à recevoir.* *Caisse* 100 000 *Billets à recevoir couverts* 100 000 *Échéance du billet.*	Aucune écriture

La différence importante entre les écritures précédentes et celles fournies dans la partie I – Les IFRS du présent chapitre survient le 31 décembre 20X6. Selon les IFRS, on comptabilisait alors le swap à la juste valeur de 918 $ et le profit en découlant, en résultat net. De plus, on comptabilisait la perte à titre de variation de valeur du billet à recevoir. Ces écritures n'ont pas d'équivalent si l'on applique les NCECF. Comme on le voit ci-dessus, seul l'encaissement de 1 000 $ sur le swap s'ajoute aux intérêts créditeurs de 8 000 $ sur le billet à recevoir. France Aise ltée n'a donc à évaluer ni la juste valeur du swap ni celle du billet à recevoir. Finalement, comme expliqué dans la partie II – Les NCECF du chapitre 4, l'intitulé du compte d'actif Billets à recevoir couverts ne comporte pas la mention « au coût amorti », car la plupart des actifs sont ainsi évalués selon les NCECF.

À la fin de l'exercice suivant, le 31 décembre 20X7, les écritures sont les mêmes que celles du 31 décembre 20X6, puisque le swap génère encore un encaissement de 1 000 $. Comparativement à la solution conforme aux IFRS, on constate une autre fois que la variation de la juste valeur du swap n'est pas comptabilisée et qu'aucune autre écriture n'est nécessaire à la date d'échéance du swap.

Lorsque le billet à recevoir arrive à échéance le 31 décembre 20X8, les intérêts annuels sont comptabilisés à titre de produits, comme en 20X6 et 20X7, et l'actif est simplement décomptabilisé.

Cet exemple montre clairement que les NCECF simplifient grandement le travail d'évaluation et de comptabilisation. On peut toutefois se demander si ces normes renseignent adéquatement les utilisateurs des états financiers. Nous reproduisons ci-dessous les postes pertinents des états financiers, selon les NCECF et selon les IFRS, afin de faciliter les comparaisons.

	NCECF	*IFRS*
Éléments de résultats		
20X5		
Intérêts créditeurs sur billets couverts	*8 000 $*	*8 000 $*
20X6		
Intérêts créditeurs sur billets couverts	*9 000*	*8 000*
Intérêts créditeurs sur swap		*1 000*
Profit/Perte découlant de la variation de valeur d'un swap de couverture		*918*
Profit/Perte découlant de la variation de valeur de billets couverts		*(886)*
Total 20X6	*9 000*	*9 032*
20X7		
Intérêts créditeurs sur billets couverts	*9 000*	*8 000*
Intérêts créditeurs sur swap		*82*
Total 20X7	*9 000*	*8 082*
20X8		
Intérêts créditeurs sur billets	*8 000*	*8 886*
Total sur quatre ans	*34 000 $*	*34 000 $*
Éléments du bilan		
20X5		
Billets à recevoir couverts	*100 000 $*	*100 000 $*
20X6		
Billets à recevoir couverts	*100 000 $*	*99 114 $*
Swap		*918*
Total 20X6	*100 000 $*	*100 950 $*
20X7		
Billets à recevoir couverts	*100 000 $*	*99 114 $*
20X8		
Billets à recevoir couverts	–	–

IFRS État de la situation financière

La première constatation qui ressort de cet exemple est que, pour les quatre années, le total des résultats est le même, soit 34 000 $, peu importe le référentiel utilisé. Comme toujours, le choix d'une méthode comptable ne change pas le total des produits, ici égaux aux intérêts que l'entreprise a encaissés sur le billet à recevoir et sur le swap. La seconde constatation est que les montants déterminés selon les NCECF sont plus sommaires. Par exemple, en 20X6, France Aise ltée présente un seul poste de produits, alors qu'elle en présente quatre si elle applique les IFRS. L'**état des résultats** selon les NCECF est donc moins transparent. Cette constatation repose aussi sur un autre facteur. Les comparaisons entre les exercices montrent que les montants préparés selon les NCECF sont plus stables et s'élèvent soit à 8 000 $, soit à 9 000 $. L'analyse des montants préparés selon les IFRS montre que les résultats annuels ne sont pas identiques (8 000 $, 9 032 $, 8 082 $ et 8 886 $). Ces résultats plus volatils sont tous dus à la prise en compte des variations survenues dans la juste valeur des instruments financiers en cause. Une différence importante survient en 20X7, où le résultat établi selon les NCECF surpasse celui calculé selon les IFRS. Des différences semblables (950 $ en 20X6 et 886 $ en 20X7) sont observées dans les postes du bilan. Toutes ces différences entre les deux référentiels sont importantes et montrent que des règles plus simples demeurent acceptables à la condition que les utilisateurs des états financiers bénéficient de contacts directs avec l'entreprise pour obtenir toute autre information dont ils pourraient avoir besoin concernant une décision précise qu'ils doivent prendre.

IFRS État du résultat global

Avez-vous remarqué ?

En principe, les dérivés doivent être évalués à la juste valeur. Cependant, le CNC prévoit une exception à cette règle dans le cas des dérivés désignés comme éléments constitutifs d'une couverture. C'est cette exception que nous avons appliquée à la solution de l'exemple de France Aise ltée.

Comme pour les couvertures d'opérations passées, le CNC n'établit pas de différence entre les couvertures de juste valeur et de flux de trésorerie portant sur une opération future. De façon similaire aux règles expliquées précédemment dans cette section, la comptabilité de couverture applicable à une opération future consiste à comptabiliser l'opération future (élément couvert) selon les règles habituelles. Les gains et les pertes sur l'élément de couverture seront ultimement comptabilisés en ajustement de la valeur comptable de l'élément couvert. Par ailleurs, ces opérations nous confrontent à une particularité, à savoir que le gain et la perte sur l'élément de couverture surviennent parfois avant même que l'élément couvert ne soit comptabilisé. Dans ce cas, on ne peut inclure dans la valeur comptable de l'élément couvert le gain ou la perte sur l'élément de couverture. On n'a alors guère d'autre choix que de comptabiliser ce gain ou cette perte dans un compte de capitaux propres en attendant de pouvoir le virer dans le compte d'actif, de passif, de produits ou de charges lié à l'opération future couverte.

EXEMPLE

Comptabilisation de la couverture d'une opération future

Reprenons l'exemple de la société Prévoie Yante ltée (*voir la page 19.46*) en le modifiant légèrement car, selon les NCECF, l'élément de couverture d'une opération future ne peut être une option de vente. Nous tenons donc pour acquis que l'élément de couverture est un contrat à terme de gré à gré échéant le 25 novembre 20X5. À cette date, le prix du bois sur le marché au comptant est de 0,95 $. Les autres conditions demeurent inchangées, soit un contrat portant sur la vente de 10 000 pieds linéaires de bois au prix de 0,70 $. Voici les écritures qui sont requises dans les livres de Prévoie Yante ltée si celle-ci applique les NCECF. Les lettres « CP » indiquent qu'il s'agit d'un compte de capitaux propres.

1er septembre 20X5		
Gain/Perte sur élément de couverture (CP)	*10*	
Caisse		*10*
Acquisition d'un contrat à terme de gré à gré portant sur la vente de 10 000 pieds linéaires de bois.		
25 novembre 20X5		
Gain/Perte sur élément de couverture (CP)	*2 500*	
Caisse		*2 500*
Échéance du contrat à terme de gré à gré, au moment où le prix de vente sur le marché excède le prix d'exercice [10 000 pi × (0,95 $ – 0,70 $)].		
1er décembre 20X5		
Stock de marchandises ②	*9 510*	
Caisse ①		*7 000*
Gain/Perte sur élément de couverture (CP) ②		*2 510*
Acquisition de 10 000 pieds linéaires de bois en vertu de l'engagement d'achat.		

Calculs :

① Coût d'acquisition selon l'engagement d'achat	0,70 $
Quantité spécifiée dans l'engagement	× 10 000 pi
Débours	7 000 $

② Décaissement à l'échéance de l'engagement (calculé en ① ci-dessus)	7 000 $		
Transfert de la perte sur contrat à terme de gré à gré (10 $ + 2 500 $)	2 510		
Valeur comptable du stock	9 510 $		

2 décembre 20X5

Caisse	*11 500*	
Ventes		*11 500*
Vente des 10 000 pieds linéaires de bois à 1,15 $ le pied linéaire.		
Coût des ventes	*9 510*	
Stock de marchandises		*9 510*
Coût des 10 000 pieds linéaires de bois vendus.		

Que retenir de ces écritures ? Premièrement, la juste valeur du contrat à terme de gré à gré désigné dans la couverture d'une opération future n'est pas comptabilisée comme un actif ou un passif, contrairement aux autres dérivés. En effet, même à la date de clôture, le 30 septembre, aucune écriture n'a été inscrite dans les livres de Prévoie Yante ltée. De plus, lors de l'échéance du contrat à terme de gré à gré, l'entreprise a dû débourser 2 500 $. Cette perte est cependant compensée par l'augmentation de la juste valeur du bois qu'elle achètera quelques jours plus tard. C'est pourquoi la perte sur le contrat à terme n'est pas comptabilisée en résultats. On l'inscrit plutôt dans un compte distinct de capitaux propres, que nous avons appelé Gain/Perte sur élément de couverture (CP), tout comme nous l'avons fait pour comptabiliser le coût initial de 10 $. Ce compte distinct dans les capitaux propres pourrait être présenté dans le bilan après le compte **Bénéfices non répartis**. Également, au moment où l'entreprise achète le bois, elle débourse 7 000 $, conformément à son engagement ferme. C'est à ce moment que le solde du compte de capitaux propres est viré dans le compte d'actif de l'élément couvert, soit, dans notre exemple, le compte Stock de marchandises. Ce faisant, la valeur comptable initiale du stock correspond à sa juste valeur de 9 500 $ (10 000 pieds linéaires × 0,95 $), majorée des coûts d'acquisition minimes du contrat à terme (10 $). Finalement, lorsque l'entreprise revend le stock, elle comptabilise le prix de vente (11 500 $) et le coût des ventes (9 510 $), ce qui lui laisse une marge brute de 1 990 $. En réalité, cette marge se compose des éléments suivants :

IFRS Résultats non distribués

Excédent des ventes sur le coût des ventes, sans égard à la couverture (11 500 $ – 7 000 $)	*4 500 $*
Perte sur élément de couverture	*(2 510)*
Montant net	*1 990 $*

Encore une fois, on peut conclure que les NCECF applicables à la couverture d'une opération future simplifient le travail comptable, mais conduisent à des états financiers moins transparents, en ce sens qu'ils ne montrent que le résultat net (1 990 $ dans l'exemple précédent) obtenu par la combinaison de deux stratégies, l'une de commercialisation et l'autre, de couverture des risques.

19

L'exemple précédent illustre le cas où l'élément de couverture arrive à échéance avant que l'opération future ne soit comptabilisée. Quelles sont les écritures requises dans la situation inverse, soit lorsque l'élément de couverture arrive à échéance après la comptabilisation de l'élément couvert ? Dans ce cas, on doit comptabiliser l'élément de couverture, au prix au comptant, à la même date que l'élément couvert. En fait, c'est l'écart entre le taux du contrat et le cours au comptant à la date d'évaluation qui est comptabilisé en tant qu'actif ou passif lié à un dérivé, selon le cas. En contrepartie, on comptabilise ce montant dans la valeur comptable de l'élément couvert.

EXEMPLE

Comptabilisation lorsque l'échéance de l'instrument de couverture arrive après l'opération future prévue

Modifions l'exemple précédent en tenant pour acquis que le contrat à terme arrive à échéance le 2 décembre 20X5. Voici les écritures que Prévoit Yante ltée devrait enregistrer dans ses livres :

1er septembre 20X5		
Actif/Passif lié à un dérivé de couverture	*10*	
Caisse		*10*
Acquisition d'un contrat à terme de gré à gré portant sur la vente de 10 000 pieds linéaires de bois.		
1er décembre 20X5		
Stock de marchandises	*9 510*	
Caisse		*7 000*
Actif/Passif lié à un dérivé de couverture (2 500 + 10 $)		*2 510*
Acquisition de 10 000 pieds linéaires de bois à 7 $ le pied linéaire en vertu de l'engagement d'achat et comptabilisation du passif lié au contrat de vente qui couvre l'achat du bois.		
2 décembre 20X5		
Actif/Passif lié à un dérivé de couverture	*2 500*	
Caisse		*2 500*
Échéance du contrat à terme de gré à gré, au moment où le prix de vente sur le marché excède le prix d'exercice [10 000 pi × (0,95 $ – 0,70 $)].		
Caisse	*11 500*	
Ventes		*11 500*
Vente des 10 000 pieds linéaires de bois à 1;15 $ le pied linéaire.		
Coût des ventes	*9 510*	
Stock de marchandises		*9 510*
Coût des 10 000 pieds linéaires de bois vendus.		

Avant de clore cet exemple, une dernière précision s'impose. Selon les conditions d'application de la comptabilité de couverture listées dans le tableau 19.7, nous avons vu qu'il pouvait y avoir un délai de 30 jours entre l'échéance du contrat à terme de gré à gré et celle de l'opération couverte. Nous pouvons donc facilement concevoir que, dans une situation semblable à la dernière qu'illustrait l'exemple de Prévoie Yante ltée, l'échéance du contrat à terme pourrait survenir non seulement après l'achat du bois mais même après sa revente, disons le 5 décembre 20X5 au moment où le prix du bois sur le marché est de 0,99 $. La perte sur le contrat à terme qui entraîne un décaissement de 2 900 $ serait alors comptabilisée en partie dans le compte de charge lié à l'opération couverte, soit le compte Coût des ventes et en partie en résultat net, comme le montrent les écritures qui suivent :

1er septembre 20X5		
Actif/Passif lié à un dérivé de couverture	*10*	
Caisse		*10*
Acquisition d'un contrat à terme de gré à gré portant sur la vente de 10 000 pieds linéaires de bois.		

1er décembre 20X5		
Stock de marchandises	*9 510*	
Caisse		*7 000*
Actif/Passif lié à un dérivé de couverture (2 500 $ + 10 $)		*2 510*
Acquisition de 10 000 pieds linéaires de bois en vertu de l'engagement d'achat et comptabilisation du passif lié à l'élément de couverture, soit le contrat de vente, dont l'échéance est le 5 décembre.		
2 décembre 20X5		
Caisse	*11 500*	
Ventes		*11 500*
Vente des 10 000 pieds linéaires de bois à 1,15 $ le pied linéaire.		
Coût des ventes	*9 510*	
Stock de marchandises		*9 510*
Coût des 10 000 pieds linéaires de bois vendus.		
5 décembre 20X5		
Actif/Passif lié à un dérivé de couverture	*2 500*	
Perte découlant de la variation de valeur d'un dérivé	*400*	
Caisse		*2 900*
Échéance du contrat à terme de gré à gré, au moment où le prix de vente sur le marché excède le prix d'exercice [10 000 pi × (0,99 $ – 0,70 $)].		

Soulignons en terminant que si une période se termine après la comptabilisation de l'élément couvert mais avant l'échéance de l'élément de couverture, on doit réévaluer ce dernier « au prix au comptant ou au taux en vigueur à la date de clôture de la période, et tout gain ou perte résultant de cette réévaluation est comptabilisé en résultat net[34] ».

La cessation de la comptabilité de couverture

Les situations qui entraînent la cessation de la comptabilité de couverture se limitent aux suivantes en vertu du chapitre 3856 :

> L'entité ne doit cesser d'appliquer la comptabilité de couverture que lorsque l'une des situations suivantes se produit :
>
> a) l'élément couvert ou l'élément de couverture cesse d'exister, autrement que de la façon dont il est désigné ou documenté ;
>
> b) les conditions essentielles de l'élément de couverture, lesquelles sont précisées aux paragraphes 3856.A62 à .A65, cessent de correspondre à celles de l'élément couvert, notamment les conditions suivantes :
>
> i) il devient probable qu'un actif ou un passif portant intérêt, couvert par un swap de taux d'intérêt ou de devises, sera réglé par anticipation,
>
> ii) l'élément couvert consiste en une opération future et il cesse d'être probable que l'achat ou la vente futur d'une marchandise ou que le règlement de l'opération future libellée en monnaie étrangère se réalise pour le montant désigné dans les 30 jours précédant ou suivant la date d'échéance du contrat à terme de gré à gré servant de couverture[35].

Au moment où la comptabilité de couverture doit cesser, on ne modifie pas les règles comptables appliquées à l'évaluation antérieure des éléments de la couverture jusqu'à cette date. Par exemple, les décaissements sur un swap de taux d'intérêt qui couvrait un billet à recevoir ont été

34. *Manuel de CPA Canada – Comptabilité – Partie II*, paragr. 3856.33c).

35. *Manuel de CPA Canada – Comptabilité – Partie II*, paragr. 3856.35.

comptabilisés en diminution des intérêts créditeurs sur ce billet. Il n'est pas question de modifier cette comptabilisation. Cependant, à compter de la date de cessation de la comptabilité de couverture, l'entreprise doit comptabiliser l'élément de couverture selon les règles habituelles. Cet élément étant un dérivé, il doit donc être comptabilisé à la juste valeur et les variations de valeur, comptabilisées en résultat dès qu'elles surviennent.

La présentation dans les états financiers

Le tableau 19.6 présente la liste des informations à fournir sur les opérations de couverture selon les IFRS. Cette liste peut être comparée aux exigences en vertu des NCECF, encore une fois moins nombreuses :

> L'entité qui désigne des dérivés comme étant des éléments de couverture doit fournir de la façon suivante des informations permettant aux utilisateurs des états financiers de comprendre l'effet de la comptabilité de couverture :
>
> a) En ce qui concerne la couverture d'une opération future visée au paragraphe 3856.33, pendant la durée de la relation de couverture, l'entité indique les modalités de l'opération future, notamment la nature et l'échéancier de l'élément couvert, les modalités du contrat à terme de gré à gré, le fait que la comptabilité de couverture est utilisée et l'effet net de la relation.
>
> b) En ce qui concerne la couverture d'un actif ou d'un passif portant intérêt visée au paragraphe 3856.34, l'entité indique la nature et les modalités de l'élément couvert, la nature et les modalités du swap de taux d'intérêt ou du swap de devises qui constitue l'élément de couverture, le fait que la comptabilité de couverture est utilisée et l'effet net de la relation[36].

Avez-vous remarqué ?

Les informations qualitatives permettent de compenser partiellement la faible transparence des états financiers préparés en conformité avec le chapitre 3856.

Les états financiers de Josy Dida inc.

Consultez le tableau synthèse des particularités des NCECF.

Le lecteur peut consulter les états financiers de Josy Dida inc., disponibles dans la plateforme *i+ Interactif*. L'entreprise décrit ses méthodes comptables dans la note 4, plus précisément dans la section intitulée « Couverture et instruments financiers dérivés ». Les renseignements plus pointus sur les relations de couverture sont donnés à la note 22, dans la section intitulée « Risque de taux d'intérêt ». En comparant cette note avec les extraits des états financiers de Bombardier (*voir les pages 19.64 à 19.68*), le lecteur pourra facilement constater que l'information présentée dans les états financiers basés sur les NCECF est beaucoup plus sommaire.

36. *Manuel de CPA Canada – Comptabilité – Partie II*, paragr. 3856.51.

SYNTHÈSE DU CHAPITRE 19

La figure 19.13 illustre en un coup d'œil les principaux thèmes abordés dans le présent chapitre. Le texte qui suit la figure vous permettra de vérifier l'acquisition des objectifs d'apprentissage.

FIGURE 19.13 Les principaux thèmes abordés dans le présent chapitre

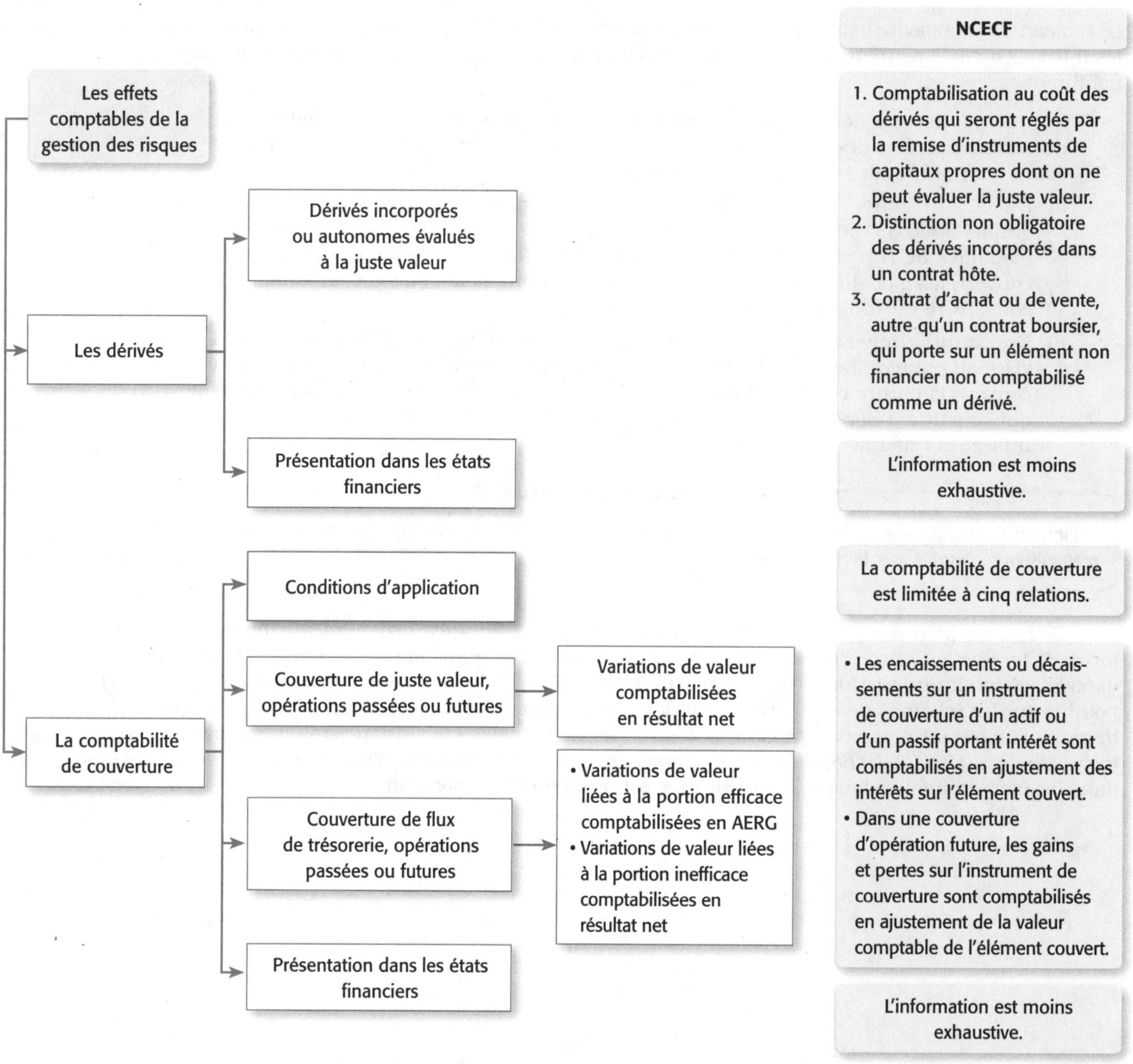

19

Comprendre les principales caractéristiques des dérivés. Les instruments financiers dérivés portent sur un titre sous-jacent. Ce titre peut être un instrument financier primaire ou un autre actif. Les dérivés les plus usuels se divisent en trois catégories : le contrat d'option, le contrat à terme et le swap.

Reconnaître les dérivés qui sont couverts par l'IFRS 9 et leur appliquer les normes comptables. Une entreprise évalue tous ses dérivés couverts par l'IFRS 9 à la juste valeur. Elle comptabilise en résultat net les variations de valeur dès qu'elles surviennent. La juste valeur est une évaluation des dérivés plus pertinente que le coût historique, car elle reflète les effets de la conjoncture économique du moment sur l'entreprise. Une entreprise doit comptabiliser distinctement un dérivé incorporé à un contrat hôte qui n'est pas un actif financier lorsque : 1) les caractéristiques économiques et les risques du dérivé incorporé ne sont pas étroitement liés aux caractéristiques économiques et aux risques du contrat hôte ; 2) un instrument séparé comportant les mêmes conditions que le dérivé incorporé répondrait à la définition d'un dérivé ; 3) l'instrument composé n'est pas classé comme étant À la juste valeur par le biais du résultat net.

Aux fins de la présentation des dérivés dans ses états financiers, une entreprise doit notamment indiquer leur valeur comptable ainsi que les éléments importants d'intérêts, de dividendes, de profits et de pertes générés par les dérivés et inscrits en résultat net.

Comprendre les principales caractéristiques des opérations de couverture. Une opération de couverture est une opération par laquelle l'entreprise ouvre une position symétrique à une autre position qu'elle possède déjà, ou qu'elle possédera à la suite de certaines transactions futures, pour se protéger d'un risque.

Comprendre les conditions d'application de la comptabilité de couverture. Les règles de la comptabilité de couverture modifient les règles de comptabilisation des actifs financiers et des passifs financiers. Pour qu'une opération de couverture soit comptabilisée selon les règles de la comptabilité de couverture, l'entreprise doit respecter certaines conditions. Premièrement, l'instrument de couverture et l'élément couvert sont des éléments admis. Deuxièmement, il existe une désignation et une documentation formalisées décrivant la relation de couverture ainsi que l'objectif de l'entreprise en matière de gestion des risques et de stratégie de couverture. Cette documentation doit comprendre entre autres : l'indication de l'instrument de couverture, la transaction ou l'élément couvert, la nature du risque couvert et la manière dont l'entreprise évaluera l'efficacité de l'instrument de couverture à compenser l'exposition au risque couvert. Troisièmement, la relation de couverture satisfait aux trois contraintes d'efficacité, à savoir : a) il existe un lien économique entre l'élément couvert et l'instrument de couverture ; b) les changements de valeur qui découlent de ce lien économique ne sont pas principalement dus à l'effet du risque de crédit ; c) il y a une adéquation entre, d'une part, le ratio de couverture et, d'autre part, le rapport entre la quantité de l'élément couvert et la quantité de l'instrument de couverture.

Déterminer le type de couverture et appliquer les règles de la comptabilité de couverture de juste valeur. Ce chapitre traitait de deux types de couverture aux fins de comptabilisation. Le premier type, la couverture de juste valeur, consiste à se protéger contre les variations de la juste valeur qui pourraient influer sur le résultat net. Dans une couverture de juste valeur, les variations de valeur des deux éléments compris dans la couverture sont comptabilisées en résultat net dès qu'elles se produisent. En ce qui concerne la couverture de juste valeur d'une opération future, on comptabilise en résultat net les variations de valeur de l'élément couvert et de l'instrument de couverture dès qu'elles se produisent.

Appliquer les règles de la comptabilité de couverture de flux de trésorerie. Le second type, la couverture de flux de trésorerie, consiste à se protéger contre les variations de flux de trésorerie qui pourraient influer sur le résultat net. Dans une couverture de flux de trésorerie, les variations de valeur de l'instrument de couverture sont comptabilisées dans les autres éléments du résultat global, à l'exclusion des variations liées à la portion inefficace de la couverture. Quand l'entreprise a cumulé les profits et les pertes latents liés à l'instrument de couverture dans le compte Cumul des autres éléments du résultat global, elle les vire généralement en résultat net au moment où elle comptabilise les profits et les pertes symétriques sur l'élément couvert.

Lorsque la couverture d'une transaction prévue conduit à comptabiliser ultérieurement un actif non financier ou un passif non financier, l'entreprise doit transférer la totalité des profits et des pertes latents, antérieurement comptabilisés dans le cumul des autres éléments du résultat global, dans la valeur comptable de l'actif ou du passif en cause. Ce traitement s'applique aussi lorsque la transaction prévue devient un engagement ferme portant sur un actif ou un passif non financier. Pour toutes les autres couvertures de flux de trésorerie d'une transaction prévue, l'entreprise doit transférer les profits et les pertes latents dans le résultat net de l'exercice ou des exercices au cours desquels l'actif acquis ou le passif assumé influe sur le résultat net. Toutefois, lorsqu'elle s'attend à ce que la totalité ou une partie d'une perte nette comptabilisée dans les autres éléments du résultat global ne puisse être recouvrée au cours d'un ou de plusieurs exercices futurs, elle doit virer immédiatement dans le résultat net le montant qu'elle prévoit ne pas recouvrer.

7 **Déterminer le moment où l'on doit cesser la comptabilité de couverture et présenter les opérations de couverture dans les états financiers.** On doit cesser d'appliquer la comptabilité de couverture dès que la couverture cesse d'être efficace. Cela a uniquement un effet prospectif. L'entreprise doit s'assurer que ses états financiers contiennent toute l'information nécessaire pour que les utilisateurs comprennent les objectifs qu'elle vise en détenant ou en émettant des titres désignés comme éléments de couverture, le contexte nécessaire à la compréhension de ces objectifs, ainsi que ses stratégies. Elle doit aussi fournir toute information pertinente aux utilisateurs pour leur permettre de comprendre l'effet de la comptabilité de couverture.

8 **Comprendre et appliquer les NCECF liées aux dérivés et à la comptabilité de couverture.** Les NCECF s'écartent substantiellement des IFRS. D'une part, le chapitre 3856 ne s'applique pas aux dérivés portant sur un sous-jacent qui n'est pas un instrument financier et qui ne se négocient pas sur un marché boursier. Il ne traite pas des dérivés incorporés, laissant les entreprises libres de les séparer ou non des contrats hôtes. D'autre part, quant à la comptabilité de couverture, elle peut s'appliquer uniquement à cinq relations très précises, caractérisées par des conditions qui font en sorte que la couverture est nécessairement efficace. Ce faisant, une entreprise qui applique les NCECF n'est pas tenue d'évaluer l'efficacité de la couverture au début de la relation ni à chaque date de clôture d'un exercice financier. Cependant, à l'exclusion de la couverture d'un investissement net dans un établissement étranger, les seuls instruments de couverture admis sont des contrats à terme de gré à gré ou des swaps de taux ou de devises. Les règles comptables, plutôt que de différer selon une couverture de juste valeur ou une couverture de flux de trésorerie, diffèrent selon que l'élément couvert est un actif ou un passif portant intérêt ou une opération future. Lorsque l'élément couvert est un actif ou un passif portant intérêt, les encaissements ou décaissements sur le swap qui est l'élément de couverture sont comptabilisés à titre d'ajustement des produits ou des charges sur l'élément couvert. Lorsque l'élément couvert est plutôt une opération future, les encaissements ou décaissements sur le contrat à terme de gré à gré qui est l'élément de couverture sont comptabilisés à titre d'ajustement de la valeur comptable de l'élément couvert.

CINQUIÈME PARTIE

Des éléments de performance

CINQUIÈME PARTIE
Des éléments de performance

Les deuxième, troisième et quatrième parties de cet ouvrage traitaient d'opérations qui ont une incidence sur la situation financière d'une entreprise. La situation financière est analysée par les utilisateurs des états financiers, car elle renseigne sur la solidité financière d'une entreprise. Toutefois, selon les fondements conceptuels, les utilisateurs des états financiers s'intéressent grandement aux flux de trésorerie futurs. À cette fin, leur analyse de la situation financière doit être complétée par l'analyse de la performance de l'entreprise au cours d'une période déterminée. Dans la cinquième et dernière partie de cet ouvrage, nous analyserons donc les opérations qui se répercutent principalement sur l'état du résultat global, notamment sur les produits, les charges, les profits, les pertes et le résultat par action, ainsi que sur le tableau des flux de trésorerie. Nous aborderons aussi l'information sectorielle et les états financiers intermédiaires, la première facilitant les prévisions et les seconds permettant de fournir rapidement une information financière pertinente et fidèle.

La comptabilisation des produits, des profits, des charges, des pertes et des activités abandonnées

20

20

Des ressources pédagogiques sont disponibles en ligne.

20

Objectifs d'apprentissage

À la fin de ce chapitre, vous pourrez :

1. relever les notions importantes liées à la mise en contexte de la comptabilisation des produits provenant des clients ;
2. analyser la présence d'un contrat selon l'étape 1 du modèle de comptabilisation des produits ;
3. déterminer les obligations de prestation relatives à un contrat selon l'étape 2 du modèle de comptabilisation des produits ;
4. déterminer le moment de la comptabilisation des produits selon l'étape 3 du modèle de comptabilisation des produits ;
5. évaluer le prix de transaction selon l'étape 4 du modèle de comptabilisation des produits ;
6. répartir le prix de transaction entre les obligations de prestation selon l'étape 5 du modèle de comptabilisation des produits ;
7. appliquer les cinq étapes du modèle de comptabilisation des produits ;
8. comptabiliser certains produits particuliers provenant de clients ;
9. comptabiliser les coûts d'un contrat ;
10. comptabiliser les contrats de construction ;
11. présenter les produits provenant des clients dans les états financiers ;
12. comptabiliser les profits, les pertes et les autres produits ;
13. comptabiliser les activités abandonnées ;
14. présenter les activités abandonnées dans les états financiers ;
15. comprendre et appliquer les NCECF liées à la comptabilisation des produits, des profits, des charges, des pertes et des activités abandonnées.

Aperçu du chapitre

Comme nous l'avons vu au chapitre 1, la **performance** d'une entreprise, présentée dans l'état du résultat global, est un élément important de la prise de décision économique, car elle permet aux utilisateurs de connaître la capacité de l'entreprise à générer des flux de trésorerie. Au cœur même de cette mesure de performance se trouvent les produits des activités ordinaires de l'entreprise.

Dans cette perspective, la comptabilisation des **produits des activités ordinaires tirés de contrats conclus avec des clients** (produits provenant des clients) est un élément stratégique de la présentation de l'information financière et comporte de nombreux défis pour le comptable. Si la vente de biens au comptant ne soulève aucun questionnement sur le montant de la transaction et le moment de sa comptabilisation, cela n'est très certainement pas le cas de toutes les formes d'opérations commerciales. Pensons, par exemple, aux ventes assorties d'une période d'essai de 30 jours ou d'un droit de retour en cas d'insatisfaction du client, aux ventes liées à des biens fabriqués sur mesure à la suite d'une commande particulière d'un client, ou aux ventes effectuées par Internet, par téléphone ou encore par commande postale. Dans ces derniers cas, il peut exister un assez long délai entre la date où un client décide d'acheter un bien et le moment où l'entreprise expédie ce bien. Pour chacune de ces transactions, le comptable doit s'assurer de comptabiliser le produit de la vente durant l'exercice approprié et au montant exact. Dans le présent chapitre, nous nous intéresserons aux différents aspects de la comptabilisation et de l'évaluation des produits provenant des clients d'une entreprise et traiterons de ces questionnements selon le **modèle de comptabilisation** des produits en cinq étapes. Ce modèle, applicable à l'analyse de toutes les transactions de vente conclues avec les clients, servira ensuite de guide dans l'analyse de **situations particulières.** Les ventes de biens à livrer, les ventes subordonnées à l'acceptation du client, les ventes en consignation et les ventes sous condition de rachat en sont quelques exemples.

Par ailleurs, les entreprises engagent plusieurs **coûts** afin de fournir des biens ou des services à leurs clients. Nous analyserons également la comptabilisation de ces coûts liés à un contrat de vente.

Certaines entreprises, comme Bombardier, amorcent la production de biens destinés à la vente au cours d'un exercice et la terminent au cours d'un exercice subséquent. Telles sont les entreprises de construction d'avions, d'autoroutes ou de bâtiments maritimes, ou encore celles qui conçoivent des logiciels pour répondre aux besoins particuliers d'un client. Ces **contrats de construction** à long terme soulèvent des défis comptables, dont celui de déterminer les produits et les charges à comptabiliser à chaque exercice afin que les utilisateurs des états financiers disposent d'informations pertinentes et fidèles pour évaluer la performance et la situation financière de l'entreprise. Nous évaluerons également la comptabilisation des produits liés à un contrat de construction selon le modèle de comptabilisation des produits en cinq étapes.

Nous nous pencherons également sur certains autres éléments que contient l'état du résultat global, c'est-à-dire les autres produits (**intérêts** et **dividendes**), les **profits,** les **pertes** et les **activités abandonnées.** Le chapitre se terminera par une vue d'ensemble de la comptabilisation des produits selon les NCECF.

Lorsque des notions de mathématiques financières sont utilisées, les variables nécessaires aux calculs sont indiquées avec les abréviations suivantes :

N : nombre de périodes
I : taux d'intérêt
PMT : paiements périodiques
PV : valeur actualisée
FV : valeur future
BGN : paiements en début de période

PARTIE I – LES IFRS

 Équivalents terminologiques *Manuel de CPA Canada* – Partie I et Partie II.

La mise en contexte

Cette section du chapitre relève les notions importantes inhérentes à la comptabilisation des produits provenant des clients. Avant de présenter les aspects plus techniques de la comptabilisation des produits, il importe de bien situer ces opérations par rapport aux autres transactions économiques d'une entreprise. Nous traiterons également du champ d'application de la norme **IFRS 15**, intitulée « Produits des activités ordinaires tirés de contrats conclus avec des clients », ainsi que de quelques définitions telles que celles d'un client et d'un contrat. De plus, nous effectuerons un lien entre la comptabilisation des produits provenant des clients, l'exercice du jugement professionnel et le Cadre conceptuel de l'information financière (le Cadre) du *Manuel de CPA Canada.*

Différence NCECF

Les notions importantes en jeu pour la comptabilisation des produits

Dans notre étude du **Cadre**, au chapitre 1, nous avons constaté que les utilisateurs des états financiers sont intéressés à obtenir des informations qui leur permettent d'évaluer la capacité de l'entreprise à générer des rentrées nettes de trésorerie, puisque cela leur permet d'évaluer s'ils seront en mesure de recouvrer leurs créances ou de faire croître leur investissement. Nous avons également observé que, pour permettre aux utilisateurs de procéder à cette évaluation, les états financiers présentent des éléments liés à l'évaluation de la situation financière et à la performance de l'entreprise. Le chapitre 2 a fait ressortir que les éléments liés à l'évaluation de la performance de l'entreprise sont présentés dans l'état du résultat global. Les produits provenant des clients qui y sont présentés constituent un élément important de cet état financier.

L'objectif premier de toute entreprise est de générer suffisamment de bénéfices pour que les actionnaires obtiennent un rendement satisfaisant sur leur investissement : les activités ordinaires jouent un rôle primordial dans la réalisation d'un tel rendement. Ainsi, en échange de biens ou de services, une entreprise génère des bénéfices qui sont tributaires du produit de la vente des biens et services ainsi que des coûts engagés pour fabriquer ou acheter ces biens ou encore rendre ces services. En effet, il est habituellement difficile de dégager un bénéfice satisfaisant si le niveau des produits n'est pas assez élevé, d'où l'importance, non seulement pour le comptable, mais aussi pour l'entreprise et les utilisateurs de l'information financière, de bien définir ce qui constitue un produit et de préciser les critères sur lesquels doit reposer la comptabilisation.

Avant de traiter de la comptabilisation des produits provenant des clients, il importe de mettre en perspective les notions importantes à prendre en compte lors de l'analyse d'une opération commerciale dans le but d'établir le moment et le montant de la comptabilisation du produit qui en découle. Ces notions comprennent les caractéristiques des opérations générant les produits provenant des clients, les pressions exercées en vue de la comptabilisation hâtive des produits et l'exercice du jugement professionnel.

Au chapitre 1, nous avons expliqué que, selon le **Cadre**, les produits sont les accroissements d'avantages économiques, au cours d'une période comptable, sous la forme d'accroissements d'actifs, ou de diminutions de passifs, qui donnent lieu à des augmentations de capitaux propres autres que les augmentations provenant des apports des participants aux capitaux propres[1].

Les caractéristiques des opérations générant les produits provenant des clients

L'IFRS 15 traite de la comptabilisation des produits générés par les activités courantes. Les entreprises doivent s'y référer au moment de présenter leurs états financiers des exercices ouverts à compter du 1er janvier 2018. Cette norme précise notamment la portée de ce chapitre en définissant les termes « client » et « contrat ».

Un **client** représente « [...] une partie ayant conclu un contrat avec une entité en vue d'obtenir, en échange d'une contrepartie, des biens ou des services qui sont un extrant des activités ordinaires de l'entité[2] ». L'autre partie n'est pas un client si elle prend part à un partenariat avec l'entreprise dans le but de partager les risques et les avantages associés à un projet. Ce pourrait être le cas de la construction conjointe d'un immeuble de bureaux par deux entreprises de développement immobilier qui auraient pour but de partager les travaux de construction et, de ce fait, d'assumer conjointement les risques et les coûts des travaux. L'autre partie n'est pas un client, mais plutôt un coentrepreneur qui prend part à un projet d'investissement commun ; les contreparties éventuellement encaissées par chacune ne sont donc pas considérées comme un produit lié à un contrat de construction pour l'une ou l'autre de ces parties.

« Un **contrat** est un accord entre deux parties ou plus, qui crée des droits et des obligations exécutoires[3]. » Souvent, un contrat écrit et signé par les deux entreprises fait office de preuve concrète et obtient force de loi. L'entreprise doit cependant évaluer ses pratiques commerciales ainsi que celles de son secteur d'activité pour déterminer la présence de tout contrat qui peut prendre la forme écrite, verbale ou autre selon les pratiques commerciales habituelles.

Le champ d'application de l'IFRS 15 couvre tous les contrats conclus avec des clients à l'exception de certaines opérations qui font l'objet d'autres chapitres :

a) Les produits liés à des contrats de location (IAS 17, expliquée au chapitre 16),
b) Les produits liés aux contrats d'assurance (IFRS 4, dont l'objet dépasse le cadre du présent ouvrage),

1. CPA Canada, *Manuel de CPA Canada – Comptabilité – Partie I*, Cadre conceptuel de l'information financière, paragr. 4.25 (a). (*Voir la page iv des liminaires pour plus de détails à l'égard des normes publiées mais non encore entrées en vigueur.*)
2. *Manuel de CPA Canada – Comptabilité – Partie I*, IFRS 15, paragr. 6.
3. *Manuel de CPA Canada – Comptabilité – Partie I*, IFRS 15, paragr. 10.

c) Les produits liés à des instruments financiers (par exemple, les intérêts et les dividendes) et aux autres droits ou obligations contractuels comptabilisés selon l'IFRS 9, expliquée au chapitre 4, ou selon d'autres normes applicables aux placements, (IFRS 10, IFRS 11, IAS 27 et IAS 28, comme mentionné dans le chapitre 11),

d) Les échanges non monétaires effectués entre entreprises appartenant à la même branche d'activité afin de faciliter la vente à des clients actuels ou potentiels. Le contrat ultérieur qui sera éventuellement conclu avec un client représente, quant à lui, un produit lié à une activité courante de l'entreprise. Notons, par exemple, l'échange entre concessionnaires de deux voitures ayant des caractéristiques semblables mais de couleur différente afin de favoriser la vente à un client. Cet échange ne représente pas un produit provenant des clients.

Des produits provenant des clients peuvent donc englober des produits liés à la vente de marchandises, à la prestation de services professionnels, à la réalisation de contrats de construction ou autres. On les trouve dans l'état du résultat global sous divers intitulés : produits, ventes, honoraires, etc. Ils reflètent un phénomène économique récurrent et fournissent aux utilisateurs de l'information financière un bon indicateur de la capacité de l'entreprise à générer des flux de trésorerie récurrents qui contribueront à l'accroissement de ses ressources économiques. Parmi les exemples d'opérations de vente qui ne génèrent pas des produits provenant des clients, pensons, notamment, aux ventes d'immobilisations ou de placements dont une entreprise tire des avantages économiques qui ne font pas partie de son exploitation courante.

Dans l'analyse des opérations génératrices des produits provenant des clients, il importe d'établir le montant des avantages économiques que l'opération générera pour l'entreprise et de déterminer le moment où ces avantages se matérialiseront sous la forme d'un accroissement des actifs ou d'une diminution des passifs. Prenons l'exemple d'un distributeur qui expédie sans frais à un détaillant des articles dans le but de lui permettre d'en faire la démonstration à ses clients. Le distributeur ne comptabilise pas cette transaction à titre de produits au moment de l'expédition, car elle ne conduit pas nécessairement à un accroissement d'avantages économiques. De même, il ne peut être question d'inclure dans les produits d'une entreprise le montant des sommes perçues pour le compte d'un tiers, telles les taxes de vente, puisque ces sommes doivent être remises à ce tiers et ne contribuent pas à un accroissement des avantages économiques de l'entreprise. Par contre, le marchand peut inclure dans les produits provenant des clients le montant des ventes à crédit qu'il a réalisées, car les créances clients représentent l'accroissement des avantages économiques permettant de comptabiliser le produit.

EXEMPLE

Opérations commerciales

La boutique de vêtements Modeactive ltée a conclu les opérations suivantes le 15 décembre 20X8 :

Ventes au comptant de vêtements	*80 000 $*
Encaissements liés au paiement de factures de vente du mois précédent	*25 000*
Encaissement lié à la vente d'un placement en actions	*50 000*
Ventes à crédit de vêtements	*65 000*

Les opérations effectuées par la société Modeactive ltée le 15 décembre 20X8 proviennent de deux sources, soit la vente de vêtements et la vente d'un placement. La vente de vêtements génère des produits provenant des clients dans le cadre de l'exploitation courante de l'entreprise. Cependant, la vente d'un placement à une tierce partie représente plutôt une transaction de disposition qui n'est pas caractéristique des activités d'exploitation de Modeactive ltée. Les produits à comptabiliser réfèrent aux activités d'exploitation courante de la vente de vêtements pour cette entreprise.

Bien que les activités de la vente de vêtements de Modeactive ltée lui permettent d'augmenter sa trésorerie de 105 000 $ (80 000 $ + 25 000 $), ce montant ne correspond pas aux produits provenant des clients qui doivent être comptabilisés le 15 décembre. En effet, le montant comptabilisé à titre de produits s'élève à 145 000 $, soit le total des ventes au comptant et à crédit. Par ailleurs, les encaissements de 25 000 $ liés aux factures de ventes du mois précédent ne sont pas considérés à titre de produits, puisque de tels encaissements sont liés à des opérations de ventes antérieures.

Les pressions exercées en vue de la comptabilisation hâtive des produits et l'exercice du jugement professionnel

L'impact des produits provenant des clients sur le résultat net peut inciter certaines entreprises, soucieuses d'attirer de nouveaux investisseurs, à comptabiliser leurs produits le plus tôt possible. De même, des cadres intermédiaires désireux d'atteindre leur quota de ventes et les objectifs de bénéfices imposés par la direction peuvent chercher à effectuer des ventes fictives ou des ventes sans aucune substance économique réelle. Comme nous l'avons expliqué au chapitre 1, la théorie comptable positive expose d'autres circonstances dans lesquelles une entreprise pourrait vouloir comptabiliser rapidement ses produits, telle la présence d'un régime de rémunération ou une structure d'endettement élevé.

EXEMPLE

Comptabilisation prématurée des produits

La société Prématurée ltée fabrique et vend des articles de cuisine. Le 31 décembre, elle reçoit une commande pour la livraison, le 1er février 20X8, d'articles de cuisine totalisant la somme de 100 000 $. Voici son état partiel du résultat global pour l'exercice terminé le 31 décembre 20X7, selon deux scénarios :

PRÉMATURÉE LTÉE
Résultat global partiel
de l'exercice terminé le 31 décembre 20X7

	Sans comptabilisation de la commande	*Avec comptabilisation de la commande*
Produits provenant des clients	*875 000 $*	*975 000 $*
Coût des ventes	*586 250*	*653 250*
Marge brute	*288 750*	*321 750*
Charges administratives	*125 000*	*125 000*
Résultat net	*163 750 $*	*196 750 $*
Résultat par action (100 000 actions en circulation)	*1,64 $*	*1,97 $*

L'importance que les investisseurs accordent au ratio du résultat par action, qui sera approfondie au chapitre 22, peut amener une comptabilisation hâtive des produits. Le présent exemple montre que la comptabilisation prématurée du produit des ventes permet d'améliorer la performance financière. On comprend donc la raison pour laquelle il peut être tentant pour la direction d'interpréter à son avantage les normes établies à propos de la comptabilisation des produits de ses activités commerciales.

En raison de l'émergence de nouvelles façons de conclure une vente et des divers arrangements financiers, la comptabilisation des produits est souvent le point de mire des débats portant sur des problèmes de manipulation du résultat net. Le comptable fait face à un problème de taille lorsqu'il doit déterminer le moment où une vente a effectivement eu lieu ou celui où un service a été rendu.

Compte tenu de l'importance qu'accordent les utilisateurs des états financiers à la performance, les entreprises soulèvent de nombreux arguments en vue de justifier la comptabilisation hâtive de leurs produits. L'exercice du jugement professionnel revêt donc une très grande importance, notamment lors de l'analyse de la substance économique des arrangements conclus entre un acheteur et un vendeur. Le comptable cherche ainsi à établir si le client a obtenu le contrôle du bien ou du service. Précisons que les biens et les services sont des actifs, les services étant plus exactement des promesses d'actif. Le **contrôle d'un actif** se définit comme « [...] la capacité de décider de l'utilisation de celui-ci et d'en tirer la quasi-totalité des avantages restants[4] ». Même si, d'un point de vue légal, il y a transfert des titres de propriété, il est possible que l'acheteur ne puisse pas décider de l'utilisation de l'actif ou en tirer la quasi-totalité des avantages restants. Le vendeur doit alors repousser la comptabilisation du produit au-delà de la date du transfert de la propriété légale de l'actif. Il peut en être ainsi, par exemple, lorsque la réalisation du produit relatif

4. *Manuel de CPA Canada – Comptabilité – Partie I*, IFRS 15, paragr. 33.

à une vente est subordonnée à la revente par l'acheteur du bien en question. Dans ces accords de consignation[5], le contrôle est transféré au consignataire uniquement au moment où ce dernier revend le bien. En effet, pendant que le consignataire détient le bien, le consignateur possède encore un droit de regard sur son utilisation et pourrait décider à tout moment d'annuler l'entente de consignation tant que le bien n'est pas vendu au consommateur final. De ce fait, il est plutôt incertain que le consignataire pourra bénéficier de la quasi-totalité des avantages économiques futurs restants.

Le jugement du comptable est également nécessaire en vue d'établir si une transaction commerciale globale doit être décomposée afin de comptabiliser les diverses composantes à des moments différents. Pensons à cet égard à la comptabilisation des produits provenant des clients liés aux abonnements, dont nous traiterons plus loin.

L'exercice du jugement professionnel est donc de mise lors de l'analyse des transactions génératrices de produits provenant des clients. Le comptable doit prendre en considération les caractéristiques qualitatives de l'information financière et s'assurer de satisfaire aux critères de comptabilisation avant de comptabiliser de tels produits.

Les critères généraux de la comptabilisation des produits

L'exemple précédent de la société Prématurée ltée indique qu'il importe d'établir des critères précis en vue de la comptabilisation des produits provenant des clients d'une entreprise. De tels critères favorisent l'uniformité et la comparabilité de l'information financière présentée par les entreprises.

Ces critères inscrits dans la norme IFRS 15 permettent de répondre à un objectif bien précis : « [...] établir les principes que l'entité doit appliquer pour présenter des informations utiles aux utilisateurs des états financiers concernant la nature, le montant, le calendrier et le degré d'incertitude des produits des activités ordinaires et des flux de trésorerie provenant d'un contrat conclu avec un client[6] ».

Parmi les caractéristiques qualitatives auxiliaires d'une information financière utile présentées au chapitre 1, la comparabilité du poste relatif aux produits et la compréhensibilité de l'information présentée est accrue du fait de l'adoption de l'IFRS 15. En effet, la quantité importante d'informations à fournir ainsi que leur pertinence permettent d'assurer la compréhensibilité des opérations liées aux contrats conclus avec des clients. De plus, l'application de cette norme à un nombre important d'entreprises internationales permet d'améliorer la comparabilité des produits entre celles-ci et, de ce fait, d'améliorer l'utilité de l'information financière pour les utilisateurs.

Les sections suivantes présenteront les balises fournies dans l'IFRS 15 concernant la comptabilisation et la présentation des produits provenant des clients. Pour atteindre l'objectif de cette norme, examiné plus haut, il faut répondre à deux questions qui caractérisent le principe fondamental de la comptabilisation des produits provenant des clients :

1. Quand les biens et les services promis aux clients sont-ils fournis ? La réponse à cette question détermine le moment de la comptabilisation des produits.
2. À quel montant de contrepartie l'entreprise s'attend-elle à avoir droit en échange de ces biens et services ? La réponse à cette question détermine le montant à comptabiliser.

Ces deux questions fondamentales guident l'analyse à effectuer pour ces opérations de vente et sous-tendent les cinq étapes du modèle de comptabilisation des produits contenu dans l'IFRS 15, qui s'applique à toutes les transactions de vente conclues avec des clients (*voir la figure 20.1*). Comme nous l'expliquerons plus loin, une entreprise doit franchir avec succès ces cinq étapes avant de comptabiliser tout produit.

Ce modèle tiré de l'IFRS 15 permet de présenter les étapes d'analyse de toute transaction de vente conclue avec un client menant à la présentation d'un produit dans l'état du résultat global. Les cinq étapes feront l'objet des cinq prochaines sections de ce chapitre.

5. Nous expliquerons la comptabilisation de ces opérations lorsque nous traiterons des situations particulières de la comptabilisation des produits des activités ordinaires tirés de contrats conclus avec des clients. Le chapitre 7 a exposé le traitement comptable du point de vue de l'acheteur, aussi appelé consignataire.
6. *Manuel de CPA Canada – Comptabilité – Partie I*, IFRS 15, paragr. 1.

FIGURE 20.1 Le modèle de comptabilisation des produits

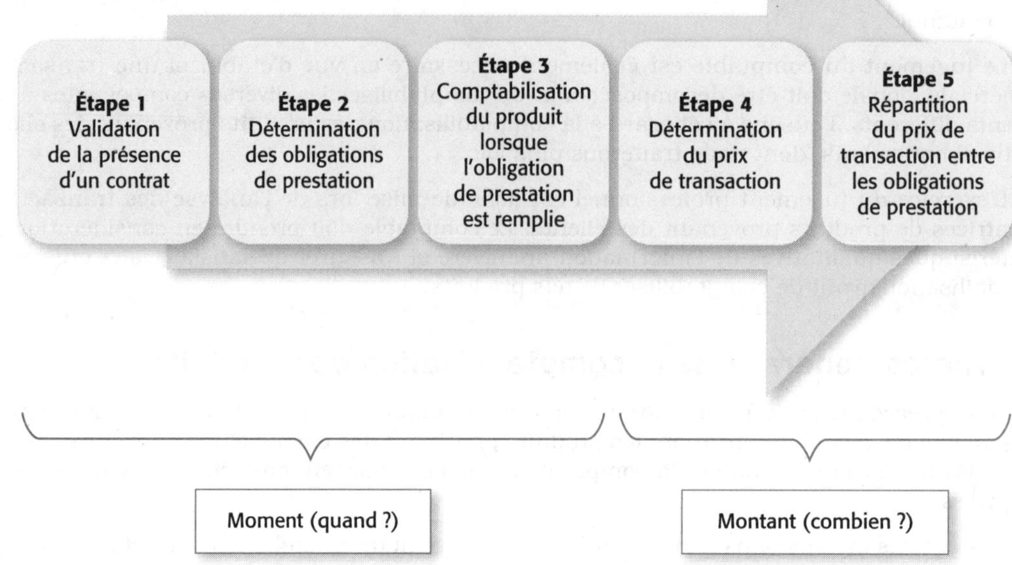

Différence NCECF

Avez-vous remarqué ?

Les produits étant considérés comme un indicateur de la capacité de l'entreprise à générer des flux de trésorerie récurrents, ils sont comptabilisés uniquement lorsqu'il est probable qu'un accroissement d'avantages économiques, pouvant être évalué de manière fiable, résultera de l'opération génératrice de produits.

L'étape 1 : la validation de la présence d'un contrat

Différence NCECF

La première étape du modèle de comptabilisation des produits provenant des clients spécifie que l'entreprise doit commencer par valider la présence d'un contrat. La figure 20.2 indique les principaux thèmes traités à cette étape du modèle de comptabilisation des produits.

Cette figure montre les cinq conditions à remplir pour conclure à la présence d'un contrat et, de ce fait, au respect de l'étape 1 du modèle de comptabilisation des produits (*voir les rectangles* ① *à* ⑤ *en haut de la figure 20.2*). Il existe également certaines situations précises qui mènent à la comptabilisation d'un produit de l'exercice, et ce, même en l'absence d'un contrat (*voir les rectangles* ⑥ *à* ⑧ *de la figure 20.2*). Nous terminerons cette section par les règles relatives aux modifications et aux regroupements de contrats.

Comme il est indiqué précédemment, un contrat est un accord qui peut être verbal, écrit ou établi selon des pratiques commerciales habituelles dans un secteur d'activité donné. De par cette définition, l'entreprise recherche la présence de droits ou d'obligations **exécutoires**, c'est-à-dire qu'elle peut faire exécuter selon les lois en vigueur. Habituellement, cette notion de contrat ne pose pas de problème, mais regardons d'un peu plus près les cinq conditions particulières qui, lorsqu'elles sont remplies, confirment la présence d'un contrat. La figure 20.2 indique ces cinq conditions (*voir les rectangles* ① *à* ⑤ *en haut de la figure*) :

1. Approbation verbale, écrite ou selon les pratiques commerciales habituelles dans ce secteur, par cette entreprise ou par les parties en cause, où chacune s'engage à respecter ses obligations respectives. Par exemple, la pratique commerciale d'une entreprise d'offrir une garantie de trois mois sur chaque bien vendu représente une approbation de la part de cette société ;
2. Définition des droits de chaque partie en ce qui concerne les biens ou les services visés par l'entente ;

3. Présence des conditions de paiement prévues, par exemple des conditions de paiement de 30 jours, sans intérêt, mentionnées dans le contrat ;
4. Présence d'une substance commerciale dans le contrat, c'est-à-dire que l'on s'attend à ce que le contrat modifie le calendrier ou le montant des flux de trésorerie futurs de l'entreprise, ou le risque qui leur est associé. Toutes les transactions prévoyant une contrepartie monétaire présentent une substance commerciale, car cette contrepartie modifiera dès sa réception le montant des flux de trésorerie futurs de l'entreprise. Cette substance commerciale doit être analysée plus en profondeur dans le cadre d'opérations non monétaires. Prenons l'exemple d'une vente d'une marchandise en contrepartie d'une promesse de bénéficier d'un service d'entretien des locaux pendant six mois. Cette transaction modifie le calendrier ou le montant des flux de trésorerie futurs. En effet, l'entreprise accepte de ne pas recevoir un montant donné lors de la vente et, en échange, n'aura pas à sacrifier périodiquement des ressources pour régler le service d'entretien ;
5. Recouvrement probable par l'entreprise de la contrepartie à laquelle elle a droit en échange des biens ou des services qu'elle fournira au client. Par exemple, au moment de conclure la transaction de vente, l'entreprise reçoit un rapport de crédit concernant le client qui indique une cote de crédit positive. Elle peut donc conclure au recouvrement probable des sommes.

FIGURE 20.2 Étape 1 : la validation de la présence d'un contrat

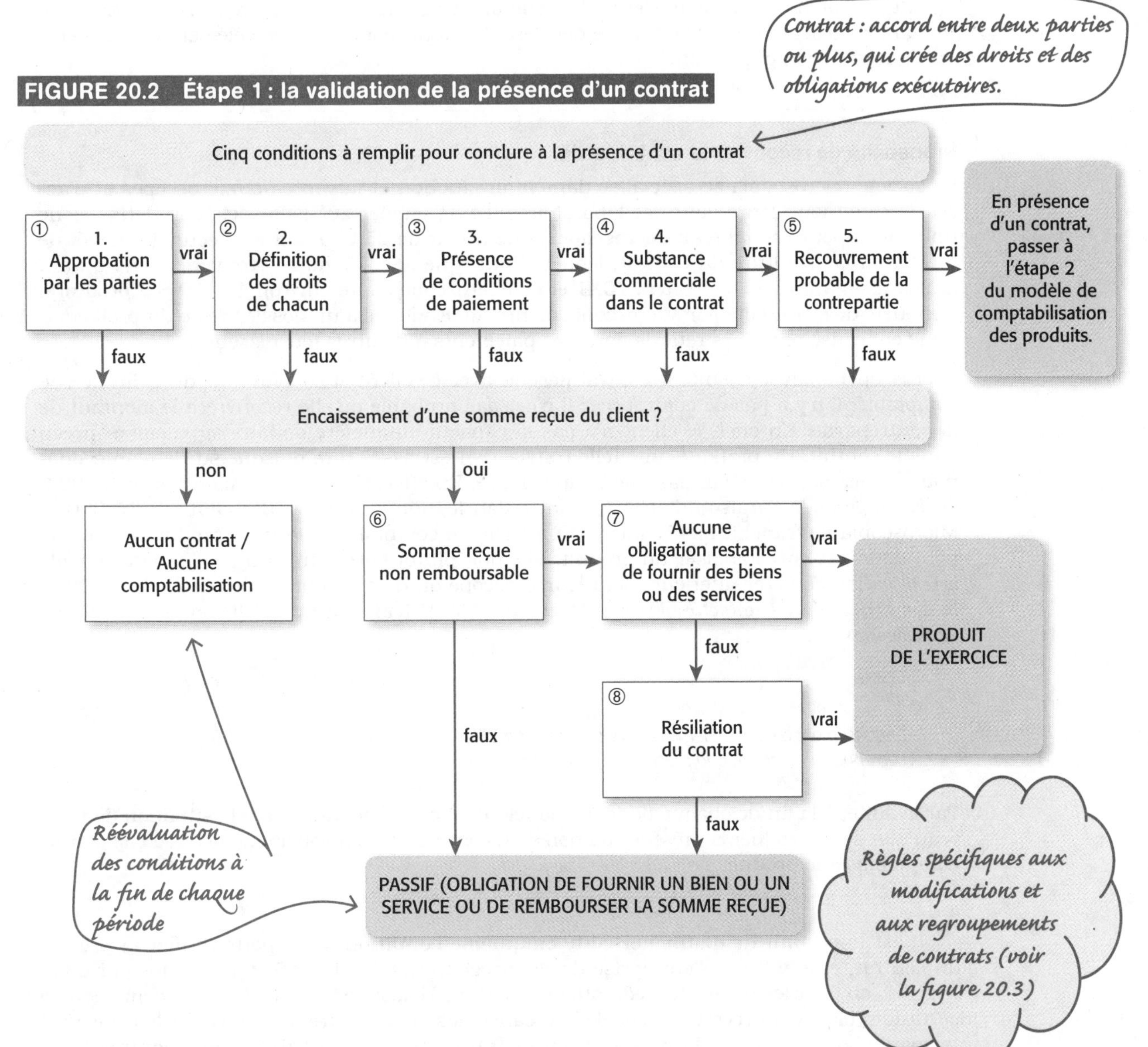

20

La quatrième condition, qui concerne la substance commerciale, a pour conséquence d'exclure du champ d'application de l'IFRS 15 les échanges non monétaires effectués dans la même branche d'activité afin de faciliter les ventes à des clients actuels ou potentiels. Un tel échange ne représente pas un contrat conclu avec un client, car il ne modifie pas le montant des flux de trésorerie futurs de l'entreprise. Il permet uniquement de faciliter la vente ultérieure à un client et n'a donc aucune substance commerciale.

La cinquième condition sera analysée plus en profondeur dans la prochaine sous-section.

La probabilité de recouvrer la contrepartie en échange de la fourniture des biens ou des services

Cette condition déterminant la présence d'un contrat fait référence, entre autres, à une situation de crédit difficile d'un client qui entraînerait un non-recouvrement de la créance. Dès le début de la transaction de vente, si l'entreprise détermine que le recouvrement de la contrepartie est improbable ou indéterminable, elle ne peut pas conclure à la présence d'un contrat. C'est pourquoi l'opération de vente n'est pas enregistrée du point de vue comptable. Pour évaluer la recouvrabilité, l'entreprise doit tenir compte uniquement de l'intention et de la capacité du client de payer le montant qu'il doit. S'il existe une lettre de crédit ou des garanties pour protéger l'entreprise contre un défaut de paiement du client, cette dernière doit tenir compte de ces éléments de protection dans l'analyse de la probabilité.

EXEMPLE

Probabilité de recouvrer la contrepartie

La société Microscopia se spécialise dans la production et la vente de microscopes et d'accessoires en tout genre pour des laboratoires. Le 31 janvier 20X1, la société Endettée signe un contrat pour l'achat d'un microscope d'une valeur de 25 000 $. Elle effectue un dépôt de 5 000 $ à la signature du contrat, lequel stipule que le solde devra être versé dans un an. La livraison aura lieu le 1er avril 20X1 et ce microscope coûte environ 15 000 $ à produire. L'enquête de crédit faite par Microscopia montre qu'Endettée a un dossier de crédit problématique et accuse plusieurs retards dans ses paiements à d'autres fournisseurs.

Microscopia analyse ensuite le contrat négocié avec ce client et conclut que, du point de vue comptable, il n'y a pas de contrat, car il n'est pas probable qu'elle recouvrera le montant de la contrepartie. En effet, le client n'a pas la capacité financière de faire le paiement prévu dans le contrat. En pratique, une telle transaction est assez rare puisque sur le plan économique, Microscopia ne fait pas une bonne affaire. En effet, elle reçoit un montant de 5 000 $ en échange de la livraison d'un actif dont la fabrication entraînera des coûts de 15 000 $. Microscopia ne franchit pas l'étape 1 du modèle de comptabilisation des produits et elle ne peut donc pas comptabiliser un produit. Elle doit plutôt enregistrer un passif, parce qu'elle a l'obligation de livrer ultérieurement le microscope ou de rembourser l'acompte de 5 000 $, le cas échéant (*voir le rectangle ⑥ de la figure 20.2*). Voici l'écriture qu'elle enregistre lors de l'encaissement :

	Débit	Crédit
Caisse	5 000	
Somme perçue d'avance		5 000

Encaissement d'un premier versement sur la vente d'un microscope, sans pouvoir conclure à la présence d'un contrat.

Par la suite, à la fin de chaque période financière, Microscopia analysera la situation de nouveau afin de déterminer la présence ou non d'un contrat, et ce, jusqu'au moment où elle pourra comptabiliser le produit.

Il est important de distinguer cette cinquième condition, utile pour vérifier la présence d'un contrat, et le fait que l'entreprise doive enregistrer, selon l'**IFRS 9**, à un moment donné, une provision pour les pertes de crédit attendues. Dans l'exemple précédent, Microscopia note une incertitude relative au recouvrement de la créance dès la signature du contrat. Elle utilise cette information pour juger de la présence d'un contrat, conclure à l'absence de contrat et, par conséquent, n'enregistrer aucun produit dans ses résultats. Cependant, au moment de conclure le contrat, si le client ne présente aucun risque anormal de recouvrement, l'entreprise peut comptabiliser une créance et un produit après avoir complété son analyse des autres étapes (*voir le rectangle ⑤ de la figure 20.2*). Nous verrons dans ce chapitre qu'il y a lieu d'effectuer plusieurs autres analyses concernant le modèle de comptabilisation des produits avant de conclure à la comptabilisation du produit. Ce faisant, l'entreprise augmente la valeur de ses actifs et de ses produits. À la fin des périodes financières subséquentes, l'entreprise devra s'interroger sur le caractère recouvrable de la créance. Si la situation financière du client s'est détériorée, il se peut qu'elle doive comptabiliser une provision pour correction de valeur du compte client et ainsi enregistrer une charge liée à une perte de crédit attendue.

Selon le paragraphe 13 de l'IFRS 15, lorsque les cinq conditions sont remplies au moment de conclure l'entente et que l'on conclut à la présence d'un contrat, l'entreprise ne réévalue pas par la suite ces conditions, à moins d'un changement important dans les faits et circonstances entourant ce contrat.

EXEMPLE

Changement important dans la probabilité de recouvrement

La société Microscopia signe en janvier 20X1 un autre contrat prévoyant la livraison d'un microscope, au prix de 20 000 $, et l'entretien trimestriel de cet équipement pendant deux ans, pour une somme de 1 000 $ par trimestre. Au départ, elle a conclu à la présence d'un contrat après l'analyse des cinq conditions. En 20X1, elle a encaissé presque tous les montants prévus dans le contrat et, dans la mesure où elle respecte les quatre autres étapes du modèle de comptabilisation, elle a comptabilisé un produit de 20 000 $ au moment de la livraison du microscope et des produits annuels de 4 000 $ liés au service d'entretien. Le client est cependant en retard pour le paiement du dernier trimestre de 20X1 exigible pour les services d'entretien. En 20X2, Microscopia prend connaissance d'un article crédible mentionnant les difficultés financières de ce client et elle constate aussi des retards dans les paiements trimestriels exigibles. Elle réévalue les cinq conditions de l'étape 1 du modèle et conclut que la cinquième condition à l'égard de la probabilité du recouvrement n'est plus remplie. Par conséquent, elle cesse de comptabiliser les produits relatifs aux services d'entretien qu'elle juge non recouvrables, car elle doit conclure à l'absence d'un contrat du point de vue comptable.

L'encaissement d'une somme reçue d'un client : passif ou produit ?

La figure 20.2 montre que toutes les conditions présentées précédemment doivent être remplies pour que l'on puisse conclure à la présence d'un contrat (*voir les rectangles ① à ⑤ en haut de la figure 20.2*). Lorsqu'une des conditions n'est pas remplie, aucun produit ne peut être enregistré. Il peut tout de même arriver des situations où l'entreprise reçoit un encaissement de la part d'un client (*voir le rectangle ⑥ de la figure 20.2*). Elle doit alors comptabiliser dans la plupart des cas le montant reçu à titre de passifs, ce qui indique que l'entreprise a une obligation envers le client, soit de fournir un bien ou un service, soit de rembourser le client en cas de manquement à son obligation de livrer la marchandise ou d'offrir la prestation du service. Si l'entreprise n'a aucune obligation de fournir un bien ou un service ni aucune obligation de rembourser la somme reçue, elle doit comptabiliser l'encaissement à titre de produit de l'exercice (*voir les rectangles ⑥ et ⑦ de la figure 20.2*).

Les regroupements de contrats

Une entreprise doit regrouper des contrats conclus en même temps ou presque avec le même client lorsque les transactions représentent, du point de vue économique, une seule opération de vente. Le client et les parties qui lui sont liées représentent une seule entreprise. Prenons l'exemple d'un contrat conclu avec une société mère et un autre conclu le même jour avec une de ses filiales pour un service comptable professionnel d'audit des comptes de chacune des deux entreprises. Ces contrats pourraient être traités comme un seul du point de vue comptable même si le client exerce ses activités par l'intermédiaire de deux entités légales. En effet, les deux contrats représentent le même mandat, qui consiste à effectuer l'audit du groupe. Par conséquent, ces contrats sont traités comme une seule **obligation de prestation**, définie comme une promesse contenue dans un contrat qui prévoit la fourniture à un client d'un bien ou d'un service ou d'une série de biens ou de services. Dans ce cas-ci, la promesse est de fournir un service intégré d'audit des comptes de deux entreprises d'un même groupe économique. À l'opposé, du point de vue juridique, l'entreprise a signé plusieurs ententes avec ses clients et recevra des contreparties de la part de ces deux entreprises. Au moment d'évaluer une opération commerciale dans le but de la représenter fidèlement dans les états financiers, la substance économique de cette opération a préséance sur sa forme juridique.

Les regroupements de contrats sont requis lorsque l'une ou l'autre des conditions suivantes est remplie :

1. Les contrats sont négociés en bloc avec un seul objectif commercial ;
2. Le montant de la contrepartie exigible en vertu d'un contrat dépend du prix ou de l'exécution de l'autre contrat ;
3. Les biens ou les services promis constituent une seule obligation de prestation.

Pensons notamment à un siège social, qui négocie en bloc des services pour les entreprises du groupe, comme des services de gestion des immeubles annuels pour assurer l'entretien des immeubles et la sécurité des occupants. La société qui rend ces services négocie une entente concernant le tarif avec le siège social et elle signe un contrat avec chacune des entreprises de ce groupe. La société doit alors considérer ces contrats comme ayant un seul objectif commercial et les regrouper aux fins comptables.

La deuxième condition de regroupement fait référence à la conclusion de deux contrats juridiques pour lesquels le prix de transaction de l'un dépend de l'exécution de l'autre. Prenons l'exemple d'une société qui vend du matériel d'imprimerie et offre des services de reproduction. Le premier contrat concerne la vente de papier tout usage à un prix unitaire fixe. Le second contrat répond à un besoin ponctuel de reproduction de documents où la société offre une réduction du prix de 50 %. Cette seconde entente a été négociée en raison de l'existence du premier contrat, qui représente des milliers de dollars. Les deux contrats, du point de vue comptable, doivent être considérés comme un seul contrat étant donné que le prix de transaction du second dépend de l'existence du premier. Comme nous le verrons plus loin, l'étape 2 du modèle de comptabilisation des produits exige de distinguer toutes les obligations de prestation distinctes prévues à ce contrat soit, dans ce cas-ci, la livraison de papier et la prestation d'un service de reproduction. Pour comptabiliser les produits relatifs à ces biens et services vendus, la société doit également procéder à la répartition du prix de transaction total, conformément à l'étape 5 du modèle de comptabilisation des produits (*voir la figure 20.1*).

La troisième condition du regroupement des contrats fait référence à la notion d'obligation de prestation distincte, analysée en détail dans la prochaine section. De façon générale, pour qu'un contrat soit considéré comme une seule obligation de prestation distincte, le bien ou le service promis doit avoir une valeur pour le client. Par exemple, considérons la signature d'un premier contrat pour la construction d'une maison résidentielle « clé en main », à l'exception des travaux d'électricité. Le client, un électricien de formation, désire effectuer lui-même ces travaux. Or, au moment où les travaux débutent quelques jours après la signature de l'entente, il constate qu'il ne pourra pas respecter son engagement, faute de temps. Il signe alors un deuxième contrat avec l'entreprise de construction afin d'ajouter ces travaux. La promesse faite par la société n'est pas de fournir des travaux d'électricité, mais bien de livrer une maison résidentielle « clé en main ». Les deux contrats de vente sont alors traités, du point de vue économique, comme un seul contrat. Ce regroupement se justifie par le fait que les biens et services promis forment une seule obligation de prestation distincte.

Les modifications de contrats

« Une **modification de contrat** est un changement qui touche l'étendue et/ou le prix d'un contrat et qui est approuvé par les parties au contrat[7]. » Comme l'indique la figure 20.3, l'analyse porte en premier lieu sur l'approbation par les parties au contrat (*voir le rectangle ① de la figure 20.3*). Ensuite, on analyse les modalités du changement du contrat afin de déterminer si l'ajout d'une prestation de biens ou de services dénote un changement dans l'étendue du contrat (*voir le rectangle ② de la figure 20.3*) ou une modification dans le prix du contrat (*voir le rectangle ③ de la figure 20.3*).

20

7. *Manuel de CPA Canada – Comptabilité – Partie I*, IFRS 15, paragr. 18.

FIGURE 20.3 La modification d'un contrat

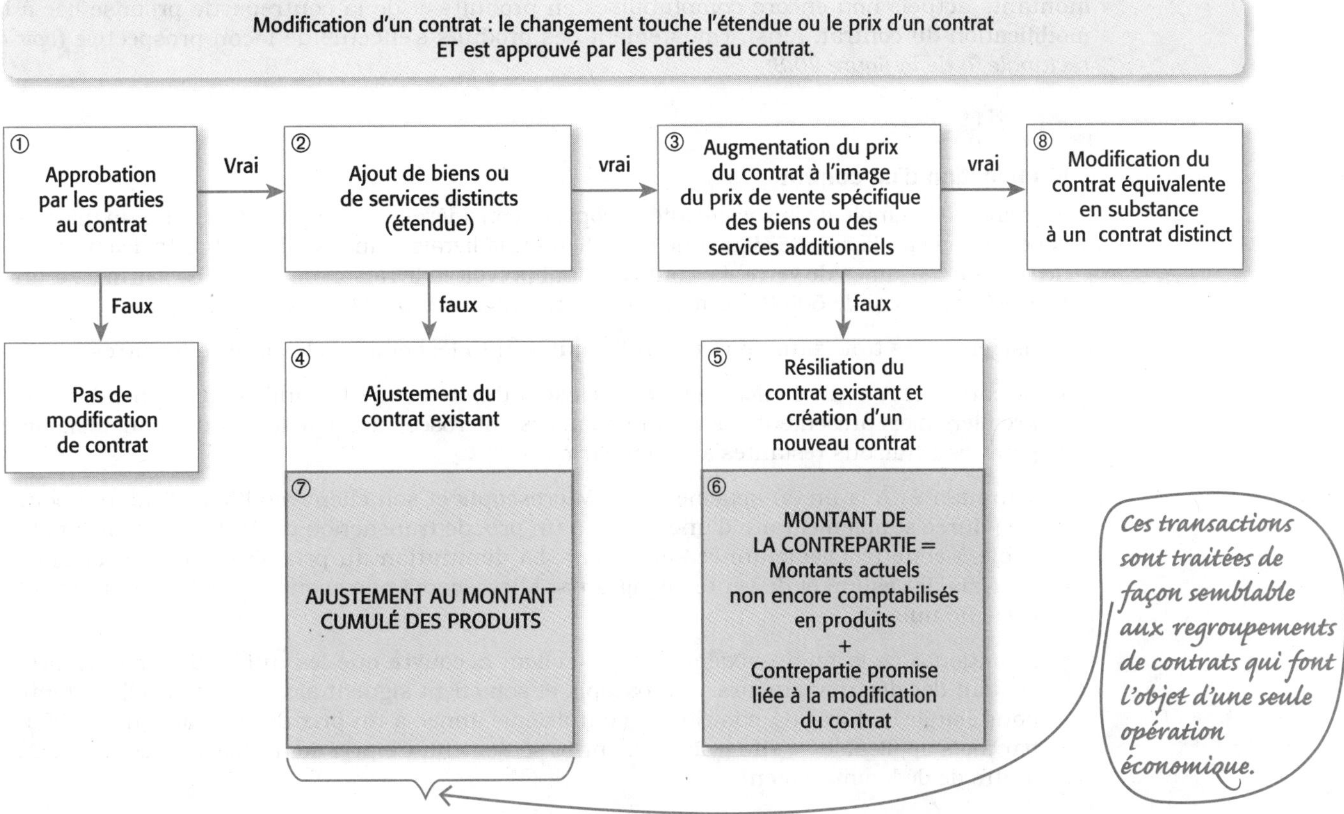

Lorsque l'entreprise modifie un contrat de vente existant avec un client, le comptable doit se demander si la modification doit être traitée comme un nouveau contrat distinct ou une simple modification du contrat existant. Selon la figure 20.3, pour reconnaître un nouveau contrat à comptabiliser distinctement du contrat initial, la modification doit porter sur l'ajout d'un bien ou d'un service distinct (*voir le rectangle ② de la figure 20.3*). Si c'est le cas, le prix de vente des biens ou des services supplémentaires doit également refléter le prix de vente habituel du marché exigé par d'autres clients (*voir le rectangle ③ de la figure 20.3*). L'expression « prix de vente spécifique » représente le prix de vente habituel offert aux autres clients. En effet, un **prix de vente spécifique** est un prix auquel une entreprise vendrait séparément à un client un bien ou un service promis[8].

Si l'une ou l'autre de ces conditions n'est pas remplie, le comptable considère qu'il s'agit d'une modification du contrat existant qui entraîne un ajustement ou une résiliation du contrat initial et, de ce fait, une comptabilisation différente des biens ou des services non encore fournis (*voir les rectangles ④ et ⑤ de la figure 20.3*).

Il arrive qu'une modification du prix d'un contrat ne soit accompagnée d'aucun ajout de biens ou de services à la suite, par exemple, d'une insatisfaction de la part du client qui demande une réduction du prix. Cet ajustement du contrat existant (*voir le rectangle ④ de la figure 20.3*) dénote donc une modification dans l'évaluation de la transaction seulement et cet écart est pris en considération dans l'évaluation du montant de la contrepartie à comptabiliser. Ainsi, seuls les produits des biens ou des services restants à fournir seront ajustés pour tenir compte de cette diminution du prix de vente (*voir le rectangle ⑥ de la figure 20.3*).

D'autres modifications au contrat s'accompagnent d'ajouts d'unités supplémentaires après une vente initiale d'un bien afin de remplacer des unités défectueuses, et ce, à un prix inférieur à son prix de vente spécifique sur le marché. Du point de vue comptable, un tel ajustement au

8. *Manuel de CPA Canada – Comptabilité – Partie I*, IFRS 15, Annexe A.

contrat est considéré comme la résiliation du contrat initial et la création d'un nouveau contrat (*voir le rectangle ⑤ de la figure 20.3*). Le montant de la contrepartie correspondra à la somme des montants actuels non encore comptabilisés en produits et de la contrepartie promise liée à la modification du contrat. Ainsi, l'ajustement des produits s'effectue de façon prospective (*voir le rectangle ⑦ de la figure 20.3*).

EXEMPLE

Modification d'un contrat

Reprenons l'exemple de la société Microscopia et considérons qu'en plus de vendre un microscope à un client, la société signe une entente pour la livraison mensuelle de boîtes de cultures, de tubes et de lames de verre. Le contrat initial prévoit la livraison de 10 boîtes par mois à un prix de vente total de 500 $ par mois et couvre une durée de 24 mois.

Considérons les trois situations suivantes qui sont indépendantes les unes des autres :

- Situation 1 : À la fin du sixième mois, le client découvre que les unités reçues pendant les premiers mois présentent des défauts mineurs. Microscopia ajuste le prix de vente mensuel pour les livraisons restantes à 300 $ par mois.
- Situation 2 : À la fin du sixième mois, Microscopia et son client modifient l'entente pour une durée supplémentaire d'une année à un prix de transaction de 400 $ par mois applicable à cette troisième année seulement. La diminution du prix s'explique du fait que les frais de gestion et de vente engagés par Microscopia pour conclure cette entente sont presque nuls.
- Situation 3 : À la fin du sixième mois, le client découvre que les unités déjà reçues présentent des défauts mineurs. Microscopia et son client signent alors une nouvelle entente pour élargir la durée du contrat à une troisième année à un prix de transaction de 200 $ par mois applicable à cette troisième année seulement. Ce prix de transaction est convenu à titre de dédommagement.

Pour conclure à une modification de contrat, le changement doit concerner un ajout de biens ou de services (*voir le rectangle ② de la figure 20.3*). La situation 1 n'implique aucun ajout de biens et la modification ne concerne que le prix de transaction. De ce fait, Microscopia conclut que l'entente représente un ajustement du contrat existant (*voir le rectangle ⑥ de la figure 20.3*). Un ajustement doit être apporté au montant cumulé des produits liés à ce contrat.

Produits déjà comptabilisés (500 $ × 6 mois)	3 000 $
Produits qui auraient dû être comptabilisés (350 $* × 6 mois)	(2 100)
Ajustement des produits à comptabiliser dans l'exercice du changement	900 $
* Montant cumulé des produits selon le prix révisé :	
500 $ × 6 mois	3 000 $
300 $ × 18 mois	5 400
	8 400 $
Prix mensuel révisé (8 400 $ ÷ 24 mois = 350 $ par mois)	

Les situations 2 et 3 concernent un ajout de biens à livrer dans les prochains mois. Microscopia doit alors comparer le prix de vente au contrat avec le prix de vente spécifique des marchandises (*voir le rectangle ③ de la figure 20.3*). Microscopia vous informe que le prix de vente spécifique total des 10 boîtes vendues s'élève à 400 $.

Dans la situation 2, où le prix de transaction correspond au prix de vente spécifique, le rectangle ⑧ de la figure 20.3 indique que la modification constitue un contrat distinct. Microscopia comptabilisera donc un produit mensuel de 500 $ par mois pour le contrat initial d'une durée restante de 18 mois et de 400 $ par mois pour la troisième année supplémentaire.

Par contre, la situation 3 se caractérise par un prix de transaction (200 $) différent du prix de vente spécifique (400 $). Elle est illustrée par le rectangle ⑤ de la figure 20.3. Microscopia doit ajuster de façon prospective les produits des mois subséquents. Microscopia offre une réduction de prix en raison d'une lacune dans la qualité des biens livrés antérieurement ;

la modification du contrat représente donc une résiliation du contrat existant et la conclusion d'un nouveau contrat. Microscopia calcule ainsi ses produits futurs :

Produits attendus sur le contrat initial (500 $ × 18 mois)		*9 000 $*
Produits attendus sur le nouveau contrat (200 $ × 12 mois)		*2 400*
Produits totaux attendus		*11 400*
Nombre de mois couverts par les ententes (18 + 12)	÷	*30*
Produits mensuels		*380 $*

Ce traitement consiste à ajuster les produits de façon prospective à l'égard des biens à livrer dans les prochains mois. En d'autres mots, Microscopia répartit la contrepartie restante sur le contrat initial (9 000 $) et celle relative à la modification du contrat (2 400 $) sur toute la durée du contrat restante de 30 mois.

Différence NCECF

L'étape 2 : la détermination des obligations de prestation

Différence NCECF

Nous avons établi dans la section précédente que l'analyse d'une transaction de vente débute par la validation de la présence d'un contrat. La figure 20.4 présente l'étape suivante, qui porte sur la détermination des obligations de prestation relatives à ce contrat et elle synthétise les principaux thèmes abordés dans cette section.

La détermination des obligations de prestation est nécessaire à la comptabilisation des produits afin de bien connaître les différentes promesses de fournir un bien ou un service contenues dans les contrats conclus avec les clients. Par la suite, chacune de ces promesses sera évaluée indépendamment pour en arriver à une comptabilisation des produits au bon moment et au bon montant. Ces promesses peuvent porter sur un bien ou un service distinct ou sur une série de biens ou de services distincts (*voir les rectangles ① et ② de la figure 20.4*). Nous analyserons en détail les notions d'une obligation de prestation, d'un bien ou d'un service distinct et d'une série de biens ou de services distincts dans cette section.

L'obligation de prestation

Selon l'Annexe A de l'IFRS 15, une obligation de prestation représente une promesse incluse dans un contrat conclu avec un client, qui justifie que le client s'attende à ce que l'entreprise lui fournisse un bien ou un service ou une série de biens ou de services. Cette promesse faite par l'entreprise peut être mentionnée explicitement dans le contrat. Dans son analyse des transactions conclues avec les clients, le comptable doit également relever les promesses implicites faites à ces parties. Le client s'attend à ce que l'entreprise lui fournisse un bien ou un service du fait qu'il a conclu un contrat avec elle et que ce bien ou ce service a une valeur pour lui. Une promesse implicite peut découler d'une entente verbale, de pratiques commerciales habituelles, d'une politique affichée ou de déclarations précises de la part de cette entreprise.

Prenons l'exemple de la société Copie-garantie qui offre publiquement une garantie de un an à l'achat de son nouveau photocopieur, en plus de la garantie légale de 30 jours. Cette annonce crée une attente, chez les clients, celle de recevoir un service de réparations advenant un bris d'équipement. Dans ce cas-ci, l'analyse de la transaction de vente permet de conclure à la présence de deux obligations de prestation, soit la vente d'un photocopieur et, implicitement, la vente d'une garantie de un an. La répartition du produit de la vente s'effectuera entre ces deux promesses de fournir un bien et un service. Cette garantie, qu'elle soit indiquée clairement dans le contrat ou offerte implicitement du fait d'une pratique courante de l'entreprise ou d'une annonce publique, correspond à une promesse faite par Copie-garantie et représente donc une obligation de prestation à comptabiliser en produits. Nous analyserons les particularités de la comptabilisation des garanties après avoir présenté les cinq étapes du modèle de comptabilisation des produits.

Les programmes de fidélisation de la clientèle, comme l'octroi de points-cadeaux à chaque transaction de vente ou l'offre d'un café gratuit après l'achat de neuf cafés, représentent d'autres formes de promesses implicites liées à un contrat. L'offre d'un café gratuit représente la promesse faite à un client de lui fournir ce bien distinct. Cette promesse représente également une

FIGURE 20.4 Étape 2 : la détermination des obligations de prestation

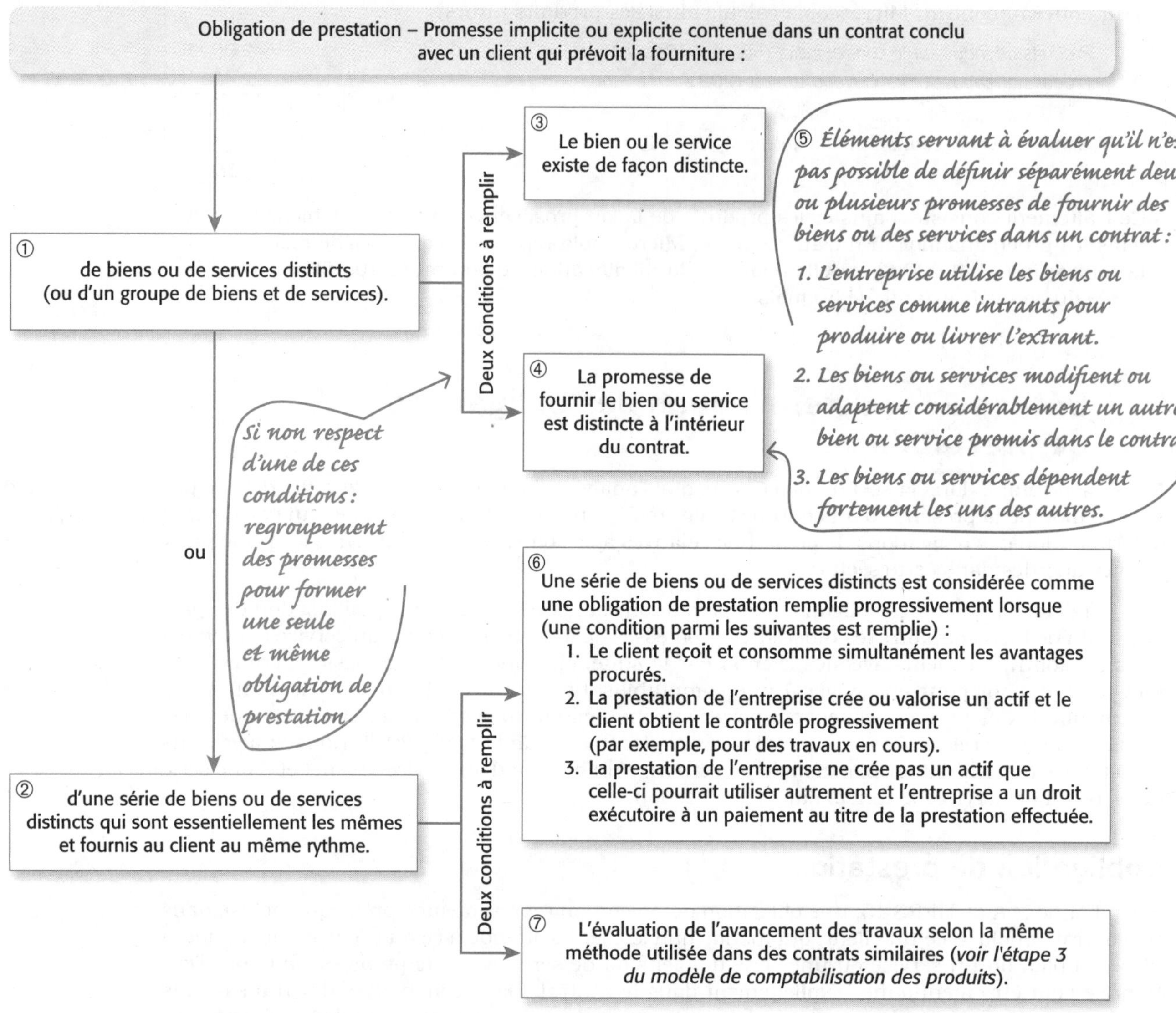

obligation de prestation de la part de l'entreprise et doit donc être analysée et comptabilisée séparément des autres biens offerts. Nous traiterons de ces transactions particulières plus loin dans ce chapitre, dans la sous-section intitulée **Les biens ou les services supplémentaires offerts en option**.

Du fait qu'une obligation de prestation représente une promesse de l'entreprise de fournir un bien ou un service, le client a une attente de recevoir un bien ou un service qui a une valeur pour lui. Nous devons donc exclure certaines opérations de l'entreprise qui ne répondent pas à la définition d'une obligation de prestation, soit les opérations nécessaires pour conclure une transaction de vente telles que les tâches administratives, le travail lié au recouvrement de la contrepartie ainsi que les efforts de vente. Ces fonctions administratives et de vente ne représentent que des charges d'exploitation nécessaires au bon fonctionnement des opérations courantes.

20

Les biens ou les services distincts

Comme l'indiquent les rectangles ③ et ④ de la figure 20.4, une entreprise doit remplir deux conditions pour que l'on puisse conclure à la présence d'un bien ou d'un service distinct. Premièrement, le bien ou le service peut exister de façon distincte (*voir le rectangle ③ de la figure 20.4*). Cela signifie que le client peut tirer parti du bien ou du service – pris isolément ou en combinaison avec d'autres ressources aisément disponibles – par son utilisation, sa consommation ou sa vente. Une **ressource aisément disponible** désigne une ressource que le client possède déjà ou qu'il peut se procurer facilement puisque celle-ci est vendue séparément par le vendeur en cause ou une tierce partie. Le fait que l'entreprise fournit régulièrement un bien ou un service séparément est un facteur à considérer pour conclure qu'il s'agit d'un bien distinct.

Reprenons l'exemple de la société Copie-garantie qui vend des photocopieurs et des cartouches d'encre spécialement conçues pour ses équipements. Pour favoriser un fonctionnement optimal des équipements, Copie-garantie recommande au client d'acheter ses cartouches mais le client peut aussi utiliser des cartouches d'encre d'autres fournisseurs. Nous sommes donc en présence d'un bien, le photocopieur, qui existe de façon distincte, car les cartouches d'encre nécessaires au bon fonctionnement de cet équipement sont aisément disponibles. En effet, le client peut se les procurer facilement auprès de Copie-garantie ou d'un autre fournisseur.

Deuxièmement, pour compléter l'analyse du caractère distinct d'un bien ou d'un service, on doit s'assurer que celui-ci est également distinct à l'intérieur du contrat conclu avec le client (*voir le rectangle ④ de la figure 20.4*), c'est-à-dire que la promesse de fournir le bien ou le service au client existe séparément des autres promesses du contrat. Quelques repères aident à évaluer le caractère distinct d'une promesse de fournir un bien ou un service dans un contrat (*voir l'élément ⑤ de la figure 20.4*). Il est donc important d'établir la nature de la relation entre le bien ou service analysé et ceux qui sont indiqués dans le contrat.

Représente-t-il un intrant nécessaire pour livrer un extrant ? Par exemple, un moteur d'avion est nécessaire à la fabrication de ce dernier et ne représente pas un bien distinct à l'intérieur d'un contrat de construction d'avions. Modifie-t-il ou adapte-t-il de façon considérable un autre bien ou service promis dans le contrat ? Considérons l'installation d'un logiciel vendu qui nécessite l'ajout de fonctionnalités pour répondre à des besoins spécifiques du client ; elle ne représente pas non plus un service distinct à l'intérieur d'un contrat. En effet, l'installation du logiciel transforme celui-ci en un extrant différent par l'ajout de fonctions. Cependant, un service d'installation qui a pour but uniquement de rendre le logiciel fonctionnel serait considéré comme un service distinct, car il ne modifie pas le logiciel vendu. Dépend-il fortement d'un autre bien ou service ? Par exemple, la vente de droits d'adhésion à un club de golf privé ne représente pas un service distinct à l'intérieur d'un contrat si ce privilège accordé permet ensuite de vendre des droits de jeu exclusivement réservés à cette clientèle.

Examinons un exemple plus complet. La société Pré-fab inc. signe un contrat pour la livraison d'une maison résidentielle préfabriquée en usine. Le contrat stipule que la société assume toutes les étapes nécessaires à une construction « clé en main ». Entre autres, l'entreprise devra effectuer les travaux de construction, d'ingénierie, d'électricité, de plomberie et de peinture, et elle est responsable de se procurer tous les matériaux nécessaires choisis par le client. Ces biens et services sont régulièrement vendus séparément à d'autres clients ayant des besoins différents. Bien que les matériaux et les services inclus dans le contrat puissent exister d'une façon distincte du fait que Pré-fab inc. les vend aussi régulièrement à la pièce (*voir le rectangle ③ de la figure 20.4*), ces biens et services représentent des intrants pour la construction d'une maison et, par conséquent, ne sont pas distincts à l'intérieur de ce contrat (*voir le point 1 de l'élément ⑤ de la figure 20.4*). La promesse faite au client de transférer une maison est substantiellement différente et de loin meilleure que celle de livrer la somme des matériaux. La deuxième condition nécessaire pour conclure à la présence de biens et services distincts n'étant pas remplie (*voir le rectangle ④ de la figure 20.4*), les matériaux et les services offerts sont regroupés pour former une seule et même obligation de prestation, soit la livraison d'une maison.

Somme toute, ces deux critères permettent de déterminer tous les biens et services distincts contenus dans un contrat avec un client et, ainsi, de définir les obligations de prestation. Cette étape est importante notamment pour les transactions de vente à prestations multiples telles que la vente forfaitaire d'un bien et d'un service lié à l'utilisation de ce bien pendant une certaine période comme, par exemple, la vente d'un téléphone cellulaire et un service lié à son utilisation. L'étape 2 du modèle de comptabilisation des produits permet alors de distinguer deux obligations de prestation distinctes, la vente d'un bien, soit le téléphone cellulaire, et la prestation d'un service, soit le droit lié à son utilisation pendant une période donnée. Cette question est importante, puisque le moment de la comptabilisation des produits pour chacune des prestations pourrait différer.

EXEMPLE

Détermination des biens ou des services distincts

La société Sécuricom ltée vend des systèmes de surveillance électronique. Pour un prix global de 500 000 $, elle vend à l'un de ses clients un ensemble de 20 caméras de surveillance comprenant tout le système de raccordement nécessaire, l'installation du système de surveillance en question dans l'édifice du client et un service de surveillance à distance d'une durée de 3 ans. Les caméras et le système de raccordement sont livrés le 20 décembre 20X3. L'installation est effectuée du 15 au 22 janvier 20X4. Des caméras identiques et le système de raccordement nécessaire peuvent être achetés chez un fournisseur de matériel électronique au prix de 495 000 $. Si le client décidait d'avoir recours à un sous-traitant pour l'installation du système et la surveillance à distance de ses installations, il lui en coûterait environ 20 000 $ pour l'installation et 5 000 $ par année pour le service de surveillance. Le prix total de 500 000 $ est encaissable lors de la livraison.

Lorsque Sécuricom ltée prépare ses états financiers de l'exercice terminé le 31 décembre 20X3, les prestations fournies correspondent à la vente des caméras et du système de raccordement, lesquels ont déjà été livrés, alors que les prestations non fournies correspondent à l'installation du système de sécurité et au service de surveillance à distance. La question consiste à savoir si les services d'installation et de surveillance correspondent à des services bien distincts des systèmes de surveillance vendus et, par conséquent, représentent des obligations de prestation distinctes.

Sécuricom ltée doit alors, pour répondre à cette interrogation, analyser les deux conditions à remplir (*voir les rectangles ③ et ④ de la figure 20.4*). Premièrement, malgré le fait que l'installation soit requise pour le fonctionnement du système de surveillance, le client peut revendre le système et en tirer ainsi parti. De plus, il pourra l'utiliser en le combinant avec une ressource aisément disponible, le service d'installation, qui est régulièrement offert séparément par d'autres fournisseurs. Pour ce qui est du service de surveillance, il est aussi offert seul à d'autres clients et le client pourra consommer les avantages liés à ce service de façon bien distincte. Le système de surveillance ainsi que les services d'installation et de surveillance peuvent alors exister de façon distincte (*voir le rectangle ③ de la figure 20.4*). Deuxièmement, l'installation ne viendra pas modifier ou adapter l'équipement de façon importante et elle ne le transformera pas en un extrant différent. Le service d'installation est nécessaire uniquement pour permettre le fonctionnement du système de surveillance, et ce, sans le modifier, l'adapter ou le transformer de façon importante. De ce fait, le système de surveillance ainsi que le service d'installation représentent des promesses distinctes à l'intérieur du même contrat (*voir les éléments ④ et ⑤ de la figure 20.4*). Le service de surveillance est aussi un élément distinct à l'intérieur du contrat, n'étant pas lié aux autres promesses. En effet, le client pourrait décider d'acheter ou non ce service sans que cela ait de conséquences sur la fourniture du système de surveillance et du service d'installation.

Avez-vous remarqué ?

Lorsqu'un contrat comporte plusieurs biens ou services, l'entreprise doit déterminer si ces derniers sont distincts les uns des autres ou s'ils doivent être regroupés pour déterminer les obligations de prestation.

Une série de biens ou de services distincts

Il faut prendre soin de comptabiliser individuellement le produit de chaque bien ou service distinct au bon moment et au bon montant. Pour ce faire, le comptable analyse les trois dernières étapes du modèle de comptabilisation des produits. L'International Accounting Standards Board (IASB) a cependant prévu une mesure de simplification : la comptabilisation de façon **progressive**, ce qui signifie de façon continue, d'une série de biens ou de services distincts qui sont essentiellement les mêmes et qui sont fournis au client au même rythme (*voir le rectangle ② de la figure 20.4*). Une série de biens ou de services distincts est considérée comme une seule et même obligation de prestation.

La figure 20.4 indique les deux conditions à remplir pour conclure à la présence d'une série de biens ou de services distincts. Premièrement, les biens ou les services distincts doivent être considérés comme une obligation de prestation remplie progressivement. Comme l'indique le rectangle ⑥ de la figure 20.4, une obligation de prestation est remplie progressivement lorsqu'au moins une des conditions est remplie parmi les trois présentées dans ce rectangle. Les deux exemples qui suivent permettent d'illustrer ces trois conditions. Deuxièmement, l'entreprise doit appliquer la même méthode pour évaluer le degré d'avancement des travaux et l'appliquer de manière uniforme aux obligations de prestation similaires et dans des circonstances similaires (*voir le rectangle ⑦ de la figure 20.4*) afin de conclure à la présence d'une série de biens ou services distincts.

EXEMPLE

Réception et consommation simultanées par un client des avantages procurés

La société Cabinet comptable inc. effectue des services mensuels de préparation de la paie, de tenue de livres et de services-conseils auprès de plusieurs clients. Au 1er janvier 20X1, elle signe un contrat de un an pour la tenue de livres mensuelle du dépanneur du coin. Les services liés à la comptabilisation mensuelle des opérations représentent des services bien distincts dans le contrat : le client retire des bénéfices de ce service en consommant les avantages procurés de façon isolée, c'est-à-dire que chaque mois, il peut bénéficier des avantages liés à une information financière à jour. De plus, ce service est bien distinct dans le contrat, car il est le seul et il n'est étroitement lié à aucun autre bien ou service prévu dans le contrat. Cependant, une question de simplification se pose : les services de tenue de livres peuvent-ils représenter une série de services distincts ?

Il est clair que le client reçoit et consomme simultanément les avantages procurés par ce service mensuel de tenue de livres. En effet, si une partie mettait fin au contrat pendant l'année visée, une autre entreprise n'aurait pas besoin de recommencer les travaux déjà effectués précédemment pour le compte de ce client. Les services à fournir représentent alors une obligation de prestation remplie progressivement. Pour que les services rendus soient considérés comme une série de services distincts, cette obligation de prestation remplie progressivement doit être comptabilisée en produits selon la même méthode d'évaluation du degré d'avancement des travaux que celle appliquée à des services semblables fournis à d'autres clients (*voir le rectangle ⑦ de la figure 20.4*). Nous évaluerons plus loin dans ce chapitre les méthodes d'évaluation du degré d'avancement des travaux (*voir la division **L'évaluation du degré d'avancement***).

EXEMPLE

Prestation de l'entreprise qui crée ou valorise un actif

La société Constructo ltée signe le 1er janvier 20X5 un contrat d'une durée de trois ans pour la construction d'un pont. La société conclut à une obligation de prestation remplie progressivement du fait que sa prestation crée un actif dont le client obtient le contrôle à mesure de l'avancement des travaux. De plus, elle ne pourrait pas utiliser cet actif autrement que pour la vente à ce client, c'est-à-dire qu'elle ne pourrait pas vendre le pont en cours de construction à une autre partie ou l'utiliser à ses propres fins. Enfin, à mesure qu'avance la construction du pont, Constructo ltée détient un droit exécutoire d'obtenir un paiement pour les travaux effectués (*voir l'élément 3 du rectangle ⑥ de la figure 20.4*). Constructo ltée doit alors évaluer le degré d'avancement des travaux selon la même méthode qu'elle a utilisée dans des contrats similaires et dans des circonstances similaires (*voir le rectangle ⑦ de la figure 20.4*). Ce contrat porte sur une série de biens et de services distincts qui sont essentiellement les mêmes et qui sont fournis au client au même rythme (*voir le rectangle ② de la figure 20.4*).

Différence NCECF

L'étape 3 : la comptabilisation du produit lorsque l'obligation de prestation est remplie

Différence NCECF

Arrivée à cette étape, l'entreprise a défini l'ensemble des obligations de prestation prévues dans le contrat. Il reste maintenant à déterminer le moment où elle peut comptabiliser le produit provenant des clients, ce qui correspond à l'étape 3 du modèle de comptabilisation des produits, ainsi que le montant du produit, ce qui sera analysé dans les étapes 4 et 5 de ce modèle.

Selon l'IFRS 15, le moment de la comptabilisation du produit est celui où une obligation de prestation promise au client est remplie, c'est-à-dire le moment où l'entreprise fournit un bien ou un service. Pour déterminer ce moment, la notion du transfert du contrôle des actifs ou des services en cause est primordiale. Ainsi, lorsque les obligations de prestation d'un contrat sont remplies, cela crée des actifs dont le client obtient le contrôle. En effet, les biens et les services sont des actifs lorsqu'ils sont reçus ou utilisés, et ce, même si ce n'est que momentanément, comme dans le cas de la consommation d'un service. La capacité de décider de l'utilisation d'un actif fait référence au droit exclusif du client d'en retirer les avantages. Les avantages économiques restants tirés d'un bien ou d'un service représentent l'entrée de flux de trésorerie liés à l'utilisation de ce bien ou service, à sa vente ou à son échange, au droit de le donner en garantie d'un emprunt ou de le conserver.

Dès qu'un client obtient le contrôle du bien ou du service, l'entreprise doit comptabiliser le produit. Le contrôle d'un bien ou d'un service peut se faire à un moment précis ou de manière progressive. La figure 20.5 présente l'ensemble des concepts analysés dans cette étape 3.

FIGURE 20.5 Étape 3 : la comptabilisation du produit lorsque l'obligation de prestation est remplie

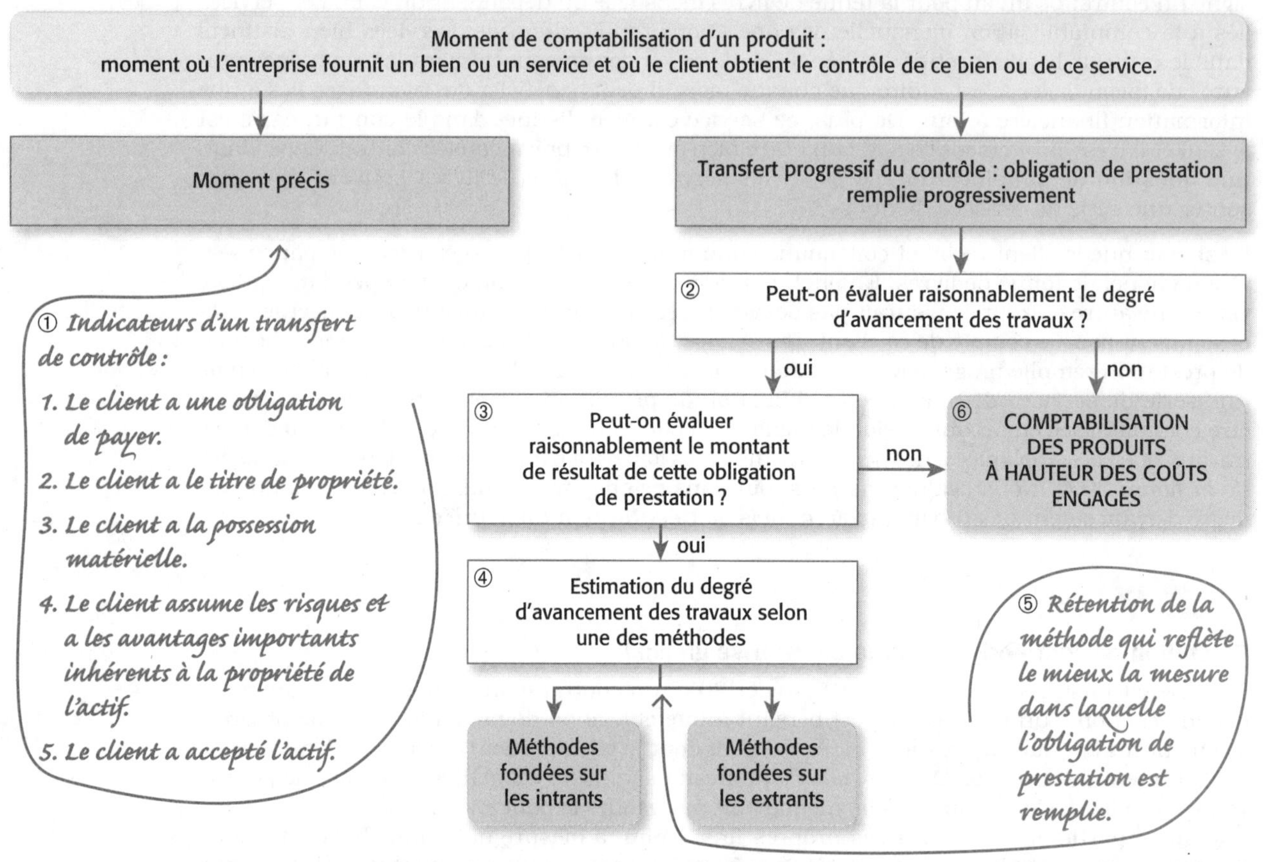

Le transfert à un moment précis

Selon l'élément ① de la figure 20.5, il existe des indicateurs du transfert du contrôle vers l'acheteur qui aident à déterminer le moment où le client obtient le contrôle du bien ou du service promis :

- Le droit du vendeur de recevoir le paiement ;
- Le transfert du titre de propriété ;
- La possession, par le client, du bien ou du service promis ;
- Le transfert au client des risques et des avantages inhérents à la propriété ;
- L'acceptation de l'actif par le client.

Ces indicateurs ne représentent pas des critères bien précis à satisfaire, mais constituent des repères pour l'exercice du jugement professionnel.

Le transfert du contrôle d'un actif coïncide généralement, rappelons-le, avec le transfert du titre de propriété légale du bien ou la prise de possession du bien. Dans le cas d'un bien livré, par exemple, le transfert du contrôle survient normalement lorsque le bien arrive à destination ou au moment de l'expédition, selon des conditions de vente FAB – point de livraison ou FAB – point de départ[9].

9. Le chapitre 7 a expliqué ces deux conditions.

Parfois, le comptable doit se demander si le vendeur conserve ou non une part importante des risques et des avantages inhérents à la propriété du bien malgré le transfert du titre de propriété légale. Par exemple, pensons aux accords de rachat où le client bénéficie d'une période de retour pour les marchandises qu'il vient d'acheter. En effet, même si le client reçoit la livraison du bien et, par le fait même, le titre de propriété légale, il se peut que l'entreprise conserve une part importante des risques et des avantages inhérents à la propriété du bien. Dans ce cas, pendant la période de retour possible, l'entreprise assume le risque lié à un retour de marchandises. Voici trois autres situations que nous analyserons en détail plus loin.

Premièrement, le transfert du titre de propriété de l'actif ne coïncide pas toujours avec le transfert de la possession matérielle de cet actif. Pensons aux accords de consignation où l'entreprise conserve le contrôle de l'actif expédié au consignataire même si ce dernier en a la possession matérielle. Le consignateur, qui en a la propriété légale, peut alors décider de son utilisation et il assume les risques liés à sa détention. Le consignateur doit-il alors comptabiliser le produit lié à ces accords de consignation au moment de transférer le bien au consignataire ou au moment de la revente de ce bien au consommateur final ?

Il existe une deuxième forme d'opérations particulières, soit les accords de ventes à livrer. L'entreprise a le bien dans son entrepôt en attente d'une livraison future selon la demande du client. Ce dernier a obtenu le titre de propriété légale de l'actif dès son achat mais, pour une raison qui lui est propre, il a demandé au vendeur de retarder la livraison et de conserver le bien dans son entrepôt. Le vendeur doit-il conclure que le transfert de contrôle s'effectue lorsque l'entente est prise ou au moment de la livraison du bien au client ?

Un troisième exemple concerne les clauses d'acceptation par le client. Ce dernier peut parfois résilier le contrat ou demander des modifications majeures si le bien livré ne convient pas aux spécifications consignées dans le contrat. Le vendeur doit alors analyser plus en détail cette opération de vente afin de déterminer le moment du transfert du contrôle : est-ce le moment de la livraison ou le moment de l'acceptation du bien par le client ?

Ces situations témoignent de l'importance d'analyser les faits entourant la transaction en vue de déterminer si un produit provenant des clients peut être comptabilisé, et ce, en dépit du fait qu'il puisse y avoir eu transfert du titre de propriété légale du bien en question. La nécessité de refléter fidèlement la substance économique de la transaction justifie cette analyse.

À l'inverse, il est parfois possible de comptabiliser un produit au moment de la livraison si le vendeur conserve une part minime des risques et des avantages inhérents à la propriété. C'est le cas, par exemple, lorsque le vendeur conserve le titre de propriété légale du bien uniquement en vue de protéger le recouvrement du montant à recevoir de l'acheteur, comme dans les situations de **vente à tempérament**[10], ou lorsque le vendeur propose à ses clients une politique de remboursement en cas de retour et qu'il peut établir une estimation des retours en se basant sur son expérience passée. S'il est possible d'évaluer de façon raisonnable le montant de la transaction et la probabilité que le vendeur en tire des avantages économiques, le vendeur comptabilise le produit. Nous traiterons plus en profondeur de ces opérations particulières plus loin.

Le transfert progressif

Nous avons analysé dans la section précédente la notion de série de biens ou de services distincts considérée comme une obligation de prestation remplie progressivement. Selon les éléments ② à ⑤ de la figure 20.5, pour chaque obligation de prestation remplie progressivement, l'entreprise doit comptabiliser les produits provenant des clients selon la **méthode de l'avancement des travaux**. Pour ce faire, elle doit évaluer raisonnablement à la fois le degré d'avancement auquel l'obligation est remplie et le résultat de cette transaction.

Comme on le voit dans les rectangles ② et ⑥ de la figure 20.5, lorsque l'entreprise n'est pas en mesure de faire une évaluation raisonnable du degré d'avancement des obligations de prestation, elle doit limiter le montant comptabilisé à titre de produits à la hauteur des coûts engagés, et ce, jusqu'à ce qu'elle puisse faire une évaluation raisonnable du degré d'avancement. Par exemple, il peut s'avérer impossible d'estimer les coûts totaux liés à un contrat dans ses

10. « Une vente à tempérament est une vente, généralement assortie d'une clause de réserve de propriété, dont le prix doit être réglé au moyen d'une série de versements échelonnés sur un certain laps de temps ». (Louis Ménard et collaborateurs, *Dictionnaire de la comptabilité et de la gestion financière*, 3e édition, Comptables professionnels agréés du Canada, 2014, version 3.1.)

premiers stades de réalisation ou les produits liés à un contrat en présence de clauses liées à des remboursements potentiels.

Dans le cadre de cette évaluation raisonnable, le degré d'avancement doit refléter la progression du transfert, par l'entreprise, du contrôle des biens ou des services promis au client ainsi que la mesure selon laquelle l'obligation de prestation est remplie (*voir l'élément* ⑤ *de la figure 20.5*). La méthode d'évaluation du degré d'avancement des obligations de prestation prévues dans un contrat doit tenir compte de la nature du bien ou du service promis au client et se fonder sur les extrants, comme les unités produites, ou sur les intrants, tels que les matières premières utilisées.

Avez-vous remarqué ?

Dans le contexte de la comptabilisation des produits découlant de la prestation de services et des contrats de construction, l'évaluation du transfert du contrôle de l'actif repose sur le degré d'avancement de la transaction. Le transfert du contrôle, et donc le moment de comptabilisation du produit, ne se fait pas à un moment précis.

L'évaluation du degré d'avancement

La méthode utilisée pour évaluer le degré d'avancement doit refléter fidèlement la mesure dans laquelle l'entreprise remplit son obligation de prestation (*voir l'élément* ⑤ *de la figure 20.5*). De ce fait, l'entreprise doit choisir une méthode d'évaluation qui convient le mieux à la nature du bien ou du service fourni. Le tableau 20.1 contient une liste de méthodes d'évaluation du degré d'avancement des travaux.

TABLEAU 20.1 Des exemples de méthodes d'évaluation du degré d'avancement des travaux

Méthodes fondées sur les extrants	Méthodes fondées sur les intrants
Proportion des extrants réalisés par rapport au total des extrants estimés	**Proportion des intrants engagés par rapport au total des intrants estimés**
Examen des travaux exécutés ou des services rendus en pourcentage du total des prestations à exécuter :	Coûts engagés :
• Nombre de services d'entretien de camions effectués par rapport au nombre total prévu dans le contrat	• Montant réel des coûts engagés pour la construction d'une route par rapport au montant total estimé nécessaire à la réalisation du contrat
Évaluation des résultats atteints :	Ressources consommées :
• Nombre de kilomètres d'une route construits par rapport au nombre total prévu dans le contrat	• Nombre d'unités de matières premières consommées dans la fabrication d'un équipement par rapport au nombre total estimé nécessaire à la réalisation du contrat
Évaluation des étapes importantes franchies :	Heures de travail effectuées :
• Nombre d'étapes liées à la conception et à la fabrication d'un équipement par rapport au nombre total prévu dans le contrat	• Nombre réel d'heures de travail effectuées par les employés directement impliqués dans la construction d'une route par rapport au montant total estimé nécessaire à la réalisation du contrat
Estimation du temps écoulé :	Estimation du temps écoulé :
• Nombre de mois écoulés par rapport au nombre total prévu dans le contrat d'utilisation d'un centre de conditionnement physique	• Nombre de mois écoulés par rapport au nombre total prévu dans le contrat d'utilisation d'un centre de conditionnement physique
(Le temps écoulé est considéré comme un extrant ou un intrant selon l'IFRS 15.)	(Le temps écoulé est considéré comme un extrant ou un intrant selon l'IFRS 15.)
Calcul du nombre d'unités produites ou livrées :	Heures-machines utilisées :
• Nombre de voitures livrées au concessionnaire par rapport au nombre total prévu dans le contrat	• Nombre réel des heures-machines utilisées dans la production des voitures par rapport au montant estimé total nécessaire à la réalisation du contrat

20

EXEMPLE

Estimation du degré d'avancement des travaux

La société Peinturalo ltée vend des services de travaux de peinture résidentiels et commerciaux. Elle prend part à un contrat d'une période estimée à 18 mois afin de rafraîchir la peinture de l'ensemble des immeubles d'un client important pour un montant total des produits de

2 500 000 $. Pour comptabiliser les produits liés aux travaux effectués jusqu'à maintenant, la société procède à l'estimation du degré d'avancement des travaux. Pour ce faire, voici quelques informations importantes :

	Jusqu'à maintenant	Estimation totale
Temps écoulé	6 mois	18 mois
Heures de travail de la main-d'œuvre	9 500	25 000
Superficie des travaux	2 300 000 m^2	6 000 000 m^2
Coûts engagés	534 000 $	1 750 000 $

Le détail des calculs du degré d'avancement figure ci-dessous (*voir les colonnes (1) et (2)*). La colonne (3) indique le montant des produits estimatifs en fonction de chacun de ces degrés d'avancement.

	(1) Calculs	(2) Degré d'avancement (%)	(3) Produits estimatifs [2,5 M $ × (2)]
Temps écoulé	6 ÷ 18 mois	33,3	832 500 $
Heures de travail de la main-d'œuvre	9 500 ÷ 25 000 heures	38,0	950 000
Superficie des travaux	2 300 000 ÷ 6 000 000 m^2	38,3	957 500
Coûts engagés	534 000 ÷ 1 750 000 $	30,5	762 500

Comme il est indiqué ci-dessus, Peinturalo ltée peut utiliser diverses méthodes de calcul du degré d'avancement, lequel varie entre 30,5 % et 38,3 %. Peinturalo ltée pourrait calculer le pourcentage en fonction du temps écoulé (33,3 %). Elle pourrait également comparer les heures de travail effectuées par sa main-d'œuvre et les heures totales prévues pour réaliser les contrats (38,0 %). Une autre méthode consiste à évaluer le degré d'avancement à la fin de l'exercice en estimant la superficie des travaux exécutés en comparaison de la superficie totale des travaux à effectuer (38,3 %). Enfin, elle pourrait établir le rapport entre les coûts engagés pour les contrats en cours et les coûts estimatifs totaux de ces mêmes contrats (30,5 %).

Cet exemple montre l'impact du choix de la méthode utilisée sur le montant des produits à comptabiliser, qui pourrait varier entre 762 500 $ et 957 500 $. Les dirigeants de Peinturalo ltée utiliseront leur jugement pour déterminer la méthode qui convient le mieux à la nature des travaux de peinture. Le calcul selon le temps écoulé, de façon linéaire, ne convient pas vraiment ici, car nous avons des informations plus fiables et le contrat ne prévoit pas un nombre indéterminé de services à rendre. Le degré d'avancement des travaux est semblable, environ 38 %, lorsqu'il est calculé selon la superficie des travaux effectués et le nombre d'heures de main-d'œuvre. Il conviendrait de retenir l'une de ces estimations, si elle représente le mieux l'obligation de prestation fournie jusqu'à maintenant. L'estimation la plus élevée du degré d'avancement des travaux permet également de comptabiliser un produit plus élevé, ce qui permet de montrer dans l'état du résultat global une meilleure performance financière pour la période. Ainsi, ce degré d'avancement plus élevé répond à une pression à l'égard d'une comptabilisation hâtive des produits et elle est acceptable uniquement si elle reflète fidèlement les travaux exécutés.

Comme nous l'avons déjà précisé, la méthode de l'avancement des travaux est celle qui traduit le mieux les activités économiques de l'entreprise prestataire de services, puisqu'elle rend possible la comptabilisation des produits tout au long de l'exécution des travaux. L'utilisation de cette méthode suppose toutefois que le montant de résultat de la prestation de services peut être évalué de manière fiable.

Lorsque la prestation de services consiste en un nombre connu de services identiques, le degré d'avancement est habituellement déterminé selon le nombre de services rendus. Un contrat prévoyant la diffusion d'un certain nombre d'annonces publicitaires est un exemple de prestation de services prévoyant un nombre connu de services identiques.

Dans le cas où la prestation de services consiste en un nombre indéterminé de services identiques fournis pendant une période donnée, le degré d'avancement est habituellement établi selon le temps écoulé, ce qui s'apparente à une méthode de comptabilisation linéaire, à moins que des faits ne montrent qu'une autre méthode permettrait de mieux refléter le degré d'avancement. La vente d'un abonnement de trois ans à un centre de conditionnement physique permettant l'utilisation illimitée des équipements et des installations de l'entreprise est un exemple de prestation de services offrant un nombre indéterminé de services identiques.

Finalement, lorsque la prestation de services prévoit un nombre précis de services différents, le degré d'avancement des travaux peut parfois être estimé selon la proportion des coûts directs engagés sur les coûts totaux attendus.

Nous analyserons, dans la section traitant des contrats de construction, les écritures complètes de ces obligations de prestation remplies progressivement.

La comptabilisation des produits à hauteur des coûts engagés

Lorsqu'il n'est pas possible d'estimer de manière fiable le montant de résultat d'une prestation de services (*voir le rectangle ③ de la figure 20.5*) ou le degré d'avancement des travaux (*voir le rectangle ② de la figure 20.5*), l'entreprise ne doit pas enregistrer un produit en fonction du degré d'avancement des travaux; elle doit plutôt utiliser la **méthode de comptabilisation des produits à hauteur des coûts engagés** (*voir le rectangle ⑥ de la figure 20.5*). De telles situations peuvent survenir lorsque le prestataire de services ne peut estimer les coûts à engager pour finaliser la transaction, ou encore lorsque le degré d'avancement de la transaction ne peut être évalué compte tenu des incertitudes liées aux activités à venir dans le cadre de la prestation de services.

L'entreprise doit alors comptabiliser le produit provenant des clients uniquement à hauteur des charges comptabilisées. Elle utilisera cette façon de faire jusqu'à ce qu'elle devienne capable d'estimer le degré d'avancement. Il arrive que cette estimation ne soit pas possible avant la fin du contrat. Dans ce contexte, les règles comptables conduisent à reporter la comptabilisation de la marge brute jusqu'à ce que le total des coûts ait été comptabilisé en charges. Les expressions **méthode des coûts recouvrables** ou **méthode du profit zéro** peuvent être utilisées pour désigner cette méthode, quoiqu'elles ne soient pas retenues dans l'IFRS 15. La section **Les contrats de construction** présentera un exemple détaillé de cette méthode de comptabilisation.

Différence NCECF

L'étape 4 : la détermination du prix de transaction

Différence NCECF

Comme le montre la figure 20.1, les trois premières étapes du modèle de comptabilisation des produits permettent de déterminer le moment de la comptabilisation des produits provenant des clients. L'étape subséquente, la détermination du prix de transaction, évalue le montant à comptabiliser à l'égard d'un contrat conclu avec un client. À l'étape finale, le comptable évaluera la répartition de ce prix de transaction entre les différentes obligations de prestation. La présente section approfondit la détermination du prix de transaction, qui implique l'évaluation de plusieurs éléments indiqués dans la figure 20.6.

L'IASB précise que le **prix de transaction** correspond au « [...] montant de contrepartie auquel l'entité s'attend à avoir droit en échange de la fourniture de biens ou services promis à un client, à l'exclusion des sommes perçues pour le compte de tiers (par exemple les taxes de vente)[11] ». Ces montants peuvent être fixes ou variables selon des conditions définies par contrat ou par des pratiques commerciales habituelles (*voir le rectangle ① de la figure 20.6*). L'évaluation de la contrepartie, peu importe sa forme, doit être faite sur la base du montant brut des avantages économiques qui iront à l'entreprise et doit exclure toutes les sommes perçues pour le compte de tiers, telles les taxes de vente (*voir le rectangle ② de la figure 20.6*). Le comptable doit tenir compte de plusieurs éléments dans son analyse de la contrepartie promise. La figure 20.6 présente ces éléments que nous reprenons ici de gauche à droite (*voir les rectangles ③ à ⑥ de la figure*), soit la contrepartie variable, la composante financement importante, la contrepartie autre qu'en trésorerie et la contrepartie payable au client.

La contrepartie variable

L'entreprise a l'obligation d'estimer le montant de contrepartie variable dans l'évaluation du prix de transaction, car elle doit évaluer toute contrepartie à laquelle elle a droit en échange de la vente d'un bien ou d'un service. La figure 20.7 présente plusieurs exemples de contrepartie variable.

11. *Manuel de CPA Canada – Comptabilité – Partie I*, IFRS 15, paragr. 47.

FIGURE 20.6 Étape 4 : la détermination du prix de transaction

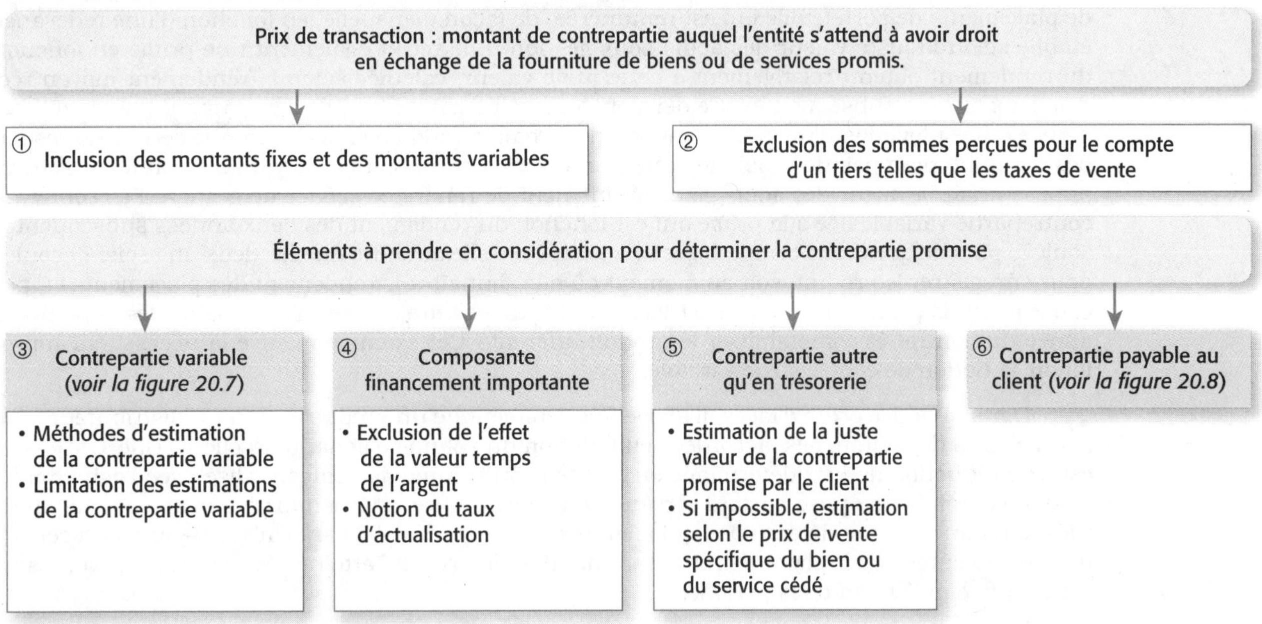

Prix de transaction : montant de contrepartie auquel l'entité s'attend à avoir droit en échange de la fourniture de biens ou de services promis.

① Inclusion des montants fixes et des montants variables

② Exclusion des sommes perçues pour le compte d'un tiers telles que les taxes de vente

Éléments à prendre en considération pour déterminer la contrepartie promise

③ Contrepartie variable (*voir la figure 20.7*)
- Méthodes d'estimation de la contrepartie variable
- Limitation des estimations de la contrepartie variable

④ Composante financement importante
- Exclusion de l'effet de la valeur temps de l'argent
- Notion du taux d'actualisation

⑤ Contrepartie autre qu'en trésorerie
- Estimation de la juste valeur de la contrepartie promise par le client
- Si impossible, estimation selon le prix de vente spécifique du bien ou du service cédé

⑥ Contrepartie payable au client (*voir la figure 20.8*)

FIGURE 20.7 La notion de contrepartie variable

Exemples de contrepartie variable :
- Remises, rabais et ristournes
- Remboursements
- Concessions sur le prix
- Incitations
- Primes de performance
- Pénalités
- Clauses d'indexation de prix
- Contrepartie conditionnelle à la réalisation d'un événement futur

Méthodes d'estimation de contrepartie variable

① Méthode de la valeur attendue

② Méthode du montant le plus probable

Utilisation de la méthode qui permet le mieux de prévoir le montant auquel l'entreprise aura droit.

Limitation des estimations de contrepartie variable

③ Prise en considération d'une contrepartie variable seulement s'il est **hautement probable** de ne pas avoir à diminuer de façon **importante** le produit dans le futur.

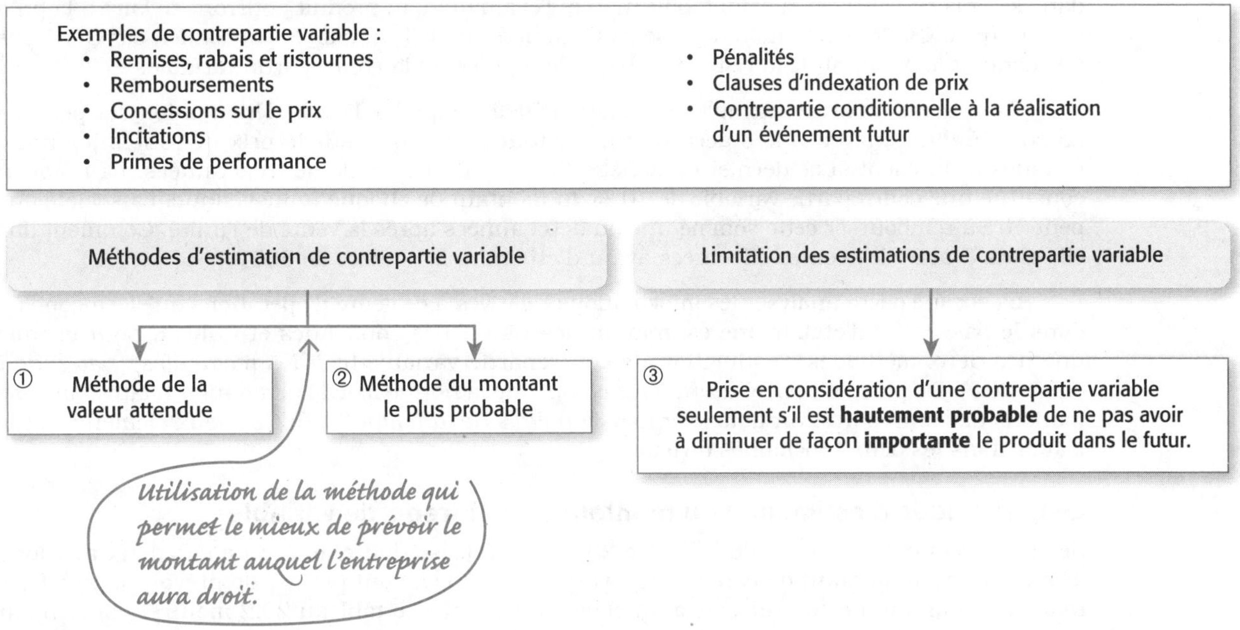

Un exemple de concession sur le prix est celui où un vendeur accorde à son client des remboursements en trésorerie ou des réductions de prix sur les achats futurs lorsqu'il révisera à la baisse sa liste de prix. Dans le cadre de ce type d'arrangement, le client qui a acheté les marchandises faisant l'objet d'une telle réduction dans un délai préétabli peut profiter de cette baisse au même titre que le client qui se procurera la marchandise au cours de la période suivant la réduction. De tels accords posent un problème d'évaluation du produit tiré de ce client. L'entreprise doit considérer la partie du produit de la vente relative à une réduction potentielle du prix comme une contrepartie variable qu'elle pourrait avoir à rembourser. Une analyse des faits et circonstances, par exemple un historique des ventes et des concessions sur le prix, permet parfois d'estimer cette réduction de prix future.

Un autre exemple d'une contrepartie variable apparaissant dans la figure 20.7 concerne la contrepartie conditionnelle à la réalisation d'un événement futur. Prenons l'exemple d'une société de placements de portefeuille qui est rémunérée, de façon mensuelle, en fonction d'une redevance établie selon la juste valeur des actifs sous gestion. Elle reçoit également une prime en fonction du rendement obtenu relativement à cette juste valeur, calculée selon le rendement moyen réel des deux années subséquentes. Ce dernier élément pourrait aussi désigner une prime de performance qui est fonction d'un événement futur. La rémunération mensuelle pour le service de gestion des actifs ne pose pas de problème, même si elle affiche un caractère variable. En effet, l'entreprise connaît la valeur des actifs gérés au moment de rendre ce service de gestion. Par contre, la contrepartie variable liée à la prime qui est fonction du rendement des deux années subséquentes soulève plus de questions comptables. La société doit-elle attendre que les deux ans soient écoulés pour enregistrer le produit, soit au moment où elle connaîtra le rendement des placements et, par conséquent, la prime à recevoir ? Doit-elle plutôt estimer cette contrepartie variable dès la première année du contrat et comptabiliser le produit afférent ? Cet exemple montre la nécessité d'approfondir la notion de contrepartie variable.

Dans un autre ordre d'idées, il arrive fréquemment qu'un producteur ou un distributeur offre à ses clients des ristournes, accordées en fonction du volume d'achat d'un client. Une **ristourne** est une réduction de prix déterminée en fonction du volume de ventes réalisé avec l'acheteur[12]. Le défi comptable se pose surtout lorsque l'entreprise offre une ristourne sur des achats effectués dans une période déterminée, qui n'est pas encore terminée, car ce n'est qu'après un certain niveau de ventes que le client a droit à sa réduction de prix, et l'atteinte de ce niveau de ventes ne sera vérifiée qu'à la fin de la période.

Prenons l'exemple de la société Généreuse ltée, qui accorde à ses clients une ristourne de 10 % sur toute tranche d'achat mensuel de plus de 100 000 $. Un client, Jenprofite ltée, acquiert en décembre 20X8 des marchandises pour la somme totale avant rabais de 175 000 $. Le prix de vente convenu est donc de 167 500 $ [175 000 $ – (10 % × 75 000 $)]. La ristourne est consentie dans le mois en cours, et la comptabilisation et l'évaluation du produit pourront se faire à la fin de décembre 20X8. Cette situation ne pose pas vraiment un défi comptable particulier, car Généreuse ltée connaît le montant de la ristourne, laquelle représente la contrepartie variable.

Examinons un autre exemple qui illustre le défi comptable lié à la démarcation des périodes. La société Plusgénéreuse ltée accorde une ristourne de 10 % sur le prix de toutes les unités vendues à un client si ce dernier en achète plus de 500 par cycle de trois années. La ristourne constitue une contrepartie variable de 10 % du montant de chaque unité vendue. La société aura peut-être à rembourser cette somme une ou deux années après la vente de l'unité. Comment doit-elle alors évaluer les ventes effectuées avant d'atteindre le nombre de 500 ?

La société devra analyser les informations relatives à ce genre d'opérations qu'elle a conclues dans le passé afin d'établir une estimation des ristournes consenties et utiliser, pour ce faire, une des deux méthodes d'estimation de contrepartie variable (*voir les rectangles ① et ② de la figure 20.7*). De plus, la société devra tenir compte de la norme liée à la limitation relative aux estimations de contrepartie variable (*voir le rectangle ③ de la figure 20.7*). Ces deux éléments seront traités dans les deux prochaines divisions.

Les méthodes d'estimation du montant de contrepartie variable

Selon les rectangles ① et ② de la figure 20.7, l'entreprise doit choisir une des deux méthodes d'estimation du montant de contrepartie variable, soit celle qui permet de prévoir le plus exactement le montant de contrepartie auquel elle aura droit. Le tableau 20.2 montre, pour chaque méthode, le mode de calcul ainsi que le contexte lié à son utilisation.

20

L'IASB indique le contexte dans lequel chaque méthode peut être utilisée (*voir la colonne de droite du tableau 20.2*), mais il ne s'agit pas d'une règle stricte à respecter. Il est à noter qu'il faut ensuite appliquer la méthode retenue d'une façon uniforme à tous les types de transactions similaires.

12. Louis Ménard et collaborateurs, *Dictionnaire de la comptabilité et de la gestion financière*, 3e édition, Comptables professionnels agréés du Canada, 2014, version 3.1.

TABLEAU 20.2 Une comparaison des deux méthodes d'estimation du montant de contrepartie variable

Méthode	Calcul du montant	Contexte lié à l'utilisation appropriée
Valeur attendue	Pondération des montants possibles par leur probabilité d'occurrence	Grand nombre de contrats présentant des caractéristiques similaires
Montant le plus probable	Montant dont la probabilité d'occurrence est la plus élevée	Deux résultats possibles : obtenir ou non la contrepartie

EXEMPLE

Méthode du montant le plus probable

Reprenons le cas de la société Plusgénéreuse ltée. Au regard de l'expérience passée des ventes faites à ce seul client éligible, Plusgénéreuse ltée doit prévoir, dès le début du contrat, s'il est possible que son client atteigne le niveau de 500 unités. Dans l'affirmative, cela signifie que 10 % du montant de chaque unité vendue sera remboursable au moment où le client dépassera le seuil de 500 unités. Supposons un prix de vente unitaire de 50 $; cela représente une ristourne potentielle de 2 500 $ (50 $ × 500 unités × 10 %). Dans ce cas-ci, la méthode à privilégier afin d'estimer le montant de contrepartie variable est celle du montant le plus probable (*voir le tableau 20.2*), car il n'y a que deux options possibles : la société consent la ristourne de 10 % ou ne la consent pas. Ce montant de 5 $ par unité vendue (50 $ × 10 %) représente la portion variable de la contrepartie totale unitaire de 50 $. Tenons maintenant pour acquis que le 15 janvier 20X1, Plusgénéreuse ltée effectue une opération de vente de 100 unités et que ce client atteint le seuil demandé le 1er juillet 20X2.

Dans un premier temps, supposons que Plusgénéreuse ltée est d'avis, dès le 15 janvier 20X1, que son client atteindra le seuil exigé de 500 unités. Voici les écritures de journal requises dans ses livres :

15 janvier 20X1		
Caisse	*5 000*	
Produits provenant des clients		*4 500*
Produits perçus d'avance		*500*
Vente de biens comprenant une contrepartie variable probable.		

Soulignons que dans cet exemple, comme dans tous les suivants, nous ne comptabilisons pas les taxes facturées au client, puisque le lecteur a approfondi ce sujet dans un cours de base en comptabilité.

Plusgénéreuse ltée passera une écriture de même nature chaque fois qu'elle conclura une vente avec ce client. Le 1er juillet 20X2, la société effectuera le paiement de la ristourne.

1er juillet 20X2		
Produits perçus d'avance (500 unités × 5 $)	*2 500*	
Caisse		*2 500*
Paiement de la ristourne à ce client.		

Supposons maintenant que, le 15 janvier 20X1, Plusgénéreuse ltée est d'avis que son client n'atteindra pas le seuil exigé de 500 unités. Voici les écritures relatives à cette transaction et au paiement subséquent de la ristourne, lorsque le client a effectivement atteint le seuil requis :

15 janvier 20X1		
Caisse	*5 000*	
Produits provenant des clients		*5 000*
Vente de biens comprenant une contrepartie variable.		

20

1er juillet 20X2		
Produits provenant des clients	*2 500*	
Caisse		*2 500*
Paiement de la ristourne à ce client.		

Dans cette situation, le produit comptabilisé le 15 janvier 20X1 correspond au montant total de la transaction étant donné que la société juge plus probable qu'elle n'aura pas à rembourser la contrepartie de 10 %. Cette situation est problématique du fait que la société a enregistré un produit dans l'exercice 20X1 et qu'elle doit le rembourser en 20X2. En 20X1, la société effectue une comptabilisation hâtive de ses produits en enregistrant immédiatement la contrepartie variable. Pour remédier à ce genre de situation, l'IASB fournit une règle relativement à la limitation des estimations de contrepartie variable (*voir le rectangle ③ de la figure 20.7*). Cette notion fera l'objet de la prochaine division.

Le rectangle ① de la figure 20.7 mentionne une autre méthode d'estimation de la contrepartie variable : la méthode de la valeur attendue. Cette méthode s'applique lorsque plusieurs montants de contrepartie variable sont possibles, par exemple une ristourne consentie au client qui augmente en fonction du niveau des ventes effectuées à ce client.

EXEMPLE

Méthode de la valeur attendue

La société Encoreplusgénéreuse ltée offre une ristourne en fonction du niveau des ventes effectuées par cycle de trois ans, selon le barème suivant :

Unités achetées	Pourcentage de ristourne	Pourcentage des clients
De 1 à 499	0	50
De 500 à 999	10	40
De 1 000 à 1 499	15	5
1 500 et plus	20	5
		100

Pour un prix de vente unitaire de 50 $, la contrepartie variable peut représenter un montant de 0 $, de 5 $, de 7,50 $ ou de 10 $ par unité vendue. Le comptable doit alors analyser les montants possibles et effectuer une pondération de ces montants par leur probabilité d'occurrence.

Voici le calcul de la contrepartie variable selon la méthode de la valeur attendue :

Unités achetées	(1) Contreparties variables possibles	(2) Pondération	(3) Contrepartie pondérée [(1) × (2)]
De 1 à 499	0,00 $	50 %	0,00 $
De 500 à 999	5,00	40	2,00
De 1 000 à 1 499	7,50	5	0,38
1 500 et plus	10,00	5	0,50
Total des contreparties pondérées			2,88 $

Le client, FidélitéPlus ltée, achète un premier lot de 100 unités le 15 janvier 20X1. Le 15 mars 20X3, il effectue un autre achat de 400 unités et se qualifie ainsi pour une ristourne de 10 % sur tous les achats effectués précédemment. Voici les écritures de journal requises dans les livres d'Encoreplusgénéreuse ltée :

15 janvier 20X1		
Caisse (100 unités × 50 $)	*5 000*	
Produits perçus d'avance (100 unités × 2,88 $)		*288*
Produits provenant des clients		*4 712*
Produit provenant des clients avec une contrepartie variable.		

15 mars 20X3		
Caisse (400 unités × 50 $)	*20 000*	
Produits perçus d'avance (400 unités × 2,88 $)		*1 152*
Produits provenant des clients		*18 848*
Produit provenant des clients avec une contrepartie variable.		
Produits perçus d'avance (500 unités × 2,88 $)	*1 440*	
Produits provenant des clients [500 unités × (5,00 $ – 2,88 $)]	*1 060*	
Caisse (500 unités × 5 $)		*2 500*
Paiement de la ristourne à ce client.		

Soulignons que l'évaluation de 2,88 $ ne représente pas l'un des montants possibles. De ce fait, au moment de consentir la ristourne, la société doit nécessairement ajuster le montant des produits pendant l'exercice en cours et éviter de redresser les montants comptabilisés dans les exercices précédents. En 20X3, la société a une nouvelle information qui lui permet d'ajuster l'évaluation précédente.

Un des inconvénients de la méthode de la valeur attendue illustrée dans l'exemple précédent est que le montant de produits comptabilisés lors de la vente ne représente jamais le montant réel et qu'il est nécessaire d'effectuer un ajustement ultérieurement. De toute façon, peu importe la méthode retenue, il faut procéder à une réévaluation du montant de contrepartie variable à la fin de chaque période afin d'ajuster le produit correspondant en fonction de nouvelles informations, s'il y a lieu.

Bien que les exemples précédents aient montré des contreparties variables susceptibles d'entraîner un remboursement aux clients, il existe des cas où ces contreparties correspondent à des encaissements possibles. Par exemple, le montant de la vente peut comporter une prime de 5 % si le bien vendu au client est installé avant une date précise. L'entreprise doit-elle comptabiliser cette prime avant la date indiquée ? Les paragraphes suivants permettent de répondre à cette question.

La limitation des estimations de contrepartie variable

L'IASB précise que l'entité « [...] doit inclure dans le prix de transaction tout ou partie du montant de contrepartie variable [...] dans la seule mesure où il est hautement probable que le dénouement ultérieur de l'incertitude relative à la contrepartie variable ne donnera pas lieu à un ajustement à la baisse important du montant cumulatif des produits des activités ordinaires comptabilisé[13] ». Cette précision, que l'on appelle **limitation des estimations de contrepartie variable**, repose sur la notion de prudence. C'est pourquoi l'entreprise doit avoir un niveau de confiance élevé dans le dénouement de l'incertitude pour comptabiliser une contrepartie variable positive. Ainsi, elle évite les renversements de produits significatifs et la surévaluation du résultat comptable d'une période donnée. Lorsqu'elle n'a pas ce niveau de confiance élevé dans le fait que le produit ne diminuera pas de façon significative dans les périodes subséquentes à la vente, elle se trouve dans une situation où elle ne doit pas tenir compte de la contrepartie variable dans l'estimation du montant de produits.

Le paragraphe précédent précise qu'il doit être hautement probable que la contrepartie variable ne diminuera pas « de façon significative » le montant de produit. Pour mener à bien l'appréciation de l'importance d'une diminution, l'entreprise doit tenir compte de la probabilité d'un ajustement à la baisse du produit ainsi que de son ampleur. Dans le paragraphe 57 de l'IFRS 15, l'IASB précise quelques facteurs pouvant faire augmenter la probabilité ou l'ampleur d'un ajustement à la baisse des produits. Cette liste non exhaustive représente des repères pour analyser une transaction :

- La contrepartie variable sera affectée par des facteurs incontrôlables par l'entreprise, tels que la volatilité d'un marché, les actes d'un tiers, les conditions climatiques ou un risque élevé d'obsolescence du bien ;
- L'incertitude relative à la contrepartie variable persistera pendant une longue période ;
- L'entreprise a une expérience limitée en ce qui concerne des contrats similaires ou une expérience passée qui ne reflète pas ce qui est susceptible de se répéter dans le futur ;

20

13. *Manuel de CPA Canada – Comptabilité – Partie I*, IFRS 15, paragr. 56.

- La pratique courante de l'entreprise est d'offrir un large éventail de prix différents ou de modifier les modalités de paiement de contrats similaires dans des circonstances similaires ;
- Le contrat prévoit un grand nombre de contreparties possibles et une large fourchette des montants possibles.

EXEMPLE

Limitation des estimations de contrepartie variable

La société Ristourne-plus ltée accorde, le 1er janvier 20X1, une ristourne de 10 % sur le prix de toutes les unités vendues à un client si ce dernier en achète plus de 1 000 au cours des trois années subséquentes. Le prix de vente est de 10 $ l'unité et le niveau annuel de ventes à ce client s'élève à 300 unités en 20X1, 600 unités en 20X2 et 400 unités en 20X3. Ristourne-plus ltée détermine qu'elle doit analyser plus en détail la contrepartie variable de 1 $ (10 $ × 10 %) par unité vendue. En 20X1, elle détermine qu'elle a une vaste expérience de ce type de contrats et que les clients qui ont acheté moins de la moitié des 1 000 unités totales durant la première année n'atteignent généralement pas le niveau stipulé dans le contrat. De ce fait, Ristourne-plus ltée conclut qu'il est hautement probable qu'elle n'aura pas à ajuster à la baisse le montant des produits et comptabilise une somme de 3 000 $ en 20X1 (300 unités × 10 $).

En 20X2, au regard du nombre cumulatif des unités vendues de 900, la société conclut que son client atteindra vraisemblablement le plancher de 1 000 unités, ce qui lui donnera droit à la ristourne de 10 % sur toutes les unités vendues, et ce, rétrospectivement depuis le début du contrat. La contrepartie variable de 1 $ par unité ne doit pas être comptabilisée à titre de produits en 20X2. En effet, cette somme risque de devoir être remboursée au client et ne correspond pas à un produit de l'exercice. L'évaluation des produits cumulés des deux premières années est nécessaire afin d'inscrire le montant approprié comme produit de l'exercice en 20X2.

Estimation du produit cumulatif des deux premières années (900 unités × 9 $ par unité)	8 100 $
Produit déjà enregistré en 20X1	(3 000)
Produit à comptabiliser en 20X2	5 100 $

En 20X2, on ne réévalue pas de façon rétrospective les produits enregistrés en 20X1 car, à ce moment-là, le comptable a effectué la meilleure analyse possible selon les informations qui étaient alors disponibles. Ristourne-plus ltée comptabilise ainsi l'encaissement en 20X2 :

Caisse (600 unités × 10 $)	*6 000*	
Produits		*5 100*
Produits reçus d'avance (900 unités × 1 $)		*900*
Vente de 600 unités et ristourne estimative sur les ventes faites à ce client en 20X1 et en 20X2.		

En 20X3, l'incertitude liée à la contrepartie variable est levée et Ristourne-plus ltée comptabilisera des produits de 3 600 $ (400 unités × 9 $), conformes à la contrepartie reçue de son client.

Avez-vous remarqué ?

Au moment d'évaluer la transaction, on doit tenir compte des informations relatives à toute contrepartie variable présente dans le contrat conclu avec le client afin d'effectuer une estimation raisonnable du montant. Cependant, on doit inclure ce montant estimatif dans les produits seulement si l'entreprise juge qu'il est hautement probable que le produit ne sera pas considérablement réduit par la suite lorsque certains événements surviendront.

La composante financement importante

Comme il est indiqué dans le rectangle ④ de la figure 20.6, la composante financement importante d'une transaction de vente est un des éléments qui a une incidence sur la contrepartie promise. Une transaction comporte une composante financement importante lorsque le vendeur accorde à l'acheteur un délai de remboursement qui s'étend au-delà des **conditions normales de crédit**. Ces dernières peuvent prendre la forme de délais généralement accordés aux clients pour le règlement de leurs achats (par exemple 30, 60 ou 90 jours). Une vente assortie d'une modalité de paiements échelonnés prévoit généralement un versement initial suivi d'une série de versements échelonnés sur un certain laps de temps. Puisque les versements s'échelonnent habituellement sur une longue période, le total de la contrepartie couvre les intérêts. Dans la mesure où la vente respecte les cinq étapes du modèle de comptabilisation des produits, elle peut être comptabilisée ; le montant correspond alors à la valeur actualisée de la contrepartie à recevoir afin d'exclure l'effet de la valeur temps de l'argent (*voir le rectangle ④ de la figure 20.6*). Le vendeur comptabilise distinctement les intérêts attribuables à la transaction au moment où ils sont effectivement gagnés, soit en fonction de l'écoulement du temps, car ces produits financiers concernent une transaction de financement et non une transaction de vente. Ainsi, le produit provenant des clients doit refléter le **prix de vente au comptant**, soit « [...] le prix qu'un client paierait au comptant pour ces biens ou ces services au moment où ils lui sont fournis (ou à mesure qu'ils le sont) [...][14] ».

Pour évaluer le prix de vente au comptant, l'entreprise doit tenir compte de toutes les circonstances et de tous les faits prévus dans l'intervalle entre la date de transfert du contrôle de l'actif, c'est-à-dire la date de la prestation de l'obligation, et la date du paiement par le client. Elle doit aussi tenir compte des taux d'intérêt du marché pertinents. Par mesure de simplification, si cet intervalle est de moins de 12 mois, l'entreprise n'est pas tenue de comptabiliser distinctement la composante financement, car celle-ci est alors jugée peu importante. On doit évaluer l'importance de la composante financement en fonction du montant du contrat et non en fonction du montant des produits totaux de l'entreprise. En effet, plusieurs petits contrats comportant une composante financement peuvent, une fois cumulés, représenter un montant total important pour l'entreprise. Selon l'IASB, le taux d'actualisation à utiliser pour évaluer la composante financement importante est celui « [...] qui serait reflété dans une transaction de financement distincte entre [l'entreprise] et le client au moment de la passation du contrat[15] ». Après ce moment, l'entreprise ne met pas à jour son évaluation du taux d'actualisation et conserve celui initialement utilisé dans ses calculs d'évaluation du prix de vente au comptant.

EXEMPLE

Composante financement importante

À l'occasion d'un rabais pour clientèle cible offert aux nouveaux mariés, la société Mobilex ltée vend un ameublement complet d'une valeur de 12 000 $ à un prix de 8 000 $, moyennant un versement comptant de 1 600 $ et 4 versements annuels égaux de 1 600 $ sans intérêt. Le coût de chaque ameublement s'élève à 4 800 $. Le 31 mai 20X1, 100 couples ont profité de l'offre incroyable de Mobilex ltée. L'exercice financier de l'entreprise se termine le 31 août. Voici les sommes recouvrées des clients et le coût des ventes :

	20X0-20X1	*20X1-20X2*	*Total*
Sommes recouvrées	*160 000 $*	*160 000 $*	*320 000 $*
Coût des ventes	*(480 000)*	*0*	*(480 000)*
Excédent des sommes reçues sur le coût	*(320 000) $*	*160 000 $*	*(160 000) $*

Lorsque nous avons décrit l'étape 3 du modèle de comptabilisation des produits, nous avons précisé que l'entreprise comptabilise un produit au moment où elle a rempli son obligation de prestation, soit, dans ce cas-ci, au moment de la livraison des meubles aux 100 couples. Les montants précédents montrent bien que la comptabilisation en fonction des encaissements ne permet pas de respecter le fait que l'on doit enregistrer un produit au moment où la prestation de service est fournie. De ce fait, la comptabilisation du produit total doit se faire en 20X0-20X1. L'intervalle prévu entre le moment de la livraison et les moments des encaissements sera pris en compte dans la détermination de la composante financement importante à exclure du montant de la transaction de vente. Pour déterminer le prix de vente au comptant, on doit actualiser les sommes recouvrables dans les quatre exercices subséquents. Pour ce faire, Mobilex ltée estime que le taux d'actualisation approprié est de 5 %. Le produit de la vente de 727 352 $ (N = 5, I = 5 %, PMT = 160 000 $, FV = 0 $, BGN, CPT PV?) doit être comptabilisé dès la livraison des meubles, de la façon suivante :

Caisse	*160 000*	
Clients	*567 352*	
Produits provenant des clients		*727 352*
Produits liés à des meubles livrés chez les clients.		

14. *Manuel de CPA Canada – Comptabilité – Partie I*, IFRS 15, paragr. 61.
15. *Manuel de CPA Canada – Comptabilité – Partie I*, IFRS 15, paragr. 64.

Par la suite, la société comptabilisera les versements reçus en fonction des normes relatives aux créances (*voir le chapitre 6*). Ainsi, elle passera l'écriture de journal suivante en 20X1-20X2, dans l'hypothèse où les encaissements ont été reçus un an après la vente :

Caisse (1 600 $ × 100)	*160 000*	
Produits financiers (567 352 $ × 5 %)		*28 368*
Clients		*131 632*
Encaissement du premier des quatre versements à recevoir des clients sur des ventes conclues en 20X0-20X1.		

Dans les situations inhabituelles où un risque de recouvrement important se pose au moment de conclure la transaction de vente, rappelons qu'un doute sérieux subsiste à propos de la présence d'un contrat même (*voir le rectangle ⑤ de la figure 20.2*). Dans ces cas, l'entreprise ne peut pas comptabiliser le produit, car la transaction ne remplit pas les conditions de l'étape 1 du modèle de comptabilisation des produits. L'entreprise réévalue les conditions de cette entente à la fin de chaque période comptable. Si elle a comptabilisé un compte client et que de nouvelles informations laissent croire à un défaut de paiement de la part du client et à la difficulté de recouvrer le solde, l'entreprise doit alors évaluer la possibilité de comptabiliser une perte de crédit attendue[16]. Rappelons finalement que, lorsque le produit provenant des clients ne peut pas être comptabilisé, peu importe les raisons, toute somme reçue par le vendeur constitue un dépôt du client et doit être comptabilisée à titre de **produit différé**. Ces sommes reçues d'avance des clients constituent des dettes de l'entreprise jusqu'à ce que les produits soient effectivement comptabilisés. Les montants inscrits dans le passif seront transférés dans un compte de produits au moment où la transaction respectera pour la première fois les cinq étapes du modèle de comptabilisation des produits.

Une entreprise doit également comptabiliser un produit différé lorsqu'elle reçoit une somme d'un client à la signature d'un contrat de vente alors que la prestation du bien ou du service n'est pas encore effectuée. De ce fait, le transfert de contrôle analysé à l'étape 3 du modèle de comptabilisation des produits n'ayant pas eu lieu, l'entreprise doit reporter la comptabilisation du produit. De plus, dans son analyse du contrat, l'entreprise doit évaluer l'intervalle de temps entre la réception de ce montant et la comptabilisation du produit. Cette période, si elle est significative, peut dénoter la présence d'une composante financement importante liée à une transaction de financement par le client.

EXEMPLE

Composante financement importante et produit différé

La société Jemefinance ltée exige de ses clients un paiement complet à la date de signature du contrat, soit le 1er janvier 20X5, pour les premières unités vendues de son nouveau bien révolutionnaire. La livraison des unités en question s'effectuera dans deux ans seulement, car la société doit tout d'abord construire l'usine et effectuer toutes les étapes nécessaires à la production initiale et à la mise en marché. Le prix stipulé dans le contrat prévoit une somme de 2 000 $ versée à la date de signature du contrat pour garantir la livraison le 31 décembre 20X6 d'un bien qui vaudra 2 400 $. Le taux de financement implicite de ce contrat représente donc un taux équivalent à 9,54 % annuellement (N = 2, PMT = 0 $, PV = 2 000 $, FV = –2 400 $, CPT I?). L'entreprise a déterminé que le taux d'intérêt d'une opération de financement distincte entre elle et ce client serait de 5 %. Ce taux d'intérêt, et non le taux implicite lié au contrat de vente, doit être utilisé comme taux d'actualisation, car il tient compte uniquement des caractéristiques de crédit du client. Voici les écritures de journal requises pour les deux prochaines années, sachant que Jemefinance ltée clôture son exercice financier le 31 décembre :

1er janvier 20X5		
Caisse	*2 000*	
Passif sur contrat		*2 000*
Encaissement à la signature du contrat.		

20

16. Afin d'analyser cet aspect plus en profondeur, le lecteur peut consulter le chapitre 6.

31 décembre 20X5		
Intérêts sur la dette non courante	*100*	
Passif sur contrat		*100*
Charge d'intérêts annuelle (2 000 $ × 5 %).		
31 décembre 20X6		
Intérêts sur la dette non courante	*105*	
Passif sur contrat		*105*
Charge d'intérêts annuelle (2 100 $ × 5 %).		
Passif sur contrat	*2 205*	
Produits provenant des clients		*2 205*
Produits provenant des clients.		

On exclut la composante financement importante liée à un contrat afin de comptabiliser le prix de vente au comptant au moment approprié. Dans ce cas-ci, le transfert du contrôle de l'actif s'effectue au moment de sa livraison le 31 décembre 20X6. À cette date, Jemefinance ltée comptabilise un produit correspondant à la somme reçue de 2 000 $, majorée de la valeur temps de l'argent pour la période comprise entre la date de l'encaissement et la date de la livraison, soit deux ans. Le produit de 2 205 $ correspond au prix de vente au comptant (N = 2, I = 5 %, PMT = 0 $, PV = 2 000 $, CPT FV ?).

La contrepartie autre qu'en trésorerie

Certaines circonstances poussent parfois les entreprises à s'engager dans des **opérations de troc ou d'échange**, c'est-à-dire des **opérations non monétaires**. La question qui se pose est de savoir s'il s'agit d'une opération commerciale donnant lieu à la comptabilisation d'un produit. L'IFRS 15 indique que les échanges non monétaires effectués entre des entreprises appartenant à la même branche d'activité afin de faciliter les ventes à des clients actuels ou potentiels ne représentent pas un contrat conclu avec un client. En effet, la transaction d'échange ne modifie pas la situation financière des entreprises impliquées dans la transaction. Puisque la transaction n'entraîne aucun accroissement des avantages économiques, aucun produit ne peut découler d'une telle opération. L'IASB vise ainsi à éviter que des entreprises n'ayant pas atteint leurs objectifs de vente procèdent à des échanges de biens de nature similaire dans le seul but de hausser leur montant de ventes et de marge brute.

Par contre, lorsque, dans le cadre d'une transaction de vente, la contrepartie reçue ou à recevoir autre qu'en trésorerie porte sur des biens ou des services de nature dissemblable à ceux vendus, l'IASB reconnaît que de telles transactions influencent la situation financière des deux parties et que la comptabilisation des produits provenant des clients est justifiée. Comme il est indiqué dans le rectangle ⑤ de la figure 20.6, la contrepartie autre qu'en trésorerie doit alors être évaluée à la juste valeur des biens et des services reçus ou à recevoir. Le recours à la juste valeur de la contrepartie reçue ou à recevoir permet de mieux représenter la substance commerciale de la transaction et de la présenter en fonction de l'accroissement des avantages économiques du point de vue du vendeur. S'il est impossible de faire une estimation raisonnable de cette juste valeur, l'entreprise estime alors le prix de vente spécifique du bien ou du service fourni dans le cadre de la transaction de vente.

EXEMPLE

Contrepartie autre qu'en trésorerie

Le 15 juin 20X1, la société Sollicitée ltée, qui est un distributeur de lait, demande à un autre distributeur, Abondance ltée, de lui procurer 2 000 litres de lait afin de satisfaire la demande de ses clients. Dans le cadre de cette entente, Sollicitée ltée s'engage à remettre à Abondance ltée la même quantité de lait, soit 2 000 litres, dans un avenir rapproché. Abondance ltée ne peut pas comptabiliser un produit provenant des clients à l'égard de cette transaction, puisqu'un tel échange ne lui procure aucun accroissement d'avantages économiques. En contrepartie du lait qu'elle a cédé, elle recevra la même quantité de lait dans un proche avenir. Une telle transaction n'entraîne pas la comptabilisation d'une vente, mais uniquement l'inscription

20

d'une note dans son livre auxiliaire des stocks indiquant que des litres de lait sont à recevoir en remplacement de ceux qu'elle a remis à Sollicitée ltée.

Supposons maintenant que Sollicitée ltée offre à Abondance ltée de lui remettre, en échange des 2 000 litres de lait reçus, une vache laitière dont la juste valeur est estimée à 5 000 $. Cet échange modifie la situation financière d'Abondance ltée, qui remplace son stock de lait par un actif biologique, à savoir une vache laitière. Abondance ltée doit donc comptabiliser un produit provenant des clients, évalué à la juste valeur du bien reçu, soit la vache laitière. Voici les écritures de journal requises dans les livres d'Abondance ltée, sachant qu'un litre de lait lui coûte 2 $:

15 juin 20X1		
Actif biologique – Vache laitière	*5 000*	
Produits provenant des clients – Ventes de lait		*5 000*
Envoi de 2 000 litres de lait à Sollicitée ltée en échange d'une vache laitière.		
Coût des ventes	*4 000*	
Stock de lait		*4 000*
Coût du lait livré à Sollicitée ltée (selon le système d'inventaire permanent).		

Cet exemple illustre que l'on doit comptabiliser à titre de produits toute vente qui entraîne l'accroissement des avantages économiques de l'entreprise. L'actif biologique reçu en contrepartie de la vente de lait procurera à Abondance ltée la possibilité de revendre la vache laitière et d'encaisser immédiatement sa juste valeur ou de la conserver en vue de recueillir et de vendre le lait pendant la durée de vie de la vache.

Avez-vous remarqué ?

L'évaluation d'une transaction de vente conclue avec un client repose sur la juste valeur de la contrepartie reçue ou à recevoir, et ce, peu importe sa forme, qu'il s'agisse de trésorerie ou d'un bien ou service. Dans le cas où l'entreprise ne peut pas évaluer raisonnablement la juste valeur, elle évalue alors le prix de vente spécifique du bien ou du service cédé.

La contrepartie payable au client

Une **contrepartie payable au client** représente « [...] les sommes en espèces que l'entité paie, ou s'attend à payer, à celui-ci (ou à d'autres tiers qui se procurent les biens ou les services de l'entité auprès de celui-ci)[17] ». L'IASB précise que la contrepartie payable au client peut prendre la forme d'un **avoir**, c'est-à-dire d'une note de crédit ou d'autres éléments, tels que des coupons ou des bons qui peuvent servir à diminuer les sommes dues par le client à l'entreprise. La contrepartie payable au client peut aussi représenter un paiement à effectuer au client en contrepartie de l'achat d'un bien ou d'un service distinct. La figure 20.8 présente un arbre décisionnel du traitement comptable à préconiser pour la contrepartie payable au client.

L'entreprise doit d'abord analyser la raison pour laquelle elle effectue un paiement à son client. Ce pourrait être pour acheter un bien ou un service et prendre part à un contrat d'achat avec un de ses clients, qui devient alors également un fournisseur (*voir le rectangle* ① *de la figure 20.8*). Si le prix payé est équivalent ou inférieur à la juste valeur du bien ou du service acheté, elle comptabilise ce prix à titre d'achat (*voir les rectangles* ② *et* ③ *de la figure 20.8*). Toutefois, si le prix qu'elle paie excède la juste valeur du bien ou du service reçu, elle doit alors considérer que la contrepartie payée couvre deux aspects (*voir le rectangle* ④ *de la figure 20.8*) : une opération d'achat pour un coût correspondant à la juste valeur du bien acheté (*voir le rectangle* ③ *de la figure 20.8*) et une diminution du prix de transaction de l'opération de vente initiale (*voir le rectangle* ⑤ *de la figure 20.8*). Cette réduction correspond à l'excédent du prix payé sur la juste valeur du bien ou du service acquis dans le cadre de l'opération d'achat. Cependant, si la contrepartie payable au client était exigible dans le cadre d'une tout autre opération que l'achat d'un bien ou d'un service distinct, l'entreprise devrait simplement réduire le prix de transaction de l'opération de vente conclue avec ce client (*voir les rectangles* ① *et* ⑤ *de la figure 20.8*).

17. *Manuel de CPA Canada – Comptabilité – Partie I*, IFRS 15, paragr. 70.

FIGURE 20.8 Le traitement comptable d'une contrepartie payable au client

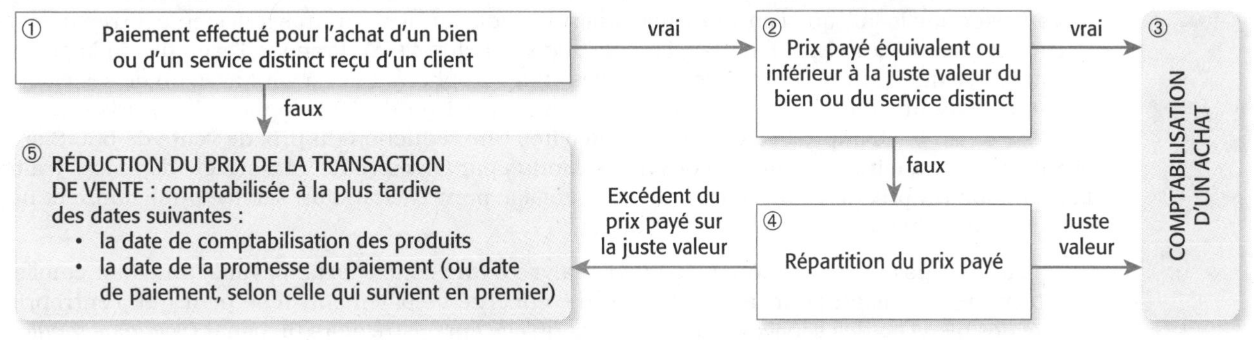

Une réduction du prix de transaction de l'opération de vente s'effectue à la plus tardive des dates suivantes : la date de la comptabilisation du produit, d'une part, et la date de la promesse du paiement, ou la date du paiement, d'autre part (*voir le rectangle ⑤ de la figure 20.8*). Cette promesse de paiement peut découler de pratiques commerciales habituelles de l'entreprise qui l'engagent de manière implicite à rembourser certaines sommes à ses clients. De plus, on doit tenir compte de cette promesse de paiement même si elle représente un événement futur. Par mesure de prudence, on considère la date de la promesse du paiement ou la date du paiement, selon celle qui survient en premier (*voir le rectangle ⑤ de la figure 20.8*).

EXEMPLE

Contrepartie payable au client qui réduit le prix de transaction

La société Pharmaco ltée produit des biens de soins personnels et de santé-beauté qu'elle vend à des magasins grande surface. Une pratique commerciale fréquente dans le commerce de détail est d'exiger des frais des fournisseurs qui obtiennent un emplacement de choix pour leurs biens sur les étalages des magasins. Le 15 mars 20X2, Jeanvend ltée, un de ses clients, accepte de signer un contrat d'approvisionnement de un an pour la somme de 20 000 000 $ à la condition que Pharmaco ltée lui paie immédiatement 2 000 000 $. Cette somme aidera Jeanvend ltée à moderniser les étalages dans ses magasins.

Pharmaco ltée n'achète pas ces étalages et elle n'en obtient pas le contrôle. Elle a accepté de payer la somme de 2 000 000 $ afin de conclure la vente de 20 000 000 $. De ce fait, ce paiement n'est pas effectué en échange de l'achat d'un bien ou d'un service distinct (*voir le rectangle ① de la figure 20.8*). Le service de marketing acheté (modernisation des étalages) n'existe pas de façon distincte du contrat d'approvisionnement ; la dépense étant nécessaire afin de conclure la vente.

La somme de 2 000 000 $, qui représente 10 % du contrat total, doit donc réduire le produit de la vente comptabilisé par Pharmaco ltée. On peut penser que plusieurs livraisons seront effectuées au cours de l'année et, ainsi, Pharmaco ltée déterminera plusieurs moments de transfert de contrôle des biens. Elle réduira alors de 10 % chacun des produits comptabilisés pendant l'année en cours pour un total de 18 000 000 $ (20 000 000 $ – 2 000 000 $). Voici les écritures de journal requises dans les livres de Pharmaco ltée pour une première livraison de marchandises le 31 mars 20X2 à un prix de transaction de 1 500 000 $:

15 mars 20X2		
Actif sur contrat	*2 000 000*	
Caisse		*2 000 000*
Paiement exigé de la part du client pour moderniser ces étalages.		
31 mars 20X2		
Clients (ou caisse)	*1 500 000*	
Produits provenant des clients		*1 350 000*
Actif sur contrat		*150 000*
Produits relatifs à des biens livrés, compte tenu d'une contrepartie de 10 % payée au client.		

20

Il se peut qu'un fournisseur qui enregistre un produit au moment de la transaction de vente conclue simultanément une transaction d'achat avec ce client. Selon la figure 20.8, l'analyse doit alors porter sur le fait que l'entreprise acquiert ou non un bien ou un service en contrepartie du paiement effectué au client (*voir le rectangle* ① *de la figure 20.8*). Prenons l'exemple de la société Olympro ltée qui fabrique et vend des médailles et des trophées. Elle conclut avec un de ses clients, Médiatec ltée, une entente pour la fabrication et la livraison de 100 trophées à un prix de vente unitaire de 25 $. Olympro ltée offre à Médiatec ltée une réduction du prix de vente de 500 $ si ce client s'engage à faire la promotion des biens vendus par Olympro ltée. La société doit alors traiter la réduction du prix de vente comme un coût engagé pour l'achat d'un service publicitaire et non comme une réduction du produit enregistré.

Différence NCECF

En conclusion, la première étape de l'analyse d'une contrepartie payable au client consiste à déterminer la raison pour laquelle la société effectue ce paiement. Il se peut que l'entreprise achète des biens ou des services de son client et qu'elle enregistre alors un achat (*voir le rectangle* ③ *de la figure 20.8*) au montant stipulé dans le contrat d'achat, montant qui est toutefois limité à la juste valeur de ces biens ou services acquis (*voir le rectangle* ④ *de la figure 20.8*). Pour toutes les autres situations, on considère le paiement comme une réduction du prix de transaction de la vente conclue avec ce client (*voir le rectangle* ⑤ *de la figure 20.8*).

6 L'étape 5 : la répartition du prix de transaction entre les obligations de prestation

Différence NCECF

Selon la figure 20.1, l'étape 5 du modèle de comptabilisation des produits provenant des clients exige de répartir le prix de transaction évalué à l'étape 4 entre les différentes obligations de prestation définies à l'étape 2. L'objectif est d'affecter à chaque prestation la portion du prix de transaction qui lui est attribuable. Cette répartition doit se faire de manière proportionnelle sur la base du prix de vente spécifique de chacune des obligations de prestation au moment de la passation du contrat. « Le prix de vente spécifique est le prix auquel une entité vendrait séparément à un client un bien ou un service promis[18]. » Il s'agit en fait du prix de vente observable lorsqu'un tel bien ou service est vendu séparément dans des circonstances et à des clients similaires.

Le prix de vente spécifique observable comme base de répartition du prix de transaction

La figure 20.9 permet de constater que le prix de vente spécifique d'un bien ou d'un service est relativement simple à déterminer lorsque l'entreprise vend individuellement les biens ou les services distincts d'un contrat, dans des conditions comparables à celles de la vente du forfait. L'IASB exige alors d'utiliser ces prix observables comme base de répartition du prix de transaction (*voir le rectangle* ① *de la figure 20.9*).

EXEMPLE

Répartition en fonction des prix de vente spécifiques observables

Forfait Plus ltée est une entreprise de téléphonie cellulaire. Elle vend un forfait incluant un téléphone cellulaire et un forfait d'utilisation pour un an, ou 2 500 minutes, d'une valeur totale de 400 $. Elle vend aussi les cellulaires de ce forfait au prix unitaire de 90 $ alors que le temps d'utilisation est vendu à 0,15 $ la minute. Voici la répartition proportionnelle du prix de transaction :

	(1) Prix de vente observables	(2) Proportion des prix de vente observables	(3) Prix de transaction [400 $ × (2)]
Cellulaire	90 $	19 %	76 $
Minutes d'utilisation	375①	81	324
Total	465 $	100 %	400 $

Calcul :

① (2 500 minutes × 0,15 $)

20

18. *Manuel de CPA Canada – Comptabilité – Partie I*, IFRS 15, paragr. 77.

FIGURE 20.9 Étape 5 : la répartition du prix de transaction entre les obligations de prestation

La répartition du prix de transaction se fait en proportion des **prix de vente spécifiques** des biens ou des services. Ces prix de vente spécifiques représentent le montant auquel une entreprise vendrait séparément à un client un bien ou un service promis.

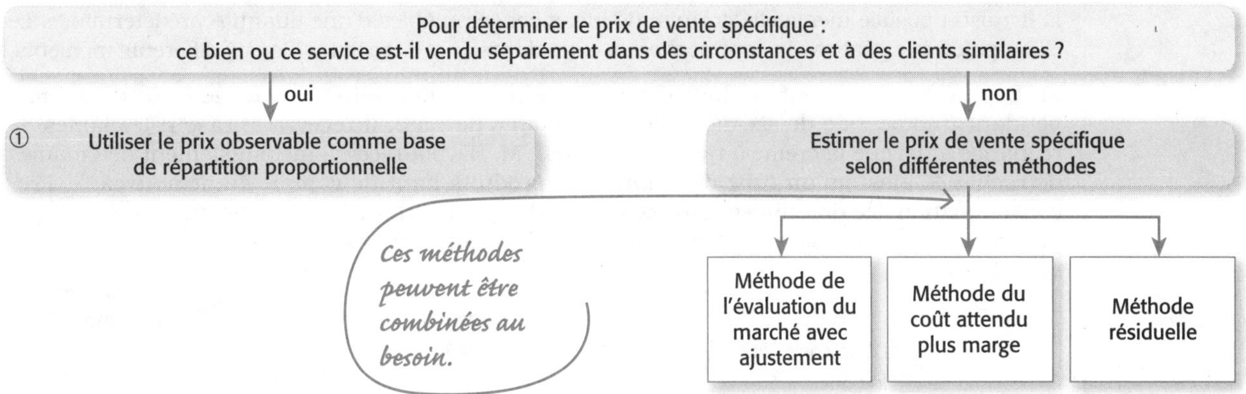
Pour déterminer le prix de vente spécifique :
ce bien ou ce service est-il vendu séparément dans des circonstances et à des clients similaires ?
oui
non
① Utiliser le prix observable comme base de répartition proportionnelle
Estimer le prix de vente spécifique selon différentes méthodes
Ces méthodes peuvent être combinées au besoin.
Méthode de l'évaluation du marché avec ajustement
Méthode du coût attendu plus marge
Méthode résiduelle

② Évaluer trois conditions à remplir pour affecter le rabais sur forfait ou la contrepartie variable à une ou à plusieurs obligations de prestation et non à l'ensemble de la transaction :

1. Vendre séparément de façon courante ces biens ou ces services (ou groupe de biens ou de services) ;
2. Vendre de façon courante ces biens ou ces services en un ou plusieurs groupes en accordant un rabais sur forfait ;
3. Constater que le rabais décrit au point 2 est essentiellement le même que celui qui est prévu dans le contrat.

Lorsque les prix de vente spécifiques ne sont pas observables directement sur le marché ou lorsqu'ils ne concernent pas des transactions similaires conclues avec des clients similaires, il se peut que l'entreprise doive plutôt les estimer, comme l'expliquera la prochaine sous-section.

Les méthodes d'estimation des prix de vente spécifiques

La partie de droite de la figure 20.9 présente trois méthodes d'évaluation des prix de vente spécifiques. La méthode de l'évaluation du marché avec ajustement permet de s'appuyer sur des prix de vente « externes », par exemple le prix fixé par des concurrents pour une obligation de prestation donnée. Avec cette méthode, on doit ajuster les prix de marché obtenus pour tenir compte des coûts et des marges du vendeur. La méthode du coût attendu plus marge consiste à établir le prix de vente spécifique à partir des coûts que l'entreprise compte engager pour remplir son obligation de prestation de service, auxquels l'entreprise ajoute le pourcentage de marge qu'elle entend réaliser à l'égard de la prestation donnée. Enfin, selon la méthode résiduelle, on soustrait du prix de transaction total l'ensemble des prix de vente spécifiques observés pour un certain nombre d'obligations de prestation indiquées dans le contrat en vue d'attribuer le solde aux obligations de prestation dont le prix n'a pu être déterminé. Cette méthode n'est toutefois autorisée que dans les circonstances où il n'est pas possible d'évaluer un prix de vente spécifique d'une ou de plusieurs obligations de prestation au contrat à partir des autres méthodes.

Dans certaines circonstances, on peut combiner diverses méthodes d'estimation pour autant que les prix de transaction qui en résultent reflètent adéquatement le montant de la contrepartie que l'entreprise recevra du client à l'égard de chacune des obligations de prestation prévues dans le contrat. L'utilisation d'une combinaison de méthodes peut être très utile lorsque, par exemple, les prix de vente spécifiques de deux biens précis sont plutôt incertains ou très variables et que le comptable a de la difficulté à les estimer. L'entreprise pourra alors commencer par établir le prix de vente spécifique des autres biens en utilisant le prix observable ou en l'estimant en fonction de la méthode de l'évaluation du marché avec ajustement ou de la méthode du coût attendu plus marge, selon le cas. Ensuite, la méthode résiduelle permettra de déterminer la portion du prix total relative aux deux biens précis dont on ne peut évaluer les prix de vente spécifiques. Finalement, le comptable aura besoin de combiner une autre méthode d'estimation afin de séparer le résiduel entre les deux biens en particulier. Pour ce faire, il devra utiliser son jugement professionnel.

EXEMPLE

Comparaison des méthodes d'estimation du prix de vente spécifique

La société Pro-consommation ltée offre des produits de consommation courante d'excellente qualité sur un site Internet qui propose des combinaisons illimitées de produits et donne ainsi l'occasion au client d'économiser une somme importante. De plus, le client peut conclure un contrat qui garantit la livraison postale mensuelle gratuite de biens consommables d'une quantité prédéterminée. Le client paie à la signature du contrat avec sa carte de crédit et il reçoit les biens à différents moments.

M. Barbot a acheté tout ce dont il aura besoin pour des soins de rasage haut de gamme pendant une période de six mois. Pour la somme de 75 $, il recevra le rasoir, les lames de rechange ainsi que la crème à raser moussante. M. Barbot recevra mensuellement deux lames de rechange ainsi qu'un tube de crème. Ces produits haut de gamme étant nouveaux, Pro-consommation ltée doit utiliser diverses méthodes pour estimer les prix effectuer la répartition du prix du contrat. Voici des informations sur les trois produits :

	Rasoir	Lame	Tube de crème à raser moussante
Prix de vente d'un compétiteur	30 $	3 $	10 $*
Coût de fabrication	20	1	4
Marge de Pro-consommation ltée	30 %	50 %	50 %

* Le prix de vente du compétiteur est habituellement de 3 $ supérieur au marché en raison de la popularité de ce produit.

Ces données permettent d'estimer les prix de vente spécifiques selon deux des méthodes citées précédemment. La méthode d'évaluation du marché avec ajustement tient compte du prix de vente des compétiteurs, tandis que la méthode du coût attendu plus marge nécessite les autres données présentées ci-dessus, soit le coût de fabrication et la marge de l'entreprise.

	Rasoir	Lame	Tube de crème à raser moussante
Évaluation du marché avec ajustement			
(30 $ × 1 unité)	30 $		
(3 $ × 12 unités)		36 $	
[(10 $ – 3 $) × 6 unités]			42 $
Coût attendu plus marge			
[20 $ + (20 $ × 30 %)]	26		
([1 $ + (1 $ × 50 %)] × 12 unités)		18	
([4 $ + (4 $ × 50 %)] × 6 unités)			36

Pro-consommation ltée peut alors répartir le prix de transaction de la façon suivante en fonction des deux méthodes :

	(1) Prix de vente spécifiques	(2) Proportion des prix de vente spécifiques	(3) Répartition du prix de transaction [75 $ × (2)]
Méthode de l'évaluation du marché avec ajustement			
Rasoir	30 $	28 %	21 $
Lames	36	33	25
Tubes de crème à raser moussante	42	39	29
Total	108 $	100 %	75 $
Méthode du coût attendu plus marge			
Rasoir	26 $	33 %	25 $
Lames	18	22	16
Tubes de crème à raser moussante	36	45	34
Total	80 $	100 %	75 $

Les produits à comptabiliser au regard de chacun des biens et des services représentent donc des montants différents selon la méthode (*voir la colonne de droite des deux calculs précédents*). Rappelons que l'entreprise doit choisir la méthode d'évaluation du prix de vente spécifique qui reflétera le mieux le montant de contrepartie auquel elle aura droit en échange de ces biens et services. La répartition du prix total de la transaction doit ensuite s'effectuer en proportion des prix de vente spécifiques. Ainsi, la portion du prix de transaction applicable au rasoir vendu pourrait représenter un montant de 21 $ ou de 25 $, selon la méthode retenue. Le jugement professionnel exercé dans le choix de la méthode d'évaluation qui reflète le mieux la réalité pourrait ici être affecté par l'objectif d'une comptabilisation hâtive des produits. En effet, la comptabilisation des produits relatifs à la vente du rasoir se faisant au début du contrat, le comptable pourrait se voir tenté de retenir la méthode du coût attendu plus marge, qui conduit à un produit plus élevé au moment de la vente.

L'exemple précédent a illustré le concept de base, mais quelques règles particulières s'appliquent toutefois à la répartition proportionnelle du rabais sur forfait et de la contrepartie variable.

Le **rabais sur forfait**[19] consenti au client pour l'achat d'un groupe de biens, c'est-à-dire l'excédent de la somme des prix de vente spécifiques de ces biens sur la contrepartie promise dans le contrat, est habituellement réparti de façon proportionnelle entre toutes les obligations de prestation, comme dans l'exemple précédent. Toutefois, l'IFRS 15 prévoit des situations où le rabais sur forfait doit plutôt être affecté à une ou plusieurs obligations de prestation et non à l'ensemble d'entre elles.

La répartition des rabais sur forfait et des contreparties variables

Comme mentionné précédemment, le prix de transaction à l'égard d'un contrat donné peut varier selon l'existence de rabais sur forfait ou d'une contrepartie variable. Au moment de procéder à la répartition du prix de transaction, il importe d'examiner si de tels rabais ou contreparties variables sont attribuables à l'ensemble du contrat ou seulement à certaines des obligations de prestation prévues.

Le paragraphe 82 de l'IFRS 15 expose les conditions à remplir pour affecter le rabais sur forfait ou la contrepartie variable à une ou plusieurs obligations de prestation et non à l'ensemble de la transaction. L'entreprise doit vendre séparément et régulièrement chaque bien ou service distinct (ou groupe de biens ou de services distincts) prévu dans le contrat. Elle doit également les vendre régulièrement en groupe de biens ou de services en accordant un rabais sur forfait sur les prix de vente spécifiques de ces biens ou services. De plus, le rabais sur forfait prévu dans le contrat doit être le même que celui qui est lié à chaque groupe de biens ou de services vendu séparément (*voir le rectangle ② de la figure 20.9*). L'entreprise doit pouvoir se fier à des éléments observables pour analyser chaque bien ou service qui compose le groupe.

EXEMPLE

Répartition d'un rabais sur forfait à un groupe de biens

La société Trio ltée vend les biens X, Y et Z séparément, en jumelant X et Y ou en groupant les trois biens. Les prix de vente spécifiques des biens X, Y et Z sont respectivement de 50 $, de 35 $ et de 20 $. La société offre un rabais sur forfait de 15 $ aux clients qui se procurent le duo de produits X et Y, d'où un prix de vente total de 70 $. Le même rabais de 15 $ s'applique au prix de vente du trio, soit 90 $. Ainsi, le prix de transaction du trio ne représente aucun avantage supplémentaire comparativement à celui du duo. C'est pourquoi l'entreprise doit répartir le rabais sur forfait de 15 $ entre les biens X et Y seulement en proportion des prix de vente spécifiques observables sur le marché.

20

19. Les paragraphes 81 à 83 de l'IFRS 15 font référence à la notion de remise pour désigner les rabais sur forfait. Par souci d'uniformité avec les autres chapitres du présent manuel, nous utilisons l'expression « rabais sur forfait ».

	Prix de vente spécifiques	Répartition du prix de transaction	
X	50 $	(50 $ ÷ 85 $ × 70 $)	41 $
Y	35	(35 $ ÷ 85 $ × 70 $)	29
(duo X et Y : 70 $)			
Z	20		20
Total	105 $		90 $

Différence NCECF

7 Un exemple d'application des cinq étapes du modèle de comptabilisation des produits

Différence NCECF

Voici un exemple complet qui permet de bien comprendre l'ensemble du modèle de comptabilisation des produits. Nous reprenons l'exemple de la société Sécuricom ltée donné à l'étape 2 (*voir la page 20.21*).

EXEMPLE

Analyse d'une transaction selon les cinq étapes du modèle de comptabilisation des produits

Le 1er décembre 20X3, la société Sécuricom ltée signe un nouveau contrat avec un client, Marmot ltée, comprenant la vente de 20 caméras de surveillance et les raccordements nécessaires, l'installation ainsi qu'un service de surveillance de 3 ans. Le montant total convenu de 500 000 $, avant taxes, est encaissable à la livraison du système. Cette dernière est prévue le 20 décembre 20X3 et l'installation s'échelonnera du 15 au 22 janvier 20X4. La société offre régulièrement à ses clients les mêmes biens et services d'une façon distincte. Les prix alors exigibles s'élèvent à 495 000 $ pour les caméras de surveillance et les raccordements, à 20 000 $ pour le service d'installation et à 5 000 $ par année pour le service de surveillance offert. Sécuricom ltée termine son exercice financier le 31 décembre.

Étape 1 : la validation de la présence d'un contrat

Le 1er décembre 20X3, Sécuricom ltée signe un contrat. Elle possède donc une entente écrite avec Marmot ltée qui indique la présence de droits exécutoires sur le plan légal. De plus, elle peut énumérer les obligations des deux parties. Pour sa part, elle a l'obligation de livrer les biens en question le 20 décembre 20X3, d'en faire l'installation plus tard et de fournir un service de surveillance. De son côté, Marmot ltée a l'obligation de verser la somme de 500 000 $ à la livraison des caméras de surveillance et du système de raccordement. Les conditions de paiement sont aussi prévues dans ce contrat, lequel a une substance commerciale. En effet, la transaction modifiera le montant des flux de trésorerie de Sécuricom ltée. Rien n'indique que Marmot ltée représente un risque anormal de recouvrement de la contrepartie et, de plus, la courte période comprise entre la date de signature du contrat le 1er décembre et la date de paiement le 20 décembre diminue de façon importante le risque de non-recouvrement. Pour toutes ces raisons, Sécuricom ltée peut conclure à la présence d'un contrat au 1er décembre 20X3 (*voir les rectangles ① à ⑤ de la figure 20.2*).

Étape 2 : la détermination des obligations de prestation

Comme expliqué à la section traitant de l'étape 2 du modèle de comptabilisation des produits, Sécuricom ltée a conclu à la présence de trois obligations de prestation distinctes, soit la fourniture des caméras de surveillance et du système de raccordement, les services d'installation ainsi que la prestation d'un service de surveillance pendant trois ans. Une analyse a alors permis de déterminer que les biens vendus, les services d'installation et les services de surveillance sont distincts, car les trois prestations sont aussi vendues de façon séparée à d'autres clients et l'installation ou le service de surveillance n'a pas pour effet de modifier ou d'adapter de façon importante les caméras et le système de raccordement vendus. Après la livraison des caméras et des raccordements, Marmot ltée peut en bénéficier en les combinant avec des ressources aisément disponibles (l'installation et le service de surveillance) et, ainsi, en tirer parti. De plus, les trois composantes de la transaction de vente représentent des promesses bien distinctes à l'intérieur du contrat, aucune d'entre elles ne dépendant d'une autre (*voir les rectangles ③ et ④ de la figure 20.4*).

Étape 3 : la comptabilisation du produit lorsque l'obligation de prestation est remplie

À cette étape, on doit déterminer le moment où l'on comptabilise les produits relatifs à chacune des obligations de prestation, soit la date de transfert de contrôle des caméras de surveillance et de leur raccordement, le moment de la prestation du service d'installation et le moment de la prestation du service de surveillance.

La livraison des caméras de surveillance et leur raccordement ont lieu le 20 décembre 20X3, moment où Marmot ltée prend possession du bien. Elle peut alors décider de son utilisation et en tirer la quasi-totalité des avantages restants ; le transfert de contrôle de cet actif s'effectue donc le 20 décembre 20X3 (*voir l'élément ① de la figure 20.5*).

L'installation du système se déroule du 15 au 22 janvier 20X4. À compter du 22 janvier, Marmot ltée peut bénéficier de cet avantage lié à la prestation du service d'installation. Sécuricom ltée doit comptabiliser le produit relatif à ce service rendu à ce moment précis du 22 janvier.

Enfin, Sécuricom ltée a aussi une obligation de prestation remplie progressivement, ayant trait au service de surveillance qu'elle offrira pendant trois ans (*voir la partie de droite de la figure 20.5*). En effet, Marmot ltée reçoit et consomme régulièrement les avantages procurés par ce service. Sécuricom ltée doit alors répartir la comptabilisation du produit sur la période totale de trois ans pendant laquelle elle fournira cette prestation, et ce, en fonction du degré d'avancement des travaux. L'estimation du degré d'avancement des travaux se fait de façon linéaire étant donné que Sécuricom ltée fournit le même service mensuellement. Entre le 22 janvier 20X4, moment où se termine l'installation du système de caméras de surveillance et où débute le service de surveillance, et le 22 janvier 20X7, Sécuricom ltée comptabilisera les produits liés à ce service.

Étape 4 : la détermination du prix de transaction

Le prix de transaction stipulé dans le contrat, soit 500 000 $, ne tient pas compte des taxes à la consommation ni d'une composante financement importante. En effet, le montant devient exigible du client dès la livraison des caméras de surveillance.

Étape 5 : la répartition du prix de transaction entre les obligations de prestation

La répartition proportionnelle s'effectue en fonction des prix observables de ces mêmes biens et services distincts vendus auprès des clients de Sécuricom ltée dans des contrats offrant des conditions similaires (*voir le rectangle ① de la figure 20.9*). Voici le calcul lié à la répartition proportionnelle en fonction des prix de vente observables des trois obligations de prestation de ce contrat conclu avec Marmot ltée, suivi des écritures de journal requises dans les livres de Sécuricom ltée :

	(1) Prix de vente observables	(2) Proportion des prix de vente observables	(3) Prix de transaction [500 000 $ × (2)]
Caméras de surveillance et raccordement	495 000 $	95 %	475 000 $
Service d'installation	10 000	2	10 000
Service de surveillance (5 000 $ × 3 ans)	15 000	3	15 000
Total	520 000 $	100 %	500 000 $

20 décembre 20X3

Caisse	*500 000*	
Produits – Ventes des caméras		*475 000*
Produits différés – Services d'installation et de surveillance		*25 000*

Entente avec un client couvrant la vente de caméras et de services d'installation et de surveillance.

31 décembre 20X3 – fin de l'exercice

Aucune transaction ; aucun service n'est rendu entre le 20 décembre et le 31 décembre.

22 janvier 20X4

Produits différés	*10 000*	
Produits – Services d'installation		*10 000*

Produits des activités liées aux services d'installation.

31 décembre 20X4		
Produits différés	*4 583*	
Produits – Services de surveillance		*4 583*
Produits des activités liées aux services de surveillance rendus pendant 11 mois en 20X4 (15 000 $ ÷ 3 ans × 11 mois ÷ 12 mois). La prestation de services a débuté le 22 janvier, soit près d'un mois après la date d'ouverture de l'exercice financier.		

Différence NCECF

 Les situations particulières de la comptabilisation des produits provenant des clients

Différence NCECF

Les transactions de vente peuvent prendre des formes différentes pour lesquelles l'analyse des cinq étapes du modèle de comptabilisation des produits soulève certaines questions. C'est le cas, par exemple, des ventes assorties d'un droit de retour ou d'une garantie, des ventes faites par une entreprise qui agit comme mandataire, des biens et services offerts en option, des biens à livrer et des ventes subordonnées à l'acceptation du client. Ces situations seront analysées dans la présente section.

Les ventes assorties d'un droit de retour

Même lorsqu'une vente a eu lieu, il est parfois nécessaire de différer la comptabilisation des produits qui en découlent en raison de l'existence de droits de retour. Pensons par exemple à une maison d'édition qui donne aux libraires un droit de retour des invendus. Un tel droit entraîne une incertitude relative à l'estimation des produits en raison de la contrepartie variable qu'il représente. Comme le précise l'IFRS 15, les produits liés à une contrepartie variable sont comptabilisés seulement lorsqu'il est hautement probable que l'on ne diminuera pas de façon importante le montant initialement comptabilisé. On ne peut pas comptabiliser une contrepartie variable s'il existe une incertitude relative à un retour des marchandises par le client. Il en est ainsi, par exemple, lorsque les retours sont imprévisibles dans un contexte où le marché est peu connu. Ce serait aussi le cas si le type de biens vendus était nouveau et que, de ce fait, le vendeur n'avait aucun historique de retours.

Par conséquent, l'entreprise ne doit pas comptabiliser le montant total de la transaction à titre de produits si elle s'attend à un retour. Elle doit plutôt estimer la valeur de ce retour possible en utilisant l'une des deux méthodes d'estimation de contrepartie variable traitées précédemment dans la section relative à l'étape 4. Le produit à comptabiliser représente le montant qu'il est hautement probable, selon l'entreprise, qu'elle n'aura pas à rembourser. Elle comptabilise aussi un **passif au titre des remboursements futurs**, lequel représente la contrepartie que la société prévoit devoir rembourser. Dans le cadre d'un droit de retour possible, l'entreprise conserve ainsi le droit de récupérer les biens vendus lorsque le client les retourne ; ces biens doivent alors être présentés à titre d'actifs comme un droit de récupérer des stocks dans l'état de la situation financière, et non pas à titre de stocks, car les articles ont été livrés au client. L'évaluation de cet actif s'effectue en fonction du coût du bien, diminué des coûts prévus pour récupérer l'actif et de la perte de valeur possible de ce stock. De plus, la valeur comptable de ces articles doit être portée en diminution du coût des ventes du fait que ces ventes ne sont pas comptabilisées immédiatement en produits.

EXEMPLE

Droits de retour de livres

La maison d'édition Publitout ltée vend des livres à crédit et offre à ses clients la possibilité de lui retourner les invendus pendant une période de six mois après la livraison. L'expérience acquise par la maison d'édition indique que les retours de livres correspondent à environ 10 % des ventes annuelles. Le 1er janvier 20X3, une commande spéciale d'un grossiste d'un montant de 410 000 $ avant taxes a été signée et la livraison a été effectuée le 31 janvier 20X3. Le 1er mars 20X3, la société émet une note de crédit d'un montant de 20 000 $ pour des marchandises retournées. Le 15 mars 20X3, Publitout ltée encaisse le montant net de cette vente. La fin d'exercice de la société est le 31 mars 20X3. Voici les écritures de journal enregistrées en 20X3, sachant que l'entreprise utilise un système d'inventaire permanent et que la marge brute est de 30 %.

	Débit	Crédit
31 janvier 20X3		
Clients	*410 000*	
Passif au titre des remboursements futurs		*41 000*
Produits provenant des clients		*369 000*
Ventes à crédit et retours possibles estimés à 10 % des ventes.		
Coût des ventes	*287 000*	
Stock de marchandises		*287 000*
Coût des marchandises vendues (410 000 $ × 70 %).		
Droit de récupérer des stocks	*28 700*	
Coût des ventes		*28 700*
Coût des marchandises qui pourraient être reprises en cas de retours (41 000 $ × 70 %).		
1er mars 20X3		
Passif au titre des remboursements futurs	*20 000*	
Clients		*20 000*
Décomptabilisation du montant à recevoir du client en raison du retour des marchandises.		
Stock de marchandises	*14 000*	
Droit de récupérer des stocks		*14 000*
Réinscription des marchandises retournées en stock (20 000 $ × 70 %).		
15 mars 20X3		
Caisse	*390 000*	
Clients		*390 000*
Encaissement du montant net, après le retour de marchandises (410 000 $ – 20 000 $).		

Après la période de retours possibles de six mois, soit le 31 juillet 20X3, l'entreprise doit régulariser ainsi ses comptes afin de tenir compte du fait qu'aucun remboursement n'est possible désormais :

	Débit	Crédit
31 juillet 20X3		
Passif au titre des remboursements futurs	*21 000*	
Produits provenant des clients		*21 000*
Virement du passif au titre des remboursements futurs en produits de l'exercice (41 000 $ – 20 000 $).		
Coût des ventes	*14 700*	
Droit de récupérer des stocks		*14 700*
Coût des ventes relatif aux marchandises qui ne peuvent plus être retournées par le client (28 700 $ – 14 000 $).		

Voici les comptes en T des deux exercices relativement à ces écritures comptables :

Droit de récupérer des stocks

	Débit	Crédit
	28 700	*14 000*
Solde 20X3	***14 700***	
		14 700
Solde 20X4	***0***	

Clients

	Débit	Crédit
	410 000	*20 000*
		390 000
Solde 20X3	***0***	

Passif au titre des remboursements futurs

Débit	Crédit	
20 000	*41 000*	
	21 000	*Solde 20X3*
21 000		
	0	*Solde 20X4*

Produits provenant des clients[20]

Débit	Crédit	
	369 000	
	369 000	*Cumulatif 20X3*
	21 000	
	390 000	*Cumulatif 20X4*

Coût des ventes[20]

	Débit	Crédit
	287 000	*28 700*
Cumulatif 20X3	***258 300***	
	14 700	
Cumulatif 20X4	***273 000***	

Ces comptes en T permettent de constater qu'en tout temps, le coût des ventes représente 70 % des produits enregistrés. En effet, en 20X3, Publitout ltée comptabilise des produits de 369 000 $ et un coût des ventes de 258 300 $, ce qui correspond effectivement à 70 % des produits. À la fin de la période de retours de 6 mois, soit le 31 juillet 20X3, le client a bénéficié du droit de retour d'un montant de 20 000 $ sur le total provisionné de 41 000 $. Le droit étant échu, Publitout ltée n'a plus aucune obligation d'accepter les retours de son client et de lui émettre une note de crédit. De ce fait, dans l'exercice terminé le 31 mars 20X4, la société doit virer le solde du compte Passif au titre des remboursements futurs, soit 21 000 $, en produit de l'exercice. Conséquemment, la société vire le solde de 14 700 $ du compte d'actif Droit de récupérer des stocks dans le compte Coût des ventes. Le coût des ventes total (273 000 $) représente également 70 % des produits totaux comptabilisés (390 000 $).

Si le retour porte sur un échange d'un actif contre un autre affichant les mêmes caractéristiques pour ce qui est de la qualité, du prix et des attributs, mais que le client souhaite par exemple obtenir un actif d'une autre couleur ou d'une autre grandeur, cet échange n'est pas considéré comme un retour. Si le droit de retourner l'actif se limite plutôt au remplacement d'un actif défectueux par un autre en bon état, cette situation est traitée, du point de vue comptable, comme une garantie offerte dans un contrat, ce qui fera l'objet de la prochaine sous-section.

Les ventes assorties d'une garantie

Les garanties offertes dans un contrat peuvent varier considérablement en fonction des secteurs d'activité, des lois en vigueur et des pratiques commerciales habituelles des entreprises. L'IASB mentionne deux types de garanties et précise le traitement comptable approprié à chacun. La figure 20.10 présente les types de garanties avec des exemples.

Afin de déterminer si la garantie couvre un service en plus de fournir l'assurance que l'actif visé fonctionnera comme prévu et qu'il est conforme aux spécifications convenues (*voir la partie de droite de la figure 20.10*), le paragraphe B31 de l'IFRS 15 propose l'analyse des trois facteurs suivants :

1. L'obligation légale de fournir la garantie : la garantie ne correspond pas à une obligation de prestation distincte s'il existe une obligation légale de la fournir ; on cherche alors à protéger le client contre un défaut de l'actif.

20. Nous présentons, dans ces deux comptes en T, l'effet cumulatif des écritures de journal afin d'obtenir une vue d'ensemble de la situation. Le lecteur averti notera toutefois que, puisqu'il s'agit de comptes de résultat, ceux-ci auraient effectivement fait l'objet d'écritures de clôture ramenant leur solde respectif à zéro, à la fin de chacun des exercices financiers.

FIGURE 20.10 Les deux types de garanties

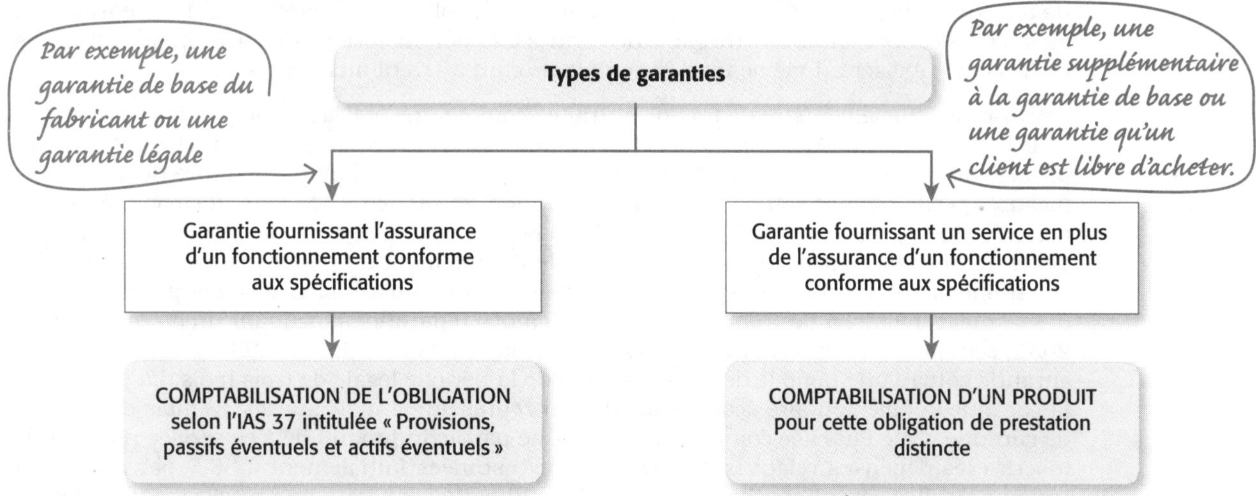

2. La durée de la garantie : lorsque la garantie couvre une longue période, il est probable qu'elle constitue une obligation de prestation distincte du fait que l'entreprise fournit un service en plus de l'assurance que l'actif visé est conforme aux spécifications convenues.
3. La nature des tâches promises par l'entreprise : si des tâches sont nécessaires pour assurer que l'actif est conforme aux spécifications convenues, par exemple assurer le transport des actifs défectueux ou fournir les pièces de remplacement, ces tâches ne représentent pas un service distinct.

EXEMPLE

Garantie légale et option d'acheter une garantie supplémentaire

La société Café Plus ltée fabrique et vend des cafetières pour usage résidentiel et commercial. La garantie de base du fabricant, laquelle couvre 3 mois, peut être bonifiée par l'achat d'une garantie supplémentaire de un an pour la somme de 100 $. Cette transaction comporte deux garanties : la garantie de base, qui a pour but de fournir l'assurance que la cafetière visée fonctionnera conformément aux spécifications convenues, et la garantie supplémentaire, qui est vendue séparément et qui prolonge de un an le service de garantie. Le 1er février 20X1, Café Plus ltée a vendu au comptant 100 cafetières, au prix de vente unitaire de 500 $, à des clients qui ont tous acheté la garantie supplémentaire. Se basant sur son expérience, Café Plus ltée estime qu'elle devra remplacer 2 % des cafetières vendues au cours des trois mois suivant la vente et que le coût de remplacement d'une cafetière sera de 275 $. Elle prévoit aussi qu'elle déboursera en moyenne 36 $ pour chaque garantie prolongée. La fin de l'exercice financier est le 31 août.

Voici les écritures de journal requises dans les livres de Café Plus ltée :

1er février 20X1		
Caisse [100 unités × (500 $ + 100 $)]	*60 000*	
Produits provenant de clients		*50 000*
Produits différés – Garantie supplémentaire		*10 000*
Vente de 100 cafetières et de la garantie supplémentaire.		
Charge liée à la garantie légale	*550*	
Provision pour la garantie légale		*550*
Estimation du coût de la garantie de base (275 $ × 100 unités × 2 %).		
31 août 20X1 – fin d'exercice		
Produits différés – Garantie supplémentaire	*3 333*	
Produits provenant de clients		*3 333*
Produits des activités liées au service de garantie supplémentaire d'une durée de un an débutant le 1er mai 20X1 (10 000 $ × 4 mois ÷ 12 mois).		

20

La garantie de base doit être comptabilisée à titre de provisions selon l'**IAS 37** (*voir la partie de gauche de la figure 20.10*). Comme nous l'avons expliqué au chapitre 12, l'entreprise doit estimer les coûts relatifs à cette garantie en utilisant son historique des transactions passées et les comptabiliser au même moment que le produit afférent aux ventes.

La garantie supplémentaire de un an est traitée comme une obligation de prestation distincte (*voir la partie de droite de la figure 20.10*). Comme nous l'avons expliqué dans le présent chapitre, l'entreprise évalue le prix de transaction à 100 $ et le comptabilise à titre de produits à mesure qu'elle remplit son obligation de prestation de service. Café Plus ltée comptabilisera donc de façon progressive la somme de 100 $ pendant cette période de un an. Elle établit le degré d'avancement des travaux en fonction de l'écoulement du temps. En effet, elle rend de façon linéaire le service, soit celui d'offrir une garantie et d'assumer des charges relatives à des remplacements, à des remboursements ou à des réparations, pendant un an. Au 31 août 20X1, sept mois se sont écoulés depuis la date de la vente du 1er février 20X1. La vente de cette garantie couvre une période de un an en plus de la période légale de trois mois. La période de la garantie supplémentaire écoulée au 31 août représente 4 mois sur les 12 mois du contrat de garantie. Café Plus ltée comptabilise donc une partie du produit lié à ce service rendu. Elle inscrira les dépenses relatives à cette garantie, estimées initialement à 36 $ par contrat, à mesure qu'elles seront engagées. Puisque Café Plus ltée constate progressivement le service rendu pendant les 12 mois du contrat, elle n'a pas à comptabiliser la charge correspondante au moment de la vente.

L'entreprise qui agit pour son propre compte ou comme mandataire

Les situations précédentes mettent en présence un client et une entreprise responsable de rendre le service ou de livrer le bien promis dans le contrat. Or, il peut arriver qu'une tierce partie intervienne dans la fourniture du bien ou du service. La question est alors de savoir si l'entreprise agit pour son propre compte ou comme mandataire.

L'**entreprise agissant pour son propre compte** est celle qui fait la promesse à son client de remplir elle-même l'obligation de prestation à l'égard du bien ou du service distinct. Le **mandataire**, quant à lui, est celui qui prend les dispositions voulues pour qu'un tiers remplisse l'obligation de prestation à l'égard du bien ou du service distinct. En présence d'une tierce partie, l'entreprise doit déterminer qui est responsable de chacun des biens ou des services distincts offerts dans le contrat. La figure 20.11 présente les éléments à analyser afin de déterminer si l'entreprise agit pour son propre compte ou à titre de mandataire.

FIGURE 20.11 La distinction entre l'entreprise agissant pour son propre compte ou à titre de mandataire en présence d'une tierce partie

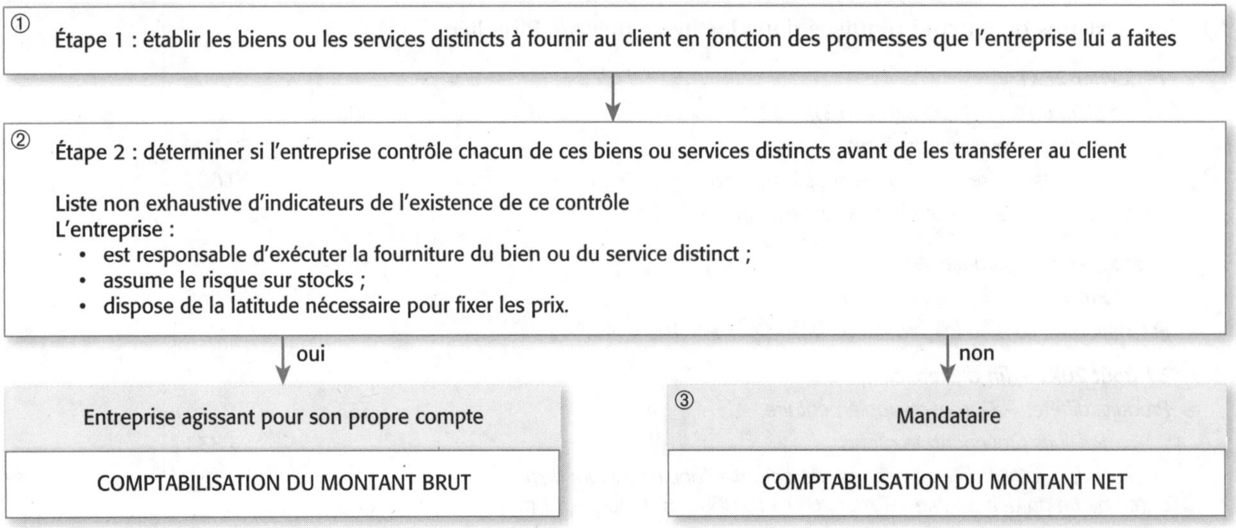

① Étape 1 : établir les biens ou les services distincts à fournir au client en fonction des promesses que l'entreprise lui a faites

↓

② Étape 2 : déterminer si l'entreprise contrôle chacun de ces biens ou services distincts avant de les transférer au client

Liste non exhaustive d'indicateurs de l'existence de ce contrôle
L'entreprise :
- est responsable d'exécuter la fourniture du bien ou du service distinct ;
- assume le risque sur stocks ;
- dispose de la latitude nécessaire pour fixer les prix.

oui	non
Entreprise agissant pour son propre compte	③ Mandataire
COMPTABILISATION DU MONTANT BRUT	COMPTABILISATION DU MONTANT NET

20

Le rectangle ① de la figure 20.11 indique que la première étape de l'analyse consiste à établir les biens ou les services distincts promis au client. Pour ce faire, l'entreprise se fonde sur l'étape 2 du modèle de comptabilisation des produits, présenté dans la figure 20.1, qui consiste à déterminer les obligations de prestation. Pour chacun des biens ou services établis, l'étape 2 de la figure 20.11 consiste à déterminer si l'entreprise contrôle ou non le bien ou le service distinct avant de le transférer au client dans le cadre de l'opération de vente. Pour ce faire, le paragraphe B37 de l'IFRS 15 propose une liste non exhaustive d'indicateurs, qui sont énumérés dans le rectangle ② de la figure 20.11. Rappelons que le contrôle d'un actif reflète la capacité de décider de son utilisation et d'en retirer des avantages économiques. Le premier indicateur, soit le fait que l'entreprise assume la responsabilité d'exécuter le contrat, peut dénoter un certain contrôle sur le bien ou le service. En effet, l'entreprise peut alors décider des actions à entreprendre pour respecter son engagement et, de ce fait, elle assume également un risque lié à cette transaction. Le deuxième indicateur s'intéresse à l'entreprise qui assume le risque sur stocks avant de transférer l'actif au client ou même, après sa livraison, pour ce qui est du risque lié aux retours de marchandises. L'entreprise qui assume ce risque détient habituellement la capacité de retirer des avantages économiques du fait qu'elle peut tirer avantage de la détention du stock. Le dernier indicateur porte sur la latitude dont dispose l'entreprise pour fixer les prix de vente. Cette latitude dénote un certain contrôle sur l'actif, car c'est le signe que c'est l'entreprise qui détermine le montant des avantages économiques à en retirer.

Ces indicateurs peuvent être plus ou moins pertinents selon le contexte. Ils ne sont que des points de repère et ne doivent en aucun cas remplacer l'appréciation de la notion de contrôle. Cette dernière est prépondérante dans l'analyse de la situation afin de déterminer si l'entreprise agit pour son propre compte ou à titre de mandataire quand une tierce partie s'implique dans la prestation d'un bien ou d'un service. Cette analyse importante aura un impact significatif sur la présentation de l'information financière. L'entreprise qui agit pour son propre compte et qui a la responsabilité de fournir le bien ou le service devra présenter ses produits en fonction du prix de transaction total stipulé dans le contrat. Elle devra aussi enregistrer une charge afférente aux services rendus par la tierce partie, le mandataire. L'entreprise qui agit plutôt à titre de mandataire devra comptabiliser uniquement le montant net des produits, c'est-à-dire le produit lié à la commission reçue ou le montant net de la contrepartie reçue après avoir payé le tiers qui a fourni le bien ou le service au client (*voir le rectangle ③ de la figure 20.11*), et non pas le produit total lié au bien ou au service fourni au client.

EXEMPLE

Prestation offerte à titre de mandataire

La société Promotion ltée gère un site Internet d'achats en groupes. Les clients obtiennent des rabais substantiels à l'achat de bons d'échange ou de biens et services ciblés par différents fournisseurs. Les bons d'échange portent notamment sur des services de restauration et de massage, services offerts par divers restaurants ou spas. De plus, les biens et services vendus sur le site Internet concernent des ententes préalables avec les fournisseurs. Ces fournisseurs doivent livrer le bien ou rendre le service dès qu'un client utilise son bon pour profiter de la promotion. Le client paie par carte de crédit au moment de l'achat du bon d'échange ou de la marchandise convoitée. Promotion ltée n'achète pas des fournisseurs les marchandises en question ; les fournisseurs conservent la responsabilité de livrer le bien après son achat sur le site Internet. Promotion ltée n'acquiert pas non plus un lot de bons d'échange pour ensuite les revendre. La société reçoit le paiement du client, qui est non remboursable, conserve 20 % des sommes ainsi reçues et remet le solde aux fournisseurs en question. Conformément à son programme de satisfaction de la clientèle, Promotion ltée offre un service d'assistance à ses clients qui adressent des plaintes directement aux fournisseurs. Toutefois, les fournisseurs assument l'entière responsabilité de remplir leurs obligations et de voir à la satisfaction de leurs clients.

Le 25 mai 20X3, Promotion ltée a vendu un bon d'échange de 100 $ pour un souper 4 services pour 2 personnes dans un restaurant. Elle effectue les paiements aux fournisseurs de biens et de services à la fin de chaque mois.

Dans ce modèle d'affaires, Promotion ltée conclut des transactions de vente qui impliquent des fournisseurs de biens et services. Elle doit donc établir si elle agit pour son propre compte ou à titre de mandataire. Pour ce faire, elle doit d'abord déterminer le bien ou le service offert au client, non pas sous l'angle de ses activités et de celles des fournisseurs, mais bien sous l'angle du client (*voir le rectangle ① de la figure 20.11*). La promesse faite au client concerne le fait de bénéficier du bien ou du service acheté à rabais. Le service d'intermédiation et le service

20

d'assistance offerts par Promotion ltée ne représentent donc pas des obligations de prestation distincte. Un seul bien ou service est offert au client, soit celui de livrer une marchandise ou de rendre un service à rabais quand le client utilise son bon d'échange.

Promotion ltée doit aussi déterminer si elle contrôle les biens et les services offerts avant leur transfert au client (*voir le rectangle ② de la figure 20.11*). Plusieurs facteurs portent à conclure que Promotion ltée ne contrôle pas les biens et les services offerts et qu'elle agit à titre de mandataire dans ces transactions de vente. En effet, la société n'est pas responsable de fournir elle-même le bien ou le service en échange du bon vendu. L'entreprise n'est également pas responsable du risque sur stocks, car elle n'acquiert pas au préalable les biens vendus ; le fournisseur conserve la responsabilité de livrer lui-même la marchandise. De plus, la fixation des prix s'effectue de concert entre Promotion ltée et le fournisseur du bien ou du service. On en conclut que Promotion ltée n'a pas la latitude nécessaire pour modifier les prix elle-même. Promotion ltée doit donc, à titre de mandataire, comptabiliser sa commission de 20 % des prix de transaction à titre de produits de l'exercice (*voir le rectangle ③ de la figure 20.11*). La somme de 80 % restante représente une somme encaissée pour le compte d'un tiers et Promotion ltée sert uniquement d'intermédiaire entre le client et le fournisseur du bien ou du service. C'est pourquoi elle ne comptabilise aucun produit ni aucune charge pour cet encaissement fait pour le compte d'un tiers. Voici les écritures de journal requises dans les livres de Promotion ltée :

25 mai 20X3		
Caisse	*100*	
Produits provenant des clients (100 $ × 20 %)		*20*
Sommes perçues pour les fournisseurs (100 $ × 80 %)		*80*
Ventes effectuées pour le compte de tiers.		
31 mai 20X3		
Sommes perçues pour les fournisseurs	*80*	
Caisse		*80*
Paiement des sommes mensuelles perçues pour le compte de tiers.		

Un autre fait important à noter concerne la question de la sous-traitance dans la fourniture de l'obligation de prestation. On doit faire preuve de prudence dans l'évaluation du contrôle des biens ou services avant leur transfert au client. Il est possible de faire appel à des sous-traitants dans l'exécution du contrat sans pour autant perdre le contrôle du bien ou du service promis au client.

Les biens ou les services supplémentaires offerts en option

Dans les secteurs d'activité où la concurrence est vive, les entreprises inventent une multitude de moyens pour attirer et fidéliser les clients. En plus d'adopter une politique énergique en matière de fixation des prix et d'élaborer des campagnes de publicité, certaines entreprises mettent sur pied des **programmes de fidélisation** offrant notamment des bons de réduction ou divers cadeaux.

Au fil des ans, ces outils de promotion sont devenus très populaires. Pensons, par exemple, aux grands magasins tels que Sears ou La Baie qui ont créé des clubs d'achats permettant à leurs clients d'accumuler, avec chacun de leurs achats, des points qu'ils peuvent ensuite convertir en cadeaux ou en réductions de prix lors d'achats subséquents. Ces programmes visent à fidéliser les clients en les incitant à faire leurs achats futurs auprès de l'entreprise pour avoir droit à des cadeaux. Plusieurs compagnies aériennes ont imaginé des programmes semblables permettant aux voyageurs d'accumuler des points chaque fois qu'ils achètent des billets d'avion. L'un de ces programmes, soit Air Miles, a atteint une telle popularité qu'il est maintenant utilisé par des marchands faisant affaire dans d'autres secteurs d'activité. D'autres magasins, comme Canadian Tire, offrent des remises en argent que les clients peuvent utiliser pour payer leurs achats ultérieurs. Comme on peut le constater, les outils de promotion sont variés.

Ces exemples d'outils de promotion permettent au client d'acquérir des biens ou des services supplémentaires gratuitement ou à un prix inférieur au prix de vente spécifique. Dans cette sous-section, nous traiterons de la comptabilisation de ces options offertes au client dans le cadre d'une opération de vente. La figure 20.12 illustre les différents concepts qui seront analysés.

FIGURE 20.12 Les biens ou les services supplémentaires offerts en option

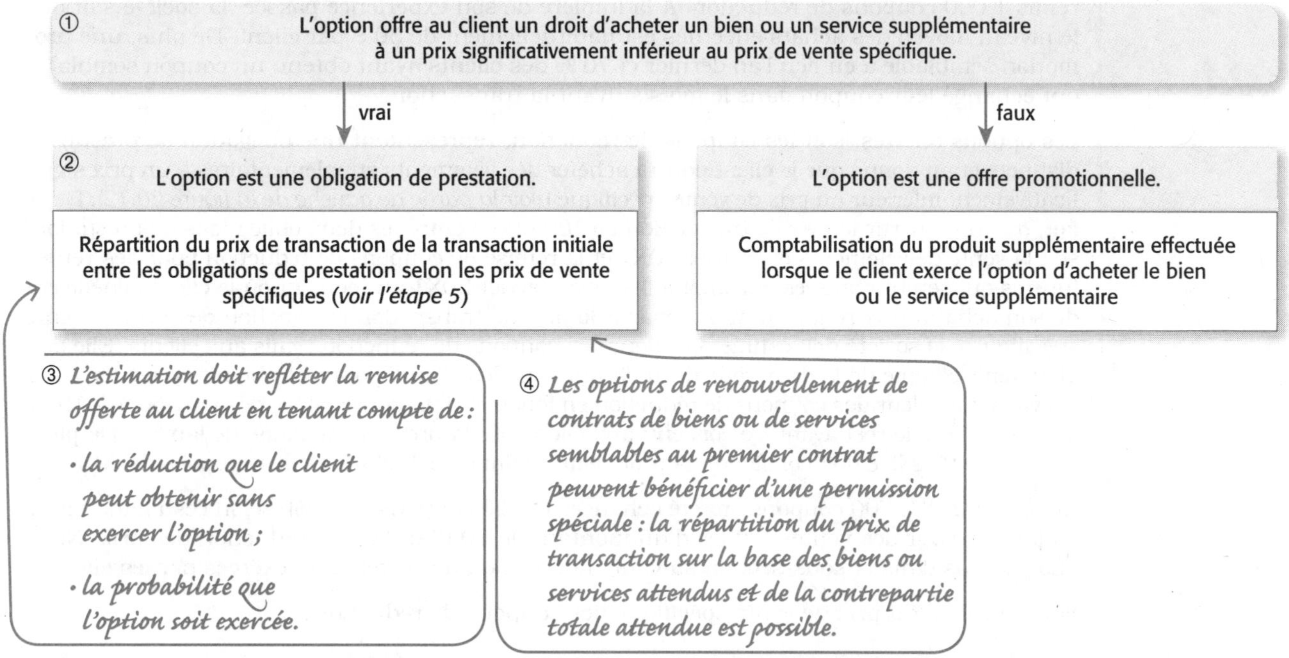

① L'option offre au client un droit d'acheter un bien ou un service supplémentaire à un prix significativement inférieur au prix de vente spécifique.

vrai

② L'option est une obligation de prestation.

Répartition du prix de transaction de la transaction initiale entre les obligations de prestation selon les prix de vente spécifiques (*voir l'étape 5*)

faux

L'option est une offre promotionnelle.

Comptabilisation du produit supplémentaire effectuée lorsque le client exerce l'option d'acheter le bien ou le service supplémentaire

③ *L'estimation doit refléter la remise offerte au client en tenant compte de :*

- *la réduction que le client peut obtenir sans exercer l'option ;*
- *la probabilité que l'option soit exercée.*

④ *Les options de renouvellement de contrats de biens ou de services semblables au premier contrat peuvent bénéficier d'une permission spéciale : la répartition du prix de transaction sur la base des biens ou services attendus et de la contrepartie totale attendue est possible.*

Premièrement, afin de déterminer le traitement comptable approprié pour ces options, le comptable doit évaluer si l'option offre la possibilité au client d'acheter un bien ou un service supplémentaire à un prix significativement inférieur au prix de vente spécifique (*voir le rectangle* ① *de la figure 20.12*). Supposons un contrat de téléphonie cellulaire qui offre la possibilité au client d'utiliser un forfait d'un nombre maximal de minutes pour les appels interurbains. Un prix unitaire de 0,05 $ la minute est prévu pour l'utilisation excédentaire effectuée par tous ces clients. Même si c'est le contrat initial qui permet au client d'utiliser plus de minutes d'appels interurbains, le prix, équivalent à celui exigé de tous les consommateurs, n'est pas significativement inférieur, car il est égal à ce qui est offert sur le marché. De ce fait, l'option est alors considérée comme une offre promotionnelle et la comptabilisation des produits liés à cette utilisation excédentaire s'effectue au moment où le client utilisera le service en question (*voir la partie de droite de la figure 20.12*).

Certaines options offrent le droit d'acheter des biens supplémentaires à un prix significativement réduit, par exemple un coupon donnant droit à une réduction de 50 % du prix qui est remis à un client ayant acheté des marchandises. L'option est considérée comme une obligation de prestation distincte parce que le client a payé une partie de son prochain achat tout de suite (*voir le rectangle* ② *de la figure 20.12*). Le comptable doit donc répartir le prix de transaction de la vente entre les deux obligations de prestation, soit la vente de marchandises et la vente d'un coupon de réduction de 50 % pour un achat subséquent. Rappelons que la répartition du prix de transaction entre les obligations de prestation a été analysée dans la section de ce chapitre traitant de l'étape 5 du modèle de comptabilisation des produits (*voir la figure 20.9*). Pour ce faire, on doit estimer la valeur du coupon de réduction offert au client en tenant compte de toute réduction de prix que le client peut obtenir sans exercer son option et de la probabilité que cette option soit exercée (*voir l'élément* ③ *de la figure 20.12*).

20

EXEMPLE

Coupon de réduction pour acheter des biens supplémentaires

La société Vêtements Plus ltée offre un coupon pour une réduction de 50 % sur un achat effectué en février 20X1. La promotion est valable pour la première semaine de janvier 20X1 seulement. En février, Vêtements Plus ltée prévoit offrir une démarque de 10 % à tous les clients, et ce, peu importe le niveau des achats effectués par ces derniers.

Les ventes de la première semaine de janvier s'élèvent à 100 000 $ et Vêtements Plus ltée a remis 1 000 coupons de réduction. À la lumière de son expérience passée, la société sait que le niveau moyen des achats effectués est habituellement de 50 $ par client. De plus, une promotion semblable a eu lieu l'an dernier et 70 % des clients ayant obtenu un coupon semblable ont échangé leur coupon dans le mois suivant la transaction.

Les options offertes, soit les coupons de réduction, représentent une obligation de prestation distincte étant donné que le client pourra acheter des vêtements supplémentaires à un prix significativement inférieur au prix de vente spécifique (*voir la partie de gauche de la figure 20.12*). De ce fait, on doit répartir le prix de transaction de 100 000 $ entre les deux obligations de prestation, soit la vente de vêtements en janvier 20X1 et la remise de coupons de réduction pour des ventes futures qui seront réalisées et comptabilisées en février 20X1 au moment où le client bénéficiera de son achat à prix réduit. Afin de répartir le prix de transaction en fonction des prix de vente spécifiques, la société doit estimer la valeur des coupons de réduction remis aux clients. Elle doit alors tenir compte de la démarque de 10 % que tous les clients pourront obtenir en février 20X1 et évaluer la valeur des coupons de réduction en fonction d'un pourcentage de 40 % (50 % – 10 %) afin de refléter le réel avantage consenti aux clients de la première semaine de janvier. De plus, Vêtements Plus ltée doit considérer la probabilité estimative d'échanges des coupons de 70 %.

En février 20X1, 700 coupons ont été échangés (1 000 coupons × 70 %), selon l'estimation faite en janvier pour des ventes totales d'un montant de 50 000 $ après réduction des prix. Nous analyserons dans la sous-section suivante la question des droits non exercés par les clients.

Voici le calcul du prix de vente spécifique des coupons de réduction :

Nombre de coupons émis		1 000
Estimation du pourcentage de coupons échangés	×	70 %
Niveau moyen des achats	×	50 $
Valeur totale des achats avec coupons		35 000 $
Réduction de prix offerte à ces clients	×	40 %
Valeur spécifique des coupons de réduction		14 000 $

	(1) Prix de vente spécifiques	(2) Proportion des prix de vente spécifiques	(3) Répartition du prix de transaction [100 000 $ × (2)]
Vêtements	100 000 $	88 %	88 000 $
Coupons de réduction	14 000	12	12 000
Total	114 000 $	100 %	100 000 $

Voici les écritures de journal requises dans les livres de Vêtements Plus ltée :

	Débit	Crédit
Première semaine de janvier 20X1		
Caisse	*100 000*	
Produits – Ventes de vêtements		*88 000*
Produits différés – Coupons de réduction		*12 000*
Vente de vêtements de la semaine et promotion liée à des coupons de réduction pour des achats à effectuer en février.		
28 février 20X1		
Caisse	*50 000*	
Produits – Ventes de vêtements		*50 000*
Vente de vêtements pour le mois de février.		
Produits différés – Coupons de réduction	*12 000*	
Produits – Ventes de vêtements		*12 000*
Valeur des coupons de réduction remis aux clients en janvier et utilisés en février.		

Vêtements Plus ltée doit enregistrer la valeur relative aux coupons de réduction à titre de produits uniquement au moment où le client bénéficie de son option.

20

Les renouvellements de contrats peuvent également représenter des options offertes aux clients permettant la reconduction d'un contrat à un prix de faveur significativement inférieur à celui du marché. Pour un renouvellement de biens ou de services semblables, l'IASB permet de répartir le prix de transaction sur la base des biens et des services attendus et de la contrepartie totale attendue (*voir l'élément ④ de la figure 20.12*).

EXEMPLE

Renouvellement de contrats de biens semblables

Le 1er janvier 20X1, la société Renouvellement ltée conclut un contrat avec le client Bonno ltée pour la vente de 100 unités d'une marchandise à un prix unitaire de 10 $. Une option de renouvellement permettra à ce client d'acheter 50 unités de plus en 20X2 à un prix unitaire de 6 $. Le 15 juin 20X2, Bonno ltée utilise en partie son option de renouvellement et achète 20 unités au prix unitaire de 6 $. La date d'échéance de cette option de renouvellement est le 31 décembre 20X2. En 20X1, Renouvellement ltée évalue que ses clients se prévalent d'environ 75 % des options offertes. Elle répartit donc le prix de transaction de 1 000 $ (100 unités × 10 $) de la façon suivante :

	(1) Nombre d'unités	(2) Prix unitaire	(3) Prix de transaction
Contrat initial	100,0	10 $	1 000 $
Renouvellement	37,5*	6	225
Total	137,5		1 225 $

* (50 unités × 75 %)

Un prix de transaction unitaire de 8,91 $ (1 225 $ ÷ 137,5 unités) est attribué aux marchandises vendues. On considère alors une partie du produit de vente de 10 $ comme un encaissement à l'avance pour les marchandises qui seront vendues aux clients qui profiteront de l'option de renouvellement à un prix significativement inférieur au prix de vente spécifique. La différence entre le prix de vente de 10 $ inscrit dans le contrat et le produit moyen de 8,91 $ représente un montant de 1,09 $ qui est inscrit à titre de produits différés. Cette différence augmentera les produits relatifs aux unités vendues dans le cadre de l'option de renouvellement. Voici les écritures de journal requises dans les livres de Renouvellement ltée :

	Débit	Crédit
1er janvier 20X1		
Caisse (ou créances)	*1 000*	
Produits – Marchandises (100 unités × 8,91 $)		*891*
Produits différés pour option de renouvellement		*109*
Vente de marchandises avec option de renouvellement à prix considérablement réduit.		
15 juin 20X2		
Caisse ①	*120*	
Produits différés pour option de renouvellement ③	*58*	
Produits – Marchandises ②		*178*
Vente de marchandises à prix réduit et exercice d'un droit de renouvellement.		

Calculs :

① (20 unités × 6 $)

② (20 unités × 8,91 $)

③ Prix de transaction unitaire des marchandises vendues	8,91 $
Prix selon l'option de renouvellement	(6,00)
Produit différé unitaire	2,91
Nombre d'unités achetées	× 20
Produits différés pour option de renouvellement	58 $

Les produits liés à cette option de renouvellement sont comptabilisés au moment où le client exerce son droit d'acheter des marchandises à un prix considérablement réduit. De ce fait, le produit unitaire correspond au prix de transaction de 6 $ majoré d'une portion du produit différé relatif à ce droit de renouvellement offert en 20X1.

20

Ces produits différés qui représentent des passifs sur contrats reflètent l'obligation de l'entreprise envers son client, soit celle de se tenir prête à fournir un bien ou un service à prix considérablement réduit ou à titre gratuit.

Il peut arriver que les options offertes arrivent à échéance sans que celles-ci n'aient été exercées. La comptabilisation des droits abandonnés fera l'objet de la prochaine sous-section.

Les droits non exercés par les clients

Les **droits abandonnés** désignent les droits qui ne sont pas exercés. La comptabilisation des sommes reçues d'avance des clients et non remboursables a déjà été expliquée précédemment (*voir le rectangle ⑥ de la figure 20.2*). La somme reçue non remboursable doit être comptabilisée comme un passif ou un produit de l'exercice, selon la situation.

Un droit abandonné du fait qu'un client n'exerce pas tous ses droits relatifs à son paiement effectué d'avance implique que l'entreprise n'a aucune obligation restante de fournir un bien ou un service. On considère qu'un droit est abandonné lorsque la probabilité que le client exerce ses droits restants est devenue faible.

EXEMPLE

Droits non exercés

Poursuivons l'exemple de la société Renouvellement ltée et de son contrat conclu avec le client Bonno ltée. Le 15 juin 20X2, ce dernier a bénéficié de l'option de renouvellement en achetant 20 unités au prix de 6 $. Celui-ci n'effectue aucune autre transaction et, au 31 décembre 20X2, date de clôture de l'exercice, l'option de renouvellement expire. Bonno ltée perd son droit de renouvellement à un prix réduit pour les 30 unités restantes. En 20X1, rappelons que Renouvellement ltée avait estimé que 75 % des options offertes seraient exercées. Voici le compte en T relatif à ce produit différé :

Produits différés pour option de renouvellement

	Débit	Crédit	
	58	*109*	
		51	*Solde en juin 20X2*
Annulation	*51*		
		0	*Solde au 31 décembre 20X2*

À l'échéance de ce droit de renouvellement, le 31 décembre 20X2, Renouvellement ltée peut affirmer que Bonno ltée n'exercera pas son droit restant. Par conséquent, la société doit annuler le produit différé, car elle n'a plus l'obligation de fournir des biens à un prix réduit. Renouvellement ltée comptabilise alors un produit de 51 $:

Nombre d'options de renouvellement non exercées (37,5 – 20)	*17,50*
Produit différé unitaire	*2,91 $*
*Produits différés liés aux options non exercées**	*51,00 $*

* arrondi au dollar près

Le report de la comptabilisation des produits jusqu'à la date d'échéance des droits non exercés évite de surévaluer les produits. Il est cohérent avec le principe de la limitation des estimations de contrepartie variable expliqué dans ce chapitre à l'étape 4 du modèle de comptabilisation des produits. En effet, on doit tenir compte des contreparties variables uniquement s'il est très probable que cela ne donnera pas lieu à un ajustement à la baisse du produit comptabilisé. Cependant, si l'entreprise a l'obligation de remettre la somme non remboursable à un tiers, elle doit continuer à présenter ce montant à titre de passif jusqu'à son décaissement. Cela peut se produire, par exemple, dans certains secteurs d'activité soumis à un grand nombre de lois et de règlements.

Les frais initiaux non remboursables

Certaines entreprises facturent à leurs clients des frais initiaux non remboursables à la date de passation du contrat. Pensons notamment aux droits d'adhésion à des clubs sociaux ou sportifs ou à des frais de mise en route des contrats de services tels qu'un contrat de télécommunications. La question est de déterminer la façon de comptabiliser en début de contrat ces frais initiaux non remboursables.

L'IASB précise que «pour identifier les obligations de prestation découlant de tels contrats, l'entité doit apprécier si les frais sont liés à la fourniture d'un bien ou d'un service promis[21]». Par exemple, même si les frais d'adhésion à un club de conditionnement physique servent en partie à couvrir les frais administratifs liés à l'établissement de ce contrat, ces coûts de gestion ne représentent pas un service promis au client, car ce dernier s'attend uniquement à pouvoir utiliser les installations sportives pendant une période donnée. Ces frais non remboursables sont inscrits en produits différés et virés en produits au moment où l'entreprise rend le service promis au client. Le coût d'établissement d'un contrat ne reflète pas nécessairement un bien ou un service promis au client. Quand on analyse si un bien ou un service est distinct, selon l'étape 2 du modèle de comptabilisation des produits, afin de définir les obligations de prestation distinctes, on effectue cette analyse sous l'angle du client et non du point de vue de l'entreprise qui engage des coûts d'établissement du contrat.

EXEMPLE

Droit d'adhésion à un centre de santé

La société Centre de santé bien-être d'aujourd'hui ltée (CSBEA) offre des services de santé destinés uniquement à ses membres. La cotisation annuelle des membres est de 1 000 $ et couvre seulement le droit de bénéficier des services offerts par CSBEA. Lorsque les membres désirent se prévaloir des traitements offerts, ils doivent débourser des sommes additionnelles. Selon l'analyse des services offerts, CSBEA promet au client le droit d'acheter les traitements qu'elle offre pendant un an. Le client peut alors bénéficier des soins à différents moments au cours de cette période. La cotisation ainsi reçue permet de couvrir des frais administratifs engagés par CSBEA, lesquels ne sont pas liés à des obligations de prestation promises aux clients. CSBEA comptabilise le produit lié à la cotisation annuelle des membres de façon linéaire pendant toute la durée de l'abonnement, soit un an, alors qu'elle comptabilise le produit des traitements au moment où elle rend les services.

Tenons maintenant pour acquis que CSBEA décide de modifier son mode de tarification. La cotisation annuelle passe à 2 000 $, mais elle couvre le droit de recevoir sans frais 10 prestations de services d'une valeur unitaire de 100 $. CSBEA ne peut pas, comme précédemment, comptabiliser la cotisation de 2 000 $ de façon linéaire pendant toute la durée de l'abonnement, puisque celle-ci couvre à la fois un droit d'adhésion annuel de 1 000 $ et l'encaissement à l'avance des 10 services auxquels les membres ont droit, d'une valeur totale de 1 000 $. Seule la portion attribuable au droit d'adhésion annuel doit être comptabilisée de façon linéaire pendant toute la durée de l'abonnement. Les produits liés au droit de recevoir sans frais des prestations sont alors comptabilisés à titre de produits différés et virés en produits au moment de rendre ces services. Voici les écritures requises dans les livres de CSBEA pour comptabiliser la vente d'un droit d'adhésion le 1er mars et un service gratuit rendu au client le 5 mars :

1er mars		
Caisse	*2 000*	
Produits différés – Droit d'adhésion annuel		*1 000*
Produits différés – Services encaissés d'avance		*1 000*
Vente d'un droit d'adhésion annuel.		
5 mars		
Produits différés – Services encaissés d'avance	*100*	
Produits provenant de clients		*100*
Prestation d'un soin couvert par le droit d'adhésion annuel (1 000 $ ÷ 10 services).		
31 mars		
Produits différés – Droit d'adhésion annuel	*83*	
Produits provenant de clients		*83*
Produit d'adhésion mensuel (1 000 $ ÷ 12 mois).		

20

21. *Manuel de CPA Canada – Comptabilité – Partie I*, IFRS 15, paragr. B49.

Les licences de propriété intellectuelle

Une **licence**, au sens juridique du terme, représente une convention selon laquelle le titulaire d'un brevet ou d'une marque autorise un tiers à fabriquer ou à exploiter l'article breveté (licence de brevet) ou la marque (licence de marque) pendant une durée ou sur un territoire stipulés[22]. L'IASB indique quelques exemples de licences de propriété intellectuelle telles que les logiciels et la technologie, les œuvres cinématographiques et musicales, les franchises et les brevets, les marques de commerce et les droits d'auteur.

L'entreprise qui prend part à un contrat de vente relativement à un droit de propriété intellectuelle doit commencer par analyser la présence des promesses offertes afin de bien distinguer chacune des obligations de prestation. La figure 20.13 présente un arbre décisionnel utile pour guider la comptabilisation des licences.

FIGURE 20.13 Les licences de propriété intellectuelle

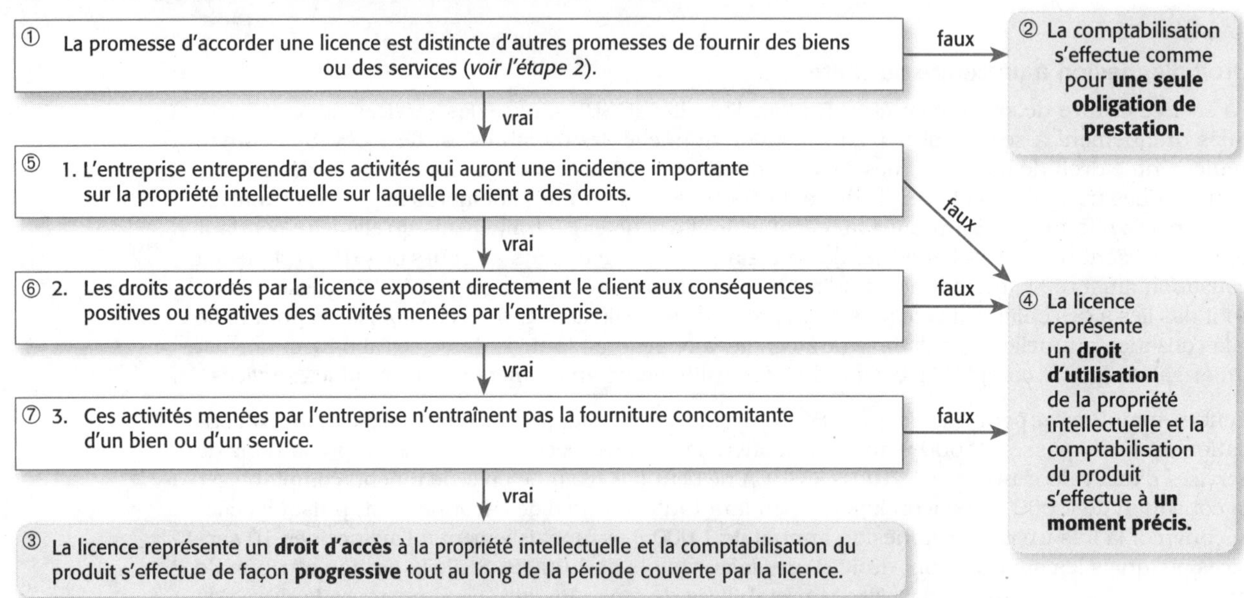
① La promesse d'accorder une licence est distincte d'autres promesses de fournir des biens ou des services (voir l'étape 2).
faux
② La comptabilisation s'effectue comme pour une seule obligation de prestation.
vrai
⑤ 1. L'entreprise entreprendra des activités qui auront une incidence importante sur la propriété intellectuelle sur laquelle le client a des droits.
faux
vrai
⑥ 2. Les droits accordés par la licence exposent directement le client aux conséquences positives ou négatives des activités menées par l'entreprise.
faux
④ La licence représente un droit d'utilisation de la propriété intellectuelle et la comptabilisation du produit s'effectue à un moment précis.
vrai
⑦ 3. Ces activités menées par l'entreprise n'entraînent pas la fourniture concomitante d'un bien ou d'un service.
faux
vrai
③ La licence représente un droit d'accès à la propriété intellectuelle et la comptabilisation du produit s'effectue de façon progressive tout au long de la période couverte par la licence.

La détermination des obligations de prestation

L'entreprise doit évaluer la teneur des obligations de prestation et, ainsi, analyser si la promesse d'accorder la licence est distincte des autres promesses offertes dans le contrat (*voir le rectangle ① de la figure 20.13*). Cette première analyse est conforme à l'étape 2 du modèle de comptabilisation des produits (*voir la figure 20.1*) qui demande de déterminer les obligations de prestation distinctes. La promesse d'accorder une licence pourrait ne pas être distincte si, par exemple, la licence fait partie intégrante d'un bien matériel vendu en même temps et qui est nécessaire au fonctionnement de ce bien en cause. Le client ne peut alors pas tirer parti du bien pris isolément puisque les deux composantes sont nécessaires pour son fonctionnement et que l'un n'est pas vendu sans l'autre. Un autre exemple est l'utilisation d'un service en ligne qui requiert d'acheter une licence pour avoir accès au contenu ; la licence ne peut être utilisée conjointement qu'avec le service connexe. Ces exemples de promesses de ventes de licence n'étant pas distinctes des promesses de fournir un autre bien ou un autre service, on comptabilise alors le produit lié à la vente de la licence de la même façon que celui lié à la vente du bien ou du service connexe (*voir le rectangle ② de la figure 20.13*).

À l'inverse, si cette promesse d'accorder la licence est bien distincte des autres promesses du contrat, on établit les obligations de prestation distinctes et on les comptabilise lors du transfert

22. Louis Ménard et collaborateurs, *Dictionnaire de la comptabilité et de la gestion financière, 3e édition*, Comptables professionnels agréés du Canada, 2014, version 3.1.

du contrôle au client, conformément à l'analyse expliquée à l'étape 3 du modèle de comptabilisation des produits. Lorsqu'une entreprise vend une licence, elle doit de plus déterminer si elle a vendu un droit d'accès ou un droit d'utilisation de la propriété intellectuelle (*voir les rectangles* ③ *et* ④ *de la figure 20.13*).

Le droit d'accès ou le droit d'utilisation de la propriété intellectuelle

La comptabilisation des produits provenant des clients se fait au moment de la prestation du bien ou du service, c'est-à-dire au moment où le client peut commencer à bénéficier du bien ou du service promis dans le contrat et qui correspond au transfert du contrôle de l'actif. La vente de licences ne fait pas exception à cette règle et l'on doit déterminer le moment où le client recevra et consommera simultanément les avantages procurés par la détention et l'utilisation de la propriété intellectuelle. Afin de déterminer le moment de la comptabilisation du produit, on doit vérifier si le client obtient un droit d'accès à la propriété intellectuelle ou un droit d'utilisation de la propriété intellectuelle et, par conséquent, s'il faut enregistrer un produit de façon progressive tout au long de la période ou à un moment précis au moment du transfert du contrôle (*voir les rectangles* ③ *et* ④ *de la figure 20.13*). La figure 20.13 indique les trois conditions à analyser pour ce faire (*voir les rectangles* ⑤ *à* ⑦ *de la figure 20.13*).

La première condition (*voir le rectangle* ⑤ *de la figure 20.13*), soit celle où l'entreprise pourrait, selon les termes du contrat ou selon les attentes du client, entreprendre des activités qui auront une incidence importante sur la propriété intellectuelle sur laquelle le client a des droits, exige un peu plus de réflexion que les deux autres. L'une ou l'autre des situations suivantes permettent d'affirmer la présence d'une incidence importante :

- Le fait que les activités de l'entreprise sont susceptibles de modifier considérablement la forme (par exemple, l'esthétique ou le contenu) ou la fonctionnalité de la propriété intellectuelle (par exemple, la capacité d'exécuter une tâche) ;
- Le fait que la capacité du client de tirer parti de la propriété intellectuelle dépend des activités de l'entreprise.

EXEMPLE

Accès à la propriété intellectuelle

La société BD ltée crée des personnages pour des bandes dessinées et effectue des améliorations constantes à la qualité graphique de ses personnages. Ses clients ont l'obligation contractuelle d'utiliser la dernière mise à jour de l'image des personnages pour l'utilisation desquels ils détiennent des droits. BD ltée vend également des licences liées à l'utilisation des noms et des images des principaux personnages qu'elle crée.

Un de ses clients, une compagnie de croisières, s'engage dans un contrat de 3 ans à un montant de contrepartie de 500 000 $ par année pour l'utilisation à différentes fins du nom et de l'image de 5 personnages très connus. Elle pourra utiliser ces personnages dans ses défilés et ses spectacles sur chacun de ses bateaux.

Aux fins de la détermination des obligations de prestation distinctes, la promesse d'accorder une licence représente une obligation distincte de fournir d'autres biens ou services à ce client (*voir le rectangle* ① *de la figure 20.13*). Par la suite, BD ltée doit analyser les trois conditions énoncées dans l'IFRS 15 afin de conclure à la présence d'un droit d'accès ou d'un droit d'utilisation. BD ltée entreprendra des activités de mise à jour des images qui auront une incidence importante sur la propriété intellectuelle soit l'esthétique de l'image des personnages (*voir le rectangle* ⑤ *de la figure 20.13*). Ces modifications importantes auront également des conséquences positives ou négatives sur les activités menées par le client (*voir le rectangle* ⑥ *de la figure 20.13*). Ces activités de mises à jour n'entraînent pas la fourniture d'un bien ou d'un service distinct, car le service de mise à jour modifie de façon importante la licence accordée et, de ce fait, ne représente pas un service distinct (*voir le rectangle* ⑦ *de la figure 20.13*). Ce droit d'accès à la propriété intellectuelle au montant de 1 500 000 $ représente alors un service offert de façon linéaire pendant la durée du contrat de 3 ans et le produit sera alors comptabilisé de façon progressive à raison de 500 000 $ par année (*voir le rectangle* ③ *de la figure 20.13*).

EXEMPLE

Utilisation de la propriété intellectuelle

Une société de production de disques vend des droits d'auteur pour l'utilisation de pièces de musique dans les publicités de ses clients. Le contrat prévoit une entente de 2 ans pour une contrepartie de 5 000 $ par mois. Le contrat n'inclut aucune autre promesse de livrer un bien ou un service quelconque et il ne peut pas être annulé après sa signature. L'entreprise détermine alors que le droit de propriété intellectuelle vendu représente une obligation de prestation distincte qui ne prévoit aucune autre fourniture de biens ou de services (*voir le rectangle ① de la figure 20.13*). Elle analyse ensuite la nature du droit cédé dans ce contrat. Selon l'entente, il n'est pas prévu que l'entreprise réalise des activités qui auront une incidence sur les pièces de musique offertes (*voir le rectangle ⑤ de la figure 20.13*). Ce droit, vendu de façon autonome, ne requiert aucune modification ou adaptation de la part de l'entreprise. De ce fait, le droit vendu est un droit d'utilisation des pièces de musique (*voir le rectangle ④ de la figure 20.13*). L'entreprise comptabilise le plein montant de la vente au moment de transférer les droits liés à l'utilisation. Puisqu'il y a un délai entre le début du contrat, c'est-à-dire lors du transfert des droits, et les dates des versements mensuels de contrepartie, l'entreprise doit actualiser les sommes pour exclure du produit la composante de financement importante (*voir le rectangle ④ de la figure 20.6*).

Les redevances et les franchises

La contrepartie exigée dans le cadre de tels contrats peut revêtir de multiples formes dont, par exemple, un montant unique, plusieurs paiements échelonnés dans le temps ou des redevances en fonction des ventes ou de l'utilisation de la licence. Une **redevance** représente le montant auquel une entreprise a droit en échange d'un droit qu'elle a accordé pour l'utilisation d'un de ses actifs. Il peut s'agir d'un droit de licence pour l'utilisation d'un logiciel, d'un droit de reproduction d'une œuvre musicale ou théâtrale, ou du droit d'exercer ses opérations commerciales sous une bannière reconnue, comme dans le cas des franchises.

Selon le paragraphe B63 de l'IFRS 15, les produits de l'exercice au titre d'une redevance basée sur les ventes ou l'utilisation se comptabilisent à la date la plus tardive des événements suivants :

- La vente ou l'utilisation de la licence se produit ;
- L'obligation de prestation à laquelle est affectée la redevance est remplie (ou partiellement remplie).

Certaines entreprises (les franchiseurs) croissent grâce à la vente de franchises. Il suffit de penser aux restaurants McDonald's, Burger King, Dairy Queen, Rôtisseries St-Hubert, Mikes et Pacini, aux centres de location de véhicules Tilden ou Budget, ou encore à H&R Block pour des services fiscaux.

En somme, une **franchise** est une concession de droits, souvent de nature exclusive, par laquelle le **franchiseur** confère au **franchisé** le droit de vendre un bien, d'utiliser une marque ou de rendre un service à partir d'un établissement situé à un endroit donné (franchise individuelle) ou de plusieurs établissements à l'intérieur d'un territoire donné (franchise régionale). Cette définition inspirée de la norme **NOC-2**, « Redevances de franchisage », tirée de la *Partie II* du *Manuel* permet de bien comprendre ce qu'est une franchise avant d'analyser la comptabilisation des redevances qui s'y rattachent. L'IASB ne donne aucune définition de ces notions et les normes comptables liées aux opérations du franchiseur sont traitées dans la sous-section des licences présentée dans l'Annexe B de l'IFRS 15.

En vertu d'un tel contrat, le franchiseur touche deux types de redevances, soit une redevance initiale et des redevances périodiques. Il importe de déterminer le moment où les redevances sont acquises, en tenant compte de l'objet pour lequel ces redevances sont exigées.

La création de la franchise et la prestation de services initiaux par le franchiseur sont deux composantes de la **redevance initiale**. Ainsi, en plus de lui accorder une franchise, le franchiseur offre habituellement des services d'assistance au franchisé pour ce qui est du choix de l'emplacement, de l'obtention du financement, de la formation du personnel, de l'administration, de l'établissement, du système comptable et des programmes de contrôle de la qualité, de la publicité et autres. Le produit tiré de la redevance initiale doit être comptabilisé uniquement lorsque le franchiseur a rendu tous les services initiaux et a respecté toutes ses autres obligations de prestation promises au client en lien avec cette redevance initiale.

Lorsqu'une partie de la redevance initiale couvre la fourniture de matériel et d'autres actifs corporels vendus au franchisé, le franchiseur comptabilise le produit qui en découle au moment où il livre les actifs et transfère ainsi le contrôle sur cet actif au franchisé. Le chapitre 10 explique la façon de comptabiliser de telles opérations du point de vue du franchisé.

La plupart des contrats de franchisage prévoient le paiement de **redevances périodiques** qui sont calculées en fonction des ventes ou en fonction de l'utilisation du droit de franchise. Ces redevances représentent un intérêt économique commun au franchiseur et au franchisé, car les deux entreprises ont intérêt à hausser le niveau des ventes le plus possible. Cet intérêt commun peut indiquer que le client peut s'attendre à ce que le franchiseur entreprenne des activités qui auront une incidence importante sur la propriété intellectuelle sur laquelle le client a des droits (*voir le rectangle ⑤ de la figure 20.13*).

EXEMPLE

Contrat de franchisage

Voici les conditions d'un contrat signé entre les sociétés Le Chien chaud ltée (LCCL) et Resto plus ltée :

1. Le 3 janvier 20X2, LCCL vend une franchise à Resto plus ltée. La redevance initiale, d'un montant de 200 000 $, couvre la vente d'équipements nécessaires à l'exploitation du restaurant du franchisé. La vente de tels équipements fait partie des activités courantes de LCCL.
2. En vertu du contrat de franchisage, LCCL s'est engagée à rendre des services importants en ce qui a trait à l'exploitation de la franchise au cours des deux premières années. En effet, elle s'engage, selon ses pratiques commerciales habituelles, à continuer à mettre en valeur sa marque de commerce, à analyser les préférences des consommateurs et à développer de nouveaux mets, à analyser la stratégie de prix, à effectuer des campagnes de publicité et à améliorer l'efficacité des processus d'exploitation. Les versements additionnels prévus dans le contrat représentent une contrepartie variable de 5 % des ventes mensuelles.
3. Les ventes de Resto plus ltée pour le mois de janvier sont de 500 000 $.

Selon le rectangle ① de la figure 20.13, LCCL doit d'abord analyser si la promesse d'accorder la franchise est distincte des autres promesses faites dans ce contrat. Resto plus ltée a le droit d'utiliser le nom et la marque de commerce du franchiseur pendant deux ans en contrepartie d'une redevance en fonction des ventes mensuelles. Le contrat prévoit une autre promesse, qui est de fournir l'équipement nécessaire pour démarrer les activités. Le contrat comporte deux promesses distinctes, soit celle de céder une franchise et celle de livrer des équipements. On peut voir dans la figure 20.4 que les équipements et le service de franchise promis représentent deux biens et services distincts. En effet, Resto plus ltée peut bénéficier de chacun séparément avec ou sans autre ressource aisément disponible. Le client peut utiliser les équipements ou les vendre, et ce, sans égard au fait qu'il bénéficie également d'un droit d'utilisation d'une franchise. De plus, la promesse de fournir le bien en question peut être prise séparément de celle qui est liée à l'utilisation du droit de franchise. LCCL ne propose pas une intégration significative des deux promesses qui modifierait ou adapterait de façon significative l'une ou l'autre ; chacune des promesses peut être fournie indépendamment l'une de l'autre.

La première obligation de prestation, la livraison des équipements, est comptabilisée en produits (200 000 $) au moment de transférer le contrôle de ces actifs au client. Cependant, la comptabilisation des redevances en fonction des ventes nécessite une analyse plus substantielle afin de déterminer si le droit de franchise représente un droit lié à l'utilisation ou un droit d'accès. LCCL entreprendra des activités qui auront vraisemblablement une incidence importante sur la propriété intellectuelle (*voir le rectangle ⑤ de la figure 20.13*). En effet, elle s'engage à effectuer plusieurs activités d'exploitation afin de préserver la mise en valeur de la marque de commerce et à apporter des modifications aux mets offerts afin de répondre aux préférences des consommateurs. De plus, elle réalisera des analyses de stratégies de prix, des campagnes de publicité, et posera diverses actions pour améliorer l'efficacité des processus d'exploitation. La contrepartie variable qui est fonction du niveau des ventes du franchisé dépend alors du

20

succès du client. Ainsi, les deux entreprises partagent le même intérêt économique qui se rapporte à la propriété intellectuelle et ces activités les exposeront à des conséquences positives ou négatives (*voir le rectangle ⑥ de la figure 20.13*). En outre, ces activités menées par LCCL n'entraînent pas la fourniture concomitante d'un bien ou d'un service (*voir le rectangle ⑦ de la figure 20.13*). La contrepartie variable de 5 % en fonction du niveau des ventes périodiques représente donc un droit d'accès à la propriété intellectuelle. LCCL comptabilisera ce produit de façon progressive tout au long de la période couverte par le contrat de franchisage (*voir le rectangle ③ de la figure 20.13*). LCCL enregistre les écritures de journal suivantes relatives au contrat de franchisage :

3 janvier 20X2		
Caisse	*200 000*	
Produits – Vente d'équipements		*200 000*
Vente d'équipements à Resto plus ltée.		
31 janvier 20X2		
Caisse (ou Clients)	*25 000*	
Produits – Redevances de franchisage		*25 000*
Redevances de 5 % des ventes de Resto plus ltée réalisées en janvier (500 000 $ × 5 %).		

La vente des équipements est créditée dans un compte de produits parce que de telles ventes font partie intégrante des activités courantes de LCCL. Si LCCL utilise un système d'inventaire permanent, elle doit aussi comptabiliser le coût des ventes et diminuer son stock d'équipements. Cependant, si de telles ventes n'étaient pas habituelles, les équipements représenteraient des immobilisations. LCCL comptabiliserait alors la vente des équipements en appliquant les règles expliquées au chapitre 8 du présent manuel. La différence entre le prix de vente et la valeur comptable des immobilisations serait enregistrée à titre de profits sur disposition.

Les accords de rachat

Certaines transactions, même si elles impliquent un réel transfert de propriété, représentent en substance des opérations de financement ou des contrats de location. C'est le cas, notamment, lorsque le vendeur s'engage à racheter à une date ultérieure les biens vendus, lorsqu'il dispose d'une option de rachat ou lorsque l'acheteur peut exiger du vendeur le rachat des biens.

Selon l'IFRS 15, il existe trois formes d'accords de rachat : les contrats à terme, les options d'achat ou les options de vente. Les **contrats à terme** sont des contrats qui confèrent au vendeur une obligation de racheter le bien en vertu des conditions du contrat. Les options, quant à elle, donnent à leur détenteur un droit et non une obligation d'exercice. Plus précisément, les **options d'achat** accordent à l'entreprise le droit de racheter le bien en fonction d'un prix de rachat stipulé dans le contrat. En opposition, les **options de vente**, pour leur part, confèrent au client le droit de demander le rachat de la part de l'entreprise en fonction d'un prix de rachat stipulé dans le contrat. Quand le client en fait la demande, l'entreprise assume alors l'obligation de racheter le bien. Les transactions qui présentent de telles clauses de rachat doivent alors être analysées afin de déterminer si, en substance, elles représentent des produits de l'exercice. La notion du transfert du contrôle du bien au client revêt donc une importance cruciale. La figure 20.14 présente les questions nécessaires à l'analyse d'un contrat conclu avec un client comportant un accord de rachat.

Premièrement, on doit comparer le prix de rachat stipulé dans le contrat avec le prix de vente initial de l'actif selon le contrat de vente conclu avec le client (*voir le rectangle ① de la figure 20.14*). Pour ce faire, on doit tenir compte de la valeur temps de l'argent et actualiser le prix de rachat avant de le comparer avec le prix de vente. Peu importe la nature de l'accord de rachat, si le prix de rachat est supérieur ou égal au prix de vente initial, le contrat est traité comme un contrat de financement (*voir la partie de droite de la figure 20.14*).

FIGURE 20.14 Les accords de rachat

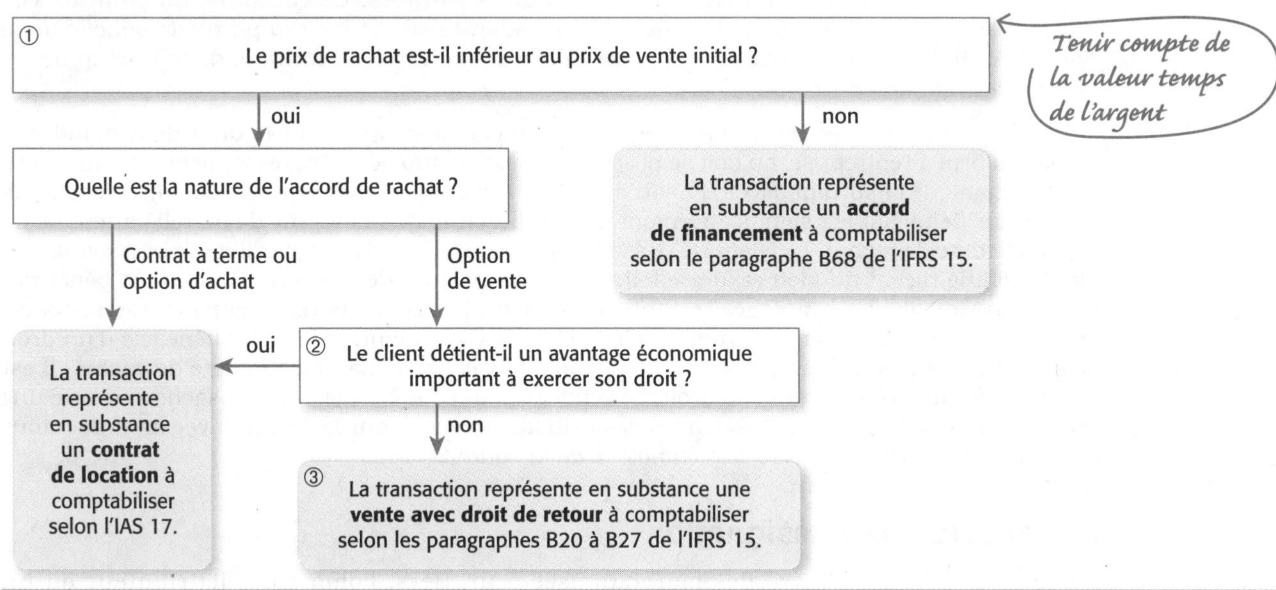

EXEMPLE

Contrat à terme qui représente un contrat de financement

Le 1er janvier 20X1, la société Terme ltée vend un actif au prix de 100 000 $ et accorde ainsi un droit d'utilisation pendant un an. Selon le contrat conclu avec le client, Terme ltée a l'obligation de racheter le bien pour une somme équivalente à 120 000 $ le 31 décembre 20X1. Le taux d'intérêt de marché pour une transaction comparable est de 5 %.

La première étape consiste à vérifier si le prix de rachat est inférieur au prix de vente initial. Pour ce faire, Terme ltée établit d'abord la valeur actualisée du prix de rachat à 114 286 $ (N = 1, I = 5 %, PMT = 0 $, FV = 120 000 $, CPT PV ?). Le prix de rachat excède le prix de vente initial de 100 000 $. Ce contrat représente donc, en substance, non pas une vente mais bien un moyen de financement pour Terme ltée. Cette dernière ne comptabilise pas un produit de 100 000 $; elle inscrit plutôt un passif jusqu'au rachat à la fin de l'exercice. Voici les écritures de journal requises dans les livres de Terme ltée :

1er janvier 20X1		
Caisse	*100 000*	
Passif sur contrat		*100 000*
Vente comportant un accord de rachat qui constitue un accord de financement.		
31 décembre 20X1		
Charge d'intérêts	*20 000*	
Passif sur contrat		*20 000*
Charge financière de l'exercice liée à l'accord de financement [(5 % de 114 286 $) + 14 286 $].		
Passif sur contrat	*120 000*	
Caisse		*120 000*
Rachat de l'actif lié à un accord de financement.		

Selon la partie de gauche de la figure 20.14, si le prix de rachat est inférieur au prix de vente initial, on doit déterminer la nature de l'accord de rachat.

Pour les accords de rachat qui confèrent à l'entreprise le droit ou l'obligation de racheter le bien selon un prix convenu d'avance, c'est-à-dire des accords qui s'apparentent à un contrat à terme ou à une option d'achat, le client n'obtient pas le contrôle du bien en question.

En effet, le client ne peut pas décider de l'utilisation de l'actif pour toute sa durée de vie restante et bénéficier de la quasi-totalité des avantages restants. Ces accords, du point de vue comptable, représentent un contrat de location selon l'**IAS 17** (*voir la partie de gauche de la figure 20.14*). Nous traitons de la comptabilisation des contrats de location dans le chapitre 16 du présent manuel.

En ce qui concerne les accords de rachat qui confèrent au client le droit de demander le rachat du bien à l'entreprise, on doit se poser une question supplémentaire : le client a-t-il un avantage économique important à exercer son droit (*voir le rectangle ② de la figure 20.14*) ? C'est le cas si la valeur de rachat est significativement plus importante que la valeur de marché attendue de l'actif à la date de rachat. Le client ne possède pas le contrôle de l'actif, car il demandera vraisemblablement le rachat du bien et, de ce fait, ne pourra pas décider de son utilisation et bénéficier de la quasi-totalité des avantages restants de cet actif. Ces contrats représentent, en substance, des contrats de location et sont traités selon l'IAS 17. Cependant, si le client bénéficie d'un droit de demander le rachat à un prix qui correspond à la valeur de marché à la date du rachat, il est plutôt incertain qu'il exercera son droit. Le vendeur peut comptabiliser la transaction comme une vente et enregistrer un produit selon les dispositions prévues pour les ventes avec droit de retour expliquées précédemment (*voir le rectangle ③ de la figure 20.14*).

Les accords de consignation

Lorsqu'une entreprise livre des marchandises à un tiers, comme un distributeur ou un grossiste par exemple, elle doit évaluer si elle transfère le contrôle du bien livré. Lorsque des marchandises sont en **consignation**, cela signifie qu'elles ont été transférées à une tierce partie (**consignataire**) qui joue le rôle d'agent pour le propriétaire des biens (**consignateur**). Le titre de propriété légale des marchandises demeure entre les mains du consignateur jusqu'à ce que le consignataire les vende à des clients. L'envoi de marchandises en consignation ne constitue pas une vente en soi ; le consignateur doit attendre la vente au consommateur final pour comptabiliser le produit. En effet, le consignataire n'acquiert pas le contrôle de ces biens à la livraison, car il ne peut pas en faire ce qu'il veut. L'IFRS 15 énonce quelques indicateurs permettant de distinguer la livraison de marchandises en consignation et une vente. Ces éléments ne sont que des indicateurs qui servent de repères et non des critères bien définis à satisfaire pour conclure à un accord de consignation.

- Dans un accord de consignation, le bien est habituellement contrôlé par le consignateur jusqu'à la revente de ce bien au client par le consignataire.
- Ces accords prévoient habituellement que le consignateur est en mesure d'exiger que le bien lui soit rendu ou soit transféré à un autre tiers au besoin.
- Ces ententes, la plupart du temps, n'obligent pas le consignataire à payer le bien tant que celui-ci n'est pas vendu au consommateur final ; cependant, un acompte pourrait être exigé.

EXEMPLE

Accords de consignation

Comme illustré dans cet exemple la société Raquette plus ltée (RPL) lance sur le marché une nouvelle raquette de tennis révolutionnaire connue sous l'appellation « Match 2000 ». Bien que les propriétaires de boutiques spécialisées reconnaissent la qualité de la Match 2000, son prix de détail de 600 $ en effraie plus d'un. En réalité, plusieurs d'entre eux ne sont pas prêts à investir une somme importante dans leur inventaire pour un produit aussi coûteux. C'est le cas, notamment, de la boutique Le Pro du tennis ltée (PTL), propriété de M. Net Let.

Pour calmer les insécures, RPL offre à PTL la possibilité d'installer dans sa boutique un étalage contenant 100 raquettes. Selon l'entente, PTL devra vendre ces raquettes au prix de détail de 600 $ et recevra une commission de 20 % sur chaque raquette vendue.

Le 2 mai 20X3, RPL a expédié 100 raquettes à PTL. Chaque raquette coûte 200 $ à RPL. Au cours du mois de mai, PTL a vendu 80 raquettes et, le 31 mai, PTL remet la somme due à RPL.

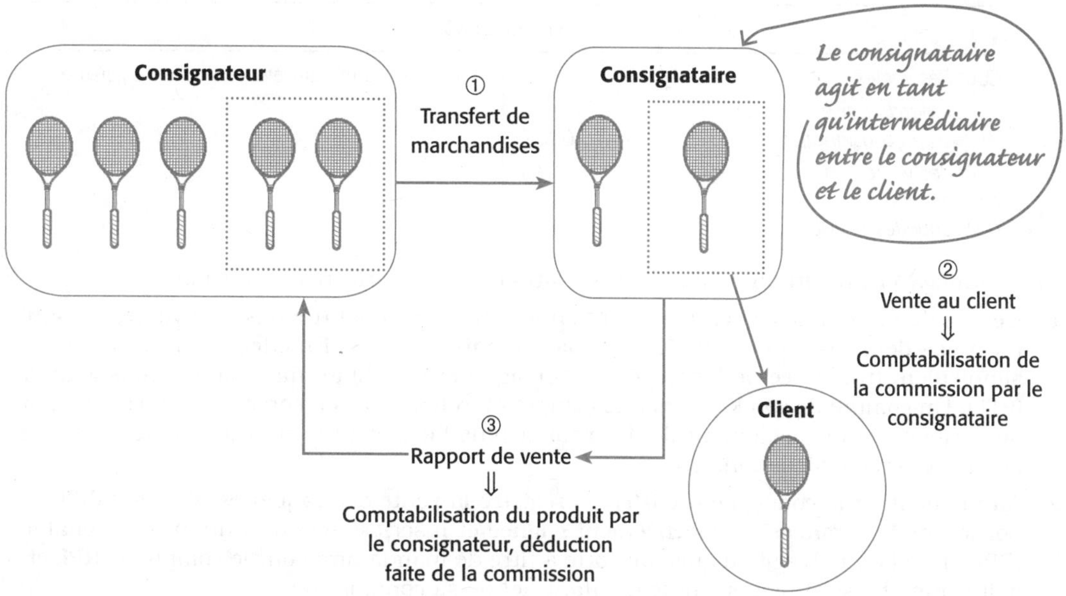

Consignateur

① Transfert de marchandises

Consignataire

Le consignataire agit en tant qu'intermédiaire entre le consignateur et le client.

② Vente au client ⇓ Comptabilisation de la commission par le consignataire

Client

③ Rapport de vente ⇓ Comptabilisation du produit par le consignateur, déduction faite de la commission

Voici les écritures de journal enregistrées de part et d'autre[23] :

Raquette plus ltée (consignateur)			Le Pro du tennis ltée (consignataire)		
2 mai 20X3					
Marchandises en consignation	20 000		Aucune écriture		
Stock de marchandises		20 000			
Envoi en consignation de 100 raquettes Match 2000 au coût unitaire de 200 $.					
Au cours du mois de mai 20X3					
Aucune écriture			*Caisse*	48 000	
			Montant dû à RPL		38 400
			Commissions gagnées		9 600
			Vente de 80 raquettes Match 2000 à un prix unitaire de 600 $ et commission de 20 %.		
31 mai 20X3					
Caisse	38 400		*Montant dû à RPL*	38 400	
Charge liée aux commissions	9 600		*Caisse*		38 400
Ventes en consignation		48 000	*Paiement du solde dû.*		
Rapport des ventes reçues pour le mois de mai.					

23. En pratique, il existe une multitude d'expressions différentes pour décrire l'intitulé des comptes inhérents au processus de la consignation. Le lecteur ne doit pas considérer la nomenclature retenue aux fins du présent exemple comme la seule valable dans les circonstances.

31 mai 20X3			
Coût des ventes	*16 000*		Aucune écriture équivalente à celle de gauche
Marchandises en consignation		*16 000*	
Coût des ventes en consignation (80 raquettes × 200 $).			

On peut dégager un certain nombre d'observations de ces écritures de journal :

1. L'envoi de marchandises en consignation le 2 mai ne constitue pas une vente, puisqu'il n'y a pas de transfert de contrôle des marchandises livrées. En effet, la marchandise est simplement transférée de l'entrepôt du consignateur (RPL) au magasin du consignataire (PTL). Un compte de stock distinct, le compte Marchandises en consignation, est créé afin de permettre au consignateur de déterminer plus facilement le coût des ventes des marchandises en consignation.
2. Au moment où le consignataire (PTL) enregistre la vente des raquettes, il comptabilise la portion de la commission effectivement gagnée et inscrit le montant dû au consignateur (RPL). En effet, PTL agit en quelque sorte à titre de mandataire pour le compte de RPL et il doit comptabiliser uniquement le montant net de sa commission.
3. Le consignataire (PTL) établit périodiquement un rapport des ventes décrivant le nombre d'unités vendues et la commission afférente. À la réception de ce rapport des ventes, le consignateur (RPL) enregistre la vente, le coût des ventes et les coûts de commission.

Les accords de ventes à livrer

Certaines opérations commerciales prévoient que les biens vendus ne sont pas livrés à l'acheteur immédiatement, bien qu'ils soient disponibles. Selon l'IASB, un **accord de vente à livrer** correspond à « [...] un contrat en vertu duquel l'entité facture à son client un produit dont elle conserve la possession matérielle jusqu'à ce que le produit soit ultérieurement fourni au client[24] ». Encore une fois, l'entreprise comptabilise le **produit de la vente des biens à livrer** seulement lorsque le client obtient le contrôle du bien, et ce, même si elle en conserve la possession matérielle. Au moment de conclure la transaction, le client prend possession du titre de propriété et, de ce fait, peut bénéficier de la quasi-totalité des avantages restants et contrôler l'utilisation du bien ; c'est à la demande du client que l'entreprise conserve le bien pour le livrer plus tard. Cette dernière fournit alors un service de garde d'actifs pour le compte de son client. De telles situations peuvent survenir lorsque, par exemple, l'acheteur veut s'assurer de l'approvisionnement d'une ressource en temps opportun et qu'il demande au vendeur de détenir pour lui les biens qu'il a commandés, faute d'espace d'entreposage, ou lorsque l'acheteur désire obtenir la livraison des biens à sa nouvelle adresse à la suite de son déménagement à venir.

Le vendeur peut comptabiliser le produit provenant des clients au moment du transfert du titre de propriété légale lorsque les conditions suivantes sont réunies :

(a) la vente à livrer doit avoir un motif réel (par exemple, le client l'a demandée) ;

(b) le produit doit être identifié séparément comme appartenant au client ;

(c) le produit doit être prêt à livrer au client ;

(d) l'entité n'a pas le loisir d'utiliser le produit ou de le destiner à un autre client[25].

Lorsque le vendeur remplit ces conditions, on en conclut qu'il y a eu transfert du contrôle du bien, même si le vendeur en assure la garde. Il peut donc comptabiliser le produit découlant de la vente du bien en question. Cependant, le vendeur doit accomplir une autre tâche, soit définir toutes les obligations de prestation distinctes comprises dans la transaction de vente (*voir l'étape 2 du modèle de comptabilisation des produits dans la figure 20.1*). Il doit alors se demander si le service de garde du bien représente une obligation de prestation distincte de celle de la vente du bien en question. Dans l'affirmative, selon l'étape 5 du modèle de comptabilisation des produits (*voir la figure 20.1*), le vendeur doit répartir le produit de la transaction entre les deux obligations de

24. *Manuel de CPA Canada – Comptabilité – Partie I*, IFRS 15, paragr. B79.
25. *Manuel de CPA Canada – Comptabilité – Partie I*, IFRS 15, paragr. B81.

prestation. Il comptabilise ensuite une partie du produit au moment du transfert du contrôle du bien au client et une autre partie, de façon progressive, pendant la durée de la prestation du service de garde du bien (*voir l'étape 3 du modèle de comptabilisation des produits dans la figure 20.1*).

EXEMPLE

Accord de vente à livrer

La société Habitex ltée fabrique des portes et fenêtres selon les spécifications de ses clients. L'un d'entre eux, Gendron ltée, décroche la plupart de ses contrats du gouvernement du Québec pour la réfection d'édifices gouvernementaux. Gendron ltée subit des pénalités importantes lorsque les échéanciers de travail ne sont pas respectés. Elle signe donc des contrats d'approvisionnement avec Habitex ltée, dans lesquels toutes les spécifications relatives aux marchandises nécessaires à la réalisation des contrats gouvernementaux sont déterminées. Lorsque la fabrication est terminée, Habitex ltée conserve les marchandises dans l'un de ses entrepôts jusqu'à leur livraison sur le chantier de construction, à la demande de Gendron ltée. Ces portes et fenêtres, fabriquées selon les spécifications techniques de Gendron ltée, sont identifiées par le nom et l'adresse du client et elles sont prêtes à être livrées aux endroits prévus. Les coûts de livraison sont assumés par Gendron ltée selon un tarif préétabli. Gendron ltée assume également les coûts d'assurance de ces marchandises conservées en entrepôt chez son fournisseur et s'engage à payer Habitex ltée 30 jours après que cette dernière a terminé la fabrication des marchandises. Des employés de Gendron ltée se rendent périodiquement chez Habitex ltée pour s'assurer à l'avance de la conformité des marchandises aux spécifications des contrats gouvernementaux.

Habitex ltée comptabilise les produits dès que les portes et fenêtres sont prêtes à être livrées si Gendron ltée ne présente aucun risque inhabituel de recouvrement, car, à ce moment, le client obtient le contrôle de ces marchandises. En effet, l'évaluation du transfert du contrôle, qui s'effectue à l'étape 3 du modèle de comptabilisation des produits, repose sur une analyse des conditions énoncées au paragraphe B81 de l'IFRS 15. Le client a demandé de retarder la livraison de façon que celle-ci soit effectuée au moment opportun sur les chantiers de construction [condition (a)]. Les portes et fenêtres ont été identifiées comme appartenant au client [condition (b)] et elles sont prêtes à être livrées [condition (c)]. De plus, Habitex ltée ne peut pas vendre ces marchandises à un autre client du fait qu'elles ont été fabriquées selon les spécifications exigées par Gendron ltée [condition (d)]. La présence de ces faits confirme qu'Habitex ltée doit comptabiliser le produit au moment où les portes et fenêtres sont prêtes à être livrées et entreposées. Habitex ltée doit aussi déterminer si le service d'entreposage fourni à son client représente une obligation de prestation distincte de la vente des portes et fenêtres, conformément à l'étape 2 du modèle de comptabilisation des produits. Habitex ltée doit répartir le prix de transaction entre les deux obligations de prestation si elles sont jugées distinctes.

L'acceptation par le client

Comme nous l'avons mentionné précédemment, l'élément déterminant qui autorise la comptabilisation d'un produit résulte généralement du transfert de propriété légale et de la livraison du bien vendu. Toutefois, la comptabilisation des produits provenant des clients peut être reportée lorsque le transfert de propriété et la livraison ne fournissent pas de preuves suffisamment concluantes de l'obtention du contrôle du bien par le client, par exemple lorsqu'il subsiste des risques concernant l'acceptation de ce bien par le client.

Ainsi, lorsque des marchandises sont livrées sous réserve d'acceptation par le client et que des incertitudes existent par rapport à la possibilité de retours, le client ne bénéficie pas encore de la quasi-totalité des avantages restants du bien et le produit ne peut pas être comptabilisé par l'entreprise. Selon l'IASB, on doit analyser, **de façon objective**, si le transfert du contrôle du bien ou du service s'est effectué conformément aux spécifications convenues afin de conclure à l'acceptation de la marchandise par le client. Dans les situations où l'acceptation du client est une formalité, par exemple elle dépend d'une simple vérification de la taille et du poids, l'entreprise peut, à la livraison, constater par elle-même le respect de ces caractéristiques de façon objective par une mesure ou une pesée des biens. De plus, l'expérience de l'entreprise à l'égard de transactions comparables peut fournir objectivement une information indiquant que le client acceptera vraisemblablement les biens ou les services fournis. Par contre, dans une situation où l'on ne peut pas déterminer de façon objective l'acceptation possible du client, l'entreprise doit reporter la comptabilisation de la vente au moment de l'acceptation par le client.

Différence NCECF

Qu'en est-il des entreprises qui accordent à leurs clients un droit de retour ou de remplacement si le bien ne répond pas aux spécifications qu'elles publient ou s'il est simplement défectueux? Ces droits de retour ont été analysés précédemment dans ce chapitre et ils se rattachent à la notion de l'évaluation de la contrepartie variable afin de déterminer le prix de transaction de vente (*voir l'étape 4 du modèle de comptabilisation des produits*).

Les coûts d'un contrat

Différence NCECF

L'IFRS 15 traite du sujet des coûts liés aux contrats avec des clients en distinguant les coûts marginaux d'obtention d'un contrat et les coûts d'exécution d'un contrat.

Les coûts marginaux d'obtention d'un contrat

Les **coûts marginaux d'obtention d'un contrat** représentent les coûts «[…] que l'entité engage pour obtenir un contrat avec un client et qu'elle n'aurait pas engagés si elle n'avait pas obtenu le contrat (par exemple une commission de vente)[26]». Il faut éviter de confondre ces coûts marginaux avec ceux qui sont engagés, peu importe que le contrat soit obtenu ou non, comme c'est le cas, par exemple, des frais d'administration. L'entreprise doit comptabiliser à l'actif les coûts marginaux d'obtention d'un contrat dans la mesure où elle entend les recouvrer, sauf dans les cas où la période d'amortissement de cet actif est inférieure à un an.

Les coûts d'exécution d'un contrat

Les **coûts d'exécution d'un contrat** sont les coûts directement engagés pour la réalisation d'un contrat. De tels coûts peuvent notamment inclure les coûts de main-d'œuvre, de matières premières, ou tout autre coût qui peut être directement attribué au contrat. Si ces coûts ne font pas l'objet d'une autre norme, comme l'**IAS 2**, «Stocks», l'**IAS 16**, «Immobilisations corporelles», ou l'**IAS 38**, «Immobilisations incorporelles», l'entreprise doit s'assurer qu'elle remplit ces conditions avant d'inscrire les coûts à l'actif :

(a) ils sont directement liés à un contrat ou à un contrat prévu que l'entité peut identifier spécifiquement (il peut s'agir, par exemple, des coûts engagés pour des services à fournir à la suite du renouvellement d'un contrat existant ou pour la conception d'un actif à transférer selon un contrat spécifique non encore approuvé) ;

(b) ils procurent à l'entité des ressources nouvelles ou accrues qui lui serviront à remplir (ou à continuer à remplir) ses obligations de prestation dans l'avenir ;

(c) on s'attend à les recouvrer[27].

Par ailleurs, il est interdit d'inscrire à l'actif des coûts engagés à l'égard des frais généraux et administratifs, sauf lorsqu'ils sont facturables au client, des pertes relatives à l'exécution du contrat et qui n'étaient pas reflétées dans le prix du contrat, les coûts d'exécution du contrat liés à des obligations de prestation remplies, de même que ceux pour lesquels il n'est pas possible de distinguer s'ils se rapportent ou non à une obligation de prestation remplie.

EXEMPLE

Coûts d'exécution d'un contrat

Reprenons l'exemple de la société RPL qui conclut des accords de consignation. Ajoutons maintenant que RPL s'engage à rembourser à PTL toute somme que cette dernière déboursera pour l'entreposage des raquettes.

Le 2 mai 20X3, RPL a expédié à PTL 100 raquettes et a payé les coûts de la livraison, soit 150 $. Chaque raquette coûte 200 $ à RPL. Au cours du mois de mai, PTL a vendu 80 raquettes et a dû débourser 100 $ pour l'entreposage des raquettes. Le 31 mai, PTL remet la somme due à RPL.

26. *Manuel de CPA Canada – Comptabilité – Partie I*, IFRS 15, paragr. 92.

27. *Manuel de CPA Canada – Comptabilité – Partie I*, IFRS 15, paragr. 95.

Voici les écritures de journal enregistrées de part et d'autre :

Raquette plus ltée (consignateur)			**Le Pro du tennis ltée (consignataire)**		
2 mai 20X3					
Marchandises en consignation	*20 000*		Aucune écriture		
Stock de marchandises		*20 000*			
Envoi en consignation de 100 raquettes Match 2000 au coût unitaire de 200 $.					
Marchandises en consignation	*150*				
Caisse		*150*			
Coûts de transport relatifs à la marchandise expédiée à PTL.					
Au cours du mois de mai 20X3					
Aucune écriture			*Caisse*	*48 000*	
			Montant dû à RPL		*38 400*
			Commissions gagnées		*9 600*
			Vente de 80 raquettes Match 2000 à un prix unitaire de 600 $ et commission de 20 %.		
			Montant dû à RPL	*100*	
			Caisse		*100*
			Coûts d'entreposage à recouvrer de RPL.		
31 mai 20X3					
Caisse	*38 300*		*Montant dû à RPL*	*38 300*	
Charge liée à l'entreposage	*100*		*Caisse*		*38 300*
Commissions	*9 600*		*Paiement du solde dû (38 400 $ – 100 $).*		
Ventes en consignation		*48 000*			
Rapport des ventes (80 Match 2000 vendues à 600 $ chacune, diminué de la commission de 20 % et des coûts d'entreposage remboursés).					
Coût des ventes des marchandises vendues en consignation	*16 120*		Aucune écriture équivalente à celle de gauche		
Marchandises en consignation		*16 120*			
Coût des ventes en consignation [(80 raquettes vendues sur 100 raquettes) × (20 000 $ + 150 $)].					

Comparativement aux observations déjà indiquées dans l'exemple précédent de RPL (*voir la page 20.66*), on peut dégager un certain nombre d'observations de ces écritures de journal :

1. Les coûts de transport représentent un coût supplémentaire pour le consignateur relativement aux marchandises en consignation. Ces coûts sont donc incorporés au compte Marchandises en consignation, car ils représentent un coût nécessaire pour que les stocks

se trouvent à l'endroit et dans l'état où ils doivent se trouver, et ce, selon les recommandations formulées dans la norme **IAS 2**.

2. Pour ce qui est des frais d'entreposage engagés par PTL et remboursés par le consignateur, le traitement comptable mérite des explications. Selon l'IAS 2, les coûts de stockage, autres que ceux nécessaires au processus de production préalablement à une nouvelle étape de production, ne sont pas capitalisables dans le coût des stocks. Dans le cas particulier de la consignation, il est vrai que RPL doit engager ces coûts d'entreposage pour rendre les raquettes disponibles au consommateur et permettre leur vente. Si ces frais avaient été engagés par RPL, ils ne seraient pas capitalisables ; alors ils ne le sont pas plus du fait que RPL les rembourse au consignataire.
3. Le consignataire (PTL) établit périodiquement un rapport des ventes. Il fait de plus état des coûts inhérents pris en charge par le consignateur. À la réception de ce rapport des ventes, le consignateur (RPL) enregistre la vente, le coût des ventes, les coûts de commission et les autres coûts pertinents.
4. Enfin, le consignateur (RPL) peut retracer le coût des marchandises encore en consignation en consultant le compte Marchandises en consignation, dont voici le compte en T :

		Marchandises en consignation	
Envoi de 100 raquettes	*3 mai*	*20 000*	
Coûts de transport	*3 mai*	*150*	
Total		***20 150***	
Vente de 80 raquettes	*31 mai*		*16 120*
Solde en main de 20 raquettes		***4 030***	

Au 31 mai 20X3, RPL a toujours 20 raquettes en consignation chez PTL. Celles-ci ont un coût moyen de 201,50 $ (4 030 $ pour 20 raquettes en main).

L'amortissement et la dépréciation

Différence NCECF

Les coûts marginaux d'obtention d'un contrat de même que les coûts d'exécution qui ont été comptabilisés à l'actif doivent être amortis selon une base reflétant le transfert des obligations de prestation au client. Dans la mesure où l'actif comptabilisé à titre de coûts du contrat excède les avantages futurs nets que l'entreprise prévoit recevoir du bien ou du service en question, une perte de valeur représentant cet excédent doit être comptabilisée en résultat net. L'évaluation des avantages futurs nets est fonction du montant de la contrepartie qui est recouvrable, et ce, net des coûts d'obtention et d'exécution du contrat non encore comptabilisés en charges.

Les contrats de construction

Différence NCECF

Pour les entreprises qui ont un cycle d'exploitation dont la durée est inférieure à une année, voire à un mois et même à une semaine, les critères de comptabilisation des produits permettent de présenter fidèlement dans les états financiers les résultats de leurs activités économiques.

Par contre, certaines entreprises amorcent la production de biens destinés à la vente au cours d'un exercice et la termineront dans un ou plusieurs exercices subséquents. Il en est ainsi pour les entreprises de construction d'autoroutes, de bâtiments maritimes, ou les entreprises qui conçoivent des logiciels répondant aux besoins particuliers d'un client. De tels travaux soulèvent des défis comptables, dont le plus important est sans conteste la comptabilisation des produits.

L'IFRS 15 ne mentionne pas de règles propres à la comptabilisation des contrats de construction. Cependant, nous pouvons nous référer principalement au modèle de comptabilisation des produits en cinq étapes et, plus précisément, aux normes relatives à l'avancement des travaux à l'étape 3 du modèle (*voir les figures 20.1 et 20.5*) et à la comptabilisation des coûts liés au contrat.

Les coûts d'exécution d'un contrat de construction

Le tableau 20.3 indique la façon dont les coûts d'exécution d'un contrat peuvent s'appliquer à un contrat de construction, comme le stipulent les paragraphes 97 et 98 de l'IFRS 15.

TABLEAU 20.3 Les éléments de coûts rattachables à un contrat de construction

	Normes internationales d'information financière, **IFRS 15**	**Commentaires**
	Paragr. 97	
Coûts directement rattachables au contrat devant être comptabilisés à l'actif et amortis selon la fourniture des biens ou services	(*a*) *les coûts de main-d'œuvre directe (par exemple, les salaires des membres du personnel qui fournissent les services promis directement au client) ;* (*b*) *le coût des matières premières (par exemple, les fournitures utilisées pour fournir les services promis au client) ;*	Les éléments de coûts indiqués ci-contre en (a) et en (b) s'apparentent aux coûts des matières premières et à la main-d'œuvre directe d'une entreprise industrielle, présentés au chapitre 7. Si certains des coûts peuvent être récupérés par des ventes accessoires, disons la revente des matériaux non utilisés, le prix de revente est porté en diminution des coûts.
	(*c*) *les affectations de coûts directement liés au contrat ou aux activités contractuelles (par exemple, les coûts de gestion et de supervision du contrat, les assurances et l'amortissement du matériel et de l'outillage utilisés pour l'exécution du contrat) ;* (*d*) *les coûts explicitement facturables au client selon le contrat ;*	Les éléments de coûts indiqués ci-contre en (c) s'apparentent aux frais généraux variables d'une entreprise industrielle. On peut aussi penser aux coûts de mise en place d'installations, d'équipements et de matériaux sur le chantier du contrat et aux coûts de location des installations et des équipements.
	(*e*) *les autres coûts qui sont engagés pour la seule raison que l'entité a conclu le contrat (par exemple, les paiements aux sous-traitants).*	Les frais généraux doivent être répartis de façon systématique et rationnelle sur le niveau normal de la capacité de construction.
	Paragr. 98	
Coûts indirects devant être comptabilisés en charges lorsqu'ils sont engagés	(*a*) *les frais généraux et administratifs [...] ;* (*b*) *les coûts des pertes de matières, d'heures de main-d'œuvre ou d'autres ressources ayant servi à l'exécution du contrat qui n'étaient pas reflétés dans le prix du contrat ;* (*c*) *les coûts liés aux obligations de prestation remplies [...] ;* (*d*) *les coûts pour lesquels l'entité ne peut distinguer s'ils sont liés à des obligations de prestation non remplies ou à des obligations de prestation remplies (ou des obligations de prestation remplies partiellement).*	À moins de spécification claire au contrat, les frais d'administration, les frais de vente ou l'amortissement des actifs immobilisés non utilisés dans la construction ne peuvent être inclus dans le coût des contrats. En règle générale, les frais pour obtenir un contrat sont comptabilisés en charges au moment où ils sont engagés plutôt que d'être inclus dans le coût des contrats.

La méthode de l'avancement des travaux

Comme dans le cas de la prestation de biens ou de services rendue de façon progressive, et comme indiqué précédemment à l'étape 3 du modèle de comptabilisation des produits, la méthode de l'avancement doit être privilégiée par rapport à la comptabilisation des produits à hauteur des coûts engagés, dans la mesure où certains critères sont satisfaits. La présente sous-section expliquera le fonctionnement de base de cette méthode appliquée aux contrats de construction.

Nous avons déjà, au tableau 20.1, présenté des exemples de méthodes d'évaluation du degré d'avancement. Lorsqu'une entreprise utilise la méthode de l'avancement des travaux, elle inscrit tous les coûts engagés dans le compte de valeurs Travaux en cours et toutes les sommes facturées dans le compte de valeurs Facturation des travaux en cours. En fin d'exercice, elle comptabilise les produits, les charges et la marge brute de l'exercice.

EXEMPLE

Comptabilisation d'un contrat de construction selon la méthode de l'avancement des travaux

Le 1er janvier 20X1, la société Norsena ltée a signé un contrat de construction échelonné sur trois ans. Les renseignements suivants sont tirés de ce contrat :

Prix du contrat	*1 000 000 $*
Coûts estimatifs attendus	*750 000*

Répartition des activités sur la durée du contrat :

	20X1	20X2	20X3
Coûts de construction engagés	*100 000 $*	*250 000 $*	*400 000 $*
Coûts estimatifs à engager	*650 000*	*400 000*	*θ*
Montants facturés	*70 000*	*305 000*	*625 000*
Sommes recouvrées	*50 000*	*300 000*	*650 000*

Précisons d'abord que les coûts de construction engagés représentent les coûts engagés pendant l'exercice en cours et que les coûts estimatifs à engager sont constitués des sommes à engager jusqu'à la fin de la construction. Ces coûts sont estimatifs parce que la société ne connaît pas d'avance les coûts réels. Norsena ltée calcule le degré d'avancement des travaux en fonction des coûts totaux estimatifs. Le résultat de l'addition des montants des factures que Norsena ltée a préparées et envoyées à son client au cours de l'exercice est indiqué à la ligne Montants facturés. Finalement, les sommes recouvrées représentent les montants que Norsena ltée a reçus du client à la suite de la facturation. Notons qu'à chaque exercice, Norsena ltée peut encaisser un montant plus ou moins élevé que le montant facturé, car le client ne paie pas nécessairement ses factures à mesure qu'il les reçoit. Notons enfin que cet exemple n'aborde pas la comptabilisation des taxes payées ou des taxes facturées au client, puisque le lecteur a approfondi ce sujet dans un cours de base en comptabilité.

Voici les écritures de journal requises dans les livres de Norsena ltée :

20X1

Travaux en cours	*100 000*	
Caisse		*100 000*
Coûts de construction engagés au cours de l'exercice.		
Clients	*70 000*	
Facturation des travaux en cours		*70 000*
Montants facturés au cours de l'exercice.		
Caisse	*50 000*	
Clients		*50 000*
Montants encaissés au cours de l'exercice.		
Coût des travaux exécutés	*100 000*	
Travaux en cours ①	*33 300*	
Produits découlant des travaux exécutés		*133 300*
Produits et charges liés aux opérations de l'exercice.		

Calcul :

① Degré d'avancement

Coûts engagés à ce jour	100 000 $
Coûts estimatifs à engager pour terminer les travaux	650 000
Coûts totaux estimatifs	750 000 $
Degré d'avancement à ce jour (100 000 $ ÷ 750 000 $)	13,33 %

Résultat avant impôts

Produits à comptabiliser en 20X1 (1 000 000 $ × 13,33 %)	133 300 $
Coûts engagés en 20X1	(100 000)
Bénéfice avant impôts de 20X1	33 300 $

20

La première écriture de journal sert à comptabiliser à l'actif les coûts de construction engagés au cours de l'exercice. Dans les faits, l'entreprise ne passe pas seulement une écriture de 100 000 $, mais plusieurs écritures à mesure qu'elle engage les coûts. La deuxième écriture sert à inscrire les montants réels facturés au client au cours de l'exercice. Comme pour les frais engagés en 20X1, Norsena ltée peut avoir fait parvenir plusieurs factures à son client durant tout l'exercice. Ce n'est que pour simplifier l'exemple que nous groupons ces opérations dans une seule écriture comptable. Finalement, l'encaissement d'une partie des montants facturés est inscrit au moyen de la troisième écriture.

La quatrième écriture sert à comptabiliser les résultats avant impôts découlant de la construction, c'est-à-dire les produits, les charges et le bénéfice avant impôts. Pour calculer les **produits** de l'exercice 20X1, il faut d'abord calculer le degré d'avancement des travaux. En 20X1, Norsena ltée a engagé des frais de 100 000 $ sur un total attendu de 750 000 $. Puisque le degré d'avancement des travaux est calculé en fonction des coûts, il s'établit à 13,33 %.

$$\frac{\text{Coûts engagés à ce jour}}{\text{Coûts totaux estimatifs}} = \frac{100\ 000\ \$}{750\ 000\ \$} \times 100 = 13{,}33\ \%$$

Les produits comptabilisés en 20X1 s'élèvent donc à 133 300 $, soit 1 000 000 $ × 13,33 %. On doit ensuite comptabiliser en résultat net les **charges** que Norsena ltée a dû engager pour gagner ces produits. Les charges correspondent simplement aux frais engagés en 20X1, soit 100 000 $. Finalement, le **bénéfice avant impôts** de 33 300 $ est débité au compte Travaux en cours. De cette façon, le solde de ce compte représente le prix de vente plutôt que le coût de la portion réalisée du bien. Voici les écritures de journal requises dans les livres de Norsena ltée pour les exercices subséquents :

	20X2		*20X3*	
Travaux en cours	*250 000*		*400 000*	
Caisse		*250 000*		*400 000*
Coûts de construction engagés au cours de l'exercice.				
Clients	*305 000*		*625 000*	
Facturation des travaux en cours		*305 000*		*625 000*
Montants facturés au cours de l'exercice.				
Caisse	*300 000*		*650 000*	
Clients		*300 000*		*650 000*
Montants encaissés au cours de l'exercice.				
Coût des travaux exécutés	*250 000*		*400 000*	
Travaux en cours ①	*83 400*		*133 300*	
Produits découlant des travaux exécutés		*333 400*		*533 300*
Produits et charges liés aux opérations de l'exercice.				

Calcul :

① Degré d'avancement	**20X2**	**20X3**
Coûts engagés à ce jour	350 000 $	750 000 $
Coûts estimatifs à engager pour terminer les travaux	400 000	θ
Coûts totaux estimatifs	750 000 $	750 000 $
Degré d'avancement à ce jour		
20X2 : (350 000 $ ÷ 750 000 $ × 100)	46,67 %	
20X3 : (750 000 $ ÷ 750 000 $ × 100)		100,00 %

20

Résultat avant impôts		
Produits réalisés à ce jour		
20X2 : (1 000 000 $ × 46,67 %)	466 700 $	
20X3 : (1 000 000 $ × 100,00 %)		1 000 000 $
Produits comptabilisés en 20X1	(133 300)	(133 300)
Produits à comptabiliser en 20X2	333 400	(333 400)
Produits à comptabiliser en 20X3		533 300
Coûts engagés dans l'exercice	(250 000)	(400 000)
Bénéfice avant impôts	83 400 $	133 300 $

En 20X3, lorsque la construction est terminée, le **titre de propriété légale** est transféré à l'acheteur. Il faut alors passer une écriture supplémentaire semblable à celle requise lorsqu'une entreprise vend une immobilisation. Dans ce cas, l'entreprise sort de ses livres le coût et l'amortissement cumulé afférent à l'immobilisation. Pour une entreprise qui exécute des contrats de construction, le transfert du titre de propriété légale d'un bien construit se reflète dans les livres comptables lorsque l'entreprise radie les portions s'y rapportant des soldes des comptes de valeurs Travaux en cours et Facturation des travaux en cours. Étant donné que l'actif est comptabilisé au prix de vente et qu'au moment du transfert toutes les sommes ont été facturées, ces portions s'égalent et s'annulent donc l'une et l'autre.

Facturation des travaux en cours	*1 000 000*	
Travaux en cours		*1 000 000*
Élimination du solde des deux comptes réciproques après l'acceptation des travaux par le client.		

L'examen des comptes en T, présentés ci-après, permet d'obtenir une vue d'ensemble de toutes ces opérations.

Caisse

	50 000	*100 000*	
		50 000	*Solde 20X1*
	300 000	*250 000*	
		0	*Solde 20X2*
	650 000	*400 000*	
Solde 20X3	***250 000***		

Clients

	70 000	*50 000*	
Solde 20X1	***20 000***		
	305 000	*300 000*	
Solde 20X2	***25 000***		
	625 000	*650 000*	
Solde 20X3	***0***		

Facturation des travaux en cours

		70 000	
		70 000	*Solde 20X1*
		305 000	
		375 000	*Solde 20X2*
	1 000 000	*625 000*	
		0	*Solde 20X3*

Travaux en cours

	Débit	Crédit
	100 000	
	33 300	
Solde 20X1	***133 300***	
	250 000	
	83 400	
Solde 20X2	***466 700***	
	400 000	
	133 300	*1 000 000*
Solde 20X3	***0***	

Coût des travaux exécutés[28]

	Débit	Crédit
	100 000	
Cumulatif 20X1	***100 000***	
	250 000	
Cumulatif 20X2	***350 000***	
	400 000	
Cumulatif 20X3	***750 000***	

Produits découlant des travaux exécutés[28]

Débit	Crédit	
	133 300	
	133 300	*Cumulatif 20X1*
	333 400	
	466 700	*Cumulatif 20X2*
	533 300	
	1 000 000	*Cumulatif 20X3*

Le profit total de 250 000 $ de ce contrat est réparti sur trois ans. À la fin de 20X3, Norsena ltée a encaissé la totalité du montant de la vente et payé toutes les dépenses relatives à ce contrat. De ce fait, le solde de l'encaisse de 250 000 $ représente donc le profit total.

La présentation dans les états financiers sera approfondie plus loin dans ce chapitre. Voici un résumé du résultat avant impôts de la société Norsena ltée pour les exercices 20X1 à 20X3 lorsque l'entreprise utilise la méthode de l'avancement :

	20X3	***20X2***	***20X1***
Produits comptabilisés	*533 300 $*	*333 400 $*	*133 300 $*
Coûts engagés	*400 000*	*250 000*	*100 000*
Bénéfice avant impôts	*133 300 $*	*83 400 $*	*33 300 $*

Le lecteur aura peut-être remarqué que, pendant toute la durée des travaux, le compte de valeurs Travaux en cours augmente, même si l'entreprise comptabilise les charges en résultat net. De même, le compte de valeurs Facturation des travaux en cours augmente même si le client paie les sommes dues. En fait, il faut faire très attention au moment d'interpréter la substance de

28. Nous présentons, dans ces deux comptes en T, l'effet cumulatif des écritures de journal afin d'obtenir une vue d'ensemble de la situation. Le lecteur averti notera toutefois que, puisqu'il s'agit de comptes de résultat net, ceux-ci auraient effectivement fait l'objet d'écritures de clôture ramenant leur solde respectif à zéro à la fin de chacun des exercices financiers.

ces deux comptes dont le solde ne représente pas respectivement un actif ni un passif. Ces deux comptes ne sont pas présentés distinctement dans l'état de la situation financière. Ils servent uniquement à comparer le rythme de l'avancement des travaux à celui de la facturation. Dans ses états financiers, l'entreprise présentera seulement l'écart entre les deux comptes. Lorsque le solde du compte Facturation des travaux en cours excède le solde du compte Travaux en cours, cela signifie que l'entreprise a facturé au client des sommes plus élevées que les travaux exécutés. Cet excédent représente en quelque sorte une obligation envers son client pour des produits différés. C'est seulement cet écart qui constitue un passif et qui sera présenté sous l'intitulé **Montant brut dû aux clients**. Les utilisateurs des états financiers doivent interpréter ce passif avec vigilance, car celui-ci ne sera pas nécessairement réglé par un débours futur. Si l'entreprise réussit à terminer les travaux, ce qui est généralement le scénario le plus probable, le solde du compte Travaux en cours égalera celui du compte Facturation des travaux en cours. Le montant présenté au passif sera réglé par un débours futur uniquement si l'entreprise ne réussit pas à terminer la construction, auquel cas elle devrait sans doute remettre au client un montant équivalent.

À l'inverse, lorsque le solde du compte Facturation des travaux en cours est inférieur au solde du compte Travaux en cours, cela signifie que l'entreprise n'a pas facturé au client tous les travaux exécutés. C'est cet écart qui constitue un actif et que l'entreprise présente à titre de **Montant brut à recevoir des clients**.

Avez-vous remarqué ?

On peut d'emblée soutenir que la méthode de l'avancement reflète fidèlement les activités de construction qu'une entreprise mène à chaque exercice. Cependant, il est plus exact de nuancer cette affirmation : la méthode de l'avancement reflète fidèlement les activités de construction dans la mesure où il est possible d'estimer de manière fiable le degré d'avancement ainsi que le résultat du contrat.

La comptabilisation des produits à hauteur des coûts engagés

La comptabilisation des produits à hauteur des coûts engagés, telle qu'expliquée dans l'analyse de l'étape 3 du modèle de comptabilisation des produits, exige peu d'estimation. Par contre, cela implique que, dans l'état du résultat global, l'entreprise ne présentera aucun bénéfice ni perte sur le contrat pendant les premiers exercices où elle réalise ses activités d'exploitation. Les utilisateurs des états financiers qui ne regarderaient que le résultat net en concluraient à tort que l'entreprise est peu performante, ce qui pourrait les amener à prendre de mauvaises décisions, telle la vente de leurs actions. La volonté de présenter des informations comptables pertinentes milite donc en faveur de la méthode de l'avancement, selon laquelle on comptabilise les bénéfices et les pertes sur les activités de construction tout au cours des activités. Toutefois, un tel mode de comptabilisation repose sur plusieurs estimations, d'autant plus difficiles à faire que le contrat s'étend sur une longue période. Ces difficultés peuvent parfois diminuer la fidélité de la présentation des opérations et des événements dans les états financiers. Pour cette raison, la comptabilisation des contrats de construction est souvent un véritable dilemme.

Peu importe le mode de comptabilisation des produits, il est évident que l'entreprise présentera le même total de produits sur la durée complète du contrat. Toutefois, l'image de la performance que donneront les états financiers différera de façon importante. La principale divergence entre ces méthodes est en fait le moment de comptabilisation des produits sur les exercices au cours desquels la construction se déroule.

Une entreprise utilise la méthode de l'avancement seulement si elle est capable d'estimer de façon fiable le résultat attendu d'un contrat de construction ainsi que le degré d'avancement des travaux. Lorsqu'elle ne peut faire de telles estimations, par exemple au cours des premiers stades d'un contrat ou sur un contrat lié à un actif dont la conception est très novatrice, l'entreprise devra faire preuve de plus de prudence au moment de comptabiliser les produits. C'est pourquoi l'IASB recommande de comptabiliser les produits à hauteur des coûts engagés, ce qui a pour effet de limiter le montant des produits comptabilisés au montant des coûts engagés dont le recouvrement est probable. Ainsi, l'état du résultat global montrera un résultat avant impôts égal à zéro, et ce n'est que dans les exercices subséquents, lorsque l'entreprise sera en mesure d'estimer le résultat avant impôts du contrat, que cet état montrera un excédent des produits sur les charges.

EXEMPLE

Comptabilisation d'un contrat de construction selon la méthode des produits à hauteur des coûts engagés

Reprenons l'exemple de la société Norsena ltée, en tenant pour acquis que celle-ci ne peut estimer le résultat avant impôts du contrat avant la fin du contrat. Voici les écritures de journal requises dans les livres de Norsena ltée :

20X1		
Travaux en cours	*100 000*	
Caisse		*100 000*
Coûts de construction engagés au cours de l'exercice.		
Clients	*70 000*	
Facturation des travaux en cours		*70 000*
Montants facturés au client au cours de l'exercice.		
Caisse	*50 000*	
Clients		*50 000*
Montants encaissés du client au cours de l'exercice.		
Coûts des travaux exécutés	*100 000*	
Produits découlant des travaux exécutés		*100 000*
Imputation des charges et d'un montant équivalent de produits en résultat net de l'exercice.		

Les trois premières écritures de journal sont identiques à celles de la sous-section précédente et ne nécessitent pas d'explications additionnelles. Dans la dernière écriture, le montant crédité au compte Produits découlant des travaux exécutés correspond aux seuls coûts engagés pendant l'exercice, soit 100 000 $.

Puisque toutes ces opérations se répètent d'année en année, les mêmes écritures devront être passées en 20X2 et en 20X3, comme le montrent les écritures de journal qui suivent :

	20X2		*20X3*	
Travaux en cours	*250 000*		*400 000*	
Caisse		*250 000*		*400 000*
Coûts de construction engagés au cours de l'exercice.				
Clients	*305 000*		*625 000*	
Facturation des travaux en cours		*305 000*		*625 000*
Montants facturés au cours de l'exercice.				
Caisse	*300 000*		*650 000*	
Clients		*300 000*		*650 000*
Montants encaissés au cours de l'exercice.				
Coûts des travaux exécutés	*250 000*		*400 000*	
Travaux en cours			*250 000*	
Produits découlant des travaux exécutés		*250 000*		*650 000*
Imputation des charges, et, tant que le contrat n'est pas terminé, d'un montant équivalent de produits, en résultat net de l'exercice.				
Facturation des travaux en cours			*1 000 000*	
Travaux en cours				*1 000 000*
Élimination du solde des deux comptes réciproques après l'acceptation des travaux par le client.				

Les écritures concernant la comptabilisation des coûts, de la facturation et des encaissements des clients ne demandent pas d'explications additionnelles, car elles reposent sur la même logique que celle présentée dans la sous-section précédente. L'écriture de journal concernant les produits de 20X3 appelle quelques explications. En 20X3, Norsena ltée a comptabilisé des produits de 650 000 $, ce qui excède les coûts de 400 000 $. La raison tient au fait que la construction se termine en 20X3, et que Norsena ltée est alors en mesure de déterminer le résultat avant impôts du contrat. Au cours des 2 exercices précédents, soit 20X1 et 20X2, elle a comptabilisé des produits totalisant 350 000 $ (100 000 $ + 250 000 $) sur un prix convenu de 1 000 000 $. C'est pourquoi elle doit comptabiliser des produits de 650 000 $ au cours du dernier exercice.

Lorsque la construction prend fin, on doit virer le solde des comptes de valeurs afférents à la construction, tout comme nous l'avons fait en utilisant la méthode de l'avancement.

L'examen des comptes en T, présentés ci-dessous, permet d'obtenir une vue d'ensemble de toutes ces opérations.

Caisse

	Débit	Crédit	
	50 000	*100 000*	
		50 000	*Solde 20X1*
	300 000	*250 000*	
		0	*Solde 20X2*
	650 000	*400 000*	
Solde 20X3	***250 000***		

Clients

	Débit	Crédit
	70 000	*50 000*
Solde 20X1	***20 000***	
	305 000	*300 000*
Solde 20X2	***25 000***	
	625 000	*650 000*
Solde 20X3	***0***	

Facturation des travaux en cours

Débit	Crédit	
	70 000	
	70 000	*Solde 20X1*
	305 000	
	375 000	*Solde 20X2*
1 000 000	*625 000*	
	0	*Solde 20X3*

Travaux en cours

	Débit	Crédit
	100 000	
Solde 20X1	***100 000***	
	250 000	
Solde 20X2	***350 000***	
	400 000	
	250 000	*1 000 000*
Solde 20X3	***0***	

Coût des travaux exécutés[29]

	Débit	Crédit
	100 000	
Cumulatif 20X1	***100 000***	
	250 000	
Cumulatif 20X2	***350 000***	
	400 000	
Cumulatif 20X3	***750 000***	

Produits découlant des travaux exécutés[29]		
	100 000	
	100 000	*Cumulatif 20X1*
	250 000	
	350 000	*Cumulatif 20X2*
	650 000	
	1 000 000	*Cumulatif 20X3*

Dans cet exemple, Norsena ltée a retardé jusqu'en 20X3 la comptabilisation du bénéfice avant impôts de 250 000 $ lié à la construction, car elle était incapable d'estimer de façon fiable le résultat du contrat avant 20X3. Lorsqu'une entreprise qui utilise la méthode des produits à hauteur des coûts engagés devient capable de faire une telle estimation avant la fin du contrat, elle doit utiliser, à compter de cette date, la méthode de l'avancement.

Avez-vous remarqué ?

La méthode des produits à hauteur des coûts engagés est simple à appliquer par rapport à la méthode de l'avancement en raison de l'absence d'estimation en fin d'exercice. Toutefois, l'inconvénient de cette simplification est que le bénéfice généré par les activités de construction est comptabilisé uniquement dans le dernier exercice financier du contrat de construction.

Une comparaison entre les deux méthodes

Afin de bien faire ressortir les différences entre les deux méthodes de comptabilisation des produits découlant des contrats de construction, reprenons l'exemple de la société Norsena ltée, qui permettra de constater les différences entre l'état de la situation financière et l'état du résultat global.

La figure 20.15 illustre les éléments qui sont présentés dans les états financiers de Norsena ltée.

FIGURE 20.15 Une illustration des deux méthodes de comptabilisation des produits

	Méthode des produits à hauteur des coûts engagés (en milliers)			**Méthode de l'avancement (en milliers)**		
	20X1	***20X2***	***20X3***	***20X1***	***20X2***	***20X3***
Situation financière						
Travaux en cours	*100 $*	*350 $*	*1 000 $*	*133,3 $*	*466,7 $*	*1 000,0 $*
Facturation des travaux en cours	*70*	*375*	*1 000*	*70,0*	*375,0*	*1 000,0*
Résultat net						
Produits	*100 $*	*250 $*	*650 $*	*133,3 $*	*333,4 $*	*533,3 $*
Charges (Coûts de production)	*100*	*250*	*400*	*100,0*	*250,0*	*400,0*
Bénéfice net (avant impôts)	*0 $*	*0 $*	*250 $*	*33,3 $*	*83,4 $*	*133,3 $*

Source : Jocelyne Gosselin • Adaptation : Patricia Michaud

29. Comme dans l'exemple précédent, nous présentons, dans ces deux comptes en T, l'effet cumulatif des écritures de journal afin d'obtenir une vue d'ensemble de la situation. Le lecteur averti notera toutefois que, puisqu'il s'agit de comptes de résultat net, ceux-ci auraient effectivement fait l'objet d'écritures de clôture ramenant leur solde respectif à zéro, à la fin de chacun des exercices financiers.

Cette figure permet de saisir rapidement les différences entre les deux méthodes de comptabilisation. La différence la plus importante se situe du côté de la comptabilisation des produits et, par conséquent, du côté de la présentation du bénéfice net pendant les trois exercices. Si la société opte pour la comptabilisation des produits à hauteur des coûts engagés, les produits des deux premiers exercices correspondent exactement aux charges, ce qui résulte en un impact nul sur le bénéfice net. Ce n'est qu'en 20X3 que le bénéfice total avant impôts de 250 000 $ est comptabilisé en résultat net. Par contre, si Norsena ltée opte pour la méthode de l'avancement, elle répartit ses produits et le bénéfice net sur les trois exercices de la construction selon l'avancement des travaux.

Une autre différence porte sur le solde du compte Travaux en cours. Selon la comptabilisation des produits à hauteur des coûts engagés, seuls les coûts de construction engagés périodiquement sont portés à ce compte alors que, selon la méthode de l'avancement, on y porte en plus chaque année le montant du bénéfice avant impôts comptabilisé. On peut donc conclure que, avec la première méthode, ce compte d'actif représente les coûts de construction alors que, avec la seconde, il en représente le prix de vente des travaux réalisés jusqu'à ce jour. Pour la comptabilisation des produits à hauteur des coûts engagés, ce n'est que dans le dernier exercice que l'on ajoute le montant du bénéfice avant impôts dans le compte Travaux en cours.

Il faut aussi souligner que les méthodes de comptabilisation n'influent pas sur le compte Facturation des travaux en cours. De même, ces méthodes n'influent pas sur le total des produits comptabilisés en résultat net, soit 1 000 000 $. Seul le moment de la comptabilisation diffère.

Le tableau 20.4 présente une analyse comparative des avantages et des inconvénients des deux méthodes de comptabilisation des produits et des charges liés à un contrat de construction.

TABLEAU 20.4 Une analyse comparative des avantages et des inconvénients des deux méthodes de comptabilisation des produits

Méthode à hauteur des coûts engagés	Méthode de l'avancement
Reflète peu les activités de l'entreprise.	Reflète bien les activités de l'entreprise.
Est simple à appliquer, car la comptabilisation est basée sur les coûts réels.	Est plus difficile à appliquer, car la comptabilisation des produits est basée sur des estimations. Par contre, l'utilité de l'information peut compenser l'incertitude de l'estimation.
Les éléments comptabilisés en résultat net sont fiables.	Les éléments comptabilisés en résultat net sont moins fiables, car ils reposent en partie sur des estimations. Cette méthode rend possible la manipulation du résultat net.
Est peu utile aux dirigeants aux fins de gestion.	Est susceptible d'être utile aux dirigeants, par exemple dans la négociation d'un emprunt.
Entraîne des variations importantes du résultat net.	Entraîne moins de variations du résultat net.
Peut donner une fausse impression du risque qu'assume l'entreprise.	Reflète mieux le risque réel de l'entreprise.

Différence NCECF

La présentation et les informations à fournir dans les états financiers

Différence NCECF

20

Au-delà des règles liées au moment et au montant relatifs à la comptabilisation des produits des activités ordinaires, l'IFRS 15 présente un défi informationnel important.

La présentation dans les états financiers

L'IASB distingue une créance que l'on présente dans l'état de la situation financière d'un actif sur contrat. Une **créance** est « [...] un droit inconditionnel de l'entité à une contrepartie[30] ». C'est l'écoulement du temps qui détermine le droit à un montant à recevoir d'un client dans le cas

30. *Manuel de CPA Canada – Comptabilité – Partie I*, IFRS 15, paragr. 108.

d'une créance. Un actif sur contrat représente plutôt le fait qu'une entreprise fournit un bien ou un service avant que le client ne paie la contrepartie, à l'exception des créances, ou avant que le paiement ne soit exigible. En effet, un **actif sur contrat** est « [...] un droit de l'entité d'obtenir une contrepartie en échange de biens ou de services qu'elle a fournis à un client[31] ».

En contrepartie, un passif sur contrat existe lorsque l'entreprise reçoit un encaissement de la part du client ou reçoit un droit inconditionnel à une contrepartie (c'est-à-dire une créance) sans avoir fourni de biens ou de services. De ce fait, un **passif sur contrat** représente « [...] une obligation de l'entité de fournir à un client des biens ou des services pour lesquels l'entité a reçu une contrepartie du client (ou pour lesquels un montant de contrepartie est exigible)[32] ».

Cette terminologie employée dans l'IFRS 15, « actif ou passif sur contrat », n'est pas prescrite. Les préparateurs de l'information financière ont la latitude nécessaire pour utiliser d'autres intitulés de comptes. Il faut cependant, dans les notes aux états financiers, informer les utilisateurs afin qu'ils puissent bien distinguer les postes relatifs aux créances et aux actifs sur contrat.

EXEMPLE

Présentation des postes dans l'état de la situation financière

Reprenons l'exemple de la société Norsena ltée dans la situation où elle utilise la méthode de l'avancement des travaux. À partir des comptes en T (*voir les pages 20.74 et 20.75*), il est assez facile de présenter les postes relatifs dans l'état de la situation financière. L'actif sur contrat et le passif sur contrat sont représentés ici sous les postes Montant brut à recevoir des clients (actif) et Montant brut dû aux clients (passif). Ces postes représentent le rythme de l'avancement des travaux par rapport à la facturation. Norsena ltée présente dans le compte Montant brut à recevoir des clients le montant net de deux comptes, soit Travaux en cours et Facturation des travaux en cours.

NORSENA LTÉE
Situation financière partielle
au 31 décembre
(en milliers)

	20X3	*20X2*	*20X1*
Actif			
Clients	*0 $*	*25,0 $*	*20,0 $*
Montant brut à recevoir des clients ①	*0*	*91,7*	*63,3*
Calcul :			
① Travaux en cours	0 $	466,7 $	133,3 $
Facturation des travaux en cours	0	(375,0)	(70,0)
Montant brut à recevoir des clients	0 $	91,7 $	63,3 $

Les informations à fournir dans les états financiers

L'objectif de l'IASB à l'égard des informations à fournir est « [...] que l'entité fournisse suffisamment d'informations pour permettre aux utilisateurs des états financiers de comprendre la nature, le montant, le calendrier et le degré d'incertitude des produits des activités ordinaires et des flux de trésorerie provenant des contrats conclus avec les clients[33] ».

Les préparateurs de l'information financière doivent utiliser leur jugement professionnel afin de bien répondre à cet objectif. Ils doivent notamment s'interroger sur le niveau de détails à fournir et sur l'importance de chaque obligation d'information. Ils doivent regrouper ou ventiler de l'information stratégique de façon à présenter une information compréhensible et utile. Ils doivent éviter de noyer l'information utile dans des regroupements mal choisis qui seraient disparates ou, au contraire, de présenter une multitude d'informations détaillées peu importantes.

Les obligations d'information se divisent en trois sections pour lesquelles l'entreprise doit fournir à la fois des informations quantitatives et qualitatives, soit celles relatives aux contrats

31. *Manuel de CPA Canada – Comptabilité – Partie I*, IFRS 15, paragr. 107.
32. *Manuel de CPA Canada – Comptabilité – Partie I*, IFRS 15, paragr. 106.
33. *Manuel de CPA Canada – Comptabilité – Partie I*, IFRS 15, paragr. 110.

20

conclus avec des clients, aux jugements importants portés pour l'application de l'IFRS 15 et aux actifs comptabilisés au titre des coûts d'obtention ou d'exécution de contrats conclus avec des clients.

Les informations relatives aux contrats conclus avec des clients

Le tableau 20.5 contient la liste des informations à fournir au sujet des contrats conclus avec les clients.

TABLEAU 20.5 Les informations à fournir relatives aux contrats conclus avec des clients

***Normes internationales d'information financière,* IFRS 15**	**Commentaires**
Paragr. 113 *L'entité doit fournir tous les montants suivants pour la période de présentation de l'information financière, à moins que ceux-ci ne soient présentés séparément dans l'état du résultat global conformément à d'autres normes:* *(a) les produits des activités ordinaires comptabilisés au titre des contrats conclus avec des clients, séparément de ses autres sources de produits;* *(b) toute perte de valeur comptabilisée (conformément à IFRS 9) sur des créances ou des actifs sur contrat découlant de ses contrats conclus avec des clients, séparément des pertes de valeur découlant d'autres contrats.*	La présentation distincte de ces informations concernant la performance financière de l'entreprise permet de respecter l'objectif général de l'information financière.
Paragr. 114 *L'entité doit ventiler les produits des activités ordinaires comptabilisés au titre des contrats conclus avec des clients entre des catégories montrant comment la nature, le montant, le calendrier et le degré d'incertitude des produits des activités ordinaires et des flux de trésorerie sont touchés par les facteurs économiques.*	Les paragraphes 114 et 115 portent sur les obligations d'information relatives à la ventilation des produits. Pour évaluer les catégories à présenter en note dans les états financiers, l'entreprise doit analyser les informations sur les produits présentées à d'autres fins, telles que: • les communiqués sur les résultats, les rapports annuels et autres documents à l'intention des investisseurs; • les rapports sur les secteurs opérationnels pour analyse par les décideurs; • les rapports sur la performance financière pour analyse par les décideurs et les utilisateurs.
Paragr. 115 *En outre, l'entité doit fournir suffisamment d'informations pour permettre aux utilisateurs des états financiers de comprendre le rapport entre les informations fournies sur la ventilation des produits des activités ordinaires (conformément au paragraphe 114) et les informations fournies sur les produits des activités ordinaires de chaque secteur à présenter, lorsque l'entité applique IFRS 8* Secteurs opérationnels.	Le paragraphe B89 de l'IFRS 15 liste des exemples de catégories: • type de bien ou de service (par exemple, principales lignes de produits); • situation géographique (par exemple, régions ou pays); • marché ou type de client (par exemple, clients du secteur public ou privé); • durée du contrat (par exemple, contrats à court terme ou à long terme); • date ou calendrier de fourniture des biens ou des services (par exemple, à une date donnée ou pendant une période); • mode de distribution (par exemple, biens vendus directement aux clients ou par des intermédiaires).
Paragr. 116 *L'entité doit fournir toutes les informations suivantes:* *(a) les soldes d'ouverture et les soldes de clôture des créances, des actifs sur contrats, et des passifs sur contrats découlant des contrats conclus avec des clients, s'ils ne sont pas présentés ou mentionnés séparément ailleurs;* *(b) les produits des activités ordinaires comptabilisés au cours de la période de présentation de l'information financière qui étaient inclus dans le solde d'ouverture des passifs sur contrats;* *(c) les produits des activités ordinaires comptabilisés au cours de la période de présentation de l'information financière qui sont liés à des obligations de prestation remplies (ou remplies partiellement) au cours de périodes antérieures (par exemple, les modifications du prix de transaction).*	Les paragraphes 116 à 118 concernent les obligations d'information relatives aux variations des soldes des contrats, que ce soit les variations sur les créances, les actifs sur contrat et les passifs sur contrat.

TABLEAU 20.5 *(suite)*

Paragr. 117

L'entité doit expliquer le rapport entre le moment où elle s'acquitte de ses obligations de prestation (voir paragraphe 119 (a)) et le moment habituel du paiement (voir paragraphe 119 (b)), et les effets qui en découlent sur les soldes des actifs sur contrats et des passifs sur contrats. Elle peut fournir des informations qualitatives à l'appui de ses explications.

Cette information permet de comprendre la variation des actifs sur contrat et des passifs sur contrat qui découle du décalage entre le moment où l'entreprise fournit le bien ou le service promis et le moment habituel où elle encaisse la contrepartie du client. Cette information, qui se veut pertinente par sa valeur prédictive, permet aux utilisateurs des états financiers d'apprécier le délai entre les deux moments. De plus, cette information permet de prévoir le niveau de l'actif ou du passif sur contrat dans les prochaines périodes, et ce, en fonction d'un niveau de vente estimatif.

Paragr. 118

L'entité doit expliquer les variations importantes des soldes des actifs sur contrats et des passifs sur contrats intervenues au cours de la période de présentation de l'information financière. Ses explications doivent comprendre des informations qualitatives et quantitatives. Les changements touchant les soldes des actifs sur contrats et des passifs sur contrats de l'entité sont, par exemple, les suivants :

(a) les changements découlant de regroupements d'entreprises ;

(b) les ajustements cumulatifs des produits des activités ordinaires qui ont des répercussions sur les actifs sur contrats ou les passifs sur contrats correspondants, notamment les ajustements dus à une modification de l'évaluation du degré d'avancement, un changement d'estimation du prix de transaction (y compris les changements touchant l'appréciation de la question de savoir si une limitation s'applique à l'estimation d'une contrepartie variable) ou une modification de contrat ;

(c) la dépréciation d'un actif sur contrat ;

(d) la modification du délai nécessaire pour qu'un droit à une contrepartie devienne inconditionnel (c'est-à-dire pour qu'un actif sur contrat soit reclassé en créance) ;

(e) un changement quant au délai nécessaire pour l'exécution d'une obligation de prestation (c'est-à-dire pour que l'entité puisse comptabiliser les produits des activités ordinaires liés à un passif sur contrat).

Selon ce paragraphe, l'entreprise doit expliquer toute autre variation importante des soldes des actifs sur contrats et des passifs sur contrats qui résulte de modifications de contrats ou d'opérations particulières, telles que des regroupements d'entreprises ou des dépréciations d'actifs. Ces informations sur des variations de nature plutôt inhabituelle renseignent sur des événements particuliers qui affectent le solde des actifs sur contrats ou celui des passifs sur contrats.

La notion d'importance relative présentée dans le cadre conceptuel et, par conséquent, dans le chapitre 1 de ce manuel, prend tout son sens ici. En effet, on traite de variation qui présente un caractère significatif, c'est-à-dire dont l'omission ou l'inexactitude pourrait influencer les décisions des utilisateurs.

Paragr. 119

L'entité doit fournir des informations au sujet de ses obligations de prestation découlant des contrats conclus avec des clients, y compris une description de tout ce qui suit :

(a) le moment où les obligations de prestation sont habituellement remplies (par exemple, à l'expédition, à la livraison, à mesure que les services sont rendus ou lorsque la prestation des services est achevée), y compris dans le cas d'accords de ventes à livrer ;

(b) les conditions de paiement importantes (par exemple, à quel moment le paiement est habituellement exigible, si le contrat comporte une composante financement importante, si le montant de contrepartie est variable et si les estimations de contrepartie variable font habituellement l'objet d'une limitation conformément aux paragraphes 56 à 58) ;

(c) la nature des biens ou des services que l'entité a promis de fournir, avec mention particulière des obligations de prestation consistant à prendre des dispositions en vue de la fourniture de biens ou de services par un tiers (l'entité agissant alors comme mandataire) ;

(d) les obligations en matière de retours ou de remboursements et autres obligations similaires ;

(e) les types de garanties et les obligations connexes.

Le paragraphe 119 se rattache aux obligations d'information relatives aux obligations de prestation.

TABLEAU 20.5 *(suite)*

Paragr. 120 *L'entité doit fournir les informations suivantes sur les obligations de prestation qui restent à remplir :* *(a) le montant total du prix de transaction affecté aux obligations de prestation non remplies (ou remplies partiellement) à la fin de la période de présentation de l'information financière ;* *(b) une explication précisant quand l'entité s'attend à comptabiliser en produits des activités ordinaires le montant indiqué selon le paragraphe 120 (a), que l'entité doit fournir de l'une ou l'autre des manières suivantes :* *(i) sur une base quantitative, en utilisant le découpage chronologique le plus approprié à la durée des obligations de prestation qui restent à remplir ;* *(ii) en présentant des informations qualitatives.*	Les paragraphes 120 à 122 font référence aux obligations d'information relatives aux prix de transaction affectés aux obligations de prestation qui restent à remplir.
Paragr. 121 *Par mesure de simplification, l'entité n'est pas tenue de fournir les informations exigées au paragraphe 120 pour les obligations de prestation pour lesquelles l'une ou l'autre des conditions suivantes est remplie :* *(a) l'obligation de prestation fait partie d'un contrat dont la durée initiale attendue ne dépasse pas un an ;* *(b) l'entité comptabilise les produits des activités ordinaires générés par l'exécution de l'obligation de prestation conformément au paragraphe B16.*	Le paragraphe B16 présente une mesure de simplification applicable à une situation particulière. Lorsqu'une entreprise utilise une méthode fondée sur les extrants pour calculer son degré d'avancement des travaux et que le droit à la contrepartie d'un client représente la même valeur que les obligations de prestation remplies jusqu'à la date considérée, l'entreprise peut comptabiliser des produits pour le montant qu'elle a le droit de facturer. Par exemple, un cabinet comptable qui facture les obligations de prestation remplies selon un montant fixe pour chaque heure effectuée peut utiliser la mesure de simplification tant pour la comptabilisation des produits que pour la présentation de l'information financière.
Paragr. 122 *L'entité doit fournir une explication qualitative précisant si elle applique la mesure de simplification prévue au paragraphe 121 et si une quelconque contrepartie liée à des contrats conclus avec des clients n'est pas comprise dans le prix de transaction, et ne figure donc pas dans les informations fournies conformément au paragraphe 120. Par exemple, une estimation du prix de transaction ne comprendrait pas les estimations de contrepartie variable qui font l'objet d'une limitation (voir paragraphes 56 à 58).*	

Les informations relatives aux jugements importants

Le tableau 20.6 contient les recommandations entourant le jugement professionnel requis pour présenter les informations sur les produits.

TABLEAU 20.6 Les informations à fournir relatives aux jugements importants portés pour l'application de la présente norme

Normes internationales d'information financière, **IFRS 15**	**Commentaires**
Paragr. 123 *L'entité doit indiquer les jugements portés, et les modifications apportées à ceux-ci, pour l'application de la présente norme qui ont une incidence importante sur la détermination du montant et du calendrier des produits des activités ordinaires tirés de contrats conclus avec des clients. Notamment, l'entité doit expliquer les jugements portés, et les modifications apportées à ceux-ci, pour déterminer les deux éléments suivants :* *(a) quand les obligations de prestation sont remplies (voir paragraphes 124 et 125) ;* *(b) quel est le prix de transaction et quels sont les montants affectés aux obligations de prestation (voir paragraphe 126).*	Le fait d'indiquer les jugements portés contribue à juger de la fidélité de l'information contenue dans les états financiers.

TABLEAU 20.6 *(suite)*

Paragr. 124 *Pour les obligations de prestation qu'elle remplit progressivement, l'entité doit :* *(a) indiquer les méthodes utilisées pour comptabiliser les produits des activités ordinaires (par exemple, fournir une description des méthodes fondées sur les extrants ou des méthodes fondées sur les intrants utilisées et de la façon dont elles ont été appliquées) ;* *(b) expliquer pourquoi les méthodes utilisées permettent de refléter fidèlement la fourniture des biens ou des services.* Paragr. 125 *Pour les obligations de prestation remplies à un moment précis, l'entité doit indiquer les jugements importants portés pour évaluer le moment où le client obtient le contrôle des biens ou des services promis.*	Les paragraphes 124 et 125 concernent les obligations d'information relatives aux jugements portés afin de déterminer quand les obligations de prestation sont remplies.
Paragr. 126 *L'entité doit fournir des informations sur les méthodes, les données d'entrée et les hypothèses utilisées pour :* *(a) la détermination du prix de transaction, ce qui comprend, sans s'y limiter, l'estimation de la contrepartie variable, l'ajustement de la contrepartie pour tenir compte des effets de la valeur temps de l'argent, et l'évaluation de la contrepartie autre qu'en trésorerie ;* *(b) l'appréciation quant à savoir si une limitation s'applique à l'estimation d'une contrepartie variable ;* *(c) la répartition du prix de transaction, y compris l'estimation des prix de vente spécifiques des biens ou des services promis et l'affectation de toute remise et contrepartie variable à une partie spécifique du contrat (s'il y a lieu) ;* *(d) l'évaluation des obligations en matière de retours ou de remboursements et autres obligations similaires.*	Le paragraphe 126 porte sur les obligations d'information relatives aux jugements portés afin de déterminer le prix de transaction et les montants affectés aux obligations de prestation.

Les informations relatives aux actifs comptabilisés au titre des coûts d'obtention ou d'exécution de contrats conclus avec des clients

Voici les quelques recommandations de l'IASB à l'égard des informations à fournir sur les actifs comptabilisés au titre des coûts d'obtention ou d'exécution de contrats conclus avec des clients.

L'entité doit décrire à la fois :

(a) les jugements qu'elle a portés pour déterminer le montant des coûts engagés pour obtenir ou exécuter un contrat conclu avec un client (conformément au paragraphe 91 ou 95) ;

(b) la méthode qu'elle utilise pour déterminer l'amortissement pour chaque période de présentation de l'information financière.

L'entité doit fournir toutes les informations suivantes :

(a) les soldes de clôture des actifs comptabilisés au titre des coûts engagés pour l'obtention ou l'exécution de contrats conclus avec des clients (en application des paragraphes 91 ou 95), par grande catégorie d'actif (par exemple, coûts engagés pour obtenir des contrats avec des clients, coûts antérieurs à la passation des contrats, frais d'établissement des contrats) ;

(b) le montant de l'amortissement et de toute perte de valeur comptabilisés au cours de la période de présentation de l'information financière.

Lorsque l'entité choisit d'appliquer la mesure de simplification prévue au paragraphe 63 (relative à l'existence d'une composante financement importante) ou celle prévue au paragraphe 94 (relative aux coûts marginaux d'obtention d'un contrat), elle doit l'indiquer[34].

20

Différence NCECF

34. *Manuel de CPA Canada – Comptabilité – Partie I*, IFRS 15, paragr. 127 à 129.

 La comptabilisation des profits, des pertes et des autres produits

Différence NCECF

Nous avons jusqu'à présent traité de la comptabilisation des produits et des charges liés aux activités courantes de l'entreprise. Les produits et les charges peuvent aussi résulter d'autres types d'activités économiques menées par une entreprise qui ont un effet sur sa performance. Il s'agit, entre autres, des profits et des pertes ainsi que d'autres produits.

La comptabilisation des profits et des pertes

Nous avons mentionné au chapitre 1 que les **profits** sont des augmentations des capitaux propres autres que les augmentations provenant des apports des participants aux capitaux propres, qu'ils représentent des éléments qui satisfont à la définition de produits et qu'ils peuvent résulter ou non des activités liées à l'exploitation de l'entreprise. Les profits découlent donc d'opérations qui, tout en contribuant au résultat net de l'entreprise, ne peuvent être considérées comme des activités récurrentes comme le sont les activités génératrices de produits provenant des clients.

Les profits proviennent, par exemple, de l'aliénation d'immobilisations ou de placements, de l'extinction de dettes ou de l'augmentation de valeur de certains actifs, tels que certains instruments financiers, les actifs biologiques ou les immeubles de placement, comme nous l'avons vu aux chapitres 4, 8 et 11.

Contrairement aux profits, les **pertes** représentent des diminutions d'avantages économiques qui correspondent à la définition d'une charge, mais qui ne découlent pas des activités liées à l'exploitation. Elles incluent les pertes qui sont attribuables à des catastrophes naturelles, à des incendies, à des inondations, à des aliénations d'actifs ou encore à la variation de valeur de certains actifs.

La comptabilisation d'une perte en résultat net doit se faire dans l'exercice au cours duquel surviennent les faits à l'origine de la perte. Tout comme pour le profit, on présente le montant net de la perte dans l'état du résultat global et de façon distincte des activités liées à l'exploitation.

La comptabilisation des autres produits

En plus des produits liés à la vente de biens et à la prestation de services, les autres produits d'une entreprise comprennent les produits d'intérêts et les dividendes découlant des placements en actions détenus par une entreprise. Contrairement à ce qui se fait pour les produits provenant des clients, la comptabilisation des produits d'intérêts et de dividendes doit respecter les recommandations de l'**IFRS 9**, expliquées dans le chapitre 4.

Les produits d'intérêts

Les **produits d'intérêts** représentent la rémunération que reçoit un prêteur en contrepartie d'un prêt accordé à un emprunteur. L'IASB indique que l'entreprise « [...] doit présenter dans l'état du résultat global l'effet du financement (produits d'intérêts ou charges d'intérêts) séparément des produits des activités ordinaires tirés de contrats conclus avec des clients[35] ». Dans ce chapitre, nous avons traité de la composante financement des opérations de vente dans la section portant sur l'étape 4 du modèle de comptabilisation des produits.

Les produits de dividendes

20

Différence NCECF

Les **produits de dividendes** représentent le rendement qu'un actionnaire reçoit sur ses placements en actions. Comme nous l'avons vu au chapitre 11, le versement du dividende par l'émetteur des actions est discrétionnaire. L'investisseur ne peut donc pas comptabiliser un produit à ce titre tant que l'émetteur n'a pas déclaré le dividende. Il doit attendre que des dividendes soient déclarés pour les comptabiliser à titre de produits.

35. *Manuel de CPA Canada – Comptabilité – Partie I*, IFRS 15, paragr. 65.

 Les activités abandonnées

Il est courant pour une entreprise de revoir sa stratégie de diversification et de décider d'abandonner certains secteurs ou certaines composantes de ses activités courantes qui affichent des rendements insuffisants ou qui ne cadrent tout simplement plus avec le plan stratégique de l'organisation. Lorsque vient le temps de rendre compte de telles décisions ou transactions, il importe de se questionner sur la valeur prédictive de l'information comptable.

L'information financière a une valeur prédictive si elle peut servir d'intrant dans les processus de prévision des utilisateurs des états financiers. Le fait de présenter séparément le résultat net des activités abandonnées dans l'état du résultat global contribue à rehausser la valeur prédictive de l'information financière. Puisque la composante abandonnée ne générera plus de flux de trésorerie dans le futur, il convient de distinguer le résultat net des activités abandonnées et celui des activités poursuivies pour aider les utilisateurs des états financiers à établir leurs prévisions à partir du résultat net des seules activités qui seront poursuivies.

Avez-vous remarqué ?

Une des caractéristiques qualitatives de l'information comptable est la pertinence. Celle-ci est rehaussée si l'information comptable a une valeur prédictive. La norme comptable sur les activités abandonnées vise notamment à accroître la valeur prédictive de l'état du résultat global.

Les conditions de présentation des résultats à titre d'activités abandonnées

La norme **IFRS 5**, intitulée « Actifs non courants détenus en vue de la vente et activités abandonnées », vise notamment à définir les normes pour le classement, la présentation et l'évaluation des résultats des **activités abandonnées**. Dans le but d'assurer une certaine uniformité dans le traitement comptable réservé aux activités abandonnées par les entreprises, l'IASB énonce les conditions qui doivent prévaloir pour justifier une présentation à titre d'activités abandonnées dans l'état du résultat global. La figure 20.16 résume ces conditions.

FIGURE 20.16 Les conditions requises pour justifier une présentation à titre d'activités abandonnées

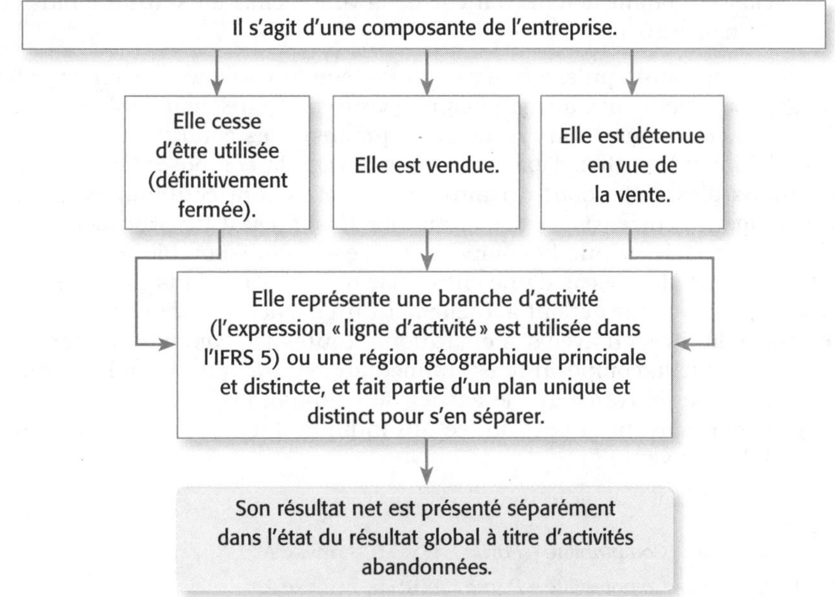

Source : Sylvain Durocher

20

La première condition requise pour justifier une présentation à titre d'activités abandonnées est qu'il doit s'agir d'une **composante** de l'entreprise. Une composante comprend des activités et des flux de trésorerie se distinguant clairement, sur le plan opérationnel et pour la communication d'informations financières, du reste de l'entreprise[36]. Cette définition d'une composante est très large. Au sein d'une entreprise diversifiée, elle peut inclure un secteur opérationnel complet, ou encore une succursale ou une division faisant partie d'un secteur opérationnel. Cependant, la présentation à titre d'activités abandonnées requiert que la composante représente une branche d'activité ou une région géographique principale et distincte. Par exemple, considérons une entreprise œuvrant dans le domaine des télécommunications qui exploite des stations de télévision et des stations de radio. Les stations de radio peuvent être considérées comme une branche d'activité. L'entreprise devrait donc se départir de l'ensemble de ses stations de radio pour que leur cession puisse être considérée comme l'abandon de l'activité. Si l'entreprise cédait ou abandonnait seulement une ou quelques stations de radio tout en continuant ses opérations dans cette branche d'activité, la présentation à titre d'activités abandonnées serait inappropriée. Il en va de même pour une région géographique. Une entreprise qui cède une partie importante, mais pas la totalité, de ses unités génératrices de trésorerie exerçant leurs activités dans une région géographique particulière ne peut présenter cette cession dans ses activités abandonnées. Précisons qu'une **unité génératrice de trésorerie** est le plus petit groupe d'actifs identifiable qui génère des rentrées de trésorerie largement indépendantes des rentrées de trésorerie générées par d'autres actifs ou groupes d'actifs[37]. L'ensemble des activités de la région géographique en cause doit être cédé pour que les conditions de l'IFRS 5 soient remplies. Bien que l'IASB ne fournisse pas de définition d'une branche d'activité et d'une région géographique, nous croyons qu'au sein d'une entreprise ces notions peuvent être considérées en termes de risques et d'avantages différents du reste des activités de l'entreprise. Ainsi, il est raisonnable de croire que l'exploitation de stations de télévision présente des risques et des avantages différents de ceux découlant de l'exploitation de stations de radio. Il en va de même pour le transport aérien et le transport ferroviaire. Des activités menées au Canada présentent aussi des risques et des avantages différents de celles qui sont menées en Chine, car les conditions économiques propres à chaque pays varient. Signalons qu'une entreprise pourrait exploiter une même branche d'activité dans plusieurs régions géographiques et décider de se départir de l'ensemble des activités d'une seule région géographique. Dans un tel cas, ces activités pourraient être considérées comme des activités abandonnées même si l'ensemble des activités de la branche n'a pas été cédé.

Revenons à la figure 20.16 pour examiner une autre condition. Après que l'on a établi que la portion de l'entreprise qui est abandonnée représente une composante, cette dernière doit avoir cessé d'être utilisée (être définitivement fermée), avoir été vendue au cours de l'exercice, ou être classée comme détenue en vue de la vente (*comme nous l'avons expliqué au chapitre 8*). L'abandon peut donc être une opération passée ou une opération prévue. Cependant, pour qu'une composante puisse être classée comme détenue en vue de la vente, elle doit satisfaire plusieurs critères, comme le résume la figure 20.17.

Pour qu'une composante puisse être raisonnablement considérée comme détenue en vue de la vente, le groupe d'actifs qui forme la composante doit être disponible en vue de la vente immédiate dans son état actuel, sous réserve uniquement des conditions qui sont habituelles pour la vente de tels actifs. À titre d'exemple, considérons la composante d'une entreprise qui exploite des stations d'essence, dont certains des terrains sont contaminés. Si des exigences réglementaires obligent l'entreprise à décontaminer le sol avant de procéder à la cession des terrains, il faudrait considérer que la composante n'est pas disponible pour une vente immédiate. On peut également citer le cas d'une entreprise qui s'engage dans un projet de vente d'une division de production, laquelle détient actuellement un carnet de commandes. Si la direction a l'intention de vendre la division avec ses opérations, toutes les commandes seront transférées à l'acheteur, de sorte que la composante est immédiatement disponible à la vente. Cependant, si elle n'a pas l'intention de transférer le carnet de commandes à l'acheteur, l'entreprise doit remplir ses engagements avant la cession, ce qui indique que la composante n'est pas immédiatement disponible à la vente.

36. *Manuel de CPA Canada – Comptabilité – Partie I*, IFRS 5, Annexe A.

37. *Manuel de CPA Canada – Comptabilité – Partie I*, IFRS 5, Annexe A.

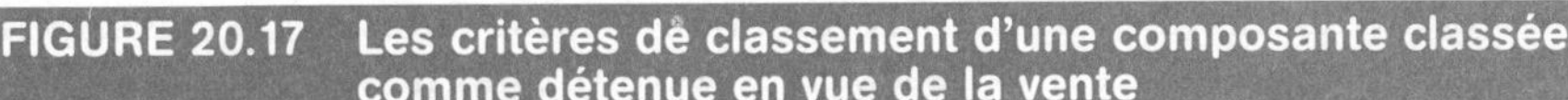
FIGURE 20.17 Les critères de classement d'une composante classée comme détenue en vue de la vente

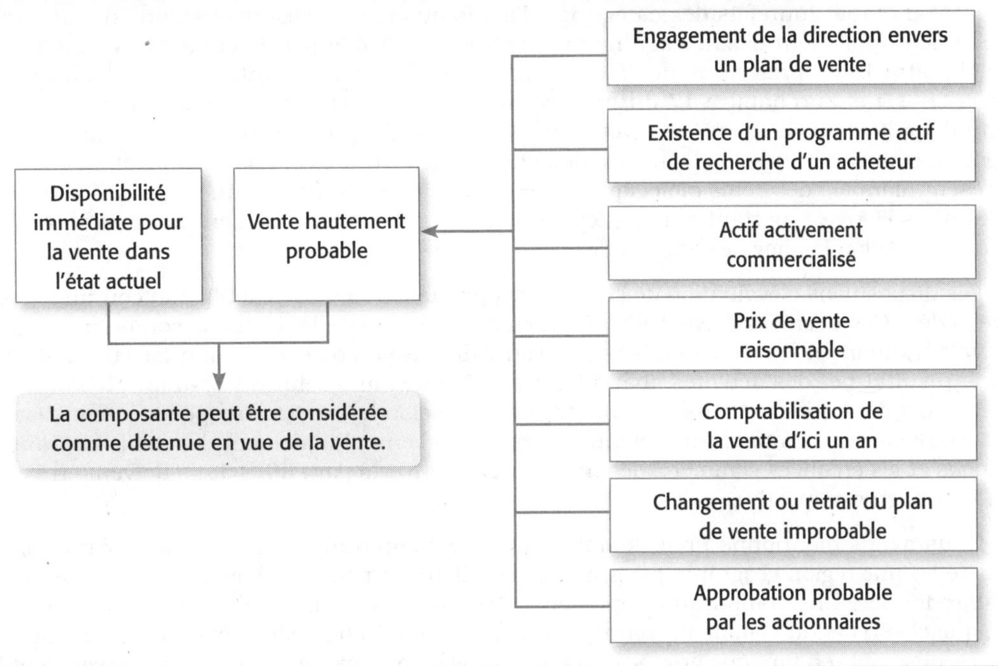

Source : Sylvain Durocher

Une condition additionnelle précise que la vente doit être **hautement probable**. L'IASB définit une situation hautement probable comme étant beaucoup plus probable qu'improbable[38]. Plusieurs conditions doivent être remplies pour que l'on puisse conclure au caractère hautement probable de la cession.

D'abord, le niveau approprié de la direction doit avoir adopté un plan de vente et engagé l'entreprise à cet égard. Ensuite, des mesures doivent avoir été amorcées dans le but de trouver un acheteur et de finaliser le plan de vente. De plus, l'actif doit être activement commercialisé en vue de la vente, et ce, à un prix raisonnable compte tenu de sa juste valeur. Également, le plan de vente doit prévoir la cession dans un délai de un an à compter de la date du classement[39]. Par ailleurs, il doit être improbable que des changements notables soient apportés au plan de vente ou que celui-ci soit retiré. Finalement, si la vente des actifs ou du groupe d'actifs doit être approuvée par les actionnaires, il est nécessaire que cette approbation ait déjà été obtenue ou que son obtention soit probable. Si l'une de ces conditions n'est pas remplie, l'entreprise ne peut pas classer la composante comme étant détenue en vue de la vente. À titre d'exemple, la direction d'une entreprise pourrait accepter de céder une composante uniquement si elle obtient le prix qu'elle a fixé à un niveau exagéré. Dans un tel cas, il serait inopportun de penser que la cession est hautement probable.

L'évaluation des postes relatifs aux activités abandonnées

L'IFRS 5 prévoit plusieurs règles relatives à l'évaluation des actifs destinés à être cédés, ce qui aura nécessairement une incidence sur l'état du résultat global. Mentionnons d'entrée de jeu que l'objectif de la norme est d'évaluer les actifs détenus en vue de la vente au plus bas de leur valeur comptable et de leur juste valeur diminuée des coûts de la vente. La juste valeur représente le « prix qui serait reçu pour la vente d'un actif ou payé pour le transfert d'un passif lors d'une transaction

20

38. *Manuel de CPA Canada – Comptabilité – Partie I*, IFRS 5, Annexe A.

39. L'IFRS 5 prévoit quelques situations particulières où il est permis de prolonger ce délai de un an, comme expliqué au chapitre 8.

normale entre des intervenants du marché à la date d'évaluation[40] ». À la date de son classement comme détenu en vue de la vente, tout actif amortissable cesse d'être amorti.

L'IASB établit toutefois des catégories d'actifs auxquelles ces dispositions d'évaluation de l'IFRS 5 ne s'appliquent pas. Il s'agit notamment des actifs d'impôt différé (traités dans l'**IAS 12** et au chapitre 18 du présent manuel), des actifs générés par des avantages du personnel (traités dans l'**IAS 19** et au chapitre 17 du présent manuel), des actifs financiers qui entrent dans le champ d'application de l'**IFRS 9** (traités au chapitre 4 du présent manuel), des immeubles de placement comptabilisés selon le modèle de la juste valeur (traités dans l'**IAS 40** et au chapitre 11 du présent manuel), des actifs biologiques évalués à la juste valeur diminuée des coûts de la vente (traités dans l'**IAS 41** portant sur l'agriculture et au chapitre 8 du présent manuel)[41]. Ces actifs sont évalués selon les normes applicables.

Les dispositions d'évaluation de l'IFRS 5 s'appliquent aux autres actifs non courants destinés à être cédés. Ces derniers doivent être évalués au plus bas de leur valeur comptable et de leur juste valeur diminuée des coûts de la vente. Toute diminution de valeur est prise en considération dans le résultat net des activités abandonnées présenté dans l'état du résultat global. L'IFRS 5 précise cependant que ces actifs doivent être évalués selon leur norme respective immédiatement avant d'être classés comme étant détenus en vue de la vente. Finalement, les actifs courants, tels les stocks et les créances commerciales, ne sont pas couverts par l'IFRS 5 ; ils doivent être évalués selon leur norme respective.

Nous avons mentionné précédemment qu'une composante doit représenter une branche d'activité ou une région géographique principale et distincte pour être considérée comme une activité abandonnée. Une composante représente donc nécessairement un **groupe destiné à être cédé**, que l'IASB définit comme un « groupe d'actifs destiné à être cédé, par la vente ou d'une autre manière, ensemble en tant que groupe dans une transaction unique et les passifs directement liés à ces actifs qui seront transférés lors de la transaction[42] ». Le groupe destiné à être cédé inclut également le goodwill qui s'y rapporte[43]. Au moment de classer une composante comme détenue en vue de la vente, c'est la juste valeur de l'ensemble de la composante qui est utilisée pour comptabiliser dans le résultat net toute diminution de valeur, laquelle doit être répartie entre les éléments du groupe destiné à être cédé. La diminution de valeur doit d'abord être affectée à la réduction de la valeur comptable de tout goodwill, et le solde est affecté à la réduction de la valeur comptable des autres actifs, au prorata de leur valeur comptable (comme nous l'avons expliqué au chapitre 9).

EXEMPLE

Répartition de la diminution de valeur d'un groupe d'actifs destiné à être cédé

Considérons les informations suivantes concernant la valeur comptable et la juste valeur des actifs et des passifs de la composante DEF de la société Abécédaire ltée. Le 28 octobre, la société classe DEF comme détenue en vue de la vente.

	27 octobre	*28 octobre*	
	Valeur comptable	*Valeur réévaluée des éléments de l'actif net*	*Juste valeur du groupe*
Goodwill	*900 $*	*900 $*	
Autres immobilisations incorporelles	*2 700*	*2 500*	
Immobilisations corporelles	*3 800*	*3 400*	
Dettes à long terme	*(3 000)*	*(3 000)*	
Total	*4 400 $*	*3 800 $*	*3 500 $*

40. *Manuel de CPA Canada – Comptabilité – Partie I*, **IFRS 13**, Annexe A.

41. D'autres actifs qui débordent le cadre du présent manuel sont également exclus des dispositions d'évaluation de l'IFRS 5. Il s'agit des droits contractuels selon des contrats d'assurance tels que définis dans l'**IFRS 4** traitant des contrats d'assurance.

42. *Manuel de CPA Canada – Comptabilité – Partie I*, IFRS 5, Annexe A.

43. Le lecteur intéressé à approfondir la comptabilisation du goodwill est invité à consulter un ouvrage de comptabilité spécialisé.

Tenons pour acquis qu'Abécédaire ltée a reçu une offre d'achat au montant de 3 500 $ pour sa composante DEF, que ce montant correspond à la juste valeur du groupe d'actifs et de passifs, et que des coûts liés à la vente de 30 $ sont prévus. Abécédaire ltée comptabilise d'abord les dépréciations totalisant 600 $ attribuables aux divers actifs et correspondant à la différence entre la valeur comptable le 27 octobre et les valeurs réévaluées le 28 octobre selon les normes comptables applicables à ces actifs. Les dépréciations s'élèvent à 200 $ pour les immobilisations incorporelles et à 400 $ pour les immobilisations corporelles. Par la suite, Abécédaire ltée doit ramener la valeur comptable ajustée de 3 800 $ de la composante à sa juste valeur diminuée des coûts de la vente, soit 3 470 $ (3 500 $ – 30 $). Une perte de valeur de 330 $ (3 470 $ – 3 800 $) est comptabilisée pour l'ensemble de la composante et fait partie du résultat net des activités abandonnées présenté dans l'état du résultat global. Cette perte de 330 $ est affectée entièrement en réduction du goodwill puisque le goodwill excède le montant de la perte.

Si la composante était cédée sans avoir été au préalable classée comme détenue en vue de la vente, la valeur comptable de l'actif net (4 400 $) serait d'abord ramenée à 3 800 $ conformément aux autres normes applicables, et la perte de 330 $ en découlant (3 470 $ – 3 800 $), nette d'impôts, ferait partie du résultat net des activités abandonnées présenté dans l'état du résultat global.

Si la composante n'est ni cédée ni classée comme détenue en vue de la vente, mais qu'elle est plutôt définitivement fermée, les profits ou les pertes qui découlent de la fermeture font partie du résultat net des activités abandonnées présenté dans l'état du résultat global.

Lorsqu'une composante est sortie, définitivement fermée, ou classée comme détenue en vue de la vente, il importe non seulement de calculer les profits et les pertes qui en découlent, comme nous venons de l'expliquer, mais également de reclasser les produits et les charges de cette composante à titre d'activités abandonnées. En effet, au cours de l'exercice, cette composante a généré des produits et des charges qu'il faut maintenant exclure des activités poursuivies. Les éléments présentés dans l'état du résultat global, tels les produits, les charges commerciales et les charges administratives, doivent exclure tout montant attribuable à la composante abandonnée pour l'exercice en cours et les exercices antérieurs présentés aux fins de comparaison. Ces montants retirés des activités poursuivies font partie du résultat net des activités abandonnées présenté séparément dans la partie inférieure de l'état du résultat global.

EXEMPLE

Détermination du résultat net des activités abandonnées

La société Blanc Bec inc. œuvre principalement dans le domaine de la vente au détail des biens de consommation. Comme cette entreprise ne présente aucun autre élément du résultat global, elle présente son état du résultat net de la façon suivante :

BLANC BEC INC.
Résultat net
de l'exercice terminé le 31 décembre

	20X1	*20X0*
Ventes	*3 600 000 $*	*3 100 000 $*
Coût des ventes	*(1 368 000)*	*(1 302 000)*
Marge brute	*2 232 000*	*1 798 000*
Produits d'intérêts	*67 000*	*50 000*
Profit découlant de la sortie d'un placement	*78 000*	
Charges commerciales	*(400 000)*	*(375 000)*
Charges administratives	*(1 005 000)*	*(806 000)*
Coûts de restructuration	*(60 000)*	
Charges financières	*(440 000)*	*(400 000)*
Perte découlant de la sortie d'une immobilisation corporelle	*(35 000)*	
Résultat avant impôts	*437 000*	*267 000*
Impôts sur le résultat	*(174 800)*	*(106 800)*
Résultat net	*262 200 $*	*160 200 $*

20

La date de clôture de l'exercice financier de Blanc Bec inc. est le 31 décembre. À la fin de l'exercice 20X1, la direction de la société a approuvé un plan pour la vente de sa seule division de distribution de matériaux de construction (division Matériaux), laquelle représente une branche d'activité principale et distincte. La direction prévoit vendre en bloc les actifs de la division d'ici le 1er mai 20X2. Elle est activement à la recherche d'un acheteur, et le prix demandé est raisonnable. Cette division est disponible à la vente dans son état actuel. Ces informations permettent de conclure que la division Matériaux peut être classée en 20X1 comme détenue en vue de la vente, puisqu'elle remplit les critères à cet égard.

L'état du résultat net de Blanc Bec inc. présenté ci-dessous n'a pas été ajusté pour tenir compte des activités abandonnées. Les produits et les charges de la division Matériaux qui sont inclus dans les éléments de l'état du résultat net de Blanc Bec inc. s'établissent comme suit :

DIVISION MATÉRIAUX
Résultat net
de l'exercice terminé le 31 décembre

	20X1	20X0
Ventes	600 000 $	700 000 $
Coût des ventes	370 000	400 000
Marge brute	230 000	300 000
Charges commerciales	45 000	45 000
Charges administratives	205 000	186 000
Charges financières	38 000	44 000
Résultat avant impôts	(58 000)	25 000
Impôts sur le résultat (40 %)	23 200	10 000
Résultat net	(34 800) $	15 000 $

Supposons également qu'au 31 décembre 20X1, la juste valeur de l'actif net de la division s'élève à 860 000 $. Des coûts liés à la vente de la division de 35 000 $ sont prévus. À cette même date, la valeur comptable des actifs et des passifs de la division, correctement évalués selon les normes comptables applicables, s'établit à 1 062 000 $ et se détaille comme suit :

Immobilisations corporelles	1 750 000 $
Immobilisations incorporelles	150 000
Dette à long terme	(838 000)
	1 062 000 $

Le résultat net des activités abandonnées qui doit figurer séparément dans l'état du résultat net de Blanc Bec inc. se calcule comme suit :

	20X1	20X0
Résultat avant impôts de la division Matériaux	(58 000) $	25 000 $
Impôts sur le résultat (40 %)	23 200	10 000
Résultat après impôts	(34 800)	15 000
Juste valeur de l'actif net de la division	860 000	
Coûts prévus de la vente	(35 000)	
Juste valeur nette	825 000	
Valeur comptable de l'actif net	(1 062 000)	
Perte de valeur	(237 000)	
Impôts sur le résultat (40 %)	94 800	
Perte de valeur, après impôts	(142 200)	
Résultat net des activités abandonnées	(177 000) $	15 000 $

Afin de comptabiliser correctement les activités abandonnées relatives à la division Matériaux, deux écritures de régularisation sont requises en 20X1. Une première écriture est nécessaire pour isoler les résultats d'exploitation de la division Matériaux et une deuxième, pour comptabiliser la perte de valeur des éléments de son actif net. Une première écriture s'établit ainsi :

Résultat net des activités abandonnées	*34 800*	
Ventes	*600 000*	
Impôts sur le résultat	*23 200*	
Coût des ventes		*370 000*
Charges commerciales		*45 000*
Charges administratives		*205 000*
Charges financières		*38 000*
Reclassement des produits et des charges de Matériaux de l'exercice 20X1.		

Notons que le montant comptabilisé dans le compte Résultat net des activités abandonnées est calculé après impôts. En effet, tous les éléments qui figurent dans la partie inférieure de l'état du résultat net sont présentés nets d'impôts, puisque la charge globale d'impôts sur les activités poursuivies a déjà été calculée et présentée plus haut dans cet état financier, comme nous l'avons expliqué au chapitre 18. Par ailleurs, le débit au compte Impôts sur le résultat s'explique de la façon suivante. Puisque les impôts avaient initialement été calculés globalement pour l'ensemble de la société Blanc Bec inc., le fait que la division Matériaux ait été déficitaire en 20X1 a entraîné une réduction de la charge globale d'impôts. Au moment d'isoler le résultat net de la division, il est donc nécessaire d'affecter à la hausse la charge d'impôts pour y extraire l'économie d'impôts générée par la division.

Une seconde écriture est nécessaire pour refléter la diminution de valeur des éléments de l'actif net de la division. Précisons que la juste valeur de 860 000 $ a été déterminée pour la division prise dans son ensemble. Il est par conséquent essentiel de répartir cette diminution de valeur entre les actifs non courants de la division. À noter que préalablement à cette répartition, la valeur comptable des actifs doit être déterminée selon les autres normes applicables à chacun des éléments en cause. Comme nous l'avons mentionné précédemment, la valeur comptable des actifs de Matériaux reflète déjà convenablement toute dépréciation qui serait requise selon les normes applicables. La perte de valeur avant impôts de 237 000 $ est répartie entre les immobilisations corporelles et incorporelles détenues en vue de la vente au prorata des valeurs comptables, ce qui conduit à enregistrer l'écriture suivante :

Résultat net des activités abandonnées	*142 200*	
Actif d'impôt différé	*94 800*	
Amortissement cumulé – Immobilisations corporelles ①		*218 289*
Amortissement cumulé – Immobilisations incorporelles ②		*18 711*
Perte de valeur des actifs non courants.		

Calculs :

① {237 000 $ × [1 750 000 $ ÷ (1 750 000 $ + 150 000 $)]}

② {237 000 $ × [150 000 $ ÷ (1 750 000 $ + 150 000 $)]}

Comme nous l'avons expliqué au chapitre 18, le compte Actif d'impôt différé est affecté d'un montant de 94 800 $ pour refléter le fait que la perte de valeur au montant de 237 000 $ n'est pas admise immédiatement en déduction du point de vue fiscal.

20

La présentation dans les états financiers des activités abandonnées

Les deux écritures d'ajustement précédentes sont requises afin que l'état du résultat net de Blanc Bec inc. montre un montant pour les activités abandonnées comprenant le total :

(i) du résultat net après impôt des activités abandonnées, et

(ii) du profit ou de la perte après impôt comptabilisé résultant de l'évaluation à la juste valeur diminuée des coûts de la vente, ou de la cession des actifs ou du ou des groupes destinés à être cédés constituant l'activité abandonnée [...][44].

C'est donc dire que les activités abandonnées sont présentées pour un seul montant net qui comprend tous les produits, profits, charges et pertes de la composante abandonnée.

EXEMPLE

Présentation des activités abandonnées dans l'état du résultat net

Voici l'état du résultat net de Blanc Bec inc. tenant compte du résultat net des activités abandonnées :

BLANC BEC INC.
Résultat net
de l'exercice terminé le 31 décembre

	20X1	20X0
Ventes	3 000 000 $	2 400 000 $
Coût des ventes	(998 000)	(902 000)
Marge brute	2 002 000	1 498 000
Produits d'intérêts	67 000	50 000
Profit découlant de la sortie d'un placement	78 000	
Charges commerciales	(355 000)	(330 000)
Charges administratives	(800 000)	(620 000)
Coûts de restructuration	(60 000)	
Charges financières	(402 000)	(356 000)
Perte découlant de la sortie d'une immobilisation corporelle	(35 000)	
Résultat avant impôts	495 000	242 000
Impôts sur le résultat	(198 000)	(96 800)
Résultat net des activités poursuivies	297 000	145 200
Résultat net des activités abandonnées	(177 000)	15 000
Résultat net	120 000 $	160 200 $

Le résultat net de Blanc Bec inc. passe de 262 200 $ (*voir la page 20.91*) à 120 000 $ pour l'exercice 20X1. La différence de 142 200 $ est attribuable à la perte de valeur après impôts qui n'avait pas été comptabilisée au 31 décembre 20X1 et qui découle de l'adoption du plan de vente de la division Matériaux. Les produits et les charges de la division avaient pour leur part déjà été comptabilisés et ont été reclassés pour être exclus des activités poursuivies. Si l'on compare l'état du résultat net ci-dessus à celui qui figure aux pages 20.91 et 20.92, on constate que les montants des ventes, des coûts des ventes, des charges commerciales, des charges administratives, des charges financières et des impôts sur le résultat ont été réduits (augmentés dans le cas des impôts sur le résultat) des montants attribuables à la division Matériaux. Cette correction donne suite à l'écriture de régularisation préparée précédemment pour le reclassement du résultat net de la division Matériaux pour 20X1. Les résultats d'exploitation de la division Matériaux sont regroupés et présentés en une seule perte de 177 000 $ pour 20X1 (profit de 15 000 $ pour 20X0), que nous avons calculée précédemment. Pour 20X0, le résultat net après le reclassement des montants attribuables à la division Matériaux demeure le même, soit 160 200 $.

44. *Manuel de CPA Canada – Comptabilité – Partie I*, IFRS 5, paragr. 33.

Avez-vous remarqué ?

Le reclassement des montants présentés pour les exercices antérieurs est justifié, car il assure la comparabilité de l'état du résultat net. Il est effectué afin de permettre aux utilisateurs d'évaluer les tendances et de prévoir les flux de trésorerie qui découleront uniquement des activités poursuivies.

En ce qui concerne le résultat net des activités abandonnées, les détails suivants doivent être fournis dans les notes (ou directement dans l'état du résultat global) : 1) les produits, les charges et le résultat net avant impôts des activités abandonnées ; 2) la charge d'impôts sur le résultat associée ; 3) le profit ou la perte comptabilisé découlant de l'évaluation à la juste valeur, diminuée des coûts de la vente, ou de la cession des actifs de la composante constituant l'activité abandonnée ; 4) la charge d'impôts sur le résultat associée. De plus, l'IASB requiert de présenter le montant du produit des activités poursuivies et des activités abandonnées attribuables aux propriétaires de la société mère dans les notes ou dans l'état du résultat global. Il exige également de fournir les informations suivantes pour l'exercice au cours duquel un actif non courant (ou un groupe destiné à être cédé) a été soit classé comme détenu en vue de la vente, soit vendu :

(a) une description de l'actif non courant (ou du groupe destiné à être cédé) ;

(b) une description des faits et des circonstances de la vente, ou conduisant à la cession attendue, et les modalités et l'échéancier prévus pour cette cession ;

(c) le profit ou la perte comptabilisé [...] et, si ce profit ou cette perte n'est pas présenté séparément dans l'état du résultat global, la rubrique de l'état du résultat global qui inclut ce profit ou cette perte ;

(d) le cas échéant, le secteur à présenter dans lequel l'actif non courant (ou le groupe destiné à être cédé) est présenté selon **IFRS 8** *Secteurs opérationnels*[45].

EXEMPLE

Présentation des activités abandonnées dans les notes

Voici les informations que pourrait contenir la note jointe aux états financiers de Blanc Bec inc. :

BLANC BEC INC.
Extrait des notes
de l'exercice terminé le 31 décembre 20X1

Note X : Activités abandonnées

Dans le but de concrétiser son plan stratégique, la société a adopté un plan de vente pour sa seule division de matériaux de construction, laquelle représentait un secteur à présenter en ce qui concerne l'information sectorielle. La cession par vente est prévue pour mai 20X2. Le résultat net de la division figure dans la rubrique Activités abandonnées à l'état du résultat net et se détaille comme suit :

	20X1	*20X0*
Ventes	*600 000 $*	*700 000 $*
Coût des ventes	*370 000*	*400 000*
Marge brute	*230 000*	*300 000*
Charges commerciales	*45 000*	*45 000*
Charges administratives	*205 000*	*186 000*
Charges financières	*38 000*	*44 000*
Résultat avant impôts	*(58 000)*	*25 000*
Impôts sur le résultat	*23 200*	*10 000*
Résultat après impôts	*(34 800)*	*15 000*
Perte de valeur du groupe d'actifs de la composante	*(237 000)*	
Impôts sur le résultat recouvrés	*94 800*	
Perte de valeur, après impôts	*(142 200)*	
Résultat net des activités abandonnées	*(177 000) $*	*15 000 $*

45. *Manuel de CPA Canada – Comptabilité – Partie I*, IFRS 5, paragr. 41.

20

Dans la formulation de cette note, nous avons posé l'hypothèse que la division Matériaux représentait en elle-même un secteur à présenter en ce qui concerne l'information sectorielle (nous traiterons de l'information sectorielle au chapitre 21). De plus, nous avons noté, à titre de faits et circonstances menant à la vente attendue, que la cession s'inscrivait dans le plan stratégique de la société.

Étant donné la quantité d'estimations requises pour établir la juste valeur de la division Matériaux, il est possible que le montant réel soit sensiblement différent du montant comptabilisé. Si tel est le cas, ce fait doit être communiqué aux utilisateurs des états financiers. En général, l'IASB recommande, en présence d'incertitude relative aux estimations, de fournir dans les notes les hypothèses concernant l'avenir et les autres sources principales d'incertitude à la date de clôture et qui présentent un risque d'ajustement significatif des montants des actifs et passifs au cours de l'exercice suivant. Il recommande, pour ces actifs et passifs, d'indiquer leur nature et leur valeur comptable à la date de clôture[46]. Dans le cas de Blanc Bec inc., la divulgation des hypothèses importantes posées par la direction dans l'évaluation de la juste valeur de la division permettrait aux utilisateurs de juger du bien-fondé de ces hypothèses et de se faire une opinion sur l'ampleur de l'incertitude. Comme nous l'avons expliqué au chapitre 3, l'évaluation à la juste valeur des actifs détenus en vue de la vente représente une évaluation non récurrente de la juste valeur et l'**IFRS 13** exige de fournir des informations particulières à cet égard.

En ce qui a trait à la présentation de l'état de la situation financière, les actifs et les passifs d'un groupe destiné à être cédé doivent être présentés séparément des autres actifs et passifs. Il est à noter que ces actifs et passifs ne peuvent être compensés. Le cumul de produits ou de charges comptabilisé directement dans les autres éléments du résultat global (dont nous avons traité au chapitre 2) lié à ces actifs et passifs doit également être présenté distinctement. Toutes ces informations peuvent être fournies dans les notes plutôt que directement dans l'état de la situation financière. Soulignons qu'il est interdit de reclasser les éléments correspondants de l'état de la situation financière de l'exercice précédent présentés aux fins de comparaison.

Du côté des flux de trésorerie, les flux de trésorerie nets attribuables aux activités d'exploitation, d'investissement et de financement des activités abandonnées doivent être indiqués séparément soit dans le tableau des flux de trésorerie, soit dans les notes.

L'extrait des états financiers de la société Transcontinental Inc. que nous présentons ci-après est un exemple de présentation des informations relatives aux activités abandonnées dans les notes aux états financiers.

NOTES AFFÉRENTES AUX ÉTATS FINANCIERS CONSOLIDÉS

Exercices clos les 31 octobre 2015 et 2014

(en millions de dollars canadiens, sauf les données par action)

11 ACTIVITÉS ABANDONNÉES

Abandon des magazines consommateurs

IFRS 5, paragr. 40(a)

Le 12 avril 2015, la Société a complété la vente de ses activités d'édition de magazines consommateurs produits à Montréal et à Toronto et leurs sites Web associés, ainsi que ses produits liés aux marques, à Groupe TVA Inc. pour une contrepartie totale en espèces de 56,0 millions de dollars, compte tenu des ajustements pour le fonds de roulement et des ajustements usuels de clôture. Ces produits étaient inclus dans le secteur des médias.

Les activités abandonnées incluent également d'autres magazines consommateurs qui ont été abandonnés ou vendus au cours de l'exercice clos le 31 octobre 2015, mais qui ne faisaient pas partie de la transaction avec Groupe TVA Inc. Ces éléments ne sont pas significatifs. Au 31 octobre 2015, la Société n'a plus d'activité liée aux magazines consommateurs.

Les résultats et les flux de trésorerie relatifs à ces activités ont été reclassés en tant qu'activités abandonnées dans les états consolidés du résultat et du résultat global, et dans les tableaux consolidés des flux de trésorerie.

46. *Manuel de CPA Canada – Comptabilité – Partie I*, **IAS 1**, paragr. 125.

IFRS 5, paragr. 33(b)

Le tableau suivant présente les résultats liés aux activités abandonnées pour les exercices clos les 31 octobre :

	2015	2014
Revenus [1]	**31,7 $**	79,0 $
Charges opérationnelles [1]	**33,6**	72,7
Frais de restructuration et autres coûts	**0,6**	2,4
Dépréciation d'actifs	**0,8**	0,4
Amortissement	**0,9**	2,1
Revenus financiers nets	**(0,1)**	(0,1)
Résultat avant quote-part du résultat net dans des coentreprises et impôts sur le résultat	**(4,1)**	1,5
Quote-part du résultat net dans des coentreprises, déduction faite des impôts y afférents	**0,2**	0,3
Impôts sur le résultat payés (recouvrés)	**(1,0)**	0,3
Résultat net lié à l'exploitation des activités abandonnées	**(2,9)**	1,5
Gain lié à la cession d'entreprises, déduction faite des impôts y afférents de 6,2 $	**28,5**	–
Résultat net et résultat global liés aux activités abandonnées	**25,6 $**	1,5 $

IFRS 5, paragr. 33(a)

Attribuable aux :		
Actionnaires de la Société	**26,0 $**	0,9 $
Participations ne donnant pas le contrôle	**(0,4)**	0,6
	25,6 $	1,5 $

[…]

IFRS 5, paragr. 33(c)

Le tableau suivant présente les flux de trésorerie liés aux activités abandonnées pour les exercices clos les 31 octobre :

	2015	2014
Flux de trésorerie liés aux opérations	**(1,9) $**	(1,7) $
Flux de trésorerie liés aux investissements	**54,6**	(0,7)
Variation nette des flux de trésorerie liés aux activités abandonnées	**52,7 $**	(2,4) $

[…]

IFRS 5, paragr. 41(a)

Le tableau suivant présente un sommaire de la valeur comptable des actifs vendus et des passifs transférés :

	Magazines consommateurs
Actifs courants	21,1 $
Immobilisations corporelles	2,3
Immobilisations incorporelles	1,7
Goodwill alloué	20,0
Actifs vendus	45,1
Passifs courants	19,2
Placement dans une coentreprise	0,4
Autres éléments du passif	4,1
Passifs transférés	23,7
Actifs nets vendus	21,4 $
Participations ne donnant pas le contrôle	0,6 $

Source : Rapport annuel 2015 de TC Transcontinental
TC Transcontinental, *Rapport annuel 2015 : Faire sa marque depuis 40 ans*, [En ligne], <http://tctranscontinental.com/documents/10180/37206/2015_rapport_annuel_Sa94u72H.pdf> (page consultée le 12 octobre 2016).

20

La présentation dans les états financiers des exercices subséquents

Nous avons jusqu'à présent traité de la comptabilisation des activités abandonnées au cours de l'exercice où a lieu la sortie de la composante ou au cours duquel celle-ci est initialement classée comme détenue en vue de la vente. Voyons maintenant ce qui se passe au cours d'un exercice subséquent. Nous traiterons d'abord du cas où une composante avait été classée comme détenue en vue de la vente au cours d'un exercice donné, puis du cas où la composante avait plutôt été cédée ou fermée définitivement.

En ce qui concerne une composante classée comme détenue en vue de la vente au cours d'un exercice antérieur, l'état du résultat global préparé dans un exercice subséquent comprendra un élément distinct correspondant au résultat net de la composante abandonnée. Normalement, la cession de la composante devrait avoir lieu dans un délai de un an à compter de la date de son classement comme détenue en vue de la vente. Il est possible que ce délai se prolonge au-delà de un an, notamment si des tiers imposent des conditions au transfert des actifs ou s'il est nécessaire d'attendre l'autorisation des autorités de réglementation avant de compléter la transaction de vente d'une entreprise.

Le résultat net des activités abandonnées présenté dans la partie inférieure de l'état du résultat global comprendra les résultats de la composante pour l'exercice subséquent. Il comprendra également toute augmentation de la perte de valeur du groupe d'actifs inclus dans la composante ou toute reprise de perte de valeur comptabilisée antérieurement. À noter qu'une telle reprise ne pourra excéder le total des pertes auparavant comptabilisées, y compris celles comptabilisées selon l'IFRS 5 et l'**IAS 36** traitant des dépréciations. Finalement, si la vente s'est concrétisée au cours de l'exercice subséquent, le résultat net des activités abandonnées comprendra le profit ou la perte sur cession réalisé lors de la vente.

EXEMPLE

Présentation des activités abandonnées au cours des exercices subséquents

La division Matériaux de la société Blanc Bec inc. est effectivement vendue le 1er mai 20X2. Au cours de la période du 1er janvier 20X2 au 1er mai 20X2, une perte d'exploitation avant impôts de 24 000 $ est enregistrée et la division est cédée pour une contrepartie de 800 000 $ (nette des coûts de la vente), alors que la valeur comptable de l'actif net s'élève à 820 000 $ au moment de la vente. En tenant compte du taux d'imposition toujours stable à 40 %, l'état du résultat global montrera une perte nette des activités abandonnées de 26 400 $, soit une perte avant impôts de 24 000 $ plus une perte sur cession de 20 000 $ (800 000 $ – 820 000 $), le tout net d'une économie d'impôts de 17 600 $ [(24 000 $ + 20 000 $) × 40 %].

En ce qui concerne les composantes cédées ou fermées définitivement au cours d'un exercice donné, il peut y avoir certains ajustements à faire au cours d'un exercice subséquent. Un exemple est le dénouement d'incertitudes se produisant à une date postérieure à la vente ou à la fermeture. De tels ajustements seraient présentés nets d'impôts à titre de résultat net des activités abandonnées dans l'état du résultat global.

À certaines occasions, il arrive qu'une composante auparavant classée comme détenue en vue de la vente soit ultérieurement reclassée comme étant détenue et utilisée, si elle ne satisfait plus aux critères pour être considérée comme détenue en vue de la vente. Dès lors, les actifs doivent être reclassés comme étant détenus et utilisés. Au moment du reclassement, ils sont évalués au montant le plus bas entre leur valeur recouvrable au moment de la décision de ne plus vendre et leur valeur comptable avant que la composante n'ait été classée comme détenue en vue de la vente, moins tout amortissement ou toute réévaluation qu'il y aurait normalement eu lieu de comptabiliser depuis le moment où la composante a été classée comme détenue en vue de la vente. Rappelons que dès qu'un actif a été classé comme détenu en vue de la vente, il a cessé d'être amorti. La perte (ou reprise de valeur) qui découle de ce reclassement est incluse dans le résultat net des activités poursuivies. Si le montant est significatif, il pourrait être pertinent de le présenter distinctement.

Dans l'état du résultat global, les produits et les charges de la composante dorénavant détenue et utilisée sont réintégrés dans chacun des éléments appropriés de l'état du résultat global pour tous les exercices présentés.

Les composantes qui ne satisfont pas à la définition d'activités abandonnées

Dans les situations où une composante ne représente pas une branche d'activité ou une région géographique principale et distincte, ses résultats ne doivent pas être présentés dans les activités abandonnées, mais bien dans les activités poursuivies. De plus, tout profit ou perte découlant de sa vente ou de sa fermeture définitive est inclus dans les activités poursuivies, mais uniquement dans l'exercice de la vente ou de la fermeture. Ces profits ou pertes peuvent faire l'objet d'une présentation distincte si leur montant est significatif.

PARTIE II – LES NCECF

Équivalents terminologiques *Manuel de CPA Canada* – Partie II et Partie I.

Exceptionnellement, dans le présent chapitre, la structure de la partie II du chapitre ne suit pas la structure de la partie I, car les NCECF diffèrent trop des IFRS.

Une vue d'ensemble

Les NCECF présentent les critères de comptabilisation des produits, des profits, des charges, des pertes et des activités abandonnées. Concernant la comptabilisation et la présentation des activités abandonnées, les normes contenues dans le **chapitre 3475** sont en convergence avec celles de l'IFRS 5.

Le **chapitre 3400**, intitulé « Produits », présente les normes relatives à la comptabilisation des produits provenant des clients, mais également à celle des produits d'intérêts, de redevances et de dividendes. De plus, la note d'orientation **NOC-2**, intitulée « Redevances de franchisage », traite des aspects particuliers liés à la comptabilisation des redevances de franchisage initiales et périodiques ainsi que des charges afférentes du point de vue du franchiseur.

Dans ce chapitre, nous présentons l'ensemble des critères du chapitre 3400 et de la NOC-2, car il existe de multiples différences avec l'IFRS 15 tant sur le plan conceptuel que sur le plan terminologique.

La figure 20.18 présente l'ensemble des normes et directives présentées dans la présente partie.

Les critères de la constatation des produits provenant des clients

Le chapitre 3400 distingue la comptabilisation de la vente d'un bien et celle de la prestation d'un service. Bien que certaines lignes directrices soient différentes, la comptabilisation des produits, sur le plan conceptuel, demeure la même. Les conditions 1 et 2 de la figure 20.18 (*voir les rectangles ① et ②*) indiquent deux critères généraux de **constatation** des produits. Pour enregistrer un produit tiré de la vente d'un bien ou de la prestation d'un service, l'exécution de l'opération doit être considérée comme achevée et le recouvrement final de la contrepartie doit être raisonnablement sûr. Nous expliquerons ces deux critères de la constatation des produits dans les deux sous-sections suivantes.

IFRS
Comptabilisation

L'exécution de l'opération est considérée comme achevée

L'exécution de l'opération est habituellement complétée à la livraison du bien ou lorsque le service est rendu. Or, certaines dispositions particulières entre le client et le vendeur amènent le comptable à analyser de plus près ce critère. Ce dernier se décline en deux éléments à corroborer, soit le fait que le travail promis est accompli et le fait que l'évaluation de la contrepartie promise par le client est évaluable de façon raisonnablement sûre (*voir les rectangles ③ et ④ de la figure 20.18*).

20

Le travail est accompli

Cette analyse diffère selon la nature du bien ou du service promis au client. Dans le cadre de la vente d'un bien, on doit évaluer le transfert des risques et des avantages importants inhérents à la propriété du bien (*voir la partie de gauche de la figure 20.18*). Habituellement, ce transfert est effectué

FIGURE 20.18 Les particularités des NCECF au sujet des produits

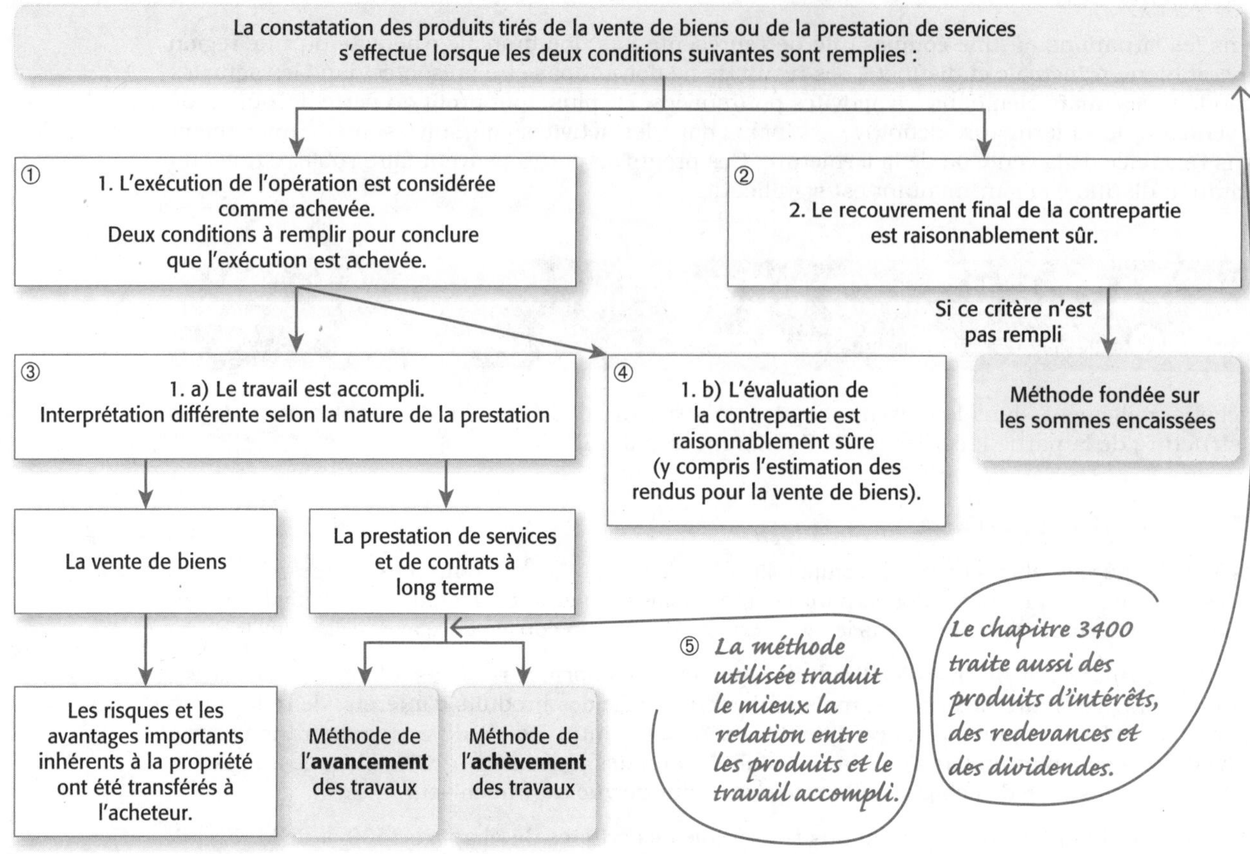

à la date de livraison des biens, car c'est à partir de ce moment que le client peut tirer profit de son achat et, par conséquent, assumer les risques liés à sa détention. De plus, l'entreprise n'exerce plus aucun contrôle sur ce bien ni aucun droit de gestion à partir de ce moment. Afin de déterminer le moment de ce transfert, l'entreprise peut analyser plusieurs autres facteurs que la date de livraison. La présence de preuves convaincantes de l'existence d'un accord telles que les pratiques habituelles de l'entreprise, les accords de consignation, les droits de retours habituels et les obligations de rachat sont des exemples de dispositions contractuelles dont on doit tenir compte dans l'analyse du transfert des risques et des avantages importants inhérents à la propriété du bien vendu.

Dans le cas de la prestation de services et des contrats à long terme, le comptable doit choisir une méthode de comptabilisation des produits qui traduit le mieux la relation entre les produits et le travail accompli (*voir l'élément ⑤ de la figure 20.18*). Deux choix sont possibles selon le paragraphe 06 du chapitre 3400 : la méthode de l'avancement ou celle de l'achèvement des travaux. Bien souvent, la méthode de l'achèvement des travaux est retenue pour les prestations de services ou de contrats à long terme qui présentent la réalisation d'un seul acte important. Nous présenterons plus loin dans cette section une illustration de la comptabilisation des produits selon les méthodes de l'avancement et de l'achèvement des travaux.

20

L'évaluation de la contrepartie est raisonnablement sûre

Pour que l'exécution soit considérée comme achevée, on doit analyser un deuxième critère, soit la capacité d'évaluer la contrepartie de façon raisonnablement sûre (*voir le rectangle ④ de la figure 20.18*). Ce critère lié à l'évaluation du produit est nécessaire afin de présenter le montant fiable de la transaction au moment de comptabiliser le produit.

Pour la vente d'un bien, l'évaluation de la contrepartie nécessite l'estimation raisonnable des rendus, lorsque le contrat conclu avec le client ou les pratiques habituelles de l'entreprise permettent le retour de marchandises. Pour ce faire, les entreprises se basent souvent sur leur expérience passée. Les rendus prévisibles ont pour effet de réduire le produit.

Pour la prestation de services et les contrats à long terme, l'évaluation de la contrepartie doit également être raisonnablement sûre pour permettre la comptabilisation de ces produits qui en découlent.

Le recouvrement final de la contrepartie est raisonnablement sûr

En plus d'analyser si l'exécution de l'opération est achevée, on doit également vérifier si le recouvrement des sommes promises par le client est raisonnablement sûr (*voir le rectangle ② de la figure 20.18*). En effet, même si la livraison a été effectuée ou que les services ont été rendus, si le client représente un risque important de non-recouvrement des sommes que doit recevoir l'entreprise, on ne doit pas comptabiliser le produit. En effet, il existe une incertitude trop élevée concernant le fait que la transaction de vente entraînera un accroissement des ressources économiques pour l'entreprise. La prudence étant de mise dans la comptabilisation d'un produit, on retarde la comptabilisation du produit jusqu'à ce que ce critère soit satisfait. Le Conseil des normes comptables (CNC) suggère au paragraphe 3400.19 d'utiliser la méthode fondée sur les sommes encaissées.

La méthode fondée sur les sommes encaissées

La **méthode fondée sur les sommes encaissées** peut s'appliquer lorsque le client représente un risque important de recouvrement des sommes restantes (*voir la partie de droite de la figure 20.18*). Elle consiste à enregistrer les produits au même montant que les encaissements reçus de la part du client tandis que le coût des ventes comptabilisé dans l'exercice de la vente représente la totalité du coût des biens vendus. Une telle présentation permet de refléter, en résultat net, les incertitudes liées à la transaction. Rappelons que ces transactions de vente sont assez rares, car l'entreprise est perdante au point de vue économique. Les commerçants qui effectuent des ventes à crédit acceptent habituellement d'accorder du crédit à leurs clients uniquement lorsqu'ils ont bon espoir de recouvrer les sommes qui leur sont dues. Dans ce contexte, les produits sont comptabilisés au moment de la vente des biens et une charge subséquente est comptabilisée si des incertitudes relatives au recouvrement surgissent. Le chapitre 6 du présent manuel traite de la dépréciation des comptes clients survenue après la vente.

Rappelons finalement que, lorsque le produit des activités ordinaires ne peut être comptabilisé, peu importe les raisons, toute somme reçue par le vendeur constitue un dépôt du client et doit être comptabilisée à titre de **produit reporté**. Ces sommes reçues d'avance des clients constituent des dettes de l'entreprise jusqu'à ce que les produits soient effectivement comptabilisés. Les montants inscrits au passif seront transférés dans un compte de produits au moment où la transaction satisfera la première fois les critères de comptabilisation des produits.

IFRS
Produit différé

Les méthodes de comptabilisation de l'avancement et de l'achèvement des travaux

Comme mentionné précédemment, la méthode de comptabilisation des produits qu'il convient d'utiliser est celle qui traduit le mieux la relation entre les produits et le travail accompli. Habituellement, c'est la méthode de l'avancement des travaux qui est privilégiée. Son application selon les NCECF est en convergence avec l'application selon les IFRS et ne fait donc pas l'objet d'explication additionnelle ici.

Par contre, l'autre méthode qui doit être utilisée lorsque la méthode de l'avancement des travaux ne convient pas est la méthode de l'achèvement. Cette méthode diffère de la méthode des produits à hauteur des coûts engagés proposée dans l'IFRS 15.

La méthode de l'achèvement des travaux

La **méthode de l'achèvement des travaux**, qui doit être utilisée seulement lorsqu'il n'est pas possible d'appliquer la méthode de l'avancement des travaux, a pour effet de retarder la comptabilisation du produit au moment où le contrat de prestation de services ou de travaux à long terme se termine. De ce fait, la méthode de l'achèvement des travaux a pour effet de reporter la comptabilisation des produits, des coûts du contrat et de la marge brute au moment où le contrat se termine.

Avec cette méthode, une entreprise qui s'engage par contrat à effectuer une construction sur une durée de trois ans constate la totalité des produits associés à cette construction

IFRS Comptabilise à l'actif

uniquement la troisième année. Selon le principe de rattachement des charges aux produits, plus couramment évoqué dans les NCECF en conformité avec l'approche axée sur les résultats, les charges ne sont donc comptabilisées que la troisième année. L'entreprise **capitalise** alors les frais qu'elle engage tout au long du projet dans le compte d'actif Travaux en cours. Au terme de la troisième année, elle transfère le solde de ce compte dans le compte de charges Coût des travaux exécutés.

Reprenons l'exemple de la société Norsena ltée (*voir l'énoncé à la page 20.72*), en tenant maintenant pour acquis que celle-ci applique les NCECF. La figure 20.19 illustre les éléments qui seront présentés dans les états financiers de Norsena ltée juste avant l'acceptation des travaux par l'acheteur, selon l'utilisation de la méthode de l'achèvement des travaux.

FIGURE 20.19 Une illustration de la méthode de l'achèvement des travaux

	20X1	**20X2**	**20X3**
Situation financière			
Travaux en cours	*100 $*	*350 $*	*1 000 $*
Facturation des travaux en cours	*70*	*375*	*1 000*
Résultat net			
Produits	*0 $*	*0 $*	*1 000 $*
Charges (Coûts de production)	*0*	*0*	*750*
Bénéfice net (avant impôts)	*0 $*	*0 $*	*250 $*

Source : Jocelyne Gosselin • Adaptation : Patricia Michaud

Cette figure permet de comparer rapidement la méthode de l'achèvement des travaux et la méthode des produits à hauteur des coûts engagés mentionnée dans les IFRS. La différence la plus importante se situe du côté de la comptabilisation des produits et, par conséquent, du côté de la comptabilisation des charges représentant les coûts de construction. Si la société opte pour la méthode de l'achèvement des travaux, les produits et les charges des deux premiers exercices sont nuls. Par contre, si Norsena ltée opte pour la méthode des produits à hauteur des coûts engagés acceptable selon les IFRS, elle répartit ses produits et ses charges sur les trois exercices.

Les soldes du compte Travaux en cours sont identiques selon les deux méthodes. Ils comprennent les coûts de construction engagés périodiquement. De plus, les deux méthodes influencent négativement les ratios financiers de l'entreprise ainsi que son image financière lorsqu'on les compare à ceux que fournit la méthode de l'avancement des travaux.

Enfin, la méthode de l'achèvement des travaux a pour effet d'introduire une grande variabilité des résultats d'un exercice à l'autre, comparativement à la méthode de l'avancement des travaux, faisant paraître l'entreprise plus risquée qu'elle ne l'est en réalité. Cette affirmation n'est cependant pas toujours vraie. Lorsqu'une entreprise exécute simultanément plusieurs contrats dont les échéances sont échelonnées de façon régulière dans le temps, la méthode de l'achèvement des travaux peut être aussi valable que celle de l'avancement des travaux.

Les situations particulières de la comptabilisation des produits

Certaines situations particulières de la comptabilisation des produits provenant des clients sont traitées différemment dans le référentiel NCECF. Il en est ainsi de la comptabilisation des produits sur la base du montant brut ou du montant net, les paiements effectués par un fournisseur à un client et les opérations de troc ou d'échange.

La présentation des produits sur la base du montant brut ou du montant net

À l'égard de la comptabilisation des produits sur la base du montant brut ou du montant net, le chapitre 3400 précise que les produits comptabilisés correspondent au montant brut lorsque l'**entreprise agit à titre de mandant**, c'est-à-dire lorsqu'elle assume les principaux risques et bénéficie des principaux avantages liés à la transaction. Cependant, dans une relation de **mandataire**, les produits correspondent au montant net, soit le montant des commissions gagnées; les montants perçus pour le compte du mandant ne sont pas des produits.

IFRS
Entreprise agit à son propre compte

Les facteurs à analyser afin de déterminer si une entreprise agit à titre de mandant ou de **mandataire** sont presque les mêmes que ceux indiqués dans le paragraphe B37 de l'IFRS 15. La liste non exhaustive des indicateurs, selon les IFRS, de l'existence du contrôle des biens ou des services est présentée dans le rectangle ② de la figure 20.11. Ces facteurs sont repris dans les NCECF qui comprennent un indicateur additionnel, soit le fait que l'entité assume le risque de crédit afférent au montant à recevoir du client.

Les paiements effectués par un fournisseur à un client

Le chapitre 3400 précise que les **paiements effectués par un fournisseur à un client** doivent normalement constituer une réduction du prix des biens vendus par le fournisseur et non un produit pour le client qui en bénéficie. Toutefois, ce chapitre prévoit certaines circonstances où de tels paiements peuvent être considérés comme un coût engagé par le fournisseur et, par conséquent, un produit pour le client. Il en est ainsi lorsque le paiement effectué par le fournisseur est fait en contrepartie d'un avantage identifiable qu'il reçoit lui-même de son client.

> [...] Le fournisseur constate toutefois la contrepartie payée comme un coût engagé si et seulement si les deux conditions suivantes sont remplies :
>
> a) Le fournisseur reçoit, ou recevra, un avantage identifiable (des biens ou services) en échange de la contrepartie. L'avantage identifiable doit être dissociable de l'achat de biens du fournisseur effectué par le client à un point tel que le fournisseur aurait pu conclure une opération d'échange avec une partie autre qu'un acheteur de ses biens ou services afin de bénéficier de cet avantage identifiable.
>
> b) Le fournisseur est en mesure de faire une estimation raisonnable de la juste valeur de l'avantage identifiable dont il est question en a) ci-dessus. (Lorsque le montant de la contrepartie payée par le fournisseur excède la juste valeur estimative de l'avantage reçu, cet excédent est constaté comme une réduction des produits)[47].

Le traitement comptable s'apparente à celui propre aux IFRS faisant référence aux contreparties payables au client que nous avons présenté dans la section liée à l'étape 4 du modèle de comptabilisation des produits.

Les opérations de troc ou d'échange

En ce qui concerne les opérations de troc, le **chapitre 3831**, intitulé « Opérations non monétaires », contient les normes applicables à l'évaluation de toute opération non monétaire. Le chapitre 8 traitait des recommandations contenues dans le chapitre 3831, lesquelles s'appuient sur le concept de **substance commerciale**. Certaines transactions n'ont aucune substance commerciale, par exemple, lorsqu'une entreprise échange des biens destinés à la vente contre d'autres biens semblables pour assurer l'approvisionnement de certains points de service. Prenons l'exemple des producteurs de sirop d'érable ABC et BEC. ABC est situé dans la région de Québec, alors que BEC se trouve en Abitibi. Ils peuvent s'entendre pour s'échanger des stocks de sirop d'érable afin d'assurer l'approvisionnement plus rapide de certains de leurs clients qui exercent leurs activités dans une région éloignée. Dans le cadre d'une telle entente, ABC pourrait effectuer des livraisons aux clients de BEC qui sont installés dans sa région, en échange de quoi BEC effectuerait des livraisons aux clients d'ABC qui sont situés en Abitibi. Selon le chapitre 3831, une telle opération doit donner lieu à la comptabilisation d'un produit évalué à la valeur comptable des biens cédés, compte tenu de l'absence de substance commerciale de la transaction. Selon les IFRS, l'entreprise ne doit pas comptabiliser un produit du fait que l'absence d'une substance commerciale implique l'absence d'un contrat de vente (*voir le rectangle ④ de la figure 20.2*).

20

47. *Manuel de CPA Canada – Comptabilité – Partie II*, paragr. 3400.28.

L'IFRS 15 contient des normes semblables. En effet, l'opération de vente doit avoir une substance commerciale afin de répondre à l'une des conditions nécessaires à la présence d'un contrat (*voir le rectangle ④ de la figure 20.2*). De plus, l'étape 4 du modèle de comptabilisation des produits traite de la détermination du prix de transaction et, de ce fait, de l'évaluation de la contrepartie autre qu'en trésorerie (*voir le rectangle ⑤ de la figure 20.6*). Selon l'IFRS 15, on doit évaluer la contrepartie autre qu'en trésorerie en fonction de sa juste valeur. Le comptable tient compte de la juste valeur du bien ou du service cédé seulement si l'estimation de la juste valeur de la contrepartie reçue ne peut se faire de façon raisonnable. Selon les NCECF, le chapitre 3831 indique plutôt de retenir l'évaluation la plus fiable entre les deux.

La comptabilisation des intérêts, des redevances et des dividendes

Les produits tirés de l'utilisation de ressources par des tiers tels que les intérêts, les redevances et les dividendes doivent être constatés lorsque l'évaluation et le recouvrement des sommes sont raisonnablement sûrs. Ces deux critères sont également nécessaires à la comptabilisation de tout produit provenant de clients (*voir la figure 20.18*). Le critère du transfert des risques et des avantages importants inhérents à la propriété du bien est, pour sa part, remplacé par les critères indiqués dans le prochain paragraphe selon la nature des produits gagnés.

Les produits d'intérêts sont constatés en fonction du temps écoulé lié. Les produits de dividendes sont comptabilisés en fonction de leur exigibilité soit, habituellement, au moment où la société émettrice des actions déclare le versement d'un dividende. Les produits tirés des redevances sont constatés à mesure que les redevances deviennent gagnées en fonction des conditions contractuelles. La NOC-2, indique plus en détails les conditions relatives à la comptabilisation des redevances initiales et périodiques gagnées par le franchiseur.

Les redevances de franchisage

Selon la NOC-2, le terme franchise représente « [...] une concession de droits, souvent de nature exclusive, par laquelle une partie (le franchiseur) confère à une autre partie (le franchisé) le droit de vendre un produit, d'utiliser une marque de commerce ou de rendre un service à partir d'un établissement sis à un endroit donné (franchise individuelle) ou de plusieurs établissements à l'intérieur d'un territoire donné (franchise régionale)[48] ». Le traitement comptable des opérations effectuées par le franchiseur est sensiblement le même que celui qui est analysé dans la sous-section portant sur les licences de propriété intellectuelle de ce chapitre.

La présentation et les informations à fournir

Comme c'est le cas pour pratiquement tous les chapitres des NCECF, les exigences concernant la présentation des produits sont beaucoup plus restreintes que dans les IFRS et se limitent aux éléments présentés dans le tableau 20.7.

TABLEAU 20.7 La présentation des produits et les informations à fournir

NCECF, chapitre 3400	Commentaires
Paragr. 33 *L'entreprise doit indiquer séparément, soit dans le corps même de l'état des résultats, soit dans les notes complémentaires, les grandes catégories de produits constatées au cours de l'exercice.*	Dans les états financiers de Josy Dida inc., disponibles dans la plateforme *i+ Interactif*, l'entreprise présente distinctement ses produits découlant de la vente et ceux découlant des redevances de franchisage. Elle aurait pu regrouper ces deux postes et donner des détails uniquement dans les notes.

Les états financiers de Josy Dida inc.

20

48. *Manuel de CPA Canada – Comptabilité – Partie II*, NOC-2, paragr. 2.

TABLEAU 20.7 *(suite)*

Paragr. 29 *Le montant des produits constatés au cours de l'exercice doit faire l'objet d'un poste distinct dans l'état des résultats.*	Même si Josy Dida inc. aurait pu regrouper ses deux types de produits, elle ne peut regrouper ses produits et ses gains ou ses produits et certaines charges.
Paragr. 31 *L'entreprise doit indiquer sa méthode de constatation des produits. Lorsque l'entreprise applique des méthodes différentes à des types différents d'opérations génératrices de produits, y compris les échanges non monétaires (opérations de troc), elle doit indiquer la méthode suivie pour chaque type important d'opérations. Si les opérations de vente portent sur plusieurs éléments, par exemple un bien et un service, l'entreprise doit préciser clairement la méthode suivie pour chaque élément ainsi que la façon dont les divers éléments sont déterminés et évalués.*	La note 4 des états financiers de Josy Dida inc. fournit l'information énumérée ci-contre.

Consultez le tableau synthèse des particularités des NCECF.

20

SYNTHÈSE DU CHAPITRE 20

La figure 20.20 illustre en un coup d'œil les principaux thèmes abordés dans le présent chapitre. Le texte qui suit la figure vous permettra de vérifier l'acquisition des objectifs d'apprentissage.

FIGURE 20.20 Les principaux thèmes abordés dans le présent chapitre

1*. Contexte de la comptabilisation des produits des activités ordinaires tirés de contrats conclus avec des clients (PTCC)**.
La présentation du modèle de comptabilisation des PTCC en cinq étapes.

2. La validation de la présence d'un contrat repose sur l'analyse de cinq conditions.

3. La détermination des obligations de prestation contenues dans un contrat consiste à établir un bien ou un service distinct, ou une série de biens ou de services distincts.

4. Les PTCC sont comptabilisés lorsque l'obligation de prestation est remplie.

5. Le prix de transaction est déterminé en fonction de la juste valeur et tient compte de la contrepartie variable, de la composante financement importante et de certaines contreparties payables aux clients.

6. La répartition du prix de transaction entre les obligations de prestation s'effectue en fonction des prix de vente spécifiques.

7. L'exemple d'application permet de comprendre la relation entre les cinq étapes du modèle de comptabilisation des PTCC.

8. Il existe des règles pour les PTCC liés à des activités particulières, telles que les ventes assorties d'un droit de retour, d'une garantie ou d'une option, les relations de mandataires, les droits non exercés par les clients, les frais initiaux non remboursables, les licences de propriété intellectuelle, les différents accords particuliers et l'acceptation par le client.

9. Les coûts sont comptabilisés en charges selon leur relation causale avec les produits sur une base systématique et rationnelle ou s'ils ne satisfont pas aux critères de comptabilisation à l'actif.

10. Le modèle de comptabilisation des PTCC s'applique également aux contrats de construction.

11. Les PTCC se répercutent sur chacun des états financiers de la manière prescrite dans l'IFRS.

Note : Tous les PTCC sont évalués à la juste valeur.

NCECF
- Approche fondamentalement différente
- Quelques différences dans certaines situations précises

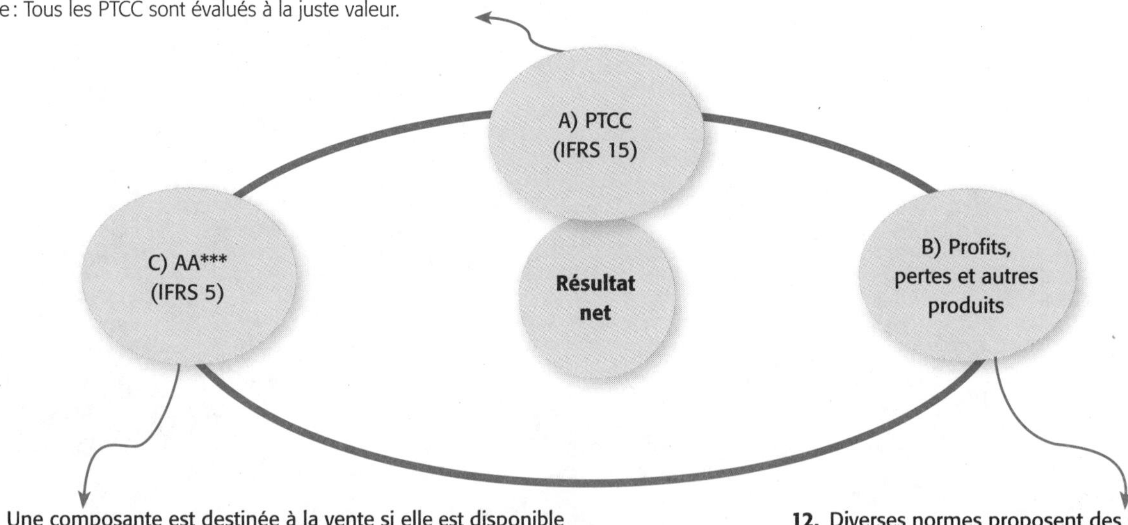

12. Diverses normes proposent des règles précises pour la comptabilisation des profits, des pertes et des autres produits.

NCECF
- La méthode de l'achèvement des travaux remplace la méthode des produits à hauteur des coûts engagés.
- Il existe une méthode de comptabilisation des produits selon les sommes encaissées lorsque le recouvrement final de la contrepartie n'est pas raisonnablement sûr.

13. Une composante est destinée à la vente si elle est disponible immédiatement pour la vente, laquelle doit être hautement probable. Le résultat net des AA inclut les produits et les charges de la composante ainsi que la perte sur cession ou perte de valeur (ou reprise).

14. Le résultat net des AA est présenté séparément, net d'impôts, dans l'état du résultat global. Les actifs et les passifs de même que les flux de trésorerie de la composante sont respectivement présentés séparément dans l'état de la situation financière et dans le tableau des flux de trésorerie ou en note.

* Dans cette figure, les numéros renvoient aux objectifs d'apprentissage.
** PTCC : Produits tirés de contrats conclus avec des clients
*** AA : Activités abandonnées

Source : Jocelyne Gosselin • Adaptation : Patricia Michaud

20

Relever les notions importantes liées à la mise en contexte de la comptabilisation des produits provenant des clients. Les produits provenant des clients correspondent aux produits générés par les activités courantes de l'entreprise. Ils représentent un phénomène économique récurrent. À ce titre, ils fournissent aux utilisateurs de l'information financière un bon indicateur de la capacité de l'entreprise à générer des flux de trésorerie récurrents qui contribueront à l'accroissement de ses ressources économiques. Compte tenu de l'importance accordée par les utilisateurs des états financiers à la performance, les entreprises avancent de nombreux arguments en vue de justifier la comptabilisation hâtive de leurs produits. L'exercice du jugement professionnel revêt donc une très grande importance lors de l'analyse des conditions préalables à la comptabilisation d'un produit. Le modèle de comptabilisation des produits en cinq étapes permet de répondre aux questions concernant la comptabilisation et l'évaluation du produit provenant de clients.

Analyser la présence d'un contrat selon l'étape 1 du modèle de comptabilisation des produits. La validation de la présence d'un contrat repose sur cinq conditions : 1) l'existence d'une approbation verbale, écrite ou selon les pratiques commerciales habituelles dans le secteur et un engagement des parties à respecter des obligations respectives ; 2) la détermination des droits de chaque partie en ce qui concerne les biens ou les services ; 3) la présence des conditions de paiement prévues ; 4) la présence d'une substance commerciale dans le contrat ; et 5) le recouvrement probable de la contrepartie. Dès qu'une des conditions précédentes n'est pas remplie, cela indique l'absence de contrat et le non-respect de l'étape 1. Sauf en de rares exceptions, aucun produit n'est comptabilisé et on enregistre un produit différé si une contrepartie est reçue. Une entreprise qui a reçu une somme non remboursable pour laquelle aucune résiliation du contrat n'est possible analyse la situation de plus près. Si elle ne possède aucune obligation de livrer un bien ou de rendre un service, l'entreprise doit comptabiliser un produit de l'exercice même si elle conclut à l'absence d'un contrat. Dans tous les autres cas, l'analyse de la présence d'un contrat est faite périodiquement jusqu'à la conclusion de sa présence et, par conséquent, le passage à l'étape 2.

Déterminer les obligations de prestation relatives à un contrat selon l'étape 2 du modèle de comptabilisation des produits. Un contrat peut comprendre plusieurs obligations de prestation distinctes. On doit analyser individuellement chacune de ses obligations pour déterminer la comptabilisation à titre de produits. Une obligation de prestation se définit comme une promesse implicite ou explicite contenue dans un contrat conclu avec un client. Cette promesse prévoit la fourniture d'un bien ou d'un service distinct ou d'un groupe de biens ou de services distincts. Un bien ou un service distinct est reconnu par son existence bien distincte des autres biens ou services offerts et par son caractère distinctif dans le contrat de vente. L'IFRS 15 suggère plusieurs éléments à analyser afin de déterminer le caractère distinctif. Chaque bien ou service distinct doit ensuite être analysé en fonction des trois étapes subséquentes du modèle de comptabilisation des produits.

Déterminer le moment de la comptabilisation des produits selon l'étape 3 du modèle de comptabilisation des produits. Le moment où l'on comptabilise un produit est celui où l'entreprise fournit un bien ou un service et où le client obtient le contrôle de ce bien ou de ce service. Le transfert du contrôle peut survenir à un moment précis ou de façon progressive en fonction d'un degré d'avancement des travaux. Il existe plusieurs indicateurs de transfert de contrôle à prendre en considération, comme le transfert de titre de propriété légale, la possession matérielle et le transfert des risques et des avantages importants inhérents à la propriété de l'actif. Les situations particulières de la comptabilisation des produits telles que les accords de rachat, de consignation et de vente à livrer, les ventes à tempérament et les clauses liées à l'acceptation par le client renvoient à cette étape du modèle de comptabilisation des produits.

La comptabilisation des produits liés à la prestation de services et aux contrats de construction s'effectue bien souvent de façon progressive. De ce fait, l'évaluation du degré d'avancement des travaux devient nécessaire pour estimer les produits d'un exercice financier. La méthode utilisée, que ce soit une méthode fondée sur les intrants ou sur les extrants, doit permettre de refléter fidèlement la mesure dans laquelle l'entreprise remplit son obligation de prestation. Pour évaluer les produits selon l'avancement des travaux, l'entreprise doit pouvoir estimer de façon raisonnable le degré d'avancement des travaux ainsi que le montant du résultat de la transaction. Dans le cas contraire, si elle s'attend au moins à recouvrer les coûts du contrat, l'entreprise comptabilise alors les produits à hauteur des coûts engagés.

Évaluer le prix de transaction selon l'étape 4 du modèle de comptabilisation des produits. L'évaluation du prix de transaction permet d'évaluer le montant de la vente. Le prix de transaction inclut les montants fixes et les montants variables et exclut les sommes perçues pour le compte d'un tiers telles que les taxes de vente. Plusieurs éléments sont à prendre en considération dans cette évaluation, dont l'estimation des contreparties variables, l'exclusion d'une composante financement importante, l'évaluation à la juste valeur d'une contrepartie autre qu'en trésorerie et le traitement comptable d'une contrepartie payable au client. Le prix de transaction comporte une contrepartie variable dans certaines situations particulières, telles que les réductions de prix, rabais et remboursements accordés aux clients, les primes de performance, les pénalités prévues dans le contrat, les clauses d'indexation de prix et les contreparties conditionnelles liées à la réalisation d'un événement futur.

Répartir le prix de transaction entre les obligations de prestation selon l'étape 5 du modèle de comptabilisation des produits. L'étape 5 permet de faire un lien entre la détermination des obligations de prestation de l'étape 2 et l'évaluation du prix de transaction de l'étape 4. À la fin du processus de comptabilisation des produits, il reste à répartir le prix de transaction entre les différentes obligations de prestation distinctes avant de les comptabiliser au moment approprié (selon l'étape 3). Cette répartition du prix de transaction s'effectue en proportion des prix de vente spécifiques des biens ou des services en question. Le prix de vente spécifique est le montant auquel une entreprise vendrait séparément un bien ou un service promis à un client.

Appliquer les cinq étapes du modèle de comptabilisation des produits. L'exemple de la société Sécuricom ltée a permis d'illustrer le modèle de comptabilisation des produits en cinq étapes. Il a montré la façon d'intégrer le processus de comptabilisation des produits et les différentes analyses à effectuer ainsi que les écritures de journal requises.

Comptabiliser certains produits particuliers provenant de clients. Certaines opérations offrent des particularités relatives à la comptabilisation des produits. Elles doivent faire l'objet d'une analyse complémentaire de différentes conditions. Il est possible de faire un lien entre chaque transaction particulière et l'analyse d'une étape précise du modèle de comptabilisation des produits. Par exemple, les garanties offertes dans un contrat et les frais initiaux non remboursables exigibles à la signature d'un contrat représentent un défi comptable par rapport à la détermination des obligations de prestation selon l'étape 2. La principale tâche consiste à cibler les promesses faites au client et à déterminer leur caractère distinctif des autres biens et services offerts dans le contrat. Les droits de retour ainsi que les relations de mandataire que peuvent contenir d'autres types de contrats suscitent des difficultés à l'étape 4 portant sur l'évaluation du prix de transaction. En effet, les droits de retour représentent une contrepartie variable à estimer dans le cadre de l'évaluation du prix de transaction. Cette évaluation doit exclure toutes les sommes perçues pour le compte de tiers ; c'est pourquoi les relations de mandataire, qui entraînent la comptabilisation du montant net des produits, font référence à cette étape. L'étape 3 du modèle élabore sur le transfert de contrôle de l'actif en cause. Les accords de rachat, de consignation et de vente à livrer font référence à cette étape.

Comptabiliser les coûts d'un contrat. L'évaluation du résultat net est non seulement fonction des produits comptabilisés, mais également des charges relatives aux opérations de l'entreprise. Les charges peuvent être comptabilisées selon une relation causale, une répartition systématique et rationnelle ou, par défaut, immédiatement dans l'exercice en cours.

La comptabilisation d'une charge en vertu d'une relation causale est possible lorsqu'une relation directe peut être établie entre un produit comptabilisé et la charge. Ainsi, les coûts directs des marchandises vendues ou des services rendus sont généralement comptabilisés en résultat net de l'exercice au cours duquel les produits liés aux biens ou aux services ont été comptabilisés. La comptabilisation d'une charge en fonction d'une répartition systématique et rationnelle est nécessaire lorsque les coûts engagés ont contribué de manière indirecte à la réalisation des produits comptabilisés. Il en est ainsi, par exemple, de la charge d'amortissement d'une immobilisation. Finalement, certaines charges sont comptabilisées en résultat net du simple fait qu'elles ne peuvent être imputées à aucun autre exercice. Il en est ainsi lorsque les sommes engagées ne peuvent être ni liées directement aux biens ou aux services rendus, ni réparties sur les exercices à venir, puisqu'elles ne satisfont pas aux critères de comptabilisation à l'actif. L'IFRS 15 distingue un coût marginal d'obtention d'un contrat et un coût d'exécution d'un contrat. Le traitement comptable préconisé pour chacun tient compte de ces lignes directrices applicables à la comptabilisation de tous les coûts d'un contrat.

10 **Comptabiliser les contrats de construction.** Lorsqu'une entreprise conclut des contrats de construction dont la durée déborde un exercice financier, le moment de la comptabilisation en résultat net est important. Ce moment dépend de la méthode retenue par l'entreprise, soit la méthode de l'avancement soit la méthode des produits à hauteur des coûts engagés.

Selon la méthode de l'avancement, on comptabilise des produits supérieurs aux charges, de façon à répartir le résultat du contrat sur toute la période de construction. Ce résultat est débité au compte Travaux en cours, dont le solde représente le prix de vente des travaux exécutés. Selon la méthode des produits à hauteur des coûts engagés, on comptabilise un montant de produit limité au montant des charges, repoussant ainsi la comptabilisation du résultat jusqu'à la fin de la construction. Le solde du compte Travaux en cours représente alors les coûts recouvrables relatifs aux travaux exécutés.

Les deux méthodes de comptabilisation des produits sont tout à fait indépendantes de la facturation des travaux et de l'encaissement des comptes clients. Lorsque l'entreprise est capable de mesurer le résultat d'un contrat ainsi que le degré d'avancement des travaux de façon fiable, l'IASB exige d'utiliser la méthode de l'avancement des travaux.

Une entreprise qui conclut des contrats de construction doit examiner diverses questions d'ordre pratique, telle la détermination des produits et des charges pouvant être rattachés aux contrats de construction.

Présenter les produits provenant des clients dans les états financiers. Afin de permettre une meilleure compréhension des activités génératrices de produits, l'entreprise doit fournir, dans le corps même des états financiers ou dans les notes qui les accompagnent, des explications sur la nature des produits provenant des clients comptabilisés. L'IFRS 15 distingue un actif sur contrat et une créance, et définit également ce qu'est un passif sur contrat. La terminologie employée peut être différente de celle suggérée dans les normes, mais les entreprises doivent présenter les informations nécessaires à la compréhension de la nature de ces postes. Parmi les informations relatives aux contrats conclus avec les clients figurent les méthodes comptables adoptées pour la comptabilisation des produits, le montant de chaque catégorie importante de produits et le montant des produits provenant des clients. Plusieurs autres informations concernant les jugements importants portés pour l'application de l'IFRS 15 et les actifs comptabilisés au titre des coûts d'obtention et d'exécution de contrats sont également nécessaires.

Comptabiliser les profits, les pertes et les autres produits. L'état du résultat global présente également des profits, des pertes et d'autres produits. Ces derniers, tout comme les produits et les charges, représentent des augmentations ou des diminutions d'avantages économiques, mais ils ne résultent pas de contrats conclus avec des clients. Les autres produits incluent les produits d'intérêts et de dividendes. Ces éléments sont présentés distinctement des produits provenant des clients.

Comptabiliser les activités abandonnées. Le résultat net d'une composante qui a été fermée, vendue ou classée comme détenue en vue de la vente doit être présenté à titre d'activités abandonnées dans l'état du résultat global si cette composante représente une branche d'activité ou une région géographique principale et distincte. Pour être classée comme détenue en vue de la vente, une composante doit être disponible pour la vente dans son état actuel et la vente doit être hautement probable. Le résultat net des activités abandonnées inclut les produits et les charges de la composante ainsi que le profit ou la perte sur cession de la composante si elle a été vendue ou la perte de valeur si elle est détenue en vue de la vente (et toute reprise de valeur dans les exercices ultérieurs).

Présenter les activités abandonnées dans les états financiers. L'état du résultat global inclut un montant unique net d'impôts pour les activités abandonnées. L'état de la situation financière présente distinctement les actifs et les passifs destinés à être cédés. Les flux de trésorerie nets attribuables aux activités d'exploitation, d'investissement et de financement des activités abandonnées doivent être indiqués séparément soit dans le tableau des flux de trésorerie soit dans les notes. Certaines autres informations doivent également figurer dans les notes.

Comprendre et appliquer les NCECF liées à la comptabilisation des produits, des profits, des charges, des pertes et des activités abandonnées. Plusieurs aspects de la comptabilisation des produits provenant des clients sont traités différemment dans les IFRS et les NCECF.

Dans le chapitre 3400, le CNC propose deux critères de constatation des produits selon la nature du bien ou du service cédé. Un de ces critères concerne le recouvrement final de la contrepartie qui doit être raisonnablement sûr. Si ce critère n'est pas satisfait, l'entreprise comptabilise les produits selon la méthode des sommes encaissées.

Les entreprises de services et celles qui exécutent des **contrats à long terme** peuvent utiliser la méthode de l'avancement des travaux, mais pas la méthode des produits à hauteur des coûts engagés. Ces entreprises peuvent plutôt se servir de la méthode de l'achèvement des travaux, selon laquelle les produits sont comptabilisés uniquement lorsque la vente des biens ou la prestation des services faisant l'objet du contrat est achevée ou quasi achevée. La méthode choisie doit être celle qui traduit le mieux la relation entre les produits et le travail accompli.

Le chapitre 3400 propose également des directives pour la comptabilisation des produits dans certaines situations particulières. La présentation des produits sur la base du montant brut ou du montant net et les paiements effectués par un fournisseur à un client sont précisément ciblés dans la norme. La note d'orientation NOC-2 propose des lignes directrices à suivre pour la comptabilisation des redevances de franchisage initiales et périodiques gagnées par le franchiseur.

L'information sectorielle et les états financiers intermédiaires

21

Des ressources pédagogiques sont disponibles en ligne.

Objectifs d'apprentissage

À la fin de ce chapitre, vous pourrez :

1. appliquer le processus de sectorisation visant à déterminer les secteurs opérationnels à présenter ;
2. présenter l'information sectorielle dans les états financiers ;
3. appliquer les normes de préparation et de présentation des états financiers intermédiaires ;
4. appliquer les différentes approches pour la détermination du résultat intermédiaire ;
5. comprendre et appliquer les NCECF liées à l'information sectorielle et aux états financiers intermédiaires.

Aperçu du chapitre

Vous avez tous un jour déjà reçu le conseil selon lequel il est important de ne pas mettre tous ses œufs dans le même panier. Évidemment, ce vieil adage fait référence à la notion de diversification. Les investisseurs tentent de limiter les risques encourus en répartissant leurs investissements dans des titres qui ne devraient pas tous subir des pressions à la baisse en même temps. Plusieurs entreprises ont recours à cette stratégie en ayant des activités dans différents marchés et en diversifiant les secteurs d'activité dans lesquels elles évoluent. Ces secteurs contribuent à la performance globale des entreprises et il importe d'en faire état dans les états financiers. Le présent chapitre examinera en détail les normes de présentation de l'**information sectorielle.**

Par ailleurs, plusieurs d'entre vous avez probablement déjà dû visiter une institution financière afin d'obtenir un prêt pour financer vos études ou l'acquisition d'une voiture. Au moment d'analyser votre demande, le gestionnaire de comptes de l'institution financière vous a probablement demandé de faire état de vos sources de revenus au moment de l'emprunt. Ces sources de revenus peuvent différer de celles qui prévalaient à la fin de l'année civile précédente parce que, par exemple, vous avez peut-être décroché un nouvel emploi à temps partiel plus rémunérateur. Il en va de même pour les entreprises. Les banquiers ne sauraient attendre la fin de l'exercice financier pour connaître l'évolution de la situation financière et de la performance d'une entreprise à laquelle ils envisagent de consentir un emprunt en cours d'exercice. Il en va de même pour les investisseurs, qui apprécient connaître l'évolution des résultats d'une entreprise pendant un exercice financier pour confirmer et réviser leurs attentes. Le présent chapitre fournira un exposé des normes de présentation de l'**information financière intermédiaire,** c'est-à-dire les états financiers établis pour une période inférieure à un exercice financier de 12 mois. Finalement, il abordera le fait que les NCECF sont muettes sur l'information sectorielle et l'information financière intermédiaire.

PARTIE I – LES IFRS

i+ Équivalents terminologiques *Manuel de CPA Canada* – Partie I et Partie II.

21

L'information sectorielle

Différence NCECF

Les états financiers font ressortir le résultat (net et global), les flux de trésorerie, les variations des capitaux propres et la situation financière pour l'ensemble des composantes de l'entreprise. Par contre, les diverses composantes d'une entreprise diversifiée peuvent présenter des perspectives d'avenir différentes si les risques et les avantages associés à leurs activités sont différents.

Les utilisateurs des états financiers ont donc besoin d'information sectorielle leur permettant d'évaluer la nature et les effets financiers des activités auxquelles une entreprise se livre et des environnements économiques dans lesquels elle évolue. C'est dans cette perspective que l'International Accounting Standards Board (IASB) énonce des règles en matière de présentation de l'information sectorielle dans l'**IFRS 8**, intitulée « Secteurs opérationnels ». Les exigences de divulgation portent sur certaines informations au sujet des secteurs opérationnels d'une entreprise, ses biens et services, les zones géographiques où elle exerce ses activités et ses principaux clients.

La pratique courante est de présenter l'information sectorielle dans une note qui accompagne les états financiers. Le point de départ du processus de préparation de cette information consiste à déterminer les secteurs opérationnels à présenter dans une telle note.

Avez-vous remarqué ?

L'un des objectifs de l'information financière est d'aider les utilisateurs des états financiers à évaluer la capacité de l'entreprise à générer des flux de trésorerie à l'avenir. En disposant d'informations par secteurs d'activité, les utilisateurs sont plus en mesure de prévoir les flux de trésorerie futurs selon leur perception des perspectives d'avenir des différents secteurs d'activité dans lesquels évolue l'entreprise, compte tenu de la conjoncture économique.

Différence NCECF

Le processus de sectorisation

Différence NCECF

Comme la majeure partie des informations à fournir concerne les secteurs opérationnels, l'IASB a établi un processus de sectorisation qui vise à déterminer les secteurs opérationnels à présenter. Ce processus est fondé sur la **sectorisation organisationnelle**, laquelle représente la façon dont la direction sectorise l'entreprise aux fins de gestion interne. Le processus de sectorisation figure dans le tableau 21.1[1]. Il implique d'établir les différents secteurs opérationnels de l'entreprise, de regrouper les secteurs similaires, de déterminer ceux qui dépassent certains seuils quantitatifs et de s'assurer que ces secteurs déterminés couvrent la majeure partie des activités de l'entreprise. C'est le cas si 75 % des produits des activités ordinaires de celle-ci sont inclus dans les secteurs à présenter.

Les regroupements doivent être effectués avec discernement, car la multiplication des secteurs d'exploitation présentés est susceptible de créer un problème de surcharge d'information. À cet égard, bien qu'aucune limite quant au nombre de secteurs à présenter ne soit établie, l'IASB suggère à la direction d'une entreprise d'examiner la possibilité de limiter à 10 le nombre de secteurs au sujet desquels de l'information sectorielle sera présentée.

TABLEAU 21.1 La marche à suivre pour la détermination des secteurs opérationnels à présenter

Étapes	Explications
1. Détermination des secteurs opérationnels en fonction de la sectorisation organisationnelle	Un **secteur opérationnel** possède trois principales caractéristiques : • Il peut générer des produits provenant des activités ordinaires pour lesquelles des charges peuvent être engagées (y compris des produits et des charges relatifs à des transactions effectuées avec d'autres composantes de l'entreprise). • Ses résultats font l'objet d'un examen périodique par le principal décideur opérationnel aux fins d'affectation des ressources et d'évaluation de la performance. Le principal décideur opérationnel ne désigne pas un dirigeant ayant un titre particulier, mais bien la fonction d'affectation des ressources et d'évaluation de la performance. • Des informations financières distinctes sont disponibles pour ce secteur.

21

1. Ce tableau présente les principales exigences énoncées dans CPA Canada, *Manuel de CPA Canada – Comptabilité – Partie I*, IFRS 8, paragr. 5 à 19. (*Voir la page iv des liminaires pour plus de détails à l'égard des normes publiées mais non encore entrées en vigueur.*)

TABLEAU 21.1 *(suite)*

2. Regroupement facultatif de secteurs en fonction de certains critères	Les secteurs qui présentent des caractéristiques économiques semblables sont susceptibles de réaliser une performance à long terme semblable. Plus précisément, un regroupement de secteurs peut être effectué dans le cas de secteurs affichant des ressemblances pour chacun des points suivants : • La nature des produits et services ; • La nature des procédés de production ; • Le type ou la catégorie de clients auxquels sont destinés les produits et services ; • Les méthodes de distribution des produits et services ; • L'environnement réglementaire.
3. Détermination des secteurs à présenter selon certains seuils quantitatifs (critère du 10 %)	L'atteinte de l'un ou l'autre des seuils quantitatifs suivants justifie la présentation d'information sectorielle pour un secteur opérationnel donné : • Les produits du secteur représentent 10 % ou plus du total des produits des activités ordinaires de l'ensemble des secteurs (les produits comprennent les ventes à des clients externes et les ventes entre les secteurs). • Le résultat net sectoriel (bénéfice ou perte sectoriel), en valeur absolue, représente 10 % ou plus du plus élevé : – du bénéfice total de tous les secteurs qui n'ont pas présenté de perte ; – de la perte totale de tous les secteurs qui ont présenté une perte. • L'actif du secteur représente 10 % ou plus de l'actif total de tous les secteurs. Un secteur qui n'atteint aucun de ces seuils peut tout de même être présenté afin de fournir de l'information utile aux utilisateurs.
4. Vérification du fait que les secteurs à présenter déterminés permettent de décomposer la majeure partie des activités de l'entreprise	Le total des produits des activités ordinaires provenant des ventes à des clients externes des secteurs à présenter doit représenter au moins 75 % des produits des activités ordinaires totaux de l'entreprise. Sinon, il faut déterminer d'autres secteurs opérationnels à présenter (*voir l'étape 5*).
5. Détermination des secteurs opérationnels supplémentaires, le cas échéant	Les secteurs opérationnels qui présentent des caractéristiques économiques semblables mais qui n'atteignent pas les seuils quantitatifs peuvent être groupés s'ils satisfont à une majorité des critères de regroupement énoncés à l'étape 2. À la limite, l'entreprise doit déterminer d'autres secteurs opérationnels, même s'ils ne répondent pas aux seuils quantitatifs.

EXEMPLE

Identification des secteurs à présenter

La société Diversifiée inc. désire déterminer les secteurs à présenter en vue de la préparation de la note sur les informations sectorielles qui sera incluse pour la première fois dans ses états financiers. La société a établi au total sept secteurs. Voici quelques informations pertinentes à leur sujet :

	Produits sectoriels	*Résultat sectoriel*	*Actif sectoriel*
Secteur A	*300 000 $*	*51 000 $*	*1 500 000 $*
Secteur B	*800 000*	*(75 000)*	*1 000 000*
Secteur C	*1 200 000*	*195 000*	*4 200 000*
Secteur D	*200 000*	*40 000*	*2 100 000*
Secteur E	*50 000*	*4 000*	*750 000*
Secteur F	*0*	*(25 000)*	*1 450 000*
Secteur G	*2 550 000*	*210 000*	*9 000 000*
Total	*5 100 000 $*	*400 000 $*	*20 000 000 $*

Le chiffre d'affaires total qui figure dans l'état du résultat global de Diversifiée inc. s'élève à 4 900 000 $. Des ventes intersectorielles d'un montant de 200 000 $ sont incluses dans les produits sectoriels du secteur G.

21

Le seuil de 10 % appliqué aux produits sectoriels (lesquels incluent les ventes aux clients externes et les ventes entre les secteurs) est de 510 000 $. Les secteurs B, C et G satisfont donc à ce critère. Pour appliquer le critère du 10 % au résultat sectoriel, on doit considérer séparément les secteurs affichant un bénéfice sectoriel et ceux qui affichent une perte sectorielle. Les pertes sectorielles affichées par les secteurs B et F totalisent 100 000 $. Les bénéfices sectoriels affichés par les autres secteurs totalisent 500 000 $. C'est donc en fonction du plus élevé des deux montants, soit 500 000 $, qu'est calculé le seuil de 10 %. Ce seuil atteint 50 000 $. Les secteurs A, B, C et G présentent une valeur absolue de leurs résultats sectoriels supérieurs à ce seuil. Finalement, le seuil de 10 % appliqué aux actifs sectoriels s'élève à 2 000 000 $. Les secteurs C, D et G satisfont à ce critère. Il suffit qu'un seul des trois critères soit satisfait pour justifier la présentation d'un secteur. Ainsi, les secteurs A, B, C, D et G sont les secteurs à présenter. Comme les ventes à des clients externes de ces 5 secteurs totalisent 4 850 000 $ (300 000 $ + 800 000 $ + 1 200 000 $ + 200 000 $ + 2 350 000 $), soit 99 % des produits, et qu'au moins 75 % des produits totaux de l'entreprise, soit 3 675 000 $ (4 900 000 $ × 75 %) doit être inclus dans les produits des secteurs à présenter, on peut conclure que les secteurs à présenter représentent la majeure partie des activités de l'entreprise.

Lorsque l'entreprise a déterminé les secteurs significatifs au sujet desquels il convient de présenter de l'information sectorielle, elle doit alors préparer une note dans laquelle elle fournit un certain nombre de renseignements à l'égard de chacun de ces secteurs.

Différence NCECF

L'information à présenter dans les états financiers

Différence NCECF

L'entreprise doit inclure dans ses états financiers une série de renseignements concernant les secteurs opérationnels à présenter qui ont été déterminés selon les directives énoncées précédemment ainsi que d'autres informations portant notamment sur les zones géographiques.

L'information concernant les secteurs opérationnels

L'IASB n'exige pas la présentation d'un jeu complet d'états financiers pour chacun des secteurs à présenter. En effet, il pourrait s'avérer coûteux de produire une telle information, et les états financiers de l'entreprise pourraient s'en trouver surchargés. Les informations à fournir en ce qui a trait aux secteurs à présenter peuvent être groupées en cinq principales catégories : 1) les informations de nature générale ; 2) les informations sur le résultat net du secteur ; 3) les informations sur l'actif du secteur et son évolution ainsi que sur son passif ; 4) les informations sur l'évaluation ; et 5) les rapprochements. Le tableau 21.2 contient un résumé des exigences de présentation de ces différentes catégories. Ces exigences sont présentées à gauche, et les cinq catégories en cause sont expliquées dans la colonne de droite.

Un fait important à constater est que les montants présentés dans la note sur l'information sectorielle doivent être ceux qui sont soumis au principal décideur opérationnel qui prend les décisions en matière d'affectation des ressources et d'évaluation de la performance. Ces montants ne sont pas nécessairement des totaux partiels figurant dans les états financiers préparés selon les IFRS ou des montants évalués selon les IFRS. Ainsi, si un secteur est considéré comme un centre de profits et que seuls les coûts contrôlables sont pris en compte par le principal décideur opérationnel, le résultat net sectoriel correspondra à la différence entre les produits du secteur et ces coûts contrôlables. Ou encore, si le secteur opérationnel est considéré comme un centre d'investissement et que le rendement en est évalué par le responsable du centre en fonction de la juste valeur des actifs contrôlables, c'est également la juste valeur de ces actifs contrôlables qui sera prise en compte dans la préparation de l'information sectorielle, même si l'entreprise n'utilise pas le modèle de la réévaluation pour évaluer ses immobilisations. En somme, les divergences dans l'évaluation des éléments sectoriels et celle des éléments figurant dans les états financiers de l'entreprise dans son ensemble peuvent découler de méthodes comptables différentes ou de méthodes d'affectation des coûts, des actifs et des passifs entre les secteurs.

Il est par conséquent important d'informer les utilisateurs des divergences en matière d'évaluation et de leur présenter les principaux éléments de rapprochement entre l'information sectorielle et celle figurant dans les états financiers de l'entreprise dans son ensemble.

Les informations à fournir ne comprennent que certaines des composantes de l'indicateur du résultat sectoriel et de l'indicateur du total des actifs. Évidemment, seules les composantes

TABLEAU 21.2 Les informations à fournir pour les secteurs à présenter

***Normes internationales d'information financière,* IFRS 8**	**Commentaires**
Informations générales	
Paragr. 22	
Une entité doit fournir les informations générales suivantes :	
(a) les facteurs utilisés pour identifier les secteurs de l'entité à présenter, y compris la base d'organisation retenue (par exemple, si la direction a choisi d'organiser l'entité en fonction des particularités des produits et services, des zones géographiques, des environnements réglementaires, ou d'une combinaison de facteurs, et si des secteurs opérationnels ont été regroupés) ;	Ces informations de nature générale permettent aux utilisateurs des états financiers de savoir comment la direction a déterminé les secteurs opérationnels qu'elle présente et la nature des produits et services qui caractérise chacun de ces secteurs. Ces informations témoignent de la diversification des activités de l'entreprise.
(aa) les jugements portés par la direction lors de l'application des critères de regroupement énoncés au paragraphe 12, notamment une brève description des secteurs opérationnels qui ont été regroupés selon ces critères et des indicateurs économiques qui ont été évalués pour déterminer que ces secteurs présentent des caractéristiques économiques similaires ; et	Ces informations permettent de mieux comprendre comment la direction a procédé au regroupement des secteurs opérationnels. À titre d'exemple, l'entité pourrait indiquer qu'elle a présenté un secteur qui ne rencontre aucun seuil quantitatif (critère du 10 %) car elle croit que cela produit de l'information utile aux utilisateurs.
(b) les types de produits et de services dont proviennent les produits des activités ordinaires de chaque secteur à présenter.	Ces informations permettent aux utilisateurs des états financiers de mieux connaître la nature des activités des secteurs.
Informations relatives au résultat net	
Paragr. 23	
Une entité doit présenter un indicateur du résultat net pour chaque secteur à présenter. […] L'entité doit également fournir les informations suivantes pour chaque secteur à présenter si les montants spécifiés sont inclus dans l'indicateur du résultat net sectoriel examiné par le principal décideur opérationnel, ou s'ils sont, par ailleurs, fournis régulièrement au principal décideur opérationnel, sans toutefois être inclus dans cet indicateur du résultat net sectoriel : *(a) les produits des activités ordinaires provenant de clients externes ;* *(b) les produits des activités ordinaires provenant de transactions avec d'autres secteurs opérationnels de la même entité ;* *(c) les produits d'intérêts ;* *(d) les charges d'intérêts ;* *(e) les amortissements des actifs corporels et incorporels ;* *(f) les éléments significatifs de produits et de charges […] ;* *(g) la quote-part de l'entité dans le résultat net des entreprises associées et des coentreprises comptabilisées selon la méthode de la mise en équivalence ;* *(h) la charge ou le produit d'impôt sur le résultat ; et* *(i) les éléments significatifs sans contrepartie en trésorerie, autres que les amortissements des actifs corporels et incorporels.* *L'entité doit présenter les produits d'intérêts séparément des charges d'intérêts pour chaque secteur à présenter, sauf si la majorité des produits des activités ordinaires de ce secteur provient d'intérêts et que le principal décideur opérationnel se base principalement sur les produits d'intérêts nets pour évaluer la performance du secteur et prendre des décisions sur les ressources à y affecter. Dans ce cas, l'entité peut présenter les produits d'intérêts de ce secteur nets de ses charges d'intérêts, et indiquer qu'elle a procédé ainsi.*	Ces informations sur le résultat net du secteur permettent de connaître la contribution de chaque secteur à la performance totale de l'entreprise. L'indicateur du résultat net utilisé peut être différent du résultat net habituel selon les IFRS. Il peut s'agir du résultat d'exploitation, du résultat avant amortissement, intérêts et impôts, ou de tout autre montant utilisé par le décideur opérationnel pour établir l'allocation des ressources et évaluer la performance. Les éléments qui composent ce résultat permettent aux utilisateurs des états financiers de mieux évaluer la performance de l'entreprise, en connaissant, par exemple, les éléments significatifs de produits et de charges qui sont de nature non récurrente. Il est à noter que les informations sectorielles sur le résultat net à présenter au sujet des secteurs opérationnels sont moins nombreuses que celles qui figurent dans l'état du résultat global de l'entreprise prise dans son ensemble. À titre d'exemple, il n'est pas nécessaire d'y présenter la charge relative aux avantages du personnel. Le fait de présenter séparément les charges d'amortissement, d'intérêts et d'impôts permet aux utilisateurs des états financiers qui le désirent de calculer un montant de résultat avant ces éléments. En effet, le résultat avant amortissement, intérêts et impôts est une mesure de la performance couramment utilisée par les analystes financiers.

TABLEAU 21.2 *(suite)*

Paragr. 25

[...] *Les ajustements et les éliminations effectués lors de la préparation des états financiers et les affectations de produits d'activités ordinaires, de charges et de profits ou de pertes ne doivent être pris en compte dans la détermination du résultat net sectoriel présenté que s'ils sont inclus dans l'indicateur du résultat net sectoriel utilisé par le principal décideur opérationnel.* [...]

Informations relatives [...] aux actifs et aux passifs

Paragr. 23

L'entité doit présenter un indicateur du total des actifs et du total des passifs de chaque secteur à présenter si ces montants sont régulièrement fournis au principal décideur opérationnel.

Paragr. 24

Une entité doit fournir les informations suivantes pour chaque secteur à présenter si les montants spécifiés sont inclus dans l'indicateur des actifs sectoriels examinés par le principal décideur opérationnel, ou s'ils sont par ailleurs fournis régulièrement au principal décideur opérationnel sans toutefois être inclus dans cet indicateur des actifs sectoriels :

(a) la valeur des participations dans des entreprises associées et des coentreprises comptabilisées selon la méthode de la mise en équivalence ; et

(b) les montants des acquisitions d'actifs non courants autres que des instruments financiers, des actifs d'impôt différé, des actifs nets au titre des prestations définies (voir IAS 19 Avantages du personnel*) et des droits découlant de contrats d'assurance.*

Ces informations sur les actifs et leur évolution ainsi que sur les passifs sont très brèves, si on les compare au contenu de l'état de la situation financière et du tableau des flux de trésorerie de l'entreprise prise dans son ensemble. Elles mettent l'accent sur les indicateurs de l'actif et du passif utilisés par le principal décideur opérationnel dans ses décisions d'allocation des ressources et d'évaluation de la performance, lesquels peuvent différer du total de l'actif ou du passif du secteur. Le montant d'acquisition d'actifs non courants est le seul élément relatif au tableau des flux de trésorerie à présenter dans la note sur l'information sectorielle. Il s'agit cependant d'un élément important, car il témoigne des investissements effectués dans les secteurs au cours de l'exercice, ces investissements étant un indicateur de la croissance du secteur en question.

Évaluation

Paragr. 25

[...] *Seuls les actifs et les passifs qui sont inclus dans les indicateurs des actifs et des passifs d'un secteur utilisés par le principal décideur opérationnel doivent être présentés pour ce secteur.* [...]

Paragr. 27

L'entité doit fournir une explication des évaluations du résultat net sectoriel, des actifs sectoriels et des passifs sectoriels pour chaque secteur à présenter. L'entité doit indiquer au minimum :

(a) la convention comptable utilisée pour les transactions entre secteurs à présenter, le cas échéant ;

(b) la nature de toute différence entre les évaluations des résultats des secteurs à présenter et du résultat net de l'entité avant charge ou produit d'impôt et activités abandonnées (si elle ne ressort pas des rapprochements décrits au paragraphe 28). Il peut notamment s'agir de différences de méthodes comptables et de méthodes d'affectation des coûts centraux qui sont nécessaires pour la compréhension des informations sectorielles présentées ;

(c) la nature de toute différence entre les évaluations des actifs des secteurs à présenter et des actifs de l'entité (si elle ne ressort pas des rapprochements décrits au paragraphe 28). Il peut notamment s'agir de différences de méthodes comptables et de méthodes d'affectation des actifs utilisés conjointement qui sont nécessaires pour la compréhension des informations sectorielles présentées ;

(d) la nature de toute différence entre les évaluations des passifs des secteurs à présenter et des passifs de l'entité (si elle ne ressort pas des rapprochements décrits au paragraphe 28). Il peut notamment s'agir de différences de méthodes comptables et de méthodes d'affectation des passifs engagés conjointement qui sont nécessaires pour la compréhension des informations sectorielles présentées ;

Ces informations sur l'évaluation sont importantes, puisque l'information sectorielle peut être évaluée différemment des renseignements figurant dans les états financiers globaux de l'entreprise. Si tel est le cas, il importe d'expliquer ces différences pour ne pas créer de confusion dans l'esprit des utilisateurs des états financiers. N'oublions pas que l'information sectorielle est fondée sur les évaluations internes, alors que les états financiers globaux sont fondés sur les bases d'évaluation prescrites par les IFRS.

De plus, comme les cessions intersectorielles sont éliminées lors de la préparation des états financiers de l'entreprise dans son ensemble, il importe de présenter leur base d'évaluation, puisque cette dernière a une incidence sur la performance rapportée pour un secteur en particulier.

TABLEAU 21.2 *(suite)*

(e) *la nature de tout changement par rapport aux périodes précédentes dans les méthodes d'évaluation employées pour déterminer le résultat net d'un secteur à présenter et l'effet, le cas échéant, de ces changements sur l'évaluation du résultat net sectoriel ;*

(f) *la nature et l'effet des affectations asymétriques à des secteurs à présenter, le cas échéant. Par exemple, il se peut qu'une entité affecte une charge d'amortissement à un secteur sans lui affecter les actifs amortissables correspondants.*

Rapprochements

Paragr. 28

Une entité doit fournir tous les rapprochements suivants :

(a) *[…] entre le total des produits des activités ordinaires des secteurs à présenter et les produits des activités ordinaires de l'entité ;*

(b) *[…] entre le total des indicateurs des résultats nets des secteurs à présenter et le résultat net de l'entité avant charge d'impôt (produit d'impôt) et activités abandonnées. Cependant, si l'entité affecte à des secteurs à présenter des éléments tels qu'une charge d'impôt (un produit d'impôt), elle peut rapprocher le total des indicateurs des résultats nets des secteurs et le résultat net de l'entité après prise en compte de ces éléments ;*

(c) *[…] entre le total des actifs des secteurs à présenter et les actifs de l'entité, si les actifs sectoriels sont présentés en application du paragraphe 23 ;*

(d) *entre le total des passifs des secteurs à présenter et les passifs de l'entité, si les passifs sectoriels sont présentés conformément au paragraphe 23 ;*

(e) *entre le total des montants de tous les autres éléments significatifs d'information fournis pour les secteurs à présenter et le montant correspondant pour l'entité.*

Tous les éléments de rapprochement significatifs doivent être identifiés et décrits séparément. Par exemple, le montant de chaque ajustement significatif requis pour rapprocher le résultat net des secteurs à présenter et le résultat net de l'entité en raison de l'utilisation de méthodes comptables différentes doit être identifié et décrit séparément.

Ces rapprochements permettent aux utilisateurs des états financiers de faire le lien entre les informations figurant dans la note sur l'information sectorielle et celles figurant dans les états financiers de l'entreprise dans son ensemble.

À titre d'exemple, comme les produits des secteurs opérationnels comprennent les produits provenant de transactions effectuées avec les autres secteurs, ces cessions intersectorielles sont retranchées du total des produits sectoriels pour arriver aux produits totaux de l'entreprise.

De même, tous les éléments du résultat net, de l'actif et du passif qui ne sont pas affectés à un secteur donné doivent être pris en compte par les utilisateurs qui désirent comprendre pourquoi les totaux sectoriels diffèrent des totaux pour l'ensemble de l'entreprise. Le total des actifs du siège social, à titre d'exemple, doit être fourni aux utilisateurs pour leur permettre de comprendre la différence entre le total des actifs des secteurs et le total de l'actif présenté dans l'état de la situation financière.

Les informations relatives aux activités et aux secteurs opérationnels qui ne sont pas à présenter seront incluses dans une catégorie Autres secteurs dans les rapprochements indiqués ci-contre.

incluses dans ces indicateurs sont alors présentées. À titre d'exemple, si la charge d'intérêts sur la dette à long terme n'est pas prise en compte dans l'indicateur du résultat net du secteur, car elle ne l'est pas dans l'évaluation de la performance ni dans l'affectation des ressources, cette charge n'a pas à être présentée distinctement.

Il pourrait arriver qu'un décideur opérationnel utilise plusieurs indicateurs du résultat net, des actifs ou des passifs d'un secteur opérationnel. Dans un tel cas, on retiendrait les indicateurs qui ont été évalués de la façon la plus cohérente avec ceux utilisés pour évaluer les montants correspondants dans les états financiers de l'entreprise dans son ensemble.

Avez-vous remarqué ?

L'une des caractéristiques qualitatives de l'information comptable est la compréhensibilité. Il est donc logique d'exiger de fournir des rapprochements entre les montants figurant dans la note sur l'information sectorielle et ceux qui figurent dans les états financiers de l'entreprise pour aider les utilisateurs des états financiers à s'y retrouver lorsqu'ils effectuent leur analyse financière.

Les autres informations à fournir

Il peut arriver que la sectorisation organisationnelle ne permette pas de déterminer clairement la nature des biens et services qu'offre l'entreprise et de connaître les zones géographiques où celle-ci évolue. En effet, un secteur opérationnel peut comprendre les activités d'établissements situés dans diverses zones géographiques. Il peut aussi englober des marchandises différentes offertes à un même type de clients, comme l'ensemble des activités de grossiste d'une entreprise. Également, une même catégorie de biens ou de services peut être répartie dans plusieurs secteurs opérationnels établis en fonction des zones géographiques.

L'IASB reconnaît l'importance de fournir un minimum d'information sur les différentes catégories de biens ou services et sur les diverses zones géographiques si la sectorisation organisationnelle ne permet pas un découpage tenant compte de ces facteurs. En effet, différentes catégories de biens ou de services présentent potentiellement des risques et des avantages commerciaux différents. Dans un même ordre d'idées, l'exploitation de zones géographiques variées peut exposer l'entreprise à des risques et à des avantages différents ; on n'a qu'à penser aux contextes économiques et politiques qui peuvent différer d'une zone géographique à l'autre.

En plus des informations ayant trait à ses secteurs opérationnels, l'entreprise doit alors fournir des informations sur ses biens et services, sur les zones géographiques où elle exerce ses activités et sur ses principaux clients. Le tableau 21.3 résume les exigences à cet égard.

TABLEAU 21.3 D'autres informations à présenter

***Normes internationales d'information financière,* IFRS 8**	**Commentaires**
Informations relatives aux produits et services	
Paragr. 32	
Une entité doit présenter les produits d'activités ordinaires provenant de clients externes pour chaque produit et service, ou pour chaque groupe de produits et de services similaires, sauf si les informations nécessaires ne sont pas disponibles et que le coût de leur élaboration serait excessif, auquel cas ce fait doit être indiqué. Les montants des produits d'activités ordinaires présentés doivent être basés sur les informations financières utilisées pour produire les états financiers de l'entité.	Ces informations sur les biens et services permettent de compléter l'information requise sur les produits pour chaque secteur opérationnel. En effet, si un secteur comporte plusieurs biens et services différents, les produits provenant de ventes à l'externe pour chacun de ces biens et services doivent être fournis. À noter que les produits provenant des cessions internes n'ont pas à être indiqués. De plus, précisons que cette exigence n'est pas très stricte, puisqu'elle permet d'y déroger si les coûts de production de l'information sont excessifs.
Informations relatives aux zones géographiques	
Paragr. 33	
Une entité doit présenter les informations géographiques suivantes, à moins que les informations nécessaires ne soient pas disponibles et que le coût de leur élaboration soit excessif : *(a) les produits d'activités ordinaires provenant de clients externes (i) affectés au pays où est situé le siège social de l'entité et (ii) affectés à l'ensemble de tous les pays étrangers dont l'entité tire des produits d'activités ordinaires. Si les produits d'activités ordinaires provenant de clients externes affectés à un pays étranger donné sont significatifs, ils doivent être présentés séparément. L'entité doit indiquer la base de répartition des produits d'activités ordinaires provenant de clients externes entre les différents pays ;* *(b) les actifs non courants, autres que les instruments financiers, les actifs d'impôt différé, les actifs relatifs aux avantages postérieurs à l'emploi, et les droits découlant de contrats d'assurance, (i) situés dans le pays où est situé le siège social de l'entité et (ii) situés dans l'ensemble de tous les pays étrangers dans lesquels l'entité détient des actifs. Si les actifs dans un pays étranger donné sont significatifs, ils doivent être présentés séparément.*	Cette information d'ordre géographique ne concerne que les produits provenant des ventes à l'externe et les actifs non courants. Elle vise à fournir aux utilisateurs des états financiers une indication de l'ordre de grandeur des opérations effectuées à l'étranger. Ainsi, une entreprise qui a des divisions importantes au Canada, en France et en Allemagne présenterait séparément les produits de ses établissements canadiens, français et allemands. Elle fournirait également le total des actifs non courants séparément concernant l'ensemble de ses établissements canadiens, français et allemands.

TABLEAU 21.3 *(suite)*

Les montants présentés doivent être basés sur les informations financières utilisées pour produire les états financiers de l'entité. Si les informations nécessaires ne sont pas disponibles et que le coût de leur élaboration serait excessif, ce fait doit être indiqué. L'entité peut fournir, en plus des informations imposées par le présent paragraphe, des sous-totaux pour les informations géographiques concernant des groupes de pays.

Paragr. 34

Une entité doit fournir des informations sur son degré de dépendance à l'égard de ses principaux clients. Si les produits d'activités ordinaires provenant de transactions avec un même client externe s'élèvent à 10 % ou plus du produit des activités ordinaires de l'entité, celle-ci doit indiquer ce fait, le montant total des produits d'activités ordinaires provenant de ce client et l'identité du ou des secteurs présentant ces produits. L'entité n'a pas l'obligation de révéler l'identité d'un client important ni le montant des produits que chaque secteur présente pour ce client. Aux fins de la présente norme, un groupe d'entités qui, à la connaissance de l'entité présentant l'information financière, est sous un contrôle commun, doit être considéré comme un seul client. L'exercice du jugement est toutefois nécessaire pour apprécier si une autorité publique (y compris un organisme public ou un autre organisme similaire local, national ou international) et les entités qui, à la connaissance de l'entité présentant l'information financière, sont contrôlées par cette autorité publique sont considérées comme un seul client. Pour ce faire, l'entité présentant l'information financière doit s'interroger sur le degré d'intégration de ces entités sur le plan économique.

Ces informations sur les principaux clients permettent aux utilisateurs des états financiers de connaître le niveau de dépendance économique d'une entreprise envers un client en particulier. Une telle dépendance expose l'entreprise à un risque, car le client en cause pourrait éprouver des difficultés financières ou décider de ne plus faire affaire avec l'entreprise. Soulignons le fait qu'il n'est pas nécessaire de divulguer l'identité des clients en cause.

La note 6 tirée du rapport annuel de la société Bombardier Inc., reproduite ci-après, fournit un autre exemple du mode de présentation de l'information sectorielle. Pour alléger la présentation, nous avons retiré certaines informations comparatives et certaines références.

Bombardier Inc.

RAPPORT FINANCIER – Exercice clos le 31 décembre 2015

Notes aux états financiers consolidés

6. INFORMATION SECTORIELLE

IFRS 8, paragr. 29

À la suite de la réorganisation annoncée en juillet 2014, la Société a adopté une nouvelle structure organisationnelle, composée de quatre secteurs isolables, à compter du 1er janvier 2015 : Avions d'affaires, Avions commerciaux, Aérostructures et Services d'ingénierie, et Transport. La Société a retraité les montants de la période précédente pour tenir compte de ses quatre secteurs isolables comme il est décrit ci-après. Chaque secteur isolable offre des produits et services différents et exige des technologies et stratégies de marketing différentes, dans la plupart des cas.

IFRS 8, paragr. 22(b)

Avions d'affaires

Leader mondial en matière de conception, fabrication et service après-vente de trois gammes de biréacteurs d'affaires (*Learjet*, *Challenger* et *Global*) dans les catégories des avions légers à grands.

Avions commerciaux

Avions commerciaux conçoit et fabrique des avions commerciaux dans les catégories d'appareils de 60 à 150 sièges, y compris les biturbopropulseurs *Q400*, les biréacteurs régionaux *CRJ700, 900* et *1000*, ainsi que les biréacteurs de grande ligne *CS100* et *CS300* de conception entièrement nouvelle. Avions commerciaux offre des services après-vente pour ces avions ainsi que pour la catégorie d'appareils de 20 à 59 sièges.

Aérostructures et Services d'ingénierie

Aérostructures et Services d'ingénierie conçoit et fabrique des composantes importantes de structures d'avions (comme les nacelles de moteur, les fuselages et l'aile) et offre des services après-vente de réparations et de remises à neuf de composantes ainsi que d'autres services d'ingénierie pour des clients tant internes qu'externes.

IFRS 8, paragr. 22(b)

Transport
Transport, leader mondial du secteur des technologies ferroviaires, offre le plus vaste portefeuille de l'industrie et livre des services et produits novateurs qui établissent de nouveaux standards en matière de mobilité durable.

L'information sectorielle est préparée selon les méthodes comptables décrites à la Note 2 – Sommaire des principales méthodes comptables.

IFRS 8, paragr. 27(a)

Les méthodes de comptabilisation des revenus d'Aérostructures et Services d'ingénierie sont conformes aux méthodes de la Société relatives aux contrats à long terme ou aux programmes aéronautiques, selon la nature des contrats. Le bénéfice sur les transactions intersociétés est éliminé dans les états financiers consolidés, et les dépenses du siège social, qui étaient auparavant allouées aux secteurs, font maintenant partie de Siège social et élimination. Les politiques sur les transactions intersectorielles appliquées par suite de la mise en œuvre de la nouvelle structure organisationnelle en 2015 n'ont pas été appliquées rétroactivement, ce qui a eu une incidence peu importante sur les écarts d'une période à l'autre.

Résultat avant intérêts et impôts

IFRS 8, paragr. 23

La direction évalue le rendement sectoriel selon le RAII et le RAII avant éléments spéciaux. Les résultats opérationnels sectoriels et autres informations ont été comme suit pour les exercices :

	2015					
	Transport	**Avions d'affaires**	**Avions commerciaux**	**Aérostructures et Services d'ingénierie**	**Siège social et élimination**	**Total**
Résultats opérationnels						
Revenus externes	**8 275 $**	**6 996 $**	**2 394 $**	**507 $**	**– $**	**18 172 $**
Revenus intersectoriels	**6**	**–**	**1**	**1 290**	**(1 297)**	**–**
Total des revenus	**8 281**	**6 996**	**2 395**	**1 797**	**(1 297)**	**18 172**
RAII avant éléments spéciaux	**465**	**308**	**(170)**	**104**	**(153)**	**554**
Éléments spéciaux	**–**	**1 560**	**3 800**	**(1)**	**33**	**5 392**
RAII	**465 $**	**(1 252) $**	**(3 970) $**	**105 $**	**(186) $**	**(4 838)**
Charges de financement						**418**
Revenus de financement						**(70)**
RAI						**(5 186)**
Impôts sur le résultat						**154**
Résultat net						**(5 340) $**
Autres informations						
R et D	**150 $**	**129 $**	**63 $**	**13 $**	**– $**	**355 $**
Additions nettes aux immobilisations corporelles et incorporelles	**155 $**	**722 $**	**963 $**	**26 $**	**(4) $**	**1 862 $**
Amortissement	**99 $**	**184 $**	**104 $**	**50 $**	**1 $**	**438 $**
Dépréciation des immobilisations incorporelles	**– $**	**983 $**	**3 310 $**	**– $**	**(3) $**	**4 290 $**
Dépréciation des immobilisations corporelles	**– $**	**10 $**	**– $**	**– $**	**– $**	**10 $**

IFRS 8, paragr. 28(a) et 28(b)

Résultat avant intérêts

IFRS 8, paragr. 23, 24(b) et 28(e)

[...]

IFRS 8, paragr. 28(c) et 28(d)

Le rapprochement du total des actifs et des passifs au total des actifs et des passifs sectoriels se présentait comme suit aux :

	31 décembre 2015	31 décembre 2014	1er janvier 2014
Actifs			
Total des actifs	**22 903 $**	27 614 $	29 363 $
Actifs non alloués aux secteurs			
Trésorerie et équivalents de trésorerie	**2 720**	2 489	3 397
Impôts sur le résultat à recevoir	**56**	64	27
Impôts sur le résultat différés	**761**	875	1 231
Actifs sectoriels	**19 366**	24 186	24 708

21

IFRS 8, paragr. 28(c) et 28(d)

	31 décembre 2015	31 décembre 2014	1er janvier 2014
Passifs			
Total des actifs	**26 957**	27 559	26 914
Passifs non alloués aux secteurs			
Intérêts à payer	**154**	124	116
Impôts sur le résultat à payer	**224**	248	198
Dette à long terme	**8 979**	7 683	7 203
Passifs sectoriels	**17 600 $**	19 504 $	19 397 $
Actifs nets sectoriels			
Transport	**354 $**	226 $	296 $
Avions d'affaires	**395 $**	440 $	1 306 $
Avions commerciaux	**467 $**	3 693 $	3 241 $
Aérostructures et Services d'ingénierie	**434 $**	204 $	221 $
Siège social et élimination	**116 $**	119 $	247 $

[...]

IFRS 8, paragr. 33

Les revenus et les immobilisations corporelles et incorporelles, attribués aux pays, se présentent comme suit :

	Revenus pour les exercices		**Immobilisations corporelles et incorporelles aux**		
	2015	2014	**31 décembre 2015**	31 décembre 2014	1er janvier 2014
Amérique du Nord					
États-Unis	**5 599 $**	5 417 $	**300 $**	1 198 $	2 003 $
Canada	**1 312**	1 096	**4 009**	5 839	4 746
Mexique	**108**	229	**36**	84	151
	7 019	6 742	**4 345**	7 121	6 900
Europe					
Allemagne	**1 901**	2 318	**983**	1 092	1 235
Royaume-Uni	**1 354**	1 691	**1 667**	1 801	1 767
France	**1 118**	1 412	**36**	43	50
Suisse	**384**	450	**368**	368	398
Autres	**2 487**	2 559	**645**	670	803
	7 244	8 430	**3 699**	3 974	4 253
Asie-Pacifique					
Chine	**709**	815	**6**	7	7
Australie	**605**	748	**24**	28	20
Inde	**259**	171	**21**	24	27
Autres	**815**	927	**4**	4	2
	2 388	2 661	**55**	63	56
Autres					
Russie	**268**	505	**1**	1	1
Autres	**1 253**	1 773	**28**	39	29
	1 521	2 278	**29**	40	30
	18 172 $	20 111 $	**8 128 $**	11 198 $	11 239 $

Source : Rapport annuel 2015 de Bombardier Inc.
Bombardier Inc., *Rapport annuel 2015 : Exercice clos le 31 décembre 2015* [En ligne], <http://ir.bombardier.com/fr/rapports-financiers> (page consultée le 14 avril 2016).
© 2016 Bombardier Inc. ou ses filiales

La comparabilité de l'information

Malgré le critère du 10 % ayant trait à la détermination des secteurs à présenter, si l'entreprise juge qu'un secteur demeure important même s'il n'atteint plus les seuils quantitatifs de l'exercice courant, elle doit continuer à le considérer comme un secteur à retenir aux fins de présentation de l'information sectorielle de l'exercice courant.

À l'opposé, si un secteur doit être présenté au cours de l'exercice courant du fait qu'il atteint dorénavant les seuils quantitatifs, les informations comparatives fournies à l'exercice précédent doivent, dans la mesure du possible, être retraitées pour pouvoir présenter distinctement les informations relatives à ce secteur.

En principe, l'information sectorielle présentée par une entreprise est tributaire de la structure organisationnelle de cette dernière. Si cette structure est modifiée, il est possible que les secteurs à présenter le soient également. Dans un tel cas, pour assurer la comparabilité des informations fournies, l'IASB recommande de retraiter l'information présentée à l'exercice précédent de façon à fournir l'information concernant les mêmes secteurs à présenter d'un exercice à l'autre. S'il est impossible de procéder au retraitement au prix d'un effort raisonnable, l'IASB recommande, dans la mesure du possible, de présenter l'information sectorielle de l'exercice en cours à la fois selon l'ancien et le nouveau mode de sectorisation.

Avez-vous remarqué ?

L'une des caractéristiques qualitatives de l'information comptable est la comparabilité. Cette qualité s'applique également à l'information sectorielle, laquelle doit être établie d'une façon cohérente d'un exercice à l'autre.

L'accent mis sur la structure organisationnelle : arguments pour et contre

Mettre l'accent sur la structure organisationnelle pour la présentation de l'information sectorielle comporte plusieurs avantages. D'abord, la structure organisationnelle reflète la perception de la direction à l'égard des risques et des occasions qui ont de l'importance, faisant état, en quelque sorte, de son mode de gestion. Aux yeux de certains analystes, le mode de gestion adopté par la direction d'une entreprise est un facteur important dans l'évaluation des perspectives d'avenir de cette entreprise. De plus, le fait que l'on demande de fournir l'information en fonction du système d'information financière interne déjà en place permet de limiter les coûts de préparation de l'information. Les utilisateurs ont donc tout à gagner à voir l'information « avec les yeux de la direction ».

Par contre, opter pour la structure organisationnelle aux fins de présentation de l'information sectorielle réduit la possibilité de produire de l'information comparable d'une entreprise à l'autre. À ce sujet, l'IASB exprime sa préférence pour une information de meilleure qualité au sujet d'une entreprise en particulier plutôt que pour une information comparable d'une entreprise à l'autre. Pour permettre tout de même une certaine comparabilité des entreprises, l'IASB exige que l'entreprise fournisse des informations sur les produits tirés de chacun des biens et services, de même que sur les pays où elle gagne ses produits et possède des actifs, quelle que soit sa structure organisationnelle.

Un autre argument qui a toujours été invoqué contre la présentation de l'information sectorielle a trait au fait que cela contribue à fournir aux concurrents, aux syndicats et aux clients des renseignements qui pourraient être utilisés au détriment de l'entreprise. Par contre, on pourrait rétorquer que les exigences de présentation de l'information sectorielle sont minimales et ne renferment probablement aucune information que ces tierces parties ne connaissent déjà.

Différence NCECF

 Les états financiers intermédiaires

Après avoir relevé les questions concernant la fréquence et le contenu de ces états, nous discuterons dans cette section des façons de déterminer le résultat intermédiaire.

La fréquence de publication

Différence NCECF

La publication de l'information financière est un processus continu. L'information donnée dans les états financiers annuels peut être complétée par des informations publiées sur une base semestrielle, trimestrielle ou mensuelle. Plus particulièrement, la production de rapports trimestriels constitue une exigence légale pour les sociétés dont les titres sont négociés sur un marché public canadien. De l'avis de l'IASB, une information financière fiable et publiée rapidement permet aux investisseurs, aux créanciers et aux autres utilisateurs de mieux évaluer la capacité de l'entreprise à générer des bénéfices et des flux de trésorerie, ainsi que sa situation financière et sa liquidité[2]. L'atteinte de cet objectif ne nécessite pas qu'une entreprise fournisse des **états financiers intermédiaires** aussi détaillés que le sont ses états financiers annuels, mais cela impose la publication de renseignements axés sur les changements significatifs survenus depuis la date de clôture de l'exercice précédent.

Avez-vous remarqué ?

L'une des caractéristiques de l'information comptable est sa rapidité de publication. En effet, une information est utile si elle est disponible à temps pour pouvoir influencer les décisions des utilisateurs des états financiers. Le fait de publier des états financiers intermédiaires en plus des états financiers annuels permet aux utilisateurs d'avoir l'information plus rapidement pour pouvoir guider leurs décisions.

La préparation des états financiers intermédiaires pose certains problèmes de présentation et d'évaluation. Les deux principaux ont trait à l'ampleur du contenu à présenter et à la façon de déterminer le résultat intermédiaire.

Une **période intermédiaire** est définie comme une période de présentation de l'information financière d'une durée inférieure à celle d'un exercice complet. Quant au **rapport financier intermédiaire**, il est défini comme un « rapport financier contenant un jeu complet d'états financiers (tel que décrit dans IAS 1 *Présentation des états financiers*) ou un jeu d'états financiers résumés (tel que décrit dans la présente norme) pour une période intermédiaire[3] ».

Rien n'empêche une entreprise d'opter pour la présentation d'un jeu complet d'états financiers et de notes complémentaires. Dans un tel cas, elle doit néanmoins s'assurer de rencontrer les exigences de l'IAS 34. Cependant, si l'entreprise choisit de fournir un jeu d'états financiers résumés, elle doit appliquer les dispositions présentées ci-après. L'IASB ne définit pas ce qu'il entend par « états financiers résumés », mais en décrit plutôt le contenu.

Le contenu des états financiers intermédiaires

Un rapport financier intermédiaire doit inclure un jeu complet d'états financiers. L'état de la situation financière, l'état du résultat global, l'état des variations des capitaux propres, le tableau des flux de trésorerie et certaines notes doivent donc y figurer.

Afin que les états financiers intermédiaires soient utiles, l'entreprise doit les publier rapidement. Pour cette raison, les exigences concernant la quantité d'information à fournir sont moins grandes. De plus, les états financiers intermédiaires ne sont habituellement pas audités.

Lors de la préparation de ses états financiers intermédiaires, une entreprise doit appliquer les mêmes méthodes comptables que celles qu'elle utilise pour préparer ses états financiers annuels. Il y a une exception : lorsqu'elle procède à un changement de méthode postérieurement à la fin du dernier exercice financier et que ce changement sera appliqué dans les états financiers de l'exercice suivant.

Avant de traiter en détail du contenu des états financiers intermédiaires, il importe de préciser les dates pour lesquelles ces informations doivent être présentées en ce qui a trait aux

2. *Manuel de CPA Canada – Comptabilité – Partie I*, **IAS 34**, Objectif.
3. *Manuel de CPA Canada – Comptabilité – Partie I*, IAS 34, paragr. 4.

différents états financiers. Le tableau 21.4 résume les exigences à cet égard. L'exemple servant de base à la préparation de ce tableau est celui d'une entreprise dont la date de clôture des états financiers annuels est le 31 décembre et qui prépare son troisième rapport trimestriel pour la période terminée le 30 septembre 20X2.

TABLEAU 21.4 Les périodes couvertes par les états financiers intermédiaires

État financier	Période courante	Information comparative
Situation financière	Au 30 septembre 20X2	Au 31 décembre 20X1
Résultat global	Période de trois mois terminée le 30 septembre 20X2 Période de neuf mois terminée le 30 septembre 20X2	Période de trois mois terminée le 30 septembre 20X1 Période de neuf mois terminée le 30 septembre 20X1
Variations des capitaux propres	Période de neuf mois terminée le 30 septembre 20X2	Période de neuf mois terminée le 30 septembre 20X1
Flux de trésorerie	Période de neuf mois terminée le 30 septembre 20X2	Période de neuf mois terminée le 30 septembre 20X1

Puisque les états financiers intermédiaires visent à actualiser les informations présentées dans les états financiers annuels les plus récents, l'information comparative à présenter dans l'état de la situation financière est celle qui existe à la fin de l'exercice précédent. Du côté de l'état du résultat global, il importe de faire ressortir non seulement les résultats de la période intermédiaire courante, mais également les résultats cumulatifs depuis le début de l'exercice en cours. Le fait de présenter des informations comparatives au sujet des périodes correspondantes de l'année antérieure permet de faire ressortir les tendances dans le temps. Comme nous l'avons expliqué au chapitre 2, une entreprise peut présenter séparément un état du résultat net et un état du résultat global, ou encore combiner ces deux états financiers. Peu importe la décision que prend l'entreprise à ce sujet, les exigences relatives aux dates pour lesquelles ces états financiers doivent être présentés sont les mêmes. Quant à l'état des variations des capitaux propres et au tableau des flux de trésorerie, l'accent est mis uniquement sur les changements cumulatifs survenus depuis la clôture de l'exercice précédent.

Par ailleurs, lorsque les activités d'une entreprise sont saisonnières, il peut être utile de fournir des informations financières concernant la période de 12 mois se terminant à la date de l'information intermédiaire, en plus des informations comparatives portant sur la période de 12 mois précédente.

Les états financiers résumés inclus dans le rapport financier intermédiaire doivent présenter au minimum chacun des totaux partiels et chacune des rubriques qui étaient présentés dans les derniers états financiers annuels. À titre d'exemple, si une entreprise présente le résultat avant amortissement, intérêts et impôts dans son état du résultat net annuel, elle doit présenter ce même total partiel dans son état du résultat net intermédiaire. Par ailleurs, si elle présente un état du résultat net à éléments et groupements multiples dans ses états financiers annuels, elle pourrait choisir de ne présenter que le total de chacune de ces rubriques dans son état du résultat net intermédiaire. Par contre, même si elle choisit de présenter des résultats résumés, le résultat de base par action et le résultat dilué par action doivent y figurer.

Puisque les états financiers intermédiaires insistent sur les nouveaux événements survenus depuis la clôture du dernier exercice, les notes qui accompagnent ces états financiers sont moins nombreuses. Pour guider le praticien dans la sélection des notes qu'il convient de présenter, l'IASB fournit une liste non exhaustive d'événements ou de transactions qui doivent faire l'objet d'une divulgation s'ils sont significatifs. Nous les présentons, accompagnés de commentaires, dans le tableau 21.5.

TABLEAU 21.5 Les événements ou transactions à présenter dans les états financiers intermédiaires

***Normes internationales d'information financière,* IAS 34**	**Commentaires**
Paragr. 15B	
(a) *La dépréciation de stocks pour les ramener à leur valeur nette de réalisation et la reprise de cette dépréciation ;*	Une telle dépréciation (souvent inhabituelle) a une incidence directe sur la marge brute, d'où l'importance d'en informer les utilisateurs des états financiers.
(b) *La comptabilisation d'une perte pour dépréciation d'actifs financiers, d'immobilisations corporelles, d'immobilisations incorporelles, d'actifs découlant de contrats conclus avec des clients, ou d'autres actifs, et la reprise de cette perte de valeur ;*	Les pertes découlant de la dépréciation d'actifs non courants survenues au cours de la période intermédiaire témoignent d'une diminution des attentes relatives aux flux de trésorerie futurs qui seront générés par ces actifs.
(c) *La reprise d'une provision pour restructuration ;*	L'incidence des restructurations sur le résultat net est non récurrente. Il convient donc d'en informer les utilisateurs des états financiers.
(d) *Les acquisitions et sorties d'immobilisations corporelles ;*	Il s'agit d'activités d'investissement ou de désinvestissement qui informent les utilisateurs des états financiers sur la croissance ou la décroissance de l'entreprise survenue au cours de la période intermédiaire.
(e) *Les engagements d'achat d'immobilisations corporelles ;*	De tels engagements survenus au cours de la période intermédiaire auront une incidence significative sur les flux de trésorerie futurs.
(f) *Les règlements de litiges ;*	Ces litiges étaient probablement considérés comme des actifs ou des passifs éventuels dans les plus récents états financiers annuels. Leur dénouement permet de connaître avec plus de précision leur effet sur la situation financière.
(g) *Les corrections d'erreurs d'une période antérieure ;*	Si une erreur est découverte pendant la période intermédiaire, l'effet de sa correction ne doit pas être imputé au résultat net de la période en cours, mais bien être affecté aux périodes antérieures en cause.
(h) *Les changements dans la situation de l'entité ou le contexte économique qui influent sur la juste valeur des actifs financiers et des passifs financiers de l'entité, que ces actifs ou passifs soient comptabilisés à la juste valeur ou au coût amorti ;*	Des situations économiques défavorables ont une incidence sur l'ensemble des instruments financiers détenus ou assumés par une entreprise. Un changement dans la situation économique survenu au cours de la période intermédiaire doit donc être divulgué dans les états financiers.
(i) *Tout défaut de paiement sur un prêt ou tout autre manquement à un contrat de prêt non réparé au plus tard à la fin de la période de présentation de l'information financière ;*	Dans de telles situations, le créancier peut exiger le rappel du prêt ou exercer tout autre recours prévu au contrat d'emprunt. Il est donc primordial d'informer les utilisateurs des états financiers de tout manquement.
(j) *Les transactions entre parties liées ;*	Puisque les transactions entre parties liées peuvent être conclues à des conditions différentes de celles du marché, les utilisateurs des états financiers sont particulièrement intéressés à connaître les transactions de ce type effectuées au cours de la période intermédiaire. Ils peuvent ainsi juger de leur caractère raisonnable.
(k) *Les transferts entre des niveaux de la hiérarchie de la juste valeur lors de l'évaluation de la juste valeur des instruments financiers ;*	Les transferts de ce type impliquent un changement dans la fiabilité des justes valeurs présentées dans les états financiers. Les utilisateurs des états financiers doivent donc en être informés.

(l) *Les changements dans le classement d'actifs financiers à la suite d'un changement quant à leur finalité ou leur utilisation ; et*	Si une entreprise change de modèle économique pour gérer ses actifs financiers, cela peut occasionner un reclassement de certains de ces actifs. Un actif classé Au coût amorti pourrait dorénavant être classé À la juste valeur par le biais du résultat net. Dans un tel cas, les variations survenues dans la juste valeur seraient dorénavant comptabilisées en résultat net, ce qui rendrait l'information moins comparable à celle de l'exercice précédent, d'où la nécessité d'en informer les utilisateurs.
(m) *Les changements ayant affecté les passifs éventuels ou les actifs éventuels.*	Les passifs et actifs éventuels nécessitent de nombreuses estimations, lesquelles sont basées sur les informations disponibles à la date de préparation des états financiers. Lorsque de nouvelles informations deviennent disponibles au cours de la période intermédiaire, leur incidence sur les passifs et actifs éventuels doit être divulguée aux utilisateurs des états financiers pour qu'ils puissent juger de l'effet possible sur les flux de trésorerie futurs.

En plus des informations sur les événements et transactions décrites précédemment dans le tableau 21.5, l'IAS 34 exige la présentation des informations indiquées dans le tableau 21.6 dans lequel nous fournissons des commentaires sur chacune des exigences de présentation. Ces informations peuvent être présentées dans les notes accompagnant les états financiers intermédiaires, ou y être incorporées par renvoi à un autre état (tel qu'un rapport de gestion de la direction) que les utilisateurs des états financiers peuvent consulter en même temps que les états financiers intermédiaires et aux mêmes conditions. L'IASB précise que le rapport intermédiaire est incomplet si les utilisateurs ne peuvent consulter les **informations incorporées par renvoi** aux mêmes conditions et en même temps que les états financiers intermédiaires. De plus, le lecteur notera que les informations sont présentées sur une base cumulée, depuis le début de l'exercice jusqu'à la date de clôture de la période intermédiaire.

TABLEAU 21.6 Les informations à présenter en notes

***Normes internationales d'information financière,* IAS 34**	**Commentaires**
Paragr. 16A […] *L'entité doit :*	
(a) *fournir une déclaration indiquant que les méthodes comptables et les modalités de calcul adoptées dans les états financiers intermédiaires sont identiques à celles utilisées dans les états financiers annuels les plus récents ou, si elles ont changé, une description de la nature de ces changements et de leur effet ;*	Cette déclaration vise à rassurer les utilisateurs sur la comparabilité des informations intermédiaires et annuelles. L'entreprise appliquera les mêmes méthodes comptables que celles utilisées pour ses états financiers annuels, à moins qu'il n'y ait eu un changement de méthodes comptables après la clôture des états financiers annuels les plus récents et que ce changement se traduise dans les états financiers annuels suivants.
(b) *fournir des indications expliquant le caractère saisonnier ou cyclique des activités de la période intermédiaire ;*	Connaître le caractère saisonnier est primordial pour prévoir le résultat (net ou global) annuel. Si une part importante des produits d'une entreprise est générée au cours du premier trimestre, ce fait devrait être indiqué aux utilisateurs pour éviter qu'ils surévaluent leurs prévisions du résultat (net ou global) annuel.
(c) *indiquer la nature et le montant des éléments qui sont inhabituels du fait de leur nature, de leur importance ou de leur incidence et qui affectent les actifs, les passifs, les capitaux propres, le résultat net ou les flux de trésorerie ;*	Tout élément significatif découlant d'un événement ou d'une situation survenu au cours de la période intermédiaire est une information pertinente pour les utilisateurs des états financiers. À titre d'exemple, si la période intermédiaire est marquée par un refinancement important des dettes d'une entreprise, ce fait doit être clairement mentionné dans le tableau des flux de trésorerie, l'état de la situation financière et les notes.

TABLEAU 21.6 *(suite)*

(d) *indiquer la nature et le montant des changements d'estimations de montants présentés lors des précédentes périodes intermédiaires de l'exercice considéré ou des changements d'estimations de montants présentés lors d'exercices antérieurs ;*	Un groupe d'actifs classé comme étant détenu en vue de la vente est évalué au plus bas de sa valeur comptable et de sa juste valeur diminuée des coûts de la vente. Sa juste valeur est donc évaluée au moment où ce groupe d'actifs est classé comme étant détenu en vue de la vente. S'il survient une baisse significative de la juste valeur au cours d'une période intermédiaire, une perte de valeur additionnelle doit être comptabilisée au cours de la période intermédiaire, et ce changement survenu dans les évaluations de la juste valeur doit être indiqué aux utilisateurs des états financiers pour leur permettre de mieux comprendre l'effet de cette situation sur le résultat (net ou global) intermédiaire.
(e) *mentionner les émissions, rachats et remboursements de titres de créance et de capitaux propres ;*	Ces activités de financement affectent les flux de trésorerie de la période intermédiaire. Elles doivent être présentées dans le tableau des flux de trésorerie et expliquées par voie de note pour permettre aux utilisateurs de mieux comprendre l'évolution des modes de financement depuis la clôture du dernier exercice financier.
(f) *indiquer les dividendes payés (dividende total ou par action) en distinguant ceux versés au titre des actions ordinaires de ceux versés au titre des autres actions ;*	Ces informations renseignent les utilisateurs sur les décisions de la direction concernant l'utilisation des résultats non distribués.
(g) *fournir les informations sectorielles suivantes (la présentation d'informations sectorielles n'est requise dans un rapport financier intermédiaire d'une entité que si IFRS 8* Secteurs opérationnels *impose que l'entité présente des informations sectorielles dans ses états financiers) :*	L'information sectorielle permet notamment de décortiquer les résultats en composantes pour mieux prévoir les résultats futurs. Connaître l'information financière sectorielle intermédiaire permet donc à l'utilisateur de mieux estimer le résultat (net ou global) annuel.
(i) *les produits des activités ordinaires provenant de clients externes, s'ils sont inclus dans l'indicateur du résultat net sectoriel [... ou] fournis régulièrement au principal décideur opérationnel,* (ii) *les produits des activités ordinaires intersectoriels, s'ils sont inclus dans l'indicateur du résultat net sectoriel [... ou] fournis régulièrement au principal décideur opérationnel,* (iii) *un indicateur du résultat net sectoriel,* (iv) *un indicateur du total des actifs et du total des passifs pour un secteur à présenter donné, si ces montants sont régulièrement fournis au principal décideur opérationnel et s'il y a eu un changement significatif par rapport au montant présenté dans les derniers états financiers annuels pour ce secteur à présenter,* (v) *une description des différences par rapport aux derniers états financiers annuels dans la base de sectorisation ou dans la base d'évaluation du résultat sectoriel,* (vi) *un rapprochement entre le total des indicateurs des résultats nets des secteurs à présenter et le résultat de l'entité avant charge d'impôt (produit d'impôt) et activités abandonnées. Cependant, si l'entité affecte à des secteurs à présenter des éléments tels qu'une charge d'impôt (un produit d'impôt), elle peut rapprocher le total des indicateurs des résultats nets sectoriels et le résultat net de l'entité après prise en compte de ces éléments. Les éléments de rapprochement significatifs doivent être identifiés et décrits séparément dans ce rapprochement ;*	L'information sectorielle à présenter dans les états financiers intermédiaires revêt cependant moins d'importance que celle présentée dans les états financiers annuels.

(h) *indiquer les événements postérieurs à la période intermédiaire qui ne sont pas traduits dans les états financiers de la période intermédiaire;*	Si l'entreprise a décidé, après la fin de la période intermédiaire, de se départir d'une importante division, ce fait devrait être indiqué aux utilisateurs pour qu'ils puissent le prendre en considération dans l'évaluation des perspectives d'avenir de l'entreprise.
(i) *mentionner l'effet des changements qui ont affecté la composition de l'entité au cours de la période intermédiaire, y compris les regroupements d'entreprises, l'obtention ou la perte de contrôle sur des filiales et des participations à long terme, les restructurations et les activités abandonnées* [...]	Toutes ces exigences ont trait à des événements qui modifient substantiellement les perspectives de résultats futurs d'une entreprise. C'est pourquoi il convient de fournir suffisamment d'informations aux utilisateurs pour leur permettre d'en tenir compte dans leur évaluation des résultats futurs.
(j) *fournir, au sujet des instruments financiers, les informations requises par les paragraphes 91 à 93(h), 94 à 96, 98 et 99 d'IFRS 13* Évaluation de la juste valeur *et les paragraphes 25, 26 et 28 à 30 d'IFRS 7* Instruments financiers : Informations à fournir.	Ces exigences de présentation ont été expliquées aux chapitres 3 et 4.
[...]	
(l) *ventiler les produits des activités ordinaires tirés de contrats conclus avec des clients comme l'exigent les paragraphes 114 et 115 d'IFRS 15* Produits des activités ordinaires tirés de contrats conclus avec des clients.	Le but de cette ventilation est de montrer séparément les produits dont la nature, le montant, le calendrier et le degré de certitude des flux de trésorerie sont affectés de façon différentes par les facteurs économiques.
Informations à fournir dans les états financiers annuels	
Paragr. 26 *Si l'estimation d'un montant présenté dans une période intermédiaire évolue de façon significative durant la dernière période intermédiaire de l'exercice, mais si cette période intermédiaire ne fait pas l'objet d'un rapport financier distinct, la nature et le montant de ce changement d'estimation doivent être indiqués dans une note aux états financiers annuels de l'exercice concerné.*	Il peut arriver qu'une entreprise ne prépare pas d'états financiers intermédiaires pour le dernier trimestre de l'exercice financier parce que ses états financiers annuels sont préparés à la fin de ce dernier trimestre. Il devient donc important d'informer les utilisateurs des changements d'estimations majeurs qui sont survenus au cours de ce dernier trimestre pour leur permettre de mieux faire le lien entre les états financiers du troisième trimestre et les états financiers annuels.

Avez-vous remarqué ?

Les états financiers intermédiaires doivent fournir une information complète parce qu'ils sont lus en complément des derniers états financiers annuels. Ils mettent donc l'accent sur les changements survenus depuis la date de clôture de l'exercice financier précédent.

Différence NCECF

La détermination du résultat intermédiaire

Différence NCECF

La détermination du résultat (net ou global) intermédiaire est tributaire du mode de comptabilisation des produits et des charges employé au cours des périodes intermédiaires. Tout comme lors de la préparation des états financiers annuels, il est nécessaire d'avoir recours à plusieurs estimations pour déterminer le résultat intermédiaire. Deux grandes approches ont été proposées pour établir les états financiers intermédiaires. La première est la **méthode de la période discrète**, selon laquelle la période intermédiaire est considérée comme une période distincte, indépendante de l'exercice auquel elle appartient. Selon cette méthode, les produits et les charges sont comptabilisés lorsqu'ils sont engagés. De ce fait, si le budget des opérations prévoit d'importants coûts de formation au troisième trimestre, ces coûts ne seront comptabilisés que lorsqu'ils seront engagés au cours du trimestre en question. La seconde approche est la **méthode de la période intégrée**. D'après celle-ci, le résultat de la période intermédiaire est une composante du résultat annuel et le résultat intermédiaire doit être calculé de façon à mieux prévoir le résultat annuel. Dans notre exemple, même si les coûts de formation sont prévus au troisième trimestre, une portion de la charge estimative sera comptabilisée dès le premier trimestre, par exemple, au prorata du volume des ventes réel du premier trimestre comparativement au volume de ventes annuel attendu.

Dans l'IAS 34, l'IASB opte principalement pour la méthode de la période discrète. En effet, il précise que les mêmes méthodes comptables que celles qui sont utilisées pour la préparation des états financiers annuels doivent servir à préparer les états financiers intermédiaires. Il recommande donc de comptabiliser les produits et les charges de la même façon que dans les états financiers annuels. Par conséquent, les produits perçus de façon cyclique ou saisonnière et les charges engagées de façon inégale pendant un exercice doivent être comptabilisés d'avance ou différés à la fin d'une période intermédiaire uniquement s'il s'avérait approprié de les comptabiliser d'avance ou de les différer à la fin de l'exercice.

L'IASB fournit des exemples qui accompagnent l'IAS 34 (mais n'en font pas partie). Ces exemples illustrent l'application des principes d'évaluation et de comptabilisation des produits et des charges dans les périodes intermédiaires[4]. Le paragraphe qui suit est fondé autant sur l'IAS 34 que sur les exemples illustratifs publiés par l'IASB.

Lorsqu'une entreprise réalise des produits de façon cyclique en raison du caractère saisonnier de ses activités, elle comptabilise ses produits au moment où ils sont gagnés et selon les critères expliqués au chapitre 20. De plus, la comptabilisation de produits qui sont parfois perçus occasionnellement, comme les dividendes, les subventions publiques et les redevances, est effectuée de la même façon qu'elle le serait pour la préparation des états financiers annuels, selon les explications fournies dans les chapitres 4, 8 et 20. Il n'y a donc pas lieu de devancer ni de différer la comptabilisation des produits s'il n'est pas approprié de la devancer ou de la différer à la fin de l'exercice. Pour les actifs, les mêmes critères relatifs à la présence d'avantages économiques futurs s'appliquent aux dates intermédiaires et aux dates de fin d'exercice. Ainsi, il ne serait pas approprié d'estimer le chiffre d'affaires annuel et de comptabiliser, par exemple, le quart de ce montant dans les débiteurs et dans les produits à chaque trimestre. Les ventes sont comptabilisées lorsqu'elles ont lieu. C'est pourquoi il convient de fournir des informations sur le caractère saisonnier des activités. De la même façon, il ne serait pas approprié d'estimer les produits de dividendes pour en comptabiliser une partie dans une période intermédiaire. Les dividendes sont comptabilisés lorsqu'ils sont déclarés.

Du côté des charges, celles qui varient directement en fonction du volume du chiffre d'affaires posent généralement peu de problèmes de comptabilisation. Les achats sont comptabilisés lors du transfert de propriété (lequel correspond habituellement au moment du transfert des risques et des avantages), les fournitures sont comptabilisées à mesure qu'elles sont utilisées et les commissions sur ventes le sont au même moment que les ventes.

Toute dépense devant être engagée plus tard au cours de l'exercice n'est pas comptabilisée de façon anticipée, à moins qu'une obligation n'existe à la fin de la période intermédiaire. En effet, un passif à la fin de la période intermédiaire doit représenter une obligation existant à cette date, exactement comme dans le cas d'un passif à la fin d'un exercice financier. La seule intention ou la seule nécessité d'engager une dépense ne représente pas une obligation. Ainsi, si une entreprise prévoit engager des coûts importants pour l'entretien de sa machinerie au cours du troisième trimestre, aucun montant n'est comptabilisé au cours des deux premiers trimestres. Ces coûts seront comptabilisés lorsqu'ils seront engagés, pendant le troisième trimestre. Le calcul de la charge d'amortissement ne doit tenir compte que des actifs détenus au cours de la période intermédiaire, même si des acquisitions et des dispositions sont prévues au cours des périodes intermédiaires subséquentes. Par exemple, si, à la fin de l'exercice 20X1, une entreprise détient des immobilisations corporelles dont le coût et l'amortissement cumulé s'élèvent respectivement à 1 500 000 $ et à 1 100 000 $, et qu'elle prévoit acquérir une nouvelle usine et de nouveaux équipements d'une valeur totale de 600 000 $ au deuxième trimestre, l'amortissement linéaire du premier trimestre de 20X2 s'élèverait à 37 500 $ (1 500 000 $ ÷ 10 ans × ¼) en supposant une durée d'utilisation de 10 ans et une valeur résiduelle nulle. Ainsi, les nouvelles immobilisations ne sont amorties qu'à compter de leur utilisation.

Par contre, il est acceptable de comptabiliser une provision qui découle d'un événement créant une obligation actuelle pour l'entreprise, telle que définie au chapitre 12. À titre d'exemple, les primes annuelles basées sur le résultat net prévues dans les contrats d'emploi sont comptabilisées graduellement au cours des périodes intermédiaires. Ainsi, si un directeur a droit à une prime annuelle de 5 % du bénéfice net qui excède 300 000 $, on doit estimer le bénéfice net prévu pour l'exercice. Si l'on s'attend à un bénéfice net annuel de 550 000 $, une prime de 3 125 $ [(550 000 $ – 300 000 $) × 5 % × ¼] est comptabilisée au premier trimestre si les activités sont relativement stables. Il serait également logique de comptabiliser la prime au prorata du chiffre d'affaires plutôt que de façon linéaire si les activités étaient très saisonnières. De même, les loyers conditionnels calculés sur le chiffre d'affaires annuel sont comptabilisés progressivement en fonction de l'estimation de celui-ci. En effet, dans pareille situation, l'entreprise assume une obligation contractuelle d'engager une telle charge.

4. IFRS Foundation, *International financial reporting standards – Part B - The accompanying documents*, Londres, 2012.

Au cours d'une période intermédiaire, il ne convient pas de différer les coûts dans l'espoir que les critères de comptabilisation à l'actif seront remplis ultérieurement durant l'exercice. Les mêmes tests concernant les avantages économiques futurs s'appliquent à la fin d'une période intermédiaire et à la clôture d'un exercice financier. Ainsi, le coût d'une immobilisation incorporelle élaborée en interne ne peut être comptabilisé à l'actif que si les critères de comptabilisation sont remplis à la clôture de la période intermédiaire. Si ce n'est pas le cas, le coût doit être comptabilisé à titre de charges. Si les critères sont respectés au début du trimestre suivant, les coûts engagés à compter de cette date sont alors comptabilisés à l'actif; l'état du résultat global intermédiaire du deuxième trimestre n'inclura aucun de ces coûts engagés depuis le début de ce trimestre. Le changement survenu dans l'évaluation du respect des critères de comptabilisation pourrait être mentionné aux utilisateurs des états financiers par voie de note si le montant en cause est significatif.

En effet, lorsqu'une entreprise prépare des états financiers trimestriels, elle évalue ses produits et ses charges cumulatives à chaque période intermédiaire en fonction des informations dont elle dispose au moment de préparer chaque jeu d'états financiers. Les montants des produits et des charges présentés relativement à la période intermédiaire courante traduisent tout changement d'estimations qui affectent les trimestres antérieurs de l'exercice en cours. Les montants présentés lors des trimestres antérieurs ne sont pas ajustés de façon rétrospective. Cependant, comme il est indiqué dans le tableau 21.6, l'entreprise doit indiquer la nature et le montant de tout changement significatif survenu dans les estimations.

L'IASB précise aussi la façon de comptabiliser et d'évaluer les pertes qui découlent de dépréciations de stocks, de restructurations ou de dépréciations dans les états financiers intermédiaires. Cette façon est identique à celle qui prévaut dans les états financiers annuels. Si les estimations relatives au montant d'une perte changent lors d'une période intermédiaire ultérieure dans un même exercice financier, un montant supplémentaire de perte ou une reprise d'un montant comptabilisé antérieurement est alors comptabilisé.

Certaines IFRS stipulent cependant que les pertes de valeur de certains actifs ne doivent pas faire l'objet d'une reprise lors des exercices ultérieurs. À cet effet, l'IFRIC (International Financial Reporting Standards Interpretations Committee), dans l'**IFRIC 10**, précise qu'il ne convient pas, au cours d'une période intermédiaire donnée, de reprendre une perte de valeur comptabilisée dans une période intermédiaire antérieure à l'égard d'un goodwill. Ainsi, si une entreprise juge nécessaire de comptabiliser une dépréciation du goodwill au cours du premier trimestre, elle ne pourra pas comptabiliser une reprise de valeur à la fin d'un trimestre ultérieur si la situation est telle qu'il ne serait plus nécessaire de comptabiliser la perte de valeur comptabilisée au cours du premier trimestre.

En ce qui a trait à la charge d'impôts sur le résultat, celle-ci doit être comptabilisée pour chacun des trimestres, même si la déclaration fiscale n'est préparée qu'à la fin de l'exercice. Pour calculer la charge d'impôts de la période intermédiaire, une estimation du taux d'imposition annuel moyen pondéré attendu pour la totalité de l'exercice sera effectuée. Les montants ainsi comptabilisés seront ajustés lors d'une période subséquente si l'estimation relative au taux d'imposition annuel change. L'estimation du taux d'imposition attendu tient compte des déductions de taux applicable sur la première tranche de 500 000 $ du revenu imposable[5]. Ainsi, si une entreprise assujettie à un taux d'imposition de 30 % s'attend à un bénéfice imposable au montant de 600 000 $ pour l'exercice 20X1 et que le taux d'imposition applicable à la première tranche de 500 000 $ est réduit à 14 % grâce à la déduction accordée aux petites entreprises, le taux d'imposition attendu moyen pondéré de 16,67 % {[(500 000 $ × 14 %) + (100 000 $ × 30 %)] ÷ 600 000 $ × 100} sera utilisé pour comptabiliser les impôts du premier trimestre de 20X1.

Avez-vous remarqué ?

Les définitions d'un actif et d'un passif énoncées dans le « Cadre conceptuel de l'information financière » prévalent non seulement pour la préparation des états financiers annuels, mais également pour celle des états financiers intermédiaires. Pour cette raison, l'entreprise doit s'assurer, à la fin de chaque période intermédiaire, que les actifs comptabilisés pendant la période représentent des ressources qu'elle contrôle du fait d'événements passés et dont elle attend des avantages futurs. De même, l'entreprise doit s'assurer que les passifs comptabilisés représentent des obligations actuelles qui découlent d'événements passés et dont l'extinction devrait se traduire par des sorties de ressources représentatives d'avantages économiques.

21

5. Il s'agit du plafond en vigueur au moment de rédiger le présent chapitre.

Lorsqu'une entreprise procède à un changement de méthode comptable, elle doit retraiter les états financiers des périodes intermédiaires précédentes de l'exercice en cours ainsi que les périodes intermédiaires des exercices antérieurs qui feront l'objet d'un retraitement quand les états financiers annuels de l'exercice en cours seront préparés. S'il est impossible de déterminer l'effet de la nouvelle méthode comptable sur toutes les périodes antérieures, les états financiers des périodes intermédiaires précédentes de l'exercice en cours et des périodes intermédiaires comparables d'exercices antérieurs doivent être ajustés afin d'appliquer la nouvelle méthode comptable de manière prospective à partir de la première date possible. L'objectif est de faire en sorte qu'une seule et même méthode comptable soit appliquée au cours d'un exercice complet.

Différence NCECF

Avez-vous remarqué ?

Ces recommandations énoncées par l'IASB visent à assurer la comparabilité de l'information financière. Le fait d'utiliser des méthodes comptables différentes pour les périodes intermédiaires d'un même exercice financier pourrait causer de la confusion chez les utilisateurs des états financiers.

PARTIE II – LES NCECF

Équivalents terminologiques *Manuel de CPA Canada* – Partie II et Partie I.

Les NCECF ne contiennent aucune norme qui traite spécifiquement de l'information sectorielle ou des états financiers intermédiaires. Une entreprise qui voudrait présenter de l'information sectorielle ou des états financiers intermédiaires aurait donc une très grande latitude quant à la façon de procéder. Cependant, les NCECF incluent le **chapitre 3841** intitulé « Dépendance économique » qui requiert, dans les cas où la poursuite de l'exploitation de l'entreprise dépend d'un volume important d'activités avec une autre partie, que cette dépendance économique soit mentionnée et expliquée. Rappelons que l'IFRS 8 exige pour sa part que l'entreprise fournisse des informations sur son degré de dépendance à l'égard de ses principaux clients lorsque les produits d'activités ordinaires provenant de transactions avec un même client s'élèvent à 10 % ou plus du produit des activités ordinaires de l'entreprise.

SYNTHÈSE DU CHAPITRE 21

La figure 21.1 illustre en un coup d'œil les principaux thèmes abordés dans le présent chapitre. Le texte qui suit la figure vous permettra de vérifier l'acquisition des objectifs d'apprentissage.

FIGURE 21.1 Les principaux thèmes abordés dans le présent chapitre

	NCECF
Information sectorielle (IFRS 8)	Aucune norme équivalente

Processus de sectorisation fondé sur la sectorisation organisationnelle	Pour chaque secteur à présenter, fournir des informations en note	Autres informations à fournir
• Déterminer les secteurs opérationnels. • Regrouper les secteurs en fonction des caractéristiques économiques semblables. • Appliquer le critère du 10 % pour déterminer les secteurs à présenter. • S'assurer que les secteurs couvrent la majeure partie des activités de l'entreprise.	• Informations de nature générale • Informations sur le résultat net • Informations sur l'actif et son évolution, et sur le passif • Informations sur l'évaluation • Rapprochements	• Nature des produits et services • Informations par zone géographique • Informations sur les principaux clients

	NCECF
États financiers intermédiaires (IAS 34)	Aucune norme équivalente

Contenu des états financiers intermédiaires	Détermination du résultat net intermédiaire
• Jeu complet d'états financiers • Mêmes rubriques et soldes intermédiaires que pour les états financiers annuels • Notes moins nombreuses mettant l'accent sur les changements depuis la fin de l'exercice précédent	• Méthode de la période discrète favorisée par l'IASB plutôt que la méthode de la période intégrée • Mêmes méthodes comptables que pour les états financiers annuels • Produits, charges, actifs et passifs comptabilisés selon les mêmes critères que ceux prévalant pour les états financiers annuels

Appliquer le processus de sectorisation visant à déterminer les secteurs opérationnels à présenter. Le processus de sectorisation vise à déterminer les secteurs opérationnels à présenter. Il est fondé sur la notion de sectorisation organisationnelle, laquelle renvoie à la façon dont la direction sectorise l'entreprise aux fins de gestion interne. Ce processus implique d'abord la détermination de l'ensemble des secteurs opérationnels. Un secteur présente de l'information financière distincte, génère des produits et engage des charges ; ses résultats font l'objet d'un examen périodique par le principal décideur opérationnel aux fins d'affectation des ressources et d'évaluation de la performance. Le processus implique ensuite de regrouper les secteurs ainsi déterminés en fonction de leurs caractéristiques économiques. Les secteurs regroupés font l'objet d'une présentation distincte s'ils atteignent l'un des seuils quantitatifs (critères du 10 %) établis en fonction de leurs produits, de leur résultat net et de leur actif. Les secteurs déterminés doivent couvrir la majeure partie des activités de l'entreprise. C'est le cas si 75 % des produits des activités ordinaires de l'entreprise sont inclus dans les secteurs à présenter. Dans le cas contraire, des secteurs additionnels doivent être déterminés.

Présenter l'information sectorielle dans les états financiers. L'IASB n'exige pas la présentation d'un jeu complet d'états financiers pour chacun des secteurs à présenter. Les informations à fournir en ce qui a trait aux secteurs à présenter peuvent être groupées en cinq principales catégories : 1) les informations de nature générale ; 2) les informations sur le résultat net du secteur ; 3) les informations sur l'actif du secteur et son évolution ainsi que sur le passif ; 4) les informations sur l'évaluation ; et 5) les rapprochements. Les montants présentés dans la note portant sur l'information sectorielle doivent être ceux qui sont soumis au principal décideur opérationnel prenant les décisions en matière d'affectation des ressources et d'évaluation de la performance. Ces montants ne sont pas nécessairement des totaux partiels qui figurent dans les états financiers préparés selon les IFRS ou des montants évalués selon les IFRS. En plus des informations ayant trait à ses secteurs opérationnels, une entreprise doit également fournir des informations sur ses biens et services, sur les zones géographiques où elle exerce ses activités et sur ses principaux clients.

Appliquer les normes de préparation et de présentation des états financiers intermédiaires. Les rapports financiers intermédiaires incluent un jeu complet d'états financiers qui doivent présenter au minimum chacune des rubriques et chacun des totaux partiels qui figuraient dans les états financiers annuels précédents. Puisque les états financiers intermédiaires insistent sur les nouveaux événements survenus depuis la clôture de l'exercice précédent, les notes qui accompagnent ces états financiers sont moins nombreuses. L'IASB fournit une liste non exhaustive d'événements ou de transactions (*voir le tableau 21.5*) qui doivent faire l'objet d'une divulgation s'ils sont significatifs ainsi que d'autres informations (*voir le tableau 21.6*) à fournir en notes.

Appliquer les différentes approches pour la détermination du résultat intermédiaire. La première approche pour déterminer le résultat (net ou global) intermédiaire est la méthode de la période discrète, selon laquelle la période intermédiaire est considérée comme une période distincte, indépendante de l'exercice auquel elle appartient. Selon cette méthode, les produits et les charges sont comptabilisés lorsqu'ils sont engagés. La seconde approche est la méthode de la période intégrée. D'après celle-ci, le résultat de la période intermédiaire est une composante du résultat annuel, et le résultat intermédiaire devrait être calculé de façon à mieux prévoir le résultat annuel. Dans l'IAS 34, l'IASB opte principalement pour la méthode de la période discrète. Il recommande de comptabiliser les produits et les charges de la même façon qu'on le fait dans les états financiers annuels. Par conséquent, les produits gagnés de façon cyclique ou saisonnière et les charges engagées de façon inégale pendant un exercice financier doivent être comptabilisés d'avance ou différés à la fin d'une période intermédiaire, uniquement s'il est approprié de les comptabiliser d'avance ou de les différer à la fin de l'exercice.

Comprendre et appliquer les NCECF liées à l'information sectorielle et aux états financiers intermédiaires. Les NCECF ne contiennent aucune norme spécifique sur l'information sectorielle ni sur les états financiers intermédiaires. Elles incluent cependant une norme exigeant de divulguer toute dépendance économique envers une autre partie.

Le résultat par action

22

(i+) Des ressources pédagogiques sont disponibles en ligne.

Objectifs d'apprentissage

À la fin de ce chapitre, vous pourrez :

1. comprendre et calculer le résultat de base par action en conformité avec les normes applicables ;
2. comprendre et calculer le résultat dilué par action en conformité avec les normes applicables ;
3. comprendre l'effet de situations particulières sur le calcul des montants du résultat par action ;
4. présenter les montants du résultat par action ;
5. comprendre l'utilité et les limites du résultat par action ;
6. comprendre et appliquer les NCECF liées au résultat par action.

Aperçu du chapitre

L'actualité financière présente quotidiennement aux investisseurs et aux autres parties intéressées les performances financières des entreprises. La mesure de référence la plus couramment utilisée pour présenter et apprécier cette performance est sans l'ombre d'un doute le résultat par action. Cette donnée comptable fournit une indication sur la portion du résultat net d'une entreprise qui peut être attribuée à chaque porteur d'action ordinaire de cette dernière. Bien que le résultat par action constitue un ratio parmi tant d'autres, son utilisation répandue et la mise en place d'instruments financiers à effet dilutif ont rapidement amené les normalisateurs à s'intéresser au calcul de ce ratio afin d'empêcher les entreprises de l'utiliser principalement pour enjoliver leur rentabilité aux yeux des investisseurs. Dans le présent chapitre, nous analyserons les normes relatives à la détermination et à la présentation du résultat par action sous toutes ses formes et nous expliquerons la signification de ce dernier.

Dans un premier temps, nous déterminerons quelles sont les **sociétés assujetties** à la présentation de cette information financière pour établir par la suite les règles générales relatives aux calculs du résultat de base par action et du résultat dilué par action. Nous verrons ainsi que le **résultat de base par action** est déterminé à partir du montant du résultat net et qu'il permet aux actionnaires de connaître la part du résultat net de l'exercice qui leur revient. Pour cette raison, lorsque des activités abandonnées sont présentées dans l'état du résultat global, le résultat de base par action doit être calculé en fonction du résultat net ainsi que du résultat avant activités abandonnées afin de faciliter l'établissement des prévisions à partir des activités maintenues de l'entreprise. Pour le calcul du résultat de base par action, nous étudierons également les événements ayant une incidence sur le nombre moyen pondéré d'actions en circulation de l'exercice, tels que les émissions et les rachats d'actions, les conversions de dettes ou d'actions préférentielles, et les distributions de dividendes en actions et autres événements.

Nous nous intéresserons ensuite au **résultat dilué par action.** Nous verrons que ce dernier a pour objectif de présenter à l'actionnaire la réduction maximale du résultat par action qui pourrait découler de la conversion de tous les titres convertibles en actions ordinaires que l'entreprise a émis et qui sont toujours en circulation. Nous analyserons ainsi les composantes du numérateur et du dénominateur de ce ratio ainsi que la détermination des effets dilutifs ou non des titres convertibles en actions ordinaires.

Nous présenterons enfin les exigences à l'égard de l'évaluation, de la présentation et des informations à fournir en ce qui a trait au résultat de base et au résultat dilué par action des entreprises selon qu'elles appliquent les normes de la *Partie I* ou de la *Partie II* du *Manuel de CPA Canada*.

Lorsque des notions de mathématiques financières sont utilisées, les variables nécessaires aux calculs sont indiquées avec les abréviations suivantes :

N : nombre de périodes
I : taux d'intérêt
PMT : paiements périodiques
PV : valeur actualisée
FV : valeur future
BGN : paiements en début de période

PARTIE I – LES IFRS

Équivalents terminologiques *Manuel de CPA* – Partie I et Partie II.

Différence NCECF

Le **résultat de base par action** (RBPA) est probablement la statistique (ou le ratio) la plus connue de toute l'information financière. Sa notoriété lui vient surtout du fait que les investisseurs accordent beaucoup d'importance à la rentabilité d'une entreprise. Or, cette statistique vise essentiellement à fractionner le résultat net de l'entreprise en portions attribuables[1] à chaque action ordinaire. Outre le fait d'être présentés dans les états financiers annuels publiés par les entreprises, les montants du résultat (de base et dilué) par action paraissent notamment dans les publications d'informations financières prospectives, dans les prospectus et les rapports financiers intermédiaires ainsi qu'à l'intérieur des pages financières des grands quotidiens d'information et des journaux financiers spécialisés. Malgré l'abondance des ratios financiers qui existent, il est important de noter que seul le ratio du résultat par action fait l'objet d'une norme comptable, assurant ainsi la comparabilité dans la façon de le calculer.

Comme l'illustre la figure 22.1, les investisseurs actuels et potentiels utilisent cette statistique pour évaluer les résultats passés et actuels de l'entreprise. Cette évaluation leur permet de prédire sa performance économique future et de décider s'ils conservent, augmentent ou réduisent leur participation dans l'entreprise. De l'avis de plusieurs investisseurs, il existe un lien étroit entre le cours d'une action ordinaire sur le marché boursier et le résultat de base par action. Ainsi, en établissant le **ratio cours/bénéfice**, soit le cours de l'action divisé par le résultat de base par action, les investisseurs tentent de déterminer si le cours de l'action est raisonnable ou si, au contraire, il est surévalué ou sous-évalué.

FIGURE 22.1 L'utilité générale du résultat par action (RPA)

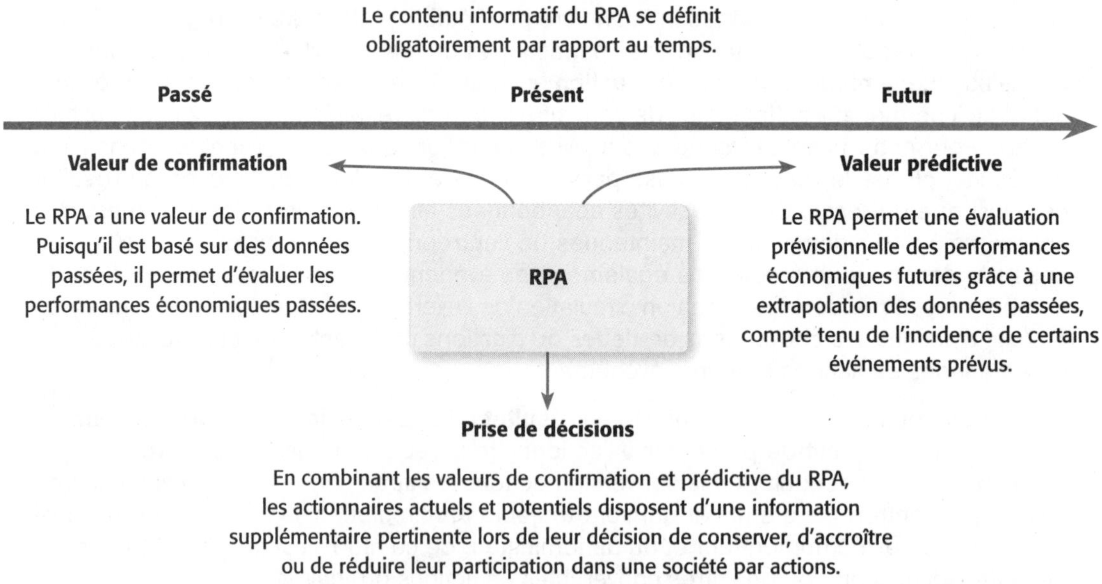

Le contenu informatif du RPA se définit obligatoirement par rapport au temps.

Passé — **Présent** — **Futur**

Valeur de confirmation

Le RPA a une valeur de confirmation. Puisqu'il est basé sur des données passées, il permet d'évaluer les performances économiques passées.

RPA

Valeur prédictive

Le RPA permet une évaluation prévisionnelle des performances économiques futures grâce à une extrapolation des données passées, compte tenu de l'incidence de certains événements prévus.

Prise de décisions

En combinant les valeurs de confirmation et prédictive du RPA, les actionnaires actuels et potentiels disposent d'une information supplémentaire pertinente lors de leur décision de conserver, d'accroître ou de réduire leur participation dans une société par actions.

1. Dès le début, le lecteur doit veiller à ne pas interpréter de façon erronée l'expression « portion attribuable ». Celle-ci n'est pas synonyme de « portion qui sera distribuée sous forme de dividendes ». Le montant qui sera effectivement distribué en dividendes est établi en fonction de la politique de dividendes de l'entreprise (*voir le chapitre 15*).

Avez-vous remarqué ?

Le Cadre conceptuel de l'information financière (le Cadre) précise que l'information financière est pertinente si elle a une valeur prédictive, une valeur de confirmation ou les deux. La figure 22.1 montre clairement que le résultat par action possède ces deux valeurs. Il a une valeur prédictive, car il peut servir d'intrant dans les processus suivis par les utilisateurs pour prédire les résultats futurs. Il a une valeur de confirmation, car il confirme ou modifie les évaluations antérieures.

Différence NCECF

Les sociétés assujetties

Différence NCECF

Il importe de savoir quelles sont les entreprises qui sont tenues de présenter une information relative au résultat par action. L'International Accounting Standards Board (IASB) formule les recommandations suivantes à cet égard :

> La présente norme s'applique :
>
> (a) aux états financiers individuels d'une entité :
>
> (i) dont les actions ordinaires ou les actions ordinaires potentielles sont négociées sur un marché organisé (une bourse des valeurs nationale ou étrangère ou encore un marché de gré à gré, y compris des marchés locaux et régionaux) ;
>
> (ii) qui dépose ses états financiers auprès d'une autorité de réglementation des valeurs mobilières ou d'un autre organisme de régulation, aux fins d'émettre des actions ordinaires sur un marché organisé, ou qui est sur le point de les déposer ; et
>
> (b) aux états financiers consolidés d'un groupe avec une société mère :
>
> (i) dont les actions ordinaires ou les actions ordinaires potentielles sont négociées sur un marché organisé (une bourse des valeurs nationale ou étrangère ou encore un marché de gré à gré, y compris des marchés locaux et régionaux) ;
>
> (ii) qui dépose ses états financiers auprès d'une autorité de réglementation des valeurs mobilières ou d'un autre organisme de régulation, aux fins d'émettre des actions ordinaires sur un marché organisé, ou qui est sur le point de les déposer.
>
> Une entité qui indique son résultat par action doit le calculer et fournir des informations sur ce résultat par action selon la présente norme[2].

Ces recommandations indiquent clairement que toute entreprise qui fait ou compte faire un appel public à l'épargne doit présenter des informations sur le résultat par action.

Les informations sur le **résultat par action** comprennent le résultat de base par action, ainsi que le **résultat dilué par action** (RDPA). La dilution signifie une diminution potentielle du résultat de base par action découlant d'une augmentation potentielle du nombre d'actions pleinement participantes en circulation. Les obligations convertibles, les actions préférentielles convertibles, les bons de souscription, les options d'achat d'actions et les droits de souscription constituent des instruments financiers qui peuvent produire un effet de dilution sur le résultat par action, comme nous l'expliquerons un peu plus loin.

Avez-vous remarqué ?

Seules les entreprises qui ont fait ou qui comptent faire un appel public à l'épargne doivent présenter les montants du résultat par action. Cependant, les entreprises qui appliquent les IFRS et qui ne sont pas assujetties à cette exigence, mais qui désirent présenter leurs montants de résultat par action doivent respecter les exigences d'IAS 33.

Différence NCECF

Le résultat de base par action

Différence NCECF

Le résultat de base par action est une statistique qui permet aux utilisateurs de l'information financière de comparer la performance d'une entreprise d'un exercice à l'autre. Ce ratio entre aussi dans le calcul du ratio cours/bénéfice qui permet de comparer la performance de l'entreprise avec celle d'autres entreprises. Pour assurer l'uniformité du calcul de cette statistique et ainsi maximiser son utilité dans le processus de prise de décisions économiques, les normes prescrivent les principes

2. CPA Canada, *Manuel de CPA Canada – Comptabilité – Partie I*, **IAS 33**, paragr. 2 et 3. (*Voir la page iv des liminaires pour plus de détails à l'égard des normes publiées mais non encore entrées en vigueur.*)

devant servir à la détermination du résultat de base par action. Après avoir traité de la raison d'être de cette statistique, nous étudierons la règle générale du calcul du résultat de base par action, la détermination du résultat net attribuable aux porteurs d'actions ordinaires et du nombre moyen pondéré d'actions ordinaires en circulation de même que des événements qui ont une incidence sur celui-ci.

La raison d'être du résultat de base par action

Nous avons déjà précisé que le résultat de base par action vise essentiellement à fractionner le résultat net en portions attribuables à chaque action ordinaire. Il s'agit d'un indicateur de rendement qui permet au porteur d'actions ordinaires de comparer, d'un exercice à l'autre, l'évolution de la portion du résultat net qui lui est attribuable.

En plus de sa valeur de confirmation, cette statistique possède aussi une grande valeur prédictive (*voir la figure 22.1*). En effet, plusieurs analystes financiers tentent de prévoir la valeur boursière de l'action. Pour ce faire, ils utilisent le ratio cours/bénéfice de l'entreprise et font une projection du résultat de base par action anticipé pour l'exercice suivant. Ce processus leur permet d'obtenir la valeur boursière anticipée, qui est ensuite comparée avec le cours réel de l'action. Grâce à cette projection, les analystes financiers peuvent déterminer les titres qui sont sous-évalués et dont le cours devrait éventuellement augmenter.

EXEMPLE

Utilisation du résultat par action dans le calcul du ratio cours/bénéfice

Un analyste financier dispose des informations suivantes concernant la société Évolutive ltée (EL) :

Cours actuel de l'action ordinaire (en Bourse)	*9,45 $*
Résultat de base par action	
Actuel (selon les états financiers)	*1,05 $*
Anticipé (selon les prévisions de l'analyste)	*1,25 $*

L'analyste financier procède aux calculs suivants pour établir le ratio cours/bénéfice et le cours anticipé de l'action ordinaire :

$$\text{Ratio cours/bénéfice} = \frac{\text{Cours de l'action ordinaire}}{\text{Résultat de base par action}}$$

$$= 9{,}45\ \$ \div 1{,}05\ \$ = 9$$

$$\text{Ratio cours/bénéfice} = \frac{\text{Cours anticipé de l'action ordinaire}}{\text{Résultat de base par action anticipé}}$$

$$9 = X \div 1{,}25\ \$$$

$$\text{Cours anticipé} = \underline{\underline{11{,}25\ \$}}$$

Si l'on tient pour acquis que le ratio cours/bénéfice demeurera constant, le cours de l'action ordinaire devrait donc s'accroître. Le titre de EL serait ainsi fort attrayant si l'analyste ne prend en considération que cette analyse. Cependant, comme il ne s'agit que d'un seul indicateur, il faudra tenir compte des autres indicateurs avant de prendre une décision.

Différence NCECF

La règle générale de calcul du résultat de base par action

Différence NCECF

La formule suivante sert à calculer le **résultat de base par action** :

$$\text{Résultat de base par action} = \frac{\text{Résultat net}^{3}}{\text{Nombre d'actions ordinaires en circulation}}$$

Cette formule ne peut être utilisée que dans la situation suivante : l'entreprise n'a qu'une seule catégorie d'actions, et le nombre d'actions n'a pas fluctué au cours de l'exercice.

3. Nous verrons plus loin que l'IASB exige que les montants du résultat par action soient indiqués par rapport au résultat net attribuable aux porteurs d'actions ordinaires et au résultat net des activités poursuivies attribuable aux porteurs d'actions ordinaires. Pour le moment, et afin d'alléger le texte, nous travaillerons uniquement avec le montant du résultat net.

EXEMPLE

Calcul du résultat de base par action dans une situation simple

En 20X1 la société Simplet ltée (SL) a réalisé un bénéfice net de 400 000 $ après avoir subi une perte de 375 000 $ l'année précédente. SL ne possède qu'une catégorie d'actions et, au cours de ces deux années, le nombre d'actions ordinaires en circulation est demeuré à 100 000. Voici les calculs qui doivent être effectués, compte tenu de la simplicité de la structure financière de SL :

	20X1	20X0
Résultat net	*400 000 $*	*(375 000) $*
Nombre d'actions ordinaires en circulation	*÷ 100 000*	*÷ 100 000*
Résultat de base par action	*4,00 $*	*(3,75) $*

L'exemple de SL, retenu pour sa simplicité, n'est toutefois pas très réaliste. Plusieurs entreprises ont plus d'une catégorie d'actions en circulation, et le nombre d'actions varie d'un exercice à l'autre.

Compte tenu de l'ensemble des événements ayant une incidence sur le résultat de base par action que nous étudierons dans les sous-sections suivantes, il convient d'en connaître la règle générale de calcul :

$$\text{Résultat de base par action} = \frac{\text{Résultat net attribuable aux porteurs d'actions ordinaires}}{\text{Nombre moyen pondéré d'actions ordinaires en circulation}}$$

La règle générale ainsi formulée nous amène à analyser les deux principaux problèmes que pose le calcul du résultat de base par action : 1) comment déterminer le résultat net attribuable aux porteurs d'actions ordinaires (le numérateur) ; 2) comment évaluer le nombre moyen pondéré d'actions ordinaires en circulation (le dénominateur).

Différence NCECF

La détermination du résultat net attribuable aux porteurs d'actions ordinaires

Différence NCECF

Le numérateur qui entre dans le calcul du résultat de base par action est le **résultat net attribuable aux propriétaires de la société mère**. Comme nous l'avons expliqué au chapitre 2 (*voir la page 2.14*), l'état du résultat global doit présenter le résultat net attribuable aux propriétaires de la société mère et le résultat net attribuable aux participations ne donnant pas le contrôle. Comme ce ratio s'adresse aux actionnaires de la société mère, il est normal que le calcul du résultat de base par action se fasse à partir du résultat net attribuable aux propriétaires de la société mère. Il est également important de souligner que le calcul se fait à partir du résultat net et non à partir du résultat global. En effet, il n'est nullement requis de fournir le résultat global par action.

Du côté des investisseurs, le résultat de base par action n'a de signification que pour les porteurs d'actions ordinaires actuels et potentiels. En effet, le rendement obtenu par les créanciers (taux d'intérêt) et celui qui est obtenu par les porteurs d'actions préférentielles (taux du dividende) sont souvent connus d'avance. Le résultat de base par action permet de déterminer le rendement, sur le plan comptable, d'un investissement en actions ordinaires.

Puisque l'on veut déterminer le **résultat net attribuable aux porteurs d'actions ordinaires**, il faut retrancher du résultat net figurant dans l'état du résultat global toute portion afférente aux actions préférentielles. La figure 22.2 illustre et commente la façon de déterminer le résultat net attribuable aux porteurs d'actions ordinaires[4].

4. La figure 22.2 illustre l'essentiel du contenu des paragraphes 12 à 18 de l'IAS 33. Pour que cette figure soit complète, il faudrait également inclure, parmi les éléments à soustraire du résultat net figurant dans l'état du résultat global, les impôts relatifs aux dividendes payés sur certaines actions préférentielles qui sont recouvrables au moyen d'une déduction dans le calcul du bénéfice imposable. Ces impôts se rapportent à ceux prévus dans la partie VI.1 de la *Loi de l'impôt sur le revenu* et ils découlent d'une situation plutôt rare qui déborde largement le cadre du présent ouvrage.

FIGURE 22.2 La détermination du résultat net attribuable aux porteurs d'actions ordinaires

Résultat net attribuable aux porteurs d'actions ordinaires figurant dans l'état du résultat global

Le point de départ provient de l'état du résultat global. Selon l'IASB, deux montants de RBPA sont requis et ceux-ci sont calculés à partir :
- du résultat net des activités poursuivies ;
- du résultat net.

Moins

Rendements des actions préférentielles

Dividendes sur actions préférentielles présentées comme titres de capitaux propres, soit :
- des dividendes **déclarés** sur actions préférentielles à dividende **non cumulatif**
- des dividendes **déclarés ou non** sur actions préférentielles à dividende **cumulatif**

(Ces dividendes peuvent être payables en argent ou distribuables en actions.)

Les détenteurs d'actions préférentielles à **dividende non cumulatif** n'ont droit à une part du résultat net de l'exercice qu'à la condition expresse qu'il y ait eu une déclaration de dividendes au cours de l'exercice. Par contre, les détenteurs d'actions préférentielles à **dividende cumulatif** conservent leur droit à une quote-part du résultat net de l'exercice peu importe que le dividende ait ou non été déclaré.

Montant de l'amortissement, comptabilisé dans les résultats non distribués, des décotes ou surcotes relatives à l'émission d'actions préférentielles à taux croissant

Les actions préférentielles sont parfois assorties d'un dividende initial faible lorsqu'elles ont été, par exemple, vendues à un prix inférieur à leur juste valeur. Cette décote, qui fait l'objet d'un amortissement dans les résultats non distribués, est traitée comme un dividende préférentiel aux fins du calcul du résultat par action[5].

Pertes sur le rachat des actions préférentielles (Tout profit serait ajouté au résultat net dans le calcul du numérateur)

Comme nous l'avons vu dans le chapitre 14, l'excédent de la juste valeur de la contrepartie transférée aux détenteurs sur la valeur comptable des actions préférentielles constitue un rendement pour les détenteurs d'actions préférentielles et, pour la société émettrice, une perte portée au débit du compte Résultats non distribués.

Coût de toute modification avantageuse pour inciter à la conversion d'actions préférentielles en actions ordinaires

La juste valeur de l'incitatif à la conversion (contrepartie monétaire, actions ordinaires supplémentaires) représente un avantage conféré aux actions préférentielles à retrancher du numérateur.

Égale

Résultat net attribuable aux porteurs d'actions ordinaires

Il s'agit du **numérateur** requis dans le calcul du résultat de base par action.

EXEMPLE

Calcul du résultat net attribuable aux porteurs d'actions ordinaires

Le capital social de la société Multi-Actions ltée (MAL) comprend les titres suivants depuis plusieurs années :

- 1 000 actions préférentielles d'une valeur nominale de 100 $ chacune à dividende non cumulatif de 11 % ;

22

5. Lorsque de telles actions ont été vendues moyennant une surcote, le montant de l'amortissement de cette surcote est porté au crédit du compte Résultats non distribués et a pour effet d'accroître le résultat net attribuable aux porteurs d'actions ordinaires.

- 500 actions préférentielles d'une valeur nominale de 100 $ chacune à dividende cumulatif de 10 % ;
- 50 000 actions ordinaires sans valeur nominale.

Supposons que MAL réalise un résultat net de 100 000 $ en 20X0 et de 125 000 $ en 20X1. La société ne déclare pas de dividende en 20X0, mais, en 20X1, un dividende d'une somme totale de 50 000 $ est déclaré. Compte tenu des notions étudiées dans les chapitres 14 et 15, on peut répartir le montant global des dividendes déclarés en 20X1 de la façon suivante :

Actions préférentielles à dividende cumulatif	
Dividendes arriérés de 20X0	*5 000 $*
Dividendes courants de 20X1	*5 000*
	10 000
Actions préférentielles à dividende non cumulatif	*11 000*
	21 000
Actions ordinaires	*29 000*
	50 000 $

Voici le calcul qui doit être effectué pour déterminer le résultat de base par action de MAL pour 20X0 et 20X1 :

	20X1	*20X0*
Résultat net attribuable aux porteurs d'actions ordinaires		
Résultat net	*125 000 $*	*100 000 $*
Moins : Dividendes sur actions préférentielles		
Dividendes prescrits sur actions préférentielles à dividende cumulatif (500 actions × 100 $ × 10 %)	*(5 000)*	*(5 000)*
Dividendes déclarés sur actions préférentielles à dividende non cumulatif (1 000 actions × 100 $ × 11 %)	*(11 000)*	
Résultat net attribuable aux porteurs d'actions ordinaires	*109 000*	*95 000*
Nombre d'actions ordinaires en circulation	*÷ 50 000*	*÷ 50 000*
Résultat de base par action	*2,18 $*	*1,90 $*

Voici quelques observations sur la détermination du résultat net attribuable aux porteurs d'actions ordinaires de MAL :

1. Les dividendes prescrits sur les actions préférentielles à dividende cumulatif sont déduits du résultat net de chaque exercice financier. Puisque ces dividendes devront obligatoirement être payés à un certain moment, la déclaration n'a pas d'importance aux fins du calcul du résultat de base par action. Il faut soustraire les dividendes prescrits du résultat net de chaque exercice (5 000 $ en 20X0 et en 20X1) et non les dividendes totaux déclarés au cours d'un exercice donné (10 000 $ en 20X1). En effet, les dividendes prescrits représentent la quote-part du résultat net d'un exercice donné qui ne peut être distribuée aux porteurs d'actions ordinaires.
2. On ne déduit que les dividendes déclarés sur les actions préférentielles à dividende non cumulatif, car seuls ces dividendes ont été attribués aux détenteurs y ayant droit.
3. Dans le calcul du résultat de base par action, on ne tient pas compte du montant total des dividendes déclarés en 20X1 (50 000 $). Seuls les dividendes attribuables aux porteurs d'actions préférentielles sont pris en considération. Au cours de 20X0 et de 20X1, le résultat de base par action total a été de 4,08 $ (1,90 $ + 2,18 $), alors que les porteurs d'actions ordinaires ont reçu seulement 0,58 $ (29 000 $ ÷ 50 000 actions). C'est donc dire qu'un résultat par action résiduel de 3,50 $ (4,08 $ – 0,58 $) a été réinvesti dans la société. Cela confirme, une fois de plus, que le montant du résultat net figurant dans l'état du résultat global ne correspond pas nécessairement au montant distribué en dividendes ni même au montant distribuable aux porteurs d'actions ordinaires.

22

Différence NCECF

Avez-vous remarqué ?

Le résultat net utilisé à titre de numérateur dans le calcul du RBPA correspond uniquement à la portion du résultat net à laquelle les porteurs d'actions ordinaires ont droit, sans égard au fait que cette portion du résultat net a été ou non distribuée à titre de dividendes.

La détermination du nombre moyen pondéré d'actions ordinaires en circulation

Différence NCECF

Jusqu'à présent, nous avons délibérément tenu pour acquis que le nombre d'actions ordinaires en circulation demeure constant. Qu'en est-il lorsque le nombre d'actions en circulation varie au cours de l'exercice et d'un exercice à l'autre ? Dans ce cas, le calcul du résultat de base par action doit être fondé sur la moyenne pondérée du nombre d'actions ordinaires en circulation.

Le **nombre moyen pondéré d'actions** correspond à la moyenne arithmétique des actions ordinaires en circulation au cours de l'exercice. L'IASB explique ainsi les composantes du calcul de la **moyenne pondérée des actions** :

> [...] Le nombre moyen pondéré d'actions ordinaires en circulation au cours de la période est le nombre d'actions ordinaires en circulation au début de la période, ajusté du nombre d'actions ordinaires remboursées ou émises au cours de la période, multiplié par un facteur de pondération en fonction du temps. Ce facteur de pondération est égal au nombre de jours où les actions sont en circulation par rapport au nombre total de jours de la période ; dans de nombreux cas, une approximation raisonnable de la moyenne pondérée est adéquate[6].

La date à compter de laquelle les actions sont incluses dans le nombre moyen pondéré d'actions correspond généralement à la date à laquelle la créance prend naissance, ce qui correspond généralement à la date d'émission. Les exemples suivants, formulés par l'IASB, concernent la date à laquelle les actions doivent être incluses dans le nombre moyen pondéré d'actions :

(a) les actions ordinaires émises en contrepartie de trésorerie sont incluses lorsque la trésorerie est exigible ;

(b) les actions ordinaires émises lors du réinvestissement volontaire des dividendes d'actions ordinaires ou préférentielles sont incluses lorsque les dividendes sont réinvestis ;

(c) les actions ordinaires résultant de la conversion d'un instrument d'emprunt en actions ordinaires sont incluses à compter de la date à laquelle l'intérêt cesse de courir ;

(d) les actions ordinaires émises en remplacement de l'intérêt ou du principal sur d'autres instruments financiers sont incluses à compter de la date à laquelle l'intérêt cesse de courir ;

(e) les actions ordinaires émises en échange du règlement d'un passif de l'entité sont incluses à compter de la date du règlement ;

(f) les actions ordinaires émises en contrepartie de l'acquisition d'un actif autre que de la trésorerie sont incluses à compter de la date de comptabilisation de l'acquisition ; et

(g) les actions ordinaires émises pour des services rendus à l'entité sont incluses lorsque ces services sont rendus[7].

Différence NCECF

Les événements ayant une incidence sur le nombre moyen pondéré d'actions ordinaires en circulation

Différence NCECF

Puisque plusieurs événements peuvent modifier le nombre d'actions ordinaires en circulation, nous traitons de cette question dans une sous-section distincte. Ainsi, nous présenterons plusieurs exemples de calcul de la moyenne pondérée du nombre d'actions ordinaires en circulation.

6. *Manuel de CPA Canada – Comptabilité – Partie I*, IAS 33, paragr. 20.
7. *Manuel de CPA Canada – Comptabilité – Partie I*, IAS 33, paragr. 21.

L'émission d'actions ordinaires en contrepartie de trésorerie

La situation la plus fréquente concerne certes l'émission d'actions ordinaires au comptant.

EXEMPLE

Émission d'actions ordinaires au comptant

À cet effet, reprenons l'exemple de la société Simplet ltée (SL) dont l'exercice financier se termine le 31 décembre (*voir la page 22.7*). Supposons, cette fois, que la société réalise un résultat net de 460 000 $ en 20X2 et qu'elle procède à deux **émissions d'actions** ordinaires au cours de cet exercice, soit 4 000 actions le 1er avril et 2 400 actions le 1er décembre. Voici le calcul du résultat de base par action :

	20X2	20X1
Résultat net attribuable aux porteurs d'actions ordinaires		
Résultat net	460 000 $	400 000 $
Nombre moyen pondéré d'actions ordinaires en circulation [8]		
Nombre initial d'actions ordinaires en circulation	100 000	100 000
Pondération relative aux émissions survenues en 20X2		
Émission du 1er avril 20X2 (4 000 actions × 9 mois ÷ 12 mois)	3 000	
Émission du 1er décembre 20X2 (2 400 actions × 1 mois ÷ 12 mois)	200	
Nombre moyen pondéré d'actions en circulation	103 200	100 000
Résultat de base par action	4,46 $	4,00 $

On constatera que la pondération relative aux émissions d'actions permet de tenir compte uniquement du nombre de mois au cours desquels les actions ont effectivement été en circulation. C'est d'ailleurs au cours de cette période que la trésorerie reçue a pu être utilisée pour générer le résultat net. Cette façon de faire assure donc une cohérence dans la façon de calculer le numérateur et le dénominateur du ratio. Signalons que le nombre moyen pondéré d'actions ordinaires en circulation de 103 200 actions en 20X2 ne sert qu'aux fins du calcul du résultat de base par action. En effet, un bref regard à la section des capitaux propres de l'état de la situation financière établi au 31 décembre 20X2 révèle que 106 400 actions ordinaires de SL sont en circulation à cette date.

Avez-vous remarqué ?

Lorsque le nombre d'actions ordinaires en circulation à la date de clôture ne correspond pas au nombre d'actions en circulation au début de l'exercice, le dénominateur utilisé dans le calcul du RBPA ne correspond pas nécessairement au nombre d'actions en circulation à la date de clôture.

Les changements du nombre d'actions sans changement correspondant des ressources

Dans le chapitre 15, nous avons affirmé qu'un **dividende en actions** accordé à des actionnaires et un **fractionnement** ou un **fractionnement inversé (regroupement)** d'actions ordinaires ont un point en commun : ces événements ne modifient pas le pourcentage de participation. Il s'agit en fait d'événements qui, tout en contribuant à modifier le nombre d'actions ordinaires en circulation, n'entraînent aucune augmentation ou diminution des ressources de l'entreprise. En effet, seul le nombre d'actions en circulation varie. Voici la recommandation de l'IASB à l'égard de ces événements :

> Le nombre moyen pondéré d'actions ordinaires en circulation au cours de la période et pendant toutes les périodes présentées doit être ajusté pour tenir compte d'événements, autres que la conversion d'actions ordinaires potentielles, qui ont changé le nombre d'actions ordinaires en circulation sans changement correspondant des ressources.

22

8. D'un point de vue strictement mathématique, il existe plusieurs façons de déterminer le nombre moyen pondéré d'actions ordinaires en circulation. La procédure décrite dans le présent chapitre offre l'avantage de réduire le risque d'erreur lorsque plusieurs événements se produisent au cours d'un même exercice.

> [...] Si ces changements interviennent après la date de clôture mais avant la date d'autorisation de publication des états financiers, les calculs par action pour la période concernée et les périodes précédentes présentées doivent être faits sur la base du nouveau nombre d'actions [...][9].

Lorsque l'investisseur analysera les états financiers après leur publication, il aura déjà en main le nouveau nombre d'actions découlant d'opérations comme un fractionnement d'actions, un dividende en actions ou un regroupement d'actions. Il est donc important de tenir compte de telles opérations jusqu'à la date de publication des états financiers pour fournir une information utile à l'investisseur. De plus, puisque ce sont les mêmes actionnaires qui détiennent individuellement le même pourcentage de participation, il faut faire en sorte que les résultats par action soient comparables d'un exercice à l'autre afin d'en assurer l'utilité. C'est pour cette raison que l'IASB recommande de donner un effet rétrospectif à ces événements comme s'ils étaient survenus au début de l'exercice le plus ancien pour lequel les résultats sont présentés dans les états financiers.

EXEMPLE

Dividende en actions et fractionnement d'actions

La société Div-Frac ltée (DFL) réalise en 20X1 un résultat net de 400 000 $, soit une augmentation de 25 000 $ par rapport à l'exercice précédent. La société ne possède qu'une seule catégorie d'actions, et le nombre d'actions ordinaires en circulation, qui est de 100 000 au 1er janvier 20X0, varie à la suite des événements suivants :

1. Le 29 mai 20X0, la société émet 6 000 actions ordinaires.
2. Le 1er février 20X1, la société déclare un dividende en actions de 10 %.
3. Le 15 janvier 20X2, avant la date d'autorisation de publication des états financiers, la société procède à un fractionnement d'actions de 4 pour 1.

Voici le calcul du résultat de base par action pour les exercices terminés le 31 décembre 20X0 et 20X1 :

	20X1	*20X0*
Résultat net attribuable aux porteurs d'actions ordinaires		
Résultat net	*400 000 $*	*375 000 $*
Nombre moyen pondéré d'actions ordinaires en circulation		
Nombre initial d'actions en circulation au 1er janvier 20X0	*100 000*	*100 000*
Pondération relative à l'émission du 29 mai 20X0		
20X0 (6 000 actions × 7 mois ÷ 12 mois)		*3 500*
20X1	*6 000*	
Nombre moyen pondéré avant les changements rétrospectifs	*106 000*	*103 500*
Pondération relative au dividende en actions de 10 % déclaré en 20X1		
20X0 (103 500 actions × 10 %)		*10 350*
20X1 (106 000 actions × 10 %)	*10 600*	
Nombre moyen pondéré après le dividende en actions	*116 600*	*113 850*
Pondération relative au fractionnement d'actions	*× 4*	*× 4*
Nombre moyen pondéré d'actions en circulation	*466 400*	*455 400*
Résultat de base par action	*0,86 $*	*0,82 $*

Le lecteur a sans doute constaté que l'effet des événements ayant une application rétrospective est toujours calculé sur une moyenne pondérée. Cette façon de faire permet une comparaison parfaite d'un exercice à l'autre. En effet, dans les états financiers présentés en 20X0, le résultat de base par action est de 3,62 $, soit 375 000 $ divisés par 103 500 actions ordinaires. Si ce résultat par action n'était pas recalculé de façon rétrospective pour tenir compte du dividende en actions et du fractionnement, il ne serait tout simplement plus comparable avec le résultat par action de 20X1. Le lecteur a également constaté que l'effet du fractionnement d'actions survenu le 15 janvier 20X2 est considéré dans les calculs puisque cette opération est survenue avant la date d'autorisation de publication des états financiers de 20X1.

9. *Manuel de CPA Canada – Comptabilité – Partie I*, IAS 33, paragr. 26 et 64.

La distribution d'un dividende en actions à des porteurs d'actions préférentielles

Contrairement à la situation précédente, l'émission d'actions ordinaires à la suite de la distribution d'un **dividende** en actions à des porteurs d'actions préférentielles entraîne une modification du pourcentage de participation des porteurs d'actions ordinaires. Dans le calcul du résultat de base par action, il faut prendre en considération que les nouvelles actions ordinaires sont en circulation à partir de la date de leur émission.

EXEMPLE

Dividende en actions ordinaires à des porteurs d'actions préférentielles

Le capital social de la société Pluri-Actions ltée (PAL) comprend depuis plusieurs années les titres suivants :

- 1 000 actions préférentielles sans valeur nominale à dividende non cumulatif de 1 $;
- 100 000 actions ordinaires sans valeur nominale.

Supposons que PAL ait réalisé un résultat net de 400 000 $ en 20X1 et de 375 000 $ en 20X0. La société n'a pas déclaré de dividende en 20X0 mais, en 20X1, elle a émis, à titre de dividende, 12 000 actions ordinaires (la cote boursière étant de 2,75 $ par action à la date de l'émission, soit le 1er août) en faveur des porteurs d'actions préférentielles. Voici le calcul du résultat de base par action :

	20X1	*20X0*
Résultat net attribuable aux porteurs d'actions ordinaires		
Résultat net	*400 000 $*	*375 000 $*
Moins : Dividendes sur actions préférentielles (12 000 actions × 2,75 $)	*(33 000)*	
Résultat net attribuable aux porteurs d'actions ordinaires	*367 000 $*	*375 000 $*
Nombre moyen pondéré d'actions ordinaires en circulation		
Nombre initial d'actions ordinaires en circulation	*100 000*	*100 000*
Pondération relative au dividende en actions ordinaires sur actions préférentielles déclaré et émis le 1er août 20X1 (12 000 actions × 5 mois ÷ 12 mois)	*5 000*	
Nombre moyen pondéré d'actions en circulation	*105 000*	*100 000*
Résultat de base par action	*3,50 $*	*3,75 $*

La seule difficulté de ce calcul réside dans le fait qu'il faut retrancher la valeur du dividende en actions (33 000 $) du résultat net figurant dans l'état du résultat global afin de déterminer le montant attribuable aux porteurs d'actions ordinaires.

La conversion de dettes ou d'actions préférentielles en actions ordinaires

Si des actions ordinaires sont émises lors de la **conversion d'actions préférentielles ou de dettes**, la fraction servant au calcul du résultat de base par action doit être composée des deux éléments suivants : 1) au numérateur, le résultat net en tenant compte des intérêts et des dividendes payables jusqu'au moment où la conversion a lieu ; 2) au dénominateur, le nombre moyen pondéré d'actions en circulation durant l'exercice en prenant en considération que l'émission d'actions a eu lieu à la date de la conversion.

EXEMPLE

Émission d'actions ordinaires lors de la conversion de dettes ou d'actions préférentielles

Voici les données relatives à la société Conversion ltée (CL) :

	20X5	*20X4*
Résultat net attribuable aux porteurs d'actions ordinaires		
Résultat net	*4 000 000 $*	*3 750 000 $*
Nombre d'actions en circulation au 31 décembre		
Actions ordinaires	*1 075 000*	*1 000 000*
Actions préférentielles	*2 500*	*10 000*

22

Il a été possible d'obtenir quelques renseignements complémentaires au sujet de CL :

1. Les actions préférentielles ont été émises en 20X3 à leur valeur nominale de 100 $ chacune. Le dividende est non cumulatif au taux de 10 %. De plus, les actions sont convertibles à raison de 10 actions ordinaires sans valeur nominale pour une action préférentielle.
2. Le 31 janvier 20X5, la société a déclaré et payé des dividendes totalisant 2 500 000 $, dont 100 000 $ aux porteurs d'actions préférentielles. Aucun dividende n'a été déclaré en 20X4.
3. Le 15 mai 20X5, 7 500 actions préférentielles ont été converties.

Voici le calcul du résultat de base par action :

	20X5	*20X4*
Résultat net attribuable aux porteurs d'actions ordinaires		
Résultat net	*4 000 000 $*	*3 750 000 $*
Moins : Dividendes sur actions préférentielles à dividende non cumulatif (10 000 actions × 100 $ × 10 %)	*(100 000)*	
Résultat net attribuable aux porteurs d'actions ordinaires	*3 900 000 $*	*3 750 000 $*
Nombre moyen pondéré d'actions ordinaires en circulation		
Nombre initial d'actions ordinaires en circulation	*1 000 000*	*1 000 000*
Pondération relative à la conversion du 15 mai 20X5 (7 500 actions converties × 10 actions × 7,5 mois ÷ 12 mois)	*46 875*	
Nombre moyen pondéré d'actions en circulation	*1 046 875*	*1 000 000*
Résultat de base par action	*3,73 $*	*3,75 $*

L'exemple précédent portait sur des actions préférentielles convertibles. Dans le cas des obligations converties, le nombre moyen pondéré d'actions en circulation durant l'exercice est aussi calculé en tenant compte du fait que l'émission des actions en cause a eu lieu à la date de conversion. Cette date correspond à la date à laquelle les intérêts sur l'obligation cessent de courir. Toutefois, certaines remarques s'imposent dans le cas des obligations converties :

1. Contrairement aux dividendes, les intérêts afférents aux obligations s'accumulent au fil du temps. Cela signifie que si, par exemple, les obligations ont été converties le 31 mai alors que le dernier paiement d'intérêts a eu lieu le 31 mars, les obligataires subissent une perte d'intérêts. En effet, ils renoncent aux intérêts courus entre le 31 mars et le 31 mai[10].
2. Certains pourraient mettre en doute la pertinence pour un obligataire de convertir une obligation entre deux dates de paiement des intérêts. Mentionnons simplement que la perspective de bénéficier de l'accroissement de valeur de l'action ordinaire peut compenser la perte d'intérêts.

L'émission d'actions en contrepartie de l'acquisition d'un actif autre que de la trésorerie

Lorsqu'une entreprise émet des actions ordinaires en contrepartie de l'acquisition d'un actif autre que de la trésorerie, les actions émises sont prises en considération dans le calcul de la moyenne pondérée des actions à compter de la date de la comptabilisation de l'actif en cause.

10. Il est possible que l'acte de fiducie relatif à l'émission des obligations prévoie que, lors de la conversion, l'obligataire doive recevoir les intérêts courus. L'acte de fiducie peut aussi préciser que la conversion ne peut se faire qu'à une date de paiement des intérêts. Enfin, en pratique, certaines entreprises versent les intérêts courus sur une base purement volontaire.

EXEMPLE

Émission d'actions ordinaires lors de l'acquisition d'un actif

La société L'Expansion ltée (LEL) commande, le 12 octobre 20X8, de la machinerie qui doit lui être livrée le 1er novembre 20X8. Le contrat signé entre LEL et le vendeur prévoit que LEL réglera le montant de la facture en émettant 1 800 actions ordinaires. La société a 90 000 actions ordinaires en circulation depuis 20X6. Elle a réalisé un résultat net de 450 000 $ et 500 000 $ respectivement en 20X7 et 20X8. Voici le calcul du résultat de base par action :

	20X8	*20X7*
Résultat net attribuable aux porteurs d'actions ordinaires		
Résultat net	*500 000 $*	*450 000 $*
Nombre moyen pondéré d'actions ordinaires en circulation		
Nombre initial d'actions ordinaires en circulation	*90 000*	*90 000*
Pondération relative à l'émission survenue le 1er novembre 20X8 (1 800 actions × 2 mois ÷ 12 mois)	*300*	
Nombre moyen pondéré d'actions en circulation	*90 300*	*90 000*
Résultat de base par action	*5,54 $*	*5,00 $*

On peut constater dans cet exemple que les actions émises en contrepartie du règlement de l'achat de la machinerie sont prises en compte dans le calcul de la moyenne pondérée des actions à compter de la date à laquelle l'actif doit être comptabilisé, soit au moment de la livraison le 1er novembre 20X8.

Le rachat d'actions ordinaires

La procédure à suivre dans le cas d'un **rachat d'actions** ordinaires est similaire à celle que l'on vient de décrire, puisque lorsqu'une entreprise acquiert ses propres actions, celles-ci cessent d'être considérées comme étant en circulation aux fins du calcul du résultat par action.

EXEMPLE

Rachat d'actions ordinaires

Reprenons les données de Simplet ltée (SL) (*voir la page 22.7 pour le nombre d'actions ordinaires au début de l'exercice et la page 22.11 pour les autres données*) en y ajoutant les deux opérations suivantes :

1. Le 1er mars 20X1, SL a racheté 1 500 actions ordinaires qu'elle a revendues[11] le 31 mai 20X1.
2. Le 1er septembre 20X2, la société a racheté 900 actions ordinaires qu'elle a annulées le 30 novembre 20X2.

Voici le calcul du résultat de base par action :

	20X2	*20X1*
Résultat net attribuable aux porteurs d'actions ordinaires		
Résultat net	*460 000 $*	*400 000 $*
Nombre moyen pondéré d'actions ordinaires en circulation		
Nombre initial d'actions ordinaires en circulation	*100 000*	*100 000*
Pondération relative au rachat d'actions survenu le 1er mars 20X1 et retirées de la circulation pendant trois mois seulement (du 1er mars au 31 mai) (1 500 actions × 3 mois ÷ 12 mois)		*(375)*
Pondération relative aux émissions survenues en 20X2		
Émission du 1er avril 20X2 (4 000 actions × 9 mois ÷ 12 mois)	*3 000*	
Émission du 1er décembre 20X2 (2 400 actions × 1 mois ÷ 12 mois)	*200*	
Pondération relative au rachat d'actions survenu le 1er septembre 20X2 et retirées de la circulation le reste de l'année (900 actions × 4 mois ÷ 12 mois)	*(300)*	
Nombre moyen pondéré d'actions en circulation	*102 900*	*99 625*
Résultat de base par action	*4,47 $*	*4,02 $*

11. Nous avons vu dans le chapitre 14 qu'il est rare qu'une entreprise puisse revendre ses propres actions. Afin d'illustrer la démarche à suivre en pareil cas, nous supposons tout de même que la revente est permise.

22

Les actions dont l'émission est conditionnelle

Selon l'IASB, les actions qui peuvent être émises en échange d'une contrepartie en trésorerie faible ou nulle, ou d'une autre contrepartie lorsque sont remplies certaines conditions précisées dans un contrat conditionnel relatif à des actions, constituent des **actions dont l'émission est conditionnelle**. L'IASB formule la recommandation suivante à propos de ces actions :

> Des actions dont l'émission est conditionnelle ne sont traitées comme étant en circulation et ne sont incluses dans le calcul du résultat de base par action qu'à compter de la date à laquelle toutes les conditions nécessaires sont remplies (c'est-à-dire à laquelle les événements sont survenus). Les actions dont l'émission n'est faite qu'après l'écoulement du temps ne sont pas des actions à émission conditionnelle, du fait que le passage du temps est une certitude. Les actions qui ne peuvent être émises qu'après l'écoulement d'un certain délai ne sont pas des actions dont l'émission est conditionnelle, parce que l'écoulement d'un délai est une certitude[12].

EXEMPLE

Émission conditionnelle d'actions ordinaires

La société Belle opportunitay ltée (BOL) a 100 000 actions ordinaires en circulation le 1er janvier 20X5. Les conditions d'un accord d'émission conditionnelle d'actions conclu dans le cadre de la récente acquisition d'une nouvelle chaîne de magasins prévoient les avantages suivants pour certains actionnaires de BOL :

1. 500 actions ordinaires supplémentaires pour chaque nouveau point de vente au détail ouvert au cours des exercices 20X5 et 20X6 ;
2. 10 actions ordinaires supplémentaires pour chaque tranche de 1 000 $ du résultat net excédant 500 000 $ pour les exercices terminés le 31 décembre 20X5 et le 31 décembre 20X6.

Afin de calculer le résultat de base par action, on utilise les données suivantes relatives aux opérations de BOL :

1. Le résultat net réalisé par la société est de 560 000 $ en 20X5 et de 700 000 $ en 20X6.
2. La société a ouvert trois nouveaux points de vente au détail, soit le 1er avril 20X5, le 1er octobre 20X5 et le 30 juin 20X6.

Voici le calcul du résultat de base par action :

	20X6	*20X5*
Résultat net attribuable aux porteurs d'actions ordinaires		
Résultat net	*700 000 $*	*560 000 $*
Nombre moyen pondéré d'actions ordinaires en circulation		
Nombre initial d'actions ordinaires en circulation au 1er janvier 20X5	*100 000*	*100 000*
Pondération relative à l'émission conditionnelle d'actions		
Émission éventuelle – Points de vente		
Ouvert le 1er avril 20X5		
20X5 (500 actions × 9 mois ÷ 12 mois)		*375*
20X6	*500*	
Ouvert le 1er octobre 20X5		
20X5 (500 actions × 3 mois ÷ 12 mois)		*125*
20X6	*500*	
Ouvert le 30 juin 20X6 (500 actions × 6 mois ÷ 12 mois)	*250*	

22

12. *Manuel de CPA Canada – Comptabilité – Partie I*, IAS 33, paragr. 24.

Émission éventuelle – Résultat net		
Résultat net de 20X5		
20X5		*θ*
20X6 $\frac{[(560\,000\ \$ - 500\,000\ \$) \times 10 \text{ actions}]}{1\,000\ \$}$	*600*	
Résultat net de 20X6	*θ*	
Nombre moyen pondéré d'actions en circulation	*101 850*	*100 500*
Résultat de base par action	*6,87 $*	*5,57 $*

Le lecteur a sans doute constaté que l'émission éventuelle liée au résultat n'a aucune incidence sur le résultat de base par action. En effet, on ne peut être certain que la condition sera remplie avant la fin de l'exercice. La condition liée au résultat net est remplie le dernier jour de chacun des exercices. L'effet d'une journée est donc négligeable en ce qui concerne le calcul du dénominateur.

Précisons enfin que les actions ordinaires qui sont émises lors de la conversion d'un **titre obligatoirement convertible** ne sont pas considérées comme des actions dont l'émission est conditionnelle puisque leur éventuelle émission est certaine. Par conséquent, ces actions doivent être « [...] incluses dans le calcul du résultat de base par action à compter de la date de la conclusion du contrat[13] ».

L'application rétrospective d'une modification comptable

Le dernier événement qui a une incidence sur le calcul du résultat de base par action concerne le traitement rétrospectif d'une modification comptable. Selon la recommandation de l'IASB, si les montants du résultat net de l'exercice précédent ont dû être recalculés à la suite de l'application rétrospective d'un changement de méthode comptable ou d'une correction d'erreur comptabilisée pendant l'exercice courant, les montants du résultat de base par action de tous les exercices présentés doivent être ajustés. De plus, le montant de l'ajustement doit être présenté pour l'exercice en cours et tous les exercices antérieurs présentés[14]. Ces informations ne doivent cependant être présentées que dans les états financiers de l'exercice où l'ajustement est effectué. Compte tenu de l'application rétrospective, cette exigence est tout à fait légitime si l'on veut préserver la comparabilité des états financiers.

Le cas des titres participatifs de capitaux propres

Différence NCECF

Nous avons appris dans le chapitre 14 que certaines actions préférentielles peuvent donner le droit de participer à la distribution des résultats « résiduels » de l'entreprise tout comme c'est le cas des actions ordinaires. De telles actions préférentielles sont désignées comme étant entièrement ou partiellement participantes selon qu'elles participent pleinement ou non au partage des résultats résiduels de l'entreprise.

Lorsque des **titres participatifs de capitaux propres** sont en circulation, l'IASB recommande de calculer le résultat par action pour chaque catégorie d'actions et de titres participatifs de capitaux propres qui disposent de droits différents. Ce mode de répartition du résultat net permet de déterminer un résultat par action pour chaque catégorie d'actions et de titres participatifs en fonction des dividendes déclarés (ou cumulés) et des privilèges de participation au résultat non distribué. L'IASB décrit le fonctionnement de ce calcul, ainsi qu'il est présenté dans le tableau 22.1.

13. *Manuel de CPA Canada – Comptabilité – Partie I*, IAS 33, paragr. 23.
14. *Manuel de CPA Canada – Comptabilité – Partie I*, IAS 33, paragr. 64.

TABLEAU 22.1 Le résultat par action des titres participatifs

***Normes internationales d'information financière,* IAS 33**	**Commentaires**
Paragr. A14(a) *Le résultat net attribuable aux porteurs d'actions ordinaires […] est ajusté (réduit dans le cas d'un bénéfice et augmenté dans le cas d'une perte) du montant des dividendes déclarés pendant la période pour chaque catégorie d'actions et par le montant contractuel des dividendes (ou d'intérêts sur les obligations participatives) qui doit être payé pour la période (par exemple des dividendes cumulatifs impayés) ;*	Le résultat net appartient aux porteurs d'actions ordinaires, dans la mesure où les autres catégories d'actions ou de titres participatifs ne donnent pas droit à une participation dans le résultat net. Lorsque d'autres actions ou titres participatifs sont assortis d'un droit au partage du résultat net, le résultat net de l'exercice est ajusté pour tenir compte des droits de chaque catégorie d'actionnaires dans le partage du résultat net, et ce, dans le but d'établir le résultat par action pour chaque groupe.
Paragr. A14(b) *Le résultat net restant est attribué aux actions ordinaires et aux instruments participatifs de capitaux propres dans la mesure où chaque instrument participe au résultat comme si tout le résultat net de la période avait été distribué. Le résultat net total attribué à chaque catégorie de capitaux propres est déterminé en additionnant le montant alloué pour les dividendes et le montant alloué pour une caractéristique participative ;*	La répartition du résultat net entre les différents groupes d'actionnaires et de détenteurs de titres participatifs s'effectue en tenant compte de l'hypothèse de la distribution complète du résultat net de l'exercice et en respectant les droits et les privilèges de chacun.
Paragr. A14(c) *Le montant total du résultat net attribué à chaque catégorie d'instruments de capitaux propres est divisé par le nombre d'instruments en circulation auxquels le résultat est alloué pour déterminer le résultat par action pour l'instrument.*	Lorsque le montant du résultat net de l'exercice attribuable à chaque groupe d'actionnaires et de détenteurs de titres participatifs est connu, il suffit de le diviser en fonction du nombre d'actions ou de titres participatifs en circulation dans chacune des catégories pour obtenir le résultat de base par action attribuable à chaque catégorie d'actions et de titres participatifs.

EXEMPLE

Plusieurs catégories de titres participatifs

La société Participante ltée (PL) a décidé de verser des dividendes globaux de 300 000 $ au cours des deux derniers exercices, après avoir réalisé respectivement des résultats nets de 450 000 $ et de 500 000 $ en 20X5 et 20X6. Le grand livre renferme les comptes suivants depuis plusieurs années :

Nombre d'actions émises	*Description du titre de participation*	*Solde du compte de capital social*
40 000	*actions préférentielles de catégorie A sans valeur nominale, à dividende cumulatif de 2,50 $ par action*	*1 000 000 $*
20 000	*actions préférentielles de catégorie B ayant chacune une valeur nominale de 10 $, à dividende non cumulatif de 9 % et pleinement participatives après que les porteurs d'actions ordinaires ont touché un rendement équivalant à 9 % du capital qu'ils ont investi. Le solde à partager le sera au prorata du capital légal.*	*200 000*
300 000	*actions ordinaires sans valeur nominale*	*1 500 000*

Voici les calculs permettant de déterminer le résultat de base par action :

	20X6	*20X5*
Résultat net attribuable aux détenteurs de titres participatifs		
Résultat net	*500 000 $*	*450 000 $*
Moins : Dividendes versés sur actions préférentielles de catégorie A (40 000 actions × 2,50 $)	*(100 000)*	*(100 000)*
Résultat net attribuable aux détenteurs de titres participatifs ①	*400 000 $*	*350 000 $*

Répartition du résultat net entre les deux catégories de titres participatifs ②

Dividendes versés		
Actions préférentielles de catégorie B pleinement participatives	*23 529 $*	*23 529 $*
Actions ordinaires	*176 471*	*176 471*
	200 000	*200 000*
Résultat non distribué		
Actions préférentielles de catégorie B pleinement participatives	*23 529*	*17 647*
Actions ordinaires	*176 471*	*132 353*
	200 000	*150 000*
Résultat net attribuable aux détenteurs de titres participatifs	*400 000 $*	*350 000 $*

	20X6		*20X5*	
	Actions préférentielles de catégorie B	*Actions ordinaires*	*Actions préférentielles de catégorie B*	*Actions ordinaires*
Résultat de base par action ③				
Résultat distribué	*1,18 $*	*0,59 $*	*1,18 $*	*0,59 $*
Résultat non distribué	*1,17*	*0,59*	*0,88*	*0,44*
Total	*2,35 $*	*1,18 $*	*2,06 $*	*1,03 $*

À noter que seul ce montant total du résultat par action sera présenté dans l'état du résultat global pour chaque catégorie d'actions.

Calculs et explications :

① À cette étape, il ne faut pas soustraire le dividende sur actions préférentielles de catégorie B pour la même raison que le dividende sur actions ordinaires n'est pas soustrait.

② Répartition du résultat net entre les deux catégories de titres participatifs :

	20X6		20X5	
	Actions préférentielles de catégorie B	Actions ordinaires	Actions préférentielles de catégorie B	Actions ordinaires
1. Dividendes versés				
Dividende non cumulatif de l'exercice (20 000 actions × 10 $ × 9 %)	18 000 $		18 000 $	
Rendement équivalent accordé aux porteurs d'actions ordinaires (1 500 000 $ × 9 %)		135 000 $		135 000 $
Partage du solde entre les deux catégories d'actions au prorata du capital légal investi par chacun*	5 529	41 471	5 529	41 471
Résultat distribué	23 529	176 471	23 529	176 471
2. Résultat non distribué				
Partage du solde du résultat net entre les deux catégories d'actions au prorata du capital légal investi par chacun**	23 529	176 471	17 647	132 353
Total par catégorie pour chaque exercice	47 058 $	352 942 $	41 176 $	308 824 $

* Solde à répartir de 47 000 $
(Dividendes globaux de 300 000 $ – 100 000 $ – 18 000 $ – 135 000 $)

Actions préférentielles de catégorie B [(200 000 $ ÷ 1 700 000 $) × 47 000 $]	5 529 $
Actions ordinaires [(1 500 000 $ ÷ 1 700 000 $) × 47 000 $]	41 471
	47 000 $

** 20X6 : Solde à répartir de 200 000 $
(Résultat net total de 500 000 $ – 100 000 $ – 18 000 $ – 135 000 $ – 47 000 $)

Actions préférentielles de catégorie B [(200 000 $ ÷ 1 700 000 $) × 200 000 $]	23 529 $
Actions ordinaires [(1 500 000 $ ÷ 1 700 000 $) × 200 000 $]	176 471
	200 000 $

20X5 : Solde à répartir de 150 000 $
(Résultat net total de 450 000 $ – 100 000 $ – 18 000 $ – 135 000 $ – 47 000 $)

Actions préférentielles de catégorie B [(200 000 $ ÷ 1 700 000 $) × 150 000 $]	17 647 $
Actions ordinaires [(1 500 000 $ ÷ 1 700 000 $) × 150 000 $]	132 353
	150 000 $

③ Répartition du résultat net entre les deux catégories de titres participatifs :

	20X6		20X5	
	Actions préférentielles de catégorie B	**Actions ordinaires**	**Actions préférentielles de catégorie B**	**Actions ordinaires**
Résultat net attribuable à chaque catégorie				
Résultat distribué	23 529 $	176 471 $	23 529 $	176 471 $
Résultat non distribué	23 529	176 471	17 647	132 353
Total	47 058 $	352 942 $	41 176 $	308 824 $
Nombre moyen pondéré d'actions en circulation	20 000	300 000	20 000	300 000
Résultat de base par action				
Résultat distribué	1,18 $	0,59 $	1,18 $	0,59 $
Résultat non distribué	1,17	0,59	0,88	0,44
Total	2,35 $	1,18 $	2,06 $	1,03 $

Ces calculs sont certes plus longs, mais ils sont grandement facilités par la mise en application des règles de répartition des dividendes étudiées dans le chapitre 15. La seule différence significative en ce qui a trait au calcul du résultat de base par action est que, dans le cas des actions préférentielles à dividende cumulatif, on doit tenir compte des dividendes prescrits, qu'il ait été déclarés ou non.

Cet exemple met en lumière le fait que, lorsque l'appellation « actions ordinaires » est utilisée dans l'IAS 33, elle fait référence aux actions pleinement participatives. Cependant, il est possible que certains titres participatifs de capitaux propres aient un droit prioritaire aux dividendes avant que le solde disponible ne soit distribué à l'ensemble des actionnaires participant pleinement au résultat net.

Avez-vous remarqué ?

Lorsque des actions préférentielles sont assorties d'un droit de participer pleinement ou partiellement au partage du résultat résiduel de l'entreprise, le résultat par action doit être calculé pour chaque catégorie de titres qui disposent de droits différents.

Différence NCECF

Le résultat dilué par action

Différence NCECF

En plus du résultat de base par action, l'IASB exige la présentation du **résultat dilué par action**. Cette statistique permet de montrer l'impact sur le résultat de base par action de la présence de titres en circulation dont la conversion aurait pour effet de réduire la portion du résultat net attribuable aux porteurs d'actions ordinaires. Tout comme pour le résultat de base par action, les normes précisent les règles de calcul de cette statistique, que nous étudierons après avoir traité des raisons d'être du résultat dilué par action.

La raison d'être du résultat dilué par action

Les utilisateurs de l'information financière accordent une grande importance aux montants du résultat par action. Comme nous l'avons déjà précisé, grâce à cette statistique, les utilisateurs tentent de prévoir le niveau du résultat de base par action et même le cours de l'action ordinaire en Bourse. Les montants du résultat de base par action reflètent uniquement l'effet des opérations qui ont effectivement eu lieu au cours de l'exercice financier. Toute prévision du résultat de base par action doit être établie en tenant compte du fait que le résultat de base par action d'un exercice donné peut diminuer en raison de la conversion éventuelle de titres de capitaux propres ou d'emprunt, de l'exercice éventuel de bons, de droits de souscription, ou d'options d'achat d'actions, et de l'émission d'autres actions à la suite de la réalisation de certaines conditions. Tous ces titres, qui sont considérés comme des **facteurs de dilution potentielle**, ont un point en commun : ils comportent la possibilité de l'émission potentielle de nouvelles actions ordinaires dont l'effet serait de réduire le pourcentage de participation des actionnaires actuels et possiblement le résultat de base par action.

L'objectif poursuivi par l'IASB lorsqu'il exige, à certaines conditions, la présentation des montants du résultat dilué par action est de montrer la réduction maximale qui aurait pu se produire si toutes les actions réservées à la conversion des titres de capitaux propres ou d'emprunt, à l'exercice des bons, des droits de souscription ou des options d'achat d'actions et à l'émission d'autres actions après avoir réuni certaines conditions avaient été émises. La présentation du résultat dilué par action, compte tenu des émissions réelles et potentielles, permet de rehausser la valeur prédictive du résultat de base par action, qui n'est fondé que sur les émissions réelles. Il serait bien sûr utopique de croire que tous les détenteurs de titres à effet dilutif exerceront effectivement leurs droits et leurs privilèges au cours d'un exercice ; par contre, la présentation du résultat dilué par action donne aux intéressés une idée de l'effet qu'aurait un tel événement.

Le calcul du résultat dilué par action prend donc en considération tous les **titres à potentiel dilutif**, c'est-à-dire tous les titres dont l'émission aura pour effet de réduire le résultat de base par action ou de hausser la perte par action. Ainsi, une action ordinaire potentielle a un **effet dilutif** sur le résultat par action lorsque son émission a pour effet de réduire le résultat par action ou d'augmenter la perte par action. À l'inverse, lorsqu'une action potentielle ne produit pas d'effet dilutif sur le résultat par action, elle est considérée comme **antidilutive** et ne doit pas être prise en compte dans le calcul du résultat dilué par action.

Différence NCECF

Les règles de calcul du résultat dilué par action

Différence NCECF

Le calcul du résultat dilué par action repose sur le montant du résultat net attribuable aux porteurs d'actions ordinaires et le nombre moyen pondéré d'actions en circulation utilisés dans le calcul du résultat de base par action. Ces valeurs sont ajustées pour tenir compte de l'impact de la conversion des titres à potentiel dilutif afin de montrer la dilution potentielle maximale du résultat par action.

22

La détermination du résultat net attribuable aux porteurs d'actions ordinaires

L'IASB formule plusieurs recommandations portant sur le calcul du résultat dilué par action. Le tableau 22.2 les énumère et fournit quelques commentaires.

TABLEAU 22.2 Les règles de calcul du résultat dilué par action

***Normes internationales d'information financière,* IAS 33**	**Commentaires**
Paragr. 30 *Une entité doit calculer le résultat dilué par action pour le résultat net attribuable aux porteurs d'actions ordinaires de l'entité mère et, s'il est présenté, pour le résultat net des activités poursuivies attribuable à ces mêmes porteurs d'instruments de capitaux propres.*	Lorsque l'entreprise présente des activités abandonnées, elle doit calculer deux montants de résultat dilué par action, soit : 1. le résultat net dilué par action ; 2. le résultat des activités poursuivies dilué par action.
Paragr. 31 *Pour le calcul du résultat dilué par action, une entité doit ajuster le résultat net attribuable aux actionnaires ordinaires de l'entité mère ainsi que le nombre moyen pondéré d'actions en circulation, des effets de toutes les actions ordinaires potentielles dilutives.*	Le résultat dilué par action est calculé en ajustant le résultat net attribuable aux détenteurs d'actions ordinaires de tout montant après impôts des dividendes et des intérêts comptabilisés au cours de l'exercice et qui sont liés aux titres dilutifs pris en considération dans le calcul du résultat dilué par action. De même, le nombre moyen pondéré d'actions en circulation doit être ajusté de manière à inclure les actions qui auraient été émises si les titres dilutifs avaient fait l'objet d'une conversion au début de l'exercice.
Paragr. 33 *Pour le calcul du résultat dilué par action, une entité doit ajuster le résultat net attribuable aux actionnaires ordinaires de l'entité mère, calculé conformément au paragraphe 12, à hauteur de l'effet après impôt :* *(a) de tout dividende ou autre élément au titre des actions ordinaires potentielles dilutives qui a été déduit pour obtenir le résultat net attribuable aux porteurs d'actions ordinaires de l'entité mère, calculé selon le paragraphe 12 ;* *(b) des intérêts comptabilisés au cours de la période au titre des actions ordinaires potentielles dilutives ; et* *(c) de tout autre changement dans les produits ou charges qui résulterait de la conversion des actions ordinaires potentielles dilutives.*	À partir du numérateur utilisé pour le calcul du résultat par action (dont traite le paragraphe 12), des ajustements sont apportés afin de considérer les produits et les charges liés aux éléments potentiels dilutifs qui ont été comptabilisés.
Paragr. 36 *Pour le calcul du résultat dilué par action, le nombre d'actions ordinaires doit être le nombre moyen pondéré d'actions ordinaires calculé* [… pour l'établissement du résultat de base par action]*, majoré du nombre moyen pondéré d'actions ordinaires qui seraient émises lors de la conversion en actions ordinaires de toutes les actions ordinaires potentielles dilutives. Il faut considérer que les actions ordinaires potentielles dilutives ont été converties en actions ordinaires au début de la période ou à la date d'émission des actions ordinaires potentielles si elle est ultérieure.*	Le dénominateur du résultat dilué par action comprend toutes les actions qui auraient été en circulation au cours de l'exercice si les titres convertibles avaient été convertis au début de celui-ci.
Paragr. 39 *Le nombre d'actions ordinaires qui seraient émises lors de la conversion d'actions ordinaires potentielles dilutives est déterminé à partir des caractéristiques des actions ordinaires potentielles. Lorsque plusieurs bases de conversion coexistent, le calcul retient le taux de conversion ou le prix d'exercice le plus avantageux du point de vue du porteur des actions ordinaires potentielles.*	Nous avons vu dans le chapitre 14 que, dans le cadre des plans de rémunération fondée sur des actions, les dirigeants peuvent parfois choisir entre un règlement en trésorerie ou un règlement en titres de capitaux propres. Pour le calcul du résultat dilué par action, chaque possibilité doit être analysée distinctement afin d'évaluer son effet dilutif ou non. Lorsque les deux possibilités ont un effet dilutif, celle qui produit la dilution maximale doit s'appliquer dans le calcul du résultat dilué par action.
Paragr. 41 *Les actions ordinaires potentielles doivent être traitées comme dilutives si, et seulement si, leur conversion en actions ordinaires avait pour effet de réduire le bénéfice par action ou d'augmenter la perte par action des activités poursuivies.*	L'objectif du résultat dilué par action est de présenter la réduction maximale du résultat par action. Lorsque les actions ordinaires potentielles sont antidilutives, elles ne sont pas prises en considération dans le calcul du résultat dilué par action. Une action ordinaire potentielle a un effet dilutif sur le résultat par action lorsque son émission a pour

TABLEAU 22.2 *(suite)*

	effet de réduire le bénéfice par action ou d'augmenter la perte par action des activités poursuivies. Ainsi, lorsqu'une action potentielle ne produit pas d'effet dilutif, elle est considérée comme antidilutive.
Paragr. 44 *Lorsqu'on détermine l'effet dilutif ou antidilutif des actions ordinaires potentielles, on considère séparément et non globalement chaque émission ou série d'actions ordinaires potentielles. La séquence selon laquelle sont prises en considération les actions ordinaires potentielles peut affecter leur caractère dilutif ou non. Dès lors, pour maximiser la dilution du résultat de base par action, chaque émission ou série d'actions ordinaires potentielles est considérée de manière séquentielle depuis la plus dilutive jusqu'à la moins dilutive* [...].	Dans le calcul du résultat dilué par action, il faut établir un ordre d'inclusion des actions ordinaires potentielles afin de présenter la réduction maximale du résultat de base par action. Nous consacrerons une section entière à ce sujet.

La figure 22.3 illustre et commente la façon de déterminer le résultat net attribuable aux porteurs d'actions ordinaires[15].

FIGURE 22.3 La détermination du résultat net utilisé dans le calcul du résultat dilué par action

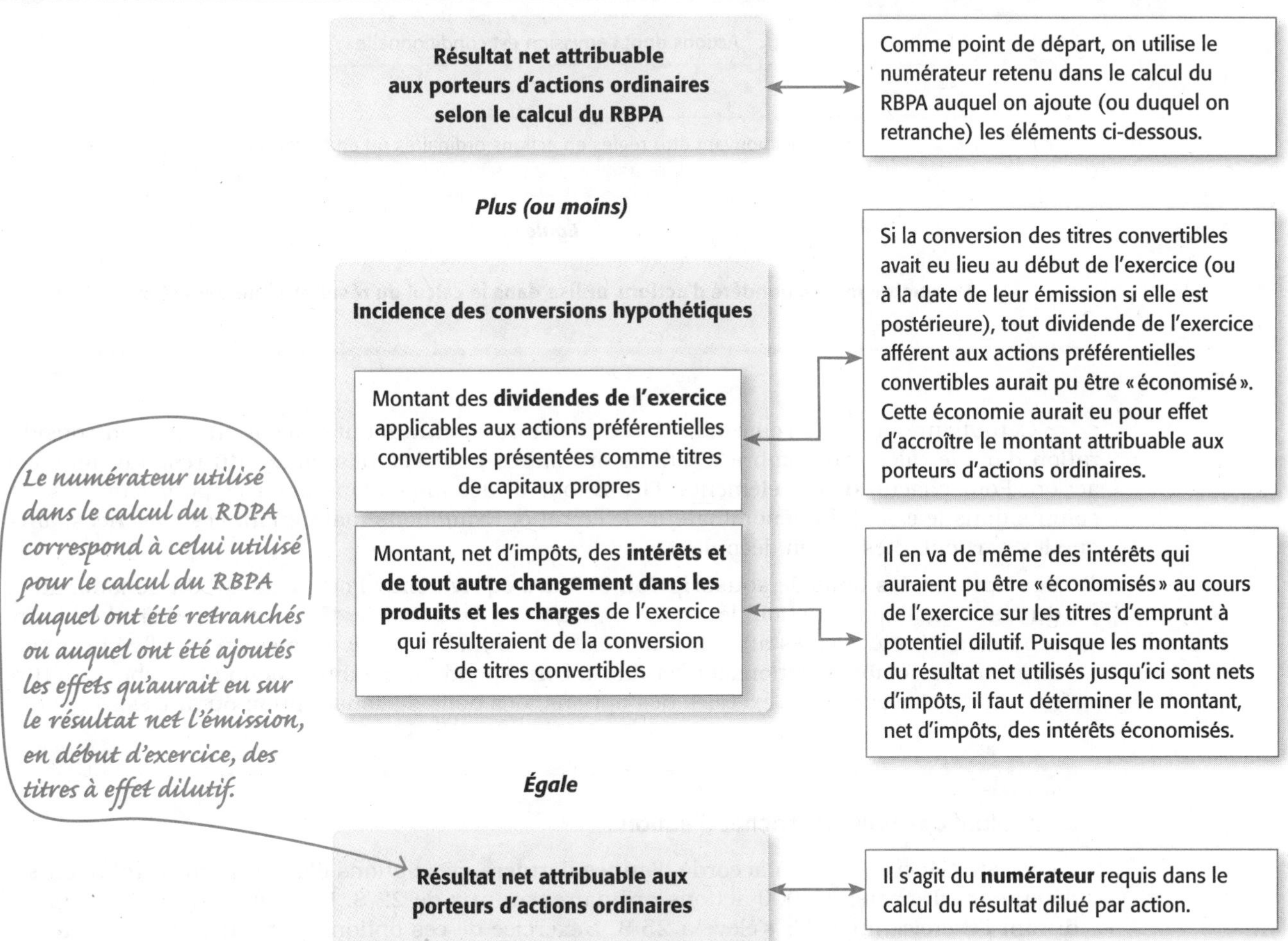

La détermination du nombre moyen pondéré d'actions ordinaires en circulation

L'objectif du résultat dilué par action est de montrer aux actionnaires l'effet des diminutions maximales du résultat de base par action. Le dénominateur du résultat dilué par action doit donc

15. La figure 22.3 illustre l'essentiel du contenu du paragraphe 33 de l'IAS 33.

inclure toutes les **actions ordinaires potentielles dilutives** auxquelles donnent droit les titres et contrats en circulation à la fin de l'exercice. La figure 22.4 illustre l'ensemble des éléments à inclure dans le dénominateur.

FIGURE 22.4 La détermination du nombre d'actions utilisé dans le calcul du résultat dilué par action

Le nombre moyen pondéré d'actions utilisé dans le calcul du RBPA

Plus

Les actions ordinaires dilutives potentielles auxquelles donnent droit les titres et contrats suivants :

Options, bons de souscription et leurs équivalents

Titres convertibles

Actions dont l'émission est conditionnelle

Contrats pouvant être réglés en actions ordinaires ou en trésorerie

Égale

Le nombre moyen pondéré d'actions utilisé dans le calcul du résultat dilué par action

Cette figure présente l'ensemble des titres et des contrats qui doivent être pris en considération dans le calcul du nombre d'actions ordinaires pour l'établissement du résultat dilué par action. Pour chacun de ces éléments, l'IASB fournit des indications précises pour leur prise en compte dans le calcul du dénominateur de ce ratio. Examinons maintenant ces exigences, ainsi que les particularités qui en découlent :

1. **Les options, les bons de souscription et leurs équivalents** Pour le calcul du dénominateur du résultat dilué par action, les **options**, les **bons de souscription** et leurs équivalents sont réputés avoir été exercés au début de l'exercice ou à leur date d'émission si celle-ci est postérieure. Le nombre d'actions à effet dilutif correspond au nombre d'actions attribuées à titre gratuit dans le cadre de l'exercice des options, des bons de souscription ou autres.

EXEMPLE

Effet dilutif des options d'achat d'actions

La société Généreuse ltée a accordé, l'année dernière, des options d'achat permettant à leurs détenteurs d'acheter 15 000 actions ordinaires au prix de 22 $. Le cours moyen de l'action durant l'exercice financier s'élève à 25 $. L'exercice de ces options permettra à leurs détenteurs de faire l'acquisition de 15 000 actions pour un montant de 330 000 $, alors que pour un même montant mais sans options, seulement 13 200 actions (330 000 $/25 $) auraient été émises. L'effet dilutif de l'existence des options est donc de 1 800 actions, soit la différence entre le nombre d'actions pouvant être obtenues à la suite de l'exercice des options et le nombre d'actions auquel donne droit un investissement similaire lorsque les actions sont acquises à leur valeur de marché. Nous y reviendrons un peu plus loin.

2. **Les titres convertibles** Pour le calcul du dénominateur du résultat dilué par action, les actions pouvant résulter de la conversion des **titres convertibles** sont réputées émises au début de l'exercice financier. Pour les titres convertibles effectivement convertis au cours de l'exercice, l'ajustement doit être apporté pour la période allant du début de l'exercice financier jusqu'à la date de conversion, puisque ces actions ont été prises en considération dans le calcul du dénominateur du résultat de base par action à compter de la date de leur conversion.

   Pour les titres convertibles émis au cours de l'exercice, le calcul du dénominateur du résultat dilué par action doit tenir compte des actions ordinaires auxquelles donnent droit ces titres uniquement depuis la date de leur émission. De même, lorsqu'un titre convertible a fait l'objet d'un rachat ou a été réglé pendant l'exercice, les actions potentielles dilutives sont prises en considération seulement pour la période pendant laquelle le titre convertible était en circulation.

3. **Les actions dont l'émission est conditionnelle** Certaines ententes prévoient l'émission d'actions lorsque certaines conditions sont réunies. Ainsi, dans le cadre de l'achat des actifs d'un concurrent, l'entente peut prévoir l'émission d'actions ordinaires supplémentaires à la suite de l'ouverture de nouveaux points de vente.

   Ces actions dont l'émission est conditionnelle sont incluses dans le calcul du résultat dilué par action uniquement si, à la fin de l'exercice financier, les conditions relatives à leur émission sont réunies. Elles sont alors réputées avoir été émises au début de l'exercice. Si les conditions d'émission ne sont pas réunies, « [...] le nombre d'actions dont l'émission est conditionnelle incluses dans le calcul du résultat dilué par action est basé sur le nombre d'actions qui seraient à émettre si la date de clôture de la période était la fin de la période d'éventualité[16] ».

4. **Les contrats pouvant être réglés en actions ordinaires ou en trésorerie** Les entreprises concluent parfois des ententes en vertu desquelles le règlement prévu peut s'effectuer par une remise en trésorerie ou une émission d'actions ordinaires. Le choix du règlement peut être laissé à la discrétion de l'émetteur (c'est-à-dire la partie qui doit régler la dette) ou du porteur (c'est-à-dire la partie qui doit recevoir le règlement). Pensons par exemple à un titre d'emprunt prévoyant que, à l'échéance, l'émetteur a le choix de rembourser les sommes empruntées en versant le montant requis de trésorerie ou en émettant ses propres actions ordinaires. Dans le calcul du résultat dilué par action, le traitement à accorder aux actions ordinaires potentielles liées à de telles ententes dépend du fait que le choix entre la remise de trésorerie et l'émission d'actions est entre les mains du porteur ou de l'émetteur. Lorsque le choix du règlement est laissé à la discrétion de l'émetteur, l'IASB indique que l'émetteur « [...] doit présumer que le contrat sera réglé en actions ordinaires, et le nombre correspondant d'actions ordinaires potentielles sera inclus dans le résultat dilué par action si leur effet est dilutif[17] ». Lorsque le choix est plutôt entre les mains du porteur, la méthode de règlement la plus dilutive doit être retenue pour le calcul du résultat dilué par action. Nous traiterons de ces situations dans la sous-section **Les contrats pouvant être réglés en actions ordinaires ou en trésorerie**.

Différence NCECF

La dilution potentielle maximale

Différence NCECF

Le résultat dilué par action a pour objectif de présenter la réduction maximale du résultat par action. Seules les actions ordinaires potentielles qui ont un effet dilutif sur le résultat par action sont, par conséquent, prises en considération dans le calcul du résultat dilué par action. Pour déterminer l'effet dilutif de tous les titres à potentiel dilutif, l'entreprise considère isolément l'effet que produirait leur conversion sur le résultat par action des activités poursuivies.

EXEMPLE

Dilution potentielle maximale – Partie A

Les données suivantes concernent la société Dilutive ltée (DL) :

1. **Actions ordinaires** Le 1er janvier 20X0, 150 000 actions ordinaires étaient en circulation. Le 30 septembre 20X0, la société a émis au comptant 40 000 nouvelles actions. Le 1er novembre 20X1, la société a procédé à un fractionnement de 3 pour 1.
2. **Obligations convertibles** Le 1er janvier 20X0, 2 250 obligations d'une valeur nominale de 1 000 $ chacune étaient en circulation. Les intérêts au taux de 8 % par année sont payables

22

16. *Manuel de CPA Canada – Comptabilité – Partie I*, IAS 33, paragr. 52.
17. *Manuel de CPA Canada – Comptabilité – Partie I*, IAS 33, paragr. 58.

le 30 juin et le 31 décembre. Chaque obligation peut être convertie au gré du porteur en 25 actions ordinaires.

3. **Options d'achat d'actions** Le 1er décembre 20X1, la société a accordé des options d'achat d'actions permettant à leurs détenteurs d'acheter immédiatement 30 000 actions ordinaires au prix de 14 $ chacune. Aucune option n'a été exercée à ce jour.
4. **Extrait de l'état du résultat global**

	20X1	*20X0*
Résultat avant impôts	*2 975 000 $*	*2 190 000 $*
Impôts sur le résultat (40 %)	*(1 190 000)*	*(876 000)*
Résultat net	*1 785 000 $*	*1 314 000 $*

5. **Cours des actions ordinaires** Le cours des actions ordinaires est demeuré stable à 15 $ pendant le mois de décembre 20X1.

Pour déterminer le résultat dilué par action, il faut disposer des valeurs du résultat de base par action, dont voici le calcul :

	20X1	*20X0*
Résultat net attribuable aux détenteurs d'actions ordinaires		
Résultat net	*1 785 000 $*	*1 314 000 $*
Nombre moyen pondéré d'actions ordinaires en circulation		
Nombre initial d'actions en circulation au 1er janvier 20X0	*150 000*	*150 000*
Pondération relative à l'émission du 30 septembre 20X0		
20X0 (40 000 actions × 3 mois ÷ 12 mois)		*10 000*
20X1	*40 000*	
Nombre moyen pondéré avant changements rétroactifs	*190 000*	*160 000*
Pondération relative au fractionnement d'actions	*× 3*	*× 3*
Nombre moyen pondéré d'actions en circulation	*570 000*	*480 000*
Résultat de base par action	*3,13 $*	*2,74 $*

L'analyse de l'effet marginal de chaque facteur de dilution potentielle

Après avoir calculé le résultat de base par action, il faut analyser un à un les divers facteurs de dilution éventuelle afin d'en connaître l'effet potentiel sur le résultat par action.

EXEMPLE

Dilution potentielle maximale – Partie B

Dans notre exemple de la société DL, il existe deux facteurs de dilution potentielle : les obligations convertibles et les options d'achat d'actions. Voici les calculs de l'effet marginal de ces deux facteurs de dilution potentielle :

	20X1	*20X0*
Obligations convertibles		
Incidence de la conversion sur le résultat net		
Diminution des coûts d'intérêts		
(2 250 obligations × 1 000 $ × 8 % × 60 % ①)	*108 000 $*	*108 000 $*
Incidence sur le nombre d'actions ordinaires		
Nombre d'actions réservées à la conversion		
(2 250 obligations × 25 actions)	*56 250*	*56 250*
Pondération relative au fractionnement d'actions ②	*× 3*	*× 3*
Nombre d'actions requises pour la conversion	*168 750*	*168 750*
Effet marginal potentiel de la conversion sur le résultat par action	*0,64 $*	*0,64 $*

Explications :

① Le taux d'intérêt de 8 % doit être ramené après impôts. Puisque le taux d'imposition est de 40 %, l'économie nette sera de 60 % (1 – 40 %).

② Dans le chapitre 15, nous avons affirmé que le ratio de conversion prévu dans l'acte de fiducie est protégé contre toute dilution éventuelle. C'est pour cette raison que nous tenons compte du fractionnement. De toute façon, si les obligations avaient été converties au début de l'exercice, les actions ordinaires ainsi émises auraient été fractionnées le 1er novembre 20X1.

		20X1	*20X0 **
Options d'achat d'actions			
Incidence de l'exercice des options sur le résultat net		*θ*	
Incidence sur le nombre d'actions ordinaires			
Produit de l'exercice éventuel (30 000 actions × 14 $)	*420 000 $*		
Nombre d'actions pouvant être rachetées (420 000 $ ÷ 15 $)	*28 000*		
Nombre d'actions ordinaires supplémentaires (30 000 – 28 000)	*2 000*		
Pondération relative à la période (2 000 actions × 1 mois ÷ 12 mois)		*167*	
Effet marginal potentiel de l'exercice des options sur le résultat par action		*θ*	

* Il n'y a aucune incidence sur l'exercice 20X0, car les options n'ont été attribuées que le 1er décembre 20X1.

Une précision s'impose en ce qui a trait au cours moyen des actions ordinaires de 15 $ que l'on a utilisé précédemment. L'IASB précise que :

> Pour calculer son résultat dilué par action, une entité doit supposer que les options dilutives et les bons de souscription d'actions dilutifs ont été exercés. Le produit supposé de ces instruments doit être considéré comme ayant été perçu lors de l'émission d'actions ordinaires au cours moyen du marché des actions ordinaires pendant la période. La différence entre le nombre d'actions ordinaires émises et le nombre d'actions ordinaires qui auraient été émises au cours moyen du marché d'actions ordinaires pendant la période doit être traitée comme une émission d'actions ordinaires sans contrepartie[18].

L'ordre d'inclusion des facteurs de dilution potentielle

Lorsque tous les titres à potentiel dilutif ont été répertoriés, leur prise en compte dans le calcul du résultat dilué par action doit se faire en débutant par le titre le plus dilutif et en terminant par le titre le moins dilutif (*voir le tableau 22.2*). Ainsi, pour déterminer la **dilution potentielle maximale** du résultat par action, il faut classer les facteurs de dilution éventuelle par ordre croissant de l'effet marginal potentiel que chacun de ceux-ci, pris séparément, peut avoir sur le résultat par action. Plus l'effet marginal est faible, plus le **potentiel de dilution** est grand. De plus, pour qu'il n'y ait aucun effet dilutif, il faut que l'effet marginal soit égal ou supérieur au montant du résultat de base par action. Avec les données hypothétiques suivantes, voici comment sont déterminés les effets marginaux dans le calcul du résultat dilué par action.

22

18. *Manuel de CPA Canada – Comptabilité – Partie I*, IAS 33, paragr. 45.

		Comparaison d'effets marginaux inférieurs à 1		Comparaison d'effets marginaux supérieurs à 1	
Hypothèses		**A**	**B**	**C**	**D**
Incidence sur le résultat net		*1 000 $*	*1 000 $*	*2 000 $*	*4 000 $*
Nombre d'actions requises		*2 000*	*4 000*	*1 000*	*1 000*
Effet marginal		*0,50*	*0,25*	*2,00*	*4,00*
		RDPA		**RDPA**	
ABC ltée	**RBPA**	**A**	**B**	**C**	**D**
Résultat net	*100 000 $*	*101 000 $*	*101 000 $*	*102 000 $*	*104 000 $*
Nombre d'actions	*÷ 30 000*	*÷ 32 000*	*÷ 34 000*	*÷ 31 000*	*÷ 31 000*
Résultat par action	*3,33 $*	*3,16 $*	*2,97 $**	*3,29 $**	*3,35 $* **
		RDPA		**RDPA**	
XYZ ltée	**RBPA**	**A**	**B**	**C**	**D**
Résultat net	*30 000 $*	*31 000 $*	*31 000 $*	*32 000 $*	*34 000 $*
Nombre d'actions	*÷ 100 000*	*÷ 102 000*	*÷ 104 000*	*÷ 101 000*	*÷ 101 000*
Résultat par action	*0,30 $*	*0,304 $* **	*0,298 $**	*0,317 $* **	*0,337 $* **

* L'effet marginal le plus petit réduit effectivement le plus le résultat par action.

** Lorsque le résultat par action augmente, il s'agit d'un effet antidilutif.

Dans le cas de la société DL, l'ordre d'inclusion est le suivant : 1) les options d'achat d'actions ; puis 2) les obligations convertibles. Il ne reste plus qu'à effectuer le calcul du résultat dilué par action.

Le calcul du résultat dilué par action

Après avoir établi l'ordre d'inclusion des facteurs de dilution potentielle, le résultat dilué par action se calcule en insérant un à un les facteurs en cause, jusqu'à ce que l'on obtienne la réduction maximale du résultat par action.

EXEMPLE

Dilution potentielle maximale – Partie C

Voici le calcul du résultat dilué de DL :

20X1	*Résultat net*	*Nombre d'actions*	*RPA*
Résultat de base par action (voir la page 22.26)	*1 785 000 $*	*570 000*	*3,13 $*
Options d'achat d'actions (voir la page 22.27)	*θ*	*167*	
	1 785 000	*570 167*	*3,13*
Obligations convertibles (voir la page 22.26)	*108 000*	*168 750*	
Résultat dilué par action	*1 893 000 $*	*738 917*	**2,56**
20X0			
Résultat de base par action (voir la page 22.26)	*1 314 000 $*	*480 000*	*2,74*
Obligations convertibles (voir la page 22.26)	*108 000*	*168 750*	
Résultat dilué par action	*1 422 000 $*	*648 750*	**2,19**

On constate que tous les facteurs sont effectivement dilutifs dans le cas de DL, car le résultat par action dilué diminue chaque fois qu'un facteur additionnel est inséré dans le calcul. Si un des facteurs avait été antidilutif, son insertion aurait entraîné une augmentation du résultat dilué par action. Il va de soi qu'un tel facteur ne doit pas être pris en considération lorsque l'entreprise présente le résultat dilué par action puisque, rappelons-le, l'objectif est de déterminer la réduction maximale du résultat par action.

EXEMPLE

Facteur initialement considéré comme dilutif qui devient antidilutif

Pour illustrer le cas où un facteur antidilutif serait présent, reprenons brièvement les données de la société ABC ltée (*voir la page 22.28*) en supposant que les facteurs de dilution C et D existent tous les deux en même temps. Voici le calcul du résultat dilué par action :

	Résultat net	*Nombre d'actions*	*RPA*
Résultat par action	*100 000 $*	*30 000*	*3,33 $*
Facteur de dilution C	*2 000*	*1 000*	
Résultat dilué par action	*102 000*	*31 000*	***3,29***
Facteur de dilution D	*4 000*	*1 000*	
	106 000 $	*32 000*	*3,31*

Dans ce cas, le résultat dilué par action serait de 3,29 $ puisque le facteur D est en fait antidilutif.

Nous avons vu comment calculer le résultat de base et le résultat dilué par action dans des situations courantes ; examinons maintenant la façon de présenter ces ratios dans l'état du résultat global et dans les notes. Nous reviendrons plus loin dans ce chapitre sur les exigences détaillées en ce qui a trait à la présentation dans les états financiers et aux informations à fournir.

EXEMPLE

Présentation du résultat de base et du résultat dilué par action

Voici la façon dont la société DL a choisi de se conformer aux exigences de présentation susmentionnées :

DILUTIVE LTÉE
Résultat global partiel
de l'exercice terminé le 31 décembre

	20X1	*20X0*
Résultat avant impôts	*2 975 000 $*	*2 190 000 $*
Impôts sur le résultat	*(1 190 000)*	*(876 000)*
Résultat net	*1 785 000 $*	*1 314 000 $*
Résultat par action (Note X)		
De base	*3,13 $*	*2,74 $*
Dilué	*2,56 $*	*2,19 $*

DILUTIVE LTÉE
Notes complémentaires
aux états financiers
de l'exercice terminé le 31 décembre 20X1

X. Résultat par action

Les informations suivantes ont permis d'établir les montants du résultat par action.

	Pour l'exercice 20X1		
	Résultat net (numérateur)	*Actions (dénominateur)*	*Montant par action*
Résultat de base par action			
Résultat net attribuable aux porteurs d'actions ordinaires	*1 785 000 $*	*570 000*	*3,13 $*
Résultat dilué par action			
Effet des titres dilutifs			
Options d'achat d'actions		*167*	
Obligations convertibles	*108 000*	*168 750*	
Résultat net attribuable aux porteurs d'actions ordinaires, y compris l'effet des titres dilutifs	*1 893 000 $*	*738 917*	*2,56 $*

	Pour l'exercice 20X0		
	Résultat net *(numérateur)*	***Actions*** *(dénominateur)*	***Montant par action***
Résultat de base par action			
Résultat net attribuable aux porteurs d'actions ordinaires	*1 314 000 $*	*480 000*	*2,74 $*
Résultat dilué par action			
Effet des titres dilutifs			
Obligations convertibles	*108 000*	*168 750*	
Résultat net attribuable aux porteurs d'actions ordinaires, y compris l'effet des titres dilutifs	*1 422 000 $*	*648 750*	*2,19 $*

Différence NCECF

Avez-vous remarqué ?

Plus l'effet marginal d'un titre à potentiel dilutif est faible, plus son effet de dilution est grand. Pour obtenir le résultat dilué par action, l'inclusion des facteurs de dilution doit donc débuter avec les titres dont l'effet de dilution est le plus grand. Lorsque l'inclusion d'un facteur a pour effet d'augmenter le RDPA, le facteur est considéré comme antidilutif et n'est pas inclus dans le calcul.

Les situations particulières

Différence NCECF

Outre le fait de traiter des situations courantes susmentionnées, l'IASB fournit des indications sur le calcul des montants du résultat par action dans le cas des droits de souscription à des actions ordinaires, des options de vente émises, des options acquises, des contrats pouvant être réglés en actions ou en trésorerie, incluant les contrats de rémunération, ainsi que des actions dont l'émission est conditionnelle.

Les droits de souscription à des actions ordinaires

Nous avons vu dans le chapitre 14 qu'une entreprise peut émettre des **droits de souscription** à des actions ordinaires aux actionnaires existants, ce qui leur permet d'acheter des actions ordinaires supplémentaires pour un prix déterminé pendant une période relativement courte. Les droits de souscription représentent un cas particulier de changement dans le nombre d'actions sans incidence sur le résultat net utilisé dans le calcul du résultat par action. Ils méritent des explications additionnelles.

Selon l'IASB, une émission de droits dont le prix d'exercice est inférieur au cours moyen des actions ordinaires à la date d'émission comporte un « élément gratuit » comparable à un dividende en actions. Ainsi, lorsqu'une émission de droits comporte un élément gratuit et qu'elle est faite au bénéfice de tous les actionnaires existants, le résultat de base par action et le résultat dilué par action sont ajustés rétrospectivement pour tenir compte de l'élément gratuit pour tous les exercices présentés. Il importe toutefois de préciser que si la possibilité d'exercer les droits émis est subordonnée à la réalisation d'un événement autre que l'écoulement du temps, il faut attendre le moment où l'événement se produit pour procéder à l'application rétrospective.

Pour ce faire, le nombre d'actions ordinaires à prendre en considération dans le calcul du résultat de base par action et du résultat dilué par action pour tous les exercices antérieurs à l'émission de droits est le nombre d'actions ordinaires en circulation immédiatement avant l'émission, multiplié par le facteur suivant :

$$\frac{\text{Juste valeur par action immédiatement avant l'exercice des droits}}{\text{Juste valeur théorique par action ex-droits}}$$

On calcule la **juste valeur théorique par action ex-droits** de la façon suivante :

$$\frac{\left[\begin{array}{l}\text{Juste valeur de toutes les actions avant l'exercice des droits}\\ \text{+ Montant total perçu découlant de l'exercice des droits}\end{array}\right]}{\text{Nombre d'actions en circulation après l'exercice des droits}}$$

L'IASB précise que lorsque les droits font l'objet d'une cotation distincte de celle des actions avant la date d'exercice, la juste valeur à retenir pour ce calcul est établie à la clôture du dernier jour au cours duquel les actions sont négociées avec les droits[19].

EXEMPLE

Prise en compte des droits de souscription

Considérons les données suivantes concernant la société Jémydroi ltée (JEL) :

	20X1	*20X0*
Résultat net	*500 000 $*	*450 000 $*
Nombre d'actions en circulation au 31 décembre		
Actions ordinaires	*11 000*	*10 000*

Voici quelques renseignements supplémentaires au sujet des opérations de JEL :

1. Il n'y a eu aucune émission d'actions en 20X0.
2. En janvier 20X1, JEL a émis des droits de souscription à des actions ordinaires à tous les détenteurs existants. Ces droits leur permettent d'acquérir une action ordinaire au prix de 9,20 $ pour chaque bloc de 10 actions ordinaires en circulation. La date limite a été fixée au 28 février 20X1.
3. Le cours d'une action ordinaire étant de 12,50 $ le 28 février 20X1, tous les détenteurs de droits ont exercé leur privilège.

En raison de l'élément gratuit relatif aux droits émis en janvier 20X1, le résultat de base par action divulgué en 20X0 au montant de 45 $ (soit 450 000 $ ÷ 10 000 actions) doit faire l'objet d'un ajustement rétrospectif. Le nombre d'actions ordinaires utilisé dans le calcul du résultat de base par action doit correspondre au nombre d'actions en circulation immédiatement avant l'émission des droits (10 000 actions), multiplié par un facteur d'ajustement. Compte tenu des formules énoncées précédemment, il faut calculer la juste valeur théorique par action ex-droits avant de déterminer le facteur d'ajustement :

$$\frac{\left[\begin{array}{l}\text{Juste valeur de toutes les actions avant l'exercice des droits}\\ \text{+ Montant total perçu découlant de l'exercice des droits}\end{array}\right]}{\text{Nombre d'actions en circulation après l'exercice des droits}}$$

$$\frac{[(10\ 000 \text{ actions} \times 12{,}50\ \$) + (1\ 000^{*} \text{ actions} \times 9{,}20\ \$)]}{(10\ 000 \text{ actions} + 1\ 000 \text{ actions})} = \underline{\underline{12{,}20\ \$}}$$

* (10 000 actions existantes ÷ 10)

On peut ensuite calculer ainsi le facteur d'ajustement :

$$\frac{\text{Juste valeur par action immédiatement avant l'exercice des droits}}{\text{Juste valeur théorique par action ex-droits}}$$

$$\frac{12{,}50\ \$}{12{,}20\ \$} = \underline{\underline{1{,}025}}$$

19. *Manuel de CPA Canada – Comptabilité – Partie I*, IAS 33, paragr. A2.

On calcule enfin le résultat de base par action :

	20X1	20X0
Résultat net attribuable aux porteurs d'actions ordinaires	*500 000 $*	*450 000 $*
Nombre moyen pondéré d'actions ordinaires en circulation		
Nombre d'actions en circulation le 1er janvier 20X0	*10 000*	*10 000*
Pondération relative à l'émission du 28 février 20X1		
20X1 – Du 1er janvier au 28 février		
{[(10 000 × 1,025) – 10 000] × 2 mois ÷ 12 mois}	*42*	
20X1 – Du 1er mars au 31 décembre (1 000 × 10 mois ÷ 12 mois)	*833*	
20X0 – Facteur d'ajustement		*× 1,025*
Nombre moyen pondéré d'actions en circulation	*10 875*	*10 250*
Résultat de base par action	*45,98 $*	*43,90 $*

Ces calculs montrent bien que le nombre d'actions ordinaires pour toutes les périodes avant l'exercice des droits est ajusté comme si l'événement s'était produit à l'ouverture de la première période présentée.

Les options de vente émises

Une **option de vente** découle d'un contrat donnant droit à son détenteur de vendre à l'entreprise émettrice (l'entreprise publiante) une quantité déterminée d'actions ordinaires (de cette même entreprise) à un prix et pendant une période prédéterminés. Ainsi, une **option de vente émise** correspond à une option de vente vendue par l'entreprise émettrice elle-même et portant sur ses propres actions. À l'égard de telles options, l'IASB formule la recommandation suivante :

> Les contrats qui imposent à l'entité de racheter ses propres actions, tels que les options de vente émises et les contrats d'achat à terme de gré à gré, interviennent dans le calcul du résultat dilué par action si leur effet est dilutif. Si ces contrats sont « dans le cours » pendant la période (c'est-à-dire que le prix d'exercice ou de règlement est supérieur au cours moyen pour cette période), l'effet dilutif potentiel sur le résultat par action doit être calculé comme suit :
>
> (a) l'entité doit supposer qu'au début de la période, des actions ordinaires seront émises en nombre suffisant (au cours moyen du marché pendant la période) pour augmenter le produit de manière à honorer le contrat ;
>
> (b) l'entité doit supposer que le produit de l'émission doit être utilisé pour honorer le contrat (c'est-à-dire pour procéder au rachat d'actions ordinaires) ; et
>
> (c) les actions ordinaires supplémentaires (la différence entre le nombre d'actions ordinaires supposées émises et le nombre d'actions ordinaires reçues lors de l'exécution du contrat) doivent être incluses dans le calcul du résultat dilué par action[20].

EXEMPLE

Options de vente émises

La société Optivent ltée (OL) a en circulation 1 000 options de vente émises sur ses actions ordinaires, dont le prix d'exercice est de 10 $. Le cours moyen de ses actions ordinaires pour l'exercice est de 8 $. Aux fins du calcul du résultat dilué par action à la fin de l'exercice, on doit considérer qu'OL aurait émis 1 250 actions au prix de 8 $ l'action au début de l'exercice pour satisfaire à son obligation de 10 000 $ découlant du contrat d'option de vente. La différence entre les 1 250 actions émises et les 1 000 actions reçues à la suite de l'exécution de l'option de vente (250 actions supplémentaires) s'ajoute au dénominateur utilisé dans le calcul du résultat dilué par action.

20. *Manuel de CPA Canada – Comptabilité – Partie I*, IAS 33, paragr. 63.

Cette façon de procéder repose sur l'hypothèse que le montant nécessaire pour racheter des actions ordinaires, conformément aux caractéristiques de l'option de vente, provient du produit de l'émission d'actions à leur cours moyen pendant l'exercice.

Les options acquises

Une **option acquise** correspond à une option de vente ou d'achat détenue par l'entreprise sur ses propres actions. De l'avis de l'IASB, les contrats tels que les **options de vente acquises** et les **options d'achat acquises** (c'est-à-dire des options détenues par l'entreprise sur ses propres actions ordinaires) n'interviennent pas dans le calcul du résultat dilué par action en raison de leur effet antidilutif.

L'option de vente ne serait exercée que si le prix d'exercice était supérieur au cours du marché, tandis que l'option d'achat ne serait exercée que si le prix d'exercice était inférieur au cours du marché. Dans les deux cas, l'effet serait donc antidilutif.

Les contrats pouvant être réglés en actions ordinaires ou en trésorerie

L'IASB formule la recommandation suivante eu égard aux contrats pouvant être réglés en actions ordinaires ou en trésorerie :

> Lorsqu'une entité a émis un contrat qui peut être réglé en actions ordinaires ou en trésorerie, au choix de l'entité, celle-ci doit présumer que le contrat sera réglé en actions ordinaires, et le nombre correspondant d'actions ordinaires potentielles sera inclus dans le résultat dilué par action si leur effet est dilutif.
>
> Pour les contrats pouvant être réglés en actions ordinaires ou en trésorerie, au choix du porteur, la méthode de règlement la plus dilutive (entre le règlement en trésorerie et le règlement en actions) doit être retenue pour le calcul du résultat dilué par action[21].

Les explications énoncées précédemment quant au calcul du résultat dilué par action prévalent au moment d'évaluer l'effet dilutif de chacun des modes de règlement, c'est-à-dire en trésorerie ou en actions. Lorsque le choix du mode de règlement échappe au contrôle de l'entreprise, on doit retenir le mode présentant le plus grand effet dilutif.

À titre d'exemple de tels contrats, pensons à un titre de créance donnant à l'émetteur le droit absolu de régler le principal, à l'échéance, en trésorerie ou en actions ordinaires de l'émetteur ainsi qu'à une option de vente émise qui offre à son détenteur le choix de régler en actions ordinaires ou en trésorerie.

EXEMPLE

Contrats pouvant être réglés en actions ordinaires ou en trésorerie

Les renseignements suivants concernent la société Rachetay ltée (RL) au 31 décembre 20X3 :

1. **Actions ordinaires** Le nombre moyen pondéré d'actions pour l'exercice est de 100 000.
2. **Options de vente émises** Des options de vente émises portant sur 5 000 actions au prix d'exercice de 18 $ sont en circulation. Le contrat prévoit un règlement net en trésorerie ou en actions ordinaires au choix du porteur. Le nombre d'actions à émettre dépendra du cours des actions ordinaires lors du règlement. La société a reçu au moment de l'émission une prime de 5 000 $ qui figure dans les capitaux propres.
3. **Cours moyen des actions** Le cours moyen des actions ordinaires pour l'exercice est de 15 $.
4. **Extrait de l'état du résultat global**

	20X3
Résultat avant impôts	*400 000 $*
Impôts sur le résultat (40 %)	*(160 000)*
Résultat net	*240 000 $*

21. *Manuel de CPA Canada – Comptabilité – Partie I*, IAS 33, paragr. 58 et 60.

Pour déterminer le résultat dilué par action, on doit d'abord établir le résultat de base par action dont voici le calcul :

Résultat net attribuable aux porteurs d'actions ordinaires	*240 000 $*
Nombre moyen pondéré d'actions ordinaires en circulation	*÷ 100 000*
Résultat de base par action	*2,40 $*

Connaissant le résultat de base par action, on peut calculer le résultat dilué par action. Toutefois, puisque le détenteur a le choix d'exiger le règlement net en actions ordinaires ou en trésorerie, deux calculs distincts sont requis afin de déterminer le mode de règlement le plus dilutif :

Calcul du résultat dilué par action si l'on suppose un règlement net en actions ordinaires

Résultat net attribuable aux porteurs d'actions ordinaires selon les calculs du RBPA		*240 000 $*
Nombre moyen pondéré d'actions ordinaires en circulation selon les calculs du RBPA		*100 000*
Actions supplémentaires requises – Options de vente		
Nombre d'actions réputées émises [5 000 actions × (18 $ ÷ 15 $)]	*6 000*	
Nombre d'actions devant être rachetées	*5 000*	*1 000*
Nombre moyen pondéré d'actions après ajustement		*101 000*
Résultat dilué par action		*2,38 $*

Calcul du résultat dilué par action si l'on suppose un règlement net en trésorerie

Résultat net attribuable aux porteurs d'actions ordinaires selon les calculs du RBPA		*240 000 $*
Montant supplémentaire devant être versé		
Prix d'exercice des options	*18 $*	
Cours moyen des actions ordinaires	*(15)*	
Montant supplémentaire par action	*3*	
Nombre d'options de vente émises	*× 5 000*	*(15 000)*
Prime disponible pour les actions ordinaires		*5 000*
Résultat net attribuable aux porteurs d'actions ordinaires après ajustement		*230 000*
Nombre moyen pondéré d'actions ordinaires en circulation selon les calculs du RBPA		*÷ 100 000*
Résultat dilué par action		*2,30 $*

Comme le mode de règlement le plus dilutif est celui en trésorerie, le bénéfice dilué par action qui doit être présenté est de 2,30 $.

Les plans de rémunération fondée sur des actions

L'existence de plans de rémunération fondée sur des actions, dont nous avons traité dans le chapitre 14, exige une attention particulière lorsque vient le temps de calculer le résultat dilué par action. Les différents types de plans exigent non seulement de faire appel aux diverses notions dont nous avons déjà traité dans les pages précédentes, mais aussi de tenir compte de considérations supplémentaires que nous présentons maintenant.

Si le plan de rémunération prévoit un règlement en actions ordinaires, on doit considérer les attributions qui y sont prévues comme des options aux fins du calcul du résultat dilué par action. De ce fait, l'entreprise doit évaluer si l'effet potentiel de l'exercice de ces options est dilutif. Aux fins du calcul du produit hypothétique qui découlerait de l'exercice des options, on doit tenir compte du prix d'exercice des options qui serait encaissé, auquel s'ajoute la juste valeur de tout bien ou service à fournir dorénavant à l'entité en vertu du plan d'options sur actions[22]. Comme le coût de la rémunération fondée sur des actions doit être comptabilisé au cours de la période d'acquisition des droits, il faut donc considérer le coût de la rémunération qui n'a pas encore été comptabilisé si la période d'acquisition des droits n'est pas totalement écoulée.

22. *Manuel de CPA Canada – Comptabilité – Partie I*, IAS 33, paragr. 47A.

EXEMPLE

Plan d'options sur actions

Une société met en place, le 1er janvier 20X0, un plan d'options sur actions. Chacun des 19 employés participant au plan se voit attribuer 100 options conférant le droit de se porter acquéreur d'actions de la société au prix de 14 $. Le 1er janvier 20X0, le cours de l'action s'élève à 14 $. Une période de deux ans est prévue avant l'acquisition des droits. La valeur de l'option déterminée à l'aide du modèle Black-Scholes-Merton s'élève à 2,00 $. Le bénéfice, tenant compte de la charge de rémunération afférente au plan, s'élève à 350 000 $ pour l'exercice, et le nombre d'actions en circulation est de 100 000 du début de 20X0 à la fin de 20X1. Le cours moyen de l'action est de 18 $ en 20X0. Le résultat de base par action est de 3,50 $ pour 20X0. Le calcul du résultat dilué par action est effectué de la façon suivante :

Produit de l'exercice des options :		
Nombre d'options (19 employés × 100 options)		*1 900*
Prix d'exercice		*14 $*
		26 600
Coût de la rémunération qui reste à être imputé en résultats :		
Coût total (19 employés × 100 options × 2 $)	*3 800 $*	
Montant comptabilisé en 20X1 (3 800 $ × 50 %)	*(1 900)*	
Coût qui reste à imputer en résultats		*1 900*
Produit hypothétique total qui résulterait de l'exercice des options		*28 500 $*
Nombre d'actions qui seraient émises à l'exercice des droits	*1 900*	
Nombre d'actions qui seraient rachetées au cours moyen (28 500 $ ÷ 18 $)	*(1 583)*	
Nombre supplémentaire d'actions qui seraient en circulation		*317*
Résultat dilué par action [350 000 $ ÷ (100 000 actions + 317 actions)]		*3,49 $*

Notons que même si les options ne peuvent être exercées qu'à la fin de 20X1, elles sont tout de même prises en considération en 20X0 pour refléter la dilution potentielle qu'un exercice futur de ces options aurait sur le résultat de base par action actuel.

Dans le cas où un plan qui prévoit un règlement par l'émission d'actions implique des attributions qui sont liées à la performance, il faut tenir compte des particularités liées aux actions dont l'émission est conditionnelle, comme expliqué ci-dessous. De la même façon, les plans dont les attributions peuvent être réglées en actions ou en trésorerie, comme les droits à l'appréciation d'actions, se situent essentiellement sous la gouverne des indications précédentes en ce qui a trait aux contrats pouvant être réglés en actions ordinaires ou en trésorerie.

Les actions dont l'émission est conditionnelle

Certaines dettes ou actions préférentielles peuvent être convertibles sous condition. Ces conditions peuvent avoir trait à l'atteinte d'un cours déclencheur, c'est-à-dire l'atteinte d'un prix de l'action ou encore la réalisation ou le maintien d'un montant spécifié de résultat pendant une période. À cet égard, l'IASB formule des indications supplémentaires pour la prise en compte des actions ordinaires potentielles dans le calcul du résultat dilué par action selon que la condition est fondée sur le résultat ou sur le cours futur de l'action.

Lorsque la réalisation ou le maintien d'un montant spécifié de résultat pendant une période est la condition de l'émission éventuelle d'actions ordinaires, les actions ordinaires potentielles sont réputées être en circulation si le montant « cible » de résultat est atteint à la fin de l'exercice et si l'émission de ces actions potentielles a un effet dilutif. L'IASB ajoute cette précision à cet effet : « Dans ce cas, le calcul du résultat dilué par action se base sur le nombre d'actions ordinaires qui seraient émises si le montant du résultat à la fin de la période de présentation de l'information financière était le montant du résultat à la fin de la période d'éventualité[23]. »

Lorsque le nombre d'actions dont l'émission est conditionnelle dépend du cours futur de l'action ordinaire, le calcul du résultat dilué par action doit se baser sur le nombre d'actions ordinaires qui seraient émises si le cours à la fin de l'exercice était le cours à la fin de la période d'éventualité, à la condition toutefois que les actions ordinaires potentielles aient un effet dilutif. L'IASB

23. *Manuel de CPA Canada – Comptabilité – Partie I*, IAS 33, paragr. 53.

mentionne de plus que si « la condition est basée sur une moyenne des cours de marché, pendant un nombre de périodes qui s'étend au-delà de la fin de la période de présentation de l'information financière, l'entité utilise la moyenne relative au délai déjà écoulé[24] ».

EXEMPLE

Émission conditionnelle à un cours futur de l'action

Le 1er juillet 20X8, une société émet 1 000 obligations convertibles d'une valeur nominale de 500 $. Au moment de l'émission, le prix de l'action est de 25 $, et chaque obligation est convertible en 20 actions ordinaires. Ce privilège de conversion est conditionnel à ce que le cours de l'action augmente de 40 % et que ce cours cible de 35 $ soit maintenu pendant 3 mois. Pendant l'exercice 20X8, le cours de l'action a augmenté régulièrement pour atteindre 35 $ à partir de la fin de septembre 20X8. Comme le cours cible de 35 $ a été atteint et qu'il s'est maintenu pendant les 3 derniers mois, l'effet de dilution potentiel est pris en compte dans le calcul du résultat dilué par action. Ainsi, le numérateur est augmenté de la charge d'intérêts, nette d'impôts, qui est incluse dans le résultat net de 20X8, et le dénominateur est augmenté de 10 000 actions [1 000 obligations × 20 (ratio de conversion) × 6 mois ÷ 12 mois]. Si l'effet est dilutif, les obligations convertibles doivent être incluses dans le calcul du résultat dilué par action.

Lorsque l'émission d'actions potentielles dépend à la fois du résultat futur et du cours futur de l'action ordinaire, le nombre d'actions ordinaires inclus dans le calcul du résultat dilué par action est tributaire du respect des deux conditions. Ainsi, les actions ordinaires ne sont pas incluses dans le calcul du résultat dilué par action tant que les deux conditions ne sont pas réunies[25].

Différence NCECF

Avez-vous remarqué ?

Le RDPA montre aux porteurs d'actions ordinaires l'effet maximal que pourrait avoir, sur leur quote-part du résultat net, la conversion de tous les titres à potentiel dilutif.

4 La présentation du résultat par action

Différence NCECF

L'IASB formule des recommandations en matière de présentation des montants du résultat par action dans les états financiers, listées dans le tableau 22.3.

TABLEAU 22.3 La présentation des montants du résultat par action dans les états financiers

***Normes internationales d'information financière,* IAS 33**	**Commentaires**
Paragr. 66 *Une entité doit présenter dans l'état du résultat global le résultat de base et le résultat dilué par action pour le résultat net des activités poursuivies attribuables aux porteurs d'actions ordinaires de l'entité mère et pour le résultat net attribuable aux porteurs d'actions ordinaires de l'entité mère pour la période, pour chaque catégorie d'actions ordinaires assortie d'un droit différent à une quote-part du bénéfice pour la période. Une entité doit présenter les résultats de base par action et dilué par action avec la même importance pour toutes les périodes présentées.*	Le résultat de base et le résultat dilué par action sont présentés dans l'état du résultat global pour le résultat net des activités poursuivies, c'est-à-dire le résultat net avant activités abandonnées. Lorsque les porteurs d'actions ordinaires de l'entreprise sont répartis en plusieurs catégories et que les droits de chaque catégorie dans le partage des résultats ne sont pas les mêmes, un résultat de base et un résultat dilué par action doivent être présentés pour chaque catégorie d'actions ordinaires. Précisons également que le résultat par action est indiqué pour chaque exercice pour lequel un état du résultat global est présenté. Lorsque le résultat dilué par action est indiqué pour au moins un exercice, il doit être donné pour tous les exercices présentés, même s'il est égal au résultat de base par action. Si le résultat de base par action et le résultat dilué par action sont égaux, il est possible de les présenter tous les deux en une seule ligne de l'état du résultat global.

24. *Manuel de CPA Canada – Comptabilité – Partie I*, IAS 33, paragr. 54.
25. *Manuel de CPA Canada – Comptabilité – Partie I*, IAS 33, paragr. 55.

TABLEAU 22.3 *(suite)*

Paragr. 4A *Si l'entité présente les éléments du résultat net dans un état séparé [...], elle doit présenter le résultat par action uniquement dans cet état séparé.*	Lorsque l'entreprise présente distinctement un état du résultat net et un état du résultat global, les montants du résultat de base par action et du résultat dilué par action doivent être présentés dans l'état du résultat net.
Paragr. 68 *Une entité qui présente une activité abandonnée doit indiquer le résultat de base et le résultat dilué par action pour l'activité abandonnée soit dans l'état du résultat global, soit dans les notes.*	Ainsi, on trouvera les rubriques suivantes concernant les montants du résultat de base et du résultat dilué par action : *Résultat net des activités poursuivies* *Résultat net des activités abandonnées* *Résultat net* Malgré que l'IASB exige que le résultat de base et le résultat dilué par action figurent directement dans l'état du résultat global, il permet de donner le résultat par action des activités abandonnées dans une note aux états financiers. Si l'entreprise procède ainsi, il serait justifié d'en faire mention par un renvoi approprié à l'état du résultat global.
Paragr. 68A *Si l'entité présente les éléments de résultat net dans un état séparé [...], elle présente le résultat de base et le résultat dilué par action pour cette activité abandonnée, comme décrit au paragraphe 68, dans cet état séparé ou dans les notes.*	Si l'entreprise présente un état du résultat net séparément d'un état du résultat global, les rubriques mentionnées ci-dessus figureront dans l'état du résultat net. Le résultat de base et le résultat dilué par action peuvent aussi être fournis dans les notes.
Paragr. 73 *Si une entité fournit, outre ses résultats de base par action et dilués par action, des montants par action en utilisant une composante présentée dans l'état du résultat global autres que celles imposées par la présente norme, ces montants doivent être calculés en utilisant le nombre moyen pondéré d'actions ordinaires déterminé selon la présente norme. Les montants de base et dilués par action relatifs à une telle composante doivent être indiqués avec la même importance et présentés dans les notes. Une entité doit indiquer la base de détermination du (des) numérateur(s), et notamment si les montants par action s'entendent avant impôt ou après impôt. Si l'entité utilise une composante de l'état du résultat global qui n'est pas présentée comme un poste de l'état du résultat global, elle doit fournir un rapprochement de la composante utilisée avec un poste présenté dans l'état du résultat global.*	Ce paragraphe permet à une entreprise de présenter, en plus du résultat de base et du résultat dilué par action, d'autres informations financières sous la forme « par action », par exemple le résultat global par action. Le dénominateur utilisé pour calculer ces informations additionnelles correspond au nombre moyen pondéré d'actions ordinaires calculé selon les explications données dans les premières sections de ce chapitre.
Paragr. 64 *Si le nombre d'actions ordinaires ou d'actions ordinaires potentielles en circulation augmente à la suite d'une capitalisation ou d'une émission d'actions gratuites, ou d'un fractionnement d'actions, ou diminue à la suite d'un fractionnement inversé d'actions, le calcul du résultat par action, de base et dilué, doit être ajusté de façon rétrospective pour toutes les périodes présentées. Si ces changements interviennent après la date de clôture mais avant la date d'autorisation de publication des états financiers, les calculs par action pour la période concernée et les périodes précédentes présentées doivent être faits sur la base du nouveau nombre d'actions. Le fait que les calculs par action reflètent de tels changements dans le nombre d'actions doit être indiqué. En outre, le résultat par action de base et dilué de toutes les périodes présentées doit être ajusté pour tenir compte des effets des erreurs et des ajustements résultant de changements de méthodes comptables comptabilisés de manière rétrospective.*	Lorsque le nombre d'actions en circulation change au cours d'une période ou après la date de présentation de l'information financière mais avant la date d'autorisation de publication des états financiers, à la suite d'un regroupement (fractionnement inversé), d'un fractionnement ou d'un dividende en actions, ces événements modifient le nombre d'actions en circulation sans pour autant modifier le pourcentage de participation de chaque actionnaire dans le résultat net de l'entreprise. Dans ces circonstances, le calcul du résultat par action et du résultat dilué par action doit tenir compte du nouveau nombre d'actions en circulation tant pour l'exercice courant que pour les autres exercices présentés.

TABLEAU 22.3 *(suite)*

Paragr. 70

Une entité doit présenter les éléments suivants :

(a) les montants utilisés aux numérateurs dans le calcul du résultat de base et du résultat dilué par action et un rapprochement de ces montants avec le résultat net attribuable à l'entité mère pour la période. Le rapprochement doit comprendre l'effet individuel de chaque catégorie d'instruments qui affecte le résultat par action ;

(b) le nombre moyen pondéré d'actions ordinaires utilisé au dénominateur dans le calcul du résultat de base et du résultat dilué par action et un rapprochement de ces dénominateurs l'un avec l'autre. Le rapprochement doit comprendre l'effet individuel de chaque catégorie d'instruments qui affecte le résultat par action ;

(c) les instruments (y compris les actions dont l'émission est conditionnelle) qui pourraient diluer le résultat de base par action à l'avenir, mais qui n'étaient pas inclus dans le calcul du résultat dilué par action parce qu'ils sont antidilutifs pour la (les) période(s) présentée(s) ;

(d) une description des transactions sur actions ordinaires ou des transactions sur actions ordinaires potentielles autres que celles comptabilisées conformément au paragraphe 64, qui interviennent après la date de clôture et qui auraient modifié de manière significative le nombre d'actions ordinaires ou d'actions ordinaires potentielles en circulation à la fin de la période si ces transactions étaient survenues avant la date de clôture.

En vertu des exigences énoncées en (a) et (b), l'IASB demande de fournir des informations sur les calculs effectués pour obtenir les montants du résultat de base et du résultat dilué par action. L'extrait de la note sur le résultat par action de la société Dilutive ltée donné aux pages 22.29 et 22.30 est un exemple d'application des paragraphes (a) et (b) ci-contre. L'effet des options d'achat d'actions et des obligations convertibles sur les numérateurs et dénominateurs du résultat de base par action est fourni séparément. Les éléments de rapprochement entrant dans le calcul du résultat dilué par action devraient également être fournis.

L'exigence énoncée en (c) se rattache aux titres antidilutifs non pris en compte dans le calcul des montants du résultat dilué par action. Des titres peuvent êtres antidilutifs pour un exercice donné mais devenir dilutifs dans le futur, d'où la pertinence de fournir l'information.

Différence NCECF

Les opérations comptabilisées selon le paragraphe 64, auxquelles réfère la recommandation énoncée en (d), sont les émissions d'actions gratuites ainsi que les fractionnements et les regroupements (fractionnements inversés) d'actions survenus pendant l'exercice et qui nécessitent un ajustement rétrospectif du résultat par action. Lorsque s'effectuent des transactions de même nature, ou encore que survient l'émission de bons de souscription, d'options ou de titres convertibles, après la date de clôture mais avant la date d'autorisation de publication des états financiers, l'entreprise doit fournir une description de ces transactions si elles produisent un effet sur le nombre d'actions ordinaires ou d'actions ordinaires potentielles. Cette recommandation est cohérente avec les exigences de l'IASB en matière de présentation des événements postérieurs à la date de clôture (*voir le chapitre 12*).

Une illustration de la présentation du résultat par action

Différence NCECF

L'extrait des états financiers et des notes complémentaires de Pages Jaunes Limitée que nous reproduisons ci-dessous est un exemple de l'application des recommandations de l'IASB dans la présentation des montants du résultat par action.

COMPTES CONSOLIDÉS DE RÉSULTAT

Pour les exercices clos les 31 décembre

(en milliers de dollars canadiens, sauf l'information sur les actions et les montants par action)

	2015	2014
[...]		
Bénéfice net	**61 055 $**	188 540 $
Bénéfice de base par action	**2,29 $**	6,95 $
Nombre moyen pondéré d'actions en circulation – Bénéfice de base par action (note 16)	**26 688 369**	27 128 062
Bénéfice dilué par action	**2,05 $**	5,81 $
Nombre moyen pondéré d'actions en circulation – Bénéfice dilué par action (note 16)	**33 466 228**	33 709 338
[...]		

IAS 33, paragr. 66

16. BÉNÉFICE PAR ACTION

Le tableau suivant présente un rapprochement entre le bénéfice net attribuable aux détenteurs d'actions ordinaires et le nombre moyen pondéré d'actions en circulation utilisé dans le calcul du bénéfice de base par action et le nombre moyen pondéré d'actions en circulation utilisé dans le calcul du bénéfice dilué par action :

	Pour les exercices clos les 31 décembre	
	2015	2014
Nombre moyen pondéré d'actions en circulation utilisé dans le calcul du bénéfice de base par action	**26 688 369**	27 128 062
Effet dilutif des unités d'actions restreintes et des unités d'actions liées à la performance	**1 082 187**	813 909
Effet dilutif des options sur actions	**71 250**	142 945
Effet dilutif des débentures échangeables	**5 624 422**	5 624 422
Nombre moyen pondéré d'actions en circulation utilisé dans le calcul du bénéfice dilué par action	**33 466 228**	33 709 338

IAS 33, paragr. 70(b)

	Pour les exercices clos les 31 décembre	
	2015	2014
Bénéfice net attribuable aux détenteurs d'actions ordinaires de Pages Jaunes Limitée et utilisé dans le calcul du bénéfice de base et dilué par action	**61 055 $**	188 540 $
Incidence de la conversion présumée des débentures échangeables, déduction faite de l'impôt applicable	**7 393**	7 291
Bénéfice net ajusté au titre de l'effet dilutif	**68 448 $**	195 831 $

IAS 33, paragr. 70(a)

IAS 33, paragr. 70(c)

Pour les exercices clos les 31 décembre 2015 et 2014, le calcul du bénéfice dilué par action ne tient pas compte d'un effet potentiellement dilutif des bons de souscription d'actions (se reporter à la note 15, Capital social), ainsi que de certaines options sur actions qui ne sont pas dans le cours, puisqu'ils n'ont pas d'effet dilutif.

Source : Rapport annuel 2015 de Pages Jaunes Limitée
Pages Jaunes Limitée, *Rapport annuel 2015*, [En ligne], < https ://entreprise.pj.ca/media/filer_public/9c/23/9c23eb0f-ec8d-4ba4-aa01-5d3f3dd83e07/rapport_annuel_2015.pdf > (page consultée le 27 juin 2016).

Avez-vous remarqué ?

L'état du résultat, net ou global, doit présenter le résultat de base par action et le résultat dilué par action pour chacun des exercices présentés dans les états financiers. Ces montants doivent être présentés pour le résultat net et pour le résultat des activités poursuivies.

Différence NCECF

L'utilité et les limites du résultat par action

Différence NCECF

Nous avons traité au début du présent chapitre de l'importance accordée par les investisseurs aux montants du résultat par action. Plusieurs utilisateurs des états financiers le considèrent comme un indicateur clé qui leur donne un aperçu général du rendement de l'entreprise. Toutefois, certains sont d'avis qu'il faut interpréter avec prudence ce populaire ratio. Une lacune formulée à cet égard résulte du fait que le résultat par action ne tient pas compte des capitaux investis. Pour être véritablement significative, toute évaluation de la rentabilité d'une entreprise doit tenir compte non seulement des résultats obtenus, mais aussi des capitaux qu'il a fallu investir pour réaliser ce résultat. Une autre critique formulée à l'endroit du résultat par action concerne le fait que cette statistique repose essentiellement sur le résultat net et que celui-ci découle non seulement de la performance économique de l'entreprise mais également de l'utilisation de méthodes et d'estimations comptables qui ont été choisies par la direction et qui ne témoignent pas nécessairement de la performance économique de l'entreprise.

Ces lacunes du résultat par action amènent certains financiers, dont Bernard Raffournier, à préconiser la publication dans les états financiers du montant du flux de trésorerie par action, le considérant plus utile pour les investisseurs :

> On peut cependant craindre que l'existence de cette norme donne une légitimité excessive à un indicateur dont l'emploi à des fins d'évaluation est sans fondement théorique solide. Peut-être aurait-il mieux valu, de ce point de vue, que le normalisateur se penche sur la mesure du cash-flow par action, théoriquement plus utile aux investisseurs. En se

focalisant sur le dénominateur du ratio, l'IAS 33 risque de faire oublier que le résultat par action est aussi sensible aux choix de méthodes et d'estimations que le résultat considéré globalement[26].

Différence NCECF

Avez-vous remarqué ?

Le résultat par action à titre de mesure de rendement d'une entreprise possède les mêmes limites que celles attribuables au résultat net. Toutefois, ce ratio populaire permet au porteur d'actions ordinaires de comparer, d'un exercice à l'autre, l'évolution de la portion du résultat net qui lui est attribuable.

PARTIE II – LES NCECF

Équivalents terminologiques *Manuel de CPA Canada* – Partie II et Partie I.

La présentation des montants du **résultat par action** n'est pas obligatoire pour les entreprises qui appliquent les NCECF, lesquelles ne proposent aucune norme à cet égard. Cependant, le **chapitre 1100** du *Manuel de CPA Canada – Partie II*, intitulé « Principes comptables généralement reconnus », prévoit que, dans les circonstances où le référentiel NCECF ne couvre pas certaines questions relatives à la présentation de l'information financière que désire présenter une entreprise utilisant ce référentiel, le référentiel des IFRS peut constituer une source pertinente à consulter[27]. Les entreprises peuvent toutefois suivre des normes d'autres organismes territoriaux qui reposeraient sur un cadre conceptuel plus semblable à celui des NCECF.

26. Bernard Raffournier, *Les normes comptables internationales (IFRS)*, 5e édition, Paris, Economica, 2012.

27. *Manuel de CPA Canada – Comptabilité – Partie II*, paragr. 1100.20.

SYNTHÈSE DU CHAPITRE 22

La figure 22.5 illustre en un coup d'œil les principaux thèmes abordés dans le présent chapitre. Le texte qui suit la figure vous permettra de vérifier l'acquisition des objectifs d'apprentissage.

FIGURE 22.5 Les principaux thèmes abordés dans le présent chapitre

Entreprises assujetties
Entreprises qui ont fait ou qui comptent faire un appel public à l'épargne

Résultat de base par action
Résultat net attribuable aux porteurs d'actions ordinaires
———
Nombre moyen pondéré d'actions ordinaires en circulation

Résultat, ajusté des sommes «réservées» pour les porteurs d'actions préférentielles

Nombre d'actions en circulation, ajusté pour tenir compte d'une pondération pour les émissions et les rachats de l'exercice

Résultat dilué par action
Résultat net attribuable aux porteurs d'actions ordinaires
±
Ajustements du résultat net dans l'hypothèse de la conversion des titres convertibles
———
Nombre moyen pondéré d'actions utilisé dans le calcul du RBPA
+
Actions dilutives potentielles

Numérateur du résultat de base par action, ajusté pour tenir compte de l'effet sur le résultat net de la conversion des titres convertibles dilutifs

*Dénominateur du résultat de base par action **plus** actions dilutives potentielles auxquelles donnent droit les titres convertibles émis par l'entreprise*

NCECF

Les entreprises qui appliquent les NCECF ne sont pas assujetties à la présentation des montants du résultat par action. Toutefois, si elles présentent un montant de résultat par action, elles peuvent s'inspirer de tout autre référentiel basé sur un cadre conceptuel semblable à celui des NCECF.

Présentation dans les états financiers

Comprendre et calculer le résultat de base par action en conformité avec les normes applicables. Le résultat de base par action représente la fraction du résultat net de l'entreprise qui est attribuable à chaque action ordinaire. Il s'agit donc d'un indicateur de rendement qui permet au porteur d'actions ordinaires de comparer, d'un exercice à l'autre, l'évolution de la portion du résultat net qui lui est attribuable. Le calcul du résultat de base par action tient compte : 1) du résultat net attribuable aux porteurs d'actions ordinaires de l'entreprise, après déduction des dividendes et des autres sommes «réservées» aux porteurs d'actions préférentielles ; 2) du nombre moyen pondéré d'actions en circulation qui prend en considération la période pendant laquelle les actions étaient en circulation au cours de l'exercice. Le résultat de base par action reflète uniquement l'effet des opérations qui ont effectivement eu une incidence sur le nombre d'actions ordinaires en circulation au cours de l'exercice.

Comprendre et calculer le résultat dilué par action en conformité avec les normes applicables. La présentation du résultat dilué par action permet aux investisseurs de connaître la réduction maximale potentielle du résultat par action advenant la conversion ou l'exercice de tous les titres donnant droit à l'émission d'actions ordinaires. Le résultat dilué par action s'obtient à partir des montants ajustés du numérateur et du dénominateur utilisés dans le calcul du résultat de base par action. Les ajustements apportés reposent sur l'hypothèse que

les actions potentielles dilutives ont toutes été émises au début de l'exercice en cause, sauf si les titres convertibles ont été émis au cours de l'exercice. Dans un tel cas, on suppose que les actions potentielles dilutives ont été émises à la date d'émission des titres convertibles. Seuls les titres dont l'effet est dilutif sont pris en considération dans le calcul du résultat dilué par action afin de montrer l'effet maximal de dilution possible du résultat par action.

Comprendre l'effet de situations particulières sur le calcul des montants du résultat par action. Lorsque des droits de souscription à des actions ordinaires sont en circulation, on doit ajuster le nombre d'actions ordinaires en circulation par un facteur représenté par le quotient de la juste valeur par action immédiatement avant l'exercice des droits sur la juste valeur théorique par action ex-droits. Dans le cas où des options de vente émises sont en circulation, on doit ajuster le dénominateur du montant du résultat dilué par action lorsque le prix d'exercice est supérieur au cours moyen de l'action. Aucun ajustement n'est cependant requis pour les options acquises puisque l'effet serait antidilutif. Pour les contrats pouvant être réglés en actions ordinaires ou en trésorerie, on doit considérer que le règlement se fera par l'émission d'actions ordinaires si le choix repose dans les mains de l'entreprise qui a émis ces contrats. Si le choix est dans les mains du porteur, la méthode de règlement la plus dilutive doit être retenue pour le calcul du résultat dilué par action. Pour les plans de rémunération fondée sur des actions, notamment les plans d'options sur action, on doit ajuster le dénominateur dans le calcul du résultat dilué sur action lorsque le nombre d'actions qui seraient émises lors de l'exercice des options serait supérieur au nombre d'actions qui pourraient être rachetées au cours moyen. Finalement, pour les actions dont l'émission est conditionnelle, on doit examiner si les conditions sont respectées afin de déterminer s'il convient de considérer les actions ordinaires potentielles dans le calcul du nombre moyen pondéré d'actions en circulation.

Présenter les montants du résultat par action. Le résultat de base et le résultat dilué par action doivent être présentés dans l'état du résultat global (ou dans l'état du résultat net si ce dernier est présenté séparément de l'état du résultat global) pour tous les exercices considérés. Lorsque le nombre moyen pondéré d'actions en circulation est modifié à la suite de la conversion ou de l'émission d'actions ordinaires, sans qu'il y ait changement correspondant de ressources, les montants du résultat de base et du résultat dilué par action doivent être retraités afin d'assurer leur comparabilité avec l'exercice courant.

Comprendre l'utilité et les limites du résultat par action. Plusieurs utilisateurs des états financiers considèrent le résultat par action comme un indicateur clé du rendement de l'entreprise. Toutefois, certains sont d'avis qu'il faut interpréter avec prudence ce ratio, notamment à cause du fait que le rendement qu'il affiche ne tient pas compte des capitaux investis et qu'il repose sur le montant du bénéfice net qui résulte de méthodes et d'estimations comptables qui ont été choisies par la direction.

Comprendre et appliquer les NCECF liées au résultat par action. La présentation des montants du résultat par action n'est pas obligatoire pour les entreprises qui appliquent les NCECF, lesquelles ne proposent aucune norme à cet égard.

Les flux de trésorerie

23

(i+) Des ressources pédagogiques sont disponibles en ligne.

Objectifs d'apprentissage

À la fin de ce chapitre, vous pourrez :

1. expliquer la nature et l'utilité du tableau des flux de trésorerie ;
2. préparer un tableau simple des flux de trésorerie ;
3. refléter quelques éléments particuliers dans un tableau des flux de trésorerie ;
4. déterminer les autres informations à fournir dans les états financiers concernant les flux de trésorerie ;
5. préparer un tableau des flux de trésorerie sans recourir à un tableur ;
6. comprendre et appliquer les NCECF liées aux flux de trésorerie.

Aperçu du chapitre

Avez-vous déjà eu l'impression que, malgré un emploi qui vous assure une bonne source de revenus, vous êtes parfois à court d'argent ? De son côté, comment un étudiant sans emploi et sans autre source de revenus, peut-il réussir à acquitter ses factures ? Ces deux questions évoquent le fait que les revenus diffèrent souvent des rentrées de trésorerie.

Une réalité semblable existe dans le milieu des affaires, même si le terme « produits » remplace celui de « revenus ». Certaines entreprises qui affichent un bénéfice net, soit celles dont les produits excèdent les charges, font tout à coup les manchettes pour des problèmes sérieux d'insolvabilité, parfois contraintes de déclarer faillite après avoir affiché des bénéfices au cours des exercices précédents.

Le décalage entre le résultat et les flux de trésorerie découle de l'utilisation de la comptabilité d'engagement, pourtant essentielle afin de déterminer la performance d'une entreprise lorsque son existence doit être découpée en périodes financières. Si les investisseurs pouvaient attendre la dissolution de l'entreprise pour en évaluer la performance, la tâche du comptable en serait simplifiée. Il lui suffirait de comparer les flux de trésorerie générés pendant l'existence de l'entreprise ; la comptabilité d'engagement serait alors superflue. La réalité est tout autre, car les investisseurs veulent périodiquement connaître la performance de l'entreprise. C'est pourquoi, en plus de présenter un état du résultat global indiquant le rendement évalué sur la base de la comptabilité d'engagement, les entreprises préparent un tableau des flux de trésorerie qui montre leur performance sur la base de la comptabilité de caisse.

Dans le présent chapitre, nous traiterons d'abord de la **nature** du tableau des flux de trésorerie en en précisant l'utilité et la façon dont les renseignements y sont organisés, que la présentation soit basée sur la méthode indirecte ou sur la méthode directe. Nous verrons ensuite la **manière d'établir cet état** financier, en relevant certaines opérations qui nécessitent une analyse plus fine de la part du comptable. Des exemples aideront le lecteur à interpréter cet important état financier. Pour terminer, les principales **différences** entre les IFRS et les NCECF, relatives au tableau des flux de trésorerie, seront relevées.

PARTIE I – LES IFRS

 Équivalents terminologiques *Manuel de CPA Canada* – Partie I et Partie II.

 Un bref rappel de la nature et de l'utilité du tableau des flux de trésorerie

Au chapitre 2, nous avons expliqué l'utilité et la préparation d'un tableau des flux de trésorerie dans des situations simples. Le lecteur est invité à relire les pages 2.40 à 2.53. Dans le présent chapitre, après un bref rappel des notions de base, nous expliquerons le traitement de quelques problèmes particuliers.

Les objectifs du tableau des flux de trésorerie

L'état de la situation financière et l'état du résultat global retiennent historiquement l'attention des utilisateurs de l'information financière. Toutefois, les principaux utilisateurs des états financiers, soit les créanciers et les investisseurs actuels et éventuels, désirent qu'on leur fournisse une image plus complète de l'entreprise. Le «**Cadre conceptuel de l'information financière**» (le Cadre) précise que les états financiers doivent aussi donner des informations concernant les flux de trésorerie, c'est-à-dire les rentrées et sorties de trésorerie et d'équivalents de trésorerie[1], afin de permettre aux utilisateurs des états financiers d'apprécier la capacité de l'entreprise à générer des rentrées nettes futures ainsi que les besoins qu'a l'entreprise d'utiliser ces flux de trésorerie au cours d'un exercice donné[2].

Il se peut qu'une entreprise soit généralement rentable, mais qu'elle ait des problèmes de trésorerie à court terme. Cela peut se produire, par exemple, si elle maintient un stock important, verse des dividendes trop élevés ou autofinance ses projets d'investissement. Puisque l'on utilise une comptabilité d'engagement plutôt qu'une comptabilité de caisse pour dresser les états financiers, les utilisateurs qui disposeraient uniquement d'un état de la situation financière et d'un état du résultat global pourraient ne pas être en mesure de déceler ces problèmes. Le **tableau des flux de trésorerie** leur permet d'évaluer la gestion de la trésorerie au cours d'un exercice donné.

L'information nécessaire pour dresser le tableau des flux de trésorerie n'est pas directement accessible dans les livres comptables. En effet, ceux-ci sont le plus souvent tenus sur la base de la comptabilité d'engagement, alors que le tableau des flux de trésorerie a pour objet de présenter les augmentations et les diminutions survenues dans la trésorerie au cours de l'exercice, ce qui constitue en quelque sorte un retour à la comptabilité de caisse. Au moment de dresser cet état, le comptable doit donc retraiter certaines informations. On comprendra que ce travail, qui sera expliqué plus loin dans le présent chapitre, ne donne lieu à aucune écriture de régularisation supplémentaire. Le tableau des flux de trésorerie n'est qu'une façon différente de présenter l'information déjà contenue dans les livres comptables.

Le classement des flux de trésorerie

Afin de satisfaire les besoins des utilisateurs des états financiers, l'International Accounting Standards Board (IASB) propose, au paragraphe 10 de l'**IAS 7**, intitulée «Tableau des flux de trésorerie», de classer les flux de trésorerie en trois catégories. Voici quelques observations au sujet du classement des opérations.

1. Nous expliquerons en détail la notion d'équivalents de trésorerie à la page 23.7. Qu'il suffise ici de préciser que les équivalents de trésorerie sont des actifs ou des passifs facilement réalisables en trésorerie.
2. CPA Canada, *Manuel de CPA Canada – Comptabilité – Partie I*, «Cadre conceptuel de l'information financière», paragr. OB20. (*Voir la page iv des liminaires pour plus de détails à l'égard des normes publiées mais non encore entrées en vigueur.*)

Les opérations découlant des activités d'exploitation

Les premières opérations pouvant entraîner des variations dans la trésorerie et les équivalents de trésorerie sont celles qui sont liées aux activités courantes de l'entreprise, c'est-à-dire aux activités génératrices de produits. Le montant des **flux de trésorerie liés aux activités d'exploitation** est un indicateur clé, puisqu'il permet d'évaluer la capacité de l'entreprise à générer des flux de trésorerie suffisants pour maintenir ses activités à l'avenir. Les encaissements découlant des ventes et des autres produits, de même que les décaissements résultant des achats de marchandises, du paiement des salaires et autres avantages versés aux membres du personnel, des charges administratives, des charges financières sur des titres classés dans le passif et des impôts constituent une portion importante des opérations ayant une incidence sur la trésorerie. La première section du tableau des flux de trésorerie, intitulée « Activités d'exploitation », regroupe ces opérations ainsi que les encaissements et les décaissements liés à des instruments financiers détenus à des fins de négoce ou de transaction. Elle montre toutes les augmentations et les diminutions de la trésorerie et des équivalents de trésorerie découlant des activités d'exploitation présentées dans l'état du résultat global.

De façon plus précise, les **activités d'exploitation** « sont les principales activités génératrices de produits de l'entité et toutes les autres activités qui ne sont pas des activités d'investissement ou de financement[3] ». Par exemple, une entreprise dont l'activité principale consiste à louer des actifs pendant une certaine période avant de les revendre présente les flux de trésorerie découlant de la location et de la revente dans la section des activités d'exploitation. Par ailleurs, une entreprise dont l'activité principale est de produire des meubles inclurait, le cas échéant, le produit de la vente d'un immeuble dans la section des activités d'investissement. La définition donnée précédemment nous amène à déduire que sont classés dans la catégorie des activités d'exploitation tous les flux de trésorerie qui ne sont pas présentés dans les deux autres catégories.

Les opérations découlant des activités d'investissement

La section des activités d'investissement du tableau des flux de trésorerie regroupe deux types d'opérations influant sur la trésorerie et les équivalents de trésorerie. On y présente d'abord l'acquisition ou la cession d'actifs non courants, dans la mesure où ils sont comptabilisés à titre d'actifs et donnés comme tels dans l'état de la situation financière. On y présente aussi l'acquisition ou la cession des autres placements qui ne sont pas inclus dans les équivalents de trésorerie. La présentation distincte des **flux de trésorerie liés aux activités d'investissement** permet à l'investisseur d'apprécier la mesure dans laquelle l'entreprise investit dans des ressources à long terme de façon à maintenir son patrimoine. Lorsqu'une entreprise acquiert de nouveaux actifs non courants, qu'il s'agisse d'immobilisations ou de placements, le prix payé diminue sa trésorerie et ses équivalents de trésorerie. Il en est de même si une entreprise consent un prêt à long terme à une tierce partie. À l'inverse, lorsqu'elle vend des actifs non courants, le produit obtenu augmente sa trésorerie et ses équivalents de trésorerie. Il en est de même lorsqu'elle reçoit le remboursement de créances à long terme.

L'entreprise classe aussi dans la catégorie des activités d'investissement les flux de trésorerie liés à l'acquisition ou à la disposition de placements courants qui ne sont pas considérés comme des équivalents de trésorerie ou qui ne sont pas détenus à des fins de négoce ou de transaction[4].

Les opérations découlant des activités de financement

Différence NCECF

La catégorie des activités de financement regroupe les opérations visant à obtenir de nouveaux capitaux ou à rembourser les sommes avancées par les bailleurs de fonds. La présentation distincte des **flux de trésorerie liés aux activités de financement** est utile pour évaluer la capacité d'une entreprise à obtenir du financement. Les mouvements de trésorerie liés aux activités de financement entraînent des changements relatifs au montant et à la composition des capitaux de l'entreprise (les capitaux empruntés aussi bien que les capitaux propres). Lorsqu'une entreprise contracte de nouveaux emprunts ou émet de nouvelles actions, sa trésorerie et ses équivalents de trésorerie augmentent. À l'opposé, lorsqu'elle rembourse une partie ou la totalité de ses emprunts ou qu'elle rachète ses propres actions, sa trésorerie et ses équivalents de trésorerie diminuent.

3. *Manuel de CPA Canada – Comptabilité – Partie I*, IAS 7, paragr. 6.
4. *Manuel de CPA Canada – Comptabilité – Partie I*, IAS 7, paragr. 16(c) et (d).

Avez-vous remarqué ?

Classer les opérations qui ont influé sur la trésorerie et les équivalents de trésorerie en trois catégories (activités d'exploitation, activités d'investissement et activités de financement) facilite l'analyse de la performance passée de l'entreprise et, indirectement, la prévision des flux de trésorerie.

Quelques précisions s'imposent concernant la classification des opérations. D'abord, une entreprise peut choisir de présenter les intérêts et les dividendes **reçus** sur ses placements qui ne sont pas des équivalents de trésorerie ou des placements détenus à des fins de négoce ou de transaction soit dans la section des activités d'exploitation, soit dans celle des activités d'investissement. De même, les intérêts **payés** sur les emprunts ainsi que les dividendes **versés** aux actionnaires peuvent être présentés soit dans la section des activités d'exploitation, soit dans celle des activités de financement. L'IASB laisse les entreprises libres de faire ces choix, pourvu que ceux-ci soient permanents. Par exemple, si une entreprise a présenté les décaissements liés aux charges financières dans la section des activités d'exploitation en 20X1, elle ne peut les présenter dans les activités de financement en 20X2, puisque cela nuirait à la comparabilité des états financiers. Peu importe la classification retenue, soulignons aussi que l'entreprise doit toujours présenter distinctement, d'une part, les intérêts et les dividendes reçus et, d'autre part, les intérêts et les dividendes payés.

En ce qui concerne les flux de trésorerie liés aux impôts, l'IASB recommande de les présenter parmi les activités d'exploitation, puisqu'il n'est habituellement pas possible de rattacher ces flux de trésorerie à des opérations précises. Exceptionnellement, une entreprise peut être en mesure de rattacher à une opération précise une partie des impôts payés ou recouvrés. Pensons, par exemple, aux impôts payés sur un gain en capital réalisé lors de la vente d'un placement.

EXEMPLE

Flux de trésorerie liés aux impôts

L'entreprise Mondaine ltée a payé 200 000 $ d'impôts au cours de 20X9, dont 10 000 $ sont directement liés à la vente d'un placement. Le comptable choisira l'un de ces deux modes de présentation des impôts payés en 20X9 :

Ventilation des impôts		Présentation du total des impôts	
Extrait du tableau des flux de trésorerie		*Extrait du tableau des flux de trésorerie*	
Activités d'exploitation		***Activités d'exploitation***	
Résultat net	*XX $*	*Résultat net*	*XX $*
Charge d'impôts	*XX*	*Charge d'impôts*	*XX*
Impôts payés (Note X)	*(190 000)*	*Impôts payés*	*(200 000)*
[...]			
Activités d'investissement			
Aliénation d'un placement	*XX*		
Impôts payés sur l'aliénation d'un placement (Note X)	*(10 000)*		
Note aux états financiers			
Note X			
Au cours de l'exercice, Mondaine ltée a payé des impôts totalisant 200 000 $.			

Comme le montre l'exemple précédent, lorsque l'entreprise décide de ventiler une partie des flux de trésorerie liés aux impôts, elle doit tout de même indiquer le montant total des impôts payés. Mondaine ltée a décidé de donner cette information dans une note aux états financiers. Que penser de ces deux modes de présentation ? Celle des impôts ventilés peut fournir une information pertinente aux utilisateurs des états financiers, car les impôts liés aux activités d'investissement et de financement sont moins répétitifs que ceux qui se rapportent aux activités courantes. Une présentation distincte des impôts payés augmente donc la valeur prédictive des états financiers, d'autant plus si la ventilation n'est pas faite dans l'état du résultat global[5]. À l'inverse, on peut croire que l'IASB n'impose pas cette ventilation car, on doit le reconnaître, les impôts sont souvent payés durant un exercice différent de celui de la transaction à l'origine. Par exemple, même si Mondaine ltée connaît le montant du gain en capital imposable et le taux d'imposition applicable à ce type de gain, des pertes en capital survenues au cours des exercices précédents pourraient entraîner une diminution du montant d'impôts payés à la vente du placement en 20X9. De plus, alors que dans l'exemple précédent nous avons posé l'hypothèse que les impôts de 10 000 $ étaient payés en 20X9, le débours pourrait être reporté à l'année 20Y0.

Étant donné la latitude que laisse l'IASB aux entreprises, le classement de certaines opérations requiert que le comptable demeure vigilant.

Ainsi, une opération unique peut inclure des flux de trésorerie relatifs à deux catégories d'activités. Mentionnons, à titre d'exemple, les remboursements périodiques sur la dette, lesquels couvrent le paiement des intérêts et un remboursement du principal. Ces deux composantes doivent être séparées, même si l'entreprise a pour politique de présenter les intérêts dans la section des activités de financement. En effet, rappelons que l'IASB recommande de présenter distinctement les intérêts payés. La même logique s'applique aux intérêts ajoutés à la valeur comptable d'une immobilisation construite par l'entreprise pour son propre compte. Dans ce dernier cas, même si les intérêts payés pendant l'exercice ont été comptabilisés à titre d'actif, ils doivent être regroupés avec les intérêts payés et être présentés soit dans la section des activités d'exploitation, soit dans celle des activités de financement. Comme on peut le constater, le tableau des flux de trésorerie permet de fournir de l'information qui n'est pas influencée par le choix des méthodes comptables adoptées par l'entreprise. C'est pourquoi l'on dit des informations sur les flux de trésorerie qu'elles « [...] renforcent la comparabilité des informations sur la performance opérationnelle de différentes entités, car elles éliminent les effets de l'utilisation de traitements comptables différents pour les mêmes opérations et événements[6] ».

Différence NCECF

Les **opérations de couverture** exigent aussi de faire preuve de vigilance, car l'IASB précise que « [...] lorsqu'un contrat est comptabilisé en tant que couverture d'une position identifiable, les flux de trésorerie relatifs à ce contrat sont classés de la même façon que les flux de trésorerie de la position ainsi couverte[7] ». Par exemple, si une entreprise achète des options de vente d'actions pour se protéger contre le risque de prix auquel l'expose la détention d'un autre placement non détenu à des fins de négoce ou de transaction, elle classe la diminution de la trésorerie et des équivalents de trésorerie relatifs à l'achat des options dans les activités d'investissement. Cependant, si une entreprise signe un accord de crédit croisé (swap) portant sur l'échange de devises pour se protéger contre le risque de change auquel l'expose le remboursement en capital d'une dette non courante, elle classe la diminution de la trésorerie et des équivalents de trésorerie relatifs au swap dans les activités de financement, car c'est dans cette section qu'elle présente les flux de trésorerie relatifs au remboursement du principal de la position couverte, soit la dette non courante.

La portée de l'IAS 7

Comme nous l'avons déjà mentionné, le tableau des flux de trésorerie est très utile. Il permet aux utilisateurs de prévoir les besoins en trésorerie et en équivalents de trésorerie d'une entreprise et sa capacité à en générer. C'est pourquoi l'IASB recommande que toutes les entreprises présentent cet état :

> Les utilisateurs des états financiers d'une entité sont intéressés par la façon dont l'entité génère et utilise sa trésorerie ou ses équivalents de trésorerie. Ceci est le cas quelle que soit la nature des activités de l'entité, même si la trésorerie peut être considérée comme la base de l'activité même de l'entité, comme cela peut être le cas pour une institution financière. Les entités ont besoin de trésorerie essentiellement pour les mêmes raisons, quelle que soit l'activité principale génératrice de produits. Elles ont besoin de trésorerie pour conduire leurs activités, s'acquitter de leurs obligations et assurer une rentabilité à leurs investisseurs. En conséquence, la présente norme impose que toutes les entités présentent un tableau des flux de trésorerie[8].

5. Rappelons que le profit ou la perte découlant de certaines opérations, tel que le profit lié aux activités abandonnées, est présenté net d'impôts dans l'état du résultat global, comme nous l'avons expliqué au chapitre 2.
6. *Manuel de CPA Canada – Comptabilité – Partie I*, IAS 7, paragr. 4.
7. *Manuel de CPA Canada – Comptabilité – Partie I*, IAS 7, paragr. 16.
8. *Manuel de CPA Canada – Comptabilité – Partie I*, IAS 7, paragr. 3.

Il faut noter que lorsqu'une entreprise dresse des états financiers intermédiaires, elle doit présenter un tableau des flux de trésorerie de la période intermédiaire ainsi qu'un tableau des flux de trésorerie cumulés depuis le début de l'exercice financier. Elle suit à cette fin les étapes expliquées dans le présent chapitre.

Les flux de trésorerie

Les **flux de trésorerie** sont définis comme étant les rentrées et sorties de trésorerie et d'équivalents de trésorerie. La **trésorerie** représente les fonds en caisse et les dépôts à vue dont dispose une entreprise, tel le solde d'un compte courant à la banque.

Les **équivalents de trésorerie** englobent tous les actifs pouvant être facilement convertis en trésorerie, pour un montant connu de trésorerie dont la valeur ne risque pas de changer de façon importante. Selon l'IASB, pour qu'un placement à court terme puisse être considéré comme un équivalent de trésorerie, son échéance doit être inférieure ou égale à trois mois à partir de sa date d'acquisition. Puisque la valeur des placements en actions est généralement très volatile, de tels placements sont exclus des équivalents de trésorerie, à moins de circonstances spéciales[9]. En fait, le comptable doit se reporter à la politique établie par l'entreprise ; des placements répondant à la définition d'équivalents de trésorerie peuvent être détenus à des fins de placement et, de ce fait, ne pas être traités comme des équivalents de trésorerie à des fins de préparation du tableau des flux de trésorerie.

L'IASB précise que les emprunts bancaires sont généralement exclus des équivalents de trésorerie. Certains découverts bancaires remboursables à vue peuvent être traités comme des équivalents de trésorerie, à la condition que le solde bancaire fluctue constamment entre un solde disponible et un solde à découvert, montrant ainsi que le découvert bancaire fait partie intégrante de la gestion des flux de trésorerie.

Étant donné que les actifs et les passifs considérés comme de la trésorerie et des équivalents de trésorerie peuvent différer d'une entreprise à l'autre, l'IASB recommande que l'entreprise précise les composantes de la trésorerie et des équivalents de trésorerie en rapprochant les montants présentés dans le tableau des flux de trésorerie et ceux qui sont présentés dans l'état de la situation financière. Ces renseignements permettront aux utilisateurs d'établir des liens entre les états financiers et de comparer le tableau des flux de trésorerie de plusieurs entreprises, même si celles-ci définissent différemment la trésorerie et les équivalents de trésorerie. Cette information est présentée dans le corps même du tableau des flux de trésorerie ou par voie de notes aux états financiers.

EXEMPLE

Trésorerie et équivalents de trésorerie

Voici les actifs et les passifs courants de la société ABC ltée :

ABC LTÉE
Extraits de la balance de vérification
au 31 décembre

	20X2		*20X1*	
	Débit	***Crédit***	***Débit***	***Crédit***
Caisse	*15 500 $*		*12 000 $*	
Placements à la juste valeur par le biais du résultat net	*88 000*		*50 000*	
Charges payées d'avance	*5 000*		*8 500*	
Clients, montant net	*132 800*		*124 700*	
Actif d'impôt différé	*10 000*		*9 500*	
Stock de marchandises	*238 625*		*206 300*	
Emprunt bancaire		*95 000 $*		*100 000 $*
Fournisseurs		*124 900*		*115 300*
Salaires courus		*18 300*		*17 400*
Impôts exigibles (passif)		*38 000*		

9. Par exemple, un placement en actions préférentielles rachetables à une date déterminée, qui se situe à moins de trois mois, à partir de la date d'acquisition et à un montant déterminé pourrait exceptionnellement être considéré comme un équivalent de trésorerie.

23

Voici quelques renseignements supplémentaires relatifs aux opérations de la société :

1. Les placements classés À la juste valeur par le biais du résultat net sont disponibles pour faire face aux engagements de trésorerie à court terme et se composent de deux types de placements :

	20X2	*20X1*
Placements en obligations, échéant le 1er février suivant	*70 000 $*	*32 000 $*
Placements en actions dans des sociétés ouvertes	*18 000*	*18 000*

2. L'emprunt bancaire est remboursable sur demande.

Quels sont, parmi les comptes précédents, ceux qui répondent à la définition de trésorerie et d'équivalents de trésorerie ? Il ne fait aucun doute que le compte Caisse doit être inclus dans la trésorerie. Qu'en est-il des placements classés À la juste valeur par le biais du résultat net ? Les renseignements supplémentaires font état de deux types de placements : les placements en obligations et les placements en actions. Les premiers arrivent à échéance très rapidement (30 jours après la date d'acquisition) et peuvent être convertis en un montant connu de trésorerie. En effet, ce montant ne s'écarte sûrement pas de façon importante de leur valeur à l'échéance, étant donné le court délai jusqu'à ce moment. Les placements en obligations répondent donc à la définition d'équivalents de trésorerie. Le deuxième type de placements, soit les actions dans des sociétés ouvertes, est facilement réalisable, puisque la société pourrait vendre ces actions et obtenir au cours des quelques jours suivants l'équivalent en trésorerie. Cependant, il est très difficile de prévoir le montant qui serait encaissé, car les cotes boursières fluctuent continuellement. C'est pourquoi ces placements ne répondent pas à la définition d'équivalents de trésorerie. Les autres comptes de l'actif courant ne peuvent être convertis facilement en trésorerie et ne sont donc pas considérés comme des équivalents de trésorerie. Finalement, aucun des comptes du passif courant ne constitue des équivalents de trésorerie. En effet, même si l'emprunt bancaire est remboursable sur demande, il ne s'agit pas d'un découvert bancaire dont le solde fluctue régulièrement.

Ayant déterminé la trésorerie et les équivalents de trésorerie, il est possible de calculer la **variation nette survenue dans la trésorerie et les équivalents de trésorerie** au cours de l'exercice courant. Pour ce faire, on calcule la différence entre les soldes de la trésorerie et des équivalents de trésorerie au début et à la fin de l'exercice. Voici ce calcul réalisé par Mondaine ltée :

Trésorerie et équivalents de trésorerie au début		
Caisse	*12 000 $*	
Placements à la juste valeur par le biais du résultat net	*32 000*	*44 000 $*
Trésorerie et équivalents de trésorerie à la fin		
Caisse	*15 500*	
Placements à la juste valeur par le biais du résultat net	*70 000*	*85 500*
Augmentation de la trésorerie et des équivalents de trésorerie au cours de l'exercice		*41 500 $*

C'est cette augmentation de 41 500 $ qui sera expliquée dans le tableau des flux de trésorerie. Soulignons que, pendant l'exercice, l'entreprise a sans doute utilisé ses fonds en caisse pour acheter des placements qui représentent des équivalents de trésorerie et reçu de la trésorerie lors de la vente de placements de même nature. Le tableau des flux de trésorerie ne montre pas ces transferts entre les éléments qui composent la trésorerie et les équivalents de trésorerie et qui relèvent de la gestion de la trésorerie. Le tableau des flux de trésorerie montre seulement la variation nette survenue dans la trésorerie et les équivalents de trésorerie qui découlent des activités d'exploitation, des activités d'investissement et des activités de financement.

Avez-vous remarqué ?

La trésorerie et les équivalents de trésorerie englobent tous les éléments pouvant être facilement convertis en trésorerie. En pratique, ils se limitent souvent aux fonds en caisse.

Les opérations d'investissement et de financement sans contrepartie de trésorerie

L'IASB exige que le tableau des flux de trésorerie montre uniquement les opérations ayant un effet sur les flux de trésorerie :

> Les transactions d'investissement et de financement qui ne requièrent pas de trésorerie ou d'équivalents de trésorerie doivent être exclues du tableau des flux de trésorerie. De telles transactions doivent être indiquées ailleurs dans les états financiers de façon à fournir toute information pertinente à propos de ces activités d'investissement et de financement[10].

Ne présenter dans le tableau des flux de trésorerie que les activités qui entraînent une diminution ou une augmentation de la trésorerie et des équivalents de trésorerie est cohérent par rapport à l'objectif de cet état, c'est-à-dire montrer les variations survenues dans la trésorerie et les équivalents de trésorerie. Cependant, une entreprise peut conclure des activités d'investissement ou de financement qui, même si elles n'entraînent pas de mouvements de trésorerie durant l'exercice en cours, modifient la structure du capital et de l'actif et, de ce fait, peuvent entraîner des mouvements de trésorerie durant les exercices subséquents. Mentionnons, à titre d'exemple, l'achat d'immobilisations financé entièrement par le vendeur. Puisque les utilisateurs des états financiers s'intéressent aux opérations courantes dans le but de prévoir les opérations futures, il importe que les états financiers les renseignent sur de telles activités d'investissement et de financement, même si l'IASB précise que le tableau des flux de trésorerie n'est pas l'état approprié pour ce faire. Les informations de cette nature peuvent être transmises par voie de notes aux états financiers.

Après avoir répertorié toutes les opérations ayant entraîné des mouvements de trésorerie pendant l'exercice en cours, le comptable doit prêter une attention particulière aux opérations suivantes, exclues du tableau des flux de trésorerie, et au sujet desquelles il doit donner des explications par voie de notes aux états financiers :

- Les échanges non monétaires ;
- Les biens reçus à titre gratuit ;
- Le refinancement de dettes ;
- Les variations de la juste valeur des passifs non courants qui n'ont pas entraîné de rentrées ni de sorties de trésorerie, par exemple les variations de juste valeur (selon le paragr. 44A de l'IAS 7) ;
- Les conversions de dettes ou d'actions ;
- L'acquisition d'actifs par la prise en charge de passifs directement liés ;
- L'acquisition d'actifs en échange des propres actions de l'entreprise.

Voici un exemple de note portant sur les opérations d'investissement et de financement sans contrepartie de trésorerie qui pourrait être rédigée :

> *Au cours de l'exercice, l'entreprise a acquis des équipements de production pour un montant de 750 000 $ au moyen d'un contrat de location-financement.*
>
> [...]
>
> *L'entreprise a procédé au refinancement d'une dette à long terme de 2,5M$. Un nouvel emprunt bancaire d'un montant équivalent, obtenu pendant l'exercice, arrivera à échéance en ... Les intérêts sont calculés au taux fixe de ... % par année et sont payables le 31 décembre de chaque année.*

Revenons aux opérations énumérées précédemment, plus particulièrement aux deux derniers éléments. L'acquisition d'actifs par la prise en charge de passifs directement liés s'entend généralement d'un financement offert par le vendeur. Ainsi, dans le cas d'un contrat de location-financement, puisque le vendeur (bailleur) assure directement le financement, l'opération n'est pas présentée dans le tableau des flux de trésorerie. Par contre, si l'acquéreur finance l'acquisition par un emprunt contracté auprès d'un tiers, même si ce dernier verse directement la trésorerie au vendeur, cette opération correspond à une rentrée de trésorerie (prise en charge d'un passif) suivie d'une sortie de trésorerie (acquisition de l'actif). De même, l'acquisition d'actifs par une entreprise en échange de ses propres actions est considérée comme une opération sans effet sur la trésorerie si les actions émises

10. *Manuel de CPA Canada – Comptabilité – Partie I*, IAS 7, paragr. 43.

par l'acquéreur sont remises au vendeur. Par contre, si l'acquéreur offre les actions nouvellement émises à une tierce partie ou sur un marché public, cette opération correspond à une rentrée de trésorerie (produit de l'émission des actions) suivie d'une sortie de trésorerie (acquisition de l'actif).

D'autres opérations d'investissement ou de financement qui n'entraînent pas de mouvements de trésorerie à court terme ne modifient pas la structure du capital ou de l'actif. Mentionnons, à titre d'exemples, les dividendes servis uniquement en actions, les regroupements ou fractionnements d'actions, l'affectation ou l'annulation d'affectation des résultats non distribués et la radiation d'actifs amortissables dont la valeur comptable est nulle. De telles opérations n'entraînent pas de mouvements de trésorerie dans les exercices futurs. Ainsi, l'affectation des résultats non distribués a pour seul effet de présenter dans l'état de la situation financière deux catégories de résultats non distribués, soit les résultats non distribués affectés et les résultats non distribués non affectés. Comme nous l'avons vu au chapitre 15, les affectations, qu'elles soient facultatives ou statutaires, ont une faible utilité et, de ce fait, sont de moins en moins utilisées. Il n'est pas nécessaire d'en montrer la création dans le tableau des flux de trésorerie, car les utilisateurs des états financiers n'ont pas besoin de cette information pour évaluer la gestion de la trésorerie ni pour prévoir les variations futures de la trésorerie et des équivalents de trésorerie. Par ailleurs, précisons que si la société a déclaré un dividende en actions en laissant le choix à ses actionnaires entre recevoir le dividende en actions ou en argent, c'est qu'elle est prête à réduire sa trésorerie et ses équivalents de trésorerie. Dans ce cas, le tableau des flux de trésorerie doit présenter les deux volets de l'opération, c'est-à-dire, d'une part, l'émission d'actions présentée dans la section des activités de financement et, d'autre part, les dividendes payés présentés soit dans la section des activités d'exploitation, soit dans celle des activités de financement.

Pour toutes les opérations sans effet sur la trésorerie, il suffit de suivre les recommandations contenues dans les normes appropriées des IFRS pour déterminer les renseignements à donner dans les notes.

L'établissement du tableau des flux de trésorerie

Après avoir rappelé les objectifs du tableau des flux de trésorerie et en avoir donné les lignes directrices, nous sommes prêts à en examiner l'établissement.

Étape 1 : Les activités d'exploitation

La première section du tableau des flux de trésorerie montre les flux de trésorerie liés aux activités d'exploitation. Comme l'état du résultat global reflète l'incidence de ces opérations sur le résultat de l'entreprise, il sert de point de départ pour dresser le tableau des flux de trésorerie. Il faut cependant garder à l'esprit que l'état du résultat global est établi sur la base de la comptabilité d'engagement, alors que le tableau des flux de trésorerie doit montrer les variations de la trésorerie et des équivalents de trésorerie.

Il existe au moins deux façons de présenter cette section, soit en suivant la **méthode directe**, parfois appelée **présentation axée sur le résultat**, ou la **méthode indirecte**, parfois appelée **présentation axée sur la situation financière**. Même si l'IASB laisse le choix de la méthode à utiliser, il incite les entreprises à utiliser la méthode directe : « [...] La méthode directe apporte des informations qui peuvent être utiles pour l'estimation des flux de trésorerie futurs et qui ne sont pas disponibles à partir de la méthode indirecte[11]. » À notre avis, la méthode directe donne des renseignements beaucoup plus faciles à comprendre pour les utilisateurs des états financiers. Cependant, les liens entre l'état du résultat global et le tableau des flux de trésorerie sont alors moins évidents. C'est peut-être pour cette raison que la plupart des entreprises utilisent la méthode indirecte. Puisque l'IASB accepte les deux formes de présentation, nous décrirons ci-après la démarche que l'entreprise doit suivre selon qu'elle adopte l'une ou l'autre de ces méthodes.

La présentation selon la méthode indirecte

La présentation selon la méthode indirecte transforme de façon intégrale le résultat net d'un exercice en un montant de rentrée ou de sortie de fonds. La section des activités d'exploitation montre d'abord le résultat net tel qu'il est présenté dans l'état du résultat global. Les lignes suivantes reflètent les ajustements nécessaires pour transformer le résultat net calculé sur la base de la comptabilité d'engagement en un résultat calculé sur celle de la comptabilité de caisse.

11. *Manuel de CPA Canada – Comptabilité – Partie I*, IAS 7, paragr. 19.

Selon l'IASB, la présentation selon la méthode indirecte nécessite trois types d'ajustement du résultat net présenté dans le tableau des flux de trésorerie :

1. Les variations survenues durant l'exercice dans les stocks et dans les créances et dettes d'exploitation ;
2. Les éléments sans effet de trésorerie ;
3. Les éléments pour lesquels l'effet de trésorerie consiste en un flux de trésorerie d'investissement ou de financement[12].

Examinons ces trois types d'ajustements, en commençant par les plus simples.

Les variations survenues durant l'exercice dans les stocks et dans les créances et dettes d'exploitation

Pour convertir globalement le montant de résultat net calculé sur la base de la comptabilité d'engagement en flux de trésorerie, la première étape consiste à prendre en compte les variations survenues dans les soldes des postes de l'actif et du passif courant, notamment dans les comptes Clients, Stocks, Fournisseurs, Charges payées d'avance et Impôts exigibles. La prise en compte de ces variations a été expliquée en détail au chapitre 2 et illustrée dans la figure 2.9 (*voir la page 2.50*).

Rappelons uniquement l'objectif de cette démarche, qui est de transformer un montant calculé sur la base de la comptabilité d'engagement en un montant d'encaissement. Ainsi, l'augmentation des comptes clients signifie que l'entreprise n'a pas encaissé le plein montant des ventes de l'exercice en cours. Puisque ce plein montant des ventes a augmenté le bénéfice net, la portion non encaissée doit, dans le tableau des flux de trésorerie, être déduite du résultat net. À l'inverse, l'augmentation des comptes fournisseurs signifie que l'entreprise n'a pas déboursé le plein montant des achats de l'exercice en cours. Puisque ce plein montant des achats a diminué le bénéfice net, l'augmentation des comptes fournisseurs doit, dans le tableau des flux de trésorerie, être ajoutée au résultat net. Le lecteur comprendra que le comptable doit, dans le tableau des flux de trésorerie, ajouter les éléments présentés dans la première colonne du tableau 23.1 au montant de résultat net et retrancher du résultat net les éléments de la deuxième colonne.

TABLEAU 23.1 Le traitement des variations de certains actifs et passifs courants hors trésorerie et équivalents de trésorerie

Éléments à ajouter au résultat net	Éléments à retrancher du résultat net
Augmentation de certains passifs courants hors trésorerie et équivalents de trésorerie	Diminution de certains passifs courants hors trésorerie et équivalents de trésorerie
Diminution de certains actifs courants hors trésorerie et équivalents de trésorerie	Augmentation de certains actifs courants hors trésorerie et équivalents de trésorerie

Dans le tableau des flux de trésorerie, le poste **Variations de certains actifs et passifs courants hors trésorerie et équivalents de trésorerie** regroupe ces éléments de retraitement. Seuls les éléments du fonds de roulement qui sont liés aux activités d'exploitation font partie de ce poste. Bien sûr, les postes de l'état de la situation financière qui sont considérés comme de la trésorerie et des équivalents de trésorerie sont exclus du poste Variations de certains actifs et passifs courants hors trésorerie et équivalents de trésorerie.

Les éléments sans effet de trésorerie

Le deuxième ajustement consiste à tenir compte de certains postes présentés dans l'état du résultat global qui n'ont aucune incidence sur la trésorerie et les équivalents de trésorerie. Le tableau 23.2 énumère quelques-uns de ces **éléments sans effet de trésorerie**.

Les éléments présentés dans la colonne de gauche ont tous eu un effet négatif sur le résultat net. Il est facile de comprendre que l'amortissement a une telle incidence. Comme ces éléments n'influent pas sur la trésorerie et les équivalents de trésorerie, on doit en tenir compte au moment de dresser le tableau des flux de trésorerie. Pour ce faire, il suffit de les ajouter au montant de résultat net dans le tableau des flux de trésorerie. Pour leur part, les éléments présentés dans la colonne de droite ont eu un effet positif sur le résultat net. Comme ils n'entraînent pas de rentrées de trésorerie ou d'équivalents de trésorerie, il faut, dans le tableau des flux de trésorerie, les retrancher du montant de résultat net.

12. *Manuel de CPA Canada – Comptabilité – Partie I*, IAS 7, paragr. 20.

TABLEAU 23.2 Le traitement des postes n'ayant aucune incidence sur la trésorerie et les équivalents de trésorerie[13]

Éléments à ajouter au résultat net	Éléments à retrancher du résultat net
• Amortissement des immobilisations corporelles	
• Amortissement des immobilisations incorporelles	
• Quote-part de la perte afférente à une participation comptabilisée selon la méthode de la mise en équivalence	• Quote-part du bénéfice tiré d'une participation comptabilisée selon la méthode de la mise en équivalence
• Dividendes encaissés sur les participations comptabilisées selon la méthode de la mise en équivalence	
• Perte sur aliénation d'actifs non courants	• Profit sur aliénation d'actifs non courants
• Perte liée à une diminution de la juste valeur des actifs financiers courants comptabilisée en résultat net	• Profit lié à une augmentation de la juste valeur des actifs financiers courants comptabilisé en résultat net
• Perte liée à une augmentation de la juste valeur des passifs financiers courants comptabilisée en résultat net	• Profit lié à une diminution de la juste valeur des passifs financiers courants comptabilisé en résultat net
• Perte sur disposition liée à des activités abandonnées	• Profit sur disposition lié à des activités abandonnées
• Perte sur conversion de monnaies étrangères	• Profit sur conversion de monnaies étrangères
• Augmentation du passif d'impôt différé	• Diminution du passif d'impôt différé
• Diminution de l'actif d'impôt différé	• Augmentation de l'actif d'impôt différé

Les éléments pour lesquels l'effet de trésorerie consiste en un flux de trésorerie d'investissement ou de financement

Le troisième ajustement concerne certains postes présentés dans l'état du résultat global qui ont une incidence sur la trésorerie et les équivalents de trésorerie, mais qui se rattachent à des activités d'investissement ou de financement. L'exemple le plus courant de ce type d'ajustement est un produit d'intérêts ou de dividendes liés à un placement comptabilisé selon les normes applicables aux instruments financiers lorsque l'entreprise décide de présenter les intérêts et les dividendes reçus dans la section des activités d'investissement. Ces produits ayant eu un effet positif sur le résultat net, on doit, dans la section des activités d'exploitation du tableau des flux de trésorerie, les soustraire du montant de résultat net.

À l'inverse, si l'entreprise a payé des intérêts sur ses dettes à long terme et décide de présenter ses intérêts dans la section des activités de financement, la charge d'intérêts payés est, dans la section des activités d'exploitation du tableau des flux de trésorerie, ajoutée au montant de résultat net.

Toutes les entreprises n'ont pas nécessairement d'ajustement à faire au titre de cette troisième catégorie. C'est le cas si une entreprise décide de présenter ses intérêts et dividendes, tant payés que reçus, dans la section des activités d'exploitation. Nous expliquerons plus loin le traitement particulier des ajustements liés aux créances et aux dettes émises à prime ou à escompte.

La section des activités d'exploitation regroupe donc les éléments suivants :

Activités d'exploitation	
Résultat net	*XX $*
Variations de certains actifs et passifs courants hors trésorerie et équivalents de trésorerie	*XX*
Éléments sans effet de trésorerie	*XX*
Éléments pour lesquels l'effet de trésorerie consiste en un flux de trésorerie d'investissement ou de financement	*XX*
Flux de trésorerie liés aux activités d'exploitation	*XX $*

La présentation selon la méthode directe

Alors que la présentation selon la méthode indirecte transforme de façon intégrale le résultat net d'un exercice en une rentrée ou une sortie de trésorerie, la **présentation selon la méthode directe** transforme chaque poste de l'état du résultat global présenté avant le résultat net et calculé sur la base de la comptabilité d'engagement en un montant calculé sur la base de

23

13. Nous verrons aux pages 23.26 à 23.32 certaines opérations particulières sans effet sur la trésorerie et les équivalents de trésorerie.

la comptabilité de caisse. Le lecteur trouvera plus de détails à ce sujet à la figure 2.9 (*voir la page 2.50*). Si une entreprise adopte la présentation selon la méthode directe, la section des activités d'exploitation prend la forme suivante :

Activités d'exploitation	
Sommes reçues des clients	*XX $*
Sommes payées aux fournisseurs	*(XX)*
Frais commerciaux et administratifs payés	*(XX)*
Frais financiers payés	*(XX)*
Impôts payés	*(XX)*
Flux de trésorerie liés aux activités d'exploitation	*XX $*

Comme l'illustre la figure 23.1, la présentation selon la méthode directe donne plus d'informations aux utilisateurs des états financiers, car elle explique la **nature** des encaissements

FIGURE 23.1 Une comparaison de deux modes de présentation

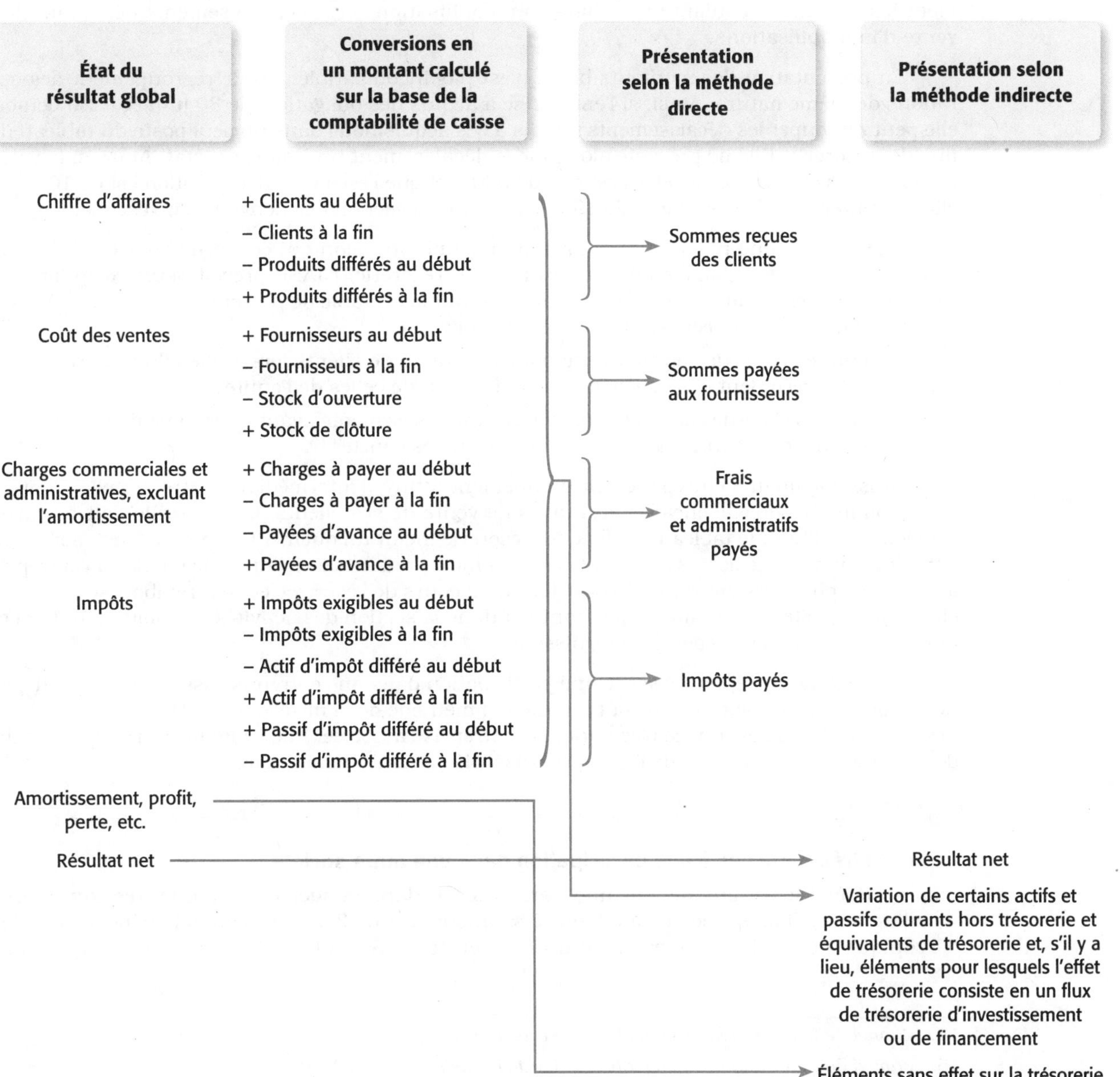

et des décaissements liés aux activités d'exploitation. Cependant, elle requiert un peu plus de temps, puisque l'entreprise doit convertir chaque poste de l'état du résultat global en un montant calculé sur la base de la comptabilité de caisse.

Avez-vous remarqué ?

Du point de vue des utilisateurs des états financiers, il est plus simple de comprendre la nature des flux de trésorerie présentés selon la méthode directe. Cependant, la présentation selon la méthode indirecte les aide à comprendre les liens existant entre le tableau des flux de trésorerie, basé sur la comptabilité de caisse, et les autres états financiers, basés sur la comptabilité d'engagement.

Étape 2 : Les activités d'investissement

La deuxième section du tableau des flux de trésorerie montre l'incidence des activités d'investissement sur les flux de trésorerie. L'entreprise doit présenter les principales activités d'investissement, non seulement le montant net qui en découle. « Une entité doit présenter séparément les principales catégories d'entrées et de sorties de trésorerie brutes provenant des activités d'investissement et de financement [...][14]. » Par exemple, l'entreprise montre séparément les débours découlant des achats d'immobilisations et les encaissements découlant de la vente d'immobilisations.

La présentation des montants bruts n'est pas incompatible avec le regroupement des opérations de même nature. Ainsi, si l'entreprise a acquis des obligations le 30 juin et le 30 octobre, elle peut regrouper les décaissements relatifs à ces acquisitions dans un seul poste du tableau des flux de trésorerie. Elle ne présente alors que le décaissement brut dans cet état. Ainsi, si la valeur nominale des obligations achetées est de 200 000 $ et que l'escompte d'acquisition est de 10 000 $, elle présentera un décaissement de 190 000 $ dans la section des activités d'investissement.

Ouvrons ici une parenthèse pour apporter une précision qui concerne les trois catégories d'activités présentées dans le tableau des flux de trésorerie. L'IASB prévoit deux exceptions à la règle de la présentation des montants bruts. Il serait acceptable de présenter les flux de trésorerie pour le montant net concernant les opérations suivantes :

(a) entrées et sorties de trésorerie pour le compte de clients lorsque les flux de trésorerie découlent des activités du client et non de celles de l'entité ; et

(b) entrées et sorties de trésorerie concernant des éléments ayant un rythme de rotation rapide, des montants élevés et des échéances courtes[15].

Ainsi, lorsqu'une entreprise agit uniquement à titre d'intermédiaire entre ses clients et des tiers, comme lorsqu'elle encaisse des taxes de vente de ses clients, taxes qu'elle doit retourner rapidement à l'État, le tableau des flux de trésorerie inclut uniquement le montant net, soit l'écart entre les sommes encaissées des clients et les sommes retournées à l'État. De même, si l'entreprise a procédé à plusieurs emprunts à court terme au cours de l'exercice et en a remboursé plusieurs, elle peut se limiter à présenter le montant net dans la section des activités d'exploitation. Il en est ainsi des variations des comptes fournisseurs.

Lorsqu'une entreprise possède une participation dans une entreprise associée, que cette participation soit comptabilisée au coût ou selon la méthode de la mise en équivalence, elle n'a pas à présenter le détail des flux de trésorerie de l'entreprise associée. Elle se limite à présenter les flux de trésorerie qu'elle a reçus de l'entreprise associée ou qu'elle lui a remis.

EXEMPLE

Flux de trésorerie liés à une participation dans une autre société

La société Québec inc. détient une participation dans la société Tropique ltée. Au cours de l'exercice, Québec inc. a comptabilisé sa quote-part de 340 000 $ dans le bénéfice net de Tropique ltée et l'encaissement d'un dividende de 30 000 $. Aucune des sociétés n'a

14. *Manuel de CPA Canada – Comptabilité – Partie I*, IAS 7, paragr. 21.
15. *Manuel de CPA Canada – Comptabilité – Partie I*, IAS 7, paragr. 22.

comptabilisé d'Autres éléments du résultat global. Sachant que Québec inc. a réalisé un bénéfice net de 800 000 $, qu'elle utilise la méthode directe pour préparer son tableau des flux de trésorerie et qu'elle présente les dividendes reçus dans la section des activités d'investissement, voici les extraits de cet état financier qui concernent les flux de trésorerie liés à une participation dans une entreprise associée :

Activités d'investissement	
Dividendes reçus d'une entreprise associée	*30 000 $*

Cet état montre simplement le dividende encaissé au cours de l'exercice. La présentation est un peu plus complexe si Québec inc. présente son tableau des flux de trésorerie selon la méthode indirecte, comme le montre l'extrait suivant :

Activités d'exploitation	
Bénéfice net	*800 000 $*
Éléments sans effet de trésorerie	
Quote-part du bénéfice net d'une entreprise associée	*(340 000)*
Activités d'investissement	
Dividendes reçus d'une entreprise associée	*30 000*

Selon la méthode de la mise en équivalence, Québec inc. a comptabilisé un produit de placement de 340 000 $ qui n'a entraîné aucune rentrée de trésorerie. C'est pourquoi on porte ce montant au tableau des flux de trésorerie en diminution du bénéfice net. Quant aux dividendes reçus, puisqu'ils ont été comptabilisés en diminution du placement dans l'entreprise associée plutôt que comme produits de placement, ils ne sont pas inclus dans le bénéfice. C'est pourquoi ils doivent être présentés dans les activités d'investissement.

Certaines opérations liées à des regroupements d'entreprises de même que les cessions d'unités qui entraînent des mouvements de trésorerie doivent aussi être présentées séparément dans la section des activités d'investissement.

> L'ensemble des flux de trésorerie provenant de l'obtention ou de la perte du contrôle sur des filiales et autres unités opérationnelles doit être présenté séparément et classé dans les activités d'investissement[16].

Même si les regroupements d'entreprises constituent un sujet spécialisé qui va bien au-delà des sujets abordés dans le présent ouvrage, mentionnons simplement qu'un regroupement s'apparente, en substance, à une opération d'achat d'entreprise.

> En matière d'obtention et de perte de contrôle de filiales ou d'autres unités opérationnelles au cours de la période, une entité doit indiquer, de façon globale, chacun des éléments suivants :
>
> (a) la contrepartie totale payée ou reçue ;
>
> (b) la fraction de la contrepartie qui se compose de trésorerie et d'équivalents de trésorerie ;
>
> (c) le montant de trésorerie et d'équivalents de trésorerie dont dispose la filiale ou l'unité opérationnelle acquise ou cédée ; et
>
> (d) le montant des actifs et passifs, autres que la trésorerie et les équivalents de trésorerie, de la filiale ou de l'unité opérationnelle dont le contrôle a été obtenu ou perdu, regroupés par grandes catégories[17].

16. *Manuel de CPA Canada – Comptabilité – Partie I*, IAS 7, paragr. 39.
17. *Manuel de CPA Canada – Comptabilité – Partie I*, IAS 7, paragr. 40.

EXEMPLE

Acquisition d'une société

Le 1er janvier 20X0, la société Vorace inc. a payé 130 000 $ pour acquérir 100 % des actions de la société Victime inc. Voici la juste valeur des actifs et des passifs pris en charge à cette date :

Trésorerie	*8 000 $*
Autres actifs courants	*38 000*
Immobilisations, montant net	*140 000*
Emprunt bancaire, contracté par Victime inc.	*(2 000)*
Emprunt hypothécaire, contracté par Vorace inc.	*(100 000)*
Emprunt obligataire, contracté par Victime inc.	*(54 000)*
Montant déboursé	*30 000 $*

Vorace inc. doit présenter l'acquisition de cette société de la façon suivante dans son tableau des flux de trésorerie :

Activités d'investissement

Acquisition de 100 % des actions de Victime inc. (Note A)	*30 000 $*

Note A : Regroupement d'entreprises

Au cours de l'exercice, la société a acheté 100 % des actions de Victime inc. Les justes valeurs des actifs acquis et des passifs pris en charge étaient les suivantes :

Trésorerie	*8 000 $*
Actifs totaux autres que la trésorerie	*178 000*
Passifs de Victime inc. pris en charge	*(56 000)*
Prix d'achat total	*130 000*
Trésorerie de Victime inc.	*(8 000)*
Montant financé par emprunt	*(100 000)*
Montant payé en espèces, déduction faite de la trésorerie et des équivalents de trésorerie acquis	*22 000 $*

Le tableau 23.3 présente quelques opérations d'investissement et montre leur incidence sur la trésorerie et les équivalents de trésorerie.

TABLEAU 23.3 Les activités d'investissement

Augmentation de la trésorerie et des équivalents de trésorerie	Diminution de la trésorerie et des équivalents de trésorerie
Contrepartie reçue lors de l'aliénation d'immobilisations corporelles ou incorporelles	Coût d'acquisition d'immobilisations corporelles ou incorporelles
Contrepartie reçue lors de l'aliénation de placements qui ne constituent pas de la trésorerie ou des équivalents de trésorerie, ou qui ne sont pas détenus à des fins de négoce ou de transaction	Coût d'acquisition de placements qui ne constituent pas de la trésorerie ou des équivalents de trésorerie, ou qui ne sont pas détenus à des fins de négoce ou de transaction
Intérêts et dividendes reçus, le cas échéant	

Étape 3 : Les activités de financement

Finalement, les activités de financement, dont la nature a déjà été expliquée, sont regroupées dans une section du tableau des flux de trésorerie. Le tableau 23.4 résume les opérations qui entrent dans cette catégorie en distinguant celles qui augmentent la trésorerie et les équivalents de trésorerie de celles qui les diminuent.

Les états financiers doivent aussi fournir les informations qui permettent à leurs utilisateurs d'évaluer les variations des passifs issus des activités de financement. Ces informations peuvent être données en note dans un tableau montrant le rapprochement entre les soldes d'ouverture et de clôture des passifs issus des activités de financement. L'entreprise doit veiller à y inclure tant les changements résultant des flux de trésorerie que les changements sans contrepartie de trésorerie.

TABLEAU 23.4 Les activités de financement

Augmentation de la trésorerie et des équivalents de trésorerie	Diminution de la trésorerie et des équivalents de trésorerie
Émission d'actions	Rachat d'actions
Nouvel emprunt	Remboursement de dettes
Réception de subventions [18]	Intérêts et dividendes payés, le cas échéant

Une illustration basée sur l'utilisation d'un tableur

La façon la plus sûre de dresser le tableau des flux de trésorerie consiste à établir un tableur composé de deux parties. On inscrit dans la première partie tous les comptes de l'état de la situation financière, en indiquant dans la première colonne de chiffres les soldes au début et, dans la dernière, le solde à la fin de l'exercice. On ajoute ensuite dans la deuxième partie toutes les opérations qui ont fait varier le solde des comptes indiqués dans la première partie et qui sont présentées dans le tableau des flux de trésorerie. Cette façon de procéder est très longue, mais elle est plus rassurante pour le lecteur qui apprend à faire cet état, d'autant plus si le nombre d'ajustements est important. Le comptable expérimenté peut préparer plus rapidement le tableau des flux de trésorerie en examinant toutes les informations fournies et en dressant directement le tableau des flux de trésorerie.

Le travail nécessaire pour dresser un tableur sera mieux compris s'il est illustré par un exemple. Dans ce premier exemple, nous utiliserons un tableur, mais il va de soi que le lecteur abandonnera éventuellement l'utilisation du tableur et s'inspirera de la méthode illustrée aux pages 23.33 à 23.39.

EXEMPLE

Préparation d'un tableau des flux de trésorerie à l'aide d'un tableur

Voici la balance de vérification de la société Fimo ltée (FL) :

FIMO LTÉE
Balance de vérification
au 31 décembre

	20X2 (avant clôture)	20X1 (après clôture)
Débit		
Caisse	*316 000 $*	*130 000 $*
Clients	*148 000*	*100 000*
Stock de marchandises	*291 000*	*300 000*
Assurances payées d'avance	*2 500*	*2 000*
Placements (non courants)	*10 000*	*40 000*
Terrains	*11 000*	*10 000*
Immeubles	*185 000*	*235 000*
Équipements	*215 000*	*90 000*
Coût des ventes	*905 000*	
Charges commerciales et administratives	*556 500*	
Charges financières	*70 000*	
Perte sur aliénation d'actifs	*1 000*	
Dividendes en numéraire	*50 000*	
Total des débits	*2 761 000 $*	*907 000 $*

18. Bien que l'IASB soit muet à cet égard, il semble approprié d'inclure dans la section des activités de financement les subventions liées à des actifs et de présenter les subventions liées au résultat dans la section des activités d'exploitation.

Crédit		
Provision pour correction de valeur – Clients	*8 000 $*	*5 000 $*
Amortissement cumulé – Immeubles	*26 250*	*72 500*
Amortissement cumulé – Équipements	*39 750*	*27 500*
Fournisseurs	*55 000*	*60 000*
Salaires courus	*18 000*	*15 000*
Billets à payer à long terme	*70 000*	*20 000*
Obligations à payer	*250 000*	*250 000*
Capital social	*300 000*	*200 000*
Résultats non distribués	*257 000*	*257 000*
Ventes	*1 706 000*	
Profit découlant de l'expropriation d'un immeuble d'une valeur comptable nulle	*30 000*	
Autres éléments du résultat global de l'exercice	*1 000*	
Total des crédits	*2 761 000 $*	*907 000 $*

Voici quelques renseignements supplémentaires relatifs aux opérations de la société :

1. FL a vendu 7 000 $ une machine ayant coûté 15 000 $. La perte sur aliénation est de 1 000 $.
2. FL a emprunté 50 000 $ à Groleau ltée. Cet emprunt a servi à financer l'achat d'une nouvelle machine auprès de Hyteck inc. Le billet à payer arrive à échéance dans cinq ans.
3. Le produit obtenu lors de la vente des placements correspond à leur valeur comptable.
4. L'amortissement des immeubles s'élève à 3 750 $, alors que celui des équipements est de 19 250 $.
5. FL a émis des actions pour une contrepartie de 100 000 $.
6. La société est exempte de toute imposition.
7. Le terrain est comptabilisé selon le modèle de la réévaluation. En 20X2, FL a comptabilisé une augmentation de valeur de 1 000 $.
8. La société utilise la méthode indirecte pour présenter son tableau des flux de trésorerie.

Étant donné que FL présente son tableau des flux de trésorerie selon la méthode indirecte, cet état prendra la forme suivante[19] :

FIMO LTÉE
Flux de trésorerie
de l'exercice terminé le 31 décembre 20X2

		Numéro de référence*
Activités d'exploitation		
Bénéfice net de l'exercice	*XX $*	①
Éléments sans effet sur la trésorerie et les équivalents de trésorerie		
Amortissement	*XX*	②
Perte sur aliénation d'actif	*XX*	③
Profit découlant de l'expropriation de l'immeuble	*(XX)*	③
Variations de certains actifs et passifs courants hors trésorerie et équivalents de trésorerie		
Augmentation des comptes clients	*(XX)*	⑤
Diminution du stock	*XX*	⑥
Augmentation des assurances payées d'avance	*(XX)*	⑦
Diminution des comptes fournisseurs	*(XX)*	⑧

19. Ce mode de présentation est donné à titre indicatif. Chaque section du tableau des flux de trésorerie pourrait comporter une ventilation plus détaillée.

Augmentation des salaires courus	*XX*	⑨
Frais financiers payés	*(XX)*	⑩
Dividendes payés	*(XX)*	⑩
Flux de trésorerie liés aux activités d'exploitation	*XX*	
Activités d'investissement		
Produit de la vente d'actifs non courants	*XX*	⑪ *et* ⑫
Acquisition d'actifs non courants	*(XX)*	⑬
Indemnité pour expropriation d'immobilisations	*XX*	⑭
Flux de trésorerie liés aux activités d'investissement	*XX*	
Activités de financement		
Produit d'emprunts non courants	*XX*	⑮
Produit de l'émission d'actions	*XX*	⑯
Remboursement de dettes non courantes	*(XX)*	
Rachat d'actions	*(XX)*	
Flux de trésorerie liés aux activités de financement	*XX*	

* Les numéros de référence seront utilisés dans l'exemple complet qui suit. Le calcul ④ est présenté dans le tableur qui suit mais ne donne lieu à aucun poste dans le tableau des flux de trésorerie.

On notera que l'entreprise choisit de présenter les intérêts et les dividendes payés dans la section des activités d'exploitation.

Voici le tableur de FL ainsi que les explications relatives à chaque élément qui sont données plus loin dans le texte.

FIMO LTÉE
Tableur
de l'exercice terminé le 31 décembre 20X2

PREMIÈRE PARTIE	*Solde initial*	*Débit*	*Crédit*	*Solde final*
Caisse	***130 000***	***(x) 186 000***		***316 000***
Clients	*100 000*	⑤ *48 000*		*148 000*
Stock de marchandises	*300 000*		⑥ *9 000*	*291 000*
Assurances payées d'avance	*2 000*	⑦ *500*		*2 500*
Placements (non courants)	*40 000*		⑪ *30 000*	*10 000*
Terrains	*10 000*	④ *1 000*		*11 000*
Immeubles	*235 000*		⑭ *50 000*	*185 000*
Équipements	*90 000*	⑬ *140 000*	⑫ *15 000*	*215 000*
Provision pour correction de valeur – Clients	*(5 000)*		⑤ *3 000*	*(8 000)*
Amortissement cumulé – Immeubles	*(72 500)*	⑭ *50 000*	② *3 750*	*(26 250)*
Amortissement cumulé – Équipements	*(27 500)*	⑫ *7 000*	② *19 250*	*(39 750)*
Fournisseurs	*(60 000)*	⑧ *5 000*		*(55 000)*
Salaires courus	*(15 000)*		⑨ *3 000*	*(18 000)*
Billets à payer à long terme	*(20 000)*		⑮ *50 000*	*(70 000)*
Obligations à payer	*(250 000)*			*(250 000)*
Capital social	*(200 000)*		⑯ *100 000*	*(300 000)*
Résultats non distribués	*(257 000)*	③ *29 000*	① *203 500*	
		⑩ *50 000*	⑭ *30 000*	
		⑫ *1 000*		*(410 500)*
Cumul de l'écart de réévaluation	*0*		④ *1 000*	*(1 000)*
Total	*0*			*0*

DEUXIÈME PARTIE	Augmentation de la trésorerie et des équivalents de trésorerie ou du bénéfice	Diminution de la trésorerie et des équivalents de trésorerie ou du bénéfice
Bénéfice net de l'exercice	① 203 500	
Amortissement	② 23 000	
Perte sur aliénation d'actif	③ 1 000	
Profit découlant de l'expropriation de l'immeuble		③ 30 000
Augmentation des comptes clients		⑤ 45 000
Diminution du stock	⑥ 9 000	
Augmentation des assurances payées d'avance		⑦ 500
Diminution des comptes fournisseurs		⑧ 5 000
Augmentation des salaires courus	⑨ 3 000	
Frais financiers	⑩ 70 000	
Frais financiers payés		⑩ 70 000
Dividendes payés		⑩ 50 000
Produit de la vente d'actifs non courants (placement)	⑪ 30 000	
Produit de la vente d'actifs non courants (équipement)	⑫ 7 000	
Acquisition d'actifs non courants		⑬ 140 000
Indemnité pour expropriation d'immobilisations	⑭ 30 000	
Produit d'emprunts non courants	⑮ 50 000	
Produit de l'émission d'actions	⑯ 100 000	
Total (des première et deuxième parties)	1 044 000	858 000
Variation de la trésorerie et des équivalents de trésorerie		(x) **186 000**
Total des modifications	1 044 000	1 044 000

Puisque le tableau des flux de trésorerie a pour objectif d'expliquer la variation nette survenue dans la trésorerie et les équivalents de trésorerie, le point de départ est de déterminer le solde au début et à la fin de l'exercice afin d'établir cette variation nette de l'exercice. L'examen de la balance de vérification et des renseignements supplémentaires permet de définir les comptes qui peuvent être considérés comme de la trésorerie et des équivalents de trésorerie. Le solde du compte Caisse représente l'argent que FL possède et fait naturellement partie de la trésorerie et des équivalents de trésorerie. Puisque FL ne peut réaliser facilement les autres actifs, elle doit les exclure de la trésorerie et des équivalents de trésorerie. En ce qui a trait aux passifs courants, aucun ne répond à la définition de la trésorerie et des équivalents de trésorerie. Le tableau des flux de trésorerie doit donc expliquer l'augmentation de 186 000 $ (316 000 $ – 130 000 $) survenue dans la trésorerie et les équivalents de trésorerie (limités au compte Caisse) pendant l'exercice.

La première partie de l'état présente les flux de trésorerie liés aux activités d'exploitation.

Le travail à faire consiste à convertir le résultat net déterminé en utilisant la comptabilité d'engagement en encaissement ou décaissement qui serait inscrit selon la comptabilité de caisse. Voici les ajustements nécessaires.

① **Le bénéfice net de l'exercice** Les produits et les charges laissent un bénéfice net de 203 500 $, comme le montre le détail qui suit :

Ventes	*1 706 000 $*
Profit découlant de l'expropriation d'un immeuble	*30 000*
Coût des ventes	*(905 000)*
Charges commerciales et administratives	*(556 500)*

23

Charges financières	*(70 000)*
Perte sur aliénation d'actif	*(1 000)*
Bénéfice net	*203 500 $*

Le bénéfice net de l'exercice figure à la première ligne du tableau des flux de trésorerie et nécessite une première écriture au tableur.

Bénéfice net (2e partie)	*203 500*	
Résultats non distribués (1re partie)		*203 500*

Virement du bénéfice net de 203 500 $ dans les résultats non distribués.

② **L'amortissement** Sous le bénéfice net, on indique, dans le tableau des flux de trésorerie, les éléments sans effet sur la trésorerie et les équivalents de trésorerie. L'amortissement, qui est le premier de ces éléments, est une charge qui a déjà été soustraite des produits, mais qui est sans effet sur la trésorerie. C'est pourquoi on l'ajoute au bénéfice net, dans le tableau des flux de trésorerie. Le montant total de 23 000 $ est obtenu des renseignements supplémentaires, au point **4** de l'énoncé (*voir la page 23.18*). La deuxième écriture au tableur sera la suivante :

Amortissement (2e partie)	*23 000*	
Amortissement cumulé – Immeubles (1re partie)		*3 750*
Amortissement cumulé – Équipements (1re partie)		*19 250*

Charge d'amortissement soustraite du bénéfice net, mais sans effet de trésorerie.

③ **Les profits et pertes sur aliénation d'actif** Au cours de l'exercice, FL a réalisé un profit découlant d'une expropriation de 30 000 $, qu'elle a ajouté à ses produits, et a subi une perte sur aliénation d'une machine de 1 000 $, qu'elle a soustraite de ses produits. Ces deux éléments ne correspondent ni à des rentrées ni à des sorties de trésorerie, et on doit les renverser pour déterminer les flux de trésorerie de l'exercice. Le virement correspondant à la troisième écriture au tableur touche le compte Résultats non distribués.

Perte sur aliénation d'actifs (2e partie)	*1 000*	
Résultats non distribués (1re partie)	*29 000*	
Profit sur expropriation d'un immeuble (2e partie)		*30 000*

Profit et perte compris dans le bénéfice net, mais sans effet sur la trésorerie.

④ **L'écart de réévaluation du terrain comptabilisé selon le modèle de la réévaluation** Une logique semblable à la précédente s'applique à l'augmentation de valeur du terrain, comptabilisée au compte Écart de réévaluation (AERG) pendant l'exercice. Cet autre élément du résultat global n'est pas présenté dans le tableau des flux de trésorerie, car il n'est pas comptabilisé dans le résultat net. Il doit toutefois faire l'objet d'une écriture afin d'expliquer toutes les variations de l'exercice.

Terrains (1re partie)	*1 000*	
Cumul de l'écart de réévaluation (AERG) (1re partie)		*1 000*

Augmentation de valeur d'un terrain comptabilisée en capitaux propres.

⑤ **L'augmentation des comptes clients** Après avoir apporté les ajustements pour tenir compte des éléments sans effet sur la trésorerie et les équivalents de trésorerie, on doit maintenant remplir les lignes suivantes du tableau des flux de trésorerie, qui montrent les variations de certains actifs et passifs courants hors trésorerie et équivalents de trésorerie. La première de ces variations concerne le solde des comptes clients ; il s'agit d'une augmentation nette de 45 000 $. La valeur comptable des comptes clients est passée de 140 000 $ (solde de 148 000 $ diminué de la provision pour correction de valeur de 8 000 $) à 95 000 $ (solde de 100 000 $ diminué de la provision pour correction de valeur de 5 000 $). L'augmentation des comptes clients signifie que FL n'a pas encaissé tous les produits comptabilisés pendant l'exercice, ce qui justifie une cinquième écriture au tableur.

Clients (1re partie)	*48 000*	
Provision pour correction de valeur – Clients (1re partie)		*3 000*
Augmentation des comptes clients (2e partie)		*45 000*
Augmentation des comptes clients.		

⑥ **La diminution du stock** Cette diminution est une autre variation de certains actifs et passifs courants hors trésorerie et équivalents de trésorerie. La diminution du stock signifie que FL a pu vendre des marchandises qu'elle avait en stock en s'évitant ainsi des débours. Puisque le débours est inférieur à la charge, on ajoute cette diminution au bénéfice net, dans la section des activités d'exploitation, comme le montre la sixième écriture du tableur.

Diminution du stock (2e partie)	*9 000*	
Stock (1re partie)		*9 000*
Diminution du stock.		

⑦ **L'augmentation des assurances payées d'avance** Cette augmentation signifie que FL a déboursé une somme supérieure à la charge d'assurance de l'exercice, déjà déduite du bénéfice net. Dans le tableau des flux de trésorerie, on doit donc retrancher le montant de l'augmentation du bénéfice net, ce qui nécessite une septième écriture au tableur.

Assurances payées d'avance (1re partie)	*500*	
Augmentation des assurances payées d'avance (2e partie)		*500*
Augmentation des assurances payées d'avance.		

⑧ **La diminution des comptes fournisseurs** Cette diminution signifie que FL a déboursé une somme supérieure à la charge de l'exercice, déjà déduite du bénéfice net. Dans le tableau des flux de trésorerie, on doit donc retrancher le montant de cette diminution du bénéfice net, comme le montre la huitième écriture au tableur.

Fournisseurs (1re partie)	*5 000*	
Diminution des comptes fournisseurs (2e partie)		*5 000*
Diminution des comptes fournisseurs.		

⑨ **L'augmentation des salaires courus** Cette augmentation signifie que FL a déboursé une somme inférieure à la charge de l'exercice, déjà déduite du bénéfice net. Dans le tableau des flux de trésorerie, on doit donc ajouter le montant de cette augmentation au bénéfice net en passant la neuvième écriture au tableur.

Augmentation des salaires courus (2e partie)	*3 000*	
Salaires courus (1re partie)		*3 000*
Augmentation des salaires courus.		

Il faut noter que, dans le présent chapitre, de même que dans les questions, exercices, problèmes et cas qui accompagnent le présent manuel, on tient pour acquis, à moins d'indications contraires, que les salaires, les assurances, les taxes et les amortissements se rattachent aux charges commerciales et administratives plutôt qu'au coût des ventes.

⑩ **Les frais financiers et les dividendes payés** Rappelons que FL choisit de présenter les intérêts et les dividendes payés dans la section des activités d'exploitation. Comme aucun actif ou passif courant ne se rapporte aux frais financiers, la charge de l'exercice est égale au décaissement. En principe, aucun ajustement ne serait requis dans le tableau des flux de trésorerie. Cependant, on doit se rappeler que l'IASB exige que les entreprises présentent distinctement les intérêts et dividendes versés. C'est pourquoi la charge d'intérêts est ajoutée au bénéfice net, alors que les intérêts versés en sont retranchés. FL a aussi déclaré et payé des dividendes en argent au montant de 50 000 $ au cours de l'exercice, qui sont présentés dans la section des activités d'exploitation. Le montant déboursé n'ayant pas affecté le bénéfice net de l'exercice, il doit donc être retranché du résultat net car il a entraîné une sortie de trésorerie. Voici la dixième écriture présentée au tableur :

Résultats non distribués (1re partie)	*50 000*	
Frais financiers (2e partie)	*70 000*	
Dividendes payés (2e partie)		*50 000*
Frais financiers payés (2e partie)		*70 000*

Frais financiers et dividendes payés pendant l'exercice, que FL présente dans la section des activités d'exploitation.

La deuxième section du tableau des flux de trésorerie présente les variations de la trésorerie et des équivalents de trésorerie résultant des activités d'investissement. Les renseignements nécessaires pour la préparer s'obtiennent en analysant les variations survenues dans l'actif non courant.

⑪ **Le produit de la vente d'un placement** Le compte Placements (non courants) a diminué de 30 000 $ pendant l'exercice. Les données additionnelles indiquent que le produit de l'aliénation d'un placement correspond à la valeur comptable de celui-ci. La vente a donc généré un encaissement de 30 000 $, d'où la onzième écriture du tableur.

Produit de la vente d'actifs non courants (2e partie)	*30 000*	
Placements (non courants) (1re partie)		*30 000*

Encaissement découlant de la vente d'un placement.

⑫ **Le produit de la vente d'un équipement** Une augmentation de 125 000 $ est survenue dans le compte Équipements entre le début et la fin de l'exercice. Avant de conclure qu'il ne s'agit que d'acquisitions, il faut examiner les données additionnelles. Nous y apprenons au point 1 de l'énoncé (*voir la page 23.18*) qu'une machine a été vendue au cours de l'exercice. Examinons d'abord cette opération.

Lorsque FL a vendu cette machine, elle en a éliminé le coût et l'amortissement cumulé. Elle a aussi comptabilisé le montant encaissé lors de la vente, soit 7 000 $, et la perte de 1 000 $ sur aliénation. À partir des données additionnelles, il faut déterminer l'amortissement cumulé sur cet équipement. Le fait que l'opération se soit soldée par une perte de 1 000 $ indique que la valeur comptable de la machine était supérieure de 1 000 $ au produit de l'aliénation. Cela signifie que la valeur comptable de la machine vendue était de 8 000 $. Puisque nous savons que le coût est de 15 000 $, nous obtenons par différence un amortissement cumulé de 7 000 $. Un raisonnement semblable peut être fait de la façon suivante :

Coût	*15 000 $*
Amortissement cumulé	*(7 000)*
Valeur comptable	*8 000*
Produit de la vente	*(7 000)*
Perte sur aliénation d'actif	*1 000 $*

La douzième écriture du tableur est la suivante :

Produit de la vente d'actifs non courants (2e partie)	*7 000*	
Amortissement cumulé – Équipements (1re partie)	*7 000*	
Résultats non distribués (1re partie)	*1 000*	
Équipements (1re partie)		*15 000*

Encaissement découlant de la vente d'un équipement.

Dans l'écriture précédente, il faut noter que nous débitons le compte Produit de la vente d'actifs non courants du montant de 7 000 $ qu'a reçu FL. Au moment de l'opération, l'entreprise a plutôt débité le compte Caisse. Comme le tableau des flux de trésorerie sert précisément à présenter les variations de la trésorerie et des équivalents de trésorerie, il faut utiliser l'expression « Produit de la vente d'actifs non courants » plutôt que le compte Caisse. Rappelons que les écritures du tableur ne sont pas reportées dans les livres de FL, car ce sont des écritures extracomptables. Elles ne servent pas à comptabiliser les opérations de l'exercice dans les livres comptables, mais bien à dresser le tableau des flux de trésorerie. FL a déjà inscrit les opérations de l'exercice dans ses livres, comme en fait foi la balance de vérification à la fin de l'exercice. Quant à la perte sur aliénation d'actifs, elle a déjà été ajoutée au compte Résultats non distribués à l'écriture ③ (*voir la page 23.21*) ; c'est pourquoi on doit maintenant la débiter à ce compte.

⑬ **L'acquisition d'un équipement** Le solde du compte Équipements, dans le tableur, est maintenant de 75 000 $, soit le solde initial de 90 000 $ moins la radiation de 15 000 $ représentant le coût du bien vendu. Pour obtenir le solde de 215 000 $ à la fin de l'exercice, il faut tenir compte d'une augmentation supplémentaire du compte d'actif de 140 000 $. Étant donné que le point 2 des renseignements supplémentaires (*voir la page 23.18*) nous indique que FL a fait l'acquisition d'une nouvelle machine, on peut conclure que le montant de 140 000 $ correspond à cette acquisition, d'où la treizième écriture du tableur.

Équipements (1re partie)	*140 000*	
Acquisition d'actifs non courants (2e partie)		*140 000*
Décaissement résultant de l'acquisition d'un équipement.		

⑭ **L'indemnité pour expropriation d'un immeuble** Finalement, la balance de vérification fournie par FL montre un profit de 30 000 $ découlant de l'expropriation d'un immeuble. En tenant compte des variations des soldes des comptes Immeubles (235 000 $ – 185 000 $) et Amortissement cumulé – Immeubles (72 500 $ + 3 750 $ – 26 250 $) et du fait que la valeur comptable de l'immeuble exproprié est nulle, on peut déduire que le coût de celui-ci était de 50 000 $. Le montant tiré de cette expropriation s'élève à 30 000 $. Rappelons qu'à l'écriture ③, le profit sur aliénation d'actifs a été déduit des Résultats non distribués ; il faut donc maintenant le créditer à ce compte. La société doit présenter ce montant dans la section des activités d'investissement, d'où la quatorzième écriture.

Amortissement cumulé – Immeubles (1re partie)	*50 000*	
Indemnité pour expropriation d'immobilisations (2e partie)	*30 000*	
Immeubles (1re partie)		*50 000*
Résultats non distribués (1re partie)		*30 000*
Indemnité reçue pour l'expropriation d'un immeuble.		

Voyons maintenant les comptes en T relatifs aux immeubles et aux équipements, afin de nous assurer que nous avons pris en compte toutes les opérations influant sur la trésorerie et les équivalents de trésorerie.

Immeubles (débit)	*Immeubles* (crédit)		*Amortissement cumulé – Immeubles* (débit)	*Amortissement cumulé – Immeubles* (crédit)
235 000		Solde initial		72 500
	50 000	Expropriation ⑭	50 000	
		Amortissement de l'exercice ②		3 750
185 000		Solde de clôture		26 250

Équipements (débit)	*Équipements* (crédit)		*Amortissement cumulé – Équipements* (débit)	*Amortissement cumulé – Équipements* (crédit)
90 000		Solde initial		27 500
	15 000	Vente d'un équipement ⑫	7 000	
140 000		Achat d'un équipement ⑬		
		Amortissement de l'exercice ②		19 250
215 000		Solde de clôture		39 750

Ayant analysé tous les comptes de l'actif, nous pouvons passer à la dernière section du tableau des flux de trésorerie, présentant les variations de la trésorerie et des équivalents de trésorerie découlant des activités de financement. Les renseignements nécessaires pour préparer cette dernière section s'obtiennent principalement en examinant les variations survenues dans les comptes du passif non courant et des capitaux propres.

⑮ **Le produit d'un emprunt non courant** Selon le point **2** des renseignements supplémentaires (*voir la page 23.18*), FL a emprunté 50 000 $ au cours de l'exercice, d'où la quinzième écriture du tableur.

Produit d'emprunts non courants (2e partie)	*50 000*	
Billets à payer à long terme (1re partie)		*50 000*
Encaissement découlant d'un emprunt non courant.		

⑯ **Le produit de l'émission d'actions** Au moment où FL a émis les actions, sa trésorerie et ses équivalents de trésorerie ont augmenté de 100 000 $ (point **5** des renseignements supplémentaires), d'où la seizième écriture du tableur.

Produit de l'émission d'actions (2e partie)	*100 000*	
Capital social (1re partie)		*100 000*
Encaissement découlant de l'émission d'actions.		

Ces explications aident à comprendre l'effet des variations survenues dans les postes de l'état de la situation financière sur la trésorerie et les équivalents de trésorerie. Après avoir établi le tableur, il ne reste plus qu'à réagencer les opérations ayant une incidence sur la trésorerie et les équivalents de trésorerie afin de dresser en bonne et due forme le tableau des flux de trésorerie.

FIMO LTÉE
Flux de trésorerie
de l'exercice terminé le 31 décembre 20X2

Activités d'exploitation		
Bénéfice net de l'exercice		203 500 $
Éléments sans effet sur la trésorerie et les équivalents de trésorerie		
Amortissement	23 000 $	
Perte sur aliénation d'actif	1 000	
Profit découlant de l'expropriation de l'immeuble	(30 000)	(6 000)
Variations de certains actifs et passifs courants hors trésorerie et équivalents de trésorerie		
Augmentation des comptes clients, montant net	(45 000)	
Diminution des stocks	9 000	
Augmentation des assurances payées d'avance	(500)	
Diminution des comptes fournisseurs	(5 000)	
Augmentation des salaires courus	3 000	(38 500)
Charges financières		70 000
Frais financiers payés		(70 000)
Dividendes payés		(50 000)
Flux de trésorerie liés aux activités d'exploitation		109 000
Activités d'investissement		
Acquisition d'actifs non courants	(140 000)	
Produit de la vente d'actifs non courants	37 000	
Indemnité pour expropriation d'immobilisations	30 000	
Flux de trésorerie liés aux activités d'investissement		(73 000)
Activités de financement		
Produit d'emprunts non courants	50 000	
Produit de l'émission d'actions	100 000	
Flux de trésorerie liés aux activités de financement		150 000
Augmentation nette de la trésorerie et des équivalents de trésorerie		186 000
Trésorerie et équivalents de trésorerie au début		130 000
Trésorerie et équivalents de trésorerie à la fin		316 000 $

Rappelons que l'IASB exige de présenter les éléments constitutifs de la trésorerie et des équivalents de trésorerie de l'entreprise. Les utilisateurs ont besoin de cette information car les postes considérés comme de la trésorerie et des équivalents de trésorerie peuvent varier d'une entreprise à l'autre. Puisque FL n'a aucun équivalent de trésorerie, elle précisera, dans une note, que la trésorerie et les équivalents de trésorerie se limitent aux fonds en caisse.

Avez-vous remarqué ?

La préparation d'un tableur requiert passablement de temps, mais elle réduit le risque d'erreurs et permet de présenter un tableau des flux de trésorerie qui fournit des informations sur les rentrées et sorties de trésorerie et d'équivalents de trésorerie de l'exercice.

Les problèmes particuliers

L'exemple de FL est relativement simple. La tâche du spécialiste de la comptabilité n'est cependant pas toujours aussi facile. Cette section traitera des situations un peu plus problématiques. Parmi celles-ci figure le traitement des pertes de crédit attendues sur les comptes clients et des créances décomptabilisées pour non-paiement, des profits ou des pertes sur placements, des escomptes et des primes, ainsi que des reclassements de postes.

Les pertes de crédit attendues sur les comptes clients et les créances décomptabilisées pour non-paiement

Lorsqu'une entreprise décomptabilise pour non-paiement un compte déjà provisionné, elle réduit les soldes des comptes Provision pour correction de valeur – Clients et Clients sans que la valeur comptable change. Lors de la préparation du tableau des flux de trésorerie, il n'est donc pas nécessaire de tenir compte des **créances décomptabilisées pour non-paiement et déjà provisionnées.** Dans l'exemple de FL, nous avons considéré que toute variation du compte Provision pour correction de valeur – Clients découlait de la comptabilisation des charges, sans égard aux décomptabilisations pour non-paiement possibles de comptes (*voir les pages 23.21 et 23.22*).

Cependant, si l'entreprise n'a pas déjà provisionné le compte décomptabilisé pour non-paiement, la charge Pertes de crédit attendues sur les comptes clients augmente, le solde du compte Provision pour correction de valeur – Clients demeure le même, alors que celui du compte Clients diminue. Ainsi, le montant net à recevoir des clients diminue. Si l'entreprise présente le tableau des flux de trésorerie selon la méthode directe, elle ne doit pas tenir compte de cette diminution, car elle n'a pas encaissé l'argent correspondant. Si elle présente plutôt le tableau des flux de trésorerie selon la méthode indirecte, elle doit refléter cette diminution dans la section des activités d'exploitation dans le compte Variations de certains actifs et passifs courants hors trésorerie et équivalents de trésorerie.

EXEMPLE

Perte de crédit attendues et créances décomptabilisées

Au cours de l'exercice, la société Hall Magne ltée a correctement comptabilisé plusieurs opérations, qui se résument ainsi :

	Clients	*Provision pour correction de valeur – Clients*	*Valeur comptable*
Solde au début de l'exercice	*5 000 $*	*200 $*	*4 800 $*
Ventes à crédit	*200 000*		*200 000*
Encaissement des clients	*(200 000)*		*(200 000)*
Décomptabilisation pour non-paiement du compte de M. Rady Hay	*(500)*		*(500)*
Pertes de crédit attendues sur un groupe de comptes clients		*1 400*	*(1 400)*
Solde à la fin de l'exercice	*4 500 $*	*1 600 $*	*2 900 $*

La décomptabilisation pour non-paiement de 500 $ et les pertes de crédit attendues de 1 400 $ ont toutes deux été comptabilisées en charges. Toutefois la décomptabilisation pour non-paiement a été portée au crédit du compte Clients, alors que les pertes de crédit attendues l'ont été au compte Provision pour correction de valeur – Clients. Tenons pour acquis que toutes les ventes de l'exercice sont faites à crédit, que les charges d'exploitation, à l'exception des pertes de crédit attendues sur les comptes clients, s'élèvent à 175 000 $ et que toutes les charges sont payées comptant. Au moment de dresser son tableau des flux de trésorerie, Hall Magne ltée procédera au calcul suivant si elle adopte la méthode indirecte :

Bénéfice net de l'exercice (200 000 $ – 175 000 $ – 500 $ – 1 400 $)	*23 100 $*
Variations des actifs et passifs courants hors trésorerie et équivalents de trésorerie	
Diminution des comptes clients, montant net (4 800 $ – 2 900 $)	*1 900*
Flux de trésorerie liés aux activités d'exploitation	*25 000 $*

Si Hall Magne ltée utilise la méthode directe, elle présentera les éléments qui suivent :

Encaissement des clients	*200 000 $*
Décaissements liés aux charges	*(175 000)*
Flux de trésorerie liés aux activités d'exploitation	*25 000 $*

Les profits ou les pertes sur placements

Les placements classés À la juste valeur par le biais des autres éléments du résultat global ne nécessitent pas d'ajustements dans le tableau des flux de trésorerie. En effet, les variations de valeur sur ces placements sont comptabilisées dans les autres éléments du résultat global, soit après le résultat net dans l'état du résultat global, alors que le premier montant présenté dans le tableau des flux de trésorerie est le résultat net. Le traitement de certains autres placements est plus délicat. Si les placements courants s'apparentent à des équivalents de trésorerie, les profits ou les pertes sur aliénation et les profits ou les pertes sur variations des justes valeurs sont présentés dans le résultat net, car ces titres sont nécessairement classés À la juste valeur par le biais du résultat net. Le lecteur attentif se demande probablement quels sont les impacts de traiter ces placements comme des équivalents de trésorerie ou non. Lorsque l'on utilise la méthode indirecte, les éléments présentés sous le titre Variations de certains actifs et passifs courants hors trésorerie et équivalents de trésorerie n'englobent pas toutes les variations dans les actifs et passifs à court terme mais uniquement les variations sur les actifs et passifs **autres** que la trésorerie et les équivalents de trésorerie. De plus, les profits et pertes sur la variation de valeur de placements classés À la juste valeur par le biais du résultat net sont inclus dans les opérations sans effet sur la trésorerie si les placements sont traités comme des éléments hors équivalents de trésorerie. Cependant, les profits et pertes sur variations de valeur de placements traités comme des équivalents de trésorerie ne sont pas présentés distinctement, car ils ont un effet sur la trésorerie et les équivalents de trésorerie et sont déjà compris dans le bénéfice net présenté à la première ligne.

Si l'on utilise la méthode directe, les profits et pertes sur variations de la juste valeur doivent être compris dans les flux de trésorerie liés aux activités d'exploitation, même si les profits ne sont pas encaissés et si les pertes n'ont pas encore été converties en trésorerie.

EXEMPLE

Profits ou pertes sur placements

La société Stable ltée (SL) vous fournit l'information suivante :

STABLE LTÉE
Balance de vérification
au 31 décembre

	20X2	*20X1*
Caisse	*6 100 $*	*100 $*
Placements courants (équivalents de trésorerie)		
Placement A		*10 000*
Placement B	*7 000*	

En 20X2, l'entreprise n'a réalisé que deux opérations. Elle a encaissé 11 000 $ à l'échéance du placement A. Ensuite, elle a acheté le placement B au coût de 5 000 $, dont la juste valeur en fin de période s'élève à 7 000 $.

Examinons d'abord le profit de 1 000 $ sur la vente du placement A, qui a été correctement comptabilisé dans le résultat net. Si l'on présente le tableau des flux de trésorerie selon la méthode indirecte, aucun ajustement particulier n'est requis. L'augmentation de la trésorerie de 1 000 $ se trouve déjà incluse dans le résultat net qui est le premier montant présenté dans le tableau des flux de trésorerie. Si l'on utilise plutôt la méthode directe, on présente le montant de profit sur aliénation à titre de Produits de placement courants encaissés. Si la vente avait plutôt entraîné une perte, disons de 800 $, le poste présenté dans le tableau des flux de trésorerie pourrait s'intituler Perte matérialisée sur aliénation de placements courants.

Qu'en est-il maintenant des profits et pertes sur variation de juste valeur, soit dans notre exemple le profit de 2 000 $ sur le placement B ? Analysons d'abord le traitement de ce profit dans un tableau des flux de trésorerie présenté selon la méthode indirecte. Ce profit est inclus dans le résultat net puisque, rappelons-le, cet actif financier est nécessairement classé À la juste valeur par le biais du résultat net (JVBRN). Puisque le profit se rapporte à un équivalent de trésorerie, on doit être attentif à ne pas l'inclure dans les variations de certains actifs et passifs courants **hors** trésorerie et équivalents de trésorerie.

Si l'on présente le tableau des flux de trésorerie selon la méthode directe, on doit aussi être vigilant et ne pas oublier de présenter dans la section des activités d'exploitation un poste qui pourrait s'intituler Profit découlant de la variation de valeur des placements à la JVBRN. Même si le profit de 2 000 $ n'est pas encore encaissé à proprement parlé, il est considéré comme un « équivalent de trésorerie », donc comme un profit pratiquement encaissé.

Voici maintenant le tableau des flux de trésorerie de l'exercice clos le 31 décembre 20X2, selon les deux méthodes de présentation :

STABLE LTÉE
Flux de trésorerie
de l'exercice clos le 31 décembre 20X2

Méthode indirecte		*Méthode directe*	
Activités d'exploitation		*Activités d'exploitation*	
Bénéfice net	*3 000 $*	*Produits de placement courants encaissés*	*1 000 $*
Variation de certains actifs et passifs courants hors trésorerie et équivalents de trésorerie		*Profit découlant de la variation de valeur des placements à la JVBRN*	*2 000*
Augmentation des flux de trésorerie et des équivalents de trésorerie	*3 000*	*Augmentation des flux de trésorerie et des équivalents de trésorerie*	*3 000*
Trésorerie et équivalents de trésorerie au début	*10 100*	*Trésorerie et équivalents de trésorerie au début*	*10 100*
Trésorerie et équivalents de trésorerie à la fin	*13 100 $*	*Trésorerie et équivalents de trésorerie à la fin*	*13 100 $*

Enfin, la recommandation contenue dans le paragraphe 45 de l'IAS 7 précise que l'on doit montrer le rapprochement entre la trésorerie et les équivalents de trésorerie présentés dans le tableau des flux de trésorerie et les éléments correspondants de l'état de la situation financière. En reprenant les données de l'exemple précédent, SL pourrait simplement indiquer qu'elle définit sa trésorerie et ses équivalents de trésorerie comme étant les fonds en caisse et les placements À la juste valeur par le biais du résultat net. Elle pourrait donner un peu plus d'information en présentant le tableau suivant :

	Fonds en caisse	*Placements à la JVBRN*	*Total*
Solde au début	*100 $*	*10 000 $*	*10 100 $*
Solde à la fin	*6 100*	*7 000*	*13 100*

Lorsque l'entreprise détient des placements qui ne sont pas des actifs financiers, tel un terrain, elle les comptabilise selon le modèle du coût ou celui de la juste valeur. Pendant la détention d'un immeuble de placement évalué au coût, elle peut comptabiliser en résultat net des dépréciations. Si elle utilise plutôt le modèle de la juste valeur, elle comptabilise en résultat net les profits et les pertes découlant de la variation de valeur de l'immeuble de placement. Puisque les profits augmentent le résultat net, mais n'entraînent aucune rentrée de trésorerie pendant l'exercice, elle doit les retrancher du résultat net, dans la section «Éléments sans effet de trésorerie», présenté dans le tableau des flux de trésorerie selon la méthode indirecte. À l'inverse, puisque les dépréciations et les pertes découlant de la variation de valeur des immeubles de placement diminuent le résultat net, mais n'entraînent aucune sortie de trésorerie pendant l'exercice, l'entreprise doit les ajouter au résultat net, dans la section «Éléments sans effet de trésorerie», présenté dans le tableau des flux de trésorerie selon la méthode indirecte.

Rappelons que lorsqu'une entreprise détient une participation dans une entreprise associée comptabilisée selon la méthode de la mise en équivalence, la quote-part du bénéfice (perte) réalisé par l'entreprise associée doit être retranchée (ajoutée) du résultat net, dans la section «Éléments sans effet de trésorerie», présenté dans le tableau des flux de trésorerie selon la méthode indirecte. Seuls les mouvements de trésorerie entre le détenteur de la participation et l'entreprise associée sont présentés dans le tableau des flux de trésorerie, par exemple à titre de dividendes reçus.

Les escomptes et les primes

Dans le présent ouvrage, nous avons vu à plusieurs reprises qu'une entreprise peut détenir des actifs et des passifs dont la valeur nominale diffère de la valeur comptable. Il en est ainsi lorsqu'elle comptabilise au coût amorti un actif financier ou un passif financier dont le taux d'intérêt effectif diffère du taux d'intérêt contractuel. Voici quelques exemples de ces types d'éléments.

Actifs	Passifs
• Placements en obligations	• Obligations à payer
• Billets à recevoir*	• Billets à payer*

* Pour autant que le billet fasse mention d'un taux d'intérêt différent du taux d'intérêt effectif.

Les entreprises font face à un problème qui découle du fait qu'elles calculent la charge (le produit) en fonction du taux d'intérêt effectif, alors qu'elles calculent le décaissement (l'encaissement), qui est l'objet du tableau des flux de trésorerie, en fonction du taux d'intérêt contractuel.

Les questions consistent à savoir quels postes présenter dans le tableau des flux de trésorerie et dans quelle section, compte tenu du choix de l'entreprise à l'égard des intérêts reçus ou payés. Prenons le cas des intérêts sur passifs. Dans un tableau des flux de trésorerie présenté selon la méthode directe, la réponse est simple. On indique uniquement le montant d'intérêts payés (dans la section des activités d'exploitation ou dans celle des activités de financement).

On doit être plus vigilant lorsque l'on prépare un tableau des flux de trésorerie selon la méthode indirecte, avec présentation des intérêts payés dans la section des activités d'exploitation. Dans ce cas, le premier montant donné dans la section des activités d'exploitation est le résultat net. On doit alors y ajouter le plein montant de la charge d'intérêts, avant de présenter le plein montant des intérêts payés. L'écart entre ces deux montants, égal à l'amortissement de la prime ou de l'escompte, figure à titre d'opération sans contrepartie de trésorerie et, de ce fait, non présentée dans le tableau des flux de trésorerie. Si l'entreprise décide plutôt de présenter les intérêts payés dans la section des activités de financement, la charge d'intérêts est ajoutée au résultat net dans la section des activités d'exploitation et les intérêts payés sont déduits dans la section des activités de financement.

Soulignons que peu importe la méthode utilisée, aucune variation liée au passif ne figure dans la section des activités de financement.

EXEMPLE

Intérêts sur passif émis à escompte

Au début de 20X1, la société Simard ltée a émis à escompte des obligations. À la fin de 20X1, elle a comptabilisé une charge d'intérêts, calculée selon la méthode du taux d'intérêt effectif, de 180 000 $ et un débours d'intérêts, calculé au taux contractuel, de 150 000 $ en passant l'écriture suivante :

Charge d'intérêts	*180 000*	
Emprunt obligataire		*30 000*
Caisse		*150 000*
Paiement des intérêts sur une dette.		

Le bénéfice net de l'exercice s'élève à 38 000 $ et 2 scénarios sont possibles : soit l'entreprise présente les intérêts payés dans la section des activités d'exploitation, soit elle les présente dans la section des activités de financement.

Voici les extraits pertinents du tableau des flux de trésorerie selon que l'entreprise utilise la méthode indirecte ou la méthode directe.

Méthode indirecte		**Méthode directe**	
Activités d'exploitation		*Activités d'exploitation*	
Bénéfice net	*38 000 $*	*Intérêts payés*	*(150 000) $*
Charges financières	*180 000*		
Intérêts payés	*(150 000)*		

Lorsque l'entreprise utilise la méthode indirecte, le premier montant donné dans la section des activités d'exploitation est le résultat net. Elle doit alors y ajouter le plein montant de la charge (180 000 $), avant de présenter le plein montant des intérêts payés (150 000 $). Puis, lorsque Simard ltée analyse les changements survenus dans les postes de la dette non courante pour préparer la section des activités de financement du tableau des flux de trésorerie, elle traite l'augmentation de 30 000 $ de la dette comme une opération sans contrepartie de trésorerie et, de ce fait, non présentée dans le tableau des flux de trésorerie.

Certaines entreprises peuvent quant à elles vouloir adopter la présentation suivante :

Bénéfice net	*38 000 $*
Éléments sans effet sur la trésorerie et les équivalents de trésorerie	
Amortissement de l'escompte d'émission de l'emprunt obligataire	*30 000*
Total partiel	*68 000 $*

À notre avis, ce mode de présentation n'est pas approprié, car il ne permet pas de présenter distinctement les intérêts payés, comme le recommande le paragraphe 31 de l'IAS 7, à moins de fournir l'information en note aux états financiers.

Dans l'hypothèse où Simard ltée utilise plutôt la méthode directe pour présenter le tableau des flux de trésorerie, la préparation de ce tableau est simple. C'est le débours de 150 000 $ qui est présenté dans la section des activités d'exploitation.

Tenons maintenant pour acquis que Simard ltée a pour politique de présenter les intérêts payés dans la section des activités de financement. Voici les extraits pertinents du tableau des flux de trésorerie selon que l'entreprise utilise la méthode indirecte ou la méthode directe.

Méthode indirecte		**Méthode directe**	
Activités d'exploitation		*Activités d'exploitation*	
Bénéfice net	*38 000 $*		
Charges financières	*180 000*		
Activités de financement		*Activités de financement*	
Intérêts payés	*(150 000)*	*Intérêts payés*	*(150 000) $*

En comparant les deux séries d'extraits du tableau des flux de trésorerie, on constate que la seule différence est le déplacement des intérêts payés de la catégorie des activités d'exploitation à la catégorie des activités de financement. En somme, le comptable doit rester vigilant, surtout si l'entreprise utilise la méthode indirecte. Ce n'est pas la variation survenue dans le coût amorti de l'emprunt obligataire, soit l'équivalent de l'amortissement de l'escompte, qu'il doit présenter, mais bien le plein montant de la charge d'intérêts qu'il ajoute au montant du bénéfice net afin de pouvoir présenter distinctement le plein montant des intérêts payés.

Si l'entreprise avait plutôt émis une dette à prime, elle suivrait les mêmes étapes. La seule différence serait alors que, selon la méthode indirecte, le montant de charges financières ajouté au bénéfice net serait inférieur aux intérêts payés.

L'exemple précédent illustre la présentation des intérêts payés. Comme nous l'évoquions précédemment, une entreprise pourrait aussi détenir des créances ou des placements achetés à prime ou à escompte. Elle aurait alors le choix de présenter les intérêts gagnés sur ces créances ou placements soit dans la section des activités d'exploitation, soit dans celle des activités d'investissement. À ce choix s'ajouterait la possibilité de présenter le tableau des flux de trésorerie selon la méthode directe ou la méthode indirecte. Dans ces cas, on applique une logique semblable à la précédente.

EXEMPLE

Intérêts sur actif acheté à escompte

Au début de 20X1, la société Jean Kaisse ltée a acheté à escompte un placement en obligations qu'elle comptabilise au coût amorti. À la fin de 20X1, elle a comptabilisé un produit d'intérêts, calculé selon la méthode du taux d'intérêt effectif, de 190 000 $ et un encaissement d'intérêts, calculé au taux contractuel, de 160 000 $ en passant l'écriture suivante :

Caisse	*160 000*	
Placement en obligations	*30 000*	
Produits d'intérêts		*190 000*
Intérêts encaissés sur un placement évalué au coût amorti.		

Le bénéfice net de l'exercice s'élève à 38 000 $.

Voici les extraits pertinents du tableau des flux de trésorerie selon que Jean Kaisse ltée présente les produits d'intérêts dans la section des activités d'exploitation ou dans la section des activités d'investissement, compte tenu du choix de la méthode de présentation du tableau des flux de trésorerie.

Méthode indirecte		**Méthode directe**	
Premier scénario : L'entreprise présente les intérêts reçus dans la section des activités d'exploitation.			
Activités d'exploitation		*Activités d'exploitation*	
Bénéfice net	*38 000 $*	*Intérêts reçus*	*160 000 $*
Produits financiers	*(190 000)*		
Intérêts reçus	*160 000*		
Second scénario : L'entreprise présente les intérêts reçus dans la section des activités d'investissement.			
Activités d'exploitation		*Activités d'exploitation*	
Bénéfice net	*38 000 $*		
Produits financiers	*(190 000)*		
Activités d'investissement		*Activités d'investissement*	
Intérêts reçus	*160 000*	*Intérêts reçus*	*160 000 $*

Si l'entreprise utilise la méthode indirecte, on retiendra que ce n'est pas seulement l'amortissement de l'escompte (ou l'ajustement du coût amorti) qui est présenté, mais plutôt le plein montant des produits financiers et le plein montant des intérêts encaissés. Si l'entreprise utilise la méthode directe, la préparation du tableau des flux de trésorerie est simple. C'est l'encaissement de 160 000 $ qui est présenté dans la section des activités d'exploitation ou d'investissement. Lorsque Jean Kaisse ltée analyse les changements survenus dans le compte Placement en obligations à des fins de préparation de la section des activités d'investissement du tableau des flux de trésorerie, elle traite l'augmentation de 30 000 $ de l'actif comme une opération sans contrepartie de trésorerie et, de ce fait, non présentée dans le tableau des flux de trésorerie.

En ce qui concerne une créance ou un placement acheté à prime, on suit les mêmes étapes. La seule différence est que, selon la méthode indirecte, le montant de produits financiers ajouté au bénéfice net est inférieur aux intérêts encaissés.

Les reclassements de postes

La plupart des **reclassements des postes de l'état de la situation financière** de la section non courante à la section courante n'ont aucune incidence sur la trésorerie. Ainsi, lorsqu'une entreprise présente une portion de la dette non courante avec les passifs courants, conformément à la recommandation formulée par l'IASB, au paragraphe 61 de l'**IAS 1** intitulée «Présentation des états financiers», elle ne reflète pas ce reclassement dans le tableau des flux de trésorerie. Cependant, lorsqu'elle calcule le remboursement de la dette non courante à des fins de présentation dans la section des activités de financement, elle doit tenir compte du total de la dette, y compris de la portion présentée dans le passif courant. De même, le reclassement d'un contrat de location à long terme n'a aucune incidence sur le tableau des flux de trésorerie. Cependant, un reclassement qui aurait pour objet de considérer un poste de l'état de la situation financière comme étant de la trésorerie ou un équivalent de trésorerie, alors qu'il était auparavant considéré comme difficilement réalisable, aurait bien sûr une incidence sur la variation de la trésorerie et des équivalents de trésorerie expliquée dans le tableau des flux de trésorerie.

Avez-vous remarqué ?

Au moment de dresser le tableau des flux de trésorerie, on doit relever toutes les opérations comptabilisées pendant l'exercice à un montant qui diffère des variations des flux de trésorerie.

Les autres informations à fournir

Selon le **Cadre**, les états financiers doivent contenir des informations pertinentes et fidèles et, si possible, comparables, vérifiables, disponibles rapidement et compréhensibles. Le tableau des flux de trésorerie possédera ces caractéristiques qualitatives si, en plus de respecter les recommandations expliquées précédemment, il renferme, le cas échéant, certains renseignements additionnels par voie de notes. D'abord, «l'entité doit indiquer le montant des soldes importants de trésorerie et d'équivalents de trésorerie qu'elle détient et qui ne sont pas disponibles pour le groupe et l'accompagner d'un commentaire de la direction[20]». Lorsqu'une entreprise détient des éléments de trésorerie ou d'équivalents de trésorerie qu'elle ne peut utiliser à sa guise, il importe d'en informer les utilisateurs des états financiers. C'est le cas, par exemple, lorsqu'une entreprise détient dans un compte bancaire des fonds qui doivent être réservés, par exemple, au remboursement d'une dette à long terme.

Aucune règle ne peut remplacer le jugement professionnel. Aussi, le comptable peut juger pertinent d'indiquer le montant global des flux de trésorerie qui représente des augmentations de la capacité de production séparément des flux de trésorerie qui sont nécessaires pour maintenir la capacité de production. Cette distinction aide les utilisateurs des états financiers à apprécier le caractère suffisant des investissements de façon à assurer le niveau des activités d'exploitation. «[...] Une entité qui n'investit pas suffisamment pour maintenir sa capacité de production pourrait porter préjudice à sa rentabilité future en privilégiant la liquidité et les distributions à court terme aux propriétaires[21].»

20. *Manuel de CPA Canada – Comptabilité – Partie I*, IAS 7, paragr. 48.
21. *Manuel de CPA Canada – Comptabilité – Partie I*, IAS 7, paragr. 51.

De même, lorsqu'une entreprise a une marge de crédit préautorisée dont elle n'utilise pas le plein montant, cette information est utile pour apprécier sa capacité à faire face rapidement à des besoins de trésorerie imprévus.

Maintenant que nous avons présenté la façon dont les renseignements liés au tableau des flux de trésorerie sont organisés, illustrons, à l'aide d'un exemple détaillé, l'établissement complet de cet état financier.

 Une illustration détaillée

L'exemple suivant permet au lecteur de vérifier sa compréhension de l'ensemble des étapes de la préparation d'un tableau des flux de trésorerie.

EXEMPLE

Exemple complet

Voici deux états financiers de la société Évolutex ltée (EL) :

ÉVOLUTEX LTÉE
Situation financière
au 31 décembre

	20X1	20X0
Actif		
Actif courant		
Trésorerie	16 325 $	9 000 $
Placements à la juste valeur par le biais du résultat net	32 000	15 000
Clients, montant net	120 000	75 000
Stock de marchandises	45 000	30 000
Total de l'actif courant	213 325	129 000
Immobilisations corporelles		
Terrain	37 500	90 000
Immeubles	235 000	220 000
Amortissement cumulé – Immeubles	(95 000)	(85 000)
Matériel roulant	98 500	83 500
Amortissement cumulé – Matériel roulant	(40 850)	(40 000)
Immobilisations incorporelles		
Brevet	11 000	11 000
Amortissement cumulé – Brevet	(2 000)	(1 000)
Total des immobilisations	244 150	278 500
Placements non courants		
Participation dans une entreprise associée	78 200	68 000
Total de l'actif	535 675 $	475 500 $
Passif et capitaux propres		
Passif courant		
Fournisseurs	62 500 $	42 000 $
Produits différés		10 000
Portion à court terme de l'hypothèque à payer	11 000	10 000
Total du passif courant	73 500	62 000
Passif non courant		
Emprunt bancaire	20 000	18 000
Emprunts obligataires, émission à la valeur nominale	82 500	105 000
Hypothèque à payer	30 000	40 000
Passif d'impôt différé	9 000	8 000
Total du passif non courant	141 500	171 000

23

Capitaux propres		
Capital social de catégorie A	*162 000*	*120 000*
Capital social de catégorie B	*30 000*	*40 000*
Résultats non distribués affectés pour l'agrandissement de l'usine	*25 000*	*20 000*
Résultats non distribués non affectés	*103 675*	*62 500*
Total des capitaux propres	*320 675*	*242 500*
Total du passif et des capitaux propres	*535 675 $*	*475 500 $*

ÉVOLUTEX LTÉE
Résultat global partiel
de l'exercice terminé le 31 décembre 20X1

Chiffre d'affaires	*270 000 $*
Coût des ventes	*(135 000)*
Charges commerciales et administratives à l'exclusion de l'amortissement	*(71 500)*
Amortissement	*(20 850)*
Charges financières	*(8 000)*
Bénéfice d'exploitation	*34 650*
Autres produits et charges	
Profit sur échange de biens	*4 000*
Produit tiré de la participation dans une entreprise associée	*37 400*
Perte découlant du rachat des obligations	*(2 500)*
Profit découlant d'une expropriation	*64 166*
Bénéfice avant impôts	*137 716*
Impôts sur le résultat	
Exigibles	*(75 086)*
Différés	*(1 000)*
Bénéfice net	*61 630 $*

Voici quelques renseignements supplémentaires relatifs aux opérations de la société :

1. Les actions des catégories A et B sont sans valeur nominale.
2. EL détient 34 % des actions de la société Groseillers inc. (GI), laquelle, au cours de l'exercice, a réalisé un bénéfice de 110 000 $ et distribué des dividendes en argent de 80 000 $.
3. Les charges commerciales et administratives incluent une charge de 6 000 $ à titre de pertes de crédit attendues sur les comptes clients. Cette charge découle du provisionnement de 5 000 $ de comptes et d'une décomptabilisation pour non-paiement d'un compte non provisionné de 1 000 $.
4. Les placements classés À la juste valeur par le biais du résultat net constituent des équivalents de trésorerie.
5. Le 2 janvier 20X1, l'entreprise a refait tout le système de ventilation de son immeuble. Elle a comptabilisé à l'actif le coût de ces améliorations.
6. Le 1er février 20X1, certains porteurs d'actions préférentielles ont converti 5 000 actions de catégorie B en actions de catégorie A. La valeur comptable des actions converties était de 10 000 $, alors que leur cours coté était de 18 000 $.
7. Le 12 mars 20X1, un terrain a été exproprié pour la somme de 116 666 $. Les impôts applicables à cette opération se chiffrent à 46 666 $.
8. Le 3 avril 20X1, la société a cédé une automobile, dont le coût était de 24 000 $, en échange d'un camion de livraison. La juste valeur de l'automobile était de 19 000 $, alors que celle du camion était de 39 000 $. EL a déboursé la différence de 20 000 $. L'amortissement relatif au matériel roulant s'élève à 9 850 $ pour l'exercice.
9. Le 2 juillet 20X1, EL a émis des actions de catégorie A. La contrepartie reçue lors de la vente est de 16 545 $.

10. Le 5 octobre 20X1, la société a déclaré un dividende en actions de 10 % à tous les détenteurs d'actions de catégorie A à cette date.

11. Le 15 novembre 20X1, EL a décidé d'utiliser ses surplus de trésorerie pour racheter une partie de sa dette obligataire. Le montant payé lors du rachat a été de 25 000 $.

12. L'entreprise a pour politique de présenter les dividendes reçus dans la section des activités d'exploitation et de ventiler les impôts payés lorsqu'une telle ventilation peut se faire de manière fiable.

Le tableau des flux de trésorerie d'EL pour l'exercice terminé le 31 décembre 20X1 est présenté ci-après[22]. Bien que l'on ait recours à la méthode indirecte, comme dans l'exemple précédent portant sur la société Fimo ltée, nous ne préparons pas ici de tableur.

On détermine d'abord les opérations d'investissement et de financement qui n'ont pas d'effet sur les flux de trésorerie et que la société ne doit pas présenter dans son tableau des flux de trésorerie. La première opération de ce genre est la conversion des actions de catégorie B en actions de catégorie A ; cette opération n'entraîne aucun changement dans la trésorerie et les équivalents de trésorerie. Il en est de même de l'échange d'une automobile contre un camion et du profit comptable présenté dans l'état du résultat global. Seule la contrepartie de 20 000 $ versée entraîne un mouvement de trésorerie. Finalement, le dividende servi en actions n'a aucune incidence sur la trésorerie et les équivalents de trésorerie, et EL ne doit pas le présenter dans son tableau des flux de trésorerie.

ÉVOLUTEX LTÉE
Flux de trésorerie
de l'exercice terminé le 31 décembre 20X1

Activités d'exploitation		
Bénéfice net ①		*61 630 $*
Éléments sans effet sur la trésorerie et les équivalents de trésorerie ②		
Amortissement	*20 850 $*	
Profit sur échange de matériel roulant	*(4 000)*	
Produit tiré de la participation dans une entreprise associée	*(37 400)*	
Perte découlant du rachat des obligations	*2 500*	
Profit sur expropriation	*(64 166)*	*(82 216)*
Dividendes reçus d'une entreprise associée		*27 200*
Charges financières ③		*8 000*
Charges d'impôts ③		*76 086*
Variations de certains actifs et passifs courants hors trésorerie et équivalents de trésorerie ④		
Augmentation des comptes clients, montant net	*(45 000)*	
Augmentation du stock de marchandises	*(15 000)*	
Augmentation des comptes fournisseurs	*20 500*	
Diminution des produits différés	*(10 000)*	*(49 500)*
Frais financiers payés ⑤		*(8 000)*
Impôts payés sur les activités d'exploitation (Note B) ⑥		*(28 420)*
Flux de trésorerie liés aux activités d'exploitation		*4 780*
Activités d'investissement		
Indemnité pour expropriation d'un terrain ⑦	*116 666*	
Impôts payés relatifs à l'expropriation (Note B) ⑦	*(46 666)*	
Acquisition d'immeubles ⑧	*(15 000)*	
Acquisition de matériel roulant à la suite d'un échange ⑨	*(20 000)*	
Flux de trésorerie liés aux activités d'investissement		*35 000*

22. L'annexe 23A montre le tableau des flux de trésorerie présenté selon la méthode directe.

Activités de financement		
Produit d'un emprunt bancaire ⑩	*2 000*	
Rachat d'obligations ⑪	*(25 000)*	
Remboursement sur l'hypothèque ⑫	*(9 000)*	
Produit de l'émission d'actions ⑬	*16 545*	
Flux de trésorerie liés aux activités de financement		*(15 455)*
Augmentation nette de la trésorerie et des équivalents de trésorerie (Note A)		*24 325*
Trésorerie et équivalents de trésorerie au début ⑭		*24 000*
Trésorerie et équivalents de trésorerie à la fin ⑭		*48 325 $*

Extraits des notes complémentaires

Note A

L'entreprise définit sa trésorerie et ses équivalents de trésorerie comme étant les fonds en caisse, les dépôts à vue et les placements à la juste valeur par le biais du résultat net.

Note B

Évolutex ltée a payé des impôts totalisant 75 086 $ au cours de l'exercice.

Voici quelques explications supplémentaires. Examinons d'abord les opérations présentées dans la section des activités d'exploitation.

① Le bénéfice net, tiré de l'état du résultat global, est présenté à la première ligne du tableau des flux de trésorerie.

② L'état du résultat global contient l'essentiel de l'information requise pour déterminer les éléments sans effet sur la trésorerie et les équivalents de trésorerie. Il en est ainsi de l'amortissement (20 850 $), du profit sur échange de matériel roulant (4 000 $), du produit tiré de la participation dans une entreprise associée (37 400 $), de la perte découlant du rachat des obligations (2 500 $) et du profit sur expropriation (64 166 $).

Étant donné que le pourcentage des actions détenues dans GI (34 %) permet généralement au détenteur d'exercer une influence notable sur l'entreprise associée, il est logique de croire qu'EL comptabilise ce placement selon la méthode de la mise en équivalence. Le solde du compte se compose donc du coût d'acquisition du placement et de la quote-part d'EL dans le bénéfice de GI, moins les dividendes encaissés. À chaque exercice, EL comptabilise dans ses produits la quote-part du bénéfice et augmente la valeur comptable du compte Participation dans une entreprise associée du montant équivalent.

Participation dans une entreprise associée	
Solde au 31 décembre 20X0	*68 000 $*
Quote-part du bénéfice de 20X1 (110 000 $ × 34 %)	*37 400*
Dividendes reçus (80 000 $ × 34 %)	*(27 200)*
Solde au 31 décembre 20X1	*78 200 $*

Dans le tableau des flux de trésorerie, on doit donc retrancher le montant des produits (37 400 $) et ajouter celui des dividendes encaissés (27 200 $).

Tous les produits et les profits qui ont été comptabilisés en résultat net sont déduits dans le tableau des flux de trésorerie, alors que les charges qui ont eu un effet négatif sur le bénéfice net y sont ajoutées.

③ Les lignes suivantes du tableau des flux de trésorerie présentent les charges financières (8 000 $) et la charge d'impôts (75 086 $ + 1 000 $), telles qu'elles figurent dans l'état du résultat global. Ces charges sont ajoutées au bénéfice net, sachant que l'entreprise doit présenter distinctement dans le tableau des flux de trésorerie les frais financiers payés et les impôts payés.

④ La section des flux liés aux activités d'exploitation se poursuit avec les variations de certains actifs et passifs courants hors trésorerie et équivalents de trésorerie. Le montant des variations s'obtient en analysant les soldes comparatifs de ces actifs et passifs présentés dans l'état de la situation financière.

	31 décembre		
	20X1	*20X0*	*Variations*
Actifs et passifs hors trésorerie et équivalents de trésorerie			
Augmentation des comptes clients, montant net	*120 000 $*	*75 000 $*	*(45 000) $*
Augmentation du stock de marchandises	*45 000*	*30 000*	*(15 000)*
Augmentation des comptes fournisseurs	*62 500*	*42 000*	*20 500*
Diminution des produits différés	*θ*	*10 000*	*(10 000)*

Quelques explications s'imposent au sujet du sens des écarts. Premièrement, l'augmentation du compte Clients signifie que l'entreprise n'a pas encaissé le plein montant des ventes. Puisque celles-ci ont eu un effet positif sur le bénéfice net de l'exercice, on doit retrancher du bénéfice net l'augmentation des comptes clients dans le tableau des flux de trésorerie. Deuxièmement, l'augmentation du stock de marchandises implique qu'EL a acheté plus de marchandises que ce qu'elle a vendu. En d'autres termes, le débours excède le montant comptabilisé en charges. C'est pourquoi l'augmentation du stock de marchandises est retranchée du bénéfice net dans le tableau des flux de trésorerie. Troisièmement, si les comptes fournisseurs ont augmenté, c'est que la société n'a pas payé tous les achats faits en 20X1. C'est la raison pour laquelle, dans le tableau des flux de trésorerie, on ajoute l'augmentation des comptes fournisseurs. Enfin, la diminution du solde du compte Produits différés est soustraite du bénéfice net. Ces produits ont été comptabilisés au cours de l'exercice et sont donc inclus dans le bénéfice net de l'exercice. Cependant, puisqu'ils n'ont entraîné aucune rentrée de trésorerie, ils sont portés en diminution du bénéfice net dans le calcul précédent.

⑤ Les frais financiers payés (8 000 $) correspondent à la charge (*voir le point* ③ *ci-dessus*), car l'état de la situation financière ne montre aucun passif courant à cet égard ni actif payé d'avance.

L'entreprise a aussi pour politique de présenter les dividendes payés dans la section des activités d'exploitation. Cependant, puisque les dividendes versés pendant l'exercice l'ont été sous forme d'actions, cette opération n'a entraîné ni encaissement ni décaissement.

⑥ *Impôts payés*	*75 086 $*
Portion liée à l'expropriation d'un terrain	*(46 666)*
Impôts payés liés aux activités d'exploitation	*28 420 $*

Comme le précise le point **12** des renseignements supplémentaires, EL ventile les impôts payés lorsqu'elle peut le faire de manière fiable. Le point **7** des renseignements supplémentaires précise le montant des impôts liés à l'expropriation, soit 46 666 $. Ce montant est présenté dans la section des activités d'investissement, laissant un solde d'impôts liés aux activités d'exploitation de 28 420 $. EL a aussi mentionné à la note B de ses états financiers le montant total d'impôts payés, comme l'exige l'IASB au paragraphe 36 de l'IAS 7.

Examinons maintenant les opérations présentées dans la section des activités d'investissement.

⑦ *Terrain au début (selon l'état de la situation financière)*	*90 000 $*
Terrain à la fin (selon l'état de la situation financière)	*(37 500)*
Coût du terrain exproprié	*52 500*
Profit découlant de l'expropriation (selon l'état du résultat global)	*64 166*
Indemnité pour l'expropriation d'un terrain (comme indiqué au point **7** *des renseignements supplémentaires)*	*116 666 $*

Cette opération a aussi entraîné le paiement de 46 666 $ d'impôts, que l'entreprise a décidé de présenter dans la section des activités d'investissement.

⑧ *Immeubles à la fin (selon l'état de la situation financière)*	*235 000 $*
Immeubles au début (selon l'état de la situation financière)	*(220 000)*
Acquisition du système de ventilation (comme indiqué au point **5** *des renseignements supplémentaires)*	*15 000 $*

⑨ L'échange d'une automobile contre un camion se traduit simplement par une diminution de 20 000 $ de la trésorerie (*voir le point 8 des renseignements supplémentaires*). À des fins de conciliation, voici le détail des variations survenues dans le compte Matériel roulant :

Solde au début de 20X1 (selon l'état de la situation financière)	*83 500 $*
*Cession de l'automobile (coût selon le point **8** des renseignements supplémentaires)*	*(24 000)*
*Acquisition du camion (juste valeur selon le point **8** des renseignements supplémentaires)*	*39 000*
Solde à la fin de 20X1 (selon l'état de la situation financière)	*98 500 $*

Examinons finalement les opérations présentées dans la section des activités de financement.

⑩ *Solde au début de l'emprunt bancaire (selon l'état de la situation financière)*	*18 000 $*
Solde à la fin de l'emprunt obligataire (selon l'état de la situation financière)	*(20 000)*
Augmentation survenue en 20X1	*2 000 $*

⑪ *Solde au début de l'emprunt obligataire (selon l'état de la situation financière)*	*105 000 $*
Solde à la fin de l'emprunt obligataire (selon l'état de la situation financière)	*(82 500)*
Diminution survenue en 20X1	*22 500*
Perte découlant du rachat d'obligations (selon l'état du résultat global)	*2 500*
*Rachat d'obligations (comme indiqué au point **11** des renseignements supplémentaires)*	*25 000 $*

⑫ *Solde au début de l'hypothèque (40 000 $ + 10 000 $)*	*50 000 $*
Solde à la fin de l'hypothèque (30 000 $ + 11 000 $)	*(41 000)*
Remboursement sur l'hypothèque	*9 000 $*

⑬ Comme indiqué au point 9 des renseignements supplémentaires, le produit de l'émission d'actions (16 545 $) a été reçu lors de la vente.

⑭ Voici les composantes de la trésorerie et des équivalents de trésorerie :

	Début	***Fin***
Trésorerie	*9 000 $*	*16 325 $*
Placements à la juste valeur par le biais du résultat net	*15 000*	*32 000*
Trésorerie et équivalents de trésorerie	*24 000 $*	*48 325 $*

Cet état met en évidence le fait que la société EL est en pleine mutation. Au cours de 20X1, les flux de trésorerie liés aux activités d'investissement montrent que l'entreprise a procédé à un désinvestissement dans ses actifs non courants. Elle tente peut-être de rationaliser ses investissements. Simultanément, EL procède à des changements dans sa structure du capital. Les flux de trésorerie liés aux activités de financement montrent que l'entreprise a remboursé une portion de sa dette et a émis de nouvelles actions. Ces changements, qui sont importants tant sur le plan de la composition de l'actif que sur celui de la structure de financement, expliquent probablement pourquoi les flux de trésorerie liés aux activités d'exploitation sont relativement faibles. Il se pourrait que l'entreprise ait temporairement négligé la gestion courante au profit de projets à plus long terme.

Les actionnaires doivent demeurer vigilants sur ce point, car si les flux de trésorerie liés aux activités d'exploitation n'augmentent pas, ils ne doivent pas s'attendre à des dividendes élevés. Le tableau des flux de trésorerie de la société fait clairement ressortir que l'augmentation de la trésorerie et des équivalents de trésorerie provient essentiellement de l'expropriation d'un terrain. Le fait qu'il s'agisse d'un élément non susceptible de se répéter au cours des exercices subséquents n'est pas très rassurant pour les actionnaires. De plus, si EL n'avait pas ventilé les impôts payés, elle aurait présenté le décaissement total d'impôts de 75 086 $ dans ses activités d'exploitation. Les flux de trésorerie liés aux activités d'exploitation auraient alors affiché un solde négatif de 41 886 $ (4 780 $ – 46 666 $), ce qui n'aurait sans doute pas été de nature à rassurer les actionnaires.

Avez-vous remarqué ?

Lorsque l'on prépare un tableau des flux de trésorerie sans utiliser un tableur, il importe d'analyser chaque poste de l'état du résultat global, de l'état de la situation financière et de l'état des variations des capitaux propres pour s'assurer de relever toutes les opérations comptabilisées pendant l'exercice qui ont eu une incidence sur la trésorerie et les équivalents de trésorerie.

Pour clore l'étude du tableau des flux de trésorerie, nous renvoyons le lecteur au chapitre 2 du présent manuel afin de revoir les exigences de présentation du tableau des flux de trésorerie (*voir le tableau 2.7*) et l'exemple de la société Sears Canada Inc. (*voir les pages 2.63 et 2.64*).

PARTIE II – LES NCECF

Équivalents terminologiques *Manuel de CPA Canada* – Partie II et Partie I.

Les NCECF relatives à l'**état des flux de trésorerie** sont contenues dans le **chapitre 1540** du *Manuel – Partie II*. Puisque cet état financier montre les flux de trésorerie, qui sont indépendants des méthodes comptables adoptées par une entreprise, il est pratiquement identique, qu'il soit dressé selon les NCECF ou les IFRS.

IFRS
Tableau des flux de trésorerie

La principale différence réside dans le classement des intérêts et des dividendes. Nous avons expliqué que, selon les IFRS, les intérêts et les dividendes **reçus** peuvent être classés soit dans la catégorie des flux de trésorerie liés aux activités d'exploitation, soit dans celle des activités d'investissement. Selon la même logique, les intérêts et les dividendes **payés** peuvent être classés soit dans la catégorie des flux de trésorerie liés aux activités d'exploitation, soit dans celle des activités de financement. Les NCECF sont plus directives. Tous les intérêts et dividendes, tant payés que reçus, qui sont **inclus dans le calcul du résultat net** doivent être classés comme des flux de trésorerie liés aux activités d'exploitation. Les pseudo-intérêts payés sur des dettes classées dans les capitaux propres ainsi que les dividendes payés sur des actions classées dans les capitaux propres, qui ont de ce fait été **comptabilisés directement dans les bénéfices non répartis**, doivent être classés dans les activités de financement.

Résultats non distribués

Il existe au moins deux autres différences mineures entre les deux référentiels comptables. Premièrement, le chapitre 1540 n'oblige pas les entreprises à présenter séparément les frais financiers payés ni les impôts payés. Deuxièmement, les flux de trésorerie liés à un contrat servant de couverture peuvent, en vertu des NCECF, être classés de la même manière que les flux de trésorerie liés à l'élément couvert, à la condition que la méthode comptable soit mentionnée[23]. Rappelons que selon les IFRS, les flux de trésorerie liés aux opérations de couverture sont obligatoirement classés de la même façon que ceux de l'élément couvert[24].

Avez-vous remarqué ?

Les utilisateurs des états financiers disposent pratiquement des mêmes renseignements relativement aux flux de trésorerie, que l'entreprise applique les IFRS ou les NCECF.

Les états financiers de Josy Dida inc.

On trouve un exemple de cet état dans les états financiers de Josy Dida inc., disponibles dans la plateforme *i+ Interactif*. La note 4 décrit les éléments qui composent la trésorerie et les équivalents de trésorerie alors que la note 9 fournit les renseignements complémentaires sur l'état. Le lecteur constatera ainsi rapidement les grandes ressemblances entre l'état préparé selon les NCECF et celui, conforme aux IFRS, expliqué dans la partie I – Les IFRS.

Consultez le tableau synthèse des particularités des NCECF.

23. *Manuel de CPA Canada – Comptabilité – Partie II*, paragr. 1540.18.
24. *Manuel de CPA Canada – Comptabilité – Partie I*, IAS 7, paragr. 16.

SYNTHÈSE DU CHAPITRE 23

La figure 23.2 illustre en un coup d'œil les principaux thèmes abordés dans le présent chapitre. Le texte qui suit la figure vous permettra de vérifier l'acquisition des objectifs d'apprentissage.

FIGURE 23.2 Les principaux thèmes abordés dans le présent chapitre

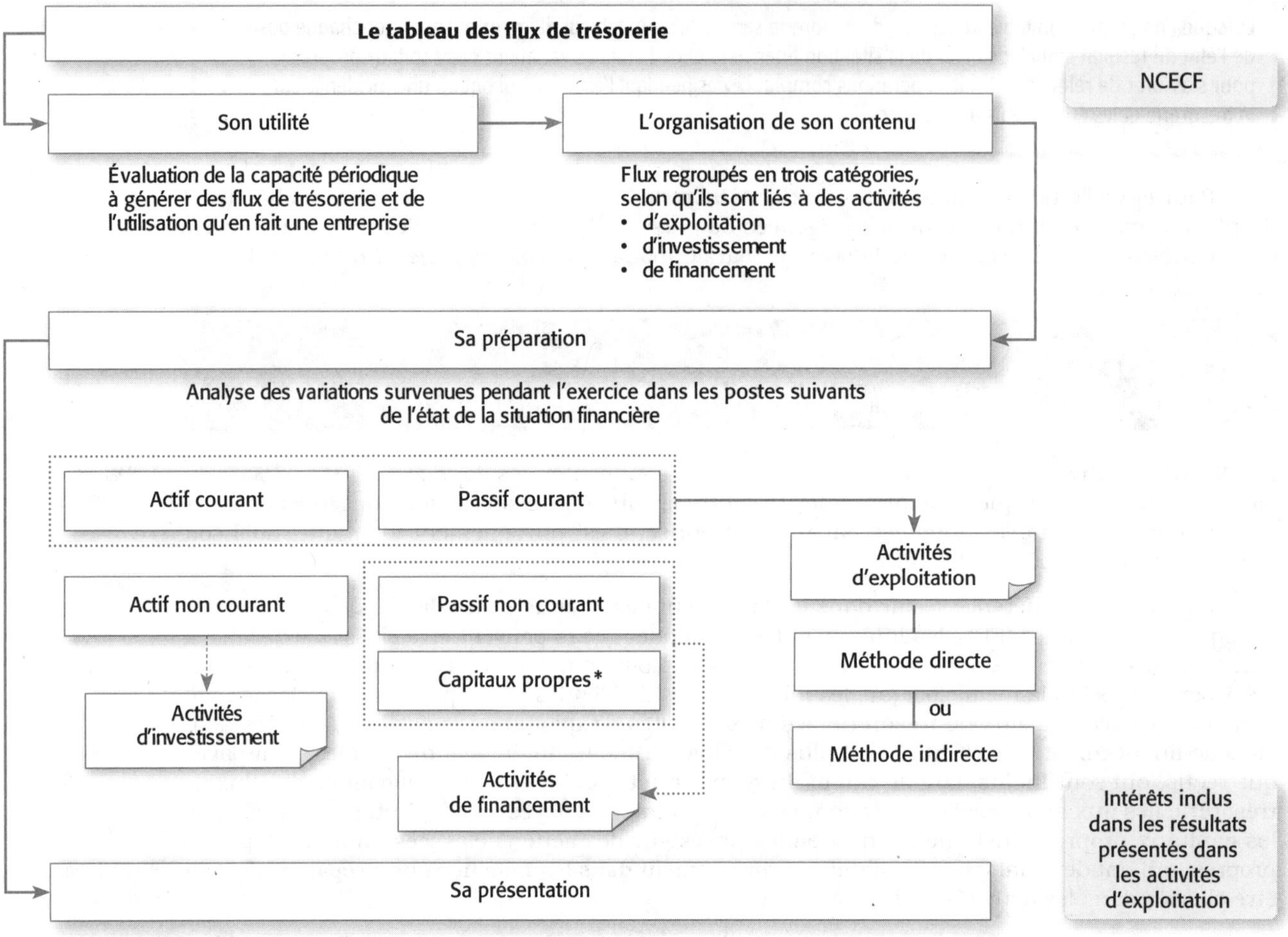

* Uniquement les changements non reflétés à l'état du résultat global

Expliquer la nature et l'utilité du tableau des flux de trésorerie. Le tableau des flux de trésorerie est un état financier dont l'utilité est indéniable ; il permet aux utilisateurs d'évaluer la capacité périodique d'une entreprise à générer des flux de trésorerie et l'utilisation que fait l'entreprise de sa trésorerie et de ses équivalents de trésorerie. L'utilité de cet état repose notamment sur l'organisation de son contenu. Le comptable groupe les mouvements de trésorerie en trois catégories, soit les mouvements qui découlent des activités d'exploitation, des activités d'investissement ou des activités de financement. La présentation des flux de trésorerie liés aux activités d'exploitation peut suivre la méthode directe ou la méthode indirecte.

Préparer un tableau simple des flux de trésorerie. La préparation du tableau des flux de trésorerie débute par la détermination des éléments qui constituent de la trésorerie et des équivalents de trésorerie, ces derniers englobant tous les éléments pouvant être facilement convertis en trésorerie pour un montant connu de trésorerie dont la valeur ne risque pas de changer de façon significative. Pour déterminer les flux de trésorerie de l'exercice, le comptable utilise notamment l'état du résultat global et l'état de la situation financière. L'essentiel de son travail consiste à transformer les montants présentés dans l'état du résultat global, calculés sur la base de la comptabilité d'engagement, en montants établis sur la base de la comptabilité de caisse. Pour ce faire, il peut lui être utile de préparer un tableur.

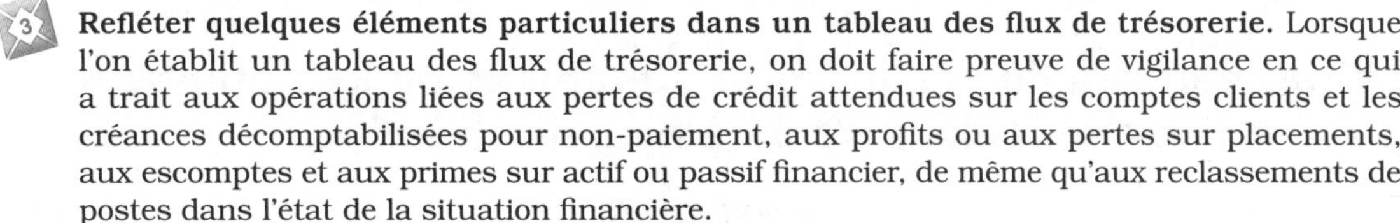

3 **Refléter quelques éléments particuliers dans un tableau des flux de trésorerie.** Lorsque l'on établit un tableau des flux de trésorerie, on doit faire preuve de vigilance en ce qui a trait aux opérations liées aux pertes de crédit attendues sur les comptes clients et les créances décomptabilisées pour non-paiement, aux profits ou aux pertes sur placements, aux escomptes et aux primes sur actif ou passif financier, de même qu'aux reclassements de postes dans l'état de la situation financière.

4 **Déterminer les autres informations à fournir dans les états financiers concernant les flux de trésorerie.** L'IASB énonce quelques recommandations relatives à la présentation de l'information transmise aux utilisateurs des états financiers. Ces recommandations visent à assurer que l'information relative à la gestion de la trésorerie est compréhensible et reflète fidèlement la situation de l'entreprise.

5 **Préparer un tableau des flux de trésorerie sans recourir à un tableur.** Lorsque le comptable juge superflu de préparer un tableur, il importe d'analyser chaque poste des autres états financiers pour s'assurer de relever toutes les opérations comptabilisées pendant l'exercice qui ont eu une incidence sur la trésorerie et les équivalents de trésorerie.

6 **Comprendre et appliquer les NCECF liées aux flux de trésorerie.** La seule différence notable entre les deux référentiels touche le classement des intérêts et des dividendes, tant reçus que payés.

ANNEXE 23A

Le tableau des flux de trésorerie établi selon la méthode directe (l'exemple de la société Évolutex ltée)

ÉVOLUTEX LTÉE
Flux de trésorerie partiels
de l'exercice terminé le 31 décembre 20X1

		Numéro de référence
Activités d'exploitation		
Sommes reçues des clients	*209 000 $*	①
Dividendes reçus d'une entreprise associée	*27 200*	②
Sommes payées aux fournisseurs	*(129 500)*	③
Frais commerciaux et administratifs payés	*(65 500)*	④
Frais financiers payés	*(8 000)*	
Impôts payés (Note B)	*(28 420)*	⑤
Flux de trésorerie liés aux activités d'exploitation	*4 780*	

Nous présentons ci-dessous les calculs nécessaires pour préparer la section des flux de trésorerie liés aux activités d'exploitation, section qui diffère de celle présentée à la page 23.35.

①	*Chiffre d'affaires*	*270 000 $*
	Augmentation des comptes clients (120 000 $ – 75 000 $)	*(45 000)*
	Augmentation de la provision pour correction de valeur – Clients	*(6 000)*
	Diminution des produits différés	*(10 000)*
	Sommes reçues des clients	*209 000 $*

La diminution du solde du compte Produits différés est soustraite du chiffre d'affaires. Ces produits ont été comptabilisés au cours de l'exercice et sont donc inclus dans le chiffre d'affaires de l'exercice. Cependant, puisqu'ils n'ont entraîné aucune rentrée de trésorerie, ils sont portés en diminution dans le calcul précédent. Comme mentionné au point 3 des renseignements supplémentaires (*voir la page 23.34*), une provision pour correction de valeur – Clients a été comptabilisée au cours de l'exercice. On doit donc en tenir compte lors de la conversion du chiffre d'affaires en montants d'encaissements découlant de ventes, puisque cette diminution du montant net des comptes clients n'est pas liée à un encaissement.

② Étant donné que le pourcentage des actions détenues dans GI (34 %) permet généralement au détenteur d'exercer une influence notable sur l'entreprise associée, il est logique de croire que la société EL comptabilise ce placement selon la méthode de la mise en équivalence. Le solde du compte se compose donc du coût d'acquisition du placement et de la quote-part d'EL dans le bénéfice de GI, moins les dividendes encaissés. À chaque exercice, EL comptabilise dans ses produits la quote-part du bénéfice et augmente la valeur comptable du compte Participation dans une entreprise associée d'un montant équivalent.

Participation dans une entreprise associée	
Solde au 31 décembre 20X0	*68 000 $*
Quote-part du bénéfice de 20X1 (110 000 $ × 34 %)	*37 400*
Dividendes reçus (80 000 $ × 34 %)	*(27 200)*
Solde au 31 décembre 20X1	*78 200 $*

23

Au moment de convertir les produits tirés de la participation en flux de trésorerie, EL doit faire l'ajustement suivant :

Produit tiré de la participation dans l'entreprise associée	*37 400 $*
Quote-part d'EL dans le bénéfice de l'entreprise associée	*(37 400)*
Dividendes reçus de l'entreprise associée	*27 200*
Dividendes reçus d'une entreprise associée	*27 200 $*

Lorsque GI distribue une partie de son bénéfice aux actionnaires sous forme de dividendes, EL encaisse sa juste part des dividendes, ce qui augmente bien sûr sa trésorerie. Rappelons que si l'entreprise utilisait la méthode indirecte, elle apporterait des ajustements au montant de bénéfice net présenté dans la section des activités d'exploitation. Le produit de 37 400 $ tiré de la participation que la société a déjà comptabilisé ne fait pas augmenter la trésorerie et les équivalents de trésorerie. Étant donné que les rentrées de trésorerie s'élèvent à 27 200 $ et que le montant reflété à l'état du résultat global est de 37 400 $, la société retrancherait ce montant de 37 400 $, ayant pris en compte celui des dividendes encaissés lors du calcul des encaissements découlant du placement.

③	*Coût des ventes*	*135 000 $*
	Augmentation du stock de marchandises (45 000 $ – 30 000 $)	*15 000*
	Augmentation des comptes fournisseurs (62 500 $ – 42 000 $)	*(20 500)*
	Sommes payées aux fournisseurs	*129 500 $*

④	*Charges commerciales et administratives*	*71 500 $*
	Augmentation de la provision pour correction de valeur – Clients	*(6 000)*
	Frais commerciaux et administratifs payés	*65 500 $*

Puisque la charge au titre des pertes de crédit attendues sur les comptes clients incluse dans les charges commerciales et administratives n'influe pas sur la trésorerie et les équivalents de trésorerie, elle doit être soustraite des charges de l'exercice pour déterminer les décaissements.

⑤	*Impôts payés*	*75 086 $*
	Portion liée à l'expropriation d'un terrain	*(46 666)*
	Impôts payés liés aux activités d'exploitation	*28 420 $*

Comme le précise le point **12** des renseignements supplémentaires (*voir la page 23.35*), EL ventile les impôts payés lorsqu'elle peut le faire de manière fiable. Le point **7** des renseignements supplémentaires (*voir la page 23.34*) précise le montant des impôts liés à l'expropriation, soit 46 666 $. Ce montant est présenté dans la section des activités d'investissement, laissant un solde d'impôts liés aux activités d'exploitation de 28 420 $.

A

B

C

Index

D

E

F

G

H

N

O

P

R

S